# LE ROBERT & COLLINS
# BUSINESS

**rédaction**

Alain DUVAL
avec
Steve SMITH

**chef de projet**

Dominique LE FUR

**coordination éditoriale**

Martyn BACK
Silke ZIMMERMANN

**informatique éditoriale**

Sébastien PETTOELLO

**lecture-correction**

Élisabeth HUAULT
Anne-Marie LENTAIGNE
Méryem PUILL-CHATILLON
Brigitte ORCEL, Michel HERON
Muriel ZARKA-RICHARD

**maquette**

Gonzague RAYNAUD

---

*Texte établi à partir du*
*Robert & Collins du Management (édition 1992)*

**rédaction**

Michel PERON - Gordon SHENTON
et
Alain DUVAL
Monique PERON - Rosemary MILNE

---

**REMERCIEMENTS**
Les auteurs tiennent à remercier Jean-Max THOMSON pour les suggestions judicieuses qu'il leur a apportées lors de sa lecture minutieuse d'une partie importante du manuscrit.
**ACKNOWLEDGEMENTS**
The editors would like to express their thanks to Jean-Max THOMSON for his inspired suggestions and his careful reading of a large part of the manuscript.

ISBN 978-2-32100-163-8

© 1992 (*Robert et Collins du Management*), DICTIONNAIRES LE ROBERT
© 2005 (*Robert et Collins Business*), SEJER - DICTIONNAIRES LE ROBERT
© 2011 SEJER-DICTIONNAIRES LE ROBERT pour la mise à jour
25, avenue Pierre-de-Coubertin - 75013 PARIS

# LE ROBERT & COLLINS
# BUSINESS

DICTIONNAIRE FRANÇAIS-ANGLAIS ANGLAIS-FRANÇAIS
FRENCH-ENGLISH ENGLISH-FRENCH DICTIONARY

# FOREWORD

The aim of the *Robert & Collins Business* is to facilitate communication between French and English native speakers in a business environment.

Produced by a team of lexicographers and high-level business studies teachers, it provides a complete and accurate overview of the language of international commerce.

Trade, finance, business management, computing, advertising, business law - all these fields (and many more) are fully represented in a single volume which includes some 80 000 words and expressions.

Accuracy and clarity are key features of this dictionary. Its entries are carefully structured so that different meanings and usages are clearly distinguishable. Field labels enable the reader to place words in their proper context and to avoid ambiguity.

A wealth of examples provide concrete illustrations of how particular words and senses are used. Both British and American English are extensively represented.

The *Robert & Collins Business* is designed to be used intensively in all companies and organisations where French and English are the languages of communication, as well as in specialist business schools. It is the dictionary of choice for anyone involved in international business.

The publisher.

# AVANT PROPOS

L'objectif du *Robert & Collins Business* est simple : permettre
aux francophones et aux anglophones de communiquer
efficacement dans le monde de l'entreprise.

Réalisé par une équipe bilingue constituée de lexicographes et
de professeurs d'écoles de commerce, il constitue une
photographie complète et fiable de la langue des échanges
internationaux d'aujourd'hui.

Commerce, finance, gestion, informatique, publicité, droit des
affaires... tous ces domaines sont minutieusement représentés
dans un seul volume qui regroupe quelques 80 000 mots et
expressions.

Ce dictionnaire se distingue par sa précision et sa clarté. Les
articles sont soigneusement structurés afin de mettre en relief
les différents sens et emplois, et l'indication du domaine permet
de situer le mot dans son contexte et d'éviter toute ambiguïté.

De nombreux exemples replacent les mots dans des situations
concrètes et illustrent les emplois particuliers. Les usages
britanniques et américains sont systématiquement représentés.

Outil de communication avant tout, cet ouvrage s'adresse à
toute personne qui souhaite s'exprimer avec aisance dans un
contexte international.

L'éditeur

## MARQUES DÉPOSÉES :

Les termes qui constituent à notre connaissance une marque déposée ont été désignés comme tels. La présence ou l'absence de cette désignation ne peut toutefois pas être considérée comme ayant valeur juridique.

## TRADEMARKS :

Words which we have reason to believe constitute registered trademarks are designated as such. However, neither the presence nor the absence of such a designation should be regarded as affecting the legal status of any trademark.

## TRANSCRIPTION PHONÉTIQUE DE L'ANGLAIS

| | Voyelles et diphtongues |
|---|---|
| iː | bead, see |
| ɑ | bard, calm |
| ɔ | born, cork |
| uː | boon, fool |
| 3 | burn, fern, work |
| ɪ | sit, pity |
| e | set, less |
| æ | sat, apple |
| ʌ | fun, come |
| ɒ | fond, wash |
| ʊ | full, soot |
| ə | composer, above |
| eɪ | bay, fate |
| aɪ | buy, lie |
| ɔɪ | boy, voice |
| əʊ | no, ago |
| aʊ | now, plough |
| ɪə | tier, beer |
| ɛə | tare, fair |
| ʊə | tour |

| | Consonnes |
|---|---|
| p | pat, pope |
| b | bat, baby |
| t | tab, strut |
| d | dab, mended |
| k | cot, kiss, chord |
| g | got, agog |
| f | fine, raffle |
| v | vine, river |
| s | pots, sit, rice |
| z | pods, buzz |
| θ | thin, maths |
| ð | this, other |
| ʃ | ship, sugar |
| 3 | measure |
| tʃ | chance |
| dʒ | just, edge |
| l | little, place |
| r | ran, stirring |
| m | ram, mummy |
| n | ran, nut |
| ŋ | rang, bank |
| h | hat, reheat |
| j | yet, million |
| w | wet, bewail |
| x | loch |

NB : Un caractère en italique représente un son qui peut ne pas être prononcé ;
ʳ représente un [r] entendu s'il forme une liaison avec la voyelle du mot suivant ;
ˈ accent tonique ; ˌ accent secondaire

## PHONETIC TRANSCRIPTION OF FRENCH

| | Vowels |
|---|---|
| i | il, vie, lyre |
| e | blé, jouer |
| ɛ | lait, jouet, merci |
| a | plat, patte |
| ɑ | bas, pâte |
| ɔ | mort, donner |
| o | mot, dôme, eau, gauche |
| u | genou, roue |
| y | rue, vêtu |
| ø | peu, deux |
| œ | peur, meuble |
| ə | le, premier |
| ɛ̃ | matin, plein |
| ɑ̃ | sans, vent |
| ɔ̃ | bon, ombre |
| œ̃ | lundi, brun |

| | Semi-consonants |
|---|---|
| j | yeux, paille, pied |
| w | oui, nouer |
| ɥ | huile, lui |

| | Consonants |
|---|---|
| p | père, soupe |
| t | terre, vite |
| k | cou, qui, sac, képi |
| b | bon, robe |
| d | dans, aide |
| g | gare, bague |
| f | feu, neuf, photo |
| s | sale, celui, ça, dessous, tasse, nation |
| ʃ | chat, tache |
| v | vous, rêve |
| z | zéro, maison, rose |
| 3 | je, gilet, geôle |
| l | lent, sol |
| ʀ | rue, venir |
| m | main, femme |
| n | nous, tonne, animal |
| ɲ | agneau, vigne |
| h | hop! (exclamative) |
| ' | haricot (no liaison) |
| ŋ | words borrowed from English : camping |
| x | words borrowed from Spanish or Arabic : jota |

# ABRÉVIATIONS, DOMAINES
## ET NIVEAUX DE LANGUE

Les abréviations sont classées alphabétiquement
dans la colonne centrale

| | | |
|---|---|---|
| abréviation | **abrév, abbr** | abbreviation |
| comptabilité | **Acc** | accountancy |
| adjectif | **adj** | adjective |
| administration | **Admin** | administration |
| adverbe | **adv** | adverb |
| agriculture | **Agr** | agriculture |
| assurance | **Ass** | insurance |
| assurance maritime | **Ass Mar** | maritime insurance |
| automobile | **Aut** | automobiles |
| aviation | **Aviat** | aviation |
| banque | **Bank** | banking |
| biologie | **Bio** | biology |
| Canada, canadien | **Can** | Canada, Canadian |
| chimie | **Chim, Chem** | chemistry |
| cinéma | **Ciné, Cine** | cinema |
| commerce | **comm** | commerce |
| informatique | **Comp** | computing |
| mots composés | **comp** | compound, in compounds |
| comptabilité | **Compta** | accountancy |
| conjonction | **conj** | conjunction |
| construction | **Constr** | building |
| mots composés | **cpd** | compound, in compounds |
| économie | **Écon, Econ** | economics |
| électronique, | **Élec, Elec** | electronics, |
| électricité | | electricity |
| et cetera | **etc** | etcetera |
| euro | **€** | euro |
| Union européenne | **EU** | European Union |
| féminin | **f** | feminine |
| figuré | **fig** | figuratively |
| finances | **Fin** | finance |
| fusionné | **fus** | fused |
| Grande-Bretagne, | **GB** | Great Britain, |
| britannique | | British |
| généralement | **gén, gen** | generally |
| généralement pluriel | **gen pl** | generally plural |
| géographie | **Géog, Geog** | geography |
| industrie | **Ind** | industry |
| relations sociales | **Ind Rel** | industrial relations |
| informatique | **Inf** | computing |
| assurance | **Ins** | insurance |
| invariable | **inv** | invariable |
| juridique, droit | **Jur** | law, legal |
| livre | **£** | pound |
| littéral | **lit** | literally |
| locutions | **loc** | locutions |
| masculin | **m** | masculine |
| masculin et féminin | **mf** | masculine and feminine |
| masculin (féminin) | **m(f)** | masculine (feminine) |
| maritime | **Mar** | maritime |
| assurance maritime | **Mar Ins** | maritime insurance |

# ABBREVIATIONS, FIELD LABELS
## AND STYLE LABELS

| | | |
|---|---|---|
| mathématiques | **Maths, Math** | mathematics |
| médecine | **Méd, Med** | medicine |
| métallurgie | **Metal** | metallurgy |
| mines | **Min** | mining |
| marketing | **Mktg** | marketing |
| nautique | **Naut** | nautical |
| nom | **n** | noun |
| nom féminin | **nf** | feminine noun |
| nom masculin | **nm** | masculine noun |
| nom masculin, féminin | **nm,f** | masculine, feminine noun |
| | **o.s.** | oneself |
| péjoratif | **péj, pej** | pejorative |
| photographie | **Phot** | photography |
| pluriel | **pl** | plural |
| politique | **Pol** | politics |
| préfixe | **préf, pref** | prefix |
| préposition | **prép, prep** | preposition |
| pronom | **pron** | pronoun |
| publicité | **Pub** | publicity |
| quelque chose | **qch** | something |
| quelqu'un | **qn** | someone |
| radio | **Rad** | radio |
| chemin de fer | **Rail** | railway |
| dollar | **$** | dollar |
| quelqu'un | **sb** | somebody |
| école | **Scol** | school |
| séparable | **sep** | separable |
| singulier | **sg** | singular |
| statistiques | **Stat** | statistics |
| Bourse | **St Ex** | Stock Exchange |
| quelque chose | **sth** | something |
| impôts | **Tax** | taxation |
| technique | **Tech** | technics |
| télécommunications | **Téléc, Telec** | telecommunications |
| théâtre | **Théât, Theat** | theatre |
| télévision | **TV** | television |
| typographie | **Typ** | typography |
| Union européenne | **UE** | European Union |
| université | **Univ** | university |
| États-Unis, américain | **US** | United States, American |
| verbe intransitif | **vi** | intransitive verb |
| verbe pronominal | **vpr** | pronominal verb |
| verbe transitif | **vt** | transitive verb |
| verbe transitif et intransitif | **vti** | transitive and intransitive verb |
| verbe transitif indirect | **vt ind** | indirect transitive verb |
| | | |
| voir | → | see |
| emploi familier | * | informal language |
| marque déposée | ® | registered trademark |

# A

**abaissement** /abɛsmã/ **NM** **a** (= action) [droits de douane, impôts] lowering ◆ **l'abaissement de l'âge de la retraite** the lowering of the age of retirement **b** (= résultat) [taux d'intérêt] decrease, fall, drop (de in)

**abaisser** /abese/ **VT** taux, droits to lower, reduce, bring down
**s'abaisser** **VPR** [valeur, taux] to fall, drop, go down, decrease.

**abandon** /abãdɔ̃/ **NM** [droits, revendication] renunciation, abandonment; [biens] surrender; [ligne de produits] discontinuation, discontinuance; (Ass Mar) [navire, fret] abandonment; (Inf) abort ◆ **phase d'abandon** abandonment stage ◆ **faire abandon de ses droits sur** to give up ou renounce one's right(s) to ◆ **l'usine est à l'état d'abandon** the factory is in a neglected state ou in a state of neglect

────── compounds/composés ──────
◆ **abandon d'actif** (Fin, Jur) yielding up of assets
◆ **abandon de créance** debt waiver
◆ **abandon de poursuites** non-suit, nolle prosequi
◆ **abandon de la prime** (Bourse) abandonment of the option.

**abandonnataire** /abãdɔnatɛʀ/ **NM** (Jur) releasee; (Ass Mar) abandonee.

**abandonnateur** /abãdɔnatœʀ/ **NM** (Jur) releasor.

**abandonné, e** /abãdɔne/ **ADJ** usine disused.

**abandonner** /abãdɔne/ **VT** **a** (= délaisser) procédé, recherches, projet to abandon, give up; fonctions to give up, relinquish, retire from; droits, privilèges to give up, renounce; fabrication, production to discontinue; (Inf) programme to abort ◆ **abandonner l'étalon or** to come off the gold standard ◆ **ils abandonnent ce secteur d'activité** they are pulling out of this sector of activity ◆ **la Banque centrale a abandonné sa politique d'argent bon marché pour une politique d'austérité monétaire** the Central Bank switched from a cheap money to a credit squeeze policy ◆ **abandonner les poursuites** to drop the charges **b** (= céder) to leave, give (à to) ◆ **abandonner ses biens à ses créanciers** to surrender one's property to one's creditors ◆ **ils ont abandonné une part du marché à leurs concurrents** they have lost ou given up a share of the market to their competitors **c** (Bourse) (gén) to lose; prime, option to abandon ◆ **le napoléon abandonne 1,5€ à 60,5€** napoleons lost ou shed €1.5 at €60,5.

**abattement** /abatmã/ **NM** (= réduction) reduction, cut, rebate, discount, deduction; (Impôts) allowance, deduction, cut, break ◆ **abattement à la base** basic allowance ◆ **abattement forfaitaire** standard deduction ou allowance ◆ **un abattement de 10%** a 10% cut ◆ **donnant ou ouvrant droit à abattement** eligible for tax relief.

**ABC** **ADJ** (Gestion) ◆ **analyse ABC** ABC analysis.

**Abidjan** /abidʒã/ **N** Abidjan.

**abîmer** /abime/ **VT** to damage, spoil ◆ **articles abîmés** faulty articles, seconds
**s'abîmer** **VPR** [objet] to get spoilt ou damaged; [produits alimentaires] to go bad, spoil.

**abondance** /abɔ̃dãs/ **NF** (= profusion) abundance; (= richesse) wealth, affluence ◆ **année d'abondance** year of plenty, bonanza year ◆ **la société d'abondance** the affluent society ◆ **vivre dans l'abondance** to live in plenty, be affluent.

**abondant, e** /abɔ̃dɑ̃, ɑ̃t/ **ADJ** *récolte* good, plentiful; *réserves* plentiful ◆ **être peu abondant** to be in short supply ◆ **le marché du pétrole est caractérisé par une offre abondante** the oil market is characterized by an abundant supply ◆ **les informations sur ce pays ne sont guère abondantes** you can't get much information on this country ◆ **moisson exceptionnellement abondante** bumper *ou* outstanding crop.

**abondement** /abɔ̃dmɑ̃/ **NM** *[salaire]* increase, additional amount ◆ **les salariés pourront bénéficier d'un abondement versé par leur société** employees may benefit from a lump sum paid by their company.

**abonder** /abɔ̃de/ **VI** to be in great supply, be plentiful ◆ **abonder en** to be full of
**VT** *plan d'épargne salariale* to top up ◆ **les versements des employés seront abondés par l'employeur d'un montant équivalent** the employees' contributions will be topped up by a similar amount from the employer.

**abonné, e** /abɔne/ **ADJ** **être abonné à un journal** to subscribe to a paper ◆ **être abonné au gaz / au téléphone** to have gas / a phone
**NM,F** *[journal]* subscriber; *[téléphone]* user; *[électricité]* user, consumer; *[train]* season-ticket holder ◆ **service des abonnés absents** absent subscriber service ◆ **abonné au service télex** telex user ◆ **fichier d'abonnés** subscription file.

**abonnement** /abɔnmɑ̃/ **NM** *[journal]* subscription; *[téléphone]* rental; *[train, théâtre]* commutation ticket *(US)*, season ticket *(Brit)* ◆ **prendre un abonnement à un journal** to subscribe to *ou* take out a subscription to a paper ◆ **bulletin d'abonnement** subscription form ◆ **police d'abonnement** *(Ass)* floating *ou* open policy.

**abonner** /abɔne/ **VT** **abonner qn à une revue** to take out a subscription to a magazine for sb
**s'abonner** **VPR** to subscribe, take out a subscription *(à* to)

**abordable** /abɔʀdabl(ə)/ **ADJ** *prix* reasonable; *marchandise* affordable, reasonably priced.

**abordage** /abɔʀdaʒ/ **NM** *(Mar)* collision ◆ **abordage fautif** *(Ass Mar)* negligent collision.

**aborder** /abɔʀde/ **VT** **a** *problème* to tackle, deal with; *personne* to approach, contact **b** *(Mar = heurter)* to collide with, run foul of.

**abordeur** /abɔʀdœʀ/ **NM, ADJ** ◆ **(navire) abordeur** colliding *ou* ramming ship.

**Abou Dhabi** /abudabi/ **N** Abu Dhabi.

**aboutir** /abutiʀ/ **VI** **a** *(= réussir)* *[tentatives, personne]* to succeed ◆ **notre projet n'a pas abouti** our project failed *ou* fell through *ou* aborted

*ou* broke down ◆ **les pourparlers ont abouti** the talks were successful ◆ **faire aboutir un projet** to bring a project to a successful conclusion, see a project through **b** *(= avoir pour résultat)* ◆ **aboutir à** *ou* **dans** to end in, lead to, result in ◆ **le conflit a abouti à une grève** the dispute ended in a strike ◆ **à quoi toute cette discussion a-t-elle abouti?** what was the upshot *ou* outcome of all this talk? ◆ **la fusion envisagée n'aboutira à rien** this merger project can't lead us anywhere **c** *(= conclure)* ◆ **les deux parties ont abouti à un accord** both parties reached an agreement *ou* came to an agreement.

**aboutissants** /abutisɑ̃/ **NMPL** ◆ **quels sont les tenants et les aboutissants de cette affaire ?** what are the ins and outs of this affair?.

**aboutissement** /abutismɑ̃/ **NM** **a** *(= résultat)* *[efforts, stratégie, politique]* outcome, upshot, (end) result **b** *(= succès)* *[projet]* success.

**abrégé** /abʀeʒe/ **NM** *[livre]* summary, synopsis, abstract ◆ **écrire un mot en abrégé** to write a word in an abbreviated form ◆ **en abrégé** *(= en bref)* in brief, in a nutshell.

**abréger** /abʀeʒe/ **VT** *discussion* to shorten, cut short; *mot* to shorten, abbreviate; *article* to abridge, condense ◆ **pour abréger** to put it in a nutshell.

**abréviation** /abʀevjasjɔ̃/ **NF** abbreviation.

**abri** /abʀi/ **NM** *(= refuge)* shelter ◆ **abri fiscal** tax shelter ◆ **les sans-abri** the homeless ◆ **en temps de crise le mark peut être un abri** in times of crisis the mark can be a safe haven ◆ **être à l'abri de** *concurrence, inflation* to be safe *ou* shielded *ou* sheltered from ◆ **se mettre à l'abri de** to safeguard o.s. against, seek shelter from.

**abriter** /abʀite/ **VT** to shelter (*de* from) ◆ **l'atelier peut abriter 30 ouvriers** the workshop can accommodate 30 workers ◆ **secteur abrité** *(Écon)* sheltered *ou* protected sector
**s'abriter** **VPR** to (take) shelter (*de* from) ◆ **s'abriter derrière la réglementation communautaire** to take cover behind EU regulations.

**abrogation** /abʀɔgasjɔ̃/ **NF** *[loi]* repeal, abrogation; *[décret]* rescission, annulment.

**abrogatoire** /abʀɔgatwaʀ/ **ADJ** *clause* rescinding, annuling.

**abrogeable** /abʀɔʒabl(ə)/ **ADJ** repealable.

**abroger** /abʀɔʒe/ **VT** *loi, règlement* to repeal, abrogate; *décret* to rescind, annul.

**abrupt, e** /abʀypt, ypt(ə)/ **ADJ** *hausse* steep, sharp.

**accablant**

**ABSA** /abɛɛsa/ **NF** abrév de **action à bon de souscription d'action** → **action.**

**absence** /apsɑ̃s/ **NF** a *[personne]* absence ◆ **en l'absence du directeur** in the manager's absence, when the manager is away ◆ **son absence à la réunion** his absence *ou* non-attendance at the meeting ◆ **accumuler les absences** to be persistently *ou* regularly off work *ou* absent (from work) ◆ **absence exceptionnelle** exceptional leave of absence ◆ **absence illégale** *ou* **non motivée** *ou* **injustifiée** absence without leave, unauthorized absence ◆ **en position** *ou* **situation d'absence illégale** absent without leave *ou* authorization ◆ **autorisation d'absence** leave of absence b *(= manque)* absence, lack *(de* of) ◆ **en l'absence de preuves** in the absence of proof.

**absent, e** /apsɑ̃, ɑ̃t/ **ADJ** a *personne (gén)* away *(de* from); *(pour maladie)* absent *(de* from) off work ◆ **absent pour cause de maladie** off work *ou* absent through illness ◆ **il était absent de la réunion** he didn't attend the meeting, he was absent from *ou* not present at the meeting ◆ **service des abonnés absents** absent subscriber service b *(Jur)* missing **NM,f** *(Admin)* absentee.

**absentéisme** /apsɑ̃teism(ə)/ **NM** absenteeism ◆ **taux d'absentéisme** absenteeism rate.

**absentéiste** /apsɑ̃teist(ə)/ **NMF** absentee ◆ **propriétaire absentéiste** absentee landlord ◆ **la direction veut faire la chasse aux absentéistes** the management is intent on tracking down persistent absentees *ou* the workers who are persistently *ou* regularly off work.

**absenter (s')** /apsɑ̃te/ **VPR** *(gén)* to leave ◆ **s'absenter quelques minutes** to leave *ou* go out for a few minutes ◆ **je suis obligé de m'absenter pour affaires** I'm called away on business ◆ **s'absenter souvent de son travail** to be frequently off work *ou* away *ou* absent from work.

**absolu, e** /apsɔly/ **ADJ** absolute ◆ **adresse absolue** *(Inf)* absolute address ◆ **l'arme absolue** the ultimate weapon ◆ **avantage / monopole absolu** *(Écon)* absolute advantage / monopoly ◆ **démenti absolu** flat *ou* absolute denial ◆ **majorité absolue** absolute majority, majority *(US)* ◆ **record absolu** all-time record ◆ **règle absolue** absolute *ou* hard-and-fast rule.

**absolutoire** /apsɔlytwaʀ/ **ADJ** absolutary ◆ **décision absolutoire** *(Jur)* acquittal.

**absorber** /apsɔʀbe/ **VT** *firme* to take over, acquire; *dette, déficit* to absorb, mop up; *économies* to swallow up, eat up, gobble up; *atten-*

*tion, temps* to take up ◆ **la défense nationale absorbe les deux tiers du budget** national defence gobbles up two thirds of the budget ◆ **absorber une émission** *(Fin)* to take over an issue ◆ **société absorbante / absorbée** acquiring / acquired company.

**absorption** /apsɔʀpsjɔ̃/ **NF** *[entreprise]* take-over, acquisition, absorption ◆ **capacité d'absorption du marché** market absorption capacity.

**abstenir (s')** /apstəniʀ/ **VPR** a *(gén)* ◆ **s'abstenir de qch** to refrain *ou* abstain from sth ◆ **s'abstenir de faire** to refrain from doing ◆ **agences s'abstenir** *(dans les petites annonces)* estate agents shouldn't apply ◆ **intermédiaires s'abstenir** no agents wanted ◆ **les acheteurs s'abstiennent** *(Bourse)* buyers are holding aloof *ou* staying away *ou* shying away from the market b *(Pol)* to abstain *(de voter* from voting)

**abstention** /apstɑ̃sjɔ̃/ **NF** abstention.

**abstentionnisme** /apstɑ̃sjɔnism(ə)/ **NM** abstentionism.

**abstentionniste** /apstɑ̃sjɔnist(ə)/ **ADJ, NMF** abstentionist.

**Abuja** /abyʒa/ **N** Abuja.

**abus** /aby/ **NM** abuse ◆ **faire abus de son autorité** to abuse *ou* misuse one's authority

─────── compounds/composés ───────
◆ **abus d'autorité** abuse *ou* misuse of authority
◆ **abus de biens sociaux** misappropriation of corporate funds
◆ **abus de confiance** breach of trust, abuse of confidence; *(= escroquerie)* confidence trick
◆ **abus de crédit** misuse of credit
◆ **abus de droit** abuse of process, misuse of the law
◆ **abus de position dominante** abuse of dominant position
◆ **abus de pouvoir** abuse *ou* misuse of power
  ◆ **commettre un abus de pouvoir** to override one's commission, go beyond one's remit.

**abuser** /abyze/ **VT INDIR** ◆ **abuser de** *pouvoir* to abuse, misuse; *situation* to exploit, take advantage of ◆ **je ne veux pas abuser de votre temps** I don't want to take up *ou* waste your time.

**abusif, -ive** /abyzif, iv/ **ADJ** *prix* exorbitant, outrageous, excessive, prohibitive; *usage, pratique* improper; *clause* unfair ◆ **licenciement abusif** unfair dismissal.

**AC** abrév de **appellation contrôlée** → **appellation.**

**accablant, e** /akɑblɑ̃, ɑ̃t/ **ADJ** *responsabilité, charges* overwhelming.

**accabler** /akɑble/ **VT** ◆ accabler qn d'impôts to overburden ou cripple sb with taxes ◆ accablé de travail up to the eyes in work*, snowed under ou overburdened with work.

**accalmie** /akalmi/ **NF** [inflation, crise] lull (de in) ◆ période d'accalmie slack period, calm spell, lull ◆ on note une nette accalmie sur le dollar the dollar is easing off, there is definitely less pressure on the dollar.

**accaparement** /akapaʀmɑ̃/ **NM** [production] monopolizing; [marché] cornering, capturing; [marchandises] buying up.

**accaparer** /akapaʀe/ **VT** production, pouvoir to monopolize; marché to corner, capture; marchandises to buy up ◆ accaparer la vente to corner ou capture the market ◆ accaparer le marché du blé to make a corner in wheat ◆ être accaparé par son travail to be taken up by ou wrapped up* in one's work.

**accapareur, -euse** /akapaʀœʀ, øz/ **NM,F** (péj) monopolizer, grabber* ; (Bourse) cornerer (US) ◆ trust d'accapareurs corner.

**accédant, e** /aksedɑ̃, ɑ̃t/ **NM,F** ◆ accédant à la propriété first-time house-buyer, new property owner, new homeowner.

**accéder** /aksede/ **VI** ◆ accéder à requête to grant, comply with; grade to rise to; responsabilité to accede to ◆ accéder à la propriété to become a (first-time) property owner ou homeowner.

**accélérateur** /akseleʀatœʀ/ **NM** accelerator ◆ accélérateur de la demande (Écon) demand accelerator ◆ principe de l'accélérateur (Écon) acceleration principle.

**accélération** /akseleʀasjɔ̃/ **NF** (gén) acceleration, speeding up; [production] speed-up, stepping up ◆ coefficient d'accélération (Écon) accelerator ◆ effet ou principe d'accélération (Écon) acceleration principle ◆ les prix de détail ne subissent pas l'accélération que l'on constate aux USA retail prices are not rocketing ahead ou shooting up as fast as in the US ◆ on constate une accélération de l'inflation there has been an increase ou acceleration in the inflation rate, the inflation rate has accelerated.

**accélérer** /akseleʀe/ **VT** cadence to speed up, accelerate; travail to speed up; production to speed up, step up ◆ accélérer l'allure to quicken ou speed up the pace ◆ procédure accélérée (Jur) expeditious procedure.

**accent** /aksɑ̃/ **NM** stress, emphasis ◆ mettre l'accent sur to stress, lay the stress on, emphasize, focus on.

**accentuation** /aksɑ̃tɥasjɔ̃/ **NF** intensification, marked ou significant increase ◆ accentuation du chômage marked increase in unemployment, worsening unemployment.

**accentué, e** /aksɑ̃tɥe/ **ADJ** (= croissant) increased.

**accentuer** /aksɑ̃tɥe/ **VT** effort to increase, intensify ◆ la Bourse accentue son mouvement de baisse the stock exchange is looking further down ◆ les principales valeurs accentuent leur recul (Bourse) the leading securities are still losing ground ◆ les cours du pétrole ont accentué leur repli oil prices are sinking further
**s'accentuer** **VPR** [tendance, baisse] to become more marked ou pronounced ou significant ou noticeable ◆ le chômage s'accentue unemployment is getting worse ou is on the increase.

**acceptabilité** /akseptabilite/ **NF** acceptability, acceptance ◆ acceptabilité de la marque brand acceptance.

**acceptable** /akseptabl(ə)/ **ADJ** (= recevable) condition, offre acceptable.

**acceptation** /akseptasjɔ̃/ **NF** acceptance ◆ à défaut d'acceptation (gén) in case of non-acceptance; (Fin) in default of acceptance ◆ banque d'acceptation accepting ou acceptance house ou bank ◆ bon pour acceptation accepted ◆ compte / conditions / obligation / registre d'acceptation acceptance account / specifications / duty / register ◆ crédit par acceptation acceptance credit ◆ effet à l'acceptation acceptance bill ◆ présenter une traite à l'acceptation to present a bill for acceptance ◆ refus d'acceptation non-acceptance

—— compounds/composés ——
◆ **acceptation bancaire** bank ou banker's acceptance
◆ **acceptation de cautionnement** collateral acceptance
◆ **acceptation commerciale** trade acceptance
◆ **acceptation de complaisance** accommodation bill
◆ **acceptation conditionnelle** qualified acceptance
◆ **acceptation contre documents** acceptance against documents
◆ **acceptation par intervention** acceptance for honour
◆ **acceptation de la marque** (Mktg) brand acceptance
◆ **acceptation du produit** (Mktg) product acceptance ◆ acceptation du produit par le marché (Mktg) market acceptance

+ **acceptation sans réserve** general *ou* clean *ou* unconditional acceptance
+ **acceptation sous réserve** qualified *ou* special acceptance
+ **acceptation de succession** *(Jur)* acceptance of an estate.

**accepter** /aksɛpte/ **VT** *(gén)* to accept; *traite* to accept, honour; *offre, condition* to agree to, accept ✦ **accepter de faire** to agree to do ✦ **accepter le défi** to take up *ou* accept the challenge ✦ **accepter une note de frais** to agree an expense account ✦ **acceptez-vous les chèques?** do you take cheques? ✦ **refuser d'accepter** *ou* **ne pas accepter une traite** to refuse acceptance of a bill, dishonour a bill ✦ **accepter un risque** *(Ass)* to accept a risk.

**accepteur** /aksɛptœʀ/ **NM** acceptor, drawee ✦ **accepteur par complaisance** accommodation party.

**accès** /aksɛ/ **NM** **a** *(= entrée)* access ✦ **accès interdit à toute personne étrangère au service** no entry *ou* no admittance to unauthorized persons ✦ **d'accès facile** *entrepôt* (easily) accessible; *personne* approachable ✦ **d'accès difficile** *lieu* hard to get to, difficult of access; *personne* unapproachable ✦ **accès gratuit** free admission ✦ **accès au marché** market access ✦ **l'accès est payant** there is an entry charge *ou* fee ✦ **avoir accès à un dossier** to have access to a file ✦ **avoir accès auprès de qn** to have access to sb **b** *(Inf)* access ✦ **accès aléatoire** random access ✦ **accès à distance / séquentiel / simultané / direct** remote / sequentiel / simultaneous / direct access ✦ **accès multiple** multi-access ✦ **accès au réseau** network access ✦ **mode d'accès** access mode ✦ **temps d'accès** access time **c** *(= crise)* bout, spell, outburst ✦ **accès d'inflation** inflationary *ou* inflation bout, burst of inflation ✦ **la Bourse de Paris a eu un accès de faiblesse** the Paris Bourse dipped slightly ✦ **les mines d'or ont eu un accès de fièvre** gold shares rose sharply.

**accessibilité** /aksesibilite/ **NF** *(gén)* accessibility *(à* to); *(Inf)* retrievability.

**accessible** /aksesibl(ə)/ **ADJ** *endroit* accessible *(à* to); *personne* approachable; *objet* attainable; *(Inf)* retrievable ✦ **emplois accessibles à tout le monde** posts open to all *ou* within the reach of all.

**accession** /aksesjɔ̃/ **NF** ✦ **accession à** *requête* granting of, compliance with; *grade* rise to; *responsabilité* accession to ✦ **accession à la propriété** home ownership ✦ **faciliter l'acces-**sion à la propriété** to make home ownership easier.

**accessoire** /akseswaʀ/ **ADJ** *disposition* secondary ✦ **avantages accessoires** perquisites, perks ✦ **clause accessoire** ancillary clause ✦ **frais accessoires** *(gén)* extra *ou* additional *ou* incidental expenses; *(Jur)* ancillary costs ✦ **garantie accessoire** *(Fin)* collateral security ✦ **revenus accessoires** extra earnings.

**accident** /aksidɑ̃/ **NM** accident ✦ **faire une déclaration d'accident auprès de l'assurance** to make an accident claim to an insurance company ✦ **un constat d'accident a été dressé** an accident report was drawn up

────── *compounds/composés* ──────

+ **accident corporel** personal accident, accident involving *ou* causing bodily injury, accident causing death or injury
+ **accident matériel** damage to property
+ **accident mortel** fatal accident
+ **accident de trajet** accident on the way to work
+ **accident du travail** industrial injury *ou* accident, occupational injury ✦ **assurance contre les accidents du travail** employers' liability insurance ✦ **la loi sur les accidents du travail** the Factory Act.

**accidenté, e** /aksidɑ̃te/ **ADJ** *véhicule* wrecked, damaged
**NM,F** casualty, injured person.

**accidentel, -elle** /aksidɑ̃tɛl/ **ADJ** accidental.

**accise** /aksiz/ **NF** *(Belgique) (Canada)* excise ✦ **droits d'accise** excise duties ✦ **agent des douanes et des accises** *(Belgique)* tax officer in charge of infringements of the laws on liquor.

**accommodement** /akɔmɔdmɑ̃/ **NM** *(= arrangement)* compromise (settlement), arrangement; *(avec ses créanciers)* composition.

**accompagnement** /akɔ̃paɲmɑ̃/ **NM** ✦ **document d'accompagnement** accompanying document ✦ **mesures d'accompagnement** *(UE)* accompanying measures.

**accompagner** /akɔ̃paɲe/ **VT** *(gén)* to accompany ✦ **ce dividende sera accompagné d'un avoir fiscal** this dividend will be coupled with a tax credit.

**accompli, e** /akɔ̃pli/ **ADJ** *(= expérimenté)* accomplished, experienced ✦ **comptable accompli** accountant of proven ability, experienced accountant ✦ **fait accompli** fait accompli ✦ **mettre qn devant le fait accompli** to present sb with a fait accompli.

**accomplir** /akɔ̃pliʀ/ **VT** *stage* to do; *mission* to carry out, accomplish; *tâche* to perform; *devoir* to fulfil.

**accomplissement** /akɔ̃plismɑ̃/ **NM** *[mission]* accomplishment; *[tâche]* performance; *[devoir]* fulfilment ✦ **dans l'accomplissement de ses devoirs** while on duty ✦ **accomplissement du contrat** *(Jur)* discharge of contract.

**acconage** /akɔnaʒ/ **NM** lighterage.

**acconier** /akɔnje/ **NM** lighterage contractor.

**accord** /akɔʀ/ **NM** **a** (= *entente*) *(gén)* agreement; *(réglant un conflit)* settlement; (= *consentement*) consent ✦ **d'un commun accord** by common consent, by mutual agreement ✦ **en accord avec vos directives** in accordance with *ou* in compliance with your instructions ✦ **nous sommes d'accord** we are agreed (*sur* on, about) **nous sommes d'accord avec eux** we agree with them ✦ **nous sommes d'accord avec ces chiffres** we agree with these figures ✦ **arriver** *ou* **parvenir à un accord, se mettre d'accord, tomber d'accord** to come to an agreement,, reach an agreement ✦ **nos comptes sont d'accord** *(Fin)* our accounts balance *ou* tally **b** (= *traité*) agreement, accord ✦ **passer un ac-** cord avec qn to make an agreement with sb ✦ **suivant notre accord** as per *ou* according to our agreement ✦ **les accords de Tokyo** the Tokyo agreement ✦ **s'en tenir à un accord** to abide by *ou* stick to an agreement ✦ **rompre un accord** to break an agreement ▪ Voir encadré ci-dessous

**accorder** /akɔʀde/ **VT** *congé, permission* to grant; *indemnité, pension* to give, award (*à* to); *prêt* to grant, extend ✦ **accorder un délai supplémentaire** to allow additional time, extend the deadline ✦ **accorder des dommages-intérêts** *(Jur)* to award damages ✦ **accorder une autorisation d'exploitation** *(Admin)* to license ✦ **accorder un rabais / des subventions** to grant a rebate / subsidies ✦ **faire accorder les livres** *ou* **les comptes** *(Fin)* to agree *ou* balance the books *ou* the accounts ✦ **pourriez-vous m'accorder quelques instants ?** could you spare me a moment?

**s'accorder** **VPR** to agree ✦ **ils se sont accordés pour faire reporter la réunion** they agreed to have the meeting postponed ✦ **les délégués n'ont pu s'accorder sur les quotas à l'importation** the delegates could not come to terms *ou* come to an agreement on import quotas ✦ **son**

────── *compounds/composés* ──────

### ACCORD

- **accord amiable** *ou* **à l'amiable** amicable *ou* out-of-court settlement, mutual agreement
- **accord d'arbitrage** conciliation agreement
- **accords bilatéraux** bilateral agreement
- **accord de branche** local *ou* branch agreement
- **accord-cadre** outline agreement, framework agreement
- **accord commercial** trade agreement ✦ **accords commerciaux préférentiels** preferential trade agreements
- **accord de compensation** *[chèque]* clearing agreement; *[dette]* set-off agreement; *(Comm)* countertrade deal
- **Accord sur les aspects du droit de propriété intellectuelle qui touchent au commerce** Agreement on Trade Related Aspects of Intellectual Property Rights
- **accord de confirmation** stand-by agreement
- **accord de coopération industrielle** industrial cooperation agreement, joint venture
- **accords de crédit** credit arrangements
- **accord de distribution** distribution agreement
- **accords d'échange** *(Banque)* swap agreements
- **accord des échéances** *(Banque)* matching of maturities
- **accord d'entreprise** agreement at company level
- **accord d'établissement** collective agreement
- **accord de fabrication de sous-licence** subcontracting agreement
- **accord de franchise** franchise agreement
- **Accord général sur le commerce des services** General Agreement on Trade in Services
- **Accord général sur les tarifs douaniers et le commerce** General Agreement on Tariffs and Trade
- **accord de modération salariale** wage-curb agreement
- **accord monétaire** monetary agreement ✦ **accord monétaire européen** European Monetary Agreement
- **accords de paiement** payment agreements
- **accord de participation** profit-sharing agreement
- **accord préalable** prior *ou* previous agreement
- **accord de principe** agreement in principle
- **accord de rachat de titres** repurchase agreement
- **accord réciproque** reciprocal agreement
- **accords salariaux** wage settlements
- **accord stand-by** stand-by agreement
- **accords swap** swap agreements
- **accord tarifaire** tariff agreement
- **accord de taux à terme** forward rate agreement
- **accord terme terme** forward forward agreement
- **accord de troc** barter *ou* countertrade agreement.

**rapport ne s'accorde pas avec mes informations** his report doesn't fit *ou* tally with what I know.

**accoster** /akɔste/ **VT** *[navire]* to come *ou* draw alongside.

**Accra** /akra/ **N** Accra.

**accréditation** /akʀeditasjɔ̃/ **NF** accrediting.

**accrédité, e** /akʀedite/ **ADJ** accredited ◆ **banque accréditée** accredited bank ◆ **notre représentant dûment accrédité** our duly authorized *ou* accredited agent
**NM** accredited party; *(Fin)* payee, beneficiary, holder of a letter of credit.

**accréditer** /akʀedite/ **VT** *rumeur* to substantiate, give substance to; *(Admin) (Fin) personne, représentant* to accredit *(auprès de* to); *(Banque) client* to open credit facilities for ◆ **il est accrédité auprès de...** *(Banque)* he has credit facilities with... ◆ **veuillez accréditer le porteur** *(Banque)* please open a credit to the bearer.

**accréditeur** /akʀeditœʀ/ **NM** *(Fin)* guarantor, surety.

**accréditif, -ive** /akʀeditif, iv/ **ADJ** accreditive ◆ **carte accréditive** credit card ◆ **lettre accréditive** letter of credit
**NM** *(Fin)* *(= crédit)* credit; *(= lettre de crédit)* letter of credit ◆ **loger un accréditif** to open a credit with a bank

─── *compounds/composés* ───
◆ **accréditif documentaire** documentary credit
◆ **accréditif permanent** permanent credit
◆ **accréditif renouvelable** *ou* **rotatif** revolving credit ◆ **accréditif rotatif cumulatif** cumulative revolving credit
◆ **accréditif simple** unconfirmed credit, clean letter of credit.

**accroche** /akʀɔʃ/ **NF** *(Pub)* ◆ **accroche publicitaire** lead-in, catcher, catch line, catch phrase.

**accrocher** /akʀɔʃe/ **VT** *(= attirer)* to attract ◆ **publicité qui accroche le regard** advertisement that catches the eye, eyecatcher, eye-catching ad
**VI** **a** *(= mal fonctionner)* ◆ **les négociations ont accroché** there's been a hitch in the negotiations, the negotiations hit a snag **b** *(= plaire) [slogan]* to catch on.

**accrocheur, -euse** /akʀɔʃœʀ, øz/ **ADJ** *vendeur* persistent, aggressive; *publicité* eye-catching; *slogan* catchy; *prix* very attractive ◆ **slogan accrocheur** catch line, catch phrase.

**accroissement** /akʀwasmɑ̃/ **NM** *(gén)* increase, rise *(de* in); *[charges, production]* growth, increase *(de* in); *(Inf)* increment ◆ **accroissement de la productivité** increase in productivity, increased productivity, productivity growth ◆ **accroissement des ventes** sales expansion, rise in sales ◆ **accroissement de la valeur d'une monnaie** currency appreciation ◆ **coût d'accroissement** incremental cost ◆ **taux d'accroissement** rate of increase.

**accroître** /akʀwatʀ(ə)/ **VT** *(gén)* to increase, raise; *somme* to increase, add to ◆ **accroître la capacité de production** to expand (production) capacity ◆ **productivité accrue** increased *ou* improved productivity
**s'accroître** **VPR** to increase, grow.

**accueil** /akœj/ **NM** **a** *(= réception)* welcome, reception ◆ **présentez ce bon à la caisse où le meilleur accueil vous sera réservé** hand this voucher in at the checkout counter where you will be well taken care of ◆ **capacités d'accueil** *[hôtel, ville]* accommodation facilities ◆ **cérémonie / discours d'accueil** welcoming ceremony / speech ◆ **page d'accueil** *(Inf)* home page ◆ **pays d'accueil** host country ◆ **structures d'accueil** reception facilities **b** *(= comptoir)* reception desk *ou* area; *(dans un supermarché)* service centre ◆ **bureau d'accueil** reception **c** *[nouvelle]* reception ◆ **quel accueil a-t-on réservé à son projet?** what sort of reception did his project meet with?, how was his project received? ◆ **les opérateurs ont réservé un bon accueil à cette nouvelle émission** operators welcomed this new issue ◆ **faire bon accueil à une traite** *(Fin)* to honour *ou* to meet a bill.

**accueillant, e** /akœjɑ̃, ɑ̃t/ **ADJ** welcoming, friendly.

**accueillir** /akœjiʀ/ **VT** **a** *(= aller chercher)* to meet, collect; *(= recevoir)* to welcome, greet ◆ **cet avion peut accueillir 400 passagers** this plane can accommodate *ou* seat 400 passengers ◆ **nous avons été bien accueillis** we were well received, they made us welcome ◆ **ils nous ont accueillis à la mairie** they gave us a welcome *ou* welcoming ceremony at the town hall **b** *nouvelle* to receive ◆ **cette décision a été bien accueillie par les milieux boursiers** this decision was welcomed in stock exchange circles, this decision met with a warm reception in *ou* from Stock Exchange circles ◆ **la suggestion a été fraîchement accueillie** the suggestion was received very coolly *ou* was cold-shouldered ◆ **comment les consommateurs ont-ils accueilli ce nouveau produit?** how did consumers react *ou* respond to this new product? ◆ **accueillir favorablement** *réclamation* to entertain; *requête* to agree to **c** *(Fin)* *traite* to honour, meet ◆ **accueillir une traite à l'échéance** to honour a bill at maturity.

**accumulation** /akymylasjɔ̃/ NF accumulation ◆ **accumulation de capital** capital accumulation ◆ **accumulation de commandes non satisfaites** heavy backlog of orders ◆ **l'accumulation de la dette des États-Unis** the US debt build-up ◆ **accumulation de marchandises** (= *action*) stockpiling; (= *marchandises accumulées*) stockpile ◆ **accumulation de stocks** inventory *ou* stock build-up.

**accumuler** /akymyle/ VT (*gén*) to accumulate; *stocks* to build up; *marchandises* to stockpile ◆ **la demande accumulée** accumulated demand

**s'accumuler** VPR *[stocks]* to accumulate, pile up, build up; *[dettes]* to pile up, grow; *[commandes, travail]* to back up, pile up.

**accusateur, -trice** /akyzatœr, tris/ ADJ *documents, preuves* accusatory, incriminating NM,F accuser.

**accusation** /akyzasjɔ̃/ NF (*gén*) accusation; (*Jur*) charge, indictment ◆ **porter** *ou* **lancer une accusation contre** to bring an accusation against ◆ **mettre en accusation** to indict ◆ **mise en accusation** (*Jur*) indictment ◆ **abandonner une accusation** (*Jur*) to drop a charge ◆ **acte d'accusation** bill of indictment ◆ **chef d'accusation** count (of indictment), particulars of charge.

**accusatoire** /akyzatwar/ ADJ (*Jur*) accusatory.

**accusé, e** /akyze/ ADJ (= *important*) marked, pronounced, significant, noticeable ◆ **baisse très accusée** sharp *ou* steep fall

NM,F a (= *personne*) accused; *[procès]* defendant b **accusé de réception** acknowledgement of receipt ◆ **signal d'accusé de réception** (*Inf*) acknowledgement signal ◆ **lettre recommandée avec accusé de réception** registered letter (with signed receipt) ◆ **nous n'avons pas encore reçu d'accusé réception de notre lettre** we have not yet received acknowledgement of our letter.

**accuser** /akyze/ VT a ◆ **accuser qn de qch / de faire qch** (*gén*) to accuse sb of sth / of doing sth; (= *rendre responsable*) to blame sb for sth / for doing sth; (*Jur*) to charge sb with sth / with doing sth, indict sb for sth / for doing sth b (= *indiquer*) to show ◆ **votre compte accuse un solde créditeur de 95 livres** your account shows a balance in your favour of £95 ◆ **la Bourse accuse une baisse de 3 points / un léger mieux** the stock exchange shows a 3-point fall / a slight improvement ◆ **accuser réception** to

acknowledge receipt (*de* of) ◆ **nous avons l'honneur d'accuser réception de votre lettre** we are pleased to acknowledge receipt of your letter

**s'accuser** VPR *[tendance]* to become more marked *ou* pronounced.

**ach.** abrév de **achète.**

**achalandage** /aʃalɑ̃daʒ/ NM a (= *clientèle*) customers, clientele, custom b (= *valeur du fonds de commerce*) goodwill.

**achalandé, e** /aʃalɑ̃de/ ADJ ◆ **bien achalandé** well stocked; (= *ayant une clientèle nombreuse*) well patronized.

**acharné, e** /aʃarne/ ADJ *lutte* fierce, bitter; *travail* relentless, unremitting ◆ **concurrence acharnée** cut-throat *ou* fierce competition.

**achat** /aʃa/ NM a (= *action*) purchase, purchasing, buying; (= *chose achetée*) purchase ◆ **faire l'achat de qch** to buy *ou* purchase sth ◆ **faire** *ou* **effectuer un achat** to make a purchase ◆ **faire des achats** to shop, go shopping ◆ **bon d'achat** credit voucher ◆ **centrale d'achat** trading *ou* purchasing *ou* buying group, central merchandizing (*US*) ◆ **la fonction achats** (*Ind*) the purchasing function ◆ **chef** *ou* **directeur des achats** (*Ind*) purchasing manager; (*dans les grands magasins*) head *ou* chief buyer ◆ **frénésie d'achat** spending spree *ou* binge ◆ **pouvoir d'achat** purchasing *ou* buying *ou* spending power ◆ **prix d'achat** purchase price ◆ **livre** *ou* **journal des achats** (*Compta*) bought *ou* purchases ledger ◆ **service des achats** purchasing *ou* buying department b (*Bourse*) buying ◆ **le dollar vaut 0,95€ à l'achat** the buying rate for the dollar is €0.95 ◆ **bordereau d'achat** bought *ou* purchase contract ◆ **option d'achat** option to buy, call (option) ◆ **ordre d'achat** buying order ◆ **offre publique d'achat** takeover bid, tender offer (*US*) ◆ **prix d'achat** bid *ou* buying price

—— *compounds/composés* ——
- **achat comptant** cash purchase
- **achat au comptant** (*Bourse*) buying on the spot market
- **achat par correspondance** mail-order buying
- **achat de couverture** (*Bourse*) hedge buying
- **achat à crédit** hire purchase
- **achat à découvert** bull purchase
- **achat au détail** retail purchase
- **achat d'un écart papillon** (*Bourse des valeurs*) long butterfly
- **achat d'espace** (*Pub*) space buying
- **achat en gros** wholesale buying, bulk buying
- **achat à la hausse** (*Bourse des valeurs*) bull buying *ou* purchase

+ **achat d'impulsion** (= *action*) impulse purchasing *ou* buying; (= *article acheté*) impulse purchase
+ **achat en liquidation** (*Bourse des valeurs*) buying for the account
+ **achat d'option couvert** (*Bourse des valeurs*) covered long
+ **achat d'option de vente** (*Bourse des valeurs*) long put
+ **achat de précaution** hedge *ou* precautionary *ou* panic buying
+ **achats réflexes** impulse purchases *ou* buying
+ **achats réguliers** repeat purchases *ou* buying
+ **achat de soutien** support buying
+ **achats spontanés** impulse buying
+ **achat stop** (*Bourse*) stop order to buy
+ **achat sur catalogue** buying on description
+ **achat sur échantillon** buying on sample
+ **achat à tempérament** credit purchase, hire purchase (*Brit*)
+ **achat de temps** time buying
+ **achat à terme** (*Bourse des valeurs*) buying for the account *ou* for the settlement; (*Bourse des marchandises*) futures buying.

**acheminement** /aʃminmɑ̃/ **NM** [*courrier, marchandises*] dispatching, sending, forwarding
+ **durée d'acheminement** routing time.

**acheminer** /aʃmine/ **VT** *courrier, marchandises* to forward, dispatch, send (*vers* to)

**achetable** /aʃtabl(ə)/ **ADJ** purchasable.

**acheter** /aʃte/ **VT** **a** (*gén*) to buy, purchase
+ **acheter qch d'occasion** to buy sth second-hand + **acheter qch comptant** to buy sth for cash, pay cash for sth + **acheter à crédit** *ou* à **tempérament** to buy on credit *ou* on easy terms *ou* on hire purchase (*Brit*) *ou* on the instalment plan (*US*) + **acheter au détail** to buy retail + **acheter en gros** to buy wholesale *ou* in bulk + **acheter par impulsion** (*Mktg*) to buy on impulse + **acheter sur catalogue** to buy by description + **acheter sur échantillon** to buy from sample **b** (*Bourse*) to buy + **acheter à découvert** to bull the market, buy a bull
+ **acheter à la hausse** to buy long, buy for a rise + **acheter à la baisse** to buy for a fall
+ **acheter au comptant** to buy on the spot market + **acheter à terme** (*Bourse des valeurs*) to buy for the account *ou* for the settlement; (*Bourse des marchandises*) to buy forward
+ **acheter ferme** to buy firm + **acheter dont** to buy a call option + **acheter long** to buy long
+ **acheter ou** to sell a put option, take for the put **c** (= *corrompre*) to bribe + **se laisser acheter** to let o.s. be bribed *ou* bought.

**acheteur, -euse** /aʃtœʀ, øz/ **NM,F** (*gén*) buyer, purchaser; (*Jur*) vendee; (*Comm*) buyer + **il est acheteur** he's ready to buy it + **article qui ne**

**trouve pas d'acheteur** item which does not sell
+ **les acheteurs** (= *clients*) shoppers + **cours acheteurs** (*Bourse*) bid prices, buying rate
+ **crédit acheteur** buyer credit + **position acheteur** (*Bourse*) bull *ou* long position

——————— compounds/composés ———————
+ **acheteur cible** target buyer
+ **acheteur d'espace** (*Pub*) space buyer
+ **acheteur industriel** industrial buyer
+ **acheteur potentiel** potential *ou* prospective *ou* would-be buyer
+ **acheteur principal** (*Comm*) chief *ou* head buyer, purchasing manager
+ **acheteur spontané** (*Mktg*) impulse buyer.

**acheté-vendu** /aʃtevɑ̃dy/ **NM** (*Bourse*) buy and sell-back.

**achèvement** /aʃɛvmɑ̃/ **NM** [*travaux*] completion
+ **en voie d'achèvement** nearing completion
+ **vente en l'état futur d'achèvement** sale for possession on completion + **date d'achèvement** completion date + **date prévue d'achèvement** target date.

**achever** /aʃve/ **VT** *travail* to complete, finish
**s'achever** **VPR** [*exercice fiscal*] to end (*par, sur* with); [*tâche*] to near completion.

**acier** /asje/ **NM** steel.

**aciérie** /asjeʀi/ **NF** steelworks, steel mill, steel plant (*US*).

**acompte** /akɔ̃t/ **NM** (= *arrhes*) deposit; (= *premier versement*) down payment, first instalment; (*sur salaire*) advance + **payer par acomptes** to pay by instalments + **recevoir un acompte de 100€** to receive €100 on account + **verser un acompte** to make a deposit + **verser un premier acompte de 500€** to pay a first instalment of €500, make a down payment of €500
+ **acompte sur dividende** interim dividend
+ **acompte provisionnel** advance payment, provisional instalment.

**à-côté, PL à-côtés** /akote/ **NM** [*question*] side issue; (= *gain, dépense secondaire*) extra + **il se fait des petits à-côtés** * he makes some money on the side *ou* a bit on the side.

**à-coup** /aku/ **NM** [*machine*] jolt, jerk; [*économie, organisation*] jolt + **travailler par à-coups** to work by *ou* in fits and starts + **sans à-coups** smoothly, without a hitch + **politique de croissance par à-coups** stop(-and)-go policy.

**acquéreur** /akeʀœʀ/ **NM** (= *personne*) buyer, purchaser; (*Jur*) vendee; (= *entreprise*) acquirer
+ **acquéreur potentiel** prospective *ou* potential *ou* would-be buyer + **se porter acquéreur de qch** to announce one's intention of buying *ou*

purchasing sth ✦ **se rendre acquéreur de qch** to purchase *ou* buy sth ✦ **trouver acquéreur** to find a buyer *ou* a purchaser (*pour* for)

**acquérir** /akeʀiʀ/ **vt** *biens* to acquire, purchase, buy; *expérience, importance, valeur* to acquire, gain.

**acquêt** /akɛ/ **NM** acquest ✦ **communauté réduite aux acquêts** (*Jur*) communal joint estate comprising only property acquired after marriage.

**acquis, e** /aki, iz/ **ADJ** *intérêt, qualité, droit* acquired; *fait* established, accepted ✦ **tenir qch pour acquis** (*naturel*) to take sth for granted; (*réglé*) to take sth as settled *ou* agreed ✦ **le montant des commandes acquises** the amount of firm orders
**NM** (= *savoir-faire*) experience, expertise; (= *atout*) asset ✦ **l'acquis communautaire** (*UE*) the achievements of the Community ✦ **les acquis sociaux** welfare entitlements.

**acquisition** /akizisjɔ̃/ **NF** acquisition ✦ **faire l'acquisition de qch** to acquire *ou* purchase sth ✦ **acquisitions sauvages** hostile takeovers ✦ **coût** *ou* **prix d'acquisition** acquisition cost ✦ **fusions-acquisitions** mergers and acquisitions.

**acquit** /aki/ **NM** (*Comm* = *quittance*) receipt ✦ **pour acquit** (*sur quittance*) paid, received (with thanks) ✦ **donner acquit de qch** to give a receipt for sth

---
*compounds/composés*
- **acquit-à-caution** bond note
- **acquit de franchise** (*Douanes*) clearance inwards
- **acquit de sortie** (*Douanes*) clearance outwards.

---

**acquittement** /akitmɑ̃/ **NM** **a** [*taxe*] payment; [*facture*] payment, settlement; [*dettes*] payment, discharge ✦ **en acquittement d'une dette** in payment *ou* satisfaction of a debt **b** (*Jur*) acquittal, discharge ✦ **verdict d'acquittement** verdict of not guilty.

**acquitter** /akite/ **vt** **a** *taxe* to pay; *facture* (*gén*) to pay, settle; (*Comm*) to receipt ✦ **acquitter un chèque** to endorse a cheque ✦ **vendre à l'acquitté** to sell ex-bond *ou* duty paid **b** (*Jur*) to acquit (*qn de qch* sb of sth)
**s'acquitter** **VPR** s'acquitter de *dette* to pay (off), discharge,, settle; *obligation* to carry out, fulfil, discharge; *mission* to carry out.

**acronyme** /akʀɔnim/ **NM** acronym.

**ACSI** /asɛcsi/ abrév de **analyse et conception des systèmes informatiques** → **analyse.**

**acte** /akt(ə)/ **NM** (*gén*) act, action; [*notaire*] deed;

[*état civil*] certificate ✦ **demander acte que** / **de qch** to ask for formal acknowledgement that / of sth ✦ **donner acte de qch** to acknowledge sth formally ✦ **dresser** *ou* **passer** *ou* **rédiger un acte** to draw up *ou* execute a deed ✦ **faire acte de candidature** to apply, submit an application ✦ **faire acte de présence** to put in an appearance ✦ **nous prenons acte de votre proposition** we have taken note of your proposal

---
*compounds/composés*
- **acte d'accusation** bill of indictment
- **acte additionnel** rider
- **acte administratif** administrative act
- **acte d'aliénation** transfer of property *ou* rights
- **acte d'association** partnership agreement, articles of partnership
- **acte authentique** notarial deed, instrument drawn by a solicitor
- **acte de cautionnement** surety bond
- **acte de cession** deed of conveyance
- **acte de commerce** act of merchant
- **acte de concession** concession, franchise
- **acte constitutif** incorporation ✦ **acte constitutif de société** articles of incorporation (*Brit*) memorandum of association (*US*)
- **acte de décès** death certificate
- **acte déclaratif** declaration of legal status
- **acte de faillite** act of bankruptcy
- **acte fictif** fictitious transaction
- **acte fiduciaire** trust deed
- **acte hypothécaire** mortgage deed
- **acte juridique** legal transaction *ou* deed, act in law
- **acte de mariage** marriage certificate
- **acte de naissance** birth certificate
- **acte notarié** notarial deed, instrument drawn by a solicitor
- **acte officiel** official document
- **acte de société** deed of partnership
- **acte sous seing privé** private agreement
- **acte de succession** attestation of inheritance
- **acte de transfert** deed of assignation *ou* assignment
- **acte translatif de propriété** deed of transfer
- l'**Acte unique européen** the Single European Act
- **acte de vente** bill of sale, sale contract.

---

**acteur** /aktœʀ/ **NM** (*Écon*) player, operator ✦ **acteur économique** economic operator ✦ **acteur de marché** market player *ou* operator.

**actif, -ive** /aktif, iv/ **ADJ** **a** *marché* buoyant, brisk, lively ✦ **les valeurs les plus actives** the stocks in heavy demand ✦ **les pétrolières ont été très actives** there was heavy dealing in oils *ou* oil shares **b** *personne, participation, membre* active ✦ **population active** working population, gainfully employed population ✦ **entrer dans la vie active** to begin one's working life **c** (*Fin*) *dette* outstanding ✦ **dettes actives** *(Compta)* accounts receivable **d** *(Inf)* active ✦ **fichier actif** active file

**NM** **a** *(Fin)* assets; *[succession]* credits ✦ **porter une somme à l'actif** to put a sum on the assets side ✦ **croisement d'actifs** assets swap ✦ **dégraissage d'actif** asset stripping *ou* shedding ✦ **élément d'actif** asset ✦ **plus-values d'actif** capital gains on fixed assets ✦ **rotation de l'actif** asset turnover ✦ **sous-estimation de l'actif** undervaluation of assets ✦ **total de l'actif** total assets ✦ **valeur des actifs** asset value **b le total des actifs industriels** the total number of people employed in industry ✦ **il y a 50% d'actifs dans ce pays** employed persons make up 50% of the population of this country

─── *compounds/composés* ───
- ✦ **actif amortissable** depreciable assets
- ✦ **actif circulant** current *ou* floating *ou* circulating assets
- ✦ **actif comptable** book value, ledger assets
- ✦ **actif corporel** tangible assets
- ✦ **actif cyclique** circulating assets
- ✦ **actif défectible** wasting assets
- ✦ **actif disponible** liquid *ou* quick *(US)* *ou* current *ou* cash assets
- ✦ **actif douteux** doubtful assets
- ✦ **actif fictif** nominal *ou* fictitious assets
- ✦ **actif financier** financial assets
- ✦ **actif immobilisé** fixed *ou* illiquid assets, tied-up capital
- ✦ **actif incorporel** intangible assets
- ✦ **actif légal** legal assets
- ✦ **actif liquide** liquid assets
- ✦ **actif monétaire** monetary assets
- ✦ **actif négociable** liquid assets, quick assets *(US)*
- ✦ **actif net** net assets ✦ **actif net d'exploitation** net current assets ✦ **actif net réévalué** revalued net assets
- ✦ **actif permanent** fixed assets, tied-up capital
- ✦ **actif réalisable** liquid assets, quick assets *(US)*
- ✦ **actif réel** real assets
- ✦ **actif de roulement** current assets
- ✦ **actif social** company's assets
- ✦ **actif titres** paper assets
- ✦ **actifs toxiques** toxic assets.

**ACTIM** /aktim/ NF abrév de **Association pour la coopération technique, industrielle et commerciale** → **association.**

**action** /aksjɔ̃/ NF **a** *(gén : = acte, mesure)* action ✦ **passer à l'action** to take action ✦ **mettre un plan en action** to put a plan into action ✦ **champ d'action** sphere of activity ✦ **homme d'action** man of action ✦ **action concertée** joint *ou* concerted action ✦ **engager une action commune** to take joint *ou* concerted

action ✦ **il doit répondre de son action devant le directeur général** he is answerable to the managing director for his action ✦ **le patronat souhaite une action énergique de l'État** employers would like the state to take firm steps *ou* action ✦ **une journée d'action syndicale** a day of action by the unions ✦ **entreprendre une action revendicative** to take industrial action (in support of a claim) **b** *(Jur)* action (at law), lawsuit ✦ **mandat d'action** *(= faillite)* receiving order ✦ **action judiciaire / civile** legal / civil action ✦ **intenter une action contre qn** to bring an action against sb, institute proceedings against sb, sue sb ✦ **action oblique** *ou* **indirecte** *ou* **subrogatoire** *[créanciers]* indirect action **c** *(Fin)* share ✦ **action nouvelle / ancienne** new / existing *ou* old share ✦ **actions** shares, stock, shares of stock ✦ **attribuer des actions** to allot shares ✦ **céder des actions** to transfer shares ✦ **souscrire des actions** to subscribe shares, apply for shares ✦ **émettre des actions** to issue shares ✦ **émission d'action** share issue ✦ **fractionnement d'action** share split ✦ **répartition d'actions** allotment of shares ✦ **société par actions** joint-stock company ✦ **souscription à des actions** application for shares ✦ **titre d'action** share certificate
■ Voir encadré page suivante

**actionnaire** /aksjɔnɛʀ/ NMF shareholder, stockholder *(US)* ✦ **actionnaire individuel** retail *ou* individual shareholder ✦ **actionnaire majoritaire / minoritaire** majority / minority shareholder ✦ **actionnaire principal** leading shareholder ✦ **actionnaire privé** private shareholder ✦ **actionnaire de référence** key shareholder ✦ **registre des actionnaires** register of stockholders *ou* shareholders, share ledger ✦ **être actionnaire majoritaire** to have a majority shareholding.

**actionnariat** /aksjɔnaʀja/ NM shareholding, stockholding *(US)*, stock ownership *(US)* ✦ **l'actionnariat d'une entreprise** a company's shareholders ✦ **actionnariat individuel** retail *ou* individual shareholding ✦ **actionnariat ouvrier** industrial copartnership, employee shareholding ✦ **développer l'actionnariat salarié** to increase employee share ownership.

**actionner** /aksjɔne/ VT *(Jur)* to sue, bring an action against, file a suit against *(US)* ✦ **actionner qn en dommages et intérêts** to sue sb for damages.

**activation** /aktivasjɔ̃/ NF *(Fin)* ✦ **activation des droits de tirages spéciaux du FMI** activation of IMF special drawing rights.

**activité** /aktivite/ NF **a** *(gén)* activity; *(= orientation de l'entreprise)* (line of) business ✦ **notre**

—————— *compounds/composés* ——————

## ACTION

- **action amortissable** redeemable share
- **action d'apport** initial share
- **actions attribuées** allotted shares
- **action à bon de souscription d'action** share with attached share warrant
- **action en contrefaçon** action for infringement of patent
- **action convertible** convertible share
- **action cotée** listed *ou* quoted share
- **action en déchéance de brevet** action for forfeiture of a patent
- **action en diffamation** action for libel
- **action différée** deferred share
- **action à dividende cumulatif** cumulative share ◆ **action à dividende non cumulatif** non-cumulative share
- **action à dividende prioritaire** preference share *(Brit)*, preferred share *(US)* ◆ **action à dividende prioritaire sans droit de vote** non-voting preference share
- **action en dommages et intérêts** claim for damages ◆ **nous leur intenterons une action en dommages et intérêts** we shall bring an action for damages against them
- **action avec droit de vote** voting share
- **action entièrement libérée** paid-up share, fully-paid share
- **action de garantie** qualifying share
- **action gratuite** bonus share
- **actions indivises** joint shares

- **action de jouissance** dividend share
- **action nominative** registered *ou* non-transferable share
- **action non cotée** unlisted *ou* unquoted share
- **action non entièrement libérée** partly paid-up share
- **action en nullité** action for voidance of contract
- **action de numéraire** share paid in cash
- **action ordinaire** ordinary share, common stock *(US)*
- **action paulienne** revocatory action
- **action au porteur** bearer share
- **action privilégiée** *ou* **de priorité** *ou* **de préférence** preference share *(Brit)*, referred share *(US)*
- **action rachetable** redeemable share
- **action en radiation de marque** action for annulment of trademark
- **action reconventionnelle** counterclaim
- **action en réparation du préjudice** action for redress
- **action sanitaire et sociale** health and welfare activities
- **action sans droit de vote** non-voting share
- **action sans privilège de participation** non-participating share
- **action sans valeur nominale** no-par-value share
- **action statutaire** qualification share
- **action à vote multiple** multiple-vote share.

---

**activité principale est l'informatique** our main (line of) business *ou* our core business is computing ◆ **avoir des activités industrielles / commerciales** to have industrial / commercial *ou* business activities ◆ **nous avons cessé nos activités** we have ceased operations ◆ **l'usine est en activité** the plant is in operation ◆ **activités auxiliaires** *(Ind)* ancillary operations ◆ **activités tertiaires** *(Ind)* tertiary activities ◆ **activités hors bilan** off-balance sheet activities ◆ **graphique des activités** *(Gestion)* activity chart ◆ **rapport (annuel) d'activité** annual report **b** *(= métier)* job, occupation, business ◆ **quand j'étais en activité** when I was working *ou* in active employment ◆ **se mettre en cessation progressive d'activité** to wind down one's professional life *ou* activities **c** *(Fin)* ◆ **activité bancaire** banking ◆ **activité boursière** trading ◆ **taux d'activité** *(Banque)* activity factor *ou* ratio ◆ **volume d'activité** *(Bourse)* trading volume, turnover ◆ **marché sans activité** dull *ou* slack *ou* sluggish market ◆ **forte activité du marché** buoyancy *ou* briskness *ou* liveliness of the market ◆ **la Bourse a connu un regain d'activité la semaine dernière** there was a rally on the stock exchange last week.

**actuaire** /aktɥɛʀ/ **NMF** actuary.

**actualisation** /aktɥalizasjɔ̃/ **NF** *(= mise à jour)* updating; *(Compta)* present value method, current value accounting, discounted cash flow, DCF ◆ **facteur d'actualisation** *(Compta)* present value factor.

**actualiser** /aktɥalize/ **VT** *(= mettre à jour)* to update, bring up to date; *(Compta)* to convert to present *ou* current value ◆ **cash flow actualisé** discounted cash flow ◆ **valeur actualisée** (discounted) present *ou* current value.

**actuariel, -elle** /aktɥaʀjel/ **ADJ** actuarial ◆ **taux de rendement actuariel brut** gross annual interest yield *ou* return.

**actuel, -elle** /aktɥel/ **ADJ** present ◆ **cours actuel** ruling price.

**acuité** /akɥite/ **NF** *[crise]* acuteness, severity.

**adaptabilité** /adaptabilite/ **NF** adaptability.

**adaptation** /adaptasjɔ̃/ **NF** adaptation, adjustment ◆ **capacité d'adaptation du marché** market resilience.

**adapter** /adapte/ **VT** to adapt (*à* to) ◆ **une police**

d'assurance **adaptée à vos besoins** an insurance policy adapted *ou* tailored to your needs ✦ **contrat adapté aux besoins du client** custom-made *ou* customized contract ✦ **les effectifs sont adaptés aux carnets de commandes** manning levels are geared to the order books ✦ **l'entreprise dispose-t-elle des moyens adaptés?** does the firm have appropriate means?

**s'adapter** [VPR] to adapt (o.s.) (*à* to) ✦ **l'industrie automobile n'a pas su s'adapter** the car industry failed to adapt.

**addenda** /adɛ̃da/ **NM** **INV** addendum ✦ **des addenda** addenda.

**Addis-Abeba** /adisabeba/ **N** Addis Ababa.

**additif** /aditif/ **NM** (= *clause*) additional clause, rider ✦ **additif budgétaire** supplemental budget.

**addition** /adisjɔ̃/ **NF** (*gén*) addition; (= *facture, note*) bill, check (*US*) ✦ **certificat d'addition** rider to a patent ✦ **par addition de** by adding, by the addition of ✦ **l'addition est pour moi** the bill *ou* check is on me.

**additionnel, -elle** /adisjɔnɛl/ **ADJ** additional ✦ **centime additionnel, taxe additionnelle** additional tax ✦ **mémoire additionnelle** (*Inf*) add-on memory.

**additionner** /adisjɔne/ [VT] to add up, tot up (*US*) **s'additionner** [VPR] to add up.

**additionneur** /adisjɔnœʀ/ **NM** adder ✦ **additionneur analogique** analog adder ✦ **additionneur binaire** binary adder ✦ **additionneur à deux entrées** two-input adder ✦ **additionneur numérique** digital adder.

**Aden** /adɛn/ **N** Aden.

**ADEPA** /adepa/ **NF** abrév de **Agence pour le développement de la productique appliquée à l'économie** → **agence.**

**ADEPIC** /adepik/ **NM** (abrév de **Accord sur les aspects du droit de propriété intellectuelle qui touchent au commerce**) TRIPS.

**adéquation** /adekwasjɔ̃/ **NF** ✦ **l'adéquation entre l'offre et la demande** the extent to which supply matches *ou* satisfies demand ✦ **la non adéquation entre l'offre et la demande** the supply-demand mismatch.

**adhérent, e** /adeʀɑ̃, ɑ̃t/ **NM,F** [*syndicat, mutuelle*] member.

**adhérer** /adeʀe/ **VI** ✦ **adhérer à** **a** *politique* to support, back up, approve, adhere to **b** (= *devenir membre de*) to join; (*être membre de*) to be a member of, belong to.

**adhésion** /adezjɔ̃/ **NF** **a** (= *soutien*) support (*à* to) backing (*à* of) ✦ **vous pouvez compter sur l'adhésion des syndicats** you can rely on the unions to back you up, you can rely on the support of the unions **b** (= *inscription*) joining; (= *fait d'être membre*) membership (*à* to) ✦ **bulletin / campagne d'adhésion** membership form / drive ✦ **demande d'adhésion** application (to join).

**adjoindre** /adʒwɛ̃dʀ(ə)/ **VT** ✦ **adjoindre un collaborateur à qn** to appoint sb as an assistant to sb ✦ **s'adjoindre un collaborateur** to take on *ou* appoint *ou* engage an assistant.

**adjoint, e** /adʒwɛ̃, wɛ̃t/ **ADJ** assistant ✦ **directeur adjoint** assistant *ou* deputy manager **NM,F** assistant ✦ **adjoint au maire** deputy mayor.

**adjudicataire** /adʒydikatɛʀ/ **NMF** (*aux enchères*) purchaser, successful bidder, highest bidder; (*appel d'offres*) successful tenderer, contractor ✦ **qui est l'adjudicataire du contrat?** who won *ou* secured the contract?, who is the successful tenderer?.

**adjudicateur, -trice** /adʒydikatœʀ, tʀis/ **NM,F** [*contrat*] awarder; [*vente aux enchères*] adjudicator.

**adjudication** /adʒydikasjɔ̃/ **NF** **a** (= *vente aux enchères*) (*gén*) sale by auction; (*Jur*) sale by order of court ✦ **vendre par adjudication, mettre en adjudication** to put up for sale by auction *ou* by order of court ✦ **adjudication à la surenchère** allocation to the highest bidder ✦ **adjudication forcée** compulsory *ou* forced sale ✦ **adjudication judiciaire** sale by order of court ✦ **adjudication ouverte** open bid **b** (= *attribution*) [*appel d'offres*] awarding, allocation ✦ **proposer par adjudication, mettre en adjudication** to put out to tender ✦ **adjudication de bons du Trésor** Treasury bond auction ✦ **adjudication au plus bas soumissionnaire** *ou* **au rabais** *ou* **au mieux-disant** *ou* **au moins-disant** allocation to the lowest tenderer ✦ **adjudication de gré à gré** tendering by private contract ✦ **adjudication restreinte** restricted *ou* limited allocation ✦ **obtenir l'adjudication** to secure the contract.

**adjuger** /adʒyʒe/ **VT** **a** (*aux enchères*) to knock down, auction (*à* to) ✦ **une fois, deux fois, trois fois, adjugé, vendu!** going, going, gone! **b** (= *attribuer*) contrat to award (*à* to) ✦ **s'adjuger 15% du marché** to capture 15% of the market ✦ **s'adjuger 55% du capital d'une société** to secure 55% of a company's capital.

**admettre** /admɛtʀ(ə)/ **VT** to allow ✦ **admettre en franchise** (*Douanes*) to allow duty-free ✦ **ad-**

mettre à la cote *(Bourse)* to list ✦ **admis à faire valoir ses droits à la retraite** entitled to retire ✦ **admis en déduction** deductible.

**administrateur, -trice** /administratœr, tris/ **NM,F** *(gén)* administrator; *[conseil d'administration]* board member; *[fondation]* trustee ✦ **administrateur délégué** (acting) managing director ✦ **administrateur d'un bien** *(Jur)* administrator of an estate, property manager, factor ✦ **administrateur sortant** outgoing *ou* retiring director ✦ **administrateur de faillite** *ou* **judiciaire** *ou* **provisoire** *ou* **séquestre** official receiver, judicial factor *(US)*, referee in bankruptcy.

**administratif, -ive** /administratif, iv/ **ADJ** administrative ✦ **bâtiment administratif** office building *ou* block ✦ **directeur administratif** non-executive director ✦ **charges administratives, frais administratifs** administrative costs *ou* expenses *ou* overheads, administration expenses ✦ **lenteurs administratives, routine administrative** red tape ✦ **personnel administratif** administrative staff ✦ **problèmes d'ordre administratif** administrative problems *ou* matters
**NM** administrator.

**administration** /administrasjɔ̃/ **NF** **a** *(= gestion)* management, administration ✦ **conseil d'administration** board of directors ✦ **réunion du conseil d'administration** board meeting ✦ **mauvaise administration** mismanagement, maladministration ✦ **qui s'occupe de l'administration de l'entreprise ?** who's in charge of running *ou* managing the company?, who looks after the administration *ou* the management *ou* the running of the company? **b** *(= service public)* government services ✦ **l'Administration** ≈ the Civil Service ✦ **l'administration des Douanes** the Customs service ✦ **l'administration des Impôts** the Inland *(Brit)* *ou* Internal *(US)* Revenue, the tax authorities ✦ **l'administration locale** local government **c** *(Jur)* ✦ **l'administration de la preuve** the producing of evidence.

**administrativement** /administrativmɑ̃/ **ADV** administratively.

**administrer** /administre/ **VT** *entreprise* to manage, run; *patrimoine* to administer; *(Jur) preuve* to produce ✦ **taux administré** *(Banque)* rate of interest paid on state-regulated accounts.

**admission** /admisjɔ̃/ **NF** admission, entry *(à* to*)* ✦ **droit d'admission** entrance fee, admission charge ✦ **l'admission de l'Espagne dans le Marché commun** Spain's entry into the Common Market ✦ **admission temporaire d'un vé-** hicule / **de marchandise** *(Douanes)* temporary importation of a vehicle / of goods ✦ **admission en franchise** *(Douanes)* duty-free entry ✦ **admission à la cote** *(Bourse)* admission to quotation listing.

**adopter** /adɔpte/ **VT** *stratégie commerciale, méthodes nouvelles* to adopt; *mesure* to take, adopt; *loi, motion* to pass ✦ **cette proposition a été adoptée à l'unanimité** this proposal was carried unanimously.

**adoption** /adɔpsjɔ̃/ **NF** *[stratégie, méthodes, mesures]* adoption, adopting; *[loi]* passing ✦ **l'adoption de ces dispositions ne devrait se heurter à aucune difficulté** these measures should be adopted without any difficulty.

**adosser (s')** /adose/ **VPR** ✦ **s'adosser à** *groupe financier* to secure the backing of ✦ **société de Bourse adossée à une banque** stockbrokers backed *ou* owned by a bank.

**ADP** /adepe/ **NF** abrév de **action à dividende prioritaire sans droit de vote** → **action**.

**adressable** /adrɛsabl(ə)/ **ADJ** *(Inf)* addressable ✦ **mémoire adressable** addressable store.

**adressage** /adrɛsaʒ/ **NM** *(Mktg)* mailing; *(Inf)* addressing ✦ **adressage direct** *(Inf)* direct addressing.

**adresse** /adrɛs/ **NF** **a** *(Postes)* address ✦ **adresse postale** postal address ✦ **adresse du siège** registered *ou* business address ✦ **adresse personnelle / professionnelle** home / business address ✦ **adresse électronique** e-mail address ✦ **carnet d'adresses** address book ✦ **changement d'adresse** change of address ✦ **fichier d'adresses** mailing list **b** *(Inf)* address ✦ **adresse absolue** absolute address ✦ **adresse d'instruction** instruction address ✦ **adresse de lancement** entry address ✦ **adresse de recherche** seek address ✦ **adresse d'origine** base address ✦ **code / zone d'adresse** adress code / field.

**adresser** /adrese/ **VT** **a** *(= envoyer)* to send *(à* to*)*; *(écrire l'adresse)* to address *(à* to*)* ✦ **nous vous adressons le document sous pli séparé** we are sending the document under separate cover **b** *remarque, requête* to address ✦ **l'accusation de négligence ne peut nous être adressée** we cannot be accused of negligence, we cannot be taxed with negligence
**s'adresser** **VPR** **s'adresser à** *personne* to go and see; *(Admin)* to apply to ✦ **pour tout renseignement s'adresser au bureau de vente** please address all enquiries to our sales office ✦ **s'adresser aux renseignements** *(pancarte)* inquire at the information desk ✦ **on m'a adressé**

**à vous** I have been referred to you, I have been told to speak to you ◆ **cette publication s'adresse aux hommes d'affaires** this publication is aimed at *ou* intended for businessmen.

**ad valorem** /advalɔʀɛm/ **LOC ADJ** ad valorem.

**adverse** /advɛʀs(ə)/ **ADJ** *(Jur)* ◆ **la partie adverse** the opposing party.

**AEE** /aəə/ **NF** abrév de **Agence pour les économies d'énergie** → **agence.**

**AELE** /aəɛlə/ **NF** (abrév de **Association européenne de libre échange**) EFTA.

**AEN** /aəɛn/ **NF** abrév de **Agence pour l'énergie nucléaire** → **agence.**

**aérien, -ienne** /aeʀjɛ̃, jɛn/ **ADJ** *trafic, espace, droit* air ◆ **compagnie aérienne** airline company ◆ **fret aérien** air freight ◆ **ligne aérienne** (= *service*) airline ◆ **pont aérien** airlift; (= *trajet*) air route ◆ **transport aérien** air transport.

**aérogare** /aeʀɔgaʀ/ **NF** [*aéroport*] airport; *(en ville)* air terminal.

**aérogramme** /aeʀɔgram/ **NM** airmail letter.

**aéroport** /aeʀɔpɔʀ/ **NM** airport.

**AF** /aɛf/ **NFPL** abrév de **allocations familiales** → **allocation**
**NM** abrév de **ancien franc.**

**affacturage** /afaktyʀaʒ/ **NM** factoring ◆ **commission d'affacturage** factoring charges ◆ **société d'affacturage** factoring company.

**affaire** /afɛʀ/ **NF** **a** (= *transaction*) deal, transaction, operation ◆ **affaire blanche** break-even deal ◆ **volume d'affaires** (*Comm*) business volume, turnover; (*Bourse*) trading ◆ **volume des affaires** trading volume ◆ **une grosse affaire** a big deal ◆ **faire affaire** *ou* **conclure une affaire avec qn** to settle a bargain with sb, conclude *ou* clinch a deal with sb ◆ **traiter une affaire avec qn** to transact business with sb ◆ **l'affaire est conclue** *ou* **faite** it's a deal ◆ **l'affaire est dans le sac** * it's in the bag ◆ **l'affaire n'a pas été conclue** the deal didn't go through **b** (= *aubaine*) bargain ◆ **faire une affaire** to make a bargain ◆ **une (bonne) affaire** a good deal, a (good) bargain ◆ **la meilleure affaire de l'été** this summer's best deal ◆ **une affaire en or** a real bargain, a wonderful deal **c** (= *entreprise*) business, concern, firm, company ◆ **une grosse affaire** a large firm ◆ **c'est une affaire qui marche** it's a going concern, it's a thriving business ◆ **reprendre une affaire** to take over a business ◆ **diriger** *ou* **gérer une affaire** to run *ou* manage a business ◆ **lancer une affaire** to set up *ou* start a business

**d** (= *monde du commerce*) ◆ **les affaires** business ◆ **déjeuner / rendez-vous / voyage / visite d'affaires** business lunch / appointment / trip / call ◆ **banque d'affaires** investment *ou* merchant bank ◆ **cabinet d'affaires** business consultancy ◆ **chiffre d'affaires** turnover (*Brit*), sales (*US*) ◆ **femme d'affaires** businesswoman ◆ **homme d'affaires** businessman ◆ **le monde des affaires** the business world *ou* community ◆ **les milieux d'affaires** business circles, the business community ◆ **relation d'affaires** business connection ◆ **l'anglais des affaires** business English ◆ **entrer** *ou* **se lancer dans les affaires** to set up in business ◆ **faire des affaires** (= *travailler*) to do business (*avec* with) (= *réussir*) to make money ◆ **ils font des affaires d'or !** they're raking it in!, they're running a gold mine! ◆ **parler affaires** to talk business ◆ **être en relations d'affaires avec qn** to have business relations *ou* business dealings with sb ◆ **être dans les affaires** to be in business ◆ **se retirer des affaires** to retire from business ◆ **il est ici pour affaires** he is here on business ◆ **il est dur en affaires** he's a tough businessman, he is hard to deal with, he drives a hard bargain ◆ **avoir le sens des affaires** to have a head for business, have business acumen ◆ **faire de mauvaises affaires** to be doing badly, operate at a loss ◆ **les affaires reprennent** business is looking up *ou* picking up *ou* brightening up ◆ **voyager pour affaires** to travel on business **e** (*Jur*) case, lawsuit ◆ **l'affaire sera jugée demain** the case will be heard tomorrow ◆ **avocat qui a plusieurs affaires à plaider** barrister with several briefs **f** (= *scandale*) business, affair, matter ◆ **étouffer une affaire** to hush a matter up **g** (= *problème*) matter, business, problem, question ◆ **régler une affaire** to settle a matter ◆ **ce n'est pas mon affaire** it's none of my business ◆ **affaires courantes** current matters ◆ **c'est une affaire à suivre** it's something worth watching, it's worth keeping an eye on.

**affairisme** /afeʀism(ə)/ **NM** wheeling and dealing.

**affairiste** /afeʀist(ə)/ **NM** wheeler-dealer.

**affaissement** /afɛsmɑ̃/ **NM** [*prix*] sagging.

**affaisser (s')** /afɛse/ **VPR** [*prix, cours*] to sag, sink down.

**affectable** /afɛktabl(ə)/ **ADJ** (*Jur*) chargeable.

**affectation** /afɛktasjɔ̃/ **NF** **a** (= *attribution*) [*crédits*] allocation, allotment, appropriation, assignment (*à* to, for) ◆ **affectation budgétaire** budget appropriation ◆ **affectation de recettes** revenue allocation *ou* allotment ◆ **affectation de ressources** resources allocation ◆ **af-**

fectation de ressources pour l'achat de matériel appropriation for the purchase of equipment ◆ **affectation des tâches** job assignment ◆ **affectation d'un versement à une dette** appropriation *ou* earmarking of a payment to a debt ◆ **sans affectation** unallocated **b** (= *nomination*) appointment, assignment ◆ **recevoir une affectation** to receive an appointment *ou* a posting ◆ **affectation temporaire** tour of duty ◆ **avoir une affectation spéciale** to be in a reserved occupation ◆ **sans affectation** without any assignment **c** (*Jur*) charge, charging ◆ **affectation d'un immeuble à la garantie d'une créance** charging of a property *ou* realty (*US*) as security for a debt ◆ **affectation hypothécaire** mortgage charge.

**affecter** /afɛkte/ **VT** **a** (= *attribuer*) *crédits* to allocate, allot, assign (*à* to, for) ◆ **affecter un paiement à une dette déterminée** to apply a payment to a specified debt, earmark a payment for a specified debt ◆ **nous avons affecté 20 000 livres à ce projet** we appropriated £20,000 to this project **b** (= *nommer*) to appoint ◆ **la direction l'a affecté à l'étranger** the management sent him *ou* posted him *ou* seconded him abroad **c** (= *toucher*) to affect, to concern ◆ **la forte chute du dollar n'a pas affecté le marché** the sharp fall in the dollar did not affect the market ◆ **la grève a affecté plusieurs secteurs d'activité** the strike hit several business sectors **d** (*Jur*) *biens* to charge ◆ **affecté d'hypothèques** mortgaged, burdened.

**afférent, e** /aferɑ̃, ɑ̃t/ **ADJ** related ◆ **afférent à** (*Admin*) pertaining to, relating to ◆ **charges et produits afférents à l'exercice** (*Compta*) expenses and revenue accruing to the period under review ◆ **questions afférentes** related questions ◆ **part afférente à portion** (*Jur*) accruing to *ou* falling to *ou* assignable to ◆ **crédits afférents au budget du tourisme** credits falling into the budget of the department of tourism ◆ **salaire afférent à un emploi** salary attaching to a position ◆ **bénéfices afférents à une activité** profits accruing to an activity.

**affermage** /afɛrmaʒ/ **NM** (*Mktg*) farming out, leasing; [*emplacement publicitaire*] contracting.

**affermer** /afɛrme/ **VT** (*Mktg*) to farm out, lease; *emplacement publicitaire* to contract.

**affermir** /afɛrmir/ **VT** *position* to consolidate, strengthen; *monnaie* to bolster, strengthen **s'affermir** **VPR** [*marché, cours*] to strengthen, firm up, harden; [*monnaie*] to strengthen, rally

◆ **l'euro s'est affermi** the euro rallied *ou* strengthened.

**affermissement** /afɛrmismɑ̃/ **NM** [*marché, cours*] strengthening, firming up, hardening; [*monnaie*] strengthening, rallying.

**affichable** /afiʃabl(ə)/ **ADJ** (*Inf*) viewable.

**affichage** /afiʃaʒ/ **NM** **a** [*note, document*] posting, billing, placarding ◆ **campagne d'affichage** poster campaign ◆ **panneau d'affichage** (*gén*) notice board (*Brit*), bulletin board (*US*) ; (*Pub*) hoarding (*Brit*), billboard (*US*) ◆ **publicité par (voie d') affichage** poster advertising ◆ **régie d'affichage** billposting agency ◆ **tableau d'affichage** notice board (*Brit*), bulletin board (*US*) **b** (*Inf*) display.

**affiche** /afiʃ/ **NF** (*Admin*) bill; (*Pub*) poster, billposter, advert; (= *annonce*) poster ad; (*pour informer*) notice ◆ **la vente a été annoncée par voie d'affiche** the sale was advertised by public notice, posters have been put up advertising the sale.

**afficher** /afiʃe/ **VT** *publicité, liste* to put *ou* post *ou* stick up; (*Inf*) to display (*fig* : = *montrer*) to show ◆ **défense d'afficher** stick no bills ◆ **la vente de cet immeuble est affichée à la mairie** the sale of this building is advertised in the town hall ◆ **réduction de 10% sur les prix affichés** 10% reduction on marked prices ◆ **nos conditions de vente sont clairement affichées dans tous nos magasins** our sales conditions are clearly displayed in all our stores ◆ **l'indice affichait une augmentation de 2% depuis la fin novembre** the index showed a 2% rise since late November ◆ **cette filiale affiche un million d'euros de pertes** this subsidiary registered *ou* showed a loss of one million euros.

**affichette** /afiʃɛt/ **NF** small poster.

**affichiste** /afiʃist(ə)/ **NMF** poster artist *ou* designer.

**affidavit** /afidavit/ **NM** affidavit.

**affiliation** /afiljasjɔ̃/ **NF** affiliation, membership ◆ **affiliation à un régime de retraite** membership in a pension plan.

**affilié, e** /afilje/ **NM,F** (= *personne*) affiliated member; (= *société*) affiliated company.

**affilier** /afilje/ **VT** to affiliate (*à* to) ◆ **syndicats affiliés** affiliated unions **s'affilier** **VPR** to become affiliated, affiliate o.s. (*à* to) ◆ **s'affilier à un syndicat** to join a union.

**affinage** /afinaʒ/ **NM** [*métal*] refining.

**affiner** /afine/ **VT** *métal* to refine; *technique, processus, méthode* to fine-tune.

**affirmatif, -ive** /afiʀmatif, iv/ **ADJ** *réponse* affirmative
**affirmative** **NF** affirmative ◆ **dans l'affirmative** in the event of an affirmative reply.

**affirmation** /afiʀmasjɔ̃/ **NF** assertion.

**affirmativement** /afiʀmativmɑ̃/ **ADV** in the affirmative, affirmatively.

**affirmer** /afiʀme/ **VT** to maintain, assert ◆ **je puis vous l'affirmer** I'm positive about it
**s'affirmer** **VPR** to get firmer, firm up, become more pronounced ◆ **la tendance s'affirme** the trend is getting stronger *ou* more marked.

**affluence** /aflyɑ̃s/ **NF** *[gens]* crowds; *[commandes]* inflow, influx ◆ **heure d'affluence** rush hour, peak hour, busy period.

**affluer** /aflye/ **VI** to flow ◆ **les commandes affluent** orders are flowing in *ou* rolling in *ou* piling up ◆ **les capitaux étrangers affluent dans le pays** foreign money has been pouring into the country, there's an influx of foreign capital into the country ◆ **les visiteurs affluent** visitors are crowding in *ou* flocking in *ou* flooding in.

**afflux** /afly/ **NM** flow, influx, flood ◆ **afflux de capitaux** capital inflow ◆ **afflux de main-d'oeuvre** labour influx ◆ **afflux des commandes de l'étranger** inflow of foreign orders, spate of foreign orders ◆ **un afflux soudain de commandes nouvelles** a flush *ou* rush *ou* spate of new orders.

**affranchir** /afʀɑ̃ʃiʀ/ **VT** *(avec des timbres)* to stamp; *(à la machine)* to frank ◆ **lettre affranchie / non affranchie** stamped / unstamped letter, franked / unfranked letter ◆ **lettre insuffisamment affranchie** postage due, insufficient postage ◆ **ne pas affranchir** no stamp required ◆ **machine à affranchir** franking machine.

**affranchissement** /afʀɑ̃ʃismɑ̃/ **NM** *(à la main)* stamping; *(à la machine)* franking; *(= somme à payer)* postage.

**affrètement** /afʀɛtmɑ̃/ **NM** *[avion, bateau]* chartering; *[véhicule]* hiring ◆ **agent d'affrètement** chartering agent ◆ **contrat d'affrètement** charter(ing) agreement ◆ **courtier d'affrètement** chartering broker ◆ **tonnage d'affrètement** deadweight tonnage ◆ **affrètement à temps** time charter ◆ **affrètement au voyage** voyage charter, trip chartering ◆ **affrètement en coque nue** bare boat charter ◆ **affrètement en lourd** dead weight charter ◆ **affrètement en travers** lump sum charter ◆ **affrètement partiel** part cargo charter ◆ **affrètement total** full-cargo charter.

**affréter** /afʀete/ **VT** *(Aviat, Mar)* to charter.

**affréteur** /afʀetœʀ/ **NM** *(Aviat, Mar)* charterer.

**affrontement** /afʀɔ̃tmɑ̃/ **NM** confrontation, clash.

**affronter** /afʀɔ̃te/ **VT** *concurrence, difficultés* to face, confront, meet ◆ **nous devons affronter nos concurrents sur tous les principaux marchés** we must take on our competitors in all major markets
**s'affronter** **VPR** to confront each other.

**afghan, e** /afgɑ̃, an/ **ADJ** Afghan
**NM** *(= langue)* Afghan
**Afghan** **NM** *(= habitant)* Afghan
**Afghane** **NF** *(= habitante)* Afghan.

**afghani** /afgani/ **NM** afghani.

**Afghanistan** /afganistɑ̃/ **NM** Afghanistan.

**AFME** /aɛfmə/ **NF** abrév de **Agence française pour la maîtrise de l'énergie** → **agence**.

**AFNOR** /afnɔʀ/ **NF** abrév de **Association française de normalisation** ≈ BSI *(Brit)*, ≈ ANSI *(US)*.

**AFP** /aɛfpe/ **NF** (abrév de **Agence France-Presse**) *French press agency.*

**AFPA** /afpa/ **NF** abrév de **Association pour la formation professionnelle des adultes** → **association**.

**AFRESCO** /afʀɛskɔ/ **NF** abrév de **Association française de recherches et statistiques commerciales** → **association**.

**africain, e** /afʀikɛ̃, ɛn/ **ADJ** African
**Africain** **NM** *(= habitant)* African
**Africaine** **NF** *(= habitante)* African.

**afrikaans** /afʀikɑ̃/ **ADJ INV, NM** *(= langue)* Africaans.

**afrikaner** /afʀikanɛʀ/ **ADJ** Afrikaner
**Afrikaner** **NMF** Afrikaner.

**Afrique** /afʀik/ **NF** Africa ◆ **Afrique du Nord / du Sud** North / South Africa.

**AG** /aʒe/ **NF** (abrév de **assemblée générale**) AGM.

**AGCS** /aʒesees/ **NM** (abrév de **Accord général sur le commerce des services**) GATS.

**AGE** /aʒeə/ **NF** (abrév de **assemblée générale extraordinaire**) EGM.

**âge** /ɑʒ/ **NM** age ◆ **l'âge légal** the legal age ◆ **avoir l'âge légal** to be of age ◆ **l'âge obligatoire de la retraite** mandatory retirement *ou* retiring age ◆ **classe** *ou* **groupe** *ou* **tranche d'âge** age bracket, age group ◆ **distribution par âge** age distribution ◆ **limite d'âge** age limit ◆ **fonc-**

tionnaire touché par la limite d'âge civil servant who has reached retirement age ◆ **la moyenne d'âge de nos cadres** the average age of our executives ◆ **pyramide des âges** age pyramid.

**agence** /aʒɑ̃s/ **NF** (= *succursale*) branch (office); (= *organisme*) agency, bureau, office ◆ **payer une commission d'agence** *ou* **des frais d'agence** to pay agency fees *ou* an agency commission

―――――― compounds/composés ――――――
- ◆ **agence commerciale** sales office *ou* agency
- ◆ **Agence pour le développement de la productique appliquée à l'économie** *agency for the development of applied production technology*
- ◆ **agence en douanes** customs agency
- ◆ **Agence pour les économies d'énergie** *energy saving agency*
- ◆ **Agence pour l'énergie nucléaire** *nuclear energy agency*
- ◆ **Agence française pour la maîtrise de l'énergie** *French energy development agency*
- ◆ **agence gouvernementale** government agency
- ◆ **agence immobilière** estate agent's (office), real estate agency *(US)*, realtor's office *(US)*
- ◆ **Agence internationale de l'énergie atomique** International Atomic Energy Agency
- ◆ **agence maritime** shipping agency
- ◆ **agence de marque** brand agency
- ◆ **Agence nationale pour l'amélioration de l'habitat** *French national housing improvement agency*
- ◆ **Agence nationale pour l'emploi** *French national employment office*, job center
- ◆ **Agence nationale pour la valorisation de la recherche** *national agency for the promotion of research*
- ◆ **agence de notation financière** rating agency
- ◆ **agence de placement** employment agency *ou* bureau, job centre
- ◆ **agence de presse** news *ou* press agency
- ◆ **agence de publicité** advertising *ou* publicity agency
- ◆ **agence de rating** rating agency
- ◆ **agence de renseignements financiers** credit rating agency
- ◆ **Agence spatiale européenne** European Space Agency
- ◆ **agence de travail intérimaire** *ou* **temporaire** temporary help agency
- ◆ **agence de voyages** travel agency.

**agenda** /aʒɛ̃da/ **NM** diary *(Brit)*, calendar *(US)* ◆ **agenda de bureau** desk diary *(Brit)* ou calendar *(US)* ◆ **agenda électronique** electronic organizer ◆ **gestion d'agenda** calendaring, calendar management ◆ **agenda de l'actionnaire** shareholder's diary.

**agent** /aʒɑ̃/ **NM** *(Comm)* agent; *(Admin)* officer, official

―――――― compounds/composés ――――――
- ◆ **agent d'achat** buying agent
- ◆ **agent d'affaires** business agent
- ◆ **agent agréé** authorized *ou* appointed agent
- ◆ **agent d'assurances** insurance agent, insurance broker
- ◆ **agent autorisé** authorized *ou* appointed agent
- ◆ **agent de bureau** office employee, clerk
- ◆ **agent de change** stockbroker ◆ **avoir une charge d'agent de change** to be a stockbroker, have a brokerage firm
- ◆ **agent commercial** sales representative ◆ **agent commercial à l'étranger** foreign agent, overseas agent
- ◆ **agent comptable** accountant
- ◆ **agent consulaire** consular agent
- ◆ **agent en douane** import agent
- ◆ **agent économique** economic agent
- ◆ **agent exclusif** sole *ou* tied agent, sole representative ◆ **il est l'agent exclusif de cette marque** he is the sole agent for this make
- ◆ **agent financier** financial officer
- ◆ **agent du fisc** tax official, ≈ Inland Revenue official *(Brit)*
- ◆ **agents du fisc** revenue authorities, revenuers *(US)*
- ◆ **agent général** general agent
- ◆ **agent du gouvernement** government official
- ◆ **agent immobilier** estate agent *(Brit)*, real estate agent *(US)*, realtor *(US)*
- ◆ **agent des impôts** tax office worker *ou* official
- ◆ **agent de liaison** contact man
- ◆ **agent de maîtrise** supervisor, control agent ◆ **agents de maîtrise** supervisory management, lower management, first line management
- ◆ **agent maritime** shipping agent
- ◆ **agent de méthode** *(Ind)* production planner, methods engineer
- ◆ **agent de planification** *(Inf)* scheduler
- ◆ **agent prêteur** lending officer
- ◆ **agent de publicité** advertising agent
- ◆ **agent recenseur** census numerator, census taker *(US)*
- ◆ **agent de recouvrement** *[dettes]* debt collector; *[impôts]* tax collector
- ◆ **agent responsable** authorizing agent
- ◆ **agent technique** technician
- ◆ **agent de transport** forwarding agent
- ◆ **agent de vente** selling agent.

**âger** /aʒe/ **VT** *(Compta)* *comptes* to age ◆ **comptes clients âgés par mois de facturation** receivables aged by month.

**aggravant, e** /agʀavɑ̃, ɑ̃t/ **ADJ** ◆ **circonstances aggravantes** *(Jur)* aggravating circumstances.

**aggravation** /agʀavasjɔ̃/ **NF** *[crise]* worsening, aggravation (*de* of); *[déficit, chômage]* increase (*de* in); *[situation]* deterioration (*de* in, of) ◆ **aggravation du déséquilibre de la balance des**

**paiements** deterioration of *ou* in the balance of payments ◆ **aggravation de la pression fiscale** increase of the tax burden.

**aggraver** /agʀave/ **VT** to make worse, worsen, aggravate ◆ **chômage aggravé par l'inflation** unemployment aggravated *ou* compounded by inflation

**s'aggraver** **VPR** *[crise]* to get worse; *[chômage]* to increase; *[situation]* to deteriorate.

**agio** /aʒjo/ **NM** ◆ **agios** (= *commission de change*) Exchange premium; (= *intérêts débiteurs*) bank charge, bank commission.

**agiotage** /aʒjɔtaʒ/ **NM** speculation.

**agioter** /aʒjɔte/ **VI** to speculate; (*Bourse*) to gamble on the Stock Exchange.

**agioteur** /aʒjɔtœʀ/ **NM** speculator, gambler.

**AGIRC** /aʒiʀk/ **NF** abrév de **Association générale des institutions de retraite des cadres** → **association**.

**agitation** /aʒitasjɔ̃/ **NF** (*gén*) agitation, nervousness; (*Pol*) unrest; (*Bourse*) confusion ◆ **agitation sociale** labour unrest ◆ **l'agitation sur le marché des changes** turmoil on the stock exchange.

**agité, e** /aʒite/ **ADJ** *personne, marché* restless, fidgety, fevered.

**agiter** /aʒite/ **VT** *menace* to brandish

**s'agiter** **VPR** to get restless *ou* restive.

**AGM** /aʒeɛm/ **NF** (abrév de **assemblée générale mixte**) mixed AGM / EGM, mixed Annual / Extraordinary General Meeting.

**AGO** /aʒeo/ **NF** (abrév de **assemblée générale ordinaire**) OGM.

**agrafe** /agʀaf/ **NF** staple.

**agrafer** /agʀafe/ **VT** *papiers* to staple.

**agrafeuse** /agʀaføz/ **NF** stapler.

**agraire** /agʀɛʀ/ **ADJ** ◆ **réforme agraire** land reform.

**agrandir** /agʀɑ̃diʀ/ **VT** *usine, magasin* to enlarge, extend; *différence* to increase

**s'agrandir** **VPR** *[marché, entreprise]* to grow, expand; *[écart, déficit]* to widen, grow, get bigger.

**agrandissement** /agʀɑ̃dismɑ̃/ **NM** *[bâtiment, bureau]* extension; *[marché]* expansion.

**agréé, e** /agʀee/ **ADJ** approved, authorized ◆ **comptable agréé** chartered accountant (*Brit*), Certified Public Accountant (*US*) ◆ **fournisseur agréé** registered dealer *ou* supplier ◆ **agent agréé** authorized *ou* appointed agent

**NM** attorney (*US*), solicitor (*Brit*), counsel ◆ **agréé en douane** custom-house broker.

**agréer** /agʀee/ **VT** ◆ **veuillez agréer l'expression de nos sentiments distingués** *ou* **de nos salutations distinguées** yours faithfully ◆ **veuillez agréer mes sincères salutations** *ou* **l'expression de mes sentiments les meilleurs** yours sincerely.

**agrégat** /agʀega/ **NM** (*gén*) (*Écon*) aggregate ◆ **agrégats monétaires** monetary aggregates.

**agrégatif, -ive** /agʀegatif, iv/ **ADJ** ◆ **méthode agrégative** aggregate method.

**agrément** /agʀemɑ̃/ **NM** (= *accord*) (*gén*) consent, approval, agreement; (*Jur*) assent ◆ **recevoir l'agrément de** to get the approval of ◆ **donner son agrément** to give one's consent (*à* to) **lettre d'agrément** (*Admin*) letter of consent.

**agresseur** /agʀɛsœʀ/ **NM** (*dans OPA hostile*) aggressor.

**agressif, -ive** /agʀɛsif, iv/ **ADJ** *publicité, vendeur* aggressive ◆ **OPA agressive** unfriendly *ou* hostile takeover bid ◆ **vente agressive** high-pressure *ou* hard selling.

**agricole** /agʀikɔl/ **ADJ** agricultural ◆ **exploitant agricole** farmer, agriculturist (*US*) ◆ **petit exploitant agricole** small farmer, smallholder ◆ **comices agricoles, foire agricole** agricultural show ◆ **exploitation agricole** farm ◆ **produits agricoles** agricultural *ou* farm produce ◆ **la petite exploitation agricole** small-scale farming ◆ **politique agricole** agricultural *ou* farm policy ◆ **politique agricole commune** (*UE*) Common Agricultural Policy ◆ **ouvrier / revenu/ matériel agricole** farm worker / income / equipment ◆ **subventions agricoles** farm(ing) subsidies.

**agriculteur** /agʀikyltœʀ/ **NM** farmer, agriculturist (*US*) ◆ **petit agriculteur** small farmer, smallholder.

**agriculture** /agʀikyltyʀ/ **NF** agriculture, farming ◆ **agriculture industrielle / de subsistance** factory / subsistence farming.

**agroalimentaire** /agʀoalimɑ̃tɛʀ/ **ADJ** *secteur* food; *produit* processed; *industrie* food-processing

**NM** **l'agroalimentaire** the food industry, the agricultural processing industry.

**agro-industrie** /agʀoɛ̃dystʀi/ **NF** agribusiness.

**agronome** /agʀɔnɔm/ **NM** agronomist ◆ **ingénieur agronome** agricultural engineer.

**agronomie** /agʀɔnɔmi/ **NF** agronomy, agronomics (sg).

**agronomique** /agʀɔnɔmik/ **ADJ** agronomic(al).

**AIDA** (abrév de **attention, intérêt, désir, action**) AIDA.

**aide** /ɛd/ **NF** *(gén)* help, assistance; *(en argent)* aid; *(subvention)* subsidy, grant ◆ **aide économique** economic assistance *ou* aid *ou* help ◆ **aide financière** financial aid *ou* support *ou* backing ◆ **aide judiciaire** legal aid ◆ **appeler qn à son aide** to call for help from sb, call to sb for help ◆ **recevoir une aide (financière) de l'État** to receive financial aid from the government, receive State aid ◆ **l'État vient en aide aux sociétés exportatrices** the government fosters *ou* helps companies which export ◆ **l'aide aux plus défavorisés** aid *ou* help for the neediest **NMF** assistant

---
*compounds/composés*

◆ **aide-comptable** accountant's assistant
◆ **aide à la conception** design aid
◆ **aide à la décision** decision support *ou* aid
◆ **aide familiale** mother's help
◆ **aide de laboratoire** lab(oratory) assistant
◆ **aide médicale (gratuite)** (free) medical aid
◆ **aide-mémoire** memorandum, check-list
◆ **aide personnalisée au logement** housing grant
◆ **aide sociale** *(= institution)* ≈ welfare, ≈ social security *(= personne)* social worker
◆ **aide structurelle** structural aid
◆ **aide à la vente** sales *ou* selling aid
◆ **aide-vérificateur** audit assistant.

---

**aider** /ede/ **VT** to help ◆ **aider qn financièrement** to help sb (out) *ou* assist sb financially ◆ **l'État aide les agriculteurs** farmers are subsidized by the government ◆ **ces mesures sont destinées à aider au rétablissement de l'économie** these measures are designed to help (to) restore the economy.

**AIEA** /aiəa/ **NF** (abrév de **Agence internationale de l'énergie atomique**) IAEA.

**aiguille** /egɥij/ **NF** needle ◆ **imprimante à aiguilles** stylus *ou* matrix printer.

**aire** /ɛʀ/ **NF** *(= zone)* area, zone ◆ **aire de chargement** loading bay ◆ **aire d'embarquement / de stationnement** boarding / parking area.

**aisance** /ɛzɑ̃s/ **NF** *(= absence d'efforts)* ease; *(= fortune)* affluence ◆ **aisance de trésorerie** abundance of cash.

**aise** /ɛz/ **NF** ◆ **être à l'aise financièrement** to be comfortably off.

**aisé, e** /eze/ **ADJ** *(= riche)* well-to-do, comfortably off, well-off.

**AIT** /aite/ **NF** abrév de **Association internationale du tourisme** → **association**.

**aj.** abrév de **ajouté**.

**ajournement** /aʒuʀnəmɑ̃/ **NM** *[réunion, procès]* adjournment; *[décision]* deferment, postponement; *[date, rendez-vous]* postponement.

**ajourner** /aʒuʀne/ **VT** *séance* to adjourn; *décision* to defer, postpone, adjourn; *rendez-vous, date* to postpone, put off.

**ajout** /aʒu/ **NM** *[texte]* addition ◆ **ce document ne doit comporter ni ajout ni correction** no additions or corrections may be made to this document.

**ajouter** /aʒute/ **VT** to add
**s'ajouter** **VPR** **s'ajouter à qch** to add to sth.

**ajustement** /aʒystəmɑ̃/ **NM** *[statistique, offre, salaire]* adjustment ◆ **ajustement à la baisse / à la hausse** downward / upward adjustment ◆ **l'ajustement de la production en courte / longue période** short / long term production adjustment ◆ **ajustement linéaire** linear adjustment ◆ **ajustement monétaire** currency adjustment *ou* realignment ◆ **ajustements techniques** *(Bourse)* technical adjustments ◆ **courbe d'ajustement** adjustment curve ◆ **point** *ou* **seuil d'ajustement automatique** automatic adjustment point.

**ajuster** /aʒyste/ **VT** *salaires, production* to adjust ◆ **indice non ajusté** unadjusted *ou* unweighted index.

**albanais, e** /albanɛ, ɛz/ **ADJ** Albanian
**NM** *(= langue)* Albanian
**Albanais** **NM** *(= habitant)* Albanian
**Albanaise** **NF** *(= habitante)* Albanian.

**Albanie** /albani/ **NF** Albania.

**ALE** /aɛlə/ **NF** abrév de **Association de libre échange** → **association**.

**aléa** /alea/ **NM** hazard ◆ **aléas conjoncturels** cyclical ups and downs ◆ **provisions pour aléas** contingency reserves.

**aléatoire** /aleatwaʀ/ **ADJ** *résultats* uncertain; *marché, opération* chancy, risky, uncertain, hazardous ◆ **contrat aléatoire** *(Jur)* aleatory contract ◆ **échantillon aléatoire** *(Stat)* random sample ◆ **échantillonnage aléatoire** *(Stat)* random sampling ◆ **accès / nombre aléatoire** *(Inf)* random access / number.

**alerte** /alɛʀt(ə)/ **NF** alert, alarm ◆ **alerte sur les résultats** *(Bourse)* profit warning ◆ **indicateur d'alerte** *(Écon)* warning indicator ◆ **stock d'alerte** emergency stock.

**Alger** /alʒe/ **N** Algiers.

**Algérie** /alʒeʀi/ **NF** Algeria.

**algérien, -ienne** /alʒeʀjɛ̃, jɛn/ **ADJ** Algerian
**Algérien** **NM** (= *habitant*) Algerian
**Algérienne** **NF** (= *habitante*) Algerian.

**aliénabilité** /aljenabilite/ **NF** alienability.

**aliénable** /aljenabl(ə)/ **ADJ** alienable.

**aliénataire** /aljenatɛʀ/ **NMF** alienee.

**aliénateur, -trice** /aljenatœʀ, tʀis/ **NM,F** alienor.

**aliénation** /aljenasjɔ̃/ **NF** (*Jur*) alienation.

**aliéner** /aljene/ **VT** *bien* to alienate; *droits, liberté*
to give up
**s'aliéner** **VPR** s'aliéner les syndicats to antagonize the unions.

**alignement** /aliɲmã/ **NM** alignment ◆ alignement sur la concurrence falling into line with
one's competitors ◆ alignement sur les prix du
marché imitative pricing ◆ alignement monétaire monetary alignment *ou* adjustment
◆ alignement des salaires sur les prix cost of
living adjustment (*US*), wage adjustement in
line with prices.

**aligner** /aliɲe/ **VT** (*Fin*) (*Pol*) to bring into alignment *ou* into line (*sur* with); (*Compta*) to
balance, adjust
**s'aligner** **VPR** s'aligner sur *concurrents* to fall
into line with; *pays* to align o.s. with.

**aliment** /alimã/ **NM** **a** (*Agr, Comm*) food, foodstuff ◆ aliment pour bétail cattle feed, feed-
stuff(s) ◆ aliments préparés convenience food
◆ aliments surgelés frozen food **b** (*Jur*) aliments alimony, maintenance.

**alimentaire** /alimãtɛʀ/ **ADJ** ◆ conserves alimentaires canned *ou* tinned (*Brit*) goods ◆ industrie alimentaire food processing industry
◆ produits *ou* denrées alimentaires foodstuffs
◆ pension alimentaire [*étudiant*] living allowance; (*après divorce*) maintenance allowance,
alimony.

**alimentation** /alimãtasjɔ̃/ **NF** **a** (*en eau, électricité*) supply ◆ l'alimentation en énergie the
energy *ou* power supply **b** (*Comm*) food trade
◆ magasin d'alimentation grocery shop *ou*
store, food store ◆ rayon alimentation food
department ◆ valeurs de l'alimentation
(*Bourse*) food shares **c** (*Inf*) feed, feeding ◆ alimentation du papier paper feed ◆ magasin
d'alimentation feed hopper ◆ imprimante avec
alimentation feuille à feuille printer with
sheet *ou* single-sheet feed *ou* feeder *ou* feeding **d** (= *nourriture*) food; (= *régime*) diet ◆ produits pour l'alimentation du bétail animal feed

(produce), cattle feedstuffs **e** (*Fin*) [*compte*]
replenishing.

**alimenter** /alimãte/ **VT** *personne, bétail, machine*
to feed; (*en eau, électricité*) to supply ◆ alimenter un compte to pay money into an account,
provision *ou* replenish an account ◆ alimenter
l'inflation to stoke up *ou* fuel *ou* feed inflation
◆ bien alimenté *carnet de commandes* well-
filled; *marché* well-supplied.

**alléchant, e** /aleʃã, ãt/ **ADJ** *proposition* attractive.

**allège** /alɛʒ/ **NF** lighter ◆ frais d'allège lighterage.

**allégement** /aleʒmã/ **NM** [*charges*] reduction
◆ allégement fiscal lighter tax burden, tax
remission *ou* reduction *ou* relief, tax break
◆ bénéficier d'allégements fiscaux to be entitled to tax relief ◆ allégement des effectifs
labour shedding ◆ chute des cours due à des
allégements de positions price drop due to
technical sales.

**alléger** /aleʒe/ **VT** *impôts* to reduce, lighten; *budget* to trim, prune, pare ◆ alléger les charges
des entreprises to lighten the tax burden on
companies ◆ alléger ses positions, s'alléger
(*Bourse*) to sell.

**Allemagne** /alman/ **NF** Germany ◆ République
fédérale d'Allemagne Federal Republic of Germany ◆ Allemagne de l'Est / de l'Ouest East /
West Germany.

**allemand, e** /almã, ãd/ **ADJ** German
**NM** (= *langue*) German
**Allemand** **NM** (= *habitant*) German
**Allemande** **NF** (= *habitante*) German.

**aller** /ale/ **NM** (= *voyage*) outward journey ◆ un
aller simple (*Transports*) a single (ticket) (*Brit*), a
one-way ticket (*US*) ◆ un aller (et) retour
(*Transports*) a return (*Brit*) *ou* round-trip (*US*)
ticket ◆ fret d' aller (*Mar*) outward freight
◆ police à l'aller et au retour round policy
◆ aller et retour (*Bourse*) round trip *ou* turn
(trade) ◆ aller-retour dans la journée (*Bourse*)
scalping ◆ faire un aller et retour sur un titre
to make a round trip on a security.

**alliance** /aljãs/ **NF** (*entre sociétés*) alliance, partnership.

**allié, e** /alje/ **NM,F** (*Comm*) partner, ally.

**allier (s')** /alje/ **VPR** (*Écon*) to become partners,
enter into partnership (*with* avec)

**allocataire** /alɔkatɛʀ/ **NMF** (*gén*) beneficiary; (*Sécurité sociale*) welfare recipient.

**allocation** /alɔkasjɔ̃/ **NF** **a** (= *action d'attribuer*)
[*argent*] allocation; [*indemnité*] granting,
awarding; (*Fin*) [*action*] allocation, allotment

**b** *(= indemnité)* allowance, benefit; *(= subvention)* grant, subsidy ◆ **caisse d'allocations familiales** family allowance office *(Brit)*, welfare center *(US)*

---
*compounds/composés*
---

◆ **allocation budgétaire** budgetary appropriation
◆ **allocation (de) chômage** unemployment benefit
◆ **allocation en devises** foreign currency allowance
◆ **allocation d'études** study grant
◆ **allocations familiales** *(= argent)* family allowance *(Brit)*, child benefit *(Brit)*, welfare *(US)* ; *(= bureau)* family allowance office *(Brit)*, welfare center *(US)*
◆ **allocation forfaitaire** standard allowance
◆ **allocation (de) logement** rent allowance, housing benefit
◆ **allocation maladie** sickness benefit
◆ **allocation de maternité** maternity benefit
◆ **allocations prénatales** pregnancy allowance
◆ **allocation de retraite** superannuation allowance
◆ **allocation de salaire unique** *special allowance for families with one wage-earner*
◆ **allocation de vie chère** cost-of-living allowance
◆ **allocation (de) vieillesse** old-age pension.

**allotissement** /alɔtismɑ̃/ **NM** *(Jur)* allotment, apportionment.

**allouer** /alwe/ **VT** *argent* to allocate; *indemnité* to grant, award; *(Fin) actions* to allot, allocate; *temps* to allot, allow, allocate.

**allure** /alyʀ/ **NF** ◆ **l'allure générale du marché** the prevailing tone of the market.

**alourdi, e** /aluʀdi/ **ADJ** *marché* dull.

**alourdir** /aluʀdiʀ/ **VT** *impôts, charges* to increase
**s'alourdir** **VPR** *[impôts]* to increase, get heavier; *[marché]* to become glutted *ou* dull ◆ **les valeurs étrangères se sont alourdies** foreign stocks are reaching a plateau ◆ **les stocks se sont alourdis** inventories are getting somewhat too high.

**alourdissement** /aluʀdismɑ̃/ **NM** *[impôts, charges]* increase (*de* in); *[marché]* increased dullness, glutting.

**alphabétique** /alfabetik/ **ADJ** alphabetical ◆ **par ordre alphabétique** in alphabetical order, alphabetically.

**alphanumérique** /alfanymeʀik/ **ADJ** alphanumeric ◆ **tri alphanumérique** alphanumeric sorting.

**alternance** /altɛʀnɑ̃s/ **NF** alternation ◆ **fonctionner en alternance** to alternate ◆ **formation en** alternance sandwich course, work and training programme.

**alterné, e** /altɛʀne/ **ADJ** ◆ **formation professionnelle alternée** sandwich course, work and training programme.

**alterner** /altɛʀne/ **VT** *postes* to alternate
**VI** to alternate (*avec* with) ◆ **ils alternèrent à la présidence** they took turns in the chair.

**AM** /aɛm/ **NF** abrév de **assurance maladie** → **assurance.**

**amarrage** /amaʀaʒ/ **NM** *[navire]* mooring; *[cargaison]* stowage, stowing ◆ **être à l'amarrage** to be moored ◆ **droits d'amarrage** berthage, mooring dues.

**amarrer** /amaʀe/ **VT** *navire* to moor, make fast; *cargaison* to stow ◆ **être amarré au quai** to lie alongside, be berthed.

**ambassade** /ɑ̃basad/ **NF** embassy ◆ **l'ambassade de France** the French Embassy.

**ambassadeur** /ɑ̃basadœʀ/ **NM** ambassador ◆ **ambassadeur extraordinaire** ambassador extraordinary.

**ambiance** /ɑ̃bjɑ̃s/ **NF** *(gén)* atmosphere; *(Bourse)* tone ◆ **ambiance de travail** work atmosphere, atmosphere at work.

**ambulant, e** /ɑ̃bylɑ̃, ɑ̃t/ **ADJ** ◆ **marchand ambulant** hawker, pedlar, peddler *(US)*, huckster *(US)* ◆ **magasin ambulant** mobile shop.

**AME** /aɛmə/ **NM** (abrév de **accord monétaire européen**) EMA.

**amélioration** /ameljɔʀasjɔ̃/ **NF** improvement, amelioration ◆ **faire des améliorations dans, apporter des améliorations à** to make *ou* carry out improvements to ◆ **on note une certaine amélioration dans le secteur automobile** some signs of an improvement *ou* a recovery are noticeable in the car industry ◆ **amélioration de la conjoncture (économique)** economic uptrend *ou* upturn *ou* upswitch.

**améliorer** /ameljɔʀe/ **VT** *conditions de travail, salaire* to improve
**s'améliorer** **VPR** *(gén)* to improve, get better; *[perspectives]* to look up, brighten up.

**aménagement** /amenaʒmɑ̃/ **NM** **a** *(= action d'aménager)* *[magasin, usine]* fitting-out ◆ **l'aménagement du territoire** town and country planning, national and regional development ◆ **l'aménagement du temps de travail** *(= réforme)* reform of working hours; *(= gestion)* flexible time management **b** *(= modification)* adjustment ◆ **aménagement d'impôt** tax adjustment ◆ **procéder à des aménagements fi-**

nanciers to make financial adjustments ✦ **obtenir des aménagements d'horaire** *(réduction)* to be granted reduced working hours; *(plus souple)* to be granted more flexible working hours **c** *(équipement)* ✦ **aménagements** facilities, amenities ✦ **les nouveaux aménagements d'un quartier** the new developments in *ou* improvements to a district ✦ **les employés profitent d'aménagements exceptionnels dans nos nouveaux bureaux** our new offices provide exceptional accommodation for our staff.

**aménager** /amenaʒe/ **vт** *pièce, magasin* to fit out; *terrain* to develop; *horaire (concevoir)* to plan, work out; *(= adapter)* to adjust; *impôts, mesures* to adjust ✦ **ce bureau est très bien aménagé** this office is very well laid out.

**amende** /amɑ̃d/ **NF** fine ✦ **amende fiscale** tax penalty ✦ **condamner à une amende** to fine ✦ **il a eu 100 euros d'amende** he was fined 100 euros ✦ **défense d'entrer sous peine d'amende** trespassers will be prosecuted.

**amenuisement** /amənɥizmɑ̃/ **NM** *[stocks]* dwindling, shrinking; *[demande, profit, marge bénéficiaire]* dwindling, narrowing, shrinking.

**amenuiser (s')** /amənɥize/ **VPR** *[demande, marge]* to dwindle, narrow, shrink; *[stocks]* to dwindle, shrink, run low ✦ **l'écart s'amenuise** the gap is narrowing.

**américain, e** /ameʀikɛ̃, ɛn/ **ADJ** American **NM** *(= langue)* American (English) **Américain NM** *(= habitant)* American **Américaine NF** *(= habitante)* American.

**Amérique** /ameʀik/ **NF** America ✦ **Amérique centrale / latine / du Nord / du Sud** Central / Latin / North / South America.

**AMF** /aɛmɛf/ **NF** (abrév de **Autorité des marchés financiers**) FSA *(Brit)*, SEC *(US)*.

**amiable** /amjabl(ə)/ **ADJ** *(Jur)* amicable ✦ **accord** *ou* **règlement à l'amiable** amicable agreement *ou* arrangement *ou* settlement ✦ **vente à l'amiable** private sale, sale by private *ou* mutual agreement ✦ **régler** *ou* **liquider une affaire à l'amiable** to settle a matter out of court ✦ **s' arranger à l'amiable avec ses créanciers** to compound with one's creditors ✦ **amiable compositeur** compounder.

**amical, e** /amikal/ **ADJ** OPA friendly.

**AMM** /aɛmɛm/ **NF** (abrév de **autorisation de mise sur le marché**) permit to market a drug.

**Amman** /aman/ **N** Amman.

**amodiataire** /amɔdjatɛʀ/ **NMF** *(= bailleur)* lessor.

**amodiateur, -trice** /amɔdjatœʀ, tʀis/ **NM,F** *(= locataire)* lessee.

**amodiation** /amɔdjasjɔ̃/ **NF** *(= action)* leasing; *(= bail)* lease.

**amodier** /amɔdje/ **vт** *terre* to lease.

**amonceler** /amɔ̃sle/ **vт** *stocks* to pile up, heap up **s'amonceler VPR** *[stocks]* to pile up, heap up.

**amoncellement** /amɔ̃sɛlmɑ̃/ **NM** **a** *(= action)* piling up, heaping up **b** *(= tas)* pile, heap.

**amont** /amɔ̃/ **NM** ✦ **industries en amont** upstream industries ✦ **en amont de cette opération** upstream of this operation.

**amorçage** /amɔʀsaʒ/ **NM** priming ✦ **amorçage économique** economic pump-priming ✦ **emprunt d'amorçage** pump-priming loan ✦ **programme d'amorçage** *(Inf)* bootstrap routine.

**amorce** /amɔʀs(ə)/ **NF** *(= début)* beginning; *(Inf)* bootstrap ✦ **amorce publicitaire** *(Pub)* teaser ✦ **amorce de reprise** *(Écon)* upturn.

**amorcer** /amɔʀse/ **vт** *travaux, négociations* to begin, start; *(Inf)* to bootstrap ✦ **amorcer la pompe** *(Écon)* to prime the pump ✦ **la reprise est amorcée depuis 2 mois** the recovery has been under way for 2 months ✦ **une détente est amorcée sur le marché de l'étain** tin is easing off ✦ **la hausse amorcée vendredi** the upturn which started on Friday ✦ **le dollar amorce un redressement** the dollar is beginning to rise again *ou* to pick up **s'amorcer VPR** to begin, start ✦ **une timide reprise économique semble s'amorcer** there are signs of a slight upturn in the economy.

**amorphe** /amɔʀf(ə)/ **ADJ** *marché* apathetic, dull.

**amortir** /amɔʀtiʀ/ **vт** **a** *(= absorber)* *choc économique, effets* to absorb, cushion, soften **b** *(Fin)* *dette* to pay off, amortize; *emprunt* to redeem, pay off; *action, obligation* to redeem; *machine* to write off, depreciate, amortize, charge off ✦ **amortir l' équipement à un rythme de 25% par an** to depreciate the equipment by 25% a year ✦ **je n'utilise pas suffisamment mon ordinateur pour l'amortir** I don't use my computer often enough to recoup the cost ✦ **notre chaîne de montage robotisée est maintenant amortie** we have now written off the cost of our robotized assembly line.

**amortissable** /amɔʀtisabl(ə)/ **ADJ** *titres boursiers* redeemable; *machine, usine* depreciable, amortizable ✦ **amortissable par tirage au sort annuel** redeemable by annual drawing ✦ **biens** *ou* **immobilisations amortissables** depreciable assets ✦ **valeur résiduelle / prix de revient / durée amortissable** depreciated value / cost /

life ✦ **emprunt amortissable sur 10 ans** loan repayable *ou* redeemable over 10 years.

**amortissement** /amɔʀtismɑ̃/ **NM** *[dette]* paying off; *[action, obligation, emprunt]* redemption; *[machine]* depreciation; *[actif défectible]* depletion; *[immobilisations incorporelles]* amortization ✦ **l'amortissement de ce matériel se fait en 3 ans** this equipment is depreciated over 3 years, this equipment takes 3 years to pay for itself, it takes 3 years for the cost of this equipment to write itself off *ou* to be written off ✦ **les amortissements sont passés de 20 millions d'euros à 26 millions** depreciation net charge-offs rose to 26 million euros from 20 million euros ✦ **annuité d'amortissement** annual depreciation charge, annual charge to depreciation ✦ **bénéfices avant amortissement** income before depreciation ✦ **base des amortissements** depreciation base ✦ **caisse d'amortissement** sinking *ou* redemption fund ✦ **compte d'amortissement** depreciation account ✦ **dotation aux amortissements** amortization expense, depreciation allowance ✦ **fonds d'amortissement** amortization *ou* sinking fund ✦ **méthode d'amortissement** depreciation method ✦ **méthode de l'amortissement décroissant** reducing balance method of depreciation ✦ **période d'amortissement** amortization period ✦ **plan d'amortissement** *(pour un bien, un investissement)* depreciation schedule; *(pour un emprunt)* redemption plan ✦ **provision pour amortissement** provision *ou* reserve for depreciation ✦ **tableau d'amortissement** depreciation schedule, amortization table ✦ **taux d'amortissement** depreciation rate.
▪ Voir encadré ci-contre.

---

**ample** /ɑpl(ə)/ **ADJ** mesures, réformes, projet wide ✦ **jusqu'à plus ample informé** until fuller *ou* further information is available ✦ **dans l'attente de plus amples renseignements** waiting for further particulars.

**ampleur** /ɑplœʀ/ **NF** *[mesures, réformes, projet]* extent, scope, range; *[crise]* scale, extent, magnitude; *[dommages]* extent, scale.

**ampliatif, -ive** /ɑplijatif, iv/ **ADJ** ✦ **acte ampliatif** certified copy.

**ampliation** /ɑplijasjɔ̃/ **NF** certified copy ✦ **pour ampliation** *(au bas d'un document)* certified true copy.

---

*—— compounds/composés ——*

- ✦ **amortissement accéléré** accelerated depreciation
- ✦ **amortissement du capital** writing off of capital
- ✦ **amortissement comptable** depreciation expense
- ✦ **amortissement constant** straight line depreciation
- ✦ **amortissement cumulé** accumulated depreciation
- ✦ **amortissement dégressif** reducing balance method of depreciation
- ✦ **amortissement dérogatoire** derogatory depreciation
- ✦ **amortissement de la dette publique** public debt redemption
- ✦ **amortissement différé** deferred depreciation *ou* redemption
- ✦ **amortissement financier** amortization
- ✦ **amortissement fiscal** allowable depreciation expense, capital cost allowance, depreciation allowance
- ✦ **amortissement des immobilisations** accumulated depreciation
- ✦ **amortissement industriel** writing off of capital
- ✦ **amortissement linéaire** straight line depreciation
- ✦ **amortissement récupérable** recapturable depreciation
- ✦ **amortissement à l'unité** item depreciation.

**amplification** /ɑplifikasjɔ̃/ **NF** development, expansion, growth.

**amplifier** /ɑplifje/ **VT** tendance to develop, accentuate; échanges, coopération to expand, increase, develop
**s'amplifier** **VPR** *[crise, coopération]* to grow, increase, expand, develop.

**amplitude** /ɑplityd/ **NF** *[crise]* magnitude, scale.

**amputer** /ɑpyte/ **VT** budget, crédit to cut back, reduce drastically (*de* by) ✦ **ces nouvelles taxes amputent nos bénéfices** these new taxes will cut back on *ou* bite into our profits.

**Amsterdam** /amstɛʀdam/ **N** Amsterdam.

**AN** /aɛn/ **NF** abrév de **Assemblée nationale** → **assemblée.**

**ANAH** /ana/ **NF** abrév de **Agence nationale pour l'amélioration de l'habitat** → **agence.**

**analyse** /analiz/ **NF** analysis ▪ Voir encadré page ci-contre

**analyser** /analize/ **VT** to analyze.

**analyseur** /analizœʀ/ **NM** (= appareil) analyzer (Comm = analyste) analyst.

**analyste** /analist(ə)/ **NMF** analyst ▪ Voir encadré page ci-contre

---

────── compounds/composés ──────

- **analyste de crédit** credit analyst
- **analyste économique** economic analyst
- **analyste financier** financial analyst
- **analyste fonctionnel** systems analyst
- **analyste industriel** industrial analyst
- **analyste de marché** market analyst
- **analyste en placements** investment analyst
- **analyste-programmeur** program analyst
- **analyste de systèmes** systems analyst.

---

**analytique** / analitik / **ADJ** analytical ✦ **comptabilité analytique (d'exploitation)** cost accounting.

**anatocisme** / anatɔsism(ə) / **NM** compound interest, anatocism.

**ancien, -ienne** / ãsjɛ̃, jɛn / **ADJ** (= antérieur) former, previous ✦ **l'ancienne économie** the old economy ✦ **action ancienne** (Bourse) existing ou old share ✦ **mon ancien emploi** my previous ou former job ✦ **il est plus ancien que moi dans la maison** he has been with ou in the firm longer than me.

**anciennement** / ãsjɛnmã / **ADV** formerly.

**ancienneté** / ãsjɛnte / **NF** [employé] (length of) service, seniority; (Compta) [compte] age ✦ **à l'ancienneté** by seniority ✦ **il a 10 ans d'ancienneté dans la maison** he has been with ou in the firm (for) 10 years ✦ **il a plus d'ancienneté que moi dans l'entreprise** he is senior to me in the firm ✦ **avoir la même ancienneté que**

to be level in seniority with ✦ **prime d'ancienneté** seniority bonus ou pay ✦ **avancer à l'ancienneté** to be promoted by seniority ou in order of age ✦ **conserver son ancienneté** to retain seniority ✦ **l'intéressé conserve ses droits à l'ancienneté durant ce congé** seniority will continue to accumulate during this leave.

**andorran, e** / ãdɔrã, an / **ADJ** Andorran
**Andorran** **NM** (= habitant) Andorran
**Andorrane** **NF** (= habitante) Andorran.

**Andorre** / ãdɔr / **NF** Andorra.

**anglais, e** / ãglɛ, ɛz / **ADJ** English
**NM** (= langue) English
**Anglais** **NM** (= habitant) Englishman ✦ **les Anglais** (en général) English people, the English; (Britanniques) British people, the British; (= hommes) Englishmen
**Anglaise** **NF** (= habitante) Englishwoman.

**Angleterre** / ãglətɛr / **NF** England; (Grande-Bretagne) Britain.

**Angola** / ãgɔla / **NM** Angola.

**angolais, e** / ãgɔlɛ, ɛz / **ADJ** Angolan
**Angolais** **NM** (= habitant) Angolan
**Angolaise** **NF** (= habitante) Angolan.

**animateur, -trice** / animatœr, tris / **NM,F** [stage, cours de formation] instructor, teacher; [groupe] leader ✦ **l'animateur de la réunion** the person running the meeting ✦ **animateur des ventes** sales manager, head of sales ✦ **animateur de la**

---

────── compounds/composés ──────

ANALYSE

- **analyse des besoins** needs analysis ✦ **analyse des besoins du consommateur** consumer research
- **analyse boursière** securities analysis
- **analyse combinatoire** combinatory analysis
- **analyse et conception des systèmes informatiques** analysis and design of computer systems
- **analyse de corrélation** correlation analysis
- **analyse des coûts** cost analysis
- **analyse coûts-avantages** cost-benefit analysis
- **analyse coûts-efficacité** cost-efficiency analysis
- **analyse du crédit** credit analysis
- **analyse discriminante** discriminant analysis
- **analyse des données** data analysis ou processing
- **analyse des écarts** variance ou gap analysis
- **analyse d'entrées-sorties** input-output analysis
- **analyse factorielle** factor ou factorial analysis
- **analyse financière** financial analysis
- **analyse fonctionnelle** systems analysis, functional job analysis

- **analyse fondamentale** fundamental analysis
- **analyse graphique** graphic ou chart analysis
- **analyse intersectorielle** input-output analysis
- **analyse de marché** market analysis
- **analyse marginale** incremental analysis
- **analyse multivariée de données** analyse multidimensionnelle, mapping
- **analyse de poste** job analysis
- **analyse de rendement** cost-benefit analysis
- **analyse de rentabilité** breakeven analysis
- **analyse du risque** risk analysis
- **analyse sectorielle** cross-section analysis
- **analyse séquentielle** sequential analysis
- **analyse de système, analyse systémique** systems analysis
- **analyse technique** (Bourse) technical analysis
- **analyse transactionnelle** transactional analysis
- **analyse de valeur** value analysis
- **analyse de variance** variance analysis
- **analyse verticale** vertical analysis.

force de vente coordinator of the sales force.

**animation** /animasjɔ̃/ **NF** [marché] buoyancy ✦ **marché sans animation** dull ou sluggish market ✦ **une animation de rue** an outdoor sales drive ✦ **animation de la force de vente** coordination of the sales force.

**animé, e** /anime/ **ADJ** enchères, marché brisk, lively ✦ **marché peu animé** dullish ou sluggish market.

**animer** /anime/ **VT** stage, cours de formation to run, teach; groupe to lead, manage; réunion to conduct, run; force de vente to head, run, coordinate
**s'animer** **VPR** [marché] to liven up.

**Ankara** /ɑ̃kaʀa/ **N** Ankara.

**année** /ane/ **NF** year ✦ **payé à l'année** paid annually ✦ **l'année en cours** the current year

---
*compounds/composés*

- **année de base** base year
- **année budgétaire** financial year
- **année civile** calendar year
- **année comptable** accounting year
- **années de cotisations** (pour la retraite) contributory service
- **années décomptées** credited service
- **année fiscale** tax year, fiscal year
- **année d'imposition** year of assessment
- **année record** record ou bonanza ou peak year
- **année de référence** base year
- **année sabbatique** sabbatical (year)
- **année de transition** year of transition, transitional year
- **année de vaches grasses** record ou bonanza year
- **année de vaches maigres** lean year.

---

**annexe** /anɛks(ə)/ **ADJ** feuillets appended, attached ✦ **les bâtiments annexes** the annexes, the outbuildings ✦ **documents annexes** enclosures ✦ **lettre annexe** covering letter ✦ **revenus annexes** supplementary ou side income
**NF** (= bâtiment) annexe; (= document) rider, annex (de to); (Compta) note ✦ **annexes aux états financiers** notes to the accounts.

**annexer** /anɛkse/ **VT** document to append, attach (à to)

**annonce** /anɔ̃s/ **NF** **a** (= avis) announcement; (= publicité) advertisement (in newspaper) ✦ **faire passer** ou **insérer** ou **mettre une annonce dans le journal** to put ou place ou insert an advertisement ou ad in the paper ✦ **ils ont fait passer une annonce pour le poste** they advertised the job ✦ **profiter de l'effet d'annonce** to capitalize on the announcement ✦ **annonce en participation** collective adver-

tisement ✦ **annonce isolée** solus advertisement ✦ **annonce double-page** two-page advertisement, two-page spread ✦ **annonce judiciaire** ou **légale** legal notice ✦ **feuille d'annonces** advertising sheet ✦ **petites annonces, annonces classées** classified advertisements ou ads*, small ads* **b** (= indication) sign, indication ✦ **l'accroissement du chômage est l'annonce d'une crise économique** this growing unemployment heralds ou foreshadows ou signals an economic crisis.

**annoncer** /anɔ̃se/ **VT** **a** (= communiquer) décision to announce (à to) ✦ **on m'a annoncé par télex que** I was informed ou advised by telex that ✦ **on annonce l'implantation d'une nouvelle grande surface** they're advertising the setting up of a new supermarket **b** (= prévoir) inflation, déficit to forecast ✦ **on annonce une reprise économique pour le dernier trimestre** an economic recovery is forecast ou predicted for the last quarter **c** (= indiquer) to foreshadow, foretell, herald ✦ **la baisse des taux d'intérêt annonce un relâchement de la politique de crédit** the drop in interest rates heralds an easing-up on the credit policy ✦ **ce ralentissement des affaires annonce une nouvelle phase récessionniste** the business slowdown foreshadows a new recessionary bout ou means that a new recessionary bout is on its way **d** prix to quote ✦ **annoncer des conditions** to quote terms
**s'annoncer** **VPR** [situation] to shape up ✦ **la négociation s'annonce extrêmement difficile** the negotiation promises to be very difficult ou looks like being very difficult ✦ **cela s'annonce bien** that looks promising, that looks like a promising start, things are shaping up nicely ✦ **la reprise qui s'annonce** the signs of a forthcoming ou an imminent recovery.

**annonceur** /anɔ̃sœʀ/ **NM** (Pub) advertiser; (Rad) (TV) announcer.

**annoncier** /anɔ̃sje/ **NM** (Pub) advertiser, advertising agent.

**annuaire** /anɥɛʀ/ **NM** (gén) yearbook ✦ **annuaire (téléphonique)** (telephone) directory, phone book ✦ **annuaire électronique** electronic directory ✦ **annuaire par profession** trade directory.

**annualisation** /anɥalizasjɔ̃/ **NF** annualization ✦ **l'annualisation de la durée du travail a été acceptée par le syndicat** the union has agreed that working hours should be calculated on a yearly basis ou should be annualized.

**annualiser** /anɥalize/ **VT** to annualize, calculate on a yearly basis ✦ **en données annualisées** in annualized figures ✦ **une croissance annuali-**

sée de 18% an 18% yearly growth ✦ **horaire annualisé** annualized hours.

**annualité** /anɥalite/ **NF** yearly recurrence ✦ **l'annualité du budget / de l'impôt** yearly budgeting / taxation.

**annuel, -elle** /anɥɛl/ **ADJ** annual, yearly ✦ **amortissement / rapport / rendement annuel** annual depreciation / report / return ✦ **rente annuelle** annuity ✦ **revenu annuel** annual ou yearly income ✦ **prendre ses congés annuels en juillet** to take one's annual leave in July.

**annuellement** /anɥɛlmɑ̃/ **ADV** annually, once a year, yearly.

**annuitaire** /anɥitɛʀ/ **ADJ** refundable by yearly payment, payable by yearly instalments.

**annuité** /anɥite/ **NF** (gén) yearly ou annual payment, yearly ou annual instalment; [dette] annual repayment; (Ass) annuity ✦ **avoir toutes ses annuités** (pour la retraite) to have (made) all one's years' contributions

───── compounds/composés ─────
- ✦ **annuité d'amortissement** annual depreciation charge, annual charge to depreciation
- ✦ **annuité de capitalisation** capitalization annuity
- ✦ **annuité constante** regular instalment ou repayment
- ✦ **annuité différée** deferred annuity
- ✦ **annuité de remboursement** annual repayment
- ✦ **annuité réversible** survivorship annuity
- ✦ **annuité à vie** (Ass) life annuity.

**annulable** /anylabl(ə)/ **ADJ** (gén) cancellable; contrat voidable, annullable; décision rescindable.

**annulation** /anylasjɔ̃/ **NF** [commande, marché, rendez-vous, chèque] cancellation; [écriture comptable] reversal; [contrat] nullification, invalidation, voidance; [jugement, décision] quashing, rescission ✦ **annulation d'actions** cancellation of shares ✦ **annulation de crédit** lapse of appropriation ✦ **clause d'annulation** voidance clause ✦ **frais d' annulation** cancellation fee.

**annuler** /anyle/ **VT** commande, marché, rendez-vous, chèque to cancel; écriture comptable to reverse; contrat to invalidate, void, nullify; jugement, décision to quash, overrule, rescind ✦ **annuler des actions** to cancel shares ✦ **la compagnie d'assurance a annulé mon contrat** the insurance company cancelled ou terminated my contract ✦ **la remontée du dollar a été annulée par le tassement de Wall Street** the dollar recovery was wiped out by the setback on Wall Street.

**anomalie** /anɔmali/ **NF** (Tech) (technical) fault ou defect ou flaw; [gestion] deviation, irregularity ✦ **il y a une anomalie de fonctionnement** (machine) it is not running ou working properly, it is out of order ✦ **état des anomalies** (Inf) exception report.

**anonymat** /anɔnima/ **NM** anonymity ✦ **sous le couvert de l'anonymat** anonymously ✦ **garder l'anonymat** to remain anonymous, preserve one's anonymity.

**anonyme** /anɔnim/ **ADJ** anonymous ✦ **bon anonyme** bearer bond ✦ **société anonyme** (gén) limited liability company; (ouverte au public) public limited company ✦ **société anonyme par actions** joint-stock company, incorporated company (US) ✦ **compte anonyme** impersonal ou anonymous account.

**anonymement** /anɔnimmɑ̃/ **ADV** anonymously.

**ANPE** /aɛnpea/ **NF** abrév de **Agence nationale pour l'emploi** → **agence.**

**Antananarivo** /ɑ̃tananarivo/ **N** Antananarivo.

**antécédent, e** /ɑ̃tesedɑ̃, ɑ̃t/ **ADJ** antecedent **NMPL** antécédents [personne] past ou previous history, track record, career to date; [affaire] past ou previous history ✦ **antécédents familiaux** family background ✦ **antécédents professionnels** work history, professional background.

**antenne** /ɑ̃tɛn/ **NF** (= agence) sub-branch, agency, sub-office ✦ **notre antenne marketing** our marketing arm ✦ **nous avons une antenne à Paris** we've got an office in Paris.

**antérieur, e** /ɑ̃teʀjœʀ/ **ADJ** date, accord prior, previous, earlier ✦ **engagement antérieur** prior engagement ou commitment ✦ **retour à la situation antérieure** return to the former ou previous situation ✦ **cette modification est antérieure à sa nomination** this change was made prior ou previous to his appointment, this change predates his appointment.

**antérieurement** /ɑ̃teʀjœʀmɑ̃/ **ADV** earlier ✦ **antérieurement à** prior ou previous to.

**antériorité** /ɑ̃teʀjɔʀite/ **NF** [événement] anteriority; [droit] priority ✦ **classer par antériorité** (Compta) to age ✦ **avoir un droit d'antériorité** to have a prior claim.

**anti-** **PRÉF** anti- ✦ **mesures anti-inflationnistes** anti-inflationary ou counter-inflationary measures.

**antibourrage** /ɑ̃tibuʀaʒ/ **NM** antiblocking, anti-jamming ◆ **circuit antibourrage** jam circuit.

**antichrèse** /ɑ̃tikʀɛz/ **NF** living pledge (of real estate).

**anticipation** /ɑ̃tisipasjɔ̃/ **NF** **a** *(Fin)* ◆ **paiement par anticipation** payment in advance *ou* anticipation, advance payment ◆ **achat d'anticipation** *(Bourse)* hedge buying ◆ **vendre par anticipation** to sell in anticipation ◆ **vente par anticipation** lay-away ◆ **accepter une traite par anticipation** to accept a bill in advance **b** *(Écon)* ◆ **anticipations** expectations ◆ **anticipations conjoncturelles** short-term expectations, economic forecasting ◆ **anticipations inflationnistes** inflationary expectations ◆ **anticipations rationnelles** rational expectations ◆ **le cycle des anticipations** the expectational cycle ◆ **élasticité des anticipations** elasticity of anticipation.

**anticipé, e** /ɑ̃tisipe/ **ADJ** *(gén)* early ◆ **rachat anticipé** anticipated redemption ◆ **remboursement anticipé** *(gén)* repayment before due date; *(Bourse)* redemption before maturity ◆ **clause de remboursement anticipé** acceleration clause ◆ **dividende anticipé** advance dividend ◆ **retraite anticipée** early retirement ◆ **recevez mes remerciements anticipés** thanking you in anticipation *ou* advance.

**anticiper** /ɑ̃tisipe/ **VT** *(gén)* to anticipate; *(Comm)* *paiement* to anticipate, pay before due date ◆ **nous avions anticipé l'expansion du marché** we anticipated the growth of the market ◆ **la Bourse a déjà anticipé la baisse attendue des bénéfices** the stock market has already discounted the expected drop in earnings

——— *compounds/composés* ———
◆ **anticiper sur** to anticipate ◆ **anticiper sur ses revenus / ses bénéfices** to anticipate one's income / one's profits ◆ **anticiper sur les droits de qn** *(Jur)* to encroach upon sb's rights.

**anticommercial, e** **MPL**, **-aux** /ɑ̃tikɔmɛʀsjal, o/ **ADJ** ◆ **attitude anticommerciale** unbusinesslike attitude.

**anticoncurrentiel, -elle** /ɑ̃tikɔ̃kyʀɑ̃sjɛl/ **ADJ** ◆ **pratiques anticoncurrentielles** unfair trade practices.

**anticonjoncturel, -elle** /ɑ̃tikɔ̃ʒɔ̃ktyʀɛl/ **ADJ** *mesures* counter-cyclical.

**anticyclique** /ɑ̃tisiklik/ **ADJ** *politique* anticyclical, counter-cyclical.

**antidate** /ɑ̃tidat/ **NF** antedate.

**antidater** /ɑ̃tidate/ **VT** to backdate, predate, antedate, foredate.

**antidumping** /ɑ̃tidœmpiŋ/ **NM**, **ADJ** *règlements* antidumping ◆ **droit antidumping** *(UE)* antidumping duty.

**antiéconomique** /ɑ̃tiekɔnɔmik/ **ADJ** uneconomical.

**antigrève** /ɑ̃tigʀɛv/ **ADJ** *loi, mesures* anti-strike.

**antihausse** /ɑ̃tios/ **ADJ INV** *politique, mesures* anti-inflationary, designed to contain prices.

**anti-inflationniste** /ɑ̃tiɛ̃flasjɔnist(ɛ)/ **ADJ** *mesures* anti-inflationary, counter-inflationary.

**antillais, e** /ɑ̃tije, ɛz/ **ADJ** West Indian
**Antillais** **NM** *(= habitant)* West Indian
**Antillaise** **NF** *(= habitante)* West Indian.

**Antilles** /ɑ̃tij/ **NFPL** ◆ **les Antilles** the West Indies.

**antimonopole** /ɑ̃timɔnɔpɔl/ **ADJ** *commission* antitrust.

**antipollution** /ɑ̃tipɔlysjɔ̃/ **ADJ** *mesures* antipollution.

**antiprotectionnisme** /ɑ̃tipʀɔtɛksjɔnism(ə)/ **NM** antiprotectionism, free trade.

**antiprotectionniste** /ɑ̃tipʀɔtɛksjɔnist(ə)/ **ADJ** antiprotectionist
**NMF** antiprotectionist, free trader.

**antipublicitaire** /ɑ̃tipyblisitɛʀ/ **ADJ** **a** *(= hostile à la publicité)* ◆ **attitude antipublicitaire** hostile attitude to advertising, anti-advertising attitude **b** *(= qui nuit à la publicité)* *arguments* counterproductive.

**antisocial, e** **MPL**, **-aux** /ɑ̃tisosjal, o/ **ADJ** antisocial.

**antitrust** /ɑ̃titʀœst/ **ADJ INV** *loi, mesures* antitrust.

**ANVAR** /anvaʀ/ **NF** abrév de **Agence nationale pour la valorisation de la recherche** → **agence.**

**AOC** /aose/ **NF** abrév de **appellation d'origine contrôlée** → **appellation.**

**août** /u/ **NM** August pour autres loc. → **septembre.**

**AP** /ape/ **NF** abrév de **Assistance publique** → **assistance.**

**apaisement** /apɛzmɑ̃/ **NM** calming down; *(= assurance)* assurance ◆ **donner des apaisements à qn** to give assurances to sb, reassure sb ◆ **apaisement à la Bourse de Paris / sur le marché des changes** relaxation *ou* lull *ou* quietening down on the Paris Bourse / on the exchange market ◆ **apaisement passager du marché obligataire** lull on the bond market ◆ **le pouvoir cherche l'apaisement** the government is trying to calm things down *ou* to cool things off.

**apaiser** /apeze/ **VT** *tension* to ease, relax **s'apaiser** **VPR** *[tension]* to ease, relax.

**apathie** /apati/ **NF** *[marché]* apathy.

**apathique** /apatik/ **ADJ** *marché* apathetic, sluggish.

**APE** /apeə/ **NF** abrév de **Assemblée parlementaire européenne** → **assemblée.**

**APEC** /apɛk/ **NF** abrév de **Association pour l'emploi des cadres** → **association.**

**apériter** /apeʀite/ **VT** to lead; *(Ass Mar)* to underwrite.

**apériteur, -trice** /apeʀitœʀ, tʀis/ **NM,F** leading insurer *ou* office; *(Ass Mar)* leading underwriter **ADJ** *société apéritrice* leading office.

**apérition** /apeʀisjɔ̃/ **NF** lead.

**APL** /apeɛl/ **NF** abrév de **aide personnalisée au logement** → **aide.**

**appareil** /apaʀɛj/ **NM** *(= structure)* machinery ◆ *l'appareil des lois* the machinery of the law ◆ *appareil commercial* business facilities ◆ *modernisation de l'appareil producteur ou de production ou productif* revamping *ou* modernization of productive capacities.

**apparent, e** /apaʀɑ̃, ɑ̃t/ **ADJ** ◆ *servitude apparente (Jur)* apparent *ou* conspicuous easement ◆ *vice apparent* conspicuous *ou* obvious defect.

**apparenté, e** /apaʀɑ̃te/ **ADJ** *société* affiliated.

**appartement** /apaʀtəmɑ̃/ **NM** ◆ *vendre par appartements (Fin)* to sell off piecemeal ◆ *(re)vente par appartements* unbundling, selling off in bits.

**appartenance** /apaʀtənɑ̃s/ **NF** *[club]* membership (*à* of) ◆ *l'appartenance à une multinationale est un atout* belonging to a multinational is a plus.

**appartenir** /apaʀtəniʀ/ **VI** ◆ *appartenir à (gén)* to belong to; *(être membre de)* to be a member of; *(être du ressort de)* to rest with, fall to ◆ *il appartient / n'appartient pas à la commission de se prononcer* it is for *ou* up to / not for *ou* not up to the committee to decide ◆ *appartenir de droit à* to belong rightfully to ◆ *ces actions m'appartiennent en propre* these shares belong to me in my own right.

**appel** /apɛl/ **NM** a *(gén)* call; *(= demande)* request ◆ *appel à la grève* strike call ◆ *faire appel à un*

expert to send for *ou* call in an expert ◆ *faire appel au marché (Bourse)* to tap the market, call on the market b *(Jur = pourvoi)* appeal *(contre* against, from*)* ◆ *appel des témoins* roll call of witnesses ◆ *faire appel* to appeal ◆ *faire appel d'un jugement* to appeal against a judgment, appeal a decision *(US)* ◆ *interjeter appel* to lodge an appeal, file an appeal *(US)* ◆ *avis d'appel* notice of appeal ◆ *cour d'appel* Court of Appeal, appellate court *(US)* ◆ *délai d'appel* time limit for lodging an appeal ◆ *jugement sans appel* final judgment c *(Comm)* article *ou* produit d'appel loss leader ◆ *l'ouverture d'un rayon sport constitue un appel de fréquentation pour nos magasins* the opening of a sports department in our stores is aimed at attracting an increasing number of customers d *(Inf) [sous-programme]* call; *[terminal]* polling e *(Télec)* (telephone *ou* phone) call ◆ *appel avec préavis* person to person call ◆ *appel en PCV* collect call ◆ *numéro d'appel* phone *ou* call number ◆ *fréquence d'appel* calling frequency

───── *compounds/composés* ─────

◆ **appel en couverture** *(Bourse)* request for cover, margin call
◆ **appel de fonds** call for capital ◆ **faire un appel de fonds** to call up capital, make a call for funds
◆ **appel gratuit** *(Télec)* free call, toll-free call *(US)*
◆ **appel au marché** *(= émission d'actions)* share *ou* stock issue
◆ **appel de marge** *(Fin)* margin call, call for extra *ou* additional cover
◆ **appel à maxima** public prosecutor's appeal against too severe a sentence
◆ **appel à minima** public prosecutor's appeal against too mild a sentence
◆ **appel d'offres** invitation to tender *ou* bid *(US)*
◆ **appel d'offres ouvert** open tendering
◆ **appel public à l'épargne** public issue
◆ **appel téléphonique** phone call.

**appeler** /aple/ **VT** a *(gén)* to call; *expert* to call in, send for; *(au téléphone)* to ring (up), call (up), phone (up); *(Jur) cause* to call out ◆ *appelez-moi ce numéro* could you dial *ou* call this number for me? ◆ *appeler qn à une fonction* to appoint sb to a post ◆ *être appelé à de nouvelles fonctions* to be assigned new duties, be entrusted with new duties ◆ *appeler qn en justice* to summon sb before the court ◆ *le procédé est appelé à se répandre* the method is bound to become more widespread b *(= exiger)* to call for, demand ◆ *ses affaires l'appellent à Londres* business calls him to London ◆ *la situation appelle des mesures immédiates* the situation calls for immediate measures ◆ **sa nouvelle fonction l'appelle à se déplacer beaucoup à l'étranger** his new function will require him to travel abroad extensively **c** *(Fin)* to call ◆ **capital appelé** called-up capital **d** *(Inf) sous-programme* to call down; *terminal* to poll **VI en appeler à** *(Jur)* to appeal to.

**appellation** /apelasjɔ̃/ **NF** designation, appellation ◆ **appellation contrôlée** guaranteed quality label, label of origin *(for a wine)* ◆ **appellation d'origine** label of origin ◆ **appellation d'origine contrôlée** guaranteed quality label, label of origin *(for a wine)*.

**applicabilité** /aplikabilite/ **NF** *[loi]* applicability, enforceability.

**applicable** /aplikabl(ə)/ **ADJ** applicable ◆ **la loi est applicable à tous** the law applies to *ou* is applicable to everyone ◆ **le nouveau tarif sera applicable à partir de** the new price-list will apply *ou* take effect *ou* become effective as from *ou* as of.

**application** /aplikasjɔ̃/ **NF** **a** *[loi, décision]* enforcement, implementation, application ◆ **mettre en application** to implement, apply, enforce, put into practice ◆ **application des règlements** administration of regulations ◆ **mesures prises en application de la loi** measures taken to implement the law ◆ **domaine d'application** scope of application ◆ **circulaire d'application** decree stipulating measures for the enforcement of a law **b** *(Jur)* ◆ **applications** applications ◆ **applications secondaires** spin-offs **c** *(Bourse)* **application (de titres)** cross-trade **d** *(Inf)* ◆ **(logiciel d') application** application (software).

**appliquer** /aplike/ **VT** *loi, décision* to implement, apply, put into practice, enforce; *sanction* to apply, enforce
**s'appliquer** **VPR** *[loi]* to apply *(à* to)

**appoint** /apwɛ̃/ **NM** **a** *(= somme exacte)* ◆ **l'appoint** the right change ◆ **faire l'appoint** to give the right change **b** *(= complément)* extra help ◆ **salaire d'appoint** secondary *ou* extra income, complementary income ◆ **travail d'appoint** sideline *ou* secondary job ◆ **personnel d'appoint** temporary staff, extra staff.

**appointements** /apwɛ̃tmã/ **NMPL** salary, emoluments ◆ **toucher** *ou* **percevoir des appointements** to draw a salary.

**appointer** /apwɛ̃te/ **VT** to pay a salary to ◆ **directeur appointé** salaried director ◆ **être appointé à l'année** to be paid yearly.

**apport** /apɔʀ/ **NM** *(gén) (Fin)* contribution ◆ ap-

ports *(Jur = biens)* property, estate brought in ◆ **les apports des actionnaires** shareholders' contribution, funds *ou* capital provided by the shareholders ◆ **leur apport financier** their financial contribution ◆ **actions d'apport** founder's *ou* initial shares ◆ **capital d'apport** initial *ou* start-up capital

---

*compounds/composés*

- **apport d'actifs** asset transfer *ou* contribution
- **apport d'argent frais** injection *ou* infusion of new money
- **apports en espèces** cash contribution
- **apports en industrie** contribution in kind
- **apport de main-d'oeuvre** additional labour
- **apport minimum** *(pour un placement)* minimum investment; *(pour un achat à crédit)* minimum deposit *ou* down payment
- **apports en nature** contribution in kind
- **apports en numéraire** cash contribution
- **apport partiel d'actif** partial business transfer
- **apport personnel** personal deposit ◆ **crédit sans apport personnel** no deposit loan
- **apports en société** assets brought into business, capital invested.

---

**apporter** /apɔʀte/ **VT** *(gén)* to bring *(Fin = faire un apport)* to contribute ◆ **apporter ses titres à une OPA** to tender one's shares to a bid ◆ **apporter ses actifs à la société commune** to transfer one's assets to the joint venture.

**apporteur** /apɔʀtœʀ/ **NM** *[capitaux]* contributor.

**apposer** /apoze/ **VT** *sceau, tampon* to affix; *(Jur) clause* to insert ◆ **apposer sa signature au bas d'un document** to sign a document, put one's signature to a document ◆ **apposer les scellés** to affix the seals *(sur* to)

**apposition** /apozisjɔ̃/ **NF** *[scellés]* affixing; *[signature]* appending; *[clause]* insertion.

**appréciatif, -ive** /apʀesjatif, iv/ **ADJ** *(= estimatif)* evaluative ◆ **état appréciatif** estimation, evaluation.

**appréciation** /apʀesjasjɔ̃/ **NF** **a** *(évaluation)* assessment, appraisal, estimation; *(= expertise)* valuation, assessment ◆ **appréciation des risques** *(Ass)* estimation of risks, risk assessment **b** *(= hausse de valeur) [monnaie]* appreciation ◆ **appréciation du dollar par rapport au yen** the dollar's rise against the yen **c** *(Bourse)* ◆ **ordre à appréciation** discretionary order.

**apprécier** /apʀesje/ **VT** *(évaluer)* to estimate, assess, appraise, evaluate; *(= expertiser)* to value, assess the value of
**s'apprécier** **VPR** *(Fin)* to appreciate, rise ◆ **l'euro s'est nettement apprécié par rapport**

**au dollar** the euro has strongly appreciated *ou* risen against the dollar.

**apprenti, e** /apʀɑ̃ti/ **NM,F** (= *débutant*) beginner, novice; *(dans un métier)* apprentice ◆ **apprenti menuisier** joiner's apprentice.

**apprentissage** /apʀɑ̃tisaʒ/ **NM** *(gén)* learning; *(dans un métier)* apprenticeship ◆ **apprentissage à distance** distance learning ◆ **mettre qn en apprentissage** to apprentice sb (*chez* to) **être en apprentissage** to be apprenticed *ou* an apprentice (*chez* to) **faire son apprentissage** to serve one's apprenticeship (*chez* with) **centre d'apprentissage** training school ◆ **contrat d'apprentissage** apprenticeship contract, indenture ◆ **courbe d'apprentissage** learning curve ◆ **taxe d'apprentissage** apprenticeship tax.

**approbation** /apʀɔbasjɔ̃/ **NF** approval ◆ **avec l'approbation de** with the agreement of ◆ **pour approbation** *(sur document)* for approval ◆ **cette décision doit être soumise à l'approbation du conseil d'administration** the decision must be submitted to the board for approval, the decision must be cleared with *ou* vetted by the board ◆ **approbation des comptes** *(Fin)* certifying *ou* approval *ou* passing of the accounts.

**approche** /apʀɔʃ/ **NF** *(Comm, Mktg)* approach ◆ **approche sommaire** outline approach ◆ **une nouvelle approche du marché** a new approach to the market ◆ **approche (du) produit** commodity approach.

**appropriation** /apʀɔpʀijasjɔ̃/ **NF** *(Jur, Écon)* appropriation ◆ **appropriation illicite de fonds** embezzlement, defalcation.

**appros NMPL** abrév de **approvisionnements.**

**approuvé** /apʀuve/ **NM** *[compte]* reconcilement.

**approuver** /apʀuve/ **VT** **a** (= *trouver justifié*) *politique, plan* to approve of ◆ **nous approuvons la décision de la commission** we support the decision of the committee **b** (= *entériner*) *loi, dividende, nomination* to approve ◆ **lu et approuvé** *contrat* read and approved; *procès-verbal* read and confirmed ◆ **la proposition a été approuvée par le conseil de direction** the proposal was passed *ou* approved by the management committee ◆ **les comptes ont été approuvés par l'assemblée générale des actionnaires** the accounts were approved by the annual general meeting of the shareholders.

**approvisionnement** /apʀɔvizjɔnmɑ̃/ **NM** (= *action*) supplying, sourcing, procurement, stocking (*en, de* of); (= *réserves*) supplies, procurement, stock, provisions; *(Fin) [compte]* pay-

ing money (*de* into) ◆ **acomptes sur approvisionnement** advance payments on supplied materials ◆ **directeur de l'approvisionnement** purchasing *ou* supply *ou* procurement *ou* sourcing manager ◆ **il est responsable des approvisionnements** he is responsible for supplies *ou* purchasing *ou* procurement *ou* stock ordering ◆ **la fonction approvisionnement** the supply *ou* the purchasing *ou* the procurement function ◆ **plan d'approvisionnement** supply schedule ◆ **source d'approvisionnement** source of supply ◆ **le chèque n'a pas été payé pour défaut d'approvisionnement** the cheque was not paid because of insufficient funds.

**approvisionner** /apʀɔvizjɔne/ **VT** *commerce* to supply (*en, de* with); *compte bancaire* to pay funds *ou* money into ◆ **marché bien approvisionné** well-supplied *ou* well-stocked market ◆ **compte insuffisamment approvisionné** insufficiently funded account
**s'approvisionner** **VPR** to stock up (*en* with) obtain supplies, lay in supplies (*en* of) ◆ **s'approvisionner chez un grossiste** to buy from *ou* get one's supply from a wholesaler ◆ **s'approvisionner en composants électroniques** to obtain supplies of electronic components, procure electronic components.

**approvisionneur, -euse** /apʀɔvizjɔnœʀ, øz/ **NM,F** supplier.

**approximatif, -ive** /apʀɔksimatif, iv/ **ADJ** *estimation* rough; *chiffre* approximate ◆ **évaluation approximative** rough estimate, guesstimate*, ballpark figure*.

**approximation** /apʀɔksimasjɔ̃/ **NF** approximation, (rough) estimate, guesstimate*, ballpark figure*.

**approximativement** /apʀɔksimativmɑ̃/ **ADV** roughly, approximatively.

**appt** (abrév de **appartement**) apartment, flat, apt.

**appui** /apɥi/ **NM** support ◆ **appui financier** financial backing *ou* support ◆ **appui logistique** logistic backup *ou* support ◆ **appui tactique** tactical support ◆ **il a des appuis dans les milieux financiers** he has connections in financial circles ◆ **à l'appui de son témoignage, il a présenté plusieurs documents** in support of his testimony, he presented several documents ◆ **avec chiffres à l'appui** supported by figures.

**appuyer** /apɥije/ **VT** **a** *personne, décision, candidature* to support, back up ◆ **appuyer la demande de qn** to support sb's request ◆ **appuyer une proposition** to back *ou* second a motion
**s'appuyer** **VPR** **s'appuyer sur des statistiques récentes** to base one's argument on recent

statistics *ou* figures, refer to recent statistics *ou* figures.

**âpre** /ɑpʀ(ə)/ **ADJ** *négociation* bitter, harsh; *concurrence* fierce, sharp, cut-throat.

**après** /apʀɛ/ **PRÉP** after ◆ **bénéfices après impôts** after-tax profits.

**après-bourse** /apʀɛbuʀs(ə)/ **ADJ, NM** ◆ **(marché) après-bourse** street market, curb market *(US)*.

**après-vente** /apʀɛvɑ̃t/ **ADJ, NM** ◆ **(service) après-vente** after-sales service.

**âpreté** /ɑpʀəte/ **NF** *[négociation]* bitterness, harshness; *[concurrence]* fierceness.

**apte** /apt(ə)/ **ADJ** *(gén)* able, fit, capable; *(Jur)* fit ◆ **être apte au travail** to be fit for work ◆ **être apte à faire qch** to be capable of doing sth.

**aptitude** /aptityd/ **NF** *(= capacité)* aptitude, ability; *(Jur)* fitness ◆ **certificat d'aptitude professionnelle** certificate of technical *ou* professional education *(secondary school qualification).*

**apurement** /apyʀmɑ̃/ **NM** *[compte]* auditing, audit; *[dette]* discharge, wiping off.

**apurer** /apyʀe/ **VT** *comptes* to audit, agree; *dette* to discharge, wipe off ◆ **apurer un solde déficitaire** to wipe off a debt balance.

**AR** /aɛʀ/ **NM** abrév de **accusé de réception** → **accusé.**

**arabe** /aʀab/ **ADJ** *nation* Arab; *langue* Arabic, Arab; *désert* Arabian
◆ **NM** *(= langue)* Arabic
**Arabe** **NM** *(= habitant)* Arab
**Arabe** **NF** *(= habitante)* Arab (woman).

**Arabie** /aʀabi/ **NF** Arabia ◆ **Arabie Saoudite** Saudi Arabia.

**arbitrage** /aʀbitʀaʒ/ **NM** **a** *(Comm) (= action)* arbitration; *(= sentence)* arbitrament ◆ **arbitrage obligatoire** compulsory arbitration ◆ **arbitrage sur les salaires** wage arbitration ◆ **clause / convention d'arbitrage** arbitration clause / agreement ◆ **commission** *ou* **conseil d'arbitrage** board of arbitration ◆ **sentence d'arbitrage** arbitration award ◆ **tribunal** *ou* **cour d'arbitrage** arbitration tribunal ◆ **procéder à des arbitrages budgétaires** to make trade-offs on the budget ◆ **recourir à l'arbitrage** to go *ou* resort to arbitration ◆ **régler un conflit par arbitrage** to settle a dispute by arbitration ◆ **soumettre à l'arbitrage** to submit *ou* refer to arbitration **b** *(Bourse)* arbitrage, arbitraging ◆ **arbitrage d'intérêt** interest arbitrage ◆ **arbitrage technique** *ou* **de place à place** shunting ◆ **arbitrage de change** arbitrage of exchange, currency arbitrage ◆ **arbitrage sur devises** ar-

bitrage in foreign currencies ◆ **arbitrage en reports** jobbing in contangos ◆ **faire un arbitrage de portefeuille, procéder à des arbitrages dans son portefeuille** to make a change of investments *ou* a portfolio switch ◆ **arbitrage en couverture d'effectif** hedging ◆ **arbitrage spatial** space arbitrage ◆ **arbitrage de spread** spread arbitrage.

**arbitragiste** /aʀbitʀaʒist(ə)/ **NM** *(Bourse)* arbitrageur, arbitrager, arbitragist ◆ **arbitragiste en couverture de risque** hedger.

**arbitral, e,** **MPL** **-aux** /aʀbitʀal, o/ **ADJ** *(Jur)* **compromis, solution** arbitral ◆ **commission arbitrale** board of referees ◆ **règlement arbitral** settlement by arbitration ◆ **tribunal arbitral** arbitration tribunal ◆ **sentence arbitrale** arbitration *ou* arbitral award ◆ **rendre une sentence arbitrale** to hand down *ou* make an arbitration award.

**arbitralement** /aʀbitʀalmɑ̃/ **ADV** *(Jur)* by arbitrators.

**arbitre** /aʀbitʀ(ə)/ **NM** *(Jur)* arbitrator; *(gén)* arbiter, referee, umpire, judge ◆ **arbitre unique** *(Jur)* sole arbitrator.

**arbitrer** /aʀbitʀe/ **VT** *différend* to arbitrate; *personnes* to arbitrate between; *(Fin) valeurs, marchandises* to carry out an arbitrage operation on ◆ **arbitrer un dommage à 10 000 euros** *(Ass = évaluer)* to adjust a loss at 10,000 euros, settle a claim at 10,000 euros ◆ **arbitrer un conflit social** to arbitrate an industrial dispute.

**arbre** /aʀbʀ(ə)/ **NM** tree ◆ **arbre de décision** decision tree.

**archivage** /aʀʃivaʒ/ **NM** filing.

**archiver** /aʀʃive/ **VT** to file.

**archives** /aʀʃiv/ **NFPL** *(= affaires récentes)* records, files; *(= affaires classées)* archives ◆ **local d'archives** storage vault ◆ **nous n'avons pas pu trouver trace de votre lettre dans nos archives** we have been unable to trace your letter in our files *ou* records.

**ardoise** * /aʀdwaz/ **NF** *(= dette)* unpaid bill ◆ **avoir une ardoise** * **de 50 euros chez l'épicier** to have 50 euros on the slate at the grocer's ◆ **il y a une ardoise de 3 millions d'euros** there is a 3 million euros tab* ◆ **qui va payer l'ardoise?** who'll pick up the tab?*.

**are** /aʀ/ **NM** are *(one hundred square metres).*

**argent** /aʀʒɑ̃/ **NM** *(= métal)* silver; *(Fin)* money ◆ **argent en caisse** cash in hand, money in the till ◆ **argent frais** *(disponible)* ready cash; *(à investir)* fresh money ◆ **argent liquide** ready money, ready cash ✦ **argent improductif** *ou* **mort** idle capital, dead money ✦ **argent rare** tight money ✦ **loyer de l'argent** cost *ou* price of money ✦ **le taux de l'argent au jour le jour** day-to-day *ou* overnight money rate ✦ **avancer de l'argent** to advance funds ✦ **payer argent comptant, payer en argent** to pay cash ✦ **placer de l'argent** to invest money *ou* funds ✦ **trouver de l'argent** *(Fin)* to raise money *ou* funds ✦ **faire une politique d'argent cher / bon marché** *(Écon)* to run a dear / cheap money policy.

**argentier** /aʀʒɑ̃tje/ **NM** financier, moneyman ✦ **le grand argentier** *(Admin)* the Minister of Finance ✦ **réunion des grands argentiers** meeting of the top financiers *ou* of the Ministers of Finance.

**argentin, e** /aʀʒɑ̃tɛ̃, in/ **ADJ** Argentinian, Argentine
   **Argentin** **NM** *(= habitant)* Argentinian, Argentine
   **Argentine** **NF** **a** *(= pays)* ✦ **l'Argentine** Argentina, the Argentine **b** *(= habitante)* Argentinian, Argentine.

**argument** /aʀɡymɑ̃/ **NM** argument ✦ **tirer argument de qch** to use sth as an argument *ou* excuse ✦ **argument publicitaire** advertising claim ✦ **argument de vente** selling proposition *ou* point.

**argumentaire** /aʀɡymɑ̃tɛʀ/ **NM** sales presentation, sales talk, sales claim, sales pitch*, sales spiel* ; *(= dossier)* sales folder *ou* kit *ou* brochure.

**argumentation** /aʀɡymɑ̃tasjɔ̃/ **NF** argumentation.

**argumenter** /aʀɡymɑ̃te/ **VI** to argue ✦ **brochure de vente bien argumentée** well-argued sales brochure.

**argus** /aʀɡys/ **NM** guide ✦ **argus de l'automobile** *guide to secondhand car prices.*

**armateur** /aʀmatœʀ/ **NM** shipowner ✦ **les armateurs** the shipping business *ou* industry ✦ **armateur-affréteur** owner-charterer.

**armement** /aʀməmɑ̃/ **NM** *(Mar)* *(= profession)* shipping business; *(équipement d'un navire)* fitting-out.

**Arménie** /aʀmeni/ **NF** Armenia.

**arménien, -ienne** /aʀmenjɛ̃, jɛn/ **ADJ** Armenian
   **NM** *(= langue)* Armenian
   **Arménien** **NM** *(= habitant)* Armenian
   **Arménienne** **NF** *(= habitante)* Armenian.

**armer** /aʀme/ **VT** *navire* to man and supply, fit out ✦ **les petits épargnants devront s'armer de patience** small investors will have to be patient.

**arnaque** * /aʀnak/ **NF** con*, cheat ✦ **c'est de l'arnaque** * it's a con* *ou* a rip-off*.

**arnaquer** /aʀnake/ **VT** to swindle, cheat, con* ✦ **se faire arnaquer de 100 euros** to be cheated out of 100 euros.

**arnaqueur** *-euse /aʀnakœʀ, øz/ **NM,F** swindler, cheat.

**arobase** /aʀobaz/ **NF** at (sign).

**arr.** (abrév de **arrondissement**) district.

**arrangement** /aʀɑ̃ʒmɑ̃/ **NM** *(gén)* agreement, settlement, arrangement; *(Jur)* composition ✦ **arrangement à l'amiable** out-of-court settlement ✦ **parvenir à un arrangement** to reach an agreement *ou* a settlement, come to an arrangement ✦ **trouver un arrangement avec ses créanciers** to compound with one's creditors, come to an agreement with one's creditors ✦ **sauf arrangement contraire** unless otherwise stipulated ✦ **en vertu d'arrangements antérieurs** under previous understandings.

**arranger** /aʀɑ̃ʒe/ **VT** **a** *(= préparer)* *réunion, rendez-vous* to arrange, fix (up) **b** *(= régler)* *litige* to settle **c** *(= satisfaire)* to suit, be convenient for ✦ **5 heures m'arrangerait tout à fait** 5 o'clock would suit me fine *ou* would be quite convenient for me
   **s'arranger** **VPR** **a** *(= s'accorder)* to come to an agreement *ou* an arrangement ✦ **il faudra vous arranger avec l'inspection du travail** you'll have to sort it out with the factory inspectorate ✦ **s'arranger à l'amiable** to come to an amicable settlement ✦ **on pourra peut-être s'arranger** perhaps we can come to an arrangement *ou* do a deal ✦ **s'arranger avec ses créanciers** to compound with one's creditors **b** *(= s'éclaircir)* *[situation]* to work out, sort itself out *(Brit)* **c** *(= trouver une solution)* ✦ **je vais m'arranger pour vous faire avoir un autre rendez-vous** I'll see to it that you get another appointment.

**arrérager** /aʀeʀaʒe/ **VI** ✦ **laisser arrérager une rente** allow interest to accumulate on an annuity
   **s'arrérager** **VPR** *[loyers]* to fall into arrears.

**arrérages** /aʀeʀaʒ/ **NMPL** *[rente]* arrears, back interest ✦ **laisser courir ses arrérages** to let one's interest accumulate ✦ **arrérages de loyer** back rent.

**arrêt** /aʀɛ/ NM **a** *(gén)* stopping; *[fabrication]* discontinuation ◆ **l'usine tout entière est à l'arrêt** the whole factory is idle *ou* is at a standstill ◆ **donner un coup d'arrêt aux importations** to check imports, put a brake on imports ◆ **donner un coup d'arrêt au chômage / à l'inflation** to halt *ou* curb unemployment / inflation ◆ **marquer un temps d'arrêt** *[reprise économique, hausse]* to pause, mark time ◆ **faire arrêt sur salaire** *ou* **sur appointements** *(gén)* to stop wages *(Jur : pour dettes)* to issue a writ of attachment on earnings ◆ **faire arrêt sur des marchandises** to impound *ou* seize goods ◆ **arrêt de travail** *(= grève)* work stoppage; *(= congé maladie)* sick leave ◆ **arrêt-machine** *(Ind)* machine down time **b** *(= jugement)* judgement, decision, order, award ◆ **saisie-arrêt** attachment order, garnishee order, garnishment ◆ **prendre** *ou* **rendre un arrêt** to pass an order, deliver judgement, give an award.

**arrêté** /aʀete/ NM **a** *(= décision administrative)* order, decree ◆ **arrêté d'application** decree stating measures for the enforcement of a law ◆ **arrêté ministériel** departmental *ou* ministerial order ◆ **arrêté municipal** ≈ by(e)-law ◆ **arrêté préfectoral** order of the prefect **b** *(Compta)* ◆ **arrêté de compte** *(= fermeture)* settlement of account; *(= relevé)* statement of account ◆ **arrêté provisoire d'assurance** *(Ass)* cover note, provisional policy.

**arrêter** /aʀete/ **VT a** *(gén)* to stop ◆ **arrêter la fabrication d'un produit** to discontinue a product, stop making a product ◆ **arrêter un compte** to settle *ou* balance *ou* close *ou* rule off an account; *(= relever)* to make up an account ◆ **les comptes sont arrêtés chaque fin de mois** statements of account are made up at the end of every month **b** *(= décider de)* *jour, lieu* to set, fix, decide on; *plan* to decide on; *vente* to conclude ◆ **arrêter un marché** to settle *ou* clinch a deal ◆ **il a arrêté son choix** he has made his choice ◆ **ma décision est arrêtée** my mind is made up ◆ **arrêter que** *(Jur)* to rule that ◆ **arrêter des dispositions générales** to lay down general rules
**s'arrêter** VPR to stop.

**arrêteur** /aʀɛtœʀ/ NM *(Bourse des marchandises)* last buyer, receiver.

**arrhes** /aʀ/ NFPL deposit, earnest money ◆ **verser** *ou* **laisser des arrhes** to leave *ou* make *ou* pay a deposit.

**arriéré, e** /aʀjeʀe/ ADJ *paiement* overdue, outstanding, late; *dette* outstanding, past due *(US)*
◆ **compte arriéré** outstanding account ◆ **loyer arriéré** back rent,, rent owing
NM *(= travail)* backlog; *(= dette)* arrears ◆ **arriéré de commandes** back orders, backlog of orders ◆ **arriérés d'intérêts / de dividende** arrears of interest / dividend, back interest / dividend ◆ **arriéré de loyer** rent arrears, back rent ◆ **arriéré d'impôts** back *ou* delinquent taxes, tax in arrears ◆ **arriéré de salaire** back pay, wage arrears.

**arrière-boutique,** PL **arrière-boutiques** /aʀjɛʀbutik/ NF back shop.

**arriérer** /aʀjeʀe/ **VT** *(Fin)* *paiement* to defer
**s'arriérer** VPR to fall into arrears, fall behind with payments.

**arrimage** /aʀimaʒ/ NM *(= action)* stowage, stowing; *(= droits)* stowage.

**arrimer** /aʀime/ VT to stow.

**arrimeur** /aʀimœʀ/ NM stevedore.

**arrivage** /aʀivaʒ/ NM **a** *(= action d'arriver)* arrival **b** *[colis, marchandises]* consignment, shipment ◆ **nouveaux arrivages chaque semaine** new deliveries every week.

**arrivant, e** /aʀivɑ̃, ɑ̃t/ NM,F newcomer ◆ **les nouveaux arrivants sur le marché du travail** new entrants on the labour market.

**arrivée** /aʀive/ NF arrival ◆ **courrier / marchandises à l'arrivée** incoming mail / goods ◆ **port d'arrivée** port of arrival ◆ **vendre à l'heureuse arrivée** *(Ass Mar)* to sell to arrive.

**arriver** /aʀive/ VI to arrive ◆ **arriver à échéance** *[paiement]* to fall due; *[bon du Trésor]* to come to maturity; *[contrat]* to run out, terminate, expire.

**arrondir** /aʀɔ̃diʀ/ VT *somme, nombre* to round off ◆ **arrondir au franc supérieur** to round up to the nearest franc ◆ **arrondir au franc inférieur** to round down to the nearest franc ◆ **arrondi au chiffre supérieur / inférieur** rounded up / down ◆ **calculer les arrondis** *(conversion en euros)* to round off.

**art.** abrév de **article.**

**art** /aʀ/ NM art ◆ **les Arts ménagers** *(= Salon)* the Ideal Home Exhibition.

**article** /aʀtikl(ə)/ NM **a** *(Comm)* item, article ◆ **baisse sur tous nos articles** all stock reduced, reduction on all items ◆ **nous ne faisons plus cet article** we don't stock *ou* keep that item any more ◆ **faire l'article** to give the sales patter, peddle *ou* hawk one's wares **b** *[loi, traité]* article; *[contrat]* provision; *[facture, compte]* item ◆ **dans le cadre** *ou* **au terme de**

l'article 12 under article 12, within the terms of article 12 ✦ en vertu de l'article 12 in pursuance of article 12

──────── compounds/composés ────────
- ✦ **article d'appel** loss leader
- ✦ **articles de bureau** office accessories
- ✦ **article de caisse** cash item
- ✦ **article choc** loss leader, puller
- ✦ **articles de consommation courante, articles de grande consommation** convenience goods, staple products
- ✦ **articles défectueux** *(abîmés)* defective units *ou* articles, rejects; *(de moindre qualité)* seconds
- ✦ **article défraîchi** shop-soiled article
- ✦ **article de dépenses** *(Compta)* item of expenditure
- ✦ **articles difficiles à écouler** slow-moving stock
- ✦ **articles de grande consommation** convenience goods, staple products
- ✦ **article d'importation** imported product
- ✦ **articles d'importation** imported goods, imports
- ✦ **articles de luxe** luxury goods
- ✦ **articles manquants** inventory shortage
- ✦ **articles de marque** branded goods, proprietory articles
- ✦ **articles de mode** fashion accessories
- ✦ **article (en) réclame** special offer
- ✦ **article refusé** reject
- ✦ **articles de second choix** seconds
- ✦ **articles de toilette** toiletries
- ✦ **article vedette** hot mover *ou* seller
- ✦ **articles de voyage** travel goods.

**artisan** /aʀtizɑ̃/ **NM** craftsman, artisan.

**artisanal, e,** **MPL** **-aux** /aʀtizanal, o/ **ADJ** ✦ entreprise artisanale small company ✦ profession artisanale craft, craft industry ✦ retraite artisanale pension for self-employed craftsmen ✦ au stade artisanal on a small scale ✦ de façon artisanale *(= limitée)* on a small scale; *(= à l'ancienne)* using traditional methods.

**artisanalement** /aʀtizanalmɑ̃/ **ADV** *fabriquer* on a small scale; *(= à l'ancienne)* using traditional methods.

**artisanat** /aʀtizana/ **NM** craft industry.

**AS** /aɛs/ **NFPL** abrév de **Assurances sociales** → **assurance.**

**ASBL** /aɛsbeɛl/ **NF** abrév de **association sans but lucratif** → **association.**

**ascendant** /asɑ̃dɑ̃/ **NM** *(Jur = parent)* ascendant *(Jur).*

**ASE** /aɛsə/ **NF** (abrév de **Agence spatiale européenne**) ESA.

**asiatique** /azjatik/ **ADJ** Asian, Asiatic
**Asiatique** **NMF** *(= habitant)* Asian, Asiatic.

**Asie** /azi/ **NF** Asia ✦ **Asie du Sud-Est** Southeast Asia.

**Asmara** /asmaʀa/ **N** Asmara.

**asphyxie** /asfiksi/ **NF** *[secteur industriel]* stifling ✦ l'asphyxie générale de l'économie the general sluggishness of the economy.

**asphyxier** /asfiksje/ **VT** *croissance, économie* to stifle ✦ les finances publiques sont asphyxiées par la dette public finances are weighed down by debt.

**assainir** /aseniʀ/ **VT** *économie, finances* to make healthier, stabilize; *marché* to stabilize; *monnaie* re-establish, decoke* ✦ le budget de la Sécurité sociale s'est assaini the social security budget has improved, there has been some improvement in the social security budget ✦ les comptes de l'entreprise ont été assainis the firm's accounts have been put back on an even keel *ou* have been stabilized.

**assainissement** /asenismɑ̃/ **NM** *[marché]* stabilization; *[monnaie]* re-establishment, decoking*; *[budget, finances]* stabilizing ✦ assainissement de l'économie / des comptes stabilizing of the economy / the accounts.

**assaut** /aso/ **NM** assault *(de* on), attack *(de* on) ✦ résister aux assauts de la concurrence to resist the attacks of one's competitors, withstand (the) competition ✦ ces entreprises étrangères ont pris d'assaut notre marché intérieur these foreign firms took our domestic market by storm, these foreign firms swamped our domestic market ✦ les banques ont été prises d'assaut par le public banks were stormed by the public.

**ASSEDIC** /asedik/ **NFPL** abrév de **Associations pour l'emploi dans l'industrie et le commerce** → **association.**

**assemblage** /asɑ̃blaʒ/ **NM** *(Ind)* assembly ✦ programme d'assemblage *(Inf)* assembly program ✦ usine d'assemblage assembly plant.

**assemblée** /asɑ̃ble/ **NF** meeting ✦ réunis en assemblée gathered *ou* assembled for a meeting

─── compounds/composés ───

- **assemblée des actionnaires** shareholders' meeting, stockholders' meeting *(US)*
- **assemblée générale (annuelle)** (annual) general meeting ◆ **assemblée générale mixte** mixed annual general meeting / extraordinary general meeting, mixed AGM / EGM ◆ **assemblée générale ordinaire** ordinary general meeting ◆ **assemblée générale extraordinaire** extraordinary *ou* special general meeting
- **Assemblée nationale** National Assembly
- **assemblée ordinaire** ordinary meeting
- **Assemblée parlementaire européenne** European Parliament
- **assemblée plénière** plenary meeting.

**assembler** /asɑ̃ble/ **vt** *(Ind) pièces détachées* to assemble.

**assembleur** /asɑ̃blœʀ/ **NM** *(gén) (= ouvrier)* fitter; *(Inf)* assembler.

**asseoir** /aswaʀ/ **vt** *réputation* to establish, build ◆ **asseoir un impôt** to base *ou* fix *ou* assess a tax.

**assermenté, e** /asɛʀmɑ̃te/ **ADJ** *témoin, juré* sworn, on oath; *médecin, expert* officially designated ◆ **courtier assermenté** broker on oath.

**assesseur** /asesœʀ/ **NM** *(gén)* assistant; *(Jur)* assessor.

**assiduité** /asidɥite/ **NF** *(= ponctualité)* regularity, regular attendance; *(= application)* attentiveness, dedication ◆ **prime d'assiduité** attendance bonus.

**assiette** /asjɛt/ **NF** *(Impôts)* (basis of) assessment, tax base; *(Jur) [hypothèque]* property *ou* estate on which a mortgage is secured ◆ **assiette du fret** basis of freight ◆ **assiette d'une rente** property on which an annuity is secured.

**assignation** /asiɲasjɔ̃/ **NF** a *[place, somme]* allocation, allotment (*à* to) b *(Jur)* ◆ **assignation à comparaître** *[inculpé]* summons (to appear); *[témoin]* subpoena ◆ **assignation d'un tiers** garnishment ◆ **signifier une assignation à qn** to serve a writ on sb.

**assigner** /asiɲe/ **vt** a *part, place* to assign, allocate, allot; *somme, crédit* to allot, allocate, appropriate (*à* to) earmark (*à* for) ◆ **régime assigné aux marchandises** *(Douanes)* rules applicable to goods ◆ **assigner qch à un compte** to charge sth to an account b *(Jur)* ◆ **assigner à comparaître** *défendeur* to summon; *témoin* to subpoena ◆ **assigner qn en justice** to take out a summons against sb, issue a writ against sb, serve a writ on sb, bring an action against sb ◆ **faire assigner qn en justice** to bring an action against sb ◆ **assigner qn en contrefaçon** to sue sb for infringement of patent.

**assimilation** /asimilasjɔ̃/ **NF** assimilation.

**assimiler** /asimile/ **vt** *(gén)* to assimilate ◆ **assimiler qn / qch à** to class sb / sth as, put sb / sth into the category of ◆ **les agents de maîtrise demandent à être assimilés aux cadres** supervisors are asking to be classed as *ou* given the same status as executives ◆ **les fonctionnaires et assimilés** civil servants and comparable categories ◆ **ces sommes ne peuvent être assimilées à des salaires du point de vue fiscal** these sums cannot be assimilated to *ou* classified as salaries for tax purposes.

**assises** /asiz/ **NFPL** *(Jur)* assizes; *(= réunion)* meeting ◆ **tenir ses assises** to hold one's meeting ◆ **cour d'assises** ≈ Crown Court *(Brit)*, ≈ Court of Assizes.

**assistance** /asistɑ̃s/ **NF** *(= aide)* assistance, aid

─── compounds/composés ───

- **assistance judiciaire** legal aid
- **assistance maritime** salvage
- **assistance médicale gratuite** free medical care
- **Assistance publique** Welfare service
- **assistance sociale** welfare
- **assistance technique** technical aid *ou* assistance.

**assistant, e** /asistɑ̃, ɑ̃t/ **NM,F** assistant ◆ **assistant chef de produit** assistant product manager ◆ **assistant de direction** professional secretary ◆ **assistante sociale** social worker ◆ **premier assistant** chief assistant ◆ **le directeur et son assistante** the manager and his personal assistant *ou* his PA.

**assisté, e** /asiste/ **ADJ** *personne démunie* receiving (state) aid, on welfare; *pays* assisted, aided ◆ **assisté par ordinateur** *(Inf)* computer-aided, computer-assisted ◆ **conception / fabrication assistée par ordinateur** computer-aided *ou* computer-assisted design / manufacturing.

**associatif, -ive** /asɔsjatif, iv/ **ADJ** associative.

**association** /asɔsjasjɔ̃/ **NF** *(gén)* association, society; *(Comm)* partnership ◆ **entrer en association** to enter into partnership

─── compounds/composés ───

- **association d'actionnaires** shareholders' association
- **association à but lucratif** profit-making association
- **association sans but lucratif** non-profit-making *(Brit) ou* not-for-profit *(US)* association

- **Association pour la coopération technique, industrielle et commerciale** *association for technical, industrial and commercial co-operation*
- **Association pour l'emploi des cadres** *executive employment association*
- **Associations pour l'emploi dans l'industrie et le commerce** *association for industrial and commercial employment*
- **Association européenne de libre-échange** European Free Trade Association
- **Association pour la formation professionnelle des adultes** *adult professional education association*
- **Association française de normalisation** *French standards association≈* British Standards Institute *(Brit)*, ≈ American National Standards Institute *(US)*
- **Association française de recherches et statistiques commerciales** *French association for marketing research and statistics*
- **Association générale des institutions de retraite des cadres** *confederation of executive pension institutions*
- **Association internationale de développement** International Development Association
- **Association internationale du tourisme** International Tourism Association
- **association de libre-échange** free trade association
- **association patronale** employers' association
- **association professionnelle** trade association
- **association reconnue d'utilité publique** association officially considered as serving public purposes
- **association syndicale** trade union.

**associé, e** /asɔsje/ **NM,F** *(Comm) (Fin)* partner, associate ◆ **associé commanditaire** sleeping partner, dormant partner *(US)* ◆ **associé commandité** active *ou* general partner ◆ **associé gérant** managing partner ◆ **associé principal** *ou* **majoritaire** senior partner ◆ **associé minoritaire** junior partner ◆ **membre associé** associate member.

**associer** /asɔsje/ **VT** *intérêts* to combine (*à* with) ◆ **associer qn à** *bénéfice* to give sb a share of; *projet* to make sb a partner in ◆ **nous les avons associés à nos travaux** we let them take part in our work, we involved them in our work ◆ **compte-titres associé à un compte-espèces** securities account coupled with a cash account

**s'associer** **VPR** *[entreprises]* to join together, form an association; *[personnes]* to enter into *ou* form a partnership ◆ **s'associer à** *ou* **avec** *entreprise* to join with, form an association with; *personne* to go into partnership with.

**assombrir** /asɔ̃bʀiʀ/ **VT** to darken

**s'assombrir** **VPR** *[situation, perspectives, horizon]* to darken, become gloomier.

**assombrissement** /asɔ̃bʀismɑ̃/ **NM** *[situation, horizon]* darkening.

**Assomption** /asɔ̃psjɔ̃/ **N** Asuncion.

**assortiment** /asɔʀtimɑ̃/ **NM** *(= sélection)* assortment; *(= série)* series, set, range; *(Comm)* product range, selection stock ◆ **un assortiment de mesures fiscales** an array *ou* package *ou* raft of tax measures ◆ **tout un assortiment de produits** a whole range of products.

**assortir** /asɔʀtiʀ/ **VT** **a** *(= ajouter)* ◆ **assortir qch de** to accompany sth with ◆ **le contrat est assorti de plusieurs clauses de réserves** there are several provisions to this contract ◆ **une baisse de l'impôt assortie d'une hausse de la fiscalité indirecte** an income tax cut accompanied by an increase in indirect taxation ◆ **ce dividende sera assorti d'un avoir fiscal** this dividend will be coupled with a tax credit **b** *(= fournir)* *magasin* to stock (*de* with) ◆ **magasin bien / mal assorti** well / poorly stocked shop.

**assoupi** /asupi/ **ADJ** *marché* lulled, dull, numbed, passive.

**assouplir** /asupliʀ/ **VT** *mesure, règle, contrôle de changes* to relax; *crédit* to ease; *position* to tone down, water down

**s'assouplir** **VPR** to become more flexible.

**assouplissement** /asuplismɑ̃/ **NM** *[mesure, règle, contrôle des changes]* relaxation; *[position]* toning down, watering down ◆ **assouplissement des procédures douanières / du crédit** easing of customs formalities / of credit.

**assujetti, e** /asyʒeti/ **ADJ** ◆ **assujetti à** *règle* subject to; *taxe* liable *ou* subject to ◆ **les ménages assujettis à l'impôt** households liable to tax *ou* affected by tax, taxable households.

**assujettir** /asyʒetiʀ/ **VT** ◆ **assujettir à** *règle, taxe* to subject to, make liable to.

**assujettissement** /asyʒetismɑ̃/ **NM** ◆ **assujettissement à l'impôt** tax liability.

**assumer** /asyme/ **VT** *responsabilité, tâche* to assume, take on; *emploi* to hold; *résultat* to accept; *risque* to bear ◆ **assumer les frais** to meet the expenses.

**assurable** /asyʀabl(ə)/ **ADJ** insurable ◆ **valeur assurable** insurable value.

**assurance** /asyʀɑ̃s/ **NF** **a** *(= police)* insurance (policy); *(= compagnie)* insurance company ◆ **comporter une assurance** to carry an insurance ♦ **contracter** ou **prendre** ou **souscrire une assurance contre** to take out an insurance policy against, take out an insurance against ♦ **agent / courtier d'assurances** insurance agent / broker ♦ **couverture d'assurance** insurance coverage ou cover ou covering ♦ **police / prime / attestation / régime d'assurance** insurance policy / premium / certificate / scheme ♦ **rachat d'assurance** redemption ou surrender of a policy ♦ **assurance contre la grêle** hail insurance **b** (= promesse) assurance, undertaking, guarantee ♦ **donner à qn l'assurance formelle que** to give sb a formal assurance ou undertaking that ♦ **veuillez agréer l'assurance**

de mes sentiments dévoués ou de ma considération distinguée ≈ yours faithfully ou truly **c** (= secteur d'activité) ♦ **les assurances** the insurance industry ♦ **il est dans les assurances** he's in the insurance business, he's in insurance ▪ Voir encadré ci-dessous

**assuré, e** /asyʀe/ **ADJ** succès, échec certain, sure; situation, avenir assured ♦ **capital assuré** (gén) insured capital; (Ass) face amount ♦ **risque assuré** (Ass) insured peril

**NM,F** (gén) insured person, policyholder; [assurance-vie] assured person ♦ **assuré nommément désigné** named insured ♦ **assuré social** ≈

---

*compounds/composés*

## ASSURANCE

- **assurance d'abonnement** floating ou open insurance policy
- **assurance contre les accidents du travail** employers' liability insurance
- **assurance-automobile** car insurance
- **assurance contre le bris de glaces** plate glass insurance
- **assurance sur bonne arrivée** insurance subject to safe arrival
- **assurance sur bonnes ou mauvaises nouvelles** insurance « ship lost or not lost »
- **assurance à capital différé** endowment insurance
- **assurance chômage** unemployment insurance ♦ je touche l'assurance chômage I'm drawing unemployment benefit
- **assurance complémentaire** additional insurance
- **assurance conjointe** joint insurance
- **assurance sur corps** (Ass Mar) hull insurance
- **assurance contre les créances douteuses** bad debts insurance
- **assurance à couverture globale** blanket coverage ou insurance, package insurance (US)
- **assurance crédit** credit insurance
- **assurance décès** life insurance ♦ **assurance décès-invalidité** death and invalidity benefit insurance
- **assurance défense et recours** legal protection insurance
- **assurance contre les dégâts des eaux** water damage insurance
- **assurance détournement et vol** fidelity bond
- **assurance (sur) facultés** (Ass Mar) cargo insurance
- **assurance sur la fidélité du personnel** fidelity insurance
- **assurance flottante** floating ou open insurance
- **assurance globale** blanket coverage ou insurance, package insurance (US)
- **assurance hypothèque** mortgage insurance
- **assurance incapacité de travail** disablement ou disability insurance
- **assurance contre l'incendie** fire insurance

- **assurance indexée** index-linked insurance
- **assurance invalidité-vieillesse** disablement ou disability insurance
- **assurance maladie** health ou sickness insurance
- **assurance maritime** marine insurance
- **assurance mixte** endowment insurance
- **assurance multirisque** comprehensive insurance, all-in policy
- **assurance perte d'emploi** redundancy insurance
- **assurance contre les pertes d'exploitation, assurance perte d'exploitation** business interruption insurance
- **assurance contre la perte des loyers** rent insurance
- **assurance pluie** weather ou pluvius insurance
- **assurance provisoire** provisional policy
- **assurance réciproque** reciprocal insurance
- **assurance responsabilité civile** third party insurance, (public) liability insurance
- **assurance risques divers** casualty insurance, property and liability insurance (US)
- **assurance sociale** social insurance
- **Assurances sociales** National Insurance (Brit) ♦ être aux Assurances sociales to be on welfare
- **assurance au tiers** third party insurance
- **assurance tous risques** comprehensive insurance all-in policy
- **assurance transports** transport ou transportation (US) insurance
- **assurance valeur agréée** agreed-value insurance
- **assurance valeur à neuf** reinstatement value insurance, replacement cost insurance
- **assurance-vie, assurance sur la vie** life assurance ou insurance
- **assurance vie entière** whole life insurance
- **assurance-vieillesse** state pension scheme
- **assurance contre le vol** insurance against theft
- **assurance voyage** travel accident insurance
- **assurance au voyage** (Ass Mar) voyage insurance.

member of the National Insurance Scheme *(Brit)* *ou* Social Security *(US)* welfare recipient ✦ **assuré sinistré** *(Ass)* claimant.

**assurer** /asyʀe/ **VT** **a** *(Ass) biens* to insure (*contre* against); *personne* to assure; *risque [assuré]* to insure, cover; *[assureur]* to insure, underwrite ✦ **assurer qn sur la vie** to assure sb's life ✦ **faire assurer qch** to insure sth, have sth insured ✦ **être assuré** to be insured ✦ **j'ai assuré ma voiture pour 10 000 dollars** I carry $10,000 insurance on my car ✦ **l'usine est assurée** the factory is covered by an insurance *ou* is insured ✦ **assurer une créance** *(Fin)* to stand security for a debt **b** *(= s'occuper de) fonctionnement* to maintain; *service* to operate, provide ✦ **pendant la grève les techniciens TV sont tenus d'assurer le service minimal** during the strike there is a minimum level of service which TV technicians must maintain *ou* provide ✦ **ce ferry assure la liaison entre Calais et Douvre** this ferry-boat links Calais and Dover *ou* operates between Calais and Dover ✦ **une permanence téléphonique est assurée** a 24 hour telephone service is kept operating ✦ **assurer le suivi d'une commande** to follow up (on) an order **c** *(= affirmer, garantir)* to assure *(que* that*)* ✦ **cela devrait vous assurer une retraite confortable** that should ensure that you have a comfortable retirement ✦ **la coopération totale des pouvoirs publics nous est assurée** we have been assured of the complete cooperation of the public authorities

**s'assurer** **VPR** **a** *(Ass)* to insure o.s., to take out an insurance (*contre* against) ✦ **s'assurer sur la vie** to insure one's life, take out (a) life assurance *ou* insurance ✦ **nous voulons nous assurer contre** we require cover against, we want to insure (ourselves) against **b** *(= contrôler)* ✦ **s'assurer de qch** to make sure of sth, check sth, ascertain sth ✦ **je m'assurerai que cela soit fait** I shall ensure *ou* make sure that this is done **c** *appui* to secure.

**assureur** /asyʀœʀ/ **NM** *(= agent)* insurance agent; *(= courtier)* insurance broker; *(= compagnie)* insurance company; *(Ass Mar)* underwriters ✦ **assureur-conseil** insurance consultant ✦ **assureur sur corps** *(Ass Mar)* hull underwriter ✦ **assureur sur facultés** *(Ass Mar)* cargo underwriter.

**Astana** /astana/ **N** Astana.

**astreindre** /astʀɛ̃dʀ(ə)/ **VT** ✦ **astreindre qn à faire** to compel *ou* oblige *ou* force sb to do ✦ **astreint à payer une amende de 100 euros par jour** ordered to pay a fine of 100 euros per day.

**astreinte** /astʀɛ̃t/ **NF** *(gén)* constraint, obligation; *(Jur)* penalty ✦ **devoir payer une astreinte de 100 euros par jour de retard** to have to pay a penalty of 100 euros for every day late.

**Asuncion** /asunsjɔn/ **N** Asuncion.

**ATD** /atede/ **NM** abrév de **avis de tiers détenteur** → **avis.**

**atelier** /atəlje/ **NM** shop, workshop ✦ **les ateliers** the shop floor, the factory floor ✦ **atelier de fabrication / de montage** manufacturing / assembly shop ✦ **atelier flexible** flexible workshop ✦ **chef d'atelier** *(= homme)* foreman, supervisor *(US)*, overseer *(US)* ; *(= femme)* forewoman.

**Athènes** /atɛn/ **N** Athens.

**atmosphère** /atmɔsfɛʀ/ **NF** *(gén)* atmosphere; *(Bourse)* sentiment, climate, tone.

**atomisé, e** /atɔmize/ **ADJ** *marché* fragmented.

**atomicité** /atɔmisite/ **NF** *[marché]* fragmentation.

**atone** /atɔn/ **ADJ** *marché* lifeless, dull, sluggish.

**atonie** /atɔni/ **NF** *[marché]* lifelessness, dullness, sluggishness; *[économie]* sluggishness, slackness.

**atout** /atu/ **NM** *(= point fort)* asset, strong-point, ace ✦ **avoir tous les atouts en mains** to hold all the trumps *ou* winning cards.

**attache** /ataʃ/ **NF** ✦ **port d'attache** *[bateau]* port of registry; *[entreprise]* home base ✦ **droits d'attache** mooring rights *ou* dues ✦ **être à l'attache** to be moored.

**attaché, e** /ataʃe/ **ADJ** attached (*à* to) ✦ **les avantages attachés à ce poste** the benefits pertaining to *ou* attached to this position ✦ **elle est attachée à notre service** she's attached to our department
**NM** attaché ✦ **attaché d'ambassade / de presse** embassy / press attaché ✦ **attaché commercial** *[ambassade]* commercial attaché; *[entreprise]* sales representative ✦ **attaché d'administration** administrative assistant, junior civil servant ✦ **attaché de clientèle** *(Banque)* account officer.

**attachement** /ataʃmɑ̃/ **NM** *(Constr)* daily statement *(of work done and expenses incurred)*, job cost sheet.

**attacher** /ataʃe/ **VT** to attach ✦ **coupon attaché** *(Bourse)* with coupon, cum coupon, coupon on.

**attaquable** /atakabl(ə)/ **ADJ** *testament* contestable.

**attaque** /atak/ **NF** *(gén)* attack ✦ **nouvelle attaque sur le yen** new attack *ou* assault *ou* run on the yen.

**attaquer** /atake/ **VT** **a** (gén) to attack; marché to tap, tackle; problème to tackle, attack **b** (Jur) contrat to dispute the validity of; testament to contest ◆ **attaquer qn en justice** to bring an action against sb, take legal action against sb, sue sb **c** monnaie to attack, put pressure on ◆ **l'euro a été attaqué en début de semaine** the euro was attacked ou came under fire at the beginning of the week.

**atteindre** /atɛ̃dʀ(ə)/ **VT** **a** (= arriver à) objectif to reach, arrive at, attain ◆ **la production repart après avoir atteint son niveau le plus bas** production has bottomed out ◆ **les prix ont atteint des niveaux records** prices have reached record levels **b** (= joindre) personne to get in touch with, contact, reach **c** (= toucher) to hit ◆ **atteindre la cible** to hit the target ◆ **le secteur le plus durement atteint** the hardest hit sector, the worst hit sector.

**atteinte** /atɛ̃t/ **NF** (= préjudice) attack ◆ **atteinte à l'ordre public** (Jur) breach of the peace ◆ **porter atteinte à** to strike a blow at, undermine ◆ **porter atteinte au crédit d'une firme** to undermine the credit of a firm ◆ **porter atteinte aux intérêts de qn** to interfere with sb's interests ◆ **atteinte à la libre concurrence** restrictive trade practices, unfair trade practices ◆ **hors d'atteinte** out of reach.

**attendu** /atɑ̃dy/ **PRÉP** (= vu) given, considering ◆ **attendu que** seeing that, since, given ou considering that; (Jur) whereas ◆ **NM** (Jur) ◆ **attendus d'un jugement** reasons adduced for a judgement.

**attentatoire** /atɑ̃tatwaʀ/ **ADJ** prejudicial (à to) detrimental (à to)

**attente** /atɑ̃t/ **NF** **a** wait ◆ **dans l'attente de vous rencontrer / de vos nouvelles** looking forward to meeting you / to hearing from you ◆ **dans l'attente de nouvelles directives** awaiting further instructions ◆ **dans l'attente de votre commande** in anticipation of your order ◆ **commandes en attente d'exécution** unfilled orders, backlog of orders ◆ **l'affaire est en attente** (Jur) the case is pending ◆ **période d'attente** (Inf) idle period ◆ **problème de file d'attente** (Inf) queuing problem ◆ **article / compte / écriture d'attente** (Compta) suspense item / account / entry **b** (= souhait) expectation ◆ **répondre à l'attente du marché / des consommateurs** to come up to ou meet ou satisfy the market's / consumers' expectations.

**attentisme** /atɑ̃tism(ə)/ **NM** wait-and-see policy ou stance.

**attentiste** /atɑ̃tist(ə)/ **NMF** partisan of a wait-and-see policy ◆ **ADJ** politique wait-and-see ◆ **attitude attentiste** wait-and-see stance.

**atténuantes** /atenɥɑ̃t/ **ADJ FPL** → **circonstance.**

**atténuer** /atenɥe/ **VT** (gén) to lighten; faute, pénalité to mitigate; effets inflationnistes to damp, dampen ◆ **nous essayerons d'atténuer l'impact de la hausse des matières premières sur nos prix de revient** we'll try to cushion the impact of raw material price increase on our cost prices ◆ **la direction s'efforcera d'atténuer la gêne pour le public** the management will do their best to reduce ou lighten the negative impact on the public, the management will do their best to minimise the inconvenience to the public
**s'atténuer** **VPR** [pression] to lessen; [crise] to subside, abate.

**atterrissage** /ateʀisaʒ/ **NM** landing ◆ **atterrissage en catastrophe** crash landing ◆ **atterrissage en douceur du dollar** soft landing of the dollar.

**attestation** /atɛstasjɔ̃/ **NF** (= action d'attester) attestation; (= pièce) certificate; (= référence) testimonial ◆ **attestation d'assurance** insurance slip, certificate of insurance ◆ **attestation de conformité** evidence of conformity ◆ **attestation sur l'honneur** affidavit.

**attester** /atɛste/ **VT** (= témoigner) to testify ◆ **attester que** to testify that, vouch for the fact that, attest that; [témoin] to testify ou attest that ◆ **document dûment signé et attesté** document duly executed and attested ◆ **les indices économiques attestent de la gravité de la crise** the economic indices bear out the seriousness of the crisis ou testify to the seriousness of the crisis.

**attitré, e** /atitʀe/ **ADJ** **a** (= agréé) fournisseur accredited, appointed, registered **b** (= habituel) commerçant regular, usual.

**attitude** /atityd/ **NF** attitude ◆ **attitudes des consommateurs** consumer attitudes ◆ **échelle d'attitudes** attitude scale ◆ **enquête d'attitude** attitude study.

**attractif, -ive** /atʀaktif, iv/ **ADJ** offre, publicité attractive, appealing ◆ **ce produit est peu attractif pour les consommateurs** this product has little consumer appeal ◆ **ce produit est très attractif** this product has lots of appeal ou is a great customer pull, this product is very attractive ou appealing.

**attrait** /atʀɛ/ NM attraction, appeal ✦ **attrait commercial** sales appeal.

**attribuable** /atʀibɥabl(ə)/ ADJ (gén) attributable (à to); (= causé par) due to, caused by ✦ **bénéfices attribuables** (Fin) attributable profits.

**attribuer** /atʀibɥe/ VT récompense to award; prêt to grant; privilège to grant, accord; tâche to allocate, assign; argent to allocate; (Bourse) actions to allot; faute to attribute, impute, ascribe (à to) ✦ **à quoi attribuez-vous cet échec?** how can you account for this failure?, what do you put this failure down to? ✦ **cette performance est attribuée à la remontée des cours de l'argent métal** this performance is said to be due to higher silver prices.

**attributaire** /atʀibytɛʀ/ NM (Jur) beneficiary; [actions] allottee.

**attribution** /atʀibysjɔ̃/ NF a (= action d'attribuer) [récompense] awarding; [privilège] granting; [tâche] allocation, assignment; [argent] allocation; [actions] allotment ✦ **attribution d'actions gratuites** scrip issue ✦ **attribution d'un prêt** granting of a loan ✦ **attribution de devises** foreign exchange allocation ✦ **avis d'attribution** (Fin) letter of allotment, allotment letter ✦ **droits d'attribution** (Bourse) allotment rights b (= compétence) ✦ **attributions** attributions, competence, powers ✦ **attribution de juridiction** power of jurisdiction ✦ **ceci n'entre pas dans mes attributions** it's not my remit, it's not within my province, it doesn't lie within my competence.

**attrition** /atʀisjɔ̃/ NF ✦ **taux d'attrition** attrition ou churn rate.

**aubaine** /obɛn/ NF (gén) godsend; (financière) windfall.

**au-dessous au-dessus** → **dessous, dessus.**

**audience** /odjɑ̃s/ NF a (= rendez-vous) interview, audience ✦ **donner audience à qn** to give audience to sb ✦ **solliciter une audience** to request an audience b (Jur) hearing c (= assistance) (gén) audience; (TV) viewership; [messages imprimés] readership; (Pub) audience ✦ **audience d'un média** media audience ✦ **audience utile** target audience.

**audiencer** /odjɑ̃se/ VT (Jur) to hear.

**audimétrie** /odimetʀi/ NF audience measurement.

**audit** /odit/ NM a (= contrôle) audit, auditing ✦ **faire un audit des comptes** to audit the accounts ✦ **audit interne / externe** internal / external audit ✦ **audit de gestion** financial audit ✦ **audit social** social audit ✦ **cabinet d'audit** auditing firm ✦ **commission d'audit** audit committee ✦ **rapport d'audit** audit report b (= personne) auditor.

**auditer** /odite/ VT to audit ✦ **résultats audités** audited results.

**auditeur, -trice** /oditœʀ, tʀis/ NM,F (Compta) auditor ✦ **auditeur interne** internal auditor ✦ **auditeur à la Cour des comptes** junior official (at the Cour des Comptes).

**audition** /odisjɔ̃/ NF (Jur) hearing ✦ **procéder à l'audition des témoins** to examine the witnesses.

**AUE** /aɥə/ NM (abrév de **Acte unique européen**) SEA.

**augmentation** /ɔgmɑ̃tasjɔ̃/ NF a (gén) increase; [population, production] increase, rise (de in), growth (de of) ✦ **augmentation de prix** price rise, price increase, increase in price, price raise (US) ✦ **être en augmentation** to be increasing, be on the increase ✦ **augmentation de capital** (Fin) increase in capital, new equity issue ✦ **augmentation du prix de vente** mark-up ✦ **augmentation du nombre des chômeurs** rise in unemployment figures, rise in the jobless rate (US) ✦ **l'augmentation des prix par les commerçants** the raising ou pushing up ou putting up (Brit) of prices by shopkeepers b [salaire] rise (Brit), raise (US) ✦ **l'augmentation des salaires par la direction** the management's raising of salaries ✦ **une augmentation de salaire** a pay ou wage ou salary increase ou rise (Brit) ou raise (US) ✦ **forte augmentation de salaire** pay boost, large salary ou wage increase ✦ **une demande d'augmentation de 100 euros par semaine** a claim for a rise (Brit) ou raise (US) of 100 euros per week ou for an extra 100 euros per week ✦ **réclamer une augmentation** (collectivement) to make a wage claim; (individuellement) to put in for a rise (Brit) ou raise(US) ✦ **augmentation à l'ancienneté / à la performance** seniority-linked / performance-linked increment.

**augmenter** /ɔgmɑ̃te/ **VT** salaire, prix, taxes to increase, raise, put up; production, allure to increase, step up, raise ✦ **augmenter légèrement les prix** to raise prices slightly,, nudge up prices ✦ **augmenter qn** to increase sb's salary (de by) ✦ **il n'a pas été augmenté depuis 2 ans** he has not had ou has not been given a rise (Brit) ou a raise (US) ou a salary increase for 2 years **VI** [salaire, prix, impôts] to increase, rise, go up; [poids, quantité] to increase; [population, production] to grow, increase, rise ✦ **augmenter petit à petit** to inch up ✦ **les prix de détail ont fortement augmenté par rapport au trimestre dernier** retail prices have gone up ou risen sharply compared to the previous quarter.

**aujourd'hui** /oʒuʀdɥi/ **ADV** today ◆ aujourd'hui en huit a week today ◆ à dater *ou* à compter *ou* à partir d'aujourd'hui (as) from today, from today onwards.

**auprès** /opʀɛ/ **PRÉP** ◆ auprès de *[par rapport à]* compared with, in comparison with, next to; *(= s'adressant à)* with, to ◆ faire une demande auprès des autorités to apply to the authorities, lodge a request with the authorities ◆ faire une démarche auprès du président to approach the president, apply to the president ◆ déposer une plainte auprès des tribunaux to instigate *ou* take legal proceedings ◆ avoir accès auprès de qn to have access to sb.

**aurifère** /oʀifɛʀ/ **ADJ** *terrain* gold-bearing ◆ *(va-leurs)* aurifères gold shares *ou* stocks, golds ◆ exportations non aurifères *(Écon)* non-gold exports.

**austérité** /osteʀite/ **NF** austerity ◆ mesures d'austérité austerity measures, belt-tightening measures ◆ campagne / plan d'austérité austerity drive / plan ◆ politique d'austérité retrenchment policy, austerity policy ◆ politique d'austérité monétaire policy of monetary stringency *ou* restraint, tight monetary policy.

**austral** /ostʀal/ **NM** austral.

**Australie** /ostʀali/ **NF** Australia.

**australien, -ienne** /ostʀaljɛ̃, jɛn/ **ADJ** Australian **Australien** **NM** *(= habitant)* Australian **Australienne** **NF** *(= habitante)* Australian.

**autarcie** /otaʀsi/ **NF** autarky, self-sufficiency ◆ vivre en autarcie to be self-sufficient.

**autarcique** /otaʀsik/ **ADJ** autarkical, self-sufficient.

**auteur** /otœʀ/ **NM** *[invention]* author; *[modèle]* designer; *[livre, texte]* author, writer; *[technique]* originator, author ◆ l'auteur de l'accident the party at fault ◆ droits d'auteur royalties.

**authenticité** /otɑ̃tisite/ **NF** *[signature]* authenticity.

**authentifier** /otɑ̃tifje/ **VT** *signature* to authenticate, validate, certify.

**authentique** /otɑ̃tik/ **ADJ** *signature, document* authentic ◆ acte authentique *(Jur)* notarial deed, instrument drawn by a solicitor.

**auto-actualisation** /otoaktɥalizasjɔ̃/ **NF** self-actualization.

**auto-amortissement** /otoamoʀtismɑ̃/ **NM** self-liquidation.

**autocertification** /otosɛʀtifikasjɔ̃/ **NF** *(UE)* self-certification.

**autoconcurrence** /otokɔ̃kyʀɑ̃s/ **NF** self-competition, cannibalization (of one's own products) ◆ autoconcurrence directe / indirecte direct / indirect self-competition ◆ politique d'autoconcurrence multiple branding policy ◆ se faire de l'autoconcurrence to be in competition with oneself, cannibalize one's own products.

**autoconsommation** /otokɔ̃somasjɔ̃/ **NF** self-consumption, in-house consumption.

**autocontrôle** /otokɔ̃tʀol/ **NM** *[mécanisme]* automatic control; *[société]* self-checking.

**autocopiant, e** /otokopjɑ̃/ **ADJ** ◆ papier autocopiant carbonless copy paper.

**autocorrecteur, -trice** /otokoʀɛktœʀ, tʀis/ **ADJ** ◆ code autocorrecteur self-correcting code.

**autoentrepreneur, euse** **NM,F** self-employed entrepreneur.

**autofinancement** /otofinɑ̃smɑ̃/ **NM** self-financing, internal financing, plowing back *(US)* ◆ autofinancement global overall cash flow ◆ autofinancement net net cash flow ◆ marge brute d'autofinancement, capacité d'autofinancement cash flow.

**autofinancer (s')** /otofinɑ̃se/ **VPR** to be self-financing.

**autogéré, e** /otoʒeʀe/ **ADJ** *organisme* self-managed.

**autogérer (s')** /otoʒeʀe/ **VPR** to self-manage, be self-managing.

**autogestion** /otoʒɛstjɔ̃/ **NF** self-management.

**autogestionnaire** /otoʒɛstjonɛʀ/ **ADJ** self-managing.

**autolimitation** /otolimitasjɔ̃/ **NF** voluntary restraint, self-limitation.

**autolimiter** /otolimite/ **VT** to self-limit ◆ accepter d'autolimiter ses exportations to agree to a voluntary export restraint.

**automate** /otomat/ **NM** *(gén, Inf)* automaton.

**automation** /otomasjɔ̃/ **NF** automation.

**automatique** /otomatik/ **ADJ** automatic ◆ distributeur automatique vending machine, slot machine; *(pour billets de train)* ticket machine ◆ guichet automatique de banque, distributeur automatique de billets automated teller machine, ATM, cash dispenser.

**automatisation** /otomatizasjɔ̃/ **NF** automatization.

**automatiser** /otomatize/ **VT** to automate, automatize *(US)* ◆ entièrement automatisé entirely automated ◆ gestion automatisée computer-assisted *ou* computerized management ✦ **usine automatisée** automated factory, push-button factory.

**autonome** /ɔtɔnɔm/ **ADJ** *(gén)* autonomous; *personne* self-sufficient.

**autonomie** /ɔtɔnɔmi/ **NF** autonomy ✦ **autonomie financière** financial autonomy.

**autorégulateur, -trice** /ɔtɔʀegylatœʀ, tʀis/ **ADJ** self-regulating.

**autorégulation** /ɔtɔʀegylasjɔ̃/ **NF** *(Bourse)* ✦ **autorégulation du marché** self-regulation of the market.

**autorisation** /ɔtɔʀizasjɔ̃/ **NF** *(= fait d'autoriser)* permission, authorization *(de qch* for sth, *de faire* to do); *(= document)* permit, licence ✦ **le projet doit recevoir l'autorisation de la commission** the project must be authorized *ou* passed by the committee

───── *compounds/composés* ─────
- ✦ **autorisation d'absence** leave of absence
- ✦ **autorisation d'accès** *(Inf)* access grant
- ✦ **autorisation de crédit** *(Fin)* credit line, line of credit
- ✦ **autorisation diplomatique** diplomatic clearance
- ✦ **autorisation d'exporter** export permit
- ✦ **autorisation d'importer** import permit
- ✦ **autorisation de mise sur le marché** *permit to market a drug*
- ✦ **autorisation de paiement** payment authorization
- ✦ **autorisation préalable** prior agreement
- ✦ **autorisation provisoire de travail** temporary work(ing) permit.

**autorisé, e** /ɔtɔʀize/ **ADJ** *agent* authorized ✦ **dans les milieux autorisés** in official circles ✦ **de source autorisée** from official *ou* reliable sources.

**autoriser** /ɔtɔʀize/ **VT** to authorize, allow ✦ **autoriser qn à faire** *(gén)* to authorize sb to do, give *ou* grant sb permission to do; *(officiellement)* to give sb authority to do, authorize sb to do ✦ **vous n'êtes pas autorisé à le faire** you have no authority to do it.

**autorité** /ɔtɔʀite/ **NF** **a** *(gén)* authority *(sur* over) ✦ **avoir autorité sur qn** to be in authority over sb ✦ **être sous l'autorité de qn** to be under sb's authority ✦ **avoir autorité pour faire** to have authority to do **b** *(Admin)* ✦ **les autorités** the authorities ✦ **les autorités de Bruxelles** the Brussels authorities ✦ **autorités fiscales** tax authorities ✦ **autorités monétaires** monetary authorities ✦ **les autorités locales / régionales** the local / regional authorities ✦ **agent** *ou*

**représentant de l'autorité** representative of authority, official ✦ **autorité de tutelle** *(Admin)* regulatory authority ✦ **adressez-vous à l'autorité compétente** apply to the relevant *ou* competent authorities **c** *(Jur)* ✦ **l'autorité de la loi** the authority *ou* the power of the law ✦ **l'autorité de la chose jugée** res judicata ✦ **vendu par autorité de justice** sold by order of court **d** *(Bourse)* France's Stock market regulatory agency ≈ Financial Services Authority *(Brit)*, ≈ Securities and Exchange Commission *(US)*.

**autosuffisance** /ɔtɔsyfizɑ̃s/ **NF** self-sufficiency ✦ **autosuffisance monétaire** monetary independence.

**autosuffisant, e** /ɔtɔsyfizɑ̃, ɑ̃t/ **ADJ** self-sufficient.

**autosurveillance** /ɔtɔsyʀvɛjɑ̃s/ **NF** self-monitoring.

**auto-vérification** /ɔtɔveʀifikasjɔ̃/ **NF** self-checking.

**Autriche** /otʀiʃ/ **NF** Austria.

**autrichien, -ienne** /otʀiʃjɛ̃, jɛn/ **ADJ** Austrian **Autrichien** **NM** *(= habitant)* Austrian **Autrichienne** **NF** *(= habitante)* Austrian.

**autrui** /otʀɥi/ **PRON** third party, third parties ✦ **dommages causés par autrui** third-party damage.

**auxiliaire** /ɔksiljɛʀ/ **ADJ** secondary, subsidiary ✦ **bureau auxiliaire** sub-office ✦ **mémoire auxiliaire** *(Inf)* additional *ou* extra memory, additional storage ✦ **programme auxiliaire** *(Inf)* auxiliary routine **NMF** *(= aide)* assistant, helper; *(Ind)* casual employee *ou* worker ✦ **auxiliaire de justice** representative of the law.

**AV** /ave/ **NM** abrév de **avis de virement** → **avis.**

**aval** /aval/ **NM** **a** *(= accord) (gén)* backing, support; *(Fin) [effet]* endorsement; *(Comm) (Jur)* guarantee ✦ **donneur d'aval** *(Comm)* guarantor, backer, endorser ✦ **donner son aval à un effet** to endorse *ou* guarantee a bill ✦ **ce projet a eu l'aval des syndicats** the scheme had the support *ou* backing of the unions, the unions backed *ou* supported the scheme ✦ **il a donné son aval au projet** he gave his support *ou* backing to the project, he supported the project ✦ **avec l'aval de la direction** with the management's support *ou* backing **b** **industries en aval** downstream industries ✦ **en aval de cette opération** downstream of this operation ✦ **le secteur aval** the downstream sector.

**avaliser** /avalize/ **vt** *plan* to back, support; *accord* to endorse; *(Comm) (Jur) effet, traite* to endorse, back, guarantee ◆ **avaliser une créance / un prêt** to stand security *ou* surety for a debt / a loan.

**avaliseur** /avalizœʀ/ **NM,** **avaliste** **NM** endorser, security, surety, guarantor, backer.

**à-valoir** /avalwaʀ/ **NM** instalment, sum (paid) on account ◆ **un à-valoir sur une créance** a payment on account.

**avance** /avɑ̃s/ **NF** **a** *(sur un concurrent)* lead ◆ **prendre de l'avance sur qn** to take the lead over sb ◆ **perdre son avance** to lose one's lead ◆ **avoir de l'avance sur ses concurrents** to be ahead of one's competitors, have the lead over one's competitors ◆ **ils ont une importante avance technologique** they have a considerable technological lead *ou* edge **b** *(sur un horaire, un programme)* ◆ **avoir / prendre de l'avance** to be / get ahead of schedule ◆ **avoir / prendre de l'avance dans son travail** to be / get ahead in *ou* with one's work ◆ **prévenez-nous une semaine à l'avance** give us a week's notice, notify us a week ahead *ou* in advance *ou* beforehand ◆ **en vous remerciant à l'avance** *ou* **par avance** thanking you in anticipation *ou* in advance ◆ **il faut payer d'avance** one must pay in advance **c** *(= somme)* advance ◆ **compte d'avance** advance account ◆ **faire une avance de 100 euros à qn** to advance sb 100 euros, make sb an advance of 100 euros ◆ **donner à qn une avance sur son salaire** to give sb an advance on his salary

─── compounds/composés ───
◆ **avance bancaire** bank advance
◆ **avance en compte courant** overdraft
◆ **avance à découvert** unsecured advance
◆ **avance en devises** advance in foreign exchange
◆ **avance de fonds** advance
◆ **avance (sur) garantie** secured advance
◆ **avance sur marchandises** advance against goods
◆ **avance sur marché** advance on contract
◆ **avance sur nantissement** advance against security
◆ **avance en numéraire** cash advance
◆ **avances provisoires** deficiency bills *ou* advances
◆ **avance remboursable** repayable short-term loan
◆ **avance sur titres** advance on securities
◆ **avance de trésorerie** cash advance.

**avancement** /avɑ̃smɑ̃/ **NM** **a** *(= promotion)* promotion ◆ **avancement à l'ancienneté** promotion by seniority ◆ **avoir de l'avancement** to be promoted, get promotion **b** *(= développement)* *[travail]* progress; *[recherche]* progress, advancement ◆ **état d'avancement des travaux** status *ou* progress report ◆ **rapport d'avancement des travaux** progress report **c** **avancement de l'âge de la retraite** lowering of the retirement age.

**avancer** /avɑ̃se/ **VT** **a** *(= payer par avance)* to advance; *(= prêter)* to lend, loan **b** *date* to bring forward **c** *(= faire progresser) travail, projet* to speed up, further **VI** *[projet]* to make progress *ou* headway ◆ **avancer en grade** to be promoted, get promotion

**s'avancer** **VPR** *(Bourse)* ◆ **les cours se sont avancés de 10%** prices advanced (by) 10%.

**avantage** /avɑ̃taʒ/ **NM** *(gén)* advantage; *(= profit)* benefit ◆ **tirer avantage d'une situation** to take advantage of a situation ◆ **vous auriez avantage à prendre un crédit** it would be worth it for you to take up a credit ◆ **avoir un avantage concurrentiel sur qn** to have a competitive advantage over sb, have a competitive edge on sb

─── compounds/composés ───
◆ **avantages accessoires** perquisites, perks
◆ **avantages acquis** vested benefits
◆ **avantages en argent** benefits in cash, extra payments
◆ **avantage comparé** *(Écon)* comparative advantage
◆ **avantage fiscal** tax break
◆ **avantages de fonction** perquisites, perks
◆ **avantages en nature** fringe benefits, benefits in kind
◆ **avantages particuliers** special advantages
◆ **avantage pécuniaire** financial benefit
◆ **avantages sociaux** welfare benefits, benefits package.

**avantager** /[avɑ̃taʒe/ **vt** to give an advantage to.

**avantageux, -euse** /avɑ̃taʒø, øz/ **ADJ** *achat, vente, affaire* profitable, advantageous; *prix* attractive ◆ **c'est une occasion avantageuse** it's a good bargain ◆ **le grand paquet est le plus avantageux** the large packet is the best value ◆ **vendre à un prix avantageux** to sell at a good price.

**avant-contrat,** **PL** **avant-contrats** /avɑ̃kɔ̃tra/ **NM** pre-contract.

**avant-projet,** **PL** **avant-projets** /avɑ̃pʀɔʒɛ/ **NM** pilot study, draft project.

**avarie** /avaʀi/ **NF** **a** *(Ass Mar)* average ◆ **avarie commune, avarie grosse** general average ◆ **avarie particulière** particular average ◆ **cau-**

tionnement / clause d'avarie average deposit / clause ✦ commissaire / compromis d'avaries average surveyor / bond ✦ franc d'avarie free from average ✦ répartiteur d'avaries average adjuster *ou* taker *ou* stater, averager ✦ répartition d'avaries, règlement d'avarie average adjustment ✦ répartir les avaries to adjust the average ✦ évaluer l'étendue des avaries to adjust the amount of the average **b** *(Ind)* damage ✦ frais d'avarie damage *ou* breakdown costs.

**avarier** /avaʀje/ **VT** *navire* to damage; *marchandises* to spoil, damage.

**avec** /avɛk/ **NM** *(Bourse)* cum ✦ avec coupon cum right ✦ avec au départ at a discount.

**avenant** /avnɑ̃/ **NM** *(Ass)* endorsement, additional clause, rider ✦ faire un avenant à to endorse, make out an endorsement for.

**avenir** /avniʀ/ **NM** **a** *(gén)* future ✦ métier d'avenir job with a future *ou* with good prospects ✦ métier sans avenir dead-end job ✦ projet sans avenir project without a future **b** *(Jur)* writ of summons.

**aventure** /avɑ̃tyʀ/ **NF** *(Ass Mar)* ✦ grosse aventure bottomry ✦ contrat de grosse aventure bottomry loan.

**avertir** /avɛʀtiʀ/ **VT** to warn *(de qch* of sth*)* ✦ avertissez-moi dès que possible let me know as soon as you can.

**avertissement** /avɛʀtismɑ̃/ **NM** *(= avis)* warning; *(= mise en garde)* caveat; *(Impôts)* tax notice ✦ avertissement de l'AMF *(Bourse)* AMF warning ✦ avertissement sur les résultats *(Bourse)* profit warning ✦ avertissement sans frais *(Jur)* notice of assessment.

**avilir** /aviliʀ/ **VT** *monnaie* to depreciate, lower the value of
**s'avilir** **VPR** *[monnaie]* to depreciate, fall in value.

**avilissement** /avilismɑ̃/ **NM** *[monnaie]* fall, drop, depreciation.

**avion** /avjɔ̃/ **NM** aeroplane, plane *(Brit)*, airplane *(US)*, aircraft (pl inv) ✦ expédier par avion *marchandises* to send by air (freight), air-freight; *courrier* to (send by) airmail ✦ enveloppe par avion airmail envelope *ou* letter

———————— *compounds/composés* ————————
- **avion-cargo** air freighter, cargo plane
- **avion commercial** commercial aircraft
- **avion gros porteur** wide-bodied plane, jumbo-jet
- **avion de ligne** airliner

- **avion postal** mail plane
- **avion transbordeur** air ferry
- **avion de transport** transport aircraft.

**avis** /avi/ **NM** **a** *(= point de vue)* opinion; *(= conseil)* advice ✦ donner son avis to give one's opinion *ou* views *(sur* on, about*)* suivre l'avis de qn to take *ou* follow sb's advice **b** *(= annonce) (gén)* notice; *(Comm) (Ind)* note, notice; *(Fin)* advice ✦ lettre d'avis letter of advice, advice note ✦ jusqu'à nouvel avis until further notice ✦ sans avis préalable without prior notice ✦ sauf avis contraire *(de vous)* unless we hear to the contrary; *(de nous)* unless you hear to the contrary ✦ suivant avis *(sur lettre)* as per advice

———————— *compounds/composés* ————————
- **avis d'arrivée** arrival notice, advice of arrival
- **avis d'attribution (d'actions)** *(Bourse)* letter of allotment
- **avis de crédit** credit advice *ou* notice
- **avis consultatif** advisory opinion
- **avis de débit** debit note
- **avis d'échéance** order to pay
- **avis d'encaissement** *(gén)* receipt; *(Banque)* advice of collection
- **avis d'exécution** contract note
- **avis d'expédition** advice of dispatch, shipment notice
- **avis d'imposition** tax notice
- **avis d'introduction (en Bourse)** notice of listing
- **avis de livraison** delivery note, advice of delivery
- **avis de mise en recouvrement** *(Fin)* notice of assessment
- **avis d'opéré** *(Bourse)* transaction notice, trade report
- **avis de prélèvement** debit advice
- **avis de réception** acknowledgement of receipt
- **avis de retour de souscription** *(Bourse)* letter of regret
- **avis de tiers détenteur** attachment order
- **avis de virement** transfer notice *ou* advice, payment notice.

**aviser** /avize/ **VT** to advise, inform *(de* of*)* notify *(de* of, about*)* ✦ le salarié est tenu d'aviser son employeur de son absence the employee must inform *ou* notify his employer of his absence.

**avocat, e** /avɔka, at/ **NM,F** *(gén)* lawyer, attorney (-at-law) *(US)* ; *(préparant les dossiers)* solicitor; *(plaidant)* barrister ✦ le client et son avocat the client and his counsel ✦ consulter un avocat to take legal advice ✦ consulter son avocat to consult one's lawyer

─────── *compounds/composés* ───────
+ **avocat d'affaires** business lawyer
+ **avocat-conseil** ≈ consulting barrister, legal adviser *ou* expert
+ **avocat de la défense** counsel for the defence, defending counsel
+ **avocat général** assistant public prosecutor
+ **avocat marron** crooked lawyer
+ **avocat de la partie civile** counsel for the plaintiff.

**avoir** /avwaʀ/ **NM** **a** *(Compta)* *(= actif)* credit (side); *(= reconnaissance de dette)* credit note + **avoir fiscal** tax credit + **avoir social** legal *ou* registered capital + **facture d'avoir** credit note + **inscrire une somme à l'avoir d'un compte** to enter a sum to the credit of an account + **nous ne vous remboursons pas cet article mais nous allons vous faire un avoir (de 500 euros)** we cannot reimburse you for this article but we can give you a credit note (to the value of 500 euros) **b** *(= possessions)* + **avoirs** holdings, assets + **avoirs à l'étranger** foreign assets *ou* holdings, external assets *ou* holdings, assets held abroad + **avoirs en banque** assets lodged with a bank + **avoirs en devises** currency assets *ou* holdings + **avoirs financiers** financial assets.

**avoisiner** /avwazine/ **VT** to be close to + **la croissance avoisine 3%** growth is close to 3%.

**avoué** /avwe/ **NM** ≈ solicitor, attorney(-at-law) *(US)*.

**avril** /avʀil/ **NM** April pour autres loc. → **septembre**.

**axe** /aks(ə)/ **NM** + **axe publicitaire** *(Pub)* central message, advertising message *ou* claim + **axe stratégique** strategic goal *ou* priority.

**axer** /akse/ **VT** *développement, stratégie* to centre (*sur* on)

**ayant cause, PL ayants cause** /ɛjɑkoz/ **NM** *(Jur)* assignee.

**ayant droit, PL ayants droit** /ɛjɑdʀwa/ **NM** **a** *(Jur)* assignee **b** *(= allocataire)* eligible party + **ayant droit à la retraite** person eligible for retirement.

**Azerbaïdjan** /azɛʀbaidʒɑ̃/ **N** Azerbaijan.

**azerbaïdjanais, e** /azɛʀbaidʒanɛ, ɛz/ **NM** *(= langue)* Azerbaijani
**Azerbaïdjanais** **NM** *(= habitant)* Azerbaijani
**Azerbaïdjanaise** **NF** *(= habitante)* Azerbaijani.

# B

**bac** /bak/ NM [a] abrév de **baccalauréat** [b] (= *corbeille*) tray; *(Mktg)* deep tray, tub bin ◆ **bac arrivée (du courrier)** in-tray ◆ **bac départ (du courrier)** out-tray.

**baccalauréat** /bakalɔʀea/ NM school-leaving certificate, ≈ GCE A-levels *(Brit)*, high school diploma *(US)*.

**bachelier, -ière** /baʃəlje, jɛʀ/ NM,F holder of the baccalauréat, successful candidate in the baccalauréat exam.

**back-office** /bakɔfis/ NM back *ou* rear office.

**bâcler** /bakle/ VT to botch (up), scamp, bungle.

**badge** /badʒ(ə)/ NM name badge; *(électronique)* swipe card; *(Inf)* magnetic strip card ◆ **lecteur de badge** magnetic card reader.

**bagage** /bagaʒ/ NM [a] ◆ **bagages** luggage, baggage ◆ **un bagage** a piece of luggage ◆ **bagages à main** hand luggage, carry-on baggage *(US)* ◆ **bagages en consigne** left luggage ◆ **envoyer en bagages accompagnés** to send as registered luggage ◆ **contrôle des bagages** baggage check ◆ **excédent de bagages** excess luggage ◆ **franchise de bagages** luggage *ou* baggage allowance ◆ **fourgon à bagages** luggage van, baggage car *(US)* [b] (= *diplômes*) qualifications.

**bagagiste** /bagaʒist(ə)/ NM porter.

**bagatelle** /bagatɛl/ NF (= *petite somme*) small *ou* trifling sum, trifle ◆ **c'est une bagatelle** it's next to nothing ◆ **cette OPA lui a coûté la bagatelle de 2 milliards d'euros** the takeover cost him a mere 2 billion euros.

**Bagdad** /bagdad/ N Bagdhad.

**Bahamas** /baamas/ NFPL ◆ **les Bahamas** the Bahamas.

**bahamien, -ienne** /baamjɛ̃, jɛn/ ADJ Bahamian **Bahamien** NM (= *habitant*) Bahamian **Bahamienne** NF (= *habitante*) Bahamian.

**baht** /bat/ NM baht.

**baie** /bɛ/ NF ◆ **baie de chargement** loading bay.

**bail** PL, **baux** /baj, bo/ NM *(Jur)* lease ◆ **céder** *ou* **donner à bail** to let on lease, lease out ◆ **prendre à bail** to lease, take out a lease on ◆ **louer à bail** [*propriétaire*] to let on lease, lease out; [*locataire*] to lease ◆ **passer / faire un bail** to enter into / draw up a lease ◆ **tenir à bail** to hold on lease ◆ **renouveler / prolonger / résilier un bail** to renew / extend / cancel a lease ◆ **notre bail expire en juin** our lease runs *ou* expires *ou* terminates in June ◆ **renouvellement / prolongation / résiliation / expiration d'un bail** renewal / extension / cancellation / termination of a lease ◆ **contrat de bail** lease agreement ◆ **durée d'un bail** term of a lease

―――――― compounds/composés ――――――
- ◆ **bail à céder** lease for sale
- ◆ **bail commercial** commercial *ou* regular lease
- ◆ **bail à construction** building lease
- ◆ **bail emphytéotique** long lease, ninety-nine-year lease
- ◆ **bail à ferme** farm(ing) lease
- ◆ **bail à court / long terme** short / long lease
- ◆ **bail à loyer** (house-)letting lease *(Brit)*, rental lease *(US)*
- ◆ **bail principal** head lease
- ◆ **bail professionnel** professional lease
- ◆ **bail rural** farm *ou* agricultural lease
- ◆ **bail à vie** lease for life.

◆ **location à bail** *(Ind)* leasing ◆ **preneur à bail** leaseholder, lessee ◆ **crédit-bail** leasing ◆ **prêt-bail** *(Écon)* lease-lend, lend-lease *(US)*

**bailleresse** /bajʀɛs/ **NF** *(Jur)* lessor.

**bailleur** /bajœʀ/ **NM** a *(Jur)* lessor ◆ **bailleur et preneur** lessor and lessee b *(Fin)* ◆ **bailleur de fonds** financial backer, sponsor.

**baisse** /bɛs/ **NF** a *[prix, chômage, taux d'intérêt]* fall, drop, decline *(de* in); *[réserves, stocks]* fall, drop *(de* in); *[monnaie]* fall, drop, depreciation *(de* of) ◆ **être en baisse** to be falling *ou* dropping ◆ **cette semaine baisse sur le beurre** this week butter down in price *ou* reduced, special offer on butter this week ◆ **les estimations ont été corrigées** *ou* **revues à la baisse** estimates have been revised downwards ◆ **baisse cyclique** cyclical downturn ◆ **baisse d'activité** *ou* **de régime** business activity slow-down, downturn, downswitch *(US)* *ou* downswing in business ◆ **la baisse du dollar** the dollar's fall ◆ **baisse tendancielle du taux de profit** declining rate of profit b *(Bourse)* fall, downward movement ◆ **acheter en baisse** to buy on a fall, buy on a falling market ◆ **spéculer** *ou* **jouer à la baisse** to go for a fall, play on a fall, go a bear ◆ **les grands magasins sont en baisse** stores shares are down *ou* on the downtrend ◆ **baisse très sensible** *ou* **accusée des cours** sharp *ou* steep *ou* deep fall in prices, roll-back *(US)* ◆ **baisse intercalaire** fall between two price rises ◆ **bruits** *ou* **rumeurs de baisse** bear rumours ◆ **engagement à la baisse** bear engagement ◆ **marché en baisse** falling market ◆ **position à la baisse** bear *ou* short position ◆ **spéculation à la baisse** bear operations *ou* raid *ou* transactions ◆ **revirement à la baisse** downturn, downswitch *(US)*, downswing ◆ **tendance à la baisse** downward trend, bearish tendency ◆ **joueur** *ou* **spéculateur à la baisse** bear ◆ **marché à la baisse** bear market ◆ **marché orienté à la baisse** bearish market ◆ **les prix sont orientés à la baisse** prices are trending downwards ◆ **on note une baisse de tension sur le sterling** the pressure on sterling has lessened *ou* eased.

**baisser** /bese/ **VT** *prix, loyers* to lower, bring down, reduce ◆ **baisser le taux officiel de l'escompte** to lower *ou* reduce the minimum lending rate **VI** a *[pression]* to drop, fall; *[réserves, stocks]* to run low, run down; *[prix, taux d'intérêt]* to go down, drop, fall, dip; *[tension]* to subside; *[marge, carnet de commandes]* to dwindle, shrink ◆ **le dollar a baissé** the dollar has weakened ◆ **le dollar a baissé brutalement** the dollar has fallen sharply *ou* has plummeted *ou* nose-dived ◆ **les pétrolières continuent à bais-**

ser dans un marché calme oils continue to ease *ou* are still falling in quiet trading b **faire baisser** to bring down ◆ **la concurrence fait baisser les prix** competition brings *ou* sends prices down ◆ **la rumeur a fait baisser les cours** the rumour bore down the prices *ou* sent the prices down ◆ **il faudra faire baisser nos prix de revient** we'll have to cut costs ◆ **elle l'a fait baisser à 20 dollars** she beat him down to $20 ◆ **l'accroissement de la masse monétaire fait baisser les taux d'intérêt** the increase in the money supply is depressing interest rates.

**baissier, -ière** /besje, jɛʀ/ **ADJ** *(Bourse)* bearish ◆ **les cambistes prévoient une reprise de la pression baissière** cambists forecast a new bout of downward pressures ◆ **tendance baissière** downtrend, bearish trend *ou* tendency **NM** *(Bourse)* bear.

**bakchich** /bakʃiʃ/ **NM** baksheesh, bribe.

**Bakou** /baku/ **N** Baku.

**bal.** abrév de **balance** *(= solde)*.

**baladeur, -euse** /baladœʀ, øz/ **ADJ** ◆ **capitaux baladeurs** floating capital.

**balance** /balɑ̃s/ **NF** a *(= appareil)* scales (pl) b *(Écon, Compta, fig)* balance ◆ **la balance d'une entreprise** a company's credit and debit balance ◆ **établir la balance d'un compte** to balance an account, strike the balance of an account ◆ **établissement des balances** balancing of the books ◆ **des balances des comptes clients sont établies chaque jour** the accounts receivable are balanced every day ◆ **balance excédentaire** *ou* **favorable** / **déficitaire** *ou* **défavorable** active *ou* favourable / passive *ou* adverse balance ◆ **avoir une balance déficitaire** to show an adverse balance, be in the red ◆ **avoir une balance positive** to be in the black ◆ **être en balance** to be undecided, hang in the balance ◆ **faire entrer dans la balance** to take into account ◆ **faire pencher la balance** to tip the scales ◆ **maintenir la balance égale** to hold the scales even ◆ **mettre en balance le pour et le contre** to weigh up the pros and cons

────── *compounds/composés* ──────

◆ **balance de l'actif et du passif** balance of assets and liabilities
◆ **balance par antériorité de soldes** aged trial balance
◆ **balance après inventaire** *ou* **après clôture** adjusted trial balance, post-closing trial balance

♦ **balance avant inventaire** ou **avant régularisations** pre-closing trial balance ♦ **balance des biens et services** balance of goods and services ♦ **balance de caisse** cash balance ♦ **balance du commerce extérieur, balance commerciale** trade balance, balance of trade ♦ **balances dollars** dollar balances ♦ **balance de l'endettement international** balance of external claims and liabilities ♦ **balance des forces** balance of power ♦ **balance d'inventaire** trial balance ♦ **balance des invisibles** invisible balance ♦ **balance des opérations courantes** balance of payments on current account ♦ **balance des opérations en capital** balance on capital account ♦ **balance des paiements** balance of payments ♦ **excédent / déficit de la balance des paiements** balance of payments surplus / deficit ♦ **balance reportée (de l'exercice précédent)** balance brought forward (from the previous account) ♦ **balances sterling** sterling balances ♦ **balance de vérification** trial balance.

**balancer** /balɑ̃se/ **VT** **a** *(équilibrer) compte* to balance ♦ **balancer par contre-écriture** to balance by counter entry **b** *(\* = se défaire de) documents* to chuck out\* *ou* away\* ; *employé* to chuck out\*, fire ♦ **il s'est fait balancer** he got the chuck\*, he was fired.

**balancier** /balɑ̃sje/ **NM** pendulum ♦ **mouvement de balancier** swing of the pendulum ♦ **retour de balancier** backlash; *(Bourse)* backwash.

**balayage** /balɛjaʒ/ **NM** *(Inf)* scanning, searching ♦ **zone de balayage** scanning area.

**balayer** /baleje/ **VT** **a** *objections* to sweep away, brush aside ♦ **ils ont balayé la concurrence** they have swept out their competitors **b** *(Inf) écran* to scan, explore.

**balboa** /balboa/ **NM** balboa.

**balbutiement** /balbysimɑ̃/ **NM** *(fig = débuts)* ♦ **balbutiements** beginnings ♦ **l'industrie de l'informatique n'en est plus à ses balbutiements** the computer industry is no longer in its infancy.

**balise** /baliz/ **NF** *(Inf)* tag, marker.

**baliser** /balize/ **VT** *(Inf)* to tag.

**ballant** /balɑ̃/ **NM** *[chargement]* sway, roll ♦ **avoir du ballant** to be slack *ou* loose.

**balle** /bal/ **NF** *(gén)* ball; *[coton]* bale ♦ **la balle est dans votre camp** the ball is in your court ♦ **marchandises en balle** bale goods.

**ballon** /balɔ̃/ **NM** *(gén)* ball; *(Pub)* balloon caption, bubble ♦ **ballon d'essai** feeler, trial balloon ♦ **lancer un ballon d'essai** to fly a kite, put out a feeler ♦ **ballon d'oxygène** *(pour l'économie)* shot in the arm.

**BALO** /balo/ **NM** abrév de **bulletin des annonces légales obligatoires** → **bulletin.**

**Bamako** /bamako/ **N** Bamako.

**banal, e** /banal/ **ADJ** ordinary ♦ **produits banals** standardized products.

**banalisation** /banalizasjɔ̃/ **NF** *(Ind) [pièces, produits]* standardization.

**banaliser** /banalize/ **VT** *(Ind)* to standardize ♦ **zone banalisée** *(Inf)* free field.

**bananier, -ière** /bananje, jɛʀ/ **ADJ** banana ♦ **république bananière** banana republic **NM** *(= arbre)* banana tree; *(= bateau)* banana boat.

**banc** /bɑ̃/ **NM** ♦ **banc des accusés** dock ♦ **être mis au banc des accusés** *(fig)* to be put in the dock ♦ **banc des avocats** bar ♦ **banc des témoins** witness box *(Brit)*, witness stand *(US)* ♦ **banc d'essai** *(Tech)* test bed; *(fig)* testing ground.

**bancable** /bɑ̃kabl(ə)/ **ADJ** discountable, bankable ♦ **effets** *ou* **papiers bancables** discountable *ou* bankable bills ♦ **papiers non bancables** unbankable papers ♦ **place bancable** town where the Banque de France has a branch.

**bancaire** /bɑ̃kɛʀ/ **ADJ** banking ♦ **activité bancaire** banking ♦ **avances bancaires** bank advances ♦ **carte bancaire** banker's *ou* bank card ♦ **caution bancaire** bank guarantee ♦ **chèque bancaire** cheque *(Brit)*, check *(US)* ♦ **commission bancaire** bank commission ♦ **consortium bancaire** consortium bank, banking syndicate ♦ **crédit bancaire** bank credit ♦ **le coût du crédit bancaire est tombé à 9%** bank lending charges dropped to 9% ♦ **droit bancaire** banking law ♦ **droit de rétention bancaire** bank lien ♦ **effet bancaire** bank bill ♦ **établissement bancaire** banking institution ♦ **état de rapprochement bancaire** bank reconciliation statement ♦ **faillite bancaire** bank failure ♦ **garantie bancaire** bank guarantee ♦ **holding bancaire** bank holding (company) ♦ **industrie bancaire** banking industry ♦ **institution bancaire** banking institution ♦ **milieux bancaires** banking circles ♦ **opérations bancaires** banking operations ♦ **opérations bancaires grand public** retail banking ♦ **place bancaire** banking centre ♦ **prêt bancaire** bank loan ♦ **référence bancaire** banker's reference ♦ **relevé d'identité bancaire** ≈ your account number and bank address ◆ **réserve bancaire** bank reserve ◆ **retrait bancaire** bank withdrawal ◆ **secret bancaire** bank secrecy ◆ **le secteur bancaire** the banking sector ◆ **le système bancaire** the banking system ◆ **traite bancaire** banker's draft, bank draft ◆ **valeurs bancaires** bank shares ◆ **virement bancaire** bank transfer.

**bancarisation** /bãkaʀizasjɔ̃/ **NF** extension of banking services.

**bancarisé, e** /bãkaʀize/ **ADJ** *population* with banking facilities ◆ **pays fortement bancarisé** country with extensive banking facilities.

**bancassurance** /bãkasyʀãs/ **NF** bank-insurance, bancassurance.

**bancassureur** /bãkasyʀœʀ/ **NM** bank-insurer, bancassureur.

**bande** /bãd/ **NF** (= *ruban*) band, strip; (*Presse*) wrapper; (*Inf*) tape ◆ **journal sous bande** mailed newspaper ◆ **fichier sur bande** tape file

—————— *compounds/composés* ——————
◆ **bande de caisse enregistreuse** cash register tape
◆ **bande d'étagère** shelf strip
◆ **bande magnétique** magnetic tape
◆ **bande maîtresse** master tape
◆ **bande perforée** (*Inf*) punched *ou* perforated tape
◆ **bande programme** instruction tape
◆ **bande publicitaire** advertising streamer
◆ **bande de sauvegarde** back-up tape
◆ **bande sortie** output tape
◆ **bande de téléimprimante** ticker tape
◆ **bande vierge** blank tape.

**bande-annonce** /bãdanɔ̃s/ **NF** trailer, preview (*US*).

**bandeau** PL, **-x** /bãdo/ **NM** (*Pub*) band, banner, streamer.

**banderole** /bãdʀɔl/ **NF** ◆ **banderole publicitaire** streamer, advertising banner ◆ **banderole tractée** *ou* **remorquée** trailed *ou* towed streamer *ou* banner.

**Bangkok** /bãŋkɔk/ **N** Bangkok.

**bangladais, e** /bãglade, ɛz/ **ADJ** Bangladeshi **Bangladais** **NM** (= *habitant*) Bangladeshi **Bangladaise** **NF** (= *habitante*) Bangladeshi.

**Bangladesh** /bãgladɛʃ/ **NM** Bangladesh.

**Bangui** /bãgi/ **N** Bangui.

**Banjul** /bãʒul/ **N** Banjul.

**banque** /bãk/ **NF** bank ◆ **la banque** (= *secteur*) the banks, the banking industry; (= *profession*) banking, the banking profession ◆ **directeur /**

employé **/ frais de banque** bank manager / clerk / charges ◆ **chèque de banque** bank cheque *ou* draft, banker's cheque *ou* draft ◆ **compte en banque** bank account ◆ **ouvrir un compte en banque** to open a bank account, open an account with a bank ◆ **consortium de banques** banking syndicate ◆ **dépôt en banque** bank deposit ◆ **gradé(e) de banque** bank officer ◆ **guichet de banque** bank counter *ou* window ◆ **heures d'ouverture des banques** banking hours ◆ **opérations de banque** banking operations ◆ **papier hors banque** prime trade bill ◆ **taux d'intérêt hors banque** private rate of interest ◆ **mettre** *ou* **déposer** *ou* **porter des chèques à la banque** to bank cheques ◆ **la grande banque** (= *la haute finance*) the big banks ◆ **quelle est votre banque?** where do you bank?, which bank are you with? ◆ **il est dans la banque** he's in banking *ou* in the banking profession ▪ Voir encadré page ci-contre

**banqueroute** /bãkʀut/ **NF** bankruptcy ◆ **banqueroute frauduleuse** fraudulent bankruptcy ◆ **banqueroute simple** *bankruptcy advised by irregularities but not amounting to a crime.*

**banqueroutier, -ière** /bãkʀutje, jɛʀ/ **NM,F** (fraudulent) bankrupt.

**banquier** /bãkje/ **NM** banker ◆ **banquier d'affaires** merchant banker (*Brit*), investment banker (*US*) ◆ **banquier domiciliataire** domiciliating banker ◆ **banquier émetteur** issuing banker ◆ **banquier payeur** paying banker ◆ **banquier présentateur** presenting banker ◆ **banquier prêteur** lending banker.

**baraterie** /baʀatʀi/ **NF** (*Ass Mar*) barratry.

**baratin** * /baʀatɛ̃/ **NM** ◆ **baratin publicitaire** patter*, sales talk* *ou* pitch* *ou* spiel*.

**barème** /baʀɛm/ **NM** **a** (*échelle*) scale, schedule, table ◆ **barème de crédits** (*Fin*) (short-term) banking list ◆ **barème financier** (*Fin*) financial list ◆ **barème des impôts** tax scale, tax schedule ◆ **barème des salaires** salary *ou* wage scale ◆ **barème des tarifs** tariff schedule ◆ **barème des tarifs postaux** schedule of postal charges ◆ **la zone proportionnelle du barème** (*UE*) the proportional area of the scale **b** (= *tarif*) [*biens*] price list; [*services*] scale of charges.

**barémer** /baʀeme/ **VT** to price (according to a schedule).

**barge** /baʀʒ(ə)/ **NF** barge.

**baril** /baʀi(l)/ **NM** [*pétrole*] barrel; [*lessive*] drum.

**baromètre** /baʀɔmɛtʀ(ə)/ **NM** barometer ◆ **la Bourse est le baromètre de l'économie** the Stock Exchange is the barometer of the

*compounds/composés*

### BANQUE

- ◆ **banque acceptante** accepting bank
- ◆ **banque d'affaires** investment *(US)* ou merchant *(Brit)* bank
- ◆ **banque-assurance** bank-insurance
- ◆ **banque centrale** central bank
- ◆ **Banque centrale européenne** European Central Bank
- ◆ **banque chargée de l'encaissement** collecting bank
- ◆ **banque chargée du paiement** ou **du règlement** paying bank
- ◆ **banque chef de file** lead bank
- ◆ **banque de clearing** clearing house ou bank
- ◆ **banque commerciale** commercial bank
- ◆ **banque de compensation** clearing house ou bank
- ◆ **banque confirmatrice** confirming bank
- ◆ **banque consortiale** consortium bank
- ◆ **banque de crédit** credit bank ◆ **banque de crédit maritime** ship mortgage bank
- ◆ **banque de dépôt** deposit bank, retail bank
- ◆ **banque de détail** retail bank(ing)
- ◆ **banque directe** direct banking
- ◆ **banque à domicile** home banking
- ◆ **banque de domiciliation** bank of domiciliation
- ◆ **banque de données** data bank
- ◆ **banque émettrice** issuing bank
- ◆ **banque d'émission** issuing bank ou house
- ◆ **banque d'escompte** discount bank ou house
- ◆ **Banque européenne d'exportation** European Export Bank
- ◆ **Banque européenne d'investissement** European Investment Bank
- ◆ **Banque européenne pour la reconstruction et le développement** European Bank for Reconstruction and Development
- ◆ **banque foncière** land bank
- ◆ **banque d'informations** data bank
- ◆ **banque inscrite** registered bank
- ◆ **Banque internationale pour la reconstruction et le développement** International Bank for Reconstruction and Development
- ◆ **banque d'investissement** investment *(US)* ou merchant *(Brit)* bank
- ◆ **Banque mondiale** World Bank
- ◆ **banque négociatrice** negotiating bank
- ◆ **banque notificatrice** advising bank
- ◆ **banque offshore** *(= firme)* offshore bank; *(= activité)* offshore banking
- ◆ **banque participante** participating bank
- ◆ **banque de placement** issuing bank
- ◆ **banque populaire** mutual bank
- ◆ **banque présentatrice** presenting bank
- ◆ **banque prêteuse** lending bank
- ◆ **banque privée** private bank
- ◆ **Banque des règlements internationaux** Bank for International Settlements
- ◆ **banque remettante** remitting bank
- ◆ **banques de réseau** retail banks, high street banks
- ◆ **banque universelle** all-purpose ou universal bank.

economy ◆ **baromètre de la conjoncture** leading indicator ◆ **baromètre des marques** *(Pub)* brand trend survey.

**baron** /baʀɔ̃/ NM *(= ponte)* baron, lord ◆ **les barons de la finance** the moguls ou barons of the financial world.

**baronnie** /baʀɔni/ NF ◆ **faire éclater les baronnies au sein de l'entreprise** ≈ to break up vested interests within the company.

**barque** /baʀk(ə)/ NF *(Mktg)* ◆ **barque de vente** display stand.

**barre** /baʀ/ NF **a** *(Mar)* helm ◆ **être à la barre, tenir la barre** *(lit, fig)* to be at the helm ◆ **donner un coup de barre** to change course abruptly **b** *(Jur)* ◆ **barre du tribunal** bar ◆ **barre (des témoins)** witness box *(Brit)*, witness stand *(US)* ◆ **comparaître à la barre** to appear as a witness **c** *(= limite)* limit ◆ **barre inférieure / supérieure** lower / upper limit ◆ **l'indice est passé sous la barre des 5 000 points** the index fell below the 5,000-point mark ◆ **le chômage a franchi la barre des 2 millions** unemployment overstepped ou broke through the two million mark ◆ **on a mis la barre très haut** we have set a very high standard ◆ **la barre a été fixée à 200 000 unités vendues** a lower limit of 200,000 unit sales has been set **d** *(= trait)* bar ◆ **barre oblique** oblique stroke, slant ou slash mark ◆ **graphique** ou **diagramme à barres** bar chart, bar graph ◆ **code barres** bar code ◆ **crayon-lecteur de code barres** bar code pen ◆ **lecteur de code barres** bar code scanner ou reader **e** *(Inf)* bar ◆ **barre d'espacement** space bar ◆ **barre d'état** status bar ◆ **barre d'impression** print ou type bar ◆ **barre de menu** menu bar ◆ **barre d'outils** tool bar **f** *(= morceau)* bar ◆ **barre d'or fin** gold bar ◆ **or en barres** gold bullion ◆ **c'est de l'or en barre** it's as safe as houses.

**barreau**, PL **-x** /baʀo/ NM **a** [échelle] rung **b** *(Jur)* ◆ **le barreau** the bar ◆ **entrer** ou **être admis au barreau** to be called to the bar *(Brit)*, become a member of the Bar Association *(US)* ◆ **inscrire au barreau** to call to the bar *(Brit)*, admit to the bar *(US)* ◆ **rayer du barreau** to disbar.

**barrement** /baʀmɑ̃/ NM [chèque] crossing ◆ **barrement général** general crossing ◆ **barrement spécial** special crossing.

**barrer** /baʀe/ **VT** *mot, phrase* to cross out, score out, delete; *chèque* to cross ✦ **barrer les mentions inutiles** *(sur formulaire)* delete as appropriate ✦ **chèque barré / non barré** crossed / open *ou* uncrossed cheque ✦ **barrer la route à l'inflation des salaires** to stem wage inflation.

**barrière** /baʀjɛʀ/ **NF** barrier ✦ **barrière d'entrée / de sortie** *(Écon)* entry / exit barrier ✦ **barrières douanières** *ou* **tarifaires** trade *ou* tariff barriers, tariff walls, customs barriers ✦ **barrières non tarifaires** non-tariff barriers ✦ **dresser des barrières contre les importations de voitures** to impose restrictions on car imports, put up import barriers on cars ✦ **barrière de sécurité** *(Inf)* firewall.

**barrique** /baʀik/ **NF** barrel, cask.

**BAS** /beaɛs/ **NM** abrév de **bureau d'aide sociale** → **bureau.**

**bas, basse** /ba, bas/ **ADJ** low ✦ **les cours les plus bas de l'année** this year's lowest rates, the year's lows ✦ **nous vendons à très bas prix** we sell on exceptionally low terms *ou* on bargain-basement terms ✦ **basse saison** low *ou* off season ✦ **tarif basse saison** *(gén)* low season price *ou* rate, out-of-season rate; *[transport]* low season fare ✦ **être au plus bas** *prix* to have reached rock bottom, be at their lowest ✦ **au bas mot** at the very least, at the lowest estimate

**ADV** **très / trop bas** very / too low ✦ **comme il est dit plus bas** as specified *ou* mentioned below *ou* hereafter ✦ **voir plus bas** see below ✦ **maintenir les prix bas** to keep *ou* hold prices down ✦ **les prix ne sont jamais tombés aussi bas** prices have reached a new low *ou* an all-time low

**NM** **a** bottom ✦ **au bas de la page** at the foot *ou* bottom of the page ✦ **tirer vers le bas** *(Écon)* to drag down ✦ **les hauts et les bas** *(Bourse)* highs and lows ✦ **le bas de gamme** *(Mktg)* the bottom (end) of the range ✦ **produit bas de gamme** downmarket product, bottom of the range product, low quality product ✦ **ils visent le bas de gamme** they have positioned themselves at the bottom end of the market **b** stocking ✦ **bas de laine** *(fig)* nest egg, savings.

**bascule** /baskyl/ **NF** *(= balance)* weighing machine; *(Inf)* flip-flop ✦ **interrupteur à bascule** flip-flop switch *ou* key, toggle switch *ou* key.

**basculer** /baskyle/ **VI** ✦ **le gouvernement craint de voir cette société basculer sous le contrôle d'un groupe étranger** the government fears this company might go down under foreign control ✦ **la situation a basculé** the situation

has changed ✦ **cet argument les a fait basculer** this argument made them change their minds ✦ **il a basculé dans notre camp** he switched over to our side.

**base** /baz/ **NF** **a** *(Ind)* ✦ **la base** the rank and file, the shop floor *(Brit)*, the grass roots ✦ **consulter la base** to consult the rank and file *ou* the shop floor *(Brit)* ✦ **la base ne suit pas** there is no support from the shop floor *(Brit)*, there is no grass-roots support **b** *(= fondement)* basis; *(= moyen d'évaluation)* base, basis ✦ **les bases d'un accord** the basis of an agreement ✦ **nous vendons sur une base strictement commerciale** we sell strictly on an arm's-length basis, we sell on strict commercial terms ✦ **sur la base de ces renseignements** on the basis of this information ✦ **abattement à la base** basic allowance ✦ **établir** *ou* **jeter les bases de** to lay the foundations of ✦ **être à la base de** to be at the root of ✦ **il a des bases solides en allemand** he has a good grounding in German **c** **de base** ✦ **nous devons nous recentrer sur nos activités** *ou* **métiers de base** we must focus on our core activities *ou* business ✦ **année de base** base year ✦ **contrat de base** main contract ✦ **document de base** source document ✦ **données statistiques de base** benchmark statistics ✦ **industrie de base** staple *ou* basic *ou* core industry ✦ **ouvrage de base** basic work ✦ **période de base** base period ✦ **point de base** *(Fin)* basis point ✦ **prix de base** base price ✦ **produit de base** staple commodity ✦ **salaire de base** basic *ou* base salary *ou* wage *ou* pay ✦ **tarif de base** standard *ou* basic rate ✦ **taux de base** *[impôt]* basic rate; *[salaire]* base rate ✦ **taux de base bancaire** minimum lending rate, prime rate *(US)* ✦ **taux de base horaire** hourly base rate **d** *(gén, Mil = camp)* base

───── *compounds/composés* ─────
- **base de départ** starting point
- **base de discussion** basis for discussion
- **base d'évaluation** evaluation *ou* assessment basis
- **base de données** data base
- **base imposable** taxable amount
- **base d'imposition** tax base, basis of assessment
- **base monétaire** monetary base
- **base d'opérations** operations base
- **base de ravitaillement** supply base
- **base de référence** bench mark
- **base de sondage** sample base
- **base de valorisation** valuation base.

**baser** /baze/ **VT** *opinion, décision* to base, found, ground (*sur* on) ✦ **entreprise basée à Chicago** Chicago-based firm ✦ **l'entreprise est basée à**

**bénéfice**

**Chicago** the firm is based *ou* headquartered in Chicago.

**bassin** /basɛ̃/ **NM** **a** *(Géog)* basin ✦ **bassin d'emploi** labour market area ✦ **bassin houiller / minier** coal / mineral field *ou* basin **b** *(Mar)* dock ✦ **bassin à flot** wet dock ✦ **bassin flottant** floating dock ✦ **bassin de marée** tidal dock ✦ **bassin de radoub** dry dock, graving dock.

**bastion** /bastjɔ̃/ **NM** *(fig)* bastion, stronghold.

**bâtard, e** /bɑtaʀ, aʀd(ə)/ **ADJ** ✦ **solution bâtarde** hybrid solution, compromise.

**bateau** /bato/ **NM** boat, ship, vessel ✦ **bateau de commerce** merchant ship *ou* vessel ✦ **bateau de pêche** fishing boat ✦ **bateau citerne** tanker.

**batelage** /batlaʒ/ **NM** lighterage ✦ **frais de batelage** lighterage charges.

**batellerie** /batɛlʀi/ **NF** inland water navigation *ou* shipping *ou* transport, lighterage.

**bâti, e** /bɑti/ **ADJ** built ✦ **terrain bâti / non bâti** developed *ou* built-up / undeveloped site **NM** *(Impôts)* **le bâti** built-up property.

**bâtiment** /bɑtimɑ̃/ **NM** **a** *(= industrie)* ✦ **le bâtiment** the building industry *ou* trade ✦ **être dans le bâtiment** to be in the building trade, be a builder ✦ **amortissement sur les bâtiments** *(Fin)* writing-off on premises ✦ **entrepreneur de bâtiment** building contractor ✦ **ouvrier du bâtiment** construction *ou* building worker, hard hat* *(US)* ✦ **les métiers du bâtiment** the building trades **b** *(Mar)* ship, vessel ✦ **bâtiment de charge** cargo boat.

**bâtir** /bɑtiʀ/ **VT** *immeuble* to build; *fortune* to amass, build up; *renommée* to build (up), make (*sur* on); *projet* to draw up ✦ **terrain à bâtir** building site *ou* land.

**bâtisseur, -euse** /bɑtisœʀ, øz/ **NM,F** builder ✦ **bâtisseur d'empire** empire builder.

**battage** /bataʒ/ **NM** *(* = publicité)* publicity campaign, hard selling, hoopla *(US)*, ballyhoo* ✦ **faire du battage autour de qch** to plug sth*, push sth*, sell sth hard*, give sth a big hype*, hype sth up* ✦ **faire du battage autour de qn** to give sb a plug*, sell sb hard ✦ **on a fait du battage autour de ce modèle** this model got a good build-up, this model was given a big hype*.

**battant** /batɑ̃/ **NM** winner, goer.

**battement** /batmɑ̃/ **NM** *(= intervalle)* interval; *(= attente)* wait; *(= pause)* break ✦ **on nous laisse 20 minutes de battement** we are allowed a 20-minute break.

**batterie** /batʀi/ **NF** *(= dispositif)* range, array ✦ **batterie de tests** range of tests ✦ **ils ont toute une batterie de nouveaux projets** they've got a whole range of new projects.

**battre** /batʀ(ə)/ **VT** *concurrent* to beat, defeat; *record* to beat, break ✦ **battre l'inflation** to beat *ou* halt *ou* lick* inflation ✦ **la Bourse de Paris a battu de nouveaux records** the Paris Bourse broke *ou* set new records ✦ **battre son plein** to be at its height *ou* in full swing ✦ **battre pavillon panaméen** to fly the Panamanian flag ✦ **battre monnaie** to strike *ou* mint coins ✦ **battre de l'aile** *[économie]* to be in a bad *ou* shaky state ✦ **les industries qui battent de l'aile** ailing industries, lame ducks ✦ **battre qn à plates coutures** to beat sb hands down.

**bavardage** /bavaʀdaʒ/ **NM** chatting ✦ **salon de bavardage** *(Internet)* chatroom.

**bavure** /bavyʀ/ **NF** *(= erreur)* hitch, flaw, glitch* ✦ **sans bavure** *travail* flawless, faultless; *exécuter* flawlessly, faultlessly ✦ **une bavure de notre service juridique** a slip-up *ou* an unfortunate mistake on the part of our legal department ✦ **bavure administrative** administrative mistake *ou* foul-up*.

**bazar** /bazaʀ/ **NM** *(= magasin)* general store.

**bazarder** * /bazaʀde/ **VT** *(= brader)* to sell off, flog*.

**BCE** /beseɑ/ **NF** (abrév de **Banque centrale européenne**) ECB.

**BD** /bede/ **NF** abrév de **base de données** → **base**.

**BEE** /beəə/ **NM** abrév de **Bureau européen de l'environnement** → **bureau**.

**BEI** /beai/ **NF** (abrév de **Banque européenne d'investissement**) EIB.

**Beijing** /bejiŋ/ **N** Beijing.

**Bélarus** /belaʀys/ **NM** Belarus.

**bélarusse** /belaʀys/ **ADJ** Belarussian
**Bélarusse** **NMF** Belarussian.

**Belfast** /bɛlfast/ **N** Belfast.

**belge** /bɛlʒ(ə)/ **ADJ** Belgian
**Belge** **NMF** *(= habitant)* Belgian.

**Belgique** /bɛlʒik/ **NF** Belgium.

**Belgrade** /bɛlgʀad/ **N** Belgrade.

**bénef** * /benɛf/ **NM** (abrév de **bénéfice**) profit.

**bénéfice** /benefis/ **NM** **a** *(Comm)* profit; *(Compta : sur le compte de résultats)* profit, income ✦ **faire du bénéfice** to make a profit ✦ **rapporter des bénéfices** to yield (a) profit ✦ **faire apparaître un bénéfice** to show (a) profit ✦ **réaliser de**

gros bénéfices to make *ou* reap big profits ✦ réaliser un bénéfice de to earn *ou* make a profit of ✦ vendre à bénéfice to sell at a profit *ou* at a premium ✦ chaque associé doit déclarer sa part de bénéfice each partner's profits are taxed separately ✦ courbe des bénéfices profit graph ✦ plan de participation *ou* d'intéressement aux bénéfices profit-sharing scheme ✦ maximisation des bénéfices profit maximization ✦ prendre ses bénéfices to take (one's) profits ✦ prise de bénéfice *(Bourse)* profit taking ✦ rapport cours-bénéfice price-earnings ratio ✦ répartition de bénéfices appropriation *ou* allotment of profits ✦ super-bénéfices excess profits **b** *(= avantage)* advantage, benefit ✦ conclure une affaire à son bénéfice to complete a deal to one's advantage ✦ il a tiré un bénéfice certain de ses efforts his efforts did pay off ✦ accordons-lui le bénéfice du doute let us give him the benefit of the doubt ✦ au bénéfice de l'âge *(Admin)* by prerogative of age ✦ établir un chèque au bénéfice de qn to make a cheque *(Brit)* ou check *(US)* out to sb, write a cheque *(Brit)* ou check *(US)* to the order of sb **c** *(Jur)* ✦ bénéfice des circonstances atténuantes benefit of mitigating *ou* extenuating circumstances ✦ sous bénéfice d'inventaire without liability to debts beyond assets descended ■ Voir encadré ci-dessous

**bénéficiaire** /benefisjɛʀ/ **ADJ** *opération* profit making, profitable ✦ bilan bénéficiaire balance sheet showing a profit ✦ capacité béné-ficiaire earning capacity, earning power ✦ compte bénéficiaire account showing a credit balance ✦ marge bénéficiaire profit margin, mark-up ✦ solde bénéficiaire profit balance ✦ le tiers bénéficiaire *(Ass)* the third party beneficiary ✦ être bénéficiaire *activité, firme* to show a profit ✦ notre balance commerciale est bénéficiaire our trade balance is in profit *ou* in the black *ou* in surplus ✦ notre balance des paiements est redevenue bénéficiaire our balance of payments is in the black again

**NMF** *(gén)* beneficiary; *[licence d'exploitation]* licensee; *[chèque, traite]* payee, endorsee; *[allocation]* recipient; *[option]* optionee ✦ les jeunes ont été les bénéficiaires de cette nouvelle mesure young people benefited by this new measure ✦ bénéficiaire de l'aide sociale welfare recipient ✦ bénéficiaire éventuel contingent beneficiary ✦ bénéficiaire principal primary beneficiary.

**bénéficier** /benefisje/ **VT INDIR** ✦ bénéficier de *(= jouir de)* to have, enjoy; *(= obtenir)* to get, have; *(= tirer profit de)* to benefit by *ou* from, gain by ✦ les PVD bénéficient de préférences tarifaires developing countries benefit from tariff preferences ✦ bénéficier de la Sécurité sociale to draw Social Security ✦ bénéficier d'une remise to get a rebate *ou* discount ✦ bénéficier d'un préjugé favorable to be given favourable consideration, be favourably considered ✦ bénéficier des nouvelles dispositions fiscales to benefit by *ou* gain by the new

---

*compounds/composés*

### BÉNÉFICE

- ✦ **bénéfice par action** earnings per share
- ✦ **bénéfice annuel** yearly profit
- ✦ **bénéfice après impôt** after-tax profit
- ✦ **bénéfices avant impôt** pre-tax profit, profit before tax, pre-tax income *ou* earnings
- ✦ **bénéfice brut** gross profit
- ✦ **bénéfices commerciaux** business *ou* trading profits
- ✦ **bénéfices comptables** book profits
- ✦ **bénéfices consolidés** consolidated profits
- ✦ **bénéfices distribuables** distributable profits
- ✦ **bénéfice escompté** *ou* **espéré** anticipated profit
- ✦ **bénéfice exceptionnel** windfall profit
- ✦ **bénéfice d'exploitation** operating profit *ou* earnings *ou* income
- ✦ **bénéfice fictif** paper profit
- ✦ **bénéfices financiers** interest received
- ✦ **bénéfices imposables** taxable profits *ou* earnings *ou* income, pre-tax profits
- ✦ **bénéfices industriels et commerciaux** business profits, industrial and commercial profits

- ✦ **bénéfice net** net profit *ou* earnings *ou* income
  - ✦ **bénéfice net par action** earnings per share ✦ **bénéfice net imposable** taxable net profit *ou* earnings *ou* income
- ✦ **bénéfices non commerciaux** *(sur feuille d'impôt)* non-commercial *ou* non-trading profits
- ✦ **bénéfices non distribués** retained earnings, undistributed profits *ou* earnings
- ✦ **bénéfices non rapatriés** unremitted earnings *ou* profits
- ✦ **bénéfices non répartis** retained earnings, undistributed profits *ou* earnings
- ✦ **bénéfices après répartition** net profit *ou* income after taxes and dividends
- ✦ **bénéfice du portefeuille** gains on investment
- ✦ **bénéfices rapatriés** remitted earnings *ou* profits
- ✦ **bénéfice réel** actual profits *ou* earnings *ou* income
- ✦ **bénéfices reportés** profits carried forward.

tax measures ◆ **bénéficier d'un non-lieu** to be discharged for lack of evidence ◆ **bénéficier de circonstances atténuantes** to be granted mitigating *ou* extenuating circumstances ◆ **faire bénéficier qn d'une réduction** to give *ou* allow sb a discount.

**bénéfique** /benefik/ **ADJ** beneficial, positive.

**Bénélux** /benelyks/ **NM** ◆ **le Bénélux** the Benelux countries, Benelux.

**bénévole** /benevɔl/ **ADJ** *tâche, personne* voluntary, unpaid ◆ **mandataire bénévole** unpaid agent **NMF** volunteer.

**bénévolement** /benevɔlmɑ̃/ **ADV** *travailler* voluntarily, for nothing.

**Bénin** /benɛ̃/ **NM** Benin.

**béninois, e** /beninwa,waz/ **ADJ** Beninese
    **Béninois** **NM** (= *habitant*) Beninese
    **Béninoise** **NF** (= *habitante*) Beninese.

**BEP** /beəpe/ **NM** abrév de **brevet d'études professionnelles** → **brevet.**

**BEPA** /bepa/ **NM** abrév de **brevet d'études professionnelles agricoles** → **brevet.**

**BERD** /bɛʀd/ **NF** (abrév de **Banque européenne pour la reconstruction et le développement**) EBRD.

**bergerie** /bɛʀʒəʀi/ **NF** (= *comptoir*) counter.

**Berlin** /bɛʀlɛ̃/ **N** Berlin.

**Bermudes** /bɛʀmyd/ **NFPL** ◆ **les Bermudes** Bermuda.

**bermudien, -ienne** /bɛʀmydjɛ̃, jɛn/ **ADJ** Bermudan, Bermudian
    **Bermudien** **NM** (= *habitant*) Bermudan, Bermudian
    **Bermudienne** **NF** (= *habitante*) Bermudan, Bermudian.

**Berne** /bɛʀn(ə)/ **N** Bern.

**besoin** /bəzwɛ̃/ **NM** need (*de* for) ◆ **faire connaître ses besoins** to make one's requirements known ◆ **répondre aux besoins de qn** to provide for *ou* meet sb's needs ◆ **être dans le besoin** to be in need ◆ **analyse des besoins** needs analysis ◆ **besoins alimentaires** food requirements ◆ **besoins des consommateurs** consumer needs ◆ **besoins émergents** (*Mktg*) emerging needs ◆ **besoins financiers** *ou* **de financement** borrowing requirements ◆ **besoins latents** dormant needs ◆ **besoins de trésorerie** *ou* **de liquidités** cash *ou* liquidity requirements ◆ **de combien d'exemplaires avez-vous besoin?** how many copies do you require? ◆ **l'usine a besoin d'être modernisée** the plant needs modernising ◆ **si besoin est, si le besoin s'en fait sentir,**

en cas de besoin if need(s) be, if necessary, if the need arises ◆ **pour les besoins de la cause** for the purpose in hand.

**bestiaux** /bɛstjo/ **NMPL** (*gén*) livestock; (*bovins*) cattle ◆ **élevage de bestiaux** stock-breeding, cattle-raising ◆ **éleveur de bestiaux** stock-breeder, cattle-raiser, cattleman (*US*).

**bétail** /betaj/ **NM** (*gén*) livestock; (*bovins*) cattle ◆ **bétail sur pied** cattle on the hoof.

**béton** /betɔ̃/ **NM** concrete ◆ **dossier en béton** (*fig*) cast-iron case.

**beurre** /bœʀ/ **NM** butter ◆ **beurre d'intervention** (*UE*) intervention butter.

**Beyrouth** /beʀut/ **N** Beirut.

**BF** abrév de **Banque de France.**

**BI** abrév de **brevet d'invention** → **brevet.**

**biais** /bjɛ/ **NM** **a** (= *moyen*) means, device, dodge* ; (= *angle*) angle, way ◆ **chercher un biais pour obtenir qch** to find some means of getting sth ◆ **par le biais de** (= *au moyen de*) by means of; (= *par l'intermédiaire de*) through ◆ **c'est par ce biais qu'il faut aborder le problème** the problem should be approached from this angle *ou* in this way ◆ **abordons ce problème de biais** let's approach this problem in a roundabout way **b** (*Stat*) bias.

**biaiser** /bjeze/ **VI** (= *louvoyer*) to sidestep the issue **VT** (*Stat*) *résultats* to bias.

**bibliographie** /biblijɔgʀafi/ **NF** bibliography.

**bibliothécaire** /biblijɔtekɛʀ/ **NMF** librarian.

**bibliothèque** /biblijɔtɛk/ **NF** (= *lieu*) library; (= *meuble*) bookcase; (= *collection*) library, collection (of books).

**BIC** /beise/ **NMPL** abrév de **bénéfices industriels et commerciaux** → **bénéfice.**

**bicéphale** /bisefal/ **ADJ** *direction* two-headed.

**Bichkek** /biʃkɛk/ **N** Bishkek.

**bide** * /bid/ **NM** ◆ **faire un bide** [*initiative, produit*] to be a flop* *ou* a washout* *ou* a bomb* (*US*).

**bidirectionnel, -elle** /bidiʀɛksjɔnɛl/ **ADJ** bidirectional ◆ **voie bidirectionnelle** duplex channel.

**bidon** * /bidɔ̃/ **ADJ INV** (= *faux*) explication mock ◆ **chèque bidon** bogus cheque ◆ **société bidon** ghost *ou* straw *ou* dummy company.

**biélorusse** /bjelɔʀys/ **ADJ** Byelorussian, Belarussian
    **Biélorusse** **NMF** Byelorussian, Belarussian.

**Biélorussie** /bjelɔʀysi/ **NF** Byelorussia, Belarus.

**bien** /bjɛ̃/ NM a (= *avantage*) good ◆ **le bien public** the public good ◆ **ce retard a été un bien** this delay was a good thing ◆ **on dit beaucoup de bien de cette société** this company has got a very good name, people speak very highly of this company ◆ **mener à bien une tâche** to carry out a job successfully b (= *objet*) possession, property, asset; (*Ind*) asset; (= *argent*) fortune; (= *terres*) estate; (*Écon*) good ◆ **un bien économique** an economic good ◆ **biens composant la masse de la faillite** bankrupt's total estate ◆ **administrateur de biens** estate agent, factor ◆ **marchand de biens** estate agent (*Brit*), realtor (*US*) ◆ **biens et effets** (*Jur*) goods and chattels ◆ **biens et services** goods and services ◆ **les biens de l'entreprise** the company's assets ◆ **la cession d'un bien** (*gén*) the assignment of a property *ou* a possession; (*Ind*) the disposal of an asset ▪ Voir encadré ci-dessous

**bien-être** /bjɛ̃nɛtʀ(ə)/ NM (*gén*) well-being, comfort; [*population*] welfare ◆ **économie de bien-être** welfare economy.

**bienfaisance** /bjɛ̃fəzɑ̃s/ NF ◆ **association** *ou* **œuvre** *ou* **bureau de bienfaisance** charity, charitable association *ou* trust *ou* society ◆ **sociétés de bienfaisance** charities, eleemosynary institutions (*US*).

**bienfait** /bjɛ̃fɛ/ NM (= *don*) gift, blessing; (= *aubaine*) godsend ◆ **les bienfaits de cette politique commencent à se faire sentir** the beneficial effects of this policy can be felt *ou* begin to bite.

**bienfaiteur** /bjɛ̃fɛtœʀ/ NM benefactor.

**bienfaitrice** /bjɛ̃fɛtʀis/ NF benefactress.

**bien-fondé** /bjɛ̃fɔ̃de/ NM [*opinion*] validity, soundness; (*Jur*) [*plainte*] cogency ◆ **établir le bien-fondé d'une réclamation** to substantiate a claim ◆ **reconnaître** *ou* **admettre le bien-fondé d'une réclamation** to allow *ou* validate a claim ◆ **mettre en doute le bien-fondé d'une réclamation** to challenge the validity of a claim.

**bien-fonds,** PL **biens-fonds** /bjɛ̃fɔ̃/ NM real estate, landed property.

**biennal, e,** MPL **-aux** /bjenal, o/ ADJ biennial
**biennale** NF biennial event.

**bienvenu, e** /bjɛ̃vny/ NM,F **soyez le bienvenu** you are very welcome, we are pleased to see you

---

BIEN

- **bien collectif** collective good
- **biens de communauté** (*Jur*) communal estate, joint estate of husband and wife, community property(*US*)
- **biens complémentaires** complementary goods, complements
- **biens de consommation** consumer goods, consumables
- **biens consomptibles** wasting assets
- **biens corporels** tangible *ou* corporeal property
- **biens directs** consumer goods
- **biens durables** durables, durable goods
- **biens d'équipement** capital goods ◆ **biens d'équipement ménager** consumer durables
- **biens exportés en l'état** unprocessed exported goods
- **biens de famille** family estate
- **biens fonciers** landed property
- **biens fongibles** fungibles, non-durable goods, non-durables, soft goods
- **biens gagés** pledged assets
- **biens hypothéqués** mortgaged property
- **biens immeubles, biens immobiliers** real estate *ou* property, landed property, immovables, realty, real assets
- **biens imposables** taxable goods
- **biens incorporels** intangible property, incorporeal *ou* intangible assets
- **biens indirects** capital goods

- **biens indivis** joint estate
- **biens industriels** industrial goods
- **biens intermédiaires** semi-processed goods
- **biens instrumentaux** investment *ou* capital goods
- **biens d'investissement** investment *ou* capital goods
- **biens libres d'hypothèque** estate free from encumbrance
- **biens manufacturés** manufactured goods
- **biens meubles, biens mobiliers** personal property *ou* estate, movables, personal assets
- **biens non-durables** non-durable goods, non-durables, soft goods
- **biens non-fongibles** durables, durable goods, hard goods
- **biens oisifs** unproductive *ou* idle property
- **biens permanents** durables, durable goods, hard goods
- **biens personnels** (*gén*) personal property; (*Jur*) personal chattels
- **biens privés** private property
- **biens de production** capital *ou* producer goods
- **biens publics** public property
- **biens sociaux** corporate property *ou* assets *ou* funds
- **biens substituables** substitute goods, substitutes
- **biens successoraux** hereditaments
- **biens vacants** ownerless property
- **biens en viager** life estate.

*compounds/composés*

♦ **quelques explications seraient les bienvenues** some explanation would be most welcome

**bienvenue** [NF] welcome ♦ **offre / cadeau de bienvenue** *(Comm)* introductory offer / gift ♦ **souhaiter la bienvenue à qn** to welcome sb ♦ **allocution de bienvenue** welcoming speech ♦ **quelques mots de bienvenue** a few words of welcome.

**biffage** /bifaʒ/ NM deletion, crossing out, cancellation.

**biffer** /bife/ VT to delete, cross out, strike out ♦ **biffer au crayon** to pencil out ♦ **acceptation biffée** cancelled *ou* refused acceptance ♦ **endossement biffé** cancelled endorsement.

**biffure** /bifyʀ/ NF *(action)* deletion, crossing out; *(résultat)* deletion, erasure.

**bifurquer** /bifyʀke/ VI *[personne]* to branch off *(vers* into) ♦ **bifurquer vers la gestion** to shift *ou* switch to management.

**Big Bang** /bigbɑ̃g/ NM *(Bourse)* ♦ **le Big Bang** the Big Bang.

**bihebdomadaire** /biɛbdɔmadɛʀ/ ADJ twice-weekly.

**bijou, PL -x** /biʒu/ NM jewel ♦ **bijoux** jewellery, jewels.

**bijouterie** /biʒutʀi/ NF *(= magasin)* jeweller's (shop); *(= métier)* jewellery business *ou* trade; *(= fabrication)* jewellery-making; *(= bijoux)* jewellery.

**bijoutier, -ière** /biʒutje, jɛʀ/ NM,F jeweller.

**bilan** /bilɑ̃/ NM [a] *(= estimation)* appraisal, assessment, evaluation; *(= résultats)* results, consequences ♦ **dresser** *ou* **établir** *ou* **faire le bilan d'une situation** to take stock of *ou* assess *ou* review a situation ♦ **faire le bilan d'une opération** to assess the results of an operation [b] *(Compta)* balance sheet, statement of accounts ♦ **faux bilan** fraudulent balance sheet ♦ **éléments hors bilan** off balance sheet items ♦ **centrale des bilans** balance sheet office ♦ **méthode du bilan** balance method ♦ **contrôle / postes du bilan** balance sheet auditing / items ♦ **comptes de bilan** balance sheet accounts ♦ **extrait de bilan** summarized balance sheet ♦ **habillage** *ou* **maquillage** *ou* **trucage du bilan** window-dressing of the balance sheet ♦ **dépôt de bilan** voluntary liquidation ♦ **déposer son bilan** to go into voluntary liquidation, file one's petition in bankruptcy, file for bankruptcy, file for chapter eleven *(US)* ♦ **dresser** *ou* **établir le bilan** to draw up the balance sheet

─── compounds/composés ───
♦ **bilan bénéficiaire** balance sheet showing a profit
♦ **bilan consolidé** consolidated balance sheet
♦ **bilan déficitaire** balance sheet showing a loss
♦ **bilan flatté** cooked-up\* *ou* window-dressed balance sheet
♦ **bilan de groupe** consolidated balance sheet
♦ **bilan hebdomadaire** *(Banque)* weekly bank return; *(Bourse)* weekly trading report
♦ **bilan initial** opening balance sheet
♦ **bilan intérimaire** interim balance sheet
♦ **bilan de liquidation** statement of affairs
♦ **bilan provisionnel** trial balance, budgeted balance sheet
♦ **bilan provisoire** *(Fin)* interim balance sheet; *(gén)* provisional estimate
♦ **bilan d'ouverture** opening balance sheet
♦ **bilan résumé** condensed *ou* summarized balance sheet
♦ **bilan social de l'entreprise** social audit
♦ **bilan truqué** cooked-up\* *ou* window-dressed balance sheet
♦ **bilan de vérification** trial balance
♦ **bilan visualisé** graphic presentation of the balance sheet.

**bilatéral, e, MPL -aux** /bilateʀal, o/ ADJ bilateral ♦ **accord bilatéral** bilateral agreement ♦ **compensation bilatérale** bilateral clearing ♦ **consultations bilatérales** joint consultations ♦ **contrat bilatéral** bilateral contract ♦ **monopole bilatéral** *(Écon)* bilateral monopoly.

**bilingue** /bilɛ̃g/ ADJ *stage* bilingual.

**billet** /bijɛ/ NM [a] *(Aviat) (Rail)* ticket ♦ **billet collectif** group ticket ♦ **billet aller / aller-retour** single *(Brit) ou* one-way *(US)* / return *(Brit) ou* round-trip *(US)* ticket ♦ **le prix du billet** the fare [b] *(= argent)* note, bill *(US)* ♦ **faux billet** forged banknote, dud banknote ♦ **billet de 5 livres** £5 note ♦ **billet de 5 dollars** $5 bill [c] *(= effet de commerce)* note, bill, promissory note

─── compounds/composés ───
♦ **billet de banque** banknote, bank bill *(US)*
♦ **billet de bord** *(Mar)* mate's receipt
♦ **billet de commerce** promissory note
♦ **billet de complaisance** accommodation bill
♦ **billet d'embarquement** *(Mar)* mate's receipt
♦ **billet d'entrée** entrance ticket
♦ **billet de faveur** complimentary ticket
♦ **billet de fonds** bill to order drawn by the buyer *(of a fonds de commerce)*
♦ **billet à ordre** promissory note, bill of exchange
♦ **billet à présentation** bill payable on demand
♦ **billet au porteur** bearer order, bill payable on demand
♦ **billet de retard** *note from public transport authorities attesting late running of train*

♦ **billet de trésorerie** commercial paper
♦ **le billet vert** the dollar
♦ **billet à vue** bill payable at sight, sight bill.

**billetterie** /bijɛtʀi/ **NF** cash dispenser, automatic teller machine, ATM *(US)* ♦ **billetterie aérienne** air ticketing.

**bimensuel, -elle** /bimɑ̃sɥɛl/ **ADJ** fortnightly *(Brit)*, bimonthly.

**bimensuellement** /bimɑ̃sɥɛlmɑ̃/ **ADV** twice a month, fortnightly *(Brit)*.

**bimestriel, -elle** /bimɛstʀijɛl/ **ADJ** bimonthly, two-monthly.

**bimétallique** /bimetalik/ **ADJ** bimetallic.

**bimétallisme** /bimetalism(ə)/ **NM** bimetallism.

**bimétalliste** /bimetalist(ə)/ **NMF** bimetallist.

**binaire** /binɛʀ/ **ADJ** **NM** binary ♦ **code binaire** binary code ♦ **binaire en colonne** column binary ♦ **programme en binaire** binary (program).

**binôme** /binom/ **NM** binomial.

**biochimie** /bjɔʃimi/ **NF** biochemistry.

**biochimique** /bjɔʃimik/ **ADJ** biochemical.

**biocombustible** /bjɔkɔ̃bystibl/ **NM** biofuel.

**biodégradable** /bjɔdegʀadabl(ə)/ **ADJ** bio-degradable.

**biologie** /bjɔlɔʒi/ **NF** biology.

**biologique** /bjɔlɔʒik/ **ADJ** biological; *nourriture* natural.

**biologiste** /bjɔlɔʒist(ə)/ **NMF** biologist.

**biophysique** /bjɔfizik/ **NF** biophysics.

**bip** /bip/ **NM** **a** *(= objet)* beeper, bleeper, pager **b** *(= son)* beep, bleep ♦ **parlez après le bip sonore** speak after the tone *ou* beep ♦ **faire bip** to beep, bleep.

**bipartite** /bipaʀtit/ **ADJ** *(Pol)* biparty, two-party.

**bip-bip** /bibip/ **NM** **a** *(= objet)* beeper, bleeper, pager **b** *(= son)* beep, bleep.

**BIPE** /beipeə/ **NM** abrév de **Bureau d'informations et de prévisions économiques** → **bureau.**

**biper** /bipe/ **VT** to page.

**biquotidien, -ienne** /bikɔtidjɛ̃, jɛn/ **ADJ** twice-daily.

**BIRD** /bœʀd/ **NF** (abrév de **Banque internationale pour la reconstruction et le développement**) IBRD.

**birman, e** /biʀmɑ̃, an/ **ADJ** Burmese **NM** *(= langue)* Burmese

**Birman** **NM** *(= habitant)* Burmese
**Birmane** **NF** *(= habitante)* Burmese.

**Birmanie†** /biʀmani/ **NF** *(Hist)* Burma.

**birr** /biʀ/ **NM** birr.

**bis** /bis/ **ADV** ♦ **n° 52 bis** n° 52 A ♦ **l'article 4 bis** clause 4 A.

**biseau** /bizo/ **NM** *(Bourse)* ♦ **figure en biseaux** wedge.

**Bissau** /bisao/ **N** Bissau.

**bissextile** /bisɛkstil/ **ADJ** ♦ **année bissextile** leap year.

**bit** /bit/ **NM** *(Inf)* bit.

**BIT** /beite/ **NM** (abrév de **Bureau international du travail**) ILO.

**bitumineux, -euse** /bityminø, øz/ **ADJ** bituminous ♦ **pétrole bitumineux** shale oil ♦ **schiste bitumineux** bituminous shale.

**bl** (abrév de **baril**) barrel, bbl.

**black-out** /blakawt/ **NM** blackout.

**blâmable** /blɑmabl(ə)/ **ADJ** blameful.

**blâme** /blɑm/ **NM** *(Admin)* reprimand ♦ **donner un blâme à qn** to reprimand sb ♦ **recevoir un blâme** to be reprimanded.

**blâmer** /blame/ **VT** *(= critiquer)* to blame, lay the blame on; *(Admin)* to reprimand.

**blanc, blanche** /blɑ̃, blɑ̃ʃ/ **ADJ** **a** *(= non imprimé)* *page* blank ♦ **donner carte blanche à qn** to give sb carte blanche *ou* a free hand ♦ **nous sommes blancs dans l'affaire** we are blameless **b** *(= sans profit)* profitless ♦ **affaire blanche** break-even deal
**NM** **a** *(= linge)* ♦ **la quinzaine du blanc** (annual) white sale ♦ **magasin de blanc** linen shop **b** *(= espace libre)* blank, space; *[bande magnétique]* blank ♦ **laisser un blanc** to leave a blank *ou* a space ♦ **il faut laisser le nom en blanc** the name must be left blank *ou* must not be filled in ♦ **laisser la somme en blanc** *(sur formulaire)* please leave the amount blank ♦ **remplacer par des blancs** *(Inf)* to blank out ♦ **remplir les blancs** to fill in the blanks; *(Inf)* to blankfill ♦ **acceptation / endossement / signature en blanc** blank acceptance / endorsement / signature ♦ **donner un pouvoir en blanc** to issue full proxy ♦ **chèque en blanc** *(lit, fig)* blank cheque *(Brit)* ou check *(US)* ♦ **crédit en blanc** open *ou* blank credit **c** *(Fin)* gap ♦ **blanc d'accélération de tendance** runaway gap ♦ **blanc d'arrêt** exhaustion gap ♦ **blanc de renversement de tendance** breakaway gap.

**blanchiment** /blɑ̃ʃimɑ̃/ **NM** *[argent perçu illégalement]* laundering.

**blanchir** /blɑ̃ʃiʀ/ **VT** *argent perçu illégalement* to launder; *innocent* to exonerate, clear ◆ **il en est sorti blanchi** he cleared his name
**se blanchir** **VPR** to exonerate o.s. (*de* from) clear one's name.

**blanc-seing** /blɑ̃sɛ̃/ **NM** (*Jur*) signature to a blank document ◆ **donner un blanc-seing à qn** (*lit*) to give full delegation to sb; (*fig*) to give sb a free hand *ou* free rein.

**blé** /ble/ **NM** wheat, corn (*Brit*), grain (*US*).

**blessure** /blesyʀ/ **NF** (*accident*) injury; (*agression*) wound ◆ **coups et blessures** (*Jur*) assault and battery.

**bleu** /blø/ **NM** (= *couleur*) blue; (= *débutant*) beginner, greenhorn* ; (= *tirage d'un plan*) blueprint ◆ **bleu(s) de travail** (= *vêtement*) dungarees, overalls.

**bloc** /blɔk/ **NM** **a** (*papeterie*) pad **b** (= *rassemblement*) group; (*Pol*) bloc ◆ **faire bloc avec / contre** to unite with / against ◆ **ils ont rejeté en bloc cette proposition** (*unanimement*) they were united *ou* unanimous in their rejection of the proposal; (*sans vouloir détailler*) they rejected the proposal outright *ou* out of hand ◆ **le bloc de l'Est** the Eastern bloc ◆ **bloc monétaire** monetary bloc **c** (*Inf*) block ◆ **bloc d'entrée / de sortie** input / output block ◆ **transfert de bloc** block move ◆ **mode bloc** block mode ◆ **déplacer un bloc** to transfer a block **d** (*Bourse*) block ◆ **bloc d'actions** block of shares ◆ **acheter des actions en bloc** to buy blocks of shares ◆ **achat / vente en bloc** block purchase / sale ◆ **offre en bloc** block offer ◆ **opérateur en bloc** block positioner

————— *compounds/composés* —————
◆ **bloc de bureau** desk pad
◆ **bloc-calendrier** **PL**, **blocs-calendriers** **NM** tear-off calendar
◆ **bloc de contrôle** (*Fin*) controlling block *ou* interest
◆ **bloc hors-marché** (*Bourse*) off-market block
◆ **bloc de mémoire** memory block
◆ **bloc-notes** **PL**, **blocs-notes** **NM** desk pad, memo pad
◆ **bloc technique** design department.

**blocage** /blɔkaʒ/ **NM** [*prix, salaires*] freeze, freezing; [*compte bancaire*] freezing; [*marchandises*] hold-up, hang-up ◆ **blocage des prix et des salaires** wage-price freeze *ou* restraint ◆ **blocage des loyers** rent control *ou* freeze ◆ **imposer un blocage des prix pendant trois mois sur les biens et les services** to put *ou* clamp a three-month price freeze on goods and services ◆ **minorité de blocage** (*Fin*) working con-

trol exerted by a minority of stockholders ◆ **blocage de mémoire** (*Inf*) memory lock.

**blocus** /blɔkys/ **NM** blockade ◆ **lever / forcer le blocus** to raise / run the blockade ◆ **blocus fictif** paper blockade ◆ **faire le blocus de** to blockade.

**bloquer** /blɔke/ **VT** **a** (= *rassembler*) to lump *ou* put *ou* group together ◆ **bloquer ses jours de congé** to lump one's days off together ◆ **bloquer toutes les statistiques en fin de rapport** to put *ou* group all the statistics together at the end of the report ◆ **bloquer les commandes** to bulk orders **b** (= *coincer*) *machine* to jam; *route* to block; *port* to blockade; *marchandises* to stop, hold up; (*Inf*) *clavier* to inhibit, lock ◆ **toute l'activité économique est bloquée** all business activity has been brought to a standstill ◆ **les négociations sont bloquées** the talks are deadlocked *ou* at a standstill ◆ **notre envoi est bloqué en douane** our consignment is held up at the *ou* in customs ◆ **programme bloqué** (*Inf*) stalled programme **c** *crédit, salaires* to freeze; *compte en banque* to stop, freeze; *chèque* to stop ◆ **compte bloqué** (*où est déposé de l'argent*) escrow account ◆ **les fonds sont bloqués chez le notaire** the money is held *ou* blocked *ou* frozen by the lawyer ◆ **monnaie bloquée** blocked currency **d** (= *réserver*) *date* to reserve
**se bloquer** **VPR** [*machine*] to jam.

**blue chip** /bluʃip/ **NM** blue chip.

**BNC** /beɛnse/ **NMPL** abrév de **bénéfices non commerciaux** → **bénéfice**.

**BNPA** /beɛnpea/ **NM** (abrév de **bénéfice net par action**) EPS.

**BO** /beo/ **NM** abrév de **Bulletin officiel** → **bulletin**.

**bobine** /bɔbin/ **NF** ([*textile*], *Inf*) spool, reel; [*machine à écrire*] spool; (*Ciné*) reel.

**Bogota** /bɔgɔta/ **N** Bogota.

**bogue** /bɔg/ **NM** (*Inf*) bug ◆ **sans bogues** bugless.

**boguer** /bɔge/ **VT** to bug ◆ **être bogué** to be bugged.

**boire** /bwaʀ/ **VT** ◆ **boire la tasse** * (= *subir des pertes*) to take a bath* ; (= *faire faillite*) to go under.

**bois** /bwa/ **NM** (= *forêt, matériau*) wood ◆ **bois de construction** *ou* **de charpente** *ou* **d'œuvre** timber, lumber ◆ **les industries du bois** wood-related industries ◆ **chèque en bois** rubber cheque (*Brit*) *ou* check (*US*), dud cheque (*Brit*) *ou* check (*US*).

**boisage** /bwazaʒ/ **NM** *[mine, construction]* timbering, framing.

**boisement** /bwazmɑ̃/ **NM** afforestation.

**boiser** /bwaze/ **VT** *région* to afforest; *mine* to timber, prop up.

**boisson** /bwasɔ̃/ **NF** drink, beverage ✦ **boisson alcoolisée** alcoholic beverage *ou* drink ✦ **boisson gazeuse** sparkling drink ✦ **boisson non alcoolisée** soft drink ✦ **boisson pilote** drink on special offer.

**boîte** /bwat/ **NF** **a** *(en carton, bois)* box; *(en métal)* box, tin **b** *(* = firme)* firm, company; *(= bureau)* office ✦ **il s'est fait renvoyer de la boîte** he got chucked out*, he got the sack*

---
*compounds/composés*

✦ **boîte à archives** box file
✦ **boîte de conserve** tin *(Brit)*, can ✦ **mettre en boîte de conserve** to can
✦ **boîte de dialogue** *(Inf)* dialogue *(Brit) ou* dialog *(US)* box
✦ **boîte à idées** suggestion box
✦ **boîte à** *ou* **aux lettres** *(pour l'envoi du courrier)* post box *(Brit)*, mailbox *(US)* ; *(chez soi)* letter box *(Brit)*, mailbox *(US)* ✦ **boîte à lettres électronique** electronic mailbox ✦ **ce n'est qu'une boîte à lettres** *(fig)* it's just a mailing address
✦ **boîte noire** black box
✦ **boîte postale** post office box, P.O. box ✦ **boîte postale 150** P.O. Box 150
✦ **boîte vocale** voice mail.

---

**boiteux, -euse** /bwatø, øz/ **ADJ** *paix, projet, solution* shaky ✦ **canards boiteux** *(Ind)* lame ducks ✦ **balance commerciale boiteuse** lopsided trade balance.

**boîtier** /bwatje/ **NM** case.

**bolivar** /bɔlivaʀ/ **NM** bolivar.

**boliviano** /bɔlivjano/ **NM** boliviano.

**Bolivie** /bɔlivi/ **NF** Bolivia.

**bolivien, -ienne** /bɔlivjɛ̃, jɛn/ **ADJ** Bolivian **Bolivien NM** *(= habitant)* Bolivian **Bolivienne NF** *(= habitante)* Bolivian.

**bombarder** /bɔ̃baʀde/ **VT** **a** ✦ **bombarder de questions** to shower with; *coups de téléphone* to pester with **b** *(* = nommer)* to appoint ✦ **on l'a bombardé chef des ventes** * he was pitchforked into the position of sales manager.

**bombe** /bɔ̃b/ **NF** bomb ✦ **désamorcer la bombe** *(fig)* to defuse the time bomb ✦ **ça a fait l'effet d'une bombe** that was like a bolt from the blue.

**bon, bonne** /bɔ̃, bɔn/ **ADJ** **a** *(gén)* good; *réponse, solution* right, correct; *placement, investissement*

safe, sound ✦ **composer le bon numéro** to dial the right number ✦ **juger** *ou* **trouver bon de faire** to see fit to do ✦ **bonne créance** good debt ✦ **bon état de navigabilité** seaworthiness ✦ **bonne qualité courante** fair average quality, FAQ ✦ **bonne qualité marchande** good merchantable quality **b** *(= valable)* billet, passeport, timbre valid ✦ **bon jusqu'au 12 juin** to be used before 12th June, valid until 12th June **c** **bon pour aval** guaranteed by ✦ **bon pour pouvoir** procuration given by ✦ **bon pour francs** *(sur chèque)* pay bearer to the amount of **d** **à bon droit** with good reason, legitimately ✦ **à bon port** safely ✦ **bon an mal an** on average, on balance ✦ **mener qch à bonne fin** to bring sth to a successful conclusion, complete sth successfully ✦ **bon marché** *objet* cheap, inexpensive; *acheter* at a low price ✦ **aux bons soins de** care of, c / o ✦ **acheteur / vendeur de bonne foi** bona fide buyer / seller ✦ **être de bonne foi** to be in good faith ✦ **sauf bonne fin** under usual reserve

**NM** **a** ✦ **cette solution a du bon** this solution has its good points *ou* has its merits **b** *(= bordereau)* slip, form, note; *(= coupon d'échange)* coupon, voucher; *(= titre boursier)* bond ✦ **amortir un bon** to redeem a bond ✦ **émettre des bons** to issue *ou* float bonds ▪ Voir encadré page ci-contre

**bond** /bɔ̃/ **NM** leap, bound, jump ✦ **bond en avant** leap forward ✦ **progresser par bonds** to progress by leaps and bounds ✦ **les prix ont fait un bond** prices have shot up *ou* soared *ou* rocketed ✦ **les cours du café ont fait un bond** coffee prices bounced up.

**boni** /bɔni/ **NM** *(= bénéfice)* profit, surplus; *(= prime)* bonus (payment) ✦ **boni de liquidation** liquidating dividend, winding-up profit.

**bonification** /bɔnifikasjɔ̃/ **NF** **a** *[terre, vins]* improvement **b** *(= avantage)* advantage; *(= points)* bonus (points); *(Ass)* bonus; *(= rabais)* discount, rebate ✦ **bonification de taux d'intérêt** interest rate subsidy ✦ **bonifications d'intérêt** interest rate subsidies, preferential interest rates ✦ **accorder une bonification d'intérêt** to grant an interest rebate *ou* an additional bonus rate ✦ **bonification pour absence de sinistre** no-claim(s) bonus.

**bonifié, e** /bɔnifje/ **ADJ** improved ✦ **prêt à taux bonifié** government-subsidized loan, low-interest loan, reduced-rate loan.

**bonifier** **VT** **se bonifier** **VPR** /bɔnifje/ to improve.

**boniment** /bɔnimɑ̃/ **NM** ✦ **boniment publicitaire** patter*, sales talk* *ou* pitch* *ou* spiel*.

────── *compounds/composés* ──────

BON

- **bon anonyme** bearer bond
- **bon de bord** *ou* **de chargement** *(Mar)* mate's receipt
- **bon de caisse** short-term note
- **bon de capitalisation** investment growth bond
- **bon collatéral** subsidiary bond
- **bon de commande** order form; *(à l'intérieur de l'usine)* purchase order
- **bon de commission** commission note
- **bon de contrôle** *(Ind)* inspection *ou* control ticket
- **bon à découper** cut-out coupon
- **bon à détacher** tear-off coupon
- **bon d'échange** *(Tourisme)* voucher
- **bon d'entrée** *(Ind) (en magasin)* goods inward sheet
- **bon d'épargne** savings certificate *ou* bond
- **bon d'essence** petrol *(Brit) ou* gas *(US)* coupon
- **bon d'expédition** consignment *ou* dispatch note
- **bon de garantie** guarantee slip
- **bon d'inspection** *(Ind)* inspection *ou* control ticket
- **bon indexé** indexed bond
- **bon à intérêts précomptés** non-interest-bearing bond

- **bon de livraison** *(accompagnant la marchandise)* delivery slip *ou* note; *(autorisant la sortie d'usine)* delivery order
- **bon à lots** lottery bond, prize bond
- **bon matière** issue order, materials requisition order
- **bon nominatif** registered bond
- **bon au porteur** bearer bond, bond to bearer
- **bon à prime** premium bond
- **bon de quai** wharfinger's receipt, dock receipt
- **bon de réception** receiving order *ou* note *ou* slip
- **bon de réduction** reduction coupon *ou* voucher, cash voucher, premium coupon
- **bon de refus** return order
- **bon de réintégration** *ou* **de retour** return order
- **bon de sortie** issue order *ou* voucher ◆ **bon de sortie de matière** materials requisition (order) ◆ **bon de sortie de magasin** stores requisition
- **bon sorti au tirage** drawn bond
- **bon de souscription** *(à des obligations)* bond warrant; *(à des actions)* equity warrant
- **bon à tirer** donner le bon à tirer to pass for press
- **bon de travail** *(Ind)* work ticket, job order
- **bon du Trésor** Treasury bill *ou* bond, government bond, Exchequer bill
- **bon à vue** sight draft.

**bonus** /bɔnys/ NM (= *prime*) bonus; *(Ass)* no-claim(s) bonus ◆ **un bonus de 25% sur ma prime d'assurance** a 25% no-claim(s) bonus on my insurance.

**boom** /bum/ NM boom ◆ **boom économique** economic boom ◆ **il y a un boom sur les imprimantes laser** laser printer sales are booming.

**boomerang** /bumʀɑ̃g/ NM boomerang ◆ **effet boomerang** boomerang *ou* backlash effect.

**bord** /bɔʀ/ NM **a** *(gén)* edge; *[abîme]* brink ◆ **être au bord de la faillite** to be on the verge *ou* brink of bankruptcy, be about to go bust* **b** *(Mar)* side ◆ **à bord** on board, aboard ◆ **monter à bord** to go on board *ou* aboard ◆ **journal** *ou* **livre de bord** log (book), ship's log ◆ **papiers de bord** ship's papers ◆ **reçu de bord** mate's receipt ◆ **bord à bord** free in and out ◆ **bord à quai** alongside ship ◆ **franco bord** free on board, FOB ◆ **franco long du bord** free alongside ship, FAS.

**border** /bɔʀde/ VT *(Fin) risque* to limit, circumscribe ◆ **on a bordé le projet** we've finalized all the details of the project.

**bordereau,** PL **-x** /bɔʀdəʀo/ NM *(gén)* note, slip; (= *état*) statement, summary; (= *facture*) invoice

────── *compounds/composés* ──────

- **bordereau d'achat** *(Comm)* purchase note; *(Bourse)* bought *ou* purchase contract
- **bordereau d'agent de change** broker's note
- **bordereau de caisse** cash statement
- **bordereau de chargement** cargo list
- **bordereau de colisage** packing list
- **bordereau de courtage** *(Bourse)* broker's note
- **bordereau de crédit** credit note
- **bordereau de débit** debit note
- **bordereau de douanes** customs note
- **bordereau d'encaissement** *(Banque)* list of bills for collection
- **bordereau d'envoi** *(Comm)* dispatch *ou* consignment note; *(Banque)* list of securities forwarded
- **bordereau d'escompte** list of bills for discount
- **bordereau d'expédition** dispatch *ou* consignment note
- **bordereau de livraison** *(Comm)* delivery slip *ou* note; *(Fin)* issue voucher
- **bordereau de paye** wage docket *ou* slip, pay slip
- **bordereau de pointage** tally sheet
- **bordereau de prix** price list
- **bordereau de quittance** receipt
- **bordereau de salaire** pay sheet
- **bordereau de souscription** *(Ass)* schedule

> ✦ **bordereau de vente** *(gén)* list of sales; *(Comm)* dispatch *ou* consignment note; *(Bourse)* contract note, sold note
> ✦ **bordereau de versement** pay-in slip *ou* voucher.

**borne** /bɔʀn(ə)/ **NF** limit; *(Inf)* delimiter ✦ **la borne haute / basse du couloir haussier** *(Bourse)* the support / resistance level of the bull trend ✦ **borne d'encaissement** payment station, check-out point ✦ **borne wifi** (wifi *ou* wireless) hotspot.

**bosse** /bɔs/ **NF** bump ✦ **avoir la bosse du commerce** to be a born businessman.

**Bottin†** ® /bɔtɛ̃/ **NM** phone directory, phonebook.

**bouc** /buk/ **NM** ✦ **bouc émissaire** scapegoat, fall guy *(US)*.

**bouche** /buʃ/ **NF** ✦ **bouche à oreille** buzz.

**bouché, e** /buʃe/ **ADJ** *marché* saturated, glutted, clogged; *avenir, perspective* gloomy, grim, bleak; *profession* overcrowded ✦ **ce secteur est bouché** there is no future in this sector.

**bouchée** /buʃe/ **NF** mouthful ✦ **pour une bouchée de pain** for a song, for next to nothing ✦ **mettre les bouchées doubles** to put on a spurt.

**bouche-trou,** **PL** **bouche-trous** /buʃtʀu/ **NM** (= *personne*) stand in; (= *mesure*) stopgap.

**bouchon** /buʃɔ̃/ **NM** (= *encombrement*) holdup, jam ✦ **grève bouchon** key strike.

**boucle** /bukl(ə)/ **NF** *(gén, Inf)* loop ✦ **boucle de rétroaction** feedback.

**boucler** /bukle/ **VT** *affaire* to finish off, settle, tie up; *contrat, marché* to clinch, settle; *comptes* to close; *budget* to balance ✦ **les négociations entre les deux sociétés devraient être bouclées avant la fin de la semaine** the negotiations between the two companies should be settled *ou* tied up before the end of the week.

**bouder** /bude/ **VT** *produit* to stay away from, be reluctant to buy ✦ **les épargnants boudent la Bourse** investors are keeping away *ou* are shying away from the Stock Exchange.

**bouée** /bwe/ **NF** buoy ✦ **bouée de sauvetage** lifebuoy.

**bouffée** /bufe/ **NF** ✦ **apporter une bouffée d'oxygène** to bring a breath of fresh air.

**bouger** /buʒe/ **VI** *(gén)* to move; (= *manifester*) to stir ✦ **les syndicats n'ont pas bougé** the unions didn't budge ✦ **les cours n'ont pas bougé** prices have stayed put *ou* the same, there has been no movement in prices.

**bouilleur** /bujœʀ/ **NM** ✦ **bouilleur de cru** home distiller.

**bouillon** /bujɔ̃/ **NM** *(Fin)* ✦ **prendre** *ou* **boire un bouillon** * to make a big loss, suffer a heavy loss.

**boule** /bul/ **NF** ball ✦ **effet boule de neige** snowball effect ✦ **faire boule de neige** to snowball ✦ **vente à la boule de neige** snowball sales technique.

**bourgeois, e** /buʀʒwa, waz/ **ADJ** bourgeois, middle-class
**NM,F** bourgeois, middle-class person ✦ **grand bourgeois** upper middle-class person.

**bourgeoisie** /buʀʒwazi/ **NF** middle class(es), bourgeoisie ✦ **petite / moyenne / haute bourgeoisie** lower middle / middle / upper middle class.

**bourrage** /buʀaʒ/ **NM** [*papier*] jam.

**bourreau** /buʀo/ **NM** ✦ **bourreau de travail** workaholic.

**bourse** /buʀs(ə)/ **NF** **a** ✦ **la Bourse** the stock exchange *(Brit)*, the stock market *(US)* ; *[Paris]* the Paris Bourse; *[Londres]* the London Stock Exchange; *[New York]* Wall Street, the New York Stock Market ✦ **la Bourse de ce jour** today's market ✦ **la Bourse monte / descend** share *(Brit)* *ou* stock *(US)* prices are going up / down, the market is going up / down ✦ **jouer à la Bourse** to speculate *ou* gamble on the Stock Exchange ✦ **s'introduire en Bourse** to go public ✦ **introduire une entreprise en Bourse** to float a company ✦ **introduction en Bourse** flotation, introduction ✦ **la Commission des opérations de Bourse** the Securities and Investment Board *(Brit)*, the Securities and Exchange Commission *(US)* ✦ **coup de Bourse** speculation ✦ **le cours de la Bourse** the market rate ✦ **exécution en Bourse** buy-in ✦ **opérations de Bourse** stock exchange transactions *ou* operations ✦ **règlements de Bourse** stock exchange regulations ✦ **la tenue de la Bourse** the stock exchange tone ✦ **valeurs cotées / non cotées en Bourse** listed / unlisted securities **b** (= *porte-monnaie*) purse ✦ **sans bourse délier** without spending a penny *(Brit)* *ou* a cent *(US)* ✦ **serrer / desserrer les cordons de la bourse** to tighten / loosen the purse strings ✦ **tenir les cordons de la bourse** to hold the purse strings ✦ **faire bourse commune** to share expenses, pool one's resources ✦ **c'est à la portée de toutes les bourses** everybody can afford it, it is within everybody's means **c** (= *allocation*) ✦ **bourse (d'études)** (student's) grant ✦ **bourse d'État / d'entretien** state / maintenance grant

---
— *compounds/composés* —

+ **Bourse de change** foreign exchange market
+ **Bourse de** *ou* **du commerce** commodity market, produce exchange
+ **Bourse de l'emploi** job centre
+ **Bourse des grains** Corn Exchange
+ **Bourse des marchandises** commodity market, produce exchange
+ **Bourse maritime** shipping exchange
+ **Bourse du travail** ≈ Trade Unions Centre
+ **Bourse des valeurs (mobilières)** stock exchange, stock market.
---

**boursicotage** /buʀsikɔtaʒ/ **NM** dabbling on the stock exchange.

**boursicoter** /buʀsikɔte/ **VI** to dabble on the stock exchange *ou* in stocks, scalp *(US)*.

**boursicoteur, -euse** /buʀsikɔtœʀ, øz/ **NM,F**, **boursicotier -ière** /buʀsikɔtje, jɛʀ/ **NM,F** dabbler in stocks *ou* on the stock exchange, scalper *(US)*.

**boursier, -ière** /buʀsje, jɛʀ/ **ADJ** **a** *(Bourse)* stock exchange, stock market + **actif** *ou* **portefeuille boursier** stock exchange portfolio + **indice boursier** stock market index + **les milieux boursiers** stock market circles + **mois boursier** trading month, monthly trading account + **opérations boursières** stock exchange operations *ou* transactions, trades + **conjoncture boursière** market trend + **capitalisation boursière** market capitalization + **place boursière** stock market + **un titre boursier, une valeur boursière** a (stock market) security + **la valeur boursière d'un placement** the stock market value of an investment **b** *(Univ)* + **étudiant boursier** student grant-holder, student receiving a grant

**NM,F** *(= agent de change)* stockbroker; *(= opérateur)* stock exchange operator; *(Univ)* grant-holder.

**bout** /bu/ **NM** *(gén)* end; *(pointu)* tip + **porter une société à bout de bras** to struggle to keep a company going + **du bout des lèvres** reluctantly, half-heartedly + **j'ai lu votre rapport d'un bout à l'autre** I've read your report right through + **d'un bout de l'année à l'autre** all the year round + **l'économie est à bout de souffle** the economy has run out of steam + **joindre les deux bouts** to make both ends meet + **économies de bouts de chandelle** cheese-paring economies.

**bouteille** /butɛj/ **NF** bottle + **bouteilles consignées / non consignées** returnable / disposable *ou* non-returnable bottles + **mettre en bouteille** to bottle.

**boutique** /butik/ **NF** shop, store; *(de luxe)* boutique + **fermer boutique** to close down, shut up shop + **tenir boutique** to run a shop + **parler boutique** to talk shop + **boutique hors taxe** duty-free shop.

**boutiquier, -ière** /butikje, jɛʀ/ **NM,F** shopkeeper.

**bouton** /butɔ̃/ **NM** *[vêtement]* button; *[appareil]* knob; *(Élec)* switch + **industries presse-bouton** push-button industries.

**bovin, e** /bɔvɛ̃, in/ **ADJ** bovine
**NMPL** **bovins** cattle.

**box** PL, **boxes** /bɔks/ **NM** + **box des accusés** dock.

**boycott** /bɔjkɔt/ **NM,** **boycottage** /bɔjkɔtaʒ/ **NM** boycotting, boycott.

**boycotter** /bɔjkɔte/ **VT** to boycott, black.

**BP** (abrév de **boîte postale**) P.O. box.

**BPA** /bepea/ **NM** (abrév de **bénéfice par action**) EPS.

**BPF** abrév de **bon pour francs** → **bon.**

**bradage** /bʀadaʒ/ **NM** selling off.

**brader** /bʀade/ **VT** *(= vendre à bas prix)* to sell cheaply; *(= liquider)* to sell off.

**braderie** /bʀadʀi/ **NF** (open-air) clearance sale, jumble sale, rummage sale *(US)*.

**branche** /bʀɑ̃ʃ/ **NF** branch + **branche d'activité** *[personne]* field of activity, line of business *ou* work; *[société]* industrial sector, industry group + **accord de branche** local *ou* branch agreement + **je travaille dans cette branche depuis de nombreuses années** I have been working in this line of business for many years.

**branchement** /bʀɑ̃ʃmɑ̃/ **NM** **a** *(Inf)* branch, jump, transfer + **instruction de branchement** branch *ou* jump instruction **b** *[appareil]* plugging in.

**brancher** /bʀɑ̃ʃe/ **VT** *(= installer)* to connect up; *réseau* to link up *(sur* with); *(= mettre la prise)* to plug in.

**brandon** /bʀɑ̃dɔ̃/ **NM** *(Jur)* + **saisie-brandon** distraint by seizure of crops.

**branduit** /bʀɑ̃dyi/ **NM** brand *ou* branded product.

**braquer** /bʀake/ **VT** *(= se mettre à dos)* to antagonize + **le gouvernement a braqué les syndicats** the government has antagonized the unions
**se braquer** **VPR** to dig one's heels in.

**bras** /bʀa/ **NM** *(gén)* arm; *(= travailleur)* hand, worker + **manquer de bras** to be short-handed, be short of labour, be undermanned + **se couper un bras** *(Bourse)* to cut one's losses + **avoir le bras long** to have a long arm + **avoir**

**une grève sur les bras** * to have a strike on one's hands, be stuck* *ou* landed* *ou* saddled with a strike ✦ **le bras armé de l'organisation** the armed wing of the organisation ✦ **le bras droit du patron** the boss's right-hand man ✦ **une partie de bras de fer** a tug of war ✦ **le bras de fer entre patronat et syndicats** the test of strength between bosses and unions.

**Brasilia** /bʀazilja/ **n** Brasilia.

**brassage** /bʀasaʒ/ **NM** mixing ✦ **déclaration de brassage** *(UE)* brewing declaration.

**brasser** /bʀase/ **VT** *argent* to handle a lot of ✦ **brasser des affaires** to be in big business, wheel and deal.

**brasserie** /bʀasʀi/ **NF** *(= fabrique de bière)* brewery; *(= industrie)* brewing industry; *(= restaurant)* bar and restaurant, brasserie.

**brasseur** /bʀasœʀ/ **NM** *[bière]* brewer ✦ **gros brasseur d'affaires** big businessman, business tycoon.

**Bratislava** /bʀatislava/ **n** Bratislava.

**Brazzaville** /bʀazavil/ **n** Brazzaville.

**brèche** /bʀɛʃ/ **NF** *(gén)* breach, opening, gap; *[législation]* loophole ✦ **ouvrir une brèche dans un marché** to make a breach in a market, make a breakthrough in a market ✦ **faire une brèche dans les réserves en devises** to make a dent in the foreign exchange reserves.

**bref, brève** /bʀɛf, ɛv/ **ADJ** *rapport, discours* short ✦ **soyez bref et précis** be brief and to the point ✦ **à bref délai** shortly ✦ **ADV** in short.

**Brésil** /bʀezil/ **NM** Brazil.

**brésilien, -ienne** /bʀeziljɛ̃, jɛn/ **ADJ** Brazilian **Brésilien** **NM** *(= habitant)* Brazilian **Brésilienne** **NF** *(= habitante)* Brazilian.

**brevet** /bʀəvɛ/ **NM** **a** ✦ **brevet (d'invention)** letters patent, patent ✦ **bureau** *ou* **registre des brevets** patent office ✦ **titulaire d'un brevet** patentee, patent holder ✦ **brevet demandé, demande de brevet déposée** *(mention sur un produit)* patent pending ✦ **déposer** *ou* **prendre un brevet** to take out *ou* file a patent ✦ **exploiter un brevet** to work *ou* exploit a patent ✦ **transmettre un brevet à qn** to assign a patent to sb ✦ **demande de brevet** application for a patent ✦ **dépôt de brevet** taking out of a patent ✦ **transmission de brevet** conveyance of a patent ✦ **contrefaçon de brevet** patent infringement ✦ **déchéance de brevet** forfeiture of patent ✦ **échange de brevets** patent trading **b** *(= diplôme)* diploma, certificate; *(Mar)* cer-

tificate, ticket ✦ **brevet d'apprentissage** ≈ certificate of apprenticeship ✦ **brevet de capitaine** master's certificate *ou* ticket ✦ **brevet d'études professionnelles** technical school certificate ✦ **brevet d'études professionnelles agricoles** agricultural school certificate ✦ **brevet de pilote** pilot's licence ✦ **brevet de technicien** technical diploma ✦ **brevet de technicien supérieur** higher technical diploma.

**brevetabilité** /bʀəvtabilite/ **NF** patentability.

**brevetable** /bʀəvtabl(ə)/ **ADJ** patentable.

**breveté, e** /bʀəvte/ **ADJ** *invention* patented; *technicien* qualified, certificated.

**breveter** /bʀəvte/ **VT** *invention* to patent ✦ **faire breveter qch** to take out a patent for *ou* on sth.

**BRI** /beeʀi/ **NF** (abrév de **Banque des règlements internationaux**) BIS.

**bricolage** /bʀikɔlaʒ/ **NM** do-it-yourself, DIY ✦ **rayon bricolage** DIY *ou* do-it-yourself department.

**bricoler** /bʀikɔle/ **VT** *accord* to hammer out, knock up.

**bride** /bʀid/ **NF** ✦ **laisser la bride sur le cou à qn** to give sb a free hand.

**brider** /bʀide/ **VT** *consommation, développement* to curb, rein in.

**briefer** /bʀife/ **VT** to brief.

**briefing** /bʀifiŋ/ **NM** briefing ✦ **faire un briefing à l'intention de l'équipe de vente** to brief the sales force.

**briguer** /bʀige/ **VT** *emploi, faveur* to seek; *suffrages* to solicit, canvass.

**brillant, e** /bʀijɑ̃, ɑ̃t/ **ADJ** *résultats* brilliant, outstanding; *perspectives économiques* bright.

**brimade** /bʀimad/ **NF** harassment.

**brique** * /bʀik/ **NF** a million (old) francs.

**bris** /bʀi/ **NM** breaking ✦ **bris de clôture** trespass, breaking-in ✦ **assurance bris de glaces** plate-glass insurance ✦ **bris de scellés** breaking of seals.

**briser** /bʀize/ **VT** *carrière, espoirs* to ruin, wreck, smash, shatter; *résistance* to crush, break down; *grève* to break (up).

**briseur** /bʀizœʀ/ **NM** ✦ **briseur de grève** strikebreaker, blackleg*, scab*.

**bristol** /bʀistɔl/ **NM** *(= carte de visite)* visiting card.

**britannique** /bʀitanik/ **ADJ** British **Britannique** **NMF** *(= habitant)* Briton, British person, Britisher *(US)* ✦ **les Britanniques** British people, the British.

**brocanteur, -euse** /bʀɔkɑ̃tœʀ, øz/ **NM,F** second-hand (furniture) dealer.

**brochette** /bʀɔʃɛt/ **NF** ✦ **brochette d'experts** bevy of experts.

**brochure** /bʀɔʃyʀ/ **NF** *(= magazine)* brochure, booklet ✦ **brochure publicitaire** advertising brochure ✦ **brochure de luxe** de luxe booklet.

**broker** /[bʀɔkœʀ/ **NM** broker.

**Brongniart** /bʀɔɲaʀ/ **N** ✦ **le Palais Brongniart** the Paris Stock Exchange.

**brouillard** /bʀujaʀ/ **NM** *(= livre)* daybook, cash book.

**brouiller** /bʀuje/ **VT** *idées* to mix *ou* muddle up; *combinaison de coffre* to scramble ✦ **brouiller les pistes** *ou* **les cartes** to cloud *ou* obscure the issue, draw a red herring across the trail.

**brouillon, -onne** /bʀujɔ̃, ɔn/ **ADJ** *(= peu organisé)* unmethodical
**NM** *[lettre]* rough copy; *(ébauche)* (rough) draft ✦ **papier brouillon** rough paper ✦ **rédiger qch au brouillon** to make a draft of sth.

**broyer** /bʀwaje/ **VT** to grind ✦ **la Bourse broie du noir** *(fig)* the stock market is in the doldrums *ou* down in the dumps.

**broyeur** /bʀwajœʀ/ **NM** crusher, grinder.

**bruit** /bʀɥi/ **NM** *(gén)* noise; *(= nouvelle)* rumour ✦ **c'est un bruit qui court** it's a rumour that's going round ✦ **répandre des faux bruits** to spread false rumours ✦ **bruits de couloirs** *(Pol)* parliamentary rumours ✦ **des bruits sans fondement** groundless rumours ✦ **on a fait beaucoup de bruit autour de ce nouveau procédé** a lot of fuss was made about this new technique.

**brûlant, e** /bʀylɑ̃, ɑ̃t/ **ADJ** *sujet* ticklish ✦ **effets brûlants** *(Fin)* hot bills.

**brûler** /bʀyle/ **VT** to burn ✦ **brûler les étapes** *(= aller vite)* to cut corners
**VI** to burn
**se brûler** **VPR** **se brûler les doigts** to get one's fingers burnt.

**brusque** /bʀysk(ə)/ **ADJ** *(= soudain)* abrupt, sudden ✦ **brusque montée de prix** surge in prices ✦ **brusque revirement** sudden turnaround, turnround.

**brusquer** /bʀyske/ **VT** *(= précipiter)* to rush, hasten ✦ **il ne faut rien brusquer** we mustn't rush things.

**brut, e** /bʀyt/ **ADJ** **a** *pétrole* crude; *minerai* raw, crude; *soie, métal* raw; *indice* unadjusted ✦ **produits bruts** primary products ✦ **données brutes** raw data **b** *poids, salaire* gross ✦ **produire brut un million** to gross a million ✦ **l'entreprise a fait une recette brute de 800 000 dollars** the firm grossed $800,000 ✦ **bénéfice brut** gross profit ✦ **marge brute** *[magasin]* mark-up; *[société]* gross margin *ou* profit ✦ **marge brute** *ou* **excédent brut d'exploitation** trading profit ✦ **produit brut d'une vente** gross proceeds of a sale ✦ **recette brute** gross receipts *ou* returns ✦ **produit national brut** gross national product ✦ **produit intérieur brut** gross domestic product
**NM** *(= pétrole)* crude (oil); *(= salaire)* gross salary.

**brutal, e,** **MPL** **-aux** /bʀytal, o/ **ADJ** *augmentation* sharp, steep; *fluctuations* wild, sudden; *réponse* blunt ✦ **refus brutal** blunt refusal, flat no.

**Bruxelles** /bʀysɛl/ **N** Brussels ✦ **les autorités de Bruxelles** the Brussels authorities.

**BS** abrév de **bon de souscription** → **bon.**

**BSA** abrév de **bon de souscription d'action** → **bon.**

**BT** /bete/ **NM** abrév de **brevet de technicien** → **brevet.**

**BTP** /betepe/ **NM** abrév de **bâtiment et travaux publics** ✦ **les BTP** *(= secteur)* the construction sector ✦ **entreprise de BTP** construction firm.

**BTS** /beteɛs/ **NM** abrév de **brevet de technicien supérieur** → **brevet.**

**Buba** /[buba/ **NF** abrév de **Bundesbank** ✦ **la Buba** the Buba.

**Bucarest** /bykaʀɛst/ **N** Bucharest.

**Budapest** /bydapɛst/ **N** Budapest.

**budget** /bydʒɛ/ **NM** **a** budget ✦ **avoir un budget serré** to have a tight budget ✦ **adopter** *ou* **voter le budget** to pass the budget ✦ **boucler** *ou* **équilibrer le budget** to balance the budget ✦ **dépasser son budget** to overrun one's budget, go over one's budget ✦ **établir / élaguer un budget** to draft *ou* draw up / prune *ou* trim a budget ✦ **faire des coupes sombres dans le budget** to make drastic cuts *ou* reductions in the budget ✦ **inscrire** *ou* **porter qch au budget** to budget for sth ✦ **présenter le budget** to introduce the budget ✦ **rester dans les limites du budget** to keep to the budget ✦ **commission du budget** budget committee ✦ **écart sur budget** budget variance ✦ **planification du budget** budget planning ✦ **préparation du budget** budgeting ✦ **projet de budget** draft budget **b** *(Pub)* account ✦ **ils ont le budget de cette firme** they have this company's account

─────── compounds/composés ───────
- **budget annexe** supplementary budget
- **budget d'annonceur** (advertising) account
- **budget base zéro** zero base budget
- **budget des charges** cost budget
- **budget de croissance** expansionary *ou* growth budget
- **budget conjoncturel** cyclical budget
- **budget domestique** family *ou* household budget
- **budget de l'entreprise** corporate *ou* company budget
- **budget d'exploitation** working budget, operating budget, trading budget
- **budget extraordinaire** emergency budget
- **budget familial** family *ou* household budget
- **budget de fonctionnement** working *ou* operating budget
- **budget général** master budget
- **budget initial** preliminary *ou* initial budget
- **budget d'investissement** capital budget
- **budget médias** media budget
- **budget de production** production budget
- **budget de programmes** programme budget
- **budget de promotion des ventes** sales promotion budget
- **budget publicitaire** *ou* de publicité *[annonceur]* advertising budget; *[agence de publicité]* advertising account
- **budget de recherches** research budget
- **budget social** welfare budget
- **budget temps** time budget
- **budget de trésorerie** cash budget
- **budget type** standard *ou* average household budget
- **budget des ventes** sales budget.

**budgétaire** /bydʒetɛʀ/ **ADJ** budget, budgetary ◆ **affectation budgétaire** budget appropriation ◆ **année budgétaire** financial year ◆ **collectif budgétaire** minibudget, interim budget ◆ **commission budgétaire** budget committee ◆ **compression budgétaire** budgetary cuts ◆ **comptabilité budgétaire** budgeting ◆ **contrainte budgétaire** budget *ou* budgetary constraint ◆ **contrôle budgétaire** budget *ou* budgetary control ◆ **déficit budgétaire** budget *ou* budgetary deficit ◆ **dépense budgétaire** budget expense *ou* expenditure ◆ **écart budgétaire** budget variance ◆ **excédent budgétaire** budget surplus ◆ **exercice budgétaire** budgetary *ou* financial year ◆ **gestion budgétaire** budget(ary) control, budget management ◆ **ligne budgétaire** budget line ◆ **poste budgétaire** budget item *ou* heading ◆ **prévisions budgétaires** budget forecasts *ou* estimates ◆ **prix de revient budgétaire** budgeted costs ◆ **recettes budgétaires** budgetary receipts, revenue ◆ **les dépenses de consommation ont dépassé l'objectif budgétaire qui était de 4%** consumer spending has overpassed the 4% budgeted target ◆ **situation budgétaire annuelle** budget statement for the year.

**budgéter** /bydʒete/ **VT** → **budgétiser.**

**budgétisation** /bydʒetizasjɔ̃/ **NF** budgeting.

**budgétiser** /bydʒetize/ **VT** to include in the budget, budget for ◆ **une dépense budgétisée** a budgeted expense.

**budgétivore** /bydʒetivɔʀ/ *adj* high-spending.

**Buenos Aires** /bwenɔzɛʀ/ **N** Buenos Aires.

**bulgare** /bylgaʀ/ **ADJ** Bulgarian
**NM** *(= langue)* Bulgarian
**Bulgare** **NMF** *(= habitant)* Bulgarian.

**Bulgarie** /bylgaʀi/ **NF** Bulgaria.

**bulle** /byl/ **NF** bubble ◆ **bulle spéculative** speculative bubble ◆ **bulle financière** financial bubble ◆ **emballage-bulle** bubble pack ◆ **mémoire à bulles** bubble memory.

**bulletin** /byltɛ̃/ **NM** *(= formulaire)* form; *(= journal, compte rendu)* bulletin; *(= billet)* ticket; *(Pol)* ballot paper; *(Bourse)* list ◆ **vote à bulletin secret** vote *ou* voting by secret ballot ◆ **compter les bulletins** to cast up, count the votes

─────── compounds/composés ───────
- **bulletin des annonces légales obligatoires** French stock exchange bulletin where companies are obliged to disclose financial information
- **bulletin blanc** *(Pol)* blank vote
- **bulletin de bagage** luggage ticket, baggage check *(US)*
- **bulletin de chargement** consignment note
- **bulletin de commande** order form ◆ **bulletin de commande à détacher** tear-off order card
- **bulletin de consigne** left-luggage ticket *ou* check *(US)*
- **bulletin de la cote** *(Bourse)* official list, stock exchange list
- **bulletin des cours** *(Bourse)* official list, stock exchange list
- **bulletin d'expédition** dispatch note
- **bulletin d'informations** news bulletin
- **bulletin météorologique** weather forecast *ou* report
- **bulletin de naissance** birth certificate
- **bulletin nul** *(Pol)* spoilt ballot paper
- **Bulletin officiel** official bulletin
- **bulletin de salaire** wage *ou* pay slip, pay stub *(US)*
- **bulletin de santé** medical bulletin, health report
- **bulletin de souscription** application form
- **bulletin de vente** sales note
- **bulletin de versement** pay-in slip
- **bulletin de vote** ballot paper.

**bulletin-réponse** **PL**, **bulletins-réponses** /byltɛ̃ʀepɔ̃s/ **NM** reply(-paid) coupon.

**buraliste** /byʀalist(ə)/ **NMF** *[bureau de tabac]* tobacconist.

**bureau,** PL **-x** /byʀo/ **NM** a (= *table*) desk b (= *lieu*) *(chez soi)* study; *(au travail)* office; (= *service*) department; (= *succursale*) branch, sub-office ◆ **emploi de bureau** office job ◆ **employés de bureau** office *ou* white collar workers, clerical staff ◆ **fournitures de bureau** office supplies, stationery ◆ **ordinateur de bureau** desk-top computer ◆ **garçon de bureau** office boy ◆ **le bureau du directeur** the manager's office ◆ **organisation du bureau** office management ◆ **pendant les heures de bureau** during office hours ◆ **nos bureaux seront fermés** the office will be closed ◆ **il a été reclassé dans un emploi de bureau** he was switched to clerical *ou* office work c (= *assemblée*) committee ◆ **bureau exécutif** executive board ◆ **aller à une réunion du bureau** to go to a committee meeting ◆ **constituer le bureau** *[société]* to set up *ou* appoint a committee ◆ **faire partie du bureau** to be on the committee ▪ Voir encadré ci-dessous

**bureaucrate** /byʀokʀat/ **NMF** bureaucrat.

**bureaucratie** /byʀokʀasi/ **NF** *(péj)* (= *organisation*) bureaucracy, red tape* ; (= *fonctionnaires*) officials, officialdom.

**bureaucratique** /byʀokʀatik/ **ADJ** bureaucratic.

**bureaucratisation** /byʀokʀatizasjɔ̃/ **NF** bureaucratization.

**bureaucratiser** /byʀokʀatize/ **VT** to bureaucratize.

**bureauticien, -ienne** /byʀokʀatisjɛ̃, jɛn/ **NM,F** office automation expert.

**bureautique** /byʀotik/ **NF** office automation, OA.

**burkinabé** /byʀkinabe/ **ADJ** of *ou* from Burkina-Faso
**Burkinabé** **NMF** inhabitant *ou* native of Burkina-Faso.

**Burkina Faso** /byʀkinafaso/ **NM** Burkina-Faso.

**bus** /bys/ **NM** *(Aut)* bus; *(Inf)* bus.

**business** * /biznɛs/ **NM** (= *affaires*) business; (= *affaire louche*) piece of funny business ◆ **qu'est-ce que c'est que ce business?** what's all this business about?.

**but** /by/ **NM** aim, goal, target ◆ **nous avons pour but de** our aim is to, we are aiming to ◆ **aller droit au but** to go straight to the point ◆ **société à but lucratif** trading company, profit-making organization ◆ **société à but non lucratif** non-profit-making organization *(Brit)*, not-for-profit organization *(US)*.

**buter** /byte/ **VI** ◆ **buter contre** *ou* **sur une difficulté** to come up against a problem, hit a snag.

**butoir** /bytwaʀ/ **NM** *(gén, Fin, Impôts)* buffer ◆ **date butoir** deadline, final date.

**buzz** /bœz/ **NM** hype* ◆ **créer** *ou* **faire le buzz** to create hype ◆ **buzz marketing** buzz marketing.

**BVP** /bevepe/ **NM** (abrév de **Bureau de vérification de la publicité**) ASA.

---

*compounds/composés*

**BUREAU**

◆ **bureau d'accueil** reception
◆ **bureau d'aide sociale** Welfare office
◆ **bureau des archives** record office
◆ **bureau de bienfaisance** welfare office
◆ **bureau des brevets** Patent Office
◆ **bureau du cadastre** land registry office, property register office *(US)*
◆ **bureau de change** (foreign) exchange office, bureau de change
◆ **bureau du contentieux** legal department
◆ **bureau de douane** customs house
◆ **bureau d'enregistrement** registration office
◆ **bureau de l'état civil** ≈ registrar's office
◆ **bureau d'études** *(dans une entreprise)* research department *ou* unit; *(agence indépendante)* research consultancy
◆ **Bureau européen de l'environnement** European Environment Office
◆ **bureau d'expédition** forwarding office
◆ **Bureau d'informations et de prévisions économiques** *bureau of economic information and forecasting*

◆ **Bureau international du travail** International Labour Office
◆ **bureau de location** booking office; *(Théât)* box office
◆ **bureau des objets trouvés** lost property office *(Brit)*, lost and found *(US)*
◆ **bureau payeur** paying office
◆ **bureau de placement** employment agency *ou* bureau
◆ **bureau de poste** post office ◆ **bureau de poste auxiliaire** sub-post office ◆ **bureau de poste principal** general post office
◆ **bureau des réclamations** complaints office
◆ **bureau de renseignements** information office *ou* bureau, inquiry office
◆ **bureau de tabac** tobacconist's shop
◆ **bureau de tourisme** tourist office
◆ **bureau de vente** sales office
◆ **Bureau de vérification de la publicité** Advertising Standards Authority
◆ **bureau de vote** polling station.

# C

**C** abrév de **centime**.

**CA** /sea/ **NF** abrév de **Chambre d'agriculture** → **chambre**
**NM** **a** abrév de **chiffre d'affaires** → **chiffre** **b** abrév de **conseil d'administration** → **conseil**.

**C&A** (abrév de **coût et assurance**) c.i.

**cabinet** /kabinɛ/ **NM** (= *firme*) firm; (= *agence*) agency; (= *bureau*) office; (= *clientèle*) practice

─────── compounds/composés ───────
- **cabinet d'avocats** law practice
- **cabinet d'affaires** business consultancy
- **cabinet associé** affiliated agency *ou* firm
- **cabinet d'audit** auditing firm
- **cabinet comptable** accounting firm *ou* practice
- **cabinet d'expertise comptable** accounting firm
- **cabinet-conseil, cabinet d'études** consultancy, consulting agency *ou* firm
- **cabinet immobilier** estate agency
- **cabinet juridique** law firm
- **cabinet d'outplacement** outplacement agency
- **cabinet de recrutement** recruiting consultancy *ou* agency *ou* firm.

**câble** /kɑbl(ə)/ **NM** (*gén*) cable; (= *télégramme*) wire, cable ✦ **nous avons le câble** (*TV, Internet*) we've got cable ✦ **aviser qn par câble, envoyer un câble à qn** to wire *ou* cable sb ✦ **virement par câble** cable transfer ✦ **télévision par câble** cable television.

**câbler** /kɑble/ **VT** to cable ✦ **réseau câblé** cable network.

**CAC** /kak/ **NF** (abrév de **cotation assistée en continu**) French stock market's continuous automated trading system ✦ **l'indice CAC 40** the CAC index.

**cache** /kaʃ/ **NM** (*Inf*) cache ✦ **mémoire cache** cache memory.

**cacher** /kaʃe/ **VT** to hide, conceal ✦ **défaut** *ou* **vice caché** latent defect; (*Inf*) bug.

**cachet** /kaʃɛ/ **NM** **a** (= *marque*) stamp ✦ **cachet de la douane** customs seal ✦ **cachet de fabrique** maker's trademark ✦ **porter le cachet de la poste** to be postmarked ✦ **le cachet de la poste faisant foi** date as postmark, as evidenced by the postmark **b** (= *rémunération*) fee.

**cachetage** /kaʃtaʒ/ **NM** sealing.

**cacheter** /kaʃte/ **VT** *lettre* to seal (up) ✦ **enveloppe non cachetée** unsealed envelope ✦ **envoyer qch sous pli cacheté** to send sth under sealed cover.

**CAD** /seade/ **NM** abrév de **comité d'aide au développement** → **comité**.

**c.-à.-d.** (abrév de **c'est-à-dire**) i.e.

**cadastrage** /kadastraʒ/ **NM** land registration.

**cadastral, e,** MPL **-aux** /kadastral, o/ **ADJ** cadastral ✦ **extrait cadastral** land registry certificate ✦ **évaluation cadastrale** rateable value.

**cadastre** /kadastr(ə)/ **NM** (= *livre*) land register, Real Estate Register (*US*), cadastre; (= *service*) land registry ✦ **bureau du cadastre** land registry office, property register office (*US*) ✦ **inscrire** *ou* **porter au cadastre** to register.

**cadastrer** /kadastre/ **VT** to survey and enter in the land register.

**caddie** /kadi/ ® **NM** (= *chariot*) supermarket trolley (*Brit*), cart (*US*).

**cadeau, PL -x** /kado/ **NM** present, gift ◆ **ce paquet contient un cadeau** free gift inside the packet ◆ **cadeau d'entreprise** ou **publicitaire** free gift, giveaway (US) ◆ **chèque cadeau** gift cheque ou token ou voucher ◆ **emballage-cadeau** gift-wrapping ◆ **promotion cadeau** gift promotion ◆ **pouvez-vous me faire un paquet-cadeau?** could you giftwrap this package please? ◆ **nos concurrents ne nous feront pas de cadeau** our competitors won't make things any easier for us.

**cadence** /kadɑ̃s/ **NF** rate, pace ◆ **cadence de production** rate of production, production rate ◆ **à la cadence de cinq unités par heure** at a rate of five units per hour ◆ **étude des cadences** time and motion study ◆ **accélérer** ou **augmenter la cadence** to speed up the pace ◆ **ralentir la cadence** to slacken speed, slow down ◆ **respecter les cadences** to respect the schedule.

**cadencier** /kadɑ̃sje/ **NM** sales record.

**cadre** /kɑdʀ(ə)/ **NM** **a** (= responsable) executive, manager ◆ **les cadres** executives, managerial staff ◆ **les cadres et la maîtrise** executives and supervisers ◆ **être promu cadre** to be upgraded ou promoted to a managerial position ◆ **malaise chez les cadres** unrest among the managers ou the senior staff ◆ **chômage des cadres** executive unemployment ◆ **perfectionnement des cadres** management development ◆ **prime de cadres** executive compensation ◆ **retraite des cadres** executive retirement plan **b** (= registre des employés) ◆ **figurer parmi les cadres** to be on the books ou on the payroll ◆ **être rayé des cadres** to be struck off the books ou the payroll ◆ **hors cadre** detached, seconded (Brit) **c** (= domaine, grandes lignes) [attributions, pouvoirs] scope; [accord] framework ◆ **cadre juridique** legal framework ◆ **sortir du cadre de ses responsabilités** ou **de ses fonctions** to overstep the limits of one's responsibilities, go beyond one's duties ◆ **dans le cadre de nos conventions** within the scope of our agreement ◆ **dans le cadre de la nouvelle réglementation** within the framework ou context of the new regulation ◆ **dans le cadre du traité de Rome** under the Rome treaty ◆ **ce protocole servira de cadre à tous les accords futurs** this protocol will serve as reference ou blueprint for future agreements ◆ **accord-cadre** outline agreement, framework agreement ◆ **loi-cadre** blueprint law, framework law **d** (sur formulaire) space, box ◆ **cadre réservé à l'Administration** for office use only, for service instructions only ◆ **ne rien inscrire dans ce cadre** please leave (this space) blank,

do not fill in this space **e** (= emballage) crate, frame ◆ **cadre conteneur** container

─── compounds/composés ───

- ◆ **cadre débutant** junior executive
- ◆ **cadre dirigeant** managing executive
- ◆ **cadre fonctionnel** staff executive
- ◆ **cadre hiérarchique** line manager ou officer
- ◆ **cadre intermédiaire** middle manager
- ◆ **cadres de maîtrise** supervisory staff
- ◆ **cadre moyen** middle manager ou executive
  - ◆ **les cadres moyens** middle management, middle-grade managers (US)
- ◆ **cadre opérationnel** line manager
- ◆ **cadre sédentaire** desk-bound executive
- ◆ **cadre stagiaire** management ou executive trainee
- ◆ **cadre subalterne** junior manager ou executive ◆ **les cadres subalternes** lower management, junior executives
- ◆ **cadre supérieur** senior executive ou manager, top manager ou executive ◆ **les cadres supérieurs** top ou upper management, senior executives.

**cadrer** /kɑdʀe/ **VI** to tally (avec with) fit in (avec with) correspond (avec to) ◆ **le rapport de l'expert ne cadre pas avec les faits** the expert's report does not tally ou square with the facts ◆ **cette décision a parfaitement cadré avec nos projets** this decision fitted in ou fell in nicely with our plans.

**caduc, caduque** /kadyk/ **ADJ** **a** (Jur) null and void; (Ass) contrat lapsed; dette statute-barred, barred by limitation ◆ **rendre caduc** to void, render ou make null and void ◆ **devenir caduc** to lapse **b** (= démodé) procédé outmoded, obsolete.

**caducité** /kadysite/ **NF** (Jur) nullity; (Ass) [contrat] lapsing.

**CAEM** /seaɛm/ **NM** abrév de **Conseil d'aide économique mutuel → conseil.**

**CAF** /kaf/ **NF** abrév de **caisse d'allocations familiales → caisse**
(abrév de **coût, assurance, fret**) c.i.f
abrév de **capacité d'autofinancement → capacité.**

**cagnotte** /kaɲɔt/ **NF** kitty.

**cahier** /kaje/ **NM** (des charges) [construction, fabrication] specifications, requirements (US) ; (Mktg) (marketing) brief; [contrat] terms of reference, terms and conditions; [vente publique] particulars of sale ◆ **cahier d'écoute** (Pub) commercials daily record.

**CAHT** abrév de **chiffre d'affaires hors taxes → chiffre.**

**caisse** /kɛs/ **NF** **a** (= comptoir) [magasin] cash ou pay desk; [grande surface] check-out (counter);

*[banque]* cashier's desk, till, teller's desk *(US)* ; *(= bureau)* counting-house, pay office ◆ **payez à la caisse** please pay at the desk *ou* at the till *ou* at the checkout ◆ **être à la caisse, tenir la caisse** to be at *ou* on the cash desk, be the cashier ◆ **préposé(e) à la caisse** pay desk attendant; *[grande surface]* checkout attendant ◆ **ticket de caisse** till *ou* sales receipt *ou* slip ▪**b** *(= machine)* cash register, till; *(= coffre-fort portable)* cashbox; *(= argent)* cash ◆ **caisse et banque** cash in hand and in bank, cash and bank deposits ◆ **déficits et excédents de caisse** cash shorts and overs ◆ **entrées et sorties de caisse** cash receipts and payments ◆ **faire sa caisse** to balance one's account, make up the cash ◆ **tenir la caisse** to be in charge of the cash *ou* the till ◆ **en caisse** in hand, in the till ◆ **avance / bon / écart / situation de caisse** cash advance / certificat / difference / position ◆ **article de caisse** cash item ◆ **bordereau de caisse** cash statement ◆ **escompte de caisse** cash discount ◆ **livre** *ou* **journal de caisse** cash book ◆ **mouvements** *ou* **opérations de caisse** cash transactions ◆ **déficit de caisse** cash deficit ◆ **petite caisse** *(= argent courant)* petty cash ◆ **accorder des facilités de caisse** *(Banque)* to grant overdraft facilities ▪**c** *(= boîte) (gén)* case; *(à claire-voie)* crate ◆ **caisse-palette** palletized case ◆ **mettre des marchandises en caisse** to case *ou* crate goods ▪**d** *(= fonds de solidarité)* fund ◆ **alimenter une caisse** to supply a fund ▪ Voir encadré ci-dessous

**caissier, -ière** /kesje, jɛʀ/ NM,F *[banque]* cashier, teller *(US)* ; *[boutique]* cash clerk, cashier; *[grande surface]* checkout assistant *ou* clerk, checker *(US)* ◆ **caissier principal** head *ou* chief cashier.

**calcul** /kalkyl/ NM ▪**a** *(= compte)* calculation ◆ **effectuer** *ou* **faire un calcul** to do a sum, make *ou* work out a calculation ◆ **se tromper dans ses calculs, faire** *ou* **commettre une erreur de calcul** *(pour une somme)* to miscalculate, make a miscalculation, make a mistake in one's calculations, be out in one's reckoning *ou* calculations; *(pour une quantité)* to miscount ◆ **vous vous êtes trompé de 50 euros dans vos calculs** you are 50 euros out *ou* you are out by 50 euros in your accounts ◆ **il y a une erreur de calcul** there's a mistake in the calculations *ou* figures ◆ **calcul des probabilités** probability theory ◆ **d'après mes calculs** by my calculations ◆ **centre / puissance de calcul** *(Inf)* computing centre / power ▪**b** *(= évaluation)* reckoning, calculation, computation ◆ **calcul de l'impôt** tax assessment ◆ **prendre pour base de calcul les cours les plus bas de l'année** to base *ou* ground one's evaluation on the year's lows

―――――――― *compounds/composés* ――――――――

CAISSE

◆ **caisse d'allocations familiales** family allowance office *(Brit)*, welfare center *(US)*
◆ **caisse d'amortissement** sinking *ou* redemption fund
◆ **caisse d'assurance contre les accidents du travail** industrial injuries fund
◆ **caisse d'assurance chômage** unemployment insurance (mutual) fund
◆ **caisse d'assurance maladie** health insurance (mutual) fund
◆ **caisse d'assurance sociale** social insurance office
◆ **caisse d'assurance vieillesse** old-age pension fund
◆ **caisse automatique** automatic telling machine, cashomat *(US)*
◆ **caisse de bienfaisance** benevolent *ou* charity fund
◆ **Caisse centrale de réassurance** central reinsurance agency
◆ **caisse de chômage** unemployment fund
◆ **caisse de compensation** *(Admin)* equalization fund *(for family allowances)*
◆ **Caisse des dépôts et consignations** deposit and consignment office
◆ **caisse enregistreuse** cash register

◆ **caisse d'épargne** savings bank, savings and loans *(US)*
◆ **caisse de garantie** guarantee fund
◆ **caisse hypothécaire** mortgage loan office
◆ **caisse interprofessionnelle de dépôts** security clearing association
◆ **Caisse nationale d'assurance maladie** French national health service organization, DHSS *(Brit)*
◆ **Caisse nationale d'épargne** National Savings Bank
◆ **caisse noire** slush fund, secret funds
◆ **caisse de prévoyance** welfare *ou* provident *ou* reserve *ou* contingency fund
◆ **caisse primaire d'assurance maladie** National Health board *ou* authority *ou* office
◆ **caisse rapide** *[supermarché]* express counter, quick checkout (counter)
◆ **caisse de retraite** retirement *ou* pension *ou* superannuation fund ◆ **caisse de retraite complémentaire** supplementary retirement *ou* pension fund
◆ **caisse de sécurité sociale** social security office
◆ **caisse de secours** relief *ou* emergency fund
◆ **caisse secrète** slush fund
◆ **caisse syndicale** union fund.

♦ ces données sont intégrées dans nos calculs this data is included in our calculations *ou* is factored in ♦ **calcul des coûts** costing ♦ **éléments de calcul de l'assiette** components for calculating the assessment basis **c** *(Maths)* calculus ♦ **calcul différentiel** differential calculus.

**calculable** /kalkylabl(ə)/ **ADJ** calculable, computable.

**calculateur** /kalkylatœʀ/ **NM** computer ♦ **calculateur analogique / numérique** analog / digital computer.

**calculatrice** /kalkylatʀis/ **NF** calculator ♦ **calculatrice de bureau** desk calculator ♦ **calculatrice imprimante** print-out calculator ♦ **calculatrice de poche** pocket calculator.

**calculer** /kalkyle/ **VT** to calculate, work out ♦ **les droits spécifiques sont calculés selon le volume / le poids** specific duties are reckoned *ou* calculated per unit of volume / weight ♦ **calculer les intérêts** to calculate *ou* work out the interest ♦ **les intérêts sont calculés chaque mois** interest is compounded monthly ♦ **prix de revient calculé au plus juste** strict cost price ♦ **tout bien calculé** taking everything into account, on balance ♦ **calculer le pour et le contre** to weigh up the pros and cons ♦ **calculé à partir des statistiques officielles** based on official figures.

**calculette** /kalkylɛt/ **NF** pocket calculator.

**cale** /kal/ **NF** (= *soute*) hold; *(dock)* dock; (= *quai*) slipway ♦ **cale de radoub** graving dock ♦ **cale sèche** dry dock.

**calendrier** /kalãdʀije/ **NM** **a** (= *planning*) timetable, schedule ♦ **avoir un calendrier chargé** to have a busy timetable *ou* a heavy schedule ♦ **établir un calendrier** to draw up a timetable ♦ **nous prenons du retard sur notre calendrier** we are falling behind schedule ♦ **nous sommes en avance par rapport à notre calendrier** we are ahead of schedule ♦ **aucun calendrier n'a été arrêté** no timetable was set **b** (= *almanach*) calendar

──────── compounds/composés ────────
♦ **calendrier d'amortissement** repayment schedule
♦ **calendrier bloc** block calendar
♦ **calendrier des dépenses** spending plan
♦ **calendrier à effeuiller** tear-off calendar
♦ **calendrier d'insertion publicitaire** date plan *ou* schedule
♦ **calendrier de lancement** launch programme
♦ **calendrier de mailing** mailing schedule

♦ **calendrier perpétuel** perpetual *ou* everlasting calendar
♦ **calendrier de travail** *(gén)* work schedule, time chart; (= *gestion des délais*) chronogram
♦ **calendrier d'urgence** crash-action timetable.

**calibrage** /kalibʀaʒ/ **NM** *[fruit]* grading; *[texte]* cast-off; *(Pub)* copy fitting.

**calibrer** /kalibʀe/ **VT** *fruit* to grade; *texte* to cast off.

**calicot** /kaliko/ **NM** *(Pub)* streamer, banner.

**calier** /kalje/ **NM** stevedore, holder.

**call** /kɔl/ **NM** *(Bourse)* call ♦ **call warrant** call warrant.

**calme** /kalm(ə)/ **ADJ** *marché* calm, quiet, flat, dull, easy ♦ **les affaires sont calmes** business is quiet *ou* slack
**NM** calm ♦ **calme plat à la Bourse de Paris** the Paris Bourse in the doldrums *ou* at a standstill ♦ **les fonds d'État sont calmes** there's virtually no trading on government securities ♦ **les opérateurs gardent leur calme** traders *ou* dealers *ou* operators are keeping cool.

**calmer** /kalme/ **VT** to calm (down)
**se calmer** **VPR** *[situation]* to quieten down *(Brit)*, quiet down *(US)*, ease ♦ **attendre que les choses se calment** to let the situation calm *ou* cool down, let the dust settle ♦ **la frénésie d'achat sur les mines d'or s'est calmée** the rush on gold shares has eased up ♦ **l'agitation s'est calmée à l'intérieur de l'usine** the unrest in the factory has calmed down *ou* settled.

**cambial, e,** MPL **-aux** /kãbjal, o/ **ADJ** relating to exchange law ♦ **droit cambial** exchange law.

**cambiste** /kãbist(ə)/ **ADJ** **marché cambiste** foreign exchange market
**NMF** foreign exchange dealer *ou* broker *ou* trader ♦ **cambiste au comptant** spot dealer.

**Cambodge** /kãbɔdʒ/ **NM** Cambodia.

**cambodgien, -ienne** /kãbɔdʒjɛ̃, jɛn/ **ADJ** Cambodian
**Cambodgien** **NM** (= *habitant*) Cambodian
**Cambodgienne** **NF** (= *habitante*) Cambodian.

**camelote** /kamlɔt/ **NF** cheap *ou* shoddy goods, junk.

**camembert** /kamãbɛʀ/ **NM** *(Stat, Inf)* pie chart, cake chart.

**Cameroun** /kamʀun/ **NM** Cameroon.

**camerounais, e** /kamʀunɛ, ɛz/ **ADJ** Cameroonian
**Camerounais** **NM** (= *habitant*) Cameroonian

**Camerounaise** **NF** *(= habitante)* Cameroonian.

**camion** /kamjɔ̃/ **NM** lorry *(Brit)*, truck *(US)* ◆ **camion citerne** tanker, tank truck *(US)* ◆ **camion de déménagement** removal van, moving van *(US)* ◆ **camion isotherme** insulated lorry ◆ **camion magasin** mobile shop ◆ **camion (à) remorque** lorry *ou* truck with a trailer ◆ **camion (à) semi-remorque** articulated lorry *(Brit)*, trailer-truck *(US)*.

**camionnage** /kamjɔnaʒ/ **NM** haulage, carriage, trucking *(US)* ◆ **camionnage zone courte / longue** short / long haul ◆ **entreprise de camionnage** haulage firm *(Brit)*, trucking company *(US)*.

**camionner** /kamjɔne/ **VT** to haul, carry, truck *(US)* ◆ **fret camionné** truck *ou* road freight.

**camionnette** /kamjɔnɛt/ **NF** pick-up, van, pick-up truck ◆ **camionnette de livraison** delivery van.

**camionneur** /kamjɔnœR/ **NM** *(= conducteur)* lorry *ou* truck driver, trucker *(US)* ; *(= transporteur)* haulage contractor, road haulier, trucker *(US)*.

**camouflage** /kamuflaʒ/ **NM** *[opérations irrégulières]* covering up; *[bilan]* window-dressing, doctoring.

**camoufler** /kamufle/ **VT** *opérations irrégulières* to cover up.

**campagne** /kɑ̃paɲ/ **NF** *(Pub)* campaign, drive ◆ **lancer une campagne** to launch a campaign ◆ **mettre sur pied** *ou* **monter une campagne** to stage a campaign ◆ **mener (une) campagne pour / contre** to campaign for / against, lead *ou* conduct *ou* run *ou* wage a campaign for / against ◆ **plan de campagne** plan of campaign ◆ **dossier de lancement d'une campagne** campaign brief

───── *compounds/composés* ─────

◆ **campagne d'accompagnement** follow-up campaign
◆ **campagne par bon-réponse** coupon scheme
◆ **campagne à énigme** *ou* **mystère** teaser campaign
◆ **campagne de financement** fund-raising campaign
◆ **campagne d'essai** *(Bourse)* try-out campaign
◆ **campagne d'exportation** export drive
◆ **campagne d'image** brand image advertising campaign
◆ **campagne intensive** saturation campaign
◆ **campagne de lancement** initial campaign, (product) launch campaign, introductory campaign
◆ **campagne de matraquage** media hype
◆ **campagne de presse** press campaign

◆ **campagne de productivité** productivity drive
◆ **campagne de promotion des ventes** sales promotion campaign, sales push
◆ **campagne promotionnelle** promotional campaign *ou* drive
◆ **campagne de publicité** *ou* **publicitaire** advertising *ou* publicity drive *ou* campaign ◆ **campagne de publicité directe** direct-mail campaign
◆ **campagne de recrutement** recruiting drive *ou* campaign
◆ **campagne de relance** reminder campaign
◆ **campagne de saturation** saturation campaign
◆ **campagne de vente** sales *ou* selling campaign, sales *ou* selling drive.

**Canada** /kanada/ **NM** Canada.

**canadien, -ienne** /kanadjɛ̃, jɛn/ **ADJ** Canadian
**Canadien** **NM** *(= habitant)* Canadian
**Canadienne** **NF** *(= habitante)* Canadian.

**canal, PL -aux** /kanal, o/ **NM** *(= voie d'eau)* canal *(Inf, Comm)* channel ◆ **canal ascendant** *ou* **haussier / descendant** *ou* **baissier** bull / bear trend ◆ **canal de résistance** *(Bourse)* resistance level ◆ **canaux de communication** communication channels ◆ **canaux de distribution** channels of distribution, distribution *ou* market channels ◆ **canaux de distribution de détail** retail outlets ◆ **canaux de l'offre** supply channels ◆ **par le canal de** through, via.

**canalisation** /kanalizasjɔ̃/ **NF** *[capitaux]* channelling, funnelling.

**canaliser** /kanalize/ **VT** *capitaux, énergies, demandes* to channel, funnel ◆ **les fonds sont canalisés vers les pays en voie de développement** money is being channelled towards developing countries.

**canard** /kanaR/ **NM** *(Écon)* ◆ **canard boiteux** lame duck, laggard.

**Canberra** /kɑ̃bera/ **N** Canberra.

**candidat, e** /kɑ̃dida, at/ **NM,F** *(à un emploi)* applicant, candidate *(à* for*)*; *(à un examen)* candidate *(à* at*)* ◆ **se porter** *ou* **être candidat à un emploi** to apply for a job ◆ **nous avons plus d'une centaine de candidats pour le poste** we have over a hundred applicants for this job, more than a hundred people have applied for this job ◆ **candidat retenu** successful candidate, appointee.

**candidature** /kɑ̃didatyR/ **NF** *(gén)* candidacy, candidature; *[emploi]* application *(à* for*)* ◆ **appuyer une candidature** to back up *ou* support an application ◆ **adresser sa candidature** to send in one's application ◆ **faire acte de**

candidature *ou* poser sa candidature à un emploi to apply for a job, put one's name down for a job, submit one's application for a job ◆ retirer sa candidature to withdraw one's application ◆ si ma candidature était retenue should my application be successful ◆ date limite de dépôt de candidature closing date for applications ◆ formulaire de candidature application form ◆ lettre de candidature letter of application.

**cannibalisation** /kanibalizasjɔ̃/ NF *[produit]* cannibalization ◆ cannibalisation d'une entreprise asset-stripping of a company.

**cannibaliser** /kanibalize/ VT *produit* to cannibalize ◆ cannibaliser une entreprise to strip a company of its assets.

**CAO** /seao/ NF (abrév de **conception assistée par ordinateur**) CAD.

**CAP** /seape/ NM abrév de **certificat d'aptitude professionnelle** → **certificat.**

**cap** /kap/ NM ◆ le chômage va franchir *ou* dépasser le cap des 3 millions unemployment is going to exceed *ou* pass *ou* overstep the 3 million mark ◆ le gouvernement doit changer de cap the government must change its course.

**capacité** /kapasite/ NF a (= *connaissances*) ability, capacity ◆ nous recherchons une personne avec des capacités de vendeur confirmé we are looking for a person with confirmed sales ability, we are looking for an experienced sales person ◆ ce travail n'exige aucune capacité spéciale this work does not require any particular ability ◆ avoir capacité pour faire *(Jur)* to be entitled to do b (= *contenance*) *[récipient, hôtel]* capacity ◆ quelle est la capacité maximale en fret de cet avion? how much freight can this plane take? c (= *puissance limite*) capacity ◆ capacité théorique annuelle theoretical annual capacity ◆ l'usine tourne / ne tourne pas à pleine capacité the factory is operating at full / below capacity

––––––– *compounds/composés* –––––––

◆ **capacité d'autofinancement** cash flow
◆ **capacité bénéficiaire** earning power *ou* capacity
◆ **capacité de charge** load *ou* carrying capacity
◆ **capacité de chargement** *(Mar)* tonnage
◆ **capacité contributive** ability to pay
◆ **capacité d'emprunt** loan ratio, borrowing capacity
◆ **capacité d'entreposage** *ou* **de stockage** storage *ou* warehousing capacity
◆ **capacité excédentaire** excess *ou* spare *ou* surplus capacity

◆ **capacité de financement** financing capacity
◆ **capacité fiscale** tax capacity
◆ **capacité d'importation** capacity to import
◆ **capacité industrielle** industrial capacity
◆ **capacité d'innovation** innovative capacity
◆ **capacité des installations** plant capacity, installed capacity
◆ **capacité de mémoire** *(Inf)* memory *ou* storage capacity
◆ **capacité de négoce** trading capacity
◆ **capacité de payer** ability to pay
◆ **capacité de production** manufacturing *ou* production capacity ◆ accroître la capacité de production to expand (production) capacity
◆ **capacité professionnelle** professional ability *ou* skill
◆ **capacité de remboursement** repayment ratio, ability to pay
◆ **capacité de stockage des données** *(Inf)* information storage capacity
◆ **capacité théorique** ideal capacity
◆ **capacité de traitement** *(Inf, Ind)* throughput.

**capitaine** /kapitɛn/ NM ◆ capitaine d'industrie captain of industry.

**capital, PL -aux** /kapital, o/ NM a *(gén)* capital; *(actif)* assets; *(opposé à intérêts)* principal ◆ apport de capital capital contribution *ou* provision ◆ rémunération du capital return on capital, capital yield ◆ société au capital de... company with capital of... ◆ entamer son capital to break *ou* bite into one's capital ◆ composition *ou* structure du capital capital structure ◆ dilution du capital watering (down) of capital *ou* stock ◆ augmentation de capital increase in capital ◆ dotation en capital capital endowment ◆ excédent du capital capital surplus ◆ formation de capital asset *ou* capital formation ◆ rendement du capital return on capital b (= *investissements*) ◆ capitaux capital, money ◆ mobiliser *ou* réunir *ou* trouver les capitaux nécessaires to raise the necessary capital *ou* money *ou* funds ◆ les capitaux fournis par le marché capital raised on the market ◆ fournir les capitaux pour un projet to fund *ou* bankroll *(US)* a project ◆ sortie de capitaux capital outflow ◆ fuite de capitaux capital evasion *ou* flight ◆ besoins en capitaux capital requirements ◆ marché de capitaux capital market ◆ mouvement des capitaux capital movements ◼ Voir encadré page ci-contre

**capitalisable** /kapitalizabl(ə)/ ADJ capitalizable, convertible into fixed assets.

**capitalisation** /kapitalizasjɔ̃/ NF capitalization ◆ capitalisation des bénéfices / des intérêts capitalization of earnings / of interests ◆ capitalisation boursière market capitalization ◆ actions / contrat de capitalisation capitali-

———— *compounds/composés* ————

### 1. CAPITAL

- **capital actions** *(Bourse)* share capital, capital stock, equity capital
- **capital appelé** called-up capital
- **capital d'apport** initial *ou* start-up capital
- **capital assuré** *(gén)* insured capital; *(Ass)* face amount
- **capital circulant** current assets, circulating capital
- **capital-décès** *(Ass)* death benefit
- **capital de départ** seed money, start-up capital *ou* money
- **capital développement** development capital
- **capital dilué** watered capital
- **capital disponible** available capital, spare capital
- **capital émis** capital issued, issued capital
- **capital d'emprunt** loan capital
- **capital engagé** invested capital
- **capital espèces** cash capital
- **capital d'exploitation** working capital
- **capital fixe** fixed capital
- **capital flottant** floating capital
- **capital immobilisé** tied-up *ou* locked-up capital
- **capital improductif** idle *ou* dead capital
- **capital inactif** idle *ou* dead *ou* unproductive *ou* locked-up capital
- **capital indisponible** tied-up capital
- **capital initial** initial *ou* start-up capital
- **capital investi** invested capital
- **capital libéré** paid-up capital
- **capital immobilisable** available capital
- **capital non appelé** uncalled capital
- **capital obligations** *(Bourse)* debenture capital
- **capital permanent** permanent *ou* long-term capital
- **capital risque** venture *ou* risk capital
- **capital-risqueur** venture capitalist
- **capital social** authorized *ou* share capital, capital stock *(US)*
- **capital souscrit** subscribed capital
- **capital versé** paid-up capital

### 2. CAPITAUX

- **capitaux d'amorçage** seed capital *ou* money, start-up capital *ou* money
- **capitaux apatrides** refugee capital
- **capitaux fébriles** hot money
- **capitaux gelés** frozen assets
- **capitaux de lancement** seed money
- **capitaux mobiles** floating capital
- **capitaux mobiliers** movable assets
- **capitaux permanents** permanent equity capital
- **capitaux propres** stockholder's equity, equity capital, net worth, owned capital
- **capitaux en quête de placement** investment-seeking capital
- **capitaux spéculatifs** hot money.

---

zation shares / contract ✦ **multiple de capitalisation** capitalization multiple ✦ **petites capitalisations** *(Bourse)* small capitalizations, small caps ✦ **régime de retraite par capitalisation** funded pension plan, self-funded retirement plan ✦ **société de capitalisation** capitalization company ✦ **taux de capitalisation** capitalization rate ✦ **taux de capitalisation des bénéfices** *(Bourse)* price / earnings ratio p / e ratio.

**capitaliser** /kapitalize/ **VT** to capitalize ✦ **il a décidé de capitaliser tous ses biens** he decided to capitalize all his property ✦ **votre revenu capitalisé se monterait à...** your income, if capitalized, would run to... ✦ **valeur capitalisée** capitalized value ✦ **le titre capitalise 10 fois le résultat net attendu** the capitalization of this stock is 10 times higher than its expected net return ✦ **cette entreprise capitalise 15 fois les bénéfices** this company's shares sell at 15 times earnings ✦ **une entreprise fortement capitalisée** a highly capitalized firm ✦ **capitaliser les intérêts** to capitalize interest ✦ **sur- / sous-capitalisé** over- / under-capitalized.

**capitalisme** /kapitalism(ə)/ **NM** capitalism.

**capitaliste** /kapitalist(ə)/ **ADJ, NMF** capitalist.

**capitalistique** /kapitalistik/ **ADJ** intensité capital; industrie capital-intensive.

**captif, -ive** /kaptif, iv/ **ADJ** marché, clientèle captive ✦ **société captive** daughter company.

**capturer** /kaptyʀe/ **VT** marché to capture.

**Caracas** /kaʀakas/ **N** Caracas.

**caractère** /kaʀaktɛʀ/ **NM** *(gén, Inf)* character ✦ **caractère de tabulation** tabulation character ✦ **jeu de caractères** character set.

**caractéristique** /kaʀakteʀistik/ **NF** characteristic, feature ✦ **caractéristiques de la marque / du produit** brandmixte / product features ✦ **caractéristiques techniques** specifications.

**carambouillage** /kaʀɑ̃bujaʒ/ **NM,** **carambouille** /kaʀɑ̃buj/ **NF** reselling of illegally detained goods; *(Fin)* fraudulent conversion.

**Cardiff** /kaʀdif/ **N** Cardiff.

**carence** /kaʀɑ̃s/ **NF** **a** *[débiteur]* insolvency **b** *(= manque) [personnel]* shortage, deficiency ✦ **carence d'approvisionnement** supply shortage.

**cargaison** /kaʀgɛzɔ̃/ **NF** cargo, freight ✦ **glissement de cargaison** cargo-shifting ✦ **embarquer**

une cargaison to take on *ou* in *ou* embark cargo

---
*compounds/composés*

* **cargaison à fond de cale** cargo ballast
* **cargaison fractionnée** break bulk cargo
* **cargaison mixte** mixed cargo
* **cargaison en pontée** deck cargo
* **cargaison de retour** return *ou* homeward cargo
* **cargaison en sacs** bagged cargo
* **cargaison sèche** dry cargo
* **cargaison en vrac** bulk cargo.

---

**cargo** /kaʀgo/ **NM** cargo boat *ou* vessel, freighter ◆ **cargo transroutier** roll-on-roll-off ship.

**carnet** /kaʀnɛ/ **NM** *(pour écrire)* notebook; *(= liasse)* book ◆ **carnet de l'actionnaire** shareholder's notebook ◆ **carnet d'adresses** address book ◆ **carnet de chèques** chequebook *(Brit)*, checkbook *(US)* ◆ **carnet de commandes** order book ◆ **nos carnets de commandes sont pleins** our order books are full ◆ **carnet d'ordres** *(Bourse)* order book ◆ **carnet à souches** counterfoil book, stub book *(US)* ◆ **carnet de timbres** book of stamps.

**carrière** /kaʀjɛʀ/ **NF** career ◆ **il fait carrière dans le commerce** trade is his career ◆ **déroulement** *ou* **plan de carrière** career development *ou* path ◆ **gestion des carrières** career management ◆ **perspectives de carrière** job *ou* career prospects.

**carriérisme** /kaʀjeʀism(ə)/ **NM** careerism.

**carriériste** /kaʀjeʀist(ə)/ **NMF** careerist.

**carte** /kaʀt(ə)/ **NF** card ◆ **avoir carte blanche** to have carte blanche *ou* a free hand ◆ **donner carte blanche à quelqu'un** to give somebody carte blanche *ou* a free hand ◆ **abattre ses cartes** to show one's hand ◆ **jouer la carte de...** to play the card of... ◆ **avoir un horaire à la carte** to work on flexitime ◆ **retraite à la carte** optional retirement

---
*compounds/composés*

* **carte d'abonnement** season ticket
* **carte accréditive** credit card
* **carte bancaire** banker's *ou* bank card
* **carte bleue** ® Visa card ◆ **carte bleue internationale** ® International Visa card
* **carte de circulation** free pass
* **carte de coloris** shade card
* **carte de crédit** credit card
* **carte à détacher** tear-out card
* **carte d'échantillons** sample card, show card
* **carte électronique** smart *ou* storage *ou* memory card
* **carte d'embarquement** boarding pass

---

* **carte de fidélité** discount *ou* loyalty card
* **carte grise** car registration card *ou* book *ou* papers
* **carte d'identité** identity *ou* ID card
* **carte d'immatriculation** registration card
* **carte d'invitation** invitation card
* **carte mécanographique** punch card
* **carte à mémoire** smart *ou* storage *ou* memory card
* **carte de paiement** charge card
* **carte perforée** punch card
* **carte privative** personal credit card
* **carte professionnelle** business card
* **carte à puce** storage *ou* smart *ou* memory card
* **carte-réponse** reply *ou* return card
* **carte de séjour** residence permit, green card *(US)*
* **carte syndicale** union card
* **carte téléphonique** phone card
* **carte verte** *(Aut)* green card
* **carte de visite** visiting card, calling card *(US)* ; *(professionnelle)* business card.

---

**cartel** /kaʀtɛl/ **NM** *(Écon)* combine, cartel ◆ **cartel d'achat** purchasing group.

**cartellaire** /kaʀtelɛʀ/ **ADJ** ◆ **crédit cartellaire** syndicated loan.

**cartellisation** /kaʀtelizasjɔ̃/ **NF** formation of cartels *ou* combines.

**carton** /kaʀtɔ̃/ **NM** **a** *(= casier)* box, carton ◆ **carton d'essai** test case **b** *(= matière)* cardboard ◆ **carton ondulé** corrugated cardboard **c** *(= carte)* card ◆ **carton d'invitation** invitation card.

**cartonnage** /kaʀtɔnaʒ/ **NM** **a** *(= industrie)* cardboard industry **b** *(= emballage)* cardboard packing ◆ **cartonnage publicitaire** display.

**cartonnerie** /kaʀtɔnʀi/ **NF** cardboard factory.

**cartouche** /kaʀtuʃ/ **NF** cartridge.

**cas** /kɑ/ **NM** **a** *(Jur)* case ◆ **soumettre un cas au tribunal** to submit a case to the court **b** *(= circonstances)* case, situation; *(= motif)* motive ◆ **exposer son cas** to state one's case ◆ **dans le premier cas** in the first case *ou* instance ◆ **c'est un cas d'école** it's a perfect example ◆ **dans ce cas de figure** in this case *ou* situation ◆ **en aucun cas** on no account ◆ **au cas où** in the event of ◆ **le cas échéant** should the occasion arise, if need be ◆ **en cas de réclamation** in the event of complaint ◆ **en cas d'urgence** in an emergency ◆ **en cas de défaillance** *(Fin)* in case of default ◆ **en cas d'imprévu** should a contingency arise ◆ **selon le cas** as the case may be ◆ **hormis le cas de** barring the case of **c** *(Écon)* case ◆ **centrale de**

**cas** case clearing house ◆ **étude de cas** case study

---
*compounds/composés*
---
◆ **cas d'espèce** concrete case, case in point
◆ **cas de force majeure** case of absolute necessity *ou* of force majeure
◆ **cas fortuit** accidental case
◆ **cas imprévu** emergency, contingency
◆ **cas limite** borderline case.
---

**case** /kɑz/ NF **a** *(sur un formulaire)* square, space, box ◆ **ne rien inscrire dans cette case** leave this space blank, do not fill in this space ◆ **cocher la case correspondante** tick *ou* check *(US)* the appropriate box ◆ **case réservée à l'Administration** for service instructions only, for office use only **b** *(= casier)* pigeonhole *(Brit)*, box ◆ **case postale** post-office box.

**cash** /kaʃ/ ADV cash down, on the nail* *(Brit)*, on the barrel* *(US)*.

**cash-flow** /kaʃflo/ NM cashflow.

**casier** /kɑzje/ NM **a** *[courrier]* pigeonhole *(Brit)*, box; *[consigne]* locker **b** *(Jur)* ◆ **casier judiciaire** police *ou* criminal record ◆ **casier judiciaire vierge** clean record ◆ **extrait de casier judiciaire** copy of police record.

**casque** /kask(ə)/ NM helmet ◆ **le port du casque est obligatoire sur le chantier** safety helmets must be worn on site.

**cassage** /kasaʒ/ NM *[prix]* cutting, slashing.

**cassation** /kasasjɔ̃/ NF *[jugement]* quashing ◆ **introduire un recours en cassation, se pourvoir en cassation** to appeal ◆ **Cour de cassation** Supreme Court of Appeal.

**casse** /kɑs/ NF **a** *(= objets cassés en magasin)* damage, breakages **b** **mettre à la casse** to scrap ◆ **ce camion est bon pour la casse** this lorry is ready for the scrap heap, this lorry should be scrapped ◆ **valeur à la casse** scrap value.

**casser** /kase/ VT **a** *décision, jugement* to quash, nullify, rescind, annul ◆ **décisions cassées par le tribunal** decisions annulled *ou* ruled invalid in court **b** *fonctionnaire* to dismiss **c** *prix* to cut, slash ◆ **ce magasin casse les prix** this store is slashing its prices *ou* is undercutting its competitors *ou* is underselling ◆ **nos concurrents nous ont chassés du marché en cassant les prix** our competitors put us out of the market by systematically undercutting our prices, our competitors priced us out of the market ◆ **casser les cours** *(Bourse)* to drive prices down, bang the market.

**casse-tête,** PL **casse-têtes** /kastɛt/ NM ◆ **casse-tête juridique** legal headache.

**catalogue** /katalɔg/ NM catalogue, catalog *(US)* ◆ **catalogue de vente par correspondance** mail-order catalogue ◆ **catalogue sur demande** catalogue on application ◆ **acheteurs sur catalogue** catalogue customers ◆ **fichier catalogue** catalogue file ◆ **prix (de) catalogue** list price ◆ **cet article ne figure plus au catalogue** this item is no longer listed in the catalogue ◆ **commander sur catalogue** to order on catalogue.

**cataloguer** /katalɔge/ VT *produits* to catalogue, list.

**catégorie** /kategɔʀi/ NF category ◆ **catégorie socio-professionnelle** socio-professional group, social and economic category ◆ **catégorie de revenus** income group *ou* bracket ◆ **la catégorie supérieure du personnel administratif** the highest grade of administrative staff ◆ **de deuxième catégorie** second-rate ◆ **de toute première catégorie** top-quality, top-grade, first-rate ◆ **placer** *ou* **mettre dans une catégorie inférieure / supérieure** to grade down / up, downgrade / upgrade.

**catégoriel, -elle** /kategɔʀjɛl/ ADJ ◆ **revendication catégorielle** sectional claim.

**cause** /koz/ NF **a** *(Jur)* case ◆ **entendre une cause** to hear a case ◆ **mettre en cause** to question ◆ **mettre hors de cause** to clear ◆ **plaider sa cause** to plead one's case ◆ **véhicule en cause** *(Ass)* vehicle involved **b** *(= origine)* cause, motive ◆ **à cause de** because of, owing to, due to ◆ **pour cause de** on account of ◆ **on ignore toujours la cause de ce retard** the reason for *ou* the cause of this delay is still unknown ◆ **fermé pour cause d'inventaire** closed for stocktaking ◆ **magasin à céder pour cause de faillite** shop for sale on account of bankruptcy **c** *(Comm)* consideration ◆ **cause d'une lettre de change** consideration given for a bill of exchange.

**caution** /kosjɔ̃/ NF **a** *(= garantie)* guarantee, security; *(= dépôt de garantie)* deposit; *(pour un inculpé)* bail ◆ **demander** *ou* **exiger une caution** to ask for security ◆ **déposer** *ou* **verser une caution** to put *ou* lay down a guarantee ◆ **mettre quelqu'un en liberté sous caution** to release *ou* free somebody on bail ◆ **payer la caution de qn** to stand *ou* go bail for sb ◆ **caution d'adjudication** *ou* **de soumission** bid bond ◆ **caution bancaire** bank guarantee ◆ **caution judiciaire** legal security, security for costs ◆ **caution en numéraire** security in cash ◆ **caution personnelle** personal security ◆ **ver-**

ser une caution bonne et solvable to give sufficient security ◆ **une caution de 100 euros est exigée sur toutes nos voitures de location** there is a deposit of 100 euros on all car rentals **b** *(= garant)* surety, guarantor ◆ **cautions conjointes et solidaires** sureties liable jointly and severally ◆ **caution solvable** good surety ◆ **servir de caution à qn, se porter caution pour qn** to stand security *ou* surety for sb ◆ **je lui servirai de caution pour un emprunt de 10 000 euros** I will guarantee him for a 10,000 euros loan **c** *(= appui)* support, backing ◆ **apporter sa caution à un projet** to support *ou* back a project.

**cautionnement** /kosjɔnmɑ̃/ **NM** *(= argent)* guarantee, security, surety; *(= appui)* support, backing; *(= contrat)* surety bond ◆ **cautionnement réel** collateral security ◆ **cautionnement solidaire** joint guarantee *ou* security ◆ **action de cautionnement** *(Bourse)* qualification share ◆ **assurance de cautionnement** guarantee insurance ◆ **société de cautionnement** guaranty company ◆ **déposer un cautionnement en numéraire** to give security in cash ◆ **s'engager par cautionnement** to enter into a surety bond.

**cautionner** /kosjɔne/ **VT** **a** *(financièrement)* to guarantee, stand security *ou* surety *ou* guarantor for ◆ **obligations cautionnées** hypothecated bonds **b** *projet, décision, grève* to support, back, give one's support to.

**cavalerie** /kavalʁi/ **NF** *(Fin)* ◆ **traites** *ou* **effets de cavalerie** accommodation bills, kites.

**CB** abrév de **carte bleue** → **carte**.

**CBI** abrév de **carte bleue internationale** → **carte**.

**CC** *(abrév de* **compte courant***)* C / A.

**CCI** /sesei/ **NF** **a** *(abrév de* **Chambre de commerce internationale***)* ICC **b** abrév de **Chambre de commerce et d'industrie** → **chambre**.

**CCP** /sesepe/ **NM** **a** abrév de **centre de chèques postaux** → **centre** **b** abrév de **compte chèque postal** abrév de **compte courant postal** → **compte**.

**CCR** /seseɛʁ/ **NF** abrév de **Caisse centrale de réassurance** → **caisse**.

**CD** /sede/ **NM** **a** abrév de **comité directeur** → **comité** **b** abrév de **corps diplomatique** → **corps**.

**CDD** /sedede/ **NM** abrév de **contrat à durée déterminée** → **contrat**.

**CDI** /sedei/ **NM** **a** abrév de **Centre des impôts** → **centre** **b** abrév de **contrat à durée indéterminée** → **contrat**.

**CE** /seə/ **NM** **a** abrév de **comité d'entreprise** → **co-**

mité **b** abrév de **Conseil de l'Europe** → **conseil** **NF** **a** abrév de **Caisse d'épargne** → **caisse** **b** *(abrév de* **Communauté Européenne***)* EC.

**CEA** /seəa/ **NM** **a** *(abrév de* **Commissariat à l'énergie atomique***)* AEA *(Brit)*, AEC *(US)* **b** abrév de **compte d'épargne en actions** → **compte**.

**CECA** /seəsea/ **NF** *(abrév de* **Communauté européenne du charbon et de l'acier***)* ECSC.

**cédant** /sedɑ̃/ **NM** *(gén)* assignor, transferor, grantor; *(contrat de soumission)* principal.

**céder** /sede/ **VT** **a** *(= vendre)* *fonds de commerce* to sell, dispose of ◆ **locaux à céder** premises for sale ◆ **céder à bail** to lease **b** *(= perdre)* to give up, shed ◆ **les pétrolières ont cédé 3 points** oils have shed *ou* given up *ou* fallen back 3 points ◆ **céder du terrain** to lose ground ◆ **l'inflation cède du terrain** inflation is receding **c** *(= transmettre)* *propriété, droit, bail* to transfer, hand over *(à* to*)* ◆ **les cartes d'abonnement sont personnelles et ne peuvent être cédées** season tickets are personal and may not be transferred, season tickets are non-transferable ◆ **céder une créance** *(Fin)* to assign a claim

**VI** to give in, give way, yield ◆ **les syndicats ne veulent pas céder** the unions are standing their ground *ou* will not give way ◆ **nos produits ne le cèdent à aucun autre** our products are second to none.

**Cedex** /sedɛks/ **NM** *(abrév de* **courrier d'entreprise à distribution exceptionnelle***)* *special post-office box service for companies*.

**cedi** **NM** cedi.

**CEE** /seə/ **NF** abrév de **Communauté économique européenne** → **communauté**.

**CEEA** /seəa/ **NF** *(abrév de* **Communauté européenne de l'énergie atomique***)* EAEC.

**CEI** **NF** abrév de **Communauté des États indépendants** → **communauté**.

**CEL** /seɛl/ **NM** abrév de **compte d'épargne logement** → **compte**.

**cellulaire** /selylɛʁ/ **ADJ** ◆ **gestion cellulaire** divisional management.

**cellule** /selyl/ **NF** cell ◆ **cellule de crise** emergency committee ◆ **cellule de réflexion** think tank.

**CEN** /seəɛn/ **NM** abrév de **Comité européen de normalisation** → **comité**.

**censure** /sɑ̃syʁ/ **NF** censorship ◆ **vote de censure** no-confidence vote.

**cent** /sɑ̃/ **NM** **a** *(= nombre)* a hundred, one hundred ◆ **cent deux** a *ou* one hundred and two

◆ **trois cents** three hundred ◆ **troix cent deux** three hundred and two ◆ **article cent** article one hundred, article a hundred ◆ **pour cent** percent ◆ **cent pour cent** one hundred percent ◆ **un cent de bouteilles** *(Comm = centaine)* a hundred *ou* one hundred bottles → **six** **b** *(= monnaie)* cent.

**centaine** /sɑ̃tɛn/ **NF** *(= cent)* hundred; *(environ)* about a hundred, a hundred or so → **soixantaine.**

**centième** /sɑ̃tjɛm/ **ADJ, NMF** hundredth → **sixième.**

**centigramme** /sɑ̃tigʀam/ **NM** centigramme.

**centilitre** /sɑ̃tilitʀ(ə)/ **NM** centilitre.

**centime** /sɑ̃tim/ **NM** *(gén)* centime; *(= division de l'euro)* cent, eurocent ◆ **centimes additionnels** additional tax, surtax.

**centimètre** /sɑ̃timɛtʀ(ə)/ **NM** centimetre.

**centrafricain, e** /sɑ̃tʀafʀikɛ̃, ɛn/ **ADJ** of the Central African Republic ◆ **République centrafricaine** Central African Republic.

**central, e,** **MPL** **-aux** /sɑ̃tʀal, o/ **ADJ** central ◆ **bureau** *ou* **siège central** central *ou* head office ◆ **banque centrale** central bank ◆ **NM** **central (téléphonique)** (telephone) exchange **centrale** **NF** *(= groupe)* group; *(électrique)* power station *ou* plant ◆ **centrale nucléaire** nuclear power station, nuclear plant ◆ **centrale syndicale** group of affiliated trade unions ◆ **centrale d'achat** trading *ou* purchasing *ou* buying group, central merchandizing *(US)*

◆ **centrale de référencement** central referencing unit ◆ **centrale de risques** central credit surveillance.

**centralisateur, -trice** /sɑ̃tʀalizatœʀ, tʀis/ **ADJ** centralizing.

**centralisation** /sɑ̃tʀalizasjɔ̃/ **NF** centralization.

**centraliser** /sɑ̃tʀalize/ **VT** to centralize.

**centralisme** /sɑ̃tʀalism(ə)/ **NM** centralism.

**centre** /sɑ̃tʀ(ə)/ **NM** *(gén)* centre *(Brit)*, center *(US)* ; *(= bureau)* office, centre ■ Voir encadré ci-dessous

**centrer** /sɑ̃tʀe/ **VT** activités to focus *(sur* on) ◆ **centrer une campagne publicitaire sur un secteur** to focus an advertising campaign on a specific area, zone a campaign.

**CERC** /seɛʀse/ **NM** abrév de **Centre d'étude des revenus et des coûts** → **centre.**

**CERCEE** /seɛʀseəə/ **NM** abrév de **centre d'études et de recherches de création et d'expansion d'entreprises** → **centre.**

**cercle** /sɛʀkl(ə)/ **NM** circle ◆ **dans les cercles financiers** in financial circles ◆ **dans notre cercle d'activité** in our sphere of activities ◆ **cercle de qualité** quality circle ◆ **cercle vertueux / vicieux** virtuous / vicious circle.

**céréale** /seʀeal/ **NF** cereal ◆ **céréales alimentaires** food grains.

**céréalier, -ière** /seʀealje, jɛʀ/ **ADJ** cereal ◆ **NM** cereal grower ◆ **(navire) céréalier** grain carrier.

---
*compounds/composés*

## CENTRE

◆ **centre d'accueil** reception centre
◆ **centre d'appels** call centre
◆ **centre de calcul** computer centre
◆ **centre de chèques postaux** National Giro *(Brit)*
◆ **centre commercial** shopping centre, (shopping) mart *(US)*, shopping mall *(US)*
◆ **centre de coûts** cost centre
◆ **centre de documentation** resource centre
◆ **Centre d'étude des revenus et des coûts** Centre for the study of incomes and costs
◆ **centre d'études et de recherche de création et d'expansion d'entreprises** *centre for study and research on business creation and development*
◆ **Centre européen pour la recherche nucléaire** European Organization for Nuclear Research
◆ **Centre européen de recherche spatiale** European Space Research Organization

◆ **centre de formation professionnelle** professional training centre
◆ **centre de gestion** *(auquel appartient un prestataire)* accounts centre
◆ **centre des impôts** tax collection office
◆ **centre industriel** industrial centre
◆ **Centre national du commerce extérieur** *national export trade organization*
◆ **Centre national d'enseignement à distance** *national distance learning centre*
◆ **Centre national des industries et des techniques** *national centre for industry and technical development*
◆ **Centre national de la recherche scientifique** *national centre for scientific research*
◆ **centre de profit** profit centre
◆ **centre de recherches** research centre
◆ **centre serveur** *(Inf)* service *ou* retrieval centre
◆ **centre stratégique** strategic business unit
◆ **centre-ville** city centre, centre of town, downtown *(US)*.

**CERN** /sɛʀn/ NM abrév de **Centre européen pour la recherche nucléaire** → **centre.**

**CERS** /seəɛʀɛs/ NM (abrév de **Centre européen de recherche spatiale**) ESRO.

**certain** /sɛʀtɛ̃/ NM *(Bourse)* fixed rate of exchange, direct rate of exchange ♦ **donner le certain** to quote direct exchange, quote certain.

**certificat** /sɛʀtifika/ NM *(gén)* certificate; *(= diplôme)* diploma, certificate; *(= références d'employé de maison)* testimonial ♦ **certificat de poids / de qualité** certificate of weight / quality ▪ Voir encadré ci-dessous

**certificateur** /sɛʀtifikatœʀ/ NM guarantor, certifier ♦ **certificateur de caution** countersurety, countersecurity.

**certification** /sɛʀtifikasjɔ̃/ NF *(gén, Jur)* attestation; *[signature]* witnessing, attestation; *[chèque]* certification; *[comptes]* auditing; *(Pub)* authentication.

**certifier** /sɛʀtifje/ VT *signature* to attest, witness; *document* to certify, guarantee; *(Pub)* to au-thenticate; *caution* to counter-secure ♦ **copie certifiée conforme** certified true copy ♦ **chèque certifié** certified cheque ♦ **comptes certifiés** certified accounts.

**cessation** /sesasjɔ̃/ NF *[travail]* stoppage; *[paiements, publication]* stopping, stoppage, suspension; *[contrat]* termination; *[exploitation]* interruption; *[bail]* expiry ♦ **cessation d'activité** *[société]* discontinuance *ou* termination of business; *[individu]* retirement ♦ **cessation anticipée d'activité** early retirement ♦ **cessation progressive d'activité** semi retirement ♦ **cessation des poursuites** *(Jur)* discontinuance of action, nonsuit ♦ **cessation de paiements** suspension of payments ♦ **être en état de cessation de paiement** to be insolvent, be in a state of insolvency, be bankrupt.

**cesser** /sese/ VT *activité* to stop, cease; *relations* to break off, bring to an end; *production* to discontinue, cease, stop *(Jur : poursuites)* to discontinue *(Admin : fonctions)* to give up ♦ **cesser les paiements** to stop *ou* discontinue *ou* cease *ou* suspend payments ♦ **cesser le travail** *(par suite de grève)* to go on strike, down tools,

*compounds/composés*

### CERTIFICAT

♦ **certificat d'agréage** inspection certificate to be final, certificate of inspection and acceptance *(US)*
♦ **certificat d'aptitude professionnelle** *vocational education certificate*
♦ **certificat d'arrivée** *(Douane)* certificate of clearing inwards
♦ **certificat d'avarie** damage report
♦ **certificat de chargement** *(Mar)* mate's receipt
♦ **certificat de conformité** certificate of compliance, release note
♦ **certificat de déchargement** landing certificate
♦ **certificat de dépôt** certificate of deposit, CD ♦ **certificat de dépôt à intérêts précomptés** discount certificate of deposit
♦ **certificat de droit de vote** *(Bourse)* voting rights certificate
♦ **certificat d'entrepôt** warehouse warrant *ou* certificate ♦ **certificat d'entrepôt négociable** negotiable warehouse certificate
♦ **certificat d'expertise** expert's report
♦ **certificat de fabrication** certificate of manufacture
♦ **certificat d'homologation** certificate of approval
♦ **certificat hypothécaire** certificate of mortgage
♦ **certificat d'immobilisation** *(des titres avant une assemblée générale)* document certifying that ownership of shares will not be transferred
♦ **certificat d'importation** import certificate
♦ **certificat d'inspection** inspection *ou* surveillance certificate

♦ **certificat d'investissement** *(Bourse)* non-voting preference share ♦ **certificat d'investissement prioritaire** preferential investment certificate
♦ **certificat de jaugeage** certificate of measurement
♦ **certificat de libre pratique** *(Euratom)* clearance certificate
♦ **certificat médical** medical *ou* doctor's certificate
♦ **certificat de nationalité** *(Mar)* certificate of registry
♦ **certificat de navigabilité** *(Mar)* certificate of seaworthiness; *(Aviat)* certificate of airworthiness
♦ **certificat nominatif d'actions** registered share certificate
♦ **certificat de non-paiement** notice of dishonour
♦ **certificat d'obligation** bond certificate
♦ **certificat d'origine** certificate of origin
♦ **certificat de prise en charge** certificate of receipt
♦ **certificat sanitaire** health certificate
♦ **certificat de sortie** *(Douanes)* clearance certificate
♦ **certificat de tonnage** certificate of measurement
♦ **certificat de travail** attestation of employment
♦ **certificat de trésorerie** treasury bond
♦ **certificat de valeur garantie** *(Bourse)* contingent value right
♦ **certificat de vérification des livraisons** inspection certificate.

walk out ✦ **les ouvriers ont cessé leur mouvement** the workers have called a halt to their action ✦ **cette société a cessé ses activités** this company has ceased operations ou trading ✦ **cesser provisoirement l'exploitation** to cease operations temporarily, suspend operations ▢ *[mouvement]* to cease, stop, come to an end.

**cessibilité** /sesibilite/ NF transferability ✦ **cessibilité d'un chèque** transferability of a cheque.

**cessible** /sesibl(ə)/ ADJ transferable, assignable ✦ **valeurs cessibles / non cessibles** transferable/ non transferable securities ✦ **droits cessibles** transferable rights.

**cession** /sɛsjɔ̃/ NF *[propriété, titre, bail]* transfer ✦ **cession d'actifs** asset disposal ✦ **cession-bail** lease-back ✦ **la cession d'un brevet** the transfer of a patent ✦ **cession de créance** transfer of a claim ou debt, assignment of receivables ✦ **cession forcée** *(de titres)* squeeze-out ✦ **cession de gré à gré** transfer by private contract ✦ **cession de parts** stock transfer ✦ **cession de portefeuille** transfer of portfolio ✦ **faire cession de** to transfer ✦ **acte de cession** deed of conveyance ✦ **clause de cession** *(Ass Mar)* assignment clause ✦ **droits / frais de cession** transfer tax / charge ✦ **prix de cession interne** transfer price.

**cessionnaire** /sɛsjɔnɛR/ NM transferee, assignee.

**cf.** (abrév de **confer**) cf.

**CFA** /seɛfa/ NF abrév de **communauté financière africaine** → **communauté.**

**CFAO** /seɛfao/ NF (abrév de **conception et fabrication assistées par ordinateur**) CADM.

**CFDT** /seɛfdete/ NF (abrév de **Confédération française et démocratique du travail**) *French trade union.*

**CFR** (abrév de **coût et fret**) c.a.f.

**CFTC** /seɛftese/ NF (abrév de **Confédération française des travailleurs chrétiens**) *French trade union.*

**CGC** /seʒese/ NF (abrév de **Confédération générale des cadres**) *French managerial staff union.*

**CGT** /seʒete/ NF (abrév de **Confédération générale du travail**) *major French trade union.*

**CGV** /seʒeve/ NFPL (abrév de **conditions générales de vente**) terms of sale.

**ch.** abrév de **cherche.**

**chahuté, e** /ʃayte/ ADJ *marché boursier* volatile; *titre* under pressure ✦ **l'euro a été chahuté** the euro was buffeted.

**chaînage** /ʃenaʒ/ NM chaining ✦ **chaînage de données** *(Inf)* data chaining.

**chaîne** /ʃɛn/ NF ▢**a** *(Ind)* **chaîne de commandement** line of command ✦ **chaîne de montage** assembly ou production line ✦ **produire qch à la chaîne** to mass-produce sth, make sth on an assembly line ✦ **production à la chaîne** line production ✦ **production en chaîne suivie** straight-line production ✦ **travail à la chaîne** assembly-line work ▢**b** *(Comm)* ✦ **chaîne de magasins** chain of shops *(Brit)* ou stores *(US)* ✦ **chaîne volontaire** voluntary retail buying chain ▢**c** *(Écon)* ✦ **réaction en chaîne** chain reaction, knock-on effect ✦ **déclencher une réaction en chaîne** to set up a chain reaction ▢**d** *(Inf)* ✦ **calcul / fichier en chaîne** chained calculation / file.

**chaîner** /ʃene/ VT *(Inf : données)* to chain.

**chaland** /ʃalɑ̃/ NM *(= bateau)* barge; *(= client)* customer.

**chalandage** /ʃalɑ̃daʒ/ NM *(Mar)* lighterage.

**chalandise** /ʃalɑ̃diz/ NF ✦ **zone de chalandise** catchment area, trading area.

**chambre** /ʃɑ̃bʀ(ə)/ NF *(= pièce)* room; *(avec lit)* bedroom; *(= association professionnelle)* chamber; *(Jur = tribunal)* court

―――― *compounds/composés* ――――
- **chambre d'accusation** court of criminal appeal
- **chambre d'agriculture** chamber of agriculture
- **chambre arbitrale** elected board of arbitration
- **chambre de commerce** Chamber of Commerce ✦ **Chambre de commerce internationale** International Chamber of Commerce ✦ **chambre de commerce et d'industrie** Chamber of Commerce and Industry
- **chambre de compensation** clearing house
- **chambre forte** strongroom
- **chambre frigorifique** cold storage room
- **chambre des métiers** chamber of trade, guild chamber
- **chambre patronale** elected board of business managers
- **chambre régionale de la Cour des comptes** regional office of France's Court of Auditors
- **chambre syndicale** employers' federation ou association ✦ **chambre syndicale des agents de change** stock exchange committee.

**champ** /ʃɑ̃/ NM field ✦ **champ d'action** ou **d'activité** field of operation, sphere of activity.

**chancelier** /ʃɑ̃səlje/ NM chancellor ✦ **le chancelier de l'Échiquier** the Chancellor of the Exchequer.

**chancellerie** /ʃɑ̃sɛlʀi/ NF chancery, chancellery.

**chandelle** /ʃɑ̃dɛl/ NF ✦ **vente à l'éteinte des chandelles** auction by inch of candle.

**change** /ʃɑ̃ʒ/ **NM** *(Fin)* (= *taux*) exchange rate; (= *activité*) exchange ◆ **bordereau / position / risque / taux de change** exchange slip / position / risk / rate ◆ **agent de change** stockbroker ◆ **première / seconde / seule de change** first / second / sole of exchange ◆ **bureau de change** (foreign) exchange office, bureau de change ◆ **contrôle des changes** exchange control ◆ **courtier de change** exchange broker ◆ **gain / perte de change** exchange gain / loss ◆ **lettre de change** bill of exchange ◆ **marché des changes** foreign exchange market ◆ **opération de change** foreign exchange transaction ◆ **au taux de change en vigueur** at the current rate of exchange ◆ **stabiliser le cours du change** to peg the exchange (rate)

─── *compounds/composés* ───
◆ **change défavorable** unfavourable exchange rate
◆ **change favorable** favorable exchange rate
◆ **change indirect** indirect exchange
◆ **change du jour** current exchange rate
◆ **change maritime** maritime interest
◆ **change au pair** exchange at par
◆ **change à terme** forward exchange *ou* currency rate ◆ **transactions de change à terme** forward currency transactions.

**changement** /ʃɑ̃ʒmɑ̃/ **NM** (= *modification*) change, alteration; (= *infléchissement*) shift ◆ **subir un changement** to undergo a change ◆ **changement radical** sweeping change ◆ **effectuer** *ou* **apporter des changements à qch** to effect alterations in sth

─── *compounds/composés* ───
◆ **changement d'adresse** change of address
◆ **changement d'attitude des consommateurs** attitude shift of consumers
◆ **changement de dernière minute** last minute change
◆ **changement de direction** under new management
◆ **changement d'échelon** promotion
◆ **changement de locaux** change of premises
◆ **changement de marque** brand switching
◆ **changement de poste** change of job
◆ **changement de propriétaire** under new ownership
◆ **changement de supports** media switching.

**changer** /ʃɑ̃ʒe/ **VT a** devises to (ex)change ◆ **changer des dollars contre des yens** to change dollars into yen, exchange dollars for yen **b** (= *transférer*) to move; (= *modifier*) to change, alter ◆ **changer qn de poste** to move *ou* transfer sb to a different job ◆ **VI** **changer de** to change ◆ **quelque 800 millions de titres ont changé de mains** *ou* **de**

**propriétaires** some 800 million securities changed hands ◆ **changer de métier** to change jobs ◆ **changer d'adresse** to change one's address ◆ **changer de cible** to shift target.

**changeur** /ʃɑ̃ʒœʀ/ **NM** (= *personne*) money-changer ◆ **changeur de monnaie** (= *appareil*) change machine, money changer *(US)*.

**chantage** /ʃɑ̃taʒ/ **NM** blackmail ◆ **se livrer à un** *ou* **exercer un chantage sur qn** to blackmail sb.

**chanter** /ʃɑ̃te/ **VI** ◆ **faire chanter qn** to blackmail sb.

**chantier** /ʃɑ̃tje/ **NM** (*pour construire*) site; (*pour entreposer*) yard, depot ◆ **mettre un travail en chantier** to put a piece of work on the stocks ◆ **mises en chantier** housing starts ◆ **200 000 nouveaux logements vont être mis en chantier** there will be 200,000 housing starts ◆ **la mise en chantier de la deuxième tranche des travaux** the commencement *ou* implementation of the second phase of the construction work ◆ **chantier interdit au public** no entry (to the public), no admittance except on business ◆ **chef de chantier** works *ou* site foreman *ou* supervisor *(US)* ◆ **gestion de chantier** site management

─── *compounds/composés* ───
◆ **chantier de construction** building *ou* job *ou* construction site
◆ **chantier de démolition** demolition site
◆ **chantier naval** shipyard, shipbuilding yard.

**chapeauter** /ʃapote/ **VT** to oversee, head ◆ **la commission chapeaute tout le projet** the committee heads the whole project *ou* is in charge of the whole project.

**chapitre** /ʃapitʀ(ə)/ **NM** (*Compta*) section, item; [*bilan*] heading, item.

**chapitrer** /ʃapitʀe/ **VT** (*Compta*) to itemize, break down.

**charbonnage** /ʃaʀbɔnaʒ/ **NM** colliery, coalmine ◆ **les Charbonnages de France** the French Coal Board.

**charbonnier, -ière** /ʃaʀbɔnje, jɛʀ/ **ADJ** ◆ **industrie charbonnière** coal-mining industry ◆ **navire charbonnier** collier.

**charge** /ʃaʀʒ(ə)/ **NF a** (= *responsabilité*) responsibility ◆ **avoir la charge de qch** to be responsible for sth, be in charge of sth ◆ **à la charge de** payable by ◆ **les frais sont à la charge de l'assuré** the costs are to be paid *ou* to be borne by the insured, the costs are chargeable to the insured ◆ **prendre en charge un risque** to underwrite a risk ◆ **nous prenons en charge**

**tous les frais** we take care of all expenses ✦ **les frais médicaux sont pris en charge par la Sécurité sociale** the medical expenses will be paid by Social Security ✦ **prise en charge** *(Sécurité sociale)* coverage ✦ **impôt à la charge du locataire** tax payable by the tenant ✦ **régime de retraite à la charge de l'employeur** non-contributory pension scheme ✦ **réparations à la charge du propriétaire** repairs to the owner *ou* payable by the owner ✦ **la charge de la preuve** *(Jur)* the burden of proof **b** *(Admin = poste)* office ✦ **charge élective** elective office ✦ **charge d'agent de change** brokerage firm ✦ **charge introductrice** *(Bourse)* introducing brokerage firm ✦ **charge d'officier ministériel** ministerial office (of solicitor) ✦ **manquer aux devoirs de sa charge** to fail in one's office ✦ **se démettre d'une charge** to resign an office **c** *(= poids) [camion]* load; *[navire]* freight, cargo ✦ **sous charge** *(Bourse des marchandises)* loading ✦ **plan de charge** *(= travaux à effectuer)* work schedule ✦ **le contrat permettra d'assurer le plein du plan de charge jusqu'en 1995** the contract will enable us to work at full capacity until 1995 ✦ **parcours en charge** *(Mar)* loaded journey ✦ **prendre charge** *(Mar)* to load up ✦ **rompre charge** *(Mar)* to unload *ou* transfer cargo ✦ **travailler en sous-charge** *(Ind)* to work below capacity ✦ **être libre de toute charge** to be free from *ou* to be without encumbrances **d** *(= dépenses)* ✦ **charges** expenses, costs, charges ✦ **10 millions d'euros ont été passés en charges exceptionnelles pour**

tenir compte de la réduction d'actif net l'an dernier they took an extraordinary charge of 10 million euros for the reduction in net assets last year ✦ **passer une dépense en charges** to charge (off) an expense **e** **cahier des charges** *[construction, fabrication]* specifications, requirements *(US)* ; *(Mktg)* (marketing) brief; *[contrat]* terms of reference, conditions; *[vente publique]* particulars of sale **f** *(Jur = accusation)* charge ▪ Voir encadré ci-dessous

**chargé, e** /ʃaʀʒe/ **ADJ** **a** *programme* heavy, busy, full **b** *envoi postal* registered **c** **être chargé de** to be in charge of, be responsible for **NM** **a** *(Mar)* shipment, cargo **b** **chargé d'affaires** chargé d'affaires ✦ **chargé de budget** account manager ✦ **chargé de clientèle** customer services representative ✦ **chargé d'études média** media planner ✦ **chargé de mission** official representative ✦ **chargé de signature** *middle manager empowered to sign documents in a bank etc.*

**chargement** /ʃaʀʒəmɑ̃/ **NM** **a** *(= fait de charger)* loading ✦ **chargement de sécurité** loading for contingencies ✦ **chargement en vrac** bulk loading ✦ **aire** *ou* **baie** *ou* **quai de chargement** *(= entrepôt)* loading bay; *(Mar)* loading dock ✦ **délai de chargement** loading time ✦ **espace / frais / gabarit / coefficient de chargement** loading space / charges / gauge / factor ✦ **note de chargement** shipping note **b** *(= fret) [camion]* load; *[bateau]* cargo, freight, load ✦ **chargement complet** full load ✦ **chargement**

*compounds/composés*

---

### CHARGE

**a** *(= poids)*
- ✦ **charge admise** load limit
- ✦ **charge commerciale** useful pay load
- ✦ **charge complète** full load
- ✦ **charge constante** constant load
- ✦ **charge par essieu** axle load
- ✦ **charge incomplète** less than full load
- ✦ **charge limite** limit load
- ✦ **charge maximale** maximum load
- ✦ **charge normale** normal load
- ✦ **charge de rupture** breaking load
- ✦ **charge de travail** work load
- ✦ **charge unitaire** unit load
- ✦ **charge utile** carrying capacity, payload ✦ **charge utile autorisée** permitted payload
- ✦ **charge en vol** flight load

**b** *(= coût)*
- ✦ **charges budgétaires** budgetary charges
- ✦ **charges comptabilisées** *ou* **constatées d'avance** deferred charges
- ✦ **charges d'une dette** debt service *ou* servicing
- ✦ **charges directes** direct costs

- ✦ **charges d'emprunt** cost of borrowing
- ✦ **charges exceptionnelles** extraordinary charges
- ✦ **charges d'exploitation** working *ou* operating expenses
- ✦ **charges de famille** dependents
- ✦ **charges financières** financial *ou* interest charges
- ✦ **charges fiscales** taxes, taxation
- ✦ **charges fixes** fixed costs, standing charges
- ✦ **charges incorporables** direct costs
- ✦ **charges indirectes** indirect costs
- ✦ **charges locatives** rental expenses, maintenance *ou* service charges
- ✦ **charges payées d'avance** prepaid expenses
- ✦ **charges de personnel** payroll costs *ou* expenses
- ✦ **charges salariales** wage costs, labour charges
- ✦ **charges sectorielles** segment expenses
- ✦ **charges sociales** social (security) contribution, welfare costs *ou* contributions, payroll taxes
- ✦ **charges de structure** committed costs
- ✦ **charges supplétives** imputed costs.

réglementaire / de retour regulation / back load ◆ **chargement en cueillette** general cargo ◆ **chargement en pontée** deck cargo, deckload ◆ **chargement en vrac** bulk cargo **c** *[envoi postal]* registration **d** *(Ass = droit d'entrée)* fee ◆ **le taux de chargement est de 4%** fees amount to 4% ◆ **assurance-vie avec chargement à l'entrée** front-loaded life insurance policy.

**charger** /ʃaʀʒe/ **VT** marchandises, véhicule to load ◆ **navire qui charge pour Sydney** ship taking in freight for Sydney ◆ **charger qn de q ch** to put sb in charge of sth ◆ **on l'a chargé de ce travail** he has been assigned this work *ou* made responsible for this work

**se charger** **VPR** se charger d'un travail to take care *ou* charge of *ou* responsibility for a job ◆ **je m'en charge** I'll see to it, I'll take care of that.

**chargeur** /ʃaʀʒœʀ/ **NM** **a** *(Mar)* shipper, shipping agent **b** *(Tech)* cartridge.

**chariot** /ʃaʀjo/ **NM** *[magasin]* trolley *(Brit)*, cart *(US)* ◆ **chariot élévateur** fork-lift truck.

**charte** /ʃaʀt(ə)/ **NF** charter ◆ **compagnie à charte** chartered company ◆ **charte du consommateur** consumer's charter ◆ **charte déontologique** charter of ethics.

**charte-partie** /ʃaʀtpaʀti/ **NF** *(Mar)* charter party ◆ **charte-partie en coque nue** demise charter ◆ **charte-partie à terme** time charter pary ◆ **charte-partie au voyage** voyage charter party.

**charter** /tʃaʀtœʀ, ʃaʀtɛʀ/ **NM** *(= avion)* chartered plane; *(= vol)* charter flight.

**chartisme** /ʃaʀtism/ **NM** chartism.

**chartiste** /ʃaʀtist/ **NMF** chartist.

**chasser** /ʃase/ **VT** *(Bourse)* ◆ **chasser le découvert** to squeeze the bears, raid the shorts.

**chasseur** /ʃasœʀ/ **NM** ◆ **chasseur de têtes** headhunter ◆ **il a été recruté par un chasseur de têtes** he was headhunted.

**chauffeur** /ʃofœʀ/ **NM** driver ◆ **voiture avec chauffeur** chauffeur-driven car ◆ **voiture sans chauffeur** self-drive *ou* U-drive-it *(US)* car ◆ **chauffeur de camion** lorry *(Brit)* ou truck *(US)* driver ◆ **chauffeur-livreur** delivery man.

**chef** /ʃɛf/ **NMF** **a** *(= dirigeant)* head, chief, boss ◆ **mon chef** my boss ◆ **c'est elle la chef** she's the boss ◆ **votre chef hiérarchique** your superior, your line manager ◆ **ingénieur en chef** chief engineer ◆ **elle est chef du rayon scolaire** she's head *ou* manager of the schoolbook

*compounds/composés*

**CHEF**

◆ **chef des achats** head *ou* chief buyer, purchasing manager
◆ **chef d'atelier** foreman, supervisor *(US)*, overseer *(US)*
◆ **chef de bureau** head clerk, staffman
◆ **chef caissier** head cashier
◆ **chef de chantier** works *ou* site foreman *ou* supervisor *(US)*
◆ **chef comptable** head *ou* chief accountant, chief accounting officer
◆ **chef des crédits** credit manager
◆ **chef de département** departmental head, divisional officer
◆ **chef direct** immediate superior
◆ **chef d'entreprise** company manager; *(= propriétaire)* company director ◆ **les chefs d'entreprise sont en colère** company bosses *ou* heads are angry
◆ **chef d'équipe** foreman, supervisor *(US)*, overseer *(US)*
◆ **chef d'exploitation** works manager
◆ **chef de fabrication** production manager, manufacturing director, plant superintendent *(US)*
◆ **chef de famille** *(gén)* head of family *ou* household; *(Admin)* householder
◆ **chef de file** leader, dominant firm ◆ **banque chef de file** lead bank
◆ **chef de groupe** team leader; *(Ind)* division manager; *(Pub)* account director

◆ **chef hiérarchique** superior
◆ **chef de magasin** store manager
◆ **chef magasinier** warehouse supervisor
◆ **chef de marché** market manager
◆ **chef de marque** brand manager
◆ **chef du personnel** personnel *ou* staff manager
◆ **chef de produit** product manager
◆ **chef de projet** project manager *ou* head ◆ **être chef de projet** to head a project, be in charge of a project
◆ **chef de publicité** *(dans l'entreprise)* advertising manager *ou* director; *(dans une agence)* account executive; *(Presse)* advertising sales manager
◆ **chef de rayon** departmental supervisor *ou* manager *ou* head
◆ **chef de réception** front office manager
◆ **chef de rédaction** copy chief
◆ **chef de secteur** area manager
◆ **chef de section** section *ou* departmental head *ou* manager
◆ **chef de service** department(al) manager *ou* head ◆ **chef du service commercial** sales manager *ou* executive
◆ **chef des services financiers** financial director *ou* officer
◆ **chef des ventes** sales manager, merchandizing manager *(US)* ◆ **chef des ventes d'un secteur** area sales manager *ou* director *ou* executive.

department **b** *(Jur)* ✦ **chef d'accusation** count (of indictment), particulars of charge

**chemin** /ʃ(ə)mɛ̃/ **NM** path, way ✦ **méthode du chemin critique** critical path method ✦ **le chemin de la réussite** the road to success ✦ **il y a encore du chemin à faire avant de les rattraper** there's still a long way to go before we catch up with them ✦ **de nombreux obstacles nous attendent en chemin** a lot of obstacles are lying ahead ✦ **cette société a fait du chemin** this company has come a long way *ou* has made considerable headway ✦ **nos fournisseurs devront faire la moitié du chemin** our suppliers will have to go halfway ✦ **ces modèles prendront le chemin de l'étranger** these models are intended for export.

**chemin de fer** /ʃ(ə)mɛ̃dfɛʀ/ **NM** railway *(Brit)*, railroad *(US)*.

**cheminot** /ʃ(ə)mino/ **NM** railwayman *(Brit)*, railroad worker *(US)* ✦ **grève des cheminots** rail strike.

**chemise** /ʃ(ə)miz/ **NF** *[dossier]* folder ✦ **perdre sa chemise** (= être ruiné) to lose one's shirt.

**cheptel** /ʃɛptɛl/ **NM** livestock ✦ **cheptel mort** farm implements ✦ **cheptel vif** livestock.

**chèque** /ʃɛk/ **NM** **a** *(Fin)* cheque *(Brit)*, check *(US)* ✦ **formule / numéro de chèque** cheque form / number ✦ **carnet de chèques** chequebook *(Brit)*, checkbook *(US)* ✦ **compte (de) chèques** current *ou* cheque account, checking account *(US)* ✦ **talon de chèque** cheque counterfoil *ou* stub ✦ **trieuse de chèques** cheque sorter ✦ **donner un chèque à l'encaissement** to pay in a cheque ✦ **endosser un chèque** to endorse a cheque ✦ **établir** *ou* **faire** *ou* **libeller** *ou* **rédiger un chèque à l'ordre de...** to make out a cheque

to... ✦ **faire opposition à un chèque** to stop a cheque ✦ **tirer un chèque sur** to draw a cheque on ✦ **toucher** *ou* **encaisser un chèque** to cash a cheque ✦ **verser un chèque à son compte** to pay a cheque into one's account, deposit a cheque in one's account ✦ **faire opposition à un chèque** to stop a cheque ✦ **régler par chèque** to pay by cheque ✦ **chèque de 500 livres** cheque for £500 *(Brit)* *ou* in the amount of £500 *(US)* ✦ **chèque mis en recouvrement** cheque sent for collection ✦ **le paiement par chèque n'est pas accepté** payment by cheque is not allowed, personal cheques are not accepted for payment **b** (= bon) voucher ✦ **chèque-cadeau** gift voucher *ou* token ✦ **chèque dividende** *(Fin)* dividend warrant ✦ **chèque-essence** petrol *(Brit)* *ou* gasoline *(US)* coupon ✦ **chèque-repas** *ou* **restaurant** luncheon voucher ▪ Voir encadré ci-dessous

**chéquier** /ʃekje/ **NM** chequebook *(Brit)*, checkbook *(US)*.

**cher, chère** /ʃɛʀ/ **ADJ** expensive, costly, dear *(Brit)* ✦ **c'est moins cher** it's cheaper, it's less expensive ✦ **articles peu chers** *ou* **pas chers** cheap *ou* inexpensive *ou* reasonably priced items ✦ **c'est trop cher** it's too expensive, it's overpriced ✦ **la vie est très chère ici** the cost of living is high here ✦ **indemnité de vie chère** cost-of-living bonus *ou* allowance ✦ **c'est trop cher pour nous** it's too expensive for us, we can't afford it ✦ **nous sommes moins chers que tous nos concurrents** we are cheaper than all our competitors ✦ **l'argent cher a découragé les emprunteurs** dear money has discouraged borrowers

**ADV** **se vendre cher** to fetch a high price ✦ **cela ne vaut pas cher** it's not expensive, it's not worth much ✦ **ce commerçant vend trop cher**

━━━ *compounds/composés* ━━━

CHEQUE

✦ **chèque bancaire** cheque
✦ **chèque de banque** bank *ou* banker's cheque, bank *ou* banker's draft
✦ **chèque barré** crossed cheque
✦ **chèque en blanc** blank cheque
✦ **chèque en bois** dud cheque, rubber cheque
✦ **chèque-cadeau** gift cheque *ou* token *ou* voucher
✦ **chèque de caisse** counter cheque
✦ **chèque certifié** certified cheque
✦ **chèque compensé** cleared cheque
✦ **chèque de dépannage** loose cheque
✦ **chèque endossable** endorsable cheque
✦ **chèque hors place** out-of-town *ou* country cheque
✦ **chèque non barré** open cheque

✦ **chèque à ordre** cheque to order
✦ **chèque périmé** stale cheque
✦ **chèque au porteur** bearer cheque, cheque to bearer
✦ **chèque postal** post office cheque
✦ **chèques postaux** post office banking system
✦ **chèque postdaté** *(Admin)* post-dated cheque
✦ **chèque refusé** returned *ou* bounced cheque
✦ **chèque-restaurant** luncheon voucher
✦ **chèque sans provision** bad cheque, cheque without funds, NSF cheque
✦ **chèque sur place** town cheque
✦ **chèque de virement** transfer cheque
✦ **chèque visé** certified cheque
✦ **chèque de voyage** traveller's cheque *(Brit)*, traveler's check *(US)*.

this shopkeeper is too expensive *ou* charges too much, this shop's prices are too high ◆ **nous vendons moins cher que nos concurrents** we undersell our competitors, we are cheaper than our competitors ◆ **il prend très cher** he charges very high rates ◆ **cet oubli nous a coûté cher** this oversight cost us dear, we paid heavily for this oversight.

**chercher** /ʃɛʀʃe/ **VT** to search *ou* look for ◆ **chercher un emploi** to look for a job ◆ **veuillez faire chercher la marchandise** kindly send for the consignment.

**chercheur** /ʃɛʀʃœʀ/ **NM** research worker, researcher ◆ **chercheur d'emploi** job seeker, unemployed person.

**cherté** /ʃɛʀte/ **NF** *[bien]* high price ◆ **la cherté de la vie** the high cost of living.

**cheval** /ʃ(ə)val/ **NM** ◆ **être à cheval** *(Bourse)* to straddle ◆ **spéculation** *ou* **opération à cheval** *(Bourse)* straddle ◆ **à cheval sur 2 mois** overlapping *ou* straddling 2 months.

**chevalier** /ʃ(ə)valje/ **NM** ◆ **chevalier blanc / gris / noir** white / grey / black knight ◆ **chevalier d'industrie** crook, con man*.

**chevauchement** /ʃ(ə)voʃmã/ **NM** overlapping, overlap ◆ **il y a un chevauchement entre cette écriture et la précédente** this entry overlaps the former one.

**chevaucher (se)** /ʃ(ə)voʃe/ **VPR** to overlap ◆ **leurs fonctions se chevauchent** their duties overlap.

**cheville** /ʃ(ə)vij/ **NF** ◆ **être en cheville avec qn** to play ball *ou* cooperate with sb ◆ **c'était lui la cheville ouvrière de l'organisation** he was the mainstay *ou* the kingpin *ou* the keyman of the organization.

**chevronné, e** /ʃəvʀɔne/ **ADJ** experienced, practised, seasoned.

**chicanerie** /ʃikanʀi/ **NF** ◆ **chicaneries administratives** petty regulations *ou* annoyances of officialdom.

**chiffrable** /ʃifʀabl(ə)/ **ADJ** calculable ◆ **les dommages ne sont pas chiffrables** the damage can't be assessed, you can't put a figure to the damage.

**chiffrage** /ʃifʀaʒ/ **NM** *[dommages]* assessment; *[projet, travaux]* costing.

**chiffre** /ʃifʀ(ə)/ **NM** *(gén)* figure; *(= nombre, numéro)* number; *(= somme)* total, sum ◆ **inflation à deux chiffres** two *ou* double-figure inflation, double-digit inflation ◆ **les chiffres du chômage** unemployment figures, the number of unemployed ◆ **en chiffres ronds** in

round figures ◆ **chiffre approximatif** approximate *ou* ball park figure* ◆ **chiffre global** total *ou* overall amount ◆ **touche de chiffre** *(sur clavier)* digit key ◆ **faire du chiffre** *(Comm)* to do a lot of business ◆ **faire son chiffre** *[VRP]* to hit one's target

─── *compounds/composés* ───

◆ **chiffre (d'affaires)** turnover *(Brit)*, sales *(US)*, sales figures *ou* results ◆ **chiffre (d'affaires) net / brut** net / gross turnover *ou* sales ◆ **notre chiffre d'affaires a été de 100 000 livres l'année dernière** our turnover was *ou* our sales were £100,000 last year ◆ **l'entreprise réalise un chiffre (d'affaires) de 50 000 euros par semaine** the firm turns over 50,000 euros a week ◆ **impôt sur le chiffre d'affaires** sales tax, turnover tax ◆ **chiffre d'affaires à l'exportation** export sales ◆ **chiffre d'affaires hors taxes** turnover *ou* sales exclusive of tax.

**chiffrement** /ʃifʀəmã/ **NM** ◆ **clé de chiffrement** encryption key.

**chiffrer** /ʃifʀe/ **VT** *dommages* to assess; *projet, travaux* to cost ◆ **c'est difficile à chiffrer** it's difficult to put a figure to it ◆ **le coût de l'opération reste à chiffrer** the cost of the operation has yet to be worked out ◆ **données chiffrées** hard figures

**se chiffrer** **VPR** **se chiffrer à** to amount to, add up to, come to ◆ **des transactions qui se chiffrent à plusieurs millions d'euros** operations amounting to several million euros ◆ **à combien cela se chiffre-t-il?** how much does that add up to?, how much does it work out at? ◆ **la dette de ce pays se chiffre à 8 milliards de dollars** this country's debt amounts to *ou* works out at $8 billion.

**Chili** /ʃili/ **NM** Chile.

**chilien, -ienne** /ʃiljɛ̃, jɛn/ **ADJ** Chilean
**Chilien** **NM** *(= habitant)* Chilean
**Chilienne** **NF** *(= habitante)* Chilean.

**Chine** /ʃin/ **NF** China.

**chinois, e** /ʃinwa, waz/ **ADJ** Chinese
**NM** *(= langue)* Chinese
**Chinois** **NM** *(= habitant)* Chinese
**Chinoise** **NF** *(= habitante)* Chinese.

**Chisinau** /ʃizino/ **N** Kishinev, Chisinau.

**chirographaire** /kiʀɔgʀafɛʀ/ **ADJ** unsecured ◆ **créance chirographaire** unsecured debt ◆ **créancier chirographaire** unsecured creditor ◆ **obligation chirographaire** simple *ou* naked debenture.

**choc** /ʃɔk/ **NM** shock ◆ **choc pétrolier** oil shock ◆ **patron de choc** high-powered boss ◆ **prix choc** *(sur une vitrine)* drastic reduction *ou* cut, prices slashed.

**choisir** /ʃwaziʀ/ **vt** to choose, select.

**choix** /ʃwa/ **NM** **a** (= *gamme*) choice, selection ◆ **ce magasin a un très large choix de chemises** this shop offers a wide *ou* extensive selection *ou* range of shirts ◆ **choix exhaustif** comprehensive range **b** (= *qualité*) ◆ **de choix** choice, selected ◆ **article de choix** choice article ◆ **produit de tout premier choix** top quality *ou* first class *ou* top grade product ◆ **articles de second choix** seconds ◆ **c'est du second** *ou* **deuxième choix** it's a grade two product **c** (= *préférence*) choice, preference; (= *sélection*) selection ◆ **être promu au choix** to be promoted by selection ◆ **au choix du contribuable** at the choice *ou* option of the taxpayer.

**chômage** /ʃomaʒ/ **NM** unemployment ◆ **être au chômage** *ou* **en chômage** to be unemployed *ou* out of work *ou* out of a job ◆ **s'inscrire au chômage** to go on the dole, apply for unemployment benefit, go on relief *(US)* ◆ **mettre qn au** *ou* **en chômage** to put sb out of a job, lay sb off, make sb redundant ◆ **200 ouvriers ont été mis en chômage** 200 workers have been made redundant *ou* have been laid off, there have been 200 redundancies *ou* layoffs ◆ **être en chômage temporaire** to be temporarily out of work ◆ **être mis en chômage pour raisons économiques** to be made redundant ◆ **être mis en** *ou* **au chômage technique** to be laid off *ou* stood off ◆ **avoir droit aux prestations chômage** to be entitled to unemployment benefits ◆ **chômage conjoncturel** *ou* **cyclique** cyclical unemployment ◆ **chômage déguisé** disguised *ou* hidden unemployment ◆ **chômage frictionnel / saisonnier / résiduel** frictional / seasonal / residual unemployment ◆ **chômage des jeunes** youth unemployment ◆ **chômage partiel** short-time working ◆ **mettre qn en** *ou* **au chômage partiel** to put sb on short time ◆ **être en chômage partiel** to work short time ◆ **mettre en chômage technique** to lay off temporarily ◆ **le nombre de personnes en chômage technique** the number of lay-offs ◆ **chômage structurel** structural unemployment ◆ **allocation (de) chômage, indemnité de chômage** unemployment benefit ◆ **caisse de chômage** unemployment fund ◆ **lutte contre le chômage** fight against unemployment ◆ **statistiques** *ou* **chiffres du chômage** unemployment *ou* jobless figures ◆ **taux de chômage** unemployment *ou* jobless rate.

**chômé, e** /ʃome/ **ADJ** ◆ **fête chomée, jour chômé** public holiday.

**chômer** /ʃome/ **vi** [*personne*] to be out of work, be out of a job, be unemployed; [*installations*] to lie idle ◆ **les usines chôment** the plants are lying idle *ou* are at a standstill ◆ **laisser chômer son capital** to let one's money lie idle.

**chômeur, -euse** /ʃomœʀ, øz/ **NM,F** unemployed *ou* jobless person ◆ **le nombre des chômeurs** the number of unemployed, the number of those out of work ◆ **les chômeurs** the unemployed *ou* jobless ◆ **les chômeurs en fin de droit** unemployed workers no longer eligible for compensation ◆ **chômeurs indemnisés** unemployed on the dole *ou* drawing a contribution ◆ **chômeurs de longue durée** long-term unemployed ◆ **chômeurs recensés** registered unemployed.

**chronique** /kʀɔnik/ **ADJ** chômage, crise chronic ◆ **NF** (*Presse*) column, page ◆ **chronique boursière** stock exchange news *ou* column ◆ **chronique économique / financière** business / financial news *ou* column.

**chroniqueur** /kʀɔnikœʀ/ **NM** (*Presse*) columnist ◆ **chroniqueur financier** financial editor.

**chronologique** /kʀɔnɔlɔʒik/ **ADJ** chronological ◆ **série chronologique** time series.

**chute** /ʃyt/ **NF** fall, drop (*de* in) ◆ **chute des cours** fall in prices ◆ **chute verticale** *ou* **brutale** collapse, plummeting, freefall, sharp drop ◆ **la Bourse est en chute libre** the stock market is collapsing *ou* plummeting, the stock market is taking a nose dive.

**chuter** /ʃyte/ **vi** [*prix*] to fall, drop ◆ **l'indice Dow Jones a chuté de 12 points en clôture** the Dow Jones fell 12 points at the close.

**Chypre** /ʃipʀ(ə)/ **N** Cyprus.

**chypriote** /ʃipʀiɔt/ **ADJ, NMF** → **cypriote**.

**CI** **a** abrév de **certificat d'importation** → **certificat** **b** abrév de **certificat d'investissement** → **certificat**.

**ci-** /si/ **ADV** ◆ **ci-après** (*gén*) below; (*Jur*) hereinafter ◆ **ci-contre** pposite ◆ **porté ci-contre** (*Compta*) as per contra ◆ **ci-dessus** above ◆ **comme ci-dessus** as above ◆ **ci-inclus** herewith ◆ **veuillez trouver ci-inclus une copie du contrat** please find herewith *ou* enclosed a copy of the contract ◆ **ci-joint** attached, annexed, appended, herewith ◆ **vous trouverez ci-joint un reçu en duplicata** please find attached *ou* enclosed a duplicate receipt ◆ **les documents ci-joints** the attached *ou* appended *ou* enclosed documents.

**cial** abrév de **commercial**.

**ciblage** /siblaʒ/ **NM** targeting, target selection ◆ **ciblage des prix** target pricing.

**cible** /sibl(ə)/ **NF** target, objective ◆ **cibles straté-giques** strategic targets *ou* objectives ◆ **cible visée** intended target ◆ **acheteur cible** target buyer ◆ **clientèle cible** target customers ◆ **date cible** target date ◆ **détermination de la cible** target setting ◆ **entreprise cible d'une OPA** target company ◆ **groupe cible** target group ◆ **marché cible** target market ◆ **population cible** target group *ou* audience ◆ **prix cible** *(UE)* target price ◆ **public cible** target audience *ou* public ◆ **notre cible ce sont les jeunes de moins de 20 ans** our target is young people under 20.

**cibler** /sible/ **VT** to target ◆ **cibler une campagne sur un groupe** to target a campaign at a group ◆ **cibler une campagne sur un secteur** to zone a campaign ◆ **émission ciblée** targeted broadcast *ou* show ◆ **notre publicité est ciblée sur le marché des jeunes** our advertising is geared to *ou* targeted at the youth market ◆ **objectifs ciblés sur le marché** market-oriented objectives ◆ **objectifs ciblés sur le produit** product-oriented objectives.

**CIDEX** /sideks/ **NM** (abrév de **courrier individuel à distribution exceptionnelle**) *special post office sorting services for individual clients.*

**Cie** (abrév de **compagnie**) Co.

**cinq** /sɛ̃k/ **ADJ, NM** five → **six.**

**cinquantaine** /sɛ̃kɑ̃tɛn/ **NF** (= *cinquante*) fifty; (*environ*) about fifty, fifty or so → **soixantaine.**

**cinquante** /sɛ̃kɑ̃t/ **ADJ, NM** fifty → **soixante.**

**cinquantième** /sɛ̃kɑ̃tjɛm/ **ADJ, NMF** fiftieth → **sixième.**

**cinquantièmement** /sɛ̃kɑ̃tjɛmmɑ̃/ **ADV** in the fiftieth place.

**cinquième** /sɛ̃kjɛm/ **ADJ, NMF** fifth → **sixième.**

**cinquièmement** /sɛ̃kjɛmmɑ̃/ **ADV** in the fifth place.

**CIP** /seipe/ **NM** abrév de **certificat d'investissement prioritaire** → **certificat.**

**circonstance** /siʁkɔ̃stɑ̃s/ **NF** circumstance ◆ **dans les circonstances présentes** in the present circumstances ◆ **tenir compte** *ou* **faire la part des circonstances** to take the circumstances into account ◆ **circonstances indépendantes de notre volonté** circumstances beyond our control ◆ **circonstances atténuantes** *(Jur)* extenuating *ou* mitigating circumstances.

**circonstancié, e** /siʁkɔ̃stɑ̃sje/ **ADJ** *exposé* detailed.

**circuit** /siʁkɥi/ **NM** **a** (= *réseau*) channel, network ◆ **circuit administratif / financier / direct** administrative / financial / direct channel ◆ **circuit commercial** marketing *ou* trade network ◆ **circuit court / long** short / long channel ◆ **circuit de détail** retail chain ◆ **circuit de distribution** distribution *ou* trade channel ◆ **circuits de distribution de masse, circuit grand public** mass channels ◆ **circuit de fabrication** production routing **b** *(Écon)* (cycle) circulation ◆ **le circuit économique** economic circulation ◆ **retirer du circuit** to take out of *ou* withdraw from circulation **c** *(Inf)* ◆ **circuit fermé / imprimé / intégré** closed / printed / integrated circuit.

**circulaire** /siʁkylɛʁ/ **ADJ** **lettre de crédit circulaire** circular letter of credit
**NF** circular.

**circulant, e** /siʁkylɑ̃, ɑ̃t/ **ADJ** circulating ◆ **actif circulant** circulating *ou* current *ou* floating assets ◆ **capitaux circulants** circulating *ou* floating capital.

**circulation** /siʁkylasjɔ̃/ **NF** *(gén)* circulation; *(Pub, Mktg)* traffic, circulation ◆ **audit de la circulation** *(Mktg)* traffic audit ◆ **comptage de la circulation** *(Mktg)* traffic counts ◆ **la libre circulation des personnes et des biens dans les pays de l'UE** the free circulation *ou* flow of people and goods within the EU countries ◆ **libre circulation des marchandises** free movement of goods ◆ **libre circulation des capitaux** free circulation of capital ◆ **retirer de la circulation** to withdraw from circulation ◆ **mettre en circulation** *argent* to issue ◆ **l'argent en circulation** the money in circulation

─────────── *compounds/composés* ───────────
◆ **circulation fiduciaire** fiduciary circulation
◆ **circulation financière** credit circulation
◆ **circulation de l'information** circulation of news, news dissemination
◆ **circulation monétaire** money *ou* currency circulation
◆ **circulation réelle** *(Pub)* effective circulation
◆ **circulation totale** *(Mktg)* gross circulation, passers-by count.

**circuler** /siʁkyle/ **VI** to circulate.

**citation** /sitasjɔ̃/ **NF** *(Jur)* summons ◆ **citation à comparaître** *(à accusé)* summons (to appear); *(à témoin)* subpoena ◆ **notifier une citation** to serve a summons *ou* a writ *(à qn* on sb*)*.

**citer** /site/ **VI** ◆ **citer (à comparaître)** *accusé* to summon (to appear); *témoin* to subpoena.

**citoyen, -yenne** /sitwajɛ̃, jɛn/ **ADJ** *entreprise, personne* socially aware
**NM,F** citizen.

**citoyenneté** /sitwajɛnte/ **NF** citizenship.

**City** /siti/ **NF** ◆ **la City** the City.

**civil, e** /sivil/ **ADJ** civil ◆ **poursuivre qn au civil** to take civil action against sb, sue sb in the civil courts ◆ **état civil** civil status ◆ **personne civile** legal entity ◆ **société civile immobilière** real property company ◆ **responsabilité civile** (civil ou legal ou third party) liability ◆ **assurance responsabilité civile** third party insurance, (public) liability insurance.

**civilement** /sivilmɑ̃/ **ADV** ◆ **poursuivre qn civilement** to take civil action against sb, sue sb in the civil courts ◆ **être civilement responsable de qch** to be legally responsible ou liable for sth, have civil liability for sth.

**clandestin, e** /klɑ̃dɛstɛ̃, in/ **ADJ** activité clandestine ◆ **publicité clandestine** illicit ou hidden advertising ◆ **travailleur clandestin** unregistered worker.

**classe** /klɑs/ **NF** class ◆ **classe sociale** social class ◆ **classe d'âge** age bracket ou group ◆ **de première / deuxième classe** hôtel, billet de train first / second class; fonctionnaire first / second grade ◆ **voyager en première classe / en classe affaires / en classe touriste** (Aviat) to travel first class / business class / economy class.

**classement** /klɑsmɑ̃/ **NM** **a** (= attribution d'un rang) ranking, grading, rating; (= rang, place) rank ◆ **classement des emplois** (Ind) labour grading ◆ **le produit a bénéficié d'un bon classement dans les tests auprès des consommateurs** the product achieved a high rating in consumer tests ◆ **ils sont premiers dans le classement des petites entreprises innovatrices** they are first in the ranking of innovative small companies ◆ **cette entreprise bénéficie d'un bon classement dans le domaine de l'exportation** this firm ranks high for exports **b** (= clôture) [dossier] closing **c** (Compta) filing ◆ **classement horizontal / vertical** flat ou horizontal / vertical filing ◆ **classement par fiches** card indexing ◆ **classement matières** subject filing ◆ **classement numérique** numerical filing ◆ **classement par ordre alphabétique** alphabetical filing ◆ **méthode de classement** filing system.

**classer** /klɑse/ **VT** **a** (= ordonner) documents to file (away) ◆ **classer par ordre chronologique** to file in order of date ou in chronological order ◆ **à classer** (sur document) please file **b** (= terminer) dossier to close ◆ **classer une affaire** to close the file on a question ◆ **dossier des affaires classées** dead file ◆ **le projet a été classé sans suite** the project was shelved with

no further action **c** (Bourse) to place ◆ **valeur bien classée** well-placed security, sound investment stock **d** (= donner un rang) to rate, grade ◆ **classer dans une catégorie supérieure / inférieure** to grade up / down, upgrade / downgrade ◆ **marchandises classées par catégorie** graded goods ◆ **classer qch en première / deuxième position** to rate sth first / second ◆ **ce produit a été classé en deuxième position par les consommateurs** this product was ranked second by consumers ◆ **ce produit a été mal classé dans les tests auprès des consommateurs** this product achieved a low ou poor rating in consumer tests

**se classer** **VPR** to rank (parmi among) ◆ **cette entreprise se classe parmi les meilleures** this firm ranks among the best ◆ **cela doit se classer sous la rubrique "provision"** that comes under the heading « provision ».

**classeur** /klɑsœR/ **NM** **a** (= dossier) file ◆ **classeur à fiches** card-index file ◆ **classeur des entrées et des sorties** (Admin) tally file ◆ **classeur principal** master file ◆ **fiche de classeur** file card **b** (= meuble) filing ou file (US) cabinet ◆ **tiroir classeur** filing drawer.

**classification** /klasifikasjɔ̃/ **NF** [marchandises, emplois] classification ◆ **classification socio-professionnelle** social grading.

**classifier** /klasifje/ **VT** to classify.

**clause** /kloz/ **NF** clause, provision ◆ **les clauses du traité de Rome** the provisions of the Treaty of Rome ◆ **sauf clause contraire** unless otherwise provided ou stated ◆ **il n'y a pas de clause contraire** there is no provision to the contrary
■ Voir encadré page suivante

**clausé, e** /kloze/ **ADJ** ◆ **connaissement clausé** foul ou unclean ou claused bill of lading ◆ **connaissement non clausé** clean bill of lading.

**clavier** /klavje/ **NM** keyboard ◆ **clavier numérique** digital keyboard ou keypad.

**claviste** /klavist(ə)/ **NMF** keyboard operator.

**clé** /kle/ **NF** key ◆ **clé d'identification** identification code ◆ **clé de chiffrement** encryption key ◆ **prix clés en main** [véhicule] on-the-road price (Brit), sticker price (US) ; [logement] price with immediate occupation ◆ **usine clés en main** turnkey factory, factory on turnkey contract ◆ **mettre la clé sous la porte** to shut up shop
**ADJ** **industrie / poste / produit clé** key industry / job / product.

————— *compounds/composés* —————

**CLAUSE**

- **clause d'abandon** waiver clause
- **clause abrogatoire** rescinding *ou* cancellation clause
- **clause abusive** unfair clause
- **clause additionnelle** additional clause, rider
- **clause d'agrément** assent clause
- **clause annexe** supplementary clause
- **clause arbitrale** *ou* **d'arbitrage** arbitration clause
- **clause avarie particulière** (Ass Mar) particular average clause
- **clause de compétence** competence clause
- **clause compromissoire** arbitration clause
- **clause conditionnelle** proviso
- **clause de conscience** conscience clause
- **clause conventionnelle** agreement *ou* contract clause
- **clause corrective** qualifying clause
- **clause de déchéance** forfeiture clause
- **clause "à dire d'expert"** arbitration clause
- **clause échappatoire** escape clause
- **clause d'échelle mobile** sliding scale clause, escalator clause
- **clause d'exclusivité** competition clause, exclusivity stipulation
- **clause franc d'avarie commune** (Ass Mar) free of general average clause
- **clause de franchise** (Ass) deductible clause
- **clause de garantie** warranty *ou* guarantee clause
- **clause d'indexation** sliding scale clause, escalator clause
- **clause de juridiction** competence clause
- **clause de magasin à magasin** warehouse to warehouse clause
- **clause de la nation la plus favorisée** most favoured nation clause
- **clause de non-concurrence** non-competition clause
- **clause non financière** non-monetary clause
- **clause pénale** penalty clause
- **clause de pénétration** penetration clause
- **clause de premier refus** first refusal clause
- **clause (de) recours et conservation** suing and labouring clause
- **clause de renoncement** waiver clause
- **clause de renonciation** contracting-out clause
- **clause de résiliation** escape *ou* termination clause
- **clause résolutoire** cancellation *ou* resolutive *ou* defeasance *ou* avoidance clause
- **clause restrictive** restrictive clause, proviso
- **clause de sauvegarde** saving *ou* safeguard *ou* hedge clause
- **clause suivant avis** clause « as per advice »
- **clause supplémentaire** rider
- **clause d'usage** customary clause
- **clause valeur agréée** (Ass Mar) agreed valuation clause.

**clearing** /kliRiŋ/ NM clearing ◆ **accord de clearing** clearing agreement ◆ **clearing des changes** foreign currency clearing.

**clef** /kle/ NF → **clé**.

**clerc** /klɛR/ NM clerk ◆ **clerc de notaire** lawyer's clerk ◆ **premier clerc** chief clerk.

**clic** /klik/ NM (Inf) click ◆ **d'un simple clic** just by clicking.

**client, e** /klijã, ãt/ NM,F [commerce] customer; [hôtel] guest, patron; [agence de publicité] account; [avocat] client; (Inf) client ◆ **client attitré** *ou* **régulier** regular customer ◆ **clients de passage** (gén) casual *ou* passing customers; [hôtel] transient *ou* casual guests ◆ **client potentiel** potential customer ◆ **l'Italie est un de nos gros clients** Italy is one of our big trading customers ◆ **compte-clients** client ledger ◆ **fichier client** customer file ◆ **fidélité du client** customer loyalty ◆ **service client** customer service ◆ **Atkins est un de leurs clients** (Pub) Atkins is one of their clients, they have the Atkins account ◆ **accorder qch à la tête du client** to grant sth arbitrarily ◆ **client/serveur** (Inf) client/server.

**clientèle** /klijãtɛl/ NF [commerce] clientele, customers; [grande entreprise] customer base; [avocat] practice ◆ **accorder sa clientèle à** to patronize ◆ **attirer la clientèle** to attract custom ◆ **avoir une grosse clientèle** [magasin] to have a large clientele *ou* a lot of customers; [profession libérale] to have a large practice; [représentant] to have a very large client group *ou* clientele ◆ **constituer une clientèle** to build up a connection ◆ **visiter la clientèle** to pay a call on one's customers ◆ **ils ont une clientèle prestigieuse** (Pub) they have some prestigious accounts ◆ **clientèle-cible** target customers *ou* group ◆ **clientèle finale** final customers ◆ **clientèle de passage** casual *ou* passing customers, passing trade ◆ **clientèle utile** actual prospects ◆ **service à la clientèle** customer service ◆ **chargé de clientèle** customer services representative.

**clignotant** /kliɲɔtã/ NM (Écon) warning indicator *ou* light ◆ **les clignotants sont au rouge** *ou* **allumés** the danger signals are flashing.

**climat** /klima/ NM climate ◆ **climat de confiance** atmosphere *ou* climate of confidence ◆ **climat social** social climate.

**code**

**cliquer** /klike/ **vi** to click (*sur* on)

**cloisonnement** /klwazɔnmɑ̃/ **nm** [*activités*] compartmentalization.

**cloisonner** /klwazɔne/ **vt** *activités* to compartmentalize.

**clone** /klon/ **nm** (*gén, Inf*) clone.

**cloner** /klone/ **vt** (*gén, Inf*) to clone.

**clopin-clopant** /[klɔpɛ̃klɔpɑ̃/ **adv** ◆ **les affaires marchent clopin-clopant** business is struggling along.

**clore** /klɔʀ/ **vt** *compte, procédure, dossier, marché séance* to close ◆ **l'incident est clos** the matter is closed.

**clos, e** /klo, oz/ **adj** *compte, dossier, incident* closed ◆ **siéger à huis clos** to sit in camera, go into secret session (*US*).

**clôture** /klotyʀ/ **nf** [*compte, séance*] closing, closure ◆ **les cotes en clôture** (*Bourse*) closing quotations ◆ **cours de clôture** (*Bourse*) closing price ◆ **en clôture** (*Bourse*) at the close ◆ **les actions étaient cotées à 120 pence en clôture** the shares closed at 120 p ◆ **date / écriture / séance / solde de clôture** closing date / entry / session / balance ◆ **clôture des inscriptions** registration deadline, deadline for applications ◆ **opérations après clôture** after-hours dealings *ou* trading ◆ **proposer la clôture des débats** to move the closure of debate.

**clôturer** /klotyʀe/ **vt** *séance* to close; *comptes* to close, balance **vi** (*Bourse*) to close ◆ **ces actions ont clôturé en baisse** these shares closed at a loss ◆ **clôturer au plus bas de la journée** to close at the day's low.

**club** /klœb/ **nm** club ◆ **club d'investissement** investment club.

**cm** (abrév de **centimètre**) cm.

**CM** abrév de **Chambre des métiers** → **chambre**.

**CMF** /seɛmɛf/ **nm** abrév de **Conseil des marchés financiers** → **conseil**.

**CNAM** /knam/ **nf** abrév de **Caisse nationale d'assurance maladie** → **caisse**.

**CNC** /seɛnse/ **nm** abrév de **Comité national de la consommation** → **comité**.

**CNCE** /seɛnseə/ **nm** abrév de **Centre national du commerce extérieur** → **centre**.

**CNE** /seɛnə/ **nf** (abrév de **Caisse nationale d'épargne**) NSB.

**CNED** /knɛd/ **nm** abrév de **Centre national d'enseignement à distance** → **centre**.

**CNIL** /knil/ **nf** abrév de **Commission nationale de l'informatique et des libertés** → **commission**.

**CNIT** /knit/ **nm** abrév de **Centre national des industries et des techniques** → **centre**.

**CNJA** /seɛnʒia/ **nm** (abrév de **Centre national des jeunes agriculteurs**) *young farmers' association*.

**CNPF** /seɛnpeɛf/ **nm** (abrév de **Conseil national du patronat français**) *French national employers' union*.

**CNRS** /seɛnɛʀɛs/ **nm** abrév de **Centre national de la recherche scientifique** → **centre**.

**coacquéreur** /kɔakeʀœʀ/ **nm** joint purchaser.

**coacquisition** /kɔakizisjɔ̃/ **nf** joint purchase.

**coadministrateur** /kɔadministʀatœʀ/ **nm** co-director.

**coassocié, e** /kɔasɔsje/ **nm,f** copartner, associate.

**coassurance** /kɔasyʀɑ̃s/ **nf** coinsurance, mutual assurance.

**coassurer** /kɔasyʀe/ **vt** to coinsure.

**coassureur** /kɔasyʀœʀ/ **nm** coinsurer.

**COB†** /kɔb/ **nf** abrév de **Commission des opérations de Bourse** FSA (*Brit*), SIB (*Brit*), SEC (*US*).

**cocaution** /kɔkosjɔ̃/ **nf** co-surety, collateral security.

**cocher** /kɔʃe/ **vt** to tick off, check off ◆ **cocher des marchandises sur une liste** to tick off *ou* keep tally of goods on a list ◆ **cocher la case appropriée** (*sur un formulaire*) please tick *ou* check appropriate box.

**cocontractant, e** /kɔkɔ̃tʀaktɑ̃, ɑ̃t/ **nm,f** contracting party.

**cocréancier** /kɔkʀeɑ̃sje/ **nm** co-creditor, joint creditor.

**codage** /kɔdaʒ/ **nm** coding.

**code** /kɔd/ **nm** (*gén*) code; (= *législation*) law, code ◆ **connaître le code** (*Jur*) to know the law

―――――― compounds/composés ――――――
◆ **code d'accès** access code
◆ **code (à) barres** bar code
◆ **code de bonne conduite** code of good practice
◆ **code de caisse** cashier code
◆ **code civil** civil code
◆ **code de commerce** commercial law
◆ **code confidentiel** personal identification number, PIN
◆ **code des douanes** customs regulations
◆ **code fiscal** tax code, internal revenue code
◆ **code des impôts** tax code, internal revenue code

- **code à lecture optique** optical recognition code
- **code machine** *(Inf)* absolute code
- **code des marchés** market regulations
- **code pénal** penal code
- **code personnel** personal identification number, PIN
- **code postal** post(al) code *(Brit)*, zip code *(US)*
- **code SICOVAM** *French stock clearing code*
- **code du travail** labour regulations, labour law.

**codébiteur, -trice** /kɔdebitœʀ, tʀis/ **NM,F** joint debtor.

**codéfendeur** /kodefãdœʀ/ **NM** co-defendant.

**codemandeur, -eresse** /kɔdmãdœʀ, dʀɛs/ **NM,F** joint plaintiff.

**coder** /kɔde/ **VT** *données* to encode, encrypt.

**codétenteur, -trice** /kɔdetãtœʀ, tʀis/ **NM,F** joint holder.

**CODEVI** /kɔdevi/ **NM** abrév de **compte pour le développement industriel → compte.**

**codicille** /kɔdisil/ **NM** codicil.

**codification** /kɔdifikasjɔ̃/ **NF** codification.

**codifier** /kɔdifje/ **VT** to codify.

**codirecteur, -trice** /kɔdiʀɛktœʀ, tʀis/ **NM,F** co-director, joint manager.

**codirection** /kɔdiʀɛksjɔ̃/ **NF** joint management.

**codiriger** /kɔdiʀiʒe/ **VT** to manage jointly.

**coefficient** /kɔefisjã/ **NM** coefficient ◆ **à fort coefficient de capitaux / de main-d'œuvre** capital / labour intensive

———— *compounds/composés* ————
- **coefficient de capitalisation des résultats** price-earnings ratio, p / e ratio
- **coefficient de chargement** load factor
- **coefficient de circulation** *(Mktg)* traffic coefficient
- **coefficient de dispersion** coefficient of variation
- **coefficient d'élasticité** coefficient of elasticity
- **coefficient d'erreur** margin of error
- **coefficient d'exploitation** working coefficient, operating ratio *(US)*
- **coefficient de liquidité** liquidity *ou* current *ou* acid test ratio
- **coefficient multiplicateur** multiplier ◆ **méthode du coefficient multiplicateur** multiplier system
- **coefficient de pénétration** *(Écon)* penetration ratio
- **coefficient de pondération** weighting coefficient *ou* ratio
- **coefficient de remplissage** load factor, percentage of seats filled

- **coefficient de rotation** *(des stocks)* inventory turnover
- **coefficient de sécurité** safety margin *ou* ratio
- **coefficient de solvabilité** solvency ratio
- **coefficient de trésorerie** cash ratio
- **coefficient de variation** scatter coefficient.

**coentreprise** /kɔãtʀəpʀiz/ **NF** joint venture.

**coéquation** /kɔekwasjɔ̃/ **NF** proportional assessment.

**coercitif, -ive** /kɔɛʀsitif, iv/ **ADJ** *mesure, moyen* coercive.

**coercition** /kɔɛʀsisjɔ̃/ **NF** coercion.

**cœur** /kœʀ/ **NM** ◆ **cœur de cible/d'activité** core market/activity.

**coffre** /kɔfʀ(ə)/ **NM** ◆ **coffre(-fort)** safe ◆ **coffre de nuit** night safe ◆ **salle des coffres** *(Banque)* strong room ◆ **compartiment de coffre** safe deposit box ◆ **dépôt en coffre-fort** safe deposit.

**cofidéjusseur** /kɔfideʒysœʀ/ **NM** *(Jur)* co-surety.

**cofinancement** /kɔfinãsmã/ **NM** co-financing.

**cofinancer** /kɔfinãse/ **VT** to co-finance, finance jointly.

**cofondateur, -trice** /kɔfɔ̃datœʀ, tʀis/ **NM** joint founder.

**COGEFI** /kɔʒefi/ **NM** abrév de **conseil en organisation de gestion économique et financière d'entreprises → conseil.**

**cogérance** /kɔʒeʀãs/ **NF** joint-management, co-administration.

**cogérant** /kɔʒeʀã/ **NM** joint-manager, co-administrator.

**cogérer** /kɔʒeʀe/ **VT** to manage jointly.

**cogestion** /kɔʒɛstjɔ̃/ **NF** codetermination, joint management, co-management.

**cogniticien** /kɔgnitisjɛ̃/ **NM** knowledge engineer.

**cohérence** /kɔeʀãs/ **NF** coherence, consistency ◆ **cohérence d'une gamme de produits** product line consistency.

**coiffer** /kwafe/ **VT** *(= diriger)* *organisme* to head up; *(= bloquer)* *cours* to hold down ◆ **les cours sont coiffés** *(Bourse)* share prices are held down.

**coinculpé, e** /kɔɛ̃kylpe/ **NM,F** co-defendant, co-accused.

**col** /kɔl/ **NM** ◆ **col blanc** white-collar worker ◆ **col bleu** blue-collar worker.

**colis** /kɔli/ **NM** parcel ◆ **colis contre remboursement** cash on delivery parcel ◆ **colis postal du régime intérieur** inland parcel ◆ **colis chargé** *ou* **de valeur déclarée** insured *ou* registered parcel ✦ **envoyer un colis par la poste** to send a parcel through the post *ou* mail ✦ **par colis postal** by parcel post.

**colisage** /kɔlizaʒ/ **NM** packing ✦ **liste de colisage** packing list.

**coll.** abrév de **collaborateurs.**

**collaborateur, -trice** /kɔlabɔʀatœʀ, tʀis/ **NM,F** (= *collègue*) colleague, collaborator; (= *subalterne*) subordinate; [*revue*] contributor ✦ **mes collaborateurs** my staff.

**collaboratif, ive** /kɔlabɔʀatif, iv/ **ADJ** collaborative.

**collaboration** /kɔlabɔʀasjɔ̃/ **NF** (*gén*) collaboration; (*à une entreprise*) cooperation, association ✦ **entreprise en collaboration** collaborative *ou* joint venture.

**collaborer** /kɔlabɔʀe/ **VI** to collaborate ✦ **nous sommes heureux de collaborer avec vous** we are pleased to collaborate *ou* work with you ✦ **collaborer à un journal** to contribute to a newspaper.

**collation** /kɔlasjɔ̃/ **NF** (= *comparaison*) collation; (= *vérification*) checking.

**collationnement** /kɔlasjɔnmɑ̃/ **NM** (= *comparaison*) collation; (= *vérification*) checking; (*Fin*) call and check.

**collationner** /kɔlasjɔne/ **VT** (= *vérifier*) to check; (= *comparer*) to collate.

**collecte** /kɔlɛkt/ **NF** (*gén*) collection ✦ **la collecte de l'épargne** savings funds collected.

**collectif, -ive** /kɔlɛktif, iv/ **ADJ** responsabilité, contrat, gestion collective ✦ **action collective** (*Jur*) joint action ✦ **billet collectif** group ticket ✦ **compte collectif** controlling *ou* reconciliation account ✦ **convention collective** collective agreement ✦ **démission collective** mass resignation ✦ **immeuble collectif** block of flats (*Brit*), apartment building (*US*) ✦ **identité collective** (*gén*) collective identity; *entreprise* corporate identity ✦ **licenciements collectifs** mass redundancies *ou* layoffs
**NM** **collectif budgétaire** minibudget, interim budget.

**collection** /kɔlɛksjɔ̃/ **NF** (*gén*) collection; (*Comm*) line.

**collectivement** /kɔlɛktivmɑ̃/ **ADV** collectively.

**collectivisation** /kɔlɛktivizasjɔ̃/ **NF** collectivization.

**collectiviser** /kɔlɛktivize/ **VT** to collectivize.

**collectivisme** /kɔlɛktivism(ə)/ **NM** collectivism.

**collectiviste** /kɔlɛktivist(ə)/ **ADJ, NM** collectivist.

**collectivité** /kɔlɛktivite/ **NF** (*Admin*) collectivity ✦ **la collectivité (nationale)** the community ✦ **à la charge de la collectivité** supported by the community ✦ **collectivités locales** local authorities ✦ **collectivités professionnelles** professional organisations ✦ **collectivités régionales** local government *ou* regional authorities.

**collégial, e** /kɔleʒjal/ **ADJ** décision group, collective ✦ **direction collégiale** collegial administration.

**collègue** /kɔlɛg/ **NMF** (= *collaborateur*) colleague; (= *homologue*) counterpart.

**coller** /kɔle/ **VT** (*Bourse*) ✦ **être collé (avec le papier)** to be left stuck (with the paper).

**collision** /kɔlizjɔ̃/ **NF** clash ✦ **entrer en collision** to collide, come into collision (*avec* with) **clause collision** (*Ass*) collision clause ✦ **collision d'intérêt** clash of interest.

**collocation** /kɔlɔkasjɔ̃/ **NF** (*Jur*) collocation, ranking of creditors (*according to the order of priority as determined by law*).

**colloque** /kɔlɔk/ **NM** colloquium, symposium, conference.

**collusion** /kɔlyzjɔ̃/ **NF** [*intérêts*] collusion.

**colocataire** /kɔlɔkatɛʀ/ **NMF** co-tenant.

**Colombie** /kɔlɔ̃bi/ **NF** Colombia.

**colombien, -ienne** /kɔlɔ̃bjɛ̃, jɛn/ **ADJ** Colombian
**Colombien** **NM** (= *habitant*) Colombian
**Colombienne** **NF** (= *habitante*) Colombian.

**Colombo** /kɔlɔ̃bɔ/ **N** Colombo.

**colon** /kɔlɔ̃/ **NM** colon.

**colonne** /kɔlɔn/ **NF** column ✦ **colonne d'annonces** advertisement column ✦ **colonne créditrice / débitrice** credit / debit column ✦ **colonne Morris** (*Pub*) poster pillar ✦ **disposer en colonnes** to tabulate.

**colorant** /kɔlɔʀɑ̃/ **NM** colouring.

**coloris** /kɔlɔʀi/ **NM** colour, shade ✦ **carte de coloris** shade card.

**colportage** /kɔlpɔʀtaʒ/ **NM** hawking, peddling.

**colporter** /kɔlpɔʀte/ **VI** to hawk, peddle.

**colporteur, -euse** /kɔlpɔʀtœʀ, øz/ **NM,F** hawker, pedlar.

**com.** /kɔm/ **NF** abrév de **commission.**

**combattre** /kɔ̃batʀ(ə)/ **VT** inflation, chômage to combat, fight.

---

————— *compounds/composés* —————

### COMITE

- **comité des accises** *(UE)* Excise Duties Committee
- **comité ad hoc** ad hoc committee
- **comité d'aide au développement** *development aid committee*
- **comité d'arbitrage** arbitration committee
- **comité bancaire** banking committee
- **comité de conciliation** conciliation board
- **comité consultatif** advisory committee *ou* board
- **comité de contrôle des créanciers** committee of inspection
- **comité directeur, comité de direction** executive committee *ou* board, management committee
- **comité des émissions** issues committee
- **comité d'entreprise** *ou* **d'établissement** workers' *ou* works council, joint consultative committee
- **Comité européen de normalisation** European committee for standardization

- **comité de gestion** management committee, managing board
- **comité de grève** strike committee
- **comité intérimaire** interim committee
- **comité de liquidation** *(Bourse)* settlement department
- **comité ministériel** ministerial committee
- **Comité national de la consommation** *national consumer council*
- **comité d'orientation** *ou* **de programme** steering committee
- **comité de rédaction** drafting committee, editorial board
- **comité restreint** select committee
- **comité de sélection** selection board
- **comité de surveillance** watchdog committee, supervisory board
- **comité technique** functional committee
- **comité de vérification** audit committee.

---

**combinaison** /kɔ̃binɛzɔ̃/ NF *(= mélange)* combination ◆ **combinaison des supports** media combination ◆ **serrure à combinaison** combination lock.

**combiner** /kɔ̃bine/ VT to combine ◆ **opérations combinées** joint *ou* combined operations ◆ **il a tout combiné** he master-minded the whole thing.

**combler** /kɔ̃ble/ VT *déficit* to make up; *vacance* to fill ◆ **combler l'écart** to fill the gap ◆ **la France n'a pas comblé son retard sur le Japon** France is still lagging behind Japan *ou* cannot catch up with Japan ◆ **la banque l'a obligé à combler son découvert** the bank called in his overdraft ◆ **combler un manque** *(Mktg)* to fulfil a want.

**COMECON** /kɔmekɔn/ NM *(abrév de* **Conseil pour l'aide mutuelle économique***)* COMECON.

**comice** /kɔmis/ NM ◆ **comice(s) agricole(s)** agricultural show.

**comité** /kɔmite/ NM committee ◆ **constituer** *ou* **établir un comité** to set up *ou* form a committee ◆ **faire partie d'un comité** to be *ou* sit *ou* serve on a committee ◆ **membre d'un comité** committee member, committeeman *(US)*

**commande** /kɔmɑ̃d/ NF **a** *(Comm)* order ◆ **bon de commande** *(gén)* order form; *(à l'intérieur d'une usine)* purchase order ◆ **carnet / numéro de commande** order book / number ◆ **renouvellement de commande** repeat order ◆ **annuler / enregistrer / exécuter une commande** to cancel / book / fill *ou* complete *ou* handle an order ◆ **faire une commande de marchandises** to put goods on order ◆ **passer commande à qn**

to place an order with sb ◆ **passer une commande permanente de qch** to place a standing order for sth ◆ **nous ne fabriquons que sur commande** we make goods to order only ◆ **c'est en commande** it is on order ◆ **état des commandes** order position ◆ **payable à la commande, règlement à la commande** cash with order ◆ **fait sur commande** made to order, custom-built, custom-made *(US)*, customized ◆ **prendre une commande** to take an order ◆ **prise de commandes** order-taking ◆ **le poste implique la prise de commandes par téléphone** the job involves taking orders by telephone

————— *compounds/composés* —————

- **commandes anticipées** dues
- **commandes en attente** backlog of orders, backorders
- **commandes en carnet** outstanding *ou* unfilled orders
- **commandes en cours** orders on hand *ou* in progress
- **commande de dépannage** emergency order
- **commande à distance** remote control
- **commande d'essai** trial order
- **commande ferme** firm *ou* hard order
- **commande en gros** bulk order
- **commande non satisfaite** outstanding *ou* unfilled order
- **commande numérique** numerical *ou* digital control
- **commande permanente** standing order
- **commande renouvelée** repeat order
- **commande en souffrance** delayed delivery, back *ou* outstanding order
- **commande télégraphique** cable order
- **commande par téléphone** (tele)phone order
- **commande urgente** urgent *ou* rush order.

**b** (= *instrument de contrôle*) control ✦ **les commandes** the controls ✦ **être aux commandes, tenir les commandes** to be at the controls, be at the helm **c** (*Inf*) ✦ **touche / ligne / fichier de commande** command key / line / file

**commandement** /kɔmɑ̃dmɑ̃/ **NM** (*Jur*) writ, summons ✦ **faire signifier qch par commandement d'huissier** to serve a writ upon sb ✦ **envoyer à qn un commandement de payer** to send sb a demand for payment.

**commander** /kɔmɑ̃de/ **VT** (*Comm*) to order; (= *diriger*) to be in charge *ou* in command.

**commanditaire** /kɔmɑ̃ditɛʀ/ **NM** (*gén*) limited *ou* sleeping *ou* dormant (*Brit*) *ou* silent (*US*) partner; (*Pub*) sponsor.

**commandite** /kɔmɑ̃dit/ **NF** (*Comm*) ✦ **société en commandite simple** limited partnership ✦ **société en commandite par actions** partnership limited by shares.

**commanditer** /kɔmɑ̃dite/ **VT** (*gén*) to finance, provide funds for; (*Pub*) to sponsor.

**commerçant, e** /kɔmɛʀsɑ̃, ɑ̃t/ **ADJ** (*gén*) commercial; *pays* trading, commercial; *rue, quartier* shopping ✦ **il est très commerçant** he's got a very strong business acumen, he's got very good business sense ■ **NM,F** shopkeeper, storekeeper (*US*), merchant, tradesman ✦ **petit commerçant** small shopkeeper *ou* trader *ou* retailer ✦ **commerçant affilié** franchised trader ✦ **commerçant en détail** retail merchant, retailer ✦ **commerçant en gros** wholesale dealer, wholesaler ✦ **commerçant indépendant** independent retailer, sole trader.

**commerce** /kɔmɛʀs(ə)/ **NM a** (= *activités*) commerce, trade; (= *affaires*) business ✦ **le monde du commerce** the commercial *ou* business world ✦ **le commerce à l'intérieur de l'UE** trading within the EU ✦ **le commerce a bien marché le Noël dernier** trading *ou* business was good last Christmas ✦ **le commerce ne va pas fort** business *ou* trade is slack ✦ **faire du commerce avec** to trade with, do business with ✦ **ils font le commerce des meubles d'occasion** they trade *ou* deal in second-hand furniture ✦ **nous faisons le commerce de gros / de détail** we are in the wholesale / retail trade *ou* business ✦ **annuaire du commerce** trade directory ✦ **banque de commerce** trade bank ✦ **chambre de commerce** Chamber of Commerce ✦ **code de commerce** commercial law ✦ **effet de commerce** bill of exchange ✦ **entrave au commerce** *ou* **à la liberté du commerce** obstacle to trade, restrictive trade practice ✦ **maison de commerce** commercial firm *ou* establishment ✦ **ministère du Commerce**

Board of Trade (*Brit*), Department of Commerce (*US*) ✦ **papier de commerce** commercial paper ✦ **registre du commerce** trade register ✦ **représentant de commerce** commercial traveller, sales representative ✦ **traité de commerce** commercial *ou* trade agreement ✦ **tribunal de commerce** commercial court **b** (= *magasin*) business ✦ **un petit commerce** a small *ou* little business *ou* shop (*Brit*) *ou* store (*US*) ✦ **ouvrir un commerce** to set up a business ✦ **tenir** *ou* **avoir un commerce de chaussures** to have a shoe business ✦ **diriger un commerce** to run a business ✦ **commerce à céder** business for sale ✦ **fonds de commerce** goodwill, business, stock-in-trade ✦ **le grand commerce** department stores and supermarkets ✦ **ce produit ne se trouve pas encore dans le commerce** this article is not available in the shops yet *ou* is not yet on sale ✦ **hors commerce** not on sale to the general public **c** (= *secteur*) ✦ **le commerce** tradespeople, traders (*Brit*), shopkeepers (*Brit*), merchants (*US*) ✦ **le petit commerce** small traders, the small retail trade

─────────── *compounds/composés* ───────────

- ✦ **commerce ambulant** mobile trade
- ✦ **commerce de demi-gros** retail-wholesale trade
- ✦ **commerce de détail** retail trade
- ✦ **commerce dominical** Sunday trading
- ✦ **commerce électronique** e-commerce
  - ✦ **commerce électronique interentreprises** business-to-business e-commerce
- ✦ **commerce d'exportation** export trade
- ✦ **commerce extérieur** foreign *ou* external trade
- ✦ **commerce de gros** wholesale trade
- ✦ **commerce d'importation** import trade
- ✦ **commerce indépendant** single shop
- ✦ **commerce intégré** corporate chain, combined trade
- ✦ **commerce intérieur** home *ou* domestic *ou* internal trade
- ✦ **commerce de luxe** luxury trade
- ✦ **commerce non alimentaire** non-food trade
- ✦ **commerce de proximité** local shop (*Brit*) *ou* store (*US*), neighborhood store (*US*)
- ✦ **commerce de réexportation** re-export trade
- ✦ **commerce à rayons multiples** multiple-line store
- ✦ **commerce spécialisé** specialist shop *ou* store, single-line store
- ✦ **commerce de transit** transit trade.

**commercer** /kɔmɛʀse/ **VT** to trade (*avec* with)

**commercial, e**, MPL **-aux** /kɔmɛʀsjal, o/ **ADJ** commercial, trade ✦ **accord commercial** trade agreement ✦ **adresse commerciale** business address ✦ **agence commerciale** sales office *ou*

agency ✦ **annuaire commercial** commercial ou trade directory ✦ **attaché commercial** commercial attaché ✦ **balance commerciale** trade balance ✦ **banque commerciale** commercial bank ✦ **bureau commercial** trade office ✦ **cadre commercial** sales manager ou executive ✦ **centre commercial** shopping centre (Brit), (shopping) mart (US) ✦ **décision commerciale** business decision ✦ **déficit commercial** trade gap ou deficit ✦ **délégué commercial** sales representative ✦ **directeur commercial** sales manager ou executive ✦ **droit commercial** commercial law ✦ **échanges commerciaux** trade, trading ✦ **entreprise commerciale, établissement commercial** trading concern ou company, commercial firm ou establishment ✦ **excédent commercial** trade surplus ✦ **foire commerciale** trade fair ✦ **jargon commercial** trade jargon, commercialese ✦ **locaux commerciaux** business premises ✦ **mission commerciale** trade mission ✦ **marge commerciale** trading margin ✦ **mouvements commerciaux** commercial traffic ✦ **négociations commerciales** trade negotiations ou talks ✦ **nom commercial** trade name ✦ **papier commercial** (trade) bill, commercial paper ✦ **partenaire commercial** trading partner ✦ **percée commerciale** commercial breakthrough ou thrust ✦ **place commerciale** trade centre ✦ **politique commerciale** commercial policy ✦ **références commerciales** trade references ✦ **relations commerciales** (entre entreprises) commercial ou business relations; (entre pays) trade relations ✦ **service commercial** sales ou commercial department ✦ **société commerciale** trading company, commercial firm ou establishment, business concern ou corporation ✦ **traité commercial** trade ou commercial agreement ✦ **transaction commerciale** commercial transaction, business deal ✦ **usages commerciaux** trade ou business practices ✦ **voyageur commercial** commercial traveller ▣ sales person, marketer, marketing man ✦ **technico-commercial** technical salesman ✦ **nos commerciaux** our sales people ✦ **il y a une pénurie de commerciaux en France** there is a shortage of salesmen in France
**commerciale** ▣ (= véhicule) estate car (Brit), station wagon (US).

**commercialement** /kɔmɛʀsjalmɑ̃/ ADV commercially.

**commercialisable** /kɔmɛʀsjalizabl(ə)/ ADJ marketable, tradable.

**commercialisateur** /kɔmɛʀsjalizatœʀ/ NM marketer.

**commercialisation** /kɔmɛʀsjalizasjɔ̃/ NF (gén) marketing; (spécifique à un produit) merchandising ✦ **accord de commercialisation** marketing agreement ✦ **commercialisation par correspondance** direct-response marketing ✦ **au stade de la commercialisation** at (the) marketing stage.

**commercialiser** /kɔmɛʀsjalize/ VT to market ✦ **produit non encore commercialisé** product not yet on sale to the public ou not yet on the market.

**commercialité** /kɔmɛʀsjalite/ NF (gén) saleability; [billet à ordre] negotiability.

**commettant** /kɔmɛtɑ̃/ NM (Jur) principal ✦ **commettant et préposé** principal and agent.

**commettre** /kɔmɛtʀ(ə)/ VT (Jur = désigner) expert to appoint ✦ **commis d'office** appointed by the court.

**commis** /kɔmi/ NM [bureau] clerk; [magasin] assistant, clerk (US) ✦ **commis d'agent de change** stockbroker's clerk ✦ **commis du comptant** (Bourse) authorized clerk ✦ **commis d'influence** lobbyist ✦ **commis aux écritures** book-keeper ✦ **commis expéditionnaire** forwarding clerk ✦ **commis voyageur** commercial traveller, travelling salesman ✦ **premier commis, commis principal** head ou chief clerk.

**commissaire** /kɔmisɛʀ/ NM (= membre d'une commission) commissioner, commission member ✦ **haut commissaire** high commissioner

─────── compounds/composés ───────

- **commissaire d'avaries** (Ass Mar) average surveyor, adjuster
- **commissaire de bord** (Mar, Aviat) purser
- **commissaire aux comptes** auditor
- **commissaire européen** European Commissioner
- **commissaire priseur** auctioneer
- **commissaire répartiteur** assessor of taxes
- **commissaire vérificateur** auditor.

**commissariat** /kɔmisaʀja/ NM (Admin) commissionership ✦ **commissariat aux comptes** (Fin) auditorship ✦ **commissariat au contrôle des banques** (UE) bank supervisory committee ✦ **Commissariat à l'énergie atomique** Atomic Energy Authority (Brit) ou Commission (US).

**commission** /kɔmisjɔ̃/ NF **a** (= comité) committee; (mandatée) commission ✦ **les délégués siègent en commission en ce moment** the delegates are in committee ✦ **renvoyer le projet en commission** to send the project back to the committee ✦ **faire partie d'une commission** to be ou sit on a committee ✦ **membre d'une commission** committee ou commission

—————— *compounds/composés* ——————

## COMMISSION

- **commission d'acceptation** commission for acceptance
- **commission d'achat** buying commission
- **commission ad-hoc** ad-hoc committee
- **commission d'admission** admission board
- **commission d'agence** agency commission
- **commission d'arbitrage** arbitration committee
- **commission bancaire** bank commission
- **commission de banque** banker's commission
- **la Commission de Bruxelles** the European Commission
- **commission du budget** budget committee
- **commission de caisse** bank *ou* service charge
- **commission de chef de file** *(Fin)* management fee
- **commission clandestine** kick back*
- **commission de conciliation** conciliation *ou* conciliatory board
- **commission de la concurrence** fair trade commission
- **commission de confirmation** confirmation charge
- **commission consultative** advisory *ou* consultative committee, advisory board
- **commission de contrôle** control commission
  - **commission de contrôle des banques** bank audit board
- **commission de découvert** overdraft charge *ou* commission
- **commission ducroire** del credere commission
- **commission d'encaissement** charge for collection
- **commission d'engagement** commitment fee
- **commission d'enquête** commission *ou* committee of inquiry, fact-finding commission

- **commission d'escompte** discount
- **Commission européenne** European Commission
- **commission des finances** finance *ou* supply committee *(US)*
- **commission sur fret** freight commission
- **commission de garantie** underwriting commission
- **commission mixte** joint industrial council *ou* commission *ou* committee
- **Commission nationale de l'informatique et des libertés** *French data protection watchdog*
- **commission de négociation** *(Fin)* trading fee
- **commission des OPA** take-over panel
- **Commission des opérations de Bourse †** stock exchange committee, ≈ Financial Services Authority *(Brit)*, ≈ Securities and Investment Board *(Brit)*, ≈ Securities and Exchange Commission *(US)*
- **commission paritaire** *(gén)* joint committee; *(Ind)* labour-management committee
- **commission permanente** standing committee
- **commissions de placement** commissions charged for issues
- **commission de rachat** (= *frais de sortie*) exit fee
- **commission restreinte** working committee
- **commission rogatoire** *(Jur)* letters rogatory
- **commission de service** service charge
- **commission de souscription** (= *frais d'entrée*) entry fee, initial charge
- **commission syndicale** *(Ind)* union committee; *(Fin)* underwriting commission
- **commission technique** functional commission
- **commission sur vente** sale commission.

member, committeeman *(US)*, commissioner **b** (= *rémunération*) commission ♦ **représentant à la commission** commission agent ♦ **taux de commission** commission rate ♦ **vente à la commission** sale on commission ♦ **toucher 13% de commission sur chaque transaction** to get 13% commission *ou* a commission of 13% on each transaction ♦ **prélever une commission** to draw *ou* charge a commission ♦ **travailler à la commission** to work on commission **c** *(Comm, Jur = mandat)* commission ♦ **maison de commission** *(Fin)* commission house *ou* agency ♦ **donner commission à qn de faire qch** to commission sb to do sth

**commissionnaire** /kɔmisjɔnɛʀ/ **NM** (= *mandataire*) agent, broker, commission merchant *(US)*

**commissionner** /kɔmisjɔne/ **VT** to commission.

**commun, e** /kɔmœ̃, yn/ **ADJ** common ♦ **charges communes** common costs ♦ **tare commune** average *ou* mean tare ♦ **mettre des ressources**

—————— *compounds/composés* ——————

- **commissionnaire d'achat** buyer
- **commissionnaire en banque** outside broker
- **commissionnaire près des Bourses de commerce** commodity broker
- **commissionnaire chargeur** shipping agent
- **commissionnaire de commerce extérieur** export agent
- **commissionnaire en douane** customs broker *ou* agent
- **commissionnaire ducroire** del credere agent
- **commissionnaire expéditeur** shipping agent
- **commissionnaire exportateur** export agent
- **commissionnaire en gros** factor
- **commissionnaire importateur** import agent
- **commissionnaire de roulage** haulage *ou* carriage contractor, haulier, carrier, trucker *(US)*
- **commissionnaire transitaire** transit agent
- **commissionnaire de transport** forwarding agent.

en commun to pool resources ◆ **mise en commun de capitaux** pooling of funds ◆ **personnes soumises à imposition commune** jointly-taxed people.

**communautaire** /kɔmynotɛʀ/ **ADJ** *(gén)* community; *(UE)* Community ◆ **la politique communautaire en matière agricole** the Community's agricultural policy.

**communauté** /kɔmynote/ **NF** community ◆ **communauté de biens** *(Jur)* joint estate ◆ **Communauté des États indépendants** Commonwealth at independent States ◆ **Communauté européenne** European Community ◆ **la Communauté économique européenne** the European Economic Community ◆ **Communauté européenne du charbon et de l'acier** European Coal and Steel Community ◆ **Communauté européenne de l'énergie atomique** European Atomic Energy Community ◆ **la communauté financière** the financial community ◆ **Communauté financière africaine** African Financial Community ◆ **communauté urbaine** urban community.

**communicable** /kɔmynikabl(ə)/ **ADJ** *pièce* which can be made available.

**communicant** /kɔmynikɑ̃/ **NM** transferor.

**communicateur** /kɔmynikatœʀ/ **NM** communicator.

**communication** /kɔmynikasjɔ̃/ **NF** **a** *(= remise)* *[documents]* communication, transmission ◆ **avoir communication d'un dossier** to have access to a file ◆ **demander communication d'un document** to ask for a document ◆ **donner communication du dossier** to communicate *ou* transmit the file ◆ **en communication** for examination **b** *(= conversation téléphonique)* call ◆ **passer une communication** to put a call through ◆ **je vous mets en communication avec notre comptable** I am putting you through to our accountant ◆ **vous avez la communication** you are through ◆ **prendre la communication** to take the call ◆ **rester en communication** to hold the line ◆ **nous n'avons pas eu la communication** the call did not come through ◆ **nous essayons d'obtenir votre communication** we are trying to connect you ◆ **communication longue distance** long distance call, trunk call *(Brit)* ◆ **communication avec préavis** personal call *(Brit)*, person call *(US)* ◆ **montant de la communication** call charge **c** *(gén, Pub = fait de communiquer)* communication; *(= message)* message, communication ◆ **absence de communication** communication gap ◆ **moyen de communication** means of communication ◆ **stratégie de communication** communication strategy ◆ **sup-**

ports de communication communication media ◆ **théorie de la communication** communication theory ◆ **communication d'entreprise** *ou* **institutionnelle** corporate communication ◆ **communication de masse** mass communication ◆ **communication verticale / horizontale** vertical / horizontal communication ◆ **ce produit fera l'objet d'une campagne massive de communication** this product will be heavily *ou* massively advertised **d** *(= contact)* contact, relation ◆ **être / rester en communication avec qn** to be / keep in touch with sb ◆ **entrer** *ou* **se mettre en communication** to get in touch, get into contact *(avec* with) **mettre en communication** to bring together, put into touch **e** **les communications** communications ◆ **réseau de communications** communications network ◆ **centre de communication** communications centre *(Brit)* ou center *(US)* ◆ **satellite de communication** communications satellite.

**communiqué** /kɔmynike/ **NM** communiqué, statement ◆ **communiqué de presse** press release, statement to the press ◆ **communiqué conjoint** joint communiqué.

**communiquer** /kɔmynike/ **VT** *renseignement* to communicate, give *(à* to) ◆ **tous les renseignements concernant ce sinistre doivent nous être communiqués** all information concerning this claim should be notified to us **VI** *(= être en contact)* to communicate *(avec qn* with sb) ◆ **entreprise qui sait communiquer** *(Pub)* company which communicates well ◆ **il communique bien** he is a good communicator.

**commutatif, -ive** /kɔmytatif, iv/ **ADJ** *contrat* commutative.

**commutation** /kɔmytasjɔ̃/ **NF** *(Jur)* commutation ◆ **volume de commandes en commutation publique** volume of orders under commutative public contract.

**compagnie** /kɔ̃paɲi/ **NF** *(Comm)* company ◆ **compagnie des agents de change** *institute of stockbrokers* ◆ **compagnie aérienne** airline ◆ **compagnie d'armement** *ou* **maritime** *ou* **de navigation** shipping company ◆ **compagnie d'assurances** insurance company ◆ **compagnie gérante / mère** acting / parent company.

**comparable** /kɔ̃paʀabl(ə)/ **ADJ** comparable *(à* to, *avec* with)

**comparaison** /kɔ̃paʀɛzɔ̃/ **NF** comparison ◆ **nos produits soutiennent la comparaison avec ceux de la concurrence** our products stand *ou* bear comparison with those of our competitors ◆ **comparaison inter-entreprises** inter-company comparison.

**comparaître** /kɔ̃paʀɛtʀ(ə)/ **VI** *(Jur)* to appear ✦ **être cité** *ou* **appelé à comparaître** to be summoned to appear ✦ **citation** *ou* **assignation à comparaître** *[accusé]* summons (to appear); *[témoin]* subpoena.

**comparable** /kɔ̃paʀabl/ **ADJ** comparable ✦ **sur une base comparable** on a comparable basis, on a like-for-like basis ✦ **à structure comparable** on a comparable structure.

**comparant** /kɔ̃paʀɑ̃/ **NM** *(Jur)* *(devant un notaire)* party.

**comparatif, -ive** /kɔ̃paʀatif, iv/ **ADJ** comparative ✦ **essais** *ou* **tests comparatifs** comparative *ou* comparison tests ✦ **publicité comparative** comparative advertising ✦ **théorie des coûts comparatifs** theory of comparative costs.

**comparer** /kɔ̃paʀe/ **VT** to compare (*à, avec* with) **se comparer** **VPR** to compare ✦ **ces deux produits ne se comparent pas** these two products don't compare *ou* can't be compared.

**compartiment** /kɔ̃paʀtimɑ̃/ **NM** *(gén)* compartment; *(Bourse)* section ✦ **le compartiment des (valeurs) étrangères** the foreign section ✦ **compartiments du marché des capitaux** sections of the capital market ✦ **compartiment de coffre-fort** safe deposit box.

**compartimentage** /kɔ̃paʀtimɑ̃taʒ/ **NM** **compartimentation** /kɔ̃paʀtimɑ̃tasjɔ̃/ **NF** *(Admin)* compartmentalization; *[secteur industriel]* segmentation, segmenting, partitioning ✦ **s'abstenir de tout compartimentage dans l'emploi des ressources** to refrain from tying funds to specific uses.

**compartimenter** /kɔ̃paʀtimɑ̃te/ **VT** *(Admin)* to compartmentalize; *(Ind)* to segment.

**comparution** /kɔ̃paʀysjɔ̃/ **NF** *(Jur)* appearance ✦ **mandat de comparution** summons ✦ **non-comparution** non-appearance.

**compatibilité** /kɔ̃patibilite/ **NF** compatibility.

**compatible** /kɔ̃patibl(ə)/ **ADJ** compatible (*avec* with) ✦ **ordinateur compatible** compatible computer **NM** *(Inf)* compatible.

**compensable** /kɔ̃pɑ̃sabl(ə)/ **ADJ** *(Fin)* clearable ✦ **chèque compensable à Lyon** cheque to be cleared in Lyons ✦ **position compensable** *(Bourse)* offsetting position.

**compensateur, -trice** /kɔ̃pɑ̃satœʀ, tʀis/ **ADJ** compensatory, compensating ✦ **indemnité compensatrice** compensation.

**compensation** /kɔ̃pɑ̃sasjɔ̃/ **NF** **a** *(Fin)* *[chèques]* clearing, clearance; *[dettes]* offsetting, set-off; *(Compta)* netting (out) ✦ **compensation élec-**tronique computer clearing ✦ **accord de compensation** *[chèque]* clearing agreement; *[dette]* set-off agreement; *(Comm)* countertrade deal ✦ **chambre de compensation** clearing house ✦ **ordinateur de compensation** clearing computer ✦ **système de compensations financières internationales** system of international financial equalization ✦ **exercer la compensation entre les pertes et les bénéfices** *(Compta)* to net out profits and losses ✦ **pourcentages de compensation forfaitaires** *(UE)* fixed offsetting percentages **b** *(Ass = dédommagement)* compensation, indemnification ✦ **à titre de compensation pour les dommages subis** in compensation for the damage sustained, by way of indemnification for the damage sustained ✦ **réclamer une compensation** to make a claim for compensation, file for compensation ✦ **contrat de compensation** indemnity contract **c** *(Bourse de valeurs)* making up; *(Bourse de marchandises)* cutting out ✦ **cours de compensation** making-up price ✦ **jour de compensation** making-up day ✦ **compensation journalière** *(Fin)* daily settlement **d** *(Admin)* equalization ✦ **caisse de compensation** equalization fund (for family allowances).

**compensatoire** /kɔ̃pɑ̃satwaʀ/ **ADJ** compensatory, compensating, counterbalancing ✦ **balance** *ou* **solde compensatoire** *(Fin)* compensating balance ✦ **demande compensatoire** counterclaim ✦ **droits compensatoires** countervailing duties ✦ **montants compensatoires monétaires** *(UE)* (monetary) compensatory amounts ✦ **pouvoir compensatoire** countervailing power.

**compenser** /kɔ̃pɑ̃se/ **VT** **a** *(gén, Ass)* to make good, compensate for, make up for ✦ **compenser une perte** to make good a loss, make up for *ou* compensate for a loss ✦ **nos pertes à l'exportation seront compensées par une facture pétrolière moins lourde** our export losses will be offset by a lower oil bill **b** *(Fin)* *dette* to set off; *transaction boursière* to make up; *chèque* to clear ✦ **compenser une perte par un gain** to set off a gain against a loss ✦ **vos titres ne seront pas livrés en liquidation car nous avons compensé la transaction** your securities will not be delivered at the account since the transaction has been made up by us ✦ **compenser une dette avec une autre** to settle a debt per contra **c** *(Jur)* ✦ **compenser les dépens** to divide *ou* share the legal costs.

**compétence** /kɔ̃petɑ̃s/ **NF** **a** *(= savoir-faire)* competence, know-how, expertise ✦ **compétences** abilities, skills, qualifications ✦ **compétences de base** basic abilities ✦ **compétences linguis-**

tiques language skills ✦ **compétence technique** technical skill ✦ **niveau de compétence** proficiency *ou* skill level ✦ **prime de compétence** proficiency pay, efficiency bonus ✦ **profil de compétence** personal specifications ✦ **les augmentations sont étalonnées selon les niveaux de compétence** increases are scaled according to skill levels ✦ **je doute qu'il ait les compétences requises pour réaliser cette étude** I doubt if he has the necessary qualifications to conduct this study  **b** *(= domaine d'activité)* scope of activities, province, domain ✦ **cela entre / n'entre pas dans ses compétences** this is within / beyond *ou* outside his scope *ou* remit  **c** *(Jur)* competence ✦ **clause de compétence** competence clause ✦ **conflit de compétence** conflict of jurisdiction ✦ **décliner la compétence du tribunal** to disclaim the jurisdiction of the court ✦ **rentrer dans la compétence du tribunal** to fall within the competence of the court ✦ **ce n'est pas de la compétence du tribunal** it's outside the competence *ou* the jurisdiction of this court ✦ **votre plainte n'est pas de la compétence de ce service** this department is not competent to deal with your claim.

**compétent, e** /kɔ̃petɑ̃, ɑ̃t/ **ADJ**  **a** *(= capable)* competent, able, capable ✦ **il est très compétent en matière de législation du travail** he is very well-versed in *ou* conversant with labour legislation, he's an expert on labour legislation  **b** *(= concerné)* concerned, relevant ✦ **transmettre au service compétent** to pass on to the department concerned *ou* to the relevant department ✦ **s'adresser à l'autorité compétente** to apply to the authority concerned *ou* to the relevant authority  **c** *(Jur)* ✦ **tribunal compétent** court of competent jurisdiction ✦ **le tribunal est compétent** the court entertains jurisdiction ✦ **le tribunal n'est pas compétent dans cette affaire** this case is outside the jurisdiction of this court *ou* beyond the court's competence.

**compétiteur, -trice** /kɔ̃petitœʀ, tʀis/ **NM,F** *(Écon)* competitor.

**compétitif, -ive** /kɔ̃petitif, iv/ **ADJ** competitive ✦ **avantage compétitif** competitive advantage.

**compétition** /kɔ̃petisjɔ̃/ **NF** competition ✦ **entrer en compétition avec** to compete with.

**compétitivité** /kɔ̃petitivite/ **NF** competitiveness.

**complaisance** /kɔ̃plɛzɑ̃s/ **NF** ✦ **billet** *ou* **effet** *ou* **traite de complaisance** convenience *ou* accommodation bill, kite ✦ **pavillon de complaisance** flag of convenience ✦ **signature de complaisance** bogus signature.

**complément** /kɔ̃plemɑ̃/ **NM** complement ✦ **complément de ressources** additional resources ✦ **se constituer un complément de retraite** to build up a supplemental pension ✦ **j'aimerais un complément d'information** I'd like some additional information ✦ **ordonner un complément d'instruction** *(Jur)* to require a fuller preliminary investigation.

**complémentaire** /kɔ̃plemɑ̃tɛʀ/ **ADJ** supplementary, additional ✦ **allocation complémentaire** supplementary benefit *ou* allowance ✦ **écriture complémentaire** *(Compta)* supplementary entry ✦ **étude complémentaire** follow-up study *ou* survey ✦ **indemnité complémentaire** supplementary compensation ✦ **régime de retraite complémentaire** supplementary pension scheme ✦ **retraite complémentaire** supplementary pension ✦ **nous aurons besoin de renseignements complémentaires** we shall require additional information ✦ **pour tout renseignement complémentaire, s'adresser à...** for any further information, please apply to...

**complémentarité** /kɔ̃plemɑ̃taʀite/ **NF** complementarity ✦ **complémentarité de gammes** line complementarity.

**complet, -ète** /kɔ̃plɛ, ɛt/ **ADJ** *rapport* comprehensive, full; *adresse* full; *échec* total, utter, complete ✦ **révision complète** complete *ou* thorough revision ✦ **nous devons demander des renseignements plus complets** we must ask for fuller information ✦ **exposé complet et véridique** *(Compta)* full disclosure ✦ **stratégie de ligne complète** *(Mktg)* full-line strategy ✦ **travailleur à temps complet** full-time worker, full-timer ✦ **travailler à temps complet** to work full time.

**compléter** /kɔ̃plete/ **VT** *dossier* to complete; *somme* to make up; *formulaire* to fill in *ou* up *ou* out; *information* to complement, supplement ✦ **vous devez compléter entièrement ce formulaire de candidature** you must fill in all parts of this application form ✦ **nous allons compléter notre potentiel de production actuel** we are going to add to our existing capacity ✦ **ce nouveau modèle viendra compléter notre haut-de-gamme** the new model will be an addition to the top-end *ou* up-market end of our product line ✦ **compléter une couverture** *(Bourse)* to margin up.

**complexe** /kɔ̃plɛks(ə)/ **ADJ** complex, intricate **NM** ✦ **complexe industriel** industrial complex *ou* estate.

**complexité** /kɔ̃plɛksite/ **NF** *[démarches, situation]* complexity, intricacy.

**compliment** /kɔ̃plimɑ̃/ NM compliment ✦ **avec les compliments de la direction** with the compliments of the management.

**compliquer** /kɔ̃plike/ VT to complicate ✦ **le problème est compliqué par la chute du dollar et la hausse des taux d'intérêt** the problem is complicated ou compounded by the dollar drop and the rise in interest rates.

**comportement** /kɔ̃pɔʀtəmɑ̃/ NM [employé, direction] behaviour (envers towards); [économie] performance ✦ **comportement d'achat** purchase ou buying behaviour ✦ **comportement des consommateurs** consumer behaviour ✦ **comportement du produit** product performance ✦ **différences de comportement** attitudinal differences ✦ **modèle de comportement** (Mktg) behavioural pattern.

**comporter** /kɔ̃pɔʀte/ VT ▪ **a** (= contenir) to include, contain, comprise, consist of ✦ **le traité comporte 18 articles** the treaty comprises 18 articles ✦ **le prix ne comporte pas les frais d'emballage** the price does not include packing charges ▪ **b** (= entraîner) to entail, involve, imply ✦ **cette opération comporte de gros risques** this transaction involves some serious risks ✦ **ce projet comporte le doublement de notre force de vente** this project implies ou entails doubling our sales force
**se comporter** VPR [personne] to behave; [économie] to perform ✦ **ces titres se sont bien comportés** these stocks performed well.

**composant, e** /kɔ̃pozɑ̃, ɑ̃t/ ADJ component, constituent
▪ NM ▪ component, constituent ✦ **composants électroniques** electronic components ✦ **usine de composants** component factory
**composante** NF component ✦ **composante cognitive / conative** (Mktg) cognitive / conative component ✦ **composantes d'un portefeuille** portfolio components.

**composé, e** /kɔ̃poze/ ADJ compound ✦ **droits composés** (Douanes) compound duties ✦ **intérêts composés** compound interest ✦ **obligation à intérêts composés** compound interest bond.

**composer** /kɔ̃poze/ VT portefeuille to make up.

**composite** /kɔ̃pozit/ ADJ composite ✦ **indicateur / indice composite** composite indicator / index ✦ **taux composite** composite rate ✦ **unités monétaires composites** composite currency units.

**compositeur** /kɔ̃pozitœʀ/ NM (Jur) ✦ **amiable compositeur** compounder.

**composition** /kɔ̃pozisjɔ̃/ NF ▪ **a** (= structure) (gén) structure, composition; [conseil d'administra-

tion] composition, line-up ✦ **titres entrant dans la composition d'un portefeuille** securities making up a portfolio ▪ **b** (Jur = accord) composition ✦ **venir à composition** to come to a composition ✦ **amener qn à composition** to get sb to come to terms.

**compostage** /kɔ̃pɔstaʒ/ NM [facture] stamping; (avec perforatrice) punching.

**composter** /kɔ̃pɔste/ VT facture to date-stamp; (en perforant) to punch.

**composteur** /kɔ̃pɔstœʀ/ NM (= timbre) date stamp; (= perforatrice) punch.

**comprendre** /kɔ̃pʀɑ̃dʀ(ə)/ VT (= englober) to include; (= se composer de) to be made up of, be composed of, consist of, comprise ✦ **le prix ne comprend pas les frais d'emballage** the price does not include packing charges ou is not inclusive of packing charges ✦ **avez-vous compris le service sur cette note?** have you included the service charge on this bill? ✦ **le projet du gouvernement comprend trois phases** the government project is composed of ou consists of three phases.

**compressibilité** /kɔ̃pʀesibilite/ NF (Fin) compressibility.

**compressible** /kɔ̃pʀesibl(ə)/ ADJ coûts reducible ✦ **les frais généraux ne sont pas indéfiniment compressibles** overheads cannot be reduced ou cut down indefinitely.

**compression** /kɔ̃pʀesjɔ̃/ NF [dépenses, marges] reduction, cutback (de in) ✦ **compression budgétaire** budgetary cuts ✦ **compression des crédits** credit squeeze ou tightening ✦ **compression des dépenses** spending cuts ✦ **compression de personnel** labour cutback, staff reduction ✦ **compression du prix de revient** cost containment ✦ **compression des salaires** wage squeeze ✦ **une compression des dépenses publiques est nécessaire** a reduction ou squeeze in public expenditures is necessary ✦ **politique de compression des dépenses** policy of retrenchment ou of spending cutbacks.

**comprimer** /kɔ̃pʀime/ VT personnel to cut down ou back, reduce; frais to reduce, squeeze, curtail, cut down ✦ **comprimer l'inflation** to reduce inflation, put a lid on inflation ✦ **le gouvernement vise à comprimer les dépenses** the government aims to hold expenditure down ou to cut back on expenditures.

**compris, e** /kɔ̃pʀi, iz/ ADJ ▪ **a** (= contenu) ✦ **prix tout compris** inclusive price ou terms ✦ **service compris** service included ✦ **service non compris** service not included, service extra ✦ **c'est 500**

livres par mois tout compris it's £500 a month all inclusive *ou* all in ◆ **la facture est de 900 euros main-d'œuvre comprise** the bill is for 900 euros including labour ◆ **toutes taxes comprises** inclusive of tax, tax inclusive ◆ **nos prix s'entendent frais de port compris** our prices are inclusive of handling charges ◆ **frais d'emballage et d'envoi non compris** exclusive of post and packing ◆ **options non comprises** exclusive of extras ◆ **nous sommes 20, y compris l'interprète** there are 20 of us, including the interpreter ◆ **y compris jusqu'à la page 10** up to and including page 10 **b** *(dans une fourchette)* ◆ **compris entre** between ◆ **pour les revenus compris entre 1 500 et 3 000 euros la pression fiscale sera réduite** the tax burden will be reduced *ou* be alleviated for those in the 1,500–3,000 euros income bracket.

**compromis** /kɔ̃pʀɔmi/ **NM** compromise, arrangement ◆ **décision / solution de compromis** compromise decision / solution ◆ **compromis d'arbitrage** arbitration *ou* appraisement bond, compromise ◆ **compromis de vente** (provisional) sales agreement ◆ **aboutir à un compromis** to come to *ou* reach a compromise ◆ **accepter un compromis** to (agree to a) compromise ◆ **mettre une affaire en compromis** to submit a matter to arbitration ◆ **obtenir un compromis avec ses créanciers** to compound with one's creditors ◆ **ils sont arrivés à un compromis sur les derniers points importants de désaccord** they came to a compromise on *ou* over the last main points of disagreement, they compromised the last significant differences ◆ **nous avons dû accepter un compromis entre part de marché et marges** we had to trade off market share against profit margins ◆ **un compromis entre la croissance et la rentabilité** a compromise *ou* trade-off between growth and profitability.

**compromissoire** /kɔ̃pʀɔmiswaʀ/ **ADJ** *(Jur)* ◆ **clause compromissoire** arbitration clause.

**compta** * /kɔ̃ta/ **NF** abrév de **comptabilité.**

**comptabilisation** /kɔ̃tabilizasjɔ̃/ **NF** *(Fin)* posting.

**comptabiliser** /kɔ̃tabilize/ **VT** *(Fin)* to post, enter in the accounts ◆ **être comptabilisé comme chômeur** to be registered as unemployed ◆ **comptabiliser à l'actif** to enter to *ou* on the assets side.

**comptabilité** /kɔ̃tabilite/ **NF** *(gén, = profession)* accountancy; *(= activité)* accounting; *[petite entreprise]* bookkeeping; *(= ensemble des comptes)* accounts; *(= département)* accounts department ◆ **livre de comptabilité** account book

◆ **service de la comptabilité** accounts *ou* accounting department ◆ **tenir la comptabilité** to keep the accounts *ou* the books* ◆ **établir une comptabilité de qch** to render an accounting for sth ◆ **faire des études de comptabilité** to study accountancy ◆ **contrôler la comptabilité d'une société** to audit a company's accounts

*compounds/composés*

- **comptabilité analytique** cost accounting
- **comptabilité autonome** self-balancing fund
- **comptabilité par branche d'activité** functional accounting
- **comptabilité de caisse** cash basis of accounting
- **comptabilité d'engagements** accrual basis of accounting ◆ **comptabilité d'engagements budgétaires** encumbrance accounting
- **comptabilité espèces** cash accounting
- **comptabilité par fabrication** process costing
- **comptabilité fiduciaire** fiduciary accounting
- **comptabilité fiscale** tax accounting
- **comptabilité générale** financial accounting
- **comptabilité de gestion** management accounting
- **comptabilité indexée** general price-level *ou* GPL accounting
- **comptabilité industrielle** industrial bookkeeping, cost accounting
- **comptabilité des inventaires** store keeping account
- **comptabilité matières** stock *ou* materials *(US)* accounting
- **comptabilité nationale** national accounting
- **comptabilité normalisée** uniform accounting
- **comptabilité en partie double** double-entry bookkeeping
- **comptabilité en partie simple** single-entry bookkeeping
- **comptabilité de prix de revient** cost accounting
- **comptabilité publique** public accountancy
- **comptabilité des ressources humaines** human resource accounting
- **comptabilité sectionnelle** burden centre accounting
- **comptabilité sociale** social accounting
- **comptabilité à la valeur actuelle** current value accounting
- **comptabilité à la valeur d'origine** historical cost accounting.

**comptable** /kɔ̃tabl(ə)/ **ADJ** **a** *cycle, erreur, traitement* accounting ◆ **bénéfice comptable** accounting income ◆ **écriture comptable** book entry, accounting entry ◆ **état comptable** accounting summary *ou* statement ◆ **exercice comptable** accounting period *ou* year ◆ **méthode comptable** accounting method *ou* practice *ou* procedure ◆ **période comptable** ac-

counting period ✦ **pièces comptables** bookkeeping vouchers ✦ **plan comptable** accounting system ✦ **quittance comptable** accountable receipt ✦ **service comptable** accounting *ou* accounts department ✦ **valeur comptable** book value **b** *(= responsable)* accountable, responsible, answerable *(de* for*)* ✦ **il est comptable de ses actes devant le directeur général** he is answerable to the managing director
**NMF** *(gén)* accountant; *[petite entreprise]* bookkeeper ✦ **comptable agréé / diplômé** certified / qualified accountant ✦ **aide-comptable** accountant's assistant ✦ **chef comptable** head *ou* chief accountant, chief accounting officer ✦ **expert-comptable** chartered accountant *(Brit)*, certified public accountant *(US)* ✦ **virement adressé à Monsieur l'Agent comptable du Trésor** money transfer addressed to the Treasury ✦ **vérificateur comptable** auditor.

**comptage** /kɔ̃taʒ/ NM *(= action)* counting; *(= résultat)* count ✦ **comptage de caisse** cash count ✦ **comptage de circulation** *(Mktg)* traffic counts.

**comptant** /kɔ̃tɑ̃/ ADV cash ✦ **payer comptant** to pay cash (down) ✦ **acheter comptant** to buy for cash, pay cash for ✦ **verser 100 dollars comptant** to pay $100 down ✦ **payable comptant** payable on presentation, « cash terms » ◾ NM **a** cash ✦ **comptant compté** cash ✦ **comptant contre documents** cash against documents ✦ **comptant contre remboursement** cash on delivery ✦ **comptant sans escompte** net cash ✦ **comptant d'usage** prompt cash ✦ **acheter / vendre au comptant** to buy / sell for cash ✦ **payer au comptant** to pay cash ✦ **achat / vente au comptant** cash purchase / sale ✦ **comptant avec 3% d'escompte** cash with *ou* less 3% discount ✦ **escompte au comptant** discount for cash **b** *(Bourse)* ✦ **cours du comptant** spot rate ✦ **marché / prix / livraison au comptant** spot market / price / delivery ✦ **opérations au comptant** spot *ou* cash transactions ✦ **valeurs au comptant** securities quoted on the spot market ✦ **vente de dollars au comptant** spot sale of dollars.

**compte** /kɔ̃t/ NM **a** *(= facture, note)* account, invoice, bill; *[hôtel]* bill ✦ **en règlement de notre compte** in settlement of our account ✦ **pourriez-vous nous faire notre compte?** could you give us the bill? **b** *(Compta)* account ✦ **comptes trimestriels / annuels** quarterly / annual accounts *ou* financial statements *(US)* ✦ **ajustement** *ou* **apurement des comptes** reconcilia-

tion of accounts ✦ **arrêter** *ou* **clôturer un compte** to close an account ✦ **bloquer un compte** to stop an account ✦ **faire** *ou* **établir ses comptes** to do one's accounts *ou* books* ✦ **tenir les comptes** to keep the accounts *ou* the books* ✦ **faire accorder les comptes** to agree the accounts, balance the books* ✦ **mettre un compte à jour** to post up an account ✦ **imputer une dépense à un compte** to charge an expense to an account, charge an account with an expense ✦ **mettez cela sur mon compte** charge it to my account ✦ **porter** *ou* **reporter qch à un compte du grand livre** to post sth to an account in the general ledger *ou* to a ledger account ✦ **contrôle des comptes** auditing ✦ **unité de compte** unit of account **c** *(Banque)* account ✦ **intitulé de compte** account title *ou* name ✦ **numéro de compte** account number ✦ **relevé de compte** bank statement, statement of account ✦ **responsable de compte** account officer ✦ **ouvrir un compte en banque** to open a bank account *ou* an account with a bank ✦ **créditer / débiter un compte** to credit / debit an account ✦ **régler un compte** to settle an account ✦ **approvisionner** *ou* **alimenter son compte, verser de l'argent à son compte** to pay money into one's account **d** *(= dû)* ✦ **donner son compte à un employé** *(= payer)* to settle up with an employee; *(= licencier)* to give an employee his cards* *(Brit)* *ou* pink slip *(US)* **e** *(Pub, Mktg)* account ✦ **responsable de compte** account executive ✦ **accentuer ses efforts commerciaux vers les grands comptes** to focus one's commercial efforts on major accounts **f** *(= décompte)* calculation, count, reckoning ✦ **faire le compte des dépenses** to work out the expenditure ✦ **faire le compte des invendus** to make account of the unsold items ✦ **si on fait le compte des jours de travail perdus** if you calculate *ou* add up the number of working days which were lost ✦ **le compte y est** the amount is correct, that's the right amount ✦ **cela fait un compte rond** it makes a round sum **g** *(loc)* ✦ **agir pour le compte de** to act on behalf of ✦ **s'établir** *ou* **s'installer** *ou* **se mettre à son compte** to set up in business on one's own account, set up as a sole trader ✦ **être à son compte** to be self-employed ✦ **travailler pour le compte d'une firme d'importation** to work for an import company ✦ **demander des comptes à qn** to ask sb for an explanation, call sb to account ✦ **je dois rendre compte de mes décisions** I am accountable *ou* answerable for my decisions, I have to account for my decisions ✦ **ces chiffres doivent entrer en ligne de compte** these figures must be taken into account ✦ **son âge** est entré en ligne de compte his age was an important consideration ◆ **il faut tenir compte d'une chute éventuelle du yen** we must allow for a fall in the yen ◆ **compte tenu du prix** given the price, taking the price into account, in view of the price ▪ Voir encadré ci-dessous

*compounds/composés*

COMPTE

◆ **compte d'achats à crédit** charge account
◆ **compte d'affectation** appropriation account
◆ **compte d'amortissement** depreciation account
◆ **comptes d'apport** capital accounts
◆ **comptes approuvés** certified accounts
◆ **compte d'attente** suspense account
◆ **compte d'avances** loan account
◆ **compte bancaire, compte en banque** bank account
◆ **comptes de bilan** balance sheet accounts
◆ **compte bloqué** *(où est déposé de l'argent)* escrow account
◆ **compte de caisse** cash account
◆ **compte de capital** *ou* **de capitaux** capital account
◆ **compte de charges** expenditure account, expense account
◆ **compte (de) chèques** current *ou* cheque account *(Brit)*, checking account *(US)* ◆ **compte chèque postal** post office account   Giro account *(Brit)*
◆ **compte de choses** impersonal account
◆ **comptes clients** accounts receivable
◆ **compte collectif** controlling *ou* reconciliation account
◆ **compte commercial** business account
◆ **comptes consolidés** consolidated accounts
◆ **compte correspondant** *ou* **de contre-partie** contra account
◆ **compte courant** current *ou* cheque account *(Brit)*, checking account *(US)* ◆ **crédits en compte courant** overdraft facilities, current account advances ◆ **excédent en compte courant** current account credit balance ◆ **compte courant postal** post office account   Giro account *(Brit)*
◆ **compte débiteur** debit account
◆ **compte à découvert** *ou* **désapprovisionné** overdrawn account
◆ **compte de dépôts** deposit account
◆ **compte pour le développement industriel** industrial development savings account
◆ **compte de divers** sundries account
◆ **compte d'effets à payer** bills payable account
◆ **compte d'effets à recevoir** bills receivable account
◆ **compte (d') épargne** deposit *ou* savings account ◆ **compte d'épargne en actions** stock market investment savings account ◆ **compte d'épargne logement**   building society savings account
◆ **compte-espèces** cash account
◆ **compte étranger** foreign account
◆ **comptes de l'exercice** annual accounts
◆ **compte d'exploitation** trading *ou* operating *ou* working account
◆ **comptes extérieurs** balance of payments
◆ **compte de fabrication** manufacturing account

◆ **compte en fiducie** trust account
◆ **comptes fournisseurs** accounts payable, payables *(US)*
◆ **compte de frais** expense account
◆ **compte de fret** freight account
◆ **compte géré** *ou* **de gestion** management *ou* nominal account
◆ **compte inactif** dead *ou* idle account
◆ **compte intérimaire** interim account
◆ **comptes intersociétés** intercompany accounts
◆ **compte joint** joint account
◆ **compte de liquidation** realization *ou* settlement account
◆ **compte sur livret** savings *ou* deposit account
◆ **compte de marge** *(Bourse)* margin account
◆ **compte de méthode** suspense account
◆ **compte nominatif** personal account
◆ **compte de non-résident** external account
◆ **compte numéroté** numbered account
◆ **compte d'ordre** suspense account
◆ **compte de passage** clearing account
◆ **compte de passif** liability account
◆ **compte personnel** personal account
◆ **compte de pertes et profits** profit and loss account
◆ **compte de prélèvements** drawing account
◆ **comptes prévisionnels** provisional accounts
◆ **compte de produits** income *ou* revenue account
◆ **compte de provision pour moins-value** valuation account
◆ **compte récapitulatif** summary account
◆ **comptes réciproques** reciprocal accounts
◆ **compte de régularisation** equalization account
◆ **compte rendu** *(gén)* account, report; *[réunion]* minutes; *[conférence]* proceedings ◆ **compte rendu analytique** summary record ◆ **compte rendu de mission** *(Compta)* auditor's comments ◆ **compte rendu d'entretien téléphonique** call report ◆ **compte rendu d'activités** progress report ◆ **établir un compte rendu de...** to give a report on *ou* an account of *ou* rundown on...
◆ **compte de résultat** income statement, profit and loss account
◆ **compte de retraits** drawing account
◆ **comptes sociaux** corporate financial statements
◆ **comptes de synthèse** condensed financial statements
◆ **compte à terme** deposit account
◆ **compte-titres** securities account ◆ **compte-titres ordinaire** ordinary securities account
◆ **compte de valeurs** property *ou* real account, permanent account
◆ **compte de ventes** sales account
◆ **compte à vue** demand deposit.

**compter** /kɔ̃te/ **VT a** (= *faire payer*) to charge ◆ **je vous compterai 50 euros pour le conditionnement** I'll charge you 50 euros for the packing ◆ **ils nous ont compté 15 livres de trop** they overcharged us (by) £15, they charged us £15 too much ◆ **il compte très cher de l'heure** his hourly rate is high **b** (= *payer*) to pay ◆ **nous allons vous compter ce que nous vous devons** we'll pay you what we owe you **c** (= *calculer*) to allow, reckon ◆ **nous devons compter 3% de coulage** we must allow 3% for leakage ◆ **combien de temps comptez-vous pour mettre au point ce projet?** how much time do you reckon *ou* estimate it'll take to finalize the project? ◆ **nous comptons commencer la semaine prochaine** we intend *ou* plan to start next week **d** (= *avoir*) to have ◆ **notre société compte 600 employés** our company has a staff of 600 *ou* employs 600 people ◆ **le magasinier compte 20 ans de service dans notre maison** the storekeeper has been with us for 20 years

**VI** (= *calculer*) to count ◆ **nous devons compter avec la hausse des taux d'intérêt** we must take rising interest rates into account, we must reckon with rising interest rates ◆ **il faut compter avec la chute du dollar** we must allow for the fall in the dollar rate ◆ **nous comptons sur un taux d'inflation moins élevé l'année prochaine** we are reckoning *ou* counting on *ou* relying on a lower inflation rate next year ◆ **cette société compte parmi les plus importantes de ce secteur d'activité** this company ranks *ou* is among the leading businesses in this sector ◆ **compter sur qn** to count *ou* rely on sb ◆ **nous comptons sur une bonne tenue du franc** we anticipate a firmer franc ◆ **à compter de la semaine prochaine** with effect from next week, as from next week.

**compte rendu** /kɔ̃tʀɑ̃dy/ **NM** → **compte.**

**compteur** /kɔ̃tœʀ/ **NM** meter.

**comptoir** /kɔ̃twaʀ/ **NM** (= *table, guichet*) counter; (= *succursale*) branch; (= *colonie*) trading post ◆ **comptoir-caisse** pay desk.

**Conakry** /kɔnakʀi/ **N** Conakry.

**concédant** /kɔ̃sedɑ̃/ **NM** [*licence d'exploitation*] grantor, licensor.

**concéder** /kɔ̃sede/ **VT** *licence d'exploitation* to grant, award; *point de discussion* to concede.

**concentration** /kɔ̃sɑ̃tʀasjɔ̃/ **NF** [*industrie*] concentration; [*entreprises*] integration ◆ **concentration en amont / en aval** backward / forward integration ◆ **concentration horizontale / verticale** horizontal / vertical integration *ou* merger *ou* combination ◆ **concentration industrielle** industrial concentration ◆ **ratio de concentration** concentration ratio ◆ **nous avons décidé la concentration de toutes nos activités à l'étranger** we have decided to integrate all our overseas activities.

**concentrer** /kɔ̃sɑ̃tʀe/ **VT** *entreprises, activités* to integrate, merge; *industrie* to concentrate **se concentrer** **VPR** se concentrer sur *[discussion]* to focus on, concentrate on ◆ **la demande s'est concentrée sur les valeurs américaines** demand was focused *ou* concentrated on American stocks, operators zeroed in on American stocks.

**concept** /kɔ̃sɛpt/ **NM** concept ◆ **concept de base / publicitaire** basic / advertising concept ◆ **test de concept** concept testing.

**concepteur, -trice** /kɔ̃sɛptœʀ, tʀis/ **NM,F** ideas man *ou* woman ◆ **concepteur rédacteur** copywriter ◆ **concepteur publicitaire** visualiser.

**conception** /kɔ̃sɛpsjɔ̃/ **NF** (*gén*) conception; [*produit, système*] design ◆ **conception artistique** design, styling ◆ **conception assistée par ordinateur** computer-assisted *ou* computer-aided design ◆ **conception de l'emballage** packing *ou* package design ◆ **conception et fabrication assistées par ordinateur** computer-assisted *ou* computer-aided design and manufacturing ◆ **conception de systèmes** systems design ◆ **conception des tâches** job design.

**concerner** /kɔ̃sɛʀne/ **VT** to concern, affect ◆ **en ce qui concerne** with regard *ou* respect to, concerning ◆ **la clause concernée** the relevant clause.

**concertation** /kɔ̃sɛʀtasjɔ̃/ **NF** [*entre patronat et syndicats*] dialogue, consensus seeking ◆ **instance de concertation** consultative body ◆ **processus de concertation** consultation *ou* consultative process ◆ **concertation entre banques centrales** concertation between central banks.

**concerté, e** /kɔ̃sɛʀte/ **ADJ** concerted ◆ **fixation concertée des prix** common price fixing ◆ **flottement concerté** (*UE*) joint float.

**concerter (se)** /kɔ̃sɛʀte/ **VPR** to consult (each other), consider *ou* discuss joint action.

**concession** /kɔ̃sesjɔ̃/ **NF** **a** (= *abandon*) concession ◆ **faire des concessions** to make concessions ◆ **se refuser à toute concession** to refuse to make any concession, refuse to give an inch ◆ **faire des concessions de principe** to surrender on a principle **b** [*exploitation*] concession, franchise ◆ **concession de licence** granting of a concession, franchising ◆ **concession exclusive** exclusive franchise ◆ **prolonger la durée d'une concession** to extend a franchise.

**concessionnaire** /kɔ̃sesjɔnɛʀ/ **ADJ** compagnie concessionnaire statutory ou concessionary company, utility company (US)
**NMF** (= distributeur agréé) agent, dealer, distributor; [automobiles] dealer ◆ **concessionnaire exclusif** sole agent ◆ **concessionnaire d'un brevet** patent-holder ◆ **concessionnaire d'une licence** license-holder, licensee ◆ **concessionnaire stockiste** dealer ◆ **consultez votre concessionnaire le plus proche** see your local dealer.

**concevoir** /kɔ̃s(ə)vwaʀ/ **VT** (gén) to conceive; produit to design ◆ **concevoir une campagne** to devise a campaign.

**conciliateur, -trice** /kɔ̃siljatœʀ, tʀis/ **ADJ** conciliatory, conciliating
**NM,F** conciliator.

**conciliation** /kɔ̃siljasjɔ̃/ **NF** conciliation ◆ **comité de conciliation** conciliation board ◆ **gestes de conciliation** conciliatory gestures ◆ **instance de conciliation** arbitrating authority ou body ◆ **procédure de conciliation** conciliatory proceedings.

**conciliatoire** /kɔ̃siljatwaʀ/ **ADJ** (Jur) conciliatory.

**concilier** /kɔ̃silje/ **VT** to reconcile (avec with) ◆ **il est difficile de concilier politique d'austérité et mesures de relance** it's hard to reconcile an austerity policy with reflationary measures.

**conclure** /kɔ̃klyʀ/ **VT** **a** (= régler) accord to enter into, clinch; vente to clinch, make, finalize (US) ◆ **conclure un marché** to clinch ou pull off a deal, strike a bargain ◆ **conclure un contrat à l'arraché** to snap up ou snatch a contract ◆ **conclure un contrat d'assurance** to conclude an insurance contract ◆ **marché conclu!** it's a deal! ◆ **l'affaire est loin d'être conclue** the deal is far from being clinched **b** (= clore) discussion to conclude, end, close; (= inférer) to conclude, deduce (qch de qch sth from sth)
**VI** (Jur) ◆ **les juges ont conclu à l'acquittement** the judges decided on an acquittal.

**conclusion** /kɔ̃klyzjɔ̃/ **NF** conclusion ◆ **conclusions** [jury] findings, decision; [enquête] findings; [demandeur] submissions, pleadings, brief ◆ **déposer des conclusions auprès du tribunal** to file one's submissions with the court.

**concordat** /kɔ̃kɔʀda/ **NM** **a** (= attestation) bankrupt's certificate ◆ **accorder un concordat à qn** to certificate sb **b** (= accord) composition, legal settlement (with one's creditors) ◆ **concordat de cinquante pour cent** composition of fifty percent ou of fifty pence in the pound (Brit) ◆ **concordat préventif de faillite** scheme of composition.

**concordataire** /kɔ̃kɔʀdatɛʀ/ **ADJ** débiteur concordataire certified ou certificated debtor ◆ **procédure concordataire** composition proceedings
**NM** certified ou certificated bankrupt.

**concorder** /kɔ̃kɔʀde/ **VI** **a** (Jur) to compound ◆ **concorder avec ses créanciers** to compound with one's creditors **b** [comptes] to agree, tally (avec with) ◆ **les opinions des deux experts concordent** the two experts are of the same view ou hold the same views.

**concours** /kɔ̃kuʀ/ **NM** **a** (gén) competition, contest; (Univ) competitive exam ◆ **concours agricole** agricultural show ◆ **concours de circonstances** combination of circumstances ◆ **concours externe** open competition ◆ **concours interne** closed competition (for promotion of insiders through examination) ◆ **concours de vente** sales contest **b** (= assistance) cooperation, aid, assistance ◆ **votre projet pourra bénéficier de concours bancaires** banks may back your project, you may get support ou help from the banks ou bank support for your project ◆ **prêter son concours à** to lend one's support to ◆ **concours financier à moyen terme** medium-term financial assistance ◆ **disposition de concours mutuel** (UE) system of mutual support.

**concrétisation** /kɔ̃kʀetizasjɔ̃/ **NF** realization.

**concrétiser (se)** /kɔ̃kʀetize/ **VPR** (gén) to materialize; [projet] to take shape, eventuate.

**concurrence** /kɔ̃kyʀɑ̃s/ **NF** **a** (Comm) competition ◆ **entraver la concurrence** to hinder competition ◆ **entraves à la libre concurrence** restrictive practices ◆ **faire concurrence à** to compete with, be in competition with ◆ **se faire concurrence** to compete with one another ◆ **concurrence déloyale** unfair competition ou trading ◆ **concurrence féroce** ou **acharnée** cut-throat ou keen ou fierce competition ◆ **concurrence monopolistique** monopolistic competition ◆ **concurrence pure / parfaite** pure / perfect competition ◆ **politique de concurrence** competition policy ◆ **prix défiant toute concurrence** unbeatable prices ◆ **à des conditions normales de concurrence** (Jur) at arm's length **b** **jusqu'à concurrence de 10 000 euros** up to (the amount of) 10,000 euros.

**concurrencer** /kɔ̃kyʀɑ̃se/ **VT** to compete with ◆ **leur nouvelle gamme ne peut sérieusement**

concurrencer la nôtre their new line can't pose a serious challenge to ours *ou* can't seriously compete with ours.

**concurrent, e** /kɔ̃kyʀɑ̃, ɑ̃t/ **ADJ** *maison, entreprise* competing
**NM,F** competitor.

**concurrentiel, -elle** /kɔ̃kyʀɑ̃sjɛl/ **ADJ** competitive ✦ **avantage concurrentiel** competitive advantage *ou* edge ✦ **marché / prix concurrentiel** competitive market / price ✦ **position concurrentielle** competitive position ✦ **il faut fixer un tarif concurrentiel pour nos nouveaux produits** we must price our new products competitively.

**concussion** /kɔ̃kysjɔ̃/ **NF** misappropriation of public funds, peculation, embezzlement *(US)*.

**condamnation** /kɔ̃dɑnasjɔ̃/ **NF** **a** *[projet, décision]* condemnation **b** *(Jur = sanction)* sentence ✦ **la condamnation de qn** the sentencing of sb *(à, pour* for) **condamnation à une amende** imposition of a fine ✦ **condamnation par défaut** *ou* **par contumace** sentence in absentia ✦ **condamnation aux dépens** order to pay costs ✦ **prononcer une condamnation contre qn** to pass judgment *ou* sentence on sb ✦ **la nouvelle réglementation signifie la condamnation du petit commerce** the new regulation spells the end for the small trader.

**condamner** /kɔ̃dɑne/ **VT** *mesure, propos* to blame, condemn; *(Jur)* to sentence (*à* to, *pour* for) ✦ **condamner qn à une amende** to fine sb, impose a fine on sb ✦ **être condamné par défaut** to be sentenced in absentia ✦ **être condamné aux dépens** to be ordered to pay costs ✦ **il a été condamné à dix ans de prison** *ou* **à une peine de dix ans de prison** he got a ten-year sentence, he was sentenced to ten years' imprisonment ✦ **la fraude fiscale devrait être plus sévèrement condamnée** tax evasion should carry heavier penalities ✦ **le petit commerce est condamné** small shops are doomed to extinction, the end of the small shops is in sight.

**condition** /kɔ̃disjɔ̃/ **NF** **a** *(= modalité)* term ✦ **à des conditions exceptionnelles** on exceptional *ou* outstanding *ou* bargain-basement terms ✦ **conditions d'une émission** *(Bourse)* terms of an issue ✦ **aux conditions du marché** at market price ✦ **les conditions de l'emprunt** the terms of the loan ✦ **consentir des conditions intéressantes** to grant favourable terms **b** *(= clause)* condition, term, clause; *(= exigence)* requirement ✦ **les conditions d'un contrat** the conditions of a contract ✦ **conditions d'application d'une loi** rules governing the application of a

law ✦ **envoyer** *ou* **expédier des marchandises sous condition** to send *ou* forward goods on approval *ou* on appro *ou* on sale or return ✦ **candidat répondant aux conditions requises** candidate with the right requirements, eligible applicant ✦ **ce produit ne remplit pas les conditions requises** this product does not meet the requirements ✦ **satisfaire aux conditions légales requises** to meet *ou* fulfil the legal requirements ✦ **il remplit les conditions exigées pour être promu** he has all the necessary requirements for promotion, he is eligible for promotion ✦ **l'allemand est une condition indispensable pour ce poste** German is an essential requirement for this job ✦ **les conditions fixées par le traité de Rome** the conditions laid down by the Rome treaty ✦ **sans condition** unconditionally, with no strings attached* ✦ **sous condition** conditionally **c** *(= situation)* ✦ **conditions** conditions ✦ **dans les conditions actuelles** under the present circumstances *ou*

────── *compounds/composés* ──────
✦ **conditions d'achat** terms of purchase
✦ **conditions d'adhésion** conditions of membership
✦ **conditions d'admission** admission requirements
✦ **conditions d'attribution** eligibility conditions
✦ **conditions de crédit** credit terms
✦ **conditions économiques** economic situation *ou* outlook
✦ **conditions d'emploi** terms *ou* conditions of employment
✦ **conditions d'existence** living conditions
✦ **conditions d'expédition** shipping terms
✦ **condition expresse** express condition *ou* clause
✦ **conditions de faveur** preferential terms
✦ **conditions générales** *(Ass)* general clauses *ou* terms
✦ **conditions générales de vente** terms of sale
✦ **conditions habituelles** usual terms
✦ **condition implicite** implicit condition
✦ **conditions de livraison** delivery terms
✦ **conditions de paiement** *(gén)* terms of payment; *[crédit]* credit terms ✦ **consentir des conditions de paiement** to grant credit terms
✦ **conditions particulières** *(Ass)* special terms
✦ **condition préalable** prerequisite
✦ **condition provisionnelle** proviso
✦ **conditions de règlement** terms of payment
✦ **condition résolutoire** condition of avoidance
✦ **conditions de sécurité** safety requirements
✦ **conditions spéciales** special terms
✦ **condition suspensive** suspensive condition
✦ **conditions de travail** working conditions
✦ **conditions de vie** living conditions.

conditions ✦ **égalité des conditions de concurrence** equal terms of competition **d** *(état)* state, condition ✦ **mise en condition** conditioning ✦ **en bonne condition** in good repair, in fair condition ✦ **votre envoi nous est parvenu en mauvaise condition** your consignment reached us in damaged condition

**conditionnel, -elle** /kɔ̃disjɔnɛl/ **ADJ** conditional ✦ **acceptation conditionnelle** qualified acceptance ✦ **clause conditionnelle** conditional *ou* provisory clause, proviso ✦ **endossement conditionnel** qualified *ou* conditional endorsement ✦ **marché conditionnel** *(produits dérivés)* options market; *(assurance)* contingent market ✦ **offre conditionnelle** qualified *ou* conditional offer ✦ **prêt conditionnel** loan made on condition, tied loan.

**conditionnellement** /kɔ̃disjɔnɛlmɑ̃/ **ADV** conditionally.

**conditionnement** /kɔ̃disjɔnmɑ̃/ **NM** **a** *(= action d'emballer)* packaging; *(= boîte)* package, packaging ✦ **conditionnement en blister** blister packing ✦ **conditionnement des produits de consommation courante** consumer packaging ✦ **conditionnement réutilisable** reusable container *ou* packaging, premium package ✦ **conditionnement transparent** blister pack **b** *[client]* conditioning ✦ **conditionnement de l'acheteur / de la demande** buyer / demand conditioning.

**conditionner** /kɔ̃disjɔne/ **VT** *produit* to package; *consommateurs* to condition ✦ **viande conditionnée** prepacked *ou* prepackaged meat.

**conditionneur** /kɔ̃disjɔnœR/ **NM** *[produits]* packager.

**conducteur** /kɔ̃dyktœR/ **NM** *[véhicule]* driver; *[machine]* operator; *[travaux]* foreman, supervisor *(US)* ✦ **conducteur de travaux** clerk of works.

**conduire** /kɔ̃dɥiR/ **VT** *entreprise* to run, manage; *travaux* to supervise; *étude, négociations* to lead, conduct; *délégation* to lead ✦ **conduire une réunion** to run a meeting ✦ **cela nous a conduits à un changement de politique** it led to a change in our policy.

**conduite** /kɔ̃dɥit/ **NF** *[entreprise]* running, management; *[travaux]* supervision, superintendence, management ✦ **conduite directive** directive leadership ✦ **conduite de groupe** group leadership ✦ **conduite de projet** project management ✦ **la conduite de l'économie** the management of the economy ✦ **être chargé de la conduite des négociations** to be in charge of leading *ou* conducting the negotiations

✦ **conduite de réunions** managing *ou* running meetings.

**confection** /kɔ̃fɛksjɔ̃/ **NF** ✦ **la confection** the clothing industry, the rag trade* ✦ **magasin de confection** dress shop, apparel store *(US)* ✦ **vêtements de confection** ready-made *ou* ready-to-wear clothes *ou* garments.

**confectionneur, -euse** /kɔ̃fɛksjɔnœR, øz/ **NM,F** ready-to-wear manufacturer.

**confédération** /kɔ̃federasjɔ̃/ **NF** confederation ✦ **confédération syndicale** trade union *ou* labour union confederation ✦ **la Confédération helvétique** the Swiss Confederation.

**conférence** /kɔ̃feRɑ̃s/ **NF** **a** *(= réunion)* meeting, conference; *(= discours)* talk, lecture ✦ **conférence de presse** press conference ✦ **conférence au sommet** summit meeting *ou* talks ✦ **conférence téléphonique** conference call ✦ **salle de conférence** lecture *ou* conference room ✦ **être en conférence** to be busy, be in conference ✦ **tenir une conférence** to hold a conference ✦ **les participants à la conférence ont décidé...** the conference decided... ✦ **les travaux de la conférence** the conference proceedings **b** *(Mar)* ✦ **conférence de navigation** shipping conference ✦ **conditions de la conférence** conference terms.

**conférencier, -ière** /kɔ̃feRɑ̃sje, jɛR/ **NM,F** lecturer.

**confiance** /kɔ̃fjɑ̃s/ **NF** confidence, trust ✦ **abus de confiance** abuse of confidence, breach of trust ✦ **climat de confiance** atmosphere *ou* climate of confidence ✦ **homme de confiance** right hand man, confidential clerk ✦ **maison de confiance** reputable firm ✦ **poste de confiance** position of trust ✦ **vote de confiance** vote of confidence ✦ **voter la confiance** to pass a vote of confidence ✦ **nous vous remercions de la confiance que vous avez bien voulu nous témoigner jusqu'à ce jour** we thank you for your past support ✦ **faire confiance à qn** to trust sb ✦ **avoir confiance en qn** to have confidence in sb.

**confidentialité** /kɔ̃fidɑ̃sjalite/ **NF** confidentiality.

**confidentiel, -ielle** /kɔ̃fidɑ̃sjɛl/ **ADJ** confidential; *(sur un document)* private (and confidential) ✦ **à titre confidentiel** in strict confidence, confidentially ✦ **je vous dis cela à titre confidentiel** this is said in confidence, this is off the record ✦ **les renseignements que vous pourrez nous fournir seront considérés comme strictement confidentiels** the information you may wish to provide will be treated in absolute *ou* in the strictest confidence.

**confidentiellement** /kɔ̃fidɑ̃sjɛlmɑ̃/ **ADV** confidentially.

**confier** /kɔ̃fje/ **VT** ✦ **confier qch à qn** to entrust *ou* confide sth to sb ✦ **on lui a confié du travail au bureau** he has been assigned work in the office.

**configuration** /kɔ̃figyʀasjɔ̃/ **NF** *(Inf)* configuration, equipment ✦ **de quelle configuration disposez-vous?** what configuration do you have? ✦ **configuration minimum** basic machine ✦ **configuration multi-postes** multi-user system.

**configurer** /kɔ̃figyʀe/ **VT** *(Inf)* to configure.

**confirmatif, -ive** /kɔ̃fiʀmatif, iv/ **ADJ** ✦ **lettre confirmative** confirming letter, letter of confirmation.

**confirmation** /kɔ̃fiʀmasjɔ̃/ **NF** confirmation ✦ **en confirmation de ma lettre** confirming my letter, in confirmation of my letter ✦ **confirmation de commande** order confirmation, confirmation *ou* confirming of an order ✦ **confirmation d'opération adressée / reçue** *(Bourse)* outgoing / incoming confirmation.

**confirmer** /kɔ̃fiʀme/ **VT** *nouvelle, déclaration* to confirm *(Jur : déposition)* to corroborate ✦ **les dernières statistiques confirment cette tendance** the latest figures testify to *ou* bear out *ou* confirm this trend ✦ **l'assemblée générale a confirmé le président dans ses fonctions** the chairman was confirmed in his functions by the general assembly ✦ **crédit confirmé / non confirmé** *(Fin)* confirmed / unconfirmed *ou* simple credit ✦ **confirmer par écrit** to confirm in writing.

**confiscation** /kɔ̃fiskasjɔ̃/ **NF** confiscation, seizure.

**confisquer** /kɔ̃fiske/ **VT** to seize, declare forfeit, impound.

**conflictuel, -elle** /kɔ̃fliktɥɛl/ **ADJ** *intérêts, relations, situation* conflicting.

**conflit** /kɔ̃fli/ **NM** *(gén)* conflict; *(Ind)* dispute ✦ **entrer en conflit avec qn** to conflict *ou* clash with sb, be in conflict with sb ✦ **la direction et les syndicats sont en conflit total sur ce point** the management and the unions clash over the question ✦ **conflit d'objectifs** *(Mktg)* conflict of targets ✦ **conflit social** *ou* **du travail** industrial conflict, labour troubles *ou* strife ✦ **conflit salarial** wage dispute.

**conforme** /kɔ̃fɔʀm(ə)/ **ADJ** **a** *(Jur)* certified ✦ **copie certifiée conforme** certified true copy ✦ **pour copie conforme** certified true **b** *(= en accord)* in accordance *(à* with); *(Comm)* true *(à*

to) ✦ **conforme à l'échantillon / à l'original** true *ou* up to sample / to the original ✦ **votre facture n'est pas conforme au devis que vous nous avez envoyé** your bill does not match estimate you have sent us ✦ **notre chiffre d'affaires est conforme aux prévisions** our turnover matches what we forecast *ou* is right on target ✦ **conforme aux statuts** in accordance with the articles ✦ **ces décisions sont conformes aux principes mis en avant par la commission** these decisions are in keeping with the principles put forward by the committee.

**conformément** /kɔ̃fɔʀmemɑ̃/ **ADV** ✦ **conformément à** in conformity with, in accordance with ✦ **conformément à la commande** as per order ✦ **conformément aux statuts** in application of the articles ✦ **conformément à vos instructions** in accordance with your instructions ✦ **tout s'est passé conformément à nos prévisions** everything went according to plan.

**conformer (se)** /kɔ̃fɔʀme/ **VPR** ✦ **se conformer à** to conform to, comply with ✦ **se conformer aux règlements** to comply with the regulations.

**conformité** /kɔ̃fɔʀmite/ **NF** conformity ✦ **en conformité avec** in accordance *ou* conformity *ou* compliance with ✦ **mettre en conformité avec** to bring into compliance with ✦ **certificat de conformité** certificate of compliance, release note, release note ✦ **échantillon de conformité** reference sample ✦ **frais de (mise en) conformité** compliance costs ✦ **sondage** *ou* **essai de conformité** compliance test.

**confortable** /kɔ̃fɔʀtabl/ **ADJ** *revenus, bénéfices* comfortable.

**conforter** /kɔ̃fɔʀte/ **VT** *position* to strengthen.

**confrère** /kɔ̃fʀɛʀ/ **NM** colleague.

**confrontation** /kɔ̃fʀɔ̃tasjɔ̃/ **NF** **a** *(= conflit)* confrontation **b** *(Bourse)* **confrontation des ordres** order matching.

**congé** /kɔ̃ʒe/ **NM** **a** *(= vacances)* holiday *(Brit)*, vacation *(US)* ✦ **en congé** on holiday *(Brit)* *ou* vacation *(US)* ✦ **avoir deux jours de congé** to have two days off **b** *(= arrêt de travail)* leave ✦ **prendre un congé d'une semaine** to take a week's leave ✦ **solliciter un an de congé sans solde** to ask for a year's unpaid leave ✦ **congé avec plein traitement** leave with full pay ✦ **dépasser son congé** to overstay one's leave ✦ **avoir droit à des congés payés** to qualify for holiday pay ✦ **droit aux congés** holiday entitlement **c** *(Douanes)* clearance; *(Admin)* clearance certificate ✦ **congé (de navigation)** clearance outwards **d** *(= renvoi)* notice (to quit *ou* leave) ◆ **donner son congé à un employé** to give an employee notice, dismiss an employee ◆ **avoir reçu un congé** to be under notice to quit ◆ **il faut donner congé trois mois d'avance** you have to give three months' notice

--- *compounds/composés* ---

◆ **congé pour convenances personnelles** personal leave, leave on personal grounds
◆ **congé de conversion** retraining period
◆ **congé création** *leave granted to sb wishing to create a company*
◆ **congé pour examen** examination leave
◆ **congé pour fonctions syndicales** union leave
◆ **congé formation** training period; *(d'une journée)* day release
◆ **congé de maladie** sick leave
◆ **congé de maternité** maternity leave
◆ **congé parental** parental leave
◆ **congés payés** paid holidays *(Brit)* ou vacation *(US)*
◆ **congé de perfectionnement** career development leave
◆ **congé sans solde** unpaid leave.

**congédiement** /kɔ̃ʒedimɑ̃/ **NM** *(gén)* dismissal; *(Admin)* to discharge.

**congédier** /kɔ̃ʒedje/ **VT** *(gén)* to dismiss; *(Admin)* to discharge.

**conglomérat** /kɔ̃glɔmeʀa/ **NM** *(Écon)* conglomerate.

**conglomération** /kɔ̃glɔmeʀasjɔ̃/ **NF** *(Écon)* conglomeration.

**conglomérer** /kɔ̃glɔmeʀe/ **VT** *(Écon)* to conglomerate.

**Congo** /kɔ̃gɔ/ **NM** Congo.

**congolais, e** /kɔ̃gɔlɛ, ɛz/ **ADJ** Congolese **Congolais** **NM** *(= habitant)* Congolese **Congolaise** **NF** *(= habitante)* Congolese.

**congrès** /kɔ̃gʀɛ/ **NM** *(= colloque)* congress, conference, convention ◆ **hôtel de congrès** convention hotel ◆ **congrès de vente** *(Mktg)* sales conference.

**congressiste** /kɔ̃gʀesist(ə)/ **NMF** conventioneer, delegate *(Brit)* ou participant ou attendant at a congress.

**conjoint, e** /kɔ̃ʒwɛ̃, wɛ̃t/ **ADJ** *assurance, déclaration, responsabilité, financement* joint; *questions* related ◆ **action conjointe** *(Jur)* joint action **NM,F** spouse.

**conjointement** /kɔ̃ʒwɛ̃tmɑ̃/ **ADV** jointly ◆ **conjointement et solidairement** *(Jur)* jointly and severally.

**conjoncture** /kɔ̃ʒɔ̃ktyʀ/ **NF** situation, circumstances ◆ **la conjoncture économique dans son ensemble** the overall economic situation *ou* position *ou* trend *ou* outlook ◆ **période de basse / haute conjoncture** slump / boom period ◆ **redressement de la conjoncture** recovery in the economic situation, economic uptrend *ou* upturn *ou* upswitch ◆ **renversement de la conjoncture** turnround *ou* turnaround *(US)* in the business cycle ◆ **crise de conjoncture** economic crisis *ou* downturn ◆ **indicateur de conjoncture** business *ou* economic indicator ◆ **être sensible à la conjoncture** to react to the economic situation *ou* to economic ups and downs.

**conjoncturel, -elle** /kɔ̃ʒɔ̃ktyʀɛl/ **ADJ** *chômage, fluctuations, reprise* cyclical ◆ **prévisions conjoncturelles** economic prospects ◆ **tendances conjoncturelles** economic trends.

**conjoncturiste** /kɔ̃ʒɔ̃ktyʀist(ə)/ **NMF** economy watcher, economic analyst, market analyst, economic planner.

**connaissance** /kɔnɛsɑ̃s/ **NF** knowledge ◆ **connaissance des coûts** *(Mktg)* cost awareness ◆ **connaissance de la marque** brand knowledge *ou* awareness ◆ **prendre connaissance d'une circulaire** to read a circular ◆ **n'omettez pas de porter ces modifications à la connaissance de vos employés** don't forget to notify your employees of these alterations *ou* to bring these alterations to your employees' attention.

**connaissement** /kɔnɛsmɑ̃/ **NM** bill of lading, B / L ◆ **connaissement établi au nom de...** bill of lading consigned to...

--- *compounds/composés* ---

◆ **connaissement abrégé** short form B / L
◆ **connaissement accompli** discharged B / L
◆ **connaissement à bord** shipped *ou* on board B / L
◆ **connaissement chef** captain's copy of the B / L, original stamped B / L
◆ **connaissement clausé** foul *ou* claused *ou* unclean B / L
◆ **connaissement collectif** general bill of lading
◆ **connaissement custody** custody B / L
◆ **connaissement direct** through B / L
◆ **connaissement d'entrée** inward B / L
◆ **connaissement ferroviaire** railway *(Brit)* ou railroad *(US)* B / L
◆ **connaissement fluvial** inland waterway B / L, large B / L *(US)*
◆ **connaissement maritime** ocean B / L
◆ **connaissement net** clean B / L
◆ **connaissement nominatif** B / L to a named person, straight B / L *(US)*
◆ **connaissement non clausé** clean B / L

- **connaissement périmé** stale B / L
- **connaissement à personne désignée** B / L to a named person, straight B / L (US)
- **connaissement au porteur** B / L to bearer
- **connaissement reçu pour embarquement** shipped B / L, received for shipment B / L
- **connaissement reçu à quai** alongside B / L
- **connaissement avec réserves** foul ou claused ou unclean B / L
- **connaissement sans réserves** clean B / L
- **connaissement short form** short form B / L
- **connaissement de sortie** outward B / L
- **connaissement through** through B / L
- **connaissement de transbordement** transhipment B / L
- **connaissement sans transbordement** direct B / L
- **connaissement de transport combiné FIATA** fiata combined transport B / L
- **connaissement "voyage de retour"** homeward B / L.

**connecter** /kɔnɛkte/ **VT** to connect ✦ **non connectés en réseau** (Inf) stand alone **se connecter** **VPR** (Internet) to log on ✦ **se connecter à Internet / sur un site** to log onto the Internet / a website.

**connectique** /kɔnɛktik/ **NF** (= câbles) connections, wiring; (= industrie) connector industry.

**connexe** /kɔnɛks/ **ADJ** questions related.

**connexion** /kɔnɛksjɔ̃/ **NF** (gén) connection; (Internet) logging on ✦ **temps de connexion** connection time ✦ **kit de connexion à Internet** Internet starter kit.

**conquérir** /kɔ̃keʀiʀ/ **VT** marché to capture, conquer.

**conquête** /kɔ̃kɛt/ **NF** [marché] conquest.

**consacrer** /kɔ̃sakʀe/ **VT** to devote ✦ **pouvez-vous me consacrer 5 minutes?** can you spare me 5 minutes? ✦ **nous consacrons 5% de notre chiffre d'affaires à la recherche** we devote ou allocate 5% of our turnover to research, we earmark 5% of our turnover for research.

**conscience** /kɔ̃sjɑ̃s/ **NF** consciousness ✦ **conscience de la marque** (Mktg) brand awareness ✦ **conscience professionnelle** dedication to one's job, conscientiousness.

**consécutif, -ive** /kɔ̃sekytif, iv/ **ADJ** consecutive ✦ **pendant cinq jours consécutifs** for five days running ou in a row, on five consecutive days ✦ **consécutif à** resulting ou stemming from, due to, consequent upon.

**consécutivement** /kɔ̃sekytivmɑ̃/ **ADV** consecutively.

**conseil** /kɔ̃sɛj/ **NM** **a** (= dirigeants) [entreprise] board; [syndicat] council, committee; (Pol) council ✦ **faire partie du conseil, siéger au conseil** to be on the board ✦ **salle du conseil** board room **b** (= séance) meeting ✦ **assister à un conseil** to attend a meeting **c** (= expert) consultant, adviser (en in) ✦ **conseil financier / fiscal / juridique** finance / tax / legal consultant ou adviser ✦ **conseil en assurances / en gestion / en recrutement** insurance / management / recruiting consultant ✦ **avocat-conseil** legal consultant ou adviser ✦ **ingénieur-conseil** consulting engineer, engineering consultant (US) ✦ **ingénieur-conseil en organisation** management consultant ou engineer (US) ✦ **cabinet ou société d'ingénieurs-conseils** consultancy firm **d** (= avis) advice, counsel ✦ **prendre conseil d'un avocat** to consult a lawyer, take legal advice ✦ **sur le conseil de** on the advice of ✦ **service de conseil à la clientèle** customer advisory service

————— compounds/composés —————

- **conseil d'administration** [firme] board of directors; [caisse d'épargne] board of trustees ✦ **réunion du conseil d'administration** board meeting
- **Conseil d'aide économique mutuel** Mutual Economic Aid Council
- **Conseil pour l'aide mutuelle économique** Council for Mutual Economic Assistance
- **conseil d'arbitrage** arbitration board
- **conseil consultatif** advisory board
- **conseil de direction** management ou executive committee ou board
- **conseil économique** economic council ✦ **le Conseil économique et social** France's Social and Economic Council
- **conseil d'entreprise** works council, joint consultation committee
- **conseil d'État** Council of State
- **Conseil de l'Europe** Council of Europe
- **Conseil européen** European Council
- **conseil fiduciaire** board of trustees
- **Conseil des marchés financiers** governing body of the French financial markets
- **conseil des ministres** (UE) Council of Ministers
- **conseil municipal** town council
- **conseil en organisation de gestion économique et financière d'entreprises** economic and financial management consultant for business enterprises
- **Conseil des prud'hommes** industrial tribunal, labour arbitration court
- **conseil régional** regional council
- **conseil restreint** working committee
- **conseil de surveillance** (gén) supervisory board, watchdog committee* ; (Jur) [créancier] committee of inspection
- **conseil syndical** [immeuble] management committee.

**conseiller** /kɔ̃seje/ **VT** to advise ✦ **prix conseillé** manufacturer's recommended price, recommended retail price.

**conseiller, -ère** /kɔ̃seje, kɔ̃sɛjɛʀ/ **NM,F** (= *spécialiste*) adviser, consultant; (= *membre d'un conseil*) council member, councillor

---
*compounds/composés*

- ✦ **conseiller clientèle** consumer adviser
- ✦ **conseiller commercial** commercial attaché
- ✦ **conseiller d'entreprise** consultant
- ✦ **conseiller fiscal** tax adviser *ou* consultant, tax lawyer
- ✦ **conseiller en investissement** investment consultant *ou* adviser
- ✦ **conseiller juridique** legal adviser
- ✦ **conseiller municipal** town councillor
- ✦ **conseiller pour les relations avec la presse** press officer
- ✦ **conseiller technique** technical adviser
- ✦ **conseiller à la vente** sales adviser.

---

**consensus** /kɔ̃sɛ̃sys/ **NM** consensus ✦ **consensus de place** (*Bourse*) market consensus.

**consentement** /kɔ̃sɑ̃tmɑ̃/ **NM** consent ✦ **par consentement mutuel** by common consent ✦ **donner son consentement à qch** to give one's consent to sth, consent to sth.

**consentir** /kɔ̃sɑ̃tiʀ/ **VT** *crédit, délai, réduction* to grant ✦ **consentir une vente** to authorize a sale ✦ **nous ne pouvons consentir aucune remise sur ces modèles** we can't allow any discount on these models.

**conséquence** /kɔ̃sekɑ̃s/ **NF** consequence ✦ **les conséquences financières de la grève** the financial consequences *ou* after-effects *ou* repercussions of the strike ✦ **conséquences indirectes d'une action** (*Jur*) consequential effect of an action ✦ **cette décision sera lourde de conséquences pour l'avenir de ce secteur** this decision will have serious consequences on the development of this sector ✦ **tirer les conséquences de l'échec des négociations** to draw the conclusions from the failure of the negotiations.

**conséquent, e** /kɔ̃sekɑ̃, ɑ̃t/ **ADJ** *somme, commande* sizeable.

**conservateur, -trice** /kɔ̃sɛʀvatœʀ, tʀis/ **NM,F** (*Admin*) ✦ **conservateur des hypothèques** registrar of mortgages.

**conservation** /kɔ̃sɛʀvasjɔ̃/ **NF** (*Banque*) [*titres*] custody ✦ **durée de conservation** display period.

**conservatoire** /kɔ̃sɛʀvatwaʀ/ **ADJ** *mesures* protective ✦ **saisie conservatoire** (*Jur*) seizure of goods (*for security*).

**conserver** /kɔ̃sɛʀve/ **VT** to keep ✦ **conserver au frais** (*sur emballage*) keep *ou* store in a cool place ✦ **conserver son ancienneté** to retain seniority ✦ **l'intéressé conserve ses droits à l'ancienneté durant ce congé** seniority will continue to accumulate during this leave.

**considérable** /kɔ̃sideʀabl(ə)/ **ADJ** *montant, commande* substantial, sizeable; *pertes, dégâts* huge, heavy ✦ **ils ont fait des investissements considérables** they invested heavily.

**considération** /kɔ̃sideʀasjɔ̃/ **NF** **a** (= *étude*) consideration ✦ **la direction a pris en considération les revendications de la base** the management took into account *ou* consideration the claims emanating from the shopfloor ✦ **nous devons prendre en considération les risques de coulage** we must make due allowances for leakage **b** (= *respect*) respect ✦ **veuillez agréer l'expression de ma considération distinguée** *ou* **de ma parfaite considération** yours faithfully (*Brit*), yours truly (*US*).

**considérer** /kɔ̃sideʀe/ **VT** (= *examiner, envisager*) to consider.

**consignataire** /kɔ̃sinatɛʀ/ **NM** **a** (= *destinataire*) [*marchandises*] consignee; (*Mar*) forwarding agent, consignee ✦ **consignataire en coque nue** bareboat consignee **b** (*Jur*) [*somme*] trustee, depositary.

**consignateur** /kɔ̃sinatœʀ/ **NM** consignor, consigner, shipper.

**consignation** /kɔ̃sinasjɔ̃/ **NF** [*marchandises*] consignment; [*somme*] deposit ✦ **consignation d'un emballage** charging a deposit on a container ✦ **consignation d'une caution** deposit of a surety ✦ **envoyer des marchandises en consignation à qn** to ship goods to the consignment of sb ✦ **facture de consignation** consignment invoice.

**consigne** /kɔ̃sin/ **NF** **a** (*Comm*) deposit, refundable charge on returnable packing ✦ **ni retour, ni consigne** (*sur emballage*) no deposit or return **b** (= *ordre*) instruction, order ✦ **suivre** *ou* **appliquer les consignes** to comply with the instructions ✦ **consigne de grève** strike call ✦ **consignes de vote** voting instructions **c** (*à bagages*) left-luggage office (*Brit*), checkroom (*US*) ✦ **consigne automatique** (left-luggage) locker **d** (*Douanes*) ✦ **marchandises en consigne à la douane** goods stopped *ou* held up at the customs.

**consigner** /kɔ̃siɲe/ **VT** a *emballage* to put a deposit on ◆ **bouteille consignée / non consignée** returnable / non returnable bottle ◆ **emballage consigné** returnable packing ◆ **ni consigné, ni repris** *(sur emballage)* no deposit or return ◆ **je suis obligé de vous consigner l'emballage** I must put a deposit on the packing, I must charge you for the packing b *somme* to deposit; *marchandises* to consign ◆ **consigner un navire aux agents de l'affréteur** to address a ship to the charterers c *bagages* to leave at the left-luggage office *(Brit)* ou checkroom *(US)* d *(par écrit)* to record, put down on paper, commit to writing.

**consœur** /kɔ̃sœR/ **NF** colleague.

**console** /kɔ̃sɔl/ **NF** console ◆ **console de visualisation** *(Inf)* visual display unit, VDU.

**consolidation** /kɔ̃sɔlidasjɔ̃/ **NF** *[dette]* consolidation, funding; *[situation, positions]* strengthening, consolidation ◆ **consolidation du marché** *(Bourse)* market consolidation.

**consolidé, e** /kɔ̃sɔlide/ **ADJ** *résultats, comptes* consolidated ◆ **bilan consolidé** consolidated balance sheet ◆ **chiffre d'affaires consolidé** consolidated sales figures ◆ **dette consolidée** *(gén)* consolidated debt; *(comptabilité publique)* funded debt ◆ **dette non consolidée** floating debt ◆ **filiale consolidée à 50%** 50%-consolidated subsidiary ◆ **fonds consolidés** consolidated fund ou stock, consols *(Brit)* ◆ **rente consolidée** consolidated government stock, consols ◆ **société consolidée par intégration globale** fully integrated company ◆ **consolidés** NMPL consols.

**consolider** /kɔ̃sɔlide/ **VT** *(Bourse) dette* to consolidate, fund; *monnaie* to strengthen, bolster ◆ **la France a consolidé ses positions sur le marché africain** France strengthened its position on the African market ◆ **consolider des arrérages** to fund interests ◆ **consolider un marché à prime** *(Bourse)* to take up ou exercise an option ◆ **les valeurs françaises consolident leur avance** French stocks are firming up.

**consommable** /kɔ̃sɔmabl(ə)/ **NM** *(gén, Inf)* consumable.

**consommateur, -trice** /kɔ̃sɔmatœR, tRis/ **NM,F** consumer ◆ **consommateur cible / potentiel / final** target / prospective / final ou end consumer ◆ **comportement / fidélité / résistance du consommateur** consumer behaviour / loyalty / resistance ◆ **panel de consommateurs** consumer panel ◆ **protection** ou **défense des consommateurs** consumer defence ou protection ◆ **demande / préférence / profil / résis-**tance / réticence des consommateurs consumer demand / preference / profile / resistance / reluctance.

**consommateurisme** /kɔ̃sɔmatœRism(ə)/ **NM** consumerism.

**consommation** /kɔ̃sɔmasjɔ̃/ **NF** *(Écon)* consumption ◆ **consommation induite / ostentatoire** induced / conspicuous consumption ◆ **consommation des ménages** private ou household consumption ◆ **consommation par tête** per capita consumption, consumption per head ◆ **consommation intérieure** domestic ou home ou internal consumption ◆ **besoins de consommation** consumer needs ◆ **biens** ou **articles** ou **produits de consommation** consumer goods, consumables ◆ **produits de grande consommation** ou **de consommation courante** convenience goods, staple goods ◆ **biens de consommation durables** consumer durables ◆ **biens de consommation non durables** consumer non durables ◆ **crédit à la consommation** consumer credit ◆ **dépenses de consommation** consumer expenditure ou spending ◆ **étude de consommation** consumer survey ou research ◆ **habitudes de consommation** consumer habits, consumption patterns ◆ **indice des prix à la consommation** consumer price index, CPI ◆ **modèle de consommation** consumption pattern ◆ **prix à la consommation** consumer price ◆ **secrétariat d'État à la Consommation** ministry of consumer protection ◆ **société de consommation** consumer society.

**consommatique** /kɔ̃sɔmatik/ **NF** consumer research, research on consumption.

**consommatisme** /kɔ̃sɔmatism(ə)/ **NM** consumerism.

**consommer** /kɔ̃sɔme/ **VT** *(gén)* to consume; *[machine]* to use (up), consume ◆ **combien consommez-vous avec cette voiture?** what's your petrol consumption *(Brit)* ou your gas mileage *(US)* ?

**consomptible** /kɔ̃sɔptibl(ə)/ **ADJ** consumable.

**consortial, e** MPL, **-aux** /kɔ̃sɔRsjal, o/ **ADJ** *prêt crédit* syndicated.

**consortium** /kɔ̃sɔRsjɔm/ **NM** consortium ◆ **consortium bancaire** consortium bank, banking syndicate ◆ **les consortiums bancaires internationaux** the international syndication business ◆ **consortium financier** financial syndicate ◆ **constituer un consortium de prêt** to syndicate a loan.

**constant, e** /kɔ̃stɑ̃, ɑ̃t/ **ADJ** constant ◆ **francs**

**constants** inflation adjusted francs, constant francs
**NF** *(gén)* permanent characteristic *ou* feature; *(Stat)* constant.

**constat** /kɔ̃sta/ **NM** report ✦ **constat d'accident** accident report ✦ **constat d'huissier** affidavit drawn up by a bailiff ✦ **constat à l'amiable** *accident report drawn up by the parties involved on an amicable basis* ✦ **dresser** *ou* **établir un constat** to draw up a report.

**constatation** /kɔ̃statasjɔ̃/ **NF** *(Jur)* ✦ **constatation des dommages** ascertainment of the damage ✦ **procéder aux constatations** to proceed to an official inquiry.

**constater** /kɔ̃state/ **VT** *(gén)* to note, notice; *dommages* to ascertain ✦ **charges constatées d'avance** deferred charges ✦ **opérations constatées par contrat** transactions evidenced by a contract ✦ **poids constaté** weight ascertained ✦ **faire constater qch** *(Jur)* to have sth noted ✦ **constater les prix** *(Bourse)* to fix prices ✦ **constater le cours des primes** *(Ass Mar)* to fix the rate of premium.

**constituer** /kɔ̃stitɥe/ **VT a** *commission, société* to set up, form; *dossier* to make up ✦ **corps constitués** public authorities, organised bodies ✦ **les directeurs qui constituent le conseil d'administration** the directors who form *ou* make up the board ✦ **demander à être constitué en société** to apply for a charter of incorporation ✦ **société constituée** incorporated company **b** *(= représenter)* to constitute ✦ **le chômage constitue une grave menace pour notre économie** unemployment constitutes *ou* represents a serious threat for our economy **c** *(Jur)* jury to empanel; *avocat* to retain ✦ **avocat constitué** briefed counsel ✦ **constituer une rente à qn** to settle *ou* make an annuity on sb ✦ **constituer qn son héritier** to appoint sb one's heir ✦ **constituer une hypothèque** to create a mortgage
**se constituer** **VPR a** *(Jur)* ✦ **se constituer partie civile** to institute legal proceedings, bring in a civil action ✦ **se constituer en commission** to form into a committee **b** **se constituer en société** to incorporate, form o.s. into a company, become incorporated ✦ **les deux entreprises seront constituées en une seule société** the two firms will be amalgamated to form one company **c** **se constituer une clientèle** to build up a clientele *ou* a customer base.

**constitutif, -ive** /kɔ̃stitytif, iv/ **ADJ** *(Jur)* constitutive ✦ **acte constitutif d'une société** *(de capitaux)* memorandum of association; *(de personnes)* deed of partnership ✦ **titre constitutif de propriété** title deed.

**constitution** /kɔ̃stitysjɔ̃/ **NF a** *[commission]* setting up; *[capital]* formation; *[marges]* building up; *[dossier]* making up; *[rente]* settlement ✦ **constitution d'hypothèque** creation of mortgage ✦ **constitution de partie civile** institution of legal proceedings ✦ **constitution d'une société** setting up *ou* incorporation *ou* formation of a company ✦ **constitution de stocks** stockpiling ✦ **lieu de constitution d'une société** place of incorporation of a company **b** *(Pol)* constitution.

**constructeur, -trice** /kɔ̃stryktœʀ, tʀis/ **NM,F** maker ✦ **constructeur automobile** car maker *ou* manufacturer, automaker *(US)*.

**constructible** /kɔ̃stryktibl/ **ADJ** ✦ **terrain constructible** building land ✦ **non constructible** *where no building is permitted*.

**construction** /kɔ̃stryksjɔ̃/ **NF a** *(= secteur)* ✦ **la construction** the building trade, house building, the housing *ou* construction industry ✦ **la construction navale** the shipbuilding industry, shipbuilding **b** *(= action)* building ✦ **chantier de construction** building *ou* job *ou* construction site ✦ **chantier de construction navale** shipyard ✦ **la construction d'une usine** the building of a factory, the erection of a plant.

**construire** /kɔ̃strɥiʀ/ **VT** *(gén)* to build, construct; *usine* to erect ✦ **permis de construire** planning permission, building permit ✦ **construire son image de marque** to build up one's corporate image.

**consul** /kɔ̃syl/ **NM** consul.

**consulaire** /kɔ̃sylɛʀ/ **ADJ** consular ✦ **agent consulaire** consular agent ✦ **juge consulaire** judge at the commercial court.

**consulat** /kɔ̃syla/ **NM** consulate.

**consultant** /kɔ̃syltɑ̃/ **NM** consultant ✦ **avocat consultant** legal consultant *ou* adviser ✦ **cabinet de consultants** consultancy (firm).

**consultatif, -ive** /kɔ̃syltatif, iv/ **ADJ** consultative, advisory ✦ **comité consultatif** advisory committee *ou* board ✦ **à titre consultatif** in an advisory capacity.

**consultation** /kɔ̃syltasjɔ̃/ **NF** consultation ✦ **demander une consultation à un expert** to ask for professional advice *ou* opinion ✦ **demander une consultation juridique** to take legal advice *ou* opinion.

**consulter** /kɔ̃sylte/ **VT** *avocat, expert* to consult, seek advice from; *annuaire* to consult, look up

◆ **consulter un avocat** to take legal advice ◆ **consulter la base** to consult the rank and file *ou* the shop floor ◆ **consulter son compte sur Internet** to view one's account on the Internet ◆ **il a consulté le directeur** he consulted the manager, he referred to the manager **se consulter** `VPR` to confer.

**consumérisme** /kɔ̃symeʀism/ **NM** consumerism.

**consumériste** /kɔ̃symeʀist/ **NM** consumerist.

**contact** /kɔ̃takt/ **NM** contact ◆ **entrer en contact, prendre contact** to get in touch *ou* contact ◆ **garder le contact** to keep in touch ◆ **mettre en contact** to put in touch ◆ **nouer des contacts** to build up contacts (*avec* with) ◆ **rompre tout contact avec** to have no further connection with ◆ **il a des contacts à Hong-Kong** he has some contacts in Hong-Kong ◆ **prise de contact** first meeting.

**contacter** /kɔ̃takte/ **VT** to contact, get in touch with ◆ **je vous contacterai** I'll be in touch with you.

**container** /kɔ̃tɛnɛʀ/ **NM** container ◆ **porte-container** (= *bateau*) container ship; (= *avion*) container plane; (= *camion*) container truck; (= *wagon*) container wagon ◆ **expédition en containers** containerized shipping ◆ **transport par containers** container *ou* containerized transport ◆ **mettre en containers** to containerize ◆ **mise en containers** containerization.

**containerisable** /kɔ̃tɛnerizabl(ə)/ **ADJ** *which can be transported in containers.*

**containerisation** /kɔ̃tɛnerizasjɔ̃/ **NF** containerization.

**contamination** /[kɔ̃taminasjɔ̃] **NF** (*gén, Inf*) infection.

**contaminer** /[kɔ̃tamine/ **VT** (*gén, Inf*) to infect.

**contenance** /kɔ̃tnɑ̃s/ **NF** [*récipient, navire*] capacity.

**conteneur** /kɔ̃tnœʀ/ **NM** container ◆ **cadre-conteneur** container ◆ **conteneurs complets** full container load pour autres loc. → **container.**

**conteneuriser** /kɔ̃tnœʀize/ **VT** to containerize.

**conteneurisation** /kɔ̃tnœʀizasjɔ̃/ **NF** containerization.

**contenir** /kɔ̃niʀ/ **VT** **a** [*caisse*] to hold, take; [*salle*] to accommodate, seat, hold ◆ **l'amphi peut contenir 500 personnes** the lecture hall has a seating capacity of 500, the lecture hall seats 500 **b** (= *endiguer*) *inflation* to contain, control, hold in check ◆ **contenir les prix** to keep prices down ◆ **contenir les dépenses**

**publiques** to curb *ou* stem public spending, keep public spending in check.

**contenter** /kɔ̃tɑ̃te/ **VT** *clients* to satisfy.

**contentieux, -euse** /kɔ̃tɑ̃sjø, øz/ **ADJ** contentious ◆ **affaires contentieuses** contentious matters, disputed cases
**NM** (= *désaccord*) dispute, disagreement; (*Comm*) litigation, disputed claims ◆ **le (service du) contentieux** the legal department ◆ **frais de contentieux** legal charges ◆ **nous mettons cette affaire au contentieux** we'll submit this matter to our legal department.

**contenu** /kɔ̃tny/ **NM** [*document*] content; [*emballage*] contents.

**contestation** /kɔ̃tɛstasjɔ̃/ **NF** (= *discussion*) dispute ◆ **contestation judiciaire** lawsuit ◆ **contestation de droit privé / public** dispute on interpretation of private / public law.

**contester** /kɔ̃tɛste/ **VT** *faits, décision* to question, dispute, contest, challenge; *testament* to contest ◆ **contester le bien-fondé d'une réclamation** to challenge the validity of a claim ◆ **ces statistiques ont été contestées** these figures were queried *ou* challenged *ou* disputed.

**contexte** /kɔ̃tɛkst(ə)/ **NM** context ◆ **dans le contexte actuel** in the present situation ◆ **contexte social** social setting *ou* environment.

**contingent** /kɔ̃tɛ̃ʒɑ̃/ **NM** quota ◆ **contingent d'exportation / d'importation** export / import quota ◆ **contingent tarifaire** tariff quota ◆ **fixer des contingents** to fix quotas.

**contingentaire** /kɔ̃tɛ̃ʒɑ̃tɛʀ/ **ADJ** ◆ **barrières contingentaires** quota barriers.

**contingentement** /kɔ̃tɛ̃ʒɑ̃tmɑ̃/ **NM** (= *système*) quota system ◆ **le contingentement des importations** the application of quotas to imports ◆ **le contingentement de la production** the curtailing *ou* curtailment of production.

**contingenter** /kɔ̃tɛ̃ʒɑ̃te/ **VT** *importations* to apply *ou* fix quotas on; *production* to curtail ◆ **les importations cesseront d'être contingentées** imports will no longer be subject to quotas.

**continu, e** /kɔ̃tiny/ **ADJ** *variable, vérification* continuous ◆ **formation continue** continuing *ou* adult *ou* further education ◆ **faire la journée continue** [*personnel*] to work over *ou* through lunch; [*magasin*] to remain open over lunch *ou* all day
**NM** **cotation en continu** continuous quotation ◆ **fabrication en continu** continuous process manufacturing ◆ **marché en continu** continuous market ◆ **titres cotés en continu** continu-

ously traded securities, securities traded in real time ✦ **informations financières en continu** real-time financial information ✦ **le continu** *(Bourse)* all-day trading ✦ **papier en continu** *(Inf)* continuous stationery ✦ **production en continu** continuous production.

**contourner** /kɔ̃tuʀne/ **VT** *règlements* to evade, get round; *obstacles* to get round, bypass.

**contractant, e** /kɔ̃tʀaktɑ̃, ɑ̃t/ **ADJ** contracting **NM,F** contracting party.

**contracter** /kɔ̃tʀakte/ **VT** **a** *dette* to contract; *emprunt* to raise; *bail* to take; *assurance* to take out **b** (= *réduire*) to reduce ✦ **contracter ses effectifs** to reduce *ou* cut back the work force **se contracter** **VPR** to shrink ✦ **le volume des échanges par mer s'est contracté de 20%** the volume of shipping shrank by 20% ✦ **les marges bénéficiaires se sont sensiblement contractées** profit margins dwindled *ou* shrank.

**contraction** /kɔ̃tʀaksjɔ̃/ **NF** contraction ✦ **contraction du crédit** credit crunch *ou* squeeze *ou* tightening ✦ **contraction du marché / des marges** contraction *ou* shrinking of the market / of profit margins ✦ **contraction des liquidités** strain on liquidity ✦ **une contraction du volume d'affaires** a drop *ou* falling off *ou* reduction in business activity.

**contractuel, -elle** /kɔ̃tʀaktɥɛl/ **ADJ** *(gén)* contractual; *main-d'œuvre, garantie* contract ✦ **engagements contractuels** contractual commitments ✦ **prix contractuels** contract price ✦ **travail contractuel** contract work ✦ **sur une base contractuelle** on a contract(ual) basis.

**contradictoire** /kɔ̃tʀadiktwaʀ/ **ADJ** *chiffres, rapports* contradictory, conflicting ✦ **arrêt contradictoire** *(Jur)* order given after hearing both sides ✦ **expertise contradictoire** cross survey, check survey *(US)*.

**contradictoirement** /kɔ̃tʀadiktwaʀmɑ̃/ **ADV** contradictorily ✦ **arrêt rendu contradictoirement** *(Jur)* order given after hearing both sides ✦ **constater contradictoirement** *(Ass)* to ascertain jointly.

**contraignant, e** /kɔ̃tʀɛɲɑ̃, ɑ̃t/ **ADJ** *mesure* restraining; *horaire* restricting.

**contrainte** /kɔ̃tʀɛ̃t/ **NF** constraint ✦ **contraintes budgétaires** budget(ary) restraints ✦ **contraintes horaires** time constraints ✦ **contrainte par corps** imprisonment for debt.

**contraire** /kɔ̃tʀɛʀ/ **ADJ** *avis* opposite; *intérêts* conflicting ✦ **sauf stipulation contraire** unless otherwise stipulated *ou* specified ✦ **sauf avis**

**contraire** *(de vous)* unless we hear to the contrary; *(de nous)* unless you hear to the contrary.

**contrasté, e** /kɔ̃tʀaste/ **ADJ** *bilan, situation* mixed.

**contrat** /kɔ̃tʀa/ **NM** contract, agreement ✦ **contrat conclu dans les conditions normales du commerce** *(Jur)* arm's-length agreement ✦ **clauses d'un contrat** terms of a contract ✦ **s'engager par contrat à faire q ch** to contract with sb to do sth, bind o.s. by contract to do sth ✦ **signataire d'un contrat** signatory of a contract ✦ **exécution d'un contrat** fulfilment of a contract ✦ **faire exécuter un contrat** to enforce a contract ✦ **obtenir un contrat** to get *ou* obtain *ou* secure a contract ✦ **passer un contrat** to sign a contract, enter into a contract ✦ **rédiger** *ou* **dresser un contrat** to draw up a contract ✦ **renoncer à un contrat** to contract out of an agreement, withdraw from an agreement ✦ **annuler** *ou* **résilier un contrat** to cancel *ou* terminate *ou* void a contract ✦ **respecter un contrat** to fulfil a contract ✦ **rupture de contrat** breach of contract ✦ **rompre un contrat** to break off a contract ✦ **souscrire un contrat d'assurance** to take out an insurance policy ✦ **notre contrat vient à expiration** *ou* **à échéance le 1ᵉʳ mars** our contract runs out *ou* terminates on March 1st ✦ **par contrat** by contract ✦ **avenant au contrat** rider ✦ **projet de contrat** draft contract ✦ **prolongation d'un contrat** renewal of a contract ■ Voir encadré page ci-contre

**contravention** /kɔ̃tʀavɑ̃sjɔ̃/ **NF** **a** (= *infraction*) violation (*à* of) ✦ **contravention à la loi sur les brevets** patent infringement ✦ **agir en contravention avec...** to act in contravention of *ou* in violation of... ✦ **être en contravention** to break the regulations **b** (= *amende*) fine ✦ **dresser une contravention à qn** to fine sb.

**contre-analyse** /kɔ̃tʀanaliz/ **NF** check analysis, counter-analysis.

**contre-assurance** /kɔ̃tʀasyʀɑ̃s/ **NF** reinsurance.

**contre-attaque** /kɔ̃tʀatak/ **NF** counter-attack.

**contre-attaquer** /kɔ̃tʀatake/ **VI** to counter-attack.

**contrebande** /kɔ̃tʀəbɑ̃d/ **NF** (= *action*) smuggling; (= *marchandises*) contraband ✦ **faire de la contrebande** to be involved in smuggling.

**contrebandier** /kɔ̃tʀəbɑ̃dje/ **NM** smuggler.

**contre-caution** /kɔ̃tʀəkosjɔ̃/ **NF** countersecurity.

**contrecoup** /kɔ̃tʀəku/ **NM** (= *conséquence*) consequence; (= *choc en retour*) backwash, backlash ✦ **le secteur de la construction subira le**

## CONTRAT

- **contrat d'adhésion** membership agreement *ou* contract
- **contrat administratif** public service contract
- **contrat d'affrètement** charter(ing) agreement
- **contrat aléatoire** (*Jur*) aleatory contract
- **contrat anti-hausse** price-restraint agreement
- **contrat d'apprentissage** apprenticeship contract, indenture
- **contrat d'association** deed of partnership
- **contrat d'assurance** insurance contract *ou* policy
- **contrat en bonne et due forme** express contract
- **contrat certain** executory contract
- **contrat à clauses limitatives** tying contract
- **contrat clefs en main** turnkey contract
- **contrat de change** foreign exchange contract
- **contrat collectif** collective agreement, group contract
- **contrat de concession de distribution exclusive** sole distributor contract, franchise
- **contrat en cours** outstanding contract
- **contrat de dépôt** bailment
- **contrat à durée déterminée** term contract
- **contrat à durée indéterminée** permanent *ou* open-ended contract
- **contrat à l'entreprise** contract work
- **contrat d'exclusivité** exclusive agreement
- **contrat de fait** implied contract
- **contrat fictif** fictitious contract
- **contrat fiduciaire** fiduciary agreement
- **contrat de financement** finance contract
- **contrat forfaitaire** fixed-price contract
- **contrat de fret** freight contract
- **contrat de garantie** underwriting contract
- **contrat global** package deal, blanket agreement
- **contrat à la grosse sur corps** (*Mar*) bottomry bond
- **contrat à la grosse sur facultés** (*Mar*) respondentia bond
- **contrat incertain** hazardous agreement

- **contrat sur indice** (*Bourse*) index contract
- **contrat irrévocable** binding contract *ou* agreement
- **contrat léonin** leonine convention
- **contrat de licence** licence agreement
- **contrat de livraison** contract of delivery, delivery agreement
- **contrat de location** [*bureau*] tenancy agreement; [*voiture*] rental agreement
- **contrat de louage d'ouvrage** (*Admin*) contract for services
- **contrat de maintenance** maintenance *ou* service contract *ou* agreement
- **contrat notarié** deed drawn up by a notary
- **contrat notionnel** (*Bourse*) notional contract
- **contrat pignoratif** pignorative contract
- **contrat de prêt** loan agreement *ou* note (*US*)
- **contrat à prime unique** (*Ass*) single premium policy
- **contrat à primes périodiques** (*Ass*) periodical premium policy
- **contrat de prix ferme** underwriting contract
- **contrat de productivité** productivity deal
- **contrat de propriété** deed of property, title deed
- **contrat résoluble** avoidable contract
- **contrat résolutoire** terminable contract
- **contrat sous seing privé** private contract
- **contrat synallagmatique** synallagmatic *ou* bilateral contract
- **contrat tacite** implied contract
- **contrat à terme** (*Bourse*) forward contract, futures contract
- **contrat à titre onéreux** onerous contract
- **contrat translatif de propriété** (*Jur*) deed of conveyance
- **contrat de transport** shipping agreement
- **contrat de travail** work *ou* employment *ou* labour contract, service contract (*US*)
- **contrat type** skeleton contract, standard agreement
- **contrat de vente** [*bien*] bill of sale, sale contract; [*marchandises*] sales contract *ou* agreement.

**contrecoup** the building trade will feel the backwash ♦ **les cours baissent par contrecoup** prices are going down as a consequence ♦ **le marché obligataire a subi le contrecoup de la hausse du dollar** the bond market bore the brunt of the dollar rise.

**contre-essai** /kɔ̃tʀɛsɛ/ **NM** second test, check test.

**contre-expertise** /kɔ̃tʀɛkspɛʀtiz/ **NF** cross appraisal, countervaluation, second assessment *ou* opinion, resurvey.

**contref.** abrév de **contrefaçon.**

**contrefaçon** /kɔ̃tʀəfasɔ̃/ **NF** **a** (= *action*) [*signature*] counterfeiting, forgery; [*brevet*] infringe-

ment ♦ **poursuite** *ou* **action en contrefaçon** action for infringement of patent, infringement suit **b** (= *produit imité*) imitation.

**contrefacteur** /kɔ̃tʀəfaktœʀ/ **NM** [*signature*] forger, counterfeiter; [*brevet*] infringer.

**contrefaire** /kɔ̃tʀəfɛʀ/ **VT** *chèque, signature* to counterfeit, forge ♦ **contrefaire un produit breveté** to infringe a patented product.

**contremaître** /kɔ̃tʀəmɛtʀ(ə)/ **NM** foreman, supervisor.

**contremaîtresse** /kɔ̃tʀəmɛtʀɛs/ **NF** forewoman, supervisor.

**contremarque** /kɔ̃tʀəmaʀk(ə)/ **NF** countermark.

**contre-mesure** /kɔ̃trəməzyr/ **NF** counter-measure.

**contre-offensive** /kɔ̃trɔfɑ̃siv/ **NF** counter-offensive.

**contre-OPA** /kɔ̃trɔpea/ **NF** counterbid.

**contre-offre** /kɔ̃trɔfr(ə)/ **NF** counterbid, counter-offer.

**contre-ordre** /kɔ̃trɔrdr(ə)/ **NM** counter-order ◆ **sauf contre-ordre (de votre part)** unless otherwise directed.

**contrepartie** /kɔ̃trəparti/ **NF** **a** *(Compta)* contra ◆ **compte de contrepartie** contra account **b** *(= registre)* duplicate register, counterpart **c** *(Bourse)* ◆ **se porter contrepartie** to deal for one's own account, make a market ◆ **contrepartie à l'achat** buying for one's own account ◆ **contrepartie à la vente** selling for one's own account ◆ **contrepartie sur actions** market making, jobbing, trading ◆ **contrepartie sur bloc de titres** block trading.

**contrepartiste** /kɔ̃trəpartist(ə)/ **NM** *(Bourse)* jobber, market maker.

**contre-passation** /kɔ̃trəpɑsasjɔ̃/ **NF** **a** *(Compta)* *(= action)* writing back, reversal, reversing; *(= résultat)* contra entry **b** *(Fin)* *[traite]* re-endorsement.

**contre-passer** /kɔ̃trəpɑse/ **VT** **a** *(Compta)* to write back, reverse, transfer, contra ◆ **contre-passer une écriture** to write back *ou* reverse an entry **b** *(Fin)* ◆ **contre-passer une lettre de change** to endorse back a bill of exchange.

**contre-performance** /kɔ̃trəpɛrfɔrmɑ̃s/ **NF** substandard *ou* disappointing performance, poor showing.

**contre-pied** /kɔ̃trəpje/ **NM** ◆ **le marché a été pris à contre-pied** the market was caught unawares *ou* on the hop.

**contre-proposition** /kɔ̃trəprɔpozisjɔ̃/ **NF** counterproposal, counteroffer, alternative proposal.

**contre-publicité** /kɔ̃trəpyblisite/ **NF** adverse publicity.

**contre-saison** /kɔ̃trəsɛzɔ̃/ **NF** ◆ **mouvement de stockage à contre-saison** counter-seasonal destocking.

**contresigner** /kɔ̃trəsiɲe/ **VT** to countersign.

**contrestarie** /kɔ̃trɛstari/ **NF** *(Ass Mar)* damage for detention.

**contretemps** /kɔ̃trətɑ̃/ **NM** hitch ◆ **nous nous excusons de ce contretemps** we apologize for this unfortunate circumstance *ou* event ◆ **agir à contretemps** to act inopportunely.

**contre-valeur** /kɔ̃trəvaloœr/ **NF** exchange value.

**contrevenant, e** /kɔ̃trəvnɑ̃, ɑ̃t/ **NM,F** offender ◆ **contrevenant à la réglementation sur les brevets** patent infringer.

**contrevenir** /kɔ̃trəvnir/ **VI** ◆ **contrevenir à** *règlement* to contravene, infringe.

**contribuable** /kɔ̃tribɥabl(ə)/ **NMF** *[impôts sur le revenu]* taxpayer; *[impôts locaux]* rate payer, poll tax payer, local taxpayer *(US)* ◆ **contribuable défaillant** defaulter, delinquent *ou* defaulting tax payer.

**contribuer** /kɔ̃tribɥe/ **VI** ◆ **contribuer à** to contribute to ◆ **contribuer à faire baisser les prix** to be instrumental in bringing prices down.

**contributeur** /kɔ̃tribytœr/ **NM** *(UE)* contributor ◆ **contributeur net** net contributor.

**contributif, -ive** /kɔ̃tribytif, iv/ **ADJ** *part* contributory ◆ **faculté contributive** taxpaying ability *ou* capacity, taxability ◆ **marge contributive** *(Compta)* contribution margin.

**contribution** /kɔ̃tribysjɔ̃/ **NF** **a** *(= impôt)* tax ◆ **contributions** *(impôts locaux)* local taxes, poll tax *(Brit)* ◆ **contributions directes** direct taxes *ou* taxation ◆ **contribution foncière** land *ou* property tax ◆ **contribution au remboursement de la dette sociale** *tax levied in order to help pay off the deficit of the French social security budget* ◆ **contributions indirectes** indirect taxes *ou* taxation, customs and excise duties ◆ **mettre les investisseurs à contribution** to ask investors to pay **b** *les* **contributions** *(= service)* the Inland Revenue *(Brit)*, the Internal Revenue *(US)* ; *(= bureau)* the tax office ◆ **inspecteur des contributions** inspector of taxes, taxman ◆ **receveur des contributions** tax collector **c** *(= part)* contribution ◆ **contribution patronale** employer's contribution.

**contrôlable** /kɔ̃trolabl(ə)/ **ADJ** *coût* controllable ◆ **facteurs contrôlables** *(Mktg)* controllables.

**contrôle** /kɔ̃trol/ **NM** **a** *(= inspection)* *[machine]* control, checking, inspection; *[comptes]* audit, auditing ◆ **chiffre de contrôle** *(Inf)* check digit ◆ **programme de contrôle** *(Inf)* checking routine ◆ **échantillonnage de contrôle** audit sample ◆ **liste de contrôle** check-list ◆ **total de contrôle** *(Compta)* check sum ◆ **contrôle à cent pour cent** zero defect quality control programme **b** *(= maîtrise)* control ◆ **avoir le contrôle d'une entreprise** to have a majority *ou* controlling interest in a company ◆ **entreprise sous contrôle de l'État** state-owned firm,

firm under government control ✦ **prise de contrôle** takeover ✦ **sous contrôle étranger** foreign-owned `c` *(= surveillance) [stocks]* control; *[opérations]* supervision, control ✦ **le contrôle des entreprises par l'État** the supervision of companies by the government ✦ **commission de contrôle du marché** *(Mktg)* market-monitoring committee ✦ **système de contrôle** control *ou* monitoring system ✦ **écran de contrôle vidéo** video monitor ✦ **poste de contrôle** control room ✦ **comité de contrôle des créanciers** *(Jur)* committee of inspection `d` *(= poinçon)* hallmark ✦ **marque de contrôle** *(Douanes)* checkmark

──── *compounds/composés* ────
- ✦ **contrôle du bilan** balance sheet auditing
- ✦ **contrôle budgétaire** budget *ou* budgetary control
- ✦ **contrôle des changes** exchange control
- ✦ **contrôle de cohérence** consistency check
- ✦ **contrôle corrélatif** internal check
- ✦ **contrôle du crédit** credit control
- ✦ **contrôle des entrées / sorties** input / output control
- ✦ **contrôle par exception** control by exception
- ✦ **contrôle externe** external audit
- ✦ **contrôle financier** financial control
- ✦ **contrôle final** year-end audit
- ✦ **contrôle fiscal** tax inspection *ou* audit
- ✦ **contrôle de gestion** management control
- ✦ **contrôle immédiat** spot check
- ✦ **contrôle industriel** process control
- ✦ **contrôle interne** internal control
- ✦ **contrôle a posteriori** post-check
- ✦ **contrôle des prix** price control
- ✦ **contrôle de production** production *ou* output control, scheduling
- ✦ **contrôle de qualité** quality control
- ✦ **contrôle de réception** inspection on delivery
- ✦ **contrôle par recoupement** cross-check
- ✦ **contrôle par sondage** spot checking
- ✦ **contrôle des stocks** stock *ou* inventory control
- ✦ **contrôle des ventes** sales testing.

**contrôler** /kɔ̃tʀole/ **VT** `a` *(= inspecter) machine* to check, inspect, control; *comptes* to audit ✦ **contrôler les livres** to check the books `b` *(= surveiller) opérations* to supervise, control; *prix, salaires* to monitor, control `c` *(= maîtriser) inflation* to control, check; *entreprise* to control ✦ **nous contrôlons cette société à 70%** we have a 70% (controlling) stake in this company `d` *or, argent* to hallmark; *(Douanes)* to make a check on.

**contrôleur, -euse** /kɔ̃tʀolœʀ, øz/ **NM,F** *[impôts]* inspector, surveyor; *[comptes]* auditor ✦ **contrôleur financier** financial controller,

comptroller ✦ **contrôleur de gestion** management controller ✦ **contrôleur général** general comptroller, general compliance officer ✦ **contrôleur interne** internal auditor.

**contumace** /kɔ̃tymas/ **NF** *(Jur)* ✦ **il a été condamné par contumace** he was sentenced in absentia *ou* in his absence.

**convalescence** /kɔ̃valesɑ̃s/ **NF** *[entreprise, économie]* recovery.

**convalescent, e** /kɔ̃valesɑ̃, ɑ̃t/ **ADJ** *entreprise, économie* recovering.

**convenable** /kɔ̃vnabl(ə)/ **ADJ** *salaire* decent, acceptable.

**convenance** /kɔ̃vnɑ̃s/ **NF** convenience ✦ **congé pour convenances personnelles** personal leave, leave on personal grounds ✦ **règlement à votre convenance** payment at your convenience ✦ **fixez-nous un jour à votre convenance** choose a day to suit your convenience.

**convenir** /kɔ̃vniʀ/ **VI** ✦ **convenir à qn** *date* to suit sb, be suitable *ou* convenient to *ou* for sb ✦ **convenir de qch** to agree *ou* decide on sth ✦ **comme nous en sommes convenus** as (we) agreed.

**convention** /kɔ̃vɑ̃sjɔ̃/ **NF** agreement, contract ✦ **convention écrite / verbale / tacite** written / verbal / tacit agreement ✦ **sauf convention contraire** unless otherwise stipulated ✦ **projet de convention** draft agreement

──── *compounds/composés* ────
- ✦ **convention collective** collective agreement
- ✦ **convention salariale** wage agreement, wage pact *(US)*
- ✦ **convention internationale** international convention *ou* treaty
- ✦ **convention de placement** *(Fin)* placing momorandum
- ✦ **convention syndicale** *(Fin)* underwriting contract.

**conventionné, e** /kɔ̃vɑ̃sjɔne/ **ADJ** *établissement médical* officially recognized by the National Health Service; *prêt* subsidized, low-interest; *prix, tarif* government regulated *ou* controlled.

**conventionnel, -elle** /kɔ̃vɑ̃sjɔnɛl/ **ADJ** *(Jur : clause, politique)* contractual ✦ **augmentation de salaire extra conventionnelle** extra contractual wage increase.

**convenu, e** /kɔ̃vny/ **ADJ** agreed, stipulated ✦ **prix convenu** contract *ou* agreed price ✦ **comme convenu** as agreed.

**convergence** /kɔ̃vɛʀʒɑ̃s/ **NF** convergence ✦ **l'économie de la convergence** the convergent economy ◆ **critères de convergence** convergence criteria.

**convergent, e** /kɔ̃vɛrʒɑ̃, ɑ̃t/ **ADJ** convergent.

**conversion** /kɔ̃vɛrsjɔ̃/ **NF** *[somme, titre, emprunt]* conversion; *[activités]* redeployment, conversion ◆ **conversion de devise** foreign currency translation ◆ **congé de conversion** retraining period ◆ **emprunt de conversion** conversion loan ◆ **émission de conversion** *(Bourse)* conversion issue ◆ **prime de conversion** *(Fin)* conversion premium.

**convertibilité** /kɔ̃vɛrtibilite/ **NF** convertibility.

**convertible** /kɔ̃vɛrtibl(ə)/ **ADJ** *titre, monnaie* convertible ◆ **obligations convertibles en actions** convertible bonds
**NF** *(= obligation)* convertible bond.

**convertir** /kɔ̃vɛrtir/ **VT** *(Fin)* to convert *(en* into) change *(en* for, into)

**convertissement** /kɔ̃vɛrtismɑ̃/ **NM** *(Fin)* conversion.

**convivial, e, MPL -aux** /kɔ̃vivjal, o/ **ADJ** *(Inf)* user-friendly.

**convivialité** /kɔ̃vivjalite/ **NF** *(Inf)* user-friendliness.

**convocation** /kɔ̃vɔkasjɔ̃/ **NF** **a** *[commission, assemblée]* convening **b** *[candidat, membre d'un conseil]* notification, notice, invitation to attend ◆ **je n'ai pas encore reçu ma convocation** I haven't been notified so far **c** *(Jur = citation)* summons.

**convoquer** /kɔ̃vɔke/ **VT** *commission* to convene; *(Jur) témoin* to summon; *candidat* to call ◆ **convoquer une réunion** to convoke *ou* convene *ou* call a meeting ◆ **le patron m'a convoqué** I was called in *ou* summoned to see the boss.

**convoyeur** /kɔ̃vwajœr/ **NM** *(Tech)* conveyor ◆ **convoyeur de fonds** security guard.

**coopérateur, -trice** /kɔɔperatœr, tris/ **NM,F** cooperator.

**coopératif, -ive** /kɔɔperatif, iv/ **ADJ** cooperative
**coopérative** **NF** *(= association)* cooperative society; *(= point de vente)* co-op, coop *(US)* ◆ **coopérative d'achat** consumers' cooperative ◆ **coopérative agricole** agricultural cooperative ◆ **coopérative de crédit** credit cooperative *ou* union *(US)* ◆ **coopérative de détaillants** retailers' cooperative ◆ **coopérative ouvrière** workers' cooperative ◆ **coopérative de production** producers' cooperative ◆ **coopérative de vente** marketing cooperative, co-operating marketing association *(US)*.

**coopération** /kɔɔperasjɔ̃/ **NF** cooperation, collaboration.

**coopérer** /kɔɔpere/ **VI** to cooperate, collaborate.

**coopétition** /kɔɔpetisjɔ̃/ **NF** *(Jur)* joint petition.

**cooptation** /kɔɔptasjɔ̃/ **NF** coopting, cooptation.

**coopter** /kɔɔpte/ **VT** to coopt.

**coordinateur, -trice** /kɔɔrdinatœr, tris/ **NM,F** coordinator
**ADJ** coordinating.

**coordination** /kɔɔrdinasjɔ̃/ **NF** coordination ◆ **responsable de la coordination** senior coordinator.

**coordonnées** /kɔɔrdɔne/ **NFPL** ◆ **laissez-moi vos coordonnées** let me have your address and phone number.

**coordonner** /kɔɔrdɔne/ **VT** to coordinate.

**coparticipant, e** /kɔpartisipɑ̃, ɑ̃t/ **NM,F** copartner.

**coparticipation** /kɔpartisipasjɔ̃/ **NF** copartnership, joint-venture.

**co-patronage** /kɔpatrɔnaʒ/ **NM** cosponsoring, cosponsorship.

**co-patronné, e** /kɔpatrɔne/ **ADJ** cosponsored.

**Copenhague** /kɔpənag/ **N** Copenhagen.

**copie** /kɔpi/ **NF** copy ◆ **copie certifiée conforme** certified true copy ◆ **pour copie conforme** certified true ◆ **copie (sur support) papier** *(Inf)* hard copy ◆ **faire une copie de** to duplicate, copy ◆ **prière de nous envoyer une copie de la facture** please send us a duplicate invoice.

**copier** /kɔpje/ **VT** *document* to copy, duplicate ◆ **machine à copier** copier, duplicating machine.

**copieur** /kɔpjœr/ **NM** *(= photocopieur)* copier.

**coposséder** /kɔpɔsede/ **VT** to own jointly, be joint owner of.

**copossesseur** /kɔpɔsesœr/ **NM** joint owner.

**copossession** /kɔpɔsesjɔ̃/ **NF** joint ownership, co-ownership.

**copreneur** /kɔprənœr/ **NM** co-lessee.

**coprésidence** /kɔprezidɑ̃s/ **NF** co-presidency, co-chairmanship.

**coprésident** /kɔprezidɑ̃/ **NM** co-president, co-chairman.

**coproducteur, -trice** /kɔprɔdyktœr, tris/ **NM,F** coproducer, joint producer.

**coproduction** /kɔprɔdyksjɔ̃/ NF coproduction, joint production.

**coproduire** /kɔprɔdɥiʀ/ VT to coproduce.

**copropriétaire** /kɔprɔprijetɛʀ/ NMF co-owner, joint owner.

**copropriété** /kɔprɔprijete/ NF (gén) joint ou communal ownership ◆ immeuble en copropriété block of flats in co-ownership (Brit), condominium (US).

**copyright** /kɔpiʀajt/ NM copyright.

**coque** /kɔk/ NF hull ◆ affrètement en coque nue bare boat charter.

**coquille** /kɔkij/ NF shell ◆ cette société est une coquille vide it's a shell company.

**corbeille** /kɔʀbɛj/ NF **a** (Bourse) trading floor ou pit, ring ◆ corbeille des obligations bond trading ring **b** (= panier) basket ◆ corbeille à courrier mail tray ◆ corbeille superposable stack-on tray.

**corde** /kɔʀd(ə)/ NF ◆ ces marchandises ont été vendues sous corde (Mar) these goods were sold without breaking bulk.

**cordoba** /kɔʀdɔba/ NM cordoba.

**cordon** /kɔʀdɔ̃/ NM ◆ tenir les cordons de la bourse to hold the purse strings.

**Corée** /kɔʀe/ NF Korea ◆ Corée du Nord / du Sud North / South Korea.

**coréen, -enne** /kɔʀeɛ̃, ɛn/ ADJ Korean
NM (= langue) Korean
**Coréen** NM (= habitant) Korean
**Coréenne** Nf (= habitante) Korean.

**corépondant** /kɔʀepɔ̃dɑ̃/ NM co-surety, co-guarantor.

**coresponsabilité** /kɔʀɛspɔ̃sabilite/ NF joint responsibility.

**coréviseur** /kɔʀevizœʀ/ NM joint auditor.

**corporatif, -ive** /kɔʀpɔʀatif, iv/ ADJ groupement, structure corporative.

**corporation** /kɔʀpɔʀasjɔ̃/ NF (Jur) corporate body (Comm = profession) trade, profession ◆ dans notre corporation in our profession.

**corporatisme** /kɔʀpɔʀatism(ə)/ NM corporatism.

**corporatiste** /kɔʀpɔʀatist(ə)/ ADJ intérêts, revendications sectional.

**corporel, -elle** /kɔʀpɔʀɛl/ ADJ ◆ biens corporels (Jur) tangible ou corporeal property ◆ dommage corporel (Ass) bodily harm.

**corps** /kɔʀ/ NM **a** (Ass Mar) hull ◆ assurance sur corps hull insurance ◆ assureur sur corps hull underwriter ◆ perdu corps et biens lost with all hands ◆ risque de port sur corps hull port risk **b** (= groupe) body ◆ corps constitué public ou corporate body, public corporation ◆ corps diplomatique diplomatic corps ◆ corps de métier trade association ou guild **c** (Jur) ◆ corps du délit corpus delicti ◆ contrainte par corps imprisonment for debt.

**correctif, -ive** /kɔʀɛktif, iv/ ADJ mesures corrective
NM (gén) corrective, amendment; (Ass) rider.

**correction** /kɔʀɛksjɔ̃/ NF (gén) correction ◆ correction des variations saisonnières (Écon) seasonal adjustment ◆ correction technique (Bourse) technical correction ◆ le marché est entré dans une phase de correction adjustments are being operated on the market ◆ la correction touche toutes les places financières the correction is hitting all stock markets.

**correspondance** /kɔʀɛspɔ̃dɑ̃s/ NF **a** (= courrier) correspondence ◆ vente par correspondance mail-order selling ◆ organisme de vente par correspondance mail-order company ou firm **b** (= lien) connection, link **c** (Transports) connection.

**correspondancier, -ière** /kɔʀɛspɔ̃dɑ̃sje, jɛʀ/ NM,F correspondence clerk.

**correspondant, e** /kɔʀɛspɔ̃dɑ̃, ɑ̃t/ ADJ corresponding ◆ veuillez cocher la case correspondante please tick the appropriate ou relevant box
NM,F correspondent.

**corriger** /kɔʀiʒe/ VT to correct, adjust ◆ corriger en hausse / en baisse to revise upwards / downwards ◆ corrigé de l'inflation inflation adjusted ◆ les chiffres du chômage en données corrigées des variations saisonnières seasonally adjusted unemployment figures ◆ le marché a corrigé quelques excès the market made up for some excesses ◆ corriger le tir to adjust ou correct one's aim.

**corrompre** /kɔʀɔ̃pʀ(ə)/ VT to bribe, corrupt.

**corruption** /kɔʀypsjɔ̃/ NF bribery, corruption.

**cosignataire** /kɔsiɲatɛʀ/ ADJ, NMF cosignatory.

**cosignature** /kɔsiɲatyʀ/ NF joint signature.

**cosigner** /kɔsiɲe/ VT to sign jointly.

**Costa Rica** /kɔstaʀika/ NM Costa Rica.

**costaricien, -ienne** /kɔstaʀisjɛ̃, jɛn/ ADJ Costa Rican
**Costaricien** NM (= habitant) Costa Rican

**Costaricienne** NF *(= habitante)* Costa Rican.

**cotation** /kɔtasjɔ̃/ NF *(Bourse)* quotation ♦ **cotation successive / à terme** successive / forward quotation ♦ **cotation à la criée** open outcry quotation ♦ **cotation au certain** certain quotation ♦ **cotation en continu** continuous quotation *ou* trading ♦ **cotation assistée en continu** continuous automated trading ♦ **cotation par casiers** pigeonhole quotation ♦ **cotation technique** technical trading ♦ **les cotations demeurent suspendues** quotations are still suspended.

**cote** /kɔt/ NF a *[valeur boursière]* quotation, quote; *[objet d'occasion]* quoted price *ou* value; *(= liste des titres cotés)* (stock exchange) list ♦ **valeurs admises** *ou* **inscrites à la cote** listed securities ♦ **demande d'admission à la cote officielle** application for admission to the official list ♦ **marché hors-cote** over-the-counter market, unofficial market, off-board market *(US)*, curb market ♦ **titres hors-cote** unlisted securities ♦ **radier une valeur mobilière de la cote officielle** to discontinue the listing of a security b *(= estimation) [entreprise, produit]* rating ♦ **bénéficier** *ou* **jouir d'une grosse cote** to be highly rated ♦ **cote de confiance** *ou* **de solvabilité** *ou* **de crédit** credit rating c *(= impôt)* tax ♦ **cote immobilière** property assessment (for tax purposes) ♦ **cote mobilière** local taxes ♦ **cote foncière** land tax d *(= indicateur de classement)* classification mark, serial *ou* reference number.

**Côte-d'Ivoire** /kotdivwar/ NF ♦ **la Côte-d'Ivoire** the Ivory Coast.

**coter** /kɔte/ VT a *valeur boursière* to quote, list; *objet d'occasion* to quote the price *ou* value of ♦ **valeurs cotées / non cotées** listed *ou* quoted / unlisted *ou* unquoted securities ♦ **titre coté à la Bourse de Paris** security listed on the Paris Bourse ♦ **le titre a été coté à 50 euros** the security was quoted at 50 euros ♦ **entreprise cotée** quoted *ou* listed company ♦ **valeurs cotées à la criée** shares quoted by open outcry ♦ **valeurs cotées en continu** shares quoted on the continuous market b *personne, entreprise* to rate ♦ **bien / mal coté** highly / poorly rated c *documents* to put a serial number on, reference, mark, number.

**cotisant, e** /kɔtizɑ̃, ɑ̃t/ NM,F *(à la Sécurité sociale)* contributor; *[association]* fee-paying member.

**cotisation** /kɔtizasjɔ̃/ NF *(de Sécurité sociale)* contribution ♦ **cotisation patronale** employer's contribution ♦ **cotisations sociales** social security contributions ♦ **cotisations syndicales** union dues ♦ **avoir droit à une retraite après** plusieurs années de cotisation to be entitled to a pension after several years' contributions *ou* payments ♦ **période de cotisation** contribution period.

**cotiser** /kɔtize/ VI *(à la Sécurité sociale)* to contribute *(à* to) ♦ **cotiser à une caisse de retraite complémentaire** to make regular payments to *ou* contribute to a supplemental pension fund.

**couche** /kuʃ/ NF *(Mktg) [population]* layer, spectrum ♦ **couche de clientèle** layer of prospects.

**coulage** /kulaʒ/ NM *(= gaspillage)* leakage, waste; *(= démarque inconnue)* pilferage.

**couler** /kule/ VI *[entreprise]* to go bankrupt *ou* bust*, sink
VT *entreprise* to sink, ruin.

**couleur** /kulœR/ NF colour ♦ **le titre retrouve des couleurs** the share is regaining some colour.

**coulisse** /kulis/ NF *(Bourse)* outside *ou* kerb *ou* off-floor market, over-the-counter market *(US)*.

**coulissier** /kulisje/ NM *(Bourse)* outside broker, kerb broker.

**couloir** /kulwaR/ NM corridor ♦ **bruits de couloirs** rumours ♦ **intrigues de couloirs** backstage manoeuvring ♦ **couloir haussier / baissier** *(Bourse)* bull / bear trend.

**coup** /ku/ NM blow ♦ **la chute du dollar a porté un coup sévère à nos exportations** the fall in the dollar dealt a severe blow to our exports ♦ **le franc accuse le coup** the franc staggers

─── *compounds/composés* ───
♦ **coup d'accordéon** *(Fin)* reduction-increase in capital
♦ **coup d'arrêt** sudden check ♦ **donner un coup d'arrêt à** to check, put a brake on ♦ **coup d'arrêt aux importations automobiles** clampdown *ou* brake on car imports
♦ **coup de bélier** liquidity squeeze
♦ **coup de Bourse** quick killing on the stock market
♦ **coup d'envoi** kickoff ♦ **donner le coup d'envoi à une nouvelle série de négociations** to give the kickoff to a new round of talks
♦ **coup de fouet** stimulus, boost ♦ **cette campagne promotionnelle a donné un coup de fouet à nos ventes** this promotional campaign gave our sales a new stimulus *ou* boost ♦ **donner un coup de fouet à l'économie** to boost the economy
♦ **coup de frein** sharp check ♦ **donner un coup de frein à la relance** to apply the brakes on reflation
♦ **coup de pub** publicity stunt ♦ **donner un coup de pub à qch** to give publicity to sth
♦ **coup de tabac** il y a eu un coup de tabac sur les marchés the markets took a beating.

under the blow ◆ **donner un coup de pouce à l'épargne** to encourage savings, give a shot in the arm to savings ◆ **politique du coup par coup** piecemeal policy ◆ **tomber sous le coup de la loi** *[acte]* to be a criminal offence ◆ **il a réussi un très joli coup** he scored a major coup

**coupe** /kup/ **NF** ◆ **coupe sombre** cut, cutback ◆ **coupe claire** drastic cut ◆ **faire des coupes sombres dans les dépenses publiques** to cut back on public spending ◆ **il y a eu des coupes sombres dans le personnel** there have been severe staff reductions *ou* cutbacks.

**coupon** /kupɔ̃/ **NM** **a** *(Fin)* coupon ◆ **détacher / encaisser un coupon** to clip / cash a coupon ◆ **avec coupon attaché, avant détachement du coupon** cum *ou* with coupon, dividend on *(US)* ◆ **avec coupon détaché, après détachement du coupon** ex coupon, ex dividend, dividend off *(US)* ◆ **coupon arriéré** coupon in arrears ◆ **coupons crédités sauf bonne fin** coupons credited under the usual reserves ◆ **coupon échu / périmé** due *ou* outstanding / lapsed coupon ◆ **coupon remis à l'encaissement** coupon sent for collection ◆ **bordereau / feuille de coupon** coupon schedule / sheet ◆ **obligation à coupon zéro** zero coupon bond ◆ **rendement coupon** coupon yield ◆ **service des coupons** clipping department ◆ **sur présentation du coupon** on presentation of the coupon **b** *(Comm)* coupon, voucher ◆ **coupon de réduction** coupon, cash premium voucher ◆ **coupon sur l'emballage / à l'intérieur** on-pack / in-pack coupon.

**couponnage** /kupɔnaʒ/ **NM** couponing ◆ **couponnage croisé** *(Mktg)* cross couponing.

**coupon-réponse** /kupɔ̃Repɔ̃s/ **NM** reply-coupon, send-in coupon ◆ **publicité par coupon-réponse** coupon advertising.

**coupure** /kupyR/ **NF** *(= billet)* banknote *(Brit)*, bill *(US)* ; *[presse]* newspaper clipping ◆ **petite / grosse coupure** note *(Brit)* *ou* bill *(US)* of small / large denomination.

**cour** /kuR/ **NF** *(Jur)* court ◆ **cour d'appel** Court of Appeal, appellate court *(US)* ◆ **cour d'arbitrage** arbitration court ◆ **cour d'assises** court of assizes ◆ **cour de cassation** Supreme Court of Appeal ◆ **Cour des comptes** Court of Auditors ◆ **la Cour internationale de justice** the International Court of Justice ◆ **la Cour européenne** *(UE)* the European Court.

**couramment** /kuRamɑ̃/ **ADV** *(= habituellement)* commonly ◆ **cela se pratique couramment** this is common *ou* standard practice ◆ **prix couramment pratiqués** current *ou* prevailing *ou* ruling prices.

**courant, e** /kuRɑ̃, ɑ̃t/ **ADJ** **a** *(= habituel)* common, normal, standard; *(Comm)* modèle, taille standard ◆ **dépenses courantes** current *ou* running expenses ◆ **produits de vente courante** basic consumables, convenience goods **b** *(Fin)* current ◆ **compte courant** current account ◆ **prix courant** current *ou* going price **c** *(= actuel)* present, current ◆ **les affaires courantes** current affairs ◆ **le 18 du mois courant** the 18th of this month ◆ **votre envoi du 7 courant** your consignment of the 7th inst. ◆ **vous le recevrez fin courant** you will get it by the end of the month

**NM** **a** *(= tendance)* trend ◆ **courant de hausse / de baisse** upward / downward trend ◆ **courant acheteur / vendeur** *(Bourse)* buying *ou* bullish / selling *ou* bearish trend ◆ **aller** *ou* **agir à contre-courant** to go against the tide, buck the trend **b** flow ◆ **courant de capitaux** *(= flux)* flow of capital ◆ **cette reprise du dollar a été accentuée par un important courant d'achats** the dollar rally has been sustained by an important flow of buying orders **c** *(= cours)* ◆ **dans le courant de** in the course of, during, within ◆ **dans le courant du mois** in the course of this month ◆ **vous le recevrez courant mai** you will receive it in May.

**courbe** /kuRb(ə)/ **NF** *(gén, Stat)* curve ◆ **traceur de courbes** *(Inf)* graph plotter ◆ **tracer la courbe de** to plot the curve of, graph

────── compounds/composés ──────

◆ **courbe d'accoutumance** learning curve
◆ **courbe ascendante** *ou* **ascentionnelle** upward curve
◆ **courbe des bénéfices** profit graph
◆ **courbe en cloche** bell-shaped curve
◆ **courbe de la consommation** consumption curve
◆ **courbe de la demande** demand curve
◆ **courbe descendante** downward curve
◆ **courbe d'expérience** learning curve
◆ **courbe d'indifférence** indifference curve
◆ **courbe logistique** S curve
◆ **courbe en M** M curve
◆ **courbe optimale de mémorisation** optimum memorization curve
◆ **courbe de l'offre** supply curve
◆ **courbe de probabilité** probability curve
◆ **courbe de rentabilité** profit graph
◆ **courbe en S** S curve
◆ **courbe des salaires** earning curve
◆ **courbe des taux** yield curve
◆ **courbe des ventes** sales chart *ou* curve
◆ **courbe de vie d'un produit** product life expectancy.

**courir** /kuRiR/ **VI** *[intérêts]* to run, accrue; *[bail, assurance]* to run ◆ **cette traite a encore trois**

**jours à courir** this draft has still three days to run ◆ **vos intérêts courent depuis le 1ᵉʳ mai** your interest accrues from May 1st ◆ **l'intérêt court du jour suivant la réception de la somme investie** interest is earned from the day following receipt of the investment ◆ **coupons courus** accrued dividends ◆ **intérêts courus** accrued interests ◆ **intérêts qui courent** accruing interests.

**couronne** /kuʀɔn/ **NF** crown ◆ **couronne danoise** krone ◆ **couronne estonienne** kroon ◆ **couronne islandaise** krona ◆ **couronne norvégienne** krone ◆ **couronne slovaque** koruna◆ **couronne suédoise†** krona ◆ **couronne tchèque** koruna.

**courriel** /kuʀjɛl/ **NM** (Internet) e-mail.

**courrier** /kuʀje/ **NM** a (= correspondance reçue) mail, post, correspondence ◆ **par retour du courrier** by return of post, by return mail ◆ **par un prochain courrier** by the next post, by next mail ◆ **dépouiller le courrier** to sort out ou through the mail ◆ **notifier par courrier** to advise by mail ◆ **nous l'avons mis au courrier hier** we put it in the post ou mail yesterday ◆ **transfert du courrier** mail transfer ◆ **courrier à l'arrivée** incoming mail, inward mail ◆ **courrier en attente** pending mail, pending tray ◆ **courrier au départ** outgoing mail, out-tray ◆ **courrier électronique** electronic mail ◆ **courrier au tarif normal** ou **rapide / lent** first class /

second class mail ◆ **imprimante qualité courrier** letter-quality printer b (= avion) ◆ **long / moyen courrier** long-range ou long-haul / medium-range ou medium-haul aircraft.

**cours** /kuʀ/ **NM** a (Fin) [monnaie] currency; [valeurs boursières] price; [devises] rate ◆ **au cours du marché** at market price ◆ **dernier cours, cours de clôture** closing price ◆ **premier cours, cours d'ouverture** opening price ◆ **cours à trois mois de la livre sterling** three month forward rate for sterling ◆ **reflux des cours** price setback ◆ **les cours s'effritent** prices are crumbling ou frittering away ou falling off ◆ **les cours fléchissent** prices are sagging ou flagging ou giving way ◆ **les cours baissent** prices are falling ou dropping ◆ **les cours plongent** prices are plummeting ou nose-diving ou tail-spinning ◆ **les cours s'effondrent** prices are collapsing ou have collapsed ◆ **les cours se maintiennent à la Bourse de New York** prices are steady on the New York stock exchange ◆ **les cours se raffermissent** prices are firming up ou hardening ◆ **les cours montent** ou **grimpent en flèche** prices are (sky)rocketing ou soaring ◆ **les cours demeurent** ou **restent élevés** prices are remaining ou running high ◆ **les cours se détendent** prices are easing off ◆ **les bonnes nouvelles sont dans les cours** the good news is factored into prices ◆ **les mauvaises nouvelles sont dans les cours** the market has already discounted the bad news b (Fin)

—————— compounds/composés ——————

COURS

◆ **cours acheteur** bid price, buying price
◆ **cours actuel** ruling price
◆ **cours ajusté** adjusted price
◆ **cours d'après Bourse** street ou curb price
◆ **cours de Bourse** market price
◆ **cours du change** rate of exchange
◆ **cours de compensation** make-up price
◆ **cours au comptant** [change] spot rate; (Bourse) spot price
◆ **cours croisés forex** cross forex rates
◆ **cours demandé** bid price, buying price
◆ **cours de déport** backwardation rate
◆ **cours du disponible** spot price
◆ **cours du dont** call price
◆ **cours effectif** actual price
◆ **cours d'émission** issue ou issuing price
◆ **cours d'équilibre** equilibrium price
◆ **cours extrêmes** highest and lowest prices, highs and lows
◆ **cours faits** (Bourse) bargains done
◆ **cours fictif** nominal rate
◆ **cours flottant** floating exchange rate
◆ **cours indicatif** indication ou indicative rate
◆ **cours d'introduction** issue ou issuing price
◆ **cours du jour** rate of the day

◆ **cours limite** limit price
◆ **cours de liquidation** settlement price ou rate
◆ **cours du livrable** forward price
◆ **cours du marché libre** free rate
◆ **cours moyen** mean ou middle price
◆ **cours offert** offer(ed) price, selling price
◆ **cours officiel** official quotation ou price
◆ **cours de l'option** option price
◆ **cours de l'ou** put price
◆ **cours d'ouverture** opening price
◆ **cours pivot** (UE) central rate
◆ **cours de la prime** option price
◆ **cours de rachat** buying-in price
◆ **cours de report** contango rate, carry-over rate
◆ **cours spot** spot price
◆ **cours du stellage** put and call prices
◆ **cours stop** stop price
◆ **cours à terme** forward rate
◆ **cours théorique** theoretical price
◆ **cours de veille** mark
◆ **cours vendeur** selling price
◆ **cours en vigueur** going price rate, prevailing rate
◆ **cours à vue** demand rate.

(*= circulation*) circulation ✦ **avoir cours légal** to be legal tender ✦ **cette pièce n'a plus cours** this coin is no longer valid `c` (*= progression*) course, progress ✦ **en cours de construction** under construction ✦ **en cours d'examen** under consideration ✦ **en cours d'exécution** in course of execution, in progress ✦ **affaires en cours** outstanding business ✦ **marchandises abîmées en cours de route** goods damaged in transit *ou* on the way *ou* en route ✦ **mois en cours** current month ✦ **négociations en cours** negotiations in progress *ou* in hand ✦ **prêt en cours** current loan ✦ **travail en cours** work in progress *ou* in hand `d` (*Mar*) ✦ **navigation au long cours** ocean navigation ✦ **navire au long-cours** ocean-going ship `e` (*Univ*) course, class, lesson

**coursier** /kuʀsje/ **NM** (*= messager*) courier, messenger ✦ **envoyer qch par coursier** to courier sth, send sth by courier.

**court, e** /kuʀ, kuʀt(ə)/ **ADJ** short ✦ **capitaux à court terme** short-term capital ✦ **crédit / prêt à court terme** short(-term) credit / loan ✦ **effet / obligation à courte échéance** short-dated bill / bond ✦ **papiers courts** short papers ✦ **position courte** (*Bourse*) short position ✦ **titres courts** shorts ✦ **être à court de liquidités** to be short of cash *ou* strapped for cash* ✦ **nous sommes à court de cet article en ce moment** we are short of this particular item at the moment.

**courtage** /kuʀtaʒ/ **NM** `a` (*= action*) brokerage ✦ **faire le courtage** to be a broker ✦ **courtage d'assurance / en Bourse** insurance / stock broking ✦ **compte de courtage** brokerage account ✦ **frais de courtage** brokerage costs *ou* fees *ou* charges ✦ **maison** *ou* **société de courtage** brokerage *ou* broking house `b` (*= commission*) broker's commission, brokerage (fee).

**courtier, -ière** /kuʀtje, jɛʀ/ **NM,F** `a` (*= intermédiaire*) broker, agent ✦ **droit de rétention du courtier** broker's lien ✦ **ristourne du courtier** (*Mar*) broker's return `b` (*= représentant de commerce*) sales representative, agent ■ Voir encadré ci-contre

**coût** /ku/ **NM** cost ✦ **affectation d'un coût** cost allocation ✦ **analyse coût-efficacité** cost-effectiveness analysis ✦ **centre de coût** cost centre ✦ **dépassement du coût estimé** (cost) overrun ✦ **évaluation des coûts** cost estimate, costing ✦ **facteur coût** cost factor ✦ **indice du coût de la vie** cost of living index ✦ **inflation par les coûts** cost-induced inflation ✦ **structure des coûts** cost structure ✦ **ventilation des**

coûts cost breakdown *ou* apportionment ■ Voir encadré page suivante

**coûtant** /kutɑ̃/ **ADJ M** ✦ **prix coûtant** cost price ✦ **vendre à prix coûtant** to sell at cost (price).

**coûter** /kute/ **VTI** to cost.

**coûteux, -euse** /kutø, øz/ **ADJ** costly, expensive.

**couvert, e** /kuvɛʀ, ɛʀt(ə)/ **ADJ** covered ✦ **risques couverts par la police** (*Ass*) risks guaranteed *ou* covered *ou* insured by the policy ✦ **la souscription est couverte** the application is covered ✦ **l'emprunt a été couvert plusieurs fois** the loan was oversubscribed *ou* was covered several times ✦ **vendre à couvert** (*Bourse*) to sell for delivery *ou* for futures ✦ **nos clients sont totalement couverts** (*Banque*) our depositors are fully insured
**NM** **sous couvert de** (*supérieur hiérarchique*) through the person of.

**couverture** /kuvɛʀtyʀ/ **NF** `a` (*Ass*) cover, covering, coverage ✦ **couverture globale / totale** blanket / full cover(age) ✦ **lettre de couverture** covering letter ✦ **note de couverture** cover *ou* covering note, provisional policy ✦ **plafond de la couverture** limit of coverage *ou* cover ✦ **couverture de pointe** catastrophe cover ✦ **couverture sociale** social security insurance ✦ **une couverture valeur à neuf est possible pour des articles de moins de deux ans d'âge** new for old cover is available for items less than two years old `b` (*Bourse, Fin* = *garantie demandée*) cover, margin, margin cover ✦ **couverture glissante** rolling hedge ✦ **couverture titre** securities cover ✦ **faire un appel en couverture sur le marché des options** to make a margin call on the option market ✦ **couverture obligatoire** margin requirement ✦ **les conditions rigoureuses de couverture visent à**

---
*compounds/composés*

✦ **courtier sur actions** equities trader
✦ **courtier d'affrètement** chartering broker
✦ **courtier agréé** authorized agent
✦ **courtier d'assurance** insurance broker
✦ **courtier de change** exchange broker
✦ **courtier d'émission** (*Bourse*) issue broker
✦ **courtier de fret routier** freight broker
✦ **courtier libre** outside broker
✦ **courtier en ligne** on-line broker
✦ **courtier maritime** shipbroker
✦ **courtier marron** share pusher *ou* hawker
✦ **courtier en matières premières** commodity broker
✦ **courtier officiel** inside broker
✦ **courtier de placement** (*Bourse*) issue broker
✦ **courtier en publicité** space broker
✦ **courtier en valeurs mobilières** stockbroker
✦ **courtier en vins** wine broker.

_compounds/composés_

## COÛT

- **coûts d'absorption** full costs
- **coûts accessoires** additional _ou_ ancillary _ou_ soft costs
- **coût d'accroissement** incremental cost
- **coût d'affichage** space cost
- **coût approché** estimated cost
- **coût et assurance** cost and insurance
- **coût, assurance, fret** cost, insurance and freight
- **coût de base** baseline cost
- **coût du capital** investment cost, cost of capital
- **coût de cession** transfer price
- **coût de commercialisation** marketing cost
- **coûts constants** fixed costs
- **coûts contrôlés** managed costs
- **coût du crédit** credit charges
- **coût de défaillance** stockout cost
- **coût différentiel** differential _ou_ incremental cost
- **coût direct** direct cost ◆ **coût direct variable unitaire** variable cost per unit, variable unit cost
- **coûts de distribution** distribution costs
- **coût d'émission** flotation cost
- **coûts estimatifs** estimated costs
- **coûts d'établissement** initial outlay _ou_ costs, setup costs
- **coûts d'exploitation** operating _ou_ running costs
- **coût à l'exposition** _(Mktg)_ exposure cost
- **coût de fabrication** manufacturing cost

- **coûts fixes** fixed costs
- **coûts de fonctionnement** operating costs
- **coût et fret** cost and freight
- **coût initial** prime cost
- **coût d'investissement** investment _ou_ capital cost
- **coût de lancement** launch cost
- **coût marginal** marginal _ou_ incremental cost
- **coût d'opportunité** opportunity cost
- **coût de pénétration** _(Mktg)_ cost of entry
- **coût préalable** standard cost
- **coûts provisionnels** provisional costs
- **coûts de production** production costs
- **coût réel** real _ou_ actual cost
- **coût de remplacement** replacement cost
- **coût de rupture** stockout cost
- **coût salarial** labour cost
- **coût social** social cost
- **coût standard** standard cost
- **coûts de stockage** inventory costs
- **coût de substitution** opportunity cost
- **coût total** total _ou_ overall cost
- **coût de traitement d'une commande** order processing cost
- **coût unitaire de travail** unit labour cost
- **coût d'utilisation** cost-in-use
- **coûts variables unitaires** variable costs per unit, variable unit costs.

empêcher l'usage abusif du crédit stiff margin requirements are aimed at preventing the excessive use of credit ◆ notre agent de change a porté la couverture à 30% en espèces our broker brought the margin up to 30% in cash **c** _(Bourse = protection d'une opération)_ hedging ◆ couverture contre l'inflation hedge against inflation ◆ prendre une couverture contre les risques de change to hedge against exchange risks **d** _(Écon)_ ◆ taux de couverture des exportations export coverage ◆ couverture du marché market coverage **e** _(= dépôt de garantie)_ deposit ◆ verser 100 euros en couverture to put down a deposit of 100 euros **f** _(Pub)_ coverage ◆ couverture géographique market reach ◆ couverture média media coverage ◆ couverture publicitaire advertising coverage.

**couvrir** /kuvʀiʀ/ **VT** **a** _dépenses_ to cover, meet; _souscription_ to cover; _(Ass) police_ to cover ◆ couvrir un découvert _(Bourse)_ to cover a short account ◆ couvrir ses frais to cover one's costs ◆ veuillez nous couvrir dès que possible du montant de cette transaction please cover us for the amount of this operation at your earliest convenience ◆ veuillez bien nous couvrir par chèque please settle _ou_ remit by

cheque ◆ l'emprunt a été totalement couvert the loan has been totally subscribed **b** _(Bourse = protéger une opération)_ to hedge ◆ couvrir les postes du bilan en position de change to hedge balance sheet exchange risk exposures **c** couvrir le vice d'un contrat to annul the effects of a flaw in a contract

**se couvrir** **VPR** _(Bourse)_ to hedge.

**CPAM** /sepeaɛm/ **NF** abrév de **caisse primaire d'assurance maladie** → **caisse.**

**cpt** abrév de **comptant.**

**CR** /seɛʀ/ abrév de **compte rendu.**

**cr.** abrév de **crédit.**

**crayon** /kʀɛjɔ̃/ **NM** ◆ **crayon optique** light pen.

**CRDS** /seɛʀdeɛs/ **NF** abrév de **contribution au remboursement de la dette sociale** → **contribution.**

**créance** /kʀeɑ̃s/ **NF** **a** debt, claim ◆ **créances** _(Compta)_ receivables ◆ **débiteur d'une créance** exécutoire judgment debtor ◆ **exigibilité d'une créance** enforcibility of a claim ◆ **perte sur créance** credit loss ◆ **titre de créance** debt security, evidence _ou_ proof of debt ◆ **titulaire d'une créance** debtholder ◆ **amortir une créance** to write off a debt ◆ **recouvrer une**

**créance** to collect a debt ◆ **règlement des créances** settlement of debts **b** **lettre de créance** (Comm) letter of credit

─── compounds/composés ───
- ◆ **créances sur les banques** dues from banks
- ◆ **créance certaine** good debt
- ◆ **créance cessible** transferable claim
- ◆ **créances commerciales** receivables
- ◆ **créance contractuelle** contractual claim
- ◆ **créance douteuse** bad ou doubtful debt ◆ **réserve** ou **provision pour créances douteuses** allowance ou provision ou reserve for bad debts
- ◆ **créances éventuelles** contingent claims
- ◆ **créances exigibles** debts due
- ◆ **créance garantie** secured debt
- ◆ **créances gelées** frozen credits
- ◆ **créance hypothécaire** mortgage loan
- ◆ **créance irrécouvrable** irrecoverable debt
- ◆ **créance irrévocable** irrevocable debt
- ◆ **créance litigieuse** contested claim
- ◆ **créance non exigible** accruing debt
- ◆ **créance privilégiée** preferential ou preferred ou senior debt
- ◆ **créance à recouvrer** outstanding debt.

**créancier, -ière** /kʀeɑ̃sje, jɛʀ/ **NM,F** creditor ◆ **désintéresser** ou **satisfaire ses créanciers** to pay off ou satisfy one's creditors ◆ **être créancier de...** to hold a claim against...

─── compounds/composés ───
- ◆ **créancier autorisé** judgment creditor
- ◆ **créancier chirographaire** unsecured creditor
- ◆ **créancier-gagiste** lienor
- ◆ **créancier hypothécaire** mortgage creditor, mortgagee
- ◆ **créancier nanti** joint creditor
- ◆ **créancier obligataire** bond creditor
- ◆ **créancier ordinaire** ordinary creditor.

**créateur, -trice** /kʀeatœʀ, tʀis/ **ADJ** creative **NM,F** [vêtements] designer; [billet à ordre] maker ◆ **créateur de valeur** / **de richesse** / **d'emploi** value / wealth / job creator ◆ **créateur d'entreprise** new business creator ◆ **créateur de mode** fashion designer ◆ **créateur publicitaire** commercial artist.

**créatif, -ive** /kʀeatif, iv/ **ADJ** creative **NM** designer ◆ **les créatifs** (Pub) creative ou design staff ◆ **notre équipe de créatifs** our creative ou design team.

**création** /kʀeasjɔ̃/ **NF** [entreprise] setting up, foundation; [clientèle] building up; [commission] setting up; [projet] creation, setting up; [chèque, effet] making out; [modèle] designing; [produit] development; [emplois] creation ◆ **création d'un label** labelling ◆ **création pu**blicitaire commercial design ou art ◆ **directeur de la création** (Pub) creative ou design manager ◆ **service création** (Pub) art ou design department ◆ **pacte pour la création d'emplois** job creation programme ◆ **création d'entreprises** new business formation, new business start-up ◆ **création de valeur** value creation ◆ **congé création** leave granted to sb wishing to create a company ◆ **création monétaire** / **de crédit** money / credit creation.

**créatique** /kʀeatik/ **NF** creative brain-storming.

**créativité** /kʀeativite/ **NF** creativeness, creativity.

**crédibilité** /kʀedibilite/ **NF** [firme] credibility.

**crédirentier** /kʀediʀɑ̃tje/ **NM** annuitant, recipient of an annuity.

**crédit** /kʀedi/ **NM** **a** (= possibilité d'emprunt) credit ◆ **l'encadrement du crédit** credit control ◆ **encadrer le crédit** to control credit ◆ **le resserrement du crédit** credit restriction ou crunch ou squeeze, the clampdown on credit ◆ **restreindre** ou **resserrer le crédit** to squeeze ou tighten credit, clamp down on credit ◆ **plafonner le crédit** to put a ceiling ou cap on credit ◆ **le gonflement du crédit** credit inflation, the growth in credit ◆ **desserrer** ou **assouplir le crédit** to decontrol ou detighten ou relax ou ease credit **b** (= prêt) credit, loan ◆ **carte** / **ligne** / **multiplicateur de crédit** credit card / line / multiplier ◆ **caisse** ou **organisme** ou **établissement de crédit** credit institution, loan bank, credit union (US) ◆ **cote de crédit** credit rating ◆ **demande de crédit** loan application, application for credit ◆ **le marché du crédit** the loan market ◆ **plafond du crédit** loan ceiling, lending limit ◆ **service du crédit** credit department ◆ **instruments de crédit** credit instruments ◆ **responsable du crédit** credit officer ◆ **demander** / **contracter** / **rembourser un crédit** to ask for / raise ou take out / repay a loan ◆ **ouvrir** / **proroger un crédit** to issue ou grant / extend a credit ◆ **monter un dossier de crédit** to open a loan application file **c** (= conditions de paiement) credit ◆ **acheter** / **vendre à crédit** to buy / sell on credit ou on easy terms ou on installment (US) ◆ **acheter une maison à crédit** to buy a house on credit ◆ **faire crédit à qn** to give sb credit ◆ **la maison ne fait pas de crédit** (pancarte) no credit given ◆ **ouvrir un crédit à qn** to open a credit (account) in sb's favour ◆ **facilités de crédit** credit facilities **d** (= fonds) ◆ **crédits** credits ◆ **voter des crédits** to allocate funds **e** (Compta) credit side, credit ◆ **avis** ou **bordereau de crédit** credit note ◆ **porter** ou **verser une somme au crédit de qn** to credit sb ou sb's account with a sum, credit a sum to sb *ou* sb's account ♦ **faire porter** *ou* **verser un chèque au crédit de son compte** to pay a cheque into one's account **f** *(= mérite, renom)* credit ♦ **la baisse du chômage est à mettre** *ou* **à porter au crédit de l'action gouvernementale** the drop in unemployment is to be put to the credit of the government's policy, government policy must be given credit for the drop in unemployment **g** *(= organisme bancaire)* bank ▪ Voir encadré ci-dessous

**créditer** /kʀedite/ **vt** ♦ **créditer le compte de qn de 1 000 euros** to credit 1,000 euros to sb's account, credit sb's account with 1,000 euros ♦ **les intérêts sont crédités tous les six mois** interest is credited once every six months, crediting of interest takes place every six months ♦ **faire créditer son compte d'une somme** to put a sum into one's account, deposit a sum in one's account.

**créditeur, -trice** /kʀeditœʀ, tʀis/ **ADJ** être créditeur to be in credit ♦ **compte créditeur** credit account, account showing a credit balance ♦ **vous avez un compte créditeur de 1 000**

**livres** you have a credit balance of £1,000 in your account ♦ **intérêts créditeurs** black *ou* credit interest ♦ **position créditrice** creditor position ♦ **poste créditeur** credit item ♦ **solde créditeur** credit balance ♦ **notre balance des paiements est redevenue créditrice** our balance of payments returned to the black ♦ **leur compte est de nouveau créditeur** their account is in credit again *ou* is showing a credit balance again, they're back out of the red ■ **NM,F** creditor ♦ **créditeurs divers** *(Compta)* accounts payable, sundry creditors ♦ **créditeur secondaire** junior creditor.

**crédit-rentier** /kʀediʀɑ̃tje/ **NM** ≈ annuitant, recipient of an annuity.

**créer** /kʀee/ **vt** *entreprise* to set up, start up, establish, form, float, launch; *clientèle* to build up; *commission* to set up; *projet* to create, set up; *effet, chèque* to make out; *modèle* to design; *produit* to develop; *emplois, valeur* to create ♦ **créer une hypothèque** to create a mortgage ♦ **créer un connaissement** to draw up a bill of lading.

**crémaillère** /kʀemajɛʀ/ **NF** ♦ **parité à crémaillère** crawling peg parity.

---

*compounds/composés*

### CRÉDIT

- **crédit par acceptation** acceptance credit
- **crédit à l'achat** buying credit
- **crédit acheteur** buyer credit
- **crédit d'aide au développement** development aid credit
- **crédit back-to-back** back-to-back credit
- **crédit-bail** leasing
- **crédit bancaire** bank credit
- **crédit en blanc** blank *ou* open credit
- **crédit bloqué** frozen credit
- **crédit cartellaire** syndicated loan
- **crédit sur caution** bail credit
- **crédit compensatoire** offset credit
- **crédit de confirmation** stand-by credit
- **crédit confirmé** confirmed credit
- **crédit à la consommation** consumer credit
- **crédit consortial** participation *ou* syndicated loan
- **crédit couvert** secured credit
- **crédit croisé** swap agreement *ou* network
- **crédit cumulatif** cumulative credit
- **crédit à découvert** blank *ou* open credit
- **crédit différé** deferred credit
- **crédit documentaire** documentary credit
  - **crédit documentaire révocable / irrévocable** revocable / irrevocable documentary credit
- **crédit d'équipement** equipment credit *ou* financing
- **crédit à l'exportation** export credit
- **crédit foncier** *(prêt)* loan on landed property
- **crédit fournisseur** supplier credit
- **crédit sur garanties réelles** secured credit
- **crédit hypothécaire** mortgage loan ♦ **crédit hypothécaire à risque** subprime
- **crédit immobilier** property loan, credit on real property
- **crédit d'impôt** tax credit
- **crédits interbancaires** inter-bank loans
- **crédit intérimaire** stand-by credit
- **crédits d'investissement** investment credits
- **crédit libre** open credit
- **crédit à long terme** long (term) credit
- **crédit sur notoriété** unsecured credit
- **crédit ouvert** open credit
- **crédit en participation** *ou* **en pool** participation loan
- **crédit permanent** permanent credit
- **crédit red clause** red clause credit
- **crédit relais** bridging loan, stand-by credit, swing line, stop-gap loan ♦ **crédit relais à la construction** intermediate building credit
- **crédit remboursable sur demande** loan at call
- **crédit revolving** *ou* **rotatif** revolving credit
- **crédit roll-over** roll-over loan
- **crédit de soutien** stand-by credit
- **crédit stand-by** stand-by credit
- **crédit syndical** participation loan, syndicated loan
- **crédit de trésorerie** cash advance
- **crédit à vue** demand loan.

**créneau, PL -x** /kreno/ NM [*marché*] niche, market opportunity *ou* gap; [*emploi de temps*] slot, window ◆ **créneau porteur** seller's *ou* buoyant *ou* growth market ◆ **créneau publicitaire** advertising niche *ou* opportunity ◆ **il y a un créneau tout trouvé pour les voitures économiques** there is a perfect niche *ou* opportunity *ou* a ready market for fuel-efficient cars ◆ **combler un créneau sur le marché** to fill *ou* plug a gap in the market.

**crête** /kret/ NF [*graphique*] peak.

**creuser** /krøze/ VT *question* to look closely into ◆ **nous avons creusé l'écart par rapport à la concurrence** we have a definite edge on our competitors, we have increased our lead over our competitors
**se creuser** VPR **l'écart se creuse entre le Nord et le Sud** the gap is widening between North and South.

**creux, -euse** /krø, øz/ ADJ *période, saison* slack ◆ **heures creuses** *métro, électricité* off-peak hours ◆ **marché creux, séance creuse** (*Bourse*) sagging market ◆ **années creuses** (*Écon*) lean years
NM [*courbe*] trough ◆ **creux saisonnier** seasonal trough ◆ **moment de creux** slack period.

**criée** /krije/ NF (*= activité*) auction; (*= lieu*) auction room, salesroom, saleroom (*Brit*) ◆ **vendre à la criée** to sell by auction ◆ **salle des criées** auction room, salesroom, saleroom (*Brit*) ◆ **cotation à la criée** (*Bourse*) open outcry quotation.

**crise** /kriz/ NF (*Écon*) crisis, slump, trade depression ◆ **la crise de 1929** the 1929 slump *ou* depression ◆ **en période de crise** during a period of crisis ◆ **atmosphère de crise** atmosphere of crisis ◆ **à l'abri de la crise** insulated from the crisis, sheltered from the crisis ◆ **cellule de crise** emergency committee ◆ **déclencher une crise** to spark *ou* trigger (off) a crisis ◆ **sortir de la crise** to pull out from the crisis

---
*compounds/composés*
- ◆ **crise boursière** stock-market crash
- ◆ **crise budgétaire** budgetary crisis
- ◆ **crise de confiance** crisis of confidence
- ◆ **crise de crédit** credit crunch
- ◆ **crise de croissance** growth problems
- ◆ **crise économique** economic crisis, slump
- ◆ **crise de l'emploi** job shortage
- ◆ **crise de l'énergie** energy crisis
- ◆ **crise du logement** housing crisis *ou* shortage
- ◆ **crise de main-d'œuvre** *ou* **de l'emploi** labour crisis *ou* shortage
- ◆ **crise pétrolière** oil crisis.
---

**critère** /kriter/ NM criterion ◆ **critères de convergence** convergence criteria.

**critique** /kritik/ ADJ critical ◆ **chiffre d'affaires critique** breakeven point ◆ **méthode du chemin critique** critical path method ◆ **taille critique** critical size ◆ **le groupe ne dispose pas de la taille critique face à la concurrence** the group is not strong enough to face its competitors, the group has not reached the critical size necessary to face its competitors.

**croate** /kroat/ ADJ Croatian
NM (*= langue*) Croat, Croatian
**Croate** NMF (*= habitant*) Croat, Croatian.

**Croatie** /kroasi/ NF Croatia.

**croisé, e** /krwaze/ ADJ ◆ **cotation croisée** cross listing ◆ **détention** *ou* **participation croisée** (*Fin*) crossholding ◆ **opération croisée** (*Banque*) swap; (*Bourse*) switch order ◆ **parités croisées** (*Bourse*) cross rates of exchange.

**croisement** /krwazmã/ NM ◆ **croisement bancaire** swapping ◆ **croisement d'actifs** assets swap.

**croissance** /krwasãs/ NF growth ◆ **croissance équilibrée** balanced growth ◆ **croissance zéro** zero growth ◆ **courbe / indicateur / facteur / sentier / taux de croissance** growth curve / indicator / factor / path / rate ◆ **marché à croissance lente / rapide** slow-growing / fast-growing market ◆ **opération de croissance externe** external growth operation ◆ **prévisions de croissance** growth prospects *ou* forecasts ◆ **réserves de croissance** reserves of productive capacity, growth reserves ◆ **secteur économique en croissance rapide** high growth sector ◆ **société à fort potentiel de croissance** growth company ◆ **valeur de croissance** growth stock *ou* share.

**croissant, e** /krwasã, ãt/ ADJ growing, increasing, rising ◆ **rendements croissants** increasing returns.

**croître** /krwatr(ə)/ VI to grow, increase.

**cruzado** /kryzado/ NM cruzado.

**cruzeiro** /kryzεro/ NM cruzeiro.

**cryptage** /[kriptaʒ/ NM [*données*] encryption.

**crypter** /kripte/ VT to encrypt ◆ **données cryptées** encrypted *ou* scrambled data.

**CSG** /seεsʒe/ NF (abrév de **contribution sociale généralisée**) *supplementary social security contribution*.

**CU** /sey/ abrév de **communauté urbaine** → **communauté**.

**Cuba** /kyba/ **NF** Cuba.

**cubage** /kybaʒ/ **NM** (= volume) volume, cubage, cubic content; (= mesure) cubage.

**cubain, e** /kybɛ̃, ɛn/ **ADJ** Cuban
  **Cubain** **NM** (= habitant) Cuban
  **Cubaine** **NF** (= habitante) Cuban.

**cube** /kyb/ **NM** cube ◆ **mètre / centimètre cube** cubic metre / centimetre.

**cuber** /kybe/ **VT** (= mesurer) to cube, measure the cubic content of
  **VI** **cuber 100 litres** to have a cubic content of 100 litres.

**cubique** /kybik/ **ADJ** cubic.

**cubiteneur** /kybitənœʀ/ **NM** cubitainer.

**cueillette** /kœjɛt/ **NF** (Mar) ◆ **affrètement en cueillette** birth freighting ◆ **chargement en cueillette** general cargo ◆ **navigation en cueillette** tramping ◆ **navire en cueillette** tramp.

**culbute** * /kylbyt/ **NF** ◆ **faire la culbute** (= doubler ses gains) to double one's money; (= tout perdre) to go bust*, come a cropper*.

**culminant, e** /kylminɑ̃, ɑ̃t/ **ADJ** culminating ◆ **point culminant** peak, climax, highest point, high spot.

**culminer** /kylmine/ **VI** [chômage, inflation] to peak, reach its highest point (à at)

**cultivateur, -trice** /kyltivatœʀ, tʀis/ **NM,F** farmer.

**culture** /kyltyʀ/ **NF** **a** (= métier) farming; (= action de cultiver) cultivation; (= production) crop ◆ **culture fruitière** (= action) fruit growing; (= récolte) fruit crop ◆ **culture extensive / intensive** extensive / intensive farming ◆ **culture maraîchère** market gardening (Brit), truck farming (US) ◆ **culture de rapport** cash crop ◆ **culture vivrière** food crop **b** **culture d'entreprise** corporate ou company culture.

**cumul** /kymyl/ **NM** ◆ **cumul de fonctions** plurality of offices ◆ **cumul de prestations** overlapping benefits ◆ **le cumul des revenus du foyer** total income treated as one ◆ **cumul de traitements** concurrent drawing of salaries ◆ **cumul jusqu'à ce jour** (Compta) year-to-date.

**cumulable** /kymylabl(ə)/ **ADJ** postes which may be held concurrently; rémunérations which may be drawn concurrently ◆ **offre non cumulable avec les offres précédentes** offer not valid with previous offers.

**cumulatif, -ive** /kymylatif, iv/ **ADJ** intérêt, dividende cumulative.

**cumuler** /kymyle/ **VT** postes to hold concurrently; rémunérations to draw concurrently ◆ **il cumule** he has more than one job ◆ **solution qui cumule tous les avantages** solution which brings together ou combines all the advantages, solution which has everything going for it ◆ **bilan cumulé** consolidated balance sheet ◆ **déficit cumulé des échanges** overall trade imbalance ◆ **pertes d'emplois cumulées** accumulated ou total job losses ◆ **intérêts cumulés** (Fin) accrued interest.

**curateur** /kyʀatœʀ/ **NM** (Jur) trustee.

**curriculum vitæ** /kyʀikylɔmvite/ **NM** curriculum vitæ, CV, résumé (US).

**CV** /seve/ **NM** (abrév de **curriculum vitæ**) CV.

**CVG** /seveʒe/ **NM** abrév de **certificat de valeur garantie** → **certificat.**

**CVS** /seveɛs/ (abrév de **corrigé des variations saisonnières**) seasonally adjusted ◆ **données CVS** seasonally adjusted data.

**cyberconsommateur, trice** /sibɛʀkɔ̃sɔmatœʀ, tʀis/ **NM,F** cybercustomer, e-consumer.

**cyberespace** /sibɛʀɛspas/ **NM** cyberspace.

**cyberfraude** /sibɛʀfʀod/ **NF** cyberfraud.

**cybermarchand** /sibɛʀmaʀʃɑ̃/ **NM** cyberstore, cybershop.

**cybermarketing** /sibɛʀmaʀkətiŋ/ **NM** cybermarketing.

**cybernaute** /sibɛʀnot/ **NMF** cybersurfer, cybernaut.

**cybernétique** /sibɛʀnetik/ **NF** cybernetics.

**cycle** /sikl(ə)/ **NM** cycle ◆ **cycle comptable / conjoncturel / d'évaluation / d'exploitation / de révision** accounting / business / evaluation / operating / review cycle ◆ **cycle court** (Ind) fast timescale ◆ **cycle économique** economic ou trade ou business cycle ◆ **cycle d'élaboration d'un produit** product development cycle ◆ **cycle étendu** extended timescale ◆ **cycle de fabrication** production process ◆ **cycle de la planification** planning cycle ◆ **cycle de vie d'un produit / d'une marque** product / brand life cycle ◆ **nous fonctionnons sur un cycle de 5 ans** we are operating on a 5 year cycle ou timescale ◆ **valeurs de bas de cycle** stocks at a cyclical low ◆ **nous sommes au début d'un cycle haussier** we're at the start of a cyclical upswing.

**cyclique** /siklik/ **ADJ** chômage, variations cyclical ◆ **maxima cycliques** cyclical peaks ◆ **perturbation cyclique** cyclical swing ◆ **valeurs cycliques** cyclical stocks
  **NM** (Bourse) **les cycliques** cyclicals.

**cypriote** /sipʀijɔt/ **ADJ** cypriot
  **Cypriote** **NMF** (= habitant) Cypriot.

# D

**D / A** (abrév de **documents contre acceptation**) D / A.

**DAB** /dab/ **NM** (abrév de **distributeur automatique de billets**) ATM.

**Dacca** /daka/ **N** Dhaka.

**dactylo** /daktilo/ **NF** **a** (= *personne*) typist **b** (= *métier*) typing, typewriting ◆ **pool** *ou* **équipe de dactylos** typing pool.

**dactylographe** /daktilɔgʀaf/ **NF** typist.

**dactylographie** /daktilɔgʀafi/ **NF** typing, typewriting.

**dactylographier** /daktilɔgʀafje/ **VT** to type (out) ◆ **document dactylographié** typed *ou* typewritten document.

**DAF** /daf/ **NM** abrév de **directeur administratif et financier** → **directeur.**

**Dakar** /dakaʀ/ **N** Dakar.

**dalasi** /dalasi/ **NM** dalasi.

**Damas** /damas/ **N** Damascus.

**Danemark** /danmaʀk/ **NM** Denmark.

**danois, e** /danwa, waz/ **ADJ** Danish **NM** (= *langue*) Danish **Danois** **NM** (= *habitant*) Dane **Danoise** **NF** (= *habitante*) Dane.

**DAO** /deao/ **NM** (abrév de **dessin assisté par ordinateur**) CAD.

**DAS** /deaɛs/ **NM** (abrév de **domaine d'activité stratégique**) SBU.

**DATAR** /dataʀ/ **NF** (abrév de **Délégation à l'aménagement du territoire et à l'action régionale**) *regional development agency.*

**datation** /datasjɔ̃/ **NF** [*contrat*] dating.

**date** /dat/ **NF** date ◆ **lettre en date du 3 mars** letter dated March 3rd ◆ **à 3 mois de date** 3 months after date ◆ **prendre date, convenir d'une date** to fix a date, make an appointment ◆ **cette décision fera date dans les relations commerciales américano-japonaises** this decision will be seen as a landmark *ou* a milestone in trade relations between the US and Japan ◆ **les mensualités n'ont pas été remboursées à la date prévue** the monthly payments are in default ◆ **classer les stocks par date d'entrée** to age inventories ◆ **sans date** undated ◆ **une relation de longue date** a long-standing relationship

─────────── compounds/composés ───────────

◆ **date d'acceptation** acceptance date
◆ **date d'arrivée** date of arrival
◆ **date authentique** certified date
◆ **date butoir** deadline, final date; (*Fin*) cut-off date
◆ **date de clôture** [*inscriptions*] closing date ◆ **date de clôture des registres** date of record
◆ **date de déclaration** (*Fin*) date of declaration
◆ **date de départ** date of departure; (*Mar*) date of sailing
◆ **date d'échéance** [*traite*] due date, date of maturity
◆ **date d'effet** [*nomination*] effective date ◆ **date d'effet rétroactif** backdating date
◆ **date d'embarquement** (*Mar*) date of shipment
◆ **date d'émission** date of issue *ou* issuance
◆ **date d'entrée** date d'entrée en fonction date of appointment ◆ **date d'entrée en valeur** value date ◆ **date d'entrée en vigueur** effective date; (*Ass*) starting date; [*loi*] vesting date
◆ **date d'envoi** date of dispatch
◆ **date d'exigibilité** due date, maturity date
◆ **date d'expédition** date of dispatch *ou* shipment, shipping date

- **date d'expiration** expiry date
- **date de facturation** billing date
- **date limite** deadline, final date ◆ **date limite de fraîcheur** best-before date ◆ **date limite de vente** sell-by date
- **date de (la) liquidation** settlement date
- **date de livraison** delivery date
- **date de naissance** date of birth
- **date de paiement** date of payment
- **date de parution** publication date
- **date de péremption** sell-by date
- **date de la poste** date as postmark
- **date prévue** target date
- **date de règlement** settlement date
- **date de signature** completion date
- **date de valeur** value date
- **date de validité** expiry date.

**dater** /date/ **VT** to date ◆ **non daté** undated ◆ **la lettre est datée de Londres du 25 mai** the letter is dated London May 25th

**VI** **dater de** to date from, date back to ◆ **à dater de demain** as from tomorrow, from tomorrow onwards.

**dateur** /datœr/ **NM** ◆ **(timbre) dateur** date stamp.

**dation** /dasjɔ̃/ **NF** *[droits de succession]* payment in kind.

**DAX** /daks/ **NM** abrév de **Deutscher AktienindeX** *(Bourse)* ◆ **le DAX** the DAX.

**DEA** /deəa/ **NM** abrév de **diplôme d'études approfondies** → **diplôme.**

**déb.** abrév de **à débattre.**

**débâcle** /debakl(ə)/ **NF** *[monnaie]* rout; *[régime]* collapse; *[banques]* crash ◆ **débâcle des pétrolières** heavy drop in oils.

**déballage** /debalaʒ/ **NM** **a** *(= action)* unpacking **b** *(= articles déballés)* displayed goods; *(= étalage)* display of goods.

**déballer** /debale/ **VT** *affaires* to unpack; *articles à mettre en vente* to display.

**débardeur** /debardœr/ **NM** docker, stevedore, longshoreman *(US).*

**débarquement** /debarkəmɑ̃/ **NM** *[passagers]* landing; *[marchandises]* unloading.

**débarquer** /debarke/ **VT** **a** *passagers* to land; *marchandises* to unload **b** *(* = *licencier)* to fire ◆ **il s'est fait débarquer** he got fired **VI** *[passagers]* to disembark, land.

**débat** /deba/ **NM** discussion, debate ◆ **débats** *(Jur)* proceedings ◆ **débats à huis clos** *(Jur)* hearing in camera ◆ **débat de fond** fundamental issue ◆ **diriger les débats** *(Jur)* to conduct the proceedings.

**débattre** /debatr(ə)/ **VT** *question* to discuss, debate; *prix* to discuss, haggle over* ◆ **la question doit être à nouveau débattue** the issue is to be discussed again *ou* taken up again ◆ **prix à débattre** price by arrangement, price open to *ou* subject to negotiation, price to be agreed ◆ **le prix reste à débattre** the price has still to be negotiated *ou* discussed ◆ **salaire à débattre** salary negotiable.

**débauchage** /deboʃaʒ/ **NM** **a** *(= licenciement)* laying off, dismissing **b** *(= embauche d'un salarié d'une autre entreprise)* hiring away, poaching.

**débaucher** /deboʃe/ **VT** **a** *(= licencier)* to lay off, make redundant, dismiss **b** *(= embaucher un salarié d'une autre entreprise)* to hire away, poach *(de* from)

**débet** /debɛ/ **NM** *(= solde négatif)* debit balance.

**débirentier** /debirɑ̃tje/ **NM** *party paying an annuity.*

**débit** /debi/ **NM** **a** *(Fin)* debit; *[relevé de compte]* debit side ◆ **charge à porter au débit d'un compte** charge debitable to an account ◆ **mettre** *ou* **porter** *ou* **inscrire 500 euros au débit de qn** to debit sb's account with 500 euros, debit 500 euros against sb's account, charge €500 to sb's account ◆ **autorisation de débit** debit memorandum *ou* transfer ◆ **bordereau / carte de débit** debit note / card ◆ **écriture au débit** debit entry ◆ **article porté au débit** debit item **b** *(= vente)* turnover (of goods), sales ◆ **article d'un bon débit** article which sells well ◆ **ces articles sont d'un faible débit** *ou* **ont peu de débit** there is little demand for these goods, these goods sell poorly ◆ **l'excellent débit de cette boutique justifie le loyer demandé** the outstanding turnover of this shop accounts for the high rent required **c** *[machine]* output, rate of production **d** *(Internet)* ◆ **le haut débit** high-speed Internet.

--- *compounds/composés* ---
- **débit de boissons** bar, drinking establishment
- **débit de tabac** tobacconist's (shop) *(Brit)*, tobacco shop *(US).*

**débitage** /debitaʒ/ **NM** *(= coupe)* cutting up.

**débitant, e** /debitɑ̃, ɑ̃t/ **NM,F** ◆ **débitant de boissons** person selling beverages, publican *(Brit)* ◆ **débitant de tabac** tobacconist.

**débiter** /debite/ **VT** **a** *personne, compte* to debit ◆ **débiter le compte de qn d'une somme** to debit sb's account with a sum, debit a sum against sb's account, charge a sum to sb's account ◆ **débiter les frais d'envoi au client** to charge the postage to the customer ♦ **ce compte sera débité du montant de tous les frais de déplacement** all travel expenses will be debited to this account ♦ **débiter le compte fournisseurs de 2 000 dollars** debit $2,000 against accounts payable ♦ **votre compte sera automatiquement débité** your account will be debited automatically **b** (= *vendre*) *marchandises* to retail, sell ♦ **pourriez-vous me débiter ces deux objets?** I would like to buy these two objects **c** (= *produire*) [*usine, machine*] to produce, yield **d** (= *couper*) to cut up.

**débiteur, -trice** /debitœʀ, tʀis/ **ADJ** (*Fin*) *solde, poste* debit; *personne, pays, compte* debtor ♦ **mon compte est débiteur de 500 euros** my account shows a debit balance of 500 euros *ou* is 500 euros in the red ♦ **colonne débitrice** debit side ♦ **client débiteur** trade debtor ♦ **intérêts débiteurs** debit interest
**NM,F** (*Fin, fig*) debtor ♦ **être le débiteur de qn** to be indebted to sb, be in sb's debt ♦ **codébiteur** joint debtor

──────── compounds/composés ────────
♦ **débiteur défaillant** *ou* **en défaut** delinquent debtor
♦ **débiteurs divers** accounts receivable, sundry debtors
♦ **débiteur hypothécaire** mortgagor
♦ **débiteur insolvable** insolvent debtor
♦ **débiteur saisi** distrainee, debtor attached
♦ **débiteur solidaire** joint debtor
♦ **débiteur souverain** sovereign debtor.

**déblocage** /deblɔkaʒ/ **NM** [*capital, crédit*] unfreezing, release; [*prix, salaires*] decontrolling, unfreezing; [*situation*] unblocking.

**débloquer** /deblɔke/ **VT** *compte, fonds, marchandises* to free, release; *crédits* to release, unfreeze; *prix, salaires* to decontrol, free, unfreeze ♦ **débloquer la situation** to break the stalemate *ou* deadlock.

**débogage** /debɔgaʒ/ **NM** debugging.

**déboguer** /debɔge/ **VT** (*Inf*) to debug.

**débogueur** /debɔgœʀ/ **NM** debugger.

**débouché** /debuʃe/ **NM** [*produit*] outlet, market; [*profession*] opening, prospect, opportunity ♦ **l'Italie est un bon débouché pour nos produits** Italy is a good market for our products ♦ **quels débouchés y a-t-il dans ce secteur ?** what openings are there in this sector?.

**débouclement** /debuklǝmɑ̃/ **NM** (*Bourse*) [*position*] unwinding ♦ **débouclement au comptant** cash settlement.

**déboucler** /debukle/ **VT** (*Bourse*) *position* to unwind.

**débours** /debuʀ/ **NMPL** outlay, disbursement ♦ **rentrer dans ses débours** to recover one's outlay *ou* disbursements ♦ **note de débours** disbursements account.

**déboursement** /debuʀsmɑ̃/ **NM** disbursement, outlay.

**débourser** /debuʀse/ **VT** to pay out, spend, disburse, lay out ♦ **sans débourser un sou** without paying out *ou* laying out a penny.

**débouté** /debute/ **NM** (*Jur*) ≈ nonsuit.

**déboutement** /debutmɑ̃/ **NM** (*Jur*) ≈ nonsuiting.

**débouter** /debute/ **VT** (*Jur*) ≈ to nonsuit ♦ **débouter qn de sa plainte** to nonsuit a plaintiff, dismiss sb's claim ♦ **être débouté de sa demande** to be ruled out of court, see one's case dismissed by the court ♦ **votre affaire ne tient pas, vous serez débouté** you have no case, your case will be dismissed.

**débrayage** /debʀɛjaʒ/ **NM** (= *arrêt de travail*) stoppage, walk out, downing of tools.

**débrayer** /debʀeje/ **VI** (= *cesser le travail*) to stop work, come out on strike, walk out, down tools.

**débudgétisation** /debydʒetizasjɔ̃/ **NF** debudgeting.

**débudgétiser** /debydʒetize/ **VT** to debudget.

**début** /deby/ **NM** beginning, start ♦ **salaire de début** starting salary ♦ **au début du mois prochain** early next month, at the beginning of next month ♦ **au début de sa carrière** early on in *ou* at the beginning of his career ♦ **la campagne en est encore à ses débuts** the campaign is still in its early stages.

**débutant, e** /debytɑ̃, ɑ̃t/ **NM,F** beginner, novice ♦ **débutant dans une profession** entrant into a profession ♦ **cadre débutant** junior executive ♦ **plombier débutant** novice plumber.

**décachetage** /dekaʃtaʒ/ **NM** unsealing, opening.

**décacheter** /dekaʃte/ **VT** to unseal, open.

**décade** /dekad/ **NF** (= *dix jours*) period of ten days; (= *décennie*) decade.

**décaissement** /dekɛsmɑ̃/ **NM** payment, disbursement ♦ **bordereau de décaissement** disbursement *ou* payment voucher ♦ **journal des décaissements** cash disbursements journal.

**décaisser** /dekɛse/ **VT** *somme* to pay out, disburse.

**décalage** /dekalaʒ/ NM a (= écart) gap, interval; (Inf) shift; (Bourse) mismatch ◆ **décalage des salaires par rapport aux prix** wage lag ◆ **le décalage entre la demande intérieure et le potentiel de production** the gap between home demand and productive capacity b (dans le temps) ◆ **il y a un décalage de date** (avance) the date has been put forward; (retard) the date has been put back ◆ **souffrir du décalage horaire** (Aviat) to suffer from jet lag ◆ **il y a combien d'heures de décalage entre Paris et Tokyo?** what's the time difference between Paris and Tokyo?.

**décaler** /dekale/ VT heure (= avancer) to bring ou move forward; (= reculer) to put back ◆ **la réunion a été décalée d'une heure** (avancée) the meeting has been brought ou moved forward an hour; (reculée) the meeting has been put back an hour.

**décélération** /deselerasjɔ̃/ NF deceleration.

**décembre** /desɑ̃bʀ(ə)/ NM December → **septembre.**

**décennal, e,** MPL **-aux** /desenal, o/ ADJ decennial.

**décennie** /deseni/ NF decade.

**décent, e** /desɑ̃, ɑ̃t/ ADJ salaire reasonable, decent.

**décentralisateur, -trice** /desɑ̃tralizatœʀ, tʀis/ ADJ decentralizing.

**décentralisation** /desɑ̃tralizasjɔ̃/ NF decentralization ◆ **décentralisation des décisions** decentralization of decision-making.

**décentraliser** /desɑ̃tralize/ VT administration to decentralize; bureaux to relocate (away from town centres).

**décerner** /deseʀne/ VT médaille, distinction to award, grant; mandat d'arrêt to issue.

**décès** /desɛ/ NM death, decease ◆ **fermé pour cause de décès** closed owing to bereavement ◆ **acte de décès** death certificate ◆ **avis de décès** death notice.

**décharge** /deʃaʀʒ(ə)/ NF a (Jur) discharge ◆ **témoin à décharge** witness for the defence b (Comm) receipt ◆ **donner décharge** to receipt ◆ **décharge sans réserve** clean signature ◆ **porter une somme en décharge** to mark a sum as paid ◆ **décharge définitive** final discharge ◆ **vous devez signer une décharge avant d'en prendre livraison** you must sign a release before taking it c (Impôts) ◆ **décharge d'un impôt** tax exemption.

**déchargement** /deʃaʀʒəmɑ̃/ NM [marchandises, camion] unloading ◆ **port de déchargement** discharge port, port of discharge ou unloading ◆ **commencer le déchargement** to start unloading, break bulk.

**décharger** /deʃaʀʒe/ VT a marchandises, camion to unload (de from) b (Jur) accusé to discharge ◆ **ce témoignage vous décharge** you are exonerated by this evidence, this evidence clears you ◆ **failli déchargé / non déchargé** discharged / undischarged bankrupt c (= libérer) ◆ **décharger qn de** dette, obligation to relieve ou release sb from; impôt to exempt sb from ◆ **se décharger de ses responsabilités** to hand over ou offload one's responsibilities.

**déchéance** /deʃeɑ̃s/ NF a (Jur) forfeiture, loss ◆ **action en déchéance de brevet** action for forfeiture of a patent ◆ **déchéance d'un administrateur** disqualification of a director b (Ass : [police]) expiration, running out, termination ◆ **déchéance du terme** event of default.

**déchet** /deʃɛ/ NM (= perte) waste, loss ◆ **il y a du déchet** there is some waste ou wastage ◆ **déchets** (= détritus) refuse ◆ **déchets radioactifs** nuclear waste ◆ **déchet de route** loss in transit.

**déchiffrer** /deʃifʀe/ VT code to decipher; écriture to make out, decipher.

**déchu, e** /deʃy/ ADJ (Jur) ◆ **être déchu de ses droits** to be deprived of one's rights, forfeit one's rights ◆ **être déchu d'un brevet** to forfeit a patent.

**décidé, e** /deside/ ADJ a (= déterminé) determined (à to) intent (à on) b (= réglé) question settled, decided.

**décider** /deside/ VT [personne] to decide; [événement] to cause, bring about ◆ **décider qch** to decide on sth ◆ **décider de faire** to decide to do ◆ **les mesures décidées par la commission** the measures decided upon by the committee ◆ **la publicité efficace décide les clients à acheter** effective advertising persuades customers to buy ◆ **ces retards ont finalement décidé l'ajournement de leur décision** these delays eventually brought about ou led to the postponement of their decision ◆ **décider un différend** to settle a dispute ◆ **les résultats de notre étude de marché décideront du lancement de ce produit** the findings of our market survey will determine whether this product will be launched or not

**se décider** VPR [personne] to come to ou make a decision, make up one's mind ◆ **se décider pour / contre qch** to decide for / against sth

◆ **leur sort sera décidé aujourd'hui** their fate will be settled *ou* decided today.

**décideur** /desidœʀ/ **NM** decision-maker ◆ **organisme décideur** decision-making body.

**décimal, e,** **MPL** **-aux** /desimal, o/ **ADJ** decimal ◆ **adopter le système décimal** to go over to the decimal system, go decimal
**décimale** **NF** decimal ◆ **jusqu'à la deuxième décimale** to two decimal places.

**décimalisation** /desimalizasjɔ̃/ **NF** decimalization.

**décimaliser** /desimalize/ **VT** to decimalize.

**décisif, -ive** /desizif, iv/ **ADJ** *démonstration, preuve* decisive, conclusive; *action, influence, circonstances* decisive ◆ **étape décisive** decisive stage ◆ **argument décisif** decisive argument, clincher*.

**décision** /desizjɔ̃/ **NF** **a** (= *choix*) decision ◆ **prise de décision** decision-making *ou* -taking ◆ **arriver à une décision** to come to *ou* reach a decision ◆ **emporter la décision** to carry the day ◆ **prendre la décision de faire qch** to take the decision to do sth ◆ **soumettre qch à la décision de qn** to submit sth to sb for his decision ◆ **réserver sa décision** to delay one's conclusion *ou* aid ◆ **aide à la décision** decision support *ou* aid ◆ **arbre de décision** decision tree ◆ **décision bancaire** bank decision ◆ **décision collégiale** group *ou* collective decision ◆ **notre décision est irrévocable** *ou* **sans appel** our decision is final ◆ **décision d'achat** buying decision **b** (= *jugement*) decision ◆ **décision administrative / judiciaire / gouvernementale** administrative / judicial / government decision ◆ **décision arbitrale** arbitration award ◆ **décision rendue en faveur d'un contribuable** ruling given to a taxpayer.

**décisionnel, -elle** /desizjɔnɛl/ **ADJ** ◆ **modèle décisionnel** decision model ◆ **unité décisionnelle** decision unit.

**déclarable** /deklaʀabl(ə)/ **ADJ** *(Douanes) marchandise* declarable, dutiable; *(Impôts) revenus* declarable.

**déclarant, e** /deklaʀɑ̃, ɑ̃t/ **NM,F** *(Jur)* informant.

**déclaratif, -ive** /deklaʀatif, iv/ **ADJ** *(Jur) jugement* declaratory ◆ **acte déclaratif d'association** declaration of association ◆ **jugement déclaratif de faillite** declaration *ou* adjudication of bankruptcy, decree in bankruptcy, adjudication order.

**déclaration** /deklaʀasjɔ̃/ **NF** (= *communiqué*) statement; *(Jur)* notification ◆ **déclaration erronée** misstatement ◆ **déclaration inexacte** misrepresentation ◆ **déclaration au-dessus / au-dessous de la valeur** declaration above / below value

────── *compounds/composés* ──────

◆ **déclaration d'abandon** waiver
◆ **déclaration d'accident** accident claim
◆ **déclaration d'avarie** ship's protest
◆ **déclaration de cessation de paiement** declaration *ou* adjudication of bankruptcy, decree in bankruptcy
◆ **déclaration de conformité** declaration of compliance
◆ **déclaration de consommation** *(Douanes)* entry for home use
◆ **déclaration de détail** bill of entry
◆ **déclaration d'embarquement** export specification
◆ **déclaration d'entrée** *(Douanes)* clearance inwards
◆ **déclaration d'entrepôt** warehousing entry
◆ **déclaration d'expédition** waybill
◆ **déclaration de faillite** declaration *ou* adjudication of bankruptcy, decree in bankruptcy
◆ **déclaration fiscale** *ou* **d'impôt** (income) tax return *ou* form, tax declaration, statement of income ◆ **faire sa déclaration d'impôt** to fill in *ou* make out *ou* file (US) one's tax return
◆ **déclaration d'initié** insider report
◆ **déclaration de libre sortie** *(Douanes)* declaration for free exportation
◆ **déclaration de mise en consommation** *(Douanes)* entry for home use
◆ **déclaration de mise en entrepôt** entry for home use
◆ **déclaration provisoire** bill of sight
◆ **déclaration de réexportation** shipping bill
◆ **déclaration de revenu** statement of income; (= *imprimé*) (income) tax return ◆ **faire sa déclaration de revenu** to make out *ou* fill in one's tax return
◆ **déclaration sous serment** statement under oath, sworn statement, affidavit
◆ **déclaration de sinistre** (= *action*) (loss) claim; (= *document*) claim form
◆ **déclaration de sortie** *(Douanes)* clearance outwards
◆ **déclaration de valeur** declaration of value
◆ **déclaration de versement** receipt.

**déclaratoire** /deklaʀatwaʀ/ **ADJ** *(Jur)* declaratory.

**déclaré, e** /deklaʀe/ **ADJ** *(Douanes)* entered, declared ◆ **valeur déclarée** declared value; *(Poste)* insured value ◆ **travailleur déclaré** reported *ou* registered worker ◆ **travailleur non déclaré** unreported *ou* unregistered worker.

**déclarer** /deklaʀe/ **VT** (*gén*) to declare; *employés* to report, register ◆ **somme à déclarer** amount to return ◆ **déclarer qn en faillite** to declare *ou* adjudicate sb bankrupt ◆ **déclarer ses revenus au fisc** to make out *ou* file (US) one's tax return ◆ **déclarer qch au-dessus / au-dessous**

de sa valeur to overvalue / undervalue sth ✦ **avez-vous quelque chose à déclarer?** have you anything to declare? ✦ **rien à déclarer** *(Douanes)* nothing to declare ✦ **marchandises à déclarer** *(Douanes)* goods to declare
**se déclarer** ▣ *(Bourse)* ✦ **se déclarer vendeur** to put the shares ✦ **se déclarer acheteur** to call the shares.

**déclassé, e** /deklɑse/ **ADJ** *produit, hôtel, emploi* downgraded ✦ **valeurs déclassées** *(Bourse)* displaced stocks *ou* securities.

**déclassement** /deklɑsmɑ̃/ **NM** *[produit, hôtel]* downgrading; *[valeur boursière]* displacement; *[titre, société]* derating.

**déclasser** /deklɑse/ **VT** *produit, hôtel* to downgrade; *valeur boursière* to displace.

**déclenchement** /deklɑ̃ʃmɑ̃/ **NM** *[grève, manifestation]* launching, starting; *[crise, inflation]* triggering off, sparking off, touching off ✦ **déclenchement de la procédure** initiation of proceedings ✦ **prix de déclenchement** trigger price ✦ **seuil de déclenchement** trigger point.

**déclencher** /deklɑ̃ʃe/ ▣ *attaque, grève, offensive* to launch, start; *crise, inflation* to trigger (off), spark (off), touch off, set off ✦ **déclencher un plan d'urgence** to activate a contingency plan
**se déclencher** ▣ *[grève]* to start, begin; *[crise]* to be triggered (off) *ou* sparked (off) *ou* touched off.

**déclin** /deklɛ̃/ **NM** decline ✦ **une industrie en déclin** a declining industry ✦ **la sidérurgie est en déclin** the steel sector is declining *ou* is in decline.

**décliner** /dekline/ ▣ **a** *(= rejeter)* *offre, invitation, honneur* to decline, refuse ✦ **décliner toute responsabilité** to disclaim all responsibility ✦ **la direction décline toute responsabilité en cas de perte ou de vol** the management accepts no responsibility for (the) loss or theft of articles ✦ **décliner la compétence de qn** *(Jur)* to refuse to recognize sb's competence **b** *(= dire)* ✦ **décliner son identité** to give one's details *ou* personal particulars, identify o.s. ✦ **déclinez vos nom, prénoms, titres et qualités** state your name, forenames, qualifications and status
▣ *[entreprise]* to decline, go downhill; *[prestige, popularité]* to wane, fall off, decline.

**décloisonnement** /deklwazɔnmɑ̃/ **NM** *[marchés]* opening up, decompartmentalization.

**décloisonner** /deklwazɔne/ **VT** *marché* to open up, decompartmentalize.

**décodage** /dekɔdaʒ/ **NM** decoding, deciphering ✦ **décodage d'instructions** instruction decoding ✦ **programme de décodage** decoding programme *ou* routine.

**décoder** /dekɔde/ **VT** to decipher, decode.

**décodeur** /dekɔdœʀ/ **NM** decoder.

**décollage** /dekɔlaʒ/ **NM** takeoff ✦ **phase de décollage** takeoff stage.

**décollecte** /dekɔlɛkt/ **NF** drop in savings ✦ **les livrets de caisse d'épargne ont enregistré une décollecte de 600 millions d'euros** sums paid into savings accounts declined by 600 million euros.

**décoller** /dekɔle/ **VI** *[industrie, pays]* to take off.

**décolonisation** /dekɔlɔnizasjɔ̃/ **NF** decolonization.

**décoloniser** /dekɔlɔnize/ **VT** to decolonize.

**décommander** /dekɔmɑ̃de/ ▣ *marchandise* to cancel (an order for); *invités* to put off; *invitation* to cancel; *réunion* to cancel, call off
**se décommander** ▣ to cancel *ou* call off an appointment.

**décomposer** /dekɔ̃poze/ **VT** *nombre* to factorize; *statistiques, compte, budget* to break down, analyse; *liste* to itemize.

**décomposition** /dekɔ̃pozisjɔ̃/ **NF** *[tâches, comptes]* breakdown; *[nombre]* factorization; *[liste]* itemization ✦ **décomposition des dépenses** breakdown *ou* analysis of expenses.

**décompte** /dekɔ̃t/ **NM** **a** *(= calcul)* detailed account, breakdown (of an account) ✦ **payer le décompte** pay the balance due ✦ **décompte d'une transaction** details of a transaction ✦ **décompte de primes** premium statement **b** *(= déduction)* deduction.

**décompter** /dekɔ̃te/ **VT** *(= déduire)* to deduct.

**déconcentration** /dekɔ̃sɑ̃tʀasjɔ̃/ **NF** *[services]* devolution, decentralization; *[usines]* dispersal *ou* relocation *(away from city centres)*.

**déconcentrer** /dekɔ̃sɑ̃tʀe/ **VT** *services administratifs* to devolve, decentralize; *usines* to disperse *ou* relocate *(away from city centres)*.

**déconfiture** /dekɔ̃fityʀ/ **NF** *(gén)* failure, collapse, defeat; *(Jur)* insolvency ✦ **tomber en déconfiture** to go bankrupt, go under, go bust* ; *(Bourse)* to default, be hammered* ✦ **déconfiture civile** failure, bankruptcy.

**décongestionner** /dekɔ̃ʒɛstjɔne/ **VT** *services administratifs* to relieve the pressure on ✦ **décon-**

**gestionner le marché de l'emploi** to give some fresh air to the labour market.

**déconnecter** /dekɔnɛkte/ **VT** to disconnect **se déconnecter** **VPR** (Internet) to log off.

**déconnexion** /dekɔnɛksjɔ̃/ **NF** (gén) disconnection; (Internet) logging off.

**déconseiller** /dekɔ̃seje/ **VT** ◆ **déconseiller qch à qn / à qn de faire qch** to advise sb against sth / sb against doing sth ◆ **à déconseiller** inadvisable ◆ **c'est déconseillé** it's not advisable.

**déconsigner** /dekɔ̃siɲe/ **VT** valise to collect ou take out (from the left luggage); bouteille, emballage to return ou pay back the deposit on.

**déconsommation** /dekɔ̃sɔmasjɔ̃/ **NF** drop in consumption.

**décontamination** /dekɔ̃taminasjɔ̃/ **NF** (gén, Inf) disinfection.

**décontaminer** /dekɔ̃tamine/ **VT** (gén, Inf) to disinfect.

**décote** /dekɔt/ **NF** [devises, valeur] below par rating, discount on the parity rate; [impôts] tax deduction, tax rebate, tax relief, tax credit, tax allowance ◆ **le napoléon a marqué une légère décote par rapport à son poids d'or fin** the napoleon was slightly underrated when considering its weight in fine gold ◆ **ces actions se vendent avec une décote** these shares are selling at a discount ◆ **le titre présente une forte décote** the share offers a steep discount.

**décoté, e** /dekɔte/ **ADJ** valeur boursière (heavily) discounted.

**découpage** /dekupaʒ/ **NM** [marché] carving-up, carve-up ◆ **découpage des secteurs de vente** sales area breakdown.

**découpe** /dekup/ **NF** ◆ **vendre un immeuble à la découpe** to sell a building in chunks.

**découvert** /dekuvɛʀ/ **NM** **a** (Fin) [compte] overdraft; [caisse] deficit; [objet assuré] uncovered amount ou sum ◆ **avoir un découvert de 500 livres à la banque** to have an overdraft of 500 pounds ou to be 500 pounds overdrawn at the bank ◆ **consentir un découvert** to allow an overdraft ◆ **combler un découvert** to make up a deficit ◆ **mettre un compte à découvert** to overdraw an account ◆ **tirer de l'argent à découvert** to overdraw one's account ◆ **avance ou emprunt à découvert** unsecured loan ou advance, open note (US) ◆ **compte à découvert** overdrawn account ◆ **crédit à découvert** open ou blank credit ◆ **dépôt à découvert** open deposit ◆ **prêt à découvert** loan on overdraft ◆ **acceptation à découvert** uncovered accept-

ance **b** (Bourse) ◆ **vendre à découvert** to sell short, bear the market, sell ou go a bear ◆ **acheter à découvert** to bull the market, buy a bull ◆ **faire la chasse au découvert** to squeeze ou to raid the bears ◆ **couvrir un découvert** to cover a short account ◆ **opération / rachat à découvert** bear transaction / covering ◆ **achat à découvert** bull purchase ◆ **vendeur à découvert** bear ou short seller ◆ **vente à découvert** short ou bear sale

―――――― compounds/composés ――――――
◆ **découvert de la balance commerciale** trade gap
◆ **découvert en blanc** unsecured overdraft
◆ **découvert technique** technical overdraft
◆ **découvert de trésorerie** cash deficit.

**découverte** /dekuvɛʀt(ə)/ **NF** discovery ◆ **une découverte essentielle dans ce domaine** a major breakthrough in this field.

**découvreur, -euse** /dekuvʀœʀ, øz/ **NM,F** discoverer.

**décrasser** /dekʀase/ **VT** monnaie to decoke (Brit), decarbonize (US).

**décret** /dekʀɛ/ **NM** decree ◆ **décret-loi** statutory order ≈ order in council (Brit), ≈ executive order (US) ◆ **décret d'application** decree specifying how a law should be enforced ◆ **promulguer / prendre un décret** to issue / pass a decree.

**décréter** /dekʀete/ **VT** mesures to decree, enact ◆ **décréter que** to order ou decree that ◆ **décréter une grève** to call a strike ◆ **le gouvernement a décrété l'état d'urgence** the government declared a state of emergency.

**décrocher** /dekʀɔʃe/ **VT** téléphone to pick up, lift; contrat, poste to get, land, secure ◆ **il va sûrement décrocher le poste** he's bound to get the job, he's a cert for the job* ◆ **décrocher une commande** to pull off an order **VI** **a** (= se laisser distancer) to fall by the wayside, fail to keep up; (Écon) to stall ◆ **le pays décroche** the country is falling behind ou losing ground ◆ **le titre a décroché** the share has plunged ◆ **plusieurs grosses entreprises ont décroché** several blue-chip companies fell back ou dropped behind **b** (au téléphone) to pick up ou lift the receiver.

**décroiser** /dekʀwaze/ **VT** participations to unwind.

**décroissance** /dekʀwasɑ̃s/ **NF** [chômage] decrease.

**décroissant, e** /dekʀwasɑ̃, ɑ̃t/ **ADJ** decreasing ◆ **par ordre décroissant** in decreasing ou descending order ✦ **frais qui vont en décroissant** tapering *ou* diminishing charges ✦ **loi des rendements décroissants** law of diminishing returns, law of attrition *(US)* ✦ **loi de l'utilité décroissante** law of diminishing utility ✦ **loi de la productivité marginale décroissante** law of diminishing marginal productivity.

**décroître** /dekʀwatʀ(ə)/ **VI** *[population]* to decrease, diminish, decline, fall; *[stocks]* run down; *[revenus]* to get less, fall off, diminish, decrease ✦ **les rentrées fiscales décroissent** revenue from taxation is dropping, the tax takes are falling off.

**décrue** /dekʀy/ **NF** *[taux, taxes]* decline; *[cote]* decline, drop (*de* in) ✦ **forte décrue des taux d'intérêts** sharp fall in interest rates.

**décrutement** /dekʀytmɑ̃/ **NM** *(Ind)* ✦ **décrutement en douceur** outplacement.

**décryptage** /dekʀiptaʒ/ **NM** *[données]* decryption, unscrambling.

**décrypter** /dekʀipte/ **VT** *données* to decrypt, unscramble.

**dedans** /d(ə)dɑ̃/ **NM, ADV** inside ✦ **option en dedans** *(Fin)* in-the-money option.

**dédié, e** /dedje/ **ADJ** *(Inf)* dedicated ✦ **machine de traitement de textes dédiée** dedicated word processor.

**dédire (se)** /dediʀ/ **VPR** to back out ✦ **se dédire de ses engagements** to back out of one's commitments.

**dédit** /dedi/ **NM** *(Jur)* forfeit, penalty ✦ **un dédit de 5 000 euros** a 5,000 euros penalty ✦ **clause de dédit** forfeit *ou* penalty clause ✦ **dédit en cas d'inexécution du contrat** penalties for non-performance of the contract.

**dédollarisation** /dedɔlaʀizasjɔ̃/ **NF** dedollarization.

**dédollariser** /dedɔlaʀize/ **VT** to dedollarize.

**dédommagement** /dedɔmaʒmɑ̃/ **NM** compensation ✦ **en dédommagement, à titre de dédommagement** in compensation, to make up for it ✦ **réclamer des dédommagements** to file for compensation, claim compensation ✦ **percevoir une somme à titre de dédommagement** to receive a sum in compensation *ou* by way of compensation.

**dédommager** /dedɔmaʒe/ **VT** *(= indemniser)* ✦ **dédommager qn** to compensate sb, indemnify sb, give sb compensation (*de* for) **dédommager qn d'une perte** to indemnify *ou* compensate sb for a loss, make good sb's loss **se dédommager** **VPR** to recoup *ou* compen-

sate oneself ✦ **se dédommager de ses pertes** to recoup one's losses.

**dédouanage** /dedwanaʒ/ **NM** → **dédouanement**.

**dédouané, e** /dedwane/ **ADJ** cleared ✦ **marchandises non dédouanées** uncleared goods ✦ **prix marchandises dédouanées** duty-paid price ✦ **dédouané sans inspection préalable** cleared without examination.

**dédouanement** /dedwanmɑ̃/ **NM** clearing *ou* clearance through customs, customs clearance ✦ **procéder aux formalités de dédouanement** to effect customs clearance.

**dédouaner** /dedwane/ **VT** *marchandises (= faire passer la douane)* to clear through customs; *(= sortir de l'entrepôt)* to take out of bond.

**déductible** /dedyktibl(ə)/ **ADJ** *charges, montant* deductible ✦ **dépenses non déductibles** non-deductible expenses ✦ **déductible du revenu imposable** tax-deductible ✦ **dépense déductible** deductible *ou* allowable expense.

**déduction** /dedyksjɔ̃/ **NF** *(Comm)* deduction; *(Impôts)* deduction, personal *ou* tax allowance ✦ **déduction faite de** after allowing for, after deducting, after deduction of ✦ **sous déduction de** less, minus ✦ **cette somme entre en déduction de ce que vous nous devez** this sum is deductible from what you owe us, this sum will be taken off what you owe us ✦ **déduction au titre des revenus salariaux ou professionnels** earned income allowance ✦ **déduction faite des impôts** net of taxes ✦ **revenu imposable après déduction des abattements fiscaux** ≈ adjusted gross income ✦ **déduction forfaitaire** standard deduction ✦ **déduction pour différence du vieux au neuf** deduction new for old ✦ **déduction pour amortissement** capital cost allowance ✦ **déduction sur investissements** investment allowance ✦ **les prêts peuvent venir en déduction de l'impôt sur les sociétés** loans can be offset against corporation tax.

**déduire** /deduiʀ/ **VT** *(= ôter)* to deduct (*de* from); *(= conclure)* to deduce, infer (*de* from) ✦ **déduire 10%** to take off *ou* deduct 10% ✦ **on lui a déduit 15% de son salaire** he had 15% of his salary deducted ✦ **déduisez les sommes déjà versées** take off *ou* deduct the sums already paid ✦ **les journées de grève ne seront pas déduites de la prochaine feuille de paye** strike days won't come off your next payroll ✦ **intérêts, impôts déduits** interest less tax ✦ **tous frais déduits** after deduction of expenses.

**défaillance** /defajɑ̃s/ **NF** **a** *(= panne)* failure, breakdown, malfunction (*de* in) ✦ **défaillance**

des systèmes de sécurité breakdown in security, safety lapses **b** (gén = faiblesse) weakness ◆ **défaillance du marché** weakening ou sagging of the market ◆ **défaillance de la livre** weakening of the pound **c** (= non-paiement) default, delinquency; (= non-comparution) default, non-appearance, failure to appear ◆ **défaillance du donneur d'ordre** default by the principal ◆ **la banque a connu un taux élevé de défaillance cette année** the bank has had a high percentage of defaulters ou delinquencies this year ◆ **défaillance d'entreprise** bankruptcy, company failure.

**défaillant, e** /defajɑ̃, ɑ̃t/ ADJ (Fin, Jur) defaulting ◆ **contribuable défaillant** defaulter, delinquent ou defaulting taxpayer ◆ **emprunteur défaillant** defaulter ◆ **être défaillant** to default ◆ **le client est défaillant** the customer has defaulted ◆ **des mesures doivent être prises contre les clients défaillants** measures must be taken to deal with delinquent ou defaulting debtors, accounts should not be permitted to remain delinquent without action.

**défaisance** /defəzɑ̃s/ NF (Écon) defeasance.

**défalcation** /defalkasjɔ̃/ NF deduction ◆ **après défalcation des arrhes** after deduction of the deposit, after deducting the deposit.

**défalquer** /defalke/ VT to deduct, take off.

**défaut** /defo/ NM **a** (= imperfection) (gén, technique) defect, shortcoming; [tissu] flaw, fault; [diamant] flaw ◆ **zéro défaut** zero defect **b** (= inconvénient) [système] drawback, snag **c** (= manque) ◆ **défaut de** [matières premières] shortage ou scarcity of ◆ **faire défaut** [argent] to be lacking ou wanting; [stocks] to run short ou low ◆ **à défaut de** (gén) for lack ou want of ◆ **à défaut de réponse de votre part** failing your answer, in the event of no reply from you

◆ **à défaut d'un accord entre les parties** failing agreement between the parties **d** (Fin, Jur) default ◆ **faire défaut** [prévenu, témoin] to default, fail to appear; [débiteur] to default (à on) ◆ **nos partenaires nous ont fait défaut** our partners let us down ◆ **condamner qn par défaut** to sentence sb in absentia ou in his absence ■ Voir encadré ci-dessous

**défavorable** /defavɔʀabl(ə)/ ADJ unfavourable (à to) ◆ **balance commerciale défavorable** unfavourable ou negative ou adverse trade balance ◆ **change défavorable** unfavourable exchange rate.

**défavoriser** /defavɔʀize/ VT to penalize, put at a disadvantage ◆ **la nouvelle réglementation défavorise les travailleurs indépendants** the new regulation penalizes the self-employed ou bears unjustly upon the self-employed ◆ **les salariés du secteur public sont défavorisés par rapport aux autres** publicly employed wage earners are put at an unfair disadvantage with respect to other workers ◆ **les couches les plus défavorisées** the underprivileged ◆ **régions défavorisées** depressed areas.

**défection** /defɛksjɔ̃/ NF defection ◆ **le président n'a pas été réélu car il y a eu de nombreuses défections parmi ses partisans** the president was not re-elected because a number of his friends withdrew their support ◆ **il sera plus facile de trier les candidats car il y a eu plusieurs défections** screening the candidates will be easier since quite a few failed to appear ◆ **la défection de 10 de nos principaux cadres au profit de la concurrence** the defection of 10 key staff to our competitors ◆ **faire défection** to defect.

**défectueux, -euse** /defɛktɥø, øz/ ADJ emballage faulty, deficient; appareil faulty, defective

*compounds/composés*

**DÉFAUT**

◆ **défaut d'acceptation d'une traite** dishonour of a bill
◆ **défaut apparent** patent defect
◆ **défaut caché** latent defect
◆ **défaut de comparution** default, non-appearance, failure to appear
◆ **défaut-congé** dismissal of the case (through non-appearance of the plaintiff)
◆ **défaut croisé** cross default
◆ **défaut de déclaration** (Impôts) failure to make a return
◆ **défaut d'entretien** defective maintenance ou servicing ◆ **défaut d'entretien d'immeuble** permissive waste

◆ **défaut d'exécution** [travail, prestation] faulty workmanship
◆ **défaut de fabrication** manufacturing defect
◆ **défaut de fonctionnement** malfunction
◆ **défaut de livraison** non-delivery
◆ **défaut de paiement** default in payment, non-payment, failure to pay ◆ **tout défaut de paiement entraînera l'annulation du contrat** any default in payment will lead to cancellation of the contract ◆ **intérêts pour défaut de paiement** default interest
◆ **défaut de provision** no effects, no funds, absence of consideration
◆ **défaut zéro** zero defect.

◆ articles défectueux *(= abîmés)* rejects, faulty units *ou* articles; *(= de moindre qualité)* seconds.

**défectuosité** /defɛktɥozite/ **NF** *(= état défectueux)* defectiveness, faultiness; *(= imperfection)* (slight) defect *ou* flaw *(de* in)

**défendeur, -deresse** /defɑ̃dœʀ, dʀɛs/ **NM,F** *(Jur)* defendant ◆ **défendeur en appel** respondent.

**défendre** /defɑ̃dʀ(ə)/ **VT** *(Jur)* to defend; *point de vue, droits* to stand up for, defend *(contre* against); *théorie* to advocate, support
**se défendre** **VPR** *(gén, Jur)* to defend o.s. *(contre* against) ◆ **il se défend bien en affaires** he gets on *ou* does quite well in business ◆ **se défendre d'avoir fait qch** to deny doing *ou* having done sth ◆ **la position des syndicats se défend sur ce point particulier** the union's stance is justifiable on this particular point.

**défense** /defɑ̃s/ **NF** **a** *(gén, Jur)* defence *(Brit)*, defense *(US)* ; *(= avocat)* counsel for the defence, defending counsel, defense lawyer *(US)* ◆ **assurer la défense d'un accusé** to conduct the case for the defence ◆ **la parole est à la défense** (the counsel for) the defence may now speak ◆ **qu'avez-vous à dire pour votre défense?** what have you to say in your defence? **b** *(= interdiction)* ◆ **défense d'entrer** no entrance, no entry, no admittance ◆ **propriété privée défense d'entrer** private property no admittance *ou* keep out ◆ **défense d'afficher** stick no bills.

**défenseur** /defɑ̃sœʀ/ **NM** *(gén)* defender; *[doctrine]* advocate; *(Jur)* counsel for the defence, defense lawyer *ou* attorney *(US)*.

**défensif, -ive** /defɑ̃sif, iv/ **ADJ** *stratégie boursière, portefeuille* defensive.

**déférer** /defeʀe/ **VT** *(Jur) affaire* to refer to the court; *personne* to hand over to the law.

**défi** /defi/ **NM** challenge ◆ **lancer un défi à qn** to challenge sb ◆ **relever un défi** to take up *ou* meet *ou* accept a challenge ◆ **mettre qn au défi** to defy sb *(de faire* to do) **défis technologiques** technological challenges.

**déficience** /defisjɑ̃s/ **NF** deficiency.

**déficit** /defisit/ **NM** *(Fin)* deficit, shortfall, gap ◆ **accuser** *ou* **enregistrer un déficit** to register *ou* run *ou* post *ou* show a deficit ◆ **combler un déficit** to fill a gap, make up *ou* good a deficit ◆ **être en déficit** to be in deficit, be in the red* ◆ **le résultat d'exploitation pour cette année accuse un déficit** this year's operating result shows a deficit ◆ **l'opération s'est soldée par un déficit** the operation ended up with a deficit *ou* a loss

─── *compounds/composés* ───
◆ **déficit de l'actif** deficiency in assets
◆ **déficit actuariel** experience loss
◆ **déficit de la balance des paiements** balance of payments deficit
◆ **déficit budgétaire** budget(ary) deficit
◆ **déficit de caisse** cash deficit
◆ **déficit commercial** trade gap *ou* deficit
◆ **déficit d'exploitation** operating *ou* trading deficit
◆ **déficit fiscal** tax loss *ou* deficit
◆ **déficit public** government deficit
◆ **déficit de trésorerie** cash deficit.

**déficitaire** /defisitɛʀ/ **ADJ** *récolte* poor, short, deficient; *production* insufficient; *balance commerciale* adverse, negative; *entreprise* loss-making, money-losing; *année* poor *(en* in) bad *(en* for) ◆ **année déficitaire en blé** lean year for wheat ◆ **bilan déficitaire** balance sheet showing a loss ◆ **pays déficitaires** deficit countries ◆ **solde déficitaire** debit balance ◆ **être déficitaire** *balance* to show *ou* run a deficit, be in deficit, be in the red* ◆ **devenir déficitaire** to run *ou* go into deficit ◆ **rétablir un budget déficitaire** to balance an adverse budget.

**défier** /defje/ **VT** to challenge ◆ **à des prix qui défient toute concurrence** at absolutely unbeatable prices.

**défilé** /defile/ **NM** ◆ **défilé de mode** fashion parade *ou* show.

**défilement** /defilmɑ̃/ **NM** *(Inf)* scrolling ◆ **défilement horizontal / vertical** horizontal / vertical scrolling.

**défiler** /defile/ **VI** *(Inf)* to scroll ◆ **faire défiler un texte** to scroll a text.

**définitif, -ive** /definitif, iv/ **ADJ** *résultat, décision* final; *liquidation* permanent, definitive; *refus* definite, flat, decisive.

**définition** /definisjɔ̃/ **NF** definition ◆ **définition de poste** job description.

**défiscalisation** /defiskalizasjɔ̃/ **NF** ◆ **la défiscalisation des dividendes** exempting the dividends from tax.

**défiscaliser** /defiskalize/ **VT** to exempt from taxation ◆ **livret défiscalisé** tax-exempted depositor's book ◆ **plan d'épargne défiscalisé** tax-free *ou* tax-exempt savings plan ◆ **le meilleur moyen de défiscaliser une succession** the best way to exempt an inheritance from taxation *ou* to avoid paying tax on an inheritance.

**déflaté, e** /deflate/ **ADJ** deflated.

**déflateur** /deflatœʀ/ **NM** *(Écon)* deflator.

**déflation** /deflasjɔ̃/ NF deflation ◆ **provoquer la déflation** to deflate ◆ **provoquer la déflation monétaire** to deflate the currency.

**déflationniste** /deflɑsjɔnist(ə)/ ADJ deflationary ◆ **écart / tendance déflationniste** deflationary gap / trend.

**déformation** /defɔRmasjɔ̃/ NF distortion ◆ **déformation professionnelle** job conditioning ◆ **c'est de la déformation professionnelle** he's completely conditioned by his job.

**défraîchi, e** /defReʃi/ ADJ (= *abîmé en magasin*) shop-soiled ◆ **tissu défraîchi** faded material.

**défrayer** /defReje/ VT ◆ **défrayer qn** to pay *ou* settle *ou* meet sb's expenses.

**dégagé, e** /degaʒe/ ADJ (*Bourse*) ◆ **la place est dégagée** the market is all bears.

**dégagement** /degaʒmɑ̃/ NM **a** (*Fin*) [*crédits*] release; (*Bourse*) selloff **b** [*obligation*] freeing *ou* releasing o.s. (*de* from)

**dégager** /degaʒe/ VT *crédits* to release; *objet en gage* to redeem, take out of pawn; *ressources* to free (up); *plus-value* to realize ◆ **dégager sa responsabilité d'une affaire** to disclaim *ou* deny (all) responsibility in a matter ◆ **la responsabilité du producteur est dégagée pour les vices de fabrication qui ne peuvent être prévus** the producer is not liable for unforeseeable manufacturing defects ◆ **dégager un bénéfice** to make *ou* show a profit ◆ **dégager des liquidités** to free up cash
**se dégager** VPR **a** [*horizon*] to clear, brighten up; [*idée*] to emerge ◆ **se dégager de** *dette* to free o.s. of; *affaire* to get *ou* back out of, withdraw from ◆ **en raison d'engagements antérieurs je ne suis pas parvenu à me dégager** owing to previous commitments I couldn't manage to get out of it *ou* to make myself available ◆ **l'horizon se dégage sur le front de l'emploi** the labour market is brightening up **b** (*Bourse*) to sell off ◆ **de nombreux opérateurs se sont dégagés** many traders have liquidated their positions.

**dégarni, e** /degaRni/ ADJ *compte en banque* low.

**dégarnir** /degaRniR/ VT *compte en banque* to drain, draw heavily on
**se dégarnir** VPR (*Comm*) [*rayons*] to be cleaned out *ou* cleared; [*stock*] to run out, become depleted, be cleaned out ◆ **les carnets de commandes se sont dégarnis** order books have flattened out *ou* thinned.

**dégât** /dega/ NM damage ◆ **être tenu responsable des dégâts** to be held liable for the damage ◆ **dégâts des eaux** water damage ◆ **dégâts**

**matériels** physical *ou* property damage ◆ **nous avons réussi à limiter les dégâts** we managed to cut our losses.

**dégeler** /deʒle/ VT (*Fin*) to unfreeze.

**dégommer** * /degɔme/ VT (= *virer*) to give the push to*, sack*, fire* ◆ **se faire dégommer** to get the push*, be fired*.

**dégonflement** /degɔ̃fləmɑ̃/ NM [*stocks*] working off ◆ **dégonflement du marché** falling back of the market, market slowdown.

**dégonfler (se)** /degɔ̃fle/ VPR [*stocks*] to run out.

**dégradation** /degradasjɔ̃/ NF [*situation*] deterioration (*de* in); [*monnaie*] weakening (*de* of) ◆ **dégradation du marché de l'emploi** labour market deterioration ◆ **dégradation du niveau de vie** deterioration in *ou* erosion of living standards.

**dégrader** /degrade/ VT to damage, cause damage to
**se dégrader** VPR [*situation*] to deteriorate; [*monnaie*] to grow weaker.

**dégrafeuse** /degraføz/ NF staple remover.

**dégraissage** /degResaʒ/ NM [*budget*] trimming, pruning; [*personnel*] trimming, cutting back ◆ **dégraissage de main-d'œuvre** labour shedding ◆ **dégraissage d'actifs** asset stripping.

**dégraisser** /degRese/ VT *budget* to trim, prune; *personnel* to trim, pare, cut back; *main-d'œuvre* to shed.

**degré** /dəgRe/ NM (*gén*) degree; (= *échelon hiérarchique*) grade, echelon

───── *compounds/composés* ─────
◆ **degré de lecture** (*Mktg*) readership
◆ **degré de liquidité** (*Fin*) liquidity ratio
◆ **degré de solvabilité** (*Fin*) credit rating, creditworthiness, credit status.

**dégressif, -ive** /degResif, iv/ ADJ degressive ◆ **tarifs dégressifs** tapering *ou* shaded charges, graded rates ◆ **amortissement dégressif** reducing balance method of depreciation ◆ **impôt dégressif** graded tax, degressive tax
**dégressif** NM (*Mktg*) discount ◆ **dégressif de fréquence** frequency discount ◆ **dégressif sur le volume** bulk discount ◆ **dégressif sur le volume d'espace / de temps** space / time discount.

**dégrèvement** /degRɛvmɑ̃/ NM ◆ **dégrèvement fiscal** tax relief, reduction of tax (*de* on) tax credit, tax rebate, tax cut, tax break, tax allowance ◆ **dégrèvement d'une industrie** reduction of the tax burden *ou* load on an industry ✦ **dégrèvement d'hypothèque** disencumbrance.

**dégrever** /degʀəve/ **VT** *marchandise* to reduce the tax(es) on; *industrie* to reduce the tax burden *ou* load on; *contribuable* to grant tax relief to, derate; *immeuble* to disencumber.

**dégriffer** /degʀife/ **VT** to sell off-label, unmark ✦ **articles dégriffés** unmarked *ou* off-label articles *ou* goods ✦ **magasin de dégriffés** off-label store.

**dégringolade** /degʀɛ̃ɡɔlad/ **NF** *[prix, monnaie]* plunge, sharp drop, tumbling (down), collapse.

**dégringoler** /degʀɛ̃ɡɔle/ **VI** *[monnaie]* to plunge, take a tumble; *[prix, taux d'intérêt, profits, exportations]* to tumble, collapse.

**dégrossir** /degʀosiʀ/ **VT** *projet, travail* to rough out, work out roughly.

**dégrossissage** /degʀosisaʒ/ **NM** *[projet]* roughing-out.

**dégroupage** /degʀupaʒ/ **NM** break bulk.

**dégroupeur** /degʀupœʀ/ **NM** break bulk agent.

**déguisé, e** /degize/ **ADJ** *impôt* hidden.

**dehors** /dəɔʀ/ **ADV, NM** outside ✦ **option en dehors** *(Fin)* out-of-the-money option.

**déjeuner** /deʒœne/ **NM** lunch ✦ **déjeuner d'affaires** business lunch ✦ **déjeuner de travail** working lunch, lunch meeting.

**délabré, e** /delabʀe/ **ADJ** *usine* dilapidated; *économie* weak, in a sorry state.

**délabrement** /delabʀəmɑ̃/ **NM** *[usine]* dilapidation; *[économie]* weak *ou* sorry state ✦ **en état de délabrement** *locaux* dilapidated; *pays* in a sorry state, in a shambles.

**délabrer (se)** /delabʀe/ **VPR** *[économie]* to go to rack and ruin, go on the skids *(US)*.

**délai** /delɛ/ **NM** **a** *(= temps imparti)* time; *(= dernière limite)* time limit, deadline, final date; *(Comm)* delivery date ✦ **dans les délais impartis** *ou* **prescrits** within the allotted *ou* prescribed time, within the time allotted ✦ **dans quel délai pouvez-vous livrer?** how soon can you deliver? ✦ **ils ne respectent pas toujours les délais** they do not always respect delivery dates ✦ **observer** *ou* **respecter** *ou* **tenir les délais** *[travail]* to keep *ou* meet the deadline; *[livraison]* to keep *ou* meet delivery dates ✦ **prolonger** *ou* **proroger un délai** to extend a time limit *ou* a deadline ✦ **15 mars dernier délai pour les inscriptions** March 15th is the closing *ou* final date for registration, registration must be completed by March 15th at the latest ✦ **dans les meilleurs délais, dans le plus bref délai** in the shortest possible time, as soon *ou* as quick as possible ✦ **une réponse dans les meilleurs délais nous obligerait** a reply at your earliest convenience would oblige **b** *(= temps d'attente)* waiting period ✦ **il faut compter un délai d'un mois** you'll have to allow a month ✦ **sans délai** without delay, immediately ✦ **dans un minimum de délai** with minimum deferment **c** *(= prolongation)* extension of time ✦ **il va demander un délai pour achever le travail** he's going to ask for more time to finish off the job

——— *compounds/composés* ———

✦ **délai d'approvisionnement** (procurement) lead time, replenishment time
✦ **délai de carence** lead time before payment, waiting delay
✦ **délai de chargement** loading time
✦ **délai de conception** design lead time
✦ **délai-congé PL, délais-congés** term *ou* period of notice
✦ **délai de conservation des documents commerciaux** corporate retention
✦ **délai de grâce** grace period, days of grace
✦ **délai impératif** absolute deadline
✦ **délai de livraison** delivery date, delivery time, delivery deadline
✦ **délai de mise en œuvre** processing lead time
✦ **délai de mise en route** setup time
✦ **délai moyen de recouvrement** average collection period
✦ **délai de paiement** *(= date)* term of payment; *(= prolongation)* extension of payment, respite for payment; *(= temps accordé)* payment time
✦ **délai de planche** lay time *ou* days
✦ **délai de préavis** term *ou* period of notice
✦ **délai de prescription** limitation period
✦ **délai de production** production (lead) time
✦ **délai de réalisation** lead time
✦ **délai de recouvrement** *[investissement]* payback period
✦ **délai de récupération** *[capital investi]* payback period
✦ **délai de réflexion** *(avant réponse)* time for consideration; *(avant de prendre des sanctions)* cooling-off period
✦ **délai réglementaire** prescribed time
✦ **délai de rétractation** *(après signature du contrat)* cooling-off period
✦ **délai de rigueur à retourner avant le 30 juin délai de rigueur** to be sent back before the absolute deadline of June 30th
✦ **délai de starie** lay time *ou* days
✦ **délai de validité** term of validity.

**délaissement** /delɛsmɑ̃/ **NM** abandonment ✦ **délaissement du navire et des facultés assurées** *(Ass Mar)* abandonment of the ship and the insured cargo.

**délaisser** /delese/ **vt** *(gén, Ass Mar)* to abandon; *(Bourse) titre* to keep *ou* shy away from, lose interest in.

**délégataire** /delegatɛʀ/ **NMF** proxy.

**délégation** /delegasjɔ̃/ **NF** a *(= personnes)* delegation, body of delegates ✦ **les représentants syndicaux se sont rendus en délégation auprès de la direction** the union representatives came as a delegation to meet with the management b *(= pouvoir)* delegation ✦ **avoir délégation de signature** to sign on sb's authority ✦ **agir par délégation** to act on sb's authority, act vicariously ✦ **se voir confier une expertise par délégation** to deputize as an expert ✦ **recevoir délégation en bonne et due forme pour faire qch** to be delegated *ou* duly authorized to do sth c *(= bureau)* branch, office

─── *compounds/composés* ───
- **délégation commerciale** *(= bureau)* trade branch; *(= personnel)* trade mission
- **délégation de créance** assignment *ou* delegation of debt
- **délégation générale à la recherche scientifique et technique** *general office ou bureau for technical and scientific research*
- **délégation de pouvoirs** delegation of powers, power of attorney *(US)*.

**délégué, e** /delege/ **ADJ** delegate, deputy ✦ **administrateur délégué** (acting) managing director ■ **NM,F** delegate, representative ✦ **délégué général** managing director ✦ **délégué du personnel** *ou* **d'atelier** shop steward *(Brit)*, union delegate, employees' representative ✦ **délégués consulaires** trade representatives ✦ **délégué syndical** union representative, shop steward *(Brit)*.

**déléguer** /delege/ **vt** *pouvoirs, personne* to delegate *(à* to); *créance* to assign, delegate ✦ **être délégué par intérim à la place de qn** to deputize for sb, stand in for sb.

**délibération** /deliberasjɔ̃/ **NF** *(= discussion)* deliberation ✦ **délibérations** proceedings, deliberations ✦ **mettre une question en délibération** to debate an issue, submit an issue for discussion ✦ **la question est en délibération** the question is being debated *ou* is under discussion ✦ **procès-verbal des délibérations du conseil d'administration** minutes of the board meeting, board minutes.

**délibéré** /delibeʀe/ **NM** *(Jur)* deliberation ✦ **mettre une affaire en délibéré** to debate a matter.

**délibérer** /delibeʀe/ **vi** to deliberate ✦ **délibérer sur une question** to deliberate (over *ou* upon) an issue ✦ **délibérer de la conduite à tenir** to

consider what course of action should be taken.

**délictueux, -ueuse** /deliktɥø, ɥøz/ **ADJ** criminal ✦ **fait délictueux** criminal act.

**délier** /delje/ **vt** ✦ **délier qn d'une obligation** to free *ou* release sb from an obligation.

**délinquance** /delɛ̃kɑ̃s/ **NF** criminality ✦ **délinquance juvénile** juvenile delinquency.

**délinquant, e** /delɛ̃kɑ̃, ɑ̃t/ **ADJ** delinquent ✦ **jeunesse délinquante** juvenile delinquents *ou* offenders ■ **NM,F** delinquent, offender, delink* ✦ **délinquant juvénile** juvenile delinquent *ou* offender ✦ **délinquant primaire** first offender.

**délit** /deli/ **NM** offence ✦ **délit d'initié** *(Bourse)* insider trading *ou* dealing.

**délivrance** /delivʀɑ̃s/ **NF** *[document]* issue, issuance, delivery; *[brevet]* granting.

**délivrer** /delivʀe/ **vt** *visa, certificat* to issue, deliver; *brevet* to grant.

**délocalisation** /delɔkalizasjɔ̃/ **NF** relocation ✦ **délocalisation de la production** *(gén)* relocation of production facilities; *(à l'étranger)* offshore production, shifting production offshore; *(par sous-traitance)* outsourcing ✦ **délocalisation des capitaux** flight of capital offshore.

**délocaliser** /delɔkalize/ **vt** *(gén)* to relocate; *(à l'étranger)* to offshore.

**déloyal, e,** **MPL -aux** /delwajal, o/ **ADJ** *concurrence, méthode* unfair ✦ **pratiques commerciales déloyales** unfair *ou* restrictive trade practices.

**demande** /d(ə)mɑ̃d/ **NF** a *(gén)* *[renseignement]* request *(de* for); *[emploi, permis]* application *(de* for); *[remboursement]* claim *(de* for) ✦ **conformément à votre demande** in accordance *ou* compliance with your request ✦ **prix sur demande** price on application *ou* request ✦ **échantillon sur demande** samples sent on request ✦ **payable sur demande** payable *ou* due on demand ✦ **dépôt remboursable sur demande** deposit (repayable) at call ✦ **faire une demande de remboursement** to put in a request *ou* claim for reimbursement *(à qn* to sb) request reimbursement *(à qn* from sb) ✦ **adressez votre demande au ministère** apply to the ministry b *(Écon)* demand ✦ **l'offre et la demande** supply and demand ✦ **contrôle / prix de la demande** demand management / price ✦ **pression de la demande** demand pressure ✦ **inflation par la demande** demand pull inflation ✦ **il existe une demande suivie pour ce**

**produit** there is a steady demand for this product

---
*compounds/composés*
- **demande d'arbitrage** request for arbitration
- **demande des consommateurs** consumer demand
- **demande de crédit** loan application, application for credit
- **demande dérivée** derived demand
- **demande en dommages-intérêts** claim for damages
- **demande effective** effective demand
- **demande d'emploi** job application ✦ **faire une demande d'emploi** to apply for a job ✦ **demandes d'emploi** (= *rubrique de journal*) situations wanted ✦ **demandes d'emploi non satisfaites** unfilled job applications
- **demande excédentaire** excess demand
- **demande globale** aggregate *ou* overall demand
- **demande d'indemnité** claim for compensation, compensation claim
- **demande induite** induced demand
- **demande interne** *ou* **intérieure** domestic demand, demand on the home market
- **demande d'introduction à la cote** application for quotation
- **demande du marché** market demand
- **demande des particuliers** household demand
- **demande de prêt** loan application
- **demande reconventionnelle** (*Jur*) counterclaim, cross action.
---

**demandé, e** /d(ə)mãde/ **ADJ** in demand ✦ **cet article est très demandé** this item is (very) much in demand *ou* is a hot seller ✦ **prix demandé** asking price ✦ **peu demandé** in limited request ✦ **très demandé** in active request ✦ **cours demandé** (*Bourse*) bid price, buying price ✦ **pas demandé** (*Bourse*) no bid.

**demander** /d(ə)mãde/ **VT** **a** *renseignement, entretien* to ask for, request; *emploi, permis* to apply for; *indemnité, dommages-intérêts* to claim ✦ **demander audience à qn** to ask to see sb **b** *personne (gén)* to ask for; *réparateur* to send for, call for; *numéro de téléphone* to ask for ✦ **demander à voir qn / à parler à qn** to ask to see sb / to speak to sb ✦ **le patron vous demande** the boss wants to see you *ou* is asking for you ✦ **on le demande au téléphone** he is wanted on the phone ✦ **demandez-moi la comptabilité** (*au téléphone*) get me the accounts department, put me through to the accounts department **c** (= *désirer*) to be asking for, want ✦ **on demande comptable confirmé** (*sur annonce*) experienced accountant wanted ✦ **ils en demandent 5 000 euros** they want *ou* they are asking 5,000 euros for it

✦ **demander un prix pour qch** to charge a price for sth **d** (= *nécessiter*) efforts to require, need ✦ **cela demande réflexion** it needs thinking over ✦ **opérations qui demandent du temps** time-consuming operations.

**demanderesse** /d(ə)mãdʀɛs/ **NF** (*Jur*) plaintiff, claimant.

**demandeur** /d(ə)mãdœʀ/ **ADJ** marché demandeur (*Bourse*) seller's market ✦ **le marché nord-américain est très demandeur de nos produits** our products are in great demand on the North American market, there is great demand for our products in the North American market ✦ **si un nouvel emprunt était émis nous serions demandeurs** if a new loan was issued we should be takers *ou* we should be in the market

**NM** (*Jur*) plaintiff, claimant ✦ **demandeur en appel** appellant ✦ **avocat du demandeur** counsel for the plaintiff

---
*compounds/composés*
- **demandeur d'un brevet** applicant *ou* claimant for a patent
- **demandeur d'emploi** job-seeker, job-hunter.
---

**démantèlement** /demãtɛlmã/ **NM** [*organisation*] breaking up, dismantling ✦ **démantèlement des barrières douanières** removal of trade barriers ✦ **démantèlement du marché** market disruption.

**démanteler** /demãtle/ **VT** *organisation* to break up, dismantle.

**démarchage** /demaʀʃaʒ/ **NM** (*Comm*) door-to-door *ou* doorstep selling ✦ **démarchage téléphonique** cold calling ✦ **faire du démarchage** to do door-to-door selling.

**démarche** /demaʀʃ(ə)/ **NF** (= *intervention*) step; (= *approche*) approach ✦ **entreprendre** *ou* **faire une démarche auprès de qn** to approach sb ✦ **c'était la bonne démarche** it was the right course of action ✦ **toutes nos démarches ont été vaines** *ou* **sans effet** none of the steps we took was effective ✦ **démarche collective** joint representation ✦ **démarche marketing** marketing approach.

**démarcher** /demaʀʃe/ **VT** *produit* to sell; *client* to visit, canvass, contact.

**démarcheur** /demaʀʃœʀ/ **NM** (*Comm*) door-to-door salesman ✦ **démarcheur d'assurances** insurance salesman, solicitor (*US*), home-service agent ✦ **démarcheur publicitaire** advertisement canvasser.

**démarcheuse** /demaʀʃøz/ **NF** (*Comm*) door-to-door saleswoman.

**démarquage** /demaʀkaʒ/ NM *[article]* mark-down, drop-tag(ging) *(US)*.

**démarque** /demaʀk(ə)/ NF *[article]* markdown, marking-down ◆ **démarque inconnue** pilferage, shrinkage; *(dans les grands magasins)* shop-lifting.

**démarquer** /demaʀke/ VT *article* to mark down, drop-tag *(US)* ◆ **articles démarqués** goods at a discount, off-price goods.

**démarrage** /demaʀaʒ/ NM *[promotion, campagne]* start (up), launch; *[économie]* take-off ◆ **prêt de démarrage** startup *ou* pump-priming loan.

**démarrer** /demaʀe/ Ⅵ *[campagne]* to start, get off the ground; *[économie]* to take off, get off the ground ◆ **l'affaire a bien démarré** the affair got off to a good start *ou* started off well ◆ **le projet démarre vraiment** the project is really getting started
Ⅶ *(fig) campagne* to launch.

**dématérialisation** /demateʀjalizasjɔ̃/ NF *(Bourse) [titres]* dematerialization.

**dématérialiser** /demateʀjalize/ VT to dematerialize.

**démembrement** /demɑ̃bʀəmɑ̃/ NM *[titre boursier]* stripping; *[patrimoine]* separation (of title from usufruct) ◆ **démembrement d'actifs** *[société]* asset stripping.

**démembrer** /demɑ̃bʀe/ VT *entreprise* to slice up, carve up ◆ **démembrer un bien** to separate title from usufruct.

**déménagement** /demenaʒmɑ̃/ NM removal ◆ **camion de déménagement** removal van, moving van *(US)* ◆ **prime** *ou* **indemnité de déménagement** removal *ou* relocation allowance ◆ **entreprise de déménagement** removal *(Brit)* ou moving *(US)* firm.

**déménager** /demenaʒe/ Ⅵ *mobilier* to move, re-move
Ⅶ to move (house).

**démenti** /demɑ̃ti/ NM denial, refutation ◆ **publier un démenti** to issue a disclaimer *ou* denial, publish a denial ◆ **donner** *ou* **opposer un démenti à** *rumeurs* to give the lie to, deny formally.

**démentir** /demɑ̃tiʀ/ VT *déclaration, rumeur* to refute, deny; *personne* to contradict ◆ **démentir avoir fait** to deny having done ◆ **la déclaration de l'ambassadeur n'a pas été démentie** the ambassador's statement was not contradicted.

**démettre** /demɛtʀ(ə)/ Ⅶ **démettre qn de ses fonctions** to dismiss sb from his duties
**se démettre** Ⅴᴘᴿ to resign, hand in one's

resignation, quit, step down ◆ **se démettre de ses fonctions** to resign (from) one's duties, hand in one's resignation.

**demeure** /dəmœʀ/ NF ◆ **à demeure** *installations* permanent ◆ **mise en demeure** *(gén)* injunction, formal demand; *(Admin)* enforcement notice; *(Jur)* court injunction ◆ **mettre qn en demeure de payer** to give sb notice to pay.

**demi, e** /dəmi/ ADJ, ADV, NM,F half ◆ **une heure et demie** one hour and a half ◆ **une demi-heure** half an hour ◆ **toutes les demi-heures** every half hour ◆ **résultats en demi-teinte** middling results

─────── compounds/composés ───────
◆ **demi-gros** retail-wholesale ◆ **prix de demi-gros** trade price
◆ **demi-mesure** half measure
◆ **demi-napoléon** half napoleon
◆ **demi-produit** semi-processed product
◆ **demi-salaire** half pay
◆ **demi-tarif** *(gén)* half price; *(Transports)* half fare ◆ **billet demi-tarif** half-fare ticket ◆ **payer demi-tarif** *(gén)* to pay half price; *transports* to pay half fare.

**démission** /demisjɔ̃/ NF resignation ◆ **donner** *ou* **remettre sa démission** to hand in *ou* file *ou* tender one's resignation *ou* one's notice.

**démissionnaire** /demisjɔnɛʀ/ ADJ resigning ◆ **être démissionnaire** to resign ◆ **elle est démissionnaire** she has resigned
NMF person resigning.

**démissionner** /demisjɔne/ Ⅵ to resign, hand in *ou* file *ou* tender one's resignation *ou* one's notice
Ⅶ **démissionner qn** * to retire sb, to give sb his cards *ou* his pink slip *(US)* ◆ **on l'a démissionné** he was put out to grass*, they retired him.

**démodé, e** /demɔde/ ADJ *(gén)* old-fashioned, out-of-date, outdated; *équipement* obsolete.

**démoder (se)** /demɔde/ VPR *(gén)* to become old-fashioned, go out of fashion; *[équipement]* to become obsolete.

**démographie** /demɔgʀafi/ NF demography ◆ **démographie galopante** fast *ou* massive population growth.

**démographique** /demɔgʀafik/ ADJ demo-graphic ◆ **explosion démographique** population explosion ◆ **politique démographique** population policy ◆ **poussée démographique** population increase *ou* growth ◆ **statistiques démographiques** vital statistics ◆ **tendances démographiques** population trends.

**démonétisation** /demɔnetizasjɔ̃/ NF demon-etization.

**démonétiser** /demɔnetize/ VT to demonetize.

**démonstrateur, -trice** /demɔ̃stratœR, tRis/ NM,F *(Comm)* demonstrator.

**démonstration** /demɔ̃stRasjɔ̃/ NF *(Comm)* dem-onstration ◆ **appareil de démonstration** dem-onstration model ◆ **film de démonstration** demonstration(al) film ◆ **salle de démonstra-tion** showroom ◆ **démonstration sans engage-ment** *(dans un prospectus)* ask for free demon-stration.

**démontable** /demɔ̃tabl(ə)/ ADJ which can be dismantled *ou* taken to pieces.

**démontage** /demɔ̃taʒ/ NM dismantling ◆ **au cours du démontage** during the dismantling operation.

**démonter** /demɔ̃te/ VT *appareil* to dismantle, take to pieces ◆ **meuble vendu démonté** furniture sold in kit form.

**démotivant, e** /demɔtivɑ̃, ɑ̃t/ ADJ ◆ **mon travail est démotivant** there's no incentive in my job ◆ **l'attitude du patron est très démotivante pour ses employés** the boss's attitude has sharply reduced staff motivation, the employ-ees' motivation is badly affected by their boss's attitude.

**démotivation** /demɔtivasjɔ̃/ NF lack of motiva-tion ◆ **l'annonce de l'OPA a eu pour effet la démotivation du personnel** staff motivation dropped *ou* diminished following the an-nouncement of the takeover.

**démotiver** /demɔtive/ VT ◆ **le niveau de l'imposi-tion démotive les cadres supérieurs** high in-come tax is a disincentive for senior execu-tives ◆ **il est démotivé** he is not *ou* no longer motivated, he lacks motivation.

**démultiplicateur, -trice** /demyltiplikatœR, tRis/ ADJ *effet* demultiplying.

**démuni, e** /demyni/ ADJ a *(= pauvre)* impover-ished ◆ **les plus démunis** the underprivileged ◆ **les nations les plus démunies** the poorer nations b *(= manquant de)* ◆ **démuni de** with-out, lacking in ◆ **le Japon est totalement démuni de certaines matières premières** Japan is totally lacking in certain raw materials.

**denar** /denaR/ NM denar.

**dénatalité** /denatalite/ NF *fall in the birth rate.*

**dénationalisation** /denasjɔnalizasjɔ̃/ NF dena-tionalization.

**dénationaliser** /denasjɔnalize/ VT to denation-alize.

**dénégation** /denegasjɔ̃/ NF denial, disclaimer ◆ **dénégation de responsabilité** denial *ou* dis-claimer of responsibility.

**déni** /deni/ NM ◆ **déni de justice** *(Jur)* denial of justice.

**dénier** /denje/ VT *responsabilité* to deny, disclaim.

**dénombrement** /denɔ̃bRəmɑ̃/ NM counting ◆ **dénombrement par sondage** test count ◆ **dé-nombrement de la population** census of popu-lation.

**dénombrer** /denɔ̃bRe/ VT *(= compter)* to count; *(= énumérer)* to list ◆ **on dénombrait le mois dernier 2 144 500 chômeurs** the number of those unemployed last month was 2,144,500.

**dénominateur** /denɔminatœR/ NM denominator ◆ **dénominateur commun** common denomina-tor.

**dénomination** /denɔminasjɔ̃/ NF designation, appellation, denomination ◆ **dénomination sociale** *ou* **d'une société** corporate name.

**dénommé, e** /denɔme/ ADJ ◆ **le dénommé X** a certain X ◆ **un dénommé Dupont** someone by the name of Dupont *ou* who called himself Dupont ◆ **ci-après dénommé l'acheteur...** *(Jur)* *(dans un acte notarié)* hereinafter referred to as the buyer...

**dénoncer** /denɔ̃se/ VT *(= résilier) contrat* to de-nounce, terminate; *(= protester contre)* to de-nounce ◆ **notre syndicat a toujours dénoncé ces mouvements de grève** our union has always protested *ou* declaimed against these industrial actions.

**dénonciation** /denɔ̃sjasjɔ̃/ NF *(= résiliation)* [ac-cord] denunciation, denouncement ◆ **dénon-ciation d'un contrat** notice of termination of an agreement.

**dénouement** /denumɑ̃/ NM [affaire] outcome, conclusion; *(Bourse)* settlement.

**dénouer** /denwe/ VT *situation* to untangle, re-solve; *(Bourse) opération* to settle **se dénouer** VPR *[situation]* to be resolved; *(Bourse)* to settle ◆ **les opérations se dénouent à la fin du mois** transactions settle *ou* are settled at the end of the month, settlement takes place at the end of the month.

**denrée** /dɑ̃Re/ NF *(= aliment)* food, foodstuff; *(fig)* commodity ◆ **le service est devenu une denrée rare** service has become a rare commodity

---
*compounds/composés*

• **denrées alimentaires** foodstuffs
• **denrées de base** basic foods
• **denrées de consommation courante** basic consumer goods
• **denrées périssables** perishable goods, perishables.

---

**dense** /dɑ̃s/ ADJ dense.

**densité** /dɑ̃site/ NF density ◆ **zone à forte / faible densité de population** densely / sparsely populated area ◆ **densité de revenu** income density ◆ **densité publicitaire** advertising density.

**déontologie** /deɔ̃tɔlɔʒi/ NF professional code of ethics, business ethics.

**déontologique** /deɔ̃tɔlɔʒik/ ADJ ◆ **code déontologique** professional code of ethics, business ethics.

**dép.** abrév de **département.**

**dépannage** /depanaʒ/ NM fixing, repairing ◆ **équipe de dépannage** repair party, repair crew *(US)* ◆ **service de dépannage** breakdown service ◆ **stock de dépannage** *(Ind)* safety bank ◆ **voiture de dépannage** breakdown lorry, breakdown truck *(US)*, wrecker *(US)*, tow truck *(US)* ◆ **solution de dépannage** makeshift solution, patched-up solution.

**dépanner** /depane/ VT *véhicule* to fix, repair ◆ **dépanner un client** to help out a customer ◆ **la banque m'a dépanné** the bank helped me out *ou* bailed me out.

**dépanneur** /depanœʀ/ NM *(gén)* repairman; *(Aut)* breakdown mechanic.

**dépanneuse** /depanøz/ NF breakdown lorry *(Brit)*, breakdown truck *(US)*, wrecker *(US)*, tow truck *(US)*.

**dépareillé, e** /depaʀeje/ ADJ *collection* incomplete; *objet* unmatched, odd ◆ **articles dépareillés** oddments, job lot, broken lots.

**départ** /depaʀ/ NM a *[voyageur]* departure; *[courrier]* dispatch ◆ **date de départ** *[personne]* date of departure; *[colis]* date of dispatch ◆ **prix départ usine** price ex-works *ou* ex-factory b *(= début)* start ◆ **prendre un bon départ** to be off to a good start ◆ **un faux départ** a false start ◆ **capital de départ** seed money, start-up capital *ou* money ◆ **prix de départ** asking price c *[employé]* leaving, departure ◆ **le président annonça son départ de l'entreprise** the chairman announced that he was leaving *ou* that he was going to quit the company ◆ **indemnité de départ** severance pay ◆ **départ en préretraite** early retirement ◆ **départs naturels** natural wastage ◆ **départ à la retraite** retirement ◆ **départ volontaire** resignation ◆ **une formation spécialisée est un moyen de limiter les départs** specific training reduces the number of resignations *ou* reduces the turnover in staff.

**département** /depaʀtəmɑ̃/ NM department.

**dépassant** /depasɑ̃/ NM *(Mktg)* ◆ **dépassant de rayon** shelf-strip.

**dépassé, e** /depase/ ADJ *méthode* old-fashioned, obsolete, superseded.

**dépassement** /depasmɑ̃/ NM a *(Fin)* overrun ◆ **dépassement budgétaire** budget(ary) *ou* cost overrun ◆ **dépassement de crédit** overspending, overrun, overexpenditure ◆ **un dépassement de crédit de 8 millions** an F8 million credit overrun b *(Inf)* overflow.

**dépasser** /depase/ VT a *(= surpasser)* *objectif* to overshoot; *concurrent* to overtake, outstrip, outmatch b *(= excéder)* *limite, vitesse* to exceed ◆ **dépasser en nombre** to outnumber ◆ **dépasser la limite de poids** to be in excess of *ou* be over the weight limit ◆ **la demande dépasse l'offre** demand outstrips supply ◆ **le cours de l'or ne devrait pas dépasser son plafond record** the gold price should not exceed its record high ◆ **nous ne souhaitons pas dépasser 20 millions d'investissement** we don't want to go over 20 million in investment *ou* to invest more than 20 million ◆ **toute somme dépassant 5 000 livres** any amount in excess of *ou* above £5,000 ◆ **les ventes ont dépassé le niveau de l'an dernier** sales are above *ou* have exceeded last year's level ◆ **nous avons dépassé notre budget** we have overspent *ou* gone beyond our budget c *(= outrepasser)* *attributions* to go beyond; *crédit* to exceed ◆ **cela dépasse mes compétences** it's beyond *ou* it lies beyond my outside my competence ◆ **cet ordinateur dépasse nos moyens** we can't afford this computer.

**dépêche** /depɛʃ/ NF dispatch ◆ **dépêche télégraphique** telegram, wire.

**dépendance** /depɑ̃dɑ̃s/ NF a dependence ◆ **être sous** *ou* **dans la dépendance de qn** to be under sb's control, be subordinated to sb ◆ **non-dépendance** self-sufficiency b *[immeuble]* appurtenance ◆ **la ferme et ses dépendances** the farm and its outbuildings.

**dépendant, e** /depɑ̃dɑ̃, ɑ̃t/ ADJ dependent *(de* on*)* ◆ **variable dépendante** dependent variable.

**dépendre de** /depɑ̃dʀ(ə)/ VT INDIR *[subordonné]* to be answerable to, be responsible to; *[économie]* to be dependent (up)on; *[condition, choix]* to depend (up)on, be dependent (up)on ◆ **ce pays**

**dépend économiquement de la France** this country is economically dependent up(on) France ◆ **de qui dépend-il?** who does he report to? ◆ **le directeur de ce service dépend directement du directeur général** the head of this department is directly answerable to *ou* reports directly to the chief executive ◆ **je dépends hiérarchiquement du chef comptable** I am accountable *ou* responsible to the chief accountant, I report to the chief accountant ◆ **cela dépend de vous** it's up to you, it depends on you ◆ **tout dépend de sa décision** it all hinges on his decision ◆ **notre projet dépend de l'obtention d'une aide à l'investissement** our plan is dependent on our receiving an investment subsidy.

**dépens** /depā/ **NMPL** *(Jur)* costs ◆ **il a été condamné aux dépens** he was ordered to pay costs, he had costs awarded against him.

**dépense** /depās/ **NF** **a** *[somme]* spending, expense, expenditure, outlay ◆ **dépenses prévues / non prévues au budget** budgeted / non budgeted expenditure ◆ **prévision de dépenses** cost estimate, estimated expenditure ◆ **réduire les dépenses** to reduce *ou* cut back on *ou* cut down expenses ◆ **contenir les dépenses** to keep down *ou* rein in spending ◆ **couvrir ses dépenses** to cover one's expenses ◆ **imputer une dépense à un compte** to charge an expense to an account **b** *(Tech)* *[énergie, essence]* consumption ■ Voir encadré ci-dessous

**dépenser** /depāse/ **VT** *argent* to spend; *énergie* to use, consume ◆ **dépenser sans compter** to spend lavishly *ou* without stint, spare no expense ◆ **solde non dépensé** unspent *ou* un-expended balance ◆ **dépenser mal à propos** to misspend.

**déperdition** /depɛʀdisjɔ̃/ **NF** loss, waste, wastage ◆ **déperdition d'énergie** energy loss.

**dépérir** /depeʀiʀ/ **VI** *[entreprise]* to (be on the) decline, go downhill, go on the skids*.

**dépérissement** /depeʀismā/ **NM** decline.

**déphasage** /defɑzaʒ/ **NM** *(entre deux actions)* lack of coordination ◆ **il y a un déphasage entre la direction et le personnel** management is out of touch *ou* out of phase with the staff.

**dépistage** /depistaʒ/ **NM** tracking down, detection.

**dépister** /depiste/ **VT** *erreur* to track down, root out; *coupable* expose, track down; *cause* detect, reveal.

**déplacé, e** /deplase/ **ADJ** *(Fin)* ◆ **effet déplacé** *bill which can be paid in another town.*

**déplacement** /deplasmā/ **NM** **a** *[fonctionnaire]* transfer, movement; *[cadre]* relocation, reassignment; *[population, cours de Bourse]* shifting, shift; *[main-d'œuvre]* displacement; *[usine]* relocation ◆ **déplacement de la demande** demand shift ◆ **déplacement de l'offre et de la demande** shift in supply and demand ◆ **déplacement de l'activité vers d'autres sites** business relocation ◆ **déplacement de fonds** movement of funds **b** *(= voyage)* trip, travel ◆ **être en déplacement pour affaires** to be on a business trip ◆ **en déplacement à l'étranger** on business abroad ◆ **elle est toujours en déplacement** she's always travelling ◆ **pour vos déplacements** for your business trips *ou* business travel ◆ **frais de déplacement** travelling

---

*compounds/composés*

## DÉPENSE

- **dépenses budgétaires** budgetary expenditures
- **dépenses de consommation** consumer spending *ou* expenditure
- **dépenses courantes** running *ou* current expenses
- **dépenses directes** direct expenses, prime costs *(US)*
- **dépenses diverses** sundries, miscellaneous expenses
- **dépenses d'équipement** capital spending *ou* expenditure
- **dépenses d'établissement** initial capital outlay
- **dépenses d'exploitation** operating expenditure, working expenses *(Brit)*
- **dépenses de fonctionnement** operating *ou* operational expenses

- **dépenses imprévues** contingencies, contingent expenses
- **dépenses indirectes** indirect expenses, burden *(US)*
- **dépenses d'investissement** capital *ou* investment expenditure
- **dépenses des ménages** household expenditure
- **dépenses périodiques** recurring *ou* recurrent expenses
- **dépenses publicitaires** advertising expenditure
- **dépenses publiques** public *ou* government expenditure *ou* spending
- **dépenses de santé** health expenditure
- **dépenses sociales** welfare expenditure
- **dépenses supplémentaires** additional expenses.

**dépréciation**

expenses *ou* costs ✦ **indemnité de déplace-ment** travel(ling) allowance `c` *(Mar)* displace-ment ✦ **déplacement en charge** load displace-ment ✦ **déplacement à vide** light displacement ✦ **déplacement de la cargaison** cargo-shifting.

**déplacer** /deplase/ `VT` `a` *fonctionnaire* to transfer, move; *usine* to relocate; *main-d'œuvre* to dis-place ✦ **il a demandé à être déplacé dans un autre service** he asked for a transfer *ou* move to another department, he asked to be trans-ferred to another department ✦ **déplacer la charge fiscale** to shift the tax burden `b` *(Mar)* to displace

**se déplacer** `VPR` *(= voyager)* to travel ✦ **il est amené à se déplacer fréquemment** he's a frequent traveller ✦ **l'activité économique se déplace vers l'ouest** economic activity is head-ing west.

**déplafonnement** /deplafɔnmã/ `NM` removal of the ceiling *(de* from)

**déplafonner** /deplafɔne/ `VT` to lift *ou* raise the ceiling from.

**dépliant** /deplijã/ `NM` *(= prospectus)* leaflet, bro-chure.

**déplomber** /deplɔbe/ `VT` *colis* to unseal.

**déport** /depɔʀ/ `NM` *(Bourse)* backwardation ✦ **un spéculateur à la baisse paye un déport pour reporter la livraison à la liquidation suivante** a bear seller pays a backwardation to defer delivery until the following settling day.

**déposant, e** /depozã, ãt/ `NM,F` *(= épargnant)* de-positor *(Jur = témoin)* deponent.

**déposer** /depoze/ `VT` `a` *colis, valise* to leave `b` *ar-gent, document* to deposit ✦ **déposer de l'argent en banque** to deposit money with a bank, pay money into a bank ✦ **j'ai déposé 1 000 euros sur mon compte** I deposited 1,000 euros into my account ✦ **déposer des titres en garde** to deposit securities in safe custody ✦ **déposer des titres en nantissement** to pledge securities as collateral `c` *plainte* to lodge; *réclamation* to file; *marque de fabrique* to register; *projet de loi* to bring in, table *(Brit)*, introduce ✦ **déposer sa candidature pour un emploi** to apply for a job, send in one's application for a job ✦ **déposer une demande de brevet** to file an application for a patent ✦ **marque déposée** registered trademark *ou* trade name *ou* brand name ✦ **modèle déposé** registered design ✦ **déposer son bilan** to go into voluntary liquidation, file one's petition in bankruptcy, file for bank-ruptcy, file for chapter eleven *(US)* `VI` *(Jur)* to testify, give evidence, bear witness.

**dépositaire** /depozitɛʀ/ `NMF` `a` *[biens, valeurs]* depository, trustee, bailee ✦ **dépositaire public** *(Jur)* ≈ authorized depository ✦ **un banquier est le dépositaire des objets de valeur de ses clients** a banker acts as bailee for the custody of valuables deposited by his customers ✦ **dé-positaires de valeurs** holders of securities on trust ✦ **dépositaire légal** *(Fin)* escrow agent `b` *(Comm = concessionnaire)* selling agent (*de* for) ✦ **dépositaire exclusif** sole agent (*de* for)

**déposition** /depozisjɔ̃/ `NF` *(Jur)* deposition, testi-mony, evidence ✦ **recueillir une déposition** to take sb's evidence.

**dépôt** /depo/ `NM` `a` ✦ **laisser en dépôt** *marchandi-ses* to leave on consignment ✦ **heure limite de dépôt** *(Poste)* latest time for posting, last collection ✦ **avoir qch en dépôt** to hold sth in trust ✦ **confier qch en dépôt à qn** to entrust sb with sth `b` *(= remise d'argent, de document)* depositing (*de* of); *(= somme versée)* deposit ✦ **banque / bordereau / compte de dépôt** deposit bank / slip / account ✦ **certificat de dépôt** certificate of deposit, CD ✦ **la gestion des dépôts par les banques** deposit banking ✦ **rémunération des dépôts** deposit interest ✦ **mettre des titres en dépôt** to place securities in safe custody ✦ **récépissé de dépôt de titres** safe custody receipt of securities ✦ **il y a eu un retrait massif des dépôts bancaires** there has been a run on banks `c` *[réclamation]* filing; *[marque de fabrique, brevet]* registration; *[projet de loi]* introduction, tabling *(Brit)* ✦ **le dépôt d'une plainte est toujours délicat** lodging a complaint is always tricky ✦ **le dépôt d'un acte à l'enregistrement** filing a deed at the registry office `d` *(= entrepôt)* warehouse, store, depot; *(Douanes)* bond ✦ **mettre en dépôt** *(Douanes)* to bond ▪ Voir encadré page suivante

**dépotage** /depɔtaʒ/ `NM` *[conteneur]* unstuffing *(Brit)*, stripping *(US)*.

**dépoter** /depɔte/ `VT` *marchandises en conteneurs* to unload.

**dépotoir** /depɔtwaʀ/ `NM` rubbish dump *(Brit)*, garbage dump *(US)*.

**dépouillement** /depujmã/ `NM` *[scrutin]* count, counting ✦ **dépouillement d'appels d'offres** opening and sorting of tenders.

**dépouiller** /depuje/ `VT` *courrier* to go through; *compte* to analyze, look into; *scrutin* to count ✦ **dépouiller qn de** *emploi, droits* to divest *ou* deprive sb of.

**dépréciation** /depʀesjasjɔ̃/ `NF` *[matériel, monnaie]* depreciation, loss *ou* fall in value ✦ **la dépré-ciation du dollar** the dollar depreciation

*compounds/composés*

---

### DÉPÔT

- ◆ **dépôt bancaire** bank deposit, deposit of funds
- ◆ **dépôt de bilan** voluntary liquidation ◆ **être contraint au dépôt de bilan** to have to file one's petition in bankruptcy ◆ **le nombre des dépôts de bilan** the number of business failures
- ◆ **dépôt de candidature** application
- ◆ **dépôt conditionnel** deposit in escrow
- ◆ **dépôt à court terme** deposit at short notice
- ◆ **dépôt de couverture** reserve deposit
- ◆ **dépôt en espèces** money *ou* cash deposit
- ◆ **dépôt de garantie** *(gén)* deposit; *(Ass)* trust fund *(Fin, Bourse)* margin cover
- ◆ **dépôt légal** *[livre]* copyright registration

- ◆ **dépôt en main tierce** deposit in escrow
- ◆ **dépôt à moins de 30 jours** deposit of less than 30 day's duration
- ◆ **dépôt en numéraire** money *ou* cash deposit
- ◆ **dépôt remboursable sur demande** deposit (repayable) at call, demand deposit, sight deposit
- ◆ **dépôt de signature, dépôt à terme** fixed term deposit, time deposit
- ◆ **dépôt de titres** stock deposit
- ◆ **dépôt à vue** deposit at *ou* on call, demand deposit, sight deposit ◆ **dépôt à vue rémunéré** nous account.

---

◆ **provision pour dépréciation de matériel** reserve for depreciation of plant ◆ **provision pour dépréciation des stocks** reserve for inventory losses ◆ **dépréciation physique d'une immobilisation** physical depreciation of an asset.

**déprécier** ⓥⓣ **se déprécier** ⓥⓟⓡ /depresje/ *monnaie, biens* to depreciate.

**déprédation** /depredasjɔ̃/ NF *(Jur = malversation)* misappropriation, embezzlement ◆ **déprédations** *(= dégâts)* damage.

**dépression** /depresjɔ̃/ NF *[économie]* depression, slump.

**déprimé, e** /deprime/ ADJ *marché, zone* depressed; *cours* low, depressed ◆ **la séance de mercredi s'est déroulée dans un climat déprimé** *(Bourse)* trading on Wednesday remained dull all through ◆ **les emprunts d'État sont déprimés** *(Bourse)* the gilt-edged market is depressed.

**déprimer** /deprime/ VT to depress ◆ **la hausse des prix déprime la consommation des particuliers** household consumption has slowed down *ou* has been depressed by the rise in prices ◆ **les mauvais résultats ont déprimé le cours du titre** the poor results have driven down the value of the stock.

**déprogrammer** /deprograme/ VT *campagne de publicité* to deschedule.

**DEPS** /deəpeɛs/ (abrév de **dernier entré, premier sorti**) LIFO.

**député** /depyte/ NM *(au Parlement)* deputy, ≈ member of Parliament *(Brit)*, representative *(US)* ◆ **député européen** Member of the European Parliament.

**déqualification** /dekalifikasjɔ̃/ NF deskilling.

**déqualifier** /dekalifje/ VT to deskill.

**dérangement** /derɑ̃ʒmɑ̃/ NM *(= gêne)* trouble, disturbance ◆ **pour vous éviter un autre dérangement** to save you another trip, to avoid putting you out again ◆ **en dérangement** out of order.

**déranger** /derɑ̃ʒe/ VT *personne* to trouble, disturb; *plan* to disrupt, upset ◆ **si cela ne vous dérange pas** if it is not inconvenient for you, if you don't mind
**se déranger** ⓥⓟⓡ **pour vous éviter de vous déranger** so as not to put you to any inconvenience, so that you do not have to go to any trouble ◆ **je me suis dérangé pour aller la voir** I went out of my way to go and see her.

**dérapage** /derapaʒ/ NM *[prix, salaires]* sliding up, upward drift ◆ **dérapage budgétaire** overspending ◆ **dérapage de la production** slippage *ou* fall-off in output ◆ **dérapage économique** economic skid.

**déraper** /derape/ VI *[prix] (vers le haut)* to jump, slide up; *(vers le bas)* to slip, fall off ◆ **l'indice des prix du mois d'août a dérapé** the August price index jumped ◆ **l'inflation a dérapé** inflation has gone out of control.

**déréférencement** /dereferɑ̃smɑ̃/ NM delisting.

**déréférencer** /dereferɑ̃se/ VT to delist.

**déréglementation** /dereɡləmɑ̃tasjɔ̃/ NF deregulation.

**déréglementer** /dereɡləmɑ̃te/ VT to deregulate.

**dérégler** /dereɡle/ ⓥⓣ *mécanisme* to put out of order; *marché, économie* to unsettle, distort
**se dérégler** ⓥⓟⓡ to go wrong.

**déremboursement** /derɑ̃bursəmɑ̃/ NM ◆ **le déremboursement des médicaments** cutting back on the reimbursement of medicines.

**dérisoire** /derizwar/ ADJ *salaire, somme* derisory, paltry.

**dérivation** /deʀivasjɔ̃/ NF derivation ✦ **dérivation d'une fonction** derivation of a function.

**dérive** /deʀiv/ NF drift ✦ **aller à la dérive** to drift ✦ **dérive des prix et des salaires** wage and price drift, upward pressure on wages and prices ✦ **dérive inflationniste** inflationary overshoot ✦ **dérive des taux d'intérêt** upward drift of interest rates.

**dérivé** /deʀive/ NM *[produit]* by-product, spin-off ✦ **prix des produits dérivés** *(gén)* derivative prices ✦ **produits dérivés** *(Bourse)* derivatives ✦ **marchés dérivés** derivatives markets.

**dérivée** /deʀive/ NF derivative ✦ **dérivée d'une fonction** derivative of a function.

**dernier, -ière** /dɛʀnje, jɛʀ/ ADJ *(gén)* last; *échelon,* grade top, highest; *préparatifs* final; *mode* latest ✦ **changement de dernière minute** last minute change ✦ **c'est mon dernier prix** *(vendeur)* it's the lowest I'll go; *(acheteur)* it's my final offer ✦ **voici notre dernier tarif** here is our latest price list

——— compounds/composés ———
✦ **derniers cours** *(Bourse)* closing prices, latest quotations
✦ **dernière enchère** closing *ou* highest bid
✦ **dernier enchérisseur** highest bidder
✦ **dernier entré, premier sorti** last in, first out
✦ **dernière répartition** *(Fin)* final dividend.

**dérogation** /deʀɔgasjɔ̃/ NF (special) dispensation ✦ **dérogation à la loi** impairment of the law ✦ **les pays du Tiers Monde bénéficient de dérogations importantes par rapport aux règlements du GATT** Third World countries enjoy considerable dispensation from the GATT rules ✦ **notre contrat ne prévoit aucune dérogation par rapport aux normes internationales** our contract doesn't allow the slightest departure from international standards ✦ **je ne souffrirai aucune dérogation à mes instructions** I won't stand any deviation from my instructions ✦ **certaines dérogations sont prévues par la loi** some special dispensations are allowed for in the law ✦ **par dérogation à ce règlement** this regulation notwithstanding ✦ **par dérogation aux dispositions en vigueur** notwithstanding the legal provisions in force.

**dérogatoire** /deʀɔgatwaʀ/ ADJ *(gén)* dispensatory; *conditions* special ✦ **clause dérogatoire** overriding clause ✦ **statut / régime dérogatoire** special status / system ✦ **stipulation dérogatoire** derogatory stipulation ✦ **à titre dérogatoire** by special dispensation.

**déroger** /deʀɔʒe/ VI ✦ **déroger à qch** to go against sth, depart from sth ✦ **déroger à un principe** to waive a principle ✦ **déroger aux dispositions du Code du travail** not to comply with the labour laws.

**déroulement** /deʀulmɑ̃/ NM development, progress ✦ **déroulement de carrière** career advancement *ou* development.

**dérouler (se)** /deʀule/ VPR (= se passer) to progress, develop ✦ **tout se déroule comme prévu** everything is going as expected ✦ **la séance de mardi s'est déroulée dans un climat déprimé** *(Bourse)* a depressed tone prevailed throughout Tuesday's session, trading on Tuesday remained dull all through.

**déroutement** /deʀutmɑ̃/ NM *(Transports)* change of route.

**dérouter** /deʀute/ VT *avion* to reroute, divert; *personne* disconcert, confuse, surprise.

**désabonnement** /dezabɔnmɑ̃/ NM non-renewal ✦ **taux de désabonnement** non-renewal rate.

**désabonner (se)** /dezabɔne/ VPR to discontinue one's subscription.

**désaccord** /dezakɔʀ/ NM **a** (= différend) disagreement, conflict, clash ✦ **être en désaccord avec qn sur qch** to be at variance with sb about sth, clash with sb over sth **b** (= discordance) discrepancy, inconsistency ✦ **ce qu'il affirme maintenant est en désaccord avec ce qu'il a écrit dans son rapport** what he says now conflicts with *ou* does not tally with what he wrote in his report.

**désaffectation** /dezafɛktasjɔ̃/ NF *[immeuble]* closing down.

**désaffecté, e** /dezafɛkte/ ADJ *locaux* disused, no longer in use.

**désaffecter** /dezafɛkte/ VT *somme* to deallocate; *immeuble* to close down.

**désaffection** /dezafɛksjɔ̃/ NF disaffection ✦ **ce secteur a subi la grande désaffection des investisseurs** *(Bourse)* this sector has been ignored by investors, investors have been shying away from this sector.

**désaisonnalisation** /desɛzɔnalizasjɔ̃/ NF adjustment for seasonal variations.

**désaisonnaliser** /desɛzɔnalize/ VT to adjust for seasonal variations ✦ **en données désaisonnalisées** in seasonally adjusted figures.

**désamorçage** /dezamɔʀsaʒ/ NM *[conflit]* defusing.

**désamorcer** /dezamɔʀse/ VT *crise* to defuse.

**désapprovisionné, e** /dezapʀɔvizjɔne/ **ADJ** *magasin* unstocked, out of stock ✦ **compte désapprovisionné** *(Fin)* overdrawn account.

**désarmement** /dezaʀməmɑ̃/ **NM** *[bateau]* laying up, idling; *(administrativement)* putting out of commission, decommissioning *(US)*.

**désarmer** /dezaʀme/ **VT** *navire* to lay up; *(administrativement)* to put out of commission, decommission *(US)*.

**désarrimage** /dezaʀimaʒ/ **NM** shifting (of the cargo).

**désarrimer** /dezaʀime/ **VT** *cargaison* to shift, cause to shift.

**désassorti, e** /dezasɔʀti/ **ADJ** *commerçant* sold out ✦ **nous sommes désassortis** we are sold out.

**désavantage** /dezavɑ̃taʒ/ **NM** disadvantage, drawback, inconvenience, snag.

**désavantager** /dezavɑ̃taʒe/ **VT** to put at a disadvantage ✦ **nous sommes désavantagés par le coût élevé de la main-d'œuvre** we are penalized by the high cost of labour, the high cost of labour puts us at a disadvantage.

**désavantageux, -euse** /dezavɑ̃taʒø, øz/ **ADJ** *(gén)* unfavourable, disadvantageous ✦ **change désavantageux** unfavourable exchange.

**désaveu** /dezavø/ **NM** ✦ **le délégué syndical a encouru le désaveu de la base** the union representative was disowned *ou* repudiated by the shop-floor (workers).

**désavouer** /dezavwe/ **VT** *signature* to disclaim, repudiate; *propos* to disown, disavow; *personne* to disown, repudiate
**se désavouer** **VPR** to retract.

**descendant, e** /desɑ̃dɑ̃, ɑ̃t/ **ADJ** downward ✦ **courbe descendante** downward curve ✦ **information descendante** downward information
**NM** *(Jur = enfant)* descendant.

**descendre** /desɑ̃dʀ(ə)/ **VI** *[stocks, prix]* to come down, decline, fall, drop ✦ **descendre en flèche** to plummet, nose-dive.

**descriptif, -ive** /deskʀiptif, iv/ **ADJ** descriptive ✦ **devis descriptif** descriptive specification
**NM** *(= brochure)* descriptive brochure; *[travaux]* specification sheet; *[projet]* outline, abstract, summary.

**description** /deskʀipsjɔ̃/ **NF** *(gén)* description ✦ **description de brevet** patent specification ✦ **description de poste** job description.

**déséconomie** /dezekɔnɔmi/ **NF** diseconomy ✦ **déséconomies d'échelle** diseconomies of scale.

**désemplir** /dezɑ̃pliʀ/ **VI** ✦ **ce magasin ne désemplit pas** customers keep crowding in.

**désencadrement** /dezɑ̃kɑdʀəmɑ̃/ **NM** *[crédit]* decontrol, detightening.

**désencadrer** /dezɑ̃kɑdʀe/ **VT** *crédit* to decontrol, detighten.

**désencombrement** /dezɑ̃kɔ̃bʀəmɑ̃/ **NM** *[marché]* clearing.

**désencombrer** /dezɑ̃kɔ̃bʀe/ **VT** to clear.

**désendettement** /dezɑ̃dɛtmɑ̃/ **NM** *[entreprise]* debt reduction, degearing *(Brit)* ; *[pays]* reduction in the level of indebtedness ✦ **le désendettement des entreprises se poursuit** companies are still reducing their debt level, corporate indebtedness is still declining ✦ **désendettement de fait** *(Fin)* in substance defeasance.

**désendetter (se)** /dezɑ̃dɛte/ **VPR** to pay off part of one's debts, reduce one's debt load.

**désengagement** /dezɑ̃gaʒmɑ̃/ **NM** disengagement, withdrawal ✦ **l'entreprise a terminé son désengagement des activités de parfumerie** the company has completed its withdrawal from the perfume sector.

**désengager** /dezɑ̃gaʒe/ **VT** to disengage ✦ **désengager qn d'une obligation** to free sb from an obligation
**se désengager** **VPR** to withdraw (*de* from).

**désengorger** /dezɑ̃gɔʀʒe/ **VT** to unblock.

**désensibilisation** /desɑ̃sibilizasjɔ̃/ **NF** desensitization.

**désensibiliser** /desɑ̃sibilize/ **VT** *opinion publique* to desensitize.

**désépargnant, e** /dezepaʀɲɑ̃, ɑ̃t/ **NM,F** dissaver.

**désépargne** /dezepaʀɲ(ə)/ **NF** dissaving.

**désépargner** /dezepaʀɲe/ **VI** to dissave.

**déséquilibre** /dezekilibʀ(ə)/ **NM** *[bilan, balance]* imbalance, disequilibrium ✦ **déséquilibre commercial** trade gap, trade imbalance ✦ **déséquilibre du marché** market imbalance ✦ **la balance commerciale entre le Japon et les USA est en déséquilibre** the trade balance between Japan and the US is lopsided ✦ **corriger un déséquilibre** to adjust an imbalance, restore a balance ✦ **facteur de déséquilibre** destabilizer.

**déséquilibré, e** /dezekilibʀe/ **ADJ** *budget* unbalanced.

**déséquilibrer** /dezekilibʀe/ **VT** *(gén)* to throw off balance; *budget* to unbalance ◆ **le marché est déséquilibré** the market is unsettled *ou* off kilter.

**désescalade** /dezeskalad/ **NF** disescalation, de-escalation.

**désétatisation** /dezetatizasjɔ̃/ **NF** privatization, denationalization.

**désétatiser** /dezetatize/ **VT** to privatize, denationalize.

**déshérence** /dezeʀɑ̃s/ **NF** escheat ◆ **tomber en déshérence** to escheat.

**déshériter** /dezeʀite/ **VT** *héritier* to disinherit.

**déshérités** /dezeʀite/ **NMPL** ◆ **les déshérités** the underprivileged, the have-nots, second class citizens.

**déshypothéquer** /dezipɔteke/ **VT** *propriété* to disencumber, free from mortgage.

**desiderata** /dezideʀata/ **NMPL** desiderata, wishes, requirements.

**design** /dizajn/ **NM** design ◆ **service design** design department ◆ **design industriel** industrial design.

**désignation** /deziɲasjɔ̃/ **NF** *(= appellation)* name, designation; *(= nomination)* appointment, designation, naming ◆ **désignation des marchandises** goods description ◆ **désignation des titres** description of securities ◆ **désignation sociale** corporate name ◆ **désignation au poste de** nomination as.

**designer** /dizajnœʀ/ **NM** designer.

**désigner** /deziɲe/ **VT** **a** *(= indiquer)* to point out, indicate ◆ **les marchandises désignées dans la police** the goods specified *ou* listed in the policy **b** *(= nommer)* to appoint, name, designate ◆ **désigner qn à un poste** to appoint sb to a post ◆ **il a été désigné par le conseil d'administration pour examiner la situation financière de la société** he was designated *ou* appointed by the board to examine the company's finances ◆ **successeur désigné** successor elect.

**désindexation** /dezɛ̃dɛksasjɔ̃/ **NF** deindexation.

**désindexer** /dezɛ̃dɛkse/ **VT** to deindex.

**désinflation** /dezɛ̃flasjɔ̃/ **NF** disinflation.

**désinflationniste** /dezɛ̃flasjɔnist(ə)/ **ADJ** disinflationary.

**désinstallation** /dezɛ̃stalasjɔ̃/ **NF** *(Inf)* deinstalling.

**désinstaller** /dezɛ̃stale/ **VT** *(Inf)* to deinstall.

**désintéressement** /dezɛ̃teʀɛsmɑ̃/ **NM** *[créancier]* paying off; *[associé]* buying out.

**désintéresser** /dezɛ̃teʀese/ **VT** *créancier* to pay off, satisfy; *associé* to buy out
**se désintéresser** **VPR** to lose interest *(de* in*)* ◆ **les investisseurs se désintéressent de cette valeur** investors are losing interest in this stock.

**désintérêt** /dezɛ̃teʀɛ/ **NM** *(pour un titre boursier)* lack *ou* loss of interest *(pour* in*)*

**désintermédiation** /dezɛ̃teʀmedjasjɔ̃/ **NF** disintermediation.

**désinvestir** /dezɛ̃vɛstiʀ/ **VT** to disinvest.

**désinvestissement** /dezɛ̃vɛstismɑ̃/ **NM** *(gén)* disinvestment; *(par cession d'une filiale)* divestment; *(= cession de participation)* divestiture.

**désistement** /dezistəmɑ̃/ **NM** withdrawal ◆ **désistement d'action** *(Jur)* withdrawal of suit, abandonment of action.

**désister (se)** /deziste/ **VPR** to withdraw ◆ **se désister de** *plainte* to withdraw; *appel* to abandon.

**désordonné, e** /dezɔʀdɔne/ **ADJ** *fluctuation* erratic, unpredictable ◆ **le dollar a repris ses mouvements désordonnés** the dollar resumed its erratic *ou* unpredictable fluctuations.

**désordre** /dezɔʀdʀ(ə)/ **NM** disorder ◆ **désordres monétaires** monetary turmoil ◆ **c'est un facteur de désordre** it's a disruptive influence ◆ **causer du désordre** to cause a disturbance.

**désorganisation** /dezɔʀganizasjɔ̃/ **NF** disorganization, disruption.

**désorganiser** /dezɔʀganize/ **VT** *(gén)* to disorganize, disrupt.

**désorienter** /dezɔʀjɑ̃te/ **VT** to disorientate, bewilder, confuse, puzzle, baffle ◆ **désorienter le marché** to throw the market into confusion.

**déspécialisation** /despespjalizasjɔ̃/ **NF** deskilling.

**DESS** /deəɛsɛs/ **NM** abrév de **diplôme d'études supérieures spécialisées** → **diplôme.**

**dessaisir** /dezeziʀ/ **VT** **dessaisir un tribunal d'une affaire** to remove a case from a court ◆ **être dessaisi du dossier** to be taken off the case
**se dessaisir** **VPR** **se dessaisir de** to give up, part with, relinquish.

**dessaisissement** /desezismɑ̃/ **NM** **a** ◆ **dessaisissement d'un tribunal / d'un juge** removal of a case from a court / judge **b** *(= abandon)* relinquishment.

**desserrage** /desɛraʒ/ **NM,** **desserrement** /desɛrmɑ̃/ **NM** *[crédit]* loosening, detightening, decontrolling, easing, relaxation.

**desserrer** /desere/ **VT** *crédit* to loosen, detighten, decontrol, ease, relax.

**desserte** /desɛrt(ə)/ **NF** *(Transports)* servicing ◆ **desserte d'une zone** servicing of an area ◆ **les dessertes seront assurées normalement** services will run normally.

**desservir** /desɛrvir/ **VT** *(Transports)* to serve ◆ **quartier bien desservi** district well served by public transport ◆ **cette voie dessert l'usine** this line serves the factory *ou* goes to the factory.

**dessin** /desɛ̃/ **NM** *(d'art)* drawing; *(= motif)* pattern, design ◆ **dessin assisté par ordinateur** computer-assisted design ◆ **dessin à l'échelle** drawing to scale ◆ **dessin industriel** industrial design ◆ **le dessin de l'emballage est très original** the design of the packaging is highly original ◆ **le dessin d'une robe** the pattern of a dress ◆ **bureau de dessin** drafting department, designing office *(US)* ◆ **planche à dessin** drawing board.

**dessinateur, -trice** /desinatœr, tris/ **NM,F** *(= artiste)* drawer ◆ **dessinateur (industriel)** draughtsman, draftsman *(US)* ◆ **dessinateur de mode** fashion designer ◆ **dessinateur concepteur** visualizer.

**dessiner** /desine/ **VT** *(gén)* to draw; *usine* to design; *bureau* to lay out
**se dessiner** **VPR** *[orientation]* to become noticeable, become apparent; *[projet]* to take shape ◆ **une tendance à la reprise se dessine** a recovery is shaping up *ou* is beginning to build up, there are beginning to be signs of a recovery.

**dessous** /d(ə)su/ **ADV** under, underneath ◆ **au-dessous** below ◆ **nos résultats sont très en dessous de la moyenne** our results are well below (the) average ◆ **au-dessous de la normale** below standard, below the norm ◆ **être au-dessous du pair** *(Bourse)* to stand at a discount, be below par ◆ **opération au-dessous de la ligne** below-the-line item
**NM** **les dessous de l'affaire** the hidden side of the affair ◆ **connaître le dessous des cartes** to have inside information.

**dessous-de-table** /d(ə)sudtabl/ **NM** **INV** under-the-counter payment, bribe, payoff, sweetener, kickback\*, payola\*.

**dessus** /d(ə)sy/ **ADV** on top ◆ **au-dessus de** *(= plus élevé)* above, over; *(= au-delà)* beyond ◆ **nous**

**vivons au-dessus de nos moyens** we are living beyond our means ◆ **on a mis qn au-dessus de lui au bureau** someone has been given more seniority than him at the office ◆ **être au-dessus du pair** to stand at a premium, be above par ◆ **opération au-dessus de la ligne** above-the-line item.

**DEST** /deaɛste/ **NM** abrév de **diplôme d'études supérieures techniques** → **diplôme.**

**déstabilisateur, -trice** /destabilizatœr, tris/ **ADJ** *influence* destabilizing, unsettling.

**déstabilisation** /destabilizasjɔ̃/ **NF** destabilization.

**déstabiliser** /destabilize/ **VT** to destabilize, unsettle.

**destinataire** /dɛstinatɛr/ **NMF** *[lettre]* addressee, recipient; *[colis]* consignee; *[mandat]* payee, remittee ◆ **à la charge du destinataire** chargeable to *ou* payable by the addressee.

**destination** /dɛstinasjɔ̃/ **NF** **a** *(= but)* destination ◆ **à destination de** *avion, train* to, for; *navire* bound for; *lettre* addressed to ◆ **arriver à destination** to arrive at *ou* reach one's destination ◆ **marchandises à destination de l'étranger** goods for consignment abroad **b** *(= emploi) (gén)* purpose; *[capitaux]* appropriation ◆ **quelle sera la destination de ces fonds?** how will these funds be appropriated *ou* allocated? ◆ **fonds sans destination** unallocated funds.

**destiner** /dɛstine/ **VT** *lettre* to address (*à* to) intend (*à* for); *remarque* to mean, intend (*à* for); *tâche* to assign (*à* to); *crédits* to earmark (*à* for) allocate (*à* for, to) allot (*à* for, to) ◆ **ces fonds seront destinés au financement de notre campagne promotionnelle** the money will be earmarked *ou* assigned *ou* allotted to finance our promotional campaign ◆ **ces mesures sont destinées à freiner l'inflation** these measures are intended *ou* meant to curb inflation, these measures are aimed at curbing inflation ◆ **marchandises destinées à l'exportation** exportable goods ◆ **on lui destine un emploi dans une de nos succursales à l'étranger** he will be assigned a job in one of our foreign branches ◆ **se destiner au barreau** to intend to be a lawyer.

**destituer** /dɛstitɥe/ **VT** *fonctionnaire* to dismiss ◆ **destituer qn de ses fonctions** to relieve sb of his duties.

**destitution** /dɛstitysjɔ̃/ **NF** *[fonctionnaire]* dismissal, discharge.

**déstockage** /destɔkaʒ/ **NM** destocking, stock de-cumulation, inventory disinvestment, draw-down of stocks.

**déstocker** /destɔke/ **VT** to destock, run down stocks.

**désuet, -ète** /dezɥɛ, ɛt/ **ADJ** procédé outdated, antiquated, obsolete; mode outdated ✦ **installation désuète** obsolete plant.

**dézuétude** /desɥetyd/ **NF** disuse, obsolescence ✦ **tomber en désuétude** [loi] to fall into abeyance, be no longer enforced; [procédé] to become obsolete, fall into disuse ✦ **désuétude calculée** planned obsolescence.

**désutilité** /dezytilite/ **NF** disutility.

**détachable** /detaʃabl(ə)/ **ADJ** detachable ✦ **bon de souscription détachable** detachable warrant.

**détaché, e** /detaʃe/ **ADJ** (gén) detached; fonctionnaire seconded ✦ **pièce détachée** spare part ✦ **coupon détaché** ex coupon ✦ **un cadre détaché du secteur privé** an executive seconded from the private sector ✦ **coupon détaché** ex-coupon.

**détachement** /detaʃmã/ **NM** [coupon] cutting off; [fonctionnaire] secondment ✦ **être en détachement à l'étranger** to be on secondment abroad.

**détacher** /detaʃe/ **VT** a (= séparer) reçu, bon to tear out (de of) detach (de from); (Bourse) coupon to clip, cut off ✦ **partie à détacher** tear off (this section) ✦ **détacher suivant le pointillé** tear off along the dotted line b (= envoyer en mission) to send, dispatch; (= affecter à un poste) to second ✦ **se faire détacher auprès de qn** to be sent on secondment to sb ✦ **être détaché** to be on secondment.

**détail** /detaj/ **NM** a (Comm) retail ✦ **commerce / prix de détail** retail business / price ✦ **marchand de détail** retail dealer, retailer ✦ **vendre au détail** marchandises to (sell) retail; articles séparés to sell separately ✦ **le commerce de l'alimentation au détail** the retail food business ✦ **magasin de détail** retail shop ou outlet ou store (US) ✦ **indice des prix de détail** retail price index ✦ **la vente au détail de biens de consommation dépend très largement du merchandising** the retailing of consumer goods depends heavily on merchandising b (= ventilation) [facture, compte] breakdown, itemization ✦ **faire le détail d'une facture** to break down an invoice ✦ **faire le détail d'un compte** to itemize ou break down an account ✦ **détails d'un compte** items ou breakdown of an account ✦ **versements dont détail ci-**dessous payments as specified below c (= particularité) detail ✦ **entrer dans les détails** to go into details ou particulars ✦ **pour plus amples détails écrire à / s'adresser à** for further particulars please write to / apply to ✦ **venons-en aux détails** let's get down to specifics.

**détaillant, e** /detajã, ãt/ **NM,F** retailer, retail dealer ✦ **les détaillants** retailers, the retail trade ✦ **nous sommes détaillants** we are in the retail business.

**détaillé, e** /detaje/ **ADJ** plan, rapport detailed, circumstantial; liste, compte itemized ✦ **facture détaillée** itemized invoice ou bill.

**détailler** /detaje/ **VT** a marchandises to sell retail, retail; (= vendre à l'unité) to sell separately ✦ **nous détaillons cette peinture en petites quantités** we retail this paint in small quantities ✦ **nous ne détaillons pas ces couteaux** we sell these knives in sets, we do not sell these knives separately b (= disséquer) projet to (explain in) detail ✦ **détailler un compte** to itemize ou break down an account.

**détaxation** /detaksasjɔ̃/ **NF** tax-freeing, remission of tax ✦ **détaxation de l'épargne investie en actions** tax relief for savings invested in stocks.

**détaxe** /detaks(ə)/ **NF** (= dégrèvement) reduction in tax, tax cut; (= exonération) remission ou removal of tax (de from); (= remboursement) tax refund ✦ **marchandises vendues en détaxe** duty-free ou tax-free goods ✦ **détaxe à l'exportation** duty free for export.

**détaxer** /detakse/ **VT** (= dégrever) to reduce the tax on; (= exonérer) to take the tax off, remove the tax on, return the charges, remit the duties ✦ **détaxer des marchandises à l'exportation** to untax ou remove duty on goods intended for export ✦ **articles détaxés** tax-free ou duty-free goods.

**détecteur** /detɛktœʀ/ **NM** detector ✦ **détecteur de faux billets** forged banknote detector.

**détection** /detɛksjɔ̃/ **NF** detection ✦ **système de détection d'erreurs** error detection system.

**détendre** /detãdʀ(ə)/ **VT** situation, relations, tension to relieve, ease ✦ **détendre le coût du crédit** to detighten ou relax ou decontrol ou ease credit **se détendre** **VPR** [situation, relations] to relax, ease, become less strained ✦ **les taux d'intérêts se sont détendus** interest rates eased off.

**détendu, e** /detãdy/ **ADJ** atmosphère relaxed.

**détenir** /detniʀ/ **VT** (gén, Fin) action, obligation to hold; biens to own; moyen to have (in one's possession) ✦ **société détenue par l'État** state-owned company ✦ **société détenue à 50%** 50% owned company ✦ **détenir des actions en garantie** to hold shares as security ✦ **cette société détient près de 20% du marché** this firm holds nearly 20% of the market.

**détente** /detɑ̃t/ NF relaxation (dans in) ✦ **la détente** (Pol) détente ✦ **détente sur les pétrolières** (Bourse) easing off on oils ✦ **détente des taux d'intérêts** slackening of interest rates ✦ **détente du loyer de l'argent** credit relaxation ou detightening.

**détenteur, -trice** /detɑ̃tœʀ, tʀis/ NM,F [secret] possessor, keeper; [record] holder ✦ **détenteur d'actions** shareholder, stockholder (US) ✦ **détenteur de bonne foi** (Jur) bona fide holder ✦ **détenteur d'un compte** account holder ✦ **détenteur d'obligations** bondholder ✦ **détenteur d'une police** (Ass) policyholder ✦ **détenteur de titres** (Bourse) scripholder ✦ **tiers détenteur** (Jur) third holder.

**détention** /detɑ̃sjɔ̃/ NF **a** [titres, biens] holding, tenure **b** (Mar) [navire] detention, detainment.

**détérioration** /deteʀjɔʀasjɔ̃/ NF [rapports, économie] deterioration (de in) worsening (de in) ✦ **détérioration de la balance des paiements** deterioration of the balance of payments.

**détériorer** /deteʀjɔʀe/ VT machine, rapports to damage, spoil
**se détériorer** VPR [rapports, conjoncture] to deteriorate, worsen, get worse.

**déterminant, e** /detɛʀminɑ̃, ɑ̃t/ ADJ determining, decisive.

**détermination** /detɛʀminasjɔ̃/ NF [motifs] determining, establishing; [date, quantité] determination, fixing; [revenu imposable] assessment ✦ **détermination des prix** pricing, price determination ✦ **détermination de l'assiette d'imposition** tax assessment ✦ **détermination des objectifs** goal setting.

**déterminé, e** /detɛʀmine/ ADJ objectif, domaine specific, definite, well-defined; quantité, jour, somme given, defined ✦ **à échéances déterminées** at fixed ou defined dates.

**déterminer** /detɛʀmine/ VT ligne de conduite to determine; motif, circonstance to determine, establish; date, lieu, montant to determine, fix ✦ **déterminer le revenu imposable** to assess taxable income ✦ **ce qui a déterminé ma décision** what accounted for my decision, what decided me ✦ **les causes de l'accident n'ont pu être déterminées** the cause of the accident was not established ✦ **les conditions**

ont été déterminées the terms were settled.

**déthésaurisation** /detezɔʀizasjɔ̃/ NF dishoarding.

**déthésauriser** /detezɔʀize/ VT to dishoard.

**détitrer** /detitʀe/ VT (Fin) to lower the title of.

**détour** /detuʀ/ NM (Écon) ✦ **détour de production** output diversion.

**détourné, e** /detuʀne/ ADJ (Fin) effet out of town, drawn on another place.

**détournement** /detuʀnəmɑ̃/ NM ✦ **détournement de fonds** misappropriation of funds, embezzlement, defalcation ✦ **détournement de fonds publics** peculation ✦ **détournement de pièces** diversion of documents.

**détourner** /detuʀne/ VT fonds to embezzle, misappropriate, defalcate; marchandises to misappropriate.

**détresse** /detʀɛs/ NF distress ✦ **être dans la détresse** to be in serious difficulties ou in dire straits ✦ **entreprise en détresse** business in difficulties, ailing company ✦ **signal de détresse** distress signal.

**détriment** /detʀimɑ̃/ NM ✦ **au détriment de** to the detriment of ✦ **erreur à notre détriment** error to our disadvantage.

**dette** /dɛt/ NF debt ✦ **avoir des dettes** to be in debt, have debts ✦ **avoir des dettes envers qn** to be in sb's debt ✦ **faire des dettes** to get ou run into debt, run up debts ✦ **contracter / acquitter / amortir / apurer une dette** to incur / repay / redeem / write off a debt ✦ **rééchelonner / recouvrer une dette** to reschedule / recover ou collect a debt ✦ **s'acquitter de ses dettes** to get out of debt, pay one's debts ✦ **cautionner une dette** to stand surety for a debt, secure a debt ✦ **libérer qn d'une dette** to discharge sb from a debt ✦ **purger un bien de dettes** to clear a property of debt ✦ **l'entreprise procède à des cessions d'actifs pour réduire sa dette** the company is selling assets to write down debt ou to reduce its indebtedness ✦ **accablé ou criblé de dettes** riddled with debts, debt-ridden, debt-laden ✦ **reconnaissance de dette** IOU, note of hand ✦ **cessibilité d'une dette** transferability of a debt ✦ **provisions pour dette** reserve for debts, liability reserve ✦ **remboursement d'une dette** debt repayment, reimbursement of a debt ✦ **remise d'une dette** remission of a debt ✦ **service de la dette** debt servicing ■ Voir encadré page ci-contre

**DEUG** /dœg/ NM (abrév de **diplôme d'études universitaires générales**) diploma awarded after the first two years of university education.

—— compounds/composés ——

## DETTE

- **dette active** active debt, book debt, outstanding debt ◆ **dettes actives** *(Compta)* accounts receivable
- **dette actuarielle** actuarial debt
- **dette amortissable** redeemable debt
- **dette caduque** prescribed debt
- **dette cessible** assignable debt
- **dette chirographaire** unsecured liability *ou* debt
- **dette consolidée** consolidated debt
- **dette à court terme** current liability
- **dette échue** debt due
- **dette de l'État** national debt
- **dette éventuelle** contingent liability
- **dette exigible** due debt, outstanding debt, current debt, current liability
- **dette extérieure** foreign *ou* external debt
- **dette flottante** floating debt
- **dette garantie** secured liability *ou* debt
- **dette hypothécaire** mortgage debt
- **dette improductive** deadweight debt
- **dette inexigible** debt not due
- **dette liquide** liquid debt
- **dette à long terme** long-term liability
- **dette à moins d'un an** current liability
- **dette monétaire** monetary liability

- **dette négociable** assignable debt
- **dette non acquittée** undischarged *ou* unpaid debt
- **dette non garantie** unsecured *ou* ordinary debt
- **dette non provisionnée** unfunded liability
- **dette obligataire** bonded debt, debenture debt
- **dette passive** passive debt ◆ **dettes passives** *(Compta)* accounts payable
- **dette prioritaire** *ou* **ayant priorité de rang** senior debt
- **dette privilégiée** preferential debt
- **dette productive** living *ou* productive debt
- **dettes provisionnées** accrued expenses payable
- **dette publique** public *ou* national debt
- **dette quérable** debt payable at the debtor's address
- **dette reconnue judiciairement** judgement debt
- **dette recouvrable** recoverable debt
- **dette solidaire** joint and several debt
- **dette subordonnée** subordinate debt
- **dette transférable** assignable debt
- **dette unifiée** consolidated debt
- **dette à vue** debt on sight.

---

**DEUST** /døst/ **NM** (abrév de **diplôme d'études universitaires de sciences et de techniques**) *diploma awarded after the first two years of university education in scientific and technical subjects.*

**deux** /dø/ **ADJ, NM** two → **six.**

**deuxième** /døzjɛm/ **ADJ, NMF** second ◆ **de deuxième choix** *ou* **ordre** *ou* **qualité** second-rate, second-grade, second-class ◆ **hypothèque de deuxième rang** second mortgage ◆ **deuxième de change** second of exchange ◆ **articles de deuxième choix** seconds → **sixième.**

**deuxièmement** /døzjɛmmã/ **ADV** second(ly).

**dévaliser** /devalize/ **VT** ◆ **dévaliser un magasin** *[clients]* to buy up a shop.

**dévalorisation** /devalɔʀizasjɔ̃/ **NF** *(Fin)* fall in value, loss of value, depreciation; *[fonction]* lowering of the prestige.

**dévaloriser** /devalɔʀize/ **VT** *fonction, poste* to lower the prestige of; *contribution, efforts* play down, minimize the importance of; *personne* to reduce the standing of
**se dévaloriser** **VPR** to fall *ou* decrease in value, depreciate.

**dévaluation** /devalɥasjɔ̃/ **NF** devaluation.

**dévaluer** /devalɥe/ **VT** to devalue, devaluate *(US)*
**se dévaluer** **VPR** to devalue, devaluate *(US)*,

depreciate ◆ **notre monnaie se dévalue lentement** our currency is slowly depreciating.

**devancement** /dəvãsmã/ **NM** ◆ **devancement d'une échéance** payment before time.

**devancer** /dəvãse/ **VT** *concurrent* to get ahead of, outstrip ◆ **devancer la date d'un paiement** to make a payment before it is due.

**devant** /d(ə)vã/ **PREP** before, in front of ◆ **devant la gravité de la crise** in view of *ou* considering the seriousness of the crisis ◆ **par-devant notaire** in the presence of a notary ◆ **aller au-devant des désirs des clients** to anticipate the customers' wishes
**NM** *(gén)* front ◆ **prendre les devants** to make the first move, take the initiative.

**devanture** /d(ə)vãtyʀ/ **NF** *(= marchandises)* display; *(= vitrine)* window, shop front ◆ **en devanture** on display; *(en vitrine)* in the window.

**développé, e** /devlɔpe/ **ADJ** developed, advanced ◆ **pays sous-développés** underdeveloped countries, less developed countries ◆ **économie développée** advanced economy.

**développement** /devlɔpmã/ **NM** *[économie, entreprise, exportations]* development, expansion, growth; *[produit, procédé, idée]* development ◆ **une affaire en plein développement** a fast-expanding *ou* fast-developing *ou* thriving business ◆ **le secteur n'a pas encore atteint**

son plein développement the sector is not yet full-grown *ou* fully-fledged ✦ **développement des ventes** sales growth *ou* expansion ✦ **développement de produits nouveaux** new products development ✦ **potentiel / prime / zone / programme de développement** development potential / subsidy / area / program(me) ✦ **pays en voie de développement** developing countries ✦ **aide au développement** development aid ✦ **économie de développement** development economics ✦ **ce produit est au stade du développement** this product is at the development stage ✦ **il est responsable du développement de nouveaux produits** he is responsible for product development.

**développer** /devlɔpe/ **VT** *entreprise, commerce* to develop, expand; *idée* to develop, elaborate upon
**se développer** **VPR** *[entreprise]* to expand, develop ✦ **se développer à partir de rien** *ou* **de zéro** to grow from scratch.

**déversement** /devɛʀsəmɑ̃/ **NM** *[sable]* unloading.

**déverser** /devɛʀse/ **VT** *sable* unload ✦ **déverser des produits à bas prix sur les marchés extérieurs** to dump *ou* unload products on overseas markets.

**déviation** /devjasjɔ̃/ **NF** deviation, departure ✦ **il s'agit d'une déviation par rapport aux normes** it's a departure from the norm ✦ **déviation standard** standard deviation.

**dévier** /devje/ **VI** ✦ **nous avons dévié par rapport à nos objectifs** we are off target, we are no longer right on target ✦ **nous ne devons à aucun prix dévier de nos accords initiaux** we have to keep to our initial agreement, we must not on any account depart *ou* move away from our original agreement.

**devis** /d(ə)vi/ **NM** estimate, quotation ✦ **devis descriptif** descriptive specification ✦ **devis estimatif / approximatif** preliminary / rough estimate ✦ **devis de chargement** *(Ass)* storage manifest ✦ **établir un devis** to draw up an estimate ✦ **pourriez-vous nous faire un devis pour ce travail?** could you quote for this job?, could you give (us) an estimate for this work?.

**devise** /d(ə)viz/ **NF** *(= monnaie)* currency, exchange ✦ **acheter des devises (étrangères)** to buy foreign currency ✦ **compte en devises (étrangères)** currency account ✦ **cours officiel des devises** official exchange rate ✦ **devise convertible** convertible currency ✦ **devise forte / faible** hard *ou* strong / soft *ou* weak currency ✦ **devise de référence** base currency ✦ **devises à terme / au comptant** forward / spot ex-

change ✦ **achat et vente de devises** purchase and sale of exchange ✦ **allocation en devises** foreign currency allowance ✦ **avoirs en devises** currency assets *ou* holdings ✦ **réserves en devises** foreign exchange reserves ✦ **matelas de devises** currency cushion ✦ **marché des devises** foreign exchange market ✦ **panier de devises** currency basket ✦ **pénurie de devises** foreign exchange shortage ✦ **rentrée de devises** inflow of foreign exchange.

**dévisser** /devise/ **VT** *[titre boursier]* to plunge.

**devoir** /d(ə)vwaʀ/ **VT** *somme* to owe ✦ **devoir 1 000 euros à qn** to owe sb 1,000 euros ✦ **c'est à vous que nous le devons** *succès* we owe it to you ✦ **le montant qui nous est dû** the amount owing to us *ou* owed to us *ou* due to us ✦ **reste à devoir** *(sur facture)* amount owing
**NM** *(gén)* duty ✦ **devoir de réserve** duty of confidentiality, duty to maintain secrecy ✦ **devoir de secours** *(Jur : entre membres d'une famille)* duty to support.

**dévolu, e** /devɔly/ **ADJ** **être dévolu à qn** *droit* to be devolved upon *ou* vested in sb ✦ **les sommes qui ont été dévolues à notre campagne promotionnelle** the sums that have been allotted to *ou* earmarked for our promotional campaign ✦ **part dévolue aux héritiers** share that devolves to the heirs
**NM** **les Japonais ont jeté leur dévolu sur le marché africain** the Japanese cast their nets over the African market *ou* set their sights on the African market.

**dévolution** /devɔlysjɔ̃/ **NF** devolution.

**DG** /deʒe/ **NM** (abrév de **directeur général**) CEO
**NF** abrév de **direction générale** → **direction**.

**DGA** /deʒea/ **NM** abrév de **directeur général adjoint** → **directeur.**

**DGRST** /deʒeɛʀɛste/ **NF** abrév de **délégation générale à la recherche scientifique et technique** → **délégation.**

**diagnostic** /djagnɔstik/ **NM** diagnosis ✦ **diagnostic financier** financial analysis ✦ **test de diagnostic** diagnostic test ✦ **nous établissons un diagnostic complet de vos besoins** we undertake a full analysis *ou* review of your needs.

**diagramme** /djagʀam/ **NM** *(= plan)* diagram; *(= graphique)* chart, graph

─────── compounds/composés ───────
✦ **diagramme à bâtons** bar graph *ou* chart
✦ **diagramme de circulation** flow chart
✦ **diagramme de dispersion** scatter diagram
✦ **diagrammes emboîtés** box diagrams

> ◆ **diagramme isométrique** isometric diagram
> ◆ **diagramme de points** dot diagram
> ◆ **diagramme à secteurs** pie chart
> ◆ **diagramme en tuyaux d'orgue** bar graph *ou* chart.

**dialogue** /djalɔg/ **NM** *(gén, Inf)* dialogue *(Brit)*, dialog *(US)* ◆ **dialogue de sourds** dialogue of the deaf ◆ **le dialogue social** the dialogue between bosses and unions ◆ **c'est un homme de dialogue, il est ouvert au dialogue** he's a man who is open to dialogue ◆ **boîte de dialogue** *(Inf)* dialogue box.

**dialoguer** /djalɔge/ **VI** *[partenaires sociaux]* to enter into dialogue *(Brit)* ou dialog *(US)* ◆ **dialoguer avec un ordinateur** to interact with a computer.

**diamant** /djamɑ̃/ **NM** *(= pierre)* diamond ◆ **figure en diamant** *(Bourse)* diamond ◆ **sortir du diamant** to break out of the diamond.

**diamantaire** /djamɑ̃tɛʀ/ **NM** diamond merchant.

**diamantifère** /djamɑ̃tifɛʀ/ **ADJ** *terrain* diamond-yielding ◆ **valeurs diamantifères** diamond shares, diamonds.

**Dictaphone** ® /diktafɔn/ **NM** Dictaphone® .

**dicter** /dikte/ **VT** *lettre, condition, attitude* to dictate ◆ **les mesures dictées par la conjoncture actuelle** the measures required *ou* imposed by the present economic situation.

**didacticiel** /didaktisjɛl/ **NM** educational software, educational program.

**diffamant, e** /difamɑ̃, ɑ̃t/ **ADJ** *(oralement)* slanderous; *(par écrit)* libellous.

**diffamateur, -trice** /difamatœʀ, tʀis/ **ADJ** *(oralement)* slanderous; *(par écrit)* libellous **NM,F** slanderer.

**diffamation** /difamasjɔ̃/ **NF** *(= paroles)* slander; *(= écrit)* libel ◆ **la diffamation de qn** *(orale)* the slandering of sb; *(écrite)* the libelling of sb ◆ **intenter un procès en diffamation contre qn** to bring an action against sb *ou* to sue sb for libel ◆ **campagne de diffamation** smear campaign.

**diffamatoire** /difamatwaʀ/ **ADJ** *(oralement)* slanderous; *(par écrit)* libellous ◆ **les sous-entendus diffamatoires de nos concurrents** the slanderous innuendoes of our competitors.

**diffamer** /difame/ **VT** *(oralement)* to slander; *(par écrit)* to libel.

**différé** /difeʀe/ **ADJ** *actif, amortissement, livraison* deferred ◆ **assurance à capital différé** endow-

ment insurance ◆ **actions différées** deferred shares **NM** **le remboursement est au pair après un différé de deux ans** redemption is at par after two years ◆ **différé de règlement** deferred repayment.

**différence** /difeʀɑ̃s/ **NF** difference; *(entre deux prix)* spread ◆ **différence entre le cours offert et le cours demandé** *(Bourse)* spread ◆ **différence de change** *(positive)* exchange gain; *(négative)* exchange loss ◆ **différence d'inventaire** inventory difference.

**différenciation** /difeʀɑ̃sjasjɔ̃/ **NF** differentiation ◆ **différenciation des produits** product differentiation.

**différencier** /difeʀɑ̃sje/ **VT** to differentiate ◆ **tarif différencié** split price
**se différencier** **VPR** *(= être différent de)* to differ *(de* from); *(= se démarquer de)* to differentiate o.s. *(de* from)

**différend** /difeʀɑ̃/ **NM** difference of opinion, disagreement ◆ **trancher** *ou* **régler un différend** to settle a dispute ◆ **les deux sociétés ont réglé leur différend à l'amiable** the two companies settled their disagreement out of court.

**différent, e** /difeʀɑ̃, ɑ̃t/ **ADJ** different.

**différentiel, -ielle** /difeʀɑ̃sjɛl/ **ADJ** differential ◆ **coût différentiel** differential *ou* incremental cost ◆ **droits différentiels** differential *ou* discriminating duty **NM** differential; *(Bourse)* spread ◆ **différentiel salarial** wage differential ◆ **différentiel de croissance** growth gap ◆ **spéculer sur les différentiels de prix** to spread ◆ **le différentiel d'inflation entre la France et la RFA** the inflation gap *ou* differential between France and Germany
**différentielle** **NF** differential.

**différer** /difeʀe/ **VI** to differ, be different *(de* from, *en, par* in) ◆ **votre facture diffère beaucoup de votre devis** your invoice differs considerably from your estimate **VT** *travail, rendez-vous* to postpone, put off; *jugement, décision, paiement* to defer, postpone ◆ **le paiement peut être différé à une date ultérieure** payment may be deferred to a later date ◆ **différer l'échéance d'un effet** to let a bill lie over.

**difficile** /difisil/ **ADJ** *(= épineux)* situation tricky, thorny, difficult, awkward; *(= exigeant)* demanding ◆ **évoluer dans un environnement difficile** to operate in a difficult environment *ou* in tough conditions ◆ **vu le nombre de demandeurs d'emploi, les employeurs peuvent**

se permettre d'être difficiles with so many job-seekers around, employers can afford to be selective.

**difficulté** /difikylte/ NF difficulty ◆ **tourner une difficulté** to get round a problem ◆ **avoir de la difficulté à faire qch** to have difficulty (in) doing sth ◆ **il a commencé par faire des difficultés pour signer le contrat** to begin with he was reluctant to sign the contract ◆ **avoir des difficultés financières** to be in financial difficulties *ou* straits, be financially strapped *(US)* ◆ **difficultés de trésorerie** cash *ou* liquidity problems ◆ **entreprise en difficulté** ailing company, lame duck, laggard ◆ **l'entreprise connaît des difficultés** the company is going through a bad patch *ou* is experiencing difficulties *ou* is having problems.

**diffuser** /difyze/ VT *rapport* to circulate; *livres* to distribute; *émission* to broadcast ◆ **diffuser auprès du grand public** to publicize.

**diffuseur** /difyzœR/ NM *(Presse)* distributor.

**diffusion** /difyzjɔ̃/ NF *[rapport]* circulation; *[journaux, livres]* distribution; *[émission]* broadcasting; *[information]* dissemination ◆ **diffusion nationale** nationwide distribution ◆ **diffusion par câble** cable casting ◆ **zone de diffusion** circulation area ◆ **chef du service diffusion** circulation manager ◆ **articles de grande diffusion** mass-market products, convenience goods ◆ **articles de moyenne diffusion** shopping goods ◆ **liste de diffusion** mailing list ◆ **pour diffusion restreinte** *rapport* restricted, sensitive.

**digne** /diɲ/ ADJ ◆ **sources dignes de foi** reliable *ou* knowledgeable *ou* dependable sources ◆ **digne de confiance** trustworthy.

**dilapidateur, -trice** /dilapidatœR, tRis/ NM,F *(= gaspilleur)* spendthrift, squanderer ◆ **dilapidateur des fonds publics** embezzler of public funds.

**dilapidation** /dilapidasjɔ̃/ NF *(= gaspillage)* squandering, wasting; *(= détournement)* embezzlement, misappropriation.

**dilapider** /dilapide/ VT *(= gaspiller)* to squander, waste; *(= détourner)* to embezzle, misappropriate, defalcate.

**dilatoire** /dilatwaR/ ADJ dilatory ◆ **manœuvres** *ou* **moyens dilatoires** delaying *ou* stalling tactics ◆ **donner une réponse dilatoire** to play for time ◆ **tactique dilatoire** delaying *ou* stalling tactic, foot-dragging*.

**diligence** /diliʒɑ̃s/ NF ◆ **à la diligence du ministre** at the minister's behest *ou* request ◆ **à la**

**diligence du capitaine** *(Mar)* at master's discretion.

**diligenter** /diliʒɑ̃te/ VT ◆ **diligenter une enquête** to commission an inquiry.

**diluer** /dilɥe/ VT to dilute ◆ **actions entièrement diluées** fully diluted shares.

**dilutif, -ive** /dilytif, iv/ ADJ ◆ **cela aura un effet dilutif sur le cours de l'action** it will dilute the share price.

**dilution** /dilysjɔ̃/ NF dilution ◆ **dilution de capital** dilution of capital.

**dimanche** /dimɑ̃ʃ/ NM Sunday → **samedi.**

**dîme** /dim/ NM *(Hist)* tithe ◆ **l'État prélève sa dîme** the state takes its cut.

**dimension** /dimɑ̃sjɔ̃/ NF *(gén)* dimension; *(= taille)* size ◆ **les dimensions** *(= mesure)* the dimensions ◆ **une entreprise de cette dimension** a firm of this magnitude.

**dimensionnement** /dimɑ̃sjɔnmɑ̃/ NM *(Inf)* dimensioning.

**diminuer** /diminɥe/ **VT** *prix, impôts, frais* to reduce, lower, bring down, cut down; *consommation* to reduce, lower, cut down; *salaires* to cut, reduce, diminish
**VI** *(gén)* to decrease, diminish, lessen; *[prix, consommation, valeur]* to go down, come down, fall, drop; *[stocks]* to run down, run low ◆ **nos marges diminuent** our profit margins are shrinking *ou* dwindling *ou* narrowing *ou* shrivelling.

**diminution** /diminysjɔ̃/ NF **a** *(gén)* decrease, reduction *(de* in, of); *[dépenses]* curtailment *(de* of); *[production]* decline *(de* in); *[bénéfices]* drop, fall *(de* in) ◆ **la diminution des charges** the cutting-off of costs **b** *(= ristourne)* reduction, rebate, cut, allowance ◆ **diminution de 5%** 5% allowance.

**dinar** /dinaR/ NM dinar.

**diplomate** /diplɔmat/ NMF diplomat.

**diplomatie** /diplɔmasi/ NF diplomacy.

**diplomatique** /diplɔmatik/ ADJ diplomatic.

**diplôme** /diplom/ NM degree, diploma ◆ **diplôme d'études approfondies** *university post-graduate research degree* ◆ **diplôme d'études supérieures spécialisées** *university post-graduate professional degree* ◆ **diplôme d'études supérieures techniques** *university post-graduate technical degree* ◆ **diplôme universitaire** *university degree* ◆ **diplôme universitaire de technologie** *2-year university technological di-*

*ploma* ♦ **avoir des diplômes** to have qualifications.

**diplômé, e** /diplome/ **ADJ** qualified, certified, certificated ♦ **ingénieur diplômé** qualified engineer ♦ **il est diplômé d'une école de commerce** he is a business school graduate, he has graduated from a business school
**▨,F** holder of a diploma, graduate ♦ **il y a une pénurie de diplômés** there is a shortage of graduates.

**dir.** abrév de **direction**.

**dire** /diR/ **VT** to say ♦ **qui dit mieux?** *(aux enchères)* any advance? ♦ **au dire de l'expert** according to expert opinion.

**direct, e** /diRεkt, εkt(ə)/ **ADJ** **a** *(gén)* direct ♦ **accès direct** *(Inf)* direct access ♦ **action directe** *(Jur)* direct action ♦ **ses chefs directs** his immediate superiors ♦ **connaissement direct** through B / L ♦ **coûts directs** direct expenditure ♦ **frais généraux directs** direct overheads ♦ **investissement direct** direct investment ♦ **ligne téléphonique directe** *(privée)* private *ou* direct line; *(publique)* hot line ♦ **main-d'œuvre directe** direct labour, productive labor *(US)* ♦ **matières directes** *(Compta)* direct materials ♦ **marketing direct** direct marketing ♦ **publicité directe** direct advertising ♦ **vente directe** *(= technique)* direct selling; *(= transaction)* direct sale ♦ **être en rapport** *ou* **contact direct** *ou* **en relations directes avec** to deal directly with, be in direct contact with ♦ **se mettre en rapport direct avec qn** to contact sb direct, make contact with sb direct **b** *train* non-stop, through, fast, express ♦ **vol direct** direct *ou* through flight **c** *(Jur)* ♦ **héritier direct** *ou* **en ligne directe** lineal heir.

**directement** /diRεktəmã/ **ADV** *(gén)* directly; *(= sans intermédiaire)* direct, straight ♦ **les industries anciennes sont les plus directement frappées** smokestack industries are the most directly hit ♦ **directement du producteur au consommateur** direct *ou* straight from the producer to the consumer ♦ **adressez-vous directement à l'inspection des impôts** go straight to the tax inspector, apply to the tax inspector direct ♦ **vendre directement aux consommateurs** to sell direct to the consumer ♦ **j'expédierai les marchandises directement à Londres** I shall send the goods direct to London.

**directeur, -trice** /diRεktœR, tRis/ **ADJ** *idée* leading, main; *principe* guiding ♦ **comité directeur** management *ou* executive committee *ou* board ♦ **ligne directrice** guideline ♦ **plan directeur** *(Écon)* master plan ♦ **prix directeur** reference price ♦ **schéma directeur d'aménagement et d'urbanisme** urban development scheme ♦ **taux directeur** *(Fin)* base rate, prime rate *(US)*
**▨** *(= responsable, gérant)* manager; *(= administrateur)* director; *(= chef de bureau)* head ♦ **codirecteur** joint manager ♦ **alors qu'il était directeur** during his directorship

**directrice** **▨** *(= responsable, gérante)* manageress; *(= administratrice)* director; *(= chef de bureau)* head ■ Voir encadré page suivante

**direction** /diRεksjɔ̃/ **NF** **a** *(= gestion)* management, running; *(= supervision)* supervision ♦ **avoir la direction de** *entreprise, service* to manage, run, be at the head of, be in charge of; *travaux, ateliers, opérations* to supervise, oversee, be in charge of ♦ **confier la direction d'un service à qn** to put sb in charge of a department ♦ **il a repris la direction de la succursale** he took over (the running *ou* management of) the branch ♦ **direction de projet** project management ♦ **direction par objectifs** management by objectives ♦ **direction par exceptions** *ou* **par clignotants** management by exception ♦ **direction en ligne directe** *ou* **hiérarchique** line management **b** *(= fonction de responsable)* managership; *(= fonction d'administrateur)* directorship ♦ **fonctions de direction** managerial *ou* management functions ♦ **on lui a donné la direction générale** he was given the director-generalship **c** *(= dirigeants)* management ♦ **la direction et les ouvriers** management and workers ♦ **la direction ne peut être tenue pour responsable** *ou* **décline toute responsabilité** the management accepts no responsibility ♦ **au niveau de la direction** at managerial *ou* management level ♦ **la direction générale / commerciale / du personnel** the general / sales / staff *ou* personnel management ♦ **assistante de direction** professional secretary ♦ **changement de direction** *(sur une vitrine)* under new management ♦ **comité** *ou* **conseil de direction** management *ou* executive committee *ou* board ♦ **équipe de direction** management team ♦ **secrétaire de direction** executive secretary, personal assistant, PA **d** *(= service)* department; *(Admin)* division ♦ **direction commerciale / export / du contentieux / du personnel** sales / export / legal / personnel department ♦ **direction régionale** regional headquarters ♦ **direction des ressources humaines** human resources department ♦ **notre direction générale est à Paris** our head office is in Paris ♦ **Direction générale des impôts** General Tax Division ♦ **Direction de l'action sanitaire et sociale** Health and Social Services ♦ **Direction de la concurrence et des**

─── *compounds/composés* ───

**DIRECTEUR**

- **directeur adjoint** deputy manager, assistant manager
- **directeur administratif** non-executive director
  - **directeur administratif et financier** financial and administrative director
- **directeur d'agence** branch manager
- **directeur de l'approvisionnement** purchasing *ou* supply *ou* procurement *ou* sourcing manager
- **directeur de banque** bank manager
- **directeur du budget** budget manager
- **directeur de chantier** site manager
- **directeur commercial** sales manager *ou* executive
- **directeur des créanciers** *(Jur)* receiver *ou* trustee in bankruptcy
- **directeur de création** creative manager
- **directeur du crédit** loan officer
- **directeur désigné** designate director, nominee director
- **directeur de division** divisional manager; *(Admin)* divisional head
- **directeur exécutif** executive director
- **directeur export** export manager
- **directeur fictif** dummy director
- **directeur financier** financial director, chief financial officer
- **directeur général** general manager, managing director, chief executive (officer) ◆ **directeur général adjoint** executive vice-president

- **directeur gérant** managing director, general manager, chief executive (officer)
- **directeur intérimaire** *ou* **par intérim** acting manager
- **directeur (du) marketing** marketing manager, marketing vice-president *(US)*
- **directeur du personnel** personnel manager, staff manager
- **directeur de produit** product executive, product manager
- **directeur de projet** project manager
- **directeur régional** district *ou* regional *ou* area manager
- **directeur des relations publiques** public relations manager
- **directeur des ressources humaines** director of human resources
- **directeur du service achats** *[grands magasins]* buyer; *(Ind)* purchasing manager
- **directeur du service clients** customer service manager *ou* director
- **directeur du service trafic** traffic manager
- **directeur technique** works *ou* plant manager, technical manager *(US)*
- **directeur d'usine** plant *ou* factory *ou* works manager
- **directeur des ventes** sales manager
- **directeur de zone** area *ou* district manager.

**prix** ≈ Office of Fair Trading ◆ **Direction des douanes** Division of Customs ◆ **Direction du budget** Budget Division **e** *(Jur)* ◆ **direction des créanciers** committee of creditors **f** *(Bourse)* ◆ **directions croisées** interlocking directorates.

**directive** /diʀɛktiv/ **NF** *(gén)* directive, order, instruction; *(UE)* directive ◆ **nous attendons des directives du siège** we are awaiting instructions from headquarters ◆ **directive européenne** European directive.

**directoire** /diʀɛktwaʀ/ **NM** board of directors ◆ **président du directoire** chairman of the board.

**directorial, e,** **MPL** **-aux** /diʀɛktɔʀjal, o/ **ADJ** *fonction, responsabilité, bureau* managerial.

**dirham** /diʀam/ **NM** dirham.

**dirigé, e** /diʀiʒe/ **ADJ** planned, controlled ◆ **économie dirigée** state-controlled economy ◆ **monnaie dirigée** managed currency.

**dirigeant, e** /diʀiʒɑ̃, ɑ̃t/ **ADJ** *classe* ruling ◆ **cadre dirigeant** managing executive ◆ **les classes dirigeantes** the ruling classes, the establishment *(Brit)*

**NM** *(= responsable, gérant)* manager; *(= adminis-*

*trateur)* director ◆ **dirigeant d'entreprise** *ou* **de société** corporate executive *ou* manager ◆ **dirigeant syndical** union leader ◆ **nous irons voir les dirigeants** we'll go and see the management

**dirigeante** **NF** *(= responsable, gérante)* manageress; *(= administratrice)* director.

**diriger** /diʀiʒe/ **VT** **a** *service* to run, be at the head of, be in charge of; *société* to manage, run; *publication* to run; *enquête* to conduct; *débat* to lead, monitor ◆ **il dirige les opérations sur le terrain** he is in charge of operations in the field ◆ **nous avons fait appel à un expert pour diriger les travaux** an expert was called in to supervise the work ◆ **certaines entreprises font faillite parce qu'elles sont mal dirigées** some companies go bankrupt because they are mismanaged *ou* badly run, some company failures are due to mismanagement *ou* bad management ◆ **diriger la production** to control production ◆ **diriger une équipe** to captain a team **b** *(= expédier)* *marchandises* to send, dispatch, forward *(vers, sur* to) **c** *(= orienter)* *personne, investigations, capitaux* to direct ◆ **diriger les investissements vers un secteur plus productif** to channel investments into a more productive sector ✦ **la recherche du profit ne dirige pas toute notre politique commerciale** the search for profit does not determine all our commercial policy ✦ **les exportateurs nippons ne dirigent plus leurs efforts vers les pays industrialisés** Japanese exporters have switched their policy away from developed countries *ou* are no longer concentrating their efforts on developed countries ✦ **l'économie française se dirige vers la reprise** the French economy is heading for recovery.

**dirigisme** /diriʒism(ə)/ **NM** (*Écon*) interventionism, state intervention *ou* control.

**dirigiste** /diriʒist(ə)/ **NMF**, **ADJ** interventionist.

**dirimant, e** /dirimɑ̃, ɑ̃t/ **ADJ** (*Jur*) nullifying.

**dirimer** /dirime/ **VT** to nullify, invalidate.

**disciplinaire** /disiplinɛr/ **ADJ** disciplinary.

**discipline** /disiplin/ **NF** discipline ✦ **conseil de discipline** disciplinary board.

**discontinu, e** /diskɔ̃tiny/ **ADJ** intermittent, discontinuous ✦ **production discontinue** production in batches, batch production.

**discontinuation** /diskɔ̃tinɥasjɔ̃/ **NF** (*Jur*) ✦ **discontinuation de poursuites** cessation from prosecution.

**discontinuité** /diskɔ̃tinɥite/ **NF** discontinuity, break.

**discordance** /diskɔrdɑ̃s/ **NF** [*opinions*] difference, conflict ✦ **les rapports des experts présentent des discordances graves** the reports of the experts show serious discrepancies.

**discordant, e** /diskɔrdɑ̃, ɑ̃t/ **ADJ** *opinions, témoignages* conflicting.

**discorder** /diskɔrde/ **VI** *opinions, témoignages* to conflict.

**discount** /diskunt/ **NM** discount ✦ **magasin discount** discount store ✦ **faire du discount** to be in the discount trade, give discount.

**discounter** /diskunte/ **NM** discounter.

**discours** /diskur/ **NM** speech ✦ **faire** *ou* **prononcer un discours** to make *ou* deliver a speech ✦ **discours d'ouverture / de clôture** opening / closing speech *ou* address ✦ **discours-programme** keynote speech *ou* address.

**discréditer** /diskredite/ **VT** to discredit ✦ **ces retards dans les livraisons discréditent notre entreprise** these delivery delays give our firm a bad name *ou* discredit our firm.

**discret, -ète** /diskrɛ, ɛt/ **ADJ** (*gén, emballage*) plain, simple ✦ **vente discrète** soft selling.

**discrétion** /diskresjɔ̃/ **NF** discretion ✦ **discrétion assurée** (*dans une annonce*) discretion assured, write in confidence, apply in confidence, applications will be treated in strict confidence.

**discrétionnaire** /diskresjɔnɛr/ **ADJ** discretionary ✦ **pouvoirs discrétionnaires** (*gén*) full powers to act; (*Admin*) discretionary power ✦ **dépenses discrétionnaires** discretionary spending ✦ **échantillon discrétionnaire** judgment sample.

**discrimination** /diskriminasjɔ̃/ **NF** discrimination.

**discriminatoire** /diskriminatwar/ **ADJ** discriminatory, discriminating ✦ **pratiques discriminatoires** discriminating practices.

**discriminer** /diskrimine/ **VT** to discriminate.

**disculpation** /diskylpasjɔ̃/ **NF** exoneration.

**disculper** /diskylpe/ **VT** to exonerate (*de* from) whitewash*
**se disculper** **VPR** to exonerate o.s., vindicate o.s., clear o.s. (*de* of)

**discussion** /diskysjɔ̃/ **NF** (*gén*) discussion (*de* of); (*= négociation*) ✦ **discussions** talks, discussions ✦ **mettre une question en discussion** to bring a question up for discussion ✦ **la question reviendra en discussion à la prochaine réunion** the question will be discussed again *ou* taken up again at our next meeting ✦ **le projet de loi est en discussion** the bill is being debated *ou* is under discussion ✦ **le président met en discussion l'article 15** the chairman called clause 15 ✦ **les délégués sont en discussion** the delegates are in conference ✦ **discussions préliminaires** exploratory *ou* preliminary talks.

**discutable** /diskytabl(ə)/ **ADJ** *stratégie, politique, méthode* debatable, questionable, arguable, objectionable.

**discuter** /diskyte/ **VT** **a** (*= examiner*) *problème* to discuss, debate; (*= marchander*) *prix* to argue about ✦ **ils ont discuté sou par sou du prix de ces matériaux** they haggled over the price of these materials ✦ **ce problème a été discuté la semaine dernière** this problem was discussed *ou* came up for discussion last week ✦ **nous en avons discuté avec les délégués d'atelier** we have discussed the matter *ou* talked the matter over with the shop stewards **b** (*= critiquer*) *décision* to question, call into question, dispute ✦ **question très discutée** vexed *ou* much disputed *ou* highly controversial issue ✦ **on peut discuter l'opportunité d'une telle décision** the timeliness of such a decision can be questioned, one could question the timeliness of such a decision.

**disette** /dizεt/ NF (= famine) food shortage ✦ **disette de** [vivres, argent] scarcity ou shortage ou dearth ou want of ✦ **disette de moyens de paiement** liquidity famine, cashflow crisis.

**disjoindre** /disʒwɛ̃dʀ(ə)/ VT problèmes to separate, split; (Jur) affaires to sever ✦ **ces deux questions sont disjointes** these two matters are not connected.

**disjonction** /disʒɔ̃ksjɔ̃/ NF [problèmes] disjunction, separation; (Jur) [affaires] severance.

**dislocation** /dislɔkasjɔ̃/ NF [meeting] dispersal, breaking up; [organisation, coalition] dismantling, disintegration, breaking up ✦ **l'OPEP a échappé de peu à la dislocation** the OPEC was on the brink ou the verge of disintegration.

**disloquer** /dislɔke/ VT meeting to disperse, break up; organisation, coalition to dismantle, break up **se disloquer** VPR [meeting] to disperse, break up; [organisation] to break ou split up, disintegrate.

**dispache** /dispaʃ/ NF average adjustment ✦ **règlement selon dispache étrangère** payable according to foreign adjustment.

**dispacheur** /dispaʃœʀ/ NM average adjuster.

**disparaître** /dispaʀɛtʀ(ə)/ VI to disappear ✦ **tout doit disparaître** (sur une vitrine) closing down sale, everything must go.

**disparate** /dispaʀat/ ADJ articles disparate, ill-assorted, ill-matched.

**disparité** /dispaʀite/ NF [salaires] disparity (de in) ✦ **disparité des niveaux technologiques** technological ou technology gap.

**dispatching** /dispatʃiŋ/ NM (gén) dispatching; [courrier] routing, dispatching.

**dispense** /dispɑ̃s/ NF (= exemption) exemption (de from); (= autorisation) certificate of exemption, special permission ✦ **dispense d'âge** waiver of age limits ✦ **dispense des droits d'inscription** remission of fees.

**dispenser** /dispɑ̃se/ VT to exempt, excuse (de faire from doing, de qch from sth)

**dispersion** /dispεʀsjɔ̃/ NF dispersion, scatter ✦ **coefficient de dispersion** scatter coefficient ✦ **diagramme de dispersion** scatter diagram.

**disponibilité** /dispɔnibilite/ NF a (gén) availability ✦ **disponibilité des biens** (Jur) (= faculté du possesseur) ability to transfer one's property; (= caractère des biens) transferability of property ✦ **date de disponibilité** (sur un CV) free as from ✦ **disponibilité sur stock** goods available from stock ✦ **non-disponibilité** non-availability ✦ **taux de disponibilité** (Inf) operating ratio b (Fin) ✦ **disponibilités** available funds, liquid ou available ou quick assets ✦ **disponibilités en caisse** cash in ou on hand ✦ **disponibilités en quête d'emploi** available funds in quest of employment ✦ **disponibilités monétaires** money supply ✦ **disponibilités quasi monétaires** supply of near money c (Admin) ✦ **mettre en disponibilité** to free from duty temporarily, grant leave of absence to ✦ **mise en disponibilité** leave of absence.

**disponible** /dispɔnibl(ə)/ ADJ moyens, personne available ✦ **actif disponible, capitaux** ou **fonds disponibles** available ou quick ou liquid assets, disposable ou available funds ✦ **argent disponible** spare cash ✦ **biens disponibles** (Jur) transferable property ✦ **capacité disponible** (Ind) spare ou idle capacity ✦ **encaisse disponible** cash in ou on hand ✦ **revenu disponible** disposable income ✦ **solde disponible** available balance ✦ **surplus disponible** disposable ou unallocated surplus ✦ **disponible en magasin** supplied ou available from stock ✦ **votre chéquier sera disponible dans votre agence** your cheque book will be available at your branch NM a (= capitaux) available ou quick ou liquid assets, disposable ou available funds, cash and marketable securities b (Bourse) ✦ **cote officielle du disponible** official spot quotation ✦ **cours** ou **prix du disponible** spot price ✦ **marché du disponible** spot market ✦ **vendre en disponible** to sell for spot delivery ✦ **vente en disponible** spot sale.

**disposé, e** /dispoze/ ADJ (Bourse) ✦ **marché bien disposé** buoyant market ✦ **le marché est mieux disposé** the market is better in tone ✦ **cours bien disposés** prices on the uptrend ✦ **les valeurs françaises sont bien disposées** French securities are on the up.

**disposer** /dispoze/ VT (en vitrine) to place, arrange, display VI **disposer de qch** to have sth at one's disposal ✦ **je ne dispose que de quelques minutes** I have only a few minutes to spare ✦ **disposer d'un domaine** (Jur) to dispose of an estate ✦ **nous disposons d'une gamme étendue de produits** we can offer a wide range of products ✦ **nous disposons d'un délai d'un mois pour payer** we have ou we are allowed a month to pay.

**dispositif** /dispozitif/ NM a (= système) device, mechanism ✦ **dispositif de sûreté** safety device ✦ **dispositif spécial** special feature ✦ **la machine est équipée d'un dispositif électronique** the machine is equipped with an electronic device **b** *(= ensemble de mesures)* plan of action ✦ **nous avons mis en place un dispositif pour améliorer la sécurité** we have set up a system to improve security ✦ **le gouvernement va mettre en place tout un dispositif pour combattre le chômage** the government is going to put together a comprehensive package *ou* a complete set of measures to combat unemployment ✦ **dispositif d'amortissement exceptionnel** exceptional depreciation facility.

**disposition** /dispozisjɔ̃/ **NF** **a** *(= ordre)* arrangement ✦ **disposition des locaux** layout of premises **b** *(= service)* disposal ✦ **je suis à votre entière disposition** I'm entirely at your disposal ✦ **nous mettrons une secrétaire à votre disposition** we'll put a secretary at your disposal, we'll make a secretary available to you ✦ **le poste est à la disposition du directeur** the post is in the gift of the manager **c** **dispositions** *(= mesures)* measures, steps; *(= préparatifs)* arrangements, preparations; *(= précautions)* precautions ✦ **prendre toutes les dispositions utiles** to make the necessary arrangements, take the necessary steps ✦ **nous avons pris des dispositions à cet effet** *ou* **dans ce sens** we have taken steps to this effect ✦ **nous avons prévu des dispositions spéciales** we have arranged for special steps *ou* measures to be taken ✦ **dispositions réglementaires** statutory provisions, regulatory measures ✦ **dispositions tarifaires** tariff regulations ✦ **dispositions de change** exchange arrangements ✦ **dispositions diverses** miscellaneous dispositions ✦ **dispositions fiscales** tax provisions **d** *(Jur)* clause, provision ✦ **dispositions testamentaires** provisions of a will ✦ **dispositions d'une loi** provisions of an act ✦ **sauf disposition contraire** except *ou* unless otherwise stipulated **e** *(Bourse)* tone, trend, sentiment ✦ **disposition générale du marché** general tone of the market.

**disputer (se)** /dispyte/ **VPR** to quarrel, argue *(avec* with) ✦ **se disputer qch** to fight over sth, contest sth ✦ **les banques se disputent la clientèle agricole** bankers are competing for farmer's business.

**disque** /disk(ə)/ **NM** record; *(Inf)* disk ✦ **mémoire à disques** disk storage ✦ **disque dur / optique / souple** hard / optical / floppy disk.

**disquette** /diskɛt/ **NF** floppy (disk), diskette.

**dissemblance** /disɑ̃blɑ̃s/ **NF** dissimilarity.

**dissémination** /diseminasjɔ̃/ **NF** *[information]* dissemination, spreading; *[point de vente]* dispersal.

**disséminer** /disemine/ **VT** to scatter.

**dissension** /disɑ̃sjɔ̃/ **NF** dissension, disagreement.

**dissentiment** /disɑ̃timɑ̃/ **NM** disagreement.

**disséquer** /diseke/ **VT** to dissect.

**dissident, e** /disidɑ̃, ɑ̃t/ **ADJ** dissident ✦ **NM,F** rebel, dissident ✦ **un groupe dissident** a rebel *ou* splinter group.

**dissimulation** /disimylasjɔ̃/ **NF** *(Jur)* ✦ **dissimulation d'actif** (fraudulent) concealment of assets ✦ **dissimulation d'emploi** *ou* **de salariés** nondeclaration of workers.

**dissimuler** /disimyle/ **VT** *difficultés* to conceal, hide *(à qn* from sb); *(Fin) bénéfices* to conceal.

**dissiper** /disipe/ **VT** **a** *soupçon, craintes, doutes* to dissipate, dispel; *malentendu* to clear up ✦ **le malentendu a été rapidement dissipé** the misunderstanding was soon cleared up ✦ **dissiper les craintes des petits épargnants** to allay *ou* calm the fears of small savers *ou* investors **b** *(= gaspiller) revenus* to dissipate, squander ✦ **se dissiper** **VPR** *[malaise, malentendu]* to disappear, clear, wear off, fade.

**dissolution** /disɔlysjɔ̃/ **NF** *[assemblée]* dissolution; *[groupe]* breaking-up, splitting-up; *[société]* winding-up ✦ **prononcer la dissolution de** to dissolve ✦ **dissolution d'une société en nom collectif** breaking-up of a partnership.

**dissoudre** /disudʀ(ə)/ **VT** *assemblée* to dissolve; *parti, groupement* to disband, break up ✦ **se dissoudre** **VPR** *[organisation]* to disband, break up.

**dissuasif, -ive** /disɥazif, iv/ **ADJ** *(gén)* dissuasive; *taux d'intérêt* deterrent; *impôt* repressive ✦ **facteur dissuasif** deterrent, disincentive.

**dissuasion** /disɥazjɔ̃/ **NF** dissuasion ✦ **élément de dissuasion** deterrent, disincentive.

**distance** /distɑ̃s/ **NF** distance ✦ **distance de transport** (length of) haul ✦ **fret proportionnel à la distance** freight pro rata.

**distancer** /distɑ̃se/ **VT** *concurrent* to outstrip, leave behind ✦ **se laisser distancer** to be left behind, fall *ou* lag behind ✦ **ne pas se laisser distancer par ses concurrents** to keep up with *ou* in step with one's competitors.

**distinct, e** /distɛ̃(kt), distɛ̃kt(ə)/ **ADJ** distinct ✦ **imposition distincte** separate taxation.

**distinguer** /distɛ̃ge/ **VT** **a** *(= différencier)* to distinguish, set apart *(de* from) ✦ **rien ne le distingue des autres candidats** nothing sets him apart from the other applicants *ou* marks him out among the other applicants **b** (= *choisir*) to single out ✦ **il a été distingué pour une promotion** he was singled out *ou* slated for promotion

**se distinguer** ⟨VPR⟩ to distinguish o.s. ✦ **il se distingue par son absence** he is conspicuous by his absence ✦ **le secteur bancaire s'est distingué** *(Bourse)* bank shares stood out again *ou* were in the limelight again ✦ **notre représentant s'est à nouveau distingué en obtenant un autre gros contrat** our agent scored again with another huge contract.

**distorsion** /distɔʀsjɔ̃/ **NF** *(Écon)* imbalance, disequilibrium ✦ **distorsion de prix** price distorsion.

**distraire** /distʀɛʀ/ **VT** ✦ **distraire des fonds** to misappropriate *ou* embezzle *ou* abstract *ou* defalcate *(US)* funds.

**distribanque** /distʀibɑ̃k/ **NM** cash dispenser, cashomat *(US)*, automated teller machine, ATM.

**distribuable** /distʀibɥabl(ə)/ **ADJ** *bénéfices, surplus* distributable.

**distribuer** /distʀibɥe/ **VT** **a** *prospectus, journaux* to distribute, hand out; *paquets, lettres* to deliver; *(Bourse)* *actions* to allot, allocate; *dividendes* to distribute, pay; *travail, tâches* to assign, distribute ✦ **bénéfices non distribués** *(Fin)* retained earnings, undistributed profits *ou* earnings ✦ **bénéfices d'exploitation non distribués** appropriated earned surplus **b** *(Comm)* *marchandises* to distribute ✦ **des magasins spécialisés se chargent de distribuer ces articles** the retail distribution of these items is handled by specialist shops.

**distributeur, -trice** /distʀibytœʀ, tʀis/ ⟨NM,F⟩ (= *vendeur*) distributor ✦ **distributeur agréé** authorized distributor ✦ **distributeur au détail** retailer ✦ **distributeur en gros** wholesaler ✦ **distributeur exclusif** sole distributor ✦ **marque de distributeur** own *ou* private brand, distributor's brand ✦ **vente aux distributeurs** selling in ⟨NM⟩ (= *machine*) *(gén)* distributor ✦ **distributeur automatique** vending machine, slot machine ✦ **distributeur automatique de billets** *(Rail)* ticket machine; *(Banque)* cash dispenser, cashomat *(US)*, automated teller machine, ATM ✦ **distributeur-présentoir** dispenser ✦ **centre distributeur** distributor center.

**distribution** /distʀibysjɔ̃/ **NF** **a** *[prospectus]* distribution, handing out; *[paquets, lettres]* delivery; *(Bourse)* *[actions]* allotment; *[dividendes]* distribution, payment; *[eau, électricité]* supply;

*[tâches]* assignment ✦ **distribution d'actions gratuites** bonus share issue ✦ **distribution aléatoire** random distribution ✦ **distribution des bénéfices** profit allocation, melon cutting *(US)* ✦ **distribution croisée** cross distribution ✦ **distribution primaire** *(Écon)* primary distribution ✦ **distribution des richesses** distribution of wealth ✦ **une distribution plus efficace des ressources** a more efficient allocation of resources **b** *(Comm)* distribution ✦ **la distribution, le commerce de distribution** the distributive trades ✦ **la grande distribution** supermarkets ✦ **notre réseau de distribution** our distribution network *ou* channels ✦ **fonction distribution** distribution function ✦ **frais de distribution** distributive costs ✦ **prix à la distribution** distributor's price ✦ **produits de grande distribution** mass-market products ✦ **distribution de masse** mass distribution ✦ **distribution directe** direct trade ✦ **distribution (en) porte à porte** house-to-house *ou* door-to-door distribution ✦ **distribution restrictive** selective selling ✦ **distribution sur l'ensemble du territoire** nationwide distribution ✦ **la distribution en gros d'un produit** the wholesale distribution of a product.

**divergence** /divɛʀʒɑ̃s/ **NF** divergence ✦ **divergence par rapport aux directives initiales** departure from the initial guidelines ✦ **indicateur de divergence** *(UE)* divergence indicator ✦ **divergence d'intérêts** conflict of interests.

**divergent, e** /divɛʀʒɑ̃, ɑ̃t/ **ADJ** divergent ✦ **normes techniques divergentes** differing *ou* divergent technical standards.

**divers, e** /divɛʀ, ɛʀs(ə)/ **ADJ** (= *varié*) *opinions* diverse, varied; (= *différent*) *occupations* different, various; (= *rubrique de journal*) miscellaneous ✦ **dépenses diverses** sundries, miscellaneous expenses ✦ **faux frais divers** contingencies, incidental expenses ✦ **questions diverses** *(dans un ordre du jour)* any other business.

**diversification** /divɛʀsifikasjɔ̃/ **NF** diversification ✦ **diversification des produits** product diversification ✦ **stratégie de diversification** diversification strategy.

**diversifier** /divɛʀsifje/ **VT** *production* to diversify ✦ **avoir une économie diversifiée** to have a broadly-based *ou* diversified economy ✦ **fonds diversifié** *(Bourse)* diversified fund.

**dividende** /dividɑ̃d/ **NM** dividend ✦ **acompte de** *ou* **sur dividende** interim dividend ✦ **avec dividende** cum div(idend), dividend on *(US)* ✦ **sans dividende** ex div(idend), dividend off *(US)* ✦ **solde de dividende** final dividend ✦ **coupon / talon de dividende** dividend warrant *ou* coupon / counterfoil ✦ **arriéré de dividende** dividend in arrears ✦ **blocage / déclaration / couverture des dividendes** dividend limitation / announcement / coverage ratio ✦ **ratio dividende-prix** dividend-price ratio ✦ **taux de dividende** dividend rate ✦ **approuver un dividende de 5%** to pass a dividend of 5% ✦ **déclarer** ou **annoncer un dividende** to announce ou declare a dividend ✦ **répartir** ou **mettre en distribution un dividende** to distribute a dividend ✦ **toucher** ou **percevoir un dividende** to collect ou draw a dividend ✦ **porter le dividende à** to bring the dividend up to

—————— compounds/composés ——————
- **dividendes accumulés** accumulated dividends
- **dividende brut** gross dividend
- **dividende cumulatif** cumulative dividend
- **dividende exceptionnel** ou **extraordinaire** extra dividend, bonus
- **dividende fictif** fictitious ou sham dividend
- **dividende final** final dividend
- **dividende intérimaire** interim dividend
- **dividende de liquidation** liquidating dividend
- **dividende en nature** dividend in kind
- **dividende net** net dividend
- **dividende non distribué** ou **non versé** unpaid dividend
- **dividende en numéraire** cash dividend
- **dividende d'obligation** debenture dividend
- **dividende ordinaire** ordinary dividend
- **dividende à payer** dividend payable
- **dividende prioritaire** preferential ou preference dividend
- **dividende privilégié** preferential ou preference dividend
- **dividende provisoire** interim dividend
- **dividende semestriel** half-yearly dividend
- **dividende statutaire** statutory dividend
- **dividende supplémentaire** extra dividend, bonus
- **dividende-warrant** dividend warrant.

**diviser** /divize/ **VT** (gén) to divide; somme to divide, split ✦ **l'entreprise a divisé par deux ses actions** the company has carried out a two-for-one stock split.

**division** /divizjɔ̃/ **NF** **a** (= distribution) sharing out, division ✦ **division du marché** market sharing ou carve-up ✦ **division du nominal des actions** (Fin) stock split ✦ **on envisage la division suivante du portefeuille financier** the portfolio split is expected to be as follows ✦ **division du** ou **de titre** stock split, capitalization issue ✦ **division du titre par deux** two-for-one stock split **b** (= scission) division ✦ **il y a une division au sein du syndicat** there's a split ou rift within the union **c** (= service) division ✦ **division ad-**ministrative organization unit ✦ **division agrochimie** agrochemical division ✦ **division commerciale** trading division ✦ **division opérationnelle** operating division ✦ **division produits frais** fresh food division.

**divisionnaire** /divizjɔnɛʀ/ **ADJ** ✦ **journal divisionnaire** book ou journal of prime entry ✦ **monnaie divisionnaire** fractional currency.

**divulguer** /divylge/ **VT** to disclose, release, divulge, unveil.

**dix** /dis/ **ADJ, NM** ten → **six**

—————— compounds/composés ——————
- **dix-huit** adj, nm eighteen
- **dix-huitième** adj, nmf eighteenth
- **dix-huitièmement** adv in (the) eighteenth place
- **dix-neuf** adj, nm nineteen
- **dix-neuvième** adj, nmf nineteenth
- **dix-neuvièmement** adv in (the) nineteenth place
- **dix-sept** adj, nm seventeen
- **dix-septième** adj, nmf seventeenth
- **dix-septièmement** adv in (the) seventeenth place.

**dixième** /dizjɛm/ **ADJ, NMF** tenth → **sixième**.

**dixièmement** /dizjɛmmɑ̃/ **ADV** tenthly, in the tenth place.

**dizaine** /dizɛn/ **NF** (= dix) ten; (environ) about ten, ten or so → **soixantaine**.

**Djibouti** /dʒibuti/ **N** (= pays, capitale) Djibouti.

**djiboutien, -ienne** /dʒibusjɛ̃, jɛn/ **ADJ** of ou from Djibouti
**Djiboutien** **NM** (= habitant) inhabitant ou native of Djibouti
**Djiboutienne** **NF** (= habitante) inhabitant ou native of Djibouti.

**DM** (abrév de **Deutsche Mark**) DM.

**dobra** /dɔbʀa/ **NM** dobra.

**dock** /dɔk/ **NM** **a** (= bassin) dock ✦ **bureau des docks** dock house ✦ **droits de dock** dock dues, dockage ✦ **reçu des docks** dock receipt **b** (= entrepôt) warehouse ✦ **dock frigorifique** cold storage dock.

**docker** /dɔkɛʀ/ **NM** docker, stevedore, longshoreman (US) ✦ **grève des dockers** dock strike.

**docteur** /dɔktœʀ/ **NM** doctor ✦ **elle est docteur en économie / gestion** she has a Ph.D. in economics / in business management.

**doctorat** /dɔktɔʀa/ **NM** doctorate ✦ **doctorat d'économie / de gestion** doctorate ou Ph.D. in economics / in business management.

**document** /dɔkymɑ̃/ NM document ✦ **présenter des documents** to tender documents ✦ **rédiger un document** to draw up a document ✦ **le paiement sera effectué sur présentation des documents requis** payment will be made against presentation of the necessary documents ✦ **nous avons des documents l'attestant** we have documentary evidence, we have documents to prove it ✦ **comptant contre documents** cash against documents

---
*compounds/composés*

✦ **documents contre acceptation** documents against acceptance
✦ **documents d'accompagnement** accompanying documents
✦ **documents administratifs** administrative documents ✦ **document administratif unique** *(UE)* single administrative document
✦ **document en annexe** appended document
✦ **documents de base** source documents
✦ **documents commerciaux** business papers
✦ **documents comptables** accounting records
✦ **documents d'expédition** shipping documents
✦ **documents de transport combiné** combined transport document
✦ **document de travail** discussion memorandum, working paper.

---

**documentaire** /dɔkymɑ̃tɛʀ/ ADJ documentary ✦ **à titre documentaire** for your information ✦ **crédit documentaire** documentary credit ✦ **crédit documentaire révocable** revocable documentary credit ✦ **encaissement documentaire** documentary collection ✦ **traite documentaire** documentary bill.

**documentaliste** /dɔkymɑ̃talist(ə)/ NMF librarian, archivist; *(Presse, TV)* researcher.

**documentation** /dɔkymɑ̃tasjɔ̃/ NF documentation, literature, information, reference material ✦ **documentation distribuée** handout material.

**documenté, e** /dɔkymɑ̃te/ ADJ *personne* well-informed; *rapport* well-documented.

**documenter** /dɔkymɑ̃te/ VT to document, brief **se documenter** VPR to gather information *ou* material (*sur* on, about)

**Dodoma** /dodoma/ N Dodoma.

**doit** /dwa/ NM debit, debit side, debtor side.

**doléances** /dɔleɑ̃s/ NFPL *(= plaintes)* complaints; *(= réclamations)* grievances ✦ **comité de doléances** grievance committee.

**dollar** /dɔlaʀ/ NM dollar ✦ **dollar australien / canadien / néo-zélandais** Australian / Canadian / New Zealand dollar ✦ **dollar des Caraï-**

bes orientales East Caribbean dollar ✦ **dollar titre** security dollar.

**dollarisation** /dɔlaʀizasjɔ̃/ NF dollarization.

**DOM** /dɔm/ NM (abrév de **département d'outre-mer**) *French overseas department.*

**domaine** /dɔmɛn/ NM a *(= propriété)* estate, property ✦ **les Domaines** *(Admin)* the land office ✦ **invention tombée dans le domaine public** invention whose patent has lapsed b *(= champ)* field, domain, sphere ✦ **ce n'est pas de mon domaine** it's not my field, it does not lie within my province, it's outside *ou* beyond my scope ✦ **domaine d'activité stratégique** *(Gestion)* strategic business unit c *(Inf)* domain ✦ **nom de domaine** domain name

**domestique** /dɔmɛstik/ ADJ *consommation, produit* domestic ✦ **ordinateur domestique** home computer ✦ **à usage domestique** for the home, for household use ✦ **le tarif domestique de l'électricité** the household *ou* domestic rate for electricity.

**domicile** /dɔmisil/ NM *(Admin)* place of residence; *(Jur) [société]* registered office *ou* address ✦ **domicile fiscal** residence for tax purposes ✦ **domicile légal** official residence ✦ **travailler à domicile** to work at home ✦ **travail à domicile** work done at home, outwork, homework ✦ **travailleur à domicile** outworker, home worker ✦ **livrer à domicile** to deliver to customer's premises *ou* at residence ✦ **livraisons à domicile** *(sur un prospectus)* we deliver ✦ **livraison franco (à) domicile** *[particuliers]* delivery free domicile; *[entreprise]* delivery free to customer's premises ✦ **vente à domicile** *(= action)* door-to-door *ou* house-to-house selling; *(= résultat)* door-to-door sale ✦ **violation de domicile** forcible entry, breach of domicile.

**domiciliataire** /dɔmisiljatɛʀ/ NM paying agent.

**domiciliation** /dɔmisiljasjɔ̃/ NF domiciliation.

**domicilié, e** /dɔmisilje/ ADJ domiciled ✦ **traite domiciliée** domiciled bill.

**domicilier** /dɔmisilje/ VT *chèque* to domicile ✦ **je me suis fait domicilier à Rouen** I gave Rouen as my official address *ou* place of residence.

**dominant, e** /dɔminɑ̃, ɑ̃t/ ADJ *opinion* prevailing; *tendance* main, major; *problème, préoccupation* main, chief ✦ **position dominante** dominant position ✦ **abus de position dominante** abuse of dominant position.

**dominer** /dɔmine/ VT *concurrent* to outclass, surpass; *difficultés* to overcome, master VI *[qualité]* to predominate; *[théorie, intérêt]* to prevail; *[concurrent]* to be in a dominant *ou* leading position.

**dominicain, e** /dɔminikɛ̃, ɛn/ **ADJ** Dominican ✦ **République dominicaine** Dominican Republic **Dominicain** **NM** (= habitant) Dominican **Dominicaine** **NF** (= habitante) Dominican.

**dommage** /dɔmaʒ/ **NM** **a** (= tort) harm, injury ✦ **dommage causé avec intention de nuire** (Jur) malicious damage **b** (Ass) loss ✦ **les dommages** the damage ✦ **causer des dommages** ou **un dommage à qch** to damage sth, cause damage to sth ✦ **compenser un dommage** to make good a loss ou damage, make up the damage ✦ **subir un dommage** to suffer ou sustain a loss ✦ **l'importance des dommages n'a pas encore été évaluée** the extent of the damage has not yet been assessed ✦ **ces dommages ne sont pas garantis par la police** the damage is not covered by the policy ✦ **verser une indemnité pour les dommages occasionnés** to make good the damage ✦ **être tenu pour responsable des dommages causés** to be liable for the damage caused **c** **dommages et intérêts, dommages-intérêts** damages ✦ **dommages-intérêts pour préjudice moral** retributory damages ✦ **dommages-intérêts symboliques** contemptuous ou nominal damages ✦ **dommages-intérêts spécifiques** special damages ✦ **dommages-intérêts directs** real damages ✦ **réclamer des dommages-intérêts** to claim damages ✦ **intenter une action en dommages-intérêts** to bring an action for damages ✦ **poursuivre qn en dommages-intérêts** to sue sb for damages ✦ **fixer les dommages-intérêts** to assess the damages ✦ **obtenir des dommages-intérêts** to recover ou be awarded damages ✦ **passible de dommages-intérêts** liable for damages ✦ **être tenu de verser des dommages-intérêts** to be ordered to pay damages, to respond in damages (US)

——— compounds/composés ———
✦ **dommages corporels** physical injury, damage to persons
✦ **dommage effectif** actual damage
✦ **dommage immatériel** consequential damage
✦ **dommage indirect** consequential damage
✦ **dommages matériels** material damage, damage to property.

**dommageable** /dɔmaʒabl(ə)/ **ADJ** prejudicial.

**domotique** /domotik/ **NF** home automation.

**DOM-TOM** /dɔmtɔm/ **NMPL** (abrév de **départements et territoires d'outre-mer**) French overseas departments and territories.

**don** /dɔ̃/ **NM** (= donation) gift, donation ✦ **don en argent** cash donation ✦ **faire un don à une œuvre caritative** to make a donation to charity.

**donataire** /dɔnatɛʀ/ **NMF** donee, grantee.

**donateur, -trice** /dɔnatœʀ, tʀis/ **NM,F** donor, grantor.

**donation** /dɔnasjɔ̃/ **NF** ≈ settlement, ≈ gift ✦ **donation entre vifs** (Jur) inter vivos gift ✦ **faire une donation à qn** to make a settlement on sb ✦ **donation-partage** deed of gift ou settlement.

**dông** /dɔ̃g/ **NM** dong.

**donne** /dɔn/ **NF** (= conditions) conditions ✦ **la donne actuelle du marché** the current market conditions ✦ **cela change complètement la donne** it's a whole new ball game, it changes everything.

**donné, e** /dɔne/ **ADJ** (= fixé) lieu, date given, fixed; (= très bon marché) dirt cheap* ✦ **étant donné les circonstances** given the circumstances **donnée** **NF** **a** fact ✦ **données** (gén) data; (= faits) facts; (= chiffres) figures ✦ **le nombre des chômeurs en données corrigées des variations saisonnières** the seasonally adjusted unemployment figures ✦ **c'est une donnée essentielle de la situation** it is an essential element ou fact within this situation ✦ **les données du problème** the data ou the facts relating to the problem **b** (Inf) ✦ **données** data ✦ **accès aux données** data access ✦ **banque / base / fichier / introduction / stockage de données** data bank / base / file / input / storage ✦ **flux / restitution / traitement / transmission des données** data flow / retrieval / processing / communication ✦ **saisie des données** data capture ou entry ✦ **système de gestion de bases de données** database management system

——— compounds/composés ———
✦ **données de base** base figures
✦ **données brutes** raw data ✦ **en données brutes** in unadjusted figures
✦ **données de contrôle** control data
✦ **données d'entrée** input (data)
✦ **données d'essai** test data
✦ **données d'exécution** work specification
✦ **données globales** aggregate figures
✦ **données permanentes** standing data, master data
✦ **données prévisionnelles** provisional figures
✦ **données qualitatives** qualitative data
✦ **données de sortie** output (data).

**donneur, -euse** /dɔnœʀ, øz/ **NM,F** ✦ **donneur d'aval** ou **de caution** guarantor, surety ✦ **donneur d'option** ou **de stellage** (Bourse) taker for a put and call ✦ **donneur d'ordre** principal, contractor.

**dont** /dɔ̃/ NM *(Bourse)* call (option) ✦ **acheter dont** to buy a call option ✦ **vendre dont** to sell a call option.

**doper** /dɔpe/ VT *ventes, portefeuille boursier* to boost, spur ✦ **l'économie française est dopée par une bonne conjoncture** the favourable business environment is a stimulant for the French economy ✦ **les bancaires sont dopées par la baisse de l'inflation** banking stocks are spurred by the fall in inflation.

**dormant, e** /dɔRmɑ̃, ɑ̃t/ ADJ *capital* dormant, inactive, idle; *marché* sluggish ✦ **compte dormant** dormant account.

**dormir** /dɔRmiR/ VI *[argent]* to lie idle, remain inactive; *[machines]* to be *ou* lie idle ✦ **laisser dormir son argent** to let one's money lie idle.

**dos** /do/ NM back ✦ **voir au dos** see over(leaf) ✦ **dos d'un effet** back of a bill.

**dossier** /dosje/ NM a *(= document)* file, dossier ✦ **dossier actif / archivé / clos** active / back / closed file ✦ **dossier en béton** \* cast-iron case\* ✦ **dossier personnel** case history, personal record ✦ **dossier de presse** press kit ✦ **dossier professionnel** qualifications record ✦ **constituer un dossier sur qn** to draw up a file on sb ✦ **établir le dossier d'une affaire** to brief a case ✦ **présenter un dossier solide** to have a strong case b *(= classeur)* file, folder.

**dotation** /dotasjɔ̃/ NF *(en matériel)* endowment; *(Compta)* appropriation, allocation; *(= argent alloué)* grant, subsidy ✦ **dotation aux amortissements** depreciation allowance, amortization expense ✦ **dotation au compte de provisions** appropriation to the reserve ✦ **les dotations aux entreprises nationalisées seront réduites** subsidies *ou* funding to the nationalized sector will be reduced.

**doter** /dɔte/ VT *(gén)* to endow; *(Compta)* to appropriate, allocate ✦ **doter de** *(= équiper de)* to equip with ✦ **doter en capital** to fund ✦ **insuffisamment doté en personnel** undermanned, understaffed ✦ **doté des dernières innovations** equipped with the latest innovations ✦ **société dotée d'un capital initial de 400 millions d'euros** company with 400 million euros of start-up capital.

**douane** /dwan/ NF ✦ **la douane, les douanes, le service des douanes** Customs ✦ **procéder aux formalités de douane** to effect customs clearance ✦ **passer la douane** to go through customs, clear customs ✦ **l'administration des Douanes** the Customs Service ✦ **le timbre / le visa de la douane** the customs seal / visa ✦ **droits / frais / manifeste / permis de douane** customs duties / charges / manifest / permit ✦ **acquit** *ou* **quittance de douane** customs house *ou* customs receipt ✦ **agent en douane** import agent ✦ **bordereau de douane** customs house note ✦ **bureau des douanes** customs office ✦ **déclaration en douane** customs declaration, bill of entry, shipping report ✦ **entrée en douane** clearance inwards ✦ **entrepôt en douane** bonded warehouse ✦ **exempt de douane** duty-free, non-dutiable ✦ **expédition en douane** clearance outwards ✦ **franco de douane** free of customs duties ✦ **marchandises en douane** bonded goods.

**douanier, -ière** /dwanje, jɛR/ ADJ custom(s) ✦ **union douanière** customs union ✦ **barrières douanières** customs barriers, tariff walls ✦ **règlements douaniers** customs regulations ✦ **tarif douanier** customs tariff ✦ **vérification douanière** customs check ✦ **visite douanière** customs inspection ✦ **formalités douanières** customs formalities ✦ **procéder aux formalités douanières** to effect customs clearance ■ NM customs officer *ou* official.

**doublage** /dublaʒ/ NM *[prix]* doubling; *[emballage]* lining.

**double** /dubl(ə)/ ADJ *prix, avantage* double, twofold ✦ **faire qch en double exemplaire** to make two copies of sth, do sth in duplicate ✦ **faire double emploi** to be redundant, overlap ✦ **cette écriture fait double emploi avec une autre** this entry duplicates another ✦ **il y a eu une double facturation** there has been a duplication in the billing ✦ **double nationalité** dual nationality ✦ **comptabilité en partie double** double-entry bookkeeping ✦ **à double usage** dual-purpose ✦ **à double-tranchant** double-edged ✦ **foyer à double revenu** dual-income household, two-earner family ✦ **double clic** double click ✦ **double marché de l'or** double tier gold market ✦ **double marché des changes** dual exchange market ✦ **cours de la double prime** *(Bourse)* price of put and call ✦ **double option** *(Bourse)* put and call option ✦ **faculté de livrer double** *(Bourse)* seller's option to double ■ NM a *(= quantité)* ✦ **gagner le double de qn** to earn twice as much as sb ✦ **c'est le double du prix normal** it is twice *ou* double the normal price ✦ **nous attendons le double de visiteurs** we expect twice as many *ou* double the number of visitors ✦ **le cours de cette action est le double de ce qu'il était** the price of this share is double *ou* twice what it was b *(= copie)* copy ✦ **taper qch en double** to type sth in duplicate ✦ **nous gardons tout en double pour plus de sûreté** we keep two of everything

to be on the safe side ✦ **prière de nous envoyer un double de la facture** please send us a duplicate invoice *ou* a second copy of the invoice
**ADV** *payer, compter* double.

**doublé** /duble/ **NM** *(Bourse)* option to double ✦ **doublé à la baisse** put of more, seller's option to double ✦ **doublé à la hausse** call of more, buyer's option to double.

**double-cliquer** /dubləklike/ **VI** to double-click (*sur* on)

**doublement** /dubləmɑ̃/ **NM** doubling ✦ **ce plan nécessitera un doublement de la force de vente** this plan will imply doubling the sales force.

**doubler** /duble/ **VT** *prix, taxes* to double; *concurrent* to overtake
**VI** *[nombre, quantité, prix]* to double, increase twofold ✦ **doubler de valeur** to double in value.

**Douchanbe** /duʃɑbe/ **N** Dushanbe.

**doute** /dut/ **NM** doubt ✦ **être dans le doute au sujet de qch** to be in doubt *ou* doubtful *ou* uncertain about sth ✦ **l'issue ne faisait aucun doute** it was a foregone conclusion, the outcome was cut and dried ✦ **un doute plane encore sur cette affaire** an element of doubt still hangs over the matter, there's still something fishy* about this matter ✦ **mettre qch en doute** to question *ou* challenge sth.

**douteux, -euse** /dutø, øz/ **ADJ** *(= incertain)* doubtful, uncertain; *(= contestable)* dubious, questionable ✦ **fonds d'origine douteuse** funds of doubtful origin ✦ **provision pour créances douteuses** allowance *ou* provision *ou* reserve for bad debts.

**douzaine** /duzɛn/ **NF** *(= douze)* dozen; *(environ)* about twelve, a dozen or so ✦ **vendre qch à la douzaine** to sell sth by the dozen ✦ **une douzaine / deux douzaines d'oeufs** a dozen / two dozen eggs.

**douze** /duz/ **ADJ, NM** twelve → **six**.

**douzième** /duzjɛm/ **ADJ, NMF** twelth → **sixième**.

**douzièmement** /duzjɛmmɑ̃/ **ADV** in the twelfth place, twelfthly.

**Dow Jones** **NM** ✦ **le Dow Jones** the Dow Jones ✦ **l'indice Dow Jones** the Dow Jones index, the Dow Jones industrial average.

**DPLG** /depeɛlʒe/ abrév de **diplômé par le gouvernement** ✦ **architecte DPLG** (state) certified architect.

**DPO** /depeo/ **NF** (abrév de **direction par objectifs**) MBO.

**dr** (abrév de **débiteur**) dr.

**Dr** (abrév de **docteur**) Dr.

**DR** abrév de **délai de recouvrement** → **délai**.

**drachme** /dʀakm(ə)/ **NF** drachma.

**draconien, -ienne** /dʀakɔnjɛ̃, jɛn/ **ADJ** *mesure* drastic, stringent, draconian.

**dragon** /dʀagɔ̃/ **NM** *(Écon)* tiger ✦ **les dragons asiatiques** the Asian tigers.

**dragueur** /dʀagœʀ/ **NM** *(= bateau)* dredger.

**drainage** /dʀɛnaʒ/ **NM** *[capitaux]* tapping, draining off.

**drainer** /dʀene/ **VT** *main-d'oeuvre, capitaux* to drain off, tap, attract, draw.

**dram** /dʀam/ **NM** dram.

**drapeau** /dʀapo/ **NM** flag ✦ **figure en drapeaux** *(Bourse)* flag.

**drapier, -ière** /dʀapje, jɛʀ/ **ADJ** **l'industrie drapière** the clothing industry
**NM** cloth manufacturer ✦ **marchand drapier** draper *(Brit)*, clothier.

**drastique** /dʀastik/ **ADJ** drastic.

**drawback** /dʀobak/ **NM** *(Douanes)* drawback.

**dresser** /dʀese/ **VT** *plan, acte notarié* to draw up; *inventaire, liste* to draw up, make out ✦ **dresser un procès-verbal** *ou* **une contravention à qn** to report sb, book sb* ✦ **dresser le bilan** *(Compta)* to draw up the balance sheet ✦ **il a dressé un bilan encourageant de la situation** he gave an encouraging review *ou* picture of the situation, he gave an encouraging run-down* on the situation
**se dresser** **VPR** *[obstacle]* to stand ✦ **beaucoup d'embûches se dressent sur le chemin de la reprise** many difficulties stand in the way of recovery.

**DRH** /deɛʀaʃ/ **NM** abrév de **directeur des ressources humaines** → **directeur**
**NF** abrév de **direction des ressources humaines** → **direction**.

**droguerie** /dʀɔgʀi/ **NF** *(= magasin)* hardware shop.

**droguiste** /dʀɔgist(ə)/ **NMF** keeper *ou* owner of a hardware shop.

**droit** /dʀwa/ **ADV** straight ✦ **aller droit à la faillite** to be making *ou* heading *ou* headed straight for bankruptcy ✦ **aller droit au but** *ou* **au fait** to go straight to the point

**NM** **a** (= *pouvoir*) right ✦ **avoir droit à qch** to be entitled to sth ✦ **vous avez droit à une indemnité de licenciement** you are entitled to *ou* eligible for redundancy payment ✦ **avoir droit à des congés payés** to qualify for holiday pay ✦ **faire droit à** to accede to ✦ **le tribunal a fait droit à ma réclamation** the court upheld *ou* sustained my claim ✦ **faire valoir ses droits** to assert *ou* establish one's rights ✦ **établir son droit** to stake one's claim ✦ **renoncer à ses droits** to relinquish *ou* waive one's rights ✦ **elle a formellement renoncé à ses droits sur l'usine** she signed away her right to the factory ✦ **droit à pension** pension entitlement ✦ **chô-**meur en fin de droits unemployed person having exhausted his benefits **b** *(Jur)* ✦ **le droit** law ✦ **faire son droit** to study law **c** (= *taxe*) duty, tax; (= *frais d'inscription*) fee ✦ **droits à la charge de l'acheteur** duties on buyer's account ✦ **exempt de droits** duty-free, non-dutiable ✦ **passible de droits** dutiable, liable to duty **d** *(Bourse)* right ✦ **sans droit aux actions** ex-new ✦ **sans droit au dernier dividende** ex-coupon ✦ **sans droit au tirage** ex-drawing ✦ **sans droit d'entrée** no-load ▪ Voir encadré ci-dessous

**DTS** /deteɛs/ **NMPL** (abrév de **droits de tirage spéciaux**) SDR.

―――――― compounds/composés ――――――

### DROIT

- ✦ **droit d'accise** excise duties
- ✦ **droits d'adhésion** dues
- ✦ **droit d'attribution** *(Bourse)* allotment right
- ✦ **droit ad valorem** ad valorem duty
- ✦ **droit des affaires (le)** commercial law, business law
- ✦ **droit d'aînesse** birth right
- ✦ **droit d'asile** right of asylum
- ✦ **droits d'auteur** royalties
- ✦ **droit au bail** lease right
- ✦ **droit bancaire (le)** bank law
- ✦ **droits de bassin** dock dues, dockage
- ✦ **droit cambial (le)** exchange law
- ✦ **droit de chancellerie** consular fee
- ✦ **droit civil (le)** civil law
- ✦ **droit commercial (le)** commercial law, business law
- ✦ **droit compensateur** countervailing duty
- ✦ **droit contractuel (le)** law of contract
- ✦ **droits de courtage** brokerage fees
- ✦ **droits de douane** customs duties ✦ **droits de douane à taux plein** customs duties payable in full
- ✦ **droits de douane à taux préférentiel** preferential duties
- ✦ **droit écrit (le)** statute law
- ✦ **droits d'édition** publishing rights
- ✦ **droit d'emplacement** *ou* **de place** market dues
- ✦ **droit de l'employeur** management prerogative
- ✦ **droit d'encaissement** collection fee
- ✦ **droits d'enregistrement** registration fees *ou* dues
- ✦ **droit d'entrée** entrance fee; *(Douanes)* import *ou* customs duty; *(Fin, Ass)* setup fee *ou* charge
- ✦ **droits de fabrication** manufacturing rights
- ✦ **droit fiscal (le)** tax law
- ✦ **droits de garde** *(Comm)* safe custody charges; *(Fin)* management *ou* handling charges
- ✦ **droit de grève** right to strike
- ✦ **droit immobilier (le)** real estate law
- ✦ **droits incorporels** incorporeal rights
- ✦ **droits indirects** indirect taxes
- ✦ **droits d'inscription** registration fees

- ✦ **droit international (le)** international law
- ✦ **droit jurisprudentiel (le)** case law
- ✦ **droits de magasinage** warehouse charges
- ✦ **droit maritime (le)** maritime law
- ✦ **droit de mutation** transfer duty
- ✦ **droit des obligations (le)** contract law
- ✦ **droit de passage** right of way
- ✦ **droit pénal (le)** criminal law
- ✦ **droits de phare** light dues
- ✦ **droit de poursuite** right of action
- ✦ **droit de préemption** pre-emptive right
- ✦ **droit privé (le)** private law
- ✦ **droit de propriété** right of possession
- ✦ **droit public (le)** public law
- ✦ **droits de quai** wharfage, quay dues
- ✦ **droit de rachat** *[hypothèque]* right of redemption
- ✦ **droit de recours** right of appeal *ou* recourse
- ✦ **droits de régie** excise duties
- ✦ **droits de reproduction** reproduction rights
- ✦ **droit de rétention** lien
- ✦ **droit de retour** right to repossess
- ✦ **droit de retrait** right to withdraw
- ✦ **droit de réversion** right of reversion
- ✦ **droit social (le)** labour law
- ✦ **droit de sortie** *(Douanes)* export duty *(Fin, Ass)* closing fee *ou* charge
- ✦ **droit de souscription** application right ✦ **marché des droits de souscription** rights market
- ✦ **droit de souscription d'action / d'obligation** share / debenture right
- ✦ **droits spécifiques** specific duties
- ✦ **droits de succession** death *ou* estate duties, inheritance tax *(US)*
- ✦ **droit de timbre** stamp duty
- ✦ **droits de tirage spéciaux** special drawing rights
- ✦ **droit de transfert** transfer duty
- ✦ **droit au travail** right to work
- ✦ **droit du travail (le)** labour law
- ✦ **droits de vente exclusifs** sole selling rights
- ✦ **droit de vote** right to vote.

**dû, due** /dy/ **ADJ** *(= que l'on doit)* owing, owed; *(= arrivé à échéance)* due ✦ **la somme due** the sum owing *ou* owed *ou* due ✦ **la somme qui lui est due** the sum owing *ou* owed *ou* due to him ✦ **solde** *ou* **reste dû** balance due ✦ **en bonne et due forme** in due form **NM** due; *(= somme d'argent)* dues ✦ **réclamer son dû** to claim one's due.

**dual, e** /dyal/ **ADJ** dual ✦ **société duale** two-tier society.

**dualité** /dyalite/ **NF** duality.

**Dublin** /dyblɛ̃/ **N** Dublin.

**ducroire** /dykʀwaʀ/ **NM** *(= garantie)* del credere; *(= personne)* del credere agent ✦ **commission ducroire** del credere commission.

**dûment** /dymɑ̃/ **ADV** duly.

**dumping** /dœmpiŋ/ **NM** dumping ✦ **faire du dumping** to dump goods, practise dumping ✦ **dumping fiscal/social** fiscal/social dumping.

**duopole** /dɥɔpɔl/ **NF** duopoly.

**duplicata** /dyplikata/ **NM INV** duplicate ✦ **duplicata de reçu** duplicate receipt.

**duplication** /dyplikasjɔ̃/ **NF** duplication ✦ **duplication d'audience** audience duplication.

**dupliquer** /dyplike/ **VT** to make a copy of, duplicate.

**durabilité** /dyʀabilite/ **NF** *(gén)* durability; *[produit]* life span; *[ressources]* sustainability

**durable** /dyʀabl(ə)/ **ADJ** durable, long-lasting ✦ **biens durables** durable goods, durables ✦ **biens de consommation durables** consumer durables ✦ **développement durable** sustainable development.

**durablement** /dyʀabləmɑ̃/ **ADV** on a long-term basis.

**durcir** /dyʀsiʀ/ **VT** *réglementation* to tighten, stiffen ✦ **durcir ses positions** to take a tougher stand
**se durcir** **VPR** *[situation, conflit]* to harden.

**durcissement** /dyʀsismɑ̃/ **NM** hardening ✦ **durcissement des mouvements de grève** tension on the strike front.

**durée** /dyʀe/ **NF** *(relative)* *[opération, contrat]* duration, length; *[bail]* duration, term; *[prêt]* life, length; *[produit]* *(en magasin)* shelf life; *(sur le marché)* life span ✦ **essai de durée** endurance test ✦ **la durée de la convention** the term of the agreement ✦ **les chômeurs de longue durée** the long-term unemployed ✦ **pour la durée des négociations** while negotiations continue, for the duration of the negotiations ✦ **durée amortissable** *économique* depreciable / economic life ✦ **durée de vie d'un titre** life of a security ✦ **durée de vie utile** useful life ✦ **durée de service** length of service ✦ **durée effective du travail** actual hours worked ✦ **durée normale du travail** standard *ou* normal work period.

**DUT** /deyte/ **NM** abrév de **diplôme universitaire de technologie** → **diplôme**.

**dynamique** /dinamik/ **ADJ** dynamic **NF** dynamics ✦ **dynamique de groupe** group dynamics ✦ **dynamique du marché** market dynamics ✦ **dynamique des produits** product dynamics.

**dynamiser** /dinamize/ **VT** *portefeuille, ventes* to boost, spur.

**dysfonctionnement** /disfɔ̃ksjɔnmɑ̃/ **NM** problem *(de, dans* in)

# E

**EAO** /əao/ **NM** (abrév de **enseignement assisté par ordinateur**) CAI, CAL.

**EARL** /əaɛʀɛl/ **NF** abrév de **entreprise agricole à responsabilité limitée** → **entreprise**.

**Easdaq** /izdak/ **NM** (abrév de **European Association of Securities Dealers Automated Quotations**) Easdaq.

**EAU** /əay/ **NMPL** (abrév de **Émirats arabes unis**) UAE.

**ébauche** /eboʃ/ **NF** [projet] outline ◆ **première ébauche d'un contrat** rough draft ou first draft of a contract ◆ **ébauche des états financiers** draft financial statements ◆ **ébauche de reprise** incipient recovery ◆ **l'ébauche d'un accord** the first steps towards an agreement.

**ébaucher** /eboʃe/ **VT** plan to outline, sketch out; discussion, relations to open up
**s'ébaucher** **VPR** [plan] to form, take shape ou form ◆ **une reprise s'ébauche** a recovery is taking shape, there are signs of a recovery.

**EBE** /əbeə/ **NM** (abrév de **excédent brut d'exploitation**) EBITDA.

**Ebitda** /ebitda/ **NM** (abrév de **Earnings before Interest, Tax, Depreciation and Amortization**) EBITDA.

**ébranlement** /ebʀɑ̃lmɑ̃/ **NM** [confiance] shaking, weakening ◆ **ébranlement du marché monétaire** tremor on the money market.

**ébranler** /ebʀɑ̃le/ **VT** confiance, marché to shake, weaken.

**ébruiter** /ebʀɥite/ **VT** nouvelle to disclose, spread
**s'ébruiter** **VPR** to spread, leak out.

**ébullition** /ebylisjɔ̃/ **NF** (= agitation) turmoil ◆ **le marché monétaire est en ébullition** the money market is in an uproar.

**écart** /ekaʀ/ **NM** (gén = différence) difference; (Stat) deviation; (Fin) variance; (Bourse) (entre cours) spread ◆ **analyse des écarts** (Fin) variance ou gap analysis ◆ **l'écart par rapport à la stratégie habituelle** the departure ou deviation from the usual strategy ◆ **un écart important entre deux devis** a sizeable difference between two estimates ◆ **l'écart se creuse** the gap is widening ◆ **un écart de 4 points en faveur de la France** a four-point lead in favour of France ◆ **la tendance a évolué dans des écarts étroits** (Bourse) prices fluctuated within narrow margins ◆ **l'écart entre les taux d'intérêt diminue** the margin between the rates of interest is shrinking ◆ **réduire l'écart entre** to narrow ou close the gap between ◆ **creuser l'écart** to widen the gap ◆ **le gouvernement s'est tenu à l'écart du conflit** the government didn't become involved in ou didn't interfere in the dispute, the government stayed on the sidelines in this dispute

———— compounds/composés ————
◆ **écart absolu** absolute deviation
◆ **écart budgétaire, écart sur budget** budget variance, deviation from budget plan
◆ **écart de caisse négatif / positif** cash shortage / overage
◆ **écart calendaire** time spread
◆ **écart de change** exchange adjustment
◆ **écart sur charges de structure** overhead variance
◆ **écart de conversion** (Fin) translation differential
◆ **écart de cotation** ou **de cours** (Bourse) quotation spread

◆ **écart des coûts** cost variance
◆ **écart déflationniste** deflationary gap
◆ **écart global sur main-d'œuvre** direct wages variance
◆ **écart global sur matières** direct material variance
◆ **écart inflationniste** inflation(ary) gap
◆ **écart d'inventaire négatif / positif** inventory shortage / overage
◆ **écart sur main-d'œuvre en temps** labour efficiency variance
◆ **écart sur main-d'œuvre en coûts** wage rate variance
◆ **écart sur matières en coûts** materials usage variance
◆ **écart minimum du cours** tick
◆ **écart moyen, écart à la moyenne** mean ou average deviation
◆ **écart des primes** spread between the price for firm and option stock
◆ **écart de prix** price spread ou differential
◆ **écart de production** production variance
◆ **écart de réévaluation** revaluation differential
◆ **écart de rendement** efficiency variance
◆ **écart salarial** wage spread ou differential
◆ **écart statistique** sampling deviation
◆ **écart sur taux de main-d'œuvre** labour rate variance
◆ **écart type** standard deviation.

**écarter** /ekaʀte/ **VT** *objection* to dismiss, brush aside; *hypothèse* to dismiss, rule out; *offre, demande* to dismiss, turn down ◆ **écarter qn d'une fonction** to remove sb from a position **s'écarter** **VPR** to move away (*de* from) ◆ **s'écarter de la norme** to deviate ou depart from the norm ◆ **nous nous écartons de nos objectifs de croissance** we are moving ou drifting away from our growth targets.

**échange** /eʃɑ̃ʒ/ **NM** **a** (*gén*) exchange; (= *troc*) swap* ◆ **en échange de** in exchange for, in return for ◆ **faire (l') échange de qch** to swap* ou exchange sth ◆ **suite à notre échange de lettres** following our correspondence ◆ **crédit d'échange** swap (credit) ◆ **monnaie d'échange** money of exchange ◆ **moyen d'échange** medium of exchange **b** (*Comm*) ◆ **échanges** trade, trading ◆ **intensifier les échanges entre deux pays** to strengthen ou build up trade links between two countries ◆ **les échanges sur les valeurs françaises** trading in French stocks ◆ **libéralisation des échanges** freeing of trade ◆ **libre échange** free trade ◆ **structure des échanges** pattern of trade ◆ **zone de libre échange** free trade area ◆ **termes de l'échange** terms of trade ◆ **volume des échanges** trade volume

———— compounds/composés ————
◆ **échange d'actions** share swap ou exchange
◆ **échange de bons procédés** exchange of friendly services
◆ **échange de brevets** patent trading
◆ **échanges commerciaux** trade, trading
◆ **échanges industriels** industrial trade
◆ **échanges interindustriels** inter-industrial exchange ou trade
◆ **échanges d'invisibles** invisible exchange
◆ **échange standard** replacement
◆ **échange de vues** exchange of views, discussions.

**échangeabilité** /eʃɑ̃ʒabilite/ **NF** exchangeability.

**échangeable** /eʃɑ̃ʒabl(ə)/ **ADJ** exchangeable.

**échanger** /eʃɑ̃ʒe/ **VT** to exchange, swap* (*contre* for, *avec* with); *marchandises* exchange, trade ◆ **échanger des actions à raison d'une nouvelle pour trois anciennes** to exchange shares in the proportion of one new for three old ones ◆ **les marchandises ne sont ni reprises ni échangées** no refunds, no goods exchanged **s'échanger** **VPR** (*Bourse*) ◆ **ce titre s'échange à 200 dollars** this security is traded at $200.

**échantillon** /eʃɑ̃tijɔ̃/ **NM** sample ◆ **carte d'échantillon** pattern ou sample card ◆ **paquet échantillon** sample packet ◆ **moyenne de l'échantillon** sample mean ◆ **prélèvement d'échantillons** sampling ◆ **vente sur échantillon** sale on sample ◆ **acheter sur échantillon** to buy from sample ◆ **être conforme à l'échantillon** to be up to sample

———— compounds/composés ————
◆ **échantillon aléatoire** random sample
◆ **échantillon compensé** balanced sample
◆ **échantillon équiprobable** random sample
◆ **échantillon faussé** biased sample
◆ **échantillon exhaustif** exhaustive sample
◆ **échantillon factice** dummy sample
◆ **échantillon gratuit** free sample
◆ **échantillon au hasard** random sample
◆ **échantillon publicitaire** give-away ou free sample
◆ **échantillon probabiliste** probability sample
◆ **échantillon représentatif** representative ou true ou fair ou adequate sample
◆ **échantillon sans valeur** (*sur paquet*) no commercial value
◆ **échantillon stratifié** stratified sample
◆ **échantillon témoin** check sample
◆ **échantillon type** representative sample
◆ **échantillon par zone** area sample.

**échantillonnage** /eʃɑ̃tijɔnaʒ/ **NM** (= *action*) sampling; (= *gamme*) range ou selection of samples ◆ **test par échantillonnage** sample testing

─── *compounds/composés* ───

• **échantillonnage aléatoire** random sampling
• **échantillonnage de conformité** representative sampling
• **échantillonnage de dépistage** discovery sampling
• **échantillonnage dirigé** intentional sampling, purpose sampling *(US)*
• **échantillonnage par estimation** estimation sampling
• **échantillonnage par grappes** cluster sampling
• **échantillonnage au hasard** random sampling
• **échantillonnage multiple** multiple sampling
• **échantillonnage probabiliste** probability sampling
• **échantillonnage par quotas** quota sampling
• **échantillonnage raisonné** judgment sampling
• **échantillonnage séquentiel** sequential sampling
• **échantillonnage statistique** statistical sampling, lot-plot method *(US)*
• **échantillonnage successif** sequential sampling
• **échantillonnage par zone** area sampling.

**échantillonner** /eʃɑ̃tijɔne/ **VT** to sample.

**échantillonneur** /eʃɑ̃tijɔnœʀ/ **NM** sampler.

**échappatoire** /eʃapatwaʀ/ **NF** wayout, loophole ◆ **clause échappatoire** escape clause ◆ **une échappatoire fiscale** a tax loophole.

**échappement** /eʃapmɑ̃/ **NM** *(Inf)* escape.

**échapper** /eʃape/ **VI** ◆ **échapper à** *danger* to escape; *obligation, responsabilité* to evade ◆ **échapper au fisc** *ou* **à l'impôt** *(selon la réglementation)* to be tax-exempted, be exempt from taxation; *(en utilisant une faille)* to use a tax loophole; *(frauduleusement)* to evade *ou* dodge\* taxation, elude the tax man ◆ **ne pas échapper à la règle** to be no exception to the rule ◆ **ces transactions échappent à notre contrôle** these operations are beyond our control ◆ **cette affaire échappe à notre juridiction** this case is beyond *ou* outside our jurisdiction ◆ **laisser échapper l'occasion** to let slip *ou* let go the opportunity.

**échauder** /eʃode/ **VT** ◆ **se faire échauder** to burn one's fingers, get a rap on the knuckles ◆ **la tempête boursière a échaudé les actionnaires** shareholders got their fingers burned in the stock market crisis.

**échéable** /eʃeabl(ə)/ **ADJ** falling due, payable.

**échéance** /eʃeɑ̃s/ **NF** **a** *(= date) (gén)* expiry date, deadline, termination date; *[loyer]* date of payment; *[prime, coupon]* due date; *[obligation,*

*bon du trésor]* maturity date; *[emprunt]* redemption date; *[facture]* settlement date; *[chèque]* value date; *(Bourse)* settling day ◆ **échéance moyenne** average due date ◆ **jour de l'échéance** maturity date, due date ◆ **échéance à cinq jours de vue** maturity at five days' sight ◆ **avant échéance** prior to *ou* before maturity ◆ **payable à l'échéance** payable at maturity ◆ **report d'échéance d'une facture** extra dating of a bill ◆ **venir** *ou* **arriver à échéance** to fall due, come to maturity, mature ◆ **l'intérêt n'a pas été payé à l'échéance** the interest is overdue ◆ **défaut de paiement de la prime à échéance** failure to pay the premium on expiry ◆ **valeur à l'échéance** value at maturity, maturity value **b** *(= obligation financière)* ◆ **échéance de fin de mois** *(gén)* end-of-month payments *ou* commitments *ou* requirements; *(Bourse)* end-of-month settlement ◆ **avoir de lourdes échéances** to have heavy financial commitments ◆ **il n'a pas pu faire face à ses échéances** he couldn't meet his end-of-month payments ◆ **plan d'échéances** instalment plan ◆ **rappel d'échéance** prompt note **c** *(= effet)* bill, draft ◆ **carnet d'échéances** bill book, maturity tickler *(US)* ◆ **échéance à vue** bill at sight **d** *(= période)* term ◆ **à trois mois d'échéance** at three months' date, three months after date ◆ **traite à longue / courte échéance** long / short-term draft ◆ **billet à longue / courte échéance** long / short-dated bill ◆ **prêter à courte / longue échéance** to lend *ou* loan *(US)* short / long.

**échéancier** /eʃeɑ̃sje/ **NM** *[effets]* bill book, maturity tickler *(US)* ; *[emprunt]* refunding program *(US)*, repayment schedule.

**échéant, e** /eʃeɑ̃, ɑ̃t/ **ADJ** falling due ◆ **le cas échéant** if need be, should the occasion arise.

**échec** /eʃɛk/ **NM** *(gén)* failure; *(= revers)* setback ◆ **subir** *ou* **essuyer un échec** to fail, suffer a setback ◆ **l'échec des négociations** the breakdown in *ou* the failure *ou* the collapse of the talks ◆ **voué à l'échec** bound to fail, doomed to failure ◆ **notre syndicat s'efforcera de faire échec au projet de la direction** our union will try to thwart *ou* frustrate the management's plan.

**échelle** /eʃɛl/ **NF** **a** *(= objet)* ladder **b** *(= taille)* scale ◆ **carte à grande échelle / à petite échelle** large-scale / small-scale map ◆ **croquis à l'échelle** scale drawing ◆ **économies d'échelle** economies of scale ◆ **déséconomies d'échelle** diseconomies of scale ◆ **sur une grande / petite échelle** on a large / small scale ◆ **à l'échelle mondiale** on a world scale, worldwide **c** (= *graduation*) scale, ladder ✦ **fonction-naires du bas de l'échelle** low-ranking *ou* lower-echelon officials ✦ **être au sommet de l'échelle** to be at the top of the ladder

───── *compounds/composés* ─────
- ✦ **échelle d'attitudes** attitude scale
- ✦ **échelle de classement** promotion ladder
- ✦ **échelle mobile** sliding scale ✦ **clause d'échelle mobile** sliding scale clause, escalator clause *(US)*
- ✦ **échelle de notation du personnel** merit rating
- ✦ **échelle de rapports** ratio scale
- ✦ **échelle des salaires** salary scale ✦ **échelle des salaires à deux niveaux** double-tier *ou* two tier pay scale
- ✦ **échelle sociale** social scale *ou* ladder
- ✦ **échelle des temps** time scale
- ✦ **échelle des traitements** salary scale.

**échelon** /eʃlɔ̃/ **NM** **a** *[échelle]* rung **b** *[hiérarchie]* level, step, grade, rung, echelon ✦ **échelon catégoriel** rung in the hierarchy ✦ **échelon salarial** pay grade ✦ **les échelons de l'administration** the grades of the civil service ✦ **être au dernier / premier échelon** to be on the highest *ou* top / on the lowest *ou* bottom grade ✦ **monter d'un échelon, passer à l'échelon supérieur** to go up one step *ou* rung on the ladder, go up a grade ✦ **grimper rapidement les échelons** to get quick promotion, rise rapidly up the hierarchy ✦ **rétrograder d'un échelon** to be demoted, be put down a grade **c** (= *niveau*) level ✦ **à l'échelon directorial** at managerial level, at board level ✦ **à l'échelon national** at the national level, countrywide, nationwide ✦ **à l'échelon ministériel** at ministerial level ✦ **à tous les échelons** at every level ✦ **ils ont lancé une campagne à l'échelon national** they have launched a nationwide *ou* national campaign.

**échelonné, e** /eʃlɔne/ **ADJ** ✦ **paiements échelonnés** instalment payments, phased payments.

**échelonnement** /eʃlɔnmɑ̃/ **NM** *[paiements]* spreading, staggering, phasing; *[congés]* staggering, spreading *(US)*

───── *compounds/composés* ─────
- ✦ **échelonnement indiciaire** pay scale
- ✦ **échelonnement des prix** price bracket
- ✦ **échelonnement salarial** wage spread
- ✦ **échelonnement statistique** statistical spread.

**échelonner** /eʃlɔne/ **VT** *paiements* to spread (out), stagger, phase *(sur* over); *congés* to stagger, spread *(US) (sur* over) ✦ **échelonner les versements sur plusieurs mois** to spread instal-ments over several months ✦ **livraison échelonnée** split delivery

**s'échelonner** **VPR** *[remboursements]* to be spread *(sur* over); *[congés]* to be staggered *ou* spread *(sur* over)

**échiquier** /eʃikje/ **NM** ✦ **notre place sur l'échiquier mondial** our place in the field *ou* on the scene of world affairs.

**écho** /eko/ **NM** (= *nouvelle*) echo; *(Presse)* news item ✦ **se faire l'écho de qch** to echo sth ✦ **les propositions gouvernementales n'ont pas trouvé d'écho** *ou* **sont restées sans écho dans les milieux financiers** the government proposals have not been taken up in financial circles.

**échoir** /eʃwaʀ/ **VI** **a** (= *être payable*) *[prime, dette]* to fall due; *[traite]* to mature, come to maturity, become payable; *[délai]* to expire ✦ **intérêts à échoir** accruing interest **b** (= *revenir à*) ✦ **une somme de 500 dollars échoit à chaque souscripteur** a sum of $500 is payable to every subscriber.

**échouage** /eʃwaʒ/ **NM**, **échouement** **NM** *(Mar)* grounding, running aground ✦ **échouement avec bris** stranding with break ✦ **échouement avec bris absolu** total loss of the ship through stranding ✦ **échouement avec bris partiel** stranding with break but without abandon-ment of the ship.

**échouer** /eʃwe/ **VI** **a** *[personne]* to fail ✦ **échouer à un examen / dans une tentative** to fail an exam / in an attempt **b** *[tentative]* to fail, miscarry, fall through; *[négociations]* to fail, collapse ✦ **notre plan a échoué** our plan broke down ✦ **faire échouer les plans de la concurrence** to foil the competitors' plans, frustrate one's competitors in their plans **c** *(Mar)* to run aground ✦ **le rapport de notre expert a fini par échouer sur mon bureau** our expert's report finally landed up on my desk
**VT** *(Mar) (accidentellement)* to ground, run aground; *(volontairement)* to beach
**s'échouer** **VPR** *(Mar)* to run aground.

**échu, e** /eʃy/ **ADJ** *(Fin)* due, outstanding, matured ✦ **intérêts échus** outstanding interest ✦ **intérêts échus et non payés** overdue interest ✦ **billets échus** bills overdue ✦ **obligations échues** matured bonds ✦ **termes échus** instalments due.

**éclair** /eklɛʀ/ **ADJ** ✦ **grève éclair** lightning strike.

**éclaircie** /eklɛʀsi/ **NF** bright spot ✦ **éclaircie sur le front du chômage** brighter prospects on the unemployment front, improvement in the un-employment situation.

**éclaircir** /eklɛʀsiʀ/ [VT] *situation* to clarify; *affaire* to clear up, solve ✦ **certains points restent à éclaircir** some questions have still to be cleared up *ou* still need clarifying
**s'éclaircir** [VPR] *[situation, horizon]* to become brighter, brighten up; *[problème]* to be solved *ou* explained *ou* resolved.

**éclaircissement** /eklɛʀsismɑ̃/ NM *(= explication)* explanation, clarification ✦ **nous souhaiterions des éclaircissements sur ce point** we would like some explanation *ou* enlightenment on this point.

**éclaté, e** /eklate/ ADJ *marché* fragmented; *activité* dispersed.

**éclatement** /eklatmɑ̃/ NM *[organisation]* break up; *[marché]* fragmentation.

**éclater** /eklate/ VI  a  *[organisation]* to break up; *[grève, conflit]* to break out; *[nouvelle]* to break  b  (Inf) *papier* to burst; *données* to scatter.

**Ecofin** /ekɔfin/ NM (abrév de **Conseil des ministres de l'Économie et des Finances**) ECOFIN.

**école** /ekɔl/ NF school ✦ **école de commerce** business school ✦ **école hôtelière** hotel management college, catering college ✦ **école d'ingénieurs** engineering school ✦ **école professionnelle** vocational school ✦ **école de secrétariat** secretarial college.

**écologie** /ekɔlɔʒi/ NF ecology.

**écologique** /ekɔlɔʒik/ ADJ ecological.

**écologiste** /ekɔlɔʒist(ə)/ NMF ecologist.

**économat** /ekɔnɔma/ NM *(= fonction)* bursarship, stewardship; *(= bureau)* bursar's office, steward's office.

**économe** /ekɔnɔm/ ADJ thrifty
NMF bursar, steward.

**économètre** /ekɔnɔmɛtʀ/ NMF, **économétricien -ienne** /ekɔnɔmetʀisjɛ̃, jɛn/ NM,F econometrist.

**économétrie** /ekɔnɔmetʀi/ NF econometrics (sg).

**économétrique** /ekɔnɔmetʀik/ ADJ econometric ✦ **modèle économétrique** econometric model.

**économie** /ekɔnɔmi/ NF  a  *(= science)* economics (sg) ✦ **macro / micro-économie** macro / micro-economics  b  *(= activité)* economy ✦ **ancienne / nouvelle économie** old / new economy ✦ **relancer l'économie** to revive *ou* reflate *ou* reactivate *ou* boost the economy ✦ **renflouer l'économie** to set the economy back on its feet, revive the economy  c  *(= épargne)* economy, thrift ✦ **par économie** for the sake of economy  d  *(= gain)* saving ✦ **cela représente**

**une économie de temps** it saves time, it's time-saving ✦ **travailler selon des principes d'économie de temps / de main-d'œuvre** to work according to time-saving line / labour-saving principles ✦ **procédé permettant une économie de main-d'œuvre** labour-saving process *ou* device ✦ **politique d'économie d'énergie** energy conservation policy ✦ **économie d'échelle** *ou* **de dimension** economy of scale ✦ **économies externes / internes** external / internal economies ✦ **politique d'économies** policy of retrenchment ✦ **faire des économies d'énergie** to save *ou* economize on energy, conserve energy ✦ **faire des économies de bouts de chandelle** to make cheeseparing economies  e  *(= argent)* ✦ **économies** savings ✦ **vivre de ses économies** to live on one's savings ✦ **avoir des économies** to have (some) savings, have some money saved up ✦ **faire des économies** *(= épargner)* to save up, save money, put money by, lay money aside; *(en réduisant les dépenses)* to cut *ou* curtail expenses  f  *(= structure)* *[projet, ouvrage]* organization

───── compounds/composés ─────
✦ **économie de bien-être** welfare economics
✦ **économie dirigée** state-controlled economy
✦ **économie fermée** self-sufficient economy, closed economy
✦ **économie libérale, économie de marché** free-market economy
✦ **économie mixte** mixed economy
✦ **économie normative** normative economics
✦ **économie de l'offre** supply-side economics
✦ **économie ouverte** open economy
✦ **économie de pénurie** economy of scarcity
✦ **économie planifiée** planned economy
✦ **économie de plein emploi** full employment economy
✦ **économie politique** political economy
✦ **économie rurale** rural economy
✦ **économie souterraine** underground economy
✦ **économie de subsistance** subsistence economy
✦ **économie de troc** barter economy
✦ **économie urbaine** urban economy.

**économique** /ekɔnɔmik/ ADJ  a  *(Écon)* economic ✦ **agents économiques** economic agents ✦ **aide économique** economic aid *ou* assistance *ou* help ✦ **blocus économique** economic blockade ✦ **conjoncture économique** economic outlook *ou* trend *ou* situation ✦ **crise économique** economic crisis, slump ✦ **croissance économique** economic growth ✦ **mission économique** economic mission ✦ **planification économique** economic planning ✦ **potentiel économique**

economic potential ✦ **prévision économique** business ou economic forecast ✦ **relance économique** economic pump-priming ou reflation ✦ **reprise économique** economic recovery upturn ou upswing ou rebound ✦ **les responsables économiques** economic leaders ✦ **les sciences économiques** economics ✦ **unité économique** economic unit ✦ **union économique** economic union **b** (= avantageux) economical, cost cutting (US) ✦ **acheter le modèle** ou **paquet économique** to buy the economy-size packet ✦ **voyager en classe économique** to travel economy class.

**économiquement** /ekɔnɔmikmɑ̃/ **ADV** economically ✦ **les économiquement faibles** the lower-income groups, the lower-income bracket, low-income people.

**économiser** /ekɔnɔmize/ **VT** énergie to economize on, save on, conserve; temps to save; argent to save up, put ou lay aside ✦ **économiser sur les frais de personnel** ou **les coûts salariaux** to economize on ou cut back on ou cut down on labour costs ✦ **nous économisons sur les charges** we save on heat and utilities.

**économiseur** /ekɔnɔmizœr/ **NM** economizer, economizing device.

**économiste** /ekɔnɔmist(ə)/ **NMF** economist ✦ **économiste de banque** bank economist ✦ **économiste d'entreprise** business economist.

**écossais, e** /ekɔsɛ, ɛz/ **ADJ** (gén) Scottish; (= whisky) Scotch; (= tissu) tartan
**Écossais** **NM** (= habitant) Scot, Scotsman ✦ **les Écossais** the Scots
**Écossaise** **NF** (= habitante) Scot, Scotswoman.

**Écosse** /ekɔs/ **NF** Scotland.

**écosystème** /ekɔsistɛm/ **NM** ecosystem.

**écot** /eko/ **NM** share (of a bill) ✦ **payer son écot** to pay one's own share.

**écoulé, e** /ekule/ **ADJ** past, last ✦ **exercice écoulé** year under review, past trading year ✦ **temps écoulé** lapsed time.

**écoulement** /ekulmɑ̃/ **NM** [marchandises] selling, disposal, placing ✦ **articles d'écoulement facile** articles which find a ready sale, quick-selling articles ou items, fast-moving articles, quick-sellers, fast-sellers ✦ **articles d'écoulement lent** slow-selling articles ou items, slow-sellers.

**écouler** /ekule/ **VT** marchandises to sell, move, place; valeurs boursières to place ✦ **ces marchandises sont difficiles à écouler** these goods are difficult to place ✦ **on n'arrive pas à écouler ce stock** this stock isn't moving ou

selling ou can't be easily disposed of ✦ **écouler des stocks excédentaires** to work down ou work off excess inventories ✦ **nous avons écoulé tout notre stock** we've cleared all our stock ou got rid of all our stock ✦ **nos stocks sont presque écoulés** our stocks are running low ou down, we are almost out of stock

**s'écouler** **VPR** **a** (Comm) to sell ✦ **marchandise qui s'écoule bien** quick-selling item ou line, fast-moving line, quick-seller, fast-seller ✦ **nos produits se sont bien écoulés** our products have sold well ou have found a ready sale ✦ **ce nouveau modèle s'écoule lentement** this new model is selling only slowly ou is off to a slow start **b** [temps] to pass, elapse ✦ **laisser s'écouler un délai avant les poursuites** to allow some time to elapse before taking legal action.

**écoute** /ekut/ **NF** ✦ **heures de grande écoute** (Rad) peak listening hours; (TV) peak viewing hours; (Pub) traffic time ✦ **heures d'écoute maximum** (Rad, TV) prime time ✦ **degré d'écoute** listenership ✦ **indice** ou **taux d'écoute** rating.

**écr.** abrév de **écrire.**

**écran** /ekrɑ̃/ **NM** screen ✦ **publicité à l'écran** screen advertising ✦ **écran de contrôle** monitor screen ✦ **écran publicitaire** advertising slot ✦ **écran de sécurité** protective screen ✦ **écran tactile** touch screen ✦ **opérateurs sur écran** (Bourse) screen traders ✦ **société-écran** umbrella company ✦ **un écran d'entreprises** a business umbrella formed of many firms.

**écrasant, e** /ekrɑzɑ̃, ɑ̃t/ **ADJ** impôts crushing; responsabilité, preuve overwhelming; majorité staggering, overwhelming.

**écraser** /ekrɑze/ **VT** (gén) to crush; prix to slash; concurrence to crush, stamp out ✦ **ils ont écrasé tous leurs concurrents** they have outstripped ou annihilated ou licked* all their competitors ✦ **les PME sont écrasées d'impôts** small businesses are crushed by taxation ✦ **nous sommes écrasés de tâches nouvelles** we are overburdened with ou snowed under with new assignments.

**écrémage** /ekremaʒ/ **NM** (Mktg) skimming ✦ **politique d'écrémage** skimming policy ✦ **prix d'écrémage** skimming price.

**écrémer** /ekreme/ **VT** (Mktg) to skim ✦ **écrémer le marché** to cream the market.

**écrêtement** /ekrɛtmɑ̃/ **NM** [salaires] lopping off.

**écrêter** /ekrɛte/ **VT** revenus to shave, lop off, chop off.

**écrire** /ekrir/ **VT** (gén) to write; (= noter) to write down ✦ **écrire à la machine** to type, typewrite

◆ **déclaration écrite** written statement ◆ **instructions écrites** written instructions ◆ **preuve écrite** documentary evidence.

**écrit** /ekʀi/ **NM** *(Jur)* document ◆ **par écrit** in writing ◆ **veuillez confirmer par écrit** please confirm in writing ◆ **déclaration par écrit** written statement.

**écriture** /ekʀityʀ/ **NF** **a** *(= opération comptable)* entry ◆ **passer** *ou* **porter une écriture** to make *ou* post an entry ◆ **écriture portée au crédit / au débit** entry to the credit side / debit side ◆ **contre-passer une écriture** to contra *ou* transfer *ou* reverse *ou* write back an entry ◆ **redresser** *ou* **rectifier une écriture** to adjust an entry ◆ **ces deux écritures s'annulent** these two entries cancel each other (out) ◆ **faux en écriture** false entry, falsification of account **b** *(= comptes)* **écritures** accounts, entries, postings ◆ **employé aux écritures** ledger *ou* entering clerk ◆ **tenir les écritures** to do the book-keeping, keep the books *ou* the accounts ◆ **arrêter les écritures** to close *ou* balance the books, close the accounts **c** *(Inf)* write writing ◆ **erreur / impulsion d'écriture** write error / impulse

———— *compounds/composés* ————
◆ **écriture de clôture** closing entry
◆ **écriture comptable** book entry, accounting entry
◆ **écriture de contre-passation** transfer *ou* reverse entry
◆ **écriture d'élimination** eliminating entry
◆ **écriture de fermeture** closing entry
◆ **écriture fictive** fictitious entry
◆ **écriture d'inventaire** closing entry
◆ **écriture inverse** reverse entry
◆ **écriture de journal** journal entry
◆ **écriture postérieure** post entry
◆ **écriture rectificative** correcting entry
◆ **écriture de redressement** correcting entry
◆ **écriture de régularisation** adjustment entry
◆ **écriture de virement** transfer entry.

**écroulement** /ekʀulmɑ̃/ **NM** *[entreprise]* fall, collapse, crash; *[prix, projet]* collapse.

**écrouler (s')** /ekʀule/ **VPR** *[entreprise]* to fall, collapse, crash; *[prix, plans]* to collapse ◆ **le marché s'est écroulé** the market slumped *ou* has collapsed, the bottom has fallen out of the market.

**EDF** /ədeεf/ **NF** (abrév de **Électricité de France**) *French electricity board.*

**édicter** /edikte/ **VT** *loi* to enact, decree, promulgate.

**édifice** /edifis/ **NM** *(= bâtiment)* building *(fig = structure)* structure ◆ **l'édifice social** the social fabric *ou* structure.

**édifier** /edifje/ **VT** *fortune, réputation* to build (up) ◆ **édifier des barrières douanières** to erect customs barriers.

**Édimbourg** /edɛ̃buʀ/ **N** Edinburgh.

**éditer** /edite/ **VT** *(= publier)* to publish; *(Inf)* to edit.

**éditeur, -trice** /editœʀ, tʀis/ **NM,F** *[livres]* publisher; *(Inf)* editor ◆ **programme éditeur** edit routine ◆ **éditeur de textes** *(Inf)* text editor.

**édition** /edisjɔ̃/ **NF** **a** *(= action de publier)* publishing ◆ **maison d'édition** publishing house *ou* firm **b** *(= publication)* edition ◆ **dernière édition** latest edition ◆ **édition spéciale** *[journal]* special edition; *[magazine]* special issue ◆ **édition électronique** desktop publishing **c** *(Inf)* editing ◆ **caractère d'édition** editing character ◆ **fichier d'édition** report file ◆ **programme d'édition** edit routine.

**EEE** /eee/ **NM** (abrév de **Espace économique européen**) EEA.

**effacement** /efasmɑ̃/ **NM** **a** *[bande magnétique]* erasing **b** *(Inf)* *[écran]* clearing; *[ligne]* deletion, erasure ◆ **caractère d'effacement** delete character ◆ **touche d'effacement** delete *ou* erase key.

**effacer** /efase/ **VT** **a** *texte, bande magnétique* to erase; *dette* to wipe out ◆ **les pertes antérieures ont été effacées** earlier losses were erased **b** *(Inf)* *écran* to clear; *ligne* to delete, erase.

**effaroucher** /efaʀuʃe/ **VT** *investisseurs, épargnants* to scare away *ou* off, frighten
**s'effaroucher** **VPR** *[investisseurs, épargnants]* to shy *(de* at) take fright *(de* at)

**effectif, -ive** /efɛktif, iv/ **ADJ** *monnaie, travail, taux* effective; *aide, revenu, salaire* real ◆ **circulation effective** *(Fin)* active circulation ◆ **prix de revient effectif** actual cost ◆ **rendement effectif** actual yield *ou* return ◆ **société sous contrôle effectif** effectively controlled company ◆ **ces dispositions deviendront effectives à compter du 1er mai** these measures will become effective *ou* take effect *ou* come into effect *ou* force as from May 1st
**NM** *[entreprise]* strength, workforce, manpower, staff ◆ **effectif de série économique** *(Ind)* economic batch quantity ◆ **allègement** *ou* **réduction** *ou* **compression des effectifs** cut in manpower, manning cut, labour cutback ◆ **augmentation des effectifs** increase in the workforce ◆ **crise d'effectif** shortage of manpower ◆ **gestion des effectifs** manpower man-

agement ✦ **faire partie des effectifs** to be on the payroll ✦ **il ne fait plus partie des effectifs** he is no longer on the payroll ✦ **maintenir le niveau des effectifs** to keep up manning levels ✦ **l'usine emploie un effectif de 80 personnes** the factory has 80 people on the payroll *ou* has a staff of 80 people.

**effectivement** /efɛktivmɑ̃/ **ADV** (= *réellement*) actually; (= *efficacement*) effectively ✦ **contribuer effectivement au développement** to make a positive *ou* effective contribution to the development.

**effectuer** /efɛktɥe/ **VT** *étude, enquête* to carry out, conduct; *test* to carry out, perform, do; *paiement* to make, effect ✦ **effectuer un recensement** to take a census ✦ **effectuer un stage** to complete a training period *ou* an internship (US) ✦ **le paiement peut s'effectuer de deux façons** the payment may be made *ou* effected in two ways ✦ **la passation des pouvoirs s'est effectuée dans de bonnes conditions** the transfer of power went off without a hitch.

**effervescence** /efɛʀvesɑ̃s/ **NF** agitation, turmoil ✦ **la Bourse est en effervescence** the market is ebullient *ou* is in turmoil.

**effet** /efɛ/ **NM a** (= *impression*) impression (*gén, Écon, Jur* = *conséquence*) effect (*Ass* = *début*) attachment, commencement ✦ **être sans effet** [*mesure*] to be ineffective, have no effect, be of no avail ✦ **cette police d'assurance est sans effet** this insurance policy has ceased to attach ✦ **prendre effet à la date de** [*décision*] to take effect *ou* be operative *ou* be effective (as) from; [*police d'assurance*] to attach (as) from ✦ **prise d'effet d'une décision** effective date of a decision ✦ **cette campagne a eu pour effet d'augmenter nos ventes** this campaign resulted in an increase in our sales **b** (*Comm* = *traite*) bill ✦ **effets** (*Fin* = *titres*) securities ✦ **remise d'effets** remittance of bills ✦ **émettre/domicilier / endosser / escompter / prolonger un effet** to draw up / domicile / endorse / discount / renew a bill ✦ **avaliser** *ou* **cautionner un effet** to guarantee *ou* back a bill ✦ **contre-passer un effet** to return a bill to drawer ✦ **encaisser** *ou* **recouvrer un effet** to collect a bill ✦ **honorer un effet** to take up *ou* meet a bill ✦ **faire protester un effet** to have a bill protested ✦ **présenter un effet à l'acceptation** to present a bill for acceptance ✦ **délai d'un effet** currency of a bill ✦ **détenteur d'un effet** bill holder ✦ **domiciliation d'un effet** domiciliation of a bill ▪ Voir encadré page ci-contre

**efficace** /efikas/ **ADJ** *mesure, méthode, publicité, appui* effective; *collaborateur* efficient.

**efficacité** /efikasite/ **NF** [*publicité*] effectiveness; [*collaborateur*] efficiency ✦ **efficacité industrielle** productive efficiency ✦ **efficacité marginale du capital** marginal efficiency of capital ✦ **efficacité publicitaire** advertising impact ✦ **efficacité de vente** sales effectiveness ✦ **efficacité visée** target effectiveness ✦ **analyse coût-efficacité** cost-effectiveness analysis ✦ **prime d'efficacité** efficiency bonus.

**efficience** /efisjɑ̃s/ **NF** efficiency.

**effleurement** /eflœʀmɑ̃/ **NM** (*Inf*) ✦ **écran / touche à effleurement** touch-sensitive screen / key.

**effondrement** /efɔ̃dʀəmɑ̃/ **NM** collapse ✦ **l'effondrement des cours** the collapse of *ou* free fall in prices ✦ **l'effondrement du dollar** the collapse *ou* plummeting *ou* slump of the dollar, the dollar free fall.

**effondrer (s')** /efɔ̃dʀe/ **VPR** [*cours, projet*] to collapse; [*devises*] to collapse, plummet, slump, nose-dive ✦ **les bénéfices se sont effondrés** profits slumped *ou* took a plunge ✦ **les prix se sont effondrés** prices have collapsed *ou* gone through the floor ✦ **le marché s'est effondré** (*Bourse*) the market has collapsed, the bottom has fallen out of the market.

**effort** /efɔʀ/ **NM** effort ✦ **effort financier** financial effort ✦ **effort publicitaire** advertising effort *ou* drive ✦ **effort de promotion** promotional push.

**effraction** /efʀaksjɔ̃/ **NF** breaking and entering, breaking-in ✦ **vol avec effraction** theft with breaking and entering, burglary (*Brit*), housebreaking.

**effréné, e** /efʀene/ **ADJ** *concurrence* unbridled, unrestrained, frantic, cut-throat.

**effritement** /efʀitmɑ̃/ **NM** [*monnaie, cours*] erosion, frittering away.

**effriter (s')** /efʀite/ **VPR** [*pouvoir d'achat*] to crumble away, diminish; [*monnaie*] to be eroded.

**effuant** /efɥɑ̃/ **NM** (*Ind*) operative.

**égal, e,** MPL **-aux** /egal, o/ **ADJ** (= *équivalent*) equal (*à* to) ✦ **toutes choses égales d'ailleurs** *ou* par ailleurs other things being equal ✦ **à travail égal, salaire égal** equal pay for equal work **NM,F** equal ✦ **nos prix sont sans égal** our prices are second to none, our prices defy competition, our prices are matchless *ou* unequalled.

**égalable** /egalabl(ə)/ **ADJ** ✦ **difficilement égalable** difficult to equal *ou* match.

———— *compounds/composés* ————

### EFFET

- **a** **effet boomerang** *(Écon, Jur)* boomerang *ou* backlash effect
- **effet de cliquet** ratchet effect
- **effet différé** *(Mktg)* lagged effect *ou* response
- **effet de dilution** dilution effect
- **effet de levier** leverage (effect)
- **effet libératoire** release from liability
- **effet multiplicateur** multiplying *ou* multiplier effect
- **effet pervers** perverse effect
- **effet de rappel** *ou* **de rémanance** *(Pub)* carry-over *ou* hold-over effect
- **effet de rareté** scarcity effect
- **effet résolution** resolutive effect
- **effet rétroactif** retrospective effect ✦ **mesure avec effet rétroactif** backdated mesure
- **effet de revenu** income effect
- **effet de richesse** wealth effect
- **effets secondaires** incidental *ou* side effects
- **effet de seuil** threshold effect
- **effet suspensif** suspensive effect
- **effet transitoire** transient *ou* temporary effect

  **b** *(Comm, Fin)*
- **effet à l'acceptation** acceptance bill
- **effet accepté** accepted bill
- **effet avalisé** guaranteed *ou* backed bill
- **effet avisé** advised bill
- **effet bancaire** bank bill
- **effet de cavalerie** *ou* **de complaisance** accommodation bill
- **effet de commerce** bill of exchange

- **effet contre-passé** returned bill
- **effet à courte échéance** short bill
- **effet créé** drawn bill
- **effet à date fixe** date bill
- **effet à délai de vue** bill after sight
- **effet déplacé** out-of-town bill
- **effet documentaire** documentary bill
- **effet domicilié** domiciled bill
- **effet échu** due bill
- **effet à l'encaissement** bill for collection
- **effet escomptable** discountable bill
- **effet à l'escompte** *ou* **à escompter** bill for discount
- **effet escompté** discounted bill
- **effet sur l'étranger** foreign bill
- **effet impayé** dishonoured bill
- **effet sur l'intérieur** home *ou* inland bill
- **effet libre** clean bill
- **effet à long terme** time bill, usance bill
- **effet à longue échéance** long(-dated) bill
- **effets mobiliers** movables, personal property
- **effet négociable** negotiable bill
- **effet nominatif** unnegotiable bill
- **effet à payer** bill payable
- **effet au porteur** bill payable to bearer, bearer bill
- **effet public** treasury *ou* government bond
- **effet à recevoir** bill receivable
- **effet réescomptable** rediscountable bill
- **effet en souffrance** overdue *ou* unpaid bill
- **effet sur place** town bill
- **effet à vue** sight bill.

---

**égaler** /egale/ **VT** *personne, record* to equal (*en* in) ✦ **rien ne peut égaler cet article** nothing can compare with *ou* match this article.

**égalisateur, -trice** /egalizatœʀ, tʀis/ **ADJ** equalizing.

**égalisation** /egalizasjɔ̃/ **NF** equalization; *[revenus]* levelling ✦ **fonds d'égalisation des changes** exchange equalization fund.

**égaliser** /egalize/ **VT** to equalize; *revenus* to level out.

**égalité** /egalite/ **NF** equality ✦ **égalité d'accès aux emplois publics** equality of access to public service employment ✦ **égalité devant l'emploi** equal employment opportunity ✦ **la législation en matière d'égalité des salaires / d'égalité des chances** the equal pay / equal opportunity legislation.

**égarer** /egaʀe/ **VT** *paquet, lettres* to mislay
**s'égarer** **VPR** *[colis, lettre]* to get lost, go astray ✦ **ne nous égarons pas!** *(discussion)* let's stick to the point!, let's not wander from the point!, let's not get side-tracked.

**égide** /eʒid/ **NF** ✦ **sous l'égide de** under the aegis of.

**Égypte** /eʒipt/ **NF** Egypt.

**égyptien, -ienne** /eʒipsjɛ̃, jɛn/ **ADJ** Egyptian
**Égyptien** **NM** (= *habitant*) Egyptian
**Égyptienne** **NF** (= *habitante*) Egyptian.

**Éire** /ɛʀ(ə)/ **NF** Eire.

**éjecter** * /eʒɛkte/ **VT** (= *renvoyer*) to kick out*, chuck out* ✦ **se faire éjecter** to get o.s. kicked out* *ou* chucked out*.

**élaboration** /elabɔʀasjɔ̃/ **NF** *[plan, stratégie]* working out, development, elaboration ✦ **l'élaboration du budget** the drafting of the budget, the budgeting ✦ **élaboration d'un produit** product development ✦ **élaboration d'une stratégie** strategy development *ou* formulation.

**élaboré, e** /elabɔʀe/ **ADJ** *produit, système* sophisticated.

**élaborer** /elabɔʀe/ **VT** *plan, stratégie* to work out, elaborate, develop; *propositions* to work out; *document* to draw up, draft.

**élagage** /elagaʒ/ **NM** *[budget]* pruning, trimming.

**élaguer** /elage/ **VT** *budget* to prune, trim.

**élan** /elɑ̃/ **NM** (= *impulsion*) momentum, thrust, impetus ◆ **la reprise continue sur son élan** the recovery is gaining momentum.

**élargir** /elaʀʒiʀ/ **VT** *marché* to broaden, widen, extend ◆ **élargir le champ de ses activités** to extend the scope of one's activities ◆ **élargir sa clientèle** to widen *ou* extend one's customer base
**s'élargir** **VPR** *[marché]* to broaden, widen, expand.

**élargissement** /elaʀʒismɑ̃/ **NM** *[marché]* widening, broadening ◆ **élargissement de la gamme** line extension ◆ **élargissement des tâches** *(Ind)* job enlargment.

**élasticité** /elastisite/ **NF** *[offre, demande]* elasticity; *[règlements]* flexibility, elasticity ◆ **élasticité croisée** cross-elasticity ◆ **élasticité du marché** market resilience ◆ **élasticité de la demande par rapport au prix** price elasticity of demand.

**élastique** /elastik/ **ADJ** *règlements* elastic, flexible; *offre, demande* elastic
**NM** rubber band.

**élection** /eleksjɔ̃/ **NF** **a** *(gén, Pol)* election ◆ **l'élection de M. Martin a été acquise par 210 voix contre 5** Mr Martin was elected by 210 votes to 5 **b** *(Jur)* ◆ **élection de domicile** choice of residence.

**électoral, e,** **MPL** **-aux** /elektɔʀal, o/ **ADJ** *affiche, réunion* election ◆ **campagne électorale** election *ou* electoral campaign ◆ **programme électoral** election platform.

**électricien** /elektʀisjɛ̃/ **NM** electrician.

**électricité** /elektʀisite/ **NF** electricity.

**électrification** /elektʀifikasjɔ̃/ **NF** electrification.

**électrifier** /elektʀifje/ **VT** to electrify.

**électrique** /elektʀik/ **ADJ** electric(al) ◆ **appareils électriques** electrical appliances ◆ **centrale électrique** power station ◆ **la construction électrique** electrical engineering.

**électrochimie** /elektʀɔʃimi/ **NF** electrochemistry.

**électrochimique** /elektʀɔʃimik/ **ADJ** electrochemical.

**électrodomestique** /elektʀɔdɔmɛstik/ **ADJ**
◆ **articles électrodomestiques** household electrical appliances.

**électrogène** /elektʀɔʒɛn/ **ADJ** ◆ **groupe électrogène** generating set.

**électromécanicien** /elektʀɔmekanisjɛ̃/ **NM** electromechanical engineer.

**électromécanique** /elektʀɔmekanik/ **NF** electromechanical engineering.

**électroménager** /elektʀɔmenaʒe/ **ADJ** **appareils électroménagers** household *ou* domestic appliances
**NM** **l'électroménager** (= *appareils*) household *ou* domestic (electrical) appliances; (= *industrie*) household *ou* domestic appliance industry.

**électrométallurgie** /elektʀɔmetalyʀʒi/ **NF** electrometallurgy.

**électronicien, -ienne** /elektʀɔnisjɛ̃, jɛn/ **NM,F** electronics engineer.

**électronique** /elektʀɔnik/ **NF** electronics *(sg)*
◆ **électronique grand public** consumer electronics
**ADJ** electronic ◆ **industrie électronique** electronics industry ◆ **réservation électronique** electronic booking ◆ **traitement électronique des données** electronic data processing ◆ **agenda électronique** electronic organizer ◆ **messagerie électronique** electronic mail ◆ **monnaie électronique** plastic money ◆ **point de vente électronique** electronic point of sale.

**électrotechnique** /elektʀɔteknik/ **NF** electrotechnics *(sg)*, electrotechnology.

**élément** /elemɑ̃/ **NM** **a** (= *partie*) *(gén)* element; *[balance commerciale]* element, component; *[problème]* element; *[machine]* part, component ◆ **élément (d'information)** fact ◆ **élément d'entrée-sortie** *(Inf)* input-output unit **b** *(Compta, Fin)* item ◆ **élément exceptionnel** extraordinary item ◆ **élément d'actif** asset ◆ **élément d'actif éventuel** contingent asset ◆ **élément d'actif incorporel** intangible asset ◆ **élément de passif** liability ◆ **éléments du prix de revient** cost factors ◆ **éléments de train de vie** living standards ◆ **élément de revenu** item of income ◆ **éléments déductibles** deductions allowed.

**élémentaire** /elemɑ̃tɛʀ/ **ADJ** elementary.

**élevage** /elvaʒ/ **NM** (= *activité*) breeding; (= *ferme*) farm ◆ **l'élevage de bétail** cattle breeding *ou* rearing ◆ **élevage en batterie** battery breeding ◆ **pays d'élevage** cattel-rearing *ou* breeding area ◆ **un élevage de visons** a mink farm ◆ **truite d'élevage** farmed trout ◆ **poulet d'élevage** battery chicken.

**élévateur, -trice** /elevatœʀ, tʀis/ **ADJ, NM,F** elevator ◆ **chariot élévateur** fork-lift truck.

**élévation** /elevasjɔ̃/ NF rise ✦ **élévation dans la gamme** *(Mktg)* product upgrading ✦ **élévation des prix** rise in prices, price rise ✦ **élévation du niveau de vie** rise in the standard of living.

**élève** /elɛv/ NMF pupil, student ✦ **la France est le meilleur élève de l'Europe** France is the best in the class in Europe.

**élevé, e** /elve/ ADJ *prix, niveau, rang* high; *pertes* heavy ✦ **peu élevé** *prix,niveau* low; *pertes* slight ✦ **les dépenses sont élevées** expenditure is running high ✦ **d'un prix élevé** highly-priced, expensive ✦ **les cours demeurent** *ou* **restent élevés** prices are still running *ou* staying high ✦ **un fonctionnaire d'un rang élevé** a high-ranking *ou* high-grade official.

**élever** /elve/ VT a *bétail* to rear, breed b *barrières douanières* to raise, put up, erect
**s'élever** VPR a (= *monter*) [*prix, niveau*] to rise, go up, increase ✦ **le niveau de vie s'est élevé** the standard of living has improved *ou* risen b (= *atteindre*) ✦ **s'élever à** [*prix, dégâts, facture*] to total, add up to, amount to, run up to, reach ✦ **le solde du compte s'élève à 500 livres** the balance stands at £500 ✦ **s'élever en moyenne à** to average ✦ **le devis des travaux s'élève à 500 livres** the job is costed at £500 c (= *contester*) ✦ **s'élever contre** to rise up against ✦ **s'élever contre une décision** to make a stand against a decision, contest a decision.

**éleveur, -euse** /elvœR, øz/ NM,F ✦ **éleveur de bétail** cattle breeder *ou* rearer, stock farmer, cattleman *(US)* ✦ **propriétaire-éleveur** breeder ✦ **négociant-éleveur** merchant grower.

**éligibilité** /eliʒibilite/ NF *(Pol)* eligibility.

**éligible** /eliʒibl(ə)/ ADJ *(Pol)* eligible; *(Fin) effet, papier* open-marketable ✦ **actions éligibles au PEA** shares eligible for PEPs.

**élimination** /eliminasjɔ̃/ NF (*gén*) elimination ✦ **élimination des déchets** waste disposal.

**éliminer** /elimine/ VT *concurrent* to eliminate, knock out; *déchets* to dispose of; *possibilité* to rule out, eliminate ✦ **éliminer progressivement** to phase out ✦ **éliminer les barrières douanières** to remove *ou* do away with customs barriers ✦ **les petits exploitants seront éliminés du marché** small farmers will be pushed *ou* forced out of the market.

**élire** /eliR/ VT to elect ✦ **être élu à la présidence** to be elected to the chairmanship.

**élite** /elit/ NF élite ✦ **l'élite de** the cream *ou* élite of.

**élitisme** /elitism(ə)/ NM elitism.

**élitiste** /elitist(ə)/ ADJ, NMF elitist.

**éloge** /elɔʒ/ NM praise ✦ **faire l'éloge de** to praise, speak (very) highly of.

**éloigné, e** /elwaɲe/ ADJ *lieu, date, échéance* distant ✦ **dans un avenir peu éloigné** in the not-too-distant future, in the near future NM *(Bourse)* ✦ **l'éloigné** deferred delivery.

**éloignement** /elwaɲmɑ̃/ NM *(fait de repousser)* postponement, putting off.

**éloigner** /elwaɲe/ VT *échéance* to postpone, put off; *danger* to ward off, remove (*de* from)

**élu, e** /ely/ ADJ elected
NM,F (= *représentant*) elected representative.

**éluder** /elyde/ VT *difficulté* to evade, elude; *loi, règlement* to evade, dodge.

**émancipation** /emɑ̃sipasjɔ̃/ NF *(gén, Jur)* emancipation.

**émanciper** /emɑ̃sipe/ VT *(gén, Jur)* to emancipate.

**émaner** /emane/ VT INDIR ✦ **émaner de** [*pouvoir*] to proceed from; [*instructions, circulaire*] to come from, be issued by.

**émargement** /emaRʒəmɑ̃/ NM (= *fait de signer*) signing; (= *signature*) signature ✦ **feuille d'émargement** *(de présence)* attendance sheet; *(du personnel)* time sheet; *(de paie)* paysheet.

**émarger** /emaRʒe/ VT (= *signer*) to sign, initial VI a (= *recevoir son traitement*) to draw one's salary, be on the payroll ✦ **à combien émarge-t-il?** what is his salary? b (= *signer*) to sign one's initials, sign.

**emballage** /ɑ̃balaʒ/ NM a *(dans un carton)* packing(-up); *(dans du papier)* wrapping(-up), doing-up ✦ **caisse d'emballage** packing case ✦ **frais d'emballage** packing charges ✦ **franco d'emballage** packing free ✦ **papier d'emballage** wrapping paper ✦ **poids net à l'emballage** net weight when packed ✦ **spécifications d'emballage** packing instructions ✦ **toile d'emballage** packing canvas b (= *boîte, carton*) packet, package, packaging; (= *papier*) wrapping

───── *compounds/composés* ─────

✦ **emballage à retourner** packing to be returned
✦ **emballage bulle** blister pack
✦ **emballage-cadeau** giftwrapping
✦ **emballage sous cellophane** cellophane packing
✦ **emballage compris** packing included, no charges for packing
✦ **emballage consigné / non consigné** returnable / non returnable packing
✦ **emballage défectueux** faulty packing

# emballement

- **emballage économique** economy-size package
- **emballage en sus** packing extra
- **emballage factice** dummy pack
- **emballage sous film rétractable** shrink packaging
- **emballage gratuit** no charges for packing
- **emballage géant** giant pack
- **emballage groupé** luster pack, multipack
- **emballage hermétique** airtight package
- **emballage maritime** seaworthy packing
- **emballage multiple** multiple pack, multipack
- **emballage d'origine** original packing
- **emballage perdu** non-returnable packing, one-way package, disposable *ou* throw-away container
- **emballage de présentation** display package
- **emballage réutilisable** re-usable packing
- **emballage sous vide** vacuum packing
- **emballage transparent** blister pack
- **emballage à usage unique** non-returnable pack
- **emballages vides** empties.

**emballement** /ãbalmã/ **NM** [cours, prix] boom ◆ **emballement de la demande** booming demand ◆ **provoquer l'emballement de l'économie** to cause the economy to get out of control.

**emballer** /ãbale/ **VT** (dans un carton) to pack (up); (dans du papier) to wrap (up), do up
**s'emballer** **VPR** [économie] to run away, get out of control.

**emballeur, -euse** /ãbalœʀ, øz/ **NM,F** packer.

**embargo** /ãbaʀgo/ **NM** embargo ◆ **assouplir l'embargo** to ease the embargo ◆ **lever l'embargo** to lift *ou* raise *ou* remove the embargo (sur on) **mettre l'embargo sur qch, frapper qch d'embargo** to embargo sth, impose *ou* lay *ou* put an embargo on sth ◆ **embargo commercial** trade embargo, stoppage of trade ◆ **embargo économique** economic embargo ◆ **sous embargo** under (an) embargo.

**embarquement** /ãbaʀkəmã/ **NM** [marchandises] loading; [passagers] boarding, embarking ◆ **billet d'embarquement** mate's receipt ◆ **documents d'embarquement** shipping documents ◆ **permis d'embarquement** shipping note ◆ **port d'embarquement** [marchandises] shipping port, port of shipment *ou* of loading; [voyageurs] port of embarkation *ou* of sailing ◆ **carte / heure / porte d'embarquement** (Aviat) boarding card *ou* pass / time / gate ◆ **ces caisses sont prêtes pour l'embarquement** these crates are ready for loading *ou* shipment.

**embarquer** /ãbaʀke/ **VT** passagers to embark, take on board; marchandises to load, take

aboard ◆ **poids net embarqué** loaded net weight ◆ **embarqué en moins** short shipped
**s'embarquer** **VPR** to board, go on board.

**embarras** /ãbaʀa/ **NM** (= confusion, trouble) embarrassment ◆ **embarras financier, embarras d'argent** financial straits *ou* difficulties ◆ **être dans l'embarras** (gén) to be in an awkward position; (financièrement) to be in financial straits, be short of money, be strapped for funds *ou* for cash.

**embarrassant, e** /ãbaʀasã, ãt/ **ADJ** embarrassing.

**embarrassé, e** /ãbaʀase/ **ADJ** personne, réponse embarrassed.

**embauchage** /ãboʃaʒ/ **NM** taking-on, hiring, recruiting.

**embauche** /ãboʃ/ **NF** (= recrutement) taking-on, hiring, recruiting; (= poste vacant) vacancy ◆ **pas d'embauche** no vacancies ◆ **nouvelles embauches** new hires ◆ **nos problèmes d'embauche** our recruiting problems ◆ **bureau d'embauche** labour office *ou* agency ◆ **contrat d'embauche** contract of hire, employment *ou* hiring contract ◆ **date d'embauche** date of hiring ◆ **lettre d'embauche** letter of appointment ◆ **chercher de l'embauche** to look for a job.

**embaucher** /ãboʃe/ **VT** to take on, hire, recruit ◆ **travailleurs récemment embauchés** newly recruited workers, new hires*
**s'embaucher** **VPR** to get o.s. taken on *ou* hired (comme as)

**embellie** /ãbeli/ **NF** brighter period, upturn.

**emblème** /ãblɛm/ **NM** (Mktg) ◆ **emblème de marque** brand mark.

**embosser** /ãbɔse/ **VT** carte de crédit to emboss.

**embourber (s')** /ãbuʀbe/ **VPR** to get bogged down *ou* mired (dans in) ◆ **les négociations s'embourbent** the negotiations are getting bogged down.

**embouteillage** /ãbutɛjaʒ/ **NM** **a** (= encombrement) traffic jam, holdup, bottleneck, snarl (US) **b** (= mise en bouteille) bottling.

**embouteiller** /ãbuteje/ **VT** **a** (= encombrer) lignes to block **b** (= mettre en bouteille) to bottle.

**emboutir** /ãbutiʀ/ **VT** (Ind) to stamp.

**emboutissage** /ãbutisaʒ/ **NM** (Ind) stamping.

**embrasser** /ãbʀase/ **VT** (= englober) to encompass, embrace ◆ **le marketing embrasse toutes les activités d'une entreprise** marketing encompasses all the activities of a company.

**embûche** /ãbyʃ/ **NF** pitfall, trap ✦ **dresser des embûches** to set traps.

**émergence** /emɛʀʒãs/ **NF** (*gén, Écon*) emergence.

**émergent, e** /emɛʀʒã, ãt/ **ADJ** (*gén, Écon*) emergent ✦ **pays émergents** emerging countries ✦ **marchés émergents** emerging markets.

**émerger** /emɛʀʒe/ **VI** to emerge.

**émetteur, -trice** /emɛtœʀ, tʀis/ **ADJ** banque émettrice issuing bank ✦ **station émettrice** transmitting station ✦ **terminal émetteur** transmitting terminal ✦ **zone émettrice** source field
**NM** **a** issuer ✦ **émetteur de la filière** (*Bourse de marchandises*) first seller **b** (*Rad, TV*) transmitter.

**émettre** /emɛtʀ(ə)/ **VT** *monnaie, actions, obligations* to issue; *emprunt* to float; *chèque* to draw; *message* to transmit; *programme radio* to broadcast ✦ **le chèque a été émis le 20 mai** the cheque was drawn on May 20th, the cheque is dated May 20th ✦ **émettre des réserves** to express *ou* voice reservations.

**émiettement** /emjɛtmã/ **NM** ✦ **émiettement des responsabilités** dispersal *ou* watering down of responsibility.

**émigrant, e** /emigʀã, ãt/ **NM,F** emigrant, migrant.

**émigration** /emigʀasjɔ̃/ **NF** emigration.

**émigrer** /emigʀe/ **VI** to emigrate, migrate.

**émirat** /emiʀa/ **NM** emirate ✦ **les Émirats arabes unis** the United Arab Emirates.

**émission** /emisjɔ̃/ **NF** **a** [*actions*] issue, issuance; [*emprunt*] floatation, flotation; [*chèque*] drawing ✦ **émission garantie / limitée** guaranteed / restricted *ou* limited issue ✦ **émission en cours** current issue ✦ **émission obligataire** bond issue ✦ **émission d'actions** share issue ✦ **émission d'actions gratuites** bonus share issue, scrip issue ✦ **émission d'actions nouvelles** new equity issue ✦ **émission de droits** rights issue ✦ **émission au pair / au-dessous du pair** issue at par / below par ✦ **acheter des actions au prix d'émission** (*Bourse*) to buy shares at issue prices, get in on the ground floor* ✦ **garantir une émission** to underwrite an issue ✦ **banque d'émission** issuing bank *ou* house ✦ **conditions d'émission** issuing terms ✦ **contrat d'émission** issuing contract ✦ **cours d'émission** issue *ou* issuing price ✦ **courtier d'émission** issue broker ✦ **institut d'émissions** Central Bank of issue ✦ **maison d'émission** issuing house *ou* company ✦ **monopole d'émission** monopoly of is-

sue ✦ **prime d'émission** (*au-dessous du pair*) discount; (*au-dessus du pair*) premium ✦ **service des émissions** issue department ✦ **syndicat d'émission** issuing syndicate **b** (*Rad, TV*) programme, broadcast **c** (*Télec, Inf*) transmission.

**emmagasinage** /ãmagazinaʒ/ **NM** storage, warehousing ✦ **droits** *ou* **frais d'emmagasinage** storage *ou* warehouse charges.

**emmagasiner** /ãmagazine/ **VT** to store, warehouse.

**émoi** /emwa/ **NM** (*= effervescence*) agitation, emotion ✦ **la nouvelle a provoqué un certain émoi à la Bourse de Paris** the news caused a flurry on the Paris Bourse, the Paris Bourse got flurried at the news.

**émoluments** /emɔlymã/ **NMPL** (*Admin*) remuneration, emolument, fee ✦ **percevoir des émoluments** to draw *ou* get a remuneration.

**émotionnel, -elle** /emosjɔnɛl/ **ADJ** *publicité* emotional ✦ **à fort contenu émotionnel** emotion-laden ✦ **charge émotionnelle** emotional freight.

**émouvoir** /emuvwaʀ/ **VT** *opinion publique* to stir, rouse
**s'émouvoir** **VPR** to be stirred ✦ **les syndicats se sont émus de l'incident** the unions were roused by the incident.

**empaquetage** /ãpaktaʒ/ **NM** [*marchandises*] packing, packaging; [*colis*] wrapping up.

**empaqueter** /ãpakte/ **VT** *marchandises* to pack, package; *colis* to wrap up.

**emparer (s')** /ãpaʀe/ **VPR** ✦ **s'emparer de** *marché* to seize, grab, capture, steal.

**empêché, e** /ãpeʃe/ **ADJ** (*= retenu*) detained, held up ✦ **il a été empêché et n'a pas pu venir** he was held up *ou* detained and was unable to come, he was prevented from coming by his commitments ✦ **empêché pour cause de maladie** on sick-leave.

**empêchement** /ãpeʃmã/ **NM** unexpected difficulty ✦ **il a eu un empêchement** something cropped up which prevented him from coming.

**empêcher** /ãpeʃe/ **VT** to prevent, stop ✦ **empêcher qn de faire** to prevent sb from doing, stop sb (from) doing.

**emphytéose** /ãfiteoz/ **NF** long lease.

**emphytéotique** /ãfiteotik/ **ADJ** ✦ **bail emphytéotique** ninety-nine-year lease.

**empiéter** /ɑ̃pjete/ **VI** ✦ **empiéter sur** *droit* to encroach, infringe (up)on; *attributions* to trespass on.

**empilable** /ɑ̃pilabl(ə)/ **ADJ** stackable.

**empilage** /ɑ̃pilaʒ/ **NM**, **empilement** **NM** (= *action*) stacking; (= *tas*) stack, pile.

**empiler** /ɑ̃pile/ **VT** *stocks* to pile up; *dossiers, cartons* to stack
**s'empiler** **VPR** *[stocks]* to pile up.

**empire** /ɑ̃piʀ/ **NM** empire ✦ **empire industriel** industrial empire.

**empirer** /ɑ̃piʀe/ **VI** to get worse, deteriorate, worsen ✦ **le chômage empire** unemployment is getting worse
**VT** to aggravate, make worse, worsen.

**empirique** /ɑ̃piʀik/ **ADJ** empirical ✦ **évaluation empirique** rule-of-thumb evaluation.

**empiriquement** /ɑ̃piʀikmɑ̃/ **ADV** empirically, by rule of thumb.

**emplacement** /ɑ̃plasmɑ̃/ **NM** site, location ✦ **emplacement d'affichage** hoarding site ✦ **emplacement extérieur** outdoor location ✦ **emplacement isolé** *(Pub)* solus site *ou* position; *(dans un grand magasin)* island site ✦ **emplacement préférentiel** preferred position ✦ **emplacement privilégié** special position ✦ **emplacement réservé** reserved position ✦ **choix de l'emplacement** siting ✦ **l'emplacement serait excellent pour un supermarché** it would be an excellent site for a supermarket, a supermarket would be very well sited here.

**emploi** /ɑ̃plwa/ **NM** **a** (= *utilisation*) use ✦ **emploi du temps** timetable, schedule ✦ **un emploi du temps chargé** a heavy *ou* busy timetable *ou* schedule ✦ **j'ai un emploi du temps extrêmement chargé** I have a very crowded *ou* heavy schedule *ou* timetable, I'm virtually booked up, I'm working to a very tight schedule ✦ **établir un emploi du temps** to make out a work schedule ✦ **mode d'emploi** directions for use ✦ **double emploi** duplication, overlapping ✦ **faire double emploi** to be redundant, overlap ✦ **faire double emploi avec qch** to duplicate with sth **b** (= *métier*) job, employment; (= *poste*) position ✦ **emploi à mi-temps** half-time job ✦ **emploi à plein temps** *ou* **à temps plein** full-time employment *ou* job *ou* position ✦ **emploi à temps partiel** part-time employment *ou* job *ou* position ✦ **emploi d'appoint** side job ✦ **emploi saisonnier** seasonal job ✦ **emploi vacant** vacancy ✦ **emploi précaire** insecure job ✦ **dégrèvement fiscal pour création d'emplois** tax incentives for job creation, employment tax credit ✦ **emplois tertiaires** jobs in the service sector *ou* industries, service jobs *ou* occupations ✦ **être à la recherche d'un emploi** to look for a job ✦ **jeunes à la recherche d'un premier emploi** school-leavers ✦ **emploi-jeune** *job created under a youth employment scheme* ✦ **être sans emploi** to be unemployed *ou* out of work *ou* jobless ✦ **perdre son emploi** to lose one's job ✦ **prendre un emploi** to take up employment *ou* a job ✦ **solliciter** *ou* **postuler un emploi** to apply for a situation *ou* a job ✦ **bassin d'emploi** labour pool ✦ **créateur d'emplois** jobmaker ✦ **création d'emplois** job creation ✦ **demande d'emploi** job application ✦ **demandes d'emploi** situations wanted ✦ **demandes d'emploi non satisfaites** unfilled job applications ✦ **demandeurs d'emploi** job seekers ✦ **conditions d'emploi** terms *ou* conditions of employment ✦ **offres d'emploi** vacancies, job offers; *(dans un journal)* situations vacant column, job ads ✦ **perte d'emploi** job loss ✦ **suppression d'emplois** job reduction, labour cutback **c** (= *le travail*) ✦ **l'emploi** employment ✦ **le plein emploi** full employment ✦ **le ministre de l'Emploi** the Employment Minister *(Brit)* *ou* Secretary *(US)* ✦ **agence pour l'emploi** employment bureau *ou* office *ou* agency, job centre ✦ **situation / dégradation de l'emploi** labour market situation / deterioration ✦ **politique de l'emploi** employment policy ✦ **planification de l'emploi** labour planning ✦ **sécurité de l'emploi** *(gén)* job security, lifetime employment; *(Admin)* fixity of tenure ✦ **marché de l'emploi** employment *ou* job *ou* labour market **d** *(Fin, Compta)* ✦ **emplois** application of funds; *(dans le bilan)* assets ✦ **emplois fixes** fixed assets ✦ **tableau des ressources et emplois** statement of source and application of funds ✦ **emploi de ressources budgétaires** budget appropriation.

**employé, e** /ɑ̃plwaje/ **NM,F** employee ✦ **les employés** white-collar workers ✦ **employé à plein temps** full-time employee, full-timer ✦ **employé à temps partiel** part-time employee, part-timer ✦ **employé au classement** filing clerk ✦ **employé aux écritures** ledger *ou* entering clerk ✦ **employés communaux** local authority workers ✦ **employé de banque** bank employee *ou* clerk ✦ **employé de bureau** office worker *ou* clerk ✦ **employé de maison** domestic employee ✦ **employé de régie** customs and excise officer, exciseman ✦ **employé occasionnel** casual employee *ou* worker ✦ **employé saisonnier** seasonal employee *ou* worker.

**employer** /ɑ̃plwaje/ **VT** **a** *salarié* to employ ✦ **il est employé par cette société** he is employed by that firm, he works for that firm

**b** *(= utiliser)* to use **c** *(Compta)* to enter, put ✦ **employer une somme en recette** to put a sum to the credit side, enter an amount in the receipts.

**employeur, -euse** /ɑ̃plwajœʀ, øz/ **NM,F** employer ✦ **syndicat d'employeurs** employers' federation *ou* association.

**empocher** \* /ɑ̃pɔʃe/ **vt** to pocket.

**empoisonner** /ɑ̃pwazɔne/ **vt** *situation, relations* to embitter.

**emporter** /ɑ̃pɔʀte/ **vt** to take ✦ **plats à emporter** takeaway food ✦ **emporter la décision** to carry the day ✦ **l'emporter sur** *[concurrent]* to outstrip, gain *ou* get the upper hand of; *[proposition]* to prevail over.

**emprise** /ɑ̃pʀiz/ **NF** hold, grip, control ✦ **l'emprise de l'État sur l'économie** the control of the state over the economy.

**emprunt** /ɑ̃pʀœ̃/ **NM** *(= action) [argent]* borrowing; *(= somme)* loan ✦ **recourir à l'emprunt** to resort to borrowing ✦ **les emprunts sur les marchés à court terme ont ralenti** borrowing on short term markets has slackened ✦ **emprunt à 9%** loan bearing interest at 9% ✦ **accorder un emprunt** to grant a loan ✦ **amortir un emprunt** to redeem *ou* repay *ou* sink a loan ✦ **dénoncer un emprunt** to cancel a loan ✦ **contracter un emprunt** to take up *ou* raise *ou* contract a loan ✦ **émettre un emprunt** to issue a loan ✦ **lancer un emprunt** to float *ou* launch a loan ✦ **placer un emprunt** to place a loan ✦ **rembourser un emprunt** to redeem *ou* repay *ou* pay off a loan ✦ **souscrire à un emprunt** to subscribe to a loan ✦ **amortissement** *ou* **remboursement d'un emprunt** loan redemption ✦ **durée d'un emprunt** duration *ou* term of a loan ✦ **émission d'un emprunt** issuing of a loan ✦ **lancement d'un emprunt** floatation *ou* flotation *ou* launching of a loan ✦ **titre d'emprunt** loan certificate, debt security ■ Voir encadré ci-dessous

**emprunter** /ɑ̃pʀœ̃te/ **vt** *argent* to borrow (*à* from) ✦ **capitaux empruntés** loan *ou* borrowed capital *ou* borrowed funds ✦ **emprunter à intérêt** to borrow at interest ✦ **emprunter sur titres** to borrow on securities ✦ **emprunter sur hypothèque** to borrow on mortgage ✦ **emprunter à long / court terme** to borrow long / short.

**emprunteur, -euse** /ɑ̃pʀœ̃tœʀ, øz/ **NM,F** borrower ✦ **emprunteur à la grosse** borrower on bottomry ✦ **emprunteur sur gages** mortgager ✦ **emprunteur public** public borrower ✦ **emprunteur souverain** sovereign borrower.

**émulateur** /emylatœʀ/ **NM** *(Inf)* emulator.

**émulation** /emylasjɔ̃/ **NF** *(gén, Inf)* emulation.

**émuler** /emyle/ **vt** *(Inf)* to emulate.

**ENA** /ena/ **NF** (abrév de **École nationale d'administration)** *elite postgraduate school training France's top civil servants.*

**encadrement** /ɑ̃kɑdʀəmɑ̃/ **NM** **a** *(Fin, Écon* = *contrôle)* control ✦ **encadrement du crédit**

---

*compounds/composés*

### EMPRUNT

✦ **emprunt amortissable** redeemable loan
✦ **emprunt d'amortissement** redemption loan
✦ **emprunt bancaire** bank loan
✦ **emprunt consolidé** consolidated loan
✦ **emprunt de conversion** conversion loan
✦ **emprunt convertible** convertible loan
✦ **emprunt à coupon zéro** zero coupon loan
✦ **emprunt à court terme** short(-dated) loan, short-term loan
✦ **emprunt à découvert** unsecured loan, open note *(US)*, loan on overdraft
✦ **emprunt d'État** government loan, public loan
✦ **emprunt extérieur** external *ou* foreign loan
✦ **emprunt forcé** forced *ou* compulsory loan
✦ **emprunt garanti** *ou* **gagé** secured loan
✦ **emprunt à la grosse sur facultés** loan on respondantia
✦ **emprunt hypothécaire** mortgage(d) loan
  ✦ **emprunt hypothécaire plafonné** closed-end mortgage
✦ **emprunt indexé** indexed loan

✦ **emprunt irrécouvrable** dead loan
✦ **emprunt Lombard** Lombard loan
✦ **emprunt à long terme** long(-dated) loan, long-term loan
✦ **emprunt à lots** lottery loan
✦ **emprunt notionnel** notional loan
✦ **emprunt non remboursable** irredeemable loan
✦ **emprunt obligataire** debenture *ou* bond loan
✦ **emprunt avec option de change** loan redeemable in optional currency
✦ **emprunt perpétuel** perpetual loan
✦ **emprunt à prime** premium loan
✦ **emprunt public** public *ou* government loan
✦ **emprunt remboursable sur demande** call money, call loan, loan at call
✦ **emprunt revalorisé** revalued loan
✦ **emprunt à risques** non-accrual loan
✦ **emprunt syndiqué** syndicated loan
✦ **emprunt à terme** loan at notice
✦ **emprunt sur titres** loan on stocks.

credit tightening, credit control *ou* squeeze
♦ **encadrement des prix** price control *ou*
squeeze **b** *(Ind, Admin = cadres)* management
♦ **personnel d'encadrement** managerial *ou*
management *ou* executive staff ♦ **poste d'encadrement** managerial *ou* management position ♦ **agent d'encadrement** supervisor **c** *[sta-
giaires]* training, supervision.

**encadré** /ākadʀe/ **NM** *(= case)* box ♦ **voir encadré**
see box.

**encadrer** /ākadʀe/ **VT** *stagiaires* to train, supervise; *crédit* to regulate; *ouvriers* to supervise,
manage.

**encaissable** /ākesabl(ə)/ **ADJ** *chèque* encashable,
cashable; *effet* collectable ♦ **ce chèque n'est
encaissable que dans une banque** this cheque
can only be cashed at a bank.

**encaisse** /ākes/ **NF** cash in hand, cash balance,
cash resources ♦ **encaisse métallique** gold (and
silver) reserves ♦ **pas d'encaisse** no funds ♦ **déficit / excédent d'encaisse** short / over in the
cash.

**encaissement** /ākesmā/ **NM** **a** *[somme, facture]*
collection, receipt; *[chèque]* cashing; *[effet]*
collection ♦ **envoyer à l'encaissement** to send
for collection ♦ **donner à l'encaissement** to
hand in *ou* remit for collection ♦ **présenter un
effet à l'encaissement** to present a bill for
collection ♦ **donner** *ou* **présenter un chèque à
l'encaissement** to have a cheque collected
♦ **frais d'encaissement** collection fees *ou* costs
*ou* charges ♦ **ordre d'encaissement** collection
order ♦ **encaissement simple** clean collection
♦ **encaissement documentaire** documentary
collection ♦ **encaissement en compte** bank
advance against commercial papers ♦ **valeur à
l'encaissement** value for collection **b** **encaissements** *(Fin, Compta)* receipts; *(Ass)* premium
income ♦ **encaissements et décaissements** receipts and disbursements.

**encaisser** /ākese/ **VT** **a** *argent, revenus* to collect,
receive; *chèque, traite* to collect, cash ♦ **effets à
encaisser** bills receivable, receivables ♦ **revenus encaissés en France** income received in
France **b** *marchandises* to encase, box.

**encaisseur** /ākesœʀ/ **NM** *[créances]* collector,
dunner* *(US)* ; *[chèque]* payee.

**encan** /ākā/ **NM** ♦ **vente à l'encan** auction sale
♦ **vendre à l'encan** to auction, sell by auction
*ou* at an auction.

**encart** /ākaʀ/ **NM** insert, inset ♦ **encart publicitaire** inset ad(vertisement), advertising insert
♦ **encart volant** loose insert.

**encarter** /ākaʀte/ **VT** to insert, inset.

**enchaînement** /āʃɛnmā/ **NM** *(Inf)* chaining.

**enchère** /āʃeʀ/ **NF** **a** bid ♦ **faire une enchère sur**
to bid for, make a bid on ♦ **couvrir une enchère**
to make a higher bid, up the bidding* ♦ **faire
monter** *ou* **pousser les enchères** to raise the
bidding ♦ **dernière enchère** highest *ou* closing
bid ♦ **folle enchère** irresponsible bid ♦ **première enchère** opening bid **b** **enchères**
♦ **vente aux enchères** auction sale ♦ **mettre
aux enchères** to put up for auction ♦ **l'équipement sera mis aux enchères** the plant will
come under the hammer *ou* will be put up for
sale ♦ **vendre aux enchères** to auction, sell by
auction *ou* at an auction ♦ **enchères au rabais**
Dutch auction ♦ **enchères forcées** compulsory
auction sale ♦ **enchères publiques** public auction, vendue *(US)* ♦ **enchères volontaires** voluntary auction sale.

**enchérir** /āʃeʀiʀ/ **VI** **a** *(Comm)* ♦ **enchérir sur
une offre** to make a higher bid ♦ **enchérir de
dix francs** to bid another ten francs
**b** *(= augmenter)* to become more expensive,
go up *ou* increase in price.

**enchérisseur, -euse** /āʃeʀisœʀ, øz/ **NM,F** bidder
♦ **dernier enchérisseur, enchérisseur le plus
offrant** *ou* **le mieux disant** highest bidder.

**enclenchement** /āklāʃmā/ **NM** *(= début)* start,
inception.

**enclencher** /āklāʃe/ **VT** *affaire* to get under way,
start up ♦ **l'affaire est bien enclenchée** the
business is well under way
**s'enclencher** **VPR** *[affaire]* to get under way.

**encodage** /ākɔdaʒ/ **NM** encoding.

**encoder** /ākɔde/ **VT** to encode.

**encombré, e** /ākɔ̃bʀe/ **ADJ** *profession* saturated;
*marché* saturated, glutted, congested; *réseau
téléphonique* blocked, congested.

**encombrement** /ākɔ̃bʀəmā/ **NM** **a** *(= surcharge)*
congestion ♦ **par suite de l'encombrement des
lignes nous ne pouvons donner suite à votre
appel** all lines are engaged *ou* busy and we
cannot put you through **b** *(= taille)* *[véhicule]*
bulk ♦ **marchandises d'encombrement** measurement goods ♦ **tonne** *ou* **tonneau d'encombrement** measurement ton ♦ **payer la cargaison à l'encombrement** to pay by measurement
for cargo.

**encombrer** /ākɔ̃bʀe/ **VT** *profession* to saturate;
*marché* to saturate, glut, overstock ♦ **les lignes
sont encombrées** the lines are engaged *ou*
busy.

**encouragement** /ɑ̃kuʀaʒmɑ̃/ **NM**
encouragement ✦ **encouragement à l'exportation** export incentive ✦ **encouragements fiscaux** tax incentives *ou* stimuli ✦ **mesures d'encouragement** incentive measures ✦ **prime d'encouragement** incentive bonus *ou* pay.

**encourager** /ɑ̃kuʀaʒe/ **VT** to encourage, promote, foster ✦ **encourager l'épargne** to foster saving ✦ **encourager l'investissement** to spur investment.

**encourir** /ɑ̃kuʀiʀ/ **VT** *pénalité, dépense* to incur; *risque* to run ✦ **encourir des sanctions** to be liable to penalties.

**encours, en-cours** /ɑ̃kuʀ/ **NM** **a** *(Fin) (= effets)* outstanding discounted bills; *(= dettes)* outstanding debt ✦ **les encours de crédit sont en progression de 8%** credits outstanding have risen by 8% ✦ **l'encours ressort à 13,5 milliards d'euros** the outstanding debt works out at 13.5 billion euros ✦ **les encours sur les livrets de caisse d'épargne** the sums held in savings-bank books **b** *(Compta)* ✦ **encours de fabrication** materials undergoing processing ✦ **gestion des encours** in-process inventory control.

**endetté, e** /ɑ̃dete/ **ADJ** in debt ✦ **les pays les plus endettés** the most indebted *ou* debt-laden countries, the countries with the heaviest burden of debt ✦ **être endetté jusqu'au cou** to be up to the hilt in debt.

**endettement** /ɑ̃dɛtmɑ̃/ **NM** debt, indebtedness ✦ **ratio d'endettement** gearing *ou* leverage ratio, debt-equity ratio ✦ **réduction du ratio d'endettement** degearing ✦ **un plus fort ratio d'endettement permettrait à cette entreprise d'augmenter son taux de rentabilité** higher gearing would allow the company to increase its profitability ✦ **plafond d'endettement** debt ceiling *ou* limit ✦ **le montant de notre endettement envers la banque s'élève à 15 000 dollars** the amount of our indebtedness to the bank is $15,000 ✦ **l'endettement des entreprises a augmenté** corporate borrowing has increased

─── compounds/composés ───
✦ **endettement consolidé** consolidated debts
✦ **endettement des consommateurs** consumer debt *ou* indebtedness
✦ **endettement extérieur** external *ou* foreign debt
✦ **endettement externe** leveraging
✦ **endettement intérieur** internal debt
✦ **endettement moyen par ménage** average household debt.

**endetter** /ɑ̃dete/ **VT** to get into debt ✦ **l'acquisition de cet ordinateur nous a endettés** the purchase of this computer got us into debt **s'endetter** **VPR** to get *ou* run into debt.

**endiguement** /ɑ̃digmɑ̃/ **NM** *(Fin)* hedging.

**endiguer** /ɑ̃dige/ **VT** *prix* to hold back, contain; *mouvement revendicatif* to check; *inflation* to check, stem, curb; *chômage* to curb.

**endogène** /ɑ̃dɔʒɛn/ **ADJ** *variable* endogenous.

**endommager** /ɑ̃dɔmaʒe/ **VT** *marchandises* to damage ✦ **ces colis nous sont parvenus endommagés** these parcels reached us in damaged condition.

**endos** /ɑ̃do/ **NM** endorsement.

**endossable** /ɑ̃dosabl(ə)/ **ADJ** endorsable.

**endossataire** /ɑ̃dosatɛʀ/ **NMF** endorsee.

**endossement** /ɑ̃dosmɑ̃/ **NM** endorsement ✦ **endossement complet / conditionnel / partiel** full / conditional / partial endorsement ✦ **transférable** *ou* **cessible par endossement** transferable by endorsement ✦ **transmettre une lettre de change par voie d'endossement** to endorse a bill

─── compounds/composés ───
✦ **endossement en blanc** blank *ou* general endorsement
✦ **endossement de complaisance** accommodation endorsement
✦ **endossement mandataire** endorsement by proxy
✦ **endossement pignoratif** endorsement for pledge
✦ **endossement restrictif** restrictive endorsement.

**endosser** /ɑ̃dose/ **VT** *document, chèque* to endorse; *responsabilité* to take, shoulder, assume ✦ **nous devrons faire endosser la hausse de nos charges par le consommateur** we'll have to pass *ou* shift the increase in costs on to the consumer.

**endosseur** /ɑ̃dosœʀ/ **NM** endorser ✦ **endosseur par complaisance** accommodation party ✦ **endosseur suivant** subsequent endorser.

**énergétique** /enɛʀʒetik/ **ADJ** *politique, secteur, ressources* energy ✦ **dépendance énergétique** energy dependence ✦ **dépenses énergétiques** energy expenditures ✦ **facture énergétique** energy bill ✦ **consommation énergétique** energy *ou* power consumption.

**énergie** /enɛʀʒi/ **NF** energy ✦ **énergies alternatives** *ou* **de remplacement** alternative sources of energy ✦ **énergies douces** soft energy

◆ **consommation d'énergie** power consumption ◆ **gaspillage d'énergie** energy waste ◆ **pénurie d'énergie** energy shortage.

**énergique** /enɛRʒik/ ADJ *mesures* drastic, stringent.

**enfoncer (s')** /ɑ̃fɔ̃se/ VPR *[entreprise]* to sink ◆ **le yen s'enfonce** the yen is sinking *ou* nosediving.

**enfreindre** /ɑ̃fRɛ̃dR(ə)/ VT *(gén)* to transgress; *règlements* to infringe; *loi* to break; *traité* to violate.

**engagement** /ɑ̃gaʒmɑ̃/ NM a *(= obligation)* obligation, commitment; *(= promesse)* promise; *(= accord)* agreement ◆ **engagement contractuel** contractual obligation ◆ **engagement écrit / tacite** written / tacit agreement *ou* contract ◆ **sans engagement de votre part** without obligation on your part ◆ **signer un engagement** to sign an agreement ◆ **contracter un engagement** to enter into a contract *ou* an agreement ◆ **faire face à ses engagements, remplir** *ou* **respecter** *ou* **tenir ses engagements** to meet one's commitments ◆ **cette société a manqué** *ou* **a failli à ses engagements, cette société a rompu ses engagements** this company did not fulfil its commitments *ou* failed to honour its commitments b *(= recrutement)* *[salarié]* taking on, engaging, hiring c *(Fin)* *[capitaux]* investing; *[dépenses]* commitment ◆ **engagement bancaire** bank liability ◆ **engagements financiers** financial commitments *ou* liabilities ◆ **cela a nécessité l'engagement de nouveaux frais** this meant committing further funds ◆ **engagements d'investissements** capital commitments ◆ **engagements hors bilan** off-balance sheet items, contingent commitments ◆ **engagement de garantie** surety bond ◆ **commission d'engagement** commitment fee d *(= début)* *[discussions]* opening, start e *(= mise en gage)* *[bijoux]* pawning, hocking *(US)* ; *[biens immeubles]* mortgaging f *(Bourse)* ◆ **engagements à la hausse** bull commitments ◆ **engagements à la baisse** bear commitments.

**engager** /ɑ̃gaʒe/ VT a *[serment]* to bind ◆ **notre signature nous engage** our signature is binding on us ◆ **engager sa parole** to give *ou* pledge one's word ◆ **votre réponse ne vous engage pas** your answer does not bind *ou* commit you ◆ **ça n'engage à rien** it doesn't commit you to anything, there are no strings attached b *(= recruter)* *salarié* to take on, engage, hire ◆ **nous avons dû engager une secrétaire** we had to take on a new secretary c *(= impliquer)* to involve ◆ **cela nous engagerait dans des frais supplémentaires** that would involve us in

further expense, that would mean we had to commit further funds ◆ **le gouvernement est engagé dans une politique de redressement** the government is pursuing a recovery policy ◆ **votre responsabilité est engagée** your responsibility is involved d *(= inciter)* ◆ **engager qn à faire qch** to urge *ou* encourage sb to do sth ◆ **les syndicats avaient engagé leurs adhérents à refuser les propositions de la direction** the unions had urged their members to reject the management's proposals e *(= commencer)* *débat* to open, start (up), get under way; *pourparlers* to enter into *ou* upon; *(Jur)* *procédure, poursuites* to institute *(contre* against) ◆ **les syndicats veulent engager une action d'ampleur nationale** the unions want to launch a nationwide protest ◆ **engager des poursuites contre qn** to bring a suit against sb, take *ou* institute proceedings against sb ◆ **engager une procédure judiciaire** to take legal action f *(Fin)* *(= mettre en gage)* *objet* to pawn, put in pawn, hock *(US)* ; *biens immeubles* to mortgage g *(= investir)* *capitaux* to invest, tie up, lock up; *dépenses* to commit, lay out ◆ **actif engagé** trading assets ◆ **la société a engagé 20 millions de livres dans sa filiale** the company has invested *ou* tied up £20 million in its subsidiary ◆ **tous les frais engagés seront remboursés** all expenses incurred will be reimbursed

**s'engager** VPR a *(= se lier)* to commit o.s., bind o.s. ◆ **s'engager à faire** to undertake *ou* promise to do ◆ **s'engager par-devant notaire** to sign a legal agreement ◆ **s'engager par contrat** to contract, bind o.s. by contract ◆ **s'engager vis-à-vis de qn à faire qch** to contract with sb to do sth ◆ **s'engager par cautionnement** *(Fin)* to enter into a surety bond ◆ **il ne s'est engagé en rien** he didn't commit himself in the least, he made no firm commitment to anything b *(= s'embaucher)* to take a job *(chez* with) c **s'engager dans** *(= se lancer dans)* *dépenses* to incur; *discussion* to enter into *ou* upon ◆ **s'engager dans une affaire** to become *ou* get involved in a business ◆ **le gouvernement s'est engagé dans une politique d'austérité** the government is embarking on an austerity drive ◆ **s'engager financièrement** to get involved financially d *(= commencer)* *[discussion]* to begin, start (up), get under way.

**engineering** /ɛnʒinəRiŋ, ɛnʒiniRiŋ/ NM engineering.

**engloutir** /ɑ̃glutiR/ VT *budget* to gobble up, engulf, swallow up ◆ **la PAC engloutit quelque 70% du budget** the CAP gobbles up 70% of the budget ◆ **engloutir beaucoup d'argent**

**enquêteur**

dans une affaire douteuse to sink a lot of money in a shady business.

**engorgement** /ɑ̃gɔʀʒəmɑ̃/ NM (Comm) glut, saturation ✦ engorgement pétrolier oil glut, petroglut.

**engorger** /ɑ̃gɔʀʒe/ VT marché to glut.

**engouement** /ɑ̃gumɑ̃/ NM craze (pour for) ✦ l'engouement du marché pour les valeurs technologiques the market's love-affair with technology stocks.

**engranger** /ɑ̃gʀɑ̃ʒe/ VT bénéfices to gather in, garner.

**enjeu**, PL -x /ɑ̃ʒø/ NM stake ✦ quel est le véritable enjeu des négociations? what is really at stake in the talks? ✦ l'enjeu de la prochaine décennie the challenge of the next decade ✦ l'un des enjeux de la révolution Internet one of the issues of the Internet revolution.

**enlèvement** /ɑ̃lɛvmɑ̃/ NM [marché] capture, taking; [déchets] collection, clearing (away); [marchandises] collection ✦ enlèvement et livraison pick-up and delivery.

**enlever** /ɑ̃lve/ VI a (= s'emparer de) part de marché to capture, take ✦ enlever la décision to carry the day ✦ enlever une affaire ou un marché to pull off a deal; commande to get ou secure an order; contrat to snap up ou land a contract b (= soustraire) to take away ✦ n'oubliez pas d'enlever les 10% de réduction don't forget to take away the 10% reduction c (= emporter) déchets to collect, clear away; marchandises to collect
**s'enlever** VPR (= se vendre) to sell readily ✦ ça s'enlève comme des petits pains * it's selling like hot cakes* ✦ ce nouveau modèle s'est enlevé rapidement this new model found a ready sale ✦ ces obligations se sont enlevées rapidement this bond issue was snapped up ✦ ces articles s'enlèvent dès qu'ils sont exposés these articles are snapped up as soon as they are on show.

**enliser (s')** /ɑ̃lize/ VPR [négociations, conflits] to get bogged down (dans in)

**ennui** /ɑ̃nɥi/ NM trouble ✦ avoir des ennuis d'argent to have money problems ✦ avoir des ennuis avec le fisc to have problems with the tax authorities ✦ avoir des ennuis avec la justice to run afoul of the law ✦ cette décision nous attirera des ennuis this decision will get us into hot water ou into trouble ✦ nous avons eu des ennuis avec l'imprimante we had some problems ou trouble with the printer.

**énoncé** /enɔ̃se/ NM [loi] terms, wording; [décision] statement ✦ énoncé fautif misstatement.

**énoncer** /enɔ̃se/ VT opinion to express, set forth; disposition, proposition to state, set out, set forth ✦ conditions énoncées dans la police stipulations set forth ou set down in the policy.

**énonciation** /enɔ̃sjasjɔ̃/ NF [faits] statement.

**enquérir (s')** /ɑ̃keʀiʀ/ VPR to inquire, ask, make inquiries (de about)

**enquête** /ɑ̃kɛt/ NF (gén) inquiry; (= sondage) survey ✦ faire une enquête [expert] to make an investigation, hold an inquiry (sur into) (Mktg) to do ou conduct ou carry out a survey (sur on) ouvrir une enquête to set up ou open an inquiry (sur into) commission d'enquête committee ou commission of inquiry, fact-finding committee

─── compounds/composés ───
✦ **enquête auprès des consommateurs** consumer survey
✦ **enquête de conjoncture** business ou outlook survey
✦ **enquête de distribution** shop-auditing
✦ **enquête de marché** market survey
✦ **enquête de motivation** motivational research
✦ **enquête multi-clients** omnibus survey
✦ **enquête d'opinion** opinion survey ou poll
✦ **enquête de solvabilité** status inquiry
✦ **enquête fiscale** tax inquiry
✦ **enquête média** media survey
✦ **enquête pilote** pilot survey
✦ **enquête postale** ou **par correspondance** mail survey
✦ **enquête publique** public enquiry
✦ **enquête quantitative** quantified survey
✦ **enquête de solvabilité** status inquiry
✦ **enquête statistique** statistical survey ou inquiry
✦ **enquête sur le terrain** field interview ou survey
✦ **enquête par téléphone** telephone survey.

**enquêté** /ɑ̃kete/ NM (Mktg) respondent, informant.

**enquêter** /ɑ̃kete/ VI (gén) to hold an inquiry (sur into); (Mktg, Comm) to do ou conduct ou carry out a survey (sur on) ✦ j'enquêterai personnellement sur cette affaire I'll inquire personally into this matter ✦ enquêter pour le compte d'une agence de publicité to conduct surveys ou to do survey work for an advertising agency.

**enquêteur, -trice** /ɑ̃ketœʀ, tʀis/ NM,F (Comm) investigator, interviewer; (pour sondage) pollster.

**enraciner** /ɑ̃ʀasine/ **vt** *(Mktg) produit* to establish.

**enrayer** /ɑ̃ʀeje/ **vt** *(gén)* to check, stop; *inflation* to stem, curb, stamp out; *chômage* to curb ◆ **enrayer la hausse des prix** to check the rise in prices, hold *ou* keep prices down.

**enregistrement** /ɑ̃ʀʒistʀəma/ **NM** **a** *[demande]* recording; *[commande]* entering, recording; *[acte juridique]* registration; *[bagages] (gén)* registration; *(Aviat)* checking in ◆ **enregistrement d'une commande** entering (up) *ou* recording of an order, order entry ◆ **droits** *ou* **frais d'enregistrement** registration fees *ou* dues ◆ **numéro d'enregistrement** registration number ◆ **l'Enregistrement** the Registration Department *(for legal transactions)* ◆ **enregistrement d'une société** *(Admin)* incorporation of a company ◆ **receveur de l'enregistrement** registrar ◆ **se présenter à l'enregistrement** *(Aviat)* to check in **b** *(Inf = adresse)* record **c** *(sur magnétophone)* recording.

**enregistrer** /ɑ̃ʀʒistʀe/ **vt** **a** *contrat, plainte* to register; *demande* to make a record of, log; *commande* to enter, record, book; *(Compta) somme, transaction* to enter, post; *bagages (gén)* to register; *(Aviat)* to check in; *(sur magnétophone)* to record **b** *(Fin) hausse, bénéfices, résultats* to register, post ◆ **enregistrer des gains** to post gains ◆ **nos actions ont enregistré une plus-value** our shares show an appreciation ◆ **ces valeurs boursières ont enregistré une forte progression** these securities posted a sharp rise *ou* registered *ou* chalked up a sharp rise.

**enregistreur, -euse** /ɑ̃ʀʒistʀœʀ, øz/ **ADJ** recording ◆ **caisse enregistreuse** cash register **NM** *(Tech)* recorder.

**enrichir** /ɑ̃ʀiʃiʀ/ **vt** *(gén)* to make rich *ou* richer; *catalogue* to enlarge
**s'enrichir** **VPR** to get rich *ou* richer ◆ **notre catalogue s'est enrichi de plusieurs nouveaux produits** we have added several new products to our catalogue.

**enrichissant, e** /ɑ̃ʀiʃisɑ̃, ɑ̃t/ **ADJ** enriching.

**enrichissement** /ɑ̃ʀiʃismɑ̃/ **NM** enrichment ◆ **enrichissement du travail** *ou* **des tâches** job enrichment.

**ensachage** /ɑ̃saʃaʒ/ **NM** bagging.

**ensacher** /ɑ̃saʃe/ **vt** to bag.

**enseigne** /ɑ̃sɛɲ/ **NF** *(= pancarte)* (shop) sign; *(= nom de marque)* trade name, corporate name ◆ **enseigne lumineuse** neon sign ◆ **huit milliards de chiffre d'affaires pour l'ensemble de l'enseigne** eight billion in sales for the whole group ◆ **cette société implante son enseigne à Tokyo** this company is setting up *ou* opening shop in Tokyo ◆ **s'établir sous l'enseigne de** to set up business *ou* shop under the name *ou* sign of.

**enseignement** /ɑ̃sɛɲmɑ̃/ **NM** ◆ **enseignement assisté par ordinateur** computer-aided *ou* -assisted instruction *ou* learning.

**ensemble** /ɑ̃sɑ̃bl(ə)/ **NM** **a** *(= tout)* whole ◆ **l'ensemble du personnel** the entire *ou* whole staff ◆ **l'ensemble du projet se tient** the project is sound on the whole, overall the project is a sound one ◆ **plan d'ensemble** overall plan ◆ **rendement d'ensemble** aggregate output ◆ **vue d'ensemble** overall *ou* general *ou* comprehensive view ◆ **dans l'ensemble** on the whole, in the aggregate **b** *(= collection) [mesures]* set, series, package; *[lois]* body; *[bâtiments]* complex ◆ **théorie des ensembles** set theory ◆ **ensemble décisionnel** decision package ◆ **ensemble industriel** industrial complex.

**ensemblier** /ɑ̃sɑ̃blije/ **NM** *(= architecte d'intérieur)* interior designer.

**entacher** /ɑ̃taʃe/ **vt** *(Jur) document* to vitiate, infect ◆ **acte entaché d'un vice de forme / de fond** act vitiated by a formal / fundamental flaw ◆ **entaché de dol** fraudulent ◆ **entaché de nullité** null and void.

**entamer** /ɑ̃tame/ **vt** **a** *économies* to make a dent in ◆ **nous avons dû entamer nos réserves** we had to break into *ou* draw on *ou* tap our reserves ◆ **entamer son capital** to break *ou* bite into one's capital **b** *(= commencer) journée* to start; *travail* to start on; *négociations* to open ◆ **entamer des poursuites** to initiate *ou* institute proceedings, take action *(contre* against*)* ◆ **ce sont eux qui ont entamé les négociations** they were the initiators of the negotiations.

**entassement** /ɑ̃tasmɑ̃/ **NM** *[stocks]* piling up, heaping up.

**entasser** /ɑ̃tase/ **vt** *stocks* to pile up
**s'entasser** **VPR** *[marchandises]* to pile up.

**entendre** /ɑ̃tɑ̃dʀ(ə)/ **vt** *témoin* to hear ◆ **l'affaire sera entendue le 18 mai** the case will come up for hearing on May 18th, the case will be heard on May 18th ◆ **l'affaire est loin d'être entendue** *(fig)* the question is far from being settled
**s'entendre** **VPR** **a** *(être du même avis)* to agree ◆ **la direction et les syndicats ne se sont entendus sur aucun point** the management and the unions didn't agree on any point ◆ **parvenir à s'entendre** to manage to come to an agreement *ou* to an understanding ◆ **il**

**s'entend très bien avec son chef de service** he gets on extremely well with the head of his department **b** (*être interprété*) ✦ **cela peut s'entendre différemment** that can be taken to mean different things, that can be understood in different ways ✦ **ces prix s'entendent départ usine** prices are quoted ex-works.

**entente** /ɑ̃tɑ̃t/ **NF** (= *accord*) agreement, understanding; (*Écon*) combine ✦ **entente amiable** amicable settlement ✦ **entente illicite** illegal agreement, restrictive practice ✦ **entente illicite sur les prix** price collusion, price fixing ✦ **entente délictueuse** conspiracy ✦ **parvenir à une entente** to come to an understanding *ou* an agreement, reach an agreement.

**entérinement** /ɑ̃teʀinmɑ̃/ **NM** ratification, confirmation.

**entériner** /ɑ̃teʀine/ **VT** to ratify, confirm.

**enterrer** /ɑ̃teʀe/ **VT** *projet* to lay aside, bury, forget about.

**en-tête**, **PL en-têtes** /ɑ̃tɛt/ **NM** heading ✦ **papier à lettres à en-tête** headed notepaper ✦ **en-tête de lettre** letter-head ✦ **en-tête de page** page heading *ou* header.

**entier, -ière** /ɑ̃tje, jɛʀ/ **ADJ** *responsabilité* full, entire ✦ **le problème reste entier** the question remains unsolved ✦ **notre nouveau stagiaire donne entière satisfaction** our new trainee gives complete satisfaction
**NM** (*Inf* = *nombre*) integer.

**entièrement** /ɑ̃tjɛʀmɑ̃/ **ADV** wholly ✦ **personne entièrement à charge** wholly dependent person ✦ **capital entièrement versé** fully paid(-up) capital.

**entité** /ɑ̃tite/ **NF** entity ✦ **entité de droit public** public corporation *ou* entity ✦ **entité économique / comptable** economic / accounting entity.

**entonnoir** /ɑ̃tɔnwaʀ/ **NM** funnel ✦ **effet d'entonnoir** funnel effect.

**entorse** /ɑ̃tɔʀs(ə)/ **NF** [*règle*] infringement (*à* of) ✦ **faire une entorse au règlement** to bend *ou* stretch the rules.

**entourage** /ɑ̃tuʀaʒ/ **NM** (= *proches*) circle ✦ **dans son entourage immédiat** people close to him.

**entourer** /ɑ̃tuʀe/ **VT** (*Bourse*) ✦ **la semaine passée le titre était très entouré** buyers were rallying round this security last week
**s'entourer** **VPR** **il a su s'entourer de collaborateurs efficaces** he surrounded himself with competent colleagues.

**entrain** /ɑ̃tʀɛ̃/ **NM** (= *dynamisme*) spirit, drive, dynamism ✦ **la Bourse manque d'entrain** the stockmarket is somewhat apathetic *ou* dull.

**entraînement** /ɑ̃tʀɛnmɑ̃/ **NM** ✦ **effet d'entraînement** (*Écon*) ratchet effect.

**entraîner** /ɑ̃tʀene/ **VT** (= *provoquer*) to bring about, lead to, result in; (= *impliquer*) to entail ✦ **ces mesures ont entraîné des licenciements collectifs** these measures brought about *ou* led to massive lay-offs ✦ **l'application de cette décision entraînerait une perte d'influence pour les syndicats** if this decision was taken it would mean *ou* entail a drop in the unions' influence ✦ **se laisser entraîner dans une affaire compliquée** to become entangled *ou* involved in a tricky business.

**entrant, e** /ɑ̃tʀɑ̃, ɑ̃t/ **ADJ** incoming ✦ **flux entrants** incoming *ou* input flows
**NM** (*Écon, Ind*) entrant.

**entrave** /ɑ̃tʀav/ **NF** (= *gêne*) hindrance, restriction (*à* to) ✦ **mettre des entraves à** to hinder, hamper, restrict ✦ **entrave à la circulation** hindrance to traffic ✦ **entrave à la libre concurrence** *ou* **à la liberté du commerce** restrictive trade practice, practice in restraint of trade ✦ **entrave à la libre circulation des biens** restrictions to the free flow of goods ✦ **élimination des entraves techniques aux échanges de produits alimentaires** removal of technical barriers to trade in foodstuffs.

**entraver** /ɑ̃tʀave/ **VT** to hinder, hamper ✦ **entraver la concurrence** to hinder competition ✦ **la déprime dans le bâtiment entrave les industries annexes** the depression in housing is having a hampering effect on *ou* is hobbling ancillary industries ✦ **entraver le cours de la justice** to impede the action of the law ✦ **entraver une enquête** to hinder an inquiry ✦ **le commerce extérieur demeure entravé par une réglementation protectionniste** external trade remains encumbered by protectionist regulations.

**entrée** /ɑ̃tʀe/ **NF** **a** (= *accès*) entry, admission (*de*, *dans* to) ✦ **l'entrée est gratuite / payante** there is no charge / there is a charge for admission ✦ **entrée libre** (*musée*) entrance *ou* admission free; (*boutique*) "please walk round" ✦ **entrée interdite** no admittance, no entry ✦ **nous avons eu un nombre record d'entrées pendant la foire commerciale** we have had a record number of visitors *ou* a record gate at the trade fair ✦ **billet d'entrée** (entrance) ticket ✦ **droit d'entrée** [*association*] entrance fee ✦ **droits d'entrée** (*Fin, Ass*) setup charge *ou* fee ✦ **point d'entrée** (*Aviat*) gateway **b** (*Comm,*

*Écon, Fin)* entry ✦ **l'entrée de marchandises** the entry of goods ✦ **l'entrée de l'Espagne dans la CEE** the entry of Spain into the EEC **entrée de capitaux** inflow of capital ✦ **barrière à l'entrée** entry barrier ✦ **contingentements à l'entrée** import quotas ✦ **droits d'entrée** import *ou* customs duties ✦ **entrée en portefeuille** *(Fin)* portfolio entry ✦ **entrée en douane** clearance inwards ✦ **faire l'entrée en douane** to clear inwards ✦ **visa d'entrée** entry permit, visa **c** *(Compta = recettes)* receipt ✦ **entrées et sorties de caisse** cash receipts and payments ✦ **les entrées représentent plus de 100 000 dollars** the takings *ou* the receipts amount to over $100,000 **d** *(= porte)* entrance ✦ **entrée de service** *ou* **des fournisseurs** service *ou* trade entrance ✦ **entrée principale** main entrance **e** *(Stat)* entry **f** *(Inf)* input, entry ✦ **données d'entrée** input (data) ✦ **entrée de données** data entry *ou* input ✦ **entrée au clavier** keyboard entry ✦ **unité d'entrée** input device ✦ **fichier d'entrée** input file ✦ **message d'entrée** input message ✦ **entrée-sortie** input-output **g** *(loc)* ✦ **à son entrée en fonction** when he took up office, when he took over the job ✦ **avec entrée en jouissance immédiate** with immediate possession *ou* entry ✦ **entrée en valeur** value date ✦ **entrée en vigueur** coming into force ✦ **date d'entrée en vigueur** effective date ✦ **avoir ses entrées auprès de qn** to have free *ou* easy access to sb.

**entremettre (s')** /ɑ̃trəmɛtR(ə)/ **VPR** *(dans un conflit)* to mediate *(dans* in)

**entremise** /ɑ̃trəmiz/ **NF** mediation, intervention ✦ **proposer son entremise** to offer to act as mediator ✦ **agir par l'entremise de qn** to act through sb.

**entreposage** /ɑ̃trəpozaʒ/ **NM** *(gén)* storing, storage, warehousing; *(en douane)* bonding ✦ **frais d'entreposage** storage *ou* warehouse charges.

**entreposer** /ɑ̃trəpoze/ **VT** *(gén)* to store, put into storage; *(en douane)* to put in a bonded warehouse, bond.

**entrepositaire** /ɑ̃trəpozitɛR/ **NMF** *(gén)* storage operator; *(en douane)* bonder.

**entrepôt** /ɑ̃trəpo/ **NM** *(gén)* warehouse; *(Douanes)* bonded warehouse; *[port]* entrepôt ✦ **entrepôt frigorifique** cold storage plant ✦ **entrepôts fictifs** private bonded warehouses ✦ **entrepôts publics** *ou* **réels** public bonded warehouses ✦ **entrepôts spéciaux** special bonded warehouses ✦ **certificat d'entrepôt** warehouse certificate *ou* warrant ✦ **marchandises en entrepôt** *(= sous douane)* bonded goods ✦ **mettre en entrepôt** *(Douanes)* to bond, put in bond ✦ **sor-**

**tir des entrepôts** to take out of bond, release from bond ✦ **vendre en entrepôt** to sell in bond ✦ **à prendre en entrepôt** ex-warehouse ✦ **commerce d'entrepôt** entrepôt trade ✦ **port d'entrepôt** entrepôt port.

**entreprenant, e** /ɑ̃trəprənɑ̃, ɑ̃t/ **ADJ** *(gén)* enterprising.

**entreprendre** /ɑ̃trəprɑ̃dR(ə)/ **VT** travail, démarche, mission to set about, begin *ou* start (upon), embark upon ✦ **entreprendre un programme** to embark on a programme.

**entrepreneur** /ɑ̃trəprənœR/ **NM** **a** *(= peintre, maçon)* contractor **b** *(= brasseur d'affaires)* entrepreneur

————— compounds/composés —————
- **entrepreneur d'affichage** poster contractor
- **entrepreneur de camionnage** haulier trucker *(US)*
- **entrepreneur de déménagement** furniture remover, mover *(US)*
- **entrepreneur individuel** sole owner of a company
- **entrepreneur de maçonnerie** building contractor
- **entrepreneur de publicité** advertising contractor
- **entrepreneur de roulage** *ou* **de transports** haulage contractor, haulier
- **entrepreneur de roulages publics** common carrier
- **entrepreneur de transport combiné** combined transport operator
- **entrepreneur de transport multimodal** multimodal transport operator, MTO
- **entrepreneur de travaux publics** public works contractor.

**entrepreneurial, e,** **MPL -aux** /ɑ̃trəprənœRjal, o/ **ADJ** entrepreneurial.

**entrepreneurship** /ɑ̃trəprənœRʃip/ **NM** entrepreneurship.

**entreprise** /ɑ̃trəpriz/ **NF** **a** *(= projet)* undertaking, venture, enterprise ✦ **esprit d'entreprise** spirit of enterprise, entrepreneurial spirit, entrepreneurship ✦ **la libre entreprise** free enterprise **b** *(= société)* company, firm, business, corporation *(US)*; *(UE, Admin)* enterprise ✦ **cessation d'entreprise** discontinuance of business ✦ **comité d'entreprise** works council *ou* committee ✦ **culture d'entreprise** corporate *ou* company culture ✦ **petite** *ou* **moyenne entreprise** small-sized company ✦ **petites et moyennes entreprises** small and medium-sized firms ✦ **chef d'entreprise** company manager; *(= propriétaire)* company director ✦ **créateur d'entreprise** entrepreneur ✦ **la concentration des entreprises** the merging of businesses

◆ **endettement / épargne des entreprises** corporate debt / savings ◆ **formation dans l'entreprise** in-company ou in-house training ◆ **gestion d'entreprise** corporate ou business ou company management ◆ **image d'entreprise** corporate image ◆ **jeu d'entreprise** business game ◆ **pépinières d'entreprises** business incubators ou nurseries ◆ **politique d'entreprise** business ou company policy ◆ **redresseur d'entreprise** company fixer, corporate turnaround specialist ◆ **stratégie d'entreprise** corporate strategy **c** (= contrat) contract ◆ **mettre** ou **donner à l'entreprise** to put sth out to contract ◆ **prendre qch à l'entreprise** to contract for sth ▪ Voir encadré ci-dessous

**entrer** /ɑ̃tʀe/ **VI a** [marchandises, devises] to enter ◆ **faire entrer des marchandises** (par la douane) to import goods; (en contrebande) to smuggle in ou take in ou bring in goods **b** entrer en : **entrer en association** to enter into partnership ◆ **entrer en concurrence** to compete, engage in competition (avec with) **entrer en contact** ou **en relations** to get in touch (avec with) **entrer en fonctions** [employé] to take up one's post; [directeur] to come into office, take office ◆ **entrer en jouissance** to take possession, enter into possession ◆ **entrer en liquidation** to go into liquidation, go into receivership ◆ **entrer en valeur** to come into value ◆ **entrer en vigueur** to come into force ou effect, become operative ou effective, take effect (à partir de (as) from) **c** entrer dans catégorie to fall into, come into; période to

enter; discussion to enter into; carrière, profession to take up, embark on ◆ **entrer dans la vie active** to begin one's working life ◆ **entrer dans les affaires** to go into business ◆ **entrer dans une entreprise** to join a business ◆ **il a réussi à faire entrer son fils dans la firme** he managed to get his son into the firm ◆ **entrer dans une période de désinflation** to enter a period of disinflation ◆ **il n'entre pas dans nos intentions de renouveler votre contrat** we do not intend to renew your contract ◆ **entrer dans le capital d'une société** to buy into a company

**VI** (Inf) données to enter, input, key in.

**entretenir** /ɑ̃tʀətniʀ/ **VT a** (= assurer l'entretien de) locaux to maintain, look after; véhicule, machine to maintain, service ◆ **entretenir en bon état** to keep in good repair **b** (= subvenir aux besoins de) famille to support, keep, maintain **c** (= poursuivre) to keep up ◆ **entretenir des relations d'affaires avec** to keep up a business connection with, have business dealings with ◆ **entretenir de bons rapports** to be on friendly terms (avec with) **entretenir une correspondance avec** to correspond with, keep up a correspondence with

**s'entretenir** **VPR** s'entretenir avec qn (conversation) to converse with sb, speak to sb; (entrevue) to have an interview with sb; (rencontre) to have a meeting with sb; (négociations) to have talks ou discussions with sb.

**entretien** /ɑ̃tʀətjɛ̃/ **NM a** [locaux, route] maintenance, upkeep; [machine] maintenance, servic-

---

_compounds/composés_

### ENTREPRISE

◆ **entreprise agricole** farming business
◆ **entreprise agricole à responsabilité limitée** limited liability agricultural company
◆ **entreprise artisanale** small company
◆ **entreprise de camionnage** haulage firm (Brit), trucking company (US)
◆ **entreprise commerciale** business concern
◆ **entreprise concessionnaire** concessionary company
◆ **entreprise conjointe** joint venture
◆ **entreprise de déménagement** removal (Brit) ou moving (US) firm
◆ **entreprise familiale** family business
◆ **entreprise individuelle** sole ownership, one-man business
◆ **entreprise industrielle** industrial concern
◆ **entreprise nationale** state-owned company
◆ **entreprise nationalisée** nationalized company
◆ **entreprise de navigation** shipping company ◆ **entreprise de navigation aérienne** air transport company
◆ **entreprise privatisée** privatized company

◆ **entreprise privée** private ou privately-owned company
◆ **entreprise (prestataire) de services** service company ◆ **entreprise de service public** public utility
◆ **entreprise publique** public utility, state enterprise
◆ **entreprise de taille intermédiaire** medium-sized business ou company
◆ **entreprise de transports (routiers)** haulage company, haulier, trucker (US)
◆ **entreprise de travail intérimaire** temping agency, temporary employment agency ou office
◆ **entreprise de travaux publics** civil engineering firm
◆ **entreprise unipersonnelle** sole ownership, one-man business
◆ **entreprise unipersonnelle à responsabilité limitée** private limited company under sole ownership
◆ **entreprise de vente par correspondance** mail-order firm ou house.

ing ✦ **entretien correctif / périodique** *ou* **programmé** corrective / scheduled *ou* routine maintenance ✦ **entretien de dépannage** emergency *ou* remedial maintenance ✦ **entretien en clientèle** field maintenance ✦ **entretien préventif** *ou* **systématique** planned *ou* preventive maintenance ✦ **entretien sur appel** on-call maintenance ✦ **contrat d'entretien** maintenance contract ✦ **équipe d'entretien** maintenance crew ✦ **fiche d'entretien** maintenance card ✦ **frais d'entretien** maintenance charges *ou* costs ✦ **notice d'entretien** service manual ✦ **personnel d'entretien** maintenance staff ✦ **responsable de l'entretien** maintenance officer ✦ **service de l'entretien** maintenance *ou* upkeep department ✦ **technicien d'entretien** maintenance engineer **b** (= *conversation*) conversation; (= *entrevue*) interview; (= *réunion*) meeting ✦ **avoir des entretiens avec** to have talks with ✦ **entretien au départ d'un poste** exit interview ✦ **entretien avec questionnaire pré-établi** structured interview ✦ **entretien collectif** group interview ✦ **entretien non directif** non-directive interview ✦ **entretien dirigé** guided interview ✦ **entretien d'embauche** job interview ✦ **passer un entretien d'embauche** to interview for a job ✦ **entretien en profondeur** in-depth interview ✦ **solliciter** *ou* **demander un entretien à son patron** to ask one's boss for an interview ✦ **accorder un entretien** to grant an interview ✦ **les délégués ont eu un entretien d'une heure avec la direction** the representatives had a one-hour meeting with the management ✦ **entretien préliminaire** preliminary talk, advance talk ✦ **entretien de vente** sales interview.

**entrevoir** /ɑ̃tʀəvwaʀ/ **VT** (= *envisager*) **problèmes** to foresee, anticipate; *solution* to glimpse ✦ **laisser entrevoir** to foreshadow ✦ **la mollesse des cours laisse entrevoir une crise économique prochaine** the bear market foreshadows an economic crisis in the near future.

**entrevue** /ɑ̃tʀəvy/ **NF** (= *réunion*) meeting; (= *conversation*) discussion; (= *négociation*) talks; (= *audience*) interview ✦ **arranger une entrevue** to arrange a meeting.

**énumération** /enymeʀɑsjɔ̃/ **NF** enumeration, listing.

**énumérer** /enymeʀe/ **VT** to enumerate, list.

**env.** **a** (abrév de **environ**) approx **b** abrév de **envoyer**.

**envahir** /ɑ̃vaiʀ/ **VT** *marché* to invade, swamp, flood.

**enveloppe** /ɑ̃vlɔp/ **NF** **a** (*Poste*) envelope ✦ **enveloppe auto-adhésive** *ou* **autocollante** self-

seal envelope ✦ **enveloppe à fenêtre** window envelope ✦ **enveloppe gommée** adhesive envelope ✦ **enveloppe matelassée** *ou* **rembourrée** padded envelope ✦ **enveloppe en papier kraft** manil(l)a envelope ✦ **enveloppe-réponse** return envelope, reply-paid envelope ✦ **enveloppe timbrée pour la réponse** stamped addressed envelope ✦ **envoyer sous enveloppe** to send under cover ✦ **enveloppe T** reply-paid envelope, business reply mail **b** (= *somme*) sum *ou* amount of money; (= *budget*) budget; (= *prime de départ*) golden handshake; (= *pot-de-vin*) bribe ✦ **enveloppe budgétaire** budget allocation *ou* appropriation, resource envelope ✦ **enveloppe salariale** wage bill.

**envelopper** /ɑ̃vlɔpe/ **VT** to wrap in, package.

**envergure** /ɑ̃vɛʀgyʀ/ **NF** [*entreprise*] scale, scope ✦ **un programme de grande envergure** a programme of considerable scope, a large-scale programme ✦ **nous manquons de vendeurs de son envergure** we lack salesmen of his calibre (*Brit*) *ou* caliber (*US*) ✦ **campagne de grande envergure** large-scale campaign.

**environnement** /ɑ̃viʀɔnmɑ̃/ **NM** environment ✦ **environnement économique favorable** favourable economic environment ✦ **l'environnement reste favorable aux actions** conditions are still positive for equities ✦ **protection de l'environnement** environmental protection ✦ **agence pour la protection de l'environnement** environmental protection agency ✦ **repérage de l'environnement** environmental scanning ✦ **responsable de l'environnement de l'entreprise** environmental scanner.

**envisager** /ɑ̃vizaʒe/ **VT** to consider, contemplate, envisage, envision (*US*) ✦ **envisager de faire** to contemplate *ou* entend *ou* envisage doing ✦ **nous envisageons un élargissement de notre gamme de produits** we are thinking of widening our product range.

**envoi** /ɑ̃vwa/ **NM** **a** (= *action d'envoyer*) [*colis, lettre*] sending (off), mailing; [*marchandises*] dispatching, shipping; [*argent*] remittance, sending ✦ **envoi en nombre** (*sur enveloppe*) mass mailing ✦ **envoi gratis sur demande** yours for the asking ✦ **date d'envoi par la poste** mailing date ✦ **lettre d'envoi** (*Comm*) covering note ✦ **bordereau d'envoi** (*Comm*) dispatch *ou* consignment note; (*Banque*) list of securities forwarded ✦ **faire un envoi de fonds** to remit cash ✦ **envoi contre remboursement** cash on delivery ✦ **le 30 mars sera le coup d'envoi du marathon sur les prix agricoles** the kick-off of the farm price marathon will take place on March 30 **b** (= *paquet*) packet, parcel; [*livres, bouteilles, produits*] consignment ✦ **nous atten-**

**dons un nouvel envoi de médicaments** we're expecting a new consignment of drugs ✦ **envoi chargé** *(Poste)* insured packet ✦ **envoi en franchise** post-free parcel ✦ **envoi recommandé** recorded delivery *(Brit)*, registered post *(Brit)* ou mail *(US)* c *(Comm = marchandises expédiées)* shipment ✦ **votre dernier envoi est arrivé endommagé** your last shipment arrived damaged ✦ **envoi à couvert / à découvert** packed / unpacked shipment ✦ **envoi autorisé** authorized shipment ✦ **envoi en groupage** ou **groupé** collective shipment ✦ **envoi non autorisé** prohibited shipment ✦ **envoi outre-mer** overseas shipment d *(Pub)* ✦ **envoi test** ou **d'essai** test shot.

**envolée** /ᾱvɔle/ **NF** *[cours, titre]* surge *(de* in) ✦ **étant donné l'envolée des cours** because of soaring prices ✦ **l'envolée de Wall Street** the surge on Wall Street.

**envoler (s')** /ᾱvɔle/ **VPR** *[prix]* to soar, flare up ✦ **les taux d'intérêts s'envolent** interest rates are soaring.

**envoyer** /ᾱvwaje/ **VT** *colis, lettre* to send (off); *marchandises* to dispatch, send off, ship; *argent* to send, remit ✦ **envoyé le** *(sur bordereau)* date sent ✦ **envoyer sa candidature** to send one's application ✦ **envoyer sa démission** to send in ou give in one's resignation ✦ **veuillez envoyer les marchandises de toute urgence à l'adresse suivante** please rush the goods to the following address ✦ **envoyer qch par télex** to telex sth ✦ **envoyer en mission** to dispatch ou send out on a mission.

**envoyeur** /ᾱvwajœʀ/ **NM** sender ✦ **retour à l'envoyeur** return to sender.

**EONIA** (abrév de **European Overnight Indexed Average**) EONIA.

**épargnant, e** /epaʀɲᾱ, ᾱt/ **NM,F** saver, investor ✦ **petits épargnants** small savers ou investors.

**épargne** /epaʀɲ(ə)/ **NF** *(= économies)* savings; *(qualité)* saving, thrift ✦ **faire un premier appel à l'épargne** *(Fin)* to go public ✦ **bon d'épargne** savings bond ou certificate ✦ **caisse d'épargne** savings bank, savings and loans *(US)* ✦ **caisse d'épargne de la poste** ou **postale** post office savings bank ✦ **livret de caisse d'épargne** savings bank book ou passbook ✦ **compte (d')épargne** savings account ✦ **contrat d'épargne** savings plan ✦ **habitudes d'épargne** savings habits ✦ **niveau de l'épargne** savings level ✦ **plan d'épargne** savings plan, "save-as-you-earn" scheme ✦ **plan d'épargne en actions** ≈ personal equity plan *(Brit)* ✦ **plan d'épargne-entreprise** company savings scheme, ≈ em-

ployee stock *(US)* ou share *(Brit)* ownership plan ✦ **plan d'épargne-logement** savings plan for property purchase ≈ building society savings plan, ≈ mortgage savings plan ou scheme ✦ **plan d'épargne populaire** individual savings plan ✦ **plan d'épargne retraite** individual retirement plan ✦ **potentiel d'épargne** saving ou investment potential ✦ **prêt d'épargne-logement** home loan ✦ **propension à l'épargne** propensity to save ✦ **rapport épargne-revenu** saving-to-income ratio ✦ **taux d'épargne** rate of saving

---
         *compounds/composés*
---

✦ **épargne collective** collective savings
✦ **épargne des entreprises** corporate saving
✦ **épargne excédentaire** oversaving
✦ **épargne financière** financial investment
✦ **épargne forcée** forced savings
✦ **épargne individuelle** individual savings, private investors ou investment
✦ **épargne institutionnelle** institutional investors ou investment, institutional savings
✦ **épargne investie** investment
✦ **épargne liquide** liquid savings
✦ **épargne longue** long-term saving
✦ **épargne mobilière** saving through investment in securities
✦ **épargne des particuliers** personal savings
✦ **épargne privée** private investors ou investment, private savings
✦ **épargne productive** productive savings
✦ **épargne-retraite** retirement saving
✦ **épargne salariale** employee savings.

---

**épargner** /epaʀɲe/ **VT** *temps* to save, economize; *argent* to save, economize, lay ou put aside ✦ **il a épargné pour s'acheter un ordinateur** he saved up to buy a computer, he put ou laid money aside to buy a computer ✦ **pour vous épargner une perte de temps** to save you time.

**éparpillement** /epaʀpijmᾱ/ **NM** *(= action)* scattering; *(= résultat)* dispersal ✦ **l'éparpillement de nos usines nuit à la bonne marche de nos activités** the dispersal of our factories is detrimental to the smooth running of our business.

**épave** /epav/ **NF** *(= navire, voiture accidentée)* wreck ✦ **receveur des épaves** *(Ass)* receiver of wreck ✦ **récupérateur d'épaves** wrecker.

**éphéméride** /efemeʀid/ **NF** *(= calendrier)* tear-off calender, block calendar.

**épicerie** /episʀi/ **NF** *(= boutique)* grocer's (shop), grocery store; *(= produits)* groceries; *(= secteur)* grocery trade; *(= rayon de grande surface)* grocery counter ✦ **épicerie fine** delicatessen.

**épicier, -ière** /episje, jɛʀ/ **NM,F** grocer.

**éplucher** /eplyʃe/ vt *comptabilité* to go over ou through with a fine-tooth comb, dissect, examine closely.

**éponger** /epɔ̃ʒe/ vt *excédent, dette* to soak up, absorb, mop up, drain off ✦ **éponger le déficit** to mop up the deficit, staunch the red ink ✦ **éponger le pouvoir d'achat excédentaire** to siphon off ou mop up excess purchasing power ✦ **éponger les liquidités en excès** to sterilize excess liquidities ✦ **éponger un retard** to work off a backlog.

**épreuve** /eprœv/ NF test ✦ **épreuve de force** test of strength, tug-of-war, showdown ✦ **à toute épreuve** *(= résistant)* resistant; *(= sans risque d'erreurs)* foolproof ✦ **épreuve décisive** acid test ✦ **mettre qn à l'épreuve** to put sb to the test, put sb through his paces.

**éprouvé, e** /epruve/ ADJ *méthode, technique* well-tried, proven.

**éprouver** /epruve/ vt *perte* to suffer, sustain; *contretemps, ennui* to meet with, experience ✦ **secteur éprouvé par la crise** area which has been badly hit by the crisis, distressed area ou sector ✦ **secteur le plus éprouvé** hardest-hit sector.

**épuisement** /epɥizmɑ̃/ NM *[ressources]* depletion; *[stocks, fonds]* exhaustion ✦ **jusqu'à épuisement des stocks** while supplies ou stocks last ✦ **jusqu'à épuisement des fonds** until funds are exhausted ✦ **épuisement des ressources naturelles** depletion of natural resources ✦ **à cause de l'épuisement de cet article** owing to this article running out of stock.

**épuiser** /epɥize/ vt *réserves* to use up, exhaust; *mine, carrière* to work out, exhaust ✦ **notre nouveau modèle est déjà épuisé** our new model is already sold out ✦ **cet article est épuisé** this line has sold out, this article is out of stock, we are out of stock with this line ✦ **nos stocks de pétrole sont épuisés** our oil reserves are depleted ou exhausted ✦ **nos ressources financières sont épuisées** our financial resources are drained ✦ **lettre de crédit épuisée** invalid letter of credit ✦ **épuiser l'ordre du jour** to deal with ou dispose of the agenda **s'épuiser** VPR *[stocks]* to run down ou out ou low; *[ressources naturelles]* to become depleted; *[source d'approvisionnement]* to dry up ✦ **nos stocks s'épuisent** our stocks ou inventories are running down ou low ou out ✦ **les réserves risquent de s'épuiser** reserves may soon dry up ou be exhausted.

**Équateur** /ekwatœr/ NM Ecuador.

**équation** /ekwasjɔ̃/ NF equation ✦ **équation du premier degré** simple equation ✦ **équation du second degré** second degree ou quadratic equation ✦ **mettre un problème en équation** to find the equation of a problem ✦ **résoudre une équation** to resolve an equation ✦ **tracer le graphique d'une équation** to plot the graph of an equation ✦ **équation personnelle** *(Mktg)* personal equation.

**équatorien, -ienne** /ekwatɔrjɛ̃, jɛn/ ADJ Ecuadorian
  **Équatorien** NM *(= habitant)* Ecuadorian
  **Équatorienne** NF *(= habitante)* Ecuadorian.

**équilibration** /ekilibrasjɔ̃/ NF *(Bourse)* *[positions]* evening up.

**équilibre** /ekilibr(ə)/ NM balance, equilibrium ✦ **équilibre budgétaire / économique** budget(ary) / economic balance ou equilibrium ✦ **équilibre général** *(Écon)* general equilibrium ✦ **équilibre partiel** *(Écon)* partial equilibrium ✦ **équilibre de l'offre et de la demande** equilibrium of supply and demand ✦ **l'équilibre mondial** the world balance of power ✦ **budget en équilibre** balanced budget ✦ **cours d'équilibre** equilibrium price ✦ **mise en équilibre** balancing, equilibration ✦ **point d'équilibre** breakeven point ✦ **prix d'équilibre du marché** equilibrium market price ✦ **retour à l'équilibre financier** return to the black ✦ **rupture d'équilibre** upsetting of the equilibrium ✦ **arriver ou parvenir à l'équilibre** to strike a balance ✦ **rétablir l'équilibre économique** to put the economy back on an even keel ou on a sound footing.

**équilibré, e** /ekilibre/ ADJ *compte* balanced ✦ **budget équilibré** balanced budget ✦ **croissance équilibrée** balanced growth.

**équilibrer** /ekilibre/ vt *comptes, budget* to balance; *(Bourse) positions* to even up.

**équipe** /ekip/ NF *(gén)* team; *[ouvriers]* shift, gang, team ✦ **équipe de recherche** research team ✦ **équipe de concepteurs** design team ✦ **équipe de décision** decision team ✦ **équipe de dépannage** repair party, repair crew *(US)* ✦ **équipe de direction** management team ✦ **équipe de jour / de nuit** day / night shift ✦ **équipe de relève** swing ou relief shift ✦ **équipe de sécurité** safety team ✦ **équipe tournante** alternating ou rotating shift ✦ **équipe de travail** task-force ✦ **équipe de vente** sales force ✦ **chef d'équipe** foreman, supervisor *(US)*, overseer *(US)* ✦ **prime d'équipe** team ou group bonus, crew incentive *(US)* ✦ **travail d'équipe** teamwork ✦ **travailler en ou par équipes** *(gén)* to work in teams; *(sur un chantier)* to work in gangs; *(en* *usine*) to work in shifts ✦ **faire équipe avec** to team up with.

**équipé, e** /ekipe/ **ADJ** equipped, fitted (*de* with)

**équipement** /ekipmɑ̃/ **NM** equipment ✦ **équipements** (= *aménagements, infrastructure*) facilities, amenities ✦ **équipement hôtelier** hotel facilities *ou* amenities ✦ **équipement industriel** industrial plant ✦ **équipement lourd** (heavy) plant ✦ **équipement portuaire** harbour facilities ✦ **équipement productif** business equipment, production facilities ✦ **équipements sociaux** social facilities ✦ **équipement touristique** tourist facilities *ou* amenities ✦ **biens d'équipement** capital goods ✦ **biens d'équipement ménager** consumer durables ✦ **dépenses d'équipement** capital spending *ou* expenditures.

**équipementier** /ekipmɑ̃tje/ **NM** *(Aut)* original equipment manufacturer, OEM, parts manufacturer.

**équiper** /ekipe/ **VT** *(gén)* to equip; *bureaux* to fit out; *(en machines)* to tool up.

**équipier, -ière** /ekipje, jɛʁ/ **NM,F** team member.

**équitable** /ekitabl(ə)/ **ADJ** *décision, arbitrage* equitable, fair ✦ **règlement équitable** fair settlement ✦ **salaire équitable** fair wage.

**équitablement** /ekitabləmɑ̃/ **ADV** fairly, equitably.

**équité** /ekite/ **NF** equity, fairness.

**Erevan** /eʁevan/ **N** Yerevan.

**ergonome** /ɛʁɡɔnɔm/ **NMF** ergonomist.

**ergonomie** /ɛʁɡɔnɔmi/ **NF** ergonomics (sg), human engineering.

**ergonomique** /ɛʁɡɔnɔmik/ **ADJ** human-oriented, ergonomic ✦ **organisation ergonomique du travail** ergonomic organisation of work.

**ergonomiste** /ɛʁɡɔnɔmist(ə)/ **NMF** ergonomist.

**ergoter** /ɛʁɡɔte/ **VI** to quibble (*sur* about) ✦ **il n'arrête pas d'ergoter sur les prix** he's always quibbling about prices.

**éroder** /eʁɔde/ **VT** *pouvoir d'achat* to erode **s'éroder** **VPR** to be eroded.

**érosion** /eʁozjɔ̃/ **NF** [*monnaie, pouvoir d'achat*] erosion; [*clientèle*] attrition ✦ **érosion de l'image du produit** product demeaning.

**errant, e** /eʁɑ̃, ɑ̃t/ **ADJ** ✦ **capitaux errants** hot money.

**erratique** /eʁatik/ **ADJ** erratic ✦ **variations** *ou* **fluctuations erratiques** wild fluctuations.

**erreur** /eʁœʁ/ **NF** mistake, error ✦ **faire une erreur** to make a mistake *ou* an error ✦ **il y a une erreur de cent euros dans vos comptes** there is an error of one hundred euros in your account, you are one hundred francs out *ou* you are out by one hundred francs in your accounts ✦ **par suite d'une erreur** due to an error ✦ **marge d'erreur** margin of error ✦ **message d'erreur** *(Inf)* error message ✦ **sauf erreur ou omission** errors and omissions excepted ✦ **sauf erreur de notre part** barring error on our part

───── compounds/composés ─────

- **erreur d'adresse** mistake in the address, misdirection, misrouting
- **erreur aléatoire** random error
- **erreur de caisse** cash error
- **erreur de calcul** miscalculation
- **erreur comptable** book-keeping error
- **erreur constante** invariant error
- **erreur de date** mistake in the date, misdating
- **erreur d'écriture** clerical error
- **erreur de frappe** typing error *ou* mistake
- **erreur de gestion** mismanagement
- **erreur judiciaire** miscarriage of justice
- **erreur matérielle** clerical error
- **erreur non probabiliste** non-probabilistic error
- **erreur de report** posting error
- **erreur sur la chose** *(Jur)* error in corpore
- **erreur sur le contrat** *(Jur)* error in negotio
- **erreur sur la quantité** error in quantity
- **erreur sur la substance** *(Jur)* error in substantia
- **erreur tactique** tactical error
- **erreur de traduction** mistranslation
- **erreur type** standard error.

**erroné, e** /eʁɔne/ **ADJ** *renseignement* wrong, erroneous, false; *décision* wrong ✦ **facture erronée** incorrect invoice ✦ **compte rendu erroné** misstatement ✦ **interprétation erronée des règlements** misreading *ou* wrong interpretation of the regulations.

**Érythrée** /eʁitʁe/ **NF** Eritrea.

**érythréen, -éenne** /eʁitʁeɛ̃, eɛn/ **ADJ** Eritrean **Érythréen** **NM** (= *habitant*) Eritrean **Érythréenne** **NF** (= *habitante*) Eritrean.

**ESC** /əɛsse/ **NF** (abrév de **École supérieure de commerce**) *French school of economics.*

**escalade** /ɛskalad/ **NF** [*prix, salaires*] escalation.

**escale** /ɛskal/ **NF** *(Mar = halte)* call *(Mar = port)* port of call; *(Aviat)* stopover, stop ✦ **faire escale à** *(Mar)* to call at; *(Aviat)* to stopover at ✦ **port d'escale** port of call ✦ **notre prochaine escale** *(Aviat)* our next stop ✦ **escale technique** *(Aviat)* refuelling stop ✦ **vol sans escale** non-stop flight ◆ **risques d'escale** *(Ass, Mar)* call risks.

**escalier** /ɛskalje/ NM ◆ **graphique en escalier** staircase chart.

**ESC Lyon** /ɔɛsseljɔ̃/ NF (abrév de **École supérieure de commerce de Lyon**) *French school of economics in Lyon.*

**escomptable** /ɛskɔ̃tabl(ə)/ ADJ discountable.

**escompte** /ɛskɔ̃t/ NM **a** *(Fin)* discount ◆ **agios d'escompte** discount charges ◆ **banque d'escompte** discount bank *ou* house ◆ **bordereau d'escompte** list of bills for discount ◆ **conditions d'escompte** discount terms ◆ **courtier d'escompte** discount broker ◆ **délai d'escompte** discount period ◆ **marché de l'escompte** discount market ◆ **taux d'escompte** discount rate ◆ **taux officiel d'escompte** minimum lending rate, prime rate *(US)* ◆ **prendre un effet de commerce à l'escompte** to discount a bill of exchange ◆ **remettre** *ou* **présenter à l'escompte** to tender *ou* remit for discount ◆ **présenter une traite à l'escompte** to have a bill discounted **b** *(Comm = réduction)* discount, rebate, cut ◆ **accorder** *ou* **consentir 3% d'escompte** to allow *ou* grant 3% discount ◆ **escompte de caisse** cash discount ◆ **escompte en compte** bank advance against commercial papers ◆ **escompte en dedans** true discount ◆ **escompte en dehors** bank discount ◆ **escompte en ducroire** del credere discount ◆ **escompte pour paiement d'avance** discount for prepayment ◆ **escompte rationnel** true discount ◆ **escompte sur achats en gros** discount on bulk buying, quantity *ou* volume discount ◆ **escompte sur factures** trade discount ◆ **escompte d'usage** trade discount **c** *(Bourse) calling for delivery before the settlement.*

**escompté, e** /ɛskɔ̃te/ ADJ *traite* discounted ◆ **bénéfices escomptés** anticipated profits.

**escompter** /ɛskɔ̃te/ VT **a** *traite* to discount ◆ **escompter un effet** to discount a bill ◆ **faire escompter** to discount **b** *(Bourse)* to call for delivery of securities ◆ **escompter à terme** to call for delivery before the settlement **c** *(= espérer)* to expect, anticipate, count on, bank on.

**escompteur** /ɛskɔ̃tœʀ/ NM discounter, discount broker
ADJ **banquier escompteur** discounting banker.

**ESCP** /ɔɛssepe/ NF (abrév de **École supérieure de commerce de Paris**) *French school of economics in Paris.*

**escroc** /ɛskʀo/ NM swindler, crook, sharper, con man*, racketeer, gypher *(US).*

**escroquer** /ɛskʀɔke/ VT to swindle, cheat, con*, gyp *(US) (de* out of); *(Jur)* to defraud *(de* of) ◆ **se faire escroquer** to be swindled *ou* cheated *ou* conned* *(de qch* out of sth)

**escroquerie** /ɛskʀɔkʀi/ NF swindle, racket, confidence trick; *(Jur)* fraud.

**escudo** /ɛskydo/ NM escudo.

**espace** /ɛspas/ NM space ◆ **nous manquons d'espace** we lack space, we are short of space ◆ **achat d'espace** space buying ◆ **acheteur d'espace** space buyer ◆ **espace de vente** selling space ◆ **espace publicitaire** advertising space ◆ **l'Espace économique européen** the European Economic Area ◆ **espace rédactionnel** editorial space.

**espacer** /ɛspase/ VT *versements* to space out; *livraisons* to stagger.

**Espagne** /ɛspaɲ/ NF Spain.

**espagnol, e** /ɛspaɲɔl/ ADJ Spanish
NM *(= langue)* Spanish
**Espagnol** NM *(= habitant)* Spaniard
**Espagnole** NF *(= habitante)* Spanish woman, Spaniard.

**espèces** /ɛspɛs/ NFPL *(= argent)* cash ◆ **versement** *ou* **paiement** *ou* **règlement en espèces** payment in cash *ou* in specie ◆ **retrait d'espèces** cash withdrawal ◆ **espèces en caisse et en banque** cash in hand and in bank ◆ **les avoirs en espèces** cash assets.

**espérance** /ɛspeʀɑ̃s/ NF hope, expectation ◆ **espérance de vie** *[personne]* life expectancy; *[produit dans un magasin]* shelf life ◆ **dans l'espérance que notre offre retiendra votre attention** in the hope that you will consider our offer favourably, hoping that our offer meets your requirements, we hope that our offer is of interest to you.

**espérer** /ɛspeʀe/ VT to hope, expect ◆ **profit espéré** anticipated profit ◆ **nous espérons votre prochaine visite** we are looking forward to seeing you soon.

**espionnage** /ɛspjɔnaʒ/ NM espionage, spying ◆ **espionnage industriel** industrial espionage.

**esprit** /ɛspʀi/ NM ◆ **esprit d'entreprise** spirit of enterprise, entrepreneurial spirit, entrepreneurship.

**esquisse** /ɛskis/ NF *[projet]* outline, sketch.

**esquisser** /ɛskise/ VT *plan* to sketch out, outline
**s'esquisser** VPR *(= s'amorcer)* to take shape,

**estimable**

be shaping up ✦ **une certaine reprise commence à s'esquisser** signs of recovery can be detected *ou* are becoming noticeable, a recovery is shaping up.

**essai** /esɛ/ **NM** **a** *(= action)* testing; *(= examen)* test, trial ✦ **abonnement à l'essai** trial subscription ✦ **banc d'essai** test bed ✦ **centre d'essai** testing plant ✦ **commande d'essai** trial order ✦ **données d'essai** test data ✦ **jeu d'essai** *(Inf)* benchmark ✦ **offre d'essai** trial offer ✦ **période d'essai** *[produit]* trial period; *[personne]* probationary period, trial period ✦ **produits à l'essai** merchandise on approval *ou* appro*, ride merchandise *(US)* ✦ **programme d'essai** *(Inf)* test programme *ou* routine ✦ **terrain d'essai** testing ground ✦ **vente à l'essai** sale on approval *ou* appro *ou* trial ✦ **voyage d'essai** *(Mar)* acceptance trials ✦ **les essais sur la nouvelle machine ont été concluants** the trials *ou* trial runs on the new machine were conclusive ✦ **procéder à des essais** to carry out tests *ou* trials ✦ **procéder à des essais de route** *(Aut)* to test-drive a car ✦ **procéder à des essais de forage** to test-drill ✦ **faire l'essai de qch, mettre qch à l'essai** to test sth out, put sth to the test ✦ **mettre qn à l'essai** to give sb a trial ✦ **prendre qn à l'essai** to take sb for a trial period *ou* on a trial basis *ou* on probation **b** *(Ind : sur du métal)* assay

────── *compounds/composés* ──────
✦ **essai de charge** *(Ind)* test load
✦ **essais comparatifs** comparative tests
✦ **essai de compatibilité** compatibility test
✦ **essai contradictoire** *(Ind)* control assay
✦ **essai gratuit** free trial
✦ **essai de marque** brand testing
✦ **essai de réception** acceptance test
✦ **essai de route** test drive
✦ **essai de vente** market test.

**essaimage** /esemaʒ/ **NM** *[entreprise]* spinning *ou* floating *ou* hiving off ✦ **les essaimages** spinoffs ✦ **création d'entreprises par essaimage** new business foundation by spinning-off.

**essaimer** /eseme/ **VT** *[entreprise]* to spin *ou* float *ou* hive off.

**essayer** /eseje/ **VT** *produit* to test (out), try out; *véhicule* to test-drive; *méthode* to try, test.

**essayeur, -euse** /esɛjœʀ, øz/ **NM,F** *[machine]* trier, tester; *[métaux]* assayer.

**ESSEC** /esɛk/ **NF** (abrév de **École supérieure de sciences économiques et commerciales**) *French school of business and economics.*

**essence** /esɑ̃s/ **NF** petrol *(Brit)*, gas(oline) *(US)* ✦ **essence ordinaire** two-star petrol *(Brit)*, regular gas *(US)* ✦ **essence sans plomb** unleaded petrol *(Brit)*, unleaded gas *(US)*.

**essentiel, -elle** /esɑ̃sjɛl/ **ADJ** essential ✦ **projets essentiels et non essentiels** core and non-core projects
**NM** **l'essentiel** the main thing ✦ **l'essentiel de nos activités** the main part of our activities ✦ **nous faisons l'essentiel de notre chiffre d'affaires avec l'Espagne** the bulk of our business is done with Spain.

**essieu** /esjø/ **NM** axle(-tree) ✦ **taxe à l'essieu** axle tax.

**essor** /esɔʀ/ **NM** *[firme]* rapid development *ou* expansion *ou* growth ✦ **ce secteur est en plein essor** this sector is booming *ou* is rapidly expanding *ou* is in full expansion ✦ **essor économique** trade *ou* economic boom ✦ **prendre** *ou* **connaître un grand essor** to be racing ahead, advance by leaps and bounds, make great strides.

**essoufflement** /esuflǝmɑ̃/ **NM** ✦ **le marché donne des signes d'essoufflement** the market is running out of steam *ou* is faltering.

**essouffler (s')** /esufle/ **VPR** *[ventes]* to tail off, fall off ✦ **la reprise s'essouffle** the recovery is running out of steam *ou* faltering ✦ **le dollar a paru s'essouffler après avoir repris un peu de terrain aux monnaies européennes** the dollar seems to lose ground again after gaining a little on European currencies.

**essuyer** /esɥije/ **VT** *perte, échec* to suffer, sustain ✦ **essuyer un refus** to meet with a refusal.

**estampillage** /ɛstɑ̃pijaʒ/ **NM** stamping, marking ✦ **estampillage du certificat nominatif** stamping of the registered stock certificate ✦ **les intérêts seront payables contre estampillage** interests will be paid against stamping.

**estampille** /ɛstɑ̃pij/ **NF** *(sur un document)* stamp; *(sur un colis)* identification mark.

**estampiller** /ɛstɑ̃pije/ **VT** *(gén)* to stamp; *marchandises* to mark; *or, argent* to hallmark.

**estarie** /ɛstaʀi/ **NF** *(Mar)* lay days.

**ester** /ɛste/ **VT** *(Jur)* ✦ **ester en justice** to go to court *ou* law, bring an action.

**esthétique** /ɛstetik/ **NF** ✦ **esthétique industrielle** industrial design.

**estimable** /ɛstimabl(ǝ)/ **ADJ** *(= évaluable)* assessable, calculable.

**estimatif, -ive** /ɛstimatif, iv/ **ADJ** ◆ **coût estimatif** estimated cost ◆ **devis estimatif** estimate ◆ **état estimatif** *(gén)* estimated statement; *(= inventaire de biens)* inventory and valuation of chattels ◆ **valeur estimative** appraised *ou* estimated value ◆ **imputations estimatives** estimated charges ◆ **méthode du prix de revient estimatif** estimated cost system.

**estimation** /ɛstimasjɔ̃/ **NF** **a** *(= action d'estimer)* *[valeur]* assessment; *[biens]* appraisal, valuation, assessment; *[dégâts]* estimation, assessment **b** *(= résultat d'expertise)* estimate ◆ **ce n'est qu'une estimation approximative** it's just a rough estimate, these are just ball-park figures ◆ **première estimation** first (flash) estimate ◆ **estimation boursière** market rating ◆ **estimation des coûts / des ventes** cost / sales estimate; *(Ass)* **estimation du dommage** assessment of damage, adjustment of claims ◆ **selon les estimations les plus basses cela va coûter** at the lowest computation it will cost ◆ **valeur d'estimation** estimated value.

**estime** /ɛstim/ **NF** esteem ◆ **valeur d'estime** *(Ind)* esteem value.

**estimer** /ɛstime/ **VT** *valeur* to assess; *biens* to appraise, value, assess; *dommage* to estimate, assess *(à at)* ◆ **on estimait à 15,3 millions le nombre de chômeurs** an estimated 15.3 million people were out of work, it was estimated that there were about 15.3 million unemployed ◆ **dépassement du coût estimé** (cost) overrun ◆ **valeur estimée** estimated value.

**Estonie** /ɛstɔni/ **NF** Estonia.

**estonien, -ienne** /ɛstɔnjɛ̃, jɛn/ **ADJ** Estonian
**NM** *(= langue)* Estonian
**Estonien** **NM** *(= habitant)* Estonian
**Estonienne** **NF** *(= habitante)* Estonian.

**établir** /etabliʀ/ **VT** **a** *(= fonder)* *usine, commerce* to establish, set up; *liens, contacts* to establish, form, develop; *réputation* to found, base; *droits* to establish ◆ **établir son droit à qch** to establish one's right to sth, stake one's claim to sth ◆ **maison établie en 1887** established 1887 ◆ **établir des relations commerciales avec qn** to form a business connection with sb **b** *(= fixer)* *programme* to arrange; *règlement* to lay down, establish, institute; *devis* to draw up; *facture, liste, chèque* to make out, draw up; *stratégie* to map out; *projet* to draw up, draft; *prix* to fix, work out, set; *budget, bilan* to draw up ◆ **établir les grandes lignes d'une campagne publicitaire** to map out an advertising campaign ◆ **établir une quittance** to give a receipt in full ◆ **établir l'ordre du jour** to draw up *ou* set the agenda ◆ **les relevés de compte des clients sont établis chaque mois** customers' accounts are made up monthly ◆ **établir le prix de revient de qch** to cost sth ◆ **établir le revenu d'un contribuable** to ascertain a taxpayer's income

**s'établir** **VPR** **a** *(= s'installer)* to set up ◆ **une nouvelle entreprise s'est établie dans ce secteur** a new company has been set up in this sector ◆ **s'établir électricien** to set (o.s.) up as an electrician ◆ **il s'est établi à son compte** he set up business on his own account **b** *(Fin)* ◆ **les résultats devraient s'établir à 18,20% de nos ventes** the results should come to 18.20% of our sales ◆ **le déficit s'établit à 4 millions d'euros** the deficit works out at 4 million euros ◆ **l'indice Dow Jones des valeurs industrielles s'est établi à...** the Dow Jones industrial average stood at...

**établissement** /etablismɑ̃/ **NM** **a** *(= action d'établir)* *(gén)* establishment; *[usine]* setting up; *[bilan, facture]* drawing up; *[prix]* fixing, working out ◆ **après l'établissement des documents requis** after the necessary paperwork has been drawn up *ou* raised ◆ **dépenses d'établissement** *(Fin)* initial capital outlay ◆ **frais de premier établissement** start-up costs, initial expenses ◆ **établissement du prix de revient** costing ◆ **établissement des objectifs** objective setting ◆ **établissement du calendrier** scheduling ◆ **établissement du budget** budgeting ◆ **établissement du budget sur la base zéro** zero base budgeting **b** *(= institution)* establishment; *(= société)* firm, company ◆ **les établissements Durand** Durand and Co. Ltd ◆ **établissement affilié** affiliate ◆ **établissement bancaire** banking institution ◆ **établissement commercial** commercial establishment ◆ **établissement de crédit** credit institution ◆ **établissement de détail / de gros** retail / wholesale business ◆ **établissement émetteur** issuing bank ◆ **établissement étranger** foreign operation ◆ **établissement financier** financial house *ou* institution ◆ **établissement industriel** industrial plant, industrial operation ◆ **établissement principal** main office ◆ **établissement public** public corporation ◆ **établissement public autonome** government-owned corporation ◆ **établissement public à caractère industriel et commercial** public utility (company) ◆ **comité d'établissement** works council.

**étain** /etɛ̃/ **NM** tin.

**étalage** /etalaʒ/ **NM** *(= action d'exposer)* displaying; *(= vitrine)* shop window, show window, display window; *(= marchandises)* display ◆ **articles qui ont fait l'étalage** shop-soiled articles ◆ **faire l'étalage** *(= mettre en vitrine)* to dress the windows ✦ **mettre qch à l'étalage** to put sth in the windows ✦ **voleur à l'étalage** shoplifter ✦ **vol à l'étalage** shoplifting ✦ **étalage auto-payant** self-liquidating display.

**étalagiste** /etalaʒist(ə)/ **NMF** *(= décorateur)* window dresser; *(qui met les articles en vitrine)* display man *(ou* woman).

**étalement** /etalmɑ̃/ **NM** *[marchandises]* displaying; *[versements]* spreading, staggering; *[congés]* staggering, spreading *(US)* ; *[tâches]* spreading ✦ **étalement des heures de travail** staggering of working hours ✦ **étalement statistique** statistical spread.

**étaler** /etale/ **VT** *marchandises* to display, spread out, lay out *(sur* on); *versements* to spread (out), stagger *(sur* over); *congés* to stagger *(sur* over); *tâches* to spread *(sur* over) ✦ **étalez vos envois** *(Poste)* space out your consignments.

**étalon** /etalɔ̃/ **NM** standard ✦ **étalon-or** *(= pièces)* gold standard; *(= lingots)* gold bullion standard ✦ **étalon de change-or** gold exchange standard ✦ **étalon devise** currency standard ✦ **étalon marchandises** commodity standard ✦ **étalon monétaire** monetary standard ✦ **étalon papier** paper standard ✦ **double étalon** double standard.

**étalonnage** /etalɔnaʒ/, **étalonnement** /etalɔnmɑ̃/ **NM** *(= graduation)* calibration; *(= vérification)* standardization.

**étalonner** /etalɔne/ **VT** *(= graduer)* to calibrate; *(= vérifier)* to standardize, test.

**étape** /etap/ **NF** stage ✦ **par petites étapes** in easy stages ✦ **un projet en trois étapes** a three-stage *ou* three-phase project, a project in three stages *ou* phases.

**état** /eta/ **NM** **a** *(= condition)* state, condition ✦ **en (bon) état de marche** in (good) working order ✦ **en bon / mauvais état** in good / poor *ou* bad condition ✦ **en bon état et conditionnement apparent** in apparent good order and condition ✦ **à l'état neuf** as (good as) new ✦ **en état de navigabilité** seaworthy ✦ **maintenir en état** to keep in good repair ✦ **remettre en état** to repair ✦ **état d'entrée / de sortie** *(Inf)* input / output state ✦ **mot / ligne d'état** *(Inf)* status word / line **b** *(Pol)* ✦ **l'État** the state ✦ **obligations d'État** state *ou* government bonds ✦ **État-membre** member state ✦ **l'État-patron** the state as an employer ✦ **l'État-providence** the welfare state ✦ **subvention de l'État** state *ou* government subsidy *ou* support *ou* grant **c** *(= registre, comptes)* statement, account; *(= rapport)* report; *(= inventaire)* inventory; *(= liste d'employés)* roll ✦ **dresser un état** to

draw up an account ✦ **établir un état détaillé des frais** to make up a detailed account *ou* a breakdown of the costs ✦ **rayer des états** to strike off the roll

───── *compounds/composés* ─────

- ✦ **état appréciatif** evaluation, estimation
- ✦ **état d'avancement des travaux** status *ou* progress report
- ✦ **état de caisse** cash statement
- ✦ **état des charges** statement of charges *ou* of incumbrances
- ✦ **état civil** civil status; *(= bureaux)* registry office *(Brit)*, Public Records Office *(US)*
- ✦ **état des commandes** order position
- ✦ **états complémentaires** additional accounts
- ✦ **état des comptes** statement of accounts, abstract of accounts
- ✦ **état des dépenses** statement *ou* return of expenses
- ✦ **état descriptif** specifications
- ✦ **état estimatif** *(gén)* estimated statement; *(= inventaire de biens)* inventory and valuation of chattels
- ✦ **état financier** financial statement ✦ **état financier récapitulatif** financial summary
- ✦ **état de frais** bill of costs, return of expenses, statement of expenses
- ✦ **état des lieux** inventory of fixtures
- ✦ **état liquidatif** winding up inventory
- ✦ **état mensuel** monthly return
- ✦ **état néant** nil return
- ✦ **état nominatif** nominal roll
- ✦ **état de paiement** payroll
- ✦ **état périodique** progress report
- ✦ **état de rapprochement** reconciliation statement
- ✦ **état récapitulatif** *(Compta)* summary statement
- ✦ **état des rentrées et des sorties de fonds** statement of receipts and disbursements
- ✦ **état des résultats** income statement
- ✦ **états de services** statement of positions held, particulars of service, service record
- ✦ **état de situation** *(Fin)* cash position, position sheet
- ✦ **état des ventes** sales statement.

**étatisation** /etatizasjɔ̃/ **NF** state *ou* government control ✦ **étatisation d'une entreprise** takeover of a concern by the state, government takeover of a concern.

**étatiser** /etatize/ **VT** to bring under state *ou* government control ✦ **économie étatisée** state-controlled *ou* state-run economy ✦ **industrie étatisée** publicly owned *ou* state-run industry, industry in public ownership.

**étatisme** /etatism(ə)/ **NM** state *ou* government control.

**état-major,** PL **états-majors** /etamaʒɔʀ/ NM *[entreprise]* top ou senior management; (= *locaux*) headquarters.

**États-Unis** /etazyni/ NMPL ✦ **les États-Unis (d'Amérique)** the United States (of America).

**étayer** /eteje/ VT *monnaie* to support, bolster, shore up, prop up ✦ **étayé par des mesures protectionnistes** backed up ou bolstered by protectionist measures.

**etc.** (abrév de **et cætera**) etc.

**éteindre** /etɛ̃dʀ(ə)/ VT *dette* to extinguish, pay off.

**éteint, e** /etɛ̃, ɛ̃t/ ADJ dull, lacklustre (Brit), lackluster (US)
**éteinte** NF *(Jur)* ✦ **adjudication à l'éteinte de chandelle** auction by inch of candle.

**étendre** /etɑ̃dʀ(ə)/ VT *affaire, opérations, clientèle* to extend, widen, expand (*sur* over) ✦ **étendre son rayon d'action** to extend ou expand ou widen the scope of one's activities ✦ **étendre ses activités à d'autres secteurs** to extend ou widen one's activity to other sectors, expand ou branch out ou develop into other sectors
**s'étendre** VPR *[temps de réalisation]* to stretch, extend, spread (*sur* over); *[influence]* to increase, expand, spread ✦ **les méthodes de gestion japonaises s'étendent à l'Europe** Japanese management methods are spreading to Europe ✦ **ces mesures s'étendent aux fonctionnaires** these measures also apply to civil servants.

**étendu, e** /etɑ̃dy/ ADJ *pouvoirs* extensive, wide, wide-ranging
**étendue** NF (= *taille*) range, scope, extent ✦ **étendue du dommage** (Ass) extent of the damage ✦ **étendue de la garantie** (Ass) scope of cover.

**Éthiopie** /etjɔpi/ NF Ethiopia.

**éthiopien, -ienne** /etjɔpjɛ̃, jɛn/ ADJ Ethiopian
**Éthiopien** NM (= *habitant*) Ethiopian
**Éthiopienne** NF (= *habitante*) Ethiopian.

**ETI** /ətei/ NF (abrév de **entreprise de taille intermédiaire**) medium-sized business ou company (between 500 and 5,000 staff).

**étiquetage** /etiktaʒ/ NM *[produit]* labelling, labeling (US) ; *[prix]* marking, labelling ✦ **étiquetage informatif** informative labelling.

**étiqueter** /etikte/ VT *produit* to label; *prix* to mark, label.

**étiquette** /etikɛt/ NF (gén) label; *[prix]* ticket, label; *(mobile)* tag ✦ **le prix figure sur l'étiquette** the price is shown on the label

─── *compounds/composés* ───

✦ **étiquette adhésive** ou **autocollante** self-stick ou self-adhesive label
✦ **étiquette-adresse** address label
✦ **étiquette à barres** optically encoded label
✦ **étiquette informative** information label
✦ **étiquette mobile** swing tag
✦ **étiquette à œillets** tie-on label
✦ **étiquette de prix** price tag
✦ **étiquette promotionnelle de gondole** es-helf talker
✦ **étiquette suiveuse** *(Ind)* progress label ou chit.

**étoffe** /etɔf/ NF material, fabric.

**étoffer** /etɔfe/ VT *carnets de commande* to fill out ✦ **étoffer son réseau** to beef up one's network ✦ **le volume des échanges est resté très étoffé** (Bourse) trading continued heavy ✦ **dans un marché très / peu étoffé** in heavy / thin trading volume
**s'étoffer** VPR *[carnets de commande]* to thicken, get thicker.

**étouffer** /etufe/ VT *économie* to stifle.

**étranger, -ère** /etʀɑ̃ʒe, ɛʀ/ ADJ a (= *d'un autre pays*) *aide, investissements, juridiction* foreign ✦ **clients / visiteurs étrangers** foreign customers / visitors ✦ **de marque étrangère** foreign built ou made ✦ **devises étrangères** foreign currencies ✦ **main-d'œuvre étrangère** foreign labour ✦ **sous contrôle étranger** foreign-owned b (= *extérieur à l'entreprise*) ✦ **entrée interdite à toute personne étrangère au service** no unauthorized entry ✦ **personne étrangère à l'entreprise** outsider
NM,F (= *d'un autre pays*) foreigner; (= *extérieur à l'entreprise*) outsider
NM **voyager à l'étranger** to travel abroad ✦ **avoirs à l'étranger** external ou foreign assets ou holdings, assets held abroad ✦ **opération sur l'étranger** foreign ou external operation ✦ **représentant à l'étranger** foreign agent ✦ **notre représentant à l'étranger** our agent abroad ✦ **revenus perçus à l'étranger** foreign income ✦ **traite sur l'étranger** foreign bill of exchange, external bill (US).

**étranglement** /etʀɑ̃ɡləmɑ̃/ NM a (= *asphyxie*) *[contribuables]* stifling b (= *rétrécissement*) *[marché]* shrinking ✦ **goulot** ou **goulet d'étranglement** bottleneck.

**étrangler** /etʀɑ̃ɡle/ VT *contribuables, débiteurs* to stifle, strangle ✦ **les petits commerçants sont étranglés par les taxes** small shopkeepers are crippled by taxation.

**étriqué, e** /etʀike/ ADJ *marché* cramped, narrow, tight.

**étroit, e** /etʀwa, wat/ ADJ *contrôle, rapport, collaboration* close; *marché* narrow, tight, thin.

**étroitesse** /etʀwatɛs/ NF [marché] narrowness, tightness, limitedness ◆ **étroitesse des transactions** restricted volume of transactions.

**ets** abrév de **établissements.**

**étude** /etyd/ NF a (gén) study; (= recherche) research; (= enquête) survey; (= analyse) analysis ◆ **ce projet est à l'étude** this project is under consideration ou is being studied ◆ **ce projet est encore au stade de l'étude** this project is still under consideration ou on the drawing board ◆ **mettre un projet à l'étude, procéder à l'étude d'un projet** to investigate ou go into ou study a project ◆ **bureau d'études** (dans une entreprise) research department ou unit; (= cabinet) research consultancy ◆ **commission d'études** committee of inquiry, fact-finding committee ◆ **service d'études** design department, brain room* ◆ **voyage d'études** study trip b (Univ) ◆ **études** studies ◆ **faire des études de droit** to study law ◆ **avez-vous fait des études supérieures?** have you been through higher education?, have you been to college ou university? c [notaire, huissier] (local) office; (= charge) practice

────── compounds/composés ──────
◆ **étude d'audience** audience survey
◆ **étude de cas** case study
◆ **étude des charges** cost analysis
◆ **étude complémentaire** follow-up study ou survey
◆ **étude exploratoire** exploratory research
◆ **étude de faisabilité** feasibility study
◆ **étude d'impact** impact study
◆ **étude de marché** market research ou study ou survey
◆ **étude médias** media research
◆ **étude de mémorisation** recall study
◆ **étude des méthodes** methods analysis
◆ **étude de motivation** motivational research
◆ **étude d'opportunité** pilot ou preliminary study
◆ **étude de planification** planning study
◆ **étude préalable** preliminary ou pilot study
◆ **étude préliminaire** preliminary ou pilot study
◆ **étude de produit** product analysis ou engineering
◆ **étude de rentabilité** profitability study ou analysis
◆ **étude témoin** sample study
◆ **étude des temps et mouvements** time and motion study
◆ **étude sur le terrain** field survey
◆ **étude théorique** desk research.

**étudié, e** /etydje/ ADJ (Comm) prix competitive ◆ **nos prix sont très étudiés** our prices are highly competitive, we have very keen prices (Brit).

**étudier** /etydje/ VT (= examiner) question, document to study, examine, go into ◆ **étudier qch à fond** to examine sth thoroughly.

**E.-U. (A.)** (abrév de **États-Unis (d'Amérique)** US(A).

**euphorie** /øfɔʀi/ NF euphoria ◆ **l'euphorie des marchés** market euphoria.

**euphorique** /øfɔʀik/ ADJ euphoric.

**EURATOM** /øʀatɔm/ N (abrév de **European Atomic Energy Community**) EURATOM.

**EURL** /əyɛʀɛl/ NF abrév de **entreprise unipersonnelle à responsabilité limitée** → entreprise.

**euro** /øʀo/ NM euro.

**eurochèque** /øʀɔʃɛk/ NM Eurocheque.

**eurocrate** /øʀɔkʀat/ NMF Eurocrat.

**eurodevise** /øʀɔdəviz/ NF Eurocurrency.

**eurodollar** /øʀɔdɔlaʀ/ NM Eurodollar.

**Euroland** /øʀɔlãd/ NM Euroland.

**euro-obligations** /øʀɔɔbligasjɔ̃/ NFPL Eurobonds.

**Europe** /øʀɔp/ NF Europe ◆ **l'Europe agricole / monétaire** agricultural / monetary Europe ◆ **la construction de l'Europe** European construction, the construction ou development of Europe ◆ **l'Europe des vingt-cinq** the twenty-five countries of the European Union ◆ **l'Europe verte** European agriculture ◆ **Europe centrale** Central Europe ◆ **Europe de l'Est** Eastern Europe.

**européanisation** /øʀɔpeanizasjɔ̃/ NF Europeanization.

**européaniser** /øʀɔpeanize/ VT to Europeanize ◆ **les PME doivent tenter de s'européaniser** small businesses should try to become more European-minded.

**européen, -éenne** /øʀɔpeɛ̃, ɛɛn/ ADJ European ◆ **les institutions européennes** the European institutions ◆ **parvenir à l'union monétaire européenne** to achieve European monetary union ◆ **unité de compte européenne** European Unit of Account **Européen** NM (= habitant) European **Européenne** NF (= habitante) European.

**europhile** /øʀɔfil/ ADJ (gén) europhile; (pro-UE) pro-EU.

**eurorégion** /øʀɔʀejɔ̃/ NF European region.

**euroscepticisme** /øʀɔsɛptisism/ NM Euroscepticism.

**eurosceptique** /øʀɔsɛptik/ ADJ Eurosceptic(al). N Eurosceptic.

**eurozone** /øʀɔzon/ NF Eurozone.

**EV** (abrév de **en ville**) "by hand".

**évaluable** /evalɥabl(ə)/ **ADJ** assessable ✦ **difficilement évaluable** difficult to assess *ou* evaluate.

**évaluation** /evalɥasjɔ̃/ **NF** **a** (= *action d'évaluer*) [*personne, travail, biens*] appraisal, evaluation, assessment; [*dégâts*] assessment, evaluation; [*prix*] estimation, assessment ✦ **base d'évaluation** evaluation *ou* assessment basis ✦ **critère d'évaluation** evaluation criterion ✦ **sondage d'évaluation** estimation sampling **b** (= *résultat d'expertise*) estimate ✦ **ce n'est qu'une évaluation approximative** it's just a guesstimation* *ou* a rough estimate, these are just ball-park figures **c** (*Fin*) [*entreprise*] (credit) rating ✦ **agence d'évaluation** rating agency

───── compounds/composés ─────

✦ **évaluation administrative** administrative rating
✦ **évaluation globale** (*d'une campagne publicitaire*) holistic evaluation
✦ **évaluation du marché** market appraisal
✦ **évaluation des performances** performance appraisal *ou* evaluation
✦ **évaluation des postes de travail** job evaluation
✦ **évaluation préliminaire d'un produit** product evaluation *ou* screening
✦ **évaluation des programmes** programme assessment
✦ **évaluation des résultats** *ou* **du rendement** performance appraisal *ou* evaluation
✦ **évaluation de la situation financière** (*d'un candidat à l'aide sociale*) means test
✦ **évaluation du sinistre** assessment of the damage
✦ **évaluation des tâches** job evaluation.

**évaluer** /evalɥe/ **VT** **a** *biens* to appraise, evaluate, assess, value (*à* at); *dommages, coûts* to assess, evaluate (*à* at) ✦ **évaluer globalement** to assess overall, reckon in the aggregate ✦ **faire évaluer qch par un expert** to have sth valued *ou* appraised by an expert ✦ **police évaluée** (*Ass Mar*) valued policy ✦ **police non évaluée** (*Ass Mar*) open *ou* unvalued policy ✦ **évaluer les résultats d'une campagne** (*Mktg*) to post-test **b** (= *fixer approximativement*) *fortune, nombre* to estimate, assess (*à* at) ✦ **on évalue à 300 000 le nombre de jeunes en fin d'études qui arriveront sur le marché du travail** an estimated 300,000 school-leavers will come onto the labour market ✦ **les pertes sont évaluées à...**, **on évalue les pertes à...** losses are estimated at...

**évasion** /evazjɔ̃/ **NF** (*Écon*) ✦ **évasion des capitaux** flight of capital ✦ **évasion fiscale** tax evasion.

**événement** /evɛnmɑ̃/ **NM** (*gén*) event, occurrence; (*Ass*) occurrence, casualty.

**éventail** /evɑ̃taj/ **NM** (= *choix*) range ✦ **éventail d'options** range of options ✦ **éventail de(s) prix** price range ✦ **éventail de produits** product line *ou* mix ✦ **éventail des revenus** income spread ✦ **éventail des salaires** salary range, wage spread (*US*) ✦ **tout l'éventail des incitations fiscales** the whole range *ou* gamut of tax incentives.

**éventaire** /evɑ̃tɛʀ/ **NM** stall, stand.

**éventuel, -elle** /evɑ̃tɥɛl/ **ADJ** (*gén*) possible; (*Compta*) contingent ✦ **actif éventuel** contingent assets ✦ **client éventuel** prospective *ou* potential customer, prospect ✦ **corrections éventuelles** corrections (if any) ✦ **créance éventuelle** contingent claim ✦ **passif éventuel** contingent liabilities.

**éviction** /eviksjɔ̃/ **NF** [*locataire*] eviction ✦ **éviction du marché** market eviction ✦ **éviction financière** financial eviction.

**évincer** /evɛ̃se/ **VT** *concurrent* to oust, supplant; (*Jur*) to evict ✦ **ils l'ont évincé de la présidence** they ousted him from the chairmanship.

**évocation** /evɔkasjɔ̃/ **NF** ✦ **concept d'évocation** calling up concept.

**évolué, e** /evɔlɥe/ **ADJ** *société, pays* developed, advanced; *produit, technologie* advanced, sophisticated; (*Inf*) *langage* high-level, high-order.

**évoluer** /evɔlɥe/ **VI** [*technique*] to evolve, develop, advance; [*situation*] to develop, evolve ✦ **l'entrevue n'a pas permis de faire évoluer la situation** the meeting didn't help to get matters moving again.

**évolutif, -ive** /evɔlytif, iv/ **ADJ** *système* open-ended ✦ **poste évolutif** post with possibility of advancement *ou* promotion.

**évolution** /evɔlysjɔ̃/ **NF** development, trend, evolution ✦ **évolution défavorable** unfavourable trend ✦ **évolution de la conjoncture** current economic development ✦ **évolution du marché** market development ✦ **évolution technique** technical advance ✦ **graphique d'évolution** flow chart ✦ **évolution des ventes** sales trend ✦ **les cours de la Bourse ont suivi l'évolution de l'inflation** stock market prices moved in sympathy with inflation *ou* followed the same pattern as inflation ✦ **suivre l'évolution du marché** to track the market ✦ **les dernières évolutions** *ou* **les évolutions récentes dans ce secteur** the latest developments in this sector ✦ **évolution trimestrielle** quarterly trend.

**ex** /ɛks/ **PRÉP** ✦ **ex-coupon** ex coupon ✦ **ex-droit** ex right ✦ **ex-dividende** ex dividend ✦ **ex-répartition** ex allotment.

**exceptionnel**

**ex.** (abrév de **exemple**) eg.

**exact, e** /ɛgza, akt(ə)/ **ADJ** *compte rendu, données* accurate, correct, exact; *(= à l'heure)* punctual, on time.

**exactitude** /ɛgzaktityd/ **NF** *(= justesse)* correctness, accuracy; *(= ponctualité)* punctuality.

**exagéré, e** /ɛgzaʒeʀe/ **ADJ** *prix* excessive, unfair, stiff; *prétentions* excessive, inordinate.

**exagérer** /ɛgzaʒeʀe/ **VT** to exaggerate.

**examen** /ɛgzamɛ̃/ **NM** **a** *(gén)* examination; *(= inspection)* inspection; *[situation]* examination, survey; *[dossier, problème]* examination, consideration, investigation ◆ **examen approfondi** *ou* **détaillé** scrutiny, detailed *ou* thorough *ou* close examination *ou* inspection ◆ **examen financier** financial review ◆ **examen sélectif** screening test ◆ **après plus ample examen** on closer inspection, after further consideration ◆ **acheter des marchandises à l'examen** to buy goods on inspection ◆ **passer un examen** to take an exam(ination) **b** *(Jur)* **mettre en examen** to indict *(pour* for) ◆ **mise en examen** indictment.

**examiner** /ɛgzamine/ **VT** *(gén)* to examine; *situation* to examine, survey; *problème, affaire* to examine, investigate, look into; *comptes, dossier* to examine, go through, inspect ◆ **examiner en détail** *ou* **minutieusement** to scrutinize, examine closely, take a close look at ◆ **j'examinerai personnellement la question** the matter will have my personal attention.

**excédent** /ɛksedɑ̃/ **NM** surplus *(sur* over) ◆ **l'excédent de la balance des paiements** the balance of payments surplus ◆ **déficits et excédents** shorts and overs ◆ **dégager un excédent** to show a surplus ◆ **payer 100 euros d'excédent** to pay a surcharge of 100 euros ◆ **nous acceptons de vous livrer 5 % d'articles en**

**excédent** we agree to deliver 5% overs ■ Voir encadré ci-dessous

**excédentaire** /ɛksedɑ̃tɛʀ/ **ADJ** surplus ◆ **balance commerciale excédentaire** favourable trade balance ◆ **capacité excédentaire** surplus *ou* spare *ou* excess capacity ◆ **épargne excédentaire** oversaving ◆ **être excédentaire** to show a surplus ◆ **les pays fortement excédentaires** countries in strong surplus position ◆ **production excédentaire** surplus *ou* excess production ◆ **réserves excédentaires** excess reserves ◆ **stock excédentaire** inventory *ou* stock overage.

**excéder** /ɛksede/ **VT** *durée, prix* to exceed; *pouvoirs* to overstep exceed, go beyond ◆ **le coût total excède de loin notre budget** the overall costs far exceed *ou* are far beyond our budget.

**exception** /ɛksɛpsjɔ̃/ **NF** **a** *(gén)* exception ◆ **mesures d'exception** special *ou* exceptional measures ◆ **à l'exception de** except for, apart from, aside from *(US)* ◆ **sauf exception** allowing for exceptions ◆ **à titre d'exception** *(dans ce cas précis)* in this exceptional case; *(dans certains cas)* in exceptional cases ◆ **gestion par exception** management by exception **b** *(Jur)* plea, exception ◆ **soulever une exception contre** to raise a protest against, put in a plea against ◆ **exception de fond / de forme** exception in rem / in formam ◆ **exception d'irrecevabilité** plea of incompetence ◆ **exception de nullité** plea of voidance.

**exceptionnel, -elle** /ɛksɛpsjɔnɛl/ **ADJ** *(Fin) perte, charge, produit* exceptional ◆ **année exceptionnelle** exceptional *ou* outstanding *ou* banner year ◆ **impôt sur les bénéfices exceptionnels** windfall tax ◆ **profits exceptionnels** windfall profits ◆ **récoltes exceptionnelles** bumper crops ◆ **résultat** *ou* **élément exceptionnel** *(Compta)* extraordinary items ◆ **résultat exceptionnel négatif** net exceptional expense, exceptional charge.

———— *compounds/composés* ————

## EXCÉDENT

- **excédents agricoles** farm surpluses
- **excédent de l'actif sur le passif** surplus of assets over liabilities
- **excédent de bagages** excess luggage
- **excédent brut d'exploitation** gross operating profit, EBITDA
- **excédent budgétaire** budget surplus
- **excédent de caisse** surplus in cash, cash overs
- **excédent commercial** trade surplus
- **excédent de cotisation** excess contribution
- **excédent de dépenses** deficit, budget overrun
- **excédent des exportations sur les importations** excess of exports over imports

- **excédent net** net profit ◆ **excédent net d'exploitation** operating surplus
- **excédent de personnel** overstaffing, overmanning
- **excédent de poids** excess weight
- **excédent de population** population overspill, excess population
- **excédent de potentiel** surplus capacity
- **excédent de recettes** surplus of receipts
- **excédent de sinistres** excess loss
- **excédent de stock** stock overage
- **excédent de trésorerie** cash surplus.

**excès** /ɛksɛ/ NM [argent] excess, surplus; [marchandises] oversupply, glut, surplus ◆ **excès de (la) demande** (Écon) excess demand ◆ **inflation par excès de la demande** excess demand inflation ◆ **excès de zèle** overzealousness ◆ **à l'excès** excessively, overly (US) ◆ **excès de vendeurs** (Bourse) sellers over.

**excessif, -ive** /ɛksesif, iv/ ADJ excessive, inordinate, exaggerated ◆ **stocks excessifs** overstocking.

**exciper** /ɛksipe/ VI ◆ **exciper de** contrat, acte to plead, allege ◆ **exciper de l'autorité de la chose jugée** to plead res judicata.

**exclure** /ɛksklyʀ/ VT personne to expel, exclude; solution to exclude, rule out, dismiss ◆ **exclure temporairement qn** to suspend sb ◆ **exclure qch d'une somme** to exclude sth from a sum ◆ **exclure le risque de change** to close out the exchange risk ◆ **sont exclus tous recours provenant de...** (Ass) excluding all claims arising from.

**exclusif, -ive** /ɛksklyzif, iv/ ADJ dépositaire sole, exclusive; distribution, fabrication exclusive ◆ **compétence exclusive du tribunal** exclusive jurisdiction ◆ **concessionnaire exclusif** sole agent ◆ **droits de vente exclusifs** sole selling rights ◆ **ils ont la représentation exclusive de notre société** they have the exclusive agency for our firm.

**exclusion** /ɛksklyzjɔ̃/ NF (gén) exclusion; [personne] expulsion ◆ **exclusion temporaire** suspension ◆ **nos prix s'entendent à l'exclusion des frais de transport** our prices are exclusive of transport charges ◆ **exclusion de la garantie** (Ass) exclusion.

**exclusivement** /ɛksklyzivmɑ̃/ ADV (= uniquement) exclusively, solely ◆ **du 10 au 15 du mois exclusivement** from the 10th to the 15th exclusive.

**exclusivité** /ɛksklyzivite/ NF (= droits exclusifs) exclusive rights ◆ **avoir / acheter l'exclusivité de...** to have / buy exclusive rights for ◆ **clause d'exclusivité** exclusivity stipulation, competition clause ◆ **vente en exclusivité** exclusive outlet selling ◆ **exclusivité territoriale** exclusive territory.

**ex-c(oup).** (abrév de **ex-coupon**) XC, ex coupon.

**excuse** /ɛkskyz/ NF (gén) excuse ◆ **excuses** (= regrets) apology ◆ **faire des excuses, présenter ses excuses** to apologize, offer one's apologies (à qn to sb) **veuillez accepter nos excuses** kindly ou please accept our apologies.

**excuser** /ɛkskyze/ VT to excuse ◆ **il a demandé à** être excusé pour la réunion de demain he asked to be excused from tomorrow's meeting ◆ **M. Dubois excusé** Mr Dubois has sent an apology, apology for absence received from Mr Dubois

**s'excuser** VPR to apologize (auprès de qn to sb)

**ex-div** (abrév de **ex-dividende**) XD, ex div, ex dividend.

**exécutable** /ɛgzekytabl(ə)/ ADJ (Inf) fichier executable ◆ **contrat non exécutable** (Jur) naked contract.

**exécuter** /ɛgzekyte/ VT a ordre, projet to execute, carry out; travail to do, execute, perform, discharge; commande to fulfil, complete, fill; traité, loi to enforce; contrat to perform; (Inf) programme to run ◆ **vos commandes seront exécutées avec le plus grand soin** your orders shall have our best attention b ordre de Bourse to execute ◆ **votre ordre n'a pas été exécuté** your order ou trade was not executed ◆ **exécuter un débiteur** to distrain upon a debtor ◆ **exécuter un acheteur** (Bourse) to sell out against a buyer ◆ **exécuter un vendeur** (Bourse) to buy in against a seller ◆ **exécuter un spéculateur défaillant** to hammer a defaulter **s'exécuter** VPR (Bourse, Fin) to pay up.

**exécuteur** /ɛgzekytœʀ/ NM ◆ **exécuteur testamentaire** (homme) executor; (femme) executrix.

**exécutif, -ive** /ɛgzekytif, iv/ ADJ executive ◆ **bureau** ou **comité exécutif** executive committee ◆ **pouvoir exécutif** executive power **NM l'exécutif** the executive.

**exécution** /ɛgzekysjɔ̃/ NF a [projet, travail] execution; [commande] fulfilment; [loi] enforcement; [contrat] performance ◆ **calendrier d'exécution** implementation schedule ◆ **travaux en cours d'exécution** work in progress ou in hand ◆ **mettre à exécution** projet to put into operation, execute, carry out; loi to enforce ◆ **en exécution de la loi** (Jur) in compliance with the law, in pursuance of the law ◆ **ces projets seront bientôt mis à exécution** these plans will soon be carried out ◆ **délai d'exécution** (= date limite) deadline ◆ **mise à exécution** implementation ◆ **modalités d'exécution** operative methods ◆ **personnel d'exécution** operatives ◆ **agent d'éxécution** operative b (Jur) [débiteur] execution of a writ (de qn against sb) ◆ **exécution forcée** execution of a writ ◆ **sursis à exécution** stay of execution c (Bourse) [ordre] execution; (= achat) buying in; (= vente) selling out ◆ **exécution d'un défaillant** hammering of a defaulter d (Inf) [programme] running ✦ **fin d'exécution** end of run ✦ **phase d'exécution** run phase.

**exécutoire** /ɛgzekytwaʀ/ **ADJ** executory, enforceable ✦ **jugement exécutoire** enforceable judgement ✦ **mandat exécutoire** enforcement order ✦ **avoir force exécutoire** to be enforceable.

**exemplaire** /ɛgzɑ̃plɛʀ/ **NM** copy ✦ **en deux exemplaires** in duplicate ✦ **en trois exemplaires** in triplicate ✦ **exemplaire d'archives** file copy ✦ **exemplaires de presse** press copies.

**exempt, e** /ɛgzɑ̃, ɑ̃t/ **ADJ** ✦ **exempt d'impôts** exempt from taxation, tax exempt ✦ **exempt de taxes** tax-free, duty-free ✦ **exempt de TVA** VAT exempt ✦ **exempt d'erreurs** error-free.

**exempter** /ɛgzɑ̃te/ **VT** (Impôts) to exempt (de from)

**exemption** /ɛgzɑ̃psjɔ̃/ **NF** exemption ✦ **exemption d'impôt** ou **fiscale** exemption from taxation ✦ **lettre d'exemption** (Douanes) bill of sufferance.

**exercer** /ɛgzɛʀse/ **VT** a métier to carry on; fonction to fulfil, exercise ✦ **exercer la profession d'avocat** to practise as a lawyer b droit, autorité to exercise (sur over); contrôle to exert, exercise (sur over); pression to exert (sur on) ✦ **exercer des poursuites contre qn** to bring ou raise proceedings against sb, bring ou raise an action against sb ✦ **exercer un recours contre qn** to make a claim against sb c (Bourse) option to exercise ✦ **les droits pourront être exercés à 4 dollars l'action** the rights will be exercisable at $4 a share.

**exercice** /ɛgzɛʀsis/ **NM** a [profession] practice; [droit] exercising ✦ **dans l'exercice de ses fonctions** in the execution ou discharge ou performance of his duties ✦ **être en exercice** [fonctionnaire] to be in ou hold office ✦ **entrer en exercice** to take up ou assume one's duties ✦ **président en exercice** serving ou current chairman ✦ **avocat en exercice** practising ou practicing (US) lawyer b (Compta, Admin = année) financial year ✦ **exercice budgétaire / comptable** budgetary / accounting year ✦ **l'exercice (fiscal) 2004** fiscal 2004, the 2004 fiscal ou financial year ✦ **pertes d'exercice** operating losses ou deficit ✦ **clôture de l'exercice** year-end, end of financial year ✦ **exercice clos le...** financial year ended on... ✦ **exercice écoulé** year under review, past financial year ✦ **exercice social** accounting period c (Bourse) ✦ **le prix d'exercice d'une option** the striking ou strike price of an option ✦ **période d'exercice de l'option** option exer-

cise window ✦ **prix d'exercice à parité / en dedans / en dehors** at the money / in the money / out of the money (option) striking price.

**exhaustif, -ive** /ɛgzostif, iv/ **ADJ** exhaustive.

**exhaustivité** /ɛgzostivite/ **NF** exhaustiveness.

**exigeant, e** /ɛgziʒɑ̃, ɑ̃t/ **ADJ** client, tâche demanding.

**exigence** /ɛgziʒɑ̃s/ **NF** (= condition) demand, requirement ✦ **se conformer aux exigences de qn** to comply with ou meet sb's requirements ✦ **la marchandise répond ou satisfait à toutes les exigences** the goods are satisfactory ou up to standard in every way ✦ **exigences du poste** job requirements ✦ **exigences des consommateurs** consumer requirements.

**exiger** /ɛgziʒe/ **VT** to demand, require, claim (qch de qn sth of ou from sb) ✦ **la situation exige des mesures immédiates** the situation calls for ou requires immediate measures ✦ **les syndicats exigent que soit appliquée la clause de rattrapage** the unions claim the application of the escalator clause ✦ **exiger le paiement** to enforce payment ✦ **exiger d'un contribuable le paiement de ses impôts** to exact payment from a taxpayer.

**exigibilité** /ɛgziʒibilite/ **NF** [dette] payability ✦ **exigibilités** current liabilities.

**exigible** /ɛgziʒibl(ə)/ **ADJ** créance, dépôt payable, due for payment ✦ **exigible d'avance** payable in advance ✦ **dépôt exigible sur demande** deposit payable on demand ✦ **passif exigible à court terme** current liabilities ■ **NM** (Fin) l'exigible current liabilities.

**eximbank** /ɛgzɛ̃bɑ̃k/ **NF** eximbank.

**existant** /ɛgzistɑ̃/ **NM** ✦ **l'existant en caisse** cash in hand ✦ **les existants** stock in hand, physical stock (Brit) ou inventory (US).

**existence** /ɛgzistɑ̃s/ **NF** (gén) existence ✦ **moyens d'existence** means of livelihood ou subsistence ✦ **existences en magasin** (Comm) stock in hand.

**exister** /ɛgziste/ **VI** to exist ✦ **ce modèle existe depuis longtemps** this model has been around a long time.

**exode** /ɛgzɔd/ **NM** exodus ✦ **exode rural** drift from the land ✦ **exode des cerveaux** brain drain ✦ **exode de capitaux** flight of capital, capital outflow, efflux of capital.

**exogène** /ɛgzɔʒɛn/ **ADJ** variable exogenous.

**exonération** /ɛgzɔneʀasjɔ̃/ NF exemption (*de* from) ◆ **clause d'exonération** exemption clause ◆ **période d'exonération** exempt period ◆ **exonération des droits** exemption from duties ◆ **exonération d'impôt** tax exemption *ou* relief ◆ **demande d'exonération d'impôt** income tax exemption claim ◆ **exonération partielle** part exemption ◆ **exonération totale** full exemption.

**exonérer** /ɛgzɔneʀe/ VT to exempt (*de* from) ◆ **demander à être exonéré d'impôt** to claim immunity *ou* exemption from tax.

**exorbitant, e** /ɛgzɔʀbitɑ̃, ɑ̃t/ ADJ *prix, demande* exorbitant, outrageous.

**exp.** abrév de **expéditeur.**

**expansion** /ɛkspɑ̃sjɔ̃/ NF expansion, growth ◆ **marché en expansion** expanding market ◆ **expansion économique** economic expansion *ou* growth ◆ **l'expansion économique continue** the economy continues expand *ou* grow ◆ **une économie en pleine expansion** a booming *ou* fast-expanding economy ◆ **expansion monétaire** currency expansion ◆ **société / secteur en expansion** growth company / sector ◆ **facteur d'expansion** expansionary factor ◆ **taux d'expansion** growth *ou* expansion rate.

**expansionnisme** /ɛkspɑ̃sjɔnism/ NM expansionism.

**expansionniste** /ɛkspɑ̃sjɔnist/ ADJ *(Écon)* expansionary; *(péj)* expansionist NMF expansionist.

**expatriation** /ɛkspatʀijasjɔ̃/ NF expatriation.

**expatrié, e** /ɛkspatʀije/ NM,F expatriate.

**expatrier** /ɛkspatʀije/ VT to expatriate **s'expatrier** VPR to expatriate o.s.

**expédier** /ɛkspedje/ VT a *(= envoyer)* to send, dispatch, ship ◆ **expédier par la poste** to send through the post *ou* mail, send by post ◆ **expédier par le train** to ship *ou* send by rail *ou* train ◆ **expédier par bateau** to ship, send by sea ◆ **expédiez ceci par le premier courrier** send this *ou* get this off by the first post b *(Admin)* ◆ **expédier les affaires courantes** to deal with *ou* dispose of day-to-day matters ◆ **expédier les affaires en suspens** to deal with *ou* dispatch the outstanding business c *(Jur)* to draw up ◆ **expédier un acte** to draw up a copy of a deed d *(Douanes)* to clear ◆ **expédier des marchandises en douane** to clear goods.

**expéditeur, -trice** /ɛkspeditœʀ, tʀis/ ADJ dispatching, forwarding NM,F *[courrier]* sender; *[marchandises]* consignor,

shipper; *(Comm)* forwarding agent, shipper; *(bureau demandeur)* originator.

**expédition** /ɛkspedisjɔ̃/ NF a *(= action d'expédier)* dispatch, shipping ◆ **avis d'expédition** shipment notice, advice of dispatch ◆ **bulletin** *ou* **feuille d'expédition** dispatch note, consignment note, way bill ◆ **date d'expédition** date of dispatch *ou* shipment, shipping date ◆ **documents d'expédition** shipping documents ◆ **frais d'expédition** shipping charges ◆ **maison d'expédition** shipping agency ◆ **service (d')expédition** shipping department, dispatch service ◆ **il est responsable de l'expédition des marchandises aux clients** he is responsible for the shipping of goods to customers b *(= marchandises expédiées)* consignment, shipment ◆ **expédition groupée** groupage shipment ◆ **expédition outre-mer** overseas shipment ◆ **expédition partielle** part shipment c *(Admin)* ◆ **l'expédition des affaires courantes** the dispatching of day-to-day matters d *(Jur = exemplaire)* exemplified copy ◆ **pour expédition conforme** certified true copy ◆ **en double / triple expédition** in duplicate / triplicate e *(Douanes)* clearance ◆ **expédition d'un navire en douane** clearance of ship outwards ◆ **port d'expédition** port of clearance.

**expéditionnaire** /ɛkspedisjɔnɛʀ/ NMF *(Comm)* forwarding agent; *(Mar)* shipping clerk.

**expérience** /ɛkspeʀjɑ̃s/ NF a *(= connaissances)* experience ◆ **expérience acquise** *ou* **antérieure** previous experience ◆ **expérience de l'entreprise** business experience ◆ **expérience professionnelle** business *ou* job experience, professional background, track record b *(= tentative)* experiment.

**expérimental, e,** PL **-aux** /ɛkspeʀimɑ̃tal, o/ ADJ experimental ◆ **stade expérimental** experimental stage.

**expérimentation** /ɛkspeʀimɑ̃tasjɔ̃/ NF experimentation.

**expérimenté, e** /ɛkspeʀimɑ̃te/ ADJ experienced, skilled.

**expérimenter** /ɛkspeʀimɑ̃te/ VT *machine* to test; *procédé* to test out, try out.

**expert, e** /ɛkspɛʀ, ɛʀt(ə)/ ADJ expert, skilled (*en* in, *à* at) NM, F *(gen)* expert; *(Ass)* valuer; *(Mar)* maritime expert; *(Ass Mar)* surveyor, adjuster ◆ **à dire d'expert** according to expert testimony ◆ **rapport / honoraires d'expert** expert's report / fees ◆ **demander l'avis d'un expert** to ask for an expert's opinion *ou* advice ◆ **désigner** *ou* **nommer un expert** to assign *ou* appoint an expert

―――――― compounds/composés ――――――
+ **expert en communication** communicator
+ **expert-comptable** ≈ chartered accountant *(Brit)*, ≈ certified public accountant *(US)* + **cabinet d'experts-comptables** accounting firm
+ **expert-conseil**
+ **expert en gestion** management consultant
+ **expert juré** official referee
+ **expert en organisation** management consultant.

**expertise** /ɛkspɛʀtiz/ NF expert valuation *ou* appraisal + **expertise d'avarie** *(Ass)* damage survey; *(Ass Mar)* maritime survey + **expertise comptable** chartered accountancy + **expertise contradictoire** cross survey, check survey *(US)* + **certificat** *ou* **rapport d'expertise** *(Ass)* expert's report *ou* valuation; *(Ass Mar)* expert's survey; *(= évaluation d'un bien)* certificate of quality + **frais d'expertise** consultancy *ou* expert fees + **procéder à** *ou* **faire une expertise** *(gén)* to make a valuation; *(Mar)* to survey.

**expertiser** /ɛkspɛʀtize/ VT *bien* to value, appraise, assess, evaluate; *dégâts (gén)* to assess, evaluate; *(Ass Mar)* to survey + **faire expertiser qch** to have sth valued.

**expiration** /ɛkspiʀasjɔ̃/ NF *(= échéance)* expiration, expiry *(Brit)*, termination *(US)* + **venir à expiration** *[contrat, délai]* to expire, terminate + **expiration d'un bail** expiry *ou* expiration of a lease + **expiration d'un congé** expiry *ou* expiration of a leave of absence + **date d'expiration** expiry date.

**expirer** /ɛkspiʀe/ VI *[contrat]* to expire, terminate; *[passeport, droits]* to expire; *[bail]* to run out.

**explicatif, -ive** /ɛksplikatif, iv/ ADJ explanatory + **notice explicative** directions for use.

**exploit** /ɛksplwa/ NM *(Jur)* + **exploit (d'huissier)** writ + **exploit d'opposition** *ou* **de saisie-arrêt** garnishment + **dresser un exploit** to draw up a writ + **signifier un exploit** to serve a writ (à upon)

**exploitable** /ɛksplwatabl(ə)/ ADJ exploitable.

**exploitant, e** /ɛksplwatɑ̃, ɑ̃t/ NM,F *(= agriculteur)* farmer; *(Comm)* manager + **les petits exploitants (agricoles)** smallholders, small farmers.

**exploitation** /ɛksplwatasjɔ̃/ NF **a** *(= action d'exploiter)* *[entreprise]* running, operating; *[mine]* working, exploitation; *[brevet]* utilization; *[employés]* exploitation + **autorisation d'exploitation** licence + **bénéfices d'exploitation** trading profit, operating surplus + **budget d'exploitation** working *ou* trading *ou* operating budget + **coefficient d'exploitation** working coefficient, operating ratio *(US)* + **compte d'exploi-**

tation trading account, working account, operating account + **déficit d'exploitation** operating *ou* trading deficit + **dépenses d'exploitation** working expenses, operating expenditure *(US)* + **frais d'exploitation** running *ou* operating costs + **personnel d'exploitation** operations *ou* operating staff + **pertes d'exploitation** operating *ou* trading losses + **résultat d'exploitation** operating profit + **mettre en exploitation** *fonds de commerce* to put into operation; *ressources* to exploit, develop, tap + **de nouvelles unités de production seront mises en exploitation l'an prochain** new production units will come on line next year + **le principe de continuité de l'exploitation** *(Compta)* the ongoing concern principle **b** *(= établissement)* concern + **exploitation agricole** farm + **petite exploitation (agricole)** small farm, smallholding *(Brit)* + **exploitation commerciale / industrielle** business / industrial concern + **exploitation minière / forestière** mining / forestry development + **exploitation individuelle** sole (individual) proprietorship, one-man business + **société d'exploitation** development company *ou* corporation **c** *(= traitement de données)* handling + **exploitation de l'information** data handling + **exploitation des statistiques** statistical handling + **système d'exploitation** operating system.

**exploiter** /ɛksplwate/ VT *mine* to work, exploit; *fonds de commerce* to run, operate; *ressources* to exploit, tap; *circonstances favorables* to take advantage of, exploit; *travailleurs* to exploit.

**exploratoire** /ɛksplɔʀatwaʀ/ ADJ *réunion, discussion* exploratory, preliminary.

**explorer** /ɛksplɔʀe/ VT to explore.

**exploser** /ɛksploze/ VI *[marché, demande]* to explode.

**explosion** /ɛksplozjɔ̃/ NF explosion + **explosion démographique** population explosion + **explosion salariale** wage explosion + **explosion sociale** social upheaval + **marché en explosion** exploding market.

**expomarché** /ɛkspomaʀʃe/ NM trade mart.

**exponentiel, -ielle** /ɛkspɔnɑ̃sjɛl/ ADJ exponential + **distribution exponentielle** exponential distribution + **lissage exponentiel** *(Mktg)* exponential smoothing.

**export** /ɛkspɔʀ/ NM export + **département** *ou* **service export** export department + **marchandises à l'export** goods for export, export goods.

**exportable** /ɛkspɔʀtabl(ə)/ ADJ exportable.

**exportateur, -trice** /ɛkspɔʀtatœʀ, tʀis/ ADJ ex-

port, exporting ✦ **être exportateur de** to export, be an exporter of ✦ **pays exportateur** exporting country ✦ **pays exportateur de pétrole** oil-exporting country ✦ **secteur exportateur** export sector
**NM,F** exporter ✦ **exportateur de blé** wheat exporter.

**exportation** /ɛkspɔʀtasjɔ̃/ **NF** (= action) export(ation); [marchandises] export ✦ **faire de l'exportation** to export, be in the export business ✦ **encourager** ou **favoriser** ou **stimuler les exportations** to stimulate ou promote exports ✦ **réservé à l'exportation** for export only ✦ **article d'exportation** export item ✦ **article impropre à l'exportation** export reject ✦ **autolimitation des exportations** voluntary export restraint ✦ **chiffre d'affaires à l'exportation** export sales ✦ **crédit à l'exportation** export credit ✦ **campagne d'exportation** export drive ✦ **contingents d'exportation** export quotas ✦ **excédent d'exportation** export surplus ✦ **gains à l'exportation** export earnings ✦ **garanties à l'exportation** export guarantees ✦ **licence** ou **permis d'exportation** export licence ✦ **maison d'exportation** export house ✦ **prime à l'exportation** export bonus ou incentive ou bounty ou subsidy ✦ **société d'exportation** export company, indent house (US) ✦ **taxe à l'exportation** tax on exports ✦ **exportation de capitaux** capital outflow ✦ **exportations visibles / invisibles** visible / invisible exports ✦ **exportation indirecte** indirect exporting.

**exporter** /ɛkspɔʀte/ **VT** to export ✦ **autorisation d'exporter** export permit.

**exposant, e** /ɛkspozɑ̃, ɑ̃t/ **NM,F** [foire commerciale] exhibitor.

**exposé** /ɛkspoze/ **NM** (= compte rendu) account; (= discours) talk ✦ **faire un exposé de la situation** to give an account ou an overview of the situation ✦ **exposé des motifs** (Jur) preamble ✦ **exposé didactique** formal presentation.

**exposer** /ɛkspoze/ **VT** produits to put on display, display, show, exhibit; motifs to explain, state; idée to put forward, expound, set out; projets to sketch out ✦ **il a exposé son cas devant la commission** he laid his case before the commission ✦ **être exposé à un message publicitaire** (Mktg) to be exposed to an advertising message
**s'exposer** **VPR** to expose o.s. ✦ **s'exposer à des poursuites** to run the risk of prosecution, lay o.s. open to ou expose o.s. to prosecution.

**exposition** /ɛkspozisjɔ̃/ **NF** **a** [produits, objets] display; (Mktg) [consommateur] exposure (à to) ✦ **grande exposition de blanc** special linen

week ou event ✦ **exposition répétée** (Mktg) repeat exposure ✦ **exposition au risque** (Bourse) exposure to risk ✦ **portefeuille présentant une forte exposition au risque** high-risk portfolio **b** (= foire commerciale) exhibition, show ✦ **l'exposition universelle** the World Fair ✦ **exposition agricole** agricultural show ✦ **exposition itinérante** mobile ou travelling exhibition ✦ **exposition permanente** permanent exhibition ✦ **exposition réservée aux professionnels** trade exhibition ✦ **foire-exposition** trade fair.

**exprès, -esse** /ɛkspʀɛs/ **ADJ** **a** (= formel) instructions formal, express; (Jur) stipulation express ✦ **convention expresse** (Jur) stated agreement **b** (emploi invariable) ✦ **(lettre / colis) exprès** express (Brit) ou special delivery (US) letter / parcel ✦ **envoyer qch en exprès** to send sth by express post (Brit) ou special delivery (US).

**expressément** /ɛkspʀesemɑ̃/ **ADV** (= explicitement) specifically, expressly; (= intentionnellement) specially.

**expression** /ɛkspʀesjɔ̃/ **NF** expression ✦ **veuillez agréer l'expression de mes salutations distinguées** yours sincerely, yours faithfully (Brit), yours truly (US).

**exprimer** /ɛkspʀime/ **VT** to express ✦ **somme exprimée en euros** sum expressed in euros.

**expropriation** /ɛkspʀɔpʀijasjɔ̃/ **NF** (= action) expropriation, compulsory purchase (Brit) ; (= ordonnance) expropriation order, compulsory purchase order (Brit) ✦ **droit d'expropriation** power of eminent domain ✦ **expropriation pour cause d'utilité publique** expropriation for public purposes, compulsory purchase (Brit), condemnation of property (US).

**exproprier** /ɛkspʀɔpʀije/ **VT** immeuble to expropriate, place a compulsory purchase order on (Brit) ✦ **exproprier qn** to expropriate sb's property, place a compulsory purchase order (Brit) on sb's property.

**expulser** /ɛkspylse/ **VT** étranger to deport, expel (de from); locataire to evict (de from)

**expulsion** /ɛkspylsjɔ̃/ **NF** (gén) expulsion; [locataire] eviction; [étranger] expulsion, deportation.

**exsangue** /ɛksɑ̃g/ **ADJ** ✦ **laisser l'économie du pays exsangue** to bleed the country's economy dry ✦ **une trésorerie exsangue** exhausted cash reserves.

**extensible** /ɛkstɑ̃sibl/ **ADJ** (Inf) extensible, upgradable (à to)

**extensif, -ive** /ɛkstãsif, iv/ **ADJ** *agriculture* extensive.

**extension** /ɛkstãsjɔ̃/ **NF** a [*commerce*] expansion, growth; [*installations*] extension; [*clientèle*] widening; [*loi*] extension (*à* to) ◆ **notre entreprise va prendre de l'extension** our firm is going to expand ◆ **extension des échanges** greater interchange ◆ **extension du potentiel productif** expansion of capacity ◆ **extension de l'accord** extension of the agreement ◆ **extension de la couverture** *ou* **de la garantie** (*Ass*) extended cover(age) ◆ **extension des prestations** benefit enrichments ◆ **extension de la gamme** (*Mktg*) expansion of the range, line extension b (*Inf*) [*fichier*] extension ◆ **carte d'extension mémoire** memory expansion board.

**extérieur, e** /ɛksterjœr/ **ADJ** a (*au pays*) *marché, commandes* external, foreign ◆ **commerce extérieur** foreign *ou* external trade ◆ **déficit extérieur** external deficit ◆ **dette extérieure** foreign *ou* external debt ◆ **solde extérieur** trade balance b (= *qui travaille au-dehors*) ◆ **personnel extérieur** field staff, field force (*US*) ◆ **il travaille beaucoup à l'extérieur** he works out in the field a great deal, he works outside the company a great deal c (= *qui n'appartient pas à la firme*) ◆ **interdit à toute personne extérieure à l'usine** no entry for unauthorized personnel, site workers only ◆ **consulter une personne extérieure à l'entreprise** to get an outside opinion d **signes extérieurs de richesse** outward signs of wealth **NM** (= *l'étranger*) ◆ **l'extérieur** foreign countries ◆ **vendre beaucoup à l'extérieur** to sell a lot abroad *ou* to foreign countries.

**extérioriser** /ɛksterjɔrize/ **VT** *moins-value* to report.

**externalisation** /ɛksternalizasjɔ̃/ **NF** (*Écon*) outsourcing.

**externaliser** /ɛksternalize/ **VT** (*Écon*) to outsource.

**externe** /ɛkstern(ə)/ **ADJ** *croissance, économie* external.

**externer** /ɛksterne/ **VT** *activité* to farm out, contract out.

**exterritorialité** /ɛksteritɔrjalite/ **NF** exterritoriality.

**extinction** /ɛkstɛ̃ksjɔ̃/ **NF** (*Jur*) [*dette, droit, hypothèque*] extinguishment, extinction, termination; (*Ass*) [*risque*] end.

**extorquer** /ɛkstɔrke/ **VT** to extort (*à qn* from sb) ◆ **extorquer de l'argent à qn** to squeeze money out of s.o.

**extorsion** /ɛkstɔrsjɔ̃/ **NF** [*argent*] extortion.

**extourne** /ɛksturn(ə)/ **NF** (*Compta*) contraing, reversal, contra-entry, cancellation of an entry.

**extourner** /ɛksturne/ **VT** to contra, reverse.

**extra** /ɛkstra/ **ADJ INV** first-rate, extra-special ◆ **de qualité extra** of the finest *ou* best quality, top-grade.

**extrabudgétaire** /ɛkstrabudʒetɛr/ **ADJ** extra-budgetary.

**extractif, -ive** /ɛkstraktif, iv/ **ADJ** *industrie* mining, extractive.

**extraction** /ɛkstraksjɔ̃/ **NF** [*pétrole, minerai*] extraction; [*charbon*] mining.

**extrader** /ɛkstrade/ **VT** to extradite.

**extradition** /ɛkstradisjɔ̃/ **NF** extradition.

**extraire** /ɛkstrɛr/ **VT** *minerai, pétrole* to extract; *charbon* to mine.

**extrait** /ɛkstrɛ/ **NM** extract ◆ **extrait de compte** abstract of account, statement of account ◆ **extrait du bilan** summarized balance sheet ◆ **extrait de casier judiciaire** copy of police record.

**extranéité** /ɛkstraneite/ **NF** (*Jur*) alien status, foreign origin.

**Extranet** /ɛkstranɛt/ **NM** Extranet.

**extrant** /ɛkstrã/ **NM** (*Écon*) output.

**extraordinaire** /ɛkstraɔrdinɛr/ **ADJ** extraordinary ◆ **assemblée extraordinaire** extraordinary *ou* special meeting ◆ **budget extraordinaire** emergency budget ◆ **dépenses extraordinaires** non-recurring expenditure.

**extrapolation** /ɛkstrapɔlasjɔ̃/ **NF** extrapolation.

**extrapoler** /ɛkstrapɔle/ **VTI** to extrapolate.

**extraterritorialité** /ɛkstrateritɔrjalite/ **NF** extraterritoriality.

**extrême** /ɛkstrɛm/ **ADJ** extreme ◆ **les cours extrêmes de cette année** (*Bourse*) this year's highs and lows ◆ **Extrême-Orient** *nm* Far East ◆ **les marchés extrême-orientaux** far eastern *ou* oriental markets.

**F** abrév de **franc.**

**FAB** (abrév de **franco à bord**) FOB.

**fabricant, e** /fabʀikã, ãt/ **NM,F** manufacturer, maker ◆ **fabricant d'automobiles** car ou motor manufacturer (Brit), automaker (US).

**fabrication** /fabʀikasjɔ̃/ **NF** (Ind) manufacture, manufacturing; (= production) production; (à l'échelle artisanale) making; [fausse monnaie] forging, counterfeiting ◆ **de fabrication allemande** made in Germany, of German make, German-made ◆ **de notre fabrication** of our own making ◆ **articles de fabrication étrangère** articles of foreign make ou manufacture ◆ **de fabrication artisanale** produced ou made on a small scale ◆ **chef de fabrication** production manager, manufacturing director, plant superintendent (US) ◆ **contrôle / coûts de fabrication** manufacturing control / costs ou expenditure ◆ **défaut** ou **vice de fabrication** [article] manufacturing defect ou flaw; [production] faulty workmanship ◆ **licence de fabrication** manufacturing licence ◆ **numéro de fabrication** serial number ◆ **lancement en fabrication** production initiation ◆ **programme de fabrication** production plan ou schedule ◆ **secret de fabrication** trade secret ◆ **unité de fabrication** manufacturing facility ou unit ou

─────── compounds/composés ───────
◆ **fabrication assistée par ordinateur** computer assisted manufacturing
◆ **fabrication à la chaîne** mass production
◆ **fabrication en série** mass production
◆ **fabrication hors série** manufacturing to order
◆ **fabrication par lots** batch production
◆ **fabrication unitaire** unit production
◆ **fabrication sur commande** manufacturing to order.

plant ◆ **mettre en fabrication** to put into production

**fabrique** /fabʀik/ **NF** factory, works (sg) ◆ **fabrique de papier** paper mill ◆ **marque de fabrique** trademark, brand ◆ **prix de fabrique** factory price, manufacturer's price.

**fabriquer** /fabʀike/ **VT** (Ind) to manufacture, make; fausse monnaie to forge, counterfeit ◆ **fabriquer artisanalement** ou **de façon artisanale** to produce ou make on a small scale ◆ **fabriquer sur commande** ou **sur mesure** to make to order ◆ **fabriqué sur commande** custom-made, tailor-made ◆ **fabriquer en série** to mass-produce ◆ **fabriquer industriellement** to produce industrially.

**FAC** (abrév de **franc d'avaries communes**) FGA.

**façade** /fasad/ **NF** [magasin] facade, front; [activités illégales] cover; (Ass) fronting ◆ **cette société n'est qu'une façade** this company is only a front organization.

**face** /fas/ **NF** ◆ **faire face à ses obligations** to face (up to) one's obligations ◆ **faire face à une dette / une traite** to meet ou honour a debt / a bill ◆ **l'euro a perdu 2% face au dollar** the euro has lost 2% against the dollar ◆ **il s'est trouvé face à de grosses difficultés d'argent** he was faced with ou up against terrible money problems ◆ **face vendeuse** (Mktg) eye-catching side ◆ **opération de face à face** (Fin) back-to-back loan.

**facial, e, MPL -als** ou **-aux** /fasjal, o/ **ADJ** taux nominal ◆ **valeur faciale** monnaie nominal ou face value, face amount (US).

**facilité** /fasilite/ **NF** a (= condition spéciale) facility; (Fin) (loan) facility ◆ **consentir des facilités de caisse** to grant overdraft facilities ◆ **facili-**

tés de crédit *ou* de paiement credit facilities *ou* terms, easy terms ◆ **facilité d'émission garantie** issuance facility ◆ **facilité à options multiples** multi-option facility ◆ **facilités de logement** *(sur un prospectus)* accommodation provided **b** **facilité de vente** *ou* **d'écoulement** saleability.

**FACOB** /fakɔb/ **NM** (abrév de **facultatif obligatoire**) open-cover.

**façon** /fasɔ̃/ **NF** **a** *(= coupe de vêtement)* cut ◆ **travail à façon** *[robe]* dressmaking; *[costume]* tailoring ◆ **travailler à façon** to (hand) tailor *ou* make up *(Brit)* customer's own material ◆ **couturière à façon** *[robe]* dressmaker; *[costume]* bespoke tailor ◆ **matière et façon** material and labour ◆ **à façon** *(= sur mesure)* made to measure **b** *(= imitation)* ◆ **veste façon cuir** jacket in imitation leather.

**façonnage** /fasɔnaʒ/ **NM** *(= fabrication)* manufacturing, making; *(= travail d'un matériau)* shaping, fashioning.

**façonner** /fasɔne/ **VT** *(= fabriquer)* to manufacture, make; *(= travailler un matériau)* to shape, fashion.

**fac-similé** /faksimile/ **NM** facsimile.

**factage** /faktaʒ/ **NM** **a** *(= transport)* cartage, forwarding ◆ **entreprise de factage** parcels delivery company, transport company **b** **(frais de) factage** cartage, porterage, delivery charge, carriage; *(Mar)* portage.

**facteur** /faktœʀ/ **NM** **a** *(gén, Écon = élément)* factor ◆ **le facteur coût / prix** the cost / price factor ◆ **revenu national au coût des facteurs** national income on costs basis **b** *[entreprise de factage]* forwarding agent; *(Poste)* postman *(Brit)*, mailman *(US)*

---
*compounds/composés*
- ◆ **facteur d'accroissement** leverage factor
- ◆ **facteur aléatoire** random factor
- ◆ **facteur d'attention** attention factor
- ◆ **facteur d'attirance visuelle** visual appeal
- ◆ **facteur économique** economic factor
- ◆ **facteur humain** human factor *ou* element
- ◆ **facteur d'identification** recognition appeal
- ◆ **facteur de perception** perceptual factor
- ◆ **facteur de production** production factor
- ◆ **facteur de stimulation** incentive.
---

**factice** /faktis/ **ADJ** artificial ◆ **bouteille factice** dummy bottle ◆ **emplois factices** phony jobs ◆ **emballage factice** dummy pack ◆ **opérations factices** artificial transactions.

**factor** /faktɔʀ/ **NM** *(Fin)* factor.

**factoriel, -ielle** /faktɔʀjɛl/ **ADJ** factorial ◆ **analyse factorielle** factor *ou* factorial analysis.

**factoring** /faktɔʀiŋ/ **NM** factoring ◆ **société de factoring** factoring company.

**facturation** /faktyʀasjɔ̃/ **NF** invoicing, billing ◆ **facturation directe** direct billing *ou* invoicing ◆ **service facturation** invoicing *ou* billing department ◆ **les facturations annuelles ont atteint 2 millions de dollars** annual billings reached 2 million dollars.

**facture** /faktyʀ/ **NF** *(gén)* bill; *(Comm)* invoice ◆ **acquitter** *ou* **régler une facture** *[particulier]* to pay *ou* settle a bill; *[professionnel]* to receipt an invoice ◆ **détailler une facture** to itemize an invoice *ou* a bill ◆ **établir** *ou* **dresser une facture** to make out an invoice *ou* a bill ◆ **présenter une facture à l'encaissement** to present *ou* submit a bill for payment ◆ **régler une facture** to pay *ou* settle an invoice *ou* a bill ◆ **suivant facture** as per invoice ◆ **paiement à réception de la facture** payment on (receipt of) invoice ◆ **la facture pétrolière a coûté une fortune au pays** the oil bill has cost the country a fortune ◆ **nous leur envoyons les factures une fois par mois** we invoice *ou* bill them once a month ◆ **fausse facture** forged *ou* faked invoice ◆ **prix de la facture** invoice price, billing price *(US)* ◆ **valeur de facture** invoice value

---
*compounds/composés*
- ◆ **facture d'achat** purchase invoice
- ◆ **facture à l'arrivée** invoice *ou* bill inward
- ◆ **facture d'avoir** credit note
- ◆ **facture certifiée** certified invoice
- ◆ **facture consulaire** consular invoice
- ◆ **facture de débit** debit note
- ◆ **facture au départ** outgoing invoice
- ◆ **facture détaillée** itemized invoice *ou* bill
- ◆ **facture douanière** customs invoice
- ◆ **facture d'expédition** shipping invoice
- ◆ **facture export** export invoice
- ◆ **facture franco** franco invoice
- ◆ **facture originale** original invoice
- ◆ **facture pro forma** pro forma invoice, interim invoice *(US)*
- ◆ **facture protestable** assignable invoice
- ◆ **facture provisoire** provisional invoice
- ◆ **facture rectificative** amended invoice *ou* bill
- ◆ **facture de vente** sales invoice.
---

**facturer** /faktyʀe/ **VT** *(= faire une facture)* to invoice; *(= faire payer)* to charge (for) *(Brit)*, include in the bill, put on the bill ◆ **ils nous ont facturé l'entretien** they billed *ou* charged *(Brit)* us for the maintenance ◆ **veuillez me facturer à compter du mois prochain** please invoice me *ou* bill me starting next month ✦ **machine à facturer** invoicing machine, biller *(US)* ✦ **marchandises facturées** invoiced goods.

**facturette** /faktyʀɛt/ NF credit card slip *ou* receipt.

**facturier, -ière** /faktyʀje, jɛʀ/ **NM,F** (= *comptable*) invoice clerk, biller *(US)*
**NM** (= *livre*) invoice register, sales book ✦ **facturier d'entrée** purchase book ✦ **facturier de sortie** sales book
**facturière NF** (= *machine*) invoicing machine, biller *(US)*.

**facultatif, -ive** /fakyltatif, iv/ ADJ (*gén*) optional ✦ **facultatif obligatoire** open-cover.

**faculté** /fakylte/ NF **a** (*Bourse*) ✦ **faculté de lever double** (*à la hausse*) call of more, buyer's option to double; (*à la baisse*) put of more, seller's option to double ✦ **faculté de rachat (de réméré)** option of repurchase ✦ **donneur de faculté de lever double** giver for a call of more ✦ **preneur de faculté de lever double** taker for a put of more **b** (*Ass*) ✦ **facultés** cargo ✦ **assurance sur corps et facultés** hull and cargo insurance ✦ **assureur sur facultés** cargo underwriter **c** (= *possibilité*) possibility, capacity ✦ **l'acheteur aura la faculté de décider** the buyer shall have the option to decide ✦ **facultés contributives** (*Jur*) taxable capacity.

**FAI** /ɛfai/ NM (abrév de **fournisseur d'accès à Internet**) ISP, IAP.

**faible** /fɛbl(ə)/ ADJ *économie* weak; *monnaie* weak, soft; *demande* slack, light, poor, low, weak; *rendement, revenu* low, poor; *prix, somme* low, small; *quantité* small; *écart* small, slight ✦ **les économiquement faibles** the lower-income bracket *ou* group, low-income people ✦ **en faible demande** (*Comm*) in low demand, in limited request ✦ **faible volume d'échanges** (*Bourse*) light trading.

**faiblesse** /fɛblɛs/ NF [*monnaie, économie*] weakness ✦ **étant donné la faiblesse de la demande** owing to the low *ou* poor demand ✦ **la faiblesse du revenu par habitant** the low *ou* poor income per capita, the smallness of the income per capita ✦ **les exportations donnent des signes de faiblesse** there are some signs of a fall-off in exports, exports seem to be slowing down *ou* slackening ✦ **les pétrolières donnent des signes de faiblesse** oils are weakening ✦ **faiblesse du dollar** weakening of the dollar ✦ **un léger accès de faiblesse a été enregistré à la Bourse** a slight dip *ou* fall *ou* drop was recorded on the stock exchange.

**faiblir** /fɛbliʀ/ VI [*cours*] to sag, weaken; [*rendement*] to slacken (off); [*demande*] to weaken, slacken.

**failli, e** /faji/ ADJ, **NM,F** (*Comm*) bankrupt ✦ **failli concordataire** certificated bankrupt ✦ **failli qui n'a pas obtenu son concordat** uncertificated bankrupt ✦ **failli frauduleux** fraudulent bankrupt ✦ **failli réhabilité** discharged bankrupt ✦ **failli non réhabilité** undischarged bankrupt ✦ **réhabilitation du failli** discharge in bankruptcy.

**faillite** /fajit/ NF (*Comm*) bankruptcy ✦ **faillite simple** bankruptcy ✦ **faillite frauduleuse** fraudulent bankruptcy ✦ **garant en faillite** bankrupt surety ✦ **jugement déclaratif de faillite** adjudication *ou* declaration of bankruptcy, decree in bankruptcy, adjudication order ✦ **masse de la faillite** bankrupt's estate ✦ **procédure de faillite** bankruptcy proceedings ✦ **concordat après faillite** bankrupt's certificate, discharge in bankruptcy *(US)* ✦ **concordat préventif à la faillite** composition ✦ **syndic de faillite** trustee in bankruptcy, official receiver ✦ **être en faillite** to be bankrupt *ou* insolvent, be in a state of bankruptcy *ou* of insolvency, go bust* ✦ **être au bord de la faillite** to be on the brink *ou* on the verge of bankruptcy, be about to go bust* ✦ **être déclaré *ou* mis en faillite** to be adjudicated *ou* declared *ou* adjudged bankrupt ✦ **faire faillite, tomber en faillite** to go bankrupt, go into liquidation *(US)*, go on the rocks* ✦ **faire une faillite de 50 000 euros** to fail for *ou* go bankrupt for 50,000 euros ✦ **prononcer la faillite de qn** to adjudicate *ou* declare *ou* adjudge sb bankrupt ✦ **déclarer *ou* mettre qn en faillite** to declare *ou* make sb bankrupt, bankrupt sb ✦ **se déclarer en faillite** to file one's petition in bankruptcy, file for chapter eleven *(US)* ✦ **le rythme des faillites s'est ralenti** the bankruptcy rate has fallen ✦ **le nombre de faillites bancaires augmente** the number of bank failures is increasing.

**faire** /fɛʀ/ VT **a** *offre, versement* to make; *liste* to draw up, make; *chèque* to write, make out, raise ✦ **je vais vous faire un chèque de 100 euros** I'm going to write you a cheque for 100 euros **b** (*Comm* = *vendre*) to sell, deal in ✦ **faire le gros / le détail** to be in the wholesale / retail trade ✦ **nous ne faisons pas cette marque** we do not stock *ou* carry *ou* keep this make.

**faisabilité** /fəzabilite/ NF feasibility ✦ **étude de faisabilité** feasibility study.

**faiseur, -euse** /fəzœʀ, øz/ **NM,F** *(Bourse)* ♦ **faiseur de marché** market maker.

**fait, e** /fɛ, fɛt/ **ADJ** *(Fin) effets* guaranteed, backed; *(Bourse)* done ♦ **cours faits** bargains done **NM** **fait générateur de l'impôt** taxable event.

**fallacieux, -euse** /falasjø, øz/ **ADJ** *publicité* deceptive; *arguments* fallacious.

**falsificateur, -trice** /falsifikatœʀ, tʀis/ **NM,F** falsifier.

**falsification** /falsifikasjɔ̃/ **NF** *(gén)* falsification; *[signature]* forgery, forging; *[denrées]* adulteration ♦ **falsification de chèques** forgery *ou* forging of cheques ♦ **falsification d'un bilan** falsification *ou* window-dressing *ou* doctoring of a balance sheet ♦ **falsification d'un registre** tampering with a book.

**falsifier** /falsifje/ **VT** *comptes, registres* to falsify, doctor, tamper with; *signature* to forge, counterfeit; *denrées* to adulterate ♦ **falsifier un bilan** to falsify *ou* tamper with *ou* window-dress *ou* fake a balance sheet ♦ **chèque falsifié** forged *ou* falsified cheque.

**familial, e,** **MPL** **-aux** /familjal, o/ **ADJ** family ♦ **allocations familiales** *(= argent)* family allowance *(Brit)*, child benefit *(Brit)*, welfare *(US)* ; *(= bureau)* family allowance department *(Brit)*, child benefit office *(Brit)*, welfare center *(US)* ♦ **emballage** *ou* **paquet familial** family-size pack ♦ **entreprise familiale** family business ♦ **prestations familiales** family benefits ♦ **revenu familial** family income.

**famille** /famij/ **NF** family ♦ **valeurs de père de famille** gilt-edged *ou* blue-chip securities, blue chips *(US)* ♦ **famille de produits** product line *ou* family ♦ **chef de famille** head of family *ou* household; *(Admin)* householder ♦ **situation de famille** family status ♦ **famille à salaire unique** single-income family.

**fanfare** /fɑ̃faʀ/ **NF** ♦ **annoncer qch en fanfare** to blazon *ou* trumpet sth forth ♦ **la Bourse a démarré l'année en fanfare** the stock market got the year off to a flying start.

**fantaisie** /fɑ̃tezi/ **NF** *(Comm)* ♦ **articles de fantaisie** fancy *ou* novelty goods.

**fantôme** /fɑ̃tom/ **ADJ** ♦ **employé fantôme** ghost employee ♦ **société fantôme** bogus *ou* dummy company.

**FAO** /ɛfao/ **NF** **a** (abrév de **Food and Agricultural Organization**) FAO **b** (abrév de **fabrication assistée par ordinateur**) CAM.

**FAP** (abrév de **franc d'avaries particulières**) FPA.

**FAQ** /fak/ **NF** (abrév de **foire aux questions, frequently asked questions**) FAQ.

**faramineux, -euse** * /faʀaminø, øz/ **ADJ** *prix* colossal, astronomical*, sky-high*, stratospheric*.

**fardage** /faʀdaʒ/ **NM** *[bilan]* dressing-up.

**fardeau,** **PL** **-x** /faʀdo/ **NM** burden, load ♦ **fardeau fiscal** tax burden *ou* load.

**farder** /faʀde/ **VT** *marchandise* to dress up.

**faste** /fast(ə)/ **ADJ** ♦ **période faste** heyday ♦ **c'est une période faste pour les chasseurs de têtes** it's a prosperous time for headhunters.

**fauche** /foʃ/ **NF** (* = vol) pinching, pilferage ♦ **il y a beaucoup de fauche** there's a lot of thieving ♦ **lutter contre la fauche dans les supermarchés** to combat shoplifting *ou* pilferage in supermarkets.

**faussaire** /fosɛʀ/ **NM** forger.

**fausser** /fose/ **VT** *résultats, données, chiffres* to distort; *bilan* to falsify, window-dress, tamper with, fake ♦ **fausser le jeu de la concurrence** to rig the competitive game, stack the cards in one's favour.

**faute** /fot/ **NF** **a** *(= erreur)* mistake, error; *(Jur)* offence; *(= responsabilité)* fault ♦ **commettre** *ou* **faire une faute** to make a mistake *ou* an error; *(Jur)* to commit an offence ♦ **ce n'est pas de notre faute** it isn't our fault ♦ **rejeter la faute sur qn** to fasten the blame on sb, blame sb else ♦ **il faut me le rendre demain sans faute** you must give it me tomorrow without fail **b** **faute de réponse sous huitaine** failing a reply within a week, if we receive no reply within a week ♦ **faute d'acceptation de votre part** failing acceptance on your part ♦ **faute d'avis** for want of advice ♦ **faute d'avis contraire** unless advised to the contrary, unless otherwise informed ♦ **faute de capitaux** through lack of capital ♦ **faute de paiement** in default of payment, failing payment ♦ **hors faute** no fault

───── *compounds/composés* ─────
- **faute civile** *(Jur)* civil wrong
- **faute de frappe** typing error
- **faute d'impression** misprint
- **faute pénale** criminal offence
- **faute professionnelle** professional misconduct ♦ **commettre une faute professionnelle grave** to commit a serious professional error *ou* misdemeanour ♦ **licencié pour faute professionnelle** dismissed for professional misconduct
- **faute de service** act of (administrative) negligence.

**fauteuil** /fotœj/ **NM** *[président]* chair ♦ **occuper le fauteuil** to be in the chair ♦ **il y a un fauteuil vacant** *(fig)* the chairman's seat is vacant.

**fautif, -ive** /fotif, iv/ **ADJ** ✦ **gestion fautive** mismanagement ✦ **abordage fautif** (Mar) negligent collision.

**faux, fausse** /fo, fos/ **ADJ** (gén = incorrect) wrong; billet de banque forged, fake; documents, signature false, fake(d)
**NM** (= document falsifié) fake, forgery ✦ **faire un faux** to commit forgery ✦ **pour faux et usage de faux** for forgery and the use of forgeries ✦ **faux en écriture** false entry, falsification of account

─────────── compounds/composés ───────────
- **faux bilan** fraudulent balance sheet
- **fausse déclaration** false representation
- **fausse écriture** false entry
- **fausse facture** forged invoice
- **faux frais** **PL** incidental expenses ou costs, extras
- **faux fret** dead freight
- **fausse monnaie** counterfeit ou forged money
- **faux-monnayeur** forger, counterfeiter
- **faux papiers** forged identity papers
- **faux serment** perjury
- **faux témoignage** (= déposition mensongère) false evidence; (= délit) perjury
- **faux témoin** lying witness.

**faveur** /favœr/ **NF** a (= attention) favour ✦ **par faveur spéciale de la direction** by special favour (of the management) ✦ **espérant avoir la faveur d'une réponse rapide** hoping for a prompt reply, hoping to hear from you soon ✦ **billet de faveur** complimentary ticket ✦ **traitement de faveur** special ou preferential treatment ✦ **prix / taux de faveur** preferential ou special price / rate ✦ **être en faveur de qch** to be in favour of sth ✦ **constituer une rente en faveur de qn** to make a settlement on sb ✦ **solde en votre faveur** balance in your favour ou to your credit b (= popularité) ✦ **ce produit a perdu la faveur de la clientèle** this product fell out of ou lost favour with our customers ✦ **se disputer la faveur de la clientèle** to fight for customer's patronage ✦ **s'attirer les faveurs des syndicats** to find favour with the unions, meet with union approval.

**favorable** /favɔrabl(ə)/ **ADJ** (gén, Écon) right, favourable ✦ **recevoir un accueil favorable** to meet with a favourable reception, be favourably received ✦ **voir qch d'un œil favorable** to view sth favourably ou with a favourable eye ✦ **le change nous est favorable** the exchange rate is in our favour ✦ **la nouvelle politique fiscale est favorable aux entreprises** the new fiscal policy is good for business ou is business oriented ✦ **balance commerciale favorable** favourable ou positive ou active trade balance

✦ **notre balance commerciale est redevenue favorable** our trade balance returned to the black ou is in credit again ✦ **écart favorable** (Compta) favourable variance.

**favorablement** /favɔrabləmɑ̃/ **ADV** favourably.

**favoriser** /favɔrize/ **VT** to favour ✦ **les classes les plus favorisées** the most fortunate classes ✦ **clause de la nation la plus favorisée** most favoured nation clause ✦ **favoriser la coopération Nord–Sud** to further cooperation between North and South ✦ **favoriser les exportations** to benefit ou stimulate exports ✦ **favoriser les entreprises tournées vers l'export** to benefit ou promote ou help export-oriented companies ✦ **la faiblesse du dollar a favorisé les ventes américaines** the weak dollar favoured ou helped US sales.

**fax** /faks/ **NM** (= machine) fax (machine); (= copie) fax ✦ **fax-modem** fax modem ✦ **envoyer par fax** to send by fax.

**faxer** /fakse/ **VT** to fax.

**FB** abrév de **franc belge** → **franc.**

**FCFA** abrév de **franc CFA** → **franc.**

**Fco** abrév de **franco.**

**FCP** /ɛfsepe/ **NM** abrév de **fonds commun de placement** → **fonds.**

**FCT** (abrév de **franco transporteur**) FCA.

**FDES** /ɛfdeəɛs/ **NM** abrév de **fonds de développement économique et social** → **fonds.**

**fébrile** /febril/ **ADJ** marché feverish ✦ **argent fébrile, capitaux fébriles** hot money.

**fébrilité** /febrilite/ **NF** [marché] feverishness.

**FECOM** /fekɔm/ **NM** (abrév de **fonds européen de coopération monétaire**) EMCF.

**FED** /ɛfəde/ **NM** (abrév de **fonds européen de développement**) EDF.

**Fed** /fɛd/ **NF** abrév de **Federal Reserve** ✦ **la Fed** the Fed.

**FEDER** /ɛfədeəɛr/ **NM** (abrév de **fonds européen de développement régional**) ERDF.

**fédéral, e,** **MPL** **-aux** /federal, o/ **ADJ** federal ✦ **la Réserve fédérale américaine** the Federal Reserve.

**fédération** /federasjɔ̃/ **NF** federation ✦ **fédération syndicale** trade union ✦ **Fédération syndicale mondiale** World Federation of Trade Unions.

**féminin, e** /feminɛ̃, in/ **ADJ** *population, main-d'œuvre* female ✦ **revue féminine** women's magazine.

**femme** /fam/ **NF** woman ✦ **femme d'affaires** businesswoman.

**fenêtre** /f(ə)nɛtʀ(ə)/ **NF** *[ordinateur]* window ✦ **enveloppe à fenêtre** window envelope.

**féodalité** /feɔdalite/ **NF** feudalism ✦ **la féodalité technocratique** technocratic feudalism.

**férié, e** /feʀje/ **ADJ** ✦ **jour férié** public holiday, bank holiday *(Brit)* ✦ **le vendredi sera férié** Friday will be a holiday.

**fermage** /fɛʀmaʒ/ **NM** *(= système d'exploitation)* tenant farming; *(= loyer)* (farm) rent.

**ferme** /fɛʀm(ə)/ **ADJ** **a** *(= définitif)* achat, contrat firm; *acheteur, offre* firm, definite ✦ **vendeur ferme** firm seller ✦ **commande ferme** firm *ou* hard order ✦ **cours d'achat ferme** firm bid ✦ **(engagement de) prise ferme** firm underwriting ✦ **prix fermes et définitifs** firm prices ✦ **ces prix sont fermes jusqu'à la fin du mois** these prices are binding *ou* firm until the end of the month ✦ **faire une vente ferme** to make a firm sale **b** *(Bourse = soutenu)* marché, cours steady ✦ **les mines d'or sont restées fermes en clôture** gold mines closed firm
**ADV** **acheter / vendre ferme** to buy / sell firm
**NF** **a** farm ✦ **ferme d'élevage / laitière** cattle / dairy farm **b** *(Jur)* ✦ **(bail à) ferme** farm lease ✦ **donner à ferme** to let, farm out ✦ **prendre à ferme** to farm (on lease).

**fermé, e** /fɛʀme/ **ADJ** *banque, boutique* closed, shut; *système, économie* closed ✦ **cette carrière ou cette voie lui est fermée** this career is not open to him *ou* is closed to him ✦ **le capital de cette société est fermé** the company's capital is tightly sealed.

**fermer** /fɛʀme/ **VT** **a** *bureau, compte en banque, dossier* to close; *capital d'une société* to lock up ✦ **un dollar fort ferme des débouchés à l'exportation** a strong dollar is shutting off export markets *ou* is blocking openings to export markets ✦ **fermer la porte aux produits étrangers** to close the door to *ou* on foreign goods ✦ **nous fermons un jour par semaine** we are closed one day a week **b** *(= arrêter d'exploiter)* commerce to close (down), shut (down) ✦ **fermer boutique** to shut up shop, close down ✦ **ils ont dû fermer (leur magasin) pour des raisons financières** they had to close down *ou* cease trading because of financial difficulties ✦ **la crise les a contraints à fermer** the crisis put them out of business *ou* forced them to shut down

**c** *[magasin]* *(après le travail)* to close, shut; *(définitivement, pour les vacances)* to close down, shut down
**se fermer** **VPR** **pays qui se ferme aux importations étrangères** country which closes its markets *ou* borders to foreign goods.

**fermeté** /fɛʀməte/ **NF** *[monnaie]* firmness, steadiness ✦ **fermeté des cours** *(Bourse)* price stability.

**fermeture** /fɛʀmətyʀ/ **NF** *(= action)* closing; *(= résultat)* closure ✦ **fermeture annuelle** *(gén)* annual closure *ou* closing; *(sur la devanture)* closed for holidays ✦ **fermeture des bureaux** close of business ✦ **fermeture définitive** permanent closure, shut-down, close-down ✦ **fermeture d'une usine** factory close-down *ou* shut-down ✦ **fermeture pour travaux** closed for repairs ✦ **fermeture provisoire** temporary closure ✦ **la fermeture du capital de la société par l'actionnaire majoritaire** the locking-up of the company's capital by the majority shareholder ✦ **fermeture d'un compte** closing of an account ✦ **période de fermeture** *(gén)* period when the shop *(ou* office) is closed; *(Ind)* down period ✦ **solde de fermeture** closing balance ✦ **à (l'heure de) la fermeture** at closing time.

**fermier, -ière** /fɛʀmje, jɛʀ/ **NM,F** farmer.

**féroce** /feʀɔs/ **ADJ** *concurrence* fierce, harsh, cutthroat.

**ferré, e** /feʀe/ **ADJ** ✦ **par voie ferrée** by rail *ou* train.

**ferroutage** /feʀutaʒ/ **NM** piggyback.

**ferrouter** /feʀute/ **VT** *marchandises* to piggyback.

**ferroviaire** /feʀɔvjɛʀ/ **ADJ** *compagnie, trafic* railway, railroad *(US)*, rail ✦ **transport ferroviaire** rail transport
**ferroviaires** **NFPL** *(Bourse)* railway stocks.

**fertilisation** /fɛʀtilizasjɔ̃/ **NF** fertilization ✦ **fertilisation croisée** cross-fertilization.

**fête** /fɛt/ **NF** *(= congé)* holiday ✦ **fête légale** ≈ bank holiday *(Brit)*, public *ou* statutory *(US)* holiday ✦ **la fête du travail** Labour Day.

**fétiche** /fetiʃ/ **NM** fetish ✦ **valeur fétiche** talismanic stock ✦ **l'indice fétiche de la Bourse de Paris** the Paris's benchmark index.

**feuille** /fœj/ **NF** *[papier, métal]* sheet; *(= bordereau)* slip; *(= formulaire)* form; *(= journal)* paper

——————— *compounds/composés* ———————
✦ **feuille d'annonces** advertising sheet
✦ **feuille de chargement** loading bill

◆ **feuille de contact** *(Mktg)* contact sheet
◆ **feuille de compte** account sheet
◆ **feuille de coupons** coupon sheet
◆ **feuille d'émargement** *(de présence)* attend-ance sheet; *(du personnel)* time sheet; *(de paie)* paysheet
◆ **feuille de frais** expense sheet
◆ **feuille de gros** *(Douane)* report
◆ **feuille d'impôt** tax form *ou* slip *ou* return, no-tice of tax assessment
◆ **feuille de liquidation** clearing sheet
◆ **feuille de maladie** form supplied by doctor to patient for forwarding to the Social Security
◆ **feuille d'ordonnancement** scheduling sheet
◆ **feuille de paye** pay sheet, pay slip
◆ **feuille de pointage** *[opérations]* check list; *[per-sonnel]* time sheet
◆ **feuille de présence** *[réunion]* attendance sheet *ou* list *ou* record; *(du personnel)* time sheet
◆ **feuille de programmation** *(Inf)* coding sheet
◆ **feuille de route** waybill
◆ **feuille de service** rota, roster
◆ **feuille volante** loose sheet.

**février** /fevrije/ **NM** February → **septembre.**

**FF** abrév de **franc français** → **franc.**

**FG** abrév de **frais généraux** → **frais.**

**fiabilité** /fjabilite/ **NF** *[chiffres]* accuracy, reliabil-ity; *[personnel]* reliability, dependability ◆ **nous garantissons la fiabilité de notre machine** we guarantee safeness *ou* reliability of our ma-chine.

**fiable** /fjabl(ə)/ **ADJ** *chiffres* reliable, accurate; *em-ployé* dependable, reliable; *machine* safe, reli-able.

**fiasco** /fjasko/ **NM** fiasco, wash-out *(US)* ◆ **faire fiasco** to be *ou* turn out a fiasco, fold up.

**fibre** /fibʀ(ə)/ **NF** fibre ◆ **fibre de verre** fibre-glass ◆ **fibre optique** *(= câble)* optical fibre; *(= pro-cédé)* fibre optics (sg) ; **câble en fibres optiques** fibre-optic cable ◆ **fibre synthétique** man-made fibre ◆ **fibre textile** textile fibre.

**ficeler** /fisle/ **VT** to tie up ◆ **le contrat est bien ficelé** the contract is nicely tied up.

**ficelle** /fisɛl/ **NF** string ◆ **tirer les ficelles** to pull the strings *ou* the wires ◆ **connaître les ficelles du métier** to know the tricks of the trade, know the ropes.

**fichage** /fiʃaʒ/ **NM** filing, recording, indexing.

**fiche** /fiʃ/ **NF** *(en carton)* index card; *(en papier)* sheet, slip; *(= formulaire)* form ◆ **mettre sur fiche** to card-index ◆ **remplir une fiche** to fill in *ou* out a form

— compounds/composés —
◆ **fiche client** *(gén)* customer card; *[hôtel]* green history card
◆ **fiche de contrôle** tally sheet
◆ **fiche d'état civil** *record of civil status* ≈ birth and marriage certificate
◆ **fiche individuelle** personal data sheet
◆ **fiche d'inscription** registration card
◆ **fiche d'instructions** works specification, op-eration card *(US)*
◆ **fiche d'inventaire** stock sheet, inventory card
◆ **fiche de manutention** handling sheet
◆ **fiche de paye** pay slip, pay sheet
◆ **fiche perforée** punched *ou* perforated card
◆ **fiche de rappel** reference slip
◆ **fiche de renseignements** information card
◆ **fiche signalétique** identification *ou* profile sheet
◆ **fiche de stock** stock sheet, inventory card
◆ **fiche technique** data sheet
◆ **fiche de travail** job card.

**ficher** /fiʃe/ **VT** *renseignements* to file, record; *em-ployé* to open a file on, put on file ◆ **nous sommes tous fichés** there's a file on all of us.

**fichier** /fiʃje/ **NM** file ◆ **constituer un fichier** to make up a file ◆ **tenir un fichier** to keep a file

— compounds/composés —
◆ **fichier actif** *(Inf)* active file
◆ **fichier d'adresses** mailing list
◆ **fichier central** central file
◆ **fichier confidentiel** character file
◆ **fichier de destination** *(Inf)* destination file
◆ **fichier de données** data file
◆ **fichier informatisé** computer *ou* computer-based file
◆ **fichier maître** *ou* **principal** *(Inf)* master file
◆ **fichier de travail** *(Inf)* scratch *ou* work file
◆ **fichier vidéo** image file.

**fictif, -ive** /fiktif, iv/ **ADJ** *adresse, contrat, emploi, employé* fictitious, bogus ◆ **actif / bénéficiaire fictif** fictitious assets / payee ◆ **directeur / actionnaire fictif** dummy director / stock-holder ◆ **associé / prix fictif** nominal partner / price ◆ **actions fictives** bogus shares ◆ **divi-dende fictif** fictitious *ou* sham dividend ◆ **en-trepôts fictifs** *(Douanes)* private bonded ware-houses ◆ **instruction fictive** *(Inf)* dummy instruction ◆ **profits fictifs** paper profits ◆ **re-venu fictif** notional income ◆ **société fic-tive** dummy company ◆ **vente fictive** *(gén)* ficti-tious sale; *(Bourse)* wash sale.

**fidéicommis** /fideikɔmi/ **NM** *(Jur)* deposit, trust.

**fidéicommissaire** /fideikɔmisɛʀ/ **NM** *(Jur)* trus-tee.

**fidéjusseur** /fideʒysœʀ/ **NM** *(Jur)* guarantor, surety.

**fidéjussion** /fideʒysjɔ̃/ **NM** *(Jur)* guarantee, surety.

**fidèle** /fidɛl/ **ADJ** *client* regular, faithful, loyal ✦ **être fidèle à un produit** to remain loyal to a product ✦ **fidèle à une marque** brand-loyal.

**fidélisation** /fidelizasjɔ̃/ **NF** ✦ **fidélisation de la clientèle** development of customer loyalty.

**fidéliser** /fidelize/ **VT** ✦ **fidéliser sa clientèle** to establish *ou* develop customer loyalty.

**fidélité** /fidelite/ **NF** *(à un produit)* loyalty ✦ **fidélité à plusieurs produits d'un même type** brand-cluster loyalty ✦ **fidélité à une marque** brand loyalty ✦ **fidélité de la clientèle** customer loyalty ✦ **assurance sur la fidélité du personnel** *(Ass)* fidelity insurance.

**fiduciaire** /fidysjɛʀ/ **ADJ** *caution, comptabilité* fiduciary ✦ **à titre fiduciaire** in a fiduciary capacity ✦ **acte** *ou* **contrat fiduciaire** trust deed ✦ **certificat fiduciaire** trustee's certificate ✦ **circulation fiduciaire** fiduciary circulation ✦ **héritier fiduciaire** heir, trustee ✦ **placements fiduciaires** cash holdings ✦ **monnaie fiduciaire** fiduciary currency, paper money, fiat money ✦ **propriété fiduciaire** property held in trust ✦ **service fiduciaire** trust department ✦ **société fiduciaire** trust company ✦ **valeurs fiduciaires** paper securities **NM** *(Jur)* trustee.

**fiducie** /fidysi/ **NF** trust ✦ **société de fiducie** trust company.

**fièvre** /fjɛvʀ(ə)/ **NF** *[marché]* fever, excitement, frenzy ✦ **fièvre acheteuse** buying frenzy.

**fiévreux, -euse** /fjevʀø, øz/ **ADJ** *marché* feverish.

**fignolage** */fiɲɔlaʒ/ **NM** touching up, polishing up, sprucing up.

**fignoler** */fiɲɔle/ **VT** to touch up, polish up, put the finishing touches to ✦ **ce projet doit être encore fignolé** this project still needs some finishing touches *ou* some fine-tuning.

**figure** /figyʀ/ **NF** *(Fin)* chart ✦ **figure de proue** key figure ✦ **figure de double plus bas** double bottom chart ✦ **figure de double plus haut** double top chart ✦ **figure en coin de tendance haussière** bullish falling wedge chart ✦ **figure en flamme** pennant chart ✦ **figure en W** double bottom chart.

**figurer** /figyʀe/ **VI** to appear ✦ **son nom ne figure pas dans l'annuaire** his name doesn't appear *ou* feature in the directory ✦ **cet article ne figure plus sur votre catalogue** this item is no longer featured on your catalogue *ou* is no longer listed in your catalogue ✦ **faire figurer des dépenses dans un bilan** to record expenditure in a balance sheet.

**file** /fil/ **NF** *[personnes, objets]* line ✦ **file d'attente** queue *(Brit)*, line *(US)* ✦ **mettre en file d'attente** *(Ind, Inf)* to queue ✦ **file d'attente des tâches** job *ou* task queue ✦ **gestionnaire de files d'attente** *(Inf)* queue manager ✦ **théorie des files d'attente** queuing theory ✦ **chef de file** *(gén)* leader, dominant firm; *banque* lead bank.

**filer** /file/ **VI** *[monnaie]* to slide, slip ✦ **laisser filer le dollar** to let the dollar slide.

**filet** /filɛ/ **NM** net ✦ **filet de protection** *ou* **de sécurité, filet protecteur** *(gén, Écon)* safety net.

**filiale** /filjal/ **NF** subsidiary ✦ **filiale commune** joint venture ✦ **filiale détenue à 100%** *ou* **intégralement contrôlée** wholly-owned subsidiary ✦ **filiale détenue à 50% par la maison mère** subsidiary under 50% ownership of the parent company, pup company.

**filialisation** /filjalizasjɔ̃/ **NF** *[activités]* giving out to a subsidiary, spinning *ou* hiving off as a subsidiary ✦ **la filialisation de cette activité** the spinning off of this activity.

**filialiser** /filjalize/ **VT** ✦ **la direction a décidé de filialiser ce secteur** the management decided to transfer this sector to a subsidiary *ou* to make this sector a subsidiary.

**filière** /filjɛʀ/ **NF** **a** *(= métier)* path; *(= procédures)* channels ✦ **la filière informatique** careers in computer science ✦ **de nouvelles filières sont offertes** *ou* **ouvertes aux jeunes ingénieurs** new paths are open to young engineers, new openings are available for young engineers ✦ **passer par la filière administrative** *ou* **officielle** to go through the official channels **b** *(Bourse)* trace; *(Bourse de commerce)* string ✦ **filière tournante** ring ✦ **arrêter / émettre une filière** to end / start a string ✦ **créateur de la filière** deliverer **c** *(Ind = secteur)* sector, business ✦ **filière bois** wood-related business ✦ **filière automobile** car-related industries, motor manufacturers.

**filleul** /fijœl/ **NM** *(dans un club, une société d'assurance-vie)* person sponsored.

**film** /film/ **NM** **a** film ✦ **film publicitaire** *(gén)* advertising film, cinema ad *ou* commercial; *(TV)* commercial **b** *(= emballage)* transparent clingwrap ✦ **emballage sous film rétractable** shrink packaging ✦ **emballé sous film rétractable** shrink packed *ou* wrapped.

**fils** /fis/ NM son ✦ **Lebois fils** *(Comm)* Mr Lebois junior ✦ **Lalande et Fils** *(Comm)* Lalande and Son *ou* Sons.

**filtrage** /filtraʒ/ NM *[informations, candidats]* screening ✦ **filtrage préliminaire** screening test, preliminary screening.

**filtrer** /filtʀe/ VT *informations, candidats* to screen.

**FIM** /ɛfiɛm/ NM abrév de **fonds industriel de modernisation** → **fonds.**

**fin** /fɛ̃/ NF **a** *(= terme)* end; *[période, séance]* close ✦ **facture payable fin mai / fin courant / fin prochain** bill payable at the end of May / at the end of this month / at the end of next month ✦ **fin à fin** *(Fin)* end / end ✦ **en fin de séance** *(Bourse)* at the close ✦ **chômeurs en fin de droits** *unemployed no longer entitled to redundancy payments* ✦ **prendre fin** *[réunion]* to come to an end; *[contrat]* to terminate, expire *(le on)* **sauf bonne fin** under usual reserve **b** *(= but)* end, aim, purpose, object ✦ **à cette fin** to this end ✦ **à toutes fins utiles** for your information ✦ **aux fins de la présente loi** *(Jur)* for the purposes of this Act

─────── compounds/composés ───────
✦ **fin de convention** termination of agreement
✦ **fin d'exercice** *(Compta)* end of financial year ✦ **stock en fin d'exercice** ending inventory
✦ **fin de mois** échéance de fin de mois *(Banque)*, liquidation de fin de mois *(Bourse)* end-of-month settlement ✦ **avoir des fins de mois difficiles** to have problems making ends meet at the end of the month, go over-drawn at the end of the month
✦ **fin de non-recevoir** *(Jur)* demurrer, objection; *(fig)* blunt refusal
✦ **fin de série** *(Comm)* oddment, remainder, end of range item.

**final, e,** MPL **-als** *ou* **-aux** /final, o/ ADJ final ✦ **consommateur final** end consumer ✦ **phase finale** final phase, last stage ✦ **produit final** end product ✦ **quittance finale** final receipt, receipt for the balance ✦ **règlement** *ou* **versement final** final payment *ou* settlement ✦ **résultat final** end result ✦ **stock final** closing inventory ✦ **utilisateur final** end user.

**finalité** /finalite/ NF *[projet]* end, end purpose, aim; *[système, produit]* purpose.

**finance** /finãs/ NF finance ✦ **syndicat de finance** finance syndicate ✦ **nos finances vont mal** our finances are in a bad state ✦ **la (haute) finance** *(= affaires)* (high) finance; *(= financiers)* (top) financiers ✦ **le monde de la finance** the financial world, financial circles ✦ **requins de la finance** financial sharks ✦ **il est dans la finance** he's in banking *ou* finance ✦ **les finances publiques** public funds ✦ **loi de finances**

Finance Act ✦ **projet de loi de finances** Finance Bill ✦ **les Finances** *(= ministère)* the Ministry of Finance ≈ the Treasury, the Exchequer *(Brit)*, the Treasury Department *(US)*.

**financement** /finãsmã/ NM financing ✦ **financement à court / long terme** short / long-term financing ✦ **société de financement** finance *ou* credit company ✦ **capacité de financement** financing capacity ✦ **campagne de financement** fund-raising campaign ✦ **contrat de financement** finance contract ✦ **plan / source de financement** financing plan / source ✦ **tableau de financement** statement of source and application of funds

─────── compounds/composés ───────
✦ **financement d'amorçage** seed *ou* set-up financing
✦ **financement bancaire** financing through banks, bank financing
✦ **financement de départ** start-up financing
✦ **financement initial** front-end financing
✦ **financement interne** internal financing
✦ **financement mixte** mixed financing
✦ **financement par actions** equity financing
✦ **financement par l'emprunt** debt financing
✦ **financement-relais** bridge financing, interim financing
✦ **financement à taux fixe** fixed-rate financing.

**financer** /finãse/ VT to finance, fund, back (with money), put up the money for, bankroll *(US)* ✦ **financer le déficit par l'emprunt** to finance *ou* fund the deficit through borrowing.

**financeur, -euse** /finãsœʀ, øz/ NM,F backer, sponsor.

**financiarisation** /finãsjaʀizasjɔ̃/ NF financialization.

**financiariser** /finãsjaʀize/ VT to financialize.

**financier, -ière** /finãsje, jɛʀ/ ADJ financial ✦ **accord financier** financial agreement ✦ **actifs financiers** financial assets ✦ **aide** *ou* **assistance financière** financial aid *ou* assistance ✦ **analyste financier** financial analyst ✦ **apport financier** financial contribution ✦ **appui financier** financial backing *ou* support ✦ **assainissement financier** financial reconstruction ✦ **charges financières** financial *ou* interest charges ✦ **comptabilité financière** financial accounting ✦ **conseil financier** financial consultant ✦ **conseiller financier** financial adviser ✦ **contrôle financier** financial control ✦ **crise financière** financial crisis ✦ **difficultés financières** financial difficulties ✦ **directeur financier** financial director ✦ **direction financière** financial management ✦ **équilibre financier** financial equilibrium ✦ **établissement fi-**

nancier financial house *ou* institution ✦ **état financier** financial statement ✦ **exercice financier** financial year ✦ **frais financiers** *(gén)* financial *ou* interest charges; *[crédit]* loan charges ✦ **gestion financière** financial management ✦ **groupe financier** financial group ✦ **incitations financières** financial inducements *ou* incentives ✦ **investissement financier** financial investment ✦ **levier financier** financial leverage ✦ **marché financier** financial market ✦ **milieux financiers** financial circles ✦ **opération financière** financial operation *ou* transaction ✦ **perspectives financières** financial outlook ✦ **place financière** money market ✦ **politique financière** financial policy ✦ **prévisions financières** financial forecasts ✦ **produit financier** *(proposé par une banque)* financial *ou* investment product ✦ **produits financiers** *(= bénéfices)* interest *ou* investment income ✦ **rapport financier** financial report *ou* statement, treasurer's report ✦ **ratio financier** financial ratio ✦ **réforme financière** financial reform ✦ **reporting financier** financial reporting ✦ **responsables financiers** financial executives ✦ **résultats financiers** financial results ✦ **risque financier** financial risk ✦ **santé financière** financial health ✦ **situation financière** financial position *ou* situation ✦ **société financière** finance company ✦ **solidité financière** financial soundness ✦ **solvabilité financière** financial solvency ✦ **soutien financier** financial support *ou* backing ✦ **structure financière** financial structure ✦ **surface financière** financial standing ✦ **valeurs financières** *(Bourse)* financials
▣ financier ✦ **financier véreux** shady financier
**financières** ▣ *(Bourse)* financials.

**financièrement** /finɑ̃sjɛʀmɑ̃/ **ADV** financially.

**fini, e** /fini/ **ADJ** ✦ **produits finis** finished goods *ou* products, end products ✦ **produits semi-finis** semi-finished goods *ou* products.

**finition** /finisjɔ̃/ **NF** *(= opération)* finishing; *(= résultat)* finish.

**finlandais, e** /fɛ̃lɑ̃dɛ, ɛz/ **ADJ** Finnish
**Finlandais** ▣ *(= habitant)* Finn
**Finlandaise** ▣ *(= habitante)* Finn.

**Finlande** /fɛ̃lɑ̃d/ **NF** Finland.

**finlandisation** /fɛ̃lɑ̃dizasjɔ̃/ **NF** Finlandization.

**finnois, e** /finwa, waz/ **ADJ** Finnish
▣ *(= langue)* Finnish.

**firme** /fiʀm(ə)/ **NF** firm, company.

**fisc** /fisk/ **NM** ✦ **le fisc** the tax department *ou* authorities ≈ the Inland Revenue *(Brit)*, ≈ the

Internal Revenue *(US)* ✦ **agent du fisc** tax official, ≈ Inland Revenue official *(Brit)* ✦ **inspecteur du fisc** tax inspector ✦ **avoir des ennuis avec le fisc** to have problems with the tax authorities ✦ **mettre des revenus à l'abri du fisc** to shield earnings from taxes ✦ **frauder le fisc** to evade *ou* dodge taxation.

**fiscal, e,** MPL **-aux** /fiskal, o/ **ADJ** tax ✦ **abattement fiscal** tax allowance ✦ **abri fiscal** tax shelter ✦ **administration fiscale, autorités fiscales** tax *ou* taxing authorities ✦ **allègements** *ou* **dégrèvements fiscaux** tax relief *ou* cuts ✦ **année fiscale, exercice fiscal** tax *ou* fiscal year ✦ **avantage fiscal** tax break ✦ **avoir fiscal** tax credit ✦ **charges fiscales** taxes, taxation ✦ **conseiller fiscal** tax consultant *ou* adviser, tax lawyer *(US)* ✦ **contrôle fiscal** tax inspection *ou* audit ✦ **droit fiscal** fiscal *ou* tax law ✦ **évasion fiscale** tax evasion ✦ **exonération fiscale** tax exemption ✦ **fraude fiscale** tax evasion, tax dodging ✦ **incitation fiscale** tax incentive *ou* inducement ✦ **législation fiscale** tax legislation, tax laws ✦ **paradis fiscal** tax haven ✦ **politique fiscale** tax *(US)* *ou* fiscal policy ✦ **ponction fiscale** tax drain *ou* bite *ou* take ✦ **prélèvements fiscaux** tax drain, tax take, taxation ✦ **pression fiscale** tax burden *ou* load *ou* pressure ✦ **recettes fiscales** revenue from taxation ✦ **redressement fiscal** tax adjustment, additional tax assessment, tax reappraisal ✦ **réforme fiscale** tax reform ✦ **le régime fiscal des sociétés en participation** the taxation of *ou* the tax system applying to joint ventures ✦ **rentrée fiscale** tax take ✦ **situation fiscale** tax status ✦ **stimulant fiscal** tax incentive ✦ **système fiscal** tax system ✦ **timbre fiscal** excise *ou* revenue *ou* fiscal stamp ✦ **transparence fiscale** tax transparency.

**fiscalement** /fiskalmɑ̃/ **ADV** fiscally.

**fiscalisation** /fiskalizasjɔ̃/ **NF** *(= taxation)* making subject to tax, taxing; *(= financement par l'impôt)* funding by taxation ✦ **la fiscalisation des plus-values immobilières** making capital gains on property subject to tax, the taxing of capital gains on property.

**fiscaliser** /fiskalize/ **VT** *(= taxer)* bénéfices, salaires to submit to taxation; *(= financer par l'impôt)* to fund by taxation ✦ **l'industrie pétrolière est lourdement fiscalisée** the oil industry is heavily taxed.

**fiscaliste** /fiskalist(ə)/ **NMF** tax consultant *ou* adviser *ou* lawyer *ou* expert.

**fiscalité** /fiskalite/ **NF** *(= régime)* tax system; *(= imposition)* taxation ✦ **chiffre d'affaires hors fiscalité** pre-tax earnings ✦ **poids de la fiscalité** tax burden ✦ **fiscalité écrasante** crushing

**fleuron**

taxation ◆ **ce plan de retraite jouit d'une fiscalité avantageuse** this retirement scheme is advantageous from a tax point of view ◆ **la fiscalité des SICAV ne sera pas modifiée** the tax system which applies to trust funds will not be modified.

**fixage** /fiksaʒ/ **NM** fixing.

**fixation** /fiksasjɔ̃/ **NF** [limite, montant] fixing, setting; [délai de livraison] stipulation; [salaires] determination ◆ **fixation des indemnités** (Ass) determination of compensation ou damages ◆ **fixation des objectifs** goal ou target setting ◆ **fixation des priorités** priority setting ◆ **la fixation du prix d'un produit** the pricing of a product ◆ **fixation des prix en fonction des coûts / de la demande / de la concurrence** cost-oriented / demand-oriented / competition-oriented pricing ◆ **fixation d'un prix de prestige** premium pricing.

**fixe** /fiks(ə)/ **ADJ** **a** employés permanent; travail permanent, steady; (Fin) fixed **b** **actif fixe** fixed assets ◆ **capital fixe** fixed capital ◆ **cours fixe** firm rate ou quotation ◆ **dépôt à terme ou échéance fixe** fixed deposit ◆ **droit fixe** fixed duty ◆ **échéance fixe** fixed date ◆ **emprunt à échéance fixe** fixed-term loan ◆ **investissement à revenu fixe** fixed-yield investment ◆ **prix fixe** fixed price ◆ **revenu fixe** fixed income ◆ **salaire ou traitement fixe** fixed salary ◆ **valeurs à intérêt fixe** fixed-interest securities **NM** basic ou fixed salary ◆ **toucher un fixe** to draw a fixed salary.

**fixer** /fikse/ **VT** date, limite, montant, objectif, prix to fix, set; règle to set, make, lay down; délai de livraison to stipulate, set; indemnités, salaires to determine, fix, set ◆ **fixer l'heure d'un rendez-vous** to arrange ou set ou fix the time for a meeting ◆ **à la date fixée** on the agreed date ◆ **fixer les dommages et intérêts** to assess the damages ◆ **fixer un prix pour un produit** to price a product, set a price for a product ◆ **fixer un cours** (Bourse) to make a price ◆ **fixer la barre à** to fix ou set the mark at ◆ **nous avons fixé la barre trop haut** we've set our sights too high
**se fixer** **VPR** (= s'établir) to settle; (= se donner) objectifs to set (for o.s.) ◆ **la firme s'est fixée à Toulouse** the firm has set up (it's offices) in Toulouse ◆ **se fixer comme objectif d'être bénéficiaire en 2 ans** to set o.s. the objective of moving into the black within 2 years.

**fixeur** /fiksœr/ **NM** ◆ **fixeur de prix** price maker.

**fixing** /fiksiŋ/ **NM** fixing ◆ **cours au comptant au fixing de Paris** spot rates at the Paris fixing.

**fixité** /fiksite/ **NF** (Fin) ◆ **le principe de la fixité du capital** the principle of constant equity.

**Fl** (abrév de **florin**) fl.

**flambée** /flɑ̃be/ **NF** [cours, prix] flare-up, surge, escalation, explosion ◆ **la flambée de l'immobilier** the explosion ou sharp rise ou upsurge in real estate values ◆ **flambée d'activité** boom ◆ **flambée de hausse sans lendemain** short-lived boomlet.

**flamber** /flɑ̃be/ **VI** [prix] to surge, flare ou shoot up ◆ **la demande est telle que les salaires flambent** demand is so strong that salaries are shooting up ou getting out of control ◆ **cette valeur flambe en Bourse** this share is rocketing.

**FLB** (abrév de **franco le long du bord** ou **du bateau**) FAS.

**flèche** /flɛʃ/ **NF** arrow ◆ **monter** ou **grimper en flèche** to rocket, soar, shoot up ◆ **montée en flèche des prix et des salaires** wage-price spiral, skyrocketing of wages and prices ◆ **se trouver en flèche** ou **prendre une position en flèche dans un conflit** to take up an extreme position in a conflict.

**fléchir** /fleʃir/ **VI** [prix] to drop, turn down, sag, fall off; [monnaie] to weaken, drop ◆ **la courbe de la demande fléchit** the demand curve is sagging, there is a downturn in demand ◆ **les investissements ont fléchi** investments have turned down ou fallen off ◆ **la production de riz a légèrement fléchi** rice production has dipped slightly ◆ **les pétrolières ont fléchi en début de séance** oils were down ou dropped slightly in early trading.

**fléchissement** /fleʃismɑ̃/ **NM** [prix, cours, demande] sag, falling off, drop (de in); [monnaie] weakening ◆ **un léger fléchissement** a slight dip ◆ **le fléchissement des pétrolières** decline in oil share prices ◆ **fléchissement des dépôts en caisses d'épargne** dip ou drop ou falloff in savings bank deposits, lower savings bank deposits ◆ **le fléchissement initial du dollar a été de courte durée** the initial dip ou drop in the dollar was soon reversed ◆ **le fléchissement de l'économie dans son ensemble inquiète les épargnants** investors are worried by the overall flagging economy ou the overall weakening of the economy.

**fleuron** /flœrɔ̃/ **NM** (fig) flagship ◆ **l'un des fleurons de l'industrie française** a flagship French industry, one of the finest of French industries ◆ **l'un des fleurons de la cote** one of the finest companies on the stock exchange list.

**flexibilité** /flɛksibilite/ **NF** *[demande, emploi, horaire]* flexibility.

**flexible** /flɛksibl(ə)/ **ADJ** *budget, taux de change* flexible ✦ **horaire flexible** flexitime, flextime, flexible working hours, sliding time *(US)* ✦ **adopter l'horaire flexible** to work flexitime *ou* on a sliding time *(US)*.

**float** /flɔt/ **NM** *(Fin)* float.

**florin** /flɔʀɛ̃/ **NM** florin.

**florissant, e** /flɔʀisɑ̃, ɑ̃t/ **ADJ** *économie, entreprise* flourishing, thriving.

**flot** /flo/ **NM** *[informations]* stream, flood; *[commandes]* spate ✦ **un flot de commandes de l'étranger** a spate of foreign orders ✦ **les commandes arrivent à flots** orders are pouring in *ou* flowing in *ou* flooding in ✦ **l'argent coule à flots** money flows like water ✦ **l'entreprise est à flot** the company is on an even keel ✦ **remettre une entreprise à flot** to bring a company back on to an even keel ✦ **se maintenir à flot** to keep one's head above water, keep afloat.

**flottaison** /flɔtɛzɔ̃/ *(Fin)* flotation, floatation.

**flottant, e** /flɔtɑ̃, ɑ̃t/ **ADJ** *dette, taux de change, cargaison* floating ✦ **assurance flottante** floating *ou* open insurance ✦ **capitaux flottants** floating capital *ou* assets ✦ **vendre en cargaison flottante** to sell afloat ✦ **devise *ou* monnaie flottante** floating currency ✦ **police flottante** *(Ass Mar)* floating *ou* open policy ✦ **titres flottants** shares available on the market ▪ **NM** *(Fin)* float.

**flotte** /flɔt/ **NF** *(Aviat, Mar)* fleet ✦ **flotte de commerce** merchant (navy) fleet ✦ **45 navires sont sortis de flotte** 45 ships have been scrapped.

**flottement** /flɔtmɑ̃/ **NM** *[devise]* floating ✦ **le flottement du yen** the floating of the yen ✦ **flottement concerté** joint float ✦ **flottement contrôlé** dirty floating ✦ **monnaies qui suivent un flottement concerté** currencies floating jointly.

**flotter** /flɔte/ **VI** *[devise]* to float ✦ **faire flotter** to float.

**FLQ** abrév de **franco le long du quai** → **franco**.

**fluctuation** /flyktɥasjɔ̃/ **NF** fluctuation ✦ **fluctuations des changes** exchange fluctuations *ou* variations ✦ **fluctuations des cours** swings and roundabouts ✦ **fluctuations cycliques** cyclical fluctuations *ou* swings ✦ **fluctuations du marché** market fluctuations *ou* ups and downs ✦ **fluctuation limite (d'un cours)** limit move (of a price) ✦ **fluctuations saisonnières** sea-

sonal fluctuations ✦ **marges de fluctuations** *(UE)* fluctuation bands.

**fluctuer** /flyktɥe/ **VI** to fluctuate ✦ **fluctuer en dents de scie** to seesaw.

**fluide** /flɥid/ **ADJ** *main-d'œuvre* flexible, mobile.

**fluidité** /flɥidite/ **NF** *(gén)* fluidity; *[main-d'œuvre]* flexibility, mobility.

**fluvial, e,** **MPL -aux** /flyvjal, o/ **ADJ** *eaux, navigation* river.

**flux** /fly/ **NM** *(gén)* flow; *(= abondance)* flood ✦ **distribution à flux tendus** just-in-time distribution

┌──────── *compounds/composés* ────────┐
- **flux de capitaux** capital flow
- **flux de clients** customer flow *ou* traffic, store traffic *(US)*
- **flux de distribution** distribution flow
- **flux économique** economic flow
- **flux d'informations** information flow
- **flux de main-d'œuvre** labour flux *ou* flow
- **flux matières** *(Ind)* materials flow
- **flux monétaire** flow of money
- **flux promotionnel** promotion flow
- **flux de travail** work flow
- **flux de trésorerie** cash flow.
└──────────────────────────────────────┘

**FMI** /ɛfɛmi/ **NM** (abrév de **Fonds monétaire international**) IMF.

**FNAH** /ɛfɛna'aʃ/ **NM** abrév de **Fonds national d'amélioration de l'habitat** → **fonds**.

**FNE** /ɛfɛnə/ **NM** abrév de **Fonds national de l'emploi** → **fonds**.

**FNS** /ɛfɛnɛs/ **NM** abrév de **Fonds national de solidarité** → **fonds**.

**FNSEA** /ɛfɛnɛsəa/ **NF** (abrév de **Fédération nationale des syndicats d'exploitants agricoles**) *French trade union*.

**FO** /ɛfo/ **NF** (abrév de **Force ouvrière**) *French trade union*.

**FOB** (abrév de **free on board**) FOB.

**foi** /fwa/ **NF** **a** faire foi ✦ **texte qui fait foi** authentic text ✦ **ce document en fait foi** this document proves *ou* attests it ✦ **les réponses doivent nous être retournées avant le 31 mars à minuit, la date *ou* le cachet de la poste faisant foi** replies must be postmarked no later than midnight March 31st **b** acheteur de **bonne foi** bona fide purchaser ✦ **détenteur de mauvaise foi** mala fide holder.

**foire** /fwaʀ/ **NF** *(= marché)* fair; *(= Salon professionnel)* trade fair, show ✦ **foire agricole** agricultural show ✦ **foire aux bestiaux** cattle fair *ou* market ✦ **foire-exposition, foire commerciale** trade fair ✦ **foire du livre** book fair, bookshow ✦ **champ de foire** fairground.

**fois** /fwa/ NF time ✦ **payer en une seule fois** to pay in a single instalment ✦ **payer en plusieurs fois** to pay in several instalments ✦ **une fois, deux fois, trois fois, adjugé, vendu !** going, going, gone !

**foncier, -ière** /fɔ̃sje, jɛʀ/ ADJ **revenu** land ✦ **crédit foncier** loan on landed property ✦ **impôt foncier** property ou land tax ✦ **impôt foncier sur les propriétés bâties et non bâties** tax on land and buildings ✦ **propriétaire foncier** (gén) property owner; [terres] landowner ✦ **propriété foncière** landed property ✦ **registre foncier** land register ✦ **rente foncière** ground rent ✦ **servitude foncière** easement ✦ **spéculateur foncier** land speculator
NM **le foncier** the land ou property tax.

**fonction** /fɔ̃ksjɔ̃/ NF a (= poste) post, office ✦ **fonctions** (= responsabilités) duties, functions ✦ **fonctions de direction / de planification** managerial / planning functions ✦ **fonctions marketing / créatives / auxiliaires** marketing / design ou creative / overhead functions ✦ **la fonction production / achats** the production / buying function ✦ **la fonction publique** the public ou state ou civil (Brit) service ✦ **quelle est sa fonction ?** what is his job? ✦ **logement de fonction** company flat (Brit) ou apartment (US) ou house ✦ **voiture de fonction** company car ✦ **faire fonction de directeur** to act as (a) manager ✦ **définition de fonction** job description ✦ **entrer en fonctions** [employé] to take up one's post; [président] to come into office, take office ✦ **le président sortant est toujours en fonction** the outgoing president is still in office ✦ **démettre qn de ses fonctions** to dismiss sb from his duties ✦ **se démettre de ses fonctions** to resign (from) one's duties, hand in one's resignation ✦ **cesser ses fonctions** to leave one's job ✦ **dans le cadre de ses fonctions, de par ses fonctions** by virtue of one's job ou role ou office ✦ **s'acquitter de ses fonctions** to carry out one's job, discharge one's duties ✦ **ça n'entre pas dans mes fonctions** it's not part of my duties b (= rapport) ✦ **les taux de subvention sont fonction du niveau d'endettement** the rate of subsidy depends on the level of indebtedness ✦ **salaire en fonction des diplômes** salary commensurate with qualifications ✦ **en fonction de l'évolution des prix** according to ou depending on the evolution of prices c (Inf) function.

**fonctionnaire** /fɔ̃ksjɔnɛʀ/ NMF (gén) government employee ou official, civil servant (Brit), public

servant (US), administration official (US) ✦ **fonctionnaire assermenté** sworn official ✦ **fonctionnaire municipal** town employee ✦ **fonctionnaire de l'Union européenne** EU civil servant, administrator in the EU ✦ **fonctionnaire de haut rang, haut fonctionnaire** senior government official, top ou high ranking civil servant (Brit) ✦ **petit fonctionnaire** minor civil servant (Brit) ou government official ✦ **corruption de fonctionnaire** bribery.

**fonctionnaliser** /fɔ̃ksjɔnalize/ VT to purpose-build.

**fonctionnalité** /fɔ̃ksjɔnalite/ NF (Tech, Inf) functionality.

**fonctionnarisation** /fɔ̃ksjɔnaʀizasjɔ̃/ NF state takeover, taking into the public service ✦ **la fonctionnarisation des employés de l'entreprise** the bureaucratization of the company's staff.

**fonctionnariser** /fɔ̃ksjɔnaʀize/ VT ✦ **fonctionnariser qn** to make sb an employee of the state, take ou transfer sb into the civil service ✦ **fonctionnariser une entreprise** to bureaucratize a company.

**fonctionnarisme** /fɔ̃ksjɔnaʀism(ə)/ NM (péj) officialdom, bureaucracy.

**fonctionnel, -elle** /fɔ̃ksjɔnɛl/ ADJ functional ✦ **analyse fonctionnelle** systems analysis, functional job analysis ✦ **coût fonctionnel** functional cost ✦ **attaché fonctionnel** staff assistant
NM staff manager ✦ **elle a un rôle de fonctionnel** she has a staff role ✦ **nos fonctionnels** our staff people ✦ **les fonctionnels et les opérationnels** managers and operatives, staff and line.

**fonctionnement** /fɔ̃ksjɔnmɑ̃/ NM [entreprise] running, operation, functioning; [machine] working, operation ✦ **assurer le bon fonctionnement du service** to ensure the smooth running of the service ✦ **en état de fonctionnement** in working order ✦ **budget de fonctionnement** working ou operating budget ✦ **frais de fonctionnement** running ou operating costs ✦ **norme de fonctionnement** performance standard ✦ **fonctionnement en temps réel** real-time operation ✦ **le mauvais fonctionnement de la machine nous a coûté cher** the malfunction(ing) of the machine cost us a lot.

**fonctionner** /fɔ̃ksjɔne/ VI [machine] to work, function; [firme] to function, operate, run; [personne] to work ✦ **faire fonctionner** to operate ✦ **fonctionner en sous-charge** to be under-

# fond

loaded ◆ **nous fonctionnons 24 heures sur 24** we work *ou* operate round the clock.

**fond** /fɔ̃/ **NM** ◆ **fond de magasin** shop's *(Brit) ou* store's *(US)* leftover stock ◆ **fond de portefeuille** *(Bourse)* portfolio base.

**fondamental, e, MPL -aux** /fɔ̃damɑ̃tal, o/ **ADJ** *(gén)* fundamental, basic; *(Bourse)* analyse fundamental
**NM** fundamental ◆ **les fondamentaux de la valeur** the stock fundamentals.

**fondateur, -trice** /fɔ̃datœʀ, tʀis/ **NM,F** founder ◆ **membre fondateur** founder member ◆ **part de fondateur** founder's share.

**fondation** /fɔ̃dasjɔ̃/ **NF** *(= création)* foundation, setting up; *(= institution)* foundation.

**fondé, e** /fɔ̃de/ **ADJ** *plainte* well-founded, justified, substantiated ◆ **mal fondé** ill-founded, ill-grounded ◆ **être fondé à faire** to have good reason to do *ou* for doing
**NM** **fondé de pouvoir** *(Jur)* authorized representative; *(Banque)* senior banking executive

◆ **il est fondé de pouvoir de** he holds power of attorney for ◆ **le bien-fondé d'une action en justice** the merits of a case.

**fondement** /fɔ̃dmɑ̃/ **NM** foundation ◆ **fondement d'une action en justice** cause of an action ◆ **sans fondement, dénué de fondement** without foundation, unfounded, groundless.

**fonder** /fɔ̃de/ **VT a** *entreprise* to set up, found, establish; *réputation* to base *(sur* on) ◆ **maison fondée en 1931** established 1931 ◆ **nous fondons tous nos espoirs sur ce nouveau modèle** we are placing *ou* pinning all our hopes on this model **b** *(= motiver)* *droit, plainte* to justify, substantiate **c** *(Fin)* *dette* to fund ◆ **créance fondée** legal debt.

**fondre** /fɔ̃dʀ(ə)/ **VI** *[réserves, stocks]* to run down ◆ **nos bénéfices fondent à vue d'œil** our profits are fining down *ou* dwindling away *ou* evaporating *ou* shrinking.

**fonds** /fɔ̃/ **NM a** *(Comm)* ◆ **fonds (de commerce)** business (assets); *(= clientèle)* goodwill ◆ pos-

*compounds/composés*

## FONDS

◆ **fonds d'amortissement** amortization *ou* sinking fund
◆ **fonds en banque** cash in bank
◆ **fonds bloqués** frozen assets
◆ **fonds de caisse** cash in hand
◆ **fonds à capital fixe** closed-end investment trust
◆ **fonds à capital variable** opened-end investment trust
◆ **fonds commercial** goodwill
◆ **fonds commun de placement** investment *ou* mutual fund
◆ **fonds consolidés** consolidated fund *ou* stock, consols *(Brit)*
◆ **Fonds de développement économique et social** fund for economic and social development
◆ **fonds disponibles** liquid assets
◆ **fonds d'État** government stock *ou* securities ◆ **fonds d'État à court terme** short dates
◆ **Fonds européen de coopération monétaire** European Monetary Cooperation Fund
◆ **Fonds européen de développement** European Development Fund
◆ **Fonds européen de développement régional** European Regional Development Fund
◆ **fonds de fonds** fund of funds, umbrella fund
◆ **fonds de garantie** guarantee fund, deposit insurance scheme *(US)*
◆ **fonds indiciel** tracker fund
◆ **fonds industriel de modernisation** industrial modernization fund
◆ **fonds d'investissement** investment fund
◆ **Fonds monétaire international** International Monetary Fund

◆ **Fonds national d'amélioration de l'habitat** French national home improvement fund
◆ **Fonds national de l'emploi** French national employment fund
◆ **Fonds national de solidarité** French national solidarity fund
◆ **fonds offshore** offshore fund
◆ **fonds de pension** pension fund
◆ **fonds de placement fermé** investment trust
◆ **fonds de placement ouvert** unit trust, open trust *(Brit)*, mutual fund *(US)*
◆ **fonds prêtables** lendable *ou* loanable funds
◆ **fonds de prévoyance** contingency fund *ou* reserve ◆ **fonds de prévoyance du personnel** staff provident fund
◆ **fonds propres** stockholders' equity, equity capital
◆ **fonds publics** *(Bourse)* government stock *ou* securities; *(= recettes de l'État)* public funds *ou* money
◆ **fonds régulateur** buffer fund
◆ **fonds renouvelable** revolving fund
◆ **fonds de réserve** legal reserves
◆ **fonds de retraite** pension fund
◆ **fonds de roulement** working *ou* operating capital
◆ **fonds de secours** emergency *ou* relief fund
◆ **fonds secret** slush fund
◆ **Fonds social européen** European Social Fund
◆ **fonds de solidarité** solidarity fund
◆ **fonds spéculatifs** hedge funds, speculative funds
◆ **fonds de stabilisation des changes** Exchange Equalization Account.

séder le fonds et les murs to own the business and the property ♦ **cession de fonds, fonds de commerce à vendre** business for sale ♦ **vendre son fonds** to sell up ❑b ❑ *(= caisse, mutuelle)* fund ❑c ❑ *(= capital)* funds, capital; *(= argent comptant)* (sums of) money, cash ♦ **affecter des fonds** to earmark funds ♦ **placer** *ou* **investir de l'argent à fonds perdus** to sink funds *(dans* in) **investir des fonds importants dans** to invest large sums of money *ou* a large amount of capital in ♦ **fournir les fonds** to supply the capital, put up the funds ♦ **mettre des fonds dans une entreprise** to invest money *ou* capital in a business ♦ **rassembler** *ou* **réunir les fonds nécessaires** to raise the necessary funds *ou* capital ♦ **rentrer dans ses fonds** to recover one's outlay, get one's money back ♦ **virer des fonds** to transfer funds ♦ **appel de fonds** call for capital ♦ **faire un appel de fonds** to call up capital, make a call for funds ♦ **bailleur de fonds** sponsor, backer ♦ **dépôt de fonds** deposit ♦ **détournement de fonds** embezzlement, misappropriation of funds, defalcation ♦ **détournement de fonds publics** peculation ♦ **gestionnaire de fonds** fund manager ♦ **mise de fonds initiale** seed money ♦ **retrait de fonds** withdrawal of funds *ou* capital

**fongible** /fɔ̃ʒibl(ə)/ **ADJ** fungible.

**forain, e** /fɔʀɛ̃, ɛn/ **ADJ** **marchand forain** stallholder
❑NM❑ stallholder.

**Footsie** /futsi/ **NM** ♦ **le Footsie** the Footsie.

**force** /fɔʀs(ə)/ **NF** force ♦ **les forces du marché** market forces ♦ **avoir force de loi** to have force of law ♦ **c'est un cas de force majeure** it's a case of absolute necessity *ou* of force majeure ♦ **être en position de force pour négocier** to be bargaining from a position of strength

┌─────────── *compounds/composés* ───────────┐
│ ♦ **force exécutoire** legal force │
│ ♦ **force probante** supporting value │
│ ♦ **force résolutoire** resolutive effect │
│ ♦ **force rétroactive** retrospective effect │
│ ♦ **force suspensive** suspensive effect │
│ ♦ **force de vente** sales force. │
└──────────────────────────────────────────┘

**forcé, e** /fɔʀse/ **ADJ** *(Fin)* forced; *(Jur)* compulsory, forced ♦ **avoir cours forcé** to be legal tender ♦ **adjudication forcée** compulsory *ou* forced sale ♦ **emprunt forcé** forced *ou* compulsory loan ♦ **épargne forcée** forced savings ♦ **liquidation forcée** compulsory liquidation ♦ **vente forcée** forced *ou* compulsory sale.

**forclore** /fɔʀklɔʀ/ **VT** *(Jur)* to debar, foreclose.

**forclusion** /fɔʀklyzjɔ̃/ **NF** *(Jur)* debarment, foreclosure, barring.

**forfait** /fɔʀfɛ/ **NM** *(= somme)* lump sum; *(= prix fixe)* fixed *ou* set price; *(= offre promotionnelle)* package ♦ **travailler au forfait** to work by contract *ou* for a lump sum *ou* for a fixed sum *ou* for a flat rate ♦ **travail à forfait** contract work ♦ **vente à forfait** outright sale ♦ **être au (régime du) forfait** *(Impôts)* to be taxed on estimated income ♦ **forfait hôtelier** hotel package ♦ **profitez de notre forfait vacances** take advantage of our (flat-rate) holiday package.

**forfaitaire** /fɔʀfetɛʀ/ **ADJ** *coût, paiement* inclusive ♦ **déduction forfaitaire** standard deduction ♦ **fret forfaitaire** lump-sum freight ♦ **un prélèvement forfaitaire de 25%** a flat-rate *ou* deduction of 25% ♦ **montant** *ou* **somme forfaitaire** lump sum ♦ **imposition forfaitaire sur les plus-values** flat-rate *ou* basic-rate tax on capital gains ♦ **indemnité forfaitaire** lump-sum payment ♦ **prix forfaitaire** contract price, fixed price, all-inclusive price ♦ **vente forfaitaire** outright sale.

**forfaitairement** /fɔʀfetɛʀmɑ̃/ **ADV** on an inclusive basis, inclusively ♦ **imposé forfaitairement** taxed on a flat-rate basis, subject to a standard-rate *ou* flat-rate tax.

**forint** /fɔʀint/ **NM** *(Fin)* forint.

**formalisation** /fɔʀmalizasjɔ̃/ **NF** formalization.

**formaliser** /fɔʀmalize/ **VT** *procédure* to formalize.

**formalité** /fɔʀmalite/ **NF** formality ♦ **formalités douanières** customs formalities ♦ **procéder aux formalités douanières** *(Mar)* to effect customs clearance ♦ **remplir les formalités administratives** to comply with the administrative formalities.

**format** /fɔʀma/ **NM** format, size; *(Inf)* format ♦ **format du document** document size ♦ **format d'instruction** *(Inf)* instruction format ♦ **emballage petit / grand format** small-size(d) / large-size(d) pack.

**formatage** /fɔʀmataʒ/ **NM** *(Inf)* formatting.

**formater** /fɔʀmate/ **VT** *(Inf)* to format.

**formateur, -trice** /fɔʀmatœʀ, tʀis/ **ADJ** *stage* training; *expérience* formative
❑NM,F❑ trainer.

**formation** /fɔʀmasjɔ̃/ **NF** ❑a❑ *(= éducation)* training, education ♦ **stage de formation accélérée** crash course ♦ **centre de formation** training center ♦ **formation à la vente** sales training

◆ **formation alternée** ou **en alternance** part-time ou sandwich course ◆ **formation professionnelle** technical ou vocational training ◆ **formation professionnelle des adultes** professional education for adults ◆ **formation initiale** first-degree course ◆ **formation de formateurs** training of trainers ◆ **formation permanente** continuing education ◆ **formation continue au sein de l'entreprise** (staff) in-service training ◆ **formation à l'extérieur** off-the-job training ◆ **formation sur le tas** in-house ou on-site ou on-the-job training ◆ **quelle est sa formation?** what training has he had?, what is his educational background? ◆ **il a suivi une formation en techniques de négociation** he has taken a course on negotiating techniques ◆ **elle a eu une formation de comptable** she has been trained as an accountant ◆ **programme de formation des cadres** management ou executive training programme ◆ **avoir reçu une formation solide** to have been well trained **b** (= constitution) forming, formation, development ◆ **formation des prix** price formation ◆ **formation de stocks** building up of inventories, inventory build-up ◆ **formation de capital** asset ou capital formation ◆ **formation brute de capital fixe** gross capital formation, gross investment ◆ **formation nette de capital fixe** net investment.

**forme** /fɔʀm(ə)/ **NF** (Jur) ◆ **dans les formes, en bonne et due forme** (gén) in due form ◆ **avertissement dans les formes** due warning ◆ **reçu en bonne et due forme** regular receipt ◆ **faire une réclamation en bonne et due forme** to put in a formal request ◆ **la forme juridique de cet organisme** the legal status of this organization ◆ **vice de forme** (gén) legal flaw ou irregularity; (dans un document) faulty drafting.

**formel, -elle** /fɔʀmɛl/ **ADJ** réponse definite, positive; démenti formal, flat; instructions formal ◆ **je suis formel!** I'm positive (about it)! ◆ **il a l'obligation formelle de le faire** it is mandatory upon him to do so.

**formellement** /fɔʀmɛlmɑ̃/ **ADV** affirmer definitely, positively ◆ **formellement opposé** absolutely opposed.

**former** /fɔʀme/ **VT** **a** (= constituer) société to form, incorporate; équipe to set up **b** (= être un élément de) to make up, form ◆ **formé de plusieurs éléments** made up of several components **c** (éduquer) stagiaires to train.

**formulaire** /fɔʀmylɛʀ/ **NM** (gén) form; (= questionnaire) questionnaire ◆ **formulaire de candidature / de demande / de retrait** application / request / withdrawal form ◆ **formulaire de**

réponse answer sheet ◆ **formulaire d'ouverture de compte** account opening form ◆ **remplir un formulaire** to fill in ou out a form.

**formulation** /fɔʀmylasjɔ̃/ **NF** formulation, wording ◆ **il faudrait changer la formulation de votre lettre de candidature** you should change the way your application letter is worded ou formulated, you should change the wording in your letter of application.

**formule** /fɔʀmyl/ **NF** **a** (= système) system, method, way ◆ **formule de paiement** way ou method of payment ◆ **formule de pondération** weighting **b** (= formulaire) form ◆ **formule de chèque** cheque form, blank check (US) ◆ **formule de télégramme** telegram form.

**formuler** /fɔʀmyle/ **VT** réclamation, requête to formulate, set out; acte juridique to draw up (in due form); griefs to set forth; plainte to lodge ◆ **comment dois-je formuler ma demande?** what form should my application take?, how should I word my application?.

**fort, e** /fɔʀ, fɔʀt(ə)/ **ADJ** (gén) strong; baisse, hausse steep, sharp, significant, marked; somme large, great; consommation, demande huge, hefty, high; imposition heavy ◆ **forte perte** heavy ou sizeable loss ◆ **prix fort** full price ◆ **le yen est une devise forte** the yen is a strong ou hard currency ◆ **marché en forte croissance** fast-growing market ◆ **le prix du pétrole est en forte hausse** oil prices are rocketing ou soaring ou rising steeply
**NM** **au plus fort de la saison** when the season is in full swing ou at its height.

**fortement** /fɔʀtəmɑ̃/ **ADV** heavily ◆ **fortement imposé** heavily taxed.

**fortifier** /fɔʀtifje/ **VT** position to strengthen.

**fortune** /fɔʀtyn/ **NF** (= patrimoine) fortune, wealth ◆ **évaluation de la fortune** wealth assessment ◆ **impôt (de solidarité) sur la fortune, impôt sur les grandes fortunes** wealth tax ◆ **situation de fortune** financial situation ◆ **fortunes de mer** (Jur Mar) perils of the sea, sea risks.

**forum** /fɔʀɔm/ **NM** forum.

**fouet** /fwɛ/ **NM** ◆ **la dévaluation de l'euro a donné un coup de fouet aux exportations** the devaluation of the euro has given a fillip ou boost to exports ◆ **subir de plein fouet l'attaque de la concurrence** to bear the brunt of competition.

**four** /fuʀ/ **NM** (échec) flop, fiasco ◆ **cette campagne publicitaire a fait un four** this advertising drive was a flop ou a fiasco ou has fallen flat.

**fourchette** /fuʀʃɛt/ NF *(Stat)* bracket ◆ **les charges pourront varier dans une fourchette de 5 à 10%** costs may vary within a 5 to 10% band ◆ **fourchette d'âge** age bracket ◆ **fourchette de cotation** trading range ◆ **fourchette de cours de clôture / d'ouverture** closing / opening range ◆ **fourchette d'imposition** tax bracket *ou* band ◆ **fourchette de prévisions** range forecasts ◆ **fourchette de prix** price range ◆ **fourchette de salaire** wage bracket ◆ **calculer la fourchette de** to determine the range of.

**fourgon** /fuʀgɔ̃/ NM *(= wagon)* coach, van; *(= camion)* (large) van, lorry *(Brit)* ◆ **fourgon à bagages** luggage van, baggage car *(US)* ◆ **fourgon à bestiaux** cattle truck ◆ **fourgon de déménagement** removal van *(Brit)*, moving van *(US)* ◆ **fourgon postal** mail van.

**fourgonnette** /fuʀgɔnɛt/ NF (small) van, delivery van.

**fourguer** * /fuʀge/ VT to flog* *(à* to) unload *(à* onto)

**fourni, e** /fuʀni/ ADJ ◆ **boutique bien fournie** well-stocked shop.

**fournir** /fuʀniʀ/ ⓥⓣ *(gén)* to supply, provide; *informations* to supply, provide, furnish; *documents* to produce ◆ **fournir qch à qn** to supply *ou* provide sb with sth, supply sth to sb ◆ **ils nous fournissent en pièces détachées** they supply us with spare parts ◆ **fournir des garanties** to offer *ou* furnish guaranties ◆ **fournir en nantissement** to lodge as collateral ◆ **fournir une caution** to find surety ◆ **fournir une lettre de crédit sur qn** to issue a letter of credit on sb ◆ **fournir une traite sur qn** to draw a bill on sb ◆ **se fournir** ⓥⓟⓡ to provide *ou* supply o.s. *(de* with) ◆ **il se fournit toujours chez nous** he always shops at our place, we supply him, he's one of our regular customers ◆ **il est allé se fournir ailleurs** he took his custom elsewhere, he went elsewhere to get what he wanted.

**fournisseur** /fuʀnisœʀ/ NM *(Comm)* supplier; *(= vendeur)* tradesman *(Brit)*, merchant, purveyor; *(= dépositaire)* dealer, stockist *(Brit)*, retailer, vendor ◆ **fournisseur d'accès à Internet** Internet access provider, Internet service provider ◆ **fournisseur exclusif** sole supplier ◆ **crédit fournisseur** supplier credit ◆ **comptes fournisseurs** *(Compta)* accounts payable, payables *(US)* ◆ **adressez-vous à votre fournisseur habituel** apply to your local stockist *(Brit)* ou retailer *ou* dealer.

**fourniture** /fuʀnityʀ/ NF supply, provision ◆ **fournitures** supplies ◆ **fournitures de bureau** office supplies, stationery ◆ **passer un marché pour la fourniture de** to make a contract for the supply of ◆ **la fourniture d'aide alimentaire aux pays de l'Est** the provision of food aid to Eastern European countries.

**fournituristes** /fuʀnityʀist(ə)/ NMPL office suppliers.

**foyer** /fwaje/ NM *(= maison)* home; *(= famille)* family, household ◆ **femme au foyer** housewife ◆ **foyer fiscal** *household considered for tax purposes* ◆ **foyer de perte** loss centre.

**FP** abrév de **franchise postale** → **franchise.**

**FPA** /ɛfpea/ NF abrév de **formation professionnelle des adultes** → **formation.**

**fraction** /fʀaksjɔ̃/ NF *(gén)* part, fraction, proportion; *[paiement]* instalment ◆ **fraction imposable** taxable part ◆ **payer par fractions** to pay in instalments.

**fractionnaire** /fʀaksjɔnɛʀ/ ADJ fractional ◆ **livre fractionnaire** subsidiary book.

**fractionné, e** /fʀaksjɔne/ ADJ *horaire, action, ordre d'achat* split; *livraison* split, staggered; *(Inf) écran* split ◆ **paiement fractionné** payment in instalments.

**fractionnement** /fʀaksjɔnmɑ̃/ NM splitting up, division ◆ **fractionnement d'actions** *(Bourse)* stock splitting.

**fractionner** /fʀaksjɔne/ VT to split up, divide (up).

**fragile** /fʀaʒil/ ADJ *(gén)* fragile; *économie* frail ◆ **attention fragile** *(sur emballage)* fragile, (handle) with care ◆ **les Bourses européennes sont les plus fragiles** European stock markets are (the) most volatile.

**fragiliser** /fʀaʒilize/ VT *économie* to weaken.

**fragilité** /fʀaʒilite/ NF *(gén)* fragility, fragileness, weakness; *[économie]* frailty.

**frais, fraîche** /fʀɛ, fʀɛʃ/ ⓐⓓⓙ *argent frais (= disponible)* ready cash; *(= à investir)* fresh money ◆ **frais** ⓝⓜⓟⓛ *(= dépenses)* expenses; *(= coûts)* costs; *(= prix d'un service)* fee(s), charge(s); *(sur le bilan ou le compte de résultat)* charges, expenses ◆ **avoir de gros frais** to have heavy expenses *ou* heavy outgoings ◆ **déduction faite de tous les frais, tous frais déduits** all charges deducted ◆ **prix à payer tous frais compris** all-inclusive price, price inclusive of all costs and charges ◆ **entraîner des frais** to involve expenses ◆ **vos frais seront entièrement pris en charge** your expenses *ou* expenditure will be entirely covered ◆ **faux frais** extras, incidental expenses *ou* costs ◆ **note de frais**

# franc

expense account ◆ **participer aux frais** to share in *ou* contribute to the cost, pay one's share of the cost ◆ **tous frais payés** after costs, all-inclusive ◆ **voyager aux frais de la maison** *ou* **aux frais de la princesse** \* to travel at the expense of the firm *ou* at the firm's expense ◆ **rentrer dans ses frais, couvrir ses frais** to recover one's expenses, get one's money back ◆ **à peu de frais** at little cost ◆ **à grands frais** at great cost ■ Voir encadré ci-dessous

**franc, franche** /frɑ̃, frɑ̃ʃ/ ~~ADJ~~ zone, ville, port free ◆ **biens francs d'hypothèque** clear estate

◆ **nous avons 30 jours francs avant d'effectuer le paiement** we have 30 clear days before payment must be made ◆ **franc de port** *marchandises* carriage-free, carriage-paid; *paquet* postage-paid, post-free ◆ **franc d'avaries** (*Ass Mar*) free of average ◆ **franc d'avaries communes** free of general average ◆ **franc d'avarie particulière** free of particular average ◆ ~~NM~~ (= *monnaie*) franc ◆ **franc suisse** Swiss franc ◆ **franc CFA** CFA franc (*unit of currency used in certain African states*) ◆ **franc or** gold franc ◆ **demander / obtenir le franc symbolique** to

*compounds/composés*

FRAIS

◆ **frais d'acte** legal fees
◆ **frais accessoires** (*gén*) extra *ou* additional *ou* incidental expenses; (*Jur*) ancillary costs
◆ **frais d'agence** agency fees
◆ **frais d'allège** lighterage
◆ **frais d'amortissement** amortization *ou* depreciation charges
◆ **frais d'approche** (*Mktg*) market access costs
◆ **frais bancaires** bank charges
◆ **frais de Bourse** exchange fee
◆ **frais de commercialisation** selling expenses
◆ **frais de courtage** brokerage costs *ou* fees *ou* charges
◆ **frais de crédit** finance charges
◆ **frais de démarrage** start-up *ou* set-up costs
◆ **frais de déplacement** travelling expenses *ou* costs
◆ **frais de la dette** debt charges
◆ **frais divers** sundry *ou* miscellaneous expenses, sundries ◆ **frais divers de banque** bank charges
◆ **frais de douane** customs charges
◆ **frais dus** charges collect
◆ **frais d'encaissement** collection fees *ou* costs *ou* charges
◆ **frais d'enregistrement** registration charges
◆ **frais d'entrée** (*dans un FCP*) entry fees
◆ **frais d'entreposage** storage *ou* warehouse charges
◆ **frais d'entretien** maintenance charges *ou* cost
◆ **frais d'envoi, frais d'expédition** forwarding *ou* shipping charges
◆ **frais d'établissement** initial expenses, set-up costs
◆ **frais d'expertise** consultancy fees, expert fees
◆ **frais d'exploitation** running costs, operating costs
◆ **frais de fabrication** production costs
◆ **frais financiers** (*gén*) financial *ou* interest charges; [*crédit*] loan charges
◆ **frais fixes** fixed *ou* standing expenses *ou* charges *ou* costs
◆ **frais généraux** overhead expenses, overheads, oncosts (*Brit*)
◆ **frais de gérance** administrative *ou* administration *ou* management expenses *ou* costs

◆ **frais de gestion** (= *charges*) running *ou* management expenses *ou* costs; (= *prix d'un service*) management fees (*Fin, Banque*) management charges
  ◆ **frais de gestion de compte** service charge
◆ **frais d'inscription** registration fees
◆ **frais d'installation** initial expenses *ou* costs
◆ **frais de justice** legal costs
◆ **frais de lancement** start-up *ou* set-up costs
◆ **frais de livraison** delivery charges
◆ **frais de location** rental charges
◆ **frais de logement** accommodation expenses *ou* costs
◆ **frais de magasinage** storage *ou* warehouse charges
◆ **frais de main-d'œuvre** labour costs
◆ **frais de manutention** handling charges *ou* costs
◆ **frais de négociation** (*Fin*) trading charges
◆ **frais notariés** legalization charges
◆ **frais à payer** outstanding expenses
◆ **frais de place** local charges
◆ **frais de port et d'emballage** postage and packing
◆ **frais de premier établissement** start-up costs, initial expenses
◆ **frais de procédure** legal costs *ou* expenses
◆ **frais professionnels** expense account ◆ **déduction fiscale pour frais professionnels** tax deduction for professional expenses
◆ **frais de publicité** advertising cost *ou* expenses
◆ **frais de recouvrement** collection charges
◆ **frais de remorquage** towage
◆ **frais de représentation** entertainment expenses ◆ **cela passera en frais de représentation** this will go on his expense account
◆ **frais de sauvetage** salvage charges
◆ **frais de scolarité** tuition fees
◆ **frais de sortie** (*d'un FCP*) exit fees
◆ **frais de stationnement** (*Naut, Rail*) demurrage
◆ **frais de timbre** stamp charges
◆ **frais de transport** transport charges, freightage
◆ **frais de trésorerie** finance costs
◆ **frais variables** variable costs *ou* expenses, proportional costs
◆ **frais de vente** selling costs *ou* expenses.

demand / obtain farthing damages ✦ **acheter qch pour un franc symbolique** to buy sth for a nominal sum.

**français, e** /fʀɑ̃sɛ, ɛz/ [ADJ] French
[NM] (= *langue*) French
**Français** [NM] (= *habitant*) Frenchman ✦ **les Français** (= *gens*) the French, French people; (*hommes*) Frenchmen
**Française** [NF] (= *habitante*) Frenchwoman.

**France** /fʀɑ̃s/ NF France.

**franchir** /fʀɑ̃ʃiʀ/ VT *obstacle* to clear, get over; *borne, seuil* to overstep, cross, go beyond ✦ **le chômage a franchi la barre des 2 millions** unemployment broke through *ou* overstepped *ou* has gone over the two million mark ✦ **l'indice a franchi le seuil des 6 000 points** the index has crossed the 6,000 point threshold.

**franchisage** /fʀɑ̃ʃizaʒ/ NM franchising ✦ **contrat de franchisage** franchise.

**franchise** /fʀɑ̃ʃiz/ NF **a** (= *exonération*) exemption ✦ **franchise de bagages** luggage *ou* baggage allowance ✦ **franchise diplomatique** diplomatic privilege ✦ **franchise douanière** exemption from (customs) duties ✦ **franchise fiscale** tax exemption ✦ **il y a une franchise d'impôt pour les intérêts réinvestis** reinvested interest is tax free *ou* tax exempt ✦ **franchise postale** (*sur enveloppe*) ≈ official-paid ✦ **entrer** *ou* **être admis en franchise** (*Douanes*) to enter free of duty ✦ **faire entrer** *ou* **importer en franchise** to import duty-free ✦ **liste des marchandises importées en franchise** (*Douanes*) franchise-free list ✦ **colis en franchise** duty-free parcel **b** (*Ass*) excess (*Brit*), deductible (*US*) ✦ **franchise obligatoire** compulsory deduction ✦ **clause de franchise** deductible clause ✦ **garantie avec franchise** deductible coverage ✦ **mon assurance automobile comporte une franchise de 150 euros** my motor insurance policy has a 150 euros excess (*Brit*) *ou* deductible (*US*) on collision damage **c** (*Comm*) franchise ✦ **agent / magasin en franchise** franchised dealer / shop (*Brit*) *ou* store (*US*) **d** (*Banque*) ✦ **l'emprunt est assorti d'une franchise de remboursement d'un an** repayment of the loan is deferred for one year, there is a one-year deferred repayment period on this loan.

**franchisé, e** /fʀɑ̃ʃize/ [ADJ] **boutique franchisée** franchise outlet
[NM] franchisee.

**franchiser** /fʀɑ̃ʃize/ VT to franchise, grant a franchise to.

**franchiseur** /fʀɑ̃ʃizœʀ/ NM franchiser, franchisor.

**franchissement** /fʀɑ̃ʃismɑ̃/ NM [*seuil*] crossing; [*barre, limite*] overstepping ✦ **après le franchissement du seuil des 6 000 points** after the 6,000 point threshold had been crossed.

**franco** /fʀɑ̃ko/ ADV free ✦ **prix franco** carriage-paid price ✦ **échantillons franco sur demande** samples sent free on request ✦ **livraison franco frontière espagnole** delivered free as far as the Spanish border ✦ **franco de tous frais** free of all charges

————— compounds/composés —————
✦ **franco allège** free overside
✦ **franco à bord** free on board
✦ **franco bord bord** free in and out
✦ **franco camion** free on truck
✦ **franco dédouané** duty paid
✦ **franco à domicile** delivery free, free customer's premises
✦ **franco entrepôt du destinataire** free customer's warehouse
✦ **franco frontière** free border
✦ **franco gare** free on rail
✦ **franco le long du bord** *ou* **du bateau** free alongside ship
✦ **franco (le long du) quai** free at wharf *ou* on quay
✦ **franco de port** *marchandise* carriage-free, carriage-paid; *lettre, paquet* postage-paid
✦ **franco de port et d'emballage** postage and packing paid
✦ **franco de tous frais** free of all charges
✦ **franco transporteur** free carrier
✦ **franco (sur) wagon** free on rail.

**frappe** /fʀap/ NF **a** (*Secrétariat*) ✦ **la lettre est à la frappe** the letter is being typed ✦ **faute de frappe** typing error ✦ **qui s'occupe de la frappe des documents ?** who is responsible for typing the documents? ✦ **première frappe** top copy ✦ **machine qui a une belle frappe** typewriter which has a nice typeface ✦ **double frappe** (*Inf*) double keying *ou* stroke **b** [*monnaie*] minting.

**frapper** /fʀape/ VT **a** [*gén*] [*taxes*] to hit ✦ **frapper d'un impôt** to put *ou* levy *ou* lay a tax on ✦ **ces nouveaux impôts frappent lourdement les sociétés** these new taxes are hitting companies hard ✦ **frapper des marchandises d'un droit** to levy a duty on goods ✦ **la majoration qui frappe les contribuables défaillants** the surcharge imposed upon tax defaulters ✦ **frapper qn d'une amende** to fine sb, impose a fine upon sb ✦ **frapper de nullité** to render void ✦ **frappé d'hypothèque** mortgaged **b** *monnaie* to mint, coin.

**fraude** /fʀod/ NF fraud ✦ **passer** *ou* **introduire des**

marchandises en fraude to smuggle in goods ◆ **entaché de fraude** fraudulent ◆ **vendre des voitures en fraude** to sell cars fraudulently ◆ **lutter contre la fraude** to fight (against) fraud ◆ **brigade de répression des fraudes** the Fraud Squad *(US)*

──── *compounds/composés* ────

◆ **fraude douanière, fraude à la douane** customs evasion *ou* fraud, smuggling
◆ **fraude fiscale** tax evasion, tax dodging.

**frauder** /fʀode/ **VT** to defraud, cheat, swindle ◆ **frauder la douane** to defraud the customs ◆ **frauder le fisc** to evade *ou* dodge taxation **VI** *(gén)* to cheat ◆ **frauder sur la quantité / sur le poids** to cheat over the quantity / on the weight.

**fraudeur, -euse** /fʀodœʀ, øz/ **NM,F** *(gén)* person guilty of fraud, crook; *(Douanes)* smuggler; *(Impôts)* tax evader *ou* dodger.

**frauduleusement** /fʀodyløzmɑ̃/ **ADV** fraudulently, by fraud.

**frauduleux, -euse** /fʀodylø, øz/ **ADJ** fraudulent ◆ **bilan frauduleux** doctored *ou* faked *ou* fraudulent balance sheet ◆ **faillite frauduleuse** fraudulent bankruptcy ◆ **par des moyens frauduleux** under *ou* using false pretences.

**free-lance** /fʀilɑ̃s/ **ADJ INV** freelance **NMF** freelancer ◆ **travailler en free-lance** to work freelance.

**Freetown** /fʀitaun/ **N** Freetown.

**frein** /fʀɛ̃/ **NM** brake ◆ **frein à l'achat** disincentive *ou* dissuading factor for making a purchase ◆ **c'est un frein à l'investissement** it acts as a brake upon investment ◆ **mettre un frein à l'inflation / au chômage** to curb *ou* check *ou* stem inflation / unemployment ◆ **coup de frein brutal sur les salaires / sur les prix** clamp down on wages / on prices.

**freinage** /fʀenaʒ/ **NM** *[expansion]* curbing, slowdown; *[hausse des salaires]* easing, slowdown ◆ **freinage des importations automobiles** slowdown in car imports.

**freiner** /fʀene/ **VT** *dépenses, inflation* to put a brake on, curb, slow down, check, stem, damp, dampen *(US)* ; *chômage* to curb, check, stem ◆ **freiner l'expansion monétaire** to stem *ou* check *ou* restrain monetary growth, put a clamp on monetary expansion ◆ **freiner la production** to restrain *ou* cut back production ◆ **freiner les importations** to stem *ou* curtail imports.

**freinte** /fʀɛ̃t/ **NF** loss of weight ◆ **freinte de route** loss in weight during transit ◆ **freinte de stock** inventory *ou* stock shrinkage.

**frémir** /fʀemiʀ/ **VI** *(Écon = donner des signes de reprise)* to show signs of recovery.

**frémissement** /fʀemismɑ̃/ **NM** tremor ◆ **un frémissement de l'économie** a slight improvement in the economy ◆ **il y a un frémissement des ventes** sales are beginning to move.

**fréquence** /fʀekɑ̃s/ **NF** frequency ◆ **fréquence cumulée / d'écoute / d'exposition** cumulative / listening / exposure frequency ◆ **fréquence d'achat** purchase rate ◆ **fréquence moyenne d'achat** average purchase rate.

**fréquentation** /fʀekɑ̃tasjɔ̃/ **NF** ◆ **la fréquentation des salles de cinéma augmente** the number of people frequenting cinemas is rising.

**fréquenté, e** /fʀekɑ̃te/ **ADJ** *magasin* busy ◆ **restaurant très fréquenté** busy *ou* popular restaurant ◆ **grande surface peu fréquentée** a supermarket with few customers, under-used supermarket.

**fret** /fʀɛ/ **NM** *(Aviat, Mar)* freight, freightage; *(Aut)* carriage ◆ **prendre à fret** to charter ◆ **donner à fret** to freight out ◆ **assiette du fret** basis of freight ◆ **Bourse des frets** shipping exchange ◆ **commission sur fret** freight commission ◆ **prendre du fret** to take in freight ◆ **faux fret** dead freight ◆ **ristourne sur fret** freight rebate ◆ **fret payé assurance comprise jusqu'à** freight and insurance paid to

──── *compounds/composés* ────

◆ **fret aérien** air freight
◆ **fret d'aller** outward freight
◆ **fret avionné** air freight
◆ **fret brut** gross freight
◆ **fret camionné** truck *ou* road freight
◆ **fret à forfait** through freight, lump-sum freight
◆ **fret au kilomètre** distance freight
◆ **fret sur marchandises reçues** freight inward
◆ **fret payable à l'arrivée** freight collect
◆ **fret payable à destination** freight payable at destination, freight forward
◆ **fret payé** freight prepaid *(jusqu'à* to)
◆ **fret pour tous genres** freight all kinds
◆ **fret de retour** inward *ou* home *ou* return freight
◆ **fret suivant encombrement** measurement freight
◆ **fret sur le vide** dead freight
◆ **fret à temps** time freight
◆ **fret au tonnage** freight per ton
◆ **fret de transport différentiel** differential freight rate
◆ **fret au voyage** voyage freight.

**fréter** /fʀete/ **vt** (= prendre en location) to charter; (= donner en location) to freight out.

**fréteur** /fʀetœʀ/ **NM** (Mar) owner ◆ **fréteur et affréteur** owner and charterer.

**frictionnel, -elle** /fʀiksjonɛl/ **ADJ** ◆ **chômage frictionnel** frictional unemployment.

**frileux, -euse** /fʀilø, øz/ **ADJ** investisseur, marché wary.

**frilosité** /fʀilozite/ **NF** [investisseur, marché] wariness.

**frôler** /fʀole/ **vt** chiffre to be close to ◆ **le déficit frôle les 2 milliards de dollars** the deficit is very close to 2 billion dollars.

**front** /fʀɔ̃/ **NM** front ◆ **sur le front des salaires** on the wage front ◆ **front de vente** (Mktg) sales coverage.

**frontal, e** /fʀɔ̃tal/ **ADJ** concurrence head-to-head; choc head-on.

**frontalier, -ière** /fʀɔ̃talje, jɛʀ/ **ADJ** région border, frontier ◆ **travailleurs frontaliers** cross-border workers
**NM,F** inhabitant of the border ou frontier zone.

**frontière** /fʀɔ̃tjɛʀ/ **NF** border, frontier
**ADJ INV** **ville / zone fontière** border ou frontier town / zone.

**front-office** /fʀɔ̃tɔfis/ **NM** front office.

**fructifier** /fʀyktifje/ **vi** [fonds, placement] to yield a profit ◆ **faire fructifier son argent** to make one's money grow.

**fructueux, -euse** /fʀyktɥø, øz/ **ADJ** fruitful, profitable.

**fruit** /fʀɥi/ **NM** (gén) fruit ◆ **les fruits de son travail** the fruits of his work ◆ **notre stratégie a porté ses fruits** our strategy has paid off ou has borne fruit.

**FS** **a** abrév de **franc suisse** → **franc** **b** abrév de **faire suivre.**

**FSE** /ɛfɛsə/ **NM** (abrév de **Fonds social européen**) ESF.

**FSM** /ɛfɛsɛm/ **NF** (abrév de **Fédération syndicale mondiale**) WFTU.

**fuite** /fɥit/ **NF** ◆ **fuite des capitaux à l'étranger** flight of capital abroad, outflow of capital ◆ **fuite des cerveaux** brain drain.

**fuseau, PL -x** /fyzo/ **NM** ◆ **fuseau horaire** time zone.

**fusion** /fyzjɔ̃/ **NF** [entreprises] merger ◆ **opérer une fusion** to merge, amalgamate ◆ **fusion légale** statutory merger ou amalgamation ◆ **fusion horizontale** horizontal merger ◆ **fusions–acquisitions** mergers and acquisitions.

**fusionnement** /fyzjɔnmɑ̃/ **NM** [entreprises] merger.

**fusionner** /fyzjɔne/ **vti** [entreprises] to merge, amalgamate; (Inf) to merge.

**futur, e** /fytyʀ/ **ADJ** besoins future ◆ **futur client** prospective customer ◆ **ventes futures** future sales
**futures** **NMPL** (Fin) futures ◆ **futures sur indices** index futures.

# G

**G** /ʒe/ NM (*Écon*) ◆ le G-7 / -8 *etc*. the Group of Seven / Eight *etc*., the G7 / 8 *etc*.

**GAB** (abrév de **guichet automatique de banque**) ATM.

**gabarage** /gabaʀaʒ/ NM lighterage ◆ **droits de gabarage** lighterage dues.

**gabarit** /gabaʀi/ NM [*camion*] size ◆ **gabarit de chargement** loading gauge.

**gabegie** /gabʒi/ NF waste (due to mismanagement).

**Gabon** /gabɔ̃/ NM Gabon.

**gabonais, e** /gabɔnɛ, ɛz/ ADJ Gabonese
**Gabonais** NM (= *habitant*) Gabonese
**Gabonaise** NF (= *habitante*) Gabonese.

**gâchage** /gɑʃaʒ/ NM (*Écon*) ◆ **gâchage des prix** (excessive) price cutting.

**gâcher** /gɑʃe/ VT (*gén*) to waste ◆ **gâcher les prix** (*Écon*) to cut prices excessively ◆ **prix gâché** undercut price.

**gâchis** /gɑʃi/ NM (= *gaspillage*) waste.

**gadget** /gadʒɛt/ NM (= *dispositif*) gadget; (= *astuce*) gimmick, contraption ◆ **gadget publicitaire** advertising gimmick.

**GAEC** /gaɛk/ NM abrév de **groupement agricole d'exploitation en commun** → **groupement**.

**gage** /gaʒ/ NM **a** (= *dépôt de garantie*) security, pledge, surety, gage ◆ **gage immobilier** pledge of real property ◆ **gage hypothécaire** mortgage ◆ **gage mobilier** pledge of movables ◆ **mettre en gage** (*au mont-de-piété*) to pawn (at the pawnbroker's), pledge, hock* (*US*) ◆ **il a mis sa montre en gage** he pawned *ou* pledged *ou* hocked* (*US*) his watch, he gave his watch as a pledge ◆ **déposer qch en gage** (*Fin*) to leave sth as (a) security ◆ **détenir en gage** to hold in pledge ◆ **donner en gage** to pledge, pawn ◆ **emprunter sur gage** to borrow on pledge *ou* on security ◆ **laisser en gage** to leave as security *ou* on deposit ◆ **contrat de gage** pledge; (*mont-de-piété*) pledge, bailment ◆ **crédit sur gage** credit against securities held in pawn, secured credit ◆ **gage non retiré** unredeemed pledge ◆ **lettre de gage** mortgage bond ◆ **mise en gage** pawning, pledging ◆ **prêteur sur gages** pawnbroker ◆ **réalisation du gage** execution ◆ **valeur en gage** value as pledge **b** (*fig*) (= *assurance*) guarantee; (= *preuve*) proof, evidence ◆ **la coopération des milieux bancaires est un gage de notre succès** bankers' cooperation will guarantee our success ◆ **le gouvernement a donné des gages aux syndicats** the government has given a pledge to the trade unions ◆ **en gage de notre bonne foi** as a token of our good faith **c** (= *paie*) ◆ **gages** wages, pay ◆ **être aux gages de qn** to be employed by sb, be in the pay of sb.

**gagé, e** /gaʒe/ ADJ (*Jur*) biens, meubles under distraint ◆ **emprunt** *ou* **prêt gagé** secured loan ◆ **marchandises gagées** distrained goods ◆ **recettes non gagées** unassigned revenue ◆ **titres gagés** securities in pawn.

**gageable** /gaʒabl(ə)/ ADJ pawnable.

**gager** /gaʒe/ VT (*Fin*) emprunt, émission to guarantee, secure.

**gageur** /gaʒœʀ/ NM pledger.

**gagiste** /gaʒist(ə)/ NM (*Fin*) ◆ (*créancier*) **gagiste** pledgee, pawnee, tied creditor.

**gagnant, e** /gaɲɑ̃, ɑ̃t/ **ADJ** *billet* winning ✦ **la partie gagnante** *(Jur)* the winning party ◾**NM,F** winner.

**gagne-pain** \* /gaɲpɛ̃/ **NM INV** *(= métier)* job.

**gagner** /gaɲe/ **VI** **a** *(= être payé)* to earn ✦ **gagner sa vie** to earn one's living ✦ **il gagne bien sa vie** he earns a good wage, he makes a good living ✦ **gagner beaucoup d'argent** *[personne]* to make a lot of money, make big money; *[entreprise]* to make large *ou* huge profits ✦ **la majeure partie de la population gagne à peine de quoi vivre** the major part of the population earns a bare living ✦ **revenu gagné / non gagné** earned / unearned income ✦ **cela constitue un manque à gagner** it represents a loss of profits *ou* earnings **b** *(fig = conquérir)* **part de marché** to gain, capture ✦ **gagner un nouveau public** to win over a new audience ✦ **il a su se gagner certains appuis** he managed to win some support ✦ **les exportateurs allemands gagnent du terrain** German exporters are gaining ground ✦ **le chômage gagne d'autres secteurs** unemployment is spreading to other sectors ✦ **l'indice a gagné 15 points** *(Bourse)* the index put on *ou* rose *ou* gained 15 points **c** *(= économiser)* to save ✦ **l'informatisation de ce service nous ferait gagner du temps** computerizing this department would save us time **d** *bataille* to win ✦ **gagner son procès** to win one's case

**VI** *(gén)* to win; *(= profiter)* to gain; *(= se propager)* *[chômage, inflation]* to spread, gain ground ✦ **les exportateurs américains ont gagné à la baisse du dollar** US exporters benefited *ou* gained by the dollar drop ✦ **notre réputation y gagnera** it will add to our reputation ✦ **nous n'avons rien à gagner** we have nothing to gain ✦ **qu'y gagnerons-nous ?** what shall we get out of it *ou* gain from *ou* by it ? ✦ **gagner au change** to make something on the deal, benefit by the exchange.

**gain** /gɛ̃/ **NM** **a** *[salarié]* earnings, wages; *[entreprise]* gains, earnings, profits; *(Bourse)* profits ✦ **gain accessoire** side profit ✦ **gain financier direct** direct capital gain ✦ **gains de change** foreign exchange gains ✦ **gains illicites** illicit gains ✦ **gains et pertes** gains and losses ✦ **réaliser des gains** to make profits **b** *(= progression)* gain, increase ✦ **gain du pouvoir d'achat** increase in purchasing power, general price-level gain ✦ **gain de productivité** productivity gain **c** *(= économie)* saving ✦ **gain de temps / d'argent** saving of time / money ✦ **l'informatique permet un gain de temps** the computer saves time.

**galerie** /galʁi/ **NF** ✦ **galerie marchande** shopping arcade *ou* mall *(US)*.

**Galles** /gal/ **NFPL** ✦ **le pays de Galles** Wales.

**gallois, e** /galwa, waz/ **ADJ** Welsh ◾**NM** *(= langue)* Welsh ✦ **Gallois** ◾**NM** *(= habitant)* Welshman ✦ **les Gallois** the Welsh ✦ **Galloise** ◾**NF** *(= habitante)* Welshwoman.

**galopant, e** /galɔpɑ̃, ɑ̃t/ **ADJ** *inflation* galloping, runaway, spiralling.

**Gambie** /gɑ̃bi/ **NF** Gambia.

**gambien, -ienne** /gɑ̃bjɛ̃, jɛn/ **ADJ** Gambian ✦ **Gambien** ◾**NM** *(= habitant)* Gambian ✦ **Gambienne** ◾**NF** *(= habitante)* Gambian.

**gamme** /gam/ **NF** *[produits]* range, line; *[options, coloris]* range ✦ **stratégie de gamme** line strategy ✦ **étendre sa gamme de produits** to widen one's product range *ou* line ✦ **ils offrent une gamme de services très large** they offer a very wide range *ou* spectrum of services ✦ **toute la gamme des stimuli fiscaux** the whole range *ou* gamut of tax stimuli ✦ **gamme des opérations** *ou* **de fabrication** *(Ind)* operation *ou* route sheet ✦ **le bas / le haut de gamme** the bottom / the top (end) of the line *ou* range ✦ **la gamme moyenne-haute** the upper middle of the range ✦ **le très haut de gamme** the very top of the range ✦ **article de haut de gamme** top-of-the-range product, top-of-the-line product, upscale *ou* upmarket product ✦ **voiture haut / bas de gamme** car at the top / lower end of the range, up-market / down-market car, top-end / bottom-end car ✦ **ordinateur milieu de gamme** medium range *ou* midrange computer ✦ **ils se positionnent en bas de gamme** they position themselves at the bottom end of the market.

**gap** /gap/ **NM** *[graphique]* gap.

**garant, e** /gaʁɑ̃, ɑ̃t/ **NM,F** guarantor, surety *(de* for*)* ✦ **garant d'une dette** surety for a debt ✦ **garant en faillite** bankrupt surety ✦ **garant solidaire** joint surety ✦ **le garant d'une lettre de change** the endorser *ou* guarantor of a bill ✦ **servir de garant à qn** to stand surety for sb, stand *ou* act as a guarantor for sb, go guarantee for sb ✦ **je lui sers de garant pour cet emprunt** I guarantee him for this loan, I am his guarantor for this loan ✦ **être** *ou* **se porter garant de qch** to be answerable *ou* responsible for sth.

**garanti, e** /gaʁɑ̃ti/ **ADJ** **a** *(gén, Comm)* guaranteed ✦ **salaire minimum garanti** guaranteed minimum wage ✦ **garanti à l'usage** guaranteed for normal use ◆ **garanti contre la rouille** guaranteed rust-proof ◆ **garanti par l'État** state-guaranteed ◆ **garanti pure soie** warranted ou guaranteed pure silk ◆ **remboursement garanti sur tous nos articles** money-back guarantee with all items ◆ **cette montre est garantie cinq ans** this watch carries a five-year guarantee ou is guaranteed for five years **b** (Ass) risque covered, insured ◆ **montant garanti** insured sum **c** (Fin) emprunt, dette guaranteed, secured; obligation, action guaranteed; émission underwritten ◆ **effet de commerce garanti** secured note ◆ **avances garanties** advances against securities

**garantie** **NF** **a** (Comm) guarantee, warranty ◆ **sans garantie** without guarantee ◆ **sous garantie** under guarantee ◆ **ce n'est plus sous garantie** it is no longer guaranteed ◆ **bon de garantie** guarantee slip ◆ **bulletin** ou **certificat de garantie** certificate of guarantee ◆ **carte de garantie** warranty card ◆ **délai** ou **durée de garantie** period of guarantee ◆ **date d'expiration de la garantie** guarantee deadline, guarantee expiry date ◆ **label de garantie** guarantee label ou stamp ◆ **limite de la garantie** extent of the guarantee ◆ **rupture de la garantie** breach of guarantee ◆ **breveté sans garantie du gouvernement** patented without government guarantee **b** (= aval) guarantee; (= protection) guarantee, safeguard; (= caution, gage) surety, security ◆ **sans garantie** (Fin) unsecured ◆ **avance sur garantie** advance against security ◆ **emprunt sans garantie** unsecured loan ◆ **engagement de garantie** surety bond ◆ **fonds de garantie** (Banque) guarantee fund, deposit insurance scheme (US) ◆ **déposer des titres en garantie** to lodge stocks as security ou as cover, collateralize (US) ◆ **détenir des titres en garantie** to hold stocks as security ◆ **donner / exiger des garanties** to give / ask for guarantees ◆ **donner sa garantie à** to stand surety ou security for, be guarantor for ◆ **fournir une garantie financière** to give a security ◆ **prendre des garanties, s'entourer de garanties** to obtain securities ou safeguards, find securities ◆ **prêter sur garantie** to lend money against security ◆ **verser 5 000 livres en garantie, verser un dépôt de garantie de 5 000 livres** to leave a deposit of £5,000 **c** (Ass) guaranty, cover, coverage ◆ **les garanties de ce contrat** the coverage under this policy ◆ **garantie responsabilité civile** legal liability cover ou coverage ◆ **lettre de garantie** letter of indemnity ◆ **plafond** ou **limitation de garantie** limit of cover ou coverage ◆ **étendue de la garantie** scope of cover **d** (Bourse) cover ◆ **dépôt de garantie** margin cover **e** (Banque)

underwriting ◆ **contrat de garantie** underwriting contract ◆ **certificat de garantie hypothécaire** mortgage guarantee certificate, GNMA certificate ◆ **syndicat de garantie** underwriting syndicate

---
*compounds/composés*
---

◆ **garantie de l'acceptation** acceptance guarantee
◆ **garantie accessoire** ou **additionnelle** (Fin, Jur) collateral security
◆ **garantie bancaire** bank guarantee
◆ **garantie de bonne fin** performance ou contract ou bid bond
◆ **garantie contractuelle** contract guarantee
◆ **garantie d'exécution** performance ou contract guarantee, bid bond
◆ **garantie expresse** express warranty
◆ **garantie de change** (risque) exchange guarantee; (engagement) forward exchange covering
◆ **garantie de diffusion** (Mktg) audience guarantee
◆ **garantie dommages incendie** (Ass) fire cover
◆ **garantie à l'exportation** export guarantee
◆ **garantie illimitée** unlimited guarantee; (Ass) unlimited coverage
◆ **garantie implicite** implied guarantee
◆ **garantie individuelle** (Comm) personal ou individual guarantee
◆ **garantie irrécouvrable** dead security
◆ **garantie en numéraire** surety in cash
◆ **garantie d'origine** guarantee ou certificate of origin
◆ **garantie pécuniaire** financial guarantee
◆ **garantie personnelle** (Fin) personal security
◆ **garantie de provenance** guarantee ou certificate of origin
◆ **garanties réelles** tangible security
◆ **garantie de remboursement** repayment guarantee
◆ **garantie de ressources** income maintenance
◆ **garantie du risque économique** (Ass) insurance coverage of economic risk
◆ **garanties statutaires** (Jur) statutory guarantees
◆ **garantie solidaire** joint guarantee
◆ **garantie de solvabilité** guarantee of solvency
◆ **garantie de soumission** tender guarantee
◆ **garantie tacite** implied guarantee
◆ **garantie de taux plafond** (Fin) cap
◆ **garantie de taux plancher** (Fin) floor
◆ **garantie totale** (Ass) full cover.

**garantir** /garãtiʀ/ **VT** **a** (gén) to guarantee, warrant (US) ◆ **nous garantissons la livraison dans les délais impartis** we guarantee that we will meet delivery deadlines **b** (Ass) risque to cover, insure ◆ **nous ne pouvons pas garantir les risques de change** we cannot cover exchange risks **c** (Fin) emprunt, dette, créance to guarantee, secure; émission to underwrite ◆ **la lettre**

de crédit garantit que vous serez payé à temps the letter of credit insures that you are paid on time
**se garantir** `VPR` *(Bourse)* to hedge oneself.

**garçon** /gaʀsɔ̃/ **NM** boy ✦ **garçon de bureau** office boy; *(plus âgé)* office assistant ✦ **garçon de courses** errand boy; *(plus âgé)* messenger ✦ **garçon livreur** delivery boy; *(plus âgé)* delivery man.

**garde** /gaʀd(ə)/ **NF** **a** *(Admin, Fin)* keeping, safe custody, custodianship *(US)* ✦ **garde des titres** safe custody of securities ✦ **délai de garde** *(Poste)* time of keeping ✦ **droits de garde** *(Banque)* maintenance *ou* handling charges; *(Comm)* safe custody charges ✦ **déposer des titres en garde** to place securities in safe custody ✦ **prendre en garde** to receive *ou* accept in custody **b** **mise en garde** warning **NM** *[propriété]* warden ✦ **garde des Sceaux** *French Minister of Justice* ≈ Lord Chancellor *(Brit)*, ≈ Attorney General *(US)*.

**garde-magasin,** **PL** **gardes-magasin(s)** /gaʀdmagazɛ̃/ **NM** warehouseman.

**garde-meuble,** **PL** **garde-meuble(s)** /gaʀdə mœbl(ə)/ **NM** furniture storehouse.

**garder** /gaʀde/ **VT** **a** (= *surveiller*) *local* to look after **b** (= *conserver*) *(gén)* to keep; *droits, ancienneté* to retain ✦ **gardez la monnaie** keep the change ✦ **garder une trace écrite de qch** to keep a record of sth ✦ **garder à l'abri de l'humidité** keep dry
**se garder** `VPR` **nous devons nous garder contre les risques de change** we must guard *ou* hedge ourselves against exchange risks.

**gardien, -ienne** /gaʀdjɛ̃, jɛn/ **NM,F** *[usine, bureaux]* guard ✦ **gardien de nuit** night watchman *ou* guard ✦ **gardien chargé de la sécurité** security guard.

**gardiennage** /gaʀdjenaʒ/ **NM** *[usine, bureaux]* guarding, security ✦ **société de gardiennage** security company.

**gare** /gaʀ/ **NF** station ✦ **gare d'arrivée / de départ** station of arrival / departure, arrival / departure station ✦ **gare expéditrice** *ou* **d'expédition** sending *ou* forwarding station ✦ **gare réceptrice** *ou* **de destination** *ou* **destinataire** receiving station ✦ **prix gare de départ** at station price ✦ **franco gare de départ** free at sending station

---

*compounds/composés*
- ✦ **gare de fret** cargo terminal
- ✦ **gare de marchandises** goods station, freight depot *(US)*
- ✦ **gare maritime** harbour station
- ✦ **gare routière** *[camions]* haulage depot; *[autocars]* coach *(Brit)* *ou* bus *(US)* station
- ✦ **gare de transit** transit station
- ✦ **gare de triage** marshalling yard, classification yard *(US)*
- ✦ **gare de voyageurs** passenger station.

---

**garni, e** /gaʀni/ **ADJ** ✦ **bien garni** *carnet de commandes* well-filled; *rayon de magasin* well-stocked.

**garnir** /gaʀniʀ/ **VT** *boîte* to fill; *rayons* to stock (*de* with)
**se garnir** `VPR` *[carnet de commandes]* to thicken, to get fat.

**GAS** /ʒeaɛs/ **NM** abrév de **groupe d'actionnaires stables** → **groupe.**

**gas-oil** /gazɔjl/ **NM** diesel oil.

**gaspillage** /gaspijaʒ/ **NM** *[temps]* waste; *[argent]* waste, squandering.

**gaspiller** /gaspije/ *temps* to waste; *argent* to waste, squander.

**gaspilleur, -euse** /gaspijœʀ, øz/ **ADJ** wasteful **NM,F** *(gén)* waster, wastemaker; *[argent]* squanderer, spendthrift.

**gâteau,** **PL** **-x** /gato/ **NM** cake ✦ **se partager le gâteau** * to share out the profit *ou* the loot*, cut the melon ✦ **chaque pays voudrait sa part du gâteau informatique** each country would like a piece of the computer pie *(US)* *ou* would like a share *ou* a slice of the computer cake.

**gâter** /gate/ **VT** (= *abîmer*) *relations* to spoil, mar
**se gâter** `VPR` *[relations]* to take a turn for the worse, turn sour, deteriorate.

**GATS** /gats/ **NM** (abrév de **General Agreement on Trade in Services**) GATS.

**GATT** /gat/ **NM** (abrév de **General Agreement on Tariffs and Trade**) GATT.

**gaz** /gaz/ **NM** gas ✦ **gaz de ville** town gas ✦ **usine à gaz** gasworks.

**gazoduc** /gazɔdyk/ **NM** gas pipeline.

**gazole** /gazɔl/ **NM** diesel oil.

**GDF** /ʒedeɛf/ **NM** (abrév de **Gaz de France**) *French gas board.*

**géant, e** /ʒeɑ̃, ɑt/ **ADJ** giant ✦ **entreprise géante** jumbo sized company
**NM** giant ✦ **géant de l'automobile** car giant.

**gel** /ʒɛl/ NM [dettes, capitaux] freezing ✦ **le gel des salaires par le gouvernement** the freezing of wages by the government ✦ **protester contre le gel des salaires** to protest against the wage freeze ✦ **politique de gel monétaire** credit freeze policy.

**geler** /ʒ(ə)le/ VT prix, crédits, salaires, dettes, capitaux to freeze ✦ **compte gelé** frozen account ✦ **les avoirs de ce pays ont été gelés** this country's assets have been frozen, there has been a clampdown on this country's assets.

**gendarme** /ʒɑ̃daʀm/ NM ✦ **le gendarme de la Bourse** the Paris stock market watchdog.

**gêne** /ʒɛn/ NF a (= difficultés financières) financial straits ou difficulties ou embarrassment ✦ **gêne de trésorerie** shortage ou lack of cash b (= obstacle) hindrance.

**gêné, e** /ʒene/ (= sans argent) short (of money), hard up*, financially embarrassed.

**gêner** /ʒene/ VT a (= déranger) projet, commerce to hamper, hinder, impede ✦ **cette décision va gêner la reprise économique** this decision will hamper the economic recovery b (financièrement) to put in financial difficulties ✦ **ces pertes de change vont nous gêner considérablement** these exchange losses are really going to make things tight for us.

**général, e,** MPL **-aux** /ʒeneʀal, o/ ADJ general ✦ **un aperçu général du projet** a general outline ou an overall view of the project ✦ **une hausse générale des prix** an across-the-board rise in prices ✦ **la tendance générale du marché** the overall trend of the market ✦ **agence générale** general agency ✦ **agent général** general agent ✦ **assemblée générale (annuelle)** (annual) general meeting ✦ **budget général** master budget ✦ **comptabilité générale** financial accounting ✦ **conditions générales de vente** terms of sale ✦ **directeur général** general manager, managing director, chief executive (officer) ✦ **la direction générale** (= siège) the head office; (= dirigeants) the general management ✦ **frais généraux** overhead expenses, overheads, oncosts ✦ **grève générale** general ou all-out strike ✦ **grand livre général** impersonal ou general ledger, GL ✦ **hypothèque générale** general ou blanket mortgage ✦ **procuration générale** general power ✦ **secrétaire général** entreprise, syndicat general secretary; organisation internationale secretary general.

**généralisable** /ʒeneʀalizabl(ə)/ ADJ mesure which can be applied generally (à to)

**généralisation** /ʒeneʀalizasjɔ̃/ NF generalization.

**généraliser** /ʒeneʀalize/ VT technique to put into general use ✦ **se généraliser** VPR [technique] to become widespread, come into general use ✦ **la grève s'est généralisée** the strike spread to every sector.

**générateur, -trice** /ʒeneʀatœʀ, tʀis/ ADJ ✦ **produit générateur de pertes** loss-making product, loss-maker ✦ **industries génératrices d'emplois** industries leading to job creation, job-creating ou job-generating industries.

**génération** /ʒeneʀasjɔ̃/ NF generation ✦ **un ordinateur de la cinquième génération** a fifth-generation computer.

**générer** /ʒeneʀe/ VT profits, emplois, idées to generate.

**générique** /ʒeneʀik/ ADJ stratégie, terme generic ✦ **produits génériques** generic ou unbranded products.

**génie** /ʒeni/ NM a (= personne, don) genius b (= techniques) engineering ✦ **génie atomique / civil / génétique / mécanique** atomic / civil / genetic / mechanical engineering.

**géofinance** /ʒeofinɑ̃s/ NF geofinance.

**géomètre** /ʒeomɛtʀ(ə)/ NM surveyor.

**Georgetown** /ʒɔʀʒtaun/ N Georgetown.

**Géorgie** /ʒeɔʀʒi/ NF Georgia.

**géorgien, -ienne** /ʒeɔʀʒjɛ̃, jɛn/ ADJ Georgian ✦ NM (= langue) Georgian **Géorgien** NM (= habitant) Georgian **Géorgienne** NF (= habitante) Georgian.

**gérable** /ʒeʀabl(ə)/ ADJ manageable ✦ **cette organisation n'est pas gérable** this organization is unmanageable.

**gérance** /ʒeʀɑ̃s/ NF [magasin, entreprise] management ✦ **gérance libre** management agreement ✦ **gérance de portefeuille** portfolio management ✦ **gérance salariée** ou **appointée** salaried management ✦ **en gérance** run by a manager ✦ **contrat de gérance** management agreement ou contract ✦ **mettre** ou **donner qch en gérance** to appoint a manager for sth ✦ **prendre un commerce en gérance** to take over the management of a business.

**gérant** /ʒeʀɑ̃/ NM [usine, magasin, société] manager; [immeuble] managing agent ✦ **gérant domestique** (Bourse) domestic portfolio manager ✦ **gérant de fonds** fund ou money manager ✦ **gérant de portefeuille** portfolio manager ✦ **associé-gérant** active partner ✦ **cogérant** joint manager ✦ **directeur-gérant**

managing director ◆ **gérant de succursale** branch manager.

**gérante** /ʒeʀɑ̃t/ NF manageress.

**gérer** /ʒeʀe/ VT *entreprise, boutique, projet* to manage, run; *produit* to handle; *fortune* to manage, administer ◆ **une entreprise bien / mal gérée** a well-run / mismanaged company ◆ **gérer la pénurie** to manage scarcity ◆ **géré par ordinateur** computer-managed, computer-based.

**gestion** /ʒɛstjɔ̃/ NF **a** *[entreprise, usine]* management, administration; *[projet, budget]* management; *(Ass) [sinistres]* handling; *(Inf)* management ◆ **comité de gestion** managing board, management committee ◆ **conseil en gestion** (= *personne*) management consultant; (= *action*) management consultancy ◆ **école /** **études de gestion** business school / studies ◆ **mauvaise gestion** mismanagement, bad management ◆ **frais de gestion** (= *dépenses*) running *ou* management costs *ou* expenses; (= *prix d'un service*) management fees; *(Fin)* management charges ◆ **mandat de gestion** (*d'un portefeuille*) investment management agreement, fiduciary trust agreement *(US)* ◆ **société / outil / ratio de gestion** management company / tool / ratio ◆ **système intégré de gestion** integrated management system ◆ **technique de gestion** management technique, managerial process **b** (= *administration financière*) financial management *ou* administration ◆ **comptabilité de gestion** management accounting ◆ **contrôle de gestion** management control ◆ **contrôleur de gestion** management controller ◆ **il est responsable de**

───── *compounds/composés* ─────

## GESTION

- ◆ **gestion d'actifs** asset management
- ◆ **gestion de l'actif et du passif** assets and liabilities management
- ◆ **gestion administrative** administration, administrative management
- ◆ **gestion automatisée** computer-assisted *ou* computerized management
- ◆ **gestion autonome** self-management
- ◆ **gestion de bases de données** database management ◆ **système de gestion de bases de données** database management system
- ◆ **gestion budgétaire** budget(ary) control, budget management
- ◆ **gestion de caisse** cash management
- ◆ **gestion de carrière** career management
- ◆ **gestion cellulaire** divisional management
- ◆ **gestion centralisée** centralized management *ou* administration
- ◆ **gestion collective** collective *ou* group management
- ◆ **gestion décentralisée** decentralized management *ou* administration
- ◆ **gestion de la demande** demand management
- ◆ **gestion de l'économie** economic management
- ◆ **gestion des effectifs** manpower management
- ◆ **gestion d'entreprise** corporate management *ou* governance
- ◆ **gestion par exception** management by exception
- ◆ **gestion de fichiers** file management *ou* maintenance
- ◆ **gestion financière (des entreprises)** financial management, corporate financing
- ◆ **gestion fiscale** tax planning
- ◆ **gestion par fonctions** functional management
- ◆ **gestion de fonds** fund management
- ◆ **gestion indicielle** tracker fund *ou* passive fund management
- ◆ **gestion informatisée** computerized management

- ◆ **gestion intégrée de projets** integrated project management, integrated management system
- ◆ **gestion par objectifs** management by objectives
- ◆ **gestion obligataire** *(Fin)* bond management
- ◆ **gestion par ordinateur** computerized management
- ◆ **gestion participative** participative management
- ◆ **gestion de patrimoine** portfolio *ou* asset management
- ◆ **gestion personnalisée** customized management
- ◆ **gestion du personnel** personnel management
- ◆ **gestion de portefeuille** portfolio management
- ◆ **gestion prévisionnelle** forward planning
- ◆ **gestion de (la) production** production management ◆ **gestion de la production assistée par ordinateur** computer-assisted production management
- ◆ **gestion de** *ou* **du produit** brand *ou* product management
- ◆ **gestion de projet** project management
- ◆ **gestion de réseau** *(Inf)* network management
- ◆ **gestion des ressources humaines** human resource management
- ◆ **gestion des risques** risk management
- ◆ **gestion de risque de taux** *(Fin)* interest rate risk management
- ◆ **gestion par service** divisional management
- ◆ **gestion de sinistres** *(Ass)* claims handling
- ◆ **gestion sociale** human resource management, management of industrial relations, social management
- ◆ **gestion des stocks** stock *(Brit)* *ou* inventory *(US)* control
- ◆ **gestion de trésorerie** cash management
- ◆ **gestion des ventes** sales management.

**la gestion (financière) dans cette entreprise** he is responsible for accounting and finance *ou* for financial management in this company, he manages the finances in this company ✦ **le département gestion d'une école de commerce** the Finance and Accounting Department of a business shool ✦ **informatique / ordinateur de gestion** business data processing / computer

**gestionnaire** /ʒɛstjɔnɛR/ [ADJ] *service, organisme* administrative, management ✦ **compte gestionnaire** management account [NMF] *(gén)* administrator, manager; *(= financier)* financial *ou* finance manager; *(Inf)* manager ✦ **les tâches du gestionnaire** the management functions

———— *compounds/composés* ————

✦ **gestionnaire de compte** account officer
✦ **gestionnaire de données** *(Inf)* data manager
✦ **gestionnaire de fichiers** file manager
✦ **gestionnaire de fonds** fund manager
✦ **gestionnaire de portefeuille** portfolio manager
✦ **gestionnaire de stocks** stock *(Brit)* ou inventory *(US)* controller *ou* manager
✦ **gestionnaire unique** sole manager.

**Ghana** /gana/ NM Ghana.

**ghanéen, -enne** /ganeɛ̃, ɛn/ [ADJ] Ghanaian **Ghanéen** [NM] *(= habitant)* Ghanaian **Ghanéenne** [NF] *(= habitante)* Ghanaian.

**Gibraltar** /ʒibRaltaR/ NM Gibraltar.

**GIE** /ʒeiə/ NM abrév de **groupement d'intérêt économique** → **groupement.**

**gigantisme** /ʒigɑ̃tism(ə)/ NM gigantic size *ou* proportion ✦ **une entreprise atteinte de gigantisme** a firm that suffers from overexpansion on a gigantic scale.

**gigaoctet** /ʒigaɔktɛ/ NM gigabyte.

**gisement** /ʒizmɑ̃/ NM *[houille, fer]* deposit ✦ **gisement de pétrole** oil field *ou* deposit ✦ **gisement d'emplois** labour basin *ou* reservoir ✦ **emprunts de gisement** *(Fin)* underlying loans.

**GL** (abrév de **grand-livre**) led., ledger.

**glissade** /glisad/ NF *[cours, prix]* skid, slip; *[monnaie]* slide, drop ✦ **on note une certaine glissade de l'indice des prix de septembre** the September price index skidded noticeably.

**glissant, e** /glisɑ̃, ɑ̃t/ [ADJ] *taux* rolling ✦ **sur un an glissant** over a period of one year.

**glissement** /glismɑ̃/ NM *[monnaie]* slide; *[production]* slippage; *[cours, prix]* slip ✦ **il y a eu un nouveau glissement des salaires** wages have

slid *ou* gone out of control again, wages are sliding up again ✦ **un nouveau glissement vers le bas du dollar** a further drop in the dollar exchange rate ✦ **glissement de fonction** shift in one's responsabilities ✦ **une augmentation annuelle de 3,5% en glissement** a yearly 3.5% slide ✦ **glissement catégoriel** shift in grade ✦ **un glissement dans la définition du projet** a shift in the definition of the project.

**glisser** /glise/ VI *[prix]* to skid ✦ **les salaires glissent depuis le début de l'année** wages have been sliding up since early this year ✦ **le dollar a glissé à son niveau du mois dernier** the dollar slipped back to its last month's level ✦ **le pays glisse à nouveau dans l'inflation** the country is slipping back into inflation.

**glissière** /glisjɛR/ NF ✦ **chargement sur glissière** roll on / roll off.

**global, e,** MPL **-aux** /glɔbal, o/ [ADJ] *(gén, Écon)* global; *rendement, estimation* overall; *demande, offre, valeur* aggregate ✦ **résultat global** overall *ou* aggregate result ✦ **contrat global** blanket agreement, package deal ✦ **masse globale des rémunérations** payroll, pay packet ✦ **règlement global** *(Fin)* lump sum settlement.

**globalement** /glɔbalmɑ̃/ ADV globally.

**globalisation** /glɔbalizasjɔ̃/ NF *[marché]* globalization.

**globaliser** /glɔbalize/ VT to globalize ✦ **nous essayerons de globaliser les dépenses** we shall try and lump expenses together.

**Go** abrév de **gigaoctet.**

**GO** abrév de **garantie d'origine** → **garantie.**

**golden boy** /gɔldənbɔj/ NM golden boy.

**gondole** /gɔdɔl/ NF *(dans un magasin)* gondola, island shelves, display unit ✦ **tête de gondole** gondola head.

**gonflage** /gɔ̃flaʒ/ NM *[prix]* inflation; *[effectifs]* swelling; *(Mktg) [marque]* blow-up.

**gonflé, e** /gɔ̃fle/ [ADJ] *prix* inflated, exaggerated.

**gonflement** /gɔ̃fləmɑ̃/ NM *[prix, chiffre d'affaires]* inflation *(de* of); *[personnel, masse monétaire]* swelling *(de* of) increase *(de* in); *[crédit, dette]* expansion *(de* of) ✦ **gonflement des dépenses** *(= augmentation)* overspending; *(= exagération de la réalité)* inflated spending figures.

**gonfler** /gɔ̃fle/ VT *prix, résultat* to inflate; *effectifs, nombre de chômeurs, compte* to swell ✦ **gonfler un budget** to inflate *ou* pad *(US)* a budget ✦ **les résultats du commerce extérieur ont été gonflés** export figures have been grossly inflated

◆ **les effectifs restent toujours exagérément gonflés dans ce secteur** there is still heavy overmanning *ou* overstaffing in this sector.

**gouffre** /ɡufʀ/ **NM** ◆ **c'est un gouffre financier** it's a bottomless pit ◆ **nous sommes au bord du gouffre** we're on the brink of the abyss.

**goulet** /ɡulɛ/ **NM** (*Écon*) ◆ **goulet (d'étranglement)** bottleneck ◆ **goulet d'étranglement externe** external bottleneck.

**goulot** /ɡulo/ **NM** (*Écon*) ◆ **goulot (d'étranglement)** bottleneck.

**gourde** /ɡuʀd(ə)/ **NF** (*Fin*) gourde.

**gourou** /ɡuʀu/ **NM** guru ◆ **un gourou de la nouvelle économie** a new economy guru.

**gouvernement** /ɡuvɛʀnəmɑ̃/ **NM** government, administration (*US*) ◆ **gouvernement d'entreprise** corporate governance.

**gouvernemental, e**, **MPL -aux** /ɡuvɛʀnəmɑ̃tal, o/ *décision, projet, institution* government, governmental ◆ **l'équipe gouvernementale** the Cabinet.

**gouverner** /ɡuvɛʀne/ **VT** to govern, rule.

**gouverneur** /ɡuvɛʀnœʀ/ **NM** governor ◆ **le gouverneur de la Banque de France** the Governor of the Bank of France.

**GPAO** /ʒepeao/ **NF** abrév de **gestion de la production assistée par ordinateur** → **gestion.**

**grâce** /ɡʀɑs/ **NF** (*Comm*) ◆ **délai de grâce** days of grace, grace period ◆ **à 3 jours de grâce** at 3 days grace.

**gracieusement** /ɡʀasjøzmɑ̃/ **ADV** (*Comm*) gratuitously, free of charge, without charge.

**gracieux, -ieuse** /ɡʀasjø, jøz/ **ADJ** (*Comm*) gratuitous ◆ **abonnement gracieux** complimentary subscription ◆ **à titre gracieux** gratuitously, free of charge, without charge ◆ **exemplaire envoyé à titre gracieux** complimentary *ou* presentation copy.

**grade** /ɡʀad/ **NM** (*Admin*) rank ◆ **le plus élevé en grade** the senior in rank ◆ **monter en grade** to be promoted, get (a) promotion ◆ **être promu au grade de contremaître** to be promoted supervisor.

**gradé** /ɡʀade/ **NM** ◆ **gradé de banque** bank officer.

**graduation** /ɡʀadɥasjɔ̃/ **NF** (*Mktg*) scaling, rating.

**graduel, -elle** /ɡʀadɥɛl/ **ADJ** gradual.

**graduellement** /ɡʀadɥɛlmɑ̃/ **ADV** gradually.

**gramme** /ɡʀam/ **NM** gramme.

**grand, e** /ɡʀɑ̃, ɡʀɑ̃d/ **ADJ** a (*gén, Comm*) ◆ **la grande distribution** supermarkets ◆ **grand magasin** department store ◆ **grande marque** major brand, nationally recognized trademark *ou* brand ◆ **grande surface** supermarket, superstore, hypermarket (*Brit*), mass distribution outlet ◆ **grande série** mass production ◆ **fabriquer en grande série** to mass-produce ◆ **marché grand public** consumer *ou* retail market ◆ **distribution grand public** retail distribution b (*Compta*) ◆ **grand-livre** ledger ◆ **grand-livre des comptes clients / des comptes fournisseurs** accounts receivable / accounts payable ledger ◆ **grand-livre général** general *ou* impersonal ledger, GL.

**Grande-Bretagne** /ɡʀɑ̃dbʀətaɲ/ **NF** Great Britain.

**grandeur** /ɡʀɑ̃dœʀ/ **NF** (= *taille*) size ◆ **échelle de grandeurs** scale of sizes ◆ **par ordre de grandeur** by size.

**graphe** /ɡʀaf/ **NM** (*Stat*) graph ◆ **graphe des cours de clôture** (*Fin*) close only chart ◆ **graphe en ligne** line chart.

**graphique** /ɡʀafik/ **NM** (= *diagramme*) graph, chart ◆ **graphique d'acheminement** flowchart ◆ **graphique à barres** *ou* **à tuyaux d'orgue** bar chart ◆ **graphique en courbe** line chart ◆ **graphique en dents de scie** Z-chart ◆ **graphique en escalier** staircase chart ◆ **graphique d'évolution** flow chart ◆ **graphique du point mort** *ou* **de rentabilité** break-even chart, profit graph (*US*) ◆ **graphique à secteurs** *ou* **circulaire** sector *ou* pie chart ◆ **ce graphique montre les progrès réalisés l'an dernier** this graph charts the progress made last year **ADJ** *affichage, traceur, visualisation* graphic ◆ **informatique graphique** graphic data processing, computer graphics ◆ **logiciel graphique** graphic(s) software ◆ **unité d'affichage graphique** graphic display unit.

**graphisme** /ɡʀafism(ə)/ **NM** graphics.

**graphiste** /ɡʀafist(ə)/ **NMF** (*gén*) graphic designer; (*Bourse*) chartist.

**gratification** /ɡʀatifikasjɔ̃/ **NF** bonus, incentive, push money (*US*).

**gratis** /ɡʀatis/ **ADJ** free **ADV** free, for nothing, gratis, without payment.

**gratuit, e** /ɡʀatɥi, ɥit/ **ADJ** free ◆ **entrée gratuite** admission free ◆ **à titre gratuit** free of charge, without payment, without valuable consideration ◆ **échantillon gratuit** free sample ◆ **envoi gratuit sur demande** (*sur prospectus*) post on application, yours for the asking

♦ **action gratuite** *(Bourse)* bonus share ♦ **attribution d'actions gratuites** scrip issue ♦ **assistance judiciaire gratuite** legal aid ♦ **crédit gratuit** interest-free credit ♦ **la livraison est gratuite** there is no charge for delivery ■ *(= journaux d'annonces)* ♦ **les gratuits** free sheets.

**gratuité** /gʀatɥite/ **NF** exemption from payment ♦ **gratuité des transports publics** free public transport.

**gratuitement** /gʀatɥitmɑ̃/ **ADV** *entrer* free; *transporter* for nothing, free of charge.

**gré** /gʀe/ **NM** ♦ **traiter / vendre de gré à gré** to deal / sell by private contract ♦ **marché de gré à gré** *(Jur)* mutual agreement, private contract; *(Bourse)* over-the-counter market ♦ **règlement de gré à gré** *(gén)* amicable settlement; *(Ass)* settlement by negotiation.

**grec, grecque** /gʀɛk/ **ADJ** Greek ■ *(= langue)* Greek
**Grec** ■ *(= habitant)* Greek
**Grecque** ■ *(= habitante)* Greek.

**Grèce** /gʀɛs/ **NF** Greece.

**greffe** /gʀɛf/ **NM** *[tribunal]* Clerk's Office *(of courts)*.

**greffier** /gʀefje/ **NM** *[tribunal]* clerk (of the court).

**grève** /gʀɛv/ **NF** strike ♦ **meneur / mot d'ordre / mouvement / piquet / préavis de grève** strike leader / call / movement / picket / notice ♦ **briseur de grève** scab, strikebreaker, blackleg ♦ **usine en grève** striking factory ♦ **vague de grèves** spate of strikes ♦ **se mettre en grève** to go on strike, strike, take industrial *ou* strike action, come out on strike, down tools ♦ **être en grève** to be (out) on strike, be striking ♦ **appeler à la grève, lancer un mot d'ordre de grève** to call a strike ♦ **annuler un mot d'ordre**

de grève to call off a strike ♦ **poursuivre la grève** to keep on striking ♦ **voter la grève** to take a strike vote ♦ **déclencher une grève de solidarité** to strike *ou* come out in sympathy ♦ **l'usine est paralysée par la grève** the factory is strike-bound ♦ **l'usine a été en grève pendant un mois** the factory was struck *ou* has been on strike for a month ■ Voir encadré ci-dessous

**grever** /gʀəve/ **VT** *budget* to put a strain on, be a drain on; *économie* to burden ♦ **être grevé d'impôts** to be weighed down with *ou* crippled by *ou* burdened with *ou* saddled with taxes ♦ **bien immeuble grevé d'hypothèques** encumbered estate, estate burdened with mortgage, mortgaged estate ♦ **la hausse des coûts salariaux a fortement grevé les ressources de la société** the rise in labour costs has stretched the company's resources.

**gréviste** /gʀevist(ə)/ **NMF** striker ♦ **les ouvriers grévistes** the striking workers.

**GRH** /ʒeɛʀ'aʃ/ **NF** (abrév de **gestion des ressources humaines**) HRM.

**grief** /gʀijɛf/ **NM** grievance, ground for complaint.

**griffe** /gʀif/ **NF** *(= tampon)* signature stamp; *(= marque du fabriquant)* maker's label ♦ **mettre ou apposer sa griffe sur un document** to stamp one's signature on a document, signature-stamp a document ♦ **vêtement qui porte la griffe d'un grand couturier** garment with a well-known name tag *ou* designer's name.

**griffer** /gʀife/ **VT** *[couturier]* to put one's name to ♦ **vêtements griffés** labelled garments, name garments.

**grignotage** /gʀiɲɔtaʒ/ **NM** *[salaires, pouvoir d'achat]* erosion.

────── *compounds/composés* ──────

**GRÈVE**

♦ **grève d'avertissement** warning strike
♦ **grève bouchon** key *ou* disruptive *ou* thrombosis strike
♦ **grève des bras croisés** sit-down strike, down-tooling
♦ **grève générale** general *ou* all-out strike
♦ **grève illégale** wildcat *ou* unofficial strike
♦ **grève de l'impôt** tax strike
♦ **grève avec occupation des locaux** stay-in *ou* sit-in strike
♦ **grève organisée** official strike
♦ **grève perlée** selective strike
♦ **grève avec préavis** official strike
♦ **grève sans préavis** lightning strike

♦ **grève de protestation** protest strike
♦ **grève sauvage** wildcat strike, unofficial strike
♦ **grève de solidarité** *ou* **de soutien** *(gén)* sympathy *ou* sympathetic strike; *(dans un même secteur)* secondary strike
♦ **grève surprise** lightning *ou* quickie *ou* snap strike
♦ **grève symbolique** token strike
♦ **grève sur le tas** sit-down strike
♦ **grève totale** all-out strike
♦ **grève tournante** staggered strike, strike by rota *ou* by turns *(Brit)*, hit-and-run strike *(US)*
♦ **grève du zèle** work-to-rule *ou* go-slow strike, slowdown *(US)*.

**grignoter** /gʀiɲɔte/ **vт** **a** *(= réduire)* *salaires* to eat away, gnaw away (at), erode gradually, whittle away ◆ **l'inflation grignote notre pouvoir d'achat** inflation is gnawing away at *ou* eroding our purchasing power, our purchasing power has been whittled down by inflation **b** *(= gagner)* *avantages* to win gradually ◆ **grignoter des parts de marché** to nibble bits of market share ◆ **ils grignotent notre marché** they are nibbling away at our market.

**grille** /gʀij/ **nf** *[salaires, tarifs]* scale; *[horaires]* grid, schedule ◆ **déterminer une grille de cours-pivots bilatéraux** to establish a grid of bilateral exchange rates

───── *compounds/composés* ─────
- **grille d'analyse** analytic grid
- **grille de classification** grade scale
- **grille de cotation** scale of point values
- **grille de décision** decision model
- **grille de gestion** managerial grid
- **grille indiciaire** basic hierarchical wage index
- **grille de rémunération** salary *ou* wage scale wage structure.

**grimper** /gʀɛ̃pe/ **vi** *[prix, cours]* to soar, rocket ◆ **faire grimper les prix** to push up *ou* send up prices ◆ **faire grimper les taux d'intérêts** to give an upward thrust to interest rates ◆ **les bons résultats à l'exportation ont fait grimper les cours** the good export figures sent prices up on the market ◆ **grimper en flèche** to shoot up, skyrocket.

**gripper (se)** /gʀipe/ **vpr** to jam, seize up ◆ **les rouages de l'économie se grippent** the economy is grinding to a halt *ou* seizing up *ou* stalling ◆ **les ordinateurs se sont grippés** the computers have broken down *ou* have seized up.

**gris, e** /gʀi, gʀiz/ **adj** grey *(Brit)*, gray *(US)* ◆ **marché gris** grey market ◆ **chevalier gris** grey knight
**nm** *(Bourse)* ◆ **le gris** the grey market.

**Groenland** /gʀɔɛnlɑ̃d/ **nm** Greenland.

**groenlandais, e** /gʀɔɛnlɑ̃dɛ, ɛz/ **adj** of *ou* from Greenland, Greenland
**Groenlandais** **nm** *(= habitant)* Greenlander
**Groenlandaise** **nf** *(= habitante)* Greenlander.

**grogne** /gʀɔɲ/ **nf** grumbling ◆ **la grogne du patronat / des syndicats** discontent among employers / within the trade unions ◆ **une certaine grogne se manifeste dans les milieux d'affaires** business leaders are somewhat disgruntled *ou* showing their discontent, there is discontent in business circles.

**grogner** /gʀɔɲe/ **vi** to grumble.

**gros, grosse** /gʀo, gʀos/ **adj** big, large ◆ **gros consommateur** *ou* **utilisateur** heavy user ◆ **grosse coupure** note of big denomination ◆ **gros débit** heavy demand ◆ **avion gros-porteur** jumbo jet, wide-bodied plane ◆ **les gros salaires** high wages ◆ **gros système** *(Inf)* main-frame ◆ **acheter en grosses quantités** to bulk-buy *(Brit)*, buy in bulk ◆ **nous réalisons la plus grosse partie de notre chiffre d'affaires en été** the bulk of our business is done in the summer ◆ **il a engagé de gros capitaux dans cette nouvelle entreprise** he has a big stake in this new venture
**adv** **gagner gros** to earn a lot ◆ **perdre gros** to lose heavily, make heavy losses ◆ **le marché des moins de vingt ans rapporte gros** the teenage market is big business ◆ **cela peut rapporter gros** it could make a lot of money
**nm** **le (commerce de) gros** the wholesale business *ou* trade ◆ **acheter / vendre en gros** to buy / sell wholesale ◆ **commande en gros** bulk order ◆ **faire le gros et le détail** to deal wholesale and retail ◆ **banque / marché / marge / prix de gros** wholesale bank / market / margin / price ◆ **maison de gros** wholesale firm *ou* business ◆ **marchand de gros** wholesaler, wholesale trader *ou* dealer ◆ **indice des prix de gros** wholesale price index

**grosse** **nf** **a** *(Mar)* bottomry ◆ **contrat à la grosse** bottomry bond ◆ **prêter / emprunter à la grosse** to lend / borrow money on bottomry ◆ **grosse sur corps** bottomry ◆ **grosse sur facultés** respondentia **b** *(Jur = document)* engrossed copy, engrossment ◆ **grosse exécutoire** first authentic copy **c** *(= douze douzaines)* gross.

**grossiste** /gʀosist(ə)/ **nm** wholesaler, wholesale dealer *ou* trader ◆ **grossiste-expéditeur** packer ◆ **grossiste spécialisé** speciality wholesaler.

**groupage** /gʀupaʒ/ **nm** *[colis]* bulking, grouping; *[marchandises]* consolidation, groupage; *(Inf)* batching, blocking ◆ **groupage de commandes** joint ordering, order consolidation ◆ **connaissement de groupage** collective bill of lading ◆ **envoi en groupage** collective shipment ◆ **service de groupage** joint cargo service, groupage service ◆ **tarif groupage** groupage rate ◆ **expédier en groupage** to ship collectively.

**groupe** /gʀup/ **nm** group ◆ **résultat net, part du groupe** net attributable profit ◆ **assurance** *ou* **contrat de groupe** group insurance ◆ **discussion de groupe** group discussion ◆ **dynamique de groupe** group dynamics ◆ **entretien de groupe** group interview ◆ **production de**

**groupe** batch production ◆ **prime de groupe** group incentive

────────── compounds/composés ──────────
◆ **groupe d'actionnaires stables** core shareholder grouping
◆ **groupe d'âge** age group *ou* bracket
◆ **groupe bancaire** interbank group
◆ **groupe de cotation** pit
◆ **groupe de création** creative group
◆ **groupe d'étude** working party, task force
◆ **groupe d'experts** panel of experts
◆ **groupe industriel** industrial group
◆ **groupe multimédia** multimedia group
◆ **groupe de presse** press group
◆ **groupe de pression** pressure group, lobby, ginger group *(Brit)*, special interest group *(US)*
◆ **groupe de projet** task force
◆ **groupe de réflexion** think-tank, brain trust
◆ **groupe de référence** reference group
◆ **groupe des Sept (pays les plus industrialisés)** Group of Seven (most industrialized countries)
◆ **groupe social homogène** status group
◆ **groupe témoin** test *ou* control group, testimonial panel
◆ **groupe de travail** working party, task force.

**groupement** /gʀupmã/ **NM** *(= ensemble)* group, association; *(= action de grouper)* grouping

────────── compounds/composés ──────────
◆ **groupement d'achat** bulk buying organisation, buying combine, purchasing group *ou* office
◆ **groupement agricole d'exploitation en commun** *farmers' economic interest group*
◆ **groupement de consommateurs** consumer association *ou* lobby
◆ **groupement d'exportateurs** exporters group
◆ **groupement financier** financial group *ou* pool
◆ **groupement d'intérêt économique** economic interest group
◆ **groupement de ressources** pooling of resources
◆ **groupement de sociétés** trust
◆ **groupement de vente** sales agency.

**grouper** /gʀupe/ **VT** *colis* to bulk; *factures* to batch; *marchandises* to consolidate; *ressources, moyens* to pool ◆ **production groupée** colony grouping ◆ **envoi groupé** consolidated shipment.

**groupeur** /gʀupœʀ/ **NM** *(Comm)* forwarding agent, groupage agent, consolidator.

**grue** /gʀy/ **NF** crane ◆ **droits de grue** crane duties.

**grutier** /gʀytje/ **NM** crane driver *ou* operator.

**Guadeloupe** /gwadlup/ **NF** Guadeloupe.

**guadeloupéen, -enne** /gwadlupeɛ̃, ɛn/ **ADJ** Guadelupian
  **Guadeloupéen** **NM** *(= habitant)* Guadelupian
  **Guadeloupéenne** **NF** *(= habitante)* Guadelupian.

**guarani** /gwaʀani/ **NM** guarani.

**Guatemala** /gwatemala/ **NM** Guatemala.

**guatémaltèque** /gwatemaltɛk/ **ADJ** Guatemalan
  **Guatémaltèque** **NMF** Guatemalan.

**guelte** /gɛlt(ə)/ **NF** commission, percentage (on sales).

**guerre** /gɛʀ/ **NF** war ◆ **guerre économique** economic war ◆ **guerre des prix** *ou* **des tarifs** price war ◆ **la guerre contre l'inflation / le chômage** the war on inflation / unemployment ◆ **partir en guerre contre l'absentéisme, faire la guerre à l'absentéisme** to go to war on absenteeism ◆ **l'argent est le nerf de la guerre** money is the key to everything ◆ **risques de guerre exclus** *(Ass)* exclusive of war risks.

**guichet** /giʃɛ/ **NM** *[banque, administration]* counter, window; *[gare]* ticket window *ou* office ◆ **adressez-vous au guichet d'à côté** enquire at the next counter *ou* window ◆ **payable à nos guichets** *(sur une facture)* payable over the counter ◆ **présenter** *ou* **remettre qch au guichet** to hand sth in over the counter ◆ **guichet fermé** *(sur écriteau)* position closed ◆ **guichet automatique (de banque)** cash dispenser, automated teller machine *(US)* ◆ **émissions à guichets ouverts** *(Fin)* top issues ◆ **ruée sur les guichets des banques** rush *ou* run on the banks.

**guichetier, -ière** /giʃtje, jɛʀ/ **NM,F** *[banque]* counter clerk, teller *(US)*.

**guilde** /gild/ **NF** *(ancienne)* guild *(Comm = club)* club.

**Guinée** /gine/ **NF** Guinea ◆ **Guinée équatoriale** Equatorial Guinea ◆ **Guinée-Bissau** Guinea-Bissau.

**guinéen, -enne** /gineɛ̃, ɛn/ **ADJ** Guinean
  **Guinéen** **NM** *(= habitant)* Guinean
  **Guinéenne** **NF** *(= habitante)* Guinean.

**Guyana** /gɥijana/ **NM** Guyana.

**guyanais, e** /gɥijanɛ, ɛz/ **ADJ** Guyanese
  **Guyanais** **NM** *(= habitant)* Guyanese
  **Guyanaise** **NF** *(= habitante)* Guyanese.

**Guyane** /gɥijan/ **NF** Guiana, Guyana.

**gvt** *(abrév de* **gouvernement***)* govt, government.

**h** abrév de **heure.**

**habilitation** /abilitasjɔ̃/ **NF** (Jur) capacitation, entitlement; [diplôme, programme] accreditation.

**habilité** /abilite/ **NF** (à contracter, tester) fitness.

**habiliter** /abilite/ **VT** (Jur) to capacitate ◆ **être habilité à faire qch** to be authorized ou accredited ou entitled ou empowered to do sth ◆ **vous n'êtes pas habilité à le faire** you have no authority to do it ◆ **représentant dûment habilité** duly authorized officer.

**habillage** /abijaʒ/ **NM** [produit] packaging and presentation, getup*; [machine] casing ◆ **c'est l'habillage qui fait vendre la marchandise** it's the getup that sells the goods ◆ **habillage d'un bilan** window-dressing of a balance sheet.

**habillement** /abijmɑ̃/ **NM** (= profession) clothing trade, rag trade*, garment industry (US) ◆ **magasin d'habillement** clothing store (Brit), apparel store (US).

**habiller** /abije/ **VT** produit to package, get up*; machine to encase (de in)

**habitant, e** /abitɑ̃, ɑ̃t/ **NM,F** [pays] inhabitant ◆ **le nombre d'habitants** the population (figure) ◆ **revenu par habitant** income per capita, per capita income.

**habitat** /abita/ **NM** **a** (= conditions de vie) housing ou living conditions ◆ **amélioration de l'habitat** improvement of living conditions ◆ **habitat ancien** old-type housing ◆ **habitat moderne** modern housing ◆ **prêt à l'habitat** building construction loan ◆ **prêt à l'amélioration de l'habitat** home improvement loan **b** (= peuplement) settlement ◆ **habitat collectif** group housing ◆ **habitat rural / dispersé /** concentré rural / scattered / grouped settlement.

**habitation** /abitasjɔ̃/ **NF** **a** (= fait de se loger) living ◆ **immeuble à usage d'habitation** residential building ◆ **conditions d'habitation** housing ou living conditions ◆ **taxe d'habitation** ≈ property tax (US), ≈ council tax (Brit) ◆ **ces immeubles sont destinés à l'habitation** these buildings have been designed for residential occupancy **b** (= maison) house ◆ **groupe** ou **ensemble d'habitations** (= immeuble) block of flats (Brit), apartment building (US); (= lotissement) housing estate (Brit) ou development ◆ **habitation à loyer modéré** (= appartement) ≈ council flat (Brit), ≈ public housing unit (US); (= immeuble) ≈ (block of) council flats (Brit), housing project (US).

**habitude** /abityd/ **NF** (gén) habit ◆ **habitudes customs** ◆ **habitudes de consommation** consumer habits, consumption patterns ◆ **habitudes d'achat** purchasing patterns, shopping habits ◆ **habitudes d'écoute** (Radio) listening habits ou patterns; (TV) viewing habits ou patterns ◆ **habitude de fréquentation** (Mktg) frequentation habit.

**habitué, e** /abitɥe/ **NM,F** (= client) regular (customer).

**habituel, -elle** /abitɥɛl/ **ADJ** customary, usual, regular ◆ **aux conditions habituelles** on usual terms ◆ **adressez-vous à votre fournisseur habituel** apply to your local retailer ou stockist ou dealer.

**Haïti** /aiti/ **NF** Haiti.

**haïtien, -ienne** /aisjɛ̃, jɛn/ **ADJ** Haitian
**Haïtien NM** (= habitant) Haitian
**Haïtienne NF** (= habitante) Haitian.

**hall** /'ol/ **NM** (gén) hall; [hôtel] foyer ◆ **hall d'exposition** show room, exhibition hall.

**halle** /'al/ **NF** (covered) market ◆ **les halles** the central food market.

**Hamilton** /'amiltɔn/ **N** Hamilton.

**hangar** /'ɑ̃gaʀ/ **NM** (= entrepôt) warehouse; (pour matériel) shed.

**Hang Seng** /'ɑ̃gsɛ̃g/ **NM** ◆ **le Hang Seng, l'indice Hang Seng** the Hang Seng index.

**Hanoi** /anɔj/ **N** Hanoi.

**Harare** /'aʀaʀe/ **N** Harare.

**harceler** /'aʀsəle/ **VT** to harass, plague (de with) ◆ **être harcelé par ses créanciers** to be harassed ou dunned by one's creditors.

**hardware** /'aʀdwɛʀ/ **NM** hardware.

**harmonisation** /aʀmɔnizasjɔ̃/ **NF** [normes, tarifs] harmonization ◆ **harmonisation d'une gamme de produits** harmonization ou matching of a product line.

**harmoniser** /aʀmɔnize/ **VT** normes, tarifs to harmonize ◆ **système harmonisé** (UE) harmonized system.

**hasard** /'azaʀ/ **NM** (Stat) ◆ **échantillon au hasard** random sample ◆ **échantillonnage au hasard** random sampling ◆ **répartition au hasard** random distribution.

**hausse** /'os/ **NF** **a** (gén) [prix] rise, increase (de in) ◆ **la hausse du coût de la vie** the rise in the cost of living ◆ **nouvelle hausse des prix** new price rise ou increase, price resurgence ◆ **hausse marquée des prix** sharp ou steep ou significant price increase, price upsurge ◆ **hausse conjoncturelle** increase due to short-term factors ◆ **hausse cyclique** cyclical upturn ◆ **hausse à la pompe** [essence] rise in pump prices ◆ **hausse de salaire** (pay) rise (Brit) ou raise (US), wage hike (US) ◆ **accuser une hausse** to show a rise ◆ **être en hausse** to be going up, show a rise ◆ **subir une forte hausse** to shoot up, soar, rocket ◆ **les prévisions ont été revues en hausse** ou **à la hausse** the estimates have been revised upward ◆ **les prix sont en hausse** prices are up ou rising ou increasing **b** (Bourse) [cours] rise (de in) ◆ **hausse technique** technical rise ◆ **l'indice est en hausse de 12 points à 3 720** the index is up 12 points to 3.720 ◆ **les hausses l'emportent sur les baisses** gainers outpaced losers ◆ **le dollar est à la hausse** the dollar is rising ou hardening ◆ **jouer** ou **spéculer à la hausse** to go for a rise, bull the market, go a bull ◆ **les cours sont orientés à la hausse** stock prices are trending upwards ◆ **le marché a reviré** ou **est reparti à la hausse** the market is back on the uptrend ◆ **marché à la hausse** rising ou bull market ◆ **opération à la hausse** bull transaction ou operation ◆ **position à la hausse** bull ou long position ◆ **spéculateur à la hausse** bull ◆ **tendance à la hausse** rising ou upward trend, bullish trend.

**hausser** /'ose/ **VT** prix to raise, increase.

**haussier, -ière** /'osje, jɛʀ/ **ADJ** (Bourse) marché bullish ◆ **courant haussier** upward trend ◆ **le marché obligataire a repris sa progression haussière** the bond market is on the up again ◆ **72% des opérations dans ce secteur ont été le fait d'anticipations haussières** 72% of the trade volume in this sector is accounted for by expectations that prices will rise **NM** (Bourse) bull (operator).

**haut, e** /'o, 'ot/ **ADJ** (gén) high ◆ **haut commissariat** high commission (à of) ◆ **haut commissaire** high commissioner (à of) ◆ **la haute finance** high finance ◆ **haut fonctionnaire** high-ranking ou top-ranking official ◆ **haute saison** high ou peak season ◆ **cadre de haut niveau** top-flight ou top-ranking executive ◆ **réunion de haut niveau** high-level meeting ◆ **période de haute conjoncture** boom period ◆ **le cours de l'or est au plus haut** the price of gold has reached a peak ou maximum ◆ **négociations au plus haut niveau** top-level negotiations ◆ **le haut débit** (Internet) high-speed Internet **NM** **le haut de gamme** the top (end) of the line ou range, the upper range ◆ **produit haut de gamme** upmarket ou upscale ou high-grade product, top-of-the-line product ◆ **opérations haut de bilan** long-term financing operations ◆ **banque spécialisée dans le haut de bilan** bank specialised in long-term financing ◆ **quelques titres ont atteint de nouveaux "plus hauts"** (Bourse) some securities reached new highs ◆ **connaître des hauts et des bas** to have one's ups and downs **ADV** (sur un emballage) top, this way up, this side up.

**hautement** /'otmɑ/ **ADV** highly ◆ **ouvrier hautement qualifié** highly skilled worker.

**hauteur** /'otœʀ/ **NF** (gén) height ◆ **nous nous sommes engagés à hauteur de 1 million d'euros** we have committed ourselves for a sum of ou for an amount of ou to the tune of ou up to ou to the extent of 1 million euros.

**haut fourneau, PL hauts fourneaux** /'ofuʀno/ **NM** blast furnace.

**hauturier, -ière** /'otyʀje, jɛʀ/ **ADJ** ◆ **navigation hauturière** ocean navigation.

**Havane** /'avan/ N ◆ **la Havane** Havana.

**HC** a abrév de **hors commerce** → **hors** b (abrév de **hors cote**) OTC.

**hdb** abrév de **heures de bureau.**

**hebdomadaire** /ɛbdɔmadɛʀ/ ADJ, NM weekly ◆ **hebdomadaire d'actualité** news weekly.

**hébergement** /ebɛʀʒəmɑ̃/ NM (Internet) hosting.

**héberger** /ebɛʀʒe/ VT (Internet) to host.

**HEC** /'aʃəse/ NFPL (abrév de **Hautes Études Commerciales**) top French business college.

**hectare** /ɛktaʀ/ NM hectare.

**hectogramme** /ɛktɔgʀam/ NM hectogram(me).

**hectolitre** /ɛktɔlitʀ(ə)/ NM hectolitre.

**hectomètre** /ɛktɔmɛtʀ(ə)/ NM hectometre.

**hedging** /ɛdʒiŋ/ NM hedging.

**hégémonie** /eʒemɔni/ NF hegemony.

**Helsinki** /ɛlsinki/ N Helsinki.

**hémorragie** /emɔʀaʒi/ NF ◆ **hémorragie de devises** drain on foreign exchange ◆ **hémorragie de capitaux** massive outflow ou drain of capital ◆ **enrayer l'hémorragie de capitaux** to stamp out ou stem the capital outflow.

**héritage** /eʀitaʒ/ NM inheritance ◆ **faire** ou **recueillir un héritage** to come into an inheritance ◆ **laisser qch en héritage à qn** to leave ou bequeath sth to sb ◆ **renoncer à un héritage** to forego ou relinquish a succession.

**hériter** /eʀite/ VI ◆ **hériter (de) qch de qn** to inherit sth from sb ◆ **erreur héritée** (Inf) inherited error ◆ **audience héritée** (Pub) inherited audience.

**héritier** /eʀitje/ NM heir ◆ **héritier direct** ou **en ligne directe** linear heir ◆ **héritier institué** testamentary heir ◆ **héritier légitime** rightful heir ◆ **héritier naturel** heir at law ◆ **héritier testamentaire** legatee.

**héritière** /eʀitjɛʀ/ NF heiress.

**hésitant, e** /ezitɑ̃, ɑ̃t/ ADJ (Bourse) marché hesitant, unsteady, unsettled.

**heure** /œʀ/ NF (= moment) time; (= durée) hour ◆ **travail à l'heure** time work ◆ **engager qn à l'heure** to hire sb by the hour ◆ **être payé** ou **rétribué à l'heure** to be paid by the hour ◆ **ouvrier payé à l'heure** hourly-paid worker, hourly worker ◆ **je l'ai fait en dehors de mes heures de travail** I did it out of hours ◆ **heure d'arrivée / de départ** time of arrival / departure; (Hôtel) check-in / check-out time ◆ **heure d'arrivée / de départ prévue** estimated time of arrival / departure

———— compounds/composés ————
◆ **heure d'affluence** rush ou peak hour, busy period
◆ **heure d'antenne** broadcasting ou air time
◆ **heures de Bourse** stock exchange hours
◆ **heures de bureau** business ou office hours ◆ **en dehors des heures de bureau** out of office hours
◆ **heures creuses** off-peak hours ◆ **tarif réduit aux heures creuses** off-peak charges
◆ **heure d'été** summer time, daylight-saving time (US)
◆ **heures facturables** chargeable hours
◆ **heure de fermeture** closing time
◆ **heure de grande écoute** (TV) prime time, peak viewing time; (Pub) traffic time
◆ **heure (d')homme** man hour
◆ **heure légale** civil time
◆ **heure limite d'occupation** check-out time
◆ **heure machine** machine hour
◆ **heure d'ouverture** opening time
◆ **heures ouvrables** business ou office hours
◆ **heure de pointe** rush ou peak hour
◆ **heure de présence** time of attendance
◆ **heures de réception** hours of reception
◆ **heure de sortie** end time, quitting time, finishing time
◆ **heures supplémentaires** overtime ◆ **tarif des heures supplémentaires** overtime rate ◆ **faire des heures supplémentaires** to work ou do overtime ◆ **être payé en heures supplémentaires** to be paid on an overtime basis
◆ **heures d'utilisation** service hours.

**heureux, -euse** /œʀø, øz/ ADJ fortunate, lucky ◆ **heureuse arrivée** (Comm) safe arrival.

**hiérarchie** /'jeʀaʀʃi/ NF (gén) hierarchy; (Admin) managerial structure; (= supérieurs) superiors ◆ **hiérarchie des salaires** wage structure ou spread ou differentials ◆ **gravir les échelons de la hiérarchie** to go up the rungs ◆ **hiérarchie des taux d'intérêt** yield curve.

**hiérarchique** /'jeʀaʀʃik/ ADJ hierarchic(al) ◆ **cadre hiérarchique** line manager ou officer ◆ **chef** ou **supérieur hiérarchique** senior in rank ou in the hierarchy ◆ **supérieur hiérarchique direct** immediate superior ◆ **responsabilité hiérarchique** linear responsibility ◆ **structure** ou **organisation hiérarchique** hierarchical structure, line organization ◆ **passer par** ou **suivre la voie hiérarchique** to go through the proper ou official channels
NM line ou operational manager.

**hiérarchiquement** /'jeʀaʀʃikmɑ̃/ ADV hierarchically ◆ **je dépends hiérarchiquement**

du directeur du marketing I report to the marketing director.

**hiérarchisation** /ˈjeʀaʀʃizasjɔ̃/ **NF** *(gén)* hierarchical organization ◆ **hiérarchisation des prix** price differentiation ◆ **hiérarchisation des salaires** wage differentiation *ou* spread.

**hiérarchiser** /ˈjeʀaʀʃize/ **VT** *personnel* to organize into a hierarchy, grade.

**high-low** /hailo/ **NM** *(Bourse)* high-low.

**hi-lo** /hailo/ **NM** *(Bourse)* high-low.

**histogramme** /istoɡʀam/ **NM** histogram.

**histoire** /istwaʀ/ **NF** history ◆ **histoire du produit** product history.

**historique** /istoʀik/ **NM** history ◆ **historique des opérations** transaction history.

**HLM** /ˈaʃɛlɛm/ **NM** *ou* **F** abrév de **habitation à loyer modéré** → **habitation**.

**hoirie** /waʀi/ **NF** *(Jur)* inheritance, succession ◆ **avance d'hoirie** advancement.

**holding** /ˈoldiŋ/ **NM** *ou* **NF** holding company ◆ **holding familial / financier / de gestion / industriel** family / financial / management / industrial holding ◆ **le holding de tête** the majority stakeholder.

**homme** /ɔm/ **NM** man ◆ **c'est l'homme de la situation** he's the right man for the job ◆ **gestion des hommes** man management

─── *compounds/composés* ───

- ◆ **homme d'affaires** businessman
- ◆ **homme de confiance** right-hand man, confidential clerk
- ◆ **homme de loi** lawyer, legal practitioner
- ◆ **homme de paille** man of straw, dummy
- ◆ **homme-sandwich** sandwich man
- ◆ **homme de terrain** *(Ind)* man with a practical background, field worker
- ◆ **homme à tout faire** odd-job man, handyman.

**homogène** /ɔmɔʒɛn/ **ADJ** homogeneous ◆ **comptabilité par sections homogènes** burden center accounting ◆ **implantation d'un atelier par sections homogènes** functional shop layout.

**homogénéisation** /ɔmɔʒeneizasjɔ̃/ **NF** homogenization.

**homogénéiser** /ɔmɔʒeneize/ **VT** to homogenize.

**homogénéité** /ɔmɔʒeneite/ **NF** homogeneity, homogeneousness.

**homologation** /ɔmɔlɔɡasjɔ̃/ **NF** *(Jur)* approval, sanction, confirmation ◆ **homologation d'un prototype** type certification ◆ **homologation judiciaire** confirmation by the court ◆ **brevet**

**en instance d'homologation** patent pending ◆ **certificat d'homologation** certificate of approval.

**homologue** /ɔmɔlɔɡ/ **NM** *(= occupant la même fonction)* counterpart, opposite number, equivalent.

**homologuer** /ɔmɔlɔɡe/ **VT** *(Jur)* to approve, sanction, homologate, confirm ◆ **homologuer un testament** to probate a will ◆ **tarifs** *ou* **prix homologués** *(Admin)* authorized prices *ou* charges.

**Honduras** /ˈɔ̃dyʀas/ **NM** Honduras.

**hondurien, -ienne** /ˈɔ̃dyʀjɛ̃, jɛn/ **ADJ** Honduran **Hondurien** **NM** *(= habitant)* Honduran **Hondurienne** **NF** *(= habitante)* Honduran.

**Hong-Kong** /ˈɔ̃ɡkɔ̃ɡ/ **N** Hong Kong.

**Hongrie** /ˈɔ̃ɡʀi/ **NF** Hungary.

**hongrois, e** /ˈɔ̃ɡʀwa, waz/ **ADJ** Hungarian **NM** *(= langue)* Hungarian **Hongrois** **NM** *(= habitant)* Hungarian **Hongroise** **NF** *(= habitante)* Hungarian.

**honneur** /ɔnœʀ/ **NM** **a** *(Fin)* ◆ **faire honneur à ses engagements / sa signature** to honour one's commitments / signature ◆ **attestation sur l'honneur** ≈ signed statement ◆ **faire / ne pas faire honneur à une traite** to honour *ou* meet / dishonour a bill ◆ **prêt d'honneur** loan on trust **b** *(Admin)* ◆ **j'ai l'honneur de solliciter...** I am writing to ask... ◆ **j'ai l'honneur de vous informer que...** I am writing to inform you that... **c** **invité d'honneur** guest of honour ◆ **membre d'honneur** honorary member ◆ **président d'honneur** honorary president *ou* chairman.

**honorable** /ɔnɔʀabl(ə)/ **ADJ** *salaire, résultats* decent.

**honorablement** /ɔnɔʀabləmɑ̃/ **ADV** honourably ◆ **honorablement connu** known and respected.

**honoraire** /ɔnɔʀɛʀ/ **ADJ** *membre, président* honorary **honoraires** **NMPL** *(gén)* fee, fees; *(sur feuille d'impôts)* professional earnings ◆ **dépassement d'honoraires** extra billing ◆ **note d'honoraires** billing, account ◆ **percevoir** *ou* **toucher des honoraires** to be paid a fee, get fees ◆ **combien a-t-il touché d'honoraires?** what fee did he receive *ou* was he paid? ◆ **verser des honoraires** to pay a fee (*à* to)

**honorer** /ɔnɔʀe/ **VT** *chèque, signature* to honour, meet; *notaire* to settle one's account with ◆ **honorer un engagement** to settle *ou* meet a commitment ◆ **honorer sa signature** to honour one's signature ◆ **honorer une traite** to take up *ou* honour *ou* meet *ou* lift *(US)* a draft ◆ **refuser d'honorer un contrat** to repudiate a contract ◆ **ne pas honorer un effet** to dishonour a bill ◆ **chèque non honoré** dishonoured cheque ◆ **l'exploitant doit honorer des objectifs fixés à l'avance** the manager must meet predetermined profit targets.

**honorifique** /ɔnɔrifik/ **ADJ** *fonction* honorary *(Brit)*, ceremonial *(US)* ◆ **il a été nommé à titre honorifique** his appointment was an honorary one.

**horaire** /ɔrɛr/ **ADJ** *salaire, rendement* hourly ◆ **créneau horaire** time slot ◆ **débit horaire** rate per hour ◆ **décalage horaire** (= *différence*) time difference; (= *fatigue*) jet lag ◆ **fuseau horaire** time zone ◆ **plage horaire** time slot **NM** *[trains]* timetable, schedule; (= *temps de travail*) (working) hours ◆ **allonger** *ou* **augmenter les horaires de travail** to lengthen the work schedule, increase the number of working hours *ou* hours worked ◆ **fonctionner à horaires réduits** to work on short time ◆ **pratiquer l'horaire à la carte** *ou* **aménageable** *ou* **flexible** *ou* **libre** *ou* **mobile** *ou* **variable** to work flexitime, work on sliding time *(US)*, have flexible working hours ◆ **quel est votre horaire?** what are your (working) hours? ◆ **horaire aménagé** *ou* **personnalisé** flexitime, flexible working hours ◆ **horaire étalé / fixe / fractionné** staggered / fixed / split schedule *ou* working hours ◆ **impératifs d'horaire** time constraints.

**horizon** /ɔrizɔ̃/ **NM** horizon ◆ **l'horizon s'assombrit** prospects are getting dim ◆ **l'horizon international** the international scene ◆ **horizon de placement** investment time frame ◆ **horizon prévisionnel** forecasting range ◆ **à l'horizon 2020** by the year 2020, looking forward to the year 2020 ◆ **tour d'horizon** (general) survey ◆ **procéder à un large tour d'horizon** to take a broad look at all the issues.

**horizontal, e, MPL -aux** /ɔrizɔ̃tal, o/ **ADJ** *analyse, diversification, intégration* horizontal ◆ **concentration horizontale** horizontal merger, horizontal business combination ◆ **organisation horizontale** *(Admin)* functional *ou* staff organization
**horizontale NF** horizontal.

**horloge** /ɔrlɔʒ/ **NF** clock ◆ **horloge pointeuse** time *ou* check clock.

**horodateur** /ɔrɔdatœr/ **NM** ticket machine.

**hors** /ɔr/ **PRÉP** apart from, except ◆ **la hausse des prix de détail, hors énergie, ralentit** the retail price index rise, exclusive of energy, is slowing

down ◆ **prix hors TVA** price exclusive of VAT, price excluding VAT

*—— compounds/composés ——*

- ◆ **hors assurance** *taux, mensualités* excluding insurance
- ◆ **hors banque** ◆ **taux d'escompte hors banque** private rate of discount ◆ **papier hors banque** prime trade bill
- ◆ **hors bilan** off balance sheet ◆ **opérations hors bilan** off-balance sheet items
- ◆ **hors bourse** *valeur* unlisted; *cotation* after hours
- ◆ **hors budget** off-budget
- ◆ **hors cadre** detached, seconded *(Brit)*
- ◆ **hors classe** exceptional
- ◆ **hors commerce** not on sale to the general public
- ◆ **hors contingent** above quota
- ◆ **hors-cote** *(Bourse) titres* unlisted, not quoted on the stock exchange ◆ **(marché) hors-cote** unlisted securities market, over-the-counter market, off-board market *(US)* ◆ **opérateur du marché hors-cote** USM trader
- ◆ **hors faute** *(Ass)* no fault
- ◆ **hors intérêt** *(Bourse)* ex interest
- ◆ **hors lieu** off shore
- ◆ **hors marché** off market ◆ **bloc hors marché** off-market block
- ◆ **hors place** *ou* **rayon** *cheque* drawn on another bank in the country
- ◆ **hors risque** *(Ass)* off risk
- ◆ **hors saison** off season
- ◆ **hors séance** after hours
- ◆ **hors série** *voiture* made to order, custom-built, customized
- ◆ **hors service** out of order
- ◆ **hors taxe(s)** (= *non taxé*) duty-free; (= *sans compter les taxes*) exclusive of tax, before tax, pre-tax, tax non included ◆ **chiffre d'affaires hors taxe** sales *ou* turnover *(Brit)* exclusive of tax ◆ **nos prix sont hors taxe** our prices are exclusive of tax ◆ **boutique / produits hors taxe** duty-free shop / goods
- ◆ **hors-tout** overall ◆ **longueur hors-tout** overall length
- ◆ **hors TVA** exclusive of VAT, excluding VAT.

**hostile** /ɔstil/ **ADJ** *OPA, geste* hostile.

**hôtel** /otɛl/ **NM** hotel ◆ **aller** *ou* **descendre à l'hôtel** to put up at a hotel ◆ **chaîne d'hôtels** hotel chain ◆ **gérant d'hôtel** hotel manager

*—— compounds/composés ——*

- ◆ **hôtel de congrès** convention hotel
- ◆ **hôtel des impôts** tax office
- ◆ **hôtel des monnaies** ≈ Mint
- ◆ **hôtel saisonnier** seasonal hotel
- ◆ **hôtel des ventes** saleroom, general auction room
- ◆ **hôtel de ville** town hall, city hall.

**hôtelier, -ière** /otəlje, jɛr/ **ADJ** *chaîne, personnel* hotel ✦ **capacité hôtelière** hotel capacity ✦ **forfait hôtelier** hotel package ✦ **l'industrie hôtelière** the hotel trade ✦ **résidence hôtelière** apartment hotel, residential hotel NM,F hotelier, hotel-keeper *ou* operator.

**hôtellerie** /otɛlʀi/ NF *(= secteur)* hotel business.

**hôtesse** /otɛs/ NF ✦ **hôtesse d'accueil** *[hôtel, bureau]* receptionist; *[foire]* hostess ✦ **hôtesse de l'air** air hostess *(Brit)*, stewardess, flight attendant.

**houille** /'uj/ NF coal ✦ **houille blanche** hydroelectric power ✦ **houille verte** wave power.

**houiller, -ère** /'uje, ɛʀ/ ADJ *bassin, industrie* coal **houillère** NF coalmine.

**hryvnia** /ʀivnja/ NF *(Fin)* hryvna, hryvnya.

**HS** /'aʃɛs/ NF abrév de **heure supplémentaire** → **heure** abrév de **hors service** → **hors.**

**H.T.** abrév de **hors taxe** → **hors.**

**huis** /ɥi/ NM *(Jur)* ✦ **à huis clos** in camera, in secret session *(US)* ✦ **demander le huis clos** to ask for a trial in camera; *(Jur)* **ordonner le huis clos** to order proceedings to be held in camera, clear the court.

**huissier** /ɥisje/ NM *(= portier)* usher ✦ **huissier (de justice)** bailiff ✦ **signifier un exploit d'huissier à qn** to serve a writ of execution upon sb.

**huit** /'ɥi(t)/ ADJ, NM eight ✦ **lundi en huit** a week on *(Brit) ou* from *(US)* Monday ✦ **dans huit jours** in a week, in a week's time.

**huitaine** /'ɥitɛn/ NF *(= huit)* eight; *(environ)* about eight, eight or so → **soixantaine.**

**huitième** /'ɥitjɛm/ ADJ, NMF eighth → **sixième.**

**huitièmement** /'ɥitjɛmmɑ̃/ ADV eighthly.

**humidité** /ymidite/ NF damp ✦ **craint l'humidité, à protéger de l'humidité** *(sur emballage)* to be kept dry, keep in a dry place.

**hybride** /ibʀid/ ADJ, NM *(gén, Bourse)* hybrid ✦ **titre hybride** hybrid security.

**hyperinflation** /ipɛʀɛ̃flasjɔ̃/ NF hyperinflation.

**hypermarché** /ipɛʀmaʀʃe/ NM hypermarket, superstore, megastore.

**hypothécable** /ipɔtekabl(ə)/ ADJ mortgageable.

**hypothécaire** /ipɔtekɛʀ/ ADJ *affectation, contrat, garantie, obligation, prêt, taxe* mortgage ✦ **créancier hypothécaire** mortgage creditor, mortgagee ✦ **débiteur hypothécaire** mortgagor ✦ **état d'inscription hypothécaire négatif** certificate of the non-existence of mortgages ✦ **marché hypothécaire** mortgage (loans) market.

**hypothécairement** /ipɔtekɛʀmɑ̃/ ADV by mortgage ✦ **créance garantie hypothécairement** debt secured by mortgage.

**hypothèque** /ipɔtɛk/ NF mortgage ✦ **amortir** *ou* **payer** *ou* **purger une hypothèque** to redeem *ou* pay off *ou* lift *(US)* a mortgage ✦ **constituer / lever une hypothèque** to create / raise a mortgage ✦ **emprunter sur hypothèque** to borrow on mortgage ✦ **biens grevés d'hypothèque** encumbered *ou* mortgaged estate ✦ **bureau des hypothèques** mortgage registry ✦ **conservateur des hypothèques** registrar of mortgages ✦ **constitution / extinction d'une hypothèque** creation / extinguishment of a mortgage ✦ **libre d'hypothèque** unencumbered ✦ **lettre d'hypothèque** mortgage deed ✦ **mainlevée d'hypothèque** release of mortgage ✦ **purge d'hypothèque** redemption of mortgage ✦ **radiation d'hypothèque** entry of satisfaction of mortgage

---
*compounds/composés*
---

- ✦ **hypothèque fiduciaire** trust mortgage
- ✦ **hypothèque générale** general *ou* blanket mortgage
- ✦ **hypothèque immobilière** property mortgage, mortgage on property
- ✦ **hypothèque intégrante** wraparound mortgage
- ✦ **hypothèque mobilière** chattel mortgage
- ✦ **hypothèque de premier rang** first mortgage
- ✦ **hypothèque de priorité** senior mortgage
- ✦ **hypothèque purgée** closed mortgage.

**hypothéquer** /ipɔteke/ VT *bien* to mortgage; *créance* to secure (by mortgage) ✦ **saisir un bien hypothéqué** to foreclose a mortgage.

**hypothèse** /ipɔtɛz/ NF hypothesis, assumption ✦ **hypothèse de base** basic assumption ✦ **hypothèse de travail** working hypothesis.

**hypothétique** /ipɔtetik/ ADJ hypothetical ✦ **cas hypothétique** *(Jur)* moot case.

**hystérésis** /isteʀezis/ NF *[coûts]* hysteresis.

**I**

**IAE** /iaə/ **NM** abrév de **Institut d'administration des entreprises** → **institut.**

**IAO** /iao/ **NF** (abrév de **ingénierie assistée par ordinateur**) CAE.

**IARD** (abrév de **incendie, accidents, risques divers**) fire, accident and divers risks.

**ibid.** /ibid/ (abrév de **ibidem**) ib, ibid.

**id.** (abrév de **idem**) idem.

**identifiant** /idɑ̃tifjɑ̃/ **NM** (= nom d'utilisateur) login; (= code numérique) identifier.

**identification** /idɑ̃tifikasjɔ̃/ **NF** identification ◆ **identification de marque** brand recognition ou identification ◆ **numéro d'identification personnel** personal identification number ◆ **test d'identification** (Mktg) recognition test ◆ **code d'identification** identifying code.

**identifier** /idɑ̃tifje/ **VT** to identify ◆ **afin de vous identifier** for identification purposes.

**identité** /idɑ̃tite/ **NF** identity ◆ **identité visuelle** (Mktg) visual identity, corporate logo ◆ **carte d'identité** identity ou ID card ◆ **papiers d'identité** identity papers ou documents ◆ **payable sur présentation d'une pièce d'identité** payable upon proof of identity.

**IDH** /ideaʃ/ **NM** (abrév de **indice de développement humain**) HDI.

**IDI** /idei/ **NM** abrév de **Institut de développement industriel** → **institut.**

**IEP** /iəpe/ **NM** abrév de **Institut d'études politiques** → **institut.**

**IFOP** /ifɔp/ **NM** abrév de **Institut français d'opinion publique** → **institut.**

**IGF** /iʒeɛf/ **NM** abrév de **impôt sur les grandes fortunes** → **impôt.**

**IGR** /iʒeɛʀ/ **NM** abrév de **impôt général sur le revenu** → **impôt.**

**illégal, e,** MPL **-aux** /i(l)legal, o/ **ADJ** (Admin) illegal, unlawful ◆ **c'est illégal** it's against the law ◆ **société illégale** outlawed ou illegal society ◆ **grève illégale** wildcat ou unofficial strike.

**illégalement** /i(l)legalmɑ̃/ **ADV** illegally, unlawfully.

**illégalité** /i(l)legalite/ **NF** illegality, unlawfulness; (= acte illégal) illegality ◆ **se mettre dans l'illégalité** to act unlawfully, break the law, put oneself on the wrong side of the law.

**illicite** /i(l)lisit/ **ADJ** profit, concurrence illicit, unlawful ◆ **transactions illicites** (gén) illegal transactions; (Bourse) illegal trades.

**illicitement** /i(l)lisitmɑ̃/ **ADV** illicitly.

**illimité, e** /i(l)limite/ **ADJ** moyen, crédit unlimited, limitless ◆ **accès illimité à Internet** unmetered Internet access ◆ **responsabilité illimitée** unlimited liability.

**ILM** /iɛlɛm/ **NM** abrév de **immeuble à loyer moyen** ou **modéré** → **immeuble.**

**îlot** /ilo/ **NM** (Mktg) ◆ **îlot de vente** display stand, island site.

**image** /imaʒ/ **NF** image ◆ **image de marque** [produit] brand image; [entreprise] corporate image ◆ **image de gamme** line image ◆ **image fidèle** (Compta) fair representation ◆ **audit d'image** (Mktg) corporate image auditing.

**imbattable** /ɛ̃batabl(ə)/ **ADJ** prix unbeatable.

**imbroglio** /ɛ̃bʀɔljo/ **NM** imbroglio ◆ **imbroglio juridique / financier** legal / financial imbroglio ou maze.

**IME** /iɛmə/ NM (abrév de **Institut monétaire européen**) EMI.

**imitation** /imitasjɔ̃/ NF [modèle, style] imitation, copy; [document, signature] forging ◆ **veste en imitation cuir** imitation leather jacket ◆ **imitations frauduleuses** counterfeited goods ◆ **méfiez-vous des imitations** beware of imitations.

**imiter** /imite/ VT modèle, style to imitate, copy, plagiarize; document, signature to forge.

**imm** abrév de **immeuble**.

**immatériel, -elle** /imateʀjɛl/ ADJ actif intangible.

**immatriculation** /imatʀikylasjɔ̃/ NF registration ◆ **certificat d'immatriculation** (Mar) certificate of registry ◆ **numéro d'immatriculation** (Aut) registration (Brit) ou license (US) number; (à la Sécurité sociale) National Insurance number ◆ **carte d'immatriculation** registration card ◆ **les immatriculations de véhicules neufs** ou **les nouvelles immatriculations ont enregistré une baisse** new car registrations dropped.

**immatriculer** /imatʀikyle/ VT to register ◆ **être immatriculé à la Sécurité sociale** to have a National Insurance number, be registered with National Insurance.

**immédiat, e** /im(m)edja, at/ ADJ immediate ◆ **accès immédiat** (Inf) immediate access ◆ **jouissance immédiate** (Jur) immediate possession ◆ **livraison immédiate** immediate delivery ◆ **rente immédiate** (Ass) immediate annuity.

**immédiatement** /im(m)edjatmɑ̃/ ADV immediately ◆ **disponible immédiatement** available immediately ou right away ◆ **livrable immédiatement** available for immediate delivery.

**immeuble** /im(m)œbl(ə)/ ADJ (Jur) ◆ **biens immeubles** real assets, real estate, realty (US), fixed property, immovable estate ◼ NM building; (Jur) real estate ◆ **immeuble par destination** (Jur) fixture ◆ **immeuble par nature** (Jur) tangible real property

―――― compounds/composés ――――
◆ **immeuble de bureaux** office block (Brit) ou building (US)
◆ **immeubles commerciaux** business premises
◆ **immeuble en copropriété** block of flats in co-ownership (Brit), condominium (US)
◆ **immeuble à loyer moyen** ou **modéré** block of council flats (Brit), low-rent building (US)
◆ **immeuble de rapport** residential property for renting, investment property, revenue producing property
◆ **immeuble à usage locatif** block of rented flats (Brit), rental apartment building (US).

**immigré, e** /im(m)igʀe/ ADJ, NM,F immigrant ◆ **main-d'œuvre immigrée, travailleurs immigrés** immigrant ou migrant labour ou workers.

**immobilier, -ière** /im(m)ɔbilje, jɛʀ/ ADJ **a** investissement, marché, secteur property ◆ **agence immobilière** estate agent's office, real estate agency (US), realtor's office (US) ◆ **agent immobilier** estate agent (Brit), real estate agent (US), realtor (US) ◆ **crédit** ou **prêt immobilier** (gén) property loan, credit on landed property; (pour acheter sa maison à tempérament) mortgage ◆ **programme immobilier** housing ou construction project ◆ **promotion immobilière** property development, real estate development (US) ◆ **promoteur immobilier** property developer **b** (Jur) ◆ **biens immobiliers** real assets, real estate, realty (US), fixed property, immovable estate ◆ **saisie immobilière** attachment ou seizure of real ou immovable property ◆ **société immobilière** property company ◆ **société de crédit immobilier** building society (Brit) ◆ **succession immobilière** inherited property, estate ◆ **vente immobilière** sale of property ◼ NM **l'immobilier** (Comm) the property ou real-estate business ou market; (Jur) real estate immovables ◆ **immobilier de bureaux** office property (Brit), office real estate (US) ◆ **immobilier d'entreprise** commercial property business ◆ **l'immobilier locatif** the rental property business ou market ◆ **immobilier de loisirs** leisure property (Brit), leisure real estate (US) ◆ **il travaille dans l'immobilier** he's in real estate ◆ **la crise de l'immobilier** the crisis in the property market.

**immobilisation** /im(m)ɔbilizasjɔ̃/ NF **a** (= action d'immobiliser) [capitaux] immobilization, tying up, locking up; (Jur) [biens] conversion into immovables ou real estate ◆ **temps d'immobilisation machine** (Ind) machine down time, machine out-of-service time **b** (Compta) ◆ **immobilisations** fixed ou illiquid assets, tied-up capital ◆ **immobilisations corporelles / incorporelles** tangible / intangible assets ◆ **montant brut des immobilisations** gross fixed investment, gross fixed capital formation ◆ **avoir de grosses immobilisations** to carry heavy stocks ◆ **immobilisations financières** investments, capital assets.

**immobiliser** /im(m)ɔbilize/ VT (gén) to immobilize; (Jur) biens to convert into immovables ou real estate; (Fin) capital to immobilize, tie up, lock up ◆ **actif immobilisé** fixed ou illiquid assets, tied-up capital ◆ **la société a immobilisé 80 millions d'euros dans sa filiale** the company has tied up 80 million euros in its subsidiary ✦ **la grève a immobilisé les chaînes de montage** the strike brought the assembly lines to a standstill.

**immobilisme** /imɔbilism/ **NM** failure to act.

**immunité** /im(m)ynite/ **NF** (Pol) immunity ✦ **immunité diplomatique** diplomatic immunity ✦ **immunité parlementaire** parliamentary privilege ✦ **immunité fiscale** immunity from taxation, tax immunity.

**impact** /ɛpakt/ **NM** (gén, Mktg) impact ✦ **étude d'impact** impact study ✦ **effet d'impact** impact effect.

**impacter** /ɛpakte/ **VT** to affect ✦ **être impacté par qch** to be affected ou impacted (US) by sth.

**impair, e** /ɛpɛʀ/ **ADJ** jour, nombre odd.

**imparfait, e** /ɛpaʀfɛ, ɛt/ **ADJ** concurrence, marché imperfect.

**impartir** /ɛpaʀtiʀ/ **VT** délai to grant ✦ **dans les délais impartis** within the time allowed ou allotted.

**impartition** /ɛpaʀtisjɔ̃/ **NF** cooperation agreement (between companies), contracting out.

**impasse** /ɛpas/ **NF** ✦ **être dans l'impasse** [discussions] to be deadlocked, be at a deadlock ✦ **aboutir à une impasse** [discussions] to reach deadlock, be stymied* ✦ **sortir de l'impasse** to break the deadlock ✦ **c'est l'impasse totale** the stalemate is complete ✦ **impasse budgétaire** overall budget deficit, deficit spending.

**impayé, e** /ɛpeje/ **ADJ** traite unpaid, dishonoured ✦ **comptes impayés** unsettled accounts
**impayés** **NMPL** outstanding payments ou accounts ou bills ✦ **impayés retournés** bills returned unpaid ou dishonoured.

**impératif, -ive** /ɛpeʀatif, iv/ **ADJ** (gén) imperative; loi mandatory ✦ **décision impérative** binding decision ✦ **il est impératif que vous assistiez à la réunion** your attendance at the meeting is essential ou obligatory
**NM** constraint, requirement ✦ **quels sont vos impératifs?** what are your requirements? ✦ **impératifs d'horaire** time constraints.

**impérativement** /ɛpeʀativmɑ̃/ **ADV** imperatively.

**imperfection** /ɛpɛʀfɛksjɔ̃/ **NF** [produit, machine] imperfection, defect, fault.

**impersonnel, -elle** /ɛpɛʀsɔnɛl/ **ADJ** impersonal ✦ **bénéficiaire impersonnel** impersonal payee ✦ **compte impersonnel** impersonal account.

**implantation** /ɛplɑ̃tasjɔ̃/ **NF** **a** [entreprise] (= action) setting up; (= résultat) establishment ✦ **les implantations japonaises devraient globalement augmenter leur volume d'affaires** foreign-based Japanese firms, overall, should increase their sales ✦ **le conseil s'est prononcé pour l'implantation d'une agence à Toronto** the board decided on the establishment of a branch in Toronto ✦ **implantation d'un produit sur un marché** market penetration of a product ✦ **l'implantation de leur nouvelle unité de fabrication dépend du prix du terrain** the location ou siting ou setting up ou establishment of their new production facility depends on the cost of the land **b** (= disposition des locaux) layout ✦ **implantation linéaire des postes de travail** line layout ✦ **implantation des ateliers** plant layout.

**implanter** /ɛplɑ̃te/ **VT** [entreprise] to set up, establish ✦ **la société est solidement implantée en Europe** the company is solidly established in Europe
**s'implanter** **VPR** [entreprise] to set up ✦ **ils se sont implantés en force dans notre pays** they are solidly established in our country, they have established a strong presence in our country ✦ **s'implanter sur le marché** to break into the market, gain ou secure ou take a foothold on the market ✦ **la société va s'implanter à Lyon** the company is going to set up in Lyons.

**implicite** /ɛplisit/ **ADJ** contrat, coût, loyer implicit.

**impondérable** /ɛpɔ̃deʀabl(ə)/ **ADJ** imponderable
**NM** **impondérables** imponderables.

**import** /ɛpɔʀ/ **NM** (abrév de **importation**) import ✦ **faire de l'import-export** to be in the import-export business.

**importable** /ɛpɔʀtabl(ə)/ **ADJ** (Écon) importable.

**importateur, -trice** /ɛpɔʀtatœʀ, tʀis/ **ADJ** importing ✦ **pays importateur de pétrole** oil-importing country
**NM,F** importer ✦ **importateur exclusif** sole importer.

**importation** /ɛpɔʀtasjɔ̃/ **NF** (= fait d'importer) importing, importation; (= marchandise) import; (Comm) import trade ✦ **importations symboliques** symbolical ou shadow imports ✦ **importations visibles / invisibles** visible / invisible imports ✦ **autorisation** ou **permis** ou **licence d'importation** import permit ✦ **articles d'importation** imported goods, imports ✦ **interdiction / licence / contingent d'importation** import ban / licence / quota ✦ **capacité d'importation** capacity to import ✦ **prix à**

l'importation import price ✦ **courtier en importation** import broker ✦ **droits d' importation** import duties ✦ **taxe à l'importation** (gén) import duties; (UE) import levy ✦ **surtaxe à l'importation** import surcharge ✦ **les importations en provenance d'Allemagne** imports from Germany ✦ **la part des importations tend à diminuer** the share of foreign goods tends to diminish.

**importer** /ɛpɔʀte/ vt marchandises to import (de from)

**imposable** /ɛpozabl(ə)/ ADJ revenu, personne taxable, liable to tax; propriété rateable ✦ **marchandises imposables** dutiable goods ✦ **matière imposable** taxable income ✦ **revenu imposable / non imposable** taxable / tax-free income ✦ **valeur locative imposable** rateable value.

**imposé, e** /ɛpoze/ NM,F (gén) taxpayer; [impôts locaux] ratepayer (Brit), taxpayer (US).

**imposer** /ɛpoze/ vt personne, revenu, produit to tax; droits, impôt to impose, put (sur on) ✦ **imposer plus lourdement le tabac** to levy a heavier tax on tobacco ✦ **imposer des marchandises à l'entrée** to levy a duty on imported goods ✦ **prix imposé** regulation ou administered ou administrated (US) price.

**imposition** /ɛpozisjɔ̃/ NF (Fin) taxation ✦ **base / seuil / taux d'imposition** tax base / threshold / rate ✦ **année d'imposition** year of assessment ✦ **avis d'imposition** tax notice ✦ **barème d'imposition** income tax schedule ✦ **capacité d'imposition** taxability, taxpaying capacity ✦ **double imposition** double taxation ✦ **tranche d'imposition** income tax bracket ou band

```
─────── compounds/composés ───────
✦ imposition forfaitaire flat-rate taxation,
taxation at the basic rate, notional ou presump-
tive assessment ✦ imposition forfaitaire sur les
plus-values flat-rate ou basic-rate tax on capital
gains
✦ imposition multiple multiple taxation
✦ imposition à la source withholding tax sys-
tem (US), pay-as-you-earn system (Brit)
✦ imposition d'une surtaxe imposition of a
surcharge.
```

**impôt** /ɛpo/ NM tax ✦ **abattement d'impôt** tax allowance ou deduction ✦ **arriérés d'impôt** tax arrears, outstanding tax ✦ **assiette de l'impôt** basis of assessment, tax base ✦ **bénéfices avant impôt / après impôt** pre-tax / after-tax profits, profits before tax / after tax ✦ **calcul de l'impôt** tax assessment ✦ **Code général des impôts** tax code ✦ **crédit d'impôt** tax credit

✦ **déclaration d'impôts** (gén) tax declaration, statement of income; (= formulaire) tax return ou form ou slip ✦ **dégrèvement ou réduction d'impôts** tax cut ou rebate ou relief ou break ✦ **exempt d'impôt** tax-free, tax-sheltered (US) ✦ **exonération d'impôt** tax exemption ou relief ✦ **feuille ou formulaire de déclaration d'impôt** tax return ou form ou slip ✦ **inspecteur des impôts** tax inspector, surveyor of taxes ✦ **perception des impôts** tax collection ✦ **provision pour impôts** reserve for taxation ✦ **rappel d'impôts** additional tax assessment, back taxes ✦ **receveur des impôts** tax collector ✦ **recouvrement des impôts** tax collection ✦ **restitution d'impôts** tax refund ✦ **rôle des impôts** tax assessment register, tax list ou roll ✦ **somme déductible des impôts** tax write-off, tax-deductible amount ✦ **frapper d'un impôt** to put ou levy ou lay a tax on ✦ **faire sa déclaration d'impôts** to fill in ou file one's tax return ✦ **se soustraire à l'impôt** to evade taxation ✦ **payer des impôts** to pay tax ✦ **j'ai payé 10 000 dollars d'impôts l'année dernière** I paid $10,000 in tax ou taxes last year ✦ **déductible des impôts** tax deductible ✦ **net d'impôt** tax paid ✦ **passible d'impôt, soumis à l'impôt, assujetti à l'impôt** taxable, liable to tax ▪ Voir encadré page ci-contre

**imprescriptible** /ɛpʀɛskʀiptibl/ ADJ droit inalienable.

**imprévu** /ɛpʀevy/ NM (Compta) ✦ **imprévus** contingent account.

**imprimante** /ɛpʀimɑ̃t/ NF printer ✦ **imprimante à jet d'encre** ink-jet printer ✦ **imprimante feuille à feuille** sheet-fed printer ✦ **imprimante laser** laser printer ✦ **imprimante ligne à ligne** line printer ✦ **imprimante matricielle** dot-matrix printer ✦ **sortie d'imprimante** printout.

**imprimé** /ɛpʀime/ NM (= formulaire) (printed) form ✦ **imprimés** (sur un pli postal) printed matter ✦ **envoyer qch au tarif imprimé** to send something at the printed paper ou printed matter rate, send by book-post ✦ **remplir un imprimé** to fill in a form ✦ **imprimés éclatés** burst forms.

**imprimer** /ɛpʀime/ vt (gén) to print; (Inf) to list, print.

**improductif, -ive** /ɛpʀɔdyktif, iv/ ADJ unproductive ✦ **capital improductif** idle ou dead capital.

**improductivité** /ɛpʀɔdyktivite/ NF unproductiveness.

*compounds/composés*

### IMPÔT

- **impôt additionnel** surtax
- **impôt sur les bénéfices exceptionnels** windfall tax
- **impôt sur les bénéfices industriels et commerciaux** tax on income derived from trade and manufacture corporate ou corporation tax
- **impôt sur les bénéfices des professions non commerciales** tax on professional earnings
- **impôt sur les bénéfices des sociétés** corporate ou corporation tax
- **impôt de Bourse** stock exchange tax, tax on stock exchange transactions
- **impôt sur le capital** capital tax
- **impôt cédulaire** schedule tax
- **impôt sur le chiffre d'affaires** sales tax, turnover tax
- **impôt dégressif** graded ou degressive tax
- **impôt déguisé** hidden tax
- **impôts directs** direct taxes
- **impôt extraordinaire** emergency ou contingency tax
- **impôt foncier** land ou property tax ◆ **impôt foncier bâti et non bâti** tax on land and buildings
- **impôt forfaitaire** flat-rate ou basic-rate ou standard-rate tax, presumptive ou notional assessment
- **impôt sur la fortune, impôt sur les grandes fortunes** wealth tax
- **impôt général sur le revenu** income tax
- **impôt immobilier** real-estate tax
- **impôt indirect** indirect tax

- **impôts locaux** community charge, rates *(Brit)*, local taxes *(US)*
- **impôt sur les opérations boursières** stock exchange tax, tax on stock exchange transactions
- **impôt sur les patentes** licence ou trade tax
- **impôt sur les plus-values** capital gains tax
- **impôt progressif** progressive ou graduated tax
- **impôt sur les propriétés bâties** general property tax
- **impôt sur les propriétés non bâties** tax on ground plots
- **impôt retenu à la source** tax withholding, tax deduction at source, pay as you earn, pay as you go *(US)*
- **impôt sur le revenu (des personnes physiques)** (personal) income tax
- **impôt sur les sociétés** corporation ou corporate tax
- **impôt de solidarité sur la fortune** wealth tax
- **impôt somptuaire** luxury tax
- **impôt à la source** tax deducted at source, withholding tax
- **impôt sur les spectacles** entertainment tax
- **impôt sur les successions, impôt successoral** death duties, inheritance tax
- **impôt sur les superbénéfices** excess profit tax
- **impôt sur les traitements, salaires, pensions et rentes viagères** tax on salaries, wages and life annuities
- **impôt sur le transfert des capitaux** capital transfer tax.

**imprudence** /ε̃pʀydɑ̃s/ **NF** *(Ass)* ◆ **imprudence de la part du sinistré** contributory negligence.

**impulsif, -ive** /ε̃pylsif, iv/ **ADJ** *(Mktg)* ◆ **achat impulsif** (= *action*) impulse buying ou purchasing; (= *article acheté*) impulse purchase.

**impulsion** /ε̃pylsjɔ̃/ **NF** impulse ◆ **achat d'impulsion** (= *action*) impulse purchase ou buying; (= *article acheté*) impulse purchase ◆ **acheter par impulsion** to buy on impulse ◆ **trafic d'impulsion** impulse traffic ◆ **donner une nouvelle impulsion à qch** to give fresh impetus to sth.

**imputable** /ε̃pytabl(ə)/ **ADJ** *(Fin)* chargeable ◆ **frais imputables sur un compte** expenses chargeable to an account ◆ **taxes imputables à** taxes assignable to.

**imputation** /ε̃pytasjɔ̃/ **NF** (= *allocation*) allocation, application ◆ **imputation d'une somme au débit / au crédit d'un compte** charging of an amount to the debit / to the credit of an account ◆ **imputation des frais généraux** application ou allocation of overheads ◆ **imputations budgétaires** budget allocations ◆ **imputation des charges** cost allocation ◆ **période**

d'imputation charging period ◆ **avant imputation des pertes, le déficit dépasse déjà 7 milliards de dollars** the deficit already exceeds $7 billion before charging up the losses incurred ◆ **imputation d'un paiement** *(Fin)* application of a payment; *(Jur)* appropriation of a debtor's property to a debt.

**imputé, e** /ε̃pyte/ **ADJ** *loyer, valeur* imputed.

**imputer** /ε̃pyte/ **VT** *(gén)* to impute, attribute, ascribe (*à* to); *(Fin)* to charge (*à, sur* to, against) ◆ **loyer imputé** imputed rent ◆ **imputer une dépense sur un compte** to charge an expense to an account, charge an account with an expense ◆ **ils ont imputé les coûts de forage à l'exploitation** they charged off drilling costs as business expenses ◆ **imputer une dépense à l'exercice précédent** to charge an expense to ou against the previous trading year ◆ **imputer un paiement à** to apply a payment to ◆ **imputer une somme à des fins spécifiques** to make an appropriation for a special purpose.

**inabordable** /inabɔʀdabl(ə)/ **ADJ** *prix* prohibitive, exorbitant.

**inactif, -ive** /inaktif, iv/ **ADJ** *capitaux* inactive, idle;

*(Bourse) marché* slack, dull, stagnating; *population* non-working ◆ **solde inactif** dormant balance ◆ **les chantiers navals sont inactifs** the shipyards are lying *ou* standing idle ▨ **les inactifs** the non-working population, those not in active employment.

**inaliénabilité** /inaljenabilite/ **NF** inalienability.

**inaliénable** /inaljenabl(ə)/ **ADJ** inalienable.

**inamical, e, MPL -aux** /inamikal, o/ **ADJ** unfriendly ◆ **offre publique d'achat inamicale** unfriendly *ou* hostile takeover bid.

**inamovibilité** /inamɔvibilite/ **NF** *[magistrat]* irremovability.

**inamovible** /inamɔvibl/ **ADJ** *magistrat* irremovable.

**INC** /iɛnse/ **NM** abrév de **Institut national de la consommation** → **institut.**

**incalculable** /ɛkalkylabl(ə)/ **ADJ** incalculable.

**incapable** /ɛkapabl(ə)/ ▨ *(gén)* incapable, incompetent; *(Jur)* incapable ◆ **être incapable à tester** to be incompetent to make a will, be disqualified from making a will ◆ **majeur incapable** disqualified *ou* incapable adult ▨ incompetent; *(Jur)* incapable person.

**incapacité** /ɛkapasite/ **NF** ▨ *(gén)* incompetence, incapability, inefficiency; *(Jur)* legal incapacity, incapability ◆ **être dans l'incapacité de faire** to be unable to do, be incapable of doing ◆ **frappé d'incapacité** disqualified by law ◆ **incapacité commerciale** lack of legal qualification (to enter the business field) ▨ *(= invalidité)* disablement, disability, unfitness (for work) ◆ **incapacité partielle / permanente / totale** partial / permanent / total disablement *ou* disability ◆ **incapacité de travail** industrial disablement *ou* disability ◆ **assurance incapacité longue durée** long-term disability insurance.

**incertain** /ɛsɛRtɛ̃/ **NM** *(Bourse)* price quoted in foreign currency, movable *ou* variable exchange ◆ **donner** *ou* **coter l'incertain** to quote in foreign currency.

**incessibilité** /ɛsesibilite/ **NF** non-transferability.

**incessible** /ɛsesibl(ə)/ **ADJ** non-transferable.

**inchangé, e** /ɛ̃ʃɑ̃ʒe/ **ADJ** *cours* unchanged.

**incidence** /ɛsidɑ̃s/ **NF** *(gén)* effect, impact, repercussion; *(Écon)* incidence ◆ **incidence fiscale** tax incidence ◆ **avoir une incidence sur** to affect, have an effect (up)on.

**incident** /ɛsidɑ̃/ **NM** *(gén)* incident; *(Ind)* fault, malfunction, trouble ◆ **rapport d'incident** *(Ind)*

malfunction report ◆ **incident de paiement** default in payment ◆ **incident de parcours** minor setback *ou* hitch ◆ **incident technique** technical hitch, glitch* *(US)*.

**incitatif, -ive** /ɛsitatif, iv/ **ADJ** ◆ **mesure incitative** incentive.

**incitation** /ɛsitasjɔ̃/ **NF** incentive, inducement (*à* to, *à faire* to do) ◆ **incitation fiscale** tax incentive *ou* inducement ◆ **incitation à investir** investment incentive.

**inciter** /ɛsite/ **VT** to incite, induce ◆ **la publicité incite les clients à acheter** advertising induces customers into buying *ou* to buy.

**incl.** abrév de **inclus.**

**inclure** /ɛklyR/ **VT** *(dans un contrat)* to insert *(dans* in); *(dans une lettre)* to enclose *(dans* in) ◆ **à inclure dans votre déclaration d'impôts** includible in your tax return.

**inclus, e** /ɛkly, yz/ **ADJ** *(gén)* enclosed; *frais* included ◆ **les pièces incluses** the enclosures ◆ **ci-inclus** enclosed, herewith ◆ **vous trouverez ci-inclus la réponse à votre demande** you will find enclosed the answer to your query ◆ **jusqu'au 15 mai inclus** until May 15th inclusive, up to and including May 15th ◆ **les frais de livraison sont inclus dans la facture** the bill is inclusive of delivery charges, delivery charges are included in the bill.

**inclusivement** /ɛklyzivmɑ̃/ **ADV** ◆ **jusqu'au 1er juin inclusivement** until June 1st inclusive, up to and including June 1st.

**incompétence** /ɛkɔ̃petɑ̃s/ **NF** *(gén, Jur)* incompetence ◆ **jugement d'incompétence** *(Jur)* disclaimer of jurisdiction.

**incompétent, e** /ɛkɔ̃petɑ̃, ɑ̃t/ **ADJ** *(gén, Jur)* incompetent ◆ **le tribunal s'est déclaré incompétent pour juger l'affaire** the court declared itself incompetent to try the case.

**incomplet, -ète** /ɛkɔ̃plɛ, ɛt/ **ADJ** *(gén)* incomplete, unfinished ◆ **commande incomplète** short order.

**incompressibilité** /ɛkɔ̃presibilite/ **NF** *[budget, dépenses]* irreductibility.

**incompressible** /ɛkɔ̃presibl(ə)/ **ADJ** ◆ **nos frais généraux sont incompressibles** our overheads cannot be reduced *ou* cut down *ou* curtailed.

**inconvertibilité** /ɛkɔ̃vɛRtibilite/ **NF** *(Fin)* inconvertibility.

**inconvertible** /ɛkɔ̃vɛRtibl(ə)/ **ADJ** *(Fin)* inconvertible.

**indemnité**

**incorporation** /ɛ̃kɔʀpɔʀasjɔ̃/ **NF** *(Fin)* ◆ **incorporation de réserves** capitalization *ou* incorporation of reserves, capital increase out of reserves ◆ **par voie d'incorporation au capital** by capitalization.

**incorporel, -elle** /ɛ̃kɔʀpɔʀɛl/ **ADJ** incorporeal, intangible ◆ **biens incorporels** intangible property, incorporeal *ou* intangible assets.

**incorporer** /ɛ̃kɔʀpɔʀe/ **VT** *(Fin)* to capitalize.

**incoté, e** /ɛ̃kɔte/ **ADJ** *(Bourse)* unquoted.

**incoterms** /ɛ̃kɔtɛʀm/ **NMPL** incoterms.

**incrément** /ɛ̃kʀemɑ̃/ **NM** *(Inf)* increment.

**incrémental, e,** **MPL** **-aux** /ɛ̃kʀemɑ̃tal, o/ **ADJ** incremental.

**incrémentation** /ɛ̃kʀemɑ̃tasjɔ̃/ **NF** *(Inf)* incrementation.

**incrémenter** /ɛ̃kʀemɑ̃te/ **VT** to increment.

**incrémentiel, -elle** /ɛ̃kʀemɑ̃sjɛl/ **ADJ** incremental.

**incubateur** /ɛ̃kybatœʀ/ **NM** incubator ◆ **incubateur d'entreprises** start-up incubator.

**inculpation** /ɛ̃kylpasjɔ̃/ **NF** *(= chef d'accusation)* charge *(de* of); *(= action d'inculper)* charging.

**inculpé, e** /ɛ̃kylpe/ **NM,F** defendant ◆ **inculpé défaillant** defaulting defendant.

**inculper** /ɛ̃kylpe/ **VT** to charge *(de* with) accuse *(de* of) ◆ **inculpé de complicité** charged with complicity.

**Inde** /ɛ̃d/ **NF** India.

**indécis, e** /ɛ̃desi, iz/ **ADJ** *(Bourse)* marché unsettled ◆ **NM,F** *(Stat)* don't know ◆ **15% d'indécis** 15% don't knows *ou* no opinion.

**indécision** /ɛ̃desizjɔ̃/ **NF** *(Bourse)* [marché] unsettledness.

**indéfectible** /ɛ̃defɛktibl(ə)/ **ADJ** *(Compta)* actif non-wasting.

**indélicat, e** /ɛ̃delika, at/ **ADJ** homme d'affaires dishonest; méthodes dishonest, underhand.

**indélicatesse** /ɛ̃delikatɛs/ **NF** *(= caractère)* dishonesty; *(= acte)* indiscretion ◆ **commettre des indélicatesses** to be dishonest, be guilty of dishonesty.

**indemnisable** /ɛ̃dɛmnizabl(ə)/ **ADJ** personne entitled to compensation; dommage indemnifiable.

**indemnisation** /ɛ̃dɛmnizasjɔ̃/ **NF** *(= action d'indemniser)* indemnification, compensation; *(= indemnité)* indemnity, compensation ◆ **dispositif d'indemnisation** indemnification *ou*

compensation system ◆ **avoir droit à indemnisation** to be entitled to compensation.

**indemniser** /ɛ̃dɛmnize/ **VT** *(Ass)* to indemnify, compensate *(de* for); *(= rembourser)* to reimburse ◆ **se faire indemniser** to get indemnification *ou* compensation ◆ **indemniser qn de ses frais** to reimburse sb for his expenses ◆ **l'assurance m'a entièrement indemnisé** the insurance has made up for all my losses *ou* has made good all my losses, the insurance has given me full compensation for my losses.

**indemnitaire** /ɛ̃dɛmnitɛʀ/ **ADJ** compensatory.

**indemnité** /ɛ̃dɛmnite/ **NF** *(gén)* compensation, indemnity; *[remboursement de frais]* allowance; *(allouée par un tribunal)* award; *(= prestation sociale)* benefit ◆ **à titre d'indemnité** by way of indemnification ◆ **accorder** *ou* **allouer une indemnité** to award an indemnity ◆ **réclamer une indemnité** *(Ass)* to file for compensation, claim damages ◆ **avoir droit à une indemnité**

————— *compounds/composés* —————

◆ **indemnité pour accident du travail** workmen's compensation
◆ **indemnité pour charges de famille** dependency allowance
◆ **indemnité de chômage** unemployment compensation *(US)* *ou* benefit *(Brit)*
◆ **indemnité en cas de décès** death benefit
◆ **indemnité de déménagement** removal allowance
◆ **indemnité de départ** severance pay ◆ **indemnité de départ en retraite** retirement gratuity
◆ **indemnité de déplacement** travel(ling) allowance
◆ **indemnité de fonction** acting allowance
◆ **indemnité forfaitaire** lump-sum payment
◆ **indemnité d'invalidité** disability benefit
◆ **indemnité journalière** daily allowance, living allowance, per diem allowance
◆ **indemnité kilométrique** mileage allowance
◆ **indemnité de licenciement (pour raisons économiques)** redundancy payment *ou* money, severance payment
◆ **indemnité de logement** housing allowance
◆ **indemnité de maladie** sickness benefit
◆ **indemnité non soumise à retenues** tax-free benefit
◆ **indemnité de représentation** entertainment allowance
◆ **indemnité de résidence** weighting allowance
◆ **indemnité de rupture de contrat** severance *ou* separation pay
◆ **indemnité de sinistre** indemnity, insurance benefit
◆ **indemnité de transport** travel allowance
◆ **indemnité de vie chère** cost-of-living bonus *ou* allowance.

to be entitled to indemnity ✦ **percevoir** ou **toucher une indemnité** to draw an allowance, receive compensation.

**indépendant, e** /ɛ̃depɑ̃dɑ̃, ɑ̃t/ **ADJ** independent (de of) ✦ **pour des raisons indépendantes de notre volonté** for reasons beyond ou outside our control ✦ **commerçant / détaillant indépendant** independent shopkeeper / retailer ✦ **travailleur indépendant** (gén) self-employed person; (rédacteur) freelance worker, freelancer **NM,F** (= non-salarié) freelance worker ✦ **travailler en indépendant** (gén) to be self-employed; [rédacteur] to work freelance.

**indéterminé, e** /ɛ̃detɛrmine/ **ADJ** unspecified ✦ **pour une durée indéterminée** for an indefinite period.

**index** /ɛ̃dɛks/ **NM INV** index ✦ **index composites** composite index ✦ **rattaché** ou **lié à l'index** index-linked.

**indexation** /ɛ̃dɛksasjɔ̃/ **NF** indexing, indexation, index-linking, index-linkage ✦ **indexation des salaires** wage indexation ✦ **clause d'indexation** sliding scale clause, escalator clause ✦ **indexation sur le coût de la vie** cost-of-living indexation ou adjustment.

**indexé, e** /ɛ̃dɛkse/ **ADJ** prix, obligation indexed; assurance, emprunt index-linked, index-tied; retraite, salaire indexed ou index-linked.

**indexer** /ɛ̃dɛkse/ **VT** to index (sur to) ✦ **le dollar de Hong-Kong est indexé sur le dollar US** the Hong Kong dollar is pegged to the US dollar ✦ **les salaires sont indexés sur l'inflation** wages are linked ou indexed ou geared to inflation.

**indicateur** /ɛ̃dikatœr/ **NM** (Écon) indicator

─── compounds/composés ───
- **indicateur d'alerte** warning indicator
- **indicateur avancé** leading indicator
- **indicateur clef** key indicator
- **indicateur composite** compound indicator
- **indicateur de conjoncture** business ou economic indicator
- **indicateur de divergence** (UE) divergence indicator
- **indicateur économique** economic indicator
- **indicateur instantané** (Bourse) immediate indicator
- **indicateur de marché** market indicator
- **indicateurs retardés (d'activité** ou **de conjoncture)** lagging indicators
- **indicateur stochastique** stochastic index
- **indicateurs de tendance** leading indicators.

**indicatif, -ive** /ɛ̃dikatif, iv/ **ADJ** indicative (de of) ✦ **à titre indicatif** for information only

**NM** indicatif téléphonique dialling code ✦ **indicatif départemental** area code ✦ **l'indicatif de la France est 33** the country code for France is 33.

**indication** /ɛ̃dikasjɔ̃/ **NF** (= mention) indication; (= information) piece of information; (= instruction) direction, instruction ✦ **à titre d'indication** for your guidance ou information ✦ **indication d'origine** ou **de provenance** place of origin ✦ **sans indication de date / de prix** with no indication of the date / price, without a date stamp / price label ✦ **sauf indication contraire** unless otherwise stated ou indicated.

**indice** /ɛ̃dis/ **NM** (Écon) index ✦ **les indices européens d'actions** the European share indices ✦ **point d'indice** index point ✦ **l'indice est à** the index stands at ✦ **indice Dow Jones / Nikkeï / Footsie** Dow Jones / Nikkei / Footsie index ✦ **futures sur indices** index futures ✦ **options sur indice** (stock-)index options

─── compounds/composés ───
- **indice de base** base index
- **indice composite** compound index
- **indice corrigé / non corrigé des variations saisonnières** seasonally adjusted / non adjusted index
- **indice du coût de la vie** cost of living index
- **indice de croissance** growth index
- **indice d'écoute** audience rating
- **indice de fusion** index of disparity
- **indice général des cours** all-items indicator
- **indice des indicateurs avancés** index of leading indicators
- **indice des indicateurs retardés** index of lagging indicators
- **indice de place** stock market index
- **indice pondéré / non pondéré** weighted / unweighted index
- **indice des prix à la consommation** consumer price index, CPI
- **indice des prix de gros / de détail** wholesale / retail price index
- **indice de la production** production index
- **indice des produits de base** commodities index
- **indice de richesse** country's wealth index
- **indice sectoriel** sectorial index
- **indice des valeurs boursières** stock exchange index.

**indiciaire** /ɛ̃disjɛr/ **ADJ** grade-related ✦ **analyse indiciaire** ratio analysis.

**indiciel, -ielle** /ɛ̃disjɛl/ **ADJ** index ✦ **fonds indiciel** tracker fund ✦ **gestion indicielle** tracker fund ou passive fund management.

**indien, -ienne** /ɛ̃djɛ̃, jɛn/ `ADJ` Indian
**Indien** `NM` (= *habitant*) Indian
**Indienne** `NF` (= *habitante*) Indian.

**indifférence** /ɛ̃difeʀɑ̃s/ `NF` indifference ◆ **courbe d'indifférence** (*Écon*) indifference curve ◆ **analyse par courbes d'indifférence** indifference analysis.

**indifférent, e** /ɛ̃difeʀɑ̃, ɑ̃t/ `ADJ` ◆ **salaire indifférent** (*sur annonce*) salary no object.

**indiquer** /ɛ̃dike/ `VT` to indicate, show ◆ **les cours de clôture indiquent une légère tendance à la reprise** prices at the close denote a slight rally ◆ **à l'heure indiquée** at the time indicated *ou* stated ◆ **comme indiqué au verso** as stated *ou* shown on the back ◆ **est-ce indiqué sur le reçu?** is it given *ou* mentioned *ou* specified on the receipt?.

**indirect, e** /ɛ̃diʀɛkt, ɛkt(ə)/ `ADJ` *arbitrage, coûts, matières, impôt, main-d'œuvre, vente* indirect ◆ **conséquences indirectes** consequential effects ◆ **preuve indirecte** (*Jur*) circumstantial evidence.

**indisponibilité** /ɛ̃dispɔnibilite/ `NF` [*fonds*] unavailability.

**indisponible** /ɛ̃dispɔnibl(ə)/ `ADJ` *fonds* unavailable.

**individualisation** /ɛ̃dividɥalizasjɔ̃/ `NF` [*produit, police d'assurance*] customization.

**individualisé, e** /ɛ̃dividɥalize/ `ADJ` individual ◆ **des solutions individualisées selon vos besoins** solutions which are tailored to your needs ◆ **emballage individualisé** customized packing ◆ **police individualisée** (*Ass*) tailor-made policy ◆ **horaires de travail individualisés** flexible working hours.

**individualiser** /ɛ̃dividɥalize/ `VT` *produit, police, horaire* to tailor to (suit) individual *ou* particular requirements, customize.

**individuel, -elle** /ɛ̃dividɥɛl/ `ADJ` (*gén*) individual; *responsabilité* personal, individual; *ordinateur* personal ◆ **actionnaire / investisseur individuel** individual *ou* retail shareholder / investor ◆ **consommateur individuel** individual consumer ◆ **entreprise individuelle** one-man business, sole ownership ◆ **la propriété individuelle** private *ou* personal property.

**individuellement** /ɛ̃dividɥɛlmɑ̃/ `ADV` (*Jur*) severally ◆ **responsables individuellement** severally liable.

**indivis, e** /ɛ̃divi, iz/ `ADJ` (*Jur*) *propriété* undivided, joint; *propriétaire* joint ◆ **actions indivises** joint shares ◆ **posséder un bien par indivis** to own a property jointly.

**indivisaire** /ɛ̃divizɛʀ/ `NMF` joint owner, tenant in common.

**indivisément** /ɛ̃divizemɑ̃/ `ADV` *posséder* jointly.

**indivision** /ɛ̃divizjɔ̃/ `NF` (*Jur*) joint possession *ou* ownership ◆ **propriété en indivision** jointly-held property.

**Indonésie** /ɛ̃dɔnezi/ `NF` Indonesia.

**indonésien, -enne** /ɛ̃dɔnezjɛ̃, ɛn/ `ADJ` Indonesian
**Indonésien** `NM` (= *habitant*) Indonesian
**Indonésienne** `NF` (= *habitante*) Indonesian.

**induit, e** /ɛ̃dɥi, it/ `ADJ` *demande, investissement* induced; *ventes* related
**induits** `NMPL` induced investments.

**industrialisation** /ɛ̃dystʀijalizasjɔ̃/ `NF` industrialization, industrial development.

**industrialiser** /ɛ̃dystʀijalize/ `VT` to industrialize ◆ **pays industrialisés** industrialized countries ◆ **pays nouvellement industrialisés** newly industrialized countries
**s'industrialiser** `VPR` to become industrialized.

**industrie** /ɛ̃dystʀi/ `NF` industry ◆ **capitaine d'industrie** captain of industry ◆ **ministère de l'Industrie** Department of Industry ◆ **petite et moyenne industrie** small-sized industrial firm ◆ **petites et moyennes industries** small and medium-sized industries

—— *compounds/composés* ——

- ◆ **industrie aéronautique** aircraft industry
- ◆ **industrie (agro-)alimentaire** food (processing) industry
- ◆ **industrie automobile** car *ou* automobile *ou* automotive industry
- ◆ **industrie du bâtiment** construction industry
- ◆ **industrie de biens de consommation** consumer goods industry
- ◆ **industrie de capitaux** capital-intensive industry
- ◆ **industrie chimique** chemical industry
- ◆ **industrie extractive** extractive industry
- ◆ **industrie laitière** dairy farming
- ◆ **industrie légère** light industry
- ◆ **industrie lourde** heavy industry
- ◆ **industrie de main-d'œuvre** labour-intensive industry
- ◆ **industrie manufacturière** manufacturing industry
- ◆ **industries mécaniques** mechanical engineering industries
- ◆ **industrie métallurgique** metallurgical *ou* metalworking industry

+ **industrie minière** mining industry
+ **industrie de pointe** high-tech *ou* advanced-technology industry
+ **industrie de précision** precision tool industry
+ **industrie de process** process industry
+ **industrie de services** service industry
+ **industrie sidérurgique** steel industry
+ **industrie du spectacle** entertainment business
+ **industrie du tertiaire** tertiary industry
+ **industrie textile** textile industry
+ **industrie de transformation** processing industry.

**industriel, -elle** /ɛ̃dystʀijɛl/ **ADJ** *locaux, esthétique, secteur, véhicule* industrial + **achats de biens industriels** industrial buying + **ensemble industriel** industrial complex + **entreprise industrielle** industrial concern + **équipement à usage industriel** heavy-duty equipment + **espionnage industriel** industrial espionage + **esthétique industrielle** industrial design + **propriété industrielle** patent rights, industrial property + **redéploiement industriel** industrial redeployment + **restructuration industrielle** industrial restructuring + **solde industriel** balance of trade in industrial *ou* manufactured goods + **tertiaire industriel** industrial services + **terrain industriel** industrial site *ou* land + **valeurs industrielles** *(Bourse)* industrials, industrial shares + **zone industrielle** industrial estate *ou* park
**NM** industrialist, manufacturer + **les industriels de la métallurgie** industrialists in the metallurgical sector
**industrielles** **NFPL** *(Bourse)* industrials.

**industriellement** /ɛ̃dystʀijɛlmɑ̃/ **ADV** industrially.

**INED** /inɛd/ **NM** abrév de **Institut national des études démographiques** → **institut.**

**inélasticité** /inelastisite/ **NF** *(Écon)* inelasticity.

**inélastique** /inelastik/ **ADJ** *(Écon)* inelastic.

**inemployé, e** /inɑ̃plwaje/ **ADJ** *capital* unemployed, unused; *équipements, capacité de production* unused, idle.

**inertie** /inɛʀsi/ **NF** inertia + **vente par inertie** inertia selling.

**inescomptable** /inɛskɔ̃tabl(ə)/ **ADJ** *(Fin)* undiscountable.

**inexécution** /inɛgzekysjɔ̃/ **NF** *[contrat, obligation]* non-fulfilment, non-performance, non-execution.

**inexigibilité** /inɛgziʒibilite/ **NF** + **l'inexigibilité de la dette** the fact that the debt is not due.

**inexigible** /inɛgziʒibl(ə)/ **ADJ** *dette* not due.

**inexploitable** /inɛksplwatabl(ə)/ **ADJ** *(gén)* unexploitable; *mine* unexploitable, unworkable.

**inexploitation** /inɛksplwatasjɔ̃/ **NF** + **l'inexploitation du brevet** the fact that the patent was not exploited.

**inexploité, e** /inɛksplwate/ **ADJ** *gisement* unexploited; *capital, ressources* untapped.

**inférieur, e** /ɛ̃feʀjœʀ/ **ADJ** *(gén)* lower; *qualité* inferior, poorer; *montant, quantité* smaller + **la productivité est inférieure à celle de l'année dernière** productivity is inferior to *ou* less than *ou* lower than last year's + **le résultat est inférieur aux prévisions** earnings fall short of what we forecasted, earnings are below forecast + **inférieur à la moyenne** below average, lower than average + **être hiérarchiquement inférieur à qn** to be lower (down) than sb, below sb in the hierarchy + **arrondi au cent inférieur le plus proche** rounded down to the nearest cent
**NM,F** inferior.

**infériorité** /ɛ̃feʀjɔʀite/ **NF** inferiority.

**in fine** /infine/ **ADJ** *(Fin)* in fine.

**infirmatif, -ive** /ɛ̃fiʀmatif, iv/ **ADJ** *(Jur)* arrêt invalidating.

**infirmation** /ɛ̃fiʀmasjɔ̃/ **NF** *(Jur)* *[décision]* invalidation, annulment, quashing.

**infirmer** /ɛ̃fiʀme/ **VT** *(Jur)* décision to invalidate, annul, quash.

**inflation** /ɛ̃flɑsjɔ̃/ **NF** inflation + **taux / différentiel d'inflation** inflation rate / differential *ou* spread + **écart / facteur d'inflation** inflationary gap / factor + **inflation négative** negative inflation + **inflation des salaires / des prix** wage / price inflation + **inflation cyclique / galopante / importée / monétaire / structurelle** cyclical / galloping *ou* runaway / imported / monetary / structural inflation + **inflation par la demande / par les coûts / par les salaires** demand-pull / cost-push *ou* cost-induced / wage-induced inflation + **contenir** *ou* **freiner** *ou* **endiguer** *ou* **enrayer l'inflation** to check *ou* stamp out *ou* curb *ou* contain *ou* stem inflation.

**inflationnisme** /ɛ̃flɑsjɔnism(ə)/ **NM** inflationism.

**inflationniste** /ɛ̃flɑsjɔnist(ə)/ **ADJ** *tendance, mesures* inflationary; (= *partisan de l'inflation*) inflationist + **dérapage inflationniste** inflationary slippage + **poussées** *ou* **pressions inflationnistes** inflationary pressure *ou* spiral
**NMF** inflationist.

**infléchir** /ɛ̃fleʃiʀ/ **VT** *politique* to alter, change
**s'infléchir** **VPR** *[tendance]* to shift.

**infléchissement** /ɛ̃fleʃismɑ̃/ **NM** *[tendance]* shift;
*[politique]* change.

**informaticien, -ienne** /ɛ̃fɔʀmatisjɛ̃, jɛn/ **ADJ**
computer ◆ **elle est ingénieur informaticienne**
she's a computer scientist *ou* a computerist
*(US)*
**NM,F** *(= ingénieur)* computer scientist, data
processing expert, computerist *(US)* ; *(= analyste)* computer analyst; *(= technicien)* computer *ou* keyboard operator, keyboarder.

**informatif, -ive** /ɛ̃fɔʀmatif, iv/ **ADJ** *étiquetage,*
*publicité* informative.

**information** /ɛ̃fɔʀmasjɔ̃/ **NF** **a** *(gén) (= renseignement)* piece of information; *(= action d'informer)*
information ◆ **information ascendante / descendante / latérale** upward / downward /
sideways information ◆ **demande d'information** enquiry, request for information ◆ **le droit
à l'information** the right to information, the
right to know ◆ **théorie / stockage / gestion de
l'information** information theory / storage /
management ◆ **système de recherche d'information** information retrieval system ◆ **traitement de l'information** *(Inf)* data processing
◆ **système de traitement de l'information**
computer *ou* data processing system **b** *(Jur)*
inquiry ◆ **ouvrir une information (judiciaire)** to
start an initial *ou* a preliminary investigation
**c** *(Compta)* disclosure, reporting ◆ **obligation
d'information** disclosure requirement ◆ **information périodique** interim reporting.

**informatique** /ɛ̃fɔʀmatik/ **ADJ** computer ◆ **service informatique** data processing *ou* EDP
department, computer service ◆ **données informatiques** computerized data ◆ **fichier informatique** computer file
**NF** *(= science)* computer science; *(= techniques)*
computing, (electronic) data processing, EDP
◆ **il est dans l'informatique** he's in computers
◆ **informatique de gestion** business computing
*ou* data processing ◆ **conseil en informatique**
*(= entreprise)* computer consulting company;
*(= personne)* computer consultant ◆ **stage d'informatique** data processing *ou* computer
course ◆ **informatique familiale** home computing ◆ **informatique individuelle** personal
computing ◆ **informatique interactive / répartie** interactive / distributed computing ◆ **loi
informatique et libertés** Data Protection Act
*(Brit)*.

**informatisation** /ɛ̃fɔʀmatizasjɔ̃/ **NF** computerization.

**informatisé, e** /ɛ̃fɔʀmatize/ **ADJ** computerized
◆ **fichier informatisé** computer *ou* computer-based file ◆ **nous sommes informatisés** we
have computerized our company.

**informatiser** /ɛ̃fɔʀmatize/ **VT** to computerize.

**informer** /ɛ̃fɔʀme/ **VT** to inform *(de, sur* about)
◆ **nous informons notre aimable clientèle que
nos bureaux seront désormais ouverts le samedi** we are pleased to inform you that our
offices will now be open on Saturdays ◆ **vous
voudrez bien me tenir informé de tout changement** please let me know *ou* tell me of any
change ◆ **jusqu'à plus ample informé** until
further *ou* fuller information is available.

**inforoute** /ɛ̃fɔʀut/ **NF** information highway.

**infraction** /ɛ̃fʀaksjɔ̃/ **NF** offence ◆ **être** *ou* **se
trouver en infraction** to be committing an
offence, be breaking the law ◆ **infraction à la
loi** breach *ou* infraction *ou* infringement *ou*
violation of the law ◆ **infraction au contrôle
des changes** exchange control violation ◆ **infraction fiscale** breach of the tax code.

**infrastructure** /ɛ̃fʀastʀyktyʀ/ **NF** *(Écon)* infrastructure ◆ **dépenses d'infrastructure** infrastructure expenditure.

**ingénierie** /ɛ̃ʒeniʀi/ **NF** engineering ◆ **ingénierie
assistée par ordinateur** computer-aided *ou*
-assisted engineering ◆ **ingénierie robotique**
robotics ◆ **ingénierie financière** financial engineering.

**ingénieur** /ɛ̃ʒenjœʀ/ **NM** engineer ◆ **école d'ingénieurs** engineering school

─────── *compounds/composés* ───────

◆ **ingénieur agronome** agricultural engineer
◆ **ingénieur en chef** chief engineer
◆ **ingénieur chimiste** chemical engineer
◆ **ingénieur commercial** sales engineer
◆ **ingénieur-conseil** engineering consultant,
consulting engineer ◆ **ingénieur-conseil en organisation** management consultant *ou* engineer
◆ **cabinet d'ingénieurs-conseils** consultancy
◆ **ingénieur d'exploitation** operating engineer
◆ **ingénieur fiabiliste** reliability engineer
◆ **ingénieur en génie civil** civil engineer
◆ **ingénieur informaticien** computer scientist,
computerist *(US)*, information engineer
◆ **ingénieur mécanicien** mechanical engineer
◆ **ingénieur des mines** mining engineer
◆ **ingénieur des ponts et chaussées** construction *ou* civil engineer
◆ **ingénieur process** process engineer
◆ **ingénieur de production** product engineer
◆ **ingénieur de projet** project engineer
◆ **ingénieur système** system(s) engineer

♦ **ingénieur technico-commercial** sales engineer
♦ **ingénieur des travaux publics** construction *ou* civil engineer, public works engineer.

**initial, e,** MPL **-aux** /inisjal, o/ **ADJ** *capital, coût* initial ♦ **mise de fonds initiale** seed money ♦ **versement** *ou* **apport initial** first instalment, front-end payment, down payment
**initiale** **NF** initial ♦ **mettre ses initiales sur qch** to put one's initials on sth, initial sth.

**initialisation** /inisjalizasjɔ̃/ **NF** *(Inf)* initialization.

**initialiser** /inisjalize/ **VT** *(Inf)* to initialize ♦ **initialiser le système** to initialize the system.

**initiative** /inisjativ/ **NF** initiative ♦ **initiative privée** individual *ou* private initiative ♦ **à** *ou* **sur l'initiative du ministre** on the minister's initiative.

**initié, e** /inisje/ **NM,F** *(Bourse)* insider ♦ **délit** *ou* **opération d'initié** insider trading *ou* dealing.

**initier** /inisje/ **VT** *transaction* to initiate.

**injecter** /ɛ̃ʒɛkte/ **VT** *argent* to infuse, inject ♦ **injecter des capitaux dans une affaire** to pump *ou* inject money into a business.

**injection** /ɛ̃ʒɛksjɔ̃/ **NF** *[capitaux]* infusion, injection.

**injonction** /ɛ̃ʒ̃ɔksjɔ̃/ **NF** injunction, command, order.

**innovant, e** /in(n)ɔvɑ̃, ɑ̃t/ **ADJ** innovative.

**innovateur, -trice** /in(n)ɔvatœr, tris/ **ADJ** innovative, innovatory.

**innovation** /in(n)ɔvasjɔ̃/ **NF** *(gén)* innovation; *(= produit)* pioneer *ou* innovative product ♦ **capacité d'innovation** innovative capacity.

**innover** /in(n)ɔve/ **VI** to innovate, break new ground.

**inobservation** /inɔpsɛrvasjɔ̃/ **NF** non-observance *(de* of*)* inobservance *(de* of*)* non-compliance *(de* with*)* ♦ **inobservation des règlements** failure to observe the regulations, non-observance of *ou* non-compliance with the regulations.

**inondation** /inɔ̃dasjɔ̃/ **NF** *[marché]* flooding, swamping, inundation.

**inonder** /inɔ̃de/ **VT** *marché* to flood, swamp, inundate, glut *(de* with*)* ♦ **nous sommes inondés de commandes** we are swamped *ou* flooded with orders.

**inopposabilité** /inɔpozabilite/ **NF** *(Jur)* non-invocability.

**inopposable** /inɔpozabl(ə)/ **ADJ** *(Jur)* non-invocable.

**INPI** /iɛnpei/ **NM** abrév de **Institut national de la propriété industrielle** → **institut.**

**INRA** /inra/ **NM** abrév de **Institut national de la recherche agronomique** → **institut.**

**inscription** /ɛ̃skripsjɔ̃/ **NF** **a** *(= texte)* inscription; *(= enregistrement)* registration ♦ **inscription comptable** entry, posting ♦ **inscription à la cote officielle** quotation on the list ♦ **demander son inscription à la cote** to apply for admission to the list ♦ **inscription hypothécaire** mortgage registration ♦ **inscription au registre du commerce** registration entry, registry in the Trade Register **b** *(= service)* ♦ **inscription maritime** registry of ships.

**inscrire** /ɛ̃skrir/ **VT** *(gén)* to note down, write down; *écriture comptable* to enter, post; *personne sur une liste* to register ♦ **inscrire des dépenses au budget** to list expenses in the budget ♦ **inscrire une commande** to book an order ♦ **inscrire une question à l'ordre du jour** to put *ou* place a question on the agenda ♦ **l'équivalent de 500 millions de DTS est déjà inscrit dans la loi de finances** the equivalent of 500 millions in SDR already appears in the appropriation bill ♦ **ces valeurs ne sont pas inscrites à la cote (officielle)** these securities are not admitted to official quotation *ou* are not listed ♦ **inscrire qn sur une liste** to put sb's name down on a list, register sb ♦ **faire inscrire ses titres en compte** to register one's shares
**s'inscrire** **VPR** **a** *(sur une liste)* to put one's name down *(sur* on*)* register, enrol ♦ **s'inscrire au chômage** to go on the dole, apply for unemployment benefit, go on relief *(US)* **b** *(Bourse)* to be marked *(à* at*)* ♦ **s'inscrire en baisse** *ou* **en repli** *ou* **en recul** to be marked down, be quoted down ♦ **s'inscrire en hausse** *ou* **en reprise** to be marked up, be quoted up, chalk up a rise ♦ **ce titre s'inscrit à 356 euros approchant son plus haut pour l'année** these shares are standing at 356 euros near their high for the year.

**inscrit, e** /ɛ̃skri, it/ **ADJ** *personne* registered ♦ **titres inscrits au nominatif** registered shares ♦ **valeur inscrite à la cote officielle** *(Bourse)* listed security.

**INSEE** /inse/ **NM** abrév de **Institut national de la statistique et des études économiques** → **institut.**

**insérer** /ɛ̃sere/ **VT** *annonce, clause* to insert *(dans* in*)*

**insertion** /ɛ̃sɛʀsjɔ̃/ **NF** *[clause]* insertion *(Presse = petite annonce)* ad ◆ **insertion sociale** social integration ◆ **stage d' insertion** induction course ◆ **mode insertion** *(Inf)* insert mode ◆ **programme d'insertion locale** local insertion program *(for retrained workers).*

**insolvabilité** /ɛ̃sɔlvabilite/ **NF** insolvency ◆ **assurance insolvabilité** insolvency insurance.

**insolvable** /ɛ̃sɔlvabl(ə)/ **ADJ** insolvent ◆ **être insolvable** to be insolvent, be in a state of insolvency ◆ **se déclarer insolvable** to declare o.s. insolvent *ou* insolvable *(US).*

**inspecter** /ɛ̃spɛkte/ **VT** to inspect; *(par sondage)* to spot-check.

**inspecteur, -trice** /ɛ̃spɛktœʀ, tʀis/ **NM,F** *(gén)* inspector; *[supermarché]* shopwalker, floor-walker *(US)*

—————— compounds/composés ——————

◆ **inspecteur des contributions directes** inspector of taxes, tax inspector, surveyor of taxes, tax surveyor, revenue officer
◆ **inspecteur des douanes** customs surveyor
◆ **inspecteur des finances** Treasury official
◆ **inspecteur des impôts** tax inspector, surveyor of taxes
◆ **inspecteur régleur** insurance adjuster
◆ **inspecteur du travail** factory *ou* labour inspector
◆ **inspecteur des ventes** sales inspector *ou* surpervisor.

**inspection** /ɛ̃spɛksjɔ̃/ **NF** **a** *(= contrôle)* inspection ◆ **faire une tournée d'inspection** to make a tour of inspection ◆ **inspection par sondage** spot check **b** *(= service)* inspectorate ◆ **inspection des Finances** tax inspectorate ◆ **inspection du Travail** factory inspectorate, Occupational Safety and Health Administration

**instabilité** /ɛ̃stabilite/ **NF** *[cours, prix]* instability; *[marché]* jumpiness, instability ◆ **instabilité conjoncturelle** conjunctural instability ◆ **instabilité monétaire** monetary instability.

**instable** /ɛ̃stabl(ə)/ **ADJ** *cours, prix* unstable; *marché* jumpy, unstable.

**installateur** /ɛ̃stalatœʀ/ **NM** fitter ◆ **installateur en rayon** *(Mktg)* rackjobber.

**installation** /ɛ̃stalasjɔ̃/ **NF** **a** *[chauffage central, téléphone]* installation, putting in; *[succursale]* setting up; *[local, bureau]* fitting out; *[fonctionnaire]* appointment, installation ◆ **depuis notre installation en banlieue parisienne** since we have set ourselves up in the Paris suburbs ◆ **installations en rayons** rackjobbing **b** *(= équipements)* ◆ **installations** fittings, in-

stallations ◆ **les installations de l'usine ont été modernisées** the factory installations have been streamlined **c** *(= service)* facility ◆ **notre nouvelle installation informatique** our new computer facility ◆ **installations** *(= bâtiments)* plant, manufacturing *ou* production facility ◆ **installations industrielles** industrial facilities, plant ◆ **installations portuaires** port *ou* harbour facilities.

**installer** /ɛ̃stale/ **VT** *chauffage central, téléphone* to install, put in; *succursale* to set up; *local, bureau* to fit out; *(Admin) fonctionnaire* to appoint, install ◆ **capacité installée** installed capacity ◆ **la commission sera installée dès la fin de cette année** the committee will be set up at the end of the year

**s'installer** **VPR** *[entrepreneur, individuel]* to set o.s. up *(comme* as) set up shop *(comme* as); *[entreprise]* to set up ◆ **s'installer à son compte** to set up on one's own, set up one's own business ◆ **le marché s'est installé au-dessus de la barre des 7 000 points** the index has camped above the 7,000 mark.

**instance** /ɛ̃stɑ̃s/ **NF** **a** *(= organe)* authority ◆ **les instances communautaires** the EU authorities ◆ **les instances administratives compétentes** the competent administrative authorities ◆ **de plus hautes instances** higher authorities **b** *(Jur)* (legal) proceedings ◆ **engager** *ou* **introduire une instance** to institute legal proceedings, bring a lawsuit *(contre* against) ◆ **tribunal d'instance** magistrates' court ◆ **tribunal de grande instance** county court ◆ **juger en première / en seconde instance** to try in a court of first instance / in an appeal court ◆ **instance d'appel** appeal proceedings **c** **l'affaire est en instance** *(= en attente)* the matter is pending ◆ **courrier en instance** mail due to be dispatched.

**instantané, e** /ɛ̃stɑ̃tane/ **ADJ** *(Bourse) indicateur* immediate.

**instaurer** /ɛ̃stɔʀe/ **VT** *impôt* to introduce.

**institut** /ɛ̃stity/ **NM** institute ◆ **Institut d'administration des entreprises** *institute of business administration* ◆ **Institut de développement industriel** institute of industrial development ◆ **institut d'émission** issuing house ◆ **Institut d'études politiques** *institute of political science* ◆ **Institut français d'opinion publique** *French institute for public opinion surveys* ◆ **Institut monétaire européen** European Monetary Institute ◆ **Institut national de la consommation** *national consumer institute,* Consumers' Association *(Brit),* Consumer Product Safety Commission *(US)* ◆ **Institut**

national des études démographiques *national institute of demographic studies* ✦ **Institut national de la propriété industrielle** Patent Office ✦ **Institut national de la recherche agronomique** *national institute of agronomic research* ✦ **Institut national de la statistique et des études économiques** *French national institute of statistics and economic surveys* ✦ **institut de sondage** polling institution *ou* firm ✦ **institut universitaire de technologie** polytechnic *(Brit)*, technical institute *(US)*.

**institution** /ɛ̃stitysjɔ̃/ **NF** institution ✦ **institution de crédit** credit institution ✦ **institution financière** financial institution ✦ **institution sans but lucratif** non-profit-making institution *(Brit)*, not-for-profit institution *(US)*.

**institutionnaliser** /ɛ̃stitysjɔnalize/ **VT** to institutionalize.

**institutionnel, -elle** /ɛ̃stitysjɔnɛl/ **ADJ** *investisseur, monopole* institutional ✦ **publicité institutionnelle** image *ou* institutional *ou* corporate advertising
**institutionnels** **NMPL** *(Bourse)* institutional investors.

**instructeur** /ɛ̃stryktœr/ **ADJ** *(Jur)* ✦ **juge** *ou* **magistrat instructeur** examining magistrate.

**instruction** /ɛ̃stryksjɔ̃/ **NF** **a** *(Jur = enquête)* ✦ **ouvrir une instruction** to initiate an investigation (into a crime) ✦ **renvoyer une affaire pour complément d'instruction** to remand a case for further inquiry ✦ **juge d'instruction** examining magistrate *(Brit)*, committing magistrate *(US)* ✦ **instruction des sinistres** *(Ass)* claims handling **b** *(= consigne)* instruction; *(Inf)* instruction, command; *(Admin)* directive ✦ **instruction ministérielle** ministerial directive ✦ **instructions** *(gén)* instructions; *(= mode d'emploi)* instructions, directions ✦ **se conformer aux instructions du client** to comply with the customer's instructions ✦ **notre représentant n'a pas suivi nos instructions** our agent acted contrary to his instructions ✦ **conformément à** *ou* **en accord avec vos instructions** in accordance with *ou* in pursuance of *ou* in compliance with your instructions.

**instruire** /ɛ̃struir/ **VT** ✦ **instruire un procès** to conduct the investigation for a trial.

**instrument** /ɛ̃strymɑ̃/ **NM** *[crédit, investissement]* instrument ✦ **instrument de couverture** hedging instrument ✦ **instrument financier / négociable** financial / negotiable instrument ✦ **instrument de paiement** means of payment ✦ **instrument de placement** investment instru-

ment ✦ **marché à terme des instruments financiers** financial futures market.

**instrumenter** /ɛ̃strymɑ̃te/ **VI** *(Jur)* to draw up a formal document.

**insuffisance** /ɛ̃syfizɑ̃s/ **NF** *[moyens]* inadequacy; *[ressources]* insufficiency; *[personnel]* shortage ✦ **insuffisance de capital** impairment of capital, undercapitalization ✦ **insuffisance de caisse** cash deficiency ✦ **insuffisance de provisions sur un compte** insufficient funds.

**insuffisant, e** /ɛ̃syfizɑ̃, ɑ̃t/ **ADJ** *quantité* insufficient; *qualité* inadequate ✦ **payer une surtaxe pour affranchissement insuffisant** to pay extra postage.

**int.** abrév de **intérêt.**

**intangible** /ɛ̃tɑ̃ʒibl(ə)/ **ADJ** intangible ✦ **actif intangible** intangible assets.

**intégral, e** MPL, **-aux** /ɛ̃tegral, o/ **ADJ** complete ✦ **paiement intégral** payment in full, full payment ✦ **versement intégral à la répartition** full payment *ou* payment in full on allotment.

**intégralement** /ɛ̃tegralmɑ̃/ **ADV** in full, fully ✦ **capital intégralement libéré** paid up *ou* fully paid capital.

**intégralité** /ɛ̃tegralite/ **NF** whole ✦ **la somme vous sera remboursée dans son intégralité** the sum will be repaid to you in its entirety *ou* in full ✦ **vous devez déclarer l'intégralité de vos revenus** you must declare your whole *ou* entire income ✦ **l'intégralité de la somme devra être versée à la signature du contrat** the whole *ou* entire sum will have to be paid when the contract is signed ✦ **payer qch dans son intégralité** to pay sth in full.

**intégration** /ɛ̃tegrasjɔ̃/ **NF** *(gén)* integration *(à, dans* into); *(Compta)* consolidation; *(Ind)* regrouping ✦ **intégration en amont / en aval** backward / forward integration ✦ **intégration horizontale / verticale** horizontal / vertical integration.

**intégré, e** /ɛ̃tegre/ **ADJ** *(gén, Écon, Math)* integrated ✦ **logiciel intégré** integrated software ✦ **gestion intégrée** integrated project management ✦ **stage intégré** in-house training ✦ **traitement intégré des données** integrated data processing ✦ **circuit intégré** integrated circuit ✦ **société intégrée horizontalement / verticalement** a horizontally / vertically integrated company
**intégrés** **NMPL** chain stores.

**intégrer** /ɛ̃tegre/ **VT** *(Écon, Math)* *fonction, secteur d'activité* to integrate; *(Tech)* *dispositif* to build in ✦ **ces sommes ont été intégrées aux prix pour**

tenir compte de l' inflation the sums have been factored into the prices as inflation adjustment ✦ **ils ont intégré ce module dans la machine** they have built this module into the machine ✦ **les grands groupes publicitaires créent des départements intégrés spécialisés dans leur structure d'ensemble** the major advertising groups are integrating specialized departments in their overall structure ✦ **ce modèle intègre les derniers développements de la technologie** the latest technological developments have been designed *ou* built into this market.

**intelligence** /ɛteliʒɑ̃s/ **NF** intelligence ✦ **intelligence économique** economic *ou* business *ou* competitive intelligence ✦ **intelligence artificielle** artificial intelligence.

**intensité** /ɛ̃tɑ̃site/ **NF** intensity ✦ **intensité capitalistique / travaillistique** capital / labour intensity ✦ **industrie à forte intensité capitalistique / travaillistique** capital-intensive / labour-intensive industry.

**intenter** /ɛ̃tɑ̃te/ **VT** ✦ **intenter un procès contre** *ou* **à qn** to start *ou* institute proceedings against sb, sue sb ✦ **intenter une action contre qn** to bring an action against sb.

**intention** /ɛ̃tɑ̃sjɔ̃/ **NF** intention ✦ **lettre d'intention** letter of intent ✦ **intention d'achat** purchasing intention, intended purchase ✦ **intention de commande** intended order ✦ **intentions d'investir** intended investment, investment intentions ✦ **intention criminelle** *ou* **délictueuse** *(Jur)* malicious intent.

**interbancaire** /ɛ̃tɛʀbɑ̃kɛʀ/ **ADJ** *transactions, cours, marché* interbank ✦ **taux interbancaire moyen** interbank fixed rate ✦ **taux interbancaire demandé** interbank market bid rate ✦ **taux interbancaire offert** interbank offered rate, IBOR ✦ **taux du marché interbancaire au jour le jour** interbank overnight rate.

**interbancarité** /ɛ̃tɛʀbɑ̃kaʀite/ **NF** interbanking.

**intercalaire** /ɛ̃tɛʀkalɛʀ/ **ADJ** ✦ **dividende intercalaire** interim dividend.

**interconnexion** /ɛ̃tɛʀkɔnɛksjɔ̃/ **NF** *(gén)* interconnection ✦ **interconnexion des marchés** interconnection of markets.

**interdiction** /ɛ̃tɛʀdiksjɔ̃/ **NF** *(= action)* banning *(de* of); *(= résultat)* ban *(de* on) ✦ **interdiction bancaire** suspension of banking privileges ✦ **interdiction de chéquier** withdrawal of chequebook facilities.

**interdire** /ɛ̃tɛʀdiʀ/ **VT** *(gén)* to forbid, prohibit; *revue* to ban; *fonctionnaire* to bar from office.

**interdit, e** /ɛ̃tɛʀdi, it/ **ADJ** il est strictement interdit de... it's strictly forbidden *ou* prohibited to... ✦ **entrée interdite** no admittance, no entry ✦ **interdit de vente** *(Comm)* banned ✦ **être interdit bancaire** to have one's banking privileges suspended ✦ **être interdit de chéquier** to have chequebook facilities withdrawn **NM** ban ✦ **frapper d'interdit** to ban ✦ **interdit de séjour** *person banned from entering specified places.*

**interentreprises** /ɛ̃tɛʀɑ̃trəpʀiz/ **ADJ INV** intercompany *(Brit)*, intercorporate *(US)*.

**intéressé, e** /ɛ̃teʀese/ **ADJ** *(= concerné)* concerned, involved ✦ **les parties intéressées** the interested parties, the parties involved *ou* concerned **NM,F** *(Admin) (= demandeur)* applicant ✦ **partie à remplir par l'intéressé** to be completed by the applicant ✦ **les intéressés devront formuler leur demande par écrit** applicants should make a request in writing ✦ **premier intéressé** *(Fin)* preferential creditor.

**intéressement** /ɛ̃teʀɛsmɑ̃/ **NM** ✦ **l'intéressement des salariés aux bénéfices de l'entreprise** *sharing of a company's profits by its employees* profit-sharing scheme, incentive scheme ✦ **prime d'intéressement** incentive profit-related bonus.

**intéresser** /ɛ̃teʀese/ **VT** **a** *(= s'appliquer à) [mesure]* to affect, concern ✦ **la nouvelle réglementation n'intéresse pas les ressortissants britanniques** the new regulation doesn't affect *ou* concern British nationals **b** *(Écon) (= associer à un profit)* ✦ **être intéressé aux bénéfices** to have a share in the profits ✦ **intéresser les salariés aux bénéfices** to give the employees a share in the profits.

**intérêt** /ɛ̃teʀɛ/ **NM** **a** *(Fin)* interest ✦ **avec / hors intérêt** *(Bourse)* cum / ex interest ✦ **taux / compte / coupon / marge / tables d'intérêt** interest rate / account / coupon *ou* warrant / spread / tables ✦ **bonification / différentiel d'intérêt** interest-rate subsidy / differential ✦ **capitaliser les intérêts** to capitalize interest ✦ **placer de l'argent à intérêt** to put out money at interest ✦ **porter** *ou* **produire** *ou* **rapporter des intérêts** to bear *ou* carry *ou* yield interest ✦ **prêter à intérêt** to lend out at interest ✦ **servir** *ou* **verser des intérêts** to serve interest ✦ **mon épargne me rapporte 9% d'intérêt** my savings bring in *ou* carry 9% interest ✦ **les intérêts sur ce compte sont calculés chaque jour** interest on this account accrues *ou* is compounded day by day ✦ **les intérêts courent à partir du 1er janvier** interest accrues from

January 1st ✦ **productif d'intérêt** interest bearing *ou* yielding ✦ **laisser courir des intérêts** to allow interest to accrue *ou* accumulate ✦ **nous prélèverons des intérêts à un taux de 5% sur tout compte non soldé** we shall charge 5% interest on unpaid accounts ✦ **les intérêts sont crédités tous les 6 mois** crediting of interest takes place every 6 months **b** *(= part de capital)* interest ✦ **intérêt assurable / assuré** insurable / insured interest ✦ **intérêts privés** private interests ✦ **posséder un intérêt** *ou* **des intérêts dans une société** to have a stake *ou* an interest *ou* vested interests in a company

───── compounds/composés ─────

- **intérêts anticipés** anticipated *ou* anticipatory interest
- **intérêts arriérés** interest in arrears, back interest
- **intérêts bonifiés** subsidized interest
- **intérêts bruts** gross interest
- **intérêts composés** compound interest
- **intérêts courus** accrued interests
- **intérêts créditeurs** credit interest, black interest
- **intérêts cumulés** accrued interest
- **intérêts débiteurs** debit interest
- **intérêts différés** deferred interest
- **intérêts dus** payable interest, interest due
- **intérêts à échoir** accruing interest
- **intérêts échus** outstanding interest
- **intérêts exigibles** payable interest, interest due
- **intérêts fixes** fixed interest
- **intérêts intérimaires** interim interest
- **intérêts moratoires** default interest, interest on arrears
- **intérêts obligataires** debenture *ou* bond interest
- **intérêts prorata temporis** broken period interest
- **intérêts précomptés** prepaid interest
- **intérêts de report** *(Bourse)* contango
- **intérêts de retard** default interest, penalty interest
- **intérêt simple** simple interest
- **intérêts viagers** life interest
- **intérêts variables** variable interest.

**interfaçage** /ɛ̃tɛʁfasaʒ/ **NM** *(Inf)* interfacing.

**interface** /ɛ̃tɛʁfas/ **NF** *(Inf)* interface ✦ **interface utilisateur** user interface ✦ **à l'interface de** at the interface of.

**interfacer** /ɛ̃tɛʁfase/ **VT** *(Inf)* to interface.

**intérieur, e** /ɛ̃teʁjœʁ/ **ADJ** *dette* domestic, internal; *marché* home, domestic, internal, national; *tarif, taxe, navigation* inland; *trafic aérien, vol* domestic ✦ **commerce intérieur** domestic *ou* home *ou* internal trade ✦ **produit intérieur brut** gross domestic product

**NM** **effet sur l'intérieur** home *ou* inland bill ✦ **mandat sur l'intérieur** inland money order ✦ **facture / traite sur l'intérieur** inland invoice / bill of exchange.

**intérim** /ɛ̃teʁim/ **NM** **a** *(= emploi)* temporary work, temping ✦ **elle fait de l'intérim en attendant de trouver une situation stable** she's temping until she finds a steady job ✦ **société** *ou* **agence d'intérim** temping agency temporary employment office (US) **b** *(= intervalle de temps)* interim period ✦ **diriger un service par intérim** to run a department temporarily *ou* in a temporary capacity ✦ **président par intérim** acting *ou* interim president ✦ **assurer l'intérim de qn** to deputize for sb ✦ **dans l'intérim c'est elle qui assume la responsabilité** in the interim period *ou* in the meantime she has taken over the responsability.

**intérimaire** /ɛ̃teʁimɛʁ/ **ADJ** *directeur* acting, interim; *audit, dividende* interim; *personnel, fonctions, mesure* temporary ✦ **crédit intérimaire** stand-by credit

**NMF** *(= secrétaire)* temporary worker, temp (Brit), Kelly girl (US) ✦ **travailler comme intérimaire** to temp.

**interjeter** /ɛ̃tɛʁʒəte/ **VT** *(Jur)* ✦ **interjeter appel** to lodge *ou* file (US) an appeal.

**intermédiaire** /ɛ̃tɛʁmedjɛʁ/ **ADJ** intermediate, intermediary ✦ **consommation intermédiaire** intermediate consumption ✦ **consommations intermédiaires** inputs ✦ **cadres intermédiaires** middle management executives ✦ **produits** *ou* **biens intermédiaires** intermediate goods, semi-processed *ou* semi-finished materials ✦ **une date intermédiaire entre le 25 juin et le 3 juillet** a date midway between June 25th and July 3rd

**NMF** *(= personne)* *(gén)* intermediary; *(Bourse)* jobber; *(Comm)* middleman ✦ **vendre sans intermédiaire** to sell directly ✦ **par l'intermédiaire de qn** through the intermediary *ou* agency of sb ✦ **intermédiaire financier** financial intermediary ✦ **intermédiaire agréé** *ou* **habilité** authorized agent ✦ **intermédiaires s'abstenir** no agents wanted.

**intermédiation** /ɛ̃tɛʁmedjasjɔ̃/ **NF** *(Fin)* intermediation.

**interministériel, -elle** /ɛ̃tɛʁministeʁjɛl/ **ADJ** interdepartmental.

**international, e** **MPL, -aux** /ɛ̃tɛʁnasjɔnal, o/ **ADJ** *instances, droit, commerce* international **internationales** **NFPL** *(Bourse)* international shares.

**internationalement** /ɛ̃tɛʀnasjɔnalmɑ̃/ **ADV** internationally.

**internationalisation** /ɛ̃tɛʀnasjɔnalizasjɔ̃/ **NF** internationalization.

**internationaliser** /ɛ̃tɛʀnasjɔnalize/ **VT** to internationalize.

**internaute** /ɛ̃tɛʀnot/ **NMF** net surfer.

**interne** /ɛ̃tɛʀn(ə)/ **ADJ** organisation, problème, recrutement internal ✦ **formation interne à l'entreprise** in-house ou in-plant training ✦ **agence interne** (Pub) in-house agency ✦ **audit interne** (= vérification) internal audit; (= vérificateur) internal auditor ✦ **financement interne** internal financing ✦ **mémoire interne** (Inf) internal memory ou storage ✦ **redéploiement** ou **réorganisation interne** internal reorganization ou restructuring ou redeployment.

**Internet** /ɛ̃tɛʀnɛt/ **NM** ✦ **(l')Internet** the Internet ✦ **sur (l')Internet** on the Internet ✦ **Internet gratuit** Freenet.

**interpénétration** /ɛ̃tɛʀpenetʀasjɔ̃/ **NF** (entre marchés) interpenetration.

**interprofessionnel, -elle** /ɛ̃tɛʀpʀɔfesjɔnɛl/ **ADJ** comité interprofessional ✦ **salaire minimum interprofessionnel garanti** ou **de croissance** guaranteed minimum wage.

**interrogation** /ɛ̃teʀɔgasjɔ̃/ **NF** (Inf) [base de données] query ✦ **interrogation à distance** remote query ou interrogation.

**interrogeable** /ɛ̃teʀɔʒabl/ **ADJ** ✦ **interrogeable à distance** appareil with a remote control facility ✦ **interrogeable par Internet** that can be accessed by the Internet.

**interroger** /ɛ̃teʀɔʒe/ **VT** (gén) to question; (sondage) to poll; (Inf) base de données to query ✦ **personne interrogée** (Mktg) respondent ✦ **60% des personnes interrogées ont préféré notre produit** 60% of those polled preferred our product ✦ **interroger son répondeur** to check calls on one's answering machine.

**intersyndical, e,** MPL **-aux** /ɛ̃tɛʀsɛ̃dikal, o/ **ADJ** réunion, grève interunion
**intersyndicale** 🔳 interunion committee.

**intervenant, e** /ɛ̃tɛʀvənɑ̃, ɑ̃t/ **NM,F** (= orateur) speaker, contributor; (Écon) actor; (Bourse) operator; (Comm) [traite] acceptor for honour; (Jur) intervener ✦ **intervenant sur blocs de titres** (Bourse) bloc positioner.

**intervenir** /ɛ̃tɛʀvəniʀ/ **VI** a [personne] (dans un débat) to take part (dans in); (dans un conflit) to intervene (dans in); (Fin, Jur) to intervene ✦ **il est intervenu pendant 10 minutes** he spoke for

10 minutes ✦ **faire intervenir qn** (= appeler) to call sb in ✦ **il a fait intervenir ses appuis politiques** he called on his political connections ✦ **il était grand temps que le gouvernement intervienne** it was high time for the government to step in ou to take action ✦ **intervenir à un contrat** to intervene in a contract, become a third party to a contract ✦ **la Banque de France a dû intervenir pour soutenir notre monnaie** the Bank of France had to intervene in support of our currency 🔳 [décision] (= survenir) to take place; (= jouer un rôle) to play a part (dans in) ✦ **les exportations ont bénéficié des réajustements de parités intervenus sur les principales devises** exports have benefited from the exchange rate readjustments which have taken place among the major currencies ✦ **un accord est intervenu entre la direction et les syndicats** an agreement has been reached between the management and the unions ✦ **le démarrage de cette usine n'interviendra pas avant deux mois** this factory will not become operative for another two months ✦ **les charges sociales interviennent dans les prix de revient** social charges affect costs.

**intervention** /ɛ̃tɛʀvɑ̃sjɔ̃/ **NF** a (gén) intervention ✦ **intervention de l'État** ou **des pouvoirs publics** state ou government intervention ✦ **malgré l'intervention des banques centrales, le dollar a continué à glisser** despite the intervention of the central banks, the dollar continued to slide ✦ **cours plafond d'intervention** upper intervention point ✦ **cours plancher d'intervention** official support point, lower intervention point ✦ **mécanisme / beurre / seuil / stocks d'intervention** (UE) intervention mechanism / butter / threshold / stocks ✦ **prix d'intervention** (UE) intervention price ✦ **acheter à l'intervention** (UE) to buy into intervention 🔳 (= discours) speech ✦ **l'intervention du président a été accueillie favorablement** the chairman's speech was favourably received 🔳 (Jur) intervention ✦ **paiement par intervention** payment on behalf of a third party 🔳 (Comm) ✦ **acceptation par intervention** [traite] acceptance for honour ✦ **acte d'intervention** act of honour ✦ **intervention à protêt** intervention on protest ✦ **payer par intervention** to pay for honour.

**interventionnisme** /ɛ̃tɛʀvɑ̃sjɔnism(ə)/ **NM** interventionism.

**interventionniste** /ɛ̃tɛʀvɑ̃sjɔnist(ə)/ **ADJ, NMF** interventionist.

**interview** /ɛ̃tɛʀvju/ **NM** OU **F** interview ✦ **interview d'embauche / de groupe** job / group interview.

**intestat** /ɛ̃tɛsta/ **ADJ** mourir intestat to die intestate
**NMF** intestate.

**intitulé** /ɛ̃tityle/ **NM** [loi, inventaire] title; [compte] name.

**intracommunautaire** /ɛ̃tʀakɔmynotɛʀ/ **ADJ** (UE) commerce intracommunity.

**Intranet** /ɛ̃tʀanɛt/ **NM** Intranet.

**intransférable** /ɛ̃tʀɑ̃sfeʀabl(ə)/ **ADJ** (Comm) untransferable, nontransferable.

**intransmissibilité** /ɛ̃tʀɑ̃smisibilite/ **NF** (Jur) untransferability, nontransferability.

**intransmissible** /ɛ̃tʀɑ̃smisibl(ə)/ **ADJ** (Jur) untransferable, nontransferable.

**intrant** /ɛ̃tʀɑ̃/ **NM** input.

**introducteur** /ɛ̃tʀɔdyktœʀ/ **NM** (Bourse) introducer, the shop.

**introduction** /ɛ̃tʀɔdyksjɔ̃/ **NF** **a** (gén) introduction ◆ lettre d'introduction letter of introduction ◆ introduction d'instance (Jur) institution of formal proceedings (contre against) **b** (Bourse) stock market listing ou floatation ◆ il y a eu 3 introductions en Bourse ce mois-ci there have been 3 floatations ou listings this month ◆ envisager une introduction en Bourse to consider going public ◆ syndicat d'introduction placement syndicate ◆ société de Bourse chargée de l'introduction de la valeur brokerage company responsible for issuing the security ◆ cours d'introduction issue ou issuing price.

**introduire** /ɛ̃tʀɔdɥiʀ/ **VT** **a** (gén) to introduce ◆ introduire qch en contrebande ou en fraude to smuggle sth in ◆ introduire un nouveau produit sur le marché to launch a new product on the market ◆ introduire progressivement système, méthode to phase in **b** (Bourse) to list (on the stock exchange), float ◆ être introduit en Bourse to go public ◆ 3 nouvelles sociétés ont été introduites en Bourse ce mois-ci 3 new companies were floated ou were listed this month **c** (Jur) to institute ◆ introduire une action en dommages-intérêts contre qn to bring an action for damages against sb, sue sb for damages **d** (Inf) données to key in
**s'introduire** **VPR** s'introduire en Bourse to go public.

**invalidation** /ɛ̃validasjɔ̃/ **NF** [contrat] invalidation.

**invalide** /ɛ̃valid/ **ADJ** (Jur) contrat invalid, null and void.

**invalider** /ɛ̃valide/ **VT** (Jur) to invalidate, declare null and void.

**invalidité** /ɛ̃validite/ **NF** **a** (Jur) [contrat] nullity, invalidity **b** (Ind = incapacité) disability, disablement ◆ assurance invalidité disablement insurance ◆ coefficient d'invalidité degree of disablement ◆ indemnité d' invalidité disablement benefit ◆ pension d'invalidité disablement pension, workmen's compensation.

**invendable** /ɛ̃vɑ̃dabl(ə)/ **ADJ** unmarketable, unsaleable.

**invendu, e** /ɛ̃vɑ̃dy/ **ADJ** unsold, left-over
**NM** unsold article ou item, left-over, remainder ◆ les invendus unsold items, the dead stock, overstocks (US), returns.

**inventaire** /ɛ̃vɑ̃tɛʀ/ **NM** **a** (Comm) stocklist (Brit), inventory (US) ; (= action) stocktaking, inventory; (= résultat) inventory, stocklist; (Jur) inventory ◆ déperdition ou perte / écart / relevé / livre d'inventaire inventory loss / difference / note / book ◆ feuille / fiche d'inventaire stock sheet / card ◆ plus-value sur inventaire stock ou inventory appreciation ◆ valeur d'inventaire stocktaking value ◆ établir ou dresser ou faire l'inventaire (Jur) to draw up the inventory; (Comm) to do the stocktaking (Brit) ou inventory (US) ◆ vente pour cause d'inventaire stocktaking sale ◆ fermé pour cause d'inventaire closed for stocktaking ◆ sous bénéfice d'inventaire conditionally, with reservation **b** (Fin) [valeurs, titres] valuation ◆ inventaire du portefeuille titres valuation of securities

---
*compounds/composés*
- **inventaire comptable** book inventory
- **inventaire des existants** physical inventory, stock in hand
- **inventaire effectif** (Compta) actual balance
- **inventaire de fin d'année** end-of-year inventory
- **inventaire intermittent** periodic inventory
- **inventaire permanent** continuous ou permanent ou perpetual inventory
- **inventaire périodique** periodic inventory
- **inventaire physique** physical inventory, stock in hand
- **inventaire réel** physical inventory, stock in hand
- **inventaire théorique** (Compta) balance as shown by books
- **inventaire tournant** periodic inventory.

---

**c** (Compta) ◆ balance d'inventaire trial balance ◆ balance préparatoire d'inventaire trial balance before closing, first trial balance.

**inventer** /ɛ̃vɑ̃te/ **VT** to invent.

**inventeur, -trice** /ɛ̃vɑ̃tœʀ, tʀis/ **NM,F** inventor.

**invention** /ɛ̃vɑ̃sjɔ̃/ **NF** invention ◆ brevet d'invention patent.

**inventorier** /ɛ̃vɑ̃tɔʀje/ **VT** *(Fin) effets, valeurs* to value; *(Jur)* to inventory, draw up the inventory of; *(Comm)* to take stock of, stocktake *(Brit)*, take the inventory of, inventory *(US)*.

**inventoriste** /ɛ̃vɑ̃tɔʀist(ə)/ **NM** stocktaker.

**inverse** /ɛ̃vɛʀs(ə)/ **ADJ** *(Compta)* ◆ **écriture inverse** reverse entry.

**inverser** /ɛ̃vɛʀse/ **VT** to reverse ◆ **prise de contrôle inversée** reverse takeover
**s'inverser** **VPR** to reverse ◆ **la tendance s'est inversée** *(Bourse)* there was a reversal in the trend.

**investir** /ɛ̃vɛstiʀ/ **VT** to invest ◆ **investir en Bourse** to invest money in the stock exchange ◆ **investir dans l'immobilier** to invest in property ◆ **propension marginale à investir** marginal propensity to invest ◆ **capital investi** invested capital ◆ **il a une grosse somme investie dans cette affaire** he has a large investment in this business.

**investissement** /ɛ̃vɛstismɑ̃/ **NM** investment, capital spending ◆ **investissement à long / moyen / court terme** long- / medium- / short-term investment ◆ **faire un investissement** to invest ◆ **l'investissement privé** private investment ◆ **les investissements étrangers en France** foreign investment in France ◆ **prime** *ou* **aide à l'investissement** investment incentive *ou* premium ◆ **taux / banque / biens / fonds / moins-value d'investissement** investment rate / bank / goods / fund / loss ◆ **dépenses d'investissement** capital *ou* investment expenditure ◆ **société d'investissement** investment company *ou* trust ◆ **société d'investissement à capital fixe** closed-end investment

company ◆ **société d'investissement à capital variable** open-end investment company, unit trust *(Brit)*, mutual fund *(US)* ▪ Voir encadré ci-dessous

**investisseur** /ɛ̃vɛstisœʀ/ **NM** investor ◆ **investisseurs frileux** overcautious *ou* timid investors ◆ **investisseur institutionnel** institutional investor, institutions ◆ **investisseur au jour le jour** day trader ◆ **investisseur privé** *ou* **individuel** individual *ou* retail investor.

**invisible** /ɛ̃vizibl(ə)/ **ADJ** *exportations* invisible ◆ **rentrées** *ou* **revenus invisibles** invisible earnings
**invisibles** **NMPL** invisibles ◆ **balance des invisibles** invisibles balance ◆ **compte des invisibles** invisibles account.

**IPC** /ipese/ **NM** (abrév de **indice des prix à la consommation**) CPI.

**Irak** /iʀak/ **NM** Iraq.

**irakien, -ienne** /iʀakjɛ̃, jɛn/ **ADJ** Iraqi
**NM** *(= langue)* Iraqi
**Irakien** **NM** *(= habitant)* Iraqi
**Irakienne** **NF** *(= habitante)* Iraqi.

**Iraq** /iʀak/ **NM** Irak.

**iraqien, -ienne** /iʀakjɛ̃, jɛn/ **ADJ, NM,F** irakien.

**Iran** /iʀɑ̃/ **NM** Iran.

**iranien, -ienne** /iʀanjɛ̃, jɛn/ **ADJ** Iranian
**NM** *(= langue)* Iranian
**Iranien** **NM** *(= habitant)* Iranian
**Iranienne** **NF** *(= habitante)* Iranian.

**irlandais, e** /iʀlɑ̃dɛ, ɛz/ **ADJ** Irish
**NM** *(= langue)* Irish
**Irlandais** **NM** *(= habitant)* Irishman ◆ **les Irlan-**

_____ *compounds/composés* _____

INVESTISSEMENT

◆ **investissement autochtone** domestic investment
◆ **investissement autonome** autonomous investment
◆ **investissement brut** *(Compta)* gross investment
◆ **investissement de capacité** capacity investment
◆ **investissement des consommateurs** consumer investment
◆ **investissement direct** direct investment
◆ **investissement immatériel** intangible investment
◆ **investissement immobilier** real estate investment
◆ **investissement indirect** indirect investment
◆ **investissement induit** induced investment

◆ **investissement d'infrastructure** fixed *ou* infrastructure investment
◆ **investissement initial** seed money
◆ **investissements institutionnels** *(Bourse)* institutional investments
◆ **investissement locatif** investment in rental property
◆ **investissements matériels** real investments
◆ **investissement net** net investment
◆ **investissement en portefeuille** portfolio investment
◆ **investissement de productivité** productivity investment
◆ **investissement à revenu fixe** fixed-yield investment
◆ **investissement à revenu variable** variable-yield investment.

dais the Irish ◆ **les Irlandais du Nord** the Northern Irish
**Irlandaise** ◼ *(= habitante)* Irishwoman.

**Irlande** /iʀlɑ̃d/ **NF** Ireland ◆ **(république d')Irlande** Irish Republic, Republic of Ireland ◆ **Irlande du Nord** Northern Ireland.

**IRPP** /iɛʀpepe/ **NM** abrév de **impôt sur le revenu des personnes physiques** → **impôt**.

**irrecevabilité** /iʀ(ʀ)əsvabilite/ **NF** *(Jur)* inadmissibility.

**irrecevable** /iʀ(ʀ)əsvabl(ə)/ **ADJ** *(Jur) demande* inadmissible; *réclamation* invalid.

**irrécouvrable** /iʀ(ʀ)ekuvʀabl(ə)/ **ADJ** irrecoverable ◆ **créances irrécouvrables** bad debts.

**irréductible** /iʀ(ʀ)edyktibl(ə)/ **ADJ** *(Fin)* ◆ **souscription à titre irréductible** application as of right for new shares.

**irrégularité** /iʀ(ʀ)egylaʀite/ **NF** **a** *(= faute)* irregularity **b** *(Bourse = instabilité)* fluctuations, ups and downs, seesawing movements.

**irrégulier, -ière** /iʀ(ʀ)egylje, jɛʀ/ **ADJ** *(gén)* irregular; *titres boursiers* unsteady; *marché* erratic.

**irrévocabilité** /iʀ(ʀ)evɔkabilite/ **NF** *(gén)* irrevocability; *[obligation]* binding nature.

**irrévocable** /iʀ(ʀ)evɔkabl(ə)/ **ADJ** *obligation, accord* binding; *lettre de crédit* irrevocable ◆ **jugement irrévocable** decree absolute.

**IS** /iɛs/ **NM** abrév de **impôt sur les sociétés** → **impôt**.

**ISBL** /iɛsbeɛl/ **NF** abrév de **institution sans but lucratif** → **institution**.

**ISBN** /iɛsbeɛn/ **NM** (abrév de **International Standard Book Number**) ISBN.

**ISF** /iɛsɛf/ **NM** abrév de **impôt de solidarité sur la fortune** → **impôt**.

**Islamabad** /islamabad/ **N** Islamabad.

**islandais, e** /islɑ̃dɛ, ɛz/ **ADJ** Icelandic
◼ *(= langue)* Icelandic
**Islandais** ◼ *(= habitant)* Icelander
**Islandaise** ◼ *(= habitante)* Icelander.

**Islande** /islɑ̃d/ **NF** Iceland.

**ISO** /izo/ **NM** (abrév de **International Standards Organization**) ISO ◆ **norme ISO** ISO standard.

**isolationnisme** /izɔlasjɔnism/ **NM** isolationism.

**isolationniste** /izɔlasjɔnist/ **ADJ, NMF** isolationist.

**isoprofit** /isɔpʀɔfi/ **NM** ◆ **courbe d'isoprofit** profit isometric curve.

**Israël** /isʀaɛl/ **NM** Israel.

**israélien, -ienne** /isʀaeljɛ̃, jɛn/ **ADJ** Israeli
**Israélien** ◼ *(= habitant)* Israeli
**Israélienne** ◼ *(= habitante)* Israeli.

**ISSN** /iɛsɛsɛn/ **NM** (abrév de **International Standard Serial Number**) ISSN.

**Italie** /itali/ **NF** Italy.

**italien, -ienne** /italjɛ̃, jɛn/ **ADJ** Italian
◼ *(= langue)* Italian
**Italien** ◼ *(= habitant)* Italian
**Italienne** ◼ *(= habitante)* Italian.

**item** /item/ ◼ item
◼ ditto.

**ITP** /itepe/ **NM** abrév de **ingénieur des travaux publics** → **ingénieur**.

**IUT** /iyte/ **NM** abrév de **institut universitaire de technologie** → **institut**.

**ivoirien, -ienne** /ivwaʀjɛ̃, jɛn/ **ADJ** of ou from the Ivory Coast
**Ivoirien** ◼ *(= habitant)* inhabitant ou native of the Ivory Coast
**Ivoirienne** ◼ *(= habitante)* inhabitant ou native of the Ivory Coast.

# J

**Jakarta** /ʒakaʀta/ **N** Jakarta.

**jamaïquain, e** /ʒamaikɛ̃, ɛn/ **ADJ** Jamaican ♦ **Jamaïquain** **NM** (= habitant) Jamaican ♦ **Jamaïquaine** **NF** (= habitante) Jamaican.

**Jamaïque** /ʒamaik/ **NF** Jamaica.

**janvier** /ʒɑ̃vje/ **NM** January → **septembre.**

**Japon** /ʒapɔ̃/ **NM** Japan.

**japonais, e** /ʒaponɛ, ɛz/ **ADJ** Japanese ♦ **NM** (= langue) Japanese ♦ **Japonais** **NM** (= habitant) Japanese ♦ **Japonaise** **NF** (= habitante) Japanese.

**jargon** /ʒaʀgɔ̃/ **NM** jargon ♦ **jargon administratif** officialese ♦ **jargon informatique** computer jargon, computerese* ♦ **jargon journalistique** journalese ♦ **jargon juridique** legalese ♦ **jargon publicitaire** advertising jargon.

**jauge** /ʒoʒ/ **NF** (= instrument de mesure) gauge (Mar = capacité) tonnage, tunnage ♦ **jauge brute / nette** gross / net tonnage.

**jaugeage** /ʒoʒaʒ/ **NM** gauging, measurement.

**jauger** /ʒoʒe/ **VT** to gauge, measure ♦ **jauger un navire** to measure the tonnage of a ship ♦ **VI** (Mar) ♦ **jauger 5 000 tonneaux** to be of 5,000 tons burden.

**jaune** /ʒon/ **ADJ** **les pages jaunes** (Téléc) the yellow pages ♦ **NMF** (* = non-gréviste) strike-breaker, scab*, blackleg.

**Jérusalem** /ʒeʀyzalɛm/ **N** Jerusalem.

**jet** /ʒɛ/ **NM** (Mar) ♦ **jet à la mer** jettison, throwing overboard, casting away ♦ **jet à la mer et enlèvement par les lames** jettison and washing overboard.

**jetable** /ʒətabl(ə)/ **ADJ** emballage disposable ♦ **produits jetables** disposable products, throwaways.

**jetée** /ʒ(ə)te/ **NF** pier, jetty ♦ **droits de jetée** pierage, pier dues.

**jeter** /ʒ(ə)te/ **VT** (gén) to throw; (= se débarrasser de) to throw away ♦ **jeter des marchandises à la mer** ou **par-dessus bord** (Mar) to jettison cargo, throw cargo overboard.

**jeton** /ʒ(ə)tɔ̃/ **NM** [téléphone] token ♦ **jeton de présence** (= honoraires) director's fees.

**jeu,** PL **-x** /ʒø/ **NM** **a** (partie) game ♦ **l'entreprise leader n'a pas fermé le jeu** the leading firm kept the game open ♦ **la direction a dévoilé son jeu** the management showed its hand ♦ **les syndicats font le jeu du gouvernement** unions are playing into the government's hands ♦ **jeu-concours entre consommateurs** consumer contest ♦ **jeu promotionnel** promotional game **b** (= spéculation) gambling, speculation ♦ **jeu sur les reports** (Bourse) speculating in contangos **c** (= interaction) working, interaction, interplay ♦ **le libre jeu de la concurrence / des forces économiques** the free play of competition / economic forces ♦ **les facteurs qui entrent en jeu** the factors that come into play **d** (= série) set ♦ **par jeux de 3** in sets of 3 ♦ **jeu complet de connaissements** full set of bills of lading **e** (Compta) ♦ **jeu d'écritures** paper transaction, dummy entry.

**jeudi** /ʒødi/ **NM** Thursday → **samedi.**

**jeune** /ʒœn/ **ADJ** young ♦ **jeune pousse** start-up.

**JO** /ʒio/ **NM** abrév de **journal officiel** → **journal.**

**job** */dʒɔb/ **NM** job ✦ **trouver un job pour l'été** to find a job for the summer *ou* a summer job.

**joignable** /ʒwaɲabl(ə)/ **ADJ** ✦ **elle n'est pas joignable cette semaine** she can't be reached *ou* she's not available this week.

**joindre** /ʒwɛ̃dʀ(ə)/ **VT** **a** (= *inclure dans un envoi*) to enclose, attach ✦ **je joins à ma lettre deux exemplaires pour signature** I am enclosing two copies for signature ✦ **veuillez joindre** *ou* **prière de joindre le papillon détachable à votre règlement** please enclose the stub with your payment **b** (= *prendre contact avec*) to get in touch with, contact, get hold of ✦ **joindre qn par téléphone** to contact sb on the phone ✦ **je n'ai pas réussi à le joindre** I couldn't get through to him ✦ **vous pouvez me joindre à mon bureau à partir de 9 heures** you can reach me at my office after 9.00 am **c** (= *ajouter*) to add ✦ **joindre l'intérêt et le capital** to add the interest to the principal.

**joint, jointe** /ʒwɛ̃, ʒwɛ̃t/ **ADJ** joint ✦ **affaires jointes** (*Jur*) joint causes ✦ **documents joints, pièces jointes** encl(s), enclosures ✦ **échantillon joint** sample attached ✦ **ci-joint notre nouveau tarif** new tariff enclosed ✦ **nous avons l'honneur de vous adresser ci-joint notre devis estimatif** we have pleasure in enclosing our estimate.

**joint-venture** /dʒɔjntvɛntʃœr/ **NM** joint venture.

**jonction** /ʒɔ̃ksjɔ̃/ **NF** (*Jur*) ✦ **jonction de causes** *ou* **d'instances** joinder, consolidation.

**Jordanie** /ʒɔʀdani/ **NF** Jordan.

**jordanien, -ienne** /ʒɔʀdanjɛ̃, jɛn/ **ADJ** Jordanian
**Jordanien** **NM** (= *habitant*) Jordanian
**Jordanienne** **NF** (= *habitante*) Jordanian.

**jouer** /ʒwe/ **VT** to play ✦ **accepter de jouer le jeu de la libre concurrence** to agree to play the game of free competition ✦ **jouer le franc à la baisse** (*Bourse*) to speculate on a falling franc **VI** **a** [*facteurs*] to come into play; [*réglementation, clause*] to apply; [*tarifs*] to become operative, come into effect (*à partir de* as from) ✦ **la garantie joue** you are covered ✦ **faire jouer une clause** to invoke a clause ✦ **cette clause peut être intéressante à faire jouer** this clause might be worth applying ✦ **faire jouer la concurrence** to play the competitors off against each other ✦ **le taux de change du dollar joue contre nous** the dollar exchange rate operates against us ✦ **plusieurs facteurs ont joué pour entraîner ce revirement** several factors operated to bring about this turnaround **b** (*Bourse*) to speculate, gamble ✦ **jouer à la Bourse** to speculate *ou* gamble on

the stock exchange ✦ **jouer à la baisse** to play for a fall, go a bear, speculate on a fall, bear the market ✦ **jouer à la hausse** to play for a rise, go a bull, speculate on a rising market, bull the market, buy a bull ✦ **jouer sur les valeurs pétrolières** to speculate in oils.

**joueur, -euse** /ʒwœʀ, øz/ **NM,F** (*Bourse*) speculator, operator ✦ **joueur à la baisse** bear, bear operator ✦ **joueur à la hausse** bull, bull operator ✦ **petit joueur** small-time operator.

**jouir** /ʒwiʀ/ **VI** ✦ **jouir de** (*gén*) to enjoy; (*Jur*) *bien* to possess; *droit* to enjoy ✦ **cette entreprise jouit d'une réputation mondiale** this company enjoys a worldwide reputation ✦ **jouir d'un traitement de faveur** to benefit from preferential treatment.

**jouissance** /ʒwisɑ̃s/ **NF** **a** (*Fin*) right to interest *ou* dividends ✦ **date de jouissance** due date, date from which interest begins to run ✦ **jouissance coupon 5** cum *ou* with coupon n° 5 ✦ **les titres nouveaux porteront jouissance du 1ᵉʳ septembre** the new shares will bear interest as from September 1st ✦ **actions de jouissance** dividend shares **b** (*Jur*) [*droit*] enjoyment; [*bien*] possession ✦ **jouissance au 1ᵉʳ janvier** possession on January 1st ✦ **privation de jouissance** prevention of possession ✦ **trouble de jouissance** disturbance of possession ✦ **entrer en jouissance** to take possession, enter into possession ✦ **avoir la jouissance de** *bien* to possess; *droit* to enjoy ✦ **la période de jouissance est de 5 ans** the tenure is for 5 years ✦ **jouissance viagère** life tenancy ✦ **maison à vendre avec jouissance immédiate** house for sale with vacant *ou* immediate possession.

**jour** /ʒuʀ/ **NM** **a** (= *période*) day(time); (= *espace de temps*) day; (= *date*) date ✦ **fixer un jour** to fix a date, appoint a day (*pour* for) ✦ **si le jour et l'heure vous conviennent** if the date and time are convenient to you ✦ **nous vous livrerons dans 8 jours / sous 8 jours** we'll deliver in a week's time / within a week ✦ **elle travaille sept heures par jour** she works a seven-hour day, she works seven hours a day ✦ **à ce jour, nous ne sommes toujours pas en possession de votre règlement** we have not received your remittance to date ✦ **intérêts à ce jour** interest to date ✦ **préavis de 8 jours francs** *ou* **pleins** 8 clear days' notice ✦ **traite à 30 / 60 / 90 jours** 30 / 60 / 90 day bill, bill at 30 / 60 / 90 days ✦ **à trois jours de date / de vue** three days after date / after sight ✦ **équipe** *ou* **poste de jour** day shift ✦ **service de jour** day service ✦ **le cours du jour** the current market rate, today's price ✦ **argent au jour le jour** day-to-day money ✦ **taux d'intérêt de l'argent au jour le jour**

call-money rate ✦ **découvert au jour le jour** daylight overdraft *ou* exposure ✦ **ordre du jour** agenda **b** **à jour** ✦ **être à jour** *(comptes)* to be up to date ✦ **être à jour dans ses comptes / dans son travail** to be up to date in *ou* with one's accounts / in *ou* with one's work ✦ **nos tarifs ne sont plus à jour** our price list is out of date ✦ **remettre à jour le catalogue** to update *ou* bring up to date the catalogue ✦ **mise à jour** updating ✦ **fichier / programme de mise à jour** *(Inf)* update file / routine ✦ **tenir les livres à jour** to keep the books up to date *ou* posted up, enter up the books

―――― *compounds/composés* ――――

✦ **jour de Bourse** exchange day, market *ou* trading day
✦ **jour calendaire** calendar day
✦ **jour chômé** holiday
✦ **jour-cible** target date
✦ **jour de compensation** *(Bourse)* making-up day
✦ **jour de congé** *ou* **libre** day off
✦ **jour de l'échéance** maturity date, due date
✦ **jour d'exécution d'un ordre** trading day
✦ **jour férié** public holiday *(Brit)*, bank holiday
✦ **jour franc** clear day
✦ **jours de grâce** days of grace
✦ **jour impair** odd day
✦ **jour de l'inventaire** stock-taking day
✦ **jour de liquidation** *(Bourse)* settling *ou* settlement *ou* account day
✦ **jour de livraison** day of delivery
✦ **jour non ouvrable** *(Bourse)* non-trading day
✦ **jour ouvrable** working day, business day *(US)*
✦ **jour ouvré** day of work
✦ **jour de paie** pay day
✦ **jour pair** even date
✦ **jour de place** market day
✦ **jours de planche** *(Mar)* lay days
✦ **jour plein** clear day
✦ **jour de réception** *(Admin)* day of opening
✦ **jour de règlement** *(Bourse)* settling *ou* account *ou* call *ou* pay day
✦ **jour de la réponse des primes** option declaration day
✦ **jour des reports** *(Bourse)* contango day
✦ **jour de repos** day off
✦ **jour de surestarie** day of demurrage
✦ **jour de valeur** value day.

**journal, PL -aux** /ʒuʀnal, o/ **NM** **a** *(Compta)* ✦ (livre) **journal** journal, daybook, book of original *ou* prime entry ✦ **inscrire** *ou* **porter au journal** to enter in the journal, journalize ✦ **article** *ou* **écriture de journal** journal entry **b** *(Presse)* newspaper, paper ✦ **journal financier / économique** financial / economic newspaper ✦ **journal interne à l'entreprise** in-house newsletter, company newspaper, house organ ✦ **coupures**

**de journaux** press cuttings *ou* clips **c** *(Mar, Aviat)* ✦ **journal de bord** *ou* **de navigation** *ou* **de marche** log book **d** *(Inf)* computer log

―――― *compounds/composés* ――――

✦ **journal des achats** purchase book *ou* journal
✦ **journal analytique** subsidiary journal
✦ **journal auxiliaire** special journal
✦ **journal de banque** bank book
✦ **journal de caisse** cash book
✦ **journal centralisateur** general journal
✦ **journal des débits** cash disbursements journal
✦ **journal divisionnaire** journal *ou* book of prime entry
✦ **journal d'écoute** *(Mktg)* audience monitoring daily report, listing of radio ads
✦ **journal des effets à payer** bills payable book
✦ **journal des effets à recevoir** bills receivable book
✦ **journal des encaissements** cash receipts journal
✦ **journal général** general journal
✦ **journal grand livre, journal américain** combined journal and ledger
✦ **journal des mouvements** transaction log
✦ **Journal officiel** official journal, ≈ gazette *(Brit)*
✦ **journal des opérations diverses** general journal
✦ **journal originaire** book of first *ou* original *ou* prime entry
✦ **journal professionnel** trade journal *ou* paper
✦ **journal des rendus** returns book
✦ **journal des rentrées de fonds** cash receipts journal
✦ **journal des retours** returns book
✦ **journal des sorties de fonds** cash disbursements journal
✦ **journal des transferts** transfer register
✦ **journal de trésorerie** cash book
✦ **journal des ventes** sales book *ou* ledger.

**journalier, -ière** /ʒuʀnalje, jɛʀ/ **ADJ** *indemnité, relevé, solde* daily ✦ **production journalière** output per day, daily output ✦ **recettes journalières** daily return ✦ **taux de salaire journalier** daily rate
**NM,F** *(Agr)* day labourer.

**journalisation** /ʒuʀnalizasjɔ̃/ **NF** *(Compta)* journalization ✦ **fichier de journalisation** log file.

**journaliser** /ʒuʀnalize/ **VT** *(Compta)* to journalize.

**journaliste** /ʒuʀnalist(ə)/ **NM** *(Compta)* journalizer; *(Presse)* journalist ✦ **journaliste financier / économique** financial / economic correspondent.

**journée** /ʒuʀne/ **NF** day ✦ **elle fait des journées de 7 heures** she works a 7-hour day ✦ **travailler à la journée** to work by the day ✦ **travail à la journée** day labour

—— compounds/composés ——
- **journée d'action** day of action
- **journée de Bourse** business *ou* market day
- **journée continue** non-stop working day ◆ **faire la journée continue** *[personnel]* to work over *ou* through lunch; *[magasin]* to remain open over lunch *ou* all day
- **journée d'étude** seminar
- **journée de grève** strike day
- **journée portes ouvertes** open-house day
- **journée de salaire** day's pay
- **journée de travail** day of work ◆ **journées de travail perdues** lost days
- **journées perdues par fait de grève** time *ou* days *ou* man-hours lost through strikes.

**journellement** /ʒuʀnɛlmɑ̃/ **ADV** daily.

**judiciaire** /ʒydisjɛʀ/ **ADJ** judicial ◆ **administrateur judiciaire** official receiver, judicial trustee, trustee in bankruptcy *(US)* ◆ **affiche judiciaire** legal announcement ◆ **l'appareil judiciaire** the judicial system, the judiciary ◆ **assistance judiciaire** legal aid ◆ **casier judiciaire** police *ou* criminal record ◆ **avoir un casier judiciaire vierge** to have a clean record ◆ **caution judiciaire** legal security, security for costs ◆ **ouvrir une enquête** *ou* **une information judiciaire** to start a judicial *ou* a magistral enquiry *ou* investigation ◆ **erreur judiciaire** miscarriage of justice ◆ **expertise judiciaire** report from experts appointed by the court ◆ **frais judiciaires** court costs, legal costs ◆ **être mis en règlement** *ou* **en liquidation judiciaire** to be put into liquidation *ou* into receivership (subject to court supervision) ◆ **engager des poursuites judiciaires contre qn** to take legal proceedings *ou* take legal action against sb ◆ **pouvoir judiciaire** judiciary *ou* judicial power ◆ **transaction judiciaire** composition sanctioned by the court ◆ **vente judiciaire** auction by order of the court, judicial sale ◆ **avoir recours aux voies judiciaires** to take legal action.

**judiciairement** /ʒydisjɛʀmɑ̃/ **ADV** judicially.

**juge** /ʒyʒ/ **NM** judge

—— compounds/composés ——
- **juge assesseur** associate judge
- **juge-commissaire** official receiver
- **juge consulaire** judge at a commercial court
- **juge de faillite** bankruptcy court judge
- **juge d'instruction** examining magistrate *(Brit)*, committing magistrate *(US)*
- **juge rapporteur** official referee
- **juge des référés** judge sitting in summary proceedings
- **juge suppléant** alternate judge.

**jugement** /ʒyʒmɑ̃/ **NM** *(gén, Jur)* judgment, judge-ment; *(= décision du tribunal civil)* decision, award; *(= sentence pénale)* sentence ◆ **annuler** *ou* **rapporter un jugement** to quash *ou* rescind a judgment ◆ **faire passer en jugement, mettre en jugement** to commit for trial, put on trial ◆ **passer en jugement** to be brought for trial, stand trial ◆ **prononcer** *ou* **rendre un jugement** to pass sentence *ou* judgment ◆ **réformer / réviser un jugement** to reverse / review a judgment ◆ **expédition d'un jugement** copy of a judgment ◆ **grosse du jugement** first authentic copy of the judgment ◆ **motifs** *ou* **considérants d'un jugement** grounds of a judgment ◆ **selon le jugement émis** *ou* **prononcé par le tribunal** according to the ruling of the court

—— compounds/composés ——
- **jugement confirmatif** affirmative judgment
- **jugement contentieux** judgment in disputed matters
- **jugement contradictoire** *judgment after hearing both sides*
- **jugement de débouté** nonsuit
- **jugement déclaratif de faillite** declaration *ou* adjudication of bankruptcy, decree in bankruptcy, adjudication order
- **jugement par défaut** judgment by default
- **jugement exécutoire** enforceable judgment
- **jugement frappé d'appel** judgment under appeal
- **jugement sur pièces** judgment on documentary evidence
- **jugement translatif de propriété** conveyance by order of court.

**juger** /ʒyʒe/ **VT** *(gén)* to judge; *(Jur)* to judge, try ◆ **juger en première / seconde instance** to try in a court of first instance / in an Appeals Court ◆ **juger par défaut** to deliver judgment by default ◆ **juger un différend** to arbitrate a dispute ◆ **juger sur pièces** to judge on documentary evidence ◆ **être jugé pour délit d'initié** to be tried for insider trading ◆ **l'affaire a été jugée hier** the case was tried yesterday ◆ **exception de la chose jugée** plea of res judicata.

**juguler** /ʒygyle/ **VT** *chômage, inflation* to stem, curb, stamp out, suppress, stifle.

**juillet** /ʒɥijɛ/ **NM** July → **septembre**.

**juin** /ʒɥɛ̃/ **NM** June → **septembre**.

**jumelage** /ʒymlaʒ/ **NM** *(Bourse de marchandises)* contra account; *(Banque)* straddle.

**junior** /ʒynjɔʀ/ **ADJ** junior ◆ **junior entreprise** *special status company run by students.*

**junk bond** /(d)ʒœnkbɔd/ **NM** junk bond.

**juré, e** /ʒyʀe/ ADJ sworn ♦ **expert-juré** sworn expert ♦ **traducteur juré** sworn translator NM juror, juryman.

**juridiction** /ʒyʀidiksjɔ̃/ NF (= compétence) jurisdiction; (= tribunal) court of law ♦ **relever de la juridiction de** to come ou fall within ou under the jurisdiction of ♦ **clause de juridiction** competence clause ♦ **conflit de juridiction** conflict ou concurrence of jurisdiction ♦ **risque de juridiction** jurisdiction risk

---
compounds/composés
---
- ♦ **juridiction administrative** administrative jurisdiction
- ♦ **juridiction civile** jurisdiction in civil matters
- ♦ **juridiction commerciale** commercial jurisdiction
- ♦ **juridiction contentieuse** contentious jurisdiction
- ♦ **juridiction pénale** criminal jurisdiction
- ♦ **juridiction prud'homale** commercial jurisdiction
- ♦ **juridiction du travail** jurisdiction in industrial disputes.

**juridictionnel, -elle** /ʒyʀidiksjɔnɛl/ ADJ jurisdictional.

**juridique** /ʒyʀidik/ ADJ legal, juridical ♦ **acquérir la personnalité juridique** to acquire legal status ♦ **conseil** ou **conseiller juridique** legal adviser ♦ **document juridique** legal document ♦ **études juridiques** law ou legal studies ♦ **frais juridiques** legal fees ♦ **liens juridiques** legal liens ou ties ♦ **personne juridique** legal entity ♦ **service juridique** legal department ♦ **statut juridique** legal position ou status ♦ **texte juridique** legal instrument.

**juridiquement** /ʒyʀidikmɑ̃/ ADV juridically, judicially, legally.

**jurisconsulte** /ʒyʀiskɔ̃sylt(ə)/ NM jurisconsult, legal expert.

**jurisprudence** /ʒyʀispʀydɑ̃s/ NF jurisprudence, case law, statute law ♦ **il n'existe pas encore de jurisprudence en la matière** there is no jurisprudence in this matter ♦ **cas faisant jurisprudence** test case ♦ **décision qui fait jurisprudence** decision which sets a judicial precedent.

**jurisprudentiel, -elle** /ʒyʀispʀydɑ̃sjɛl/ ADJ jurisprudential.

**juriste** /ʒyʀist(ə)/ NMF jurist, legal expert ou counsel ou adviser ♦ **juriste d'entreprise** business counsel.

**jury** /ʒyʀi/ NM jury.

**juste** /ʒyst(ə)/ ADJ **a** (= justifié) right, fair ♦ **juste prix / salaire** fair price / wage ♦ **juste valeur marchande** fair market value **b** (= correct) right, exact, accurate ♦ **évaluer qch à son juste prix** to assess the true price of sth ADV exactly, precisely ♦ **prix calculé au plus juste** minimum price, lowest possible price.

**justice** /ʒystis/ NF justice ♦ **aller en justice** to go to court ou to law ♦ **poursuivre** ou **citer qn en justice** to institute legal proceedings against sb, sue sb ♦ **être traduit en justice** to be brought before the court ♦ **passer en justice** to stand trial, be on trial ♦ **plaider en justice** to plead in court ♦ **action en justice** action at law ♦ **décision de justice** legal decision ♦ **demande en justice** claim action ♦ **frais de justice** legal costs.

**justiciable** /ʒystisjabl(ə)/ ADJ **être justiciable des tribunaux français** to be answerable ou subject to the French courts NM person falling under a jurisdiction ou to whom the law applies.

**justificatif, -ive** /ʒystifikatif, iv/ ADJ supporting, justificatory ♦ **factures justificatives** supporting invoices ♦ **numéro justificatif** reference number ♦ **pièce justificative** receipt, voucher; (Admin) supporting document NM (= document) voucher; (Pub) advertiser's copy, tear sheet, checking copy ♦ **justificatifs** (Admin) relevant papers ♦ **justificatif de domicile** proof of domicile.

**justification** /ʒystifikasjɔ̃/ NF (gén, Typ) justification; (= preuve) proof ♦ **justification des allégations publicitaires** substantiation of advertising claims ♦ **justification d'origine** proof of origin ♦ **justification de paiement** receipt.

**justifier** /ʒystifje/ VT **a** (= prouver) to prove, justify, substantiate ♦ **votre réclamation ne semble pas justifiée** your claim does not seem justified ou seems groundless ♦ **coûts justifiés** proved costs ♦ **préjudice justifié** proved damage **b** (Typ) to justify ♦ **justifier à gauche / droite** to left / right justify VI **justifier de son identité** to prove one's identity ♦ **justifier de sa bonne foi** to vindicate one's good faith.

**juteux, -euse** /ʒytø, øz/ ADJ affaire lucrative.

# K

**Kaboul** /kabul/ **N** Kabul.

**Kabuto Cho** /kabutoʃo/ **NM** ✦ le Kabuto Cho Kabuto Cho.

**kaffirs** /kafiʀ/ **NMPL** kaffirs, South African shares.

**Kampala** /kɑ̄pala/ **N** Kampala.

**Kampuchéa** /kɑ̄putʃea/ **NM** Kampuchea.

**kampuchéen, -enne** /kɑ̄putʃeɛ̃, ɛn/ **ADJ** Kampuchean
**Kampuchéen** **NM** (= habitant) Kampuchean
**Kampuchéenne** **NF** (= habitante) Kampuchean.

**Katmandou** /katmɑ̄du/ **N** Katmandu.

**kazakh** /kazak/ **ADJ** kazakh
**NM** (= langue) Kazakh
**Kazakh** **NMF** (= habitant) Kazakh.

**Kazakhstan** /kazakstɑ̄/ **NM** Kazakhstan.

**Kenya** /kenja/ **NM** Kenya.

**kényan, -yane** /kenjɑ̄, jan/ **ADJ** Kenyan
**Kényan** **NM** (= habitant) Kenyan
**Kényane** **NF** (= habitante) Kenyan.

**keynésianisme** /kenezjanism/ **NM** Keynesianism, Keynesian economics (sg).

**keynésien, -ienne** /kenezjɛ̃, jɛn/ **ADJ** Keynesian.

**k€** (abrév de **kiloeuro**) k€.

**kg** abrév de **kilogramme**.

**Khartoum** /kaʀtum/ **N** Khartoum.

**Kiev** /kiɛv/ **N** Kiev.

**Kigali** /kigali/ **N** Kigali.

**kilo** /kilo/ **NM** kilo(gramme), kilo
**PRÉF** kilo.

**kilofranc** /kilɔfʀɑ̄/ **NM** a thousand francs.

**kilogramme** /kilɔgʀam/ **NM** kilogram(me) (= 2.2 lbs).

**kilolivre** /kilɔlivʀ(ə)/ **NF** K pound.

**kilométrage** /kilɔmetʀaʒ/ **NM** mileage.

**kilomètre** /kilɔmetʀ(ə)/ **NM** kilometre (0.624 mile)
✦ kilomètre-passager passenger-kilometre
✦ tonne-kilomètre ton kilometre.

**kilométrique** /kilɔmetʀik/ **ADJ** ✦ indemnité kilométrique mileage allowance.

**kilo-octet** /kilɔɔktɛ/ **NM** kilobyte.

**kina** /kina/ **NM** kina.

**Kingston** /kiŋstɔn/ **N** Kingston.

**Kinshasa** /kinʃasa/ **N** Kinshasa.

**kiosque** /kjɔsk(ə)/ **NM** (à journaux) newsstand; (télématique) information service provided by Minitel.

**kip** /kip/ **NM** kip.

**kirghiz** /kiʀgiz/ **ADJ** Kyrgyz
**NM** (= langue) Kyrgyz
**Kirghiz** **NMF** (= habitant) Kyrgyz.

**Kirghizistan** /kiʀgizistɑ̄/, **Kirghizstan** /kiʀgistɑ̄/ **NM** Kyrgystan.

**km** abrév de **kilomètre**.

**ko** (abrév de **kilo-octet**) kb.

**Koweït** /kɔwɛt/ **N** (= pays) Kuwait; (= capitale) Kuwait City.

**koweïtien, -ïenne** /kɔwɛtjɛ̃, jɛn/ **ADJ** Kuwaiti
**Koweïtien** **NM** (= habitant) Kuwaiti
**Koweïtienne** **NF** (= habitante) Kuwaiti.

**krach** /kʀak/ **NM** *(Fin)* crash, collapse ◆ **krach boursier** stock market crash.

**kraft** /kʀaft/ **NM** ◆ **papier kraft** manil(l)a paper, kraft paper.

**Krugerrand** /kʀygəʀɑ̃/ **NM** Krugerrand.

**Kuala Lumpur** /kyalalumpuʀ/ **N** Kuala Lumpur.

**kuna** /kuna/ **NM** kuna.

**kwacha** /kwaʃa/ **NM** kwacha.

**kwanza** /kwanza/ **NM** kwanza.

**kyat** /kiat/ **NM** kyat.

# L

**l** abrév de **lire.**

**label** /label/ **NM** *(Comm)* seal, stamp, label; *(Inf)* label ◆ **label de début / fin de fichier** *(Inf)* beginning of file / end of file label ◆ **attribuer un label à un produit** to give a brand name to a product

─── *compounds/composés* ───
◆ **label d'exportation** export label
◆ **label de garantie** guarantee label *ou* stamp
◆ **label d'origine** stamp *ou* seal of origin
◆ **label de qualité** seal of quality, quality label.

**labelliser** /labɛlize/ **VT** to give a brand name to.

**lacune** /lakyn/ **NF** *[document]* gap, blank; *[projet, système]* deficiency ◆ **ce rapport présente de nombreuses lacunes** this report is deficient in many respects.

**laissé-pour-compte** /lesepuʀkɔ̃t/ **ADJ** *article (= refusé)* returned, refused, rejected; *(= invendu)* unsold, left over

**NM** *(Comm) (= refusé)* reject; *(= invendu)* unsold article ◆ **les fonctionnaires ne veulent pas être des laissés-pour-compte** civil servants don't want to be left out in the cold.

**laisser** /lese/ **VT** **a** *(= donner)* nom, carte de visite, pourboire to leave ◆ **puis-je vous laisser un message ?** can I leave a message? ◆ **laisser des arrhes** to leave a deposit ◆ **laisser qch en gage** to leave sth as security ◆ **partir sans laisser d'adresse** to leave without giving a forwarding address **b** *(= léguer)* entreprise, argent to leave *(à to)* ◆ **laisser qch en héritage à qn** to leave sth to sb, bequeath sth to sb **c** *(= vendre)* to leave ◆ **je vous le laisse pour 100 euros** you may have it for 500 euros ◆ **ils m'ont laissé leur matériel de bureau pour une bouchée de pain** they let me have their office equipment for next to nothing **d** *(= quitter)* présidence, poste to leave **e** **il a laissé la plus grosse partie de sa fortune dans cette opération** he lost most of his fortune in that deal ◆ **ils ont laissé des plumes dans cette opération** they got their fingers burnt in this deal **f** *(Comm = refuser)* ◆ **laisser un article** *ou* **une marchandise pour compte** to refuse *ou* return *ou* reject an article.

**laisser-faire** /lesefɛʀ/ **NM INV** non-interference, laisser faire, laissez-faire.

**laissez-passer** /lesepase/ **NM** *(gén)* pass; *(Douane)* transire.

**laminer** /lamine/ **VT** *revenus, marge bénéficiaire* to eat away, erode ◆ **les salaires ont été laminés par l'inflation** wages have been eaten away by inflation.

**lancée** /lɑ̃se/ **NF** momentum, impetus ◆ **le yen continue sur sa lancée** the yen keeps going up on its own momentum.

**lancement** /lɑ̃smɑ̃/ **NM** *[produit]* launching, launch; introduction; *[société]* launch; *[opération]* initiation; *[emprunt]* launching, floating, floatation; *[titres boursiers]* issuing; *(Ind) [mise en fabrication]* initiation, scheduling; *(Jur) [mandat]* issue ◆ **campagne de lancement** introductory *ou* initial campaign; *[produit]* launch campaign ◆ **offre / phase / prime / prix de lancement** introductory offer / stage / bonus / price ◆ **le lancement national d'un nouveau produit** the nationwide rollout of a new product.

**lancer** /lɑ̃se/ **VT** *produit* to launch, introduce; *campagne publicitaire* to launch, stage; *société* to launch, start up; *opération* to initiate; *idée* to launch, put forward; *invitation* to send off;

*emprunt, émission* to launch, float; *titre boursier* to issue; *(Ind) mise en fabrication* to initiate, schedule; *(Jur) mandat* to issue; *(Inf) programme* to run ◆ **lancer une souscription** to start a fund ◆ **ce nouveau modèle a été lancé à grand renfort de publicité dans les journaux** this new model was given a boost in the press, the press hyped this new model ◆ **être les premiers à lancer un produit** to be first in the field with a product ◆ **plusieurs idées ont été lancées lors de la réunion** several ideas were put forward during the meeting ◆ **les indicateurs économiques lancent des signaux contradictoires** economic indicators are throwing out mixed signals

**se lancer** VPR se lancer dans les affaires to set up *ou* start in business, launch out into business ◆ **se lancer sur le marché** to venture into the market ◆ **se lancer sur de nouveaux marchés** to launch out on new markets.

**langage** /lɑ̃gaʒ/ **NM** *(gén, Inf)* language ◆ **langage évolué** high-level language ◆ **langage de programmation** programming language.

**langue** /lɑ̃g/ **NF** ◆ **langue de travail** working language.

**langueur** /lɑ̃gœʀ/ **NF** *(Bourse)* dullness, sluggishness.

**languissant, e** /lɑ̃gisɑ̃, ɑ̃t/ **ADJ** *marché, économie* slack, dull, lagging, languishing, flat, flagging ◆ **l'activité reste languissante dans le secteur des ventes** sales are flat.

**lanterne** /lɑ̃tɛʀn(ə)/ **NF** ◆ **lanterne rouge** tailender.

**Laos** /laɔs/ **NM** Laos.

**laotien, -ienne** /laɔsjɛ̃, jɛn/ **ADJ** Laotian
**NM** *(= langue)* Laotian
**Laotien** **NM** *(= habitant)* Laotian
**Laotienne** **NF** *(= habitante)* Laotian.

**La Paz** /lapaz/ **N** La Paz.

**lari** /laʀi/ **NM** lari.

**latence** /latɑ̃s/ **NF** latency ◆ **temps de latence** *(Ind, Comm)* lead time.

**latent, e** /latɑ̃, ɑ̃t/ **ADJ** latent ◆ **besoins latents** *(Mktg)* dormant needs ◆ **plus-value latente** unrealized capital gain ◆ **valeur latente** underlying value.

**latino-américain, e** /latinoameʀikɛ̃, ɛn/ **ADJ** Latin-American
**Latino-Américain** **NM** *(= habitant)* Latin-American
**Latino-Américaine** **NF** *(= habitante)* Latin-American.

**latitude** /latityd/ **NF** *(= liberté d'action)* room for manoeuvre, scope, freedom ◆ **avoir toute latitude pour agir** to have a free hand to act, be given full scope to act ◆ **nous n'avons que très peu de latitude** we have practically no leeway *ou* room for manoeuvre.

**lats** /lats/ **NM** lats.

**laxisme** /laksism(ə)/ **NM** ◆ **le laxisme économique** economic laxity ◆ **on note un certain laxisme dans la présence aux réunions** attendance is getting noticeably lax.

**laxiste** /laksist(ə)/ **ADJ** *attitude* lax.

**l / cr.** (abrév de **lettre de crédit**) l / c, L / C, LC.

**leader** /lidœʀ/ **ADJ** *entreprise* leading ◆ **être leader à l'échelon européen** to be in the lead on a European level ◆ **être leader sur son marché** to be the market leader
**NM** leader.

**leadership** /lidœʀʃip/ **NM** leadership.

**lease-back** /lizbak/ **NM** lease-back.

**leasing** /liziŋ/ **NM** leasing.

**Le Caire** /ləkɛʀ/ **N** Cairo.

**lèche-vitrines** /lɛʃvitʀin/ **NM INV** window-shopping ◆ **faire du lèche-vitrines** to go window-shopping.

**lecteur, -trice** /lɛktœʀ, tʀis/ **NM,F** *(= personne)* reader ◆ **nombre de lecteurs** readership ◆ **le bulletin d'information touche 10 000 lecteurs** the newsletter has a readership of 10,000 ◆ **enquête auprès des lecteurs** readership survey ◆ **lecteur occasionnel** casual reader ◆ **lecteurs secondaires** pass-on readers ◆ **lecteurs tertiaires** tertiary readers ◆ **lecteur utile** *ou* **cible** target reader
**NM** *(= appareil)* ◆ **lecteur de cartes magnétiques** magnetic card reader ◆ **lecteur de disquettes** disk drive ◆ **lecteur optique** *(dans un supermarché)* scanner; *(Inf)* optical reader *ou* scanner.

**lectorat** /lɛktɔʀa/ **NM** *[journal]* readership.

**lecture** /lɛktyʀ/ **NF** *(gén)* reading ◆ **lecture optique** optical scanning ◆ **erreur de lecture** *(Inf)* read error ◆ **donner lecture d'un procès-verbal** to read the minutes of a report.

**légal, e,** **MPL -aux** /legal, o/ **ADJ** *démarche, mesure, disposition* legal, statutory; *procédé* legal, lawful ◆ **acquérir un statut légal** to acquire legal status ◆ **avoir cours légal** to be legal tender ◆ **recourir aux moyens légaux contre qn** to take legal action against sb, institute legal proceedings against sb ◆ **délai légal de préavis** statutory notice ◆ **fête légale** ≈ bank holiday

*(Brit),* public *ou* statutory *(US)* holiday ✦ **intérêt légal** official rate of interest ✦ **monnaie légale** lawful currency *ou* money ✦ **monopole légal** legal monopoly ✦ **obligation légale** legal obligation ✦ **représentant légal** legal representative ✦ **réserve légale** legal *ou* statutory reserve.

**légalement** /legalmɑ̃/ **ADV** legally, lawfully ✦ **légalement responsable** legally responsible *(de for)*

**légalisation** /legalizasjɔ̃/ **NF** *[procédure]* legalization; *[signature]* authentication, certification.

**légaliser** /legalize/ **VT** *(= rendre légal)* to legalize; *(= certifier)* to authenticate, attest ✦ **signature légalisée** certified signature.

**légalité** /legalite/ **NF** legality, lawfulness ✦ **rester dans la légalité** to keep within the law ✦ **sortir de la légalité** to step outside the law, fall foul of the law.

**légataire** /legatɛʀ/ **NM,F** *(gén)* legatee; *[bien immobilier]* devisee ✦ **légataire universel** *(unique)* sole legatee; *(du restant de la succession)* residuary legatee.

**léger, -ère** /leʒe, ɛʀ/ **ADJ** *hausse, baisse, progression* slight ✦ **industrie légère** light industry ✦ **reprise légère** *(Bourse, Écon)* mild recovery *ou* rally.

**légiférer** /leʒifeʀe/ **VI** to legislate, bring in *ou* introduce legislation.

**législateur** /leʒislatœʀ/ **NM** legislator, lawmaker ✦ **le législateur n'a pas envisagé ce cas de figure** the law did not provide for this special case *ou* did not foresee this special case.

**législatif, -ive** /leʒislatif, iv/ **ADJ** legislative ✦ **élections législatives** general election, Parliamentary election *(Brit),* Congressional election *(US).*

**législation** /leʒislasjɔ̃/ **NF** legislation ✦ **selon la législation américaine** under US law *ou* legislation ✦ **la législation en vigueur** the laws in force, the law as it stands ✦ **en l'état actuel de la législation** as the law now stands ✦ **législation fiscale** tax legislation, tax laws ✦ **législation du travail** labour laws, industrial legislation.

**légiste** /leʒist(ə)/ **NM** jurist, legist.

**légitime** /leʒitim/ **ADJ** *motif* legitimate, rightful, justifiable; *propriétaire* rightful ✦ **héritier légitime** rightful heir.

**légitimer** /leʒitime/ **VT** to legitimate.

**legs** /lɛg/ **NM** legacy, bequest ✦ **legs à titre universel** general *ou* residuary legacy ✦ **legs de biens immobiliers** devise ✦ **legs de biens mobiliers** legacy ✦ **faire un legs à qn** to leave a legacy to sb ✦ **recevoir un legs** to come into a legacy.

**léguer** /lege/ **VT** *(gén)* to bequeath; *biens immobiliers* to devise.

**lek** /lɛk/ **NM** lek.

**lempira** /lɑ̃pira/ **NM** lempira.

**lent, e** /lɑ̃, lɑ̃t/ **ADJ** *croissance, reprise* slow.

**lentement** /lɑ̃tmɑ̃/ **ADV** slowly.

**lenteur** /lɑ̃tœʀ/ **NF** slowness ✦ **les lenteurs administratives** the dilatoriness of officialdom, administrative delays, red-tape.

**leone** /leɔn/ **NM** leone.

**léonin, e** /leɔnɛ̃, in/ **ADJ** *contrat* unfair, one-sided.

**LEP** /ɛlape/ **NM** abrév de **livret d'épargne populaire** → **livret.**

**léser** /leze/ **VT** *(Jur)* *personne* to wrong; *intérêts* to damage ✦ **léser les droits d'un tiers** to infringe *ou* encroach *ou* trespass upon *ou* prejudice the rights of a third party ✦ **la partie lésée** the injured party.

**léthargie** /letaʀʒi/ **NF** *[marché]* lethargy, apathy, sluggishness.

**léthargique** /letaʀʒik/ **ADJ** *marché* lethargic, sluggish.

**letton, -onne** /lɛtɔ̃, ɔn/ **ADJ** Latvian, Lett, Lettish **NM** *(= langue)* Latvian, Lett, Lettish **Letton NM** *(= habitant)* Latvian, Lett **Lettonne NF** *(= habitante)* Latvian, Lett.

**Lettonie** /lɛtɔni/ **NF** Latvia.

**lettre** /lɛtʀ(ə)/ **NF** **a** *(Poste)* letter ✦ **mettre une lettre à la poste** to post *ou* mail *(US)* a letter ✦ **envoyer une lettre à tarif normal / à tarif réduit** to send a letter first class / second class **b** *(Fin = effet)* bill ✦ **lettre sur l'étranger** foreign bill ✦ **échéance d'une lettre** maturity of a bill **c** *(Typ)* letter ✦ **écrire un nom en toutes lettres** to write a name in full ✦ **écrire une somme en toutes lettres** to write out a sum in words ∎ Voir encadré page suivante

**leu** /lø/, **PL lei** /lej/ **NM** leu.

**lev** /lɛv/, **PL leva** /leva/ **NM** lev.

**levage** /ləvaʒ/ **NM** *(Tech)* lifting, hoisting ✦ **appareil de levage** hoist ✦ **puissance de levage** lifting power.

*compounds/composés*

**LETTRE**

- ◆ **lettre d'accompagnement** covering *(Brit)* ou cover *(US)* letter
- ◆ **lettre aux actionnaires** letter to shareholders
- ◆ **lettre d'agrément** *(Admin)* letter of consent
- ◆ **lettre d'allocation** *(Bourse)* letter of allotment
- ◆ **lettre d'antériorité de créance** letter of subrogation ou subordination*(US)*
- ◆ **lettre d'assentiment** letter of consent
- ◆ **lettre d'avis** letter of advice, advice note
- ◆ **lettre de candidature** letter of application
- ◆ **lettre de change** bill (of exchange)
- ◆ **lettre de change relevée** computerized bill (of exchange)
- ◆ **lettre circulaire** circular
- ◆ **lettre commerciale** business letter
- ◆ **lettre de complaisance** *(Fin)* accomodation bill
- ◆ **lettre de convocation** *[société]* notice of meeting; *(Jur)* summons; *[candidat]* letter fixing an appointment
- ◆ **lettre de couverture** *(Ass)* cover note
- ◆ **lettre de crédit** letter of credit ◆ **lettre de crédit circulaire / documentaire / révocable** circular / documentary / revocable letter of credit
- ◆ **lettre domiciliée** *(Fin)* domiciled ou domiciliated bill
- ◆ **lettre d'embauche** letter of appointment, engagement letter
- ◆ **lettre d'envoi** covering note
- ◆ **lettre de garantie** letter of indemnity
- ◆ **lettre d'identification** letter of indication ou identification
- ◆ **lettre d'intention** letter of intent
- ◆ **lettre d'introduction** *(gén)* letter of introduction; *(Comm)* covering letter
- ◆ **lettre de licenciement** notice of dismissal
- ◆ **lettre de mer** sea letter, sea brief
- ◆ **lettre d'offre** letter of offer
- ◆ **lettre de procuration** letter of attorney
- ◆ **lettre publicitaire** sales letter
- ◆ **lettre de rappel** reminder
- ◆ **lettre de réclamation** letter of complaint
- ◆ **lettre de recommandation** letter of recommendation, testimonial, reference
- ◆ **lettre recommandée** *(avec valeur déclarée)* registered letter; *(avec accusé de réception)* letter sent by recorded delivery
- ◆ **lettre de référence** testimonial
- ◆ **lettre de relance** follow-up letter; *(pour non-paiement)* reminder
- ◆ **lettre de répartition** *(Bourse)* letter of allotment
- ◆ **lettre de souscription** *(Fin)* letter of application
- ◆ **lettre taxée** surcharged letter
- ◆ **lettre de transport** consignment note, waybill ◆ **lettre de transport aérien** air waybill, air bill of lading
- ◆ **lettre de voiture** consignment note, waybill ◆ **lettre de voiture aérienne** air waybill, air bill of lading *(US)* ◆ **lettre de voiture ferroviaire** rail waybill, railroad bill of lading *(US)* ◆ **lettre de voiture de transport routier** road waybill, trucking bill of lading *(US)*.

**levée** /l(ə)ve/ NF **a** *(Poste)* collection, pick-up *(US)* ◆ **dernière levée** last collection ◆ **faire la levée du courrier** to collect letters ◆ **la levée a lieu deux fois par jour** the box is cleared twice a day **b** *[impôts]* levy(ing); *(Bourse)* *[options, titres]* taking up ◆ **levée d'une option** ou **d'une prime** taking up of an option, exercise of an option **c** *[embargo, sanctions]* lifting; *[scellés]* removal; *[séance]* closing, adjourning ◆ **levée de jugement** transcript of a verdict ◆ **levée d'une saisie** replevin.

**lever** /l(ə)ve/ VT **a** *(= arrêter, supprimer)* embargo to raise, lift; *séance* to close, adjourn; *obstacle, scellés* to remove; *sanctions* to lift **b** *(= ramasser)* impôts, taxes to levy; *courrier* to collect; *fonds* to raise, collect; *(Bourse)* option to take up, exercise; *titres* to take up.

**levier** /ləvje/ NM lever ◆ **effet de levier** *(Écon)* leverage (effect) ◆ **être aux leviers de commande** to be in control ou command, be in the front ou driver's seat ◆ **levier d'exploitation** ou **opérationnel** leverage ◆ **levier financier** financial leverage ◆ **ratio de levier** leverage ratio ◆ **capital à faible effet de levier** low-geared capital.

**liaison** /ljɛzɔ̃/ NF **a** *(Communications)* link ◆ **liaison aérienne / ferroviaire / maritime / postale / routière** air / rail / sea / postal / road link ◆ **liaison rail-aéroport** rail-air link ◆ **liaison téléphonique** telephone communication ou link ◆ **liaison télex** telex connection ou link **b** *(= rapport)* relation ◆ **liaisons hiérarchiques** line relations ◆ **publicité de liaison** tie-in advertising ◆ **nous travaillons en étroite liaison avec nos associés étrangers** we are working closely with ou in close collaboration with our foreign partners ◆ **nous assurons la liaison avec les autres départements** we liaise with the other departments.

**liasse** /ljas/ NF *[documents]* bundle ◆ **une liasse de billets** a roll ou a wad ou a bundle of banknotes.

**Liban** /libɑ̃/ NM ◆ **le Liban** (the) Lebanon.

**libanais, e** /libanɛ, ɛz/ ADJ Lebanese
     **Libanais** NM *(= habitant)* Lebanese
     **Libanaise** NF *(= habitante)* Lebanese.

**libellé** /libele/ NM *(gén)* wording; *(Fin)* description, particulars ◆ **libellé de poste** job description ◆ **libellé d'une loi** text of a law ◆ **libellé d'un**

**article** particulars of an entry ✦ **libellé d'un compte** description of an account.

**libeller** /libele/ **VT** *chèque* to make out, write out (*à l'ordre de* to); *document* to draw up ✦ **être libellé au porteur** to be made out to bearer ✦ **libellé comme suit** running *ou* reading as follows ✦ **chèque libellé en devises étrangères** cheque denominated in foreign currency ✦ **emprunts libellés en dollars** dollar denominated loans, loans denominated in dollars.

**libéral, e,** **MPL** **-aux** /libeRal, o/ **ADJ** liberal ✦ **les professions libérales** the professions ✦ **membre d'une profession libérale** professional ✦ **économie libérale** free market economy.

**libéralisation** /libeRalizasjɔ̃/ **NF** *[réglementation]* liberalization; *[prix]* decontrol; *[crédit]* detightening ✦ **la libéralisation du commerce** the easing of trade restrictions.

**libéraliser** /libeRalize/ **VT** to liberalize.

**libéralisme** /libeRalism(ə)/ **NM** *(Écon)* liberalism, free enterprise system.

**libération** /libeRasjɔ̃/ **NF** *[échanges]* easing, relaxation; *[prix]* freeing, decontrol(ling); *[crédit]* detightening; *[dette, hypothèque]* redemption ✦ **libération d'une action** paying up of a share ✦ **libération de capital** paying up of capital, payment in full of capital ✦ **libération des loyers** freeing of rents ✦ **libération de marchandises** release of goods ✦ **libération des changes** decontrol(ling) of foreign exchange ✦ **la libération du cours de l'or** the unpegging of gold price.

**libératoire** /libeRatwaR/ **ADJ** *(Fin)* ✦ **paiement** *ou* **versement libératoire** payment in full discharge from debt, final payment *ou* instalment ✦ **prélèvement libératoire** flat-rate withholding, standard deduction at source ✦ **le prélèvement est libératoire de l'impôt sur le revenu** the levy is in full discharge of personal income tax ✦ **avoir force libératoire** to be legal tender ✦ **reçu libératoire** receipt in full discharge.

**libérer** /libeRe/ **VT** **a** *prix* to decontrol, deregulate, free; *crédit* to detighten; *échanges* to ease **b** **libérer qn d'un engagement** to relieve *ou* discharge sb from an obligation ✦ **libérer une caution** to discharge a surety ✦ **être libéré de ses obligations militaires** to have completed one's military service ✦ **être libéré sous caution / sur parole** to be released on bail / on parole **c** *(Fin)* ✦ **libéré d'hypothèque** free of mortgage ✦ **libéré d'impôt** tax-paid ✦ **actions entièrement libérées** fully paid-up shares ✦ **actions non entièrement libérées** partly

paid-up shares ✦ **montants à libérer sur titres et participations** amount callable on shares and participations

**se libérer** **VPR** *(Fin)* ✦ **se libérer par anticipation** to pay up in advance ✦ **se libérer d'une dette** to clear oneself from a debt, redeem a debt.

**Libéria** /libeRja/ **NM** Liberia.

**libérien, -ienne** /libeRjɛ̃, jɛn/ **ADJ** Liberian
**Libérien** **NM** *(= habitant)* Liberian
**Libérienne** **NF** *(= habitante)* Liberian.

**liberté** /libɛRte/ **NF** **a** *(gén)* freedom, liberty ✦ **liberté du commerce** freedom of trade ✦ **liberté d'entreprendre** right of free enterprise ✦ **atteinte** *ou* **entrave à la liberté du commerce** restraint of trade, restrictive trade practices ✦ **libertés syndicales** union rights ✦ **liberté du travail** right *ou* freedom to work ✦ **être mis en liberté conditionnelle** to be granted parole ✦ **être mis en liberté provisoire** *ou* **sous caution** to be granted bail, be released on bail **b** *(= loisir)* ✦ **son jour de liberté, c'est le mardi** Tuesday is his free day *ou* his day off.

**Libor** /libɔR/ **NM** (abrév de **London interbank offered rate**) Libor.

**libre** /libR(ə)/ **ADJ** **a** *(= sans restriction) commerce, prix* free ✦ **marché libre** open *ou* free market ✦ **économie en roue libre** free-wheeling economy ✦ **en vente libre** on unrestricted *ou* open sale ✦ **libre d'impôts / de droit** tax / duty free ✦ **entrée libre** *[exposition]* entrance *ou* admission free; *[boutique]* "please walk around" ✦ **sur papier libre** on unstamped paper ✦ **la libre entreprise** free enterprise ✦ **libre concurrence** free competition ✦ **libre circulation des marchandises** free movement of goods ✦ **libre circulation des capitaux** free circulation of capital **b** *(= vide) bureaux* vacant, unoccupied ✦ **libre à la vente** for sale with vacant possession **c** *(Fin)* clean ✦ **connaissement libre** clean bill of lading ✦ **effet libre** clean bill ✦ **bien libre d'hypothèque** clear estate **d** *(Télec)* ✦ **la ligne n'est pas libre** the line is engaged *ou* busy *(US)* **e** *(Poste)* **libre réponse** ≈ postage paid.

**libre-échange** /libRe.ʃɑ̃ʒ/ **NM** free trade ✦ **zone de libre-échange** free trade area.

**libre-échangiste** /libRe.ʃɑ̃ʒist(ə)/ **ADJ** politique libre-échangiste free-trade *ou* free-market policy
**NMF** *(= partisan)* free-trader.

**librement** /libRəmɑ̃/ **ADV** freely.

**libre-service** /libʀəsɛʀvis/ **NM** (= *système*) self-service; (= *magasin*) self-service store, marketeria ✦ **libre-service de gros** cash-and-carry.

**Libreville** /libʀəvil/ **N** Libreville.

**Libye** /libi/ **NF** Libya.

**libyen, -yenne** /libjɛ̃, jɛn/ **ADJ** Libyan
**Libyen** **NM** (= *habitant*) Libyan
**Libyenne** **NF** (= *habitante*) Libyan.

**licence** /lisɑ̃s/ **NF** **a** (*Comm*) licence, license *(US)* ✦ **article sous licence** licensed article ✦ **licence de débit de boissons** licence to sell beer, wines and spirits, liquor license *(US)* ✦ **licence d'exportation / d'importation** export / import licence ✦ **licence de fabrication** manufacturing licence ✦ **licence de vente** selling licence ✦ **licence exclusive** exclusive licence ✦ **conditions d'obtention d'une licence** licensing requirements ✦ **détenteur** *ou* **titulaire d'une licence** licence holder, licensee ✦ **droit de licence** licensing fee ✦ **accorder** *ou* **délivrer une licence d'exploitation à qn** to license sb ✦ **fabriquer qch sous licence** to manufacture sth under licence ✦ **le magasin détient une licence de vente de...** the shop is licensed for the sale of... ✦ **obtenir une licence** to take out a licence **b** (= *diplôme*) ≈ bachelor's degree ✦ **licence ès sciences** Bachelor of Science (degree), B.Sc. ✦ **licence en droit** Bachelor of Law (degree), B. Law.

**licencié, e** /lisɑ̃sje/ **NM,F** **a** (*Univ*) graduate ✦ **licencié en droit** Bachelor of Law, law graduate **b** (*Comm* = *concessionnaire*) licensee.

**licenciement** /lisɑ̃simɑ̃/ **NM** (*pour faute grave*) dismissal, firing*, sacking* ; (*par compression de personnel*) laying off ✦ **avis de licenciement** layoff notice, notice of redundancy ✦ **indemnité de licenciement** redundancy pay(ment) *ou* compensation ✦ **lettre de licenciement** notice of dismissal ✦ **procédures de licenciement** layoff proceedings ✦ **il y aura 125 000 licenciements dans la sidérurgie** there will be 125,000 redundancies *ou* layoffs in the steel industry, 125,000 workers are going to be laid off *ou*

---
*compounds/composés*
- **licenciement abusif** unfair dismissal
- **licenciement collectif** mass dismissal labour shedding
- **licenciement pour raisons économiques** economic redundancy
- **licenciement sans préavis** dismissal without notice
- **licenciement sec** compulsory redundancy (*without any compensation*).
---

are going to be made redundant in the steel sector ✦ **200 ouvriers ont reçu un avis de licenciement** 200 workers are under notice of redundancy.

**licencier** /lisɑ̃sje/ **VT** (*pour faute grave*) to dismiss, sack*, fire* ; (*par compression de personnel*) to lay off, make redundant.

**licitation** /lisitasjɔ̃/ **NF** public sale of a property held in common.

**licite** /lisit/ **ADJ** lawful, licit.

**licitement** /lisitmɑ̃/ **ADV** lawfully, licitly.

**Liechtenstein** /liʃtɛnʃtain/ **N** Liechtenstein.

**lien** /ljɛ̃/ **NM** (= *rapport*) link, relation, connection ✦ **liens commerciaux officiels** formal trade links ✦ **il y a un lien entre ces deux affaires** the two problems are linked.

**lier** /lje/ **VT** **a** (= *obliger*) [*contrat*] to bind ✦ **ce contrat vous lie** this agreement is binding upon you, you are bound by this agreement ✦ **le contrat lie toutes les parties en droit** the contract is legally binding on all parties ✦ **nous ne voulons pas être liés par ce contrat** we don't want to be tied down by this contract **b** (= *rattacher*) ✦ **emprunts liés** tied loans ✦ **marchés liés** related markets ✦ **opérations liées** combined deals ✦ **emplois liés à l'automobile** motor-related occupations ✦ **vente liée** tie-in sale *ou* deal ✦ **société liée** affiliated company.

**lieu** /ljø/ **NM** **a** (*gén*) place; [*congrès*] venue ✦ **lieu de paiement / livraison / résidence / production** place of payment / delivery / residence / production ✦ **lieu de travail** workplace ✦ **formation sur le lieu de travail** on-site *ou* on-the-job *ou* in-plant training ✦ **lieu de vente** (*Mktg*) point of sale ✦ **promotion sur le lieu de vente** point-of-sale promotion ✦ **lieu des opérations imposables** place of taxable transactions ✦ **la réunion aura lieu à** the meeting will be held at, the venue of the meeting is **b** (= *locaux*) ✦ **les lieux** the premises ✦ **état des lieux** inventory of fixtures ✦ **quitter les lieux** (*Admin*) to vacate the premises.

**ligne** /liɲ/ **NF** **a** (*Comm, Fin*) line ✦ **ligne de produits** product line, product range, line-up *(US)* ✦ **ligne de titres** line of stock ✦ **commission de 4 euros par ligne (de titres)** commission of 4 euros per line (of stock) ✦ **ligne de crédit** credit line, line of credit, stand-by credit *ou* amount ✦ **ligne de crédit de substitution** backup line of credit ✦ **ligne budgétaire** budget line **b** (= *direction*) line, direction ✦ **ligne de conduite** line, policy, course of action

◆ **ligne directrice de planification** planning guideline ◆ **lignes directrices opérationnelles** operational guidelines ◆ **ligne de résistance** resistance line ◆ **ligne de support** support line ◆ **ligne de tendance** trend line ◆ **les grandes lignes d'un programme** the outline of a programme c (= *trait*) line ◆ **ligne de flottaison** *(Mar)* waterline ◆ **ligne de charge** load line ◆ **au-dessous / au-dessus de la ligne** *(Écon)* below / above the line d *(Téléc)* line ◆ **les lignes sont en dérangement** the lines are out of order ◆ **la ligne est occupée** the line is engaged *ou* busy *(US)* ◆ **M. Smith est en ligne** Mr Smith's line is engaged *ou* busy ◆ **vous avez M. Smith en ligne** Mr Smith is on the line ◆ **gardez la ligne** hold the line ◆ **vous êtes en ligne** you are connected *ou* through now ◆ **ligne appelante / appelée** calling / called line e *(Transports)* (= *compagnie*) line; (= *service*) service; (= *itinéraire*) route ◆ **ligne de chemin de fer** railway *(Brit)* ou railroad *(US)* line ◆ **ligne de navigation** shipping line ◆ **ligne aérienne** airline ◆ **ouvrir une nouvelle ligne** to open a new service *ou* route ◆ **sur nos lignes intérieures** *(Aviat)* on our domestic flights f *(Inf)* line ◆ **ligne d'impression** print line ◆ **imprimante ligne par ligne** line printer ◆ **impression ligne par ligne** line printing ◆ **alimentation ligne par ligne** line feed g *(Internet)* ◆ **en ligne** *(intervenir, gérer)* on line ◆ **courtier en ligne** on-line broker.

**lilangeni** /lilãgeni/, **PL emalangeni** /emalãgeni/ **NM** lilangeni.

**Lilongwe** /lilɔ̃gwe/ **N** Lilongwe.

**Lima** /lima/ **N** Lima.

**limitatif, -ive** /limitatif, iv/ **ADJ** restrictive, limiting ◆ **clause limitative** limiting clause ◆ **liste limitative / non limitative** open / closed list.

**limitation** /limitasjɔ̃/ **NF** limitation, restriction

― compounds/composés ―
- ◆ **limitation des importations** import restraint *ou* control
- ◆ **limitation de responsabilité** limitation of liability
- ◆ **limitation des salaires** wage restraint
- ◆ **limitation de temps** time limit.

**limite** /limit/ **NF** [*pouvoirs*] limit, limitation; *(Inf)* boundary ◆ **dans la limite des stocks disponibles** while stocks last ◆ **cas limite** borderline case ◆ **charge limite** limit load ◆ **cours limite** limit price ◆ **date limite** deadline, final date ◆ **date limite de dépôt** *(Poste)* latest time for posting ◆ **date limite de vente** *(Comm)* sell-by date ◆ **date limite de fraîcheur** *(Comm)* best-before date

― compounds/composés ―
- ◆ **limite d'âge** age limit
- ◆ **limite à la baisse** *(Bourse)* limit down
- ◆ **limite de crédit** credit limit
- ◆ **limite d'endettement** debt capacity
- ◆ **limite à la hausse** *(Bourse)* limit up
- ◆ **limite de poids** weight limit
- ◆ **limite de rupture** breaking-point
- ◆ **limite inférieure** threshold
- ◆ **limite supérieure** ceiling
- ◆ **limite de tolérance** tolerance limit.

**limité, e** /limite/ **ADJ** limited ◆ **cours limités** *(Bourse)* limited prices ◆ **ordre de vente** *ou* **d'achat limité** *(Bourse)* limited order ◆ **ordre à cours limité** limit order ◆ **droit de propriété limité** restricted ownership ◆ **fichier à accès limité** *(Inf)* restricted file ◆ **société à responsabilité limitée** limited liability company ◆ **utilisation limitée** restricted use ◆ **la quantité que l'on peut importer n'est pas limitée** there is no limit on the amount you can import.

**limiter** /limite/ **VT** to restrict, reduce, limit.

**limogeage** /limɔʒaʒ/ **NM** dismissal.

**limoger** /limɔʒe/ **VT** to dismiss, sack\*, fire\*.

**linéaire** /lineɛʀ/ **ADJ** linear ◆ **programmation linéaire** *(Inf)* linear programming ◆ **méthode d'amortissement linéaire** *(Compta)* straight-line method of depreciation
**NM** shelf-space, front-line ◆ **linéaire sol** floor line.

**lingot** /lɛ̃go/ **NM** ingot ◆ **or en lingots** gold bullion.

**liquidateur, -trice** /likidatœʀ, tʀis/ **NM,F** *(Jur)* ≈ liquidator, receiver ◆ **liquidateur amiable** liquidator by agreement ◆ **liquidateur judiciaire, liquidateur de faillite** official receiver, judicial factor *(US)*, referee in bankruptcy *(US)* ◆ **liquidateur officiel** *(Bourse)* official assignee ◆ **la société est entre les mains d'un liquidateur** the company is in receivership ◆ **révoquer les liquidateurs** to remove liquidators.

**liquidatif, -ive** /likidatif, iv/ **ADJ** ◆ **valeur liquidative** [*fonds d'investissement*] liquidation value, net asset value; [*société*] breakup *ou* windup value.

**liquidation** /likidasjɔ̃/ **NF** a [*société*] liquidation, winding-up, closing-out *(US)* ◆ **entrer en liquidation** to go into receivership *ou* liquidation ◆ **mettre en liquidation** to liquidate, put into liquidation *ou* receivership, wind up ◆ **li-**

quidation de la faillite settlement in bankruptcy proceedings ◆ **liquidation forcée** compulsory liquidation ◆ **liquidation judiciaire** winding-up by decision of court, liquidation subject to court supervision ◆ **liquidation volontaire** voluntary liquidation *ou* winding-up ◆ **bilan de liquidation** statement of affairs ◆ **clôture de la liquidation** completion of liquidation ◆ **dividende de liquidation** liquidating dividend ◆ **frais de liquidation** closing-down costs ◆ **objet de la liquidation** purpose of the liquidation ◆ **prix de la liquidation** liquidation price ◆ **valeur de liquidation** *[société]* windup *ou* breakup value **b** *(Bourse)* settlement, account ◆ **liquidation de fin d'année** yearly settlement ◆ **liquidation de fin de mois** end-of-month settlement ◆ **liquidation de quinzaine** mid-month settlement, fortnightly account *(Brit)* ◆ **liquidation des positions** booksquaring ◆ **liquidation prochaine** next account ◆ **liquidation suivante** ensuing account ◆ **achat en liquidation** buying for the account ◆ **bureau de liquidation** clearing office ◆ **comité de liquidation** settlement department ◆ **compte de liquidation** realization *ou* settlement account ◆ **comptoir de liquidation** *(Bourse de marchandises)* clearing house ◆ **cours en liquidation courante** price for current account ◆ **feuille de liquidation** clearing sheet ◆ **jour de liquidation** settlement day, settling day, account day ◆ **opérations de liquidation** dealings for the settlement ◆ **salle de liquidation** settling room ◆ **vente en liquidation** sale for the account **c** *(= vente) [marchandises, stocks]* sale, clearance sale, selling off ◆ **vente de liquidation** winding-up sale, close-out sale ◆ **liquidation totale du stock** stock clearance sale ◆ **liquidation de l'actif d'un failli** creditors' sale **d** *(= règlement) [dette]* payment, settlement; *(Jur) [succession]* settlement ◆ **liquidation de pension** *ou* **de retraite** *(Admin)* payment of pension.

**liquide** /likid/ **ADJ a** *capital, dette, épargne* liquid ◆ **actif liquide** liquid assets ◆ **argent liquide** ready money, ready cash ◆ **fonds liquides** available funds ◆ **valeurs liquides** liquid securities ◆ **rester liquide** *(Bourse)* to keep liquid **b** *marchandises, cargaison* wet **NM** *(= argent)* ready money, cash **ADV** *(Bourse)* ◆ **rester liquide** to remain liquid, maintain a liquidity position.

**liquider** /likide/ **VT a** *(= vendre) marchandises* to clear, sell off; *fonds de commerce* to sell out *ou* up ◆ **liquider des articles démodés** to have a clearance sale of out-of-date articles ◆ **liquider le stock** to clear (off) the stock ◆ **la banque a liquidé une partie de son portefeuille** part of the bank's portfolio was liquidated **b** *(= fermer définitivement) société* to wind up, liquidate, close out *(US)* ◆ **être liquidé par décision judiciaire** to be wound up by court order **c** *(= régler) dette* to pay off, wipe out; *compte* to clear, balance, liquidate, settle; *transaction, affaire* to close, settle, clinch; *succession* to settle; *retraite* to pay **d** *(Bourse)* to close ◆ **liquider une position** to close a position.

**liquidité** /likidite/ **NF a** *(Écon, Fin)* liquidity ◆ **coefficient de liquidité** liquidity *ou* current *ou* acid test ratio ◆ **politique de resserrement de la liquidité** restrictive liquidity policy ◆ **à court de liquidité** illiquid ◆ **préférence pour la liquidité** liquidity preference ◆ **liquidité interne** total domestic liquid assets ◆ **liquidité du portefeuille** portfolio liquidity ◆ **le manque de liquidité du titre** the stock's lack of liquidity ◆ **réduire la liquidité** to mop up liquidities ◆ **crise de liquidité** liquidity crunch ◆ **la liquidité potentielle des banques** the potential liquidity of banks ◆ **liquidité primaire / secondaire** primary / secondary liquidity **b** *(= argent)* ◆ **liquidités** liquid assets, cash, liquidities, available funds *ou* assets ◆ **compression** *ou* **contraction des liquidités** liquidity squeeze ◆ **liquidités de caisse** liquid funds ◆ **liquidités nettes** net liquid assets, net quick assets ◆ **liquidités excédentaires** excess liquidities.

**lire** /liʁ/ **VT** *(gén)* to read; *(par lecteur optique)* to read, scan ◆ **dans l'espoir de vous lire bientôt** hoping to hear from you soon ◆ **lu et approuvé** read and approved.

**lire** /liʁ/ **NF** lira.

**Lisbonne** /lisbɔn/ **N** Lisbon.

**lissage** /lisaʒ/ **NM** *(Écon)* smoothing ◆ **lissage des bénéfices** income smoothing ◆ **lissage exponentiel** exponential smoothing.

**lisser** /lise/ **VT** *courbe* to smooth.

**listage** /listaʒ/ **NM** listing ◆ **bande de listage** listing tape ◆ **fichier de listage** list file.

**liste** /list(ə)/ **NF** list ◆ **dresser** *ou* **établir une liste** to make out *ou* draw up a list, list ◆ **mettre** *ou* **porter sur une liste** to enter on a list ◆ **rayer de la liste** to strike off *ou* take off the list ◆ **vous êtes en tête / en fin** *ou* **en queue de liste** you are *ou* you rank first / last on the list ◆ **votre nom figure-t-il** *ou* **est-il inscrit sur la liste ?** is your name listed ?

**livrer**

─── compounds/composés ───

- **liste des actionnaires** stock-ledger
- **liste d'adresses** mailing list
- **liste d'attente** waiting list
- **liste de candidats** list of applicants
- **liste de contrôle** (gén) check-list; (Inf) audit list
- **liste de diffusion** mailing list
- **liste d'émargement** [salariés] payroll
- **liste des marchandises importées en franchise** franchise-free list
- **liste nominative** nominal list
- **liste des participants** attendance list
- **liste des présents** attendance sheet
- **liste de prix** price list
- **liste de publipostage** mailing list
- **liste rouge** (Télec) unlisted phone numbers
  - **être** ou **figurer sur la liste rouge** to be ex-directory ou unlisted (US)
- **liste des souscriptions** (Fin) list of applications, subscription list.

**lister** /liste/ **vt** to list.

**listing** /listiŋ/ **NM** printout.

**litas** /litas/, **PL litai** /litaj/ **NM** litas.

**litige** /litiʒ/ **NM** (gén) dispute; (Jur) litigation, dispute at law, suit ✦ **litige commercial** commercial dispute ✦ **en litige** disputed ✦ **objet du litige** object of contention ✦ **les parties en litige** the litigants, the disputants (US) ✦ **point en litige** point of contest ✦ **somme en litige** amount at issue ✦ **mettre en litige** to litigate ✦ **régler un litige** to settle a dispute.

**litigieux, -ieuse** /litiʒjø, jøz/ **ADJ** litigious, contentious, disputable at law ✦ **créance litigieuse** contested claim ✦ **point litigieux** point of contest, debatable point, contentious matter.

**litispendance** /litispãdãs/ **NF** (Jur) pendency (of case).

**litre** /litʀ(ə)/ **NM** litre.

**Lituanie** /lituani/ **NF** Lithuania.

**lituanien, -ienne** /lituanjɛ̃, jɛn/ **ADJ** Lithuanian ⬛ (= langue) Lithuanian
 **Lituanien** ⬛ (= habitant) Lithuanian
 **Lituanienne** ⬛ (= habitante) Lithuanian.

**livrable** /livʀabl(ə)/ **ADJ a** (Comm) which can be delivered, ready for delivery, deliverable ✦ **commandes livrables à domicile** orders delivered to your door **b** (Bourse) forward ⬛ (Bourse) ✦ **cours / marché du livrable** forward ou terminal price / market.

**livraison** /livʀɛzɔ̃/ **NF a** (Comm) delivery ✦ **livraison à domicile** (sur un prospectus) home delivery, we deliver ✦ **livraison franco** ou **gratuite** (sur un prospectus) delivered free, free delivery ✦ **livraison échelonnée** ou **fractionnée / immé-**diate / prioritaire staggered ou split / immediate / priority delivery ✦ **délai / conditions / registre / service de livraison** delivery time / terms / book / service ✦ **défaut de livraison** non-delivery ✦ **bon de livraison** (accompagnant la marchandise) delivery note ou slip; (autorisant la sortie d'usine) delivery order ✦ **bordereau de livraison** (Comm) delivery note ou slip; (Fin) issue voucher ✦ **bulletin de livraison** delivery sheet ✦ **frais de livraison** delivery charges ✦ **payable à la livraison** payable on delivery, cash on delivery, collect on delivery (US), COD (US) ✦ **payer à la livraison** to pay on delivery ✦ **prendre livraison de** to take delivery of, collect ✦ **respecter** ou **tenir les délais de livraison** to meet ou keep the delivery deadline ou date ✦ **un retard dans la livraison d'un composant essentiel a arrêté la chaîne de production** late delivery of an essential component stopped the production line **b** (Bourse) delivery ✦ **cours de livraison** delivery price ✦ **faire livraison** to deliver stocks ✦ **prendre livraison des titres** to take delivery of the stocks ✦ **être de mauvaise / bonne livraison** to be bad / good delivery ✦ **vendre à livraison** to sell for future delivery ✦ **livraison à terme** forward ou future delivery.

**livre** /livʀ(ə)/ ⬛ **a** (gén) book ✦ **l'industrie du livre** the book trade ou industry **b** (Compta) book, journal ✦ **grand livre** ledger ✦ **grand livre général** general ou impersonal ledger, GL ✦ **clôture des livres** balancing of the books ✦ **porter qch sur les livres** to enter sth in the books ✦ **tenir les livres** to keep the books ✦ **vérifier les livres** to check the books, run the ledger

⬛ (= poids) pound; (= monnaie) pound ✦ **livre sterling** pound sterling ✦ **livre égyptienne** Egyptian pound ✦ **livre maltaise** lira ✦ **livre turque** lira, pound ✦ **livre verte** green pound ✦ **coûter 100 livres** to cost £100. ■ Voir encadré page suivante

**livrer** /livʀe/ **vt a** (Comm) to deliver ✦ **livrer à domicile** to deliver to customer's premises ou at residence ✦ **livrer des marchandises / une commande** to deliver goods / an order ✦ **livrer le long d'un navire** to deliver alongside a vessel ✦ **livrer à bord d'un navire** to deliver on board a vessel ✦ **livrer des usines clés en main** to sell factories on turnkey contracts ✦ **livré en entrepôt** bonded terms ✦ **livré franco** free delivered ou delivery ✦ **livré franco domicile** delivery free domicile, free to customer's residence ou premises ✦ **livré sur warrant** stored terms ✦ **livré droits acquittés** delivered duty paid ✦ **livré par porteur** delivered by hand **b** (Bourse) titres to deliver ✦ **marché à livrer**

─── *compounds/composés* ───

LIVRE

- **livre des acceptations** acceptance book
- **livre des achats** purchase book *ou* ledger
- **livre auxiliaire** subsidiary book
- **livre de banque** bank book
- **livre blanc** white paper
- **livre de bord** log book
- **livre de caisse** cash book
- **livres comptables** account books
- **livre d'échéance** bill diary
- **livre des effets à payer** bills-payable book
- **livre des effets à recevoir** bills-receivable book
- **livre des entrées** purchase book
- **livre fractionnaire** subsidiary book
- **livre des inventaires** stock book

- **livre-journal** day book, journal
- **livre de magasin** warehouse book
- **livre de paie** payroll
- **livre de petite caisse** petty cash book
- **livre des réclamations** claims book
- **livre des rendus** returns book ◆ **livre des rendus sur achats / sur ventes** returns outwards / inwards book
- **livres sociaux** company's books of account
- **livre des sorties** sales book
- **livre à souche** stub book
- **livre de stock** stockbook
- **livre des transferts** transfer register
- **livre de(s) ventes** sales book *ou* ledger

transaction for forward delivery ◆ **prime pour livrer** put option, seller's option ◆ **vente à livrer** sale for delivery, forward sale.

**livret** /livʀɛ/ **NM** *(gén)* book, booklet; *(= manuel)* manual, handbook; *(Banque)* passbook ◆ **livret d'utilisation** user's manual ◆ **livret de caisse d'épargne** savings bank book *ou* passbook ◆ **livret d'épargne-logement** ≈ building society passbook ◆ **livret d'épargne populaire** ≈ National Savings Plan Passbook ◆ **compte sur livret** savings *ou* deposit account.

**livreur** /livʀœʀ/ **NM** *(gén)* delivery man; *(Bourse)* deliverer, seller; *(Bourse de marchandises)* first seller.

**Ljubljana** /ljubljana/ **N** Ljubljana.

**LOA** /ɛloa/ **NF** abrév de **location avec option d'achat** → **location**.

**lobby** /lɔbi/ **NM** lobby.

**lobbyiste** /lɔbiist/ **NM** lobbyist.

**local, e,** MPL **-aux** /lɔkal, o/ **ADJ** local ◆ **collectivités locales** local authorities ◆ **impôts locaux** local taxes *(US)*, community charge *(Brit)*
**NM** *(= salle)* room ◆ **locaux** premises, offices ◆ **locaux à usage commercial** business *ou* commercial premises.

**localement** /lɔkalmɑ̃/ **ADV** locally.

**localisation** /lɔkalizasjɔ̃/ **NF** *(= lieu d'implantation)* location, localization ◆ **localisation des sources d'approvisionnement** sourcing ◆ **localisation d'une unité de production** siting *ou* localization of a manufacturing facility.

**localiser** /lɔkalize/ **VT** *(= trouver)* to locate.

**locataire** /lɔkatɛʀ/ **NM** tenant ◆ **locataire à bail** lessee, leaseholder ◆ **nous sommes locataires de nos bureaux** we rent our office space.

**locatif, -ive** /lɔkatif, iv/ **ADJ** *charges, revenu* rental ◆ **impôts locatifs** taxes based on rental value ◆ **programme locatif** apartment buildings to let ◆ **réparations locatives** tenant's repairs ◆ **risques locatifs** tenant's risks ◆ **valeur locative des locaux** rental *ou* letting *(US)* value of the premises ◆ **valeur locative imposable** rateable value.

**location** /lɔkasjɔ̃/ **NF** **a** *(par le propriétaire)* *[local]* letting (out), renting; *[voiture]* hiring (out), renting (out) ◆ **donner en location** *[local]* to let (out), rent **b** *(par le locataire)* *[local]* renting; *[voiture]* hiring *(Brit)*, renting; *[place]* booking ◆ **prendre en location** *[local]* to rent **c** **bureau de location** *[place]* booking office ◆ **contrat de location** *[local]* tenancy agreement; *[voiture]* rental agreement ◆ **voiture de location** rented *ou* rental *ou* hired car ◆ **agence de location de voitures** car rental agency ◆ **location de voitures** *(sur pancarte)* cars for hire *(Brit)*, rent a car *(US)* ◆ « **location de voitures sans chauffeur** » "U-drive it car", self-drive car rental ◆ **location avec option d'achat** leasing, lease-option agreement ◆ **location à vie** life tenancy ◆ **location-vente** hire-purchase ◆ **acheter en location-vente** to buy on hire-purchase.

**lock-out** /lɔkawt/ **NM** lock-out.

**lock-outer** /lɔkawte/ **VT** to lock out.

**loco** /lɔko/ **ADV** ◆ **prix loco** loco price.

**logement** /lɔʒmɑ̃/ **NM** *(= habitat)* housing; *(= appartement)* flat *(Brit)*, apartment *(US)*, accommodation ◆ **logement social** public housing ◆ **allocation logement** rent allowance ◆ **crise du logement** housing crisis *ou* shortage ◆ **indemnité de logement** housing allowance ◆ **nombre de mises en chantier (de logements neufs)** new housing starts ◆ **compte / plan / livret d'épargne-logement** building society savings account / plan / passbook, home savings account / plan / passbook ✦ **prêt épargne-logement** mortgage.

**logiciel** /lɔʒisjɛl/ **NM** software ✦ **erreur de logiciel** software bug ✦ **ingénieur en logiciel** software engineer ✦ **produit logiciel** software product

———— compounds/composés ————
- ✦ **logiciel d'application** application software ou program
- ✦ **logiciel intégré** integrated software
- ✦ **logiciel de navigation** browser
- ✦ **logiciel de traitement de texte** word-processing software
- ✦ **logiciel de vérification** audit software.

**logistique** /lɔʒistik/ **ADJ** logistic
**NF** logistics ✦ **directeur (de la) logistique** logistics manager ✦ **logistique export** export logistics.

**logithèque** /lɔʒitɛk/ **NF** software library.

**logo** /lɔgo/ **NM** logo, name slug, corporate identification symbol.

**logotype** /lɔgɔtip/ **NM** logotype, corporate identification symbol.

**loguer (se)** /lɔge/ **VPR** to log on.

**loi** /lwa/ **NF** a (gén) law; (= texte legislatif) law, act ✦ **projet de loi** bill ✦ **abroger** ou **rapporter une loi** to abrogate ou repeal ou rescind ou revoke a law ✦ **adopter un projet de loi** to carry a bill ✦ **voter une loi** to pass a law ✦ **promulguer une loi** to enact a bill, promulgate a law ✦ **article d'une loi** section of an act b **la loi** the law ✦ **les dispositions de la loi** the legal provisions ✦ **avoir force de loi** to be enforceable ou operative ✦ **conformément à la loi** by law, in obedience to the law ✦ **appliquer la loi** to administer ou enforce ou apply the law ✦ **enfreindre la loi** to break the law ✦ **infraction à la loi** infringement ou breach ou infraction ou violation of the law ✦ **faire respecter la loi** to enforce the law ✦ **observer** ou **respecter la loi** to abide by the law, keep (within) the law ✦ **tomber sous le coup de la loi** [acte] to be a criminal offence ✦ **être responsable aux yeux**

**de la loi** to be legally responsible ✦ **tourner** ou **contourner la loi** to get round the law ✦ **transgresser la loi** to infringe ou contravene ou transgress the law ✦ **homme de loi** lawyer, legal practitioner ✦ **consulter un homme de loi** to take legal advice ✦ **la loi de la jungle** the law of the jungle ▪ Voir encadré ci-dessous

**lombard** /lɔ̃baʀ/ **NM** (Fin) ✦ **taux lombard** lombard rate.

**Lomé** /lɔme/ **N** Lomé ✦ **les accords de Lomé** the Lomé Convention.

**Londres** /lɔ̃dʀ(ə)/ **N** London.

**long, longue** /lɔ̃, lɔ̃g/ **ADJ** long ✦ **à long terme** in the long run ou term ✦ **navigation au long cours** ocean ou deep-sea navigation ✦ **actifs à long terme** long-lived assets ✦ **bail à longue échéance** long lease ✦ **contrat / emprunt / placement à long terme** long-term contract / loan / investment ✦ **effet à longue échéance** long(-dated) bill ✦ **papiers long** long-dated bills ✦ **planification à long terme** long-range ou long-term planning ✦ **position longue** (Bourse) long position ✦ **titres d'État à long terme** longs.

**long-courrier, PL long-courriers** /lɔ̃kuʀje/ **ADJ, NM** ✦ **(navire) long-courrier** ocean liner, ocean-going ship ✦ **(avion) long-courrier** long-haul ou long-distance aircraft.

**longévité** /lɔ̃ʒevite/ **NF** [produit] life expectancy ✦ **matériel à longévité élevée** long-life equipement.

**losange** /lɔzɑ̃ʒ/ **NM** diamond ✦ **figure en losange** diamond ✦ **sortir du losange** to break out of the diamond.

**lot** /lo/ **NM** a (= ensemble d'objets) batch; (= jeu d'outils) set; (= articles en réclame) pack; (lors d'une vente publique) lot ✦ **contrôle / fabrication par lots** batch control / production ✦ **lot économique** economic order quantity, EOQ b (Bourse) ✦ **lot d'actions** block of shares ✦ **lot régulier** round lot c [loterie] prize ✦ **toucher le gros lot** to hit the jackpot ✦ **emprunt à lots** lottery loan ✦ **obligation à lots** prize bond, premium bond, lottery bond d (Inf) batch

———————— compounds/composés ————————

LOI

- ✦ **loi d'amnistie** law of amnesty
- ✦ **lois anti trust** anti-trust laws, restrictive trade practices laws
- ✦ **loi-cadre** blueprint law, framework law
- ✦ **loi de finances** Finance Act
- ✦ **loi informatique et libertés** ≈ Data Protection Act (Brit)

- ✦ **loi de l'offre et de la demande** law of supply and demand
- ✦ **loi-programme** act providing framework for government programme
- ✦ **loi des rendements décroissants** law of diminishing returns, law of attrition (US).

◆ **traitement par lots** *(Ind)* batch *ou* bulk processing; *(Inf)* batch processing ◆ **fichier de traitement par lots** batch file ◆ **tri par lots** batch sort  e  *(= terrain)* plot (of land).

**loterie** /lɔtʀi/ **NF** lottery.

**loti** /lɔti/, **PL maloti** /malɔti/ **NM** loti.

**lotir** /lɔtiʀ/ **VT** *(= découper) terrain* to divide into plots, parcel out; *(= vendre)* to sell by lots.

**lotissement** /lɔtismɑ̃/ **NM**  a  *(action de lotir)* *(= vente)* sale (by lots); *(= découpage)* division  b  *(= terrain)* plot, lot; *(= ensemble de terrains bâtis)* housing development *ou* estate.

**lotisseur** /lɔtisœʀ/ **NM** *[terrain]* property developer.

**louage** /lwaʒ/ **NM** ◆ **donner à louage** to let (out), rent (out) ◆ **prendre à louage** to hire, rent, take on hire *ou* on lease ◆ **prendre un navire à louage** to charter a ship ◆ **contrat de louage** rental contract ◆ **louage d'ouvrage** *(Jur)* work contract ◆ **louage de services** contract of employment, work contract ◆ **voiture de louage** rented *ou* hired car.

**louer** /lwe/ **VT**  a  *[propriétaire] local* to let (out), rent; *voiture* to hire (out), rent (out) ◆ **louer à bail** *[propriétaire]* to let on lease, lease out; *[locataire]* to lease ◆ **louer au mois** to let by the month ◆ **louer ses services** to hire o.s. out ◆ **à louer** *(pancarte)* to let *(Brit)*, for rent *(US)*  b  *[locataire] local* to rent; *voiture* to hire *(Brit)*, rent; *place* to book
**se louer** **VPR** ces bureaux se louent 1 million d'euros par an these premises rent for 1 million euros a year.

**loueur, -euse** /lwœʀ, øz/ **NM,F** *[local]* renter, letter; *[voiture]* hirer, renter *(US)* ◆ **loueur d'adresses** *(Mktg)* list broker.

**loup** /lu/ **NM** *(Bourse)* stag, premium hunter.

**lourd, e** /luʀ, luʀd(ə)/ **ADJ** *(gén)* heavy; *impôts, dettes, travail, responsabilité* heavy, weighty; *erreurs* serious; *marchandise* heavy, ponderous, cumbersome; *marché boursier* slack, sluggish ◆ **industrie lourde** heavy industry ◆ **poids lourd** *(= camion)* heavy goods vehicle *(Brit)*, lorry *(Brit)*, truck *(US)* ; *(= grosse société)* heavyweight ◆ **faute lourde** *(Jur)* gross negligence ◆ **la décision du gouvernement sera lourde de conséquences pour ce secteur** the government decision will bear heavily on this sector.

**lourdement** /luʀdəmɑ̃/ **ADV** *imposer, taxer* heavily.

**lourdeur** /luʀdœʀ/ **NF** *[bureaucratie]* cumbersomeness; *(Bourse) [marché]* slackness, sluggishness ◆ **le marché manifeste une certaine**

**lourdeur** the market is slackening *ou* is getting sluggish.

**loyal, e, MPL -aux** /lwajal, o/ **ADJ** fair, honest ◆ **loyal en affaires** straightforward in business ◆ **bon et loyal inventaire** true and accurate inventory ◆ **compte rendu loyal et exact** true and faithful report ◆ **qualité loyale et marchande** fair average quality ◆ **valeur loyale et marchande** fair market value.

**loyalement** /lwajalmɑ̃/ **ADV** fairly, honestly.

**loyauté** /lwajote/ **NF** honesty, fairness ◆ **loyauté en affaires** fair dealing.

**loyer** /lwaje/ **NM** rent ◆ **donner à loyer** to let (out), rent ◆ **prendre à loyer** to rent ◆ **être en retard sur son loyer** to be late *ou* behind *ou* in arrears with one's rent ◆ **arriéré de loyer** rent arrears, back rent ◆ **blocage des loyers** rent control *ou* freeze ◆ **quittance de loyer** rent receipt ◆ **réglementation des loyers** rent control

---
*compounds/composés*
- ◆ **loyer annuel** yearly rental *ou* rent
- ◆ **loyer de l'argent** price *ou* cost of money ◆ **loyer de l'argent au jour le jour** overnight rate of interest
- ◆ **loyer commercial** office rent
- ◆ **loyer conditionnel** contingent rental
- ◆ **loyer matriciel** ≈ rateable value
- ◆ **loyer trimestriel** quarterly rent.
---

**Luanda** /lwɑ̃da/ **N** Luanda.

**lucratif, -ive** /lykʀatif, iv/ **ADJ** *travail* well-paid, lucrative; *opération* lucrative, profitable, paying ◆ **travail peu lucratif** badly-paid job ◆ **à but lucratif** profit-making, profit oriented ◆ **sans but lucratif** non-profit making, not-for-profit.

**lundi** /lɛ̃di/ **NM** Monday → **samedi**.

**Lusaka** /lyzaka/ **N** Lusaka.

**luxe** /lyks(ə)/ **NM** luxury ◆ **le luxe, l'industrie du luxe** the luxury goods industry ◆ **de luxe** *articles, boutique* luxury; *voiture, magazine* de luxe ◆ **commerce de luxe** luxury trade ◆ **hôtel de luxe** star hotel.

**Luxembourg** /lyksɑ̃buʀ/ **NM** Luxembourg.

**luxembourgeois, e** /lyksɑ̃buʀʒwa, waz/ **ADJ** of *ou* from Luxembourg
**Luxembourgeois** **NM** *(= habitant)* inhabitant *ou* native of Luxembourg
**Luxembourgeoise** **NF** *(= habitante)* inhabitant *ou* native of Luxembourg.

# M

**M.** (abrév de **Monsieur**) Mr ◆ **M. Thomas** Mr Thomas.

**Maastricht** /mastʀiʃt/ **N** Maastricht ◆ **les accords de Maastricht** the Maastricht agreement ◆ **répondre aux critères de Maastricht** to meet the Maastricht criteria.

**maastrichtien, -ienne** /mastʀiʃtjɛ̃, jɛn/ **ADJ** Maastricht.

**Macao** /makao/ **N** Macao.

**macaron** /makaʀɔ̃/ **NM** badge; (= *autocollant*) sticker.

**Macédoine** /masedwan/ **NF** Macedonia.

**machine** /maʃin/ **NF** machine ◆ **les machines** the machinery ◆ **écrire** *ou* **taper une lettre à la machine** to type a letter ◆ **fait à la machine** machine-made ◆ **code / instruction machine** *(Inf)* machine code / instruction ◆ **heure / temps / panne / langage machine** machine hour / time / failure / language ◆ **opérateur sur machine** machine operator ◆ **passage en machine** machine run ◆ **intervention sur machine** service call

**machinerie** /maʃinʀi/ **NF** *(Ind)* machinery.

**macrocommande** /makʀokɔmɑ̃d/ **NF** *(Inf)* macro (instruction).

**macroéconomie** /makʀoekonomi/ **NF** macroeconomics.

**macroéconomique** /makʀoekonomik/ **ADJ** macroeconomic.

**macrogroupe** /makʀogʀup/ **NM** large group, macro group.

**macro-marketing** /makʀomaʀkətiŋ/ **NM** macromarketing.

**Madagascar** /madagaskaʀ/ **NF** Madagascar.

**Madame** /madam/, **PL Mesdames NF** *(en parlant à qn)* Madam; *(en début de lettre)* Dear Madam ◆ **Madame Thomas** Mrs Thomas ◆ **Madame la Présidente** *(en parlant à qn)* Madam Chairman; *(sur une enveloppe)* the Chairwoman, the Chairperson; *(en début de lettre)* Dear Madam ◆ **Madame, Mademoiselle, Monsieur** *(en début de lettre)* Dear Sir or Madam ◆ **Mesdames** Ladies ◆ **Mesdames David et Thomas** Mrs David and Mrs Thomas ◆ **Mesdames les membres du personnel** (the ladies on) the staff ◆ **Mesdames, (Mesdemoiselles,) Messieurs** *(dans un discours)* Ladies and Gentlemen.

---
*compounds/composés*

◆ **machine à adresser** addressing machine
◆ **machine à affranchir** franking machine
◆ **machine agricole** agricultural machine
◆ **machine de bureau** office machine
◆ **machine à cacheter** mailer
◆ **machine à calculer** calculator
◆ **machine comptable** accounting machine
◆ **machine à écrire** typewriter
◆ **machine à étiquettes** label maker
◆ **machine à facturer** invoicing machine, biller (US)
◆ **machine mécanographique** punched card machine
◆ **machine-outil** machine tool
◆ **machine à timbrer** franking machine
◆ **machine à traitement de textes** word processor
◆ **machine trieuse** sorting machine.

---

**Mademoiselle** /madmwazɛl/, **PL Mesdemoiselles NF** *(en parlant à qn)* Madam, Miss; *(en début de lettre)* Dear Madam ◆ **Mademoiselle Thomas** Miss Thomas ◆ **Mesdemoiselles** Ladies.

**Madrid** /madʀid/ **N** Madrid.

**magasin** /magazɛ̃/ NM a (= *boutique*) shop, store (US) ◆ ouvrir / tenir un magasin to open / keep a shop ◆ chaîne de magasins chain of shops (Brit) *ou* stores (US) ◆ devanture de magasin shop window, shop front ◆ employé de magasin shop assistant *ou* employee ◆ grand magasin department store b (= *réserve*) warehouse, storeroom ◆ clause d'assurance magasin à magasin warehouse to warehouse clause, transit clause ◆ marchandises en magasin goods in stock *ou* on hand, stock in hand ◆ avoir / déposer en magasin to have / lay in stock ◆ mettre en magasin to put in store

---
*compounds/composés*
---

- **magasin d'alimentation** (*Comm*) grocery shop *ou* store, food store; (*Inf*) feed hopper
- **magasin à assortiment limité** retail store *ou* shop *ou* outlet
- **magasin automatique** automated storage facility, automated warehouse
- **magasin d'exposition** showroom
- **magasins généraux** (*Douanes*) (public) bonded warehouse
- **magasin à gestion intégrée** computer-managed store
- **magasin à grande surface** supermarket, hypermarket
- **magasin de gros** wholesale store
- **magasin libre-service** self-service store
- **magasin minimarge** discount house
- **magasin pilote** pilot store, experimental store
- **magasin à prix unique** one-price store, nickel *ou* dollar *ou* dime store (US)
- **magasin sous douane** bonded warehouse
- **magasin spécialisé** speciality (Brit) *ou* specialty (US) store
- **magasin à succursales multiples** chain store, multiple (store)
- **magasin d'usine** factory outlet
- **magasin de vente au détail** retail store *ou* shop *ou* outlet
- **magasin de vente au rabais** discount store

**magasinage** /magazinaʒ/ NM a (= *action*) warehousing, storing; (= *droits*) (*gén*) warehouse dues, storage charges *ou* costs; (*Train*) demurrage (charges), railroad rent (US) ◆ mise à terre, magasinage et livraison landing, storage, delivery, LSD b (*au Canada*) shopping.

**magasiner** /magazine/ VI (*au Canada*) to go shopping.

**magasinier** /magazinje/ NM warehouseman, storekeeper, storeman ◆ chef magasinier warehouse supervisor.

**magazine** /magazin/ NM magazine ◆ magazine d'information news magazine ◆ magazine professionnel *ou* spécialisé specialist *ou* trade magazine.

**magistrat** /maʒistʀa/ NM (*gén*) magistrate; (= *juge*) judge.

**magistrature** /maʒistʀatyʀ/ NF magistracy, magistrature.

**magnat** /magna/ NM [*industrie, pétrole*] magnate, tycoon ◆ magnat de la presse press baron *ou* lord *ou* tycoon.

**magnétique** /maɲetik/ ADJ *carte, disque, mémoire* magnetic ◆ crayon-lecteur magnétique magnetic wand.

**magouille** /maguj/ NF (*péj*) scheming, wheeling and dealing* ◆ magouilles boursières market wheeling and dealing*, sharp practice* (Brit).

**magouiller** /maguje/ VI to wheel and deal*.

**magouilleur, -euse** /magujœʀ, øz/ NM,F schemer
ADJ crafty* ◆ il est un peu magouilleur he's a bit of a schemer.

**mai** /mɛ/ NM May → septembre.

**mailing** /meliŋ/ NM mailing.

**maillage** /majaʒ/ NM (= *organisation de réseaux*) networking ◆ maillage industriel industrial fabric.

**mailler** /maje/ VT *réseau* to densify.

**main** /mɛ̃/ NF a hand ◆ fabriqué à la main handmade, made by hand ◆ trié à la main hand sorted ◆ écrit à la main handwritten ◆ en main tierce (*Fin*) in escrow ◆ à portée de main, sous la main at hand ◆ renseignement de première main first-hand information ◆ voiture de première main second-hand car (*sold by the first owner*) ◆ vote à main levée vote by a show of hands ◆ mettre la main sur une société to get one's hands on a company, gain control of a company ◆ négocier en sous-main to negotiate secretly ◆ payer de la main à la main to pay cash without receipt ◆ le patron a décidé de passer la main the boss decided to stand down ◆ remettre en main propre to deliver *ou* hand in personally ◆ 200 000 actions ont changé de mains 200,000 shares changed hands b (*Compta*) ◆ main courante rough book, daybook ◆ main courante de caisse counter cash-book ◆ main courante de sortie paid cash-book ◆ main courante de recette received cash-book.

**main-d'œuvre** /mɛ̃dœvʀ(ə)/ NF a (= *employés*) labour (Brit), labor (US), manpower, workforce, labour force ◆ pénurie de main-d'œuvre labour shortage *ou* scarcity ◆ raréfaction de la main-d'œuvre contraction of the labour market ✦ **demande / excédent / flux / taux de main-d'œuvre** labour demand / glut / flux / rate ✦ **débauchage de main-d'œuvre** labour piracy ou poaching ✦ **réserve** ou **réservoir de main-d'œuvre** labour pool ou reservoir ✦ **industrie de main-d'œuvre** labour-intensive industry ✦ **embaucher de la main-d'œuvre** to take on workers ✦ **nous manquons de main-d'œuvre** we are short of manpower ou of labour ✦ **notre main-d'œuvre est hautement qualifiée** our workforce ou labour force is highly qualified **b** (= travail fourni) labour ✦ **1 000 euros, main-d'œuvre comprise** 1,000 euros inclusive of labour (costs)

─────── compounds/composés ───────

✦ **main-d'œuvre contractuelle** indentured ou contract labour
✦ **main-d'œuvre directe** direct ou productive labour
✦ **main-d'œuvre étrangère** foreign labour
✦ **main-d'œuvre féminine** female labour
✦ **main-d'œuvre indirecte** indirect labour
✦ **main-d'œuvre occasionnelle** temporary workers, temps*, casual labour
✦ **main-d'œuvre qualifiée** skilled labour
✦ **main-d'œuvre non qualifiée** unskilled labour
✦ **main-d'œuvre sous contrat** indentured ou contract labour
✦ **main-d'œuvre spécialisée** unskilled labour
✦ **main-d'œuvre syndiquée** unionized ou organized labour
✦ **main-d'œuvre temporaire** temporary workers, temps*, casual labour.

**mainlevée** /mɛlve/ **NF** (Jur) withdrawal ✦ **mainlevée d'une inscription hypothécaire** release of mortgage ✦ **mainlevée de saisie** replevin ✦ **donner mainlevée de saisie** to grant replevin.

**mainmise** /mɛmiz/ **NF** (Jur) seizure of property, distraint upon property ✦ **la mainmise de l'État sur le secteur bancaire** the seizure of the banking sector by the state ✦ **mainmise économique** economic stranglehold.

**maintenance** /mɛtnɑ̃s/ **NF** (Ind) maintenance ✦ **maintenance à la demande / périodique / préventive / systématique** on-call / routine / preventive / scheduled ou planned maintenance ✦ **équipe / frais / technicien** ou **ingénieur de maintenance** maintenance crew / costs ou charges / engineer ✦ **assurer la maintenance de qch** to service sth ✦ **contrat de maintenance** maintenance ou service agreement ou contract ✦ **feuille** ou **fiche de maintenance** maintenance note ✦ **responsable de la maintenance** maintenance officer ✦ **service de la maintenance** maintenance service.

**maintenir** /mɛtniʀ/ **VT** **a** (= soutenir) cours to keep up, hold up, support ✦ **maintenir le budget en équilibre** to keep a balanced budget ✦ **le gouvernement essaye de maintenir la sidérurgie en activité** the government strives to keep the steel industry running ✦ **maintenir les prix** (= les empêcher de monter) to keep prices in check, peg prices; (= les empêcher de descendre) to keep prices up **b** (= préserver) (gén) to keep; (Bourse) dividende to maintain ✦ **maintenir en bon état d'entretien** to keep in good repair ✦ **maintenir les dossiers à jour** to keep the records up to date ✦ **maintenir qn dans ses fonctions** ou **dans son poste** to maintain sb in office ✦ **le cours du yen est maintenu très bas** the yen exchange rate is kept low ou down ✦ **maintenir un abonnement** to keep up a subscription ✦ **maintenir l'emploi** to safeguard ou preserve employment **c** (= confirmer) propos to maintain; rendez-vous to confirm ✦ **je maintiens ma décision** I'll stick to my decision, I'll abide by my decision

**se maintenir** **VPR** **le dividende se maintient à 5%** (Bourse) the dividend maintains at 5% ✦ **les affaires se maintiennent** business is keeping up ✦ **les cours se maintiennent** prices are keeping up ou steady ✦ **ce produit se maintient bien sur le marché** this product is still holding its own on the market ✦ **le taux d'inflation se maintient à 3%** the inflation rate remains at 3% ✦ **le yen se maintient par rapport au dollar** the yen remains steady ou firm against the dollar.

**maintien** /mɛtjɛ̃/ **NM** [droits acquis, activité économique] maintenance ✦ **maintien du pouvoir d'achat** purchasing power maintenance ✦ **la principale revendication concerne le maintien des effectifs** the main claim concerns the maintenance of manning levels ✦ **maintien du prix imposé / du revenu** price / income maintenance ✦ **maintien en stock** in-stock maintenance.

**maison** /mɛzɔ̃/ **NF** (= entreprise) firm, business, company ✦ **confiserie maison** home-made confectionery ✦ **diplôme maison** in-house diploma ✦ **ingénieur maison** in-house engineer ✦ **il n'a pas l'esprit maison** he hasn't got the company spirit

─────── compounds/composés ───────

✦ **maison affiliée** subsidiary (company)
✦ **maison de commerce** commercial firm ou establishment
✦ **maison de courtage** brokerage firm ou house
✦ **maison de détail** retail business ou firm
✦ **maison d'édition** publishing house ou firm
✦ **maison d'escompte** discount house

◆ **maison d'expédition** shipping agency
◆ **maison de gros** wholesale business *ou* firm
◆ **maison mère** *(= société)* parent company; *(= siège)* head office
◆ **maison de rapport** revenue-earning house
◆ **maison de réescompte** discount house
◆ **maison à succursales (multiples)** multiple (firm)
◆ **maison de titres** securities firm *ou* house
◆ **maison de vente par correspondance** mail-order firm *ou* house.

**maître, maîtresse** /mɛtʀ(ə)/, mɛtʀɛs/ **ADJ** carte maîtresse master card ◆ **fichier maître** *(Inf)* master file ◆ **être maître d'une situation** to have a situation under control, be in control of a situation
**NM** maître artisan master craftsman ◆ **maître maçon** master builder ◆ **maître d'œuvre** *(Constr)* project manager ◆ **maître d'ouvrage** *(Constr)* owner.

**maîtrisable** /metʀizabl(ə)/ **ADJ** controllable, manageable.

**maîtrise** /metʀiz/ **NF** **a** *(Ind)* supervisory staff, lower management ◆ **agent de maîtrise** supervisor, foreman ◆ **cadres et maîtrise** executives and supervisors **b** *(= contrôle)* control ◆ **maîtrise des coûts** cost control ◆ **maîtrise d'œuvre** project management ◆ **maîtrise de la production** production control ◆ **s'assurer la maîtrise du marché** to gain mastery over the market *ou* control the market ◆ **avoir une bonne maîtrise des techniques de communication** to have a good command of communication techniques.

**maîtriser** /metʀize/ **VT** *inflation* to control, curb, check, bring under control; *difficultés* to overcome, master; *nouvel outil* to master ◆ **maîtriser les coûts** to keep costs under control, control costs ◆ **maîtriser la situation** to control the situation, have control of the situation.

**majeur, e** /maʒœʀ/ **ADJ** *(= important)* major, main ◆ **cas de force majeure** case of absolute necessity *ou* of force majeure ◆ **la majeure partie de nos commandes vient de l'étranger** the main part *ou* the bulk of our orders come from abroad.

**major** /maʒɔʀ/ **NF** *(= entreprise)* major ◆ **l'une des majors du secteur** one of the majors *ou* of the major players in the sector.

**majoration** /maʒɔʀasjɔ̃/ **NF** *(= augmentation)* rise, increase, hike* *(US)* *(de* in*)*; *(= supplément)* additional charge, surcharge; *(= supplément indu)* overcharge; *(= estimation exagérée)* overvaluation, overestimation ◆ **les droits d'entrée sur ces produits ont subi une majoration de 5 %**

import duties on these goods have increased by 5% *ou* have undergone a 5% increase

—— *compounds/composés* ——
◆ **majoration d'actif** overvaluation of assets
◆ **majoration pour heures supplémentaires** overtime premium
◆ **majoration d'impôt** tax surcharge
◆ **majoration de la prime** *(Ass)* increase in insurance premium, extra premium
◆ **majoration de prix** *(gén)* price increase; *(sur étiquettes)* mark-up ◆ **sans majoration de prix** without extra charge
◆ **majoration pour retard de paiement** *(Impôts)* delinquent taxes
◆ **majoration de salaire unique** supplementary benefit *(for single income families)*.

**majorer** /maʒɔʀe/ **VT** *facture* to put a surcharge on, increase; *impôt, prix* to increase, raise, put up *(de* by*)* ◆ **majorer une facture de 12%** to put 12% on an invoice ◆ **veuillez trouver ci-joint notre facture majorée de notre commission** please find enclosed our bill to which we have added our commission ◆ **majorer le prix d'un article** *(Comm)* to mark up *ou* increase the price of an article ◆ **le tarif a été majoré au 1ᵉʳ Janvier** the rate was increased *ou* put up on January 1st.

**majoritaire** /maʒɔʀitɛʀ/ **ADJ** majority ◆ **actionnaire majoritaire** majority shareholder ◆ **associé majoritaire** senior partner ◆ **participation majoritaire** majority stake *ou* holding, majority *ou* controlling interest ◆ **l'État est l'actionnaire majoritaire** the state has a majority shareholding.

**majorité** /maʒɔʀite/ **NF** *[votants]* majority ◆ **à la grande majorité des votants** by a large majority of votes ◆ **majorité absolue / relative / des deux tiers / qualifiée** absolute / relative / two thirds / qualified majority ◆ **décision prise à la majorité** decision taken by a majority, majority decision ◆ **élu à une faible majorité** elected by a narrow majority ◆ **être en majorité** to be in the majority ◆ **la majorité de nos clients** most of our customers.

**majuscule** /maʒyskyl/ **ADJ, NF** ◆ **(lettre) majuscule** capital letter; *(Typ)* upper-case letter ◆ **écrire en majuscules** please print in block letters.

**mal** /mal/ **ADV** badly ◆ **emploi / employé mal rémunéré** badly paid *ou* poorly paid job / employee ◆ **mal en point** *économie, société* in bad shape ◆ **les affaires vont** *ou* **marchent mal** business is not too good ◆ **mal calculer** to miscalculate ◆ **mal évaluer** to misjudge ◆ **mal gérer** to mismanage, misconduct ◆ **mal renseigner** to misdirect ◆ **notre projet a mal tourné**

our project miscarried ✦ **il s'y est vraiment mal pris** he mishandled the whole thing ✦ **l'inspecteur du travail a mal présenté les faits dans son rapport** the work inspector misrepresented the facts in his report ✦ **mal fondé** ill-founded, ill-grounded ✦ **le gouvernement a été mal avisé d'intervenir dans ce conflit** the government was ill-advised to interfere in this conflict ✦ **ces mesures sont venues mal à propos** these measures were ill-timed ou came at the wrong moment.

**Malabo** /malabo/ **N** Malabo.

**malade** /malad/ **ADJ** industrie ailing; économie in bad shape; gouvernement shaky; personne sick ✦ **économie malade de l'inflation** economy suffering from inflation, inflation-ridden economy
**NMF** sick person.

**maladie** /maladi/ **NF** illness, disease ✦ **maladie professionnelle** occupational disease ✦ **allocation** ou **indemnité** ou **prestations maladie** sickness benefit, sick allowance, sick pay ✦ **assurance maladie** health ou sickness insurance ✦ **bénéficier de l' assurance maladie** to draw sickness insurance ✦ **certificat de maladie** medical certificate ✦ **congé (de) maladie** sick leave ✦ **être en congé maladie** to be (away) on sick leave ✦ **feuille de maladie** form to be sent to the Social Security ✦ **journées perdues pour cause de maladie** number of days lost due to illness.

**malaise** /malɛz/ **NM** (Écon) malaise, sluggishness, slackness; (en Bourse) uneasiness; (dans les usines) unrest, discontent ✦ **malaise des cadres** executive unrest ✦ **malaise social** labour ou industrial ou social unrest ✦ **un certain malaise se fait jour au sein du patronat** industrial leaders are growing restive.

**Malawi** /malawi/ **NM** Malawi.

**Malaysia** /malɛzia/ **NF** Malaysia.

**malfaçon** /malfasɔ̃/ **NF** fault, defect.

**malgache** /malgaʃ/ **ADJ** Malagasy, Madagascan
**NM** (= langue) Malagasy
**Malgache** **NMF** (= habitant) Malagasy, Madagascan.

**malhonnête** /malɔnɛt/ **ADJ** procédé dishonest.

**malhonnêteté** /malɔnette/ **NF** dishonesty ✦ **malhonnêtetés** (= malversations) dishonest dealings.

**Mali** /mali/ **NM** Mali.

**malien, -ienne** /maljɛ̃, jɛn/ **ADJ** of ou from Mali, Malian

**Malien** **NM** (= habitant) Malian, inhabitant ou native of Mali
**Malienne** **NF** (= habitante) Malian, inhabitant ou native of Mali.

**malmener** /malməne/ **VT** ✦ **les valeurs françaises ont été malmenées** French securities had a rough time.

**maltais, e** /maltɛ, ɛz/ **ADJ** Maltese
**NM** (= langue) Maltese
**Maltais** **NM** (= habitant) Maltese
**Maltaise** **NF** (= habitante) Maltese.

**Malte** /malt/ **NF** Malta.

**malthusianisme** /maltyzjanism(ə)/ **NM** Malthusianism.

**malthusien, -ienne** /maltyzjɛ̃, jɛn/ **ADJ** Malthusian.

**malus** /malys/ **NM** car insurance surcharge, extra premium.

**malversation** /malvɛʀsasjɔ̃/ **NF** ✦ **malversations** (Fin) embezzlement, misappropriation ou misuse of funds, fraudulent conversion of funds, defalcation.

**management** /manadʒmɛnt/ **NM** management ✦ **management des ressources humaines** human resource management ✦ **le management français** French management ✦ **management des systèmes d'information** information systems management.

**manager** /manadʒɛʀ/ **NM** manager.

**manager** /mana(d)ʒe/ **VT** to manage.

**managérial, e**, **MPL -aux** /manadʒeʀjal, o/ **ADJ** managerial.

**Managua** /managwa/ **N** Managua.

**manat** /manat/ **NM** manat.

**mandant, e** /mɑ̃dɑ̃, ɑ̃t/ **NM,F** (Jur) principal.

**mandat** /mɑ̃da/ **NM** **a** (Comm) postal order (Brit), money order ✦ **mandat international / télégraphique** international / telegraphic money order ✦ **mandat de virement** transfer order ✦ **mandat sur l'étranger** foreign money order ✦ **mandat-carte** money order in postcard form ✦ **mandat-lettre** money order ✦ **émettre un mandat** to issue an order ✦ **toucher un mandat** to cash a money order **b** (= instructions) instructions, mandate; (= délégation de pouvoir) power of attorney, proxy ✦ **mandat de gestion** investment management agreement, fiduciary trust agreement (US) ✦ **notre agent ne s'est pas conformé à son mandat** our agent acted contrary to his instructions, our agent exceeded his authority **c** (= ordre) warrant

✦ **mandat d'amener** order to appear ✦ **mandat d'arrêt** arrest warrant ✦ **mandat de perquisition** search warrant ✦ **lancer un mandat** to issue a warrant ✦ **signifier un mandat** to serve *ou* notify a warrant  **d**  *(= période de fonction)* term of office ✦ **pendant qu'il exerçait son mandat** during his tenure ✦ **le président du conseil d'administration brigue un deuxième mandat** the chairman of the board is seeking re-election ✦ **il doit demander le renouvellement de son mandat l'année prochaine** he is coming up for re-election next year.

**mandataire** /mɑ̃datɛʀ/ **NM**  **a**  *(Comm)* commission agent, authorized agent ✦ **mandataire aux Halles** inside broker ✦ **mandataire général** general agent  **b**  *(= délégué)* representative, proxy.

**mandatement** /mɑ̃datmɑ̃/ **NM** *payment by means of a money order.*

**mandater** /mɑ̃date/ **VT**  **a**  *(= payer par mandat)* ✦ **mandater une somme** *(= verser)* to pay a sum by money order; *(= émettre)* to issue an order for the payment of a sum; *(= libeller)* to write out a money order for a sum  **b**  *(= investir d'un mandat)* to commission, empower, give a mandate to, appoint ✦ **agent dûment mandaté** duly empowered agent ✦ **je ne suis pas mandaté pour faire cela** I have no mandate *ou* authority to do that, that is not within my remit.

**manège** /manɛʒ/ **NM** *(Mktg)* ✦ **manège à bijoux** revolving jewellery display stand.

**manger** /mɑ̃ʒe/ **VT** *[entreprise]* ✦ **manger de l'argent** to run at a loss, eat money.

**maniement** /manimɑ̃/ **NM** *[fonds, documents]* handling ✦ **les candidats doivent être rompus au maniement des affaires** applicants should have an extensive business experience.

**manier** /manje/ **VT** *fonds, documents* to handle; *affaires* to manage ✦ **il manie bien l'anglais** he speaks English fairly well, he has a good command of English.

**manifestation** /manifɛstasjɔ̃/ **NF** *(= défilé, grève)* demonstration; *(= réunion, foire)* event ✦ **manifestation commerciale** trade fair ✦ **manifestation publicitaire** publicity event ✦ **manifestation sponsorisée** sponsored event.

**manifeste** /manifɛst(ə)/ **NM** *(Transports)* manifest ✦ **manifeste de douane** customs manifest ✦ **manifeste d'entrée / de sortie** inward / outward manifest ✦ **manifeste de fret** freight manifest ✦ **faire figurer des marchandises sur un manifeste** to manifest goods.

**manifester** /manifɛste/ **VI** *[syndicats]* to demonstrate

**VT** to show, indicate, demonstrate

**se manifester** **VPR** *[reprise économique]* to show itself, emerge, arise; *[candidat]* to come forward.

**Manille** /manij/ **N** Manilla.

**manipulateur** /manipylatœʀ/ **NM** *(Bourse)* ✦ **manipulateur de cours** price manipulator.

**manipulation** /manipylasjɔ̃/ **NF**  **a**  *(péj)* manipulation ✦ **manipulation électorale** gerrymandering, election rigging ✦ **manipulation de l'opinion** brainwashing ✦ **manipulation de cours** price manipulation ✦ **manipulations monétaires** currency manipulations  **b**  *(= maniement)* handling.

**manipuler** /manipyle/ **VT**  **a**  *(péj)* *électeurs* to manipulate; *livres de compte, statistiques* to tinker *ou* tamper *ou* fiddle with ✦ **manipuler un bilan** to cook *ou* window-dress a balance sheet ✦ **on manipule les consommateurs** consumers are being brainwashed  **b**  *(= manier)* *fonds, colis* to handle, manipulate.

**manitou** /manitu/ **NM** ✦ **grand manitou** \* big shot\*.

**manne** /man/ **NF** godsend, windfall, boon, manna ✦ **le pétrole de la mer du Nord a constitué une manne pour l'économie britannique** the North Sea oil was a godsend for Britain's economy ✦ **la manne pétrolière** the oil windfall.

**manœuvre** /manœvʀ(ə)/ **NF** manœuvre, maneuver(US) ✦ **manœuvre boursière** stock-market manipulation ✦ **nous assistons à de grandes manœuvres boursières** major moves are taking place in the stock market ✦ **le gouvernement ne dispose pas d'une grande marge de manœuvre** the government has not a lot of leeway *ou* has not much room for manœuvre **NM** labourer, unskilled worker.

**manquant, e** /mɑ̃kɑ̃, ɑ̃t/ **ADJ** *article, documents* missing; *employés* absent, missing ✦ **prière faire parvenir documents manquants par retour** please send missing documents by return mail

**NM** *(gén)* deficiency, shortage; *(en cours de transport)* ullage ✦ **manquant en caisse** shortage in the cash ✦ **manquant (en stock)** inventory shortage.

**manque** /mɑ̃k/ **NM** *(= pénurie)* shortage, scarcity, want ✦ **manque de** *[capitaux, expérience]* lack of ✦ **manque de liquide** *(Fin)* illiquidity ✦ **manque de main-d'œuvre qualifiée** scarcity of skilled labour ✦ **manque à gagner** loss of profit

**marchand**

*ou* earnings, shortfall in earnings, income shortfall ✦ **manque à la livraison** short delivery ✦ **manque à l'embarquement** short-shipped goods.

**manquement** /mãkmã/ **NM** ✦ **manquement à des obligations contractuelles** default on a contract, failure to meet one's contractual obligations ✦ **manquement à la règle** *ou* **au règlement** breach *ou* violation of regulations ✦ **manquement au code de la profession** unprofessional conduct, misfeasance ✦ **manquement au devoir** dereliction of duty, failure to carry out one's duty.

**manquer** /mãke/ **VT** (= *rater*) (*gén*) to miss; *occasion* to miss, let slip; *contrat* to lose; *rendez-vous* to fail to keep ✦ **manquer son objectif** to fall short of target ✦ **ils ont manqué environ 60 millions d'euros de ventes par jour** they missed out on about 60 million d'euros a day in sales **VI** (= *faire défaut*) to be lacking; (= *être absent*) to be missing, be absent ✦ **le pétrole commence à manquer** oil is running out ✦ **manquer en magasin** to be out of stock ✦ **il nous manque 5 000 euros** we are 5,000 euros short **manquer à** **VT INDIR** **manquer à ses engagements** to fail to keep one's commitments ✦ **manquer à ses obligations** to default on one's obligations **manquer de** **VT INDIR** *expérience* to lack ✦ **manquer d'argent** (= *ne pas avoir assez*) to lack money; (= *être à court*) to be short of money ✦ **cette société manque de personnel** this company is undermanned *ou* short of staff ✦ **nous ne manquerons pas de vous aviser de notre décision** we shall let you know our decision without fail.

**manuel, -elle** /manɥɛl/ **ADJ** manual ✦ **travailleur manuel** manual worker, blue collar, blue-collar worker **NM** handbook, manual, instruction book ✦ **manuel d'entretien** service manual.

**manuellement** /manɥɛlmã/ **ADV** by hand, manually.

**manufacturable** /manyfaktyʀabl(ə)/ **ADJ** manufacturable.

**manufacture** /manyfaktyʀ/ **NF** **a** (= *établissement*) factory, manufactory **b** (= *fabrication*) manufacture ✦ **manufacture d'armes** state arms manufactory, armory (*US*).

**manufacturer** /manyfaktyʀe/ **VT** to manufacture ✦ **produits manufacturés** manufactured goods *ou* products, manufactures.

**manufacturier, -ière** /manyfaktyʀje, jɛʀ/ **ADJ** *ville* manufacturing ✦ **industries manufacturières** manufacturing industry.

**manuscrit, e** /manyskʀi, it/ **ADJ** *mention* handwritten.

**manutention** /manytãsjɔ̃/ **NF** handling ✦ **appareils de manutention** handling equipment *ou* facilities ✦ **frais de manutention** handling charges *ou* costs ✦ **manutention maritime** stevedoring.

**manutentionnaire** /manytãsjɔnɛʀ/ **NM** packer, warehouseman.

**manutentionner** /manytãsjɔne/ **VT** to handle, pack.

**Maputo** /maputo/ **N** Maputo.

**maquette** /makɛt/ **NF** model ✦ **maquette grandeur nature** (*Ind*) mock-up model ✦ **maquette d'une annonce publicitaire** layout of an advertisement ✦ **maquette définitive** finished layout *ou* rough.

**maquettiste** /maketist(ə)/ **NMF** (*gén*) model maker; (*Pub*) layout person.

**maquignon** /makiɲɔ̃/ **NM** **a** (*en chevaux*) horse dealer **b** (*péj*) shady dealer, trickster.

**maquignonnage** /makiɲɔnaʒ/ **NM** (*péj*) underhand dealings.

**maquillage** /makijaʒ/ **NM** [*documents*] faking, doctoring ✦ **maquillage du bilan** window-dressing *ou* cooking of the balance sheet.

**maquiller** /makije/ **VT** *documents* to fake, doctor; *statistiques* to fiddle, tinker with, tamper with ✦ **maquiller un bilan** to window-dress *ou* cook a balance sheet.

**maraîchage** /maʀɛʃaʒ/ **NM** market gardening (*Brit*), truck farming (*US*).

**maraîcher, -ère** /maʀeʃe, maʀɛʃɛʀ/ **NM,F** market gardener (*Brit*), truck farmer (*US*) **ADJ** *culture* maraîchère market gardening (*Brit*), truck farming (*US*) ✦ **jardin maraîcher** market garden (*Brit*), truck farm (*US*) ✦ **produit maraîcher** market garden produce (*Brit*), truck (*US*).

**marasme** /maʀasm(ə)/ **NM** stagnation, sluggishness ✦ **profond marasme** slump ✦ **ce secteur industriel traverse une période de marasme** this industrial sector is in the doldrums.

**marc** /maʀ/ **NM** (*Jur*) ✦ **au marc le franc** pro rata, proportionally.

**marchand, e** /maʀʃɑ̃, ɑ̃d/ **ADJ** **prix marchand** trade price ✦ **stocks marchands** commercial stocks ✦ **techniques marchandes** merchandising ✦ **valeur marchande** market *ou* commercial *ou* sale value ✦ **échantillon sans valeur marchande** sample of no commercial value ✦ **ville marchande** commercial town ✦ **service marchand / non marchand** merchantable / non merchantable service ✦ **flotte marchande** merchant shipping ✦ **marine marchande** merchant navy *ou* service, merchant marine *(US)* ✦ **navire marchand** merchant ship *ou* vessel, merchantman ✦ **galerie marchande** shopping mall *(US)* ou arcade ✦ **bonne qualité marchande** good merchantable quality ✦ **qualité loyale et marchande** fair average quality ✦ **site marchand** merchant site

**NM,F** *(= commerçant)* shopkeeper, tradesman (*ou* tradeswoman), tradesperson; *(= négociant)* trader, dealer, merchant ✦ **le marchand d'habits / de peinture** the man who sells clothes / paint, the man in the clothes shop / paint shop

─────── *compounds/composés* ───────
- **marchand ambulant** hawker, pedlar *(Brit)*, peddler *(US)*, huckster *(US)*
- **marchand de biens** estate agent *(Brit)*, realtor *(US)*
- **marchand de couleurs** hardware dealer, ironmonger *(Brit)*
- **marchand de détail** retail dealer, retailer
- **marchand de fonds** property dealer, estate agent *(Brit)*, realtor *(US)*
- **marchand en gros** wholesaler, wholesale dealer
- **marchand de journaux** newsagent
- **marchand de légumes** greengrocer *(Brit)*, produce dealer *(US)*
- **marchand de tableaux** art dealer
- **marchand de tapis** carpet dealer ✦ **c'est un vrai marchand de tapis** he haggles over everything ✦ **des discussions de marchand de tapis** endless bargaining
- **marchand de vins** wine merchant.

**marchandage** /maʁʃɑ̃daʒ/ **NM** **a** *(= tractation)* bargaining, haggling, dickering *(US)* ✦ **des marchandages sans fin** endless bargaining *ou* haggling **b** *(Jur)* illegal subcontracting of labour.

**marchander** /maʁʃɑ̃de/ **VT** **a** *prix, objet* to bargain over, haggle over **b** *(Jur)* to subcontract illegally
**VI** to bargain, haggle ✦ **sans marchander** without bargaining (over the prices).

**marchandeur, -euse** /maʁʃɑ̃dœʁ, øz/ **NM,F** **a** *(= vendeur)* haggler **b** *(Jur)* subcontractor.

**marchandisage** /maʁʃɑ̃dizaʒ/ **NM** merchandising.

**marchandise** /maʁʃɑ̃diz/ **NF** commodity ✦ **marchandises** commodities, goods, merchandise

✦ **Bourse de marchandises** commodity exchange *ou* market ✦ **compte / gare / wagon de marchandises** goods account / station / wagon ✦ **avance sur marchandises** advance against goods ✦ **courtier en marchandises** merchandise broker ✦ **train de marchandises** goods train *(Brit)*, freight train *(US)* ✦ **la marchandise est bloquée à la douane** the goods are being held in customs ✦ **la marchandise en stock est évaluée à 100 000 euros** the goods in stock are valued at 100,000 euros ◼ Voir encadré page suivante

**marchandiser** /maʁʃɑ̃dize/ **VT** to merchandize.

**marchandiseur** /maʁʃɑ̃dizœʁ/ **NM** merchandizer.

**marche** /maʁʃ(ə)/ **NF** *(= fonctionnement)* working, running, operation ✦ **la bonne marche de l'entreprise** the smooth running of the company ✦ **en état de marche** in working order ✦ **mettre en marche** to start ✦ **mise en marche** starting ✦ **remise en marche de la machine économique** pump-priming of the economy, economic pump-priming ✦ **marche à suivre** steps to be taken, course to follow, procedure ✦ **faire marche arrière** to backtrack, backpedal ✦ **ils ont fait marche arrière par rapport à leur position initiale** they backed off their original position.

**marché** /maʁʃe/ **NM** **a** *(Écon)* *(= lieu de vente, débouché)* market ✦ **approvisionner un marché** to supply a market ✦ **assainir un marché** to stabilize a market ✦ **dominer le marché** to control *ou* lead the market ✦ **peser sur le marché** to bear on the market ✦ **prospecter un marché** to work *ou* canvass a market ✦ **trouver de nouveaux marchés** to find new markets *ou* outlets ✦ **il y a un marché tout trouvé pour les voitures économiques** there is a ready market for fuel-efficient cars ✦ **lancer un nouveau modèle sur le marché** to launch *ou* put a new model on the market *ou* on the marketplace ✦ **conquérir un marché** to capture a market ✦ **accaparer** *ou* **monopoliser le marché** to corner the market ✦ **le marché est saturé** *ou* **engorgé** the market is glutted *ou* saturated *ou* overloaded ✦ **attaquer un nouveau marché** to tap a new market ✦ **inonder** *ou* **submerger le marché** to flood *ou* swamp *ou* inundate the market ✦ **percer sur** *ou* **pénétrer le marché** to break into *ou* penetrate the market ✦ **travailler le marché** to manipulate the market ✦ **vendre aux conditions du marché** to sell at market price **b** *(= opération financière, commerciale)* bargain, operation, deal, transaction, contract ✦ **bon marché** cheap, inexpensive ✦ **meilleur**

— compounds/composés —

## MARCHANDISE

- **marchandises acquittées** duty-paid goods
- **marchandises à l'arrivée** incoming goods
- **marchandises avariées** damaged goods
- **marchandises de base** basic ou primary ou staple commodities
- **marchandises en consignation** goods on consignment
- **marchandises consignées** returnable goods
- **marchandises contingentées** goods subject to quotas
- **marchandises de cubage** measurement goods
- **marchandises dédouanées / non dédouanées** cleared / uncleared ou uncustomed goods
- **marchandises défectueuses** faulty ou defective goods
- **marchandises dépareillées** broken lots
- **marchandises au détail** retail goods
- **marchandises diverses** (= fret) break bulk cargo
- **marchandises en** ou **sous douane** bonded goods
- **marchandises embarquées** loaded goods
- **marchandises flottantes** goods afloat
- **marchandises de grand débit** fast-moving ou fast-selling goods, fast sellers

- **marchandises en grande vitesse** (Rail) speed goods
- **marchandises en gros** wholesale goods
- **marchandises invendues** unsold goods
- **marchandises liquides** wet goods
- **marchandises livrables à terme** future goods
- **marchandises en magasin** goods in stock ou in hand, stock in hand
- **marchandises mises en consommation** goods for home use
- **marchandises passibles de droit** dutiable goods
- **marchandises périmées** goods beyond sell-by date
- **marchandises en petite vitesse** (Rail) slow goods
- **marchandises plombées** leaded goods
- **marchandises en pontée** deck cargo
- **marchandises sèches** dry goods
- **marchandises en souffrance** (gén) unclaimed goods; (Train) goods on demurrage
- **marchandises en transit** goods in transit
- **marchandises en vrac** bulk freight.

**marché** cheaper ✦ **articles bon marché** low-priced goods, bargains ✦ **annuler** ou **résilier un marché** to cancel a contract ou a transaction ✦ **conclure** ou **passer un marché avec qn** to make ou clinch a deal with sb, enter into contract with sb, strike a bargain with sb ✦ **marché conclu** it's a deal ✦ **mettre le marché en main à qn** to force sb to accept or reject a proposal c (Bourse) market ✦ **premier / second marché** listed securities / unlisted securities market ✦ **nouveau marché** ≈ Alternative Investment Market (Brit) ✦ **à la clôture du marché** at the close of the market ✦ **le marché est soutenu / atone / hésitant / instable** the market is buoyant / dull ou sluggish / unsteady / jumpy ✦ **le marché des valeurs est orienté à la hausse / à la baisse** the stock market is bullish / bearish ✦ **le marché s'est effondré** the market has collapsed, the bottom has fallen out of the market d **accaparement du marché** cornering of the market ✦ **analyse de marché** market analysis ✦ **analyste de marché** market analyst ✦ **annulation d'un marché** cancellation of a contract ✦ **assainissement du marché** market stabilization ✦ **audit du marché** market audit ✦ **bulletin du marché** market report ✦ **capacité du marché** market capacity ✦ **chef de marché** market manager ✦ **comportement du marché** market behaviour ✦ **cours du marché** market price ✦ **demande du marché** market demand ✦ **développement d'un marché** market devel-

opment ✦ **dimension du marché** market size ✦ **économie de marché** (free) market economy ✦ **écrémage du marché** market skimming ✦ **effondrement du marché** collapse of the market ✦ **élasticité du marché** market resilience ✦ **encombrement du marché** glut ou saturation of the market ✦ **équilibre du marché** market equilibrium ✦ **étroitesse du marché** limitedness ou narrowness of the market ✦ **étude de marché** market research, market survey, market study ✦ **faire une étude de marché** to carry ou conduct a market survey ✦ **étude quantitative d'un marché** market mensurement ✦ **évaluation du marché** market appraisal ✦ **évolution du marché** market development ✦ **expansion du marché** market expansion ✦ **faiseur de marché** market maker ✦ **fluctuations du marché** market fluctuations ou ups and downs ✦ **forces du marché** market forces ✦ **instabilité du marché** market instability ✦ **interpénétration des marchés** market interdependence ✦ **lourdeur du marché** heaviness of the market ✦ **manipulation du marché** market manipulation ✦ **mécanismes du marché** market mechanisms ✦ **nervosité du marché** jumpiness of the market ✦ **orientation du marché** market orientation, general trend of the market ✦ **ouverture du marché** opening of the market ✦ **part de marché** market share ✦ **partage du marché** market sharing ✦ **pénétration du marché** market penetration ✦ **per-**

turbations du marché market disturbance ◆ **physionomie du marché** state of the market ◆ **potentiel du marché** market opportunities *ou* potential ◆ **prévisions du marché** market forecasts ◆ **prix du marché** market price ◆ **profil du marché** market profile ◆ **raffermissement du marché** strengthening of the market ◆ **réglementation du marché** market regulation ◆ **reprise du marché** market rally ◆ **résistance du marché** firmness of the market ◆ **rétrécissement du marché** market contraction ◆ **saturation du marché** market saturation *ou* glut ◆ **segmentation du marché** market segmentation ◆ **segmentation du marché des entreprises** organizational market segmenta-

tion ◆ **simulation de marché** market simulation ◆ **soutien du marché** market support ◆ **stabilisation du marché** market stabilization ◆ **stratégie du marché** market strategy ◆ **structure du marché** market structure ◆ **tendance du marché** market trend ◆ **teneur de marché** market maker ◆ **tenue du marché** tone of the market ◆ **test de marché** market test ◆ **transparence du marché** market transparency ◆ **valeur du marché** *(Ass)* market value clause ◆ **viscosité du marché** market uneasiness *ou* viscosity ▪ Voir encadré ci-dessous

**marchéage** /maʁʃeaʒ/ **NM** marketing ◆ **plan de marchéage** marketing mix.

─────── *compounds/composés* ───────

MARCHÉ

◆ **marché abstrait** commodity futures market
◆ **marché acheteur** buyer's market
◆ **marché actif** *ou* **animé** brisk market
◆ **marché sur adjudication** invitation to tender
◆ **marché alourdi** dull market
◆ **marché à la baisse** *(Bourse)* bear market
◆ **marché baissier** bearish market
◆ **marché aux bestiaux** cattle market
◆ **marché après Bourse** street market, curb market
◆ **marché boursier** stock market
◆ **marché cambiste** foreign exchange market
◆ **marché des capitaux** financial *ou* capital market
◆ **marché captif** captive market
◆ **marché des changes** foreign exchange market ◆ **marché des changes à terme** forward exchange market
◆ **marché cible** target market
◆ **Marché commun (le)** the Common Market ◆ **partisan du Marché commun** pro-Marketeer ◆ **adversaire du Marché commun** anti-Marketeer
◆ **marché au comptant** cash *ou* spot market
◆ **marché concret** spot market
◆ **marché à concurrence parfaite / imparfaite** perfect / imperfect market
◆ **marché concurrentiel** competitive market
◆ **marché conditionnel** *(Bourse)* conditional forward market
◆ **marché de la consommation** consumer market
◆ **marché de contrats à terme** futures market
◆ **marché contrôlé** regulated market
◆ **marché en coulisse** curb market, outside market, off-floor market
◆ **marché couvert** covered market
◆ **marché du crédit** credit market, lending market, loan market
◆ **marché à découvert** sale in blank
◆ **marché déprimé** depressed market
◆ **marchés dérivés** derivatives markets

◆ **marché du disponible** spot market
◆ **marché émergent** emerging market
◆ **marché de l'emploi** employment *ou* job *ou* labour market
◆ **marché de l'entreprise** market potential
◆ **marché des entreprises** corporate market, business market
◆ **marché étroit** limited *ou* narrow *ou* thin market
◆ **marché en expansion** expanding market
◆ **marché extérieur** external market, foreign market, overseas market
◆ **marché à facultés** option to double
◆ **marché féminin** female market
◆ **marché ferme** *(= contrat)* firm deal
◆ **marché financier** financial market
◆ **marché à forfait** fixed price contract
◆ **marché de fournitures** supply contract
◆ **marché du fret** freight market
◆ **marché-gare** wholesale goods market
◆ **marché générique** generic market
◆ **marché grand public** consumer *ou* retail market
◆ **marché de gré à gré** *(Jur)* mutual agreement, private contract; *(Bourse)* over-the-counter market
◆ **marché gris** grey *(Brit)* *ou* gray *(US)* market
◆ **marché à la hausse** *(Bourse)* rising *ou* bull market
◆ **marché haussier** bullish market
◆ **marché hors Bourse** off-board *ou* over-the-counter market, unofficial market, unlisted securities market *(US)*
◆ **marché hors cote** unlisted securities market, off-board market *(US)*
◆ **marché hypothécaire** mortgage (loans) market
◆ **marché immobilier** property market, real estate market
◆ **marché imparfait** *(Écon)* imperfect market
◆ **marché des indices et options** index and options market
◆ **marché instable** jumpy *ou* unsteady market
◆ **marché intégré** integrated market

_____ compounds/composés _____

MARCHÉ

- ◆ **marché interbanque** interbank market
- ◆ **marché d'intérêt national** national interest market
- ◆ **marché intérieur** domestic ou home ou internal market
- ◆ **marché international** international market
- ◆ **marché irrégulier** unsteady market
- ◆ **marché leader** leading market
- ◆ **marché libre** (gén) open market, free market; (Bourse) OTC ou over-the-counter market ◆ **le marché libre de Rotterdam** the Rotterdam spot market
- ◆ **marché marginal** fringe market
- ◆ **marché masculin** male market
- ◆ **marché des matières premières** commodity market ou exchange
- ◆ **marché mondial** world market
- ◆ **marché monétaire** money market, open market ◆ **interventions sur le marché monétaire** open market intervention
- ◆ **marché négocié** private contract
- ◆ **marché noir** black market ◆ **vendre au marché noir** to sell on the black market
- ◆ **marché non exploité** untapped market
- ◆ **marché obligataire** bond market
- ◆ **marché des obligations** bond market
- ◆ **marché offert** buyer's market
- ◆ **marché officiel** official market
- ◆ **marché offreur** seller's market
- ◆ **marché à options, marché optionnel** options market ◆ **marché des options négociables** traded options market ◆ **marché des options négociables de Paris** ≈ listed traded options market (Brit)
- ◆ **marché organisé** organized market
- ◆ **marché ouvert** open market
- ◆ **marché parallèle** unofficial market
- ◆ **marché pilote** pilot-market
- ◆ **marché en plein air** open-air market
- ◆ **marché porteur** buoyant ou growth market
- ◆ **marché potentiel** potential market
- ◆ **marché primaire** primary market

- ◆ **marché à primes** options market
- ◆ **marché de la production** producer market, industrial market
- ◆ **marché propre** real ou actual ou effective market
- ◆ **marché public** procurement contract
- ◆ **marché aux puces** flea market
- ◆ **marché en recul** falling market
- ◆ **marché réel** real ou actual ou effective market
- ◆ **marché en régie** cost-plus contract
- ◆ **marché réglementé** regulated market
- ◆ **marché à règlement mensuel** forward market
- ◆ **marché de remplacement** replacement market
- ◆ **marché de renouvellement** renewal market
- ◆ **marché restreint** restricted market
- ◆ **marché secondaire** resale market, secondary market
- ◆ **marché sensible** sensitive market ◆ **marché sensible au prix** price-elastic market
- ◆ **marché soutenu** buoyant market
- ◆ **marché spéculatif** speculative market
- ◆ **marché surévalué** over-bought market
- ◆ **marché témoin** check market
- ◆ **marché à terme** (Bourse de valeurs) monthly settlement market; (Bourse de marchandises) futures market; (Change) forward market ◆ **marché à terme des instruments financiers** financial futures market
- ◆ **marché à terme international de France** French financial futures market ≈ LIFFE (Brit)
- ◆ **marché test** test market
- ◆ **marché de transit** transit market
- ◆ **marché du travail** employment ou job ou labour market
- ◆ **marché unique (européen) (le)** the single (European) market
- ◆ **marché des valeurs** securities market, stock market
- ◆ **marché vendeur** seller's market
- ◆ **marché visé** intended market.

**marcher** /maʀʃe/ **VI** [entreprise] to work, go, operate, run ◆ **marcher à vide** to run idle ◆ **les affaires marchent / ne marchent pas** business is brisk / slack ou at a standstill ◆ **une entreprise qui marche bien** a company which is doing well ◆ **notre nouvelle unité marche bien** our new unit is running smoothly ◆ **ce nouveau produit a bien / mal marché** this new product has done quite well / badly, this new product was a success / a failure ◆ **ça fait marcher les affaires** it's good for business.

**mardi** /maʀdi/ **NM** Tuesday → **samedi**.

**marge** /maʀ3(ə)/ **NF** **a** (Comm) (profit) margin, mark-up ◆ **contrat « à marge garantie »** net-

back contract ◆ **industrie à faible marge (bénéficiaire)** low-margin industry ◆ **réduction des marges** profit margin squeeze ◆ **rétrécissement des marges** narrowing ou shrinking ou dwindling of profit margins ◆ **taux de marge** mark-up (as percentage of cost price) ◆ **quelle est votre marge sur ce produit?** what is your mark-up ou profit margin on this product? **b** (Fin) margin, cover ◆ **déposer une marge en espèces** to deposit a margin in cash ◆ **appel de marge** margin call, call for extra ou additional cover ◆ **faire un appel de marge** to call for extra ou additional cover ◆ **notre agent de change a porté la marge à 30 % en espèces** our broker brought the margin up to 30% in cash ◆ **jouer** sur les marges to hedge ✦ achat de titres sur marge margin buying ▣ margin ✦ comme en marge as per margin, as in the margin hereof ✦ note en marge marginal note ✦ renvoi en marge marginal alternation

---
*compounds/composés*
---

- ✦ **marge bénéficiaire** profit margin, mark-up
- ✦ **marge brute** *[magasin]* mark-up; *[société]* gross margin *ou* profit, trading margin
- ✦ **marge brute d'autofinancement** cash flow ✦ marge brute d'autofinancement actualisée discounted cash flow
- ✦ **marge commerciale** trading margin
- ✦ **marge compensée** compensating margin
- ✦ **marge complémentaire** extra cover, additional margin
- ✦ **marge contributive** contribution margin
- ✦ **marge sur coût d'achat** gross margin *ou* profit, trading margin
- ✦ **marge de crédit** credit margin *ou* swing
- ✦ **marge cumulée** accrued margin
- ✦ **marge du détaillant** distributor discount
- ✦ **marge d'erreur** margin of error ✦ prévoir une marge d'erreur to allow a margin for error
- ✦ **marge d'exploitation** operating margin
- ✦ **marge de fluctuation** margin of fluctuation, fluctuation band
- ✦ **marge de garantie** margin
- ✦ **marge d'intérêts** interest margin
- ✦ **marge d'intervention** intervention margin
- ✦ **marge de manœuvre** leeway, scope, room for manœuvre ✦ nous ne disposons pas d'une marge de manœuvre suffisante we do not have enough leeway *ou* enough room for manœuvre
- ✦ **marge de négoce** trading margin
- ✦ **marge nette courante** current net margin
- ✦ **marge opérationnelle** operating margin
- ✦ **marge de sécurité** safety margin
- ✦ **marge semi-brute** contribution margin
- ✦ **marge de solvabilité** solvency margin
- ✦ **marge supplémentaire** further cover
- ✦ **marge de tolérance** tolerance margin.

**marger** /maʀʒe/ VT *feuille* to set the margins on.

**marginal, e,** MPL **-aux** /maʀʒinal, o/ ADJ *profit, coût, chômage, prêteur, revenu, taux* marginal ✦ analyse marginale incremental analysis ✦ avantages marginaux fringe benefits ✦ coût marginal marginal *ou* incremental cost ✦ comptabilité marginale marginal costing *ou* cost pricing ✦ efficacité marginale du capital / de l'investissement / du travail *ou* de la main-d'œuvre marginal efficiency of capital / investment / labour ✦ marché marginal fringe market ✦ prix de revient marginal marginal *ou* incremental cost ✦ propension marginale à consommer / à investir / à épargner marginal propensity to consume / to invest / to save ✦ rendement marginal du capital marginal return on capital ✦ taux d'imposition marginal marginal tax rate.

**marginalisme** /maʀʒinalism(ə)/ NM *(Écon)* marginalism.

**margoulin** * /maʀgulɛ̃/ NM swindler, crook.

**marine** /maʀin/ NF marine, navy ✦ marine marchande merchant navy *ou* service, merchant marine *(US)* ✦ le ministère de la Marine the Admiralty *(Brit)*, the Naval Ministry.

**marinier** /maʀinje/ NM bargeman, bargee.

**maritime** /maʀitim/ ADJ *navigation* maritime; *agence, compagnie* shipping; *assurance, assureur* marine ✦ agent maritime shipping agent ✦ arsenal maritime naval dockyard ✦ commerce maritime sea(borne) trade ✦ courtier maritime shipbroker ✦ droit maritime maritime law ✦ gare maritime harbour station ✦ inscription maritime registry of ships ✦ messageries maritimes, transport maritime sea transport ✦ privilège maritime maritime lien ✦ risque maritime marine *ou* maritime risk ✦ route maritime sea-route.

**mark** /maʀk/ NM mark ✦ mark finlandais Finnish mark ✦ Deutsche Mark Deutsche Mark, Deutschmark.

**marketing** /maʀkətiŋ/ NM marketing ✦ contrôle / service / responsable marketing marketing audit / department / executive ✦ conseil en marketing *(= expert)* marketing consultant ✦ cabinet de conseil en marketing marketing research firm, marketing agency ✦ système d'information marketing marketing information system, MIS

---
*compounds/composés*
---

- ✦ **marketing achat** purchasing
- ✦ **marketing de développement** development marketing
- ✦ **marketing différencié** differentiated marketing
- ✦ **marketing direct** direct marketing
- ✦ **marketing grand public** mass marketing, consumer goods marketing
- ✦ **marketing industriel** industrial marketing
- ✦ **marketing mix** marketing mix
- ✦ **marketing du produit** brand marketing
- ✦ **marketing de relance** remarketing
- ✦ **marketing de stimulation** stimulational marketing.

**marmotte** /maʀmɔt/ NF *(= valise)* sales kit.

**Maroc** /maʀɔk/ NM Morocco.

**marquage** /maʀkaʒ/ NM *(Comm)* branding, marking ✦ marquage en clair / en code de la date de péremption open / code dating.

**marque** /maʀk(ə)/ NF ▣ *[produits de consommation]* brand; *[automobiles, produits manufacturés]* make ✦ agence / chef / gestion / politique /

publicité de marque brand agency / manager / management / policy / advertising ◆ **fidélité à la marque** brand loyalty ◆ **identification de la marque** brand recognition ◆ **image de marque** [produit] brand image; [entreprise] corporate image ◆ **mémorisation d'une marque** brand recall ◆ **notoriété d'une marque** brand awareness ◆ **positionnement d'une marque** brand positioning ◆ **produits de marque** high-class products, branded goods ◆ **produits sans marque** unbranded ou generic products ◆ **taux de marque** mark-up (as percentage of selling price), retailer's margin **b** [métal précieux] hallmark; (sur emballage d'expédition) markings **c** (Inf) mark, marker, flag

———— compounds/composés ————
◆ **marque collective** label
◆ **marque commerciale** brand name
◆ **marque concurrente** rival brand
◆ **marque de conformité** quality control label
◆ **marque courante** standard brand
◆ **marque déposée** registered trademark ou trade name ou brand name
◆ **marque dérivée** subsidiary trademark
◆ **marque de distribution** ou **de distributeur** distributor's brand, house brand, own brand, private label
◆ **marque dominante** brand leader
◆ **marque de fabrique** ou **de fabrication** ou **du fabricant** trademark, trade name, brand name
◆ **marque de garantie** certification mark
◆ **marque grand public** consumer brand
◆ **marque d'origine** maker's mark.

**marqué, e** /maʀke/ ADJ **a** (= significatif) hausse, progression baisse, reprise marked, significant **b** (= indiqué) ◆ **le prix marqué** the price on the label ◆ **au prix marqué** at the labelled price, at the price shown on the label.

**marquer** /maʀke/ VT produit to mark, stamp; caisse to stencil; chèque to earmark ◆ **le prix n'est pas marqué sur ces articles** these articles have not been marked up ◆ **les ventes marquent le pas** sales are sluggish.

**marqueuse** /maʀkøz/ NF price labeller.

**marron** /maʀɔ̃/ ADJ avocat crooked ◆ **courtier marron** share pusher ou hawker.

**mars** /maʀs/ NM (= mois) March → septembre.

**martiniquais, e** /maʀtinike, ɛz/ ADJ of ou from Martinique
**Martiniquais** NM (= habitant) inhabitant ou native of Martinique
**Martiniquaise** NF (= habitante) inhabitant ou native of Martinique.

**Martinique** /maʀtinik/ NF Martinique.

**Mascate, Masquat** /maskat/ N Muscat.

**massacrer** /masakʀe/ VT prix to slaughter, slash ◆ **les cours sont massacrés** prices are savaged.

**masse** /mas/ NF mass ◆ **les masses laborieuses** the working masses ◆ **la (grande) masse de nos clients** the (great) majority of our customers ◆ **produire en masse** to mass-produce ◆ **commercialisation / production / publicité de masse** mass marketing / production / advertising ◆ **mémoire de masse** (Inf) mass ou bulk memory, mass storage (device)

———— compounds/composés ————
◆ **masse active** (Jur) assets
◆ **masse créancière** amounts to be made good
◆ **masse des créanciers** body of creditors
◆ **masse critique** critical mass
◆ **masse de la faillite** bankrupt's estate
◆ **masse monétaire** money supply
◆ **masse passive** (Jur) liabilities
◆ **masse salariale** wage bill, payroll, pay packet.

**massif, -ive** /masif, iv/ ADJ afflux, vente massive; commandes substantial; licenciements mass ◆ **retrait massif de dépôts bancaires** run on banks.

**mass(-)media** /masmedja/ NMPL mass media.

**mastodonte** /mastodɔ̃t/ NM (= société) mammoth company ◆ **mastodonte bancaire** banking giant.

**matelas** /matla/ NM ◆ **matelas de devises** currency cushion.

**matériau** /mateʀjo/ NM material ◆ **matériaux de construction** building material(s).

**matériel, -elle** /mateʀjɛl/ ADJ dégâts, erreur, avantage material ◆ **dommages matériels** material damage, damage to property ◆ **témoin matériel** (Jur) material witness
NM (gén) equipment; (Ind) plant; (= documentation, échantillons) material ◆ **le matériel** (Inf) the hardware

———— compounds/composés ————
◆ **matériel de bureau** office equipment
◆ **matériel informatique** hardware
◆ **matériel lourd** heavy equipment
◆ **matériel périphérique** peripheral equipment
◆ **matériel de PLV** point-of-sale material
◆ **matériel de présentation** display material
◆ **matériel publicitaire** publicity material
◆ **matériel roulant** rolling stock
◆ **matériel de secours** stand-by equipment, back-up material
◆ **matériel de vente** sales kit.

**maternité** /matɛrnite/ **NF** ◆ **allocation de mater- nité** maternity benefit ◆ **être en congé de maternité** to be on maternity leave.

**matière** /matjɛR/ **NF** **a** (= *sujet*) subject, matter, subject matter ◆ **matière à litige** grounds for litigation **b** (= *substance*) material ◆ **bon de sortie matières** *(Ind)* materials requisition ◆ **stock matières** materials stock

---

compounds/composés

---

◆ **matière imposable** taxable income
◆ **matières indirectes** indirect material, factory supplies
◆ **matière plastique** plastic
◆ **matières premières** raw materials ◆ **marché des matières premières** commodity market *ou* exchange
◆ **matières stratégiques** critical materials
◆ **matière synthétique** synthetic material.

---

**MATIF** /matif/ **NM** **a** abrév de **marché à terme des instruments financiers** → **marché** **b** abrév de **marché à terme international de France** → **mar- ché.**

**matraquage** /matRakaʒ/ **NM** ◆ **matraquage pu- blicitaire** media hype *ou* overkill.

**matraquer** /matRake/ **VT** **a** *publicité* to hype*, plug **b** *clients* to overcharge, fleece.

**matrice** /matRis/ **NF** *(Admin)* register; *(Math)* ma- trix ◆ **matrice cadastrale** cadastre ◆ **matrice de production** production matrix ◆ **matrice d'analyse stratégique** strategic analysis ma- trix.

**matriciel, -ielle** /matRisjɛl/ **ADJ** ◆ **loyer matriciel** *(Admin)* rent assessment ◆ **calcul matriciel** *(Math)* matrix calculus ◆ **structure matricielle** *(Gestion)* matrix structure *ou* organization.

**matricule** /matRikyl/ **ADJ, NM** (= *numéro*) matricule, registration *ou* reference number **NF** (= *registre*) roll, register, list.

**maturité** /matyRite/ **NF** maturity ◆ **phase de ma- turité** maturity phase.

**Maurice** /mɔRis/ **NM** ◆ **l'île Maurice** Mauritius.

**mauricien, -ienne** /mɔRisjɛ̃, jɛn/ **ADJ** Mauritian
**Mauritien** **NM** (= *habitant*) Mauritian
**Mauritienne** **NF** (= *habitante*) Mauritian.

**Mauritanie** /mɔRitani/ **NF** Mauritania.

**mauritanien, -ienne** /mɔRitanjɛ̃, jɛn/ **ADJ** Mau- ritanian
**Mauritanien** **NM** (= *habitant*) Mauritanian
**Mauritanienne** **NF** (= *habitante*) Maurita- nian.

**maussade** /mosad/ **ADJ** *climat économique* gloomy.

**mauvais, e** /mɔvɛ, ɛz/ **ADJ** bad ◆ **ils ont fait de mauvaises affaires** they haven't done too well in business ◆ **être dans une mauvaise passe** to be going through a bad patch ◆ **faire un mauvais calcul** to miscalculate ◆ **mauvaise gestion** mismanagement, bad management ◆ **de mauvaise qualité** of bad *ou* low *ou* poor quality ◆ **en mauvais état** in bad repair ◆ **mau- vaise créance** bad debt ◆ **mauvais état de navigabilité** unseaworthiness ◆ **mauvais nu- méro** *(Téléc)* wrong number ◆ **mauvais payeur** defaulter.

**max.** (abrév de **maximum**) max.

**maxima** /maksima/ **ADJ, NM** pl de **maximum.**

**maximal, e,** **MPL** **-aux** /maksimal, o/ **ADJ** maximal, maximum ◆ **charge maximale** maximum load ◆ **montant maximal des dépôts** maximum amount of deposits, deposit ceiling.

**maximalisation** /maksimalizasjɔ̃/ **NF** maxi- mization.

**maximaliser** /maksimalize/ **VT** to maximize.

**maximiser** /maksimize/ **VT** to maximize.

**maximum** /maksimɔm/, **PL** **maximums** *ou* **maxima** **ADJ** maximum ◆ **rendement maximum** maximum return *ou* yield ◆ **rentabilité maxi- mum** profit maximization ◆ **cours maximum** highest *ou* maximum price ◆ **heure d'écoute maximum** peak listening hour, prime time **NM** *(gén, Stat)* maximum ◆ **les négociateurs français ont obtenu le maximum** the French negotiators made the most of the contract ◆ **être à son maximum** *[cours]* to be at its highest *ou* maximum point ◆ **nous faisons le maximum** we are doing our utmost.

**m.c.** abrév de **monnaie de compte** → **monnaie.**

**MCM** /ɛmseɛm/ **NMPL** (abrév de **montants compensa- toires monétaires**) MCA.

**Me** (abrév de **Maître**) *term of address used mainly for lawyers* ◆ **Me Thomas** *(homme)* Mr Thomas; *(femme)* Mrs Thomas.

**mécanicien, -ienne** /mekanisjɛ̃, jɛn/ **NM,F** mechanic ◆ **ingénieur mécanicien** mechanical engineer.

**mécanique** /mekanik/ **ADJ** mechanical ◆ **génie mécanique** mechanical engineering ◆ **indus- tries mécaniques** mechanical engineering industries **NF** (= *science*) mechanical engineering.

**mécanisation** /mekanizasjɔ̃/ **NF** mechanization.

**mécaniser** /mekanize/ **VT** *production* to mechanize.

**mécanisme** /mekanism(ə)/ **NM** mechanism ✦ mécanisme du marché market mechanism.

**mécanographe** /mekanɔgʀaf/ **NMF** punch card operator.

**mécanographie** /mekanɔgʀafi/ **NF** mechanized data processing.

**mécanographique** /mekanɔgʀafik/ **ADJ** mechanized ✦ carte *ou* fiche mécanographique punch card ✦ fichier mécanographique punch card file.

**mécénat** /mesena/ **NM** *(Comm)* ✦ mécénat (d'entreprise) corporate philanthropy *ou* sponsorship.

**médecin** /mɛdsɛ̃/ **NM** doctor, physician ✦ médecin du travail factory *ou* company doctor.

**médecine** /mɛdsin/ **NF** medicine ✦ médecine du travail industrial *ou* occupational medicine.

**média** /medja/ **NM** media ✦ les médias the media ✦ enquête / budget / couverture médias media survey / budget / coverage ✦ achat de médias media buying ✦ analyse des médias media analysis ✦ changement de médias media switching ✦ média de substitution alternative media ✦ médias traditionnels above-the-line media ✦ publicité-médias media advertising ✦ plan-médias media-mix, media plan(ning) ✦ médias spécialisés trade media.

**médiateur, -trice** /medjatœʀ, tʀis/ **NM,F** *(gén)* mediator; *(Ind)* arbitrator; *(Pol)* ombudsman ✦ proposer ses services en qualité de médiateur to offer to arbitrate *ou* mediate ✦ servir de médiateur to act as a mediator, mediate.

**médiation** /medjasjɔ̃/ **NF** *(gén)* mediation; *(Ind)* arbitration ✦ le gouvernement a proposé sa médiation dans ce conflit the government offered to arbitrate *ou* to mediate in the dispute.

**médiatique** /medjatik/ **ADJ** *couverture, effet* media ✦ cette opération a bénéficié d'une excellente couverture médiatique this operation got excellent media coverage.

**médiatisation** /medjatizasjɔ̃/ **NF** promotion through the media.

**médiatiser** /medjatize/ **VT** to promote through the media.

**médical, e,** **MPL** **-aux** /medikal, o/ **ADJ** medical ✦ certificat médical medical *ou* doctor's certificate ✦ examen médical medical examination *ou* checkup ✦ visite médicale medical

(examination) *(Brit)*, physical examination *(US)* ✦ visiteur médical medical representative.

**médiocre** /medjɔkʀ(ə)/ **ADJ** *résultats, récolte* poor.

**méfiance** /mefjɑ̃s/ **NF** *[consommateurs, marché boursier]* distrust, mistrust.

**méfier (se)** /mefje/ **VPR** ✦ méfiez-vous des contrefaçons beware of imitations.

**mégafusion** /megafyzjɔ̃/ **NF** megamerger.

**mégaoctet** /megaɔktɛ/ **NM** megabyte.

**meilleur, e** /mɛjœʀ/ **ADJ** *(gén)* better ✦ nous vous communiquons notre meilleur prix here is our best price ✦ meilleur marché cheaper ✦ c'est le meilleur marché it's the cheapest.

**mel** /mɛl/ **NM** *(Internet)* e-mail ✦ envoyer un mel à qn to e-mail sb.

**membre** /mɑ̃bʀ(ə)/ **NM** *[groupe]* member ✦ carte de membre membership card ✦ devenir membre d'un organisme to join an organization ✦ les pays membres de l'UE the member countries of the EU ✦ membre actif active member ✦ membre adhérent card-carrying member ✦ membre associé associate member ✦ membre du conseil d'administration board member ✦ membre d'une profession libérale professional ✦ membre fondateur founder member ✦ membre honoraire honorary member ✦ membre permanent permanent member ✦ membre suppléant deputy member.

**mémoire** /memwaʀ/ **NF** **a** *(Inf)* memory, store, storage ✦ mémoire à disques disk storage ✦ mémoire centrale main storage *ou* memory ✦ mémoire de stockage mass storage ✦ mémoire externe external memory *ou* storage ✦ mémoire morte read only memory ✦ mémoire optique optical memory *ou* storage ✦ mémoire périphérique peripheral store ✦ mémoire secondaire secondary store ✦ mémoire supplémentaire add-on memory ✦ mémoire tampon buffer (storage *ou* store) ✦ mémoire vive random access memory ✦ capacité de mémoire memory *ou* storage capacity ✦ protection de mémoire storage protection ✦ mise en mémoire storage, storing ✦ stocké en mémoire computer stored ✦ support de mémoire storage medium ✦ zone (de) mémoire storage area **b** *(Comm)* ✦ pour mémoire for the record, as a memorandum
**NM** *(= note)* bill, account; *(= compte rendu)* report; *(Jur)* abstract, statement ✦ présenter un mémoire des travaux to submit a detailed account of the work to be done.

**mémorandum** /memɔʀɑ̃dɔm/ **NM** *(Comm)* memorandum, order sheet; *(Pub)* memorandum, note.

**mémorisation** /memɔʀizasjɔ̃/ **NF** *(Inf)* storage, storing; *(Mktg)* recall, retention ✦ **mémorisation assistée / spontanée** prompted / spontaneous recall ✦ **test de mémorisation** noting test, memory *ou* recall test.

**mémoriser** /memɔʀize/ **VT** to memorize; *(Inf)* to store.

**ménage** /menaʒ/ **NM** *(Écon)* household ✦ **consommation des ménages** household *ou* private consumption ✦ **jeune ménage** young couple ✦ **ménage à deux salaires** double *ou* dual income household ✦ **ménage à salaire unique** one-earner household ✦ **les revenus des ménages** household incomes.

**ménager, -ère** /menaʒe, ɛʀ/ **ADJ** household, domestic ✦ **appareils ménagers** domestic appliances ✦ **Salon des arts ménagers** Ideal Home Exhibition.

**ménagère** /menaʒɛʀ/ **NF** housewife ✦ **le panier de la ménagère** the (housewife's) shopping *ou* market *(US)* basket.

**mensonger, -ère** /mɑ̃sɔ̃ʒe, ɛʀ/ **ADJ** *publicité* deceptive, misleading.

**mensualisation** /mɑ̃sɥalizasjɔ̃/ **NF** *[salaires, prélèvements]* monthly payment ✦ **la mensualisation de l'impôt** the monthly payment of income tax ≈ PAYE.

**mensualiser** /mɑ̃sɥalize/ **VT** *salaires, employés* to pay on a monthly basis ✦ **être mensualisé** *[salarié]* to be paid on a monthly basis; *[contribuable]* to pay income tax monthly ≈ be on PAYE.

**mensualité** /mɑ̃sɥalite/ **NF** *(= somme payée)* monthly payment *ou* instalment; *(= somme reçue)* monthly salary ✦ **payer en 12 mensualités** to pay in 12 monthly instalments.

**mensuel, -elle** /mɑ̃sɥɛl/ **ADJ** monthly ✦ **relevé mensuel** monthly statement ▪ **NM,F** employee paid by the month ▪ **NM** *(Presse)* monthly (magazine).

**mensuellement** /mɑ̃sɥɛlmɑ̃/ **ADV** monthly.

**mention** /mɑ̃sjɔ̃/ **NF** *(= annotation)* note ✦ **rayer la mention inutile** *(sur un formulaire)* delete as appropriate, cross out when not applicable ✦ **mention « inconnu »** *(Poste)* endorsed "not known" ✦ **portant la mention « fragile »** marked "breakable" ✦ **mention marginale** *(Jur, Admin)* marginal reference.

**mentionner** /mɑ̃sjɔne/ **VT** to mention ✦ **mentionné ci-dessus / ci-dessous** above / under mentioned ✦ **pourriez-vous mentionner vos prix pour des commandes en gros ?** could you please quote your price for bulk orders? ✦ **comme mentionné plus haut** as mentioned above ✦ **pour la date mentionnée** by the date named.

**menu** /məny/ **NM** *(Inf)* menu ✦ **menu déroulant** pull-down menu.

**mer** /mɛʀ/ **NF** sea ✦ **lettre de mer** sea letter, sea brief ✦ **expédier par mer** to ship, send by sea ✦ **plate-forme de forage en mer** off-shore rig ✦ **port de mer** sea port, sea harbour ✦ **choses de flot et de mer** *(Ass Mar)* flotsam and jetsam ✦ **risques de mer** sea risks, perils of the sea.

**mercantilisme** /mɛʀkɑ̃tilism(ə)/ **NM** *(Écon)* mercantilism.

**mercantiliste** /mɛʀkɑ̃tilist(ə)/ **ADJ**, **NMF** *(Écon)* mercantilist.

**mercaticien, -ienne** /mɛʀkatisjɛ̃, jɛn/ **NM,F** marketing expert.

**mercatique** /mɛʀkatik/ **NF** marketing.

**merchandising** /mɛʀʃɑ̃dajziŋ/ **NM** merchandising ✦ **merchandising interne** in-store merchandising.

**mercredi** /mɛʀkʀədi/ **NM** Wednesday → **samedi.**

**mercuriale** /mɛʀkyʀjal/ **NF** *(Comm)* market review, market price list.

**mère** /mɛʀ/ **NF** *(Comm)* ✦ **maison** *ou* **société mère** parent company ✦ **fichier mère** *(Inf)* mother file.

**Mesdames** /medam/ **NFPL** → **Madame.**

**Mesdemoiselles** /medmwazɛl/ **NFPL** → **mademoiselle.**

**méso-économie** /mesɔekɔnɔmi/ **NF** meso-economy.

**message** /mesaʒ/ **NM** *(gén, Inf)* message ✦ **laisser un message pour qn** to leave a message for sb ✦ **veuillez lui transmettre le message** please give him the message ✦ **message de bienvenue** welcome message ✦ **message d'entrée** *(Inf)* input message ✦ **message de sortie** *(Inf)* output message ✦ **message publicitaire** *(gén)* advertising message; *(Radio)* commercial ✦ **message téléphoné** *ou* **téléphonique** telephoned message ✦ **message de vente** selling message ✦ **commutation de messages** message switching ✦ **début de message** start of message ✦ **fin de message** end of message ✦ **gestion de messages** message handling.

**messagerie** /mesaʒʀi/ NF [a] *(Transport)* ◆ (service de) messageries parcel (delivery) service ◆ messageries aériennes airmail service, air freight company ◆ messageries maritimes shipping company ◆ messageries de presse press distribution service ◆ bureau des messageries shipping office ◆ entrepreneur de messageries common carrier, parcel delivery company ◆ service de messageries parcel delivery service [b] *(Inf, Téléc)* ◆ messagerie électronique electronic mail, e-mail ◆ messagerie instantanée instant messaging ◆ messagerie vocale voice mail ◆ il est sur messagerie he is on voicemail, I get his voicemail ◆ radio messagerie unilatérale, RMU paging.

**messieurs** /mesjø/ NMPL → monsieur.

**mesurable** /məzyʀabl(ə)/ ADJ measurable.

**mesure** /m(ə)zyʀ/ NF [a] *(= disposition)* measure, step ◆ nous devrons prendre des mesures we'll have to take action *ou* to take steps ◆ nous sommes maintenant en mesure de vous fournir les renseignements demandés we are now in a position to *ou* able to supply you with the information you required ◆ train de mesures package ◆ mesures d'accompagnement d'un plan social measures accompanying a redundancy programme [b] *(= estimation)* measurement ◆ mesure d'audience / de la performance / de la productivité audience / performance / productivity measurement ◆ mesure de la cir-

culation de la clientèle traffic counts [c] *(= quantité)* measure ◆ mesure de superficie / de volume square / cubic measure ◆ faire bonne mesure to give good *ou* full measure [d] sur mesure: fait sur mesure made to measure ◆ police d'assurance sur mesure customized *ou* custom-made *ou* tailor-made insurance policy, insurance policy tendered to one's needs ◆ j'ai un emploi du temps sur mesure my schedule suits me down to the ground *ou* to a T.

**mesurer** /məzyʀe/ VT *(= estimer)* to assess, weigh up; *(= calculer)* to measure; *(= avoir pour mesure)* to measure.

**métairie** /meteʀi/ NF ≈ smallholding, farm *(held on a sharecropping basis)*.

**métal** /metal, o/, PL -aux NM metal ◆ le métal jaune gold ◆ métal fin *(= or)* pure gold ◆ métaux non ferreux non-ferrous metals ◆ métaux précieux precious metals.

**métallique** /metalik/ ADJ *(Fin)* metallic ◆ encaisse métallique gold (and silver) reserves ◆ monnaie métallique metallic currency ◆ réserve métallique metallic *ou* bullion reserve.

**métallo** * /metalo/ NM *(abrév de métallurgiste)* steelworker.

**métallurgie** /metalyʀʒi/ NF *(= secteur)* metallurgical industry; *(= métier)* metallurgy.

**métallurgique** /metalyʀʒik/ ADJ metallurgic.

**métallurgiste** /metalyʀʒist(ə)/ NM *(= ouvrier)* steelworker; *(= patron)* metallurgist.

**métayage** /metɛjaʒ/ NM sharecropping.

**métayer** /meteje/ NM tenant farmer, sharecropper *(US)*.

**méthanier** /metanje/ NM gas carrier.

**méthode** /metɔd/ NF *(= système)* method, system ◆ étude des temps et des méthodes time and methods study ◆ ingénieur de méthodes methods engineer ◆ service des méthodes product development department, method study department

─── compounds/composés ───

◆ **mesures d'austérité** austerity measures, belt-tightening measures
◆ **mesures conciliatoires** conciliatory measures
◆ **mesures déflationnistes** deflationary measures *ou* package
◆ **mesures incitatives** incentives
◆ **mesures de précaution** precautionary measures
◆ **mesures préventives** preventive *ou* precautionary measures
◆ **mesures de protection** protective measures
◆ **mesures protectionnistes** protectionist measures
◆ **mesures de redressement** recovery measures
◆ **mesures de relance** reflationary *ou* stimulative measures *ou* package
◆ **mesures de rétorsion** retaliatory measures, reprisals
◆ **mesures de sécurité** safety measures *ou* precautions
◆ **mesures sociales** social measures
◆ **mesures de soutien** backing up *ou* support measures
◆ **mesure transitoire** transitional measure
◆ **mesures d'urgence** emergency measures, contingency plans

─── compounds/composés ───

◆ **méthode d'amortissement par annuité** annuity method ◆ **méthode d'amortissement linéaire** straight-line method of depreciation
◆ **méthode d'amortissement à taux dégressif** diminishing instalment system, written down value method
◆ **méthode de capitalisation du coût entier** full cost accounting method
◆ **méthode du chemin critique** critical path method

◆ **méthode de contrôle** checking procedure
◆ **méthode des coûts variables** variable costing, direct costing *(US)*, marginal costing *(Brit)*
◆ **méthode d'échantillonnages successifs** sequential sampling
◆ **méthode d'exploitation** working *ou* operating method
◆ **méthode hambourgeoise** balance method
◆ **méthode indirecte** backward method
◆ **méthodes et organisation** organization and methods
◆ **méthode du prix de détail** retail method
◆ **méthode progressive** annuity method, sinking fund method
◆ **méthode prospective** projected benefit valuation method
◆ **méthode de sondage** sampling method.

**méthodologie** /metɔdɔlɔʒi/ **NF** methodology.

**metical** /metikal/ **NM** metical.

**métier** /metje/ **NM** **a** *(= profession)* job; *(Admin)* occupation; *(commercial)* trade, business; *(artisanal)* craft ◆ **exercer** *ou* **faire un métier** to carry on a trade ◆ **il est du métier** he's in the business *ou* the trade ◆ **métier manuel** manual occupation *ou* trade ◆ **notre métier de base** our core business ◆ **les métiers du groupe** the group's businesses ◆ **argot / terme de métier** technical jargon / term ◆ **chambre des métiers** guild chamber, chamber of trade ◆ **corps de métier** guild *ou* trade association ◆ **homme de métier** expert, professional **b** *(= savoir-faire)* skill, technique, expertise ◆ **manquer de métier** to lack experience.

**métrage** /metʀaʒ/ **NM** *(= action)* measurement, measuring; *(= longueur de tissu)* length.

**métré** /metʀe/ **NM** *(= métier)* quantity surveying; *(= devis)* estimate of cost.

**métrer** /metʀe/ **VT** *(gén)* to measure; *construction* to survey.

**métreur** /metʀœʀ/ **NM** quantity surveyor.

**métrique** /metʀik/ **ADJ** metric ◆ **système métrique** metric system ◆ **adopter le système métrique** to go metric ◆ **introduction du système métrique** metrication ◆ **tonne métrique** metric ton, tonne.

**mettre** /metʀ(ə)/ **VT** *(= placer)* to put, place *(dans* in, into) ◆ **mettre une annonce dans les journaux** to put *ou* place *ou* insert an ad in the newspapers ◆ **mettre son argent à la caisse d'épargne** to deposit one's money with the savings bank ◆ **mettre des capitaux dans une entreprise** to put money into a business ◆ **la banque a mis un million de francs dans ce** projet the bank invested 1 million francs in this project ◆ **mettre à disposition** to place at disposal ◆ **mettre en place un rayon** to set up a display ◆ **mettre en tableau les résultats** to tabulate results ◆ **mettre le prix** to pay the price ◆ **combien pouvez-vous mettre?** how much can you afford to pay? ◆ **mettre sur le marché** to launch, release ◆ **mettre en vente un immeuble** to put a building up for sale ◆ **être mis en chômage pour raisons économiques** to be made redundant ◆ **mettre la machine en route** to start up the engine ◆ **mettre fin à un contrat** to terminate a contract ◆ **mettre fin à une association** to wind up a partnership ◆ **mettre au point un contrat** to work out *ou* finalize a contract ◆ **mettre au point un système** to devise a system ◆ **mettre à jour les livres** to update the books.

**meublant, e** /mœblɑ̃, ɑ̃t/ **ADJ** *(Jur)* ◆ **meubles meublants** movables.

**meuble** /mœbl(ə)/ **ADJ** *(Jur)* movable, personal ◆ **biens meubles** personal estate, movables, movable property, chattels ◆ **hypothèque sur biens meubles** chattel mortgage ◆ **biens meubles incorporels** intangible property *ou* assets, choses in action
**NM** **a** *(gén)* piece of furniture ◆ **meubles de bureau** office furniture **b** *(Jur)* ◆ **meubles personal estate, movables, movable property, chattels ◆ **en fait de meubles possession vaut titre** possession of chattels amounts to title.

**mévente** /mevɑ̃t/ **NF** slump, stagnation, sales slowdown.

**mexicain, e** /mɛksikɛ̃, ɛn/ **ADJ** Mexican
**Mexicain NM** *(= habitant)* Mexican
**Mexicaine NF** *(= habitante)* Mexican.

**Mexico** /mɛksiko/ **N** Mexico City.

**Mexique** /mɛksik/ **NM** Mexico.

**MF** abrév de **millions de francs.**

**MIAGE** /mjaʒ/ **NF** (abrév de **maîtrise d'informatique appliquée à la gestion des entreprises**) *master's degree in business data processing.*

**micro** /mikʀo/ **NM** (abrév de **micro-ordinateur**) micro, microcomputer ◆ **mettre des micros en réseau** to network micros ◆ **il travaille sur micro** he works on a micro
**NF** (abrév de **micro-informatique**) micro computing ◆ **boutique micro** computer shop.

**micro-économie, microéconomie** /mikʀoekɔnɔmi/ **NF** microeconomics.

**micro-économique, microéconomique** /mikʀoekɔnɔmik/ **ADJ** microeconomic.

**microédition** /mikʀoedisjɔ̃/ **NF** desktop publishing.

**micro-entreprise** /mikʀoɑ̃tʀəpʀiz/ **NF** micro-business.

**microfiche** /mikʀɔfiʃ/ **NF** microfiche.

**microfilm** /mikʀɔfilm/ **NM** microfilm.

**micro-informatique** /mikʀoɛ̃fɔʀmatik/ **NF** microcomputing, the microcomputer industry.

**micro-ordinateur** /mikʀoɔʀdinatœʀ/ **NM** microcomputer ◆ **micro-ordinateur de bureau** office *ou* desktop computer ◆ **micro-ordinateur portable** portable *ou* laptop computer.

**microprocesseur** /mikʀopʀɔsɛsœʀ/ **NM** microprocessor.

**mieux** /mjø/ **ADV** **a** *(gén)* better ◆ **la France se porte mieux** France is faring better *ou* is in a better shape ◆ **mieux disant** *(Admin)* lowest tenderer ◆ **nous agirons au mieux de vos intérêts** we shall act in your best interests **b** *(Bourse)* ◆ **sauf mieux** or better ◆ **acheter / vendre au mieux** to buy / sell at best ◆ **exécuter un ordre au mieux** to execute an order at best
**NM** improvement ◆ **on note un léger mieux dans le secteur des grands magasins** department stores are showing some signs of improvement.

**migrant, e** /migʀɑ̃, ɑ̃t/ **ADJ, NM,F** migrant.

**migration** /migʀasjɔ̃/ **NF** migration ◆ **migrations alternantes** commuting migrations ◆ **migration de la main-d'œuvre** labour draft.

**milieu, PL -x** /miljø/ **NM** *(= environnement social)* milieu, environment; *(= cercle limité)* circle, set, sphere ◆ **milieux du négoce** trade quarters ◆ **milieux gouvernementaux** government circles ◆ **les milieux financiers / boursiers / d'affaires** the financial / stock-exchange / business circles *ou* community ◆ **nous tenons cette information de milieux autorisés** *ou* **bien informés** we have this information from official *ou* knowledgeable sources ◆ **on estime dans les milieux patronaux...** it is believed in the executive suite *ou* in management circles...

**militant, e** /militɑ̃, ɑ̃t/ **ADJ, NM,F** *[syndicat]* militant ◆ **les militants de base** the shop-floor, the grassroots, the rank and file.

**militantisme** /militɑ̃tism(ə)/ **NM** militancy.

**militer** /milite/ **VI** **a** *[syndicaliste]* to be a militant **b** *[argument]* ◆ **militer en faveur de** to militate in favour of ◆ **plusieurs éléments militent pour une hausse à court terme du titre** several factors tell for a short-term rise on this security.

**mille** /mil/ **ADJ, NM** a thousand, one thousand ◆ **mille deux** a *ou* one thousand and two ◆ **cinq mille** five thousand ◆ **quatre mille trois cents** four thousand three hundred ◆ **six pour mille** six parts to a thousand ◆ **acheter au mille** to buy by the thousand.

**millésime** /milezim/ **NM** *(Admin)* date, year; *[vin]* year, vintage; *[voiture]* year.

**milliard** /miljaʀ/ **NM** billion, thousand million ◆ **5 milliards de dollars** 5 thousand million dollars, 5 billion dollars.

**milliardaire** /miljaʀdɛʀ/ **NMF** multimillionaire *(Brit)*, billionaire *(US)*.

**milliardième** /miljaʀdjɛm/ **ADJ, NMF** thousand millionth, billionth *(US)*.

**millième** /miljɛm/ **ADJ, NMF** thousandth.

**millier** /milje/ **NM** thousand ◆ **plusieurs milliers d'euros** several thousand euros.

**million** /miljɔ̃/ **NM** million ◆ **5 millions de dollars** 5 million dollars.

**millionième** /miljɔnjɛm/ **ADJ, NMF** millionth.

**millionnaire** /miljɔnɛʀ/ **NMF** millionaire.

**MIN** /min/ **NM** abrév de **marché d'intérêt national** → **marché.**

**min.** abrév de **minimum.**

**mince** /mɛ̃s/ **ADJ** *bénéfice* slender; *preuve* slender, slim, slight, tenuous ◆ **le résultat peut paraître mince** the performance may seem rather weak.

**mine** /min/ **NF** mine ◆ **mine de charbon** coalmine, colliery ◆ **les mines d'or** *(Bourse)* gold shares; *(Ind)* gold mines.

**minerai** /minʀɛ/ **NM** ore.

**minéralier** /mineʀalje/ **NM** *(Mar)* ore carrier *ou* tanker.

**mineur** /minœʀ/ **NM** *(Ind)* *(gén)* miner, mineworker; *(dans une mine de charbon)* collier ◆ **grève des mineurs** *(gén)* miners' strike; *(charbon)* coal strike.

**mini** /mini/ **PRÉF** mini ◆ **mini récession** mini recession ◆ **mini tempête boursière** mini stock-meltdown

**NM** (abrév de **mini-ordinateur**) mini, minicomputer

**NF** (abrév de **mini-informatique**) minicomputing.

**miniaturisation** /minjatyʀizasjɔ̃/ **NF** miniaturization.

**miniaturiser** /minjatyʀize/ **VT** to miniaturize.

**minier, -ière** /minje, jɛʀ/ **ADJ** mining ◆ **bassin minier** mineral field ◆ **industries / ressources minières** mining industries / resources ◆ **région minière** mining district ◆ **valeurs minières** mining shares, mines.

**mini-informatique** /miniɛ̃fɔʀmatik/ **NF** minicomputing, the minicomputer industry.

**minima** /minima/ → **minimum.**

**minimal, e,** **MPL** **-aux** /minimal, o/ **ADJ** minimal, minimum ◆ **montant minimal** minimum amount ◆ **prix minimal** *[enchères]* reserve price ◆ **salaire minimal garanti** minimum guaranteed wage, minimum rate *(US)*, statutory minimum wage.

**minimarge** /minimaʀʒ(ə)/ **ADJ, NM** ◆ **(magasin) minimarge** discount store *ou* house.

**minimisation** /minimizasjɔ̃/ **NF** minimization.

**minimiser** /minimize/ **VT** to minimize.

**minimum** /minimɔm/, **PL** **minimums** *ou* **minima**
**ADJ** minimum ◆ **apport minimum** *(pour un emprunt)* minimum personal deposit ◆ **salaire minimum** minimum wage ◆ **salaire minimum interprofessionnel de croissance** ≈ index-linked minimum wage
**NM** minimum ◆ **réduire les coûts au minimum** to cut costs to a minimum ◆ **minimum vital** *(gén)* subsistence level; *(= salaire)* minimum living wage ◆ **minimum vieillesse** basic old age pension ◆ **minimum imposable** tax threshold.

**mini-ordinateur** /miniɔʀdinatœʀ/ **NM** minicomputer.

**ministère** /ministɛʀ/ **NM** **a** *(Pol)* ministry *(Brit)*, department ◆ **ministère des Affaires étrangères** Ministry of Foreign Affairs, Foreign Office *(Brit)*, State Department *(US)* ◆ **ministère de l'Agriculture** Ministry *ou* Department of Agriculture ◆ **ministère du Commerce et de l'Industrie** Department of Trade and Industry *(Brit)*, Department of Commerce *(US)* ◆ **ministère du Commerce extérieur** Ministry of Foreign Trade, Board of Trade *(Brit)* ◆ **ministère de l'Économie et des Finances** Ministry of Finance, Treasury *(Brit)*, Treasury Department *(US)* ◆ **ministère de la Santé et de la Sécurité sociale** Ministry of Health, Department of Health and Social Security *(Brit)*, Department

of Health and Human Services *(US)* ◆ **ministère des Transports** Ministry of Transport *(Brit)*, Department of Transportation *(US)* ◆ **ministère du Travail** Ministry of Employment *ou* of Labour, Department of Labor *(US)* **b** *(Jur)* ◆ **le ministère public** the Public Prosecutor ◆ **transmis par ministère d'huissier** served by a bailiff.

**ministériel, -ielle** /ministeʀjɛl/ **ADJ** ministerial *(Brit)*, departmental ◆ **arrêté ministériel** departmental *ou* ministerial order ◆ **commission ministérielle** departmental committee ◆ **décision ministérielle** ministerial decision ◆ **officier ministériel** *(Jur)* member of the legal profession.

**ministre** /ministʀ(ə)/ **NM** minister *(Brit)*, secretary *(US)* ◆ **ministre des Affaires étrangères** Minister of Foreign Affairs, Foreign Secretary *(Brit)*, State Secretary *(US)* ◆ **ministre de l'Agriculture** Agriculture Minister *ou* Secretary ◆ **ministre du Commerce et de l'Industrie** Minister of Trade and Industry *(Brit)*, Secretary of Commerce *(US)* ◆ **ministre de l'Économie et des Finances** Finance Minister, Chancellor of the Exchequer *(Brit)*, Secretary of the Treasury *(US)* ◆ **ministre européen** European Minister ◆ **le Premier ministre** the Prime Minister ◆ **ministre de la Santé et de la Sécurité sociale** Minister of Health and Social Security *(Brit)*, Secretary of Health and Human Services *(US)* ◆ **ministre des Transports** Minister of Transport *(Brit)*, Transportation Secretary *(US)* ◆ **ministre du Travail** Minister of Employment *(Brit)*, Labor Secretary *(US)*.

**Minitel** ® /minitel/ **NM** *French viewdata system.*

**minoration** /minɔʀasjɔ̃/ **NF** *[impôts]* cut, reduction *(de* in); *[recettes]* undervaluation; *(Comm)* *[prix]* mark-down, reduction ◆ **certains contribuables bénéficieront d'une minoration de 3% de leurs impôts** some taxpayers will benefit from a 3% tax cut *ou* rebate.

**minorer** /minɔʀe/ **VT** *impôts* to cut, reduce; *recettes* to undervalue; *prix* to mark down, cut *(Compta, Impôts)* *revenus* to underreport.

**minoritaire** /minɔʀitɛʀ/ **ADJ** minority ◆ **actionnaire minoritaire** minority shareholder ◆ **participation minoritaire** *(Fin)* minority interest *ou* holding.

**minorité** /minɔʀite/ **NF** minority ◆ **minorité de blocage** blocking minority ◆ **être en minorité** to be in the minority ◆ **être mis en minorité** to be defeated *ou* outvoted.

**Minsk** /minsk/ **N** Minsk.

**minutage** /minytaʒ/ NM *[contrat]* drawing up, drafting; *[opération]* timing.

**minute** /minyt/ NF *(= document)* minute, record ◆ **les minutes de la réunion** the minutes of the meeting ◆ **minute d'un contrat** original draft of a contract.

**minuter** /minyte/ VT *(Jur = rédiger)* to draw up, draft; *séance* to time ◆ **j'ai un emploi du temps très minuté** I'm working to a tight schedule.

**miracle** /miʀakl(ə)/ NM miracle ◆ **miracle économique** economic miracle.

**mise** /miz/ NF *(= enjeu)* stake; *(= argent)* outlay ◆ **sauver sa mise** to get back one's outlay ◆ **ils ont réussi à doubler la mise** they managed to double their money

**miser** /mize/ VT a *somme* to stake, bet ◆ **miser sur une hausse / baisse** to play for a rise / fall, speculate for a rise / fall b **miser sur** *(= tabler sur)* to bank *ou* count *ou* reckon on ◆ **le gouvernement mise sur une reprise de l'acti-** vité au niveau mondial the government banks on a worldwide business recovery.

**mission** /misjɔ̃/ NF *(= tâche)* mission, assignment; *(= équipe)* mission ◆ **avoir (pour) mission de faire** to be commissioned to do ◆ **partir** *ou* **être envoyé en mission** to go on an assignment ◆ **mission économique** *ou* **commerciale** trade mission ◆ **mission extérieure** *ou* **sur le terrain** field mission ◆ **mission de révision** *ou* **de vérification** *(Compta)* audit engagement ◆ **mission d'examen** review engagement ◆ **chargé de mission** official representative.

**mi-temps** /mitɑ̃/ NM ◆ **(travail à) mi-temps** part-time job ◆ **employé à mi-temps** part-timer ◆ **travailler à mi-temps** to work part-time, do part-time work.

**mix** /miks/ NM *(Mktg)* mix ◆ **mix de produits** product mix ◆ **mix promotionnel** promotional mix.

─── *compounds/composés* ───

MISE

◆ **mise en accusation** indictment
◆ **mise en avant** *(Mktg)* special display
◆ **mise en cessation de paiements** insolvency
◆ **mise en chantier** *(Mar)* laying on the stocks ◆ **mise en chantier de logements neufs** new housing starts
◆ **mise en chômage technique** laying off
◆ **mise en circulation** *(Fin)* putting into circulation; *(Mktg)* release
◆ **mise en commun des risques** *(Ass)* pooling of risks
◆ **mise en congé** putting on leave
◆ **mise à la consommation** clearance inward
◆ **mise en demeure** *(gén)* injunction, formal demand; *(Admin)* inforcement notice; *(Jur)* court injunction
◆ **mise en disponibilité** leave of absence
◆ **mise à disposition** placing at disposal
◆ **mise à l'eau** *(Mar)* launching
◆ **mise en entrepôt** warehousing
◆ **mise en exploitation** putting into operation
◆ **mise de fonds** outlay of capital, investment ◆ **mise de fonds initiale** seed money ◆ **faire une mise de fonds** to put up capital
◆ **mise en gage** pledging, pawning
◆ **mise en garde** warning
◆ **mise hors** disbursement
◆ **mise à jour** updating
◆ **mise en liquidation** winding-up, liquidation
◆ **mise en main tierce** escrow
◆ **mise sur le marché** marketing
◆ **mise en mémoire** *(Inf)* storage, storing
◆ **mise au nominatif** *(Fin)* conversion into registered shares
◆ **mise en œuvre** implementation

◆ **mise en page** layout, page setting
◆ **mise en paiement** payment
◆ **mise à pied** dismissal
◆ **mise en place** *(gén)* setting, placing; *(Mktg)* initial supply
◆ **mise au point** *(Tech)* adjustment; *(Inf)* debugging; *(= déclaration)* (corrective) statement; *[produit]* development; *[contrat]* finalizing ◆ **ce projet a besoin d'une mise au point** this project needs some fine-tuning ◆ **publier une mise au point** to issue a new statement
◆ **mise à la porte** firing, sacking, dismissal
◆ **mise à prix** *(= enchères)* reserve price *(Brit)*, upset price *(US)*
◆ **mise en rayon** display, restocking
◆ **mise au rebut** disposal, scrapping
◆ **mise en recouvrement** collection
◆ **mise en réserve de bénéfices** retention of profits
◆ **mise à la retraite** pensioning off ◆ **mise à la retraite anticipée** early retirement
◆ **mise en risques** *(Ass)* attachment of risks
◆ **mise en route** starting
◆ **mise en service** *[navire]* putting into commission; *[installation]* putting into operation, commissioning
◆ **mise en syndicat** *(Fin)* syndication
◆ **mise à terre, magasinage et livraison** landing storage delivery, LSD
◆ **mise en valeur** *[ressources]* development; *[rivière]* harnessing; *[terrain]* reclaiming
◆ **mise en vente** selling, putting up for sale
◆ **mise en vigueur** enforcement, putting into force
◆ **mise aux voix d'une résolution** moving of a resolution, putting a resolution to the vote *ou* to the meeting.

**mixte** /mikst(ə)/ **ADJ** *commission* joint; *économie* mixed ✦ **assurance mixte** endowment insurance ✦ **cargo mixte** cargo-passenger vessel, cargo-liner ✦ **cargaison mixte** mixed cargo ✦ **organisation mixte** line and staff organization.

**Mlle** abrév de **Mademoiselle** ✦ **Mlle Thomas** Miss Thomas.

**Mlles** abrév de **Mesdemoiselles** ✦ **Mlles David et Thomas** Miss David and Miss Thomas.

**MM.** (abrév de **Messieurs**) Messrs.

**Mme** abrév de **Madame** ✦ **Mme Thomas** Mrs Thomas.

**Mmes** abrév de **Mesdames** ✦ **Mmes David et Thomas** Mrs David and Mrs Thomas.

**mn** abrév de **minute**.

**MO** abrév de **main-d'œuvre**.

**Mo** (abrév de **mégaoctet**) MB.

**mobile** /mɔbil/ **ADJ** *main-d'œuvre* mobile; *feuillet* loose ✦ **échelle mobile des salaires** sliding scale of wages ✦ **clause d' échelle mobile** escalator clause
**NM** **a** (= *motivation*) motive, prime mover, motivator ✦ **mobile d'achat** *(Mktg)* purchasing inducement *ou* motivator **b** (= *pancarte*) **mobile publicitaire** advertising mobile.

**mobilier, -ière** /mɔbilje, jɛʀ/ **ADJ** *(Jur)* propriété personal, movable ✦ **biens mobiliers** personal estate, movable property, chattels, movables ✦ **impôt mobilier** tax on movables ✦ **cote mobilière** local taxes ✦ **saisie mobilière** seizure *ou* attachment of movable property ✦ **valeurs mobilières** (transferable) securities, stocks and bonds ✦ **vente mobilière** sale of personal *ou* movable property
**NM** furniture ✦ **mobilier et agencements** furniture and fixtures ✦ **mobilier de bureau** office furniture ✦ **mobilier urbain** town fixtures.

**mobilisable** /mɔbilizabl(ə)/ **ADJ** *(Fin)* mobilizable, readily available ✦ **capital mobilisable** mobilizable capital, available funds, quick assets *(US)* ✦ **les actifs détenus à l'étranger ne sont pas immédiatement mobilisables** assets held abroad are not mobilizable *ou* cannot be realized immediately.

**mobilisation** /mɔbilizasjɔ̃/ **NF** *[capitaux]* mobilization, raising; *[actif]* conversion into movable property, mobilization of realty ✦ **mobilisation de créances** realization *ou* assignment of receivables.

**mobiliser** /mɔbilize/ **VT** *capitaux* to raise, mobilize; *créance* to realize; *actif* to convert into movable property.

**mobilité** /mɔbilite/ **NF** *[main-d'œuvre]* mobility ✦ **mobilité sociale ascendante** upward (social) mobility ✦ **mobilité géographique** geographical mobility.

**modalité** /mɔdalite/ **NF** (= *méthode*) mode, method *(Jur* = *clause)* clause ✦ **modalités** *[accord]* terms ✦ **les modalités d'action restent à définir** the type of action to be taken is not yet decided (upon) ✦ **modalités d'application** mode of enforcement ✦ **modalités de financement** financing terms ✦ **modalités de paiement** *ou* **de règlement** terms of payment, payment terms, methods of payment ✦ **modalités d'un accord** terms of an agreement ✦ **modalités d'une émission** terms and conditions of an issue.

**mode** /mɔd/ **NF** **a** fashion ✦ **être à la mode** to be in fashion, be all the rage ✦ **mettre à la mode** to bring into fashion ✦ **passer de mode** to go out of fashion, become out of date, be outmoded ✦ **revenir à la mode** to come back into fashion, be in again **b** (= *secteur économique*) ✦ **la mode** the fashion industry *ou* business ✦ **défilé de mode** fashion parade *ou* show ✦ **magazine de mode** fashion magazine
**NM** (= *méthode*) method, mode; (= *procédé*) process; *(Inf)* mode

*compounds/composés*

✦ **mode d'accès** *(Inf)* access mode
✦ **mode de diffusion** distribution method
✦ **mode d'emploi** directions for use
✦ **mode de fabrication** manufacturing process
✦ **mode de fonctionnement** operating process
✦ **mode interactif** interactive mode
✦ **mode opératoire** *(Inf)* procedure
✦ **mode de paiement** method *ou* means of payment
✦ **mode de règlement** method *ou* means of payment
✦ **mode de transport** mode *ou* means of transport
✦ **mode de versement** method *ou* means of payment
✦ **mode de vie** way of life.

**modèle** /mɔdɛl/ **ADJ** model ✦ **appartement modèle** show flat *(Brit)*, model apartment *(US)* ✦ **échantillon modèle** standard sample ✦ **usine modèle** show *ou* model factory
**NM** (*gén, Écon, Inf*) model; (= *gabarit, moule*) pattern; (= *version*) version ✦ **petit / grand modèle** (= *objet*) small / large model *ou* version ✦ **boîte petit / grand modèle** small-size /

large-size box ✦ **construit sur le même modèle** built on the same pattern

---
*compounds/composés*
---
✦ **modèle de chèque** cheque specimen
✦ **modèle comptable** *(Écon)* accounting model
✦ **modèle de croissance** growth model
✦ **modèle décisionnel** *ou* **de décision** decision model
✦ **modèle de démonstration** demonstration model
✦ **modèle déposé** registered design
✦ **modèles économétriques** econometric models
✦ **modèle familial** family-size packet
✦ **modèle de présentation** demonstration model
✦ **modèle réduit** scale model
✦ **modèle simplifié** stripped down version.

**modeler** /mɔdle/ **VT** *(Mktg) consommateur* to mould ✦ **modeler son comportement sur qn** to take pattern by sb, model one's behaviour on sb.

**modélisation** /mɔdelizasjɔ̃/ **NF** modeling.

**modéliser** /mɔdelize/ **VT** to model.

**modem** /mɔdɛm/ **NM** modem.

**modération** /mɔdeʀasjɔ̃/ **NF** moderation, restraint ✦ **modération des marges** profit margin restraint ✦ **appel à la modération** *(sur prix, revendications)* call for moderation ✦ **accord de modération salariale** wage restraint agreement.

**modéré, e** /mɔdeʀe/ **ADJ** *hausse* moderate; *prix* reasonable, moderate; *inflation* mild, moderate.

**modérer** /mɔdeʀe/ **VT** *dépenses, prix, revendication* to restrain, moderate.

**moderne** /mɔdɛʀn(ə)/ **ADJ** modern, up to date.

**modernisation** /mɔdɛʀnizasjɔ̃/ **NF** modernization, streamlining, updating, revamping* *(US)* ✦ **programme de modernisation** modernization programme.

**moderniser** /mɔdɛʀnize/ **VT** to modernize, streamline, update, bring up to date, revamp* *(US)*
**se moderniser** **VPR** to modernize.

**modeste** /mɔdɛst(ə)/ **ADJ** *train de vie, revenu, hausse* modest ✦ **firme de taille modeste** small-scale firm.

**modicité** /mɔdisite/ **NF** *[salaire, revenu, prix]* lowness; *[revendications]* moderateness.

**modifiable** /mɔdifjabl(ə)/ **ADJ** modifiable ✦ **contrat** / **hypothèque modifiable** open-ended contract / mortgage.

**modificateur, -trice** /mɔdifikatœʀ, tʀis/ **ADJ** modifying ✦ **clauses modificatrices** modifying *ou* qualifying clauses.

**modificatif** /mɔdifikatif/ **NM** *[police, contrat]* rider, modifying clause; *[déclaration]* corrective statement.

**modification** /mɔdifikasjɔ̃/ **NF** alteration, modification ✦ **modifications des statuts** alterations in the articles of association ✦ **modification technique** engineering change ✦ **sujet à modifications sans préavis** subject to alterations without notice ✦ **modification de la consommation** shift in consumption ✦ **apporter des modifications à** to effect alterations in, alter ✦ **prévoir des modifications** to allow for readjustments ✦ **subir des modifications** to undergo alterations, be modified.

**modifier** /mɔdifje/ **VT** to alter, change, modify ✦ **la commission a décidé de ne pas modifier le règlement** the committee agreed to let the regulation stand ✦ **la banque se réserve le droit de modifier ces conditions à tout moment** the Bank reserves the right at all times to vary those terms.

**modique** /mɔdik/ **ADJ** *salaire, somme* modest, low.

**modulaire** /mɔdylɛʀ/ **ADJ** modular.

**modulation** /mɔdylasjɔ̃/ **NF** modulation.

**module** /mɔdyl/ **NM** module, unit.

**moduler** /mɔdyle/ **VT** to modulate, adjust.

**Mogadiscio** /mɔgadiʃio, -sio/ **N** Mogadiscio.

**moindre** /mwɛ̃dʀ(ə)/ **ADJ** ✦ **à moindre prix** at a lower price ✦ **dans une moindre mesure** to a lesser extent ✦ **jusqu'au moindre détail** down to the smallest detail.

**moins** /mwɛ̃/ **ADV** less ✦ **moins cher** less expensive ✦ **le moins cher de tous** the least expensive *ou* the cheapest of all ✦ **moins-disant** *(enchères)* lowest bidder ✦ **moins-perçu** amount not drawn, short payment ✦ **moins-value** capital loss, depreciation, decrease in value ✦ **moins-value de cession** asset disposal loss, capital loss ✦ **moins-value sur titres** payer loss ✦ **enregistrer une moins-value** *[actif]* to fall below par, depreciate **NM** minus.

**mois** /mwa/ **NM** **a** month ✦ **payer** / **louer au mois** to pay / rent by the month ✦ **gagner 4 000 euros par mois** to earn 4,000 euros a month

✦ **tous les mois** every month, monthly ✦ **nous vous livrerons sous un mois** we'll deliver within a month ✦ **du mois dernier** of last month ✦ **de ce mois, du mois en cours** of the current month ✦ **du mois prochain** of next month ✦ **mois boursier** trading month, monthly trading account ✦ **le début du mois boursier de septembre** the start of the September trading account ✦ **mois civil** calendar month ✦ **papier à 3 mois** bill at 3 months ✦ **relevé de fin de mois** monthly statement **b** (= *salaire*) monthly pay *ou* salary ✦ **toucher son mois** to draw one's month's salary ✦ **mois double** extra month's pay ✦ **treizième mois** *thirteenth month's salary*, ≈ Christmas bonus.

**moisson** /mwasɔ̃/ **NF** harvest.

**moitié** /mwatje/ **NF** half ✦ **entrer pour moitié dans une entreprise** to go halves in a business ✦ **réduire les coûts de moitié** to cut *ou* reduce costs by half, halve costs ✦ **moitié prix** half-price ✦ **partager les frais moitié-moitié** to share the costs fifty-fifty.

**Moldavie** /mɔldavi/ **NF** Moldova.

**mollesse** /mɔlɛs/ **NF** [*marché*] slackness, sluggishness, lethargy, apathy, dullness.

**mollir** /mɔliʀ/ **VI** (*Bourse*) to flag, sag, fall off, ease off.

**mollissement** /mɔlismɑ̃/ **NM** [*cours*] sag, falling-off, easing off.

**Monaco** /mɔnako/ **NM** Monaco.

**monde** /mɔ̃d/ **NM** world ✦ **le monde des affaires** the business world *ou* community ✦ **le monde de la Bourse / de la finance** stock-exchange / financial circles ✦ **le monde de la publicité** the advertising world, the ad row* ✦ **le Tiers Monde** the Third World.

**mondial, e,** **MPL -aux** /mɔ̃djal, o/ **ADJ** world, worldwide ✦ **l'économie mondiale** the world economy ✦ **la Banque mondiale** the World Bank ✦ **consommation / production mondiale** world consumption / production ✦ **cours mondiaux** world market prices ✦ **inflation mondiale** worldwide inflation ✦ **réseau mondial** global *ou* worldwide network.

**mondialement** /mɔ̃djalmɑ̃/ **ADJ** throughout the world, all over the world, worldwide.

**mondialisation** /mɔ̃djalizasjɔ̃/ **NF** globalization.

**monégasque** /mɔnegask(ə)/ **ADJ** Monegasque, Monacan
    **Monégasque** **NMF** (= *habitant*) Monacan, Monegasque.

**MONEP** /mɔnɛp/ **NM** abrév de **marché des options négociables de Paris** ≈ LTOM (*Brit*).

**monétaire** /mɔnetɛʀ/ **ADJ** monetary ✦ **alignement / économie / politique / serpent monétaire** monetary adjustment / economy / policy / snake ✦ **autorités monétaires** monetary authorities ✦ **étalon monétaire** monetary standard ✦ **Fonds monétaire international** International Monetary Fund ✦ **manipulation monétaire** currency manipulation, tinkering with the currency ✦ **marché monétaire** money market, open market ✦ **masse monétaire** money supply ✦ **montant monétaire compensatoire** monetary compensatory amount ✦ **réalignement** *ou* **réajustement monétaire** currency readjustment ✦ **stabilisation monétaire** currency stabilisation ✦ **système monétaire européen** European Monetary System, European Exchange Rate Mechanism ✦ **unité monétaire** monetary *ou* currency unit.

**monétarisme** /mɔnetaʀism(ə)/ **NM** monetarism.

**monétariste** /mɔnetaʀist(ə)/ **ADJ, NMF** monetarist.

**monétique** /mɔnetik/ **NF** *use of credit cards*.

**monétisation** /mɔnetizasjɔ̃/ **NF** monetization.

**monétiser** /mɔnetize/ **VT** to monetize.

**mongol, e** /mɔ̃ɡɔl/ **ADJ** Mongol, Mongolian
    **NM** (= *langue*) Mongolian
    **Mongol** **NM** (= *habitant*) Mongolian
    **Mongole** **NF** (= *habitante*) Mongolian.

**Mongolie** /mɔ̃ɡɔli/ **NF** Mongolia.

**moniteur** /mɔnitœʀ/ **NM** (*Inf*) monitor.

**monnaie** /mɔnɛ/ **NF** **a** (= *devises*) currency ✦ **monnaie forte / faible** hard *ou* strong / soft *ou* weak currency ✦ **dans la monnaie du pays** in the country's currency ✦ **dévaluer / réévaluer une monnaie** to devalue / revalue a currency ✦ **réaligner les monnaies** to realign the currencies ✦ **battre monnaie** to strike *ou* mint coins ✦ **monnaie étrangère** foreign currency ✦ **l'hôtel des monnaies** the mint ✦ **fausse monnaie** counterfeit *ou* forged money **b** (= *pièce*) coin **c** (= *appoint*) change ✦ **menue monnaie** small *ou* loose change ✦ **avoir la monnaie** to have the change ✦ **faire de la monnaie** to get some change ✦ **faire la monnaie de 50 livres** to change £50 ✦ **rendre la monnaie sur 10 livres** to give the change out of *ou* from £10 **d** (*Bourse*) ✦ **à la monnaie** at the money **dans la monnaie** in the money ✦ **en dehors de la monnaie** out of the money

---
*compounds/composés*

- **monnaie américaine** (*Bourse*) dollar
- **monnaie apatride** seatless money
- **monnaie d'argent** silver money
- **monnaie de banque** representative *ou* bank money
- **monnaie circulante** active money
- **monnaie clé** key currency
- **monnaies communautaires** community currencies
- **monnaie de compte** money of account
- **monnaie convertible** convertible currency
- **monnaie divisionnaire** fractional currency
- **monnaie électronique** plastic money
- **monnaie étalon** standard money
- **monnaie de facturation** billing currency
- **monnaie fiduciaire** fiduciary currency, paper money, fiat money
- **monnaie flottante** floating currency
- **monnaie internationale** world currency *ou* money
- **monnaie légale** lawful currency *ou* money
- **monnaie locale** local currency
- **monnaie marchandise** commodity money
- **monnaie métallique** metallic currency
- **monnaie d'or** gold money
- **monnaie (de) papier** paper money
- **monnaie réelle** effective money
- **monnaie de référence** standard money
- **monnaie de réserve** reserve currency
- **monnaie scripturale** representative *ou* bank money
- **monnaie de singe** funny *ou* confetti money
- **monnaie unique** (*UE*) single currency
- **monnaie verte** green currency.

---

**monnayable** /mɔnɛjabl(ə)/ **ADJ** convertible into cash.

**monnayer** /mɔneje/ **VT** *bien, actif* to convert into cash.

**monoculture** /mɔnɔkyltyʀ/ **NF** single-crop farming, monoculture.

**monométallisme** /mɔnɔmetalism(ə)/ **NM** monometallism.

**monométalliste** /mɔnɔmetalist(ə)/ **ADJ, NMF** monometallist.

**monopole** /mɔnɔpɔl/ **NM** monopoly ◆ **détenir** *ou* **avoir le monopole de** to have the monopoly of ◆ **exercer un monopole sur** to have a monopoly in ◆ **exercer un monopole sur le marché** to corner the market ◆ **situation** *ou* **position de monopole** monopoly position

---
*compounds/composés*

- **monopole d'émission** monopoly of issue
- **monopole de l'État** state *ou* Government monopoly
- **monopole d'exportation** export monopoly

---

- **monopole de fabrication** manufacturing monopoly
- **monopole de fait** de facto monopoly
- **monopole fiscal** fiscal monopoly
- **monopole de vente** sales monopoly.

---

**monopoleur** /mɔnɔpɔlœʀ/ **NM** holder of a monopoly, monopoly holder ◆ **trust monopoleur** monopoly trust.

**monopolisateur, -trice** /mɔnɔpɔlizatœʀ, tʀis/ **ADJ** monopolistic **NM** monopolist, monopolizer.

**monopolisation** /mɔnɔpɔlizasjɔ̃/ **NF** monopolization.

**monopoliser** /mɔnɔpɔlize/ **VT** to monopolize.

**monopoliste** /mɔnɔpɔlist(ə)/ **ADJ** monopolistic ◆ **capitalisme monopoliste d'État** monopolistic state capitalism **NM** holder of a monopoly, monopoly holder.

**monopolistique** /mɔnɔpɔlistik/ **ADJ** monopolistic ◆ **comportement monopolistique** monopolistic behaviour.

**Monoprix** ® /mɔnɔpʀi/ **NM** one-price store, dime store (*US*), five and ten (*US*).

**monoproduction** /mɔnɔpʀɔdyksjɔ̃/ **NF** undiversified production.

**monopsone** /mɔnɔpson/ **NM** monopsony, buyer's monopoly.

**Monrovia** /mɔ̃ʀɔvia/ **N** Monrovia.

**Monsieur** /məsjø/, **PL Messieurs** /mesjø/ **NM** (*en parlant à qn*) Sir; (*en début de lettre*) Dear Sir ◆ **Monsieur Thomas** Mr Thomas ◆ **Monsieur le Président** (*en parlant à qn*) Mr Chairman; (*sur une enveloppe*) The Chairman; (*en début de lettre*) Dear Mr Chairman ◆ **Messieurs** (*devant un public*) gentlemen; (*en début de lettre*) Dear Sirs (*Brit*), Gentlemen (*US*) ; (*sur une enveloppe*) **Messieurs Dupont** Messrs Dupont and Dupont.

**montage** /mɔ̃taʒ/ **NM a** (*Ind*) assembly ◆ **atelier de montage** assembly shop ◆ **chaîne de montage** assembly *ou* production line ◆ **notice de montage** instructions for assembly **b** (= *organisation*) *campagne publicitaire* mounting, staging, organization ◆ **montage financier** financial package *ou* arrangement ◆ **le montage d'une campagne promotionnelle** the staging *ou* organization of a promotional drive *ou* campaign.

**montagne** /mɔ̃taɲ/ **NF** (*UE*) [*beurre*] mountain.

**montant** /mɔ̃tɑ̃/ **NM** total amount ◆ **le montant s'élève à** the total adds up to ◆ **la société n'a**

pas révélé le montant de ses endettements the company did not disclose the amount of its indebtedness ✦ **chèque / facture d'un montant de** cheque / invoice amounting to *ou* in the amount of ✦ **jusqu'à un montant de** to the amount of, up to

---
*compounds/composés*

- ✦ **montant assuré** amount insured, amount of the risk
- ✦ **montant brut** gross amount, sum total
- ✦ **montant compensatoire** compensatory amount ✦ **montants compensatoires monétaires** monetary compensatory amounts ✦ **octroyer / percevoir / supprimer les montants compensatoires** to grant / levy / eliminate compensatory amounts
- ✦ **montant cumulé des amortissements** accumulated depreciation
- ✦ **montant dû** amount due, outstanding amount
- ✦ **montant encaissé** collected amount, amount received
- ✦ **montant exonéré** tax-free *ou* tax-exempted amount
- ✦ **montant facturé** amount invoiced
- ✦ **montant forfaitaire** lump sum, flat-rate amount
- ✦ **montant global** overall amount
- ✦ **montant maximal** maximum amount
- ✦ **montant net** net amount ✦ **montant net d'une succession** *(Jur)* residuary estate
- ✦ **montant nominal** *(gén)* nominal amount; *(Fin)* par value
- ✦ **montant à reporter** amount carried *ou* brought forward
- ✦ **montant des ventes** sales proceeds
- ✦ **montant versé** amount paid.

---

**mont-de-piété, PL monts-de-piété** /mɔ̃dpjete/ **NM** pawnshop ✦ **mettre qch au mont-de-piété** to pawn sth, put sth in pawn ✦ **dégager qch du mont-de-piété** to get sth out of pawn.

**monte-charge** /mɔ̃tʃaʀʒ(ə)/ **NM INV** goods lift *(Brit)*, service elevator *(US)*, hoist *(US)*.

**montée** /mɔ̃te/ **NF** rise ✦ **la montée rapide des cours mondiaux** soaring world prices ✦ **la montée rapide du chômage** the upsurge in unemployment ✦ **montée en charge** increase ✦ **montée en flèche** skyrocketing.

**monter** /mɔ̃te/ **VI** **a** *(= augmenter)* *prix* to rise, go up ✦ **les cours montent en flèche** prices are skyrocketing *ou* soaring ✦ **le mécontentement monte chez les non-grévistes** tempers are rising among non-strikers ✦ **empêcher les prix de monter** to keep *ou* hold prices down ✦ **faire monter les cours** to force up *ou* push up *ou* hike up *ou* balloon *(US)* prices **b** *(= avancer)* ✦ **monter en grade** to be promoted, get (a) promotion ✦ **un cadre qui monte** an up-and-

coming executive ✦ **monter dans l'échelle sociale** to climb up the social ladder **c** *(Fin)* **monter dans le capital d'une société** to raise one's stake in a company

**VT** **a** *(= organiser)* *campagne* to mount, stage, set up, organize; *entreprise* to set up; *opération financière* to set up, arrange ✦ **monter une entreprise** to set up a firm **b** *(Ind)* *machine* to assemble **c** *(= augmenter)* to raise

**se monter** **VPR** *[frais, intérêts]* **se monter à** to come to, amount to, add up to ✦ **la facture se monte à 25 livres** the bill comes to *ou* tots up to £25 ✦ **cela se monte à 20 euros** it totals €20.

**monteur, -euse** /mɔ̃tœʀ, øz/ **NM,F** *(Ind)* fitter.

**Montevideo** /mɔ̃tevideo/ **N** Montevideo.

**montre** /mɔ̃tʀ(ə)/ **NF** *(Comm = présentation)* display, show ✦ **mettre un article en montre** to put an article in the window *ou* on show.

**moral, e, MPL -aux** /mɔʀal, o/ **ADJ** moral ✦ **personne morale** *(Jur)* legal entity.

**moraliser** /mɔʀalize/ **VT** *pratiques* to moralize; *situation, marché, profession* to clean up.

**moratoire** /mɔʀatwaʀ/ **ADJ** moratory ✦ **accord moratoire** moratorium, standstill agreement ✦ **intérêts moratoires** default interest, interest on arrears
**NM** moratorium, standstill agreement ✦ **décréter un moratoire de 2 ans** to decide a 2 years' moratorium.

**morceler** /mɔʀsəle/ **VT** *propriété* to parcel out, divide up, break up.

**morcellement** /mɔʀsɛlmɑ̃/ **NM** *[propriété]* parcelling out, dividing up, breaking up.

**morfondre (se)** /mɔʀfɔ̃dʀ(ə)/ **VPR** *(Bourse)* *[opérateurs]* to fret.

**moribond, e** /mɔʀibɔ̃, ɔ̃d/ **ADJ** *entreprise* moribund, dying.

**morne** /mɔʀn(ə)/ **ADJ** *marché* dull, glum, gloomy.

**morose** /mɔʀoz/ **ADJ** *marché, climat économique* dull, glum.

**morosité** /mɔʀozite/ **NF** moroseness ✦ **un climat de morosité est perceptible en Bourse** the stock market is noticeably depressed.

**mort** /mɔʀ/ **NF** death ✦ **cela signifierait la mort du petit commerce** it would mean the ruin of the little shop round the corner ✦ **point mort** *(Fin = point d'équilibre)* break-even point ✦ **les négociations sont au point mort** the talks are deadlocked *ou* at a standstill.

**mortalité** /mɔʀtalite/ NF mortality ✦ **table de mortalité** mortality table ✦ **taux de mortalité** mortality *ou* death rate.

**morte-saison**, PL **mortes-saisons** /mɔʀt(ə)sɛzɔ̃/ NF slack season, off season, dead season.

**mort-né, e** /mɔʀne/ ADJ *projet* abortive, stillborn.

**Moscou** /mɔsku/ N Moscow.

**mot** /mo/ NM word ✦ **avoir son mot à dire** to have one's say ✦ **je lui en toucherai un mot** I'll have a word with him about it ✦ **ça peut rapporter le double au bas mot** it can bring in at least *ou* at a conservative estimate twice as much

───────── compounds/composés ─────────
✦ **mot de code** code word
✦ **mot d'ordre** *(gén)* watchword; *(= slogan)* slogan
  ✦ **mot d'ordre de grève** strike call
✦ **mot de passe** password
✦ **mot taxé** *(Poste)* word charged for.

**moteur** /mɔtœʀ/ NM *(Tech)* engine; *(électrique)* motor; *(fig)* mover, mainspring ✦ **le moteur de l'économie** the motive *ou* driving force behind the economy ✦ **moteur de recherche** *(Internet)* search engine.

**motif** /mɔtif/ NM *(= cause)* motive (*de* for) grounds (*de* for) ✦ **motif d'achat** *(Mktg)* purchasing motive ✦ **motif de licenciement** grounds for dismissal ✦ **motif de réclamation** grounds for complaint ✦ **motif d'un jugement** grounds of a judg(e)ment ✦ **motifs de service** administrative grounds *ou* reasons ✦ **exposé des motifs** *(Jur)* preamble ✦ **absence sans motif valable** unjustified absence.

**motion** /mosjɔ̃/ NF motion ✦ **faire adopter une motion** to carry a motion ✦ **proposer une motion** to move a proposal ✦ **mettre une motion aux voix** to put forward a motion ✦ **soutenir** *ou* **appuyer une motion** to second *ou* support a motion, be the seconder of a motion ✦ **repousser** *ou* **rejeter une motion** to reject a motion.

**motivant, e** /mɔtivɑ̃, ɑ̃t/ ADJ rewarding, stimulating ✦ **salaire très motivant** attractive pay.

**motivation** /mɔtivasjɔ̃/ NF motivation ✦ **étude** *ou* **enquête de motivation** motivation research ✦ **analyse de motivation** motivational analysis ✦ **motivation d'achat** buying inducement *ou* motive ✦ **motivation des consommateurs** consumer motivation.

**motivé, e** /mɔtive/ ADJ *décision* well-founded, justified, reasoned; *personne* motivated, dedicated, involved ✦ **exposé motivé** stated case

✦ **absence non motivée** unjustified absence ✦ **rumeur non motivée** groundless rumours.

**motiver** /mɔtive/ VT **a** *réclamation* to justify; *décision* to motivate, justify **b** *personnel* to motivate.

**mou, molle** /mu, mɔl/ ADJ *marché* dull, languid, flat, sluggish, slack.

**mouillage** /mujaʒ/ NM **a** *(Mar)* *[bateau]* anchoring, mooring; *(= rade)* anchorage, moorage ✦ **droits de mouillage** mooring dues, berthage **b** *(Fin)* *[capital]* watering.

**mouvement** /muvmɑ̃/ NM **a** *(= évolution)* movement; *(= tendance)* trend; *(= fluctuation)* fluctuation ✦ **mouvement de baisse / de hausse** downward / upward movement *ou* trend ✦ **mouvements boursiers** stock-exchange fluctuations ✦ **mouvement conjoncturel** *ou* **cyclique / inverse** cyclical / reverse movement ✦ **mouvement d'opinion** opinion trend ✦ **mouvements oscillatoires** ups and downs ✦ **mouvements de population** shifts in population ✦ **mouvements saisonniers** seasonal fluctuations ✦ **mouvement tendanciel** trend **b** *(= déplacement)* *[marchandises, fonds, main-d'œuvre]* movement; *(Compta)* movement, flow, transaction; *(sur un compte)* turnover ✦ **compte sans mouvement** account without turnover ✦ **mouvement de caisse** cash transaction ✦ **mouvement de capitaux** flow *ou* movement of capital ✦ **mouvements de devises** currency movements ✦ **mouvements de l'épargne** savings flows *ou* movements ✦ **mouvement d'espèces** cash transactions ✦ **mouvement de personnel** labour turnover *ou* movement, staff changes, transfer of workers ✦ **mouvement des stocks** stock inventory *ou* turnover ✦ **mouvement des valeurs** circulation of securities **c** *(= grève)* strike, industrial action ✦ **les grévistes ont cessé leur mouvement** strikers are back to work *ou* have ended their industrial action ✦ **mouvements revendicatifs** strikes **d** *(= association)* movement ✦ **mouvement de défense des consommateurs** consumer movement ✦ **mouvement politique** political movement ✦ **le mouvement ouvrier** the labour movement ✦ **le mouvement syndical** the trade union movement **e** *(= trafic)* traffic ✦ **mouvement des navires** *(gén)* shipping traffic; *(= bulletin)* Shipping Intelligence *ou* News.

**mouvementé, e** /muvmɑ̃te/ ADJ *réunion* stormy; *semaine* hectic; *séance boursière* volatile ✦ **soldes non mouvementés** *(Fin)* idle balances ✦ **un article mouvementé** *(Comm)* a fast-moving article.

**moyen, -enne** /mwajɛ̃, ɛn/ **ADJ** *rendement, taux, qualité* average; *taille* medium ✦ **au cours moyen** *(Bourse)* at middle ✦ **avion moyen-courrier** medium-haul plane ✦ **cadre moyen** middle manager *ou* executive ✦ **les cadres moyens** middle management, middle-grade managers ✦ **cours / coût / prix de vente moyen** average price / cost / selling price ✦ **échéance moyenne** average due date ✦ **entreprise moyenne** medium-size(d) firm ✦ **à moyen terme** in the middle term ✦ **paiement à moyen terme** medium-term payment ✦ **périodicité moyenne des révisions** mean time between overhauls ✦ **revenu moyen** median income, average revenue ✦ **salaire horaire moyen** average hourly wage ✦ **solution moyenne** middle-of-the-road solution ✦ **stock moyen** average inventory *ou* stock ✦ **tare moyenne** mean *ou* average tare

**◼◼** *(gén, Fin)* means ✦ **cette société dispose de moyens importants** this company has large financial means at its disposal ✦ **un tel investissement est au-dessus de nos moyens** such an investment is beyond our means, we can't afford such an investment

**moyenne** **◼** *(gén)* average; *(Stat)* mean ✦ **moyenne arithmétique / proportionnelle / de l'échantillon** arithmetical / geometrical / sample mean ✦ **moyenne approximative / journalière / mobile** rough / daily / moving average ✦ **moyenne des ventes** average sales ✦ **moyenne de position** average balance ✦ **moyenne pondérée / non pondérée** weighted / unweighted mean *ou* average ✦ **au-dessus / en-dessous de la moyenne** above / below average ✦ **en moyenne** on an average ✦ **faire**

---
*compounds/composés*

- ✦ **moyen d'action** means of action ✦ **moyens d'action promotionnels** promotional mix
- ✦ **moyens de communication** means of communication ✦ **moyens de communication de masse** mass media
- ✦ **moyens d'existence** means of subsistence *ou* of livelihood
- ✦ **moyens de financement** means of financing
- ✦ **moyen de fortune** *(= pis-aller)* makeshift device
- ✦ **moyens frauduleux** fraudulent means
- ✦ **moyens légaux** *ou* **licites** legal *ou* lawful means
- ✦ **moyens de paiement** means of payment
- ✦ **moyen de pression** means of pressure
- ✦ **moyen de production** means of production
- ✦ **moyens propres** own funds
- ✦ **moyens publicitaires** advertising media
- ✦ **moyens de règlement** means of settlement
- ✦ **moyen de transport** means of transport(ation)
- ✦ **moyens de trésorerie** financial means.

---

*ou* **établir une moyenne** to average up ✦ **nous vendons en moyenne 400 unités par mois** our sales average (out at) 400 units a month ✦ **l'usine produit en moyenne 500 voitures par jour** the factory averages 500 cars a day ✦ **établissement d'une moyenne à la baisse / à la hausse** *(Bourse)* averaging down / up

**moyennant** /mwajɛnɑ̃/ **PRÉP** *somme d'argent* (in return) for, at a charge of ✦ **moyennant finances** for a fee *ou* a consideration.

**moyenne** /mwajɛn/ **NF** → **moyen.**

**mozambicain, e** /mɔzɑ̃bikɛ̃, ɛn/ **ADJ** Mozambican
  **Mozambicain ◼◼** *(= habitant)* Mozambican
  **Mozambicaine ◼** *(= habitante)* Mozambican.

**Mozambique** /mɔzɑ̃bik/ **NM** Mozambique.

**MSI** abrév de **management des systèmes d'information** → **management.**

**MST** /ɛmɛste/ **NF** (abrév de **maîtrise de sciences et techniques**) *master's degree in science and technology.*

**multicarte** /myltikaʀt(ə)/ **ADJ, NMF INV** ✦ **(VRP) multicarte** multiproduct representative.

**multidevise** /myltidəviz/ **ADJ** ✦ **opération multidevise** multicurrency operation.

**multidirectionnel, -elle** /myltidiʀɛksjɔnɛl/ **ADJ** multidirectional.

**multifacette** /myltifasɛt/ **ADJ** *(Comm : magasin)* ✦ **spécialiste multifacette** multifaceted specialty store.

**multilatéral, e, MPL -aux** /myltilateʀal, o/ **ADJ** multilateral ✦ **accords multilatéraux** multilateral agreements ✦ **commerce multilatéral** multilateral trade.

**multimédia** /myltimedja/ **ADJ** multimedia ✦ **campagne de publicité multimédia** multimedia advertising campaign.

**multimilliardaire** /myltimiljaʀdɛʀ/ **ADJ, NMF** multimillionaire.

**multimillionnaire** /myltimiljɔnɛʀ/ **ADJ, NMF** multimillionaire.

**multimodal, e, MPL -aux** /myltimɔdal, o/ **ADJ** *transport* multimodal.

**multinational, e, MPL -aux** /myltinasjɔnal, o/ **ADJ** multinational
  **multinationale ◼** multinational (company).

**multinorme** /myltinɔʀm(ə)/ **ADJ** multistandard.

**multiplateforme** /myltiplatfɔʀm/ ADJ cross-platform.

**multiple** /myltipl(ə)/ **ADJ** numerous, multiple ◆ **action multiple** *(Bourse)* multiple share ◆ **à usages multiples** multi-purpose ◆ **imposition multiple** multiple taxation ◆ **magasin à succursales multiples** multiple (store), chain store ◆ **direction multiple** multiple management **NM** multiple ◆ **multiples boursiers, multiples de capitalisation** price-earnings multiples *ou* ratios.

**multiplex** /myltiplɛks/ **ADJ, NM** multiplex.

**multiplexage** /myltiplɛksaʒ/ **NM** multiplexing.

**multiplexer** /myltiplɛkse/ **VT** to multiplex.

**multiplicateur, -trice** /myltiplikatœʀ, tʀis/ **ADJ** multiplying ◆ **effet multiplicateur** multiplier effect **NM** multiplier ◆ **multiplicateur de crédit / d'emploi** credit / employment multiplier ◆ **multiplicateur du revenu national** national income multiplier ◆ **multiplicateur d'investissement** investment multiplier.

**multiplication** /myltiplikasjɔ̃/ **NF** multiplication.

**multiplicité** /myltiplisite/ **NF** multiplicity.

**multiplier** /myltiplije/ **VT** to multiply *(par* by) ◆ **les revenus agricoles ont été multipliés par deux** farm income has doubled *ou* has increased twofold
**se multiplier** **VPR** to multiply, grow in number.

**multipostage** /myltipostaʒ/ **NM** bulk e-mail.

**multiposte** /myltipost(ə)/ **ADJ** multistation.

**multiprogrammation** /myltipʀɔgʀamasjɔ̃/ **NF** *(Inf)* multiprogramming.

**multipropriété** /myltipʀɔpʀijete/ **NF** timesharing ◆ **appartement en multipropriété** timeshare flat *(Brit) ou* apartment *(US)*.

**multiréférencé, e** /myltiʀefeʀɑ̃se/ **ADJ** ◆ **dossiers multiréférencés** cross-reference files.

**multirisque** /myltiʀisk(ə)/ **ADJ** multiple-risk ◆ **assurance multirisque** comprehensive insurance (policy), all-in policy.

**multispécialisation** /myltispesjalizasjɔ̃/ **NF** *(Comm)* multiproduct distribution.

**multispécialiste** /myltispesjalist(ə)/ **NM** *(Comm)* multiproduct distributor.

**multistandard** /myltistɑ̃daʀ/ **ADJ** multistandard.

**multisupport** /myltisypɔʀ/ **ADJ** diversified ◆ **contrat d'assurance-vie multisupport** diversified unit-linked life insurance policy.

**multitraitement** /myltitʀɛtmɑ̃/ **NM** *(Inf)* multiprocessing.

**municipal, e,** MPL **-aux** /mynisipal, o/ **ADJ** municipal, local ◆ **conseil municipal** town council ◆ **règlement municipal** local by-law, municipal ordinance *(US)*.

**municipalité** /mynisipalite/ **NF** *(= conseil)* town council, municipal corporation.

**mutation** /mytasjɔ̃/ **NF** **a** *[employé]* transfer ◆ **mutation dans l'intérêt du service** transfer on administrative grounds ◆ **demander sa mutation** to apply for a transfer **b** *(Jur)* transfer ◆ **acte de mutation** deed of transfer ◆ **mutation de propriété** conveyance *ou* transfer of property ◆ **mutation entre vifs** transfer inter vivos ◆ **mutation à titre gratuit** donation ◆ **droits de mutation** transfer tax.

**muter** /myte/ **VT** *employé* to transfer, move ◆ **il a été muté dans un autre service** he has been transferred *ou* moved to another department.

**mutualisme** /mytɥalism/ **NF** mutualism.

**mutualiste** /mytɥalist(ə)/ **ADJ, NMF** mutualist.

**mutualité** /mytɥalite/ **NF** mutual insurance system.

**mutuel, -elle** /mytɥɛl/ **ADJ** mutual ◆ **accord mutuel** mutual agreement ◆ **par consentement mutuel** by mutual consent ◆ **politique de concessions mutuelles** give-and-take policy ◆ **société d'assurance mutuelle** mutual insurance company
**mutuelle** **NF** mutual benefit society, mutual *ou* contributory insurance company, ≈ Friendly Society ◆ **mutuelle d'achats** mutual benefit purchasing society ◆ **mutuelle d'assurance** mutual insurance society.

**mutuellement** /mytɥɛlmɑ̃/ **ADV** mutually.

**Myanmar** /mijanmaʀ/ **NM** Myanmar.

**mystère** /mistɛʀ/ **NM** *(Pub)* ◆ **campagne mystère** teaser campaign.

# N

**naira** /nɛʀa/ NM naira.

**Nairobi** /neʀɔbi/ N Nairobi.

**naître** /nɛtʀ/ VI *(Admin, Fin)* to arise ◆ **les obligations nées du contrat** the obligations arising from the contract.

**nakfa** /nakfa/ NM nakfa.

**Namibie** /namibi/ NF Namibia.

**namibien, -ienne** /namibjɛ̃, jɛn/ ADJ Namibian **Namibien** NM *(= habitant)* Namibian **Namibienne** NF *(= habitante)* Namibian.

**nanti, e** /nɑ̃ti/ ADJ a *(= riche)* affluent, well-to-do b *(Jur)* créancier secured ◆ **créancier entièrement / partiellement nanti** fully-secured / partly-secured creditor ◆ **obligation nantie** collateral trust bond ◆ **prêteur nanti par hypothèque** lender secured by a mortgage.

**nantir** /nɑ̃tiʀ/ VT a *(Jur)* créancier to secure; *valeurs* to pledge, secure ◆ **nantir des titres en garantie de sommes avancées** to pledge securities as collateral for a loan ◆ **nantir des gages** to secure by pledge b **nantir de qch** *personne* to provide with sth; *dispositif* to equip with.

**nantissement** /nɑ̃tismɑ̃/ NM a *(= gage)* collateral (security) ◆ **déposer** *ou* **remettre** *ou* **fournir** *ou* **donner des titres en nantissement** to pledge securities, lodge stocks as security *ou* as collateral *ou* as cover ◆ **détenir en nantissement** to hold in pledge ◆ **emprunter sur nantissement** to borrow on security ◆ **garantir un emprunt par nantissement** to collateralize a loan ◆ **prêter sur nantissement** to lend *ou* loan (US) on collateral ◆ **avance sur nantissement** advance against security ◆ **contrat de nantissement** pledge agreement ◆ **droit de nantissement sur marchandises** lien on goods ◆ **effet**

en nantissement collateral bill ◆ **prêt sur nantissement de marchandises** loan on security of goods b *(= action)* pledging ◆ **nantissement sans dépossession** pledging without dispossession ◆ **nantissement sur créances / marchandises / titres** pledging of credit / goods / securities.

**napoleon** /napɔleɔ̃/ NM *(= monnaie)* napoleon.

**Nasdaq** /nazdak/ NM (abrév de **National Association of Securities Dealers Automated Quotation**) Nasdaq.

**Nassau** /naso/ N Nassau.

**natalité** /natalite/ NF ◆ **(taux de) natalité** birth rate ◆ **régression** *ou* **recul de la natalité** lower birth rate, decline in the birth rate.

**nation** /nasjɔ̃/ NF nation ◆ **les Nations Unies** the United Nations ◆ **clause de la nation la plus favorisée** most favoured nation clause ◆ **nation créditrice / débitrice** creditor / debtor nation.

**national, e,** MPL **-aux** /nasjɔnal, o/ ADJ *(gén)* national; *campagne, grève* nationwide; *monnaie, production* national, domestic; *marché* domestic, home ◆ **comptabilité nationale** national accounting ◆ **entreprise nationale** state-owned company ◆ **l'économie nationale** the domestic *ou* national economy ◆ **produit national brut** gross national product ◆ **revenu national brut** gross national income **nationaux** NMPL *(= ressortissants)* nationals.

**nationalisable** /nasjɔnalizabl(ə)/ ADJ *entreprise* targetted for nationalization.

**nationalisation** /nasjɔnalizasjɔ̃/ NF nationalization.

**nationaliser** /nasjɔnalize/ **VT** to nationalize ✦ entreprise nationalisée nationalized company ✦ le secteur nationalisé the nationalized sector.

**nationalité** /nasjɔnalite/ **NF** nationality ✦ opter pour la nationalité française to choose the French nationality ✦ prendre la nationalité française to become a French citizen *ou* national ✦ double nationalité dual nationality ✦ acte de nationalité *(Mar)* certificate of registry.

**naturalisation** /natyʀalizasjɔ̃/ **NF** naturalization ✦ décret de naturalisation naturalization certificate.

**naturalisé, e** /natyʀalize/ **ADJ** ✦ être naturalisé(e) Français(e) to be a naturalized Frenchman *(ou* Frenchwoman).

**naturaliser** /natyʀalize/ **VT** to naturalize ✦ se faire naturaliser Français to obtain French citizenship.

**nature** /natyʀ/ **NF** **a** *(Fin)* kind ✦ avantages / paiement / compensation en nature benefits / payment / compensation in kind ✦ remise en nature natural rebate **b** *(= type)* nature, type, kind ✦ nature du contenu nature of contents ✦ nature d'une entreprise type *ou* kind of business ✦ nature de l'impôt type of taxation.

**naturel, -elle** /natyʀɛl/ **ADJ** ressources, risques natural ✦ départs naturels natural wastage.

**naufrage** /nofʀaʒ/ **NM** *[navire]* wreck; *[projet]* foundering ✦ le naufrage de l'économie / du pays the collapse of the economy / of the country ✦ le gouvernement essaie de sauver l'industrie sidérurgique du naufrage the government is striving to salvage *ou* keep afloat the steel industry.

**naufrageur** /nofʀaʒœʀ/ **NM** ✦ les naufrageurs de l'économie the wreckers of the economy.

**naval, e,** **MPL** **-als** /naval/ **ADJ** ✦ chantier naval shipbuilding yard, shipyard ✦ les constructions navales shipbuilding, the shipbuilding industry ✦ ouvrier des chantiers navals shipyard worker.

**navette** /navɛt/ **NF** shuttle ✦ il y a une navette avec l'aéroport they operate a shuttle service with the airport.

**navigabilité** /navigabilite/ **NF** ✦ (état de) navigabilité *[navire]* seaworthiness; *[avion]* airworthiness ✦ en état de navigabilité *navire* seaworthy; *avion* airworthy ✦ certificat de navigabilité *[navire]* certificate of seaworthiness; *[avion]* certificate of airworthiness.

**navigable** /navigabl(ə)/ **ADJ** *rivière* navigable.

**navigant, e** /navigɑ̃, ɑ̃t/ **ADJ, NM** ✦ le personnel navigant, les navigants *(Mar)* seagoing personnel; *(Aviat)* flying personnel.

**navigateur** /navigatœʀ/ **NM** *(Inf)* browser.

**navigation** /navigasjɔ̃/ **NF** **a** *(Mar)* sailing, navigation ✦ navigation au long cours ocean navigation ✦ navigation au tramping tramp navigation ✦ navigation côtière / hauturière / intérieure *ou* fluviale coastal / deep-sea / inland navigation ✦ navigation au cabotage coasting *ou* coastal navigation ✦ compagnie de navigation shipping company **b** *(Aviat)* ✦ navigation aérienne aerial navigation ✦ compagnie de navigation aérienne airline **c** *(Inf)* browsing.

**naviguer** /navige/ **VI** **a** *[navire]* to sail; *[pilote]* to navigate **b** *(Inf)* naviguer sur Internet to browse *ou* surf the Internet.

**navire** /naviʀ/ **NM** ship, vessel ✦ affréter / armer un navire to charter / fit out a ship ✦ clause « navire du même assuré » sister-ship clause ✦ franco le long du navire free alongside ship

───── *compounds/composés* ─────
✦ **navire abordeur** *(Ass Mar)* colliding ship
✦ **navire amiral** flagship
✦ **navire de charge** cargo ship, freighter
✦ **navire-citerne** tanker
✦ **navire collecteur** feeder vessel
✦ **navire de commerce** merchant ship *ou* vessel, merchantman
✦ **navire en cueillette** tramp
✦ **navire frigorifique** cold storage ship
✦ **navire au long cours** ocean-going ship
✦ **navire marchand** merchant ship *ou* vessel, merchantman
✦ **navire mixte** cargo and passenger ship
✦ **navire à ordre** ship under orders
✦ **navire en partance** outward bound vessel
✦ **navire porte-conteneurs** container ship
✦ **navire en retour** homeward bound vessel
✦ **navire transbordeur** transporter ship
✦ **navire transporteur** carrying vessel
✦ **navire-usine** factory ship.

**NB** (abrév de **Nota bene, notez bien**) nota bene, NB.

**nbr.** abrév de **nombreux.**

**NC** **a** abrév de **non communiqué** **b** abrév de **non coté.**

**n.d.** **a** abrév de **non daté** **b** abrév de **non disponible.**

**N'Djamena** /ndʒamena/ **N** Ndjamena, N'djamena.

**néant** /neã/ **NM** *(Admin)* nil ✦ **état néant** *(sur formulaire)* nil return.

**nécessaire** /neseser/ **ADJ** necessary ✦ **pièces nécessaires** *(de rechange)* necessary spare parts; *(Admin)* documents required
**NM** **faire le nécessaire** to do what is necessary *ou* required *ou* needed ✦ **veuillez faire le nécessaire pour que...** please see to it that...

**nécessité** /nesesite/ **NF** necessity ✦ **nécessités d'approvisionnement** supply needs ✦ **nécessités de service** service *ou* operational requirements ✦ **nécessités de trésorerie** borrowing requirements ✦ **clos par nécessité** sealed as required.

**nécessiter** /nesesite/ **VT** to require, necessitate, call for.

**nécessiteux** /nesesitø/ **NMPL** ✦ **les nécessiteux** the needy, the poor.

**néerlandais, e** /neɛʀlãdɛ, ɛz/ **ADJ** Dutch
**NM** *(= langue)* Dutch
**Néerlandais** **NM** *(= habitant)* Dutchman ✦ **les Néerlandais** the Dutch
**Néerlandaise** **NF** *(= habitante)* Dutchwoman.

**négatif, -ive** /negatif, iv/ **ADJ** *choix, impact, aspect* negative ✦ **balance commerciale négative** negative trade balance ✦ **conséquences négatives** adverse effects ✦ **épargne négative** negative saving ✦ **impôt négatif** negative income tax ✦ **en cas de réponse négative de votre part** should you answer in the negative
**négative** **NF** **répondre par la négative** to reply in the negative.

**négativement** /negativmã/ **ADV** negatively ✦ **répondre négativement** to answer in the negative.

**négligeable** /negliʒabl(ə)/ **ADJ** *incidence, frais* negligible.

**négligence** /negliʒãs/ **NF** negligence, carelessness ✦ **erreur due à une négligence** error due to an oversight ✦ **négligence criminelle / grave / légère / professionnelle** criminal / gross / slight / professional negligence ✦ **clause de négligence** negligence clause.

**négligent, e** /negliʒã, ãt/ **ADJ** careless, negligent, neglectful.

**négliger** /negliʒe/ **VT** to neglect.

**négoce** /negɔs/ **NM** trade, business, trading ✦ **faire le négoce de** to trade *ou* deal in ✦ **le petit négoce** small business ✦ **le négoce du pétrole** oil trading ✦ **marge de négoce** *(Bourse)* trading margin.

**négociabilité** /negɔsjabilite/ **NF** negotiability.

**négociable** /negɔsjabl(ə)/ **ADJ** *chèque, titre, traite* negotiable; *(Bourse)* traded, negotiable ✦ **négociable en banque** bankable ✦ **actif négociable** liquid assets, quick assets *(US)* ✦ **marchandises négociables** goods of a marketable quality ✦ **options négociables** traded options.

**négociant, e** /negɔsjã, ãt/ **NM,F** *(gén)* merchant; *(Bourse)* trader ✦ **négociant en gros** wholesaler, wholesale dealer ✦ **négociant exportateur / importateur** import / export merchant ✦ **négociant en vin** (wholesale) wine merchant.

**négociateur, -trice** /negɔsjatœr, tʀis/ **NM,F** negotiator, bargainer.

**négociation** /negɔsjasjɔ̃/ **NF** **a** *(= pourparlers)* negotiation ✦ **engager** *ou* **entamer des négociations** to enter into *ou* open *ou* start negotiations *ou* talks ✦ **rompre les négociations** to break off negotiations ✦ **des négociations se déroulent actuellement** *ou* **sont en cours** negotiations are now in progress *ou* are proceeding ✦ **mener** *ou* **conduire une négociation** to carry out *ou* conduct a negotiation ✦ **les négociations traînent en longueur** the talks are dragging on ✦ **base de négociation** basis for negotiation ✦ **pouvoir de négociation** bargaining power ✦ **en cours de négociation** under negotiation ✦ **les délégués syndicaux ont refusé de s'asseoir à la table des négociations** the union representatives refused to take part in the round-the-table negotiations **b** *(Bourse)* transaction

───── compounds/composés ─────
✦ **négociation de blocs** block trading
✦ **négociation de change** exchange transaction
✦ **négociations collectives** collective bargaining
✦ **négociations commerciales** trade negotiations *ou* talks
✦ **négociation au comptant** *(Bourse)* cash transaction
✦ **négociation hors Bourse** curbstone dealing
✦ **négociations paritaires** labour-management talks *ou* negociations
✦ **négociation à prime** *(Bourse)* option deal
✦ **négociations salariales** wage negotiations, pay talks
✦ **négociations tarifaires** negotiations on customs duties, tax round
✦ **négociation à terme** *(Bourse)* dealing for the settlement *ou* for the account; *(Bourse de marchandises)* forward *ou* future transaction.

**négocier** /negɔsje/ **VTI** *(gén, Fin)* to negotiate ✦ **être en position de force pour négocier** to be bargaining from a position of strength ✦ **cette question sera négociée séparément** there will be separate negotiations on this question

**se négocier** ⓥⓅⓡ [titres] to trade, be negotiated (à at)

**négrier** /negʀije/ NM (= employeur) slave driver.

**néo-calédonien, -ienne** /neɔkaledɔnjɛ̃, jɛn/ ADJ New Caledonian
**Néo-Calédonien** ⓝⓜ (= habitant) New Caledonian
**Néo-Calédonienne** ⓝⓕ (= habitante) New Caledonian.

**néo-capitalisme** /neɔkapitalism(ə)/ NM neo-capitalism.

**néo-capitaliste** /neɔkapitalist(ə)/ ADJ, NMF neo-capitalist.

**néo-colonialisme** /neɔkɔlɔnjalism(ə)/ NM neo-colonialism.

**néo-libéralisme** /neɔliberalism(ə)/ NM neo-liberalism.

**néo-restauration** /neɔʀɛstɔʀasjɔ̃/ NF new catering.

**néo-zélandais, e** /neɔzelɑ̃dɛ, ɛz/ ADJ New Zealand
**Néo-Zélandais** ⓝⓜ (= habitant) New Zealander
**Néo-Zélandaise** ⓝⓕ (= habitante) New Zealander.

**Népal** /nepal/ NM Nepal.

**népalais, e** /nepalɛ, ɛz/ ADJ Nepalese, Nepali
ⓝⓜ (= langue) Nepalese, Nepali
**Népalais** ⓝⓜ (= habitant) Nepalese, Nepali
**Népalaise** ⓝⓕ (= habitante) Nepalese, Nepali.

**nerf** /[nɛʀ/ NM nerve ◆ le nerf de la guerre money.

**nerveux, -euse** /nɛʀvø, øz/ ADJ marché nervous, fidgety, jumpy.

**nervosité** /nɛʀvozite/ NF (gén) nervousness, agitation; [marché] jumpiness ◆ la Bourse fait preuve d'une certaine nervosité the stock market is rather nervous ou jumpy.

**Net** /[nɛt/ NM (= Internet) ◆ le Net the Net ◆ la Net économie the Net economy.

**net, nette** /nɛt/ ADJ a (Comm) montant, poids, revenu, valeur net ◆ ce pays a toujours été un exportateur net de produits manufacturés this country has always been a net exporter of manufactures ◆ percevoir un salaire net de 3 000 euros par mois to get 3,000 euros clear a month ◆ nous avons réalisé des bénéfices nets de 750 000 euros we netted 750,000 euros in profits ◆ somme nette d'impôts / de droits tax-free / duty-free amount ◆ actif net net assets ◆ bénéfice net par action (net) earnings per share ◆ bénéfice net après impôts

after tax profit ◆ chiffre d'affaires net net sales ◆ couverture nette (Pub) net reach ◆ marge nette net margin ◆ perte nette net loss ◆ poids net à l'emballage net weight when packed ◆ poids net embarqué loaded net weight ◆ prix net inclusive ou net ou all-in price ◆ produit net net proceeds ◆ recettes nettes net receipts ◆ rendement net net yield ou return b (= sensible) amélioration sharp, significant, noticeable, marked
ⓐⒹⓥ (Comm) net ◆ cela fait 500 euros net, cela fait net 500 euros it amounts to 500 euros net
ⓝⓜ (= salaire) net wage ◆ net à payer (sur bulletin de salaire) net pay; (sur facture) net, cash.

**netback** /nɛtbak/ NM netback ◆ opérations netback netback deals.

**netiquette** /nɛtiket/ NF (Inf) netiquette.

**nettoyage** /nɛtwajaʒ/ NM [bilan, cote] cleaning up ◆ opération de nettoyage clean-up operation.

**nettoyer** /nɛtwaje/ VT bilan, comptes to clean up ◆ se faire nettoyer * (= perdre tout son argent) to be cleaned out*.

**neuf, neuve** /nœf, nœv/ ADJ new ◆ à l'état neuf as (good as) new
ⓝⓜ (Ass) ◆ sans déduction du vieux au neuf without deduction new for old.

**neutraliser** /nøtʀalize/ VT to neutralize.

**neutralité** /nøtʀalite/ NF ◆ neutralité fiscale non-discriminatory tax treatment, impartial application of taxes.

**neutre** /nøtʀ/ ADJ neutral ◆ les puissances neutres (Pol) the neutral powers ◆ zone neutre (Comp) neutral zone.

**neuvième** /nœvjɛm/ ADJ, NMF ninth → sixième.

**neuvièmement** /nœvjɛmmɑ̃/ ADV ninthly, in the ninth place.

**New Delhi** /njudɛli/ N New Delhi.

**NF** ⓐ abrév de norme française → norme b abrév de nouveau(x) franc(s) → franc.

**ngultrum** /ngultʀum/ NM ngultrum.

**Niamey** /njamɛ/ N Niamey.

**Nicaragua** /nikɑʀagwa/ NM Nicaragua.

**nicaraguayen, -yenne** /nikɑʀagwajɛ̃, jɛn/ ADJ Nicaraguan
**Nicaraguayen** ⓝⓜ (= habitant) Nicaraguan
**Nicaraguayenne** ⓝⓕ (= habitante) Nicaraguan.

**Nicosie** /nikozi/ N Nicosia.

**niche** /niʃ/ **NF** (= *créneau*) niche ✦ **trouver une niche sur un marché** to find a niche in a market.

**Niger** /niʒɛʀ/ **NM** Niger.

**Nigeria** /niʒɛʀja/ **NM** Nigeria.

**nigérian, e** /niʒɛʀjɑ̃, an/ **ADJ** Nigerian
**Nigérian** **NM** (= *habitant*) Nigerian
**Nigériane** **NF** (= *habitante*) Nigerian.

**nigérien, -ienne** /niʒɛʀjɛ̃, jɛn/ **ADJ** of *ou* from Niger
**Nigérien** **NM** (= *habitant*) inhabitant *ou* native of Niger
**Nigérienne** **NF** (= *habitante*) inhabitant *ou* native of Niger.

**Nikkei** /nikaj/ **NM** ✦ **le Nikkei** the Nikkei ✦ **l'indice Nikkei** the Nikkei index.

**nippon, nippone** *ou* **nipponne** /nipɔ̃, nipɔn/ **ADJ** Japanese.

**niveau,** PL **-x** /nivo/ **NM** **a** (*gén*) level ✦ **ingénieur de haut niveau** top-level *ou* top-flight engineer ✦ **négociations au plus haut niveau** *ou* **au niveau le plus élevé** top-level negotiations ✦ **au niveau de l'atelier** at workshop level ✦ **au niveau de la direction** at managerial *ou* management level ✦ **délégation de haut niveau** high grade delegation ✦ **la décision a été prise au niveau ministériel** the decision was taken at cabinet level ✦ **être au même niveau que les autres candidats** to be level with the other applicants ✦ **maintenir à niveau les prix agricoles** to keep up farm prices ✦ **mettre à niveau** to (make) level ✦ **le cours du pétrole a trouvé un niveau de résistance après une forte baisse** the oil market has levelled off after a severe drop ✦ **le taux du fret est maintenu à un niveau moins élevé pour les marchandises entrant dans le pays** freight rates are payed at lower levels for goods shipped into the country ✦ **atteindre son plus bas / haut niveau** to reach one's low / high, reach an all-time low / high ✦ **le chômage a atteint son niveau le plus élevé** *ou* **son niveau record** unemployment has peaked out ✦ **les cours du pétrole sont tombés à leur niveau le plus bas** oil prices have reached a new low *ou* have bottomed out **b** (= *compétence*) standard ✦ **son italien est d'un bon niveau** his Italian is of a good standard ✦ **ils exigent un niveau très élevé pour ce poste** they have set a high standard for this job ✦ **il n'est pas au niveau** he is not up to standard

━━━ compounds/composés ━━━
✦ **niveau d'alerte** [*commande*] emergency order level
✦ **niveau de confiance** confidence level
✦ **niveau de décision** decision-making level
✦ **niveau de développement** development stage
✦ **niveau de l'emploi** employment level
✦ **niveau d'études** educational level, academic standard
✦ **niveau hiérarchique** level in the hierarchy
✦ **niveau normal d'activité** normal business volume
✦ **niveau de planification** planning level
✦ **niveau de production** production *ou* output level
✦ **niveau de qualification** ability level
✦ **niveau de qualité** quality level
✦ **niveau de réapprovisionnement** *ou* **de re-complètement** ordering *ou* reordering point, reorder *ou* replenishing level
✦ **niveau record** record level
✦ **niveau des rémunérations** wage level
✦ **niveau de rendement** production *ou* output level
✦ **niveau de résistance** (*Bourse*) resistance level
✦ **niveau des salaires** wage level
✦ **niveau de service** customer service level
✦ **niveau de support** (*Bourse*) support level
✦ **niveau de vie** standard of living
✦ **niveau de volatilité** (*Bourse*) volatility level.

**nivelage** /nivlaʒ/ **NM** levelling out, evening out.

**niveler** /nivle/ **VT** *prix, salaires, différences sociales* to level *ou* even out ✦ **niveler par le bas** to level down.

**nivellement** /nivɛlmɑ̃/ **NM** [*prix, salaires*] levelling out, evening out ✦ **opérer un nivellement par le bas** to level down.

**NM** abrév de **nouveau marché** (*Bourse*) ≈ AIM (*Brit*).

**NN** abrév de **nouvelles normes** → **norme**.

**N°** (abrév de **numéro**) No.

**nocturne** /nɔktyʀn(ə)/ **NF** [*magasin*] late opening *ou* closing ✦ **nous ouvrons en nocturne le mercredi jusqu'à 21 heures** we are open till 9.00 p.m. on Wednesdays, we have a late opening till 9.00 p.m. on Wednesdays.

**noir, e** /nwaʀ/ **ADJ** black ✦ **caisse noire** slush fund, secret funds ✦ **marché noir** black market ✦ **point noir** black spot, trouble spot
**NM** black ✦ **acheter / vendre au noir** to buy / sell on the black market ✦ **payer qn au noir** to pay sb off the books ✦ **travail au noir** moonlighting ✦ **travailler au noir** to moonlight, work on the side ✦ **travailleur au noir** moonlighter, unregistered worker ✦ **la balance commerciale de la**

France est retournée dans le noir France's trade balance returned to the black.

**nolisement** /nɔlizmɑ̃/ **NM** chartering, freighting.

**noliser** /nɔlize/ **VT** to charter, freight.

**nom** /nɔ̃/ **NM** name ✦ **il a agi au nom de l'entreprise** he acted on behalf of the firm ✦ **le chèque est libellé au nom de** the cheque is drawn *ou* made out to the order of ✦ **ouvrir un compte à son nom** to open an account to one's order ✦ **la société est à son nom** the company is registered in *ou* under his name ✦ **société en nom collectif** general partnership ✦ **erreur de nom** misnomer

── compounds/composés ──

✦ **nom commercial** trade name
✦ **nom déposé** registered trade name
✦ **nom de famille** surname
✦ **nom de femme mariée** married name
✦ **nom de jeune fille** maiden name
✦ **nom de marque** trade name
✦ **nom et prénom** full name.

**nomade** /nɔmad/ **ADJ** ✦ **produit nomade** mobile device ✦ **salarié nomade** roaming worker ✦ **travail nomade** roving work.

**nombre** /nɔ̃bʀ(ə)/ **NM** number ✦ **nombre indice** index number ✦ **nombre d'expositions** (*Pub*) exposure level ✦ **achat en nombre** bulk *ou* quantity purchase, bulk-buying ✦ **envoi en nombre** (*sur une lettre*) mass mailing ✦ **le nombre de chômeurs est inquiétant** the unemployment figure is worrying.

**nomenclature** /nɔmɑ̃klatyʀ/ **NF** (*gén*) list; (*= catalogue*) catalogue list; [*pièces détachées*] parts list ✦ **nomenclature douanière** *ou* **des douanes** customs classification *ou* schedule ✦ **nomenclature d'activités économiques** classification by kind of economic activity ✦ **nomenclature des fonctions** classification by purpose ✦ **nomenclature tarifaire** tariff schedule ✦ **numéro de nomenclature** catalogue number.

**nominal, e**, **MPL** -**aux** /nɔminal, o/ **ADJ** nominal ✦ **appel nominal** roll call ✦ **faire l'appel nominal** to call the roll, call over ✦ **capital nominal** authorized *ou* nominal capital ✦ **rendement** / **salaire nominal** nominal yield / wage ✦ **revenu nominal** money income ✦ **valeur nominale** face *ou* nominal value, face amount (*US*) ✦ **NM** (*= valeur*) nominal value ✦ **actions de 10 euros de nominal** shares with a nominal value of 10 euros ✦ **division par deux du nominal** two-for-one split.

**nominatif, -ive** /nɔminatif, iv/ **ADJ** *titre boursier* registered; *liste* nominal ✦ **action nominative** registered *ou* non-transferable share ✦ **porteurs d'actions nominatives** registered shareholders ✦ **connaissement nominatif** B / L to a named person, straight B / L (*US*) ✦ **état nominatif** nominal roll ✦ **police nominative** policy to named person ✦ **la carte d'abonnement est nominative** the season ticket is not transferable

■ (*Bourse*) ✦ **titres inscrits au nominatif** registered shares **au nominatif administré** registered with a custodian ✦ **au nominatif pur** registered directly with the issuer.

**nomination** /nɔminasjɔ̃/ **NF** appointment ✦ **recevoir sa nomination** to be appointed (*à* to)

**nommer** /nɔme/ **VT** *fonctionnaire, cadre, expert* to appoint (*à un poste* to a post)

**non** /nɔ̃/ **PRÉF** non-, un- ■ Voir encadré ci-contre

**nord-africain, e** /nɔʀafʀikɛ̃, ɛn/ **ADJ** North African
**Nord-Africain** **NM** (*= habitant*) North African
**Nord-Africaine** **NF** (*= habitante*) North African.

**nord-américain, e** /nɔʀameʀikɛ̃, ɛn/ **ADJ** North American
**Nord-Américain** **NM** (*= habitant*) North American
**Nord-Américaine** **NF** (*= habitante*) North American.

**nord-coréen, -éenne** /nɔʀkɔʀeɛ̃, ɛn/ **ADJ** North Korean
**Nord-Coréen** **NM** (*= habitant*) North Korean
**Nord-Coréenne** **NF** (*= habitante*) North Korean.

**normal, e**, **MPL** -**aux** /nɔʀmal, o/ **ADJ** (*gén*) normal; *taille, poids* standard ✦ **année normale d'exploitation** standard business year ✦ **échantillon normal** average sample.

**normalisation** /nɔʀmalizasjɔ̃/ **NF** [*produits*] standardization.

**normaliser** /nɔʀmalize/ **VT** *produits, procédure* to standardize ✦ **barème normalisé des salaires** standard rate of pay.

**normatif, -ive** /nɔʀmatif, iv/ **ADJ** normative ✦ **économie normative** normative economics.

**norme** /nɔʀm(ə)/ **NF** standard, norm ✦ **accord sur les normes** standardization agreement ✦ **s'écarter de la norme** to deviate *ou* depart from the norm ✦ **être conforme aux normes** to be up to standards, be up to specifications, comply with the norms ✦ **nouvelles normes-**

*compounds/composés*

## NON

◆ **non-acceptation** NF *(gén)* refusal; *[traite]* dishonour, non-acceptance

◆ **non-accomplissement** NM non-fulfilment, non-completion

◆ **non actif, -ive** ADJ population non active nonworking *ou* inactive population

◆ **non-activité** NF non-activity

◆ **non adressable** ADJ *(Inf)* non-addressable

◆ **non-affecté** ADJ *[sommes]* retained, unallotted

◆ **non aligné, e** ADJ non-aligned ◆ **les pays non alignés** the non-aligned countries

◆ **non amorti, e** ADJ obligations non amorties outstanding bonds

◆ **non amortissable** ADJ unredeemable, irredeemable

◆ **non appelé, e** ADJ uncalled

◆ **non assermenté, e** ADJ not under oath

◆ **non bancable** ADJ unbankable

◆ **non bancaire** ADJ non-bank ◆ **établissement** *ou* **institution non bancaire** non-bank (institution)

◆ **non cessible** ADJ non-transferable

◆ **non-comparution** NF *(Jur)* non-appearance

◆ **non-conciliation** NF refusal to settle out of court

◆ **non-confirmation** NF non-confirmation

◆ **non-conformité** NF non-conformity

◆ **non consigné** non returnable

◆ **non-consommateur** NM **non-consommateur absolu** absolute non-user

◆ **non convertible** ADJ non-convertible

◆ **non coté, e** ADJ *(Bourse) (non admis à la cote)* unlisted; *(sans cotation)* unquoted; *(Mar)* non-classed

◆ **non couvert, e** ADJ *emprunt* undersubscribed

◆ **non cumulable** non-combinable ◆ **offre non cumulable avec les précédentes** offer not valid with previous offers
**non cumulatif, -ive** ADJ non-cumulative

◆ **non daté, e** ADJ undated

◆ **non déclaré, e** ADJ undeclared; *(Douanes)* unentered

◆ **non dédouané, e** ADJ uncleared

◆ **non déductible** ADJ non-deductible

◆ **non-disponibilité** non-availability

◆ **non disponible** ADJ unavailable

◆ **non distribué, e** ADJ *(Fin) dividende* undistributed, retained; *(Poste) lettre* undelivered

◆ **non durable** ADJ non-durable

◆ **non échu, e** ADJ *traite* unmatured; *contrat* non-terminated

◆ **non emballé, e** ADJ unpacked

◆ **non-exécution** NF non-fulfilment, non-completion, non-performance

◆ **non-gage** NM attestation de non-gage non-lien affidavit

◆ **non-garanti, e** ADJ unsecured

◆ **non-gréviste** NMF non-striker

◆ **non honoré, e** ADJ *(Fin)* dishonoured, defaulted *(US)*

◆ **non immédiat, e** ADJ disponibilités non immédiates *(Fin)* slow assets

◆ **non imposable** ADJ *personne* non-taxable, non-assessable; *produit* tax free

◆ **non-imposition** NF non-assessment

◆ **non-ingérence** NF non-interference

◆ **non-intervention** NF non-interference

◆ **non libéré, e** ADJ *(Fin)* unpaid ◆ **non entièrement libéré** partly paid-up

◆ **non-lieu** NM non-suit, no ground for prosecution, exoneration *(US)* ◆ **bénéficier d'un non-lieu** to be discharged for lack of evidence ◆ **rendre une ordonnance de non-lieu** to direct a non-suit

◆ **non-liquidité** NF illiquidity

◆ **non-livraison** NF non-delivery

◆ **non lucratif** ADJ non-profit ◆ **association à but non lucratif** non-profit association, not-for-profit organization

◆ **non membre** ADJ non-member

◆ **non négociable** ADJ *(Fin) effet* non-negotiable; *(Comm) marchandises* unmarketable

◆ **non-paiement** NM non-payment, default

◆ **non professionnel, -elle** ADJ *revenus* unearned

◆ **non productif, -ive** ADJ non-productive

◆ **non-recevoir** NM fin de non-recevoir *(Jur)* demurrer, objection; *(fig)* blunt refusal

◆ **non-reconduction** NF *[contrat]* failure to renew

◆ **non récupérable** ADJ *emballage* expendable

◆ **non remboursable** ADJ non-refundable ◆ **obligation non remboursable** irredeemable bond

◆ **non rentable** ADJ unprofitable

◆ **non résident, e** ADJ, NM non-resident

◆ **non-respect** NM non-respect du contrat non-fulfilment of contract

◆ **non-responsabilité** NF clause de non-responsabilité non-liability clause

◆ **non-rétablissement** NM clause de non-rétablissement not to compete agreement

◆ **non salarial, e** ADJ *revenus* unearned, non-wage-earned

◆ **non-salarié, e** NM et NMF non-wage-earning person

◆ **non-satisfaction** NF non-satisfaction, dissatisfaction ◆ **remboursement garanti en cas de non-satisfaction** guaranteed refund if not satisfied

◆ **non signataire** ADJ État non signataire non-signatory state

◆ **non-syndiqué, e** NM,F non-union worker *ou* member ◆ **les non-syndiqués** non-unionized labour

◆ **non tarifaire** ADJ non-tariff ◆ **barrières non tarifaires** non-tariff barriers

◆ **non-valeur** NF *(Fin)* bad debt; *(Jur)* improductiveness; *(Bourse)* worthless security; *(Bourse de marchandises)* unmarketable *ou* unsaleable goods

◆ **non-vente** NF no sale.

new standards ✦ **satisfaire aux normes en vigueur** to meet current standards

―――― *compounds/composés* ――――

- ✦ **norme communautaire** EU norm
- ✦ **normes comptables** accounting standards
- ✦ **normes d'exécution** standards of performance
- ✦ **norme française** French (industrial) standard
- ✦ **normes de présentation** *(Compta)* disclosure standards
- ✦ **normes de prix de revient** cost standards
- ✦ **norme de production** production standard
- ✦ **norme de productivité** performance standard
- ✦ **norme publicitaire** advertising standard
- ✦ **norme de qualité** quality standard
- ✦ **normes de révision** auditing standards
- ✦ **normes de sécurité** safety standards
- ✦ **normes de vérification** auditing standards.

**Norvège** /nɔRvɛʒ/ **NF** Norway.

**norvégien, -ienne** /nɔRveʒjɛ̃, jɛn/ **ADJ** Norwegian
**NM** *(= langue)* Norwegian
**Norvégien** **NM** *(= habitant)* Norwegian
**Norvégienne** **NF** *(= habitante)* Norwegian.

**notable** /nɔtabl(ə)/ **ADJ** *amélioration* noticeable, significant, marked.

**notablement** /nɔtabləmɑ̃/ **ADV** notably, significantly, markedly.

**notaire** /nɔtɛR/ **NM** ≈ solicitor *(Brit)*, lawyer, notary (public) ✦ **frais de notaire** lawyer's fees ✦ **dresser par-devant notaire** to draw up before a lawyer *ou* a solicitor *(Brit)*.

**notarial, e,** **MPL** **-aux** /nɔtaRjal, o/ **ADJ** notarial.

**notarié, e** /nɔtaRje/ **ADJ** drawn up by a lawyer *ou* a solicitor *(Brit)* ✦ **acte notarié** notarial deed, instrument drawn by a solicitor.

**notation** /nɔtasjɔ̃/ **NF** *(évaluation)* rating, assessment ✦ **agence de notation** rating agency ✦ **notation AAA** triple A rating ✦ **notation du personnel** personnel evaluation *ou* rating, merit rating.

**note** /nɔt/ **NF** **a** *(= facture) [électricité]* bill, account; *[hôtel]* bill, check ✦ **régler la note** to pay *ou* settle the bill ✦ **préparer la note** to make out the bill ✦ **mettez-le sur ma note** put it *ou* charge it on my bill **b** *(= annotation)* note ✦ **prendre des notes** to take down notes ✦ **prendre qch en note** to note down *ou* jot down sth ✦ **prendre bonne note de** to take due note of ✦ **prendre note d'une commande** to book an order **c** *(= avis, notice)* note, memo, memorandum **d** *(évaluation)* mark ✦ **donner**

**une note à un employé** to grade *ou* rate en employee **e** *(fig, Mus)* note ✦ **être dans la note** to strike the right note ✦ **la séance a fini sur une note plus soutenue** *(Bourse)* trading ended on a brighter note, the tone was brighter at the close

―――― *compounds/composés* ――――

- ✦ **note d'avoir** credit note
- ✦ **note en bas de page** footnote
- ✦ **note de calibrage** measurement list
- ✦ **note de chargement** *(Mar)* shipping note
- ✦ **notes complémentaires** *(Compta)* notes to financial statements
- ✦ **note de couverture** *(Ass)* cover(ing) note, provisional policy
- ✦ **note de crédit** credit note
- ✦ **note de débit** debit note, debit memo *(US)*
- ✦ **note de détail** *(Douanes)* packing list
- ✦ **note d'expédition** dispatch note, consignment note
- ✦ **note de frais** expense account
- ✦ **note d'honoraires** billing, account
- ✦ **note d'information** *(gén)* memo; *(Bourse)* prospectus
- ✦ **note marginale** marginal note
- ✦ **note d'orientation** guidelines
- ✦ **note de service** memorandum.

**noter** /nɔte/ **VT** **a** *(= écrire) rendez-vous* to write down, note down ✦ **veuillez noter notre nouvelle adresse** please note our new address **b** *(= évaluer) employé* to grade ✦ **bien / mal noté** highly / poorly rated.

**notice** /nɔtis/ **NF** *(= feuillet)* sheet; *(= brochure)* leaflet, brochure; *(= manuel)* manual; *(Bourse)* prospectus

―――― *compounds/composés* ――――

- ✦ **notice d'entretien** service manual
- ✦ **notice explicative** directions for use
- ✦ **notice publicitaire** advertising brochure
- ✦ **notice technique** specification *ou* spec sheet.

**notificatif, -ive** /nɔtifikatif, iv/ **ADJ** notifying ✦ **lettre notificative** letter of notification.

**notification** /nɔtifikasjɔ̃/ **NF** notification, notice ✦ **recevoir notification de** to be notified of, receive notification of ✦ **notification d'opposition** caveat ✦ **notification de redressement** *(fiscal)* reassessment notice.

**notifier** /nɔtifje/ **VT** to notify ✦ **notifier qch à qn** to notify sb of sth, notify sth to sb ✦ **notifier une citation** *(Jur)* to serve a summons *ou* a writ *(à qn* (up)on sb)

**notionnel, -elle** /nɔsjɔnɛl/ **ADJ** **contrat notionnel** long-gilt contract
**NM** *(Bourse)* long-gilt.

**numéraire**

**notoriété** /nɔtɔʀjete/ **NF** (= *réputation*) fame ◆ notoriété de la marque (*Mktg*) brand awareness *ou* recognition ◆ **crédit sur notoriété** (*Fin*) unsecured credit.

**Nouakchott** /nuakʃɔt/ **N** Nouakchott.

**Nouméa** /numea/ **N** Nouméa.

**nouveau, nouvelle,** MPL -**x** /nuvo, nuvɛl/ **ADJ** new ◆ **nouveau venu** newcomer ◆ **les nouveaux arrivants sur le marché du travail** new entrants on the labour market ◆ **nouvelles activités** new business ◆ **nouvelle économie** new economy ◆ **nouvelle émission** (*Fin*) new issue ◆ **le Nouveau Marché** (*Bourse*) ≈ the Alternative Investment Market (*Brit*) ◆ **nouveaux médias** new media ◆ **les nouveaux pauvres** the new poor ◆ **les nouveaux pays industrialisés** the newly industrialized countries, the new industrial countries, the NIC's ◆ **nouvelles technologies** new technologies ◆ **une nouvelle progression des taux d'intérêts** a further rise in interest rates ◆ **jusqu'à nouvel avis** until further notice ◆ **report à nouveau** (*Compta* = *solde*) balance brought forward; (= *poste du bilan*) retained earnings ◆ **solde à nouveau** (*Compta*) balance carried forward.

**nouveauté** /nuvote/ **NF** (= *caractère*) change, novelty, innovation; (= *élément*) new element, addition ◆ **la dernière nouveauté** the latest thing *ou* fashion ◆ **les nouveautés du Salon de l'auto** the new models of the car show.

**nouvelle** /nuvɛl/ **NF** news ◆ **assurance sur bonnes ou mauvaises nouvelles** insurance "ship lost or not lost".

**Nouvelle-Calédonie** /nuvɛlkaledɔni/ **NF** New Caledonia.

**Nouvelle-Zélande** /nuvɛlzelãd(ə)/ **NF** New Zealand.

**novateur, -trice** /nɔvatœʀ, tʀis/ **ADJ** innovative, innovatory.

**novation** /nɔvasjɔ̃/ **NF** (*Jur*) novation *substitution of a new obligation to an old one* ◆ **novation de créance** substitution of debt.

**novembre** /nɔvãbʀ(ə)/ **NM** November → **septembre.**

**novotique** /nɔvɔtik/ **NF** new technology.

**noyau,** PL -**x** /nwajo/ **NM** ◆ **noyau dur** *ou* **stable** (*Fin*) [*actionnaires*] hard core (of stable shareholders), core shareholders *ou* investors ◆ **noyau d'acheteurs fidèles** (*Mktg*) hard-core loyalty.

**NPI** /ɛnpei/ **NMPL** (abrév de **nouveaux pays industriels**) NIC.

**N / Réf** (abrév de **notre référence**) our reference, our ref.

**NSP** abrév de **ne sais pas** (*dans les sondages*) don't know (*in opinion polls*).

**NU** (abrév de **Nations Unies**) UN.

**nu, nue** /ny/ **ADJ** ◆ **affrètement en coque nue** (*Mar*) bare boat charter ◆ **nu-propriétaire** (*Jur*) bare owner ◆ **nue-propriété** (*Jur*) bare ownership.

**nucléaire** /nykleɛʀ/ **ADJ** nuclear ◆ **centrale nucléaire** nuclear power station, nuclear plant ◆ **énergie nucléaire** nuclear energy *ou* power **NM** **le nucléaire** (= *technologie*) nuclear technology; (= *énergie*) nuclear power ◆ **le nucléaire couvre 20% de la consommation du pays** the nuclear industry provides 20% of the country's energy consumption.

**nuire** /nɥiʀ/ **VI** ◆ **nuire à** to damage, harm ◆ **ces arrêts de travail nuisent à notre image de marque** these work stoppages are detrimental *ou* prejudicial to our corporate image.

**nuisance** /nɥizãs/ **NF** pollution, nuisance ◆ **nuisances industrielles** industrial pollution.

**nuisible** /nɥizibl(ə)/ **ADJ** detrimental, harmful, prejudicial (*à* to)

**nuit** /nɥi/ **NF** night ◆ **coffre / travail / tarif de nuit** night safe / work / rate ◆ **équipe de nuit** nightshift, nightgang ◆ **être de nuit** to be on nightshift ◆ **prime de nuit** nightshift premium, night differential.

**nuitée** /nɥite/ **NF** bed-night ◆ **nuitée-affaires / -vacances** business / tourist bed-night.

**nul, nulle** /nyl/ **ADJ** résultat, risque nil; vote null and void ◆ **nul et non avenu** (*Jur*) null and void ◆ **veuillez considérer notre dernière commande comme nulle et non avenue** please consider our last order as cancelled ◆ **la non-observation de cette clause rend le contrat nul** the non-observance of this clause vitiates *ou* nullifies *ou* invalidates this contract ◆ **solde nul** nil balance.

**nullité** /nylite/ **NF** (*Jur*) nullity, invalidity ◆ **nullité de plein droit** nullity as of right ◆ **action en nullité** action for voidance of contract ◆ **cas de nullité** case of nullity ◆ **demande en nullité** plea in nullity ◆ **frapper une clause de nullité** to render a clause void ◆ **motif de nullité** nullifying motive ◆ **recours en nullité** action for avoidance.

**numéraire** /nymeʀɛʀ/ **ADJ** ◆ **espèces numéraires** legal currency ◆ **valeur numéraire** legal tender value, face value

**NM** specie, cash ◆ **actions de numéraire** cash shares ◆ **apport en numéraire** cash *ou* capital contribution ◆ **avance en numéraire** cash advance ◆ **caution en numéraire** security in cash ◆ **paiement** *ou* **versement en numéraire** cash payment, payment in specie.

**numérique** /nymeʀik/ **ADJ** *(gén, Fin)* numerical; *(Inf)* digital ◆ **calculateur / clavier numérique** digital computer / keyboard ◆ **analyse / classement numérique** numerical analysis / filing ◆ **données numériques** numerical data, figures ◆ **à commande numérique** numerically controlled.

**NM** **le numérique** digital technology

**numériquement** /nymeʀikmɑ̃/ **ADV** *(gén)* numerically; *(Inf)* digitally.

**numérisation** /nymeʀizasjɔ̃/ **NF** digitization.

**numériser** /nymeʀize/ **VT** to digitize.

**numériseur** /nymeʀizœʀ/ **NM** digitizer.

**numéro** /nymeʀo/ **NM** **a** *(gén)* number ◆ **numéro d'agence** *(Banque)* sort code ◆ **numéro d'appel/ de compte / de référence** phone / account / reference number ◆ **numéro de code** key-number; *[carte de crédit]* pin number ◆ **composer un numéro** *(Téléc)* to dial a number ◆ **vous pouvez me joindre au numéro suivant** you can reach me by calling the following number ◆ **numéro d'immatriculation** *(Aut)* registration *(Brit)* ou license *(US)* number; *(à la Sécurité sociale)* national insurance *ou* social security number ◆ **numéro d'appel gratuit, numéro de libre appel, numéro vert** toll-free number ◆ **numéro de lot** batch number ◆ **numéro d'ordre** serial number ◆ **numéro de série** serial number ◆ **le numéro un mondial de l'industrie automobile** the world leader *ou* number one in auto-making ◆ **le numéro un du marché** the dominant leader **b** *(Presse)* issue, number ◆ **dernier numéro** latest issue ◆ **numéros couplés** combined issues ◆ **numéro complémentaire** special issue.

**numérotage** /nymeʀotaʒ/ **NM** numbering.

**numérotation** /nymeʀotasjɔ̃/ **NF** numbering.

**numéroter** /nymeʀote/ **VT** to number.

**nuptialité** /nypsjalite/ **NF** ◆ **taux de nuptialité** marriage rate.

# O

**OACI** /oasei/ **NF** (abrév de **Organisation de l'aviation civile internationale**) ICAO.

**OAT** /oate/ **NF** abrév de **obligation assimilable du Trésor** → obligation.

**obérer** /ɔbeʀe/ **VT** to burden with debt ◆ **obérer les finances** to weigh heavily on the finances.

**objectif, -ive** /ɔbʒɛktif, iv/ **ADJ** analyse, compte rendu objective, unbiased

**NM** objective, purpose, target, goal ◆ **atteindre son objectif, tenir ses objectifs** to reach one's target ◆ **fixer un objectif** to set ou fix a target ◆ **nos ventes correspondent exactement aux objectifs** our sales are dead on target ◆ **nous avons fixé des objectifs ambitieux pour nos vendeurs** we've set ambitious goals for our salesmen ◆ **fixation d'objectifs** target setting, setting of objectives ◆ **conflit d'objectifs** conflict of targets ◆ **objectif à long / court terme** long / short term objective ◆ **direction par objectifs** management by objectives

**objet** /ɔbʒɛ/ **NM** **a** (= produit) object, article, item ◆ **objet de correspondance** (Poste) postal packet ◆ **objet de luxe** article of luxury, luxury article, de luxe article ◆ **objets de valeur** valuables ◆ **objets publicitaires** promotional articles ou items **b** (= sujet) [discussion, négociation, litige] subject ◆ **votre réclamation est sans objet** your claim is groundless ou unfounded ◆ **ce type de transaction fait l'objet d'une réglementation sévère** this type of transaction is strictly regulated ◆ **ces produits ne font l'objet d'aucune taxe** these products are duty-free ◆ **les titres de ce secteur ont fait l'objet de ventes massives** there was some heavy selling of the securities in this sector ◆ **les articles endommagés ne font pas l'objet de cette facture** the goods damaged are not included in this invoice **c** (= but) [enquête] objective, purpose, aim ◆ **remplir son objet** to achieve one's purpose ou objective, attain one's end ◆ **objet d'un contrat** purpose of a contract ◆ **objet social** aim of a company ◆ **la société a pour objet...** the object of the company is... ◆ **indiquer l'objet d'une lettre** to specify the purpose of the letter ◆ **objet: candidature** (sur une lettre) re: application ◆ **quel est l'objet de votre visite?** what is the purpose of your visit?

─── compounds/composés ───
- **objectif ciblé sur le marché** market-oriented objective
- **objectif ciblé sur le produit** product-oriented objective
- **objectif-consommateur** consumer-objective
- **objectif de croissance** growth target ◆ **revoir** ou **réviser les objectifs de croissance à la baisse / à la hausse** to revise one's growth targets upwards / downwards
- **objectif de dépenses** spending target
- **objectif de l'entreprise** corporate objective ou goal
- **objectif d'exploitation** operating target
- **objectif d'impact** impact objective
- **objectif opératoire** operating objective
- **objectif de prix** price target
- **objectif de production** production target ou objective
- **objectif de profit** profit goal
- **objectif de rendement** performance target
- **objectif stratégique** strategic objective
- **objectif tactique** tactical objective
- **objectif de vente** sales target.

**obligataire** /ɔbligatɛʀ/ **ADJ** **créancier obligataire** bond creditor ◆ **émission obligataire** bond issue ◆ **emprunt obligataire** bond ou debenture loan ◆ **intérêt obligataire** bond interest

♦ **marché obligataire** bond market ♦ **titre obligataire** bond, debenture (bond) *(Brit)* **NMF** debenture holder, bond holder.

**obligation** /ɔbligasjɔ̃/ **NF** **a** *(Fin)* bond, debenture ♦ **amortissement d'une obligation** bond amortization ♦ **certificat d'obligation** bond certificate ♦ **conversion d'obligations en actions** conversion of debentures into equity ♦ **émission d'obligations** bond float *ou* issue ♦ **porteur** *ou* **détenteur d'obligations** debenture holder, bondholder ♦ **capital-obligation** loan capital, debenture capital ♦ **remboursement d'obligations** redemption of bonds ♦ **rendement d'une obligation** bond yield ♦ **option sur obligation** bond option ♦ **appeler des obligations au remboursement** to call bonds for repayment ♦ **émettre des obligations** to issue *ou* float bonds ♦ **rembourser** *ou* **racheter** *ou* **amortir une obligation** to redeem a bond ♦ **ces obligations arrivent à échéance en 2020** / **ont un rendement de 12%** these bonds mature in 2020 / yield 12% ♦ **obligations à échéance restante de 18 mois** bonds with 18 months to return ♦ **euro-obligation** Euro-bond **b** *(= responsabilité)* obligation; *(= devoir)* duty; *(Jur)* obligation, bond, binding agreement ♦ **obligation alimentaire** maintenance obligation ♦ **obligation conjointe et solidaire** joint and several bond ♦ **obligation implicite / statutaire** implied / statutory obligation ♦ **obligations d'information** disclosure requirements ♦ **obligation légale / morale** *(Jur)* legal *ou* perfect / moral *ou* imperfect obligation ♦ **obligation légale de couverture** legal reserve requirements ♦ **obligations de service** service duties ♦ **obligation de rendre compte** accountability ♦ **sans obligation d'achat** with no *ou* without obligation to buy ♦ **c'est sans obligation de votre part** you're under no obligation ♦ **la loi fait obligation aux entreprises sidérurgiques de déclarer chaque mois les chiffres de leur production** steelmakers are legally compelled to disclose their production figures every month ♦ **droit des obligations** law of contract ♦ **s'acquitter d'une obligation** to meet *ou* fulfil an obligation ♦ **contracter une obligation** to contract an obligation, enter into a binding agreement ♦ **faire face à ses obligations financières** to meet one's liabilities *ou* financial commitments ♦ **se soustraire à ses obligations** to withdraw from one's obligations ▪ Voir encadré page ci-contre

**obligatoire** /ɔbligatwaʀ/ **ADJ** compulsory, obligatory, mandatory ♦ **assurance obligatoire** compulsory *ou* obligatory insurance ♦ **conditions obligatoires** requisites, requirements ♦ **contrat obligatoire** binding contract.

**obligé, e** /ɔbliʒe/ **ADJ** obliged ♦ **je vous serais très obligé de bien vouloir...** I should be greatly indebted *ou* obliged to you if you could... ♦ **être obligé envers un créancier** to be obliged *ou* indebted to a creditor ♦ **être obligé de faire qch** to be obliged *ou* obligated *ou* bound to do sth, be under an obligation to do sth ♦ **être obligé contractuellement** to be bound by agreement **NM,F** obligor, debtor.

**obligeance** /ɔbliʒɑ̃s/ **NF** ♦ **avoir l'obligeance de** to be kind enough to, be so kind as to, have the kindness to.

**obliger** /ɔbliʒe/ **VT** *(= contraindre)* to compel, oblige, force ♦ **on l'a obligé à démissionner** he was forced to resign ♦ **nous vous serions obligés de répondre dès que possible** we would appreciate a prompt reply, we would be grateful for a prompt reply ♦ **ce contrat nous oblige mutuellement** this contract is binding upon us both, this contract is mutually binding upon us.

**oblitération** /ɔbliteʀasjɔ̃/ **NF** *(Poste)* cancelling.

**oblitérer** /ɔbliteʀe/ **VT** *(Poste)* to cancel.

**OBSA** /ɔbɛɛsa/ **NF** abrév de **obligation à bons de souscription d'actions** → **obligation.**

**observation** /ɔpsɛʀvasjɔ̃/ **NF** **a** *(= remarque)* observation, remark ♦ **pour observation** *(sur un document)* for your comment ♦ **je n'ai aucune observation à formuler** I have no comments to make ♦ **pourriez-vous nous faire part de vos observations sur ce point?** we would like to have your observations on this matter **b** *[règlements]* observance.

**observatoire** /ɔpsɛʀvatwaʀ/ **NM** ♦ **observatoire économique** economic observatory.

**observer** /ɔpsɛʀve/ **VT** **a** *(= suivre)* instructions, règlement to observe, comply with, abide by, adhere to ♦ **nous avons scrupuleusement observé vos instructions** we strictly adhered to your directions ♦ **observer une clause** to comply with a clause ♦ **faire observer un règlement** to enforce a regulation **b** *(= remarquer)* to observe, notice ♦ **on a observé des pertes de 8% sur divers titres** 8% losses have been reported *ou* observed on various securities.

**obsolescence** /ɔpsɔlesɑ̃s/ **NF** obsolescence ♦ **obsolescence calculée** *ou* **programmée** built-in *ou* planned obsolescence.

**obsolescent, e** /ɔpsɔlesɑ̃, ɑ̃t/ **ADJ** obsolescent.

**obsolète** /ɔpsɔlɛt/ **ADJ** obsolete, outdated.

_____ compounds/composés _____

OBLIGATION

- ◆ **obligation amortie** bond due for payment
- ◆ **obligation amortissable** redeemable bond
- ◆ **obligation assimilable du Trésor** treasury bond
- ◆ **obligation bancaire** bank bond
- ◆ **obligation à bons de souscription d'actions** bond with subscription warrant
- ◆ **obligation cautionnée** guaranteed bond
- ◆ **obligation chirographaire** simple ou naked debenture
- ◆ **obligation conditionnelle** (Jur) conditional bond
- ◆ **obligation consolidée** consolidated bond
- ◆ **obligation de conversion** redemption bond
- ◆ **obligation convertible** convertible bond
  - ◆ **obligations convertibles** convertibles ◆ **obligation convertible en action** bond ou debenture convertible into equity
- ◆ **obligation convertible en action nouvelle ou existante** Océane bond, conversion bond (convertible into a new share or exchanged for an existing one)
- ◆ **obligations cotées en Bourse** listed bonds
- ◆ **obligation à coupons** coupon bond ◆ **obligation à coupon zéro** zero-coupon bond
- ◆ **obligation cumulative** accumulation bond
- ◆ **obligation sans date d'échéance** undated bond
- ◆ **obligation de deuxième rang** junior bond
- ◆ **obligation échangeable** convertible bond
- ◆ **obligation à échéance reportable** extendible ou extendable bond
- ◆ **obligation échue** matured bond
- ◆ **obligation endossée** assumed bond
- ◆ **obligation d'État** government ou state bond, tap stock (Brit)
- ◆ **obligation foncière** debenture secured on landed property
- ◆ **obligation fractionnée** split bond
- ◆ **obligation garantie** guaranty ou guaranteed ou secured bond
- ◆ **obligations à haut risque** junk bonds
- ◆ **obligation hypothécaire** mortgage bond
- ◆ **obligation indemnitaire ou d'indemnité** (par nationalisation) indemnity bond
- ◆ **obligation indexée** indexed bond
- ◆ **obligation à intérêts composés** compound interest bond
- ◆ **obligation à libération échelonnée** bond paid up by instalments
- ◆ **obligation à lots** lottery ou premium (Brit) ou prize bond

- ◆ **obligation à nominal décroissant** bond redeemable by instalments
- ◆ **obligation nominative** registered bond
- ◆ **obligation non amortissable** unredeemable bond
- ◆ **obligation non convertible** non-callable bond
- ◆ **obligation non garantie** unsecured ou unguaranteed bond
- ◆ **obligation non remboursable** irredeemable bond
- ◆ **obligation à ordre** order bond
- ◆ **obligation participante** profit-sharing bond
- ◆ **obligation au porteur** bearer debenture, coupon bond (US)
- ◆ **obligation de premier rang** senior bond, prior-lien debenture
- ◆ **obligation à prime** bond with redemption premium over par, premium bond
- ◆ **obligation privilégiée** priority bond
- ◆ **obligation prorogeable** deferrable bond
- ◆ **obligation remboursable** redeemable bond
  - ◆ **obligation remboursable à vue** callable bond
- ◆ **obligation renouvelable du Trésor** renewable treasury bond
- ◆ **obligation de résultat** [expert] performance bond
- ◆ **obligation à revenu fixe** fixed-yield debenture ou bond
- ◆ **obligation à revenu variable** variable-yield bond ou debenture, floating-rate bond
- ◆ **obligation du secteur privé** corporate bond
- ◆ **obligation sortie au tirage** drawn bond
- ◆ **obligation à la souche** unissued debenture ou bond
- ◆ **obligation de soumission** tender bond
- ◆ **obligation spéculative** junk bond
- ◆ **obligation à taux fixe** fixed-yield debenture ou bond
- ◆ **obligation à taux flottant** floating-rate bond ou note
- ◆ **obligation à taux glissant** rolling-rate bond ou note
- ◆ **obligation à taux progressif** deferred bond, graduate-interest debenture
- ◆ **obligation à taux révisable** index-linked bond
- ◆ **obligation à taux variable** variable-yield bond ou debenture, floating-rate bond
- ◆ **obligation à warrant** warrant bond, stock-purchase warrant
- ◆ **obligation zéro coupon** zero-coupon bond.

**obstacle** /ɔpstakl(ə)/ **NM** obstacle, hindrance, hurdle, impediment ◆ **faire obstacle à un projet** to hinder ou hamper ou thwart ou oppose a project ◆ **faire obstacle à l'expansion** to hamper economic growth ◆ **rencontrer un obstacle** to meet with difficulties.

**obtempérer** /ɔptɑ̃peʀe/ **VT INDIR** ◆ **obtempérer à** injonction to obey, comply with.

**obtenir** /ɔptəniʀ/ **VT** délai de paiement to obtain, get; contrat to obtain, secure; diplôme to get, be awarded ◆ **obtenir de l'avancement** to get promoted ✦ **obtenir un emploi** to get a job.

**obtention** /ɔptɑ̃sjɔ̃/ **NF** *[contrat]* securing, obtaining, gaining, getting ✦ **l'obtention du permis de construire est nécessaire avant le commencement des travaux** it is necessary to get *ou* obtain planning permission before starting the work ✦ **conditions d'obtention du prêt** terms of the loan.

**occasion** /ɔkazjɔ̃/ **NF** **a** *(= bonne affaire)* bargain ✦ **occasion unique** special bargain, groundfloor *ou* basement offer *(US)* **b** *(= article usagé)* secondhand buy *ou* goods ✦ **d'occasion** secondhand ✦ **le marché des voitures d'occasion** the secondhand *ou* used *(US)* car market ✦ **acheter qch d'occasion** to buy sth secondhand **c** *(= circonstance)* occasion, opportunity ✦ **sauter sur** *ou* **saisir l'occasion** to seize *ou* grab the opportunity ✦ **manquer une occasion** to miss an opportunity, pass up a chance *(US)* ✦ **il a laissé passer plusieurs occasions de faire une bonne affaire** he missed out on several good deals ✦ **profiter de l'occasion** to avail oneself of the opportunity ✦ **occasion d'investir** investment opportunities ✦ **si l'occasion se présente** should the opportunity arise **d** *(Mktg)* ✦ **occasions de voir** opportunities to see, OTS.

**occasionnel, -elle** /ɔkazjɔnɛl/ **ADJ** *main-d'œuvre, utilisateur* occasional, casual ✦ **opérations occasionnelles** occasional transactions.

**occasionnellement** /ɔkazjɔnɛlmɑ̃/ **ADV** from time to time, occasionally.

**occidental, e,** **MPL** **-aux** /ɔksidɑtal, o/ **ADJ** western ✦ **les pays occidentaux** Western countries, the Western world.

**occulte** /ɔkylt(ə)/ **ADJ** hidden, secret ✦ **fonds** *ou* **réserves occultes** slush funds, secret reserve ✦ **rémunérations occultes** undisclosed *ou* secret payments.

**occupant, e** /ɔkypɑ̃, ɑ̃t/ **NM,F** occupier, occupant ✦ **premier occupant** *(Jur)* first occupier, occupant ✦ **propriétaire occupant** owner occupier.

**occupation** /ɔkypasjɔ̃/ **NF** **a** *(Jur : [local])* occupancy, occupation ✦ **coefficient d'occupation** *(Aviat)* load factor ✦ **plan d'occupation des sols** zoning regulations *ou* ordinances *(US)*, land use plan *(Brit)* ✦ **taux d'occupation** occupancy ratio *ou* rate ✦ **grève avec occupation d'usine** sit-in (strike), sit-down strike **b** *(= travail)* occupation, job ✦ **occupation accessoire** *ou* **occasionnelle** *ou* **secondaire** side job ✦ **occupation principale** major occupation, main employment ✦ **très pris par ses occupations**

professionnelles very taken up with his professional activities.

**occupé, e** /ɔkype/ **ADJ** *personne* busy; *ligne téléphonique* engaged *(Brit)*, busy *(US)* ; *usine* occupied ✦ **tonalité occupée** engaged busy signal *(US)*.

**occuper** /ɔkype/ **VT** *temps, place* to occupy, take up; *emploi* to hold, occupy ✦ **les ordinateurs occupent trop de place** the computers take up too much room ✦ **les réunions occupent une trop grande part de mon temps** meetings take up *ou* absorb too much of my time ✦ **ils occupent une position dominante sur le marché** they hold a dominant position on the market ✦ **il occupe un poste clé dans l'entreprise** he has a key position in the firm ✦ **les grévistes ont occupé les bâtiments de l'usine** the strikers have occupied the factory buildings

**s'occuper de** **VPR** **a** *(= avoir la responsabilité de)* to be in charge of ✦ **il s'occupe du service marketing** he is in charge of the marketing department **b** *(= se charger de)* *problème* to deal with, take care of, handle; *client* to attend to ✦ **je vais m'en occuper** I'll take care of that ✦ **il s'occupera de nouer les contacts avec des firmes allemandes** he'll see about getting into touch with German firms.

**OCDE** /osede/ **NF** (abrév de **Organisation de coopération et de développement économique**) OECD.

**Océane** /ɔsean/ **NF** abrév de **obligation convertible en action nouvelle ou existante** → **obligation.**

**Océanie** /ɔseani/ **NF** Oceania.

**octal, e,** **MPL** **-aux** /[ɔktal, o/ **ADJ** octal.

**octet** /ɔktɛ/ **NM** byte.

**octobre** /ɔktɔbʀ(ə)/ **NM** October → **septembre.**

**octroi** /ɔktʀwa/ **NM** **a** *(= action)* granting ✦ **l'octroi de subventions aux agriculteurs européens** the granting of subsidies to European farmers **b** *(= taxe)* excise duties.

**octroyer** /ɔktʀwaje/ **VT** *crédit, subvention* to grant ✦ **octroyer un crédit** to grant a credit ✦ **octroyer un délai** to grant *ou* allow an extension of time ✦ **le groupe s'est octroyé 14% du marché** the group has taken 14% of the market.

**ODE** (abrév de **occasion d'entendre**) opportunity to hear, opportunity of exposure.

**ODV** (abrév de **occasion de voir**) OTS.

**OEA** /ɔea/ **NF** (abrév de **Organisation des États américains**) OAS.

**OECE** /oəseə/ **NF** (abrév de **Organisation européenne de coopération économique**) OEEC.

**œil**, PL **yeux** /œj, jø/ **NM** eye ✦ **à l'œil** * for nothing, for free ✦ **acheter les yeux fermés** to buy on trust *ou* in full confidence ✦ **signer les yeux fermés** to sign blind ✦ **coûter les yeux de la tête** to cost the earth ✦ **vérification des stocks à l'œil nu** eyeball control of stocks.

**OEM** /oəɛm/ **NM, ADJ** abrév de **Original Equipment Manufacturer** *(gén, Aut, Inf)* OEM.

**OENS** abrév de **offres d'emploi non satisfaites** → **offre.**

**OERS** /oəɛrɛs/ **NF** (abrév de **Organisation européenne de recherches spatiales**) ESRO.

**œuvre** /œvʀ(ə)/ **NF** (= *travail accompli*) work ✦ **œuvre de bienfaisance** charitable organization, charity, eleemosynary institutions *(US)* ✦ **gros œuvre** shell ✦ **maître d'œuvre** project manager ✦ **maîtrise d'œuvre** project managership ✦ **mettre en œuvre** *mesures* to implement; *plan* to implement, carry out; *moyens* to bring into play ✦ **mise en œuvre du plan d'austérité** implementation of the austerity plan.

**offensif, -ive** /ɔfɑsif, iv/ **ADJ** *stratégie* offensive ✦ **portefeuille offensif** *(Bourse)* offensive portfolio
**offensive** **NF** offensive ✦ **prendre l'offensive** to take the offensive.

**offert, e** /ɔfɛʀ, ɛʀt/ **ADJ** *(Bourse)* ✦ **cours offerts** prices offered, offer(ed) prices.

**office** /ɔfis/ **NM** **a** (= *charge*) office; (= *agence*) bureau, agency, office **b** **faire office de** to act as, serve as ✦ **il a fait office de secrétaire pour cette réunion** he acted as a secretary to the meeting ✦ **remplir son office** to do one's job **c** **Monsieur bons offices** ombudsman, mediator ✦ **offrir** *ou* **proposer ses bons offices** to offer to mediate, offer one's mediation *ou* one's services ✦ **grâce aux bons offices de** through the mediation of **d** **d'office** automatically, as a matter of course ✦ **membre d'office** *(Admin)* ex officio member ✦ **entraîner le renvoi d'office** to imply dismissal as a matter of course ✦ **être mis à la retraite d'office** to be automatically *ou* compulsorily retired, be pensioned off ✦ **cet abonnement est renouvelé d'office** this subscription is automatically renewed ✦ **expert commis** *ou* **nommé d'office** expert appointed by the court ✦ **imposition d'office** arbitrary *ou* official assessment ✦ **liquidation d'office** *(Bourse)* official closing ✦ **rachat d'office** official buying

──────── *compounds/composés* ────────
✦ **office des changes** exchange control agency, Foreign Exchange Office
✦ **office de compensation** clearing office
✦ **office de contrôle des prix** price-control office
✦ **office de justification de la diffusion des supports** ≈ Audit Bureau of Circulation
✦ **office de la main-d'œuvre** Labour Exchange, Labour Relations Board *(US)*
✦ **office ministériel** ministerial office
✦ **office de notaire** lawyer's office
✦ **office de la propriété industrielle** patent office
✦ **office de publicité** advertising agency
✦ **office du tourisme** tourist information centre, tourist office
✦ **office du travail** labour agency
✦ **office des vins** Wine Board.

**officialisation** /ɔfisjalizasjɔ̃/ **NF** officializing, officialization.

**officialiser** /ɔfisjalize/ **VT** to officialize, make *ou* render official ✦ **sa nomination a été officialisée il y a une semaine** his appointment was made official one week ago.

**officiel, -elle** /ɔfisjɛl/ **ADJ** *marché, cachet* official; *demande, ordre* formal ✦ **Journal officiel** ≈ London Gazette *(Brit)*, ≈ Federal Register *(US)* ✦ **sa nomination est parue au Journal officiel** his appointment has been gazetted ✦ **taux officiel d'escompte** minimum lending rate, prime rate *(US)* ✦ **taux officiel de change** official exchange rate ✦ **cote officielle** official list ✦ **cours officiel** official quotation *ou* price ✦ **rachat officiel** *(Bourse)* official buying in ✦ **à titre officiel** officially
**NMF** official.

**officiellement** /ɔfisjɛlmɑ̃/ **ADV** *(gén)* officially; *demander, ordonner* formally.

**officier** /ɔfisje/ **NM** (= *titulaire d'une charge*) officer ✦ **officier ministériel** member of the legal profession.

**officieusement** /ɔfisjøzmɑ̃/ **ADV** unofficially, off-the-record.

**officieux, -euse** /ɔfisjø, øz/ **ADJ** unofficial ✦ **à titre officieux** *(intervenir)* in an unofficial capacity, unofficially ✦ **déclaration officieuse** off-the-record statement ✦ **selon une source officieuse** reportedly, according to unofficial sources.

**officine** /ɔfisin/ **NF** **a** pharmacy **b** *(péj)* dubious firm ✦ **officine de prêt** loan store.

**offrant** /ɔfʀɑ̃/ **NM** *(Fin)* bidder ✦ **au plus offrant** to the highest bidder.

**offre** /ɔfʀ(ə)/ **NF**  **a**  (= *proposition*) offer, proposal ✦ **offre ferme / insuffisante / verbale** firm / insufficient / verbal offer ✦ **faire une offre** to make an offer ✦ **ils ont fait une offre plus intéressante** they made a better offer ✦ **cette offre est faite sous toutes réserves** this offer is made circumstances permitting ✦ **offre valable dans la limite des stocks disponibles** offer valid while stocks last ✦ **notre offre est toujours valable** our offer is still firm *ou* standing ✦ **profiter d'une offre** to take advantage of an offer ✦ **refuser** *ou* **rejeter une offre** to turn down *ou* reject an offer ✦ **ils ont rejeté nos offres de compromis** they turned down our overtures for a compromise  **b**  (*enchères, Bourse*) bid ✦ **première / dernière offre** opening *ou* original / closing *ou* last bid ✦ **personne n'a fait d'offre** there was no bidder ✦ **faire une offre élevée / peu élevée** to bid a high / low price ✦ **faire une offre de rachat des actions d'une entreprise** to bid for a company's stock ✦ **l'offre a été telle que le dollar est descendu à moins de 5 €** the dollar has bid down to below € 1  **c**  (*Écon*) supply ✦ **offre concurrentielle / excédentaire** competitive / excess supply ✦ **l'offre de travail** labour supply ✦ **l'offre globale du marché** aggregate market supply ✦ **théorie de l'offre** supply-side economics ✦ **l'offre et la demande** supply and demand  **d**  (*Admin* = *soumission*) tender ✦ **appel d'offres** invitation to tender *ou* bid (*US*) ✦ **faire un appel d'offres** to invite tenders, put sth out to tender ✦ **répondre à un appel d'offres** to make a tender *ou* put in a tender for sth ▪ Voir encadré ci-dessous

**offrir** /ɔfʀiʀ/ **VT**  **a**  (= *proposer*) *poste, argent, services* to offer ✦ **offrir sa démission** to hand in *ou* tender one's resignation ✦ **offrir ses bons offices** to offer one's mediation *ou* one's services ✦ **combien en offrez-vous?** how much will you offer for it? ✦ **offrir des marchandises à la vente** to offer goods for sale ✦ **offert par** (*Pub*) sponsored by  **b**  (= *présenter*) *avantages, inconvénients, garanties* to offer, present ✦ **ce candidat offre toutes les garanties de sérieux** there is every indication that this applicant is thoroughly reliable  **c**  (*Bourse*) ✦ **cours offerts** prices offered, offer(ed) prices ✦ **l'action est offerte à 500 contre 600** the shares were on offer at 500 against 600  **d**  (= *faire cadeau*) to give (*à qn* to sb), buy (*à qn* for sb), present (*à qn* to sb) ✦ **c'est pour offrir?** shall I gift-wrap it for you?

**s'offrir** **VPR** elle s'est offert un nouvel ordinateur she bought herself a new computer ✦ **il peut / il ne peut pas se l'offrir** he can / he can't afford it.

**offshore** /ɔfʃɔʀ/ **ADJ** (*Ind*) offshore ✦ **pétrole offshore** offshore oil ✦ **plate-forme offshore** offshore rig ✦ **unité de fabrication offshore** offshore manufacturing facility ✦ **fonds offshore** (*Bourse*) offshore funds.

**OGM** /ɔʒeɛm/ **NM** GMO.

**OHQ** /oʾaʃky/ **NM** abrév de **ouvrier hautement qualifié** → **ouvrier.**

**OIE** /oiə/ **NF** abrév de **Organisation internationale des employeurs** → **organisation.**

**oisif, -ive** /wazif, iv/ **ADJ** idle ✦ **capitaux oisifs** idle *ou* uninvested capital  **NM,F** (*Écon*) non-worker ✦ **les oisifs** those not in active employment.

**OIT** /oite/ **NF** (abrév de **Organisation internationale du travail**) ILO.

**oléoduc** /ɔleɔdyk/ **NM** oil pipeline.

**oligopole** /ɔligɔpɔl/ **NM** oligopoly.

─────────── *compounds/composés* ───────────

### OFFRE

- **offre d'actions nouvelles** initial public offering, initial offer for sale
- **offre de bienvenue** introductory offer
- **offre en cargaison** cargo offered
- **offre au comptant** cash bid
- **offre sans engagement** offer without commitment
- **offre d'emploi** vacancy, job offer ✦ **offres d'emploi** (*dans un journal*) situations vacant column, job ads ✦ **offres d'emploi non satisfaites** unfilled vacancies
- **offre d'essai** trial offer
- **offre groupée** [*logiciels*] bundle
- **offre de lancement** introductory offer
- **offre de main-d'œuvre** labour offering
- **offre de prix** price offer
- **offre à prix ferme** fixed price offering
- **offre publique d'achat** takeover bid, tender offer (*US*)
- **offre publique d'échange** public offer of exchange
- **offre publique de rachat (d'actions)** buyback offer
- **offre publique de retrait** squeeze out, withdrawal offer ✦ **offre publique de retrait obligatoire** compulsory buyout offer
- **offre publique de vente** public offer of sale
- **offre réduite** (*Bourse*) « short-supply »
- **offre de service** offer of service
- **offre signalée sur une étiquette** off-label deal
- **offre spéciale** special offer.

**oligopolistique** /ɔligɔpɔlistik/ **ADJ** oligopolistic.

**Oman** /ɔman/ **NM** Oman ✦ **le Sultanat d'Oman** the Sultanate of Oman.

**omanais, e** /[ɔmanɛ, ɛz/ **ADJ** Omani **Omanais, e** **NM, F** *(= habitant)* Omani.

**OMC** /oɛmse/ **NF** (abrév de **Organisation mondiale du commerce**) WTO.

**omettre** /ɔmɛtʀ(ə)/ **VT** *(gén)* to omit, leave out, miss out; *(par négligence)* to overlook ✦ **il a omis de faire sa déclaration d'impôts** he failed to file his return.

**omission** /ɔmisjɔ̃/ **NF** *(gén)* omission; *(par négligence)* oversight ✦ **ceci est dû à une omission de notre part** this is due to an oversight from our part ✦ **sauf erreur ou omission** errors and omissions excepted, E&OE.

**omnibus** /ɔmnibys/ **ADJ** ✦ **loi budgétaire omnibus** omnibus bill ✦ **règles omnibus** blanket rules.

**omnium** /ɔmnjɔm/ **NM** industrial *ou* commercial group, holding.

**OMPI** /oɛmpei/ **NF** (abrév de **Organisation mondiale de la propriété intellectuelle**) WIPO.

**OMS** /oɛmɛs/ **NF** (abrév de **Organisation mondiale de la santé**) WHO.

**OMT** /oɛmte/ **NF** abrév de **Organisation mondiale du tourisme** → **organisation.**

**once** /ɔ̃s/ **NF** ounce *(gén: 28,349 grammes; pour métaux précieux: 31,10 grammes)* ✦ **once d'or** ounce of gold.

**onéreux, -euse** /ɔneʀø, øz/ **ADJ** costly, expensive ✦ **à titre onéreux** against payment, for a consideration.

**ONG** /oɛnʒe/ **NF** (abrév de **Organisation non gouvernementale**) NGO.

**onshore** /ɔnʃɔʀ/ **ADJ** ✦ **pétrole onshore** onshore oil.

**ONU** /ony/ **NF** (abrév de **Organisation des Nations Unies**) UNO.

**onze** /ɔ̃z/ **ADJ, NM** eleven → **six.**

**onzième** /ɔ̃zjɛm/ **ADJ, NMF** eleventh → **sixième.**

**onzièmement** /ɔ̃zjɛmmɑ̃/ **ADV** in the eleventh place.

**OP** /ope/ **NM** (abrév de **ouvrier professionnel**) skilled worker.

**OPA** /opea/ **NF** (abrév de **offre publique d'achat**) takeover bid, tender offer *(US)* ✦ **lancer une OPA sur** *ou* **contre une société** to make a bid for a company, launch a takeover bid against a company ✦ **lancer une contre-OPA** to launch a

counter bid ✦ **OPA amicale / inamicale** friendly / hostile bid.

**opacité** /ɔpasite/ **NF** *[structures, organisation]* opaqueness.

**opaque** /ɔpak/ **ADJ** structures, organisation opaque.

**OPCVM** (abrév de **Organisme de placement collectif en valeurs mobilières**) UCITS.

**OPE** /opeə/ **NF** abrév de **offre publique d'échange** → **offre.**

**opéable** /opeabl(ə)/ **ADJ** raidable, which can be the object of a takeover.

**open-market** /ɔpɛnmaʀkɛt/ **NM** open-market ✦ **politique de l'open-market** open-market policy.

**OPEP** /opɛp/ **NF** (abrév de **Organisation des pays exportateurs de pétrole**) OPEC ✦ **les pays de l'OPEP** OPEC countries.

**opérateur, -trice** /ɔpeʀatœʀ, tʀis/ **NM,F** a *(Fin, Bourse)* dealer, trader, operator ✦ **opérateur à la baisse** bear ✦ **opérateur en Bourse** stock exchange trader *ou* dealer *ou* operator ✦ **opérateur de compensation** countertrader ✦ **opérateur sur graphiques** chartist ✦ **opérateur à la hausse** bull ✦ **opérateur à long / court terme** long- / short-term operator ✦ **opérateur monétaire** money market trader b *(Inf)* *(= machine)* operator; *(= personne)* operator ✦ **opérateur de saisie, opérateur pupitreur** keyboard operator, keyboarder c *(= entreprise)* operator, player ✦ **opérateur téléphonique / de transports** telephone / transport operator ✦ **le premier opérateur européen** Europe's leading player.

**opération** /ɔpeʀasjɔ̃/ **NF** a *(gén, Écon, Gestion, Inf)* operation; *(= transaction)* transaction, deal; *(= campagne)* campaign, drive; *(= processus)* process ✦ **opérations financières / commerciales** financial / commercial operations *ou* transactions *ou* deals ✦ **opération prix cassés** *ou* **écrasés** *ou* **sacrifiés** price-slashing campaign *ou* drive ✦ **opération promotionnelle** promotional campaign *ou* drive ✦ **opération portes ouvertes** open house ✦ **opération de sauvetage** rescue operation ✦ **opération d'édition** *(Inf)* edit operation ✦ **management** *ou* **gestion des opérations** operations management ✦ **l'opération de restructuration industrielle est bien entamée** the process of industrial structuring is well under way b *(Bourse)* transaction, trade, deal ✦ **opération à court / long terme** short / long term operation ✦ **opération à la hausse / à la baisse** bull / bear transaction ✦ **il**

y a eu un ralentissement des opérations en fin de semaine trading slackened at the end of the week ✦ **le nombre d'opérations** the number of trades *ou* transactions *ou* deals ✦ **salle d'opérations** dealing room

────── *compounds/composés* ──────

✦ **opération d'arbitrage** arbitration transaction
✦ **opération bancaire** *ou* **de banque** bank operation *ou* transaction ✦ **opérations bancaires grand public** retail banking
✦ **opération blanche** break-even transaction
✦ **opération de Bourse** *ou* **boursière** stockmarket transaction *ou* deal *ou* operation
✦ **opération de caisse** cash transaction
✦ **opération cambiste** exchange transaction
✦ **opération de change** foreign exchange operation
✦ **opération de change au comptant** exchange for spot delivery, spot exchange transaction
✦ **opération de change à terme** forward exchange deal *ou* transaction
✦ **opération à cheval** *(Bourse)* straddle
✦ **opération de compensation** compensation transaction
✦ **opération au comptant** *(Fin)* cash transaction; *(Bourse)* spot transaction
✦ **opération conditionnelle** conditional trade
✦ **opération conjointe** joint venture
✦ **opération de contrepartie** buy-back operation
✦ **opération de couverture** hedging ✦ **opération de couverture à terme** forward covering
✦ **opérations croisées** *(Bourse)* switch order
✦ **opération escargot** *(= grève)* go-slow strike
✦ **opération d'escompte** discount operation
✦ **opération en espèces** cash transaction
✦ **opération sur l'étranger** foreign *ou* external operation
✦ **opération ferme** firm trade
✦ **opération fictive** fictious operation
✦ **opération hors Bourse** off-board operation
✦ **opération immobilière** real estate transaction
✦ **opération intersociétés** intercompany transaction
✦ **opérations à option** option deals *ou* trades *ou* trading *ou* dealing
✦ **opération de prêt** loan transaction
✦ **opération à prime** option dealing *ou* trading
✦ **opération de réciprocité** reciprocity transaction
✦ **opération de restructuration** redeployment *ou* restructuring operation
✦ **opération à terme** *(Bourse)* forward transaction, dealing for the account; *(Bourse des marchandises)* future *ou* terminal *ou* forward transaction; *(Fin)* credit operation ✦ **opérations à terme sur produits de base** commodity futures.

**opérationnel, -elle** /ɔpeʀasjɔnɛl/ **ADJ** operational ✦ **efficacité opérationnelle** operational

efficiency ✦ **recherche opérationnelle** operation(s) *ou* operational research ✦ **résultat opérationnel** operating profits, earnings before interest and tax, EBIT ✦ **l'usine sera opérationnelle le mois prochain** the factory will come on stream *ou* will be in operation next month ■ **les opérationnels** line organization, line managers.

**opéré** /ɔpeʀe/ **NM** *(Bourse)* deal, execution ✦ **avis d'opéré** *[achat]* advice of purchase; *[vente]* advice of sale.

**opérer** /ɔpeʀe/ ■ *(= accomplir)* modification to carry out, implement; *enquête* to conduct, carry out; *choix* to make; *virement* to effect ✦ **le gouvernement opère un nouveau prélèvement sur les produits pétroliers** the government is levying new taxes on oil revenues
■ *(Bourse)* to operate ✦ **opérer pour son propre compte** to operate for one's own account ✦ **opérer à découvert** to take a short position, go short ✦ **ordre d'opérer** order
**s'opérer** **VPR** to be done, be effected ✦ **le paiement s'opère comme suit** payment is effected as follows.

**opinion** /ɔpinjɔ̃/ **NF** opinion ✦ **opinion publique** public opinion ✦ **sondage d'opinion** opinion survey *ou* probe *ou* poll ✦ **sans opinion** *(dans un sondage)* no opinion, don't know ✦ **leader d'opinion** *(Mktg)* opinion leader.

**opportun, e** /ɔpɔʀtœ̃, yn/ **ADJ** *décision* timely, opportune ✦ **nous prendrons les mesures qui nous sembleront opportunes** we will take such measures as seem called for.

**opportunisme** /ɔpɔʀtynism(ə)/ **NM** opportunism.

**opportuniste** /ɔpɔʀtynist(ə)/ **ADJ, NMF** opportunist.

**opportunité** /ɔpɔʀtynite/ **NF** *[décision]* timeliness, opportuneness ✦ **cela constitue une excellente opportunité d'achat** it makes an excellent buying opportunity ✦ **coût d'opportunité** *(Écon)* opportunity cost ✦ **étude d'opportunité** pilot *ou* preliminary study ✦ **les opportunités du marché** market opportunities.

**opposabilité** /ɔpozabilite/ **NF** *(Jur)* opposability.

**opposable** /ɔpozabl(ə)/ **ADJ** opposable (*à* to)

**opposer** /ɔpoze/ **VT** ✦ **opposer une exception** *(Jur)* to raise an objection in law.

**opposition** /ɔpozisjɔ̃/ **NF** opposition ✦ **faire opposition à** *chèque* to stop; *paiement* to stop, countermand; *(Jur)* *décision* to appeal against ✦ **opposition au paiement** stop payment order ✦ **mettre une opposition à la cote** *(Bourse)* to lodge objections to marks ✦ **mettre une oppo-**

sition sur des biens *(Jur)* to issue a writ of attachment against a property.

**OPR** /opeɛʀ/ abrév de **offre publique de retrait →
offre.**

**OPRA** /ɔpʀa/ abrév de **offre publique de rachat
d'actions → offre.**

**OPRO** /ɔpʀo/ abrév de **offre publique de retrait
obligatoire → offre.**

**optant** /ɔptɑ̃/ NM *(Fin)* taker of an option.

**opter** /ɔpte/ VI to opt *(pour* for) ✦ **si le contribuable opte pour le paiement par mensualités** if
the taxpayer elects to pay on a monthly basis.

**optimal, e** MPL, **-aux** /ɔptimal, o/ ADJ optimal,
optimum ✦ **rendement optimal** optimal yield
*ou* output.

**optimalisation** /ɔptimalizasjɔ̃/ NF optimization.

**optimaliser** /ɔptimalize/ VT to optimize.

**optimisation** /ɔptimizasjɔ̃/ NF optimization.

**optimiser** /ɔptimize/ VT to optimize.

**optimum** /ɔptimɔm/, PL **optimums** *ou* **optima**

ADJ optimum, optimal ✦ **rendement optimum**
optimal output ✦ **répartition optimum des
ressources** optimal resource allocation
NM optimum.

**option** /ɔpsjɔ̃/ NF a *(Fin)* option ✦ **lever une option** to take up an option ✦ **acheteur de
l'option** option buyer ✦ **donneur d'option** giver
of an option, option writer ✦ **vendeur de
l'option** option seller ✦ **double option** put and
call option ✦ **levée d'option** taking up of an
option ✦ **marché à options** option(s) market
✦ **opérations sur le marché à options** option
dealings *ou* trading ✦ **plan d'option sur actions**
stock option ✦ **prix de l'option** *(gén)* option
price *ou* premium; *(sur le marché à prime)*
premium price ✦ **prix d'exercice de l'option**
option striking price, option exercise price
✦ **contrat d'options sur indice** stock index
options contract, stock index futures contract
✦ **contrat de change à terme avec option de
date** option-dated forward exchange contract
b *(= choix)* option ✦ **à option** optional, elective
*(US)* ✦ **en option** on option ✦ **prendre une
option sur** to take an option on
c *(= accessoire)* optional feature ✦ **accessoires
en option** optional extras ✦ **l'écran couleur est
en option** the colour screen is available as an
optional extra ▪ Voir encadré ci-contre

**optionnaire** /ɔpsjɔnɛʀ/ NM *(Fin)* giver of an option, option writer.

**optionnel, -elle** /ɔpsjɔnɛl/ ADJ optional.

**optique** /ɔptik/ NF *(= perspective)* perspective;
*(= point de vue)* viewpoint; *(= approche)* approach ✦ **optique marketing** marketing approach
ADJ optical ✦ **crayon optique** light pen ✦ **disque
optique** optical disk ✦ **lecteur optique** *(dans un
supermarché)* scanner; *(Inf)* optical reader *ou*
scanner ✦ **lecture optique** optical scanning
✦ **mémoire optique** optical memory *ou* storage.

**OPV** /opeve/ NF abrév de **offre publique de vente →
offre.**

**or** /ɔʀ/ NM a gold ✦ **or en barres** *ou* **en lingots**
gold bullion ✦ **or fin** fine gold ✦ **or massif** solid
gold ✦ **or métal** metal gold ✦ **or noir** oil, black
gold ✦ **or papier** paper gold ✦ **emprunt or** gold
loan ✦ **encaisse or** gold holdings ✦ **étalon-or**
gold standard ✦ **convertibilité en or** gold convertibility ✦ **mines d'or** *(gén)* gold mines; *(actions)* gold shares ✦ **point d'or** gold point
✦ **point de sortie de l'or** export gold point
✦ **réserves d'or** gold reserves, gold cushion*
✦ **titre de l'or** fineness of gold b **il fait des
affaires d'or** he's running a gold mine, he's
raking it in ✦ **une affaire en or** *(= occasion)* a
real bargain, a wonderful deal; *(= entreprise)* a
gold mine ✦ **payer qch à prix d'or** to pay a
fortune for sth ✦ **on lui a offert un pont d'or**
he was offered a high salary, he was given a
golden hello*.

———— *compounds/composés* ————

- **option d'achat** option to buy, call (option)
  ✦ **option d'achat d'actions / d'obligations** stock /
  bond option ✦ **option d'achat vendue à découvert**
  naked option
- **option de change** currency *ou* foreign exchange option
- **option sur contrats à terme** futures option
- **option en dedans** in-the-money option
- **option par défaut** default option
- **option en dehors** out-of-the-money option
- **option sur devise** currency options
- **option du double** call of more, buyer's option
  to double
- **option fiscale** tax option
- **option liée** straddle
- **option négociable** traded option
- **option nue** naked option
- **option à parité** at-the-money option
- **option sur le physique** option on physicals
- **option simple** single option
- **options sur taux d'intérêt** interest rate option
- **option de vente** option to sell, put (option).

# ordinaire

**ordinaire** /ɔʀdinɛʀ/ **ADJ** ordinary ✦ **action ordinaire** ordinary share, common stock ✦ **assemblée générale ordinaire** ordinary general meeting.

**ordinateur** /ɔʀdinatœʀ/ **NM** computer ✦ **interroger l'ordinateur** to interrogate the computer ✦ **mettre sur ordinateur** to computerize, put into a computer ✦ **commandé / géré par ordinateur** computer-operated / -managed ✦ **conception / fabrication assistée par ordinateur** computer-assisted ou computer-aided design / manufacturing ✦ **traitement par ordinateur** computer processing ✦ **parc d'ordinateurs** computer population ✦ **programme d'ordinateur** computer programme ✦ **passage en ordinateur** computer run ✦ **salle des ordinateurs** computer room

─── compounds/composés ───
- ✦ **ordinateur analogique** analog computer
- ✦ **ordinateur de bord** trip computer
- ✦ **ordinateur de bureau** desk-top computer
- ✦ **ordinateur central** mainframe computer
- ✦ **ordinateur domestique** ou **familial** home computer
- ✦ **ordinateur de gestion** business computer
- ✦ **ordinateur individuel** ou **personnel** personal computer
- ✦ **ordinateur portable** lap-top ou portable computer
- ✦ **ordinateur satellite** remote ou satellite computer.

**ordinogramme** /ɔʀdinɔgʀam/ **NM** flow chart.

**ordonnance** /ɔʀdɔnɑ̃s/ **NF** [gouvernement] order, edict; [juge] (court) order, ruling ✦ **annuler une ordonnance** to quash an order ✦ **prendre** ou **rendre une ordonnance** to issue an order

─── compounds/composés ───
- ✦ **ordonnance d'application** decree of application
- ✦ **ordonnance de mise en accusation** arraignment
- ✦ **ordonnance de non-lieu** nonsuit
- ✦ **ordonnance de paiement** (Fin) authorization of payment
- ✦ **ordonnance de saisie** writ of execution; (sur un tiers) garnishee order ✦ **ordonnance de saisie conservatoire** cautionary judgment.

**ordonnancement** /ɔʀdɔnɑ̃smɑ̃/ **NM** (Admin) order to pay; (Ind) production scheduling ou planning ✦ **l'ordonnancement de votre traitement sera effectué sous peu** your salary will be paid in soon ✦ **service ordonnancement** (Ind) production control (department) ✦ **feuille d'ordonnancement** (Ind) scheduling sheet.

**ordonnancer** /ɔʀdɔnɑ̃se/ **VT** (Admin) to pass for payment; (Ind) to schedule, plan ✦ **ordonnancer une dépense** to authorize an expenditure.

**ordonnanceur** /ɔʀdɔnɑ̃sœʀ/ **NM** (Ind) scheduler.

**ordonnateur, -trice** /ɔʀdɔnatœʀ, tʀis/ **NM,F** (Fin) official entitled to order ou to authorize payment ✦ **service ordonnateur** payroll department.

**ordonner** /ɔʀdɔne/ **VT** (gén) to order; (Jur) to ordain, enact, decree ✦ **ordonner une enquête** to order an enquiry.

**ordre** /ɔʀdʀ(ə)/ **NM a** (Comm, Fin) order ✦ **à l'ordre de** payable to, to the order of ✦ **chèque à ordre** cheque to order ✦ **établir un chèque à l'ordre de** to make out a cheque to ✦ **payez à l'ordre de moi-même** pay self, pay to my own order ✦ **billet à ordre** promissory note, bill of exchange ✦ **compte d'ordre** suspense account ✦ **connaissement à ordre** B / L to order **b** (gén, Bourse = instruction) order ✦ **être sous les ordres de** to be under the orders of ✦ **exécuter un ordre** to fulfil ou execute an order ✦ **jusqu'à nouvel ordre** until further notice, till further orders ✦ **passer un ordre de Bourse** to put in an order **c** **ordre du jour** agenda ✦ **ordre du jour provisoire / définitif** provisional / approved agenda ✦ **dresser** ou **établir un ordre du jour** to draw up an agenda ✦ **figurer à l'ordre du jour** to feature on the agenda ✦ **mettre** ou **porter** ou **inscrire à l'ordre du jour** to put (down) on the agenda ✦ **l'ordre du jour étant épuisé** there being no other business ✦ **passer à l'ordre du jour** to proceed with the agenda ✦ **autres questions à l'ordre du jour** (en fin de liste) any other business ✦ **passons à l'ordre du jour** let us turn to the business of the day, let's proceed with the agenda **d** (= corporation) order, association ✦ **l'ordre des avocats** ≈ the Bar (Brit), ≈ the American Bar Association (US) ✦ **le Conseil de l'Ordre** the Bar Council **e** (= catégorie) ✦ **de premier / second ordre** first- / second-rate ✦ **obligation de premier ordre** prime bond ✦ **de l'ordre de** about ✦ **un chiffre de l'ordre de 8 millions** a figure in the region of ou of the order of 8 million ✦ **fixer un ordre de grandeur** to give a rough estimate ou a rough idea **f** (= classement) order ✦ **par ordre alphabétique** in alphabetical order ✦ **par ordre d'ancienneté** in order of seniority ✦ **numéro d'ordre** serial number ✦ **en ordre croissant / décroissant** in ascending / descending order

*compounds/composés*

---

ORDRE

- **ordre d'achat** buy(ing) order
- **ordre d'achat stop** stop order to buy, buy stop
- **ordre à appréciation** *(Bourse)* discretionary order
- **ordre au comptant** cash order
- **ordre conditionnel** conditional order
- **ordre à contrordre** order until further notice
- **ordre à cours limité** limit order
- **ordre au cours du marché** market order
- **ordre au dernier cours** closing price order
- **ordre environ** near order
- **ordre étranger** foreign order
- **ordre général** general order
- **ordre de grève** strike call ✦ **lancer un mot d'ordre de grève** to call a strike ✦ **annuler** *ou* **rapporter un mot d'ordre de grève** to call off a strike
- **ordre GTC** good till cancelled order
- **ordre GTM** good through month order
- **ordre hiérarchique** hierarchical order, pecking order
- **ordre jour** day order
- **ordre lié** contingent order
- **ordre limité** limited order
- **ordre au mieux** order at best
- **ordre ouvert** standing order
- **ordre permanent** standing order
- **ordre à plage de déclenchement** limited stop-loss order

- **ordre au premier cours** opening price order
- **ordre à prime** option order
- **ordre de priorité** order of priority, preferential order, order of precedence
- **ordre au prix du marché** market order
- **ordre de recette** collection order
- **ordre règlement immédiat** cash order
- **ordres répétés** repeat orders
- **ordre à révocation** good till cancelled order
- **ordre sur rompus de quotités** odd lot order
- **ordre scale up** scale up order
- **ordre scale down** scale down order
- **ordre à seuil de déclenchement** stop-loss order
- **ordre stop** stop (loss) order
- **ordre à terme** *(Bourse des valeurs)* order for the account *ou* for the settlement, forward order; *(Bourse de marchandises)* futures order, terminal order
- **ordre tout ou rien** all or none order
- **ordre à tout prix** best-price order
- **ordre de transfert permanent** standing order
- **ordre valable jusqu'à la fin du mois** good through month order
- **ordre de vente** sell *ou* selling order ✦ **ordre de vente stop** stop order to sell
- **ordre de virement** transfer order.

---

**organe** /ɔʀgan/ NM organ ✦ **organe officiel** official organ ✦ **organe permanent / gouvernemental** standing / government body ✦ **organe de presse** newspaper ✦ **organe de surveillance** watchdog *ou* supervisory committee.

**organigramme** /ɔʀganigʀam/ NM *[entreprise]* organization chart; *[production]* flow chart; *(Inf)* process chart, flow chart ✦ **organigramme d'exploitation** run chart ✦ **organigramme technique** work breakdown structure ✦ **établir un organigramme de production** to chart production.

**organique** /ɔʀganik/ ADJ ✦ **structure organique** organizational relationship.

**organisateur, -trice** /ɔʀganizatœʀ, tʀis/ ADJ organizing ✦ **comité organisateur** organizing committee ▮ NM,F organizer ✦ **organisateur conseil** management consultant ✦ **organisateur de voyages** tour operator.

**organisation** /ɔʀganizasjɔ̃/ NF organization ✦ **comité d'organisation** planning *ou* organizing committee ✦ **il est conseil en organisation** he is a management consultant ▪ Voir encadré page suivante

**organisationnel, -elle** /ɔʀganizɑsjɔnɛl/ ADJ organizational ✦ **comportement organisationnel** organizational behaviour.

**organiser** /ɔʀganize/ VT *réunion* to organize, arrange; *campagne publicitaire* to mount, organize, stage; *emploi du temps* to set up, organize ✦ **c'est du vol organisé** it's planned robbery *ou* swindle
**s'organiser** VPR to organize oneself ✦ **il est grand temps de nous organiser** it's high time we got organized.

**organiseur** /ɔʀganizœʀ/ NM (electronic) organizer.

**organisme** /ɔʀganism(ə)/ NM body, organization ✦ **organisme agréé / central / international** authorized / central / international body ✦ **l'organisme compétent** the department concerned

**orient** /ɔʀjɑ̃/ NM ✦ **l'Orient** the East ✦ **l'Extrême-Orient** the Far East ✦ **le Moyen-Orient** the Middle East ✦ **le Proche-Orient** the Near East.

**orientation** /ɔʀjɑ̃tasjɔ̃/ NF **a** *(= tendance)* *[demande]* trend, tendency ✦ **orientation baissière** *ou* **à la baisse** *(Bourse)* downward trend, downtrend, downturn ✦ **orientation haussière** *ou* **à**

───────── *compounds/composés* ─────────

### ORGANISATION

- **Organisation de l'aviation civile internationale** International Civil Aviation Organization
- **organisation de consommateurs** consumer association
- **Organisation de coopération et de développement économique** Organization for Economic Cooperation and Development
- **organisation des données** data organization
- **Organisation des États américains** Organization of American States
- **Organisation européenne de coopération économique** Organization for European Economic Cooperation
- **Organisation européenne de recherches spatiales** European Space Research Organization
- **organisation fonctionnelle** functional *ou* staff organization
- **organisation hiérarchique** line organization
- **organisation horizontale** functional *ou* staff organization
- **Organisation internationale des employeurs** *international employers' organization*
- **Organisation internationale du travail** International Labour Organization
- **organisation mixte** staff and line organization
- **Organisation mondiale du commerce** World Trade Organization
- **Organisation mondiale de la propriété intellectuelle** World Intellectual Property Organization
- **Organisation mondiale de la santé** World Health Organization
- **Organisation mondiale du tourisme** *world tourism organization*
- **Organisation des Nations Unies** United Nations Organization
- **organisation non gouvernementale** nongovernmental organization
- **organisation patronale** employers' association
- **Organisation des pays exportateurs de pétrole** Organization of Petroleum Exporting Countries
- **organisation de la production** production engineering
- **organisation professionnelle** trade organization
- **organisation scientifique du travail** scientific management, industrial engineering
- **organisation syndicale** labour union
- **Organisation des territoires de l'Asie du Sud-Est** South-East Asia Treaty Organization
- **Organisation du traité de l'Atlantique Nord** North Atlantic Treaty Organization
- **organisation du travail** work organization, job engineering
- **organisation verticale** line organization.

---

la hausse *(Bourse)* upward trend, uptrend, upturn **• orientation du marché** market trend *ou* orientation **• orientation des placements** investment orientation **• orientation des prix** price trend **• cela confirme la bonne orientation du titre** this confirms the share's good run **b orientation professionnelle** *(= carrière)* ca-reer, job; *(= conseil)* careers *ou* vocational guidance **• conseiller d'orientation professionnelle** vocational guide, careers adviser *(Brit)*, careers counselor *(US)* **• test d'orientation** placement test **c** *(= direction)* direction **• une nouvelle orientation du gouvernement en matière fiscale** a new trend in government tax policy **• les principales orientations de notre programme** the guidelines of our programme **• une nouvelle orientation de la stratégie** a shift in strategy.

**orienté, e** /ɔʀjɑ̃te/ **ADJ • entreprise orientée vers l'exportation** export-oriented company **• le marché est bien orienté** the market is on the up **• les pétrolières sont bien orientées** oil stocks are faring well **• marché orienté à la baisse / à la hausse** falling / rising market, market on a falling / rising trend **• les ventes sont orientées à la baisse** sales are on the downtrend, sales are trending down *ou* downwards.

───────── *compounds/composés* ─────────

- **organisme bancaire** banking institution
- **organisme de contrôle** supervisory body
- **organisme de crédit** credit institution
- **organisme financier** financial body
- **organisme de gestion** managing agency
- **organisme gouvernemental** government agency
- **organisme d'intervention** regulatory agency
- **organisme payeur** payroll department
- **organisme de placement collectif** unit trust
- **organisme de placement collectif en valeurs mobilières** undertaking for collective investment in transferable securities
- **organisme prêteur** lending institution, lender
- **organisme privé** private institution
- **organisme public** public corporation *(Brit)*, agency *(US)*
- **organisme de réglementation** regulatory agency
- **organisme de tutelle** supervisory body.

---

**orienter** /ɔʀjɑ̃te/ **VT** *visiteur* to direct, guide; *étudiant* to advise; *production, publicité* to direct, orient *(vers* to) **• orienter l'épargne vers de nouveaux secteurs** to rechannel savings toward new sectors

**s'orienter** [VPR] *(= évoluer)* to show a trend *(vers* towards) ♦ **le marché s'oriente à la hausse / à la baisse** the market shows an upward / downward tendency, the market is trending upward / downward *(US).*

**orienteur, -euse** /ɔʀjɑ̃tœʀ, øz/ **NM,F** ♦ **orienteur professionnel** vocational guide, careers adviser *(Brit),* careers counselor *(US).*

**original, e,** MPL **-aux** /ɔʀiʒinal, o/ [ADJ] original ♦ **facture originale** original invoice
[NM] *(gén)* original; *[document tapé]* top copy ♦ **original d'une facture** original of an invoice ♦ **apportez l'original de votre avis d'imposition** please bring the original of your tax slip.

**origine** /ɔʀiʒin/ **NF** origin ♦ **d'origine** *(sur un produit)* certified ♦ **adresse / capital / emballage / facture / pièce d'origine** original address / capital / packing / invoice / part ♦ **appellation d'origine** label of origin ♦ **banque d'origine** originating bank ♦ **bureau d'origine** originating office ♦ **certificat d'origine** certificate of origin ♦ **gare d'origine** forwarding station ♦ **marchandises d'origine** genuine article ♦ **pays d'origine** country of origin ♦ **être à l'origine d'un projet** to originate a project.

**ORSEC** /ɔʀsɛk/ **NF** abrév de **Organisation des secours** ♦ **plan ORSEC** *scheme set up to deal with major civil emergencies.*

**ORT** /ɔɛʀte/ **NF** abrév de **obligation renouvelable du Trésor** → **obligation.**

**OS** /oɛs/ **NM** abrév de **ouvrier spécialisé** → **ouvrier.**

**oscillant, e** /ɔsilɑ̃, ɑ̃t/ **ADJ** *cours* fluctuating.

**oscillation** /ɔsilasjɔ̃/ **NF** *[cours]* fluctuation ♦ **oscillations de forte amplitude** swings, seesawing.

**osciller** /ɔsile/ **VI** *(= fluctuer)* to fluctuate, seesaw ♦ **osciller autour de / entre** to hover around / between.

**Oslo** /ɔslo/ **N** Oslo.

**OST** /ɔɛste/ **NF** abrév de **organisation scientifique du travail** → **organisation.**

**OTAN** /ɔtɑ̃/ **NF** (abrév de **Organisation du traité de l'Atlantique Nord**) NATO.

**OTR** /ɔteɛʀ/ **NF** abrév de **obligation à taux révisable** → **obligation.**

**Ottawa** /ɔtawa/ **N** Ottawa.

**OTV** /ɔteve/ **NF** abrév de **obligation à taux variable** → **obligation.**

**ou** /u/ **NM** *(Bourse)* put, put option.

**Ouagadougou** /wagadugu/ **N** Ouagadougou.

**Ouganda** /ugɑ̃da/ **NM** Uganda.

**ougandais, e** /ugɑ̃dɛ, ɛz/ [ADJ] Ugandan
**Ougandais** [NM] *(= habitant)* Ugandan
**Ougandaise** [NF] *(= habitante)* Ugandan.

**ouguiya** /ugija/ **NM** ouguiya.

**Oulan-Bator** /ulanbatɔʀ/ **N** Ulan Bator.

**outil** /uti/ **NM** tool ♦ **outils de direction, outils de gestion** management tools ♦ **outils de production** production tools, plant ♦ **outils de promotion** promotion tools, promotools ♦ **outil de vente** sales tool, selling device ♦ **outil de travail** *(gén)* tool; *(= actif d'entreprise)* corporate assets ♦ **machine-outil** machine tool.

**outillage** /utijaʒ/ **NM** *[usine]* plant, equipment ♦ **atelier d'outillage** toolroom.

**outiller** /utije/ [VT] to equip, fit out
**s'outiller** [VPR] to tool up, to equip oneself with.

**outre-mer** /utʀəmɛʀ/ **ADV** overseas ♦ **pays d'outre-mer** overseas countries.

**ouvert, e** /uvɛʀ, ɛʀt(ə)/ [ADJ] open ♦ **nos bureaux sont ouverts de 9 heures à 12 heures le samedi** our offices are open from 9 to 12 (o'clock) on Saturdays ♦ **la souscription sera ouverte le 15 mai** applications will be received on May 15th ♦ **la campagne sera ouverte le ...** the campaign will start on ... ♦ **ouvert à toute proposition** open to any offer ♦ **ouvert toute l'année** open all the year round ♦ **la succession est ouverte** *(Jur)* the estate is being settled ♦ **compte ouvert** open account ♦ **crédit ouvert** open credit ♦ **opération portes ouvertes** open house ♦ **position ouverte** open position; *(marché des changes)* open interest; *(Bourse de marchandises)* open contract ♦ **port ouvert** free port ♦ **police ouverte** *(Ass)* open *ou* floating policy ♦ **question ouverte** *(Mktg)* open-ended question.

**ouverture** /uvɛʀtyʀ/ **NF** *[compte, enquête, négociations]* opening; *[frontières, débouchés]* opening up; *[magasin]* opening; *(pour la première fois)* opening ceremony ♦ **demande d'ouverture de compte** application to open an account ♦ **formulaire d'ouverture de compte** account-opening form ♦ **capital / écriture / stock d'ouverture** opening capital / entry / stock ♦ **faire des ouvertures à qn** to make overtures to sb ♦ **faire une ouverture** *(Comm)* to make a tentative offer ♦ **après cotisations, l'ouverture des droits à prestations sociales est automatique** contributions automatically give entitlement to welfare benefits ♦ **heures d'ouverture** business hours, opening hours, office hours

◆ **ouverture des guichets** business hours ◆ **dès l'ouverture de la saison** as soon as the season opens ◆ **cours d'ouverture** *(Bourse)* opening price ◆ **séance d'ouverture** inaugural meeting ◆ **ouverture de crédit** credit line ◆ **ouverture de la faillite** starting of bankruptcy ◆ **ouverture des plis** *[appel d'offres]* opening of sealed tenders.

**ouvrable** /uvʀabl(ə)/ **ADJ** ◆ **jour ouvrable** working day, business day *(US)* ◆ **heures ouvrables** business *ou* office hours.

**ouvrage** /uvʀaʒ/ **NM** work ◆ **ouvrage de référence** reference work ◆ **louage d'ouvrage** *(Jur)* work contract ◆ **maître d'ouvrage** *(Constr)* owner.

**ouvré, e** /uvʀe/ **ADJ** ◆ **jour ouvré** day of work ◆ **jours ouvrés** days worked ◆ **produit ouvré** finished product.

**ouvrier, -ière** /uvʀije, ijɛʀ/ **ADJ** agitation ouvrière industrial *ou* labour unrest ◆ **assurance ouvrière** industrial insurance ◆ **classe ouvrière** working class ◆ **conflits ouvriers** labour disputes ◆ **législation ouvrière** labour laws ◆ **mouvement ouvrier** labour movement ◆ **participation ouvrière** worker participation ◆ **syndicat ouvrier** (trade) union, labour union
**NM** *(gén)* worker ◆ **il a envoyé 3 ouvriers** he sent 3 workmen ◆ **ouvrier à façon** jobber ◆ **ouvrier agricole** farm worker *ou* hand *ou* labourer ◆ **ouvrier du bâtiment** construction *ou* building worker, hard hat\* *(US)* ◆ **ouvrier à la journée** day-labourer ◆ **ouvrier métallurgiste** metal worker ◆ **ouvrier aux pièces** piece worker ◆ **ouvrier professionnel** skilled worker ◆ **ouvrier qualifié** skilled worker ◆ **ouvrier**

hautement qualifié highly skilled worker ◆ **ouvrier non qualifié** unskilled worker, labourer ◆ **ouvrier spécialisé** unskilled *ou* semi-skilled worker ◆ **ouvrier d'usine** factory worker *ou* hand
**ouvrière** **NF** female *ou* woman worker ◆ **ouvrière d'usine** female factory hand.

**ouvrir** /uvʀiʀ/ **VT** *(gén)* to open; *frontières* to open up; *succursale* to open up, start up, set up; *débat* to start ◆ **côté à ouvrir** *(sur un carton)* open this side, open here ◆ **ouvrir la faillite** to open bankruptcy proceedings ◆ **ouvrir des négociations** to open talks, set negotiations on foot ◆ **ouvrir un compte en banque** to open a bank account, open an account with a bank ◆ **ouvrir un crédit** to open a credit line ◆ **ouvrir droit à prestations sociales** to give entitlement to welfare benefits ◆ **ouvrir une succession** to apply for probate ◆ **ouvrir un pays au commerce international** to open up a country to international trade
**VI** to open, be open ◆ **nos bureaux ouvrent jusqu'à 16 heures** our office is open till 4 p.m. ◆ **ouvrir en baisse / en hausse** *(Bourse)* to open down / up ◆ **les valeurs aurifères ont ouvert ferme** gold shares opened firm ◆ **le marché obligataire a ouvert en légère baisse** the bondmarket opened a shade easier
**s'ouvrir** **VPR** *[négociations]* to start; *[succursale]* to be set up *ou* opened; *[débouché]* to open up.

**ouzbek** /uzbɛk/ **ADJ** Uzbek
**NM** *(= langue)* Uzbek
**Ouzbek** **NMF** *(= habitant)* Uzbek.

**Ouzbékistan** /uzbekistɑ̃/ **NM** Uzbekistan.

**oxygène** /ɔksiʒɛn/ **NM** *(Fin : pour l'économie)* ◆ **ballon d'oxygène** shot in the arm.

# P

**p.** abrév de **page.**

**PA** abrév de **petites annonces.**

**pa'anga** /paɑ̃ga/ NM pa'anga.

**PAC** /pak/ NF (abrév de **politique agricole commune**) CAP.

**pacotille** /pakɔtij/ NF rubbish, junk*, shoddy goods ◆ **c'est de la pacotille** it's junk *ou* rubbish ◆ **articles de pacotille** cheap *ou* rubbishy articles.

**pacte** /pakt(ə)/ NM *(= traité)* pact, treaty; *(= contract)* contract, agreement ◆ **pacte d'actionnaires** shareholders' pact ◆ **pacte social** social compact *ou* contract ◆ **pacte pour l'emploi** job-creation scheme.

**pactole** /paktɔl/ NM gold mine.

**PAF** /paf/ ◨ (abrév de **police de l'air et des frontières**) border police
◨ abrév de **participation aux frais** → **participation.**

**page** /paʒ/ NF page ◆ **les pages jaunes** *(Téléc)* the yellow pages.

**paie** /pɛ/ NF **a** *(= salaire)* pay, salary, wages, pay packet ◆ **bulletin** *ou* **feuille** *ou* **fiche de paie** payslip ◆ **jour de paie** pay day ◆ **toucher sa paie** to be paid, get one's wages ◆ **avoir une bonne paie** to be well paid, get a good salary **b** *(Admin)* payroll ◆ **gestion de la paie** payroll management ◆ **livre de paie** payroll ◆ **grand livre de paie** payroll ledger ◆ **journal de (la) paie** payroll journal.

**paiement** /pɛmɑ̃/ NM payment ◆ **paiement effectif / électronique / unique** actual / electronic / single payment ◆ **veuillez trouver notre chèque en paiement de votre facture du 15 juin** please find enclosed our cheque in payment *ou* in settlement of your invoice of June 15th ◆ **contre paiement de** on payment of ◆ **anticiper / échelonner le paiement de qch** to pay sth in advance / by *ou* in instalments ◆ **effectuer** *ou* **faire un paiement** to make a payment ◆ **présenter un effet au paiement** to present a bill for payment ◆ **attestation de paiement** proof of payment ◆ **autorisation de paiement** payment authorization ◆ **balance des paiements** balance of payments ◆ **capacité de paiement** payment capacity ◆ **cessation de paiements** suspension of payments ◆ **être en cessation de paiements** to be bankrupt ◆ **conditions de paiement** *(gén)* terms of payment; *(crédit)* credit terms ◆ **tout défaut de paiement entraînera la résiliation du contrat** (any) failure to pay *ou* any default will lead to the cancellation of the contract ◆ **le délai de paiement a été fixé au 15 octobre** the payment date *ou* the due date for payment has been set for October 15th ◆ **accorder un délai de paiement** to grant a postponement of the payment due date ◆ **obtenir un délai de paiement** to obtain an extension of time for payment ◆ **avec facilités de paiement** on easy terms, by easy payment, with credit facilities ◆ **instrument de paiement** payment instrument,, nstrument of payment ◆ **modalités de paiement** terms of payment ◆ **mode** *ou* **moyen de paiement** means of payment ◆ **opposition au paiement** stop payment order ◆ **ordre de paiement** order to pay ◆ **refus de paiement** refusal to pay

─── compounds/composés ───

◆ **paiement anticipé** *ou* **par anticipation** *ou* **d'avance** advance payment, prepayment
◆ **paiement par chèque** payment by cheque

◆ **paiement à la commande** payment *ou* cash with order
◆ **paiement comptant** cash *ou* down payment
◆ **paiement en compte courant** payment on open account
◆ **paiement contre vérification** reverse-charge call *(Brit)*, collect call *(US)*
◆ **paiements courants** current payments
◆ **paiement à crédit** credit payment
◆ **paiement différé** deferred payment
◆ **paiement différentiel** deficiency payment
◆ **paiement contre documents** payment against documents
◆ **paiement à l'échéance** payment at maturity
◆ **paiement échelonné** payment by *ou* in instalments
◆ **paiement en espèces** payment in cash
◆ **paiement forfaitaire** lump-sum payment
◆ **paiement fractionné** payment by *ou* in instalments
◆ **paiement intégral** full payment *ou* settlement
◆ **paiement libératoire** payment in full discharge, final payment
◆ **paiement en liquide** payment in cash
◆ **paiement à la livraison** cash on delivery
◆ **paiement en numéraire** money payment
◆ **paiement en nature** payment in kind
◆ **paiement partiel** part payment
◆ **paiement au rendement** payment by results
◆ **paiement sous réserve** payment under reserve
◆ **paiement en souffrance** payment overdue
◆ **paiement à tempérament** payment by instalments, time payment.

**pair, e** /pɛʀ/ **NM** **a** *(Fin, Bourse)* par, par of exchange ◆ **pair commercial** commercial par ◆ **pair au change, pair intrinsèque** *ou* **métallique** mint par ◆ **au pair** at par ◆ **remboursable au pair** repayable at par ◆ **émettre au pair** to issue at par ◆ **émission au pair** issue at par ◆ **valeur au pair** value at par, par value ◆ **être au-dessus / au-dessous du pair** to be above / below par ◆ **émettre des valeurs au-dessus / au-dessous du pair** to issue stock above par *ou* at a premium / below par *ou* at a discount **b** *(= personne)* peer. **ADJ** *jour, chiffre* even.

**Pakistan** /pakistɑ̃/ **NM** Pakistan.

**pakistanais, e** /pakistanɛ, ɛz/ **ADJ** Pakistani **Pakistanais** **NM** *(= habitant)* Pakistani **Pakistanaise** **NF** *(= habitante)* Pakistani.

**palais** /palɛ/ **NM** palace ◆ **palais de justice** law courts ◆ **le Palais Brongniart** the Paris Stock Exchange.

**palan** /palɑ̃/ **NM** hoist ◆ **livraison sous palan** delivery under ship's tackle.

**palette** /palɛt/ **NF** **a** *[marchandises]* pallet **b** *(= choix)* range ◆ **offrir toute une palette de produits financiers** to offer a whole range of financial products.

**palettisation** /paletizasjɔ̃/ **NF** *[marchandises]* palletization.

**palettiser** /paletize/ **VT** *marchandises* to palletize.

**palier** /palje/ **NM** *(= phase)* stage, level ◆ **atteindre un palier** *[chômage]* to (reach a) plateau; *[ventes]* to level off ◆ **augmenter la production par paliers** to increase production in stages ◆ **palier de hausse / baisse** *(Bourse)* support / resistance level.

**palmarès** /palmaʀɛs/ **NM** *[cadre d'entreprise]* track record ◆ **au palmarès des meilleures entreprises exportatrices** among the top exporting companies ◆ **établir un palmarès des meilleures valeurs** to draw up a league table of securities.

**palme** /palm(ə)/ **NF** *(= prix)* prize ◆ **remporter la palme** to win the prize.

**pan** /pɑ̃/ **NM** *(= secteur)* sector ◆ **des pans entiers de l'économie** whole sectors of the economy.

**panacée** /panase/ **NF** panacea ◆ **il n'y a pas de panacée contre l'inflation** there's no panacea *ou* no one fix against inflation.

**Panama** /panama/ **N** *(= pays)* Panama; *(= capitale)* Panama City.

**panaméen, -enne** /panameɛ̃, ɛn/ **ADJ** Panamanian **Panaméen** **NM** *(= habitant)* Panamanian **Panaméenne** **NF** *(= habitante)* Panamanian.

**pancarte** /pɑ̃kaʀt(ə)/ **NF** sign.

**panel** /panɛl/ **NM** panel, sample group ◆ **panel de consommateurs / détaillants / distributeurs** consumer / retailer / dealer *ou* distributor panel.

**panéliste** /panelist(ə)/ **NMF** panelist, panel member.

**panier** /panje/ **NM** basket ◆ **le panier de la ménagère** the housewife's shopping *ou* market *(US)* basket

─────── *compounds/composés* ───────
◆ **panier moyen** average buying behaviour
◆ **panier de devises** *ou* **de monnaies** basket of currencies
◆ **panier de présentation** display bin
◆ **panier à provisions** shopping basket
◆ **panier de rayonnage** dump bin
◆ **panier à la sortie** checkout display bin
◆ **panier vrac** dump bin.

**panne** /pan/ NF (gén) breakdown; (Tech) failure ✦ **panne d'ordinateur** computer failure ✦ **la machine est tombée en panne** the machine has broken down ✦ **en panne** out of order ✦ **temps de panne** down time ✦ **temps moyen jusqu'à la panne** mean time to failure ✦ **temps moyen entre deux pannes** mean time between faults ✦ **notre campagne publicitaire est en panne** our advertising campaign has come to a halt.

**panneau,** PL **-x** /pano/ NM (= pancarte) sign ✦ **panneau d'affichage** (gén) display board, notice board (Brit), bulletin board (US) ; (Pub) hoarding (Brit), billboard (US) ✦ **panneau publicitaire, panneau-réclame** advertisement hoarding (Brit), billboard (US).

**panonceau,** PL **-x** /panɔso/ NM sign.

**pantouflard** /pɑ̃tuflaʀ/ NM (Admin) senior civil servant who goes over to the private sector as a manager.

**pantoufler** /pɑ̃tufle/ VI (Admin) to go over to work in the private sector.

**PAO** /peao/ NF (abrév de **publication assistée par ordinateur**) DTP.

**PAP** /pap/ NM abrév de **prêt pour l'accession à la propriété** → **prêt**.

**paperasse** /papʀas/ NF paper ✦ **toute cette paperasse** (gén) all these papers; (= formulaires) all these forms; (= travail à faire) all this paperwork.

**paperasserie** /papʀasʀi/ NF (= papiers) papers; (= formulaires) forms; (= travail à faire) paperwork; (= excès de formalités administratives) red tape, admin*.

**paperassier, -ière** /papʀasje, jɛʀ/ **NM,F** penpusher **ADJ** administration tied up in red tape.

**papeterie** /papetʀi/ NF (= articles de bureau) stationery.

**papier** /papje/ NM **a** (gén) paper ✦ **feuille de papier** sheet ou piece of paper ✦ **faire une demande sur papier libre** to apply on unstamped ou plain paper ✦ **avance-papier** paper feed ✦ **saut de papier** paper slew ou throw **b** (Fin) paper, bill ✦ **ils n'ont pas honoré notre papier** they didn't honour our paper ou bill ou draft **c** **papiers** (= documents) papers, documents; (= formulaires) forms ✦ **puis-je voir vos papiers (d'identité)?** may I see your (identity) papers?, may I see your ID? (US)

**Papouasie-Nouvelle-Guinée** /papwazinuvɛlgine/ NF Papua New Guinea.

_____ compounds/composés _____

PAPIER

- **papier bancable** bankable paper
- **papiers de bord** (Mar) ship's papers
- **papier cadeau** wrapping paper
- **papier-calque** tracing paper
- **papier carbone** carbon paper
- **papier de cavalerie** accommodation bill
- **papier commerciable** negotiable paper
- **papier commercial** (trade) bill, commercial paper
- **papier de complaisance** accommodation bill
- **papier de consommation** (Fin) consumer credit paper
- **papier en continu** (Inf) continuous stationery
- **papier court** ou **à courte échéance** (Fin) short(-dated) bill ou paper
- **papier déplacé** bill payable outside the local area
- **papier à échéance** dated bill ou paper
- **papier d'emballage** wrapping paper
- **papier à en-tête** (gén) headed notepaper; (Comm) letterhead
- **papier escomptable** discountable bill ou paper
- **papier sur l'étranger** foreign bill ou paper
- **papiers d'expédition** (Mar) clearance papers
- **papier fait** guaranteed bill ou paper, backed bill

- **papier financier** discountable credit note, financial paper
- **papier fournisseur** bill discounted by the drawee
- **papier de haut commerce** prime trade bill, first-class paper
- **papier hors banque** prime trade bill
- **papiers d'industrie** industrial securities
- **papier sur l'intérieur** inland bill ou paper
- **papier kraft** kraft paper
- **papier à lettres** notepaper, writing paper
- **papier long** ou **à longue échéance** long(-dated) bill ou paper
- **papier machine** typing paper
- **papier millimétré** graph paper
- **papier-monnaie** paper money ou currency
- **papier mort** unstamped paper
- **papier négociable** negotiable paper
- **papier non bancable** unbankable paper
- **papier à ordre** bill to order
- **papier sur place** local bill ou paper
- **papier au porteur** bill to bearer
- **papier de premier ordre** prime trade bill, first-class paper
- **papier timbré** stamped paper
- **papier à vue** sight ou demand bill.

**paquet** /pakɛ/ NM a *(Poste)* parcel, package ◆ **par paquet postal** by parcel post ◆ **paquet chargé** insured parcel ◆ **paquet recommandé** registered parcel *ou* package b *(Comm = emballage)* packet, pack *(US)* ◆ **paquet économique** economy-size packet *ou* pack ◆ **paquet géant** giant *ou* bonus pack c *(Téléc, Inf)* packet ◆ **transmission par paquets** packet transmission ◆ **commutation de paquets** packet switching ◆ **mettre en paquets** to packetize d *(Bourse)* ◆ **paquet d'actions** block of shares.

**paradis** /paradi/ NM ◆ **paradis fiscal** tax haven.

**parafe** /paraf/ NM ≈ paraphe.

**parafer** /parafe/ VT ≈ parapher.

**parafiscal, e,** MPL **-aux** /parafiskal, o/ ADJ ◆ **taxe parafiscale** special tax *(levied for a specific purpose)*.

**parafiscalité** /parafiskalite/ NF special taxes *(levied for a specific purpose)*.

**Paraguay** /paragwɛ/ NM Paraguay.

**paraguayen, -enne** /paragwajɛ̃, jɛn/ ADJ Paraguayan
    **Paraguayen** NM *(= habitant)* Paraguayan
    **Paraguayenne** NF *(= habitante)* Paraguayan.

**parallèle** /paralɛl/ ADJ parallel ◆ **circuits parallèles de distribution** parallel distribution channels ◆ **importations parallèles** parallel imports ◆ **marché parallèle** unofficial market ◆ **économie parallèle** black *ou* underground economy ◆ **port parallèle** *(Inf)* parallel port ◆ **traitement en parallèle** parallel processing.

**paralyser** /paralize/ VT *(gén, Écon)* to paralyze.

**Paramaribo** /paramaribo/ N Paramaribo.

**paramétrage** /parametraʒ/ NM parameterization.

**paramètre** /parametʀ(ə)/ NM parameter ◆ **paramètres statistiques** statistical parameters.

**paramétrer** /parametre/ VT to parametrize.

**paramétrique** /parametrik/ ADJ parametric.

**paraphe** /paraf/ NM *(= signature abrégée)* initials ◆ **mettre son paraphe au bas de chaque page** to initial each page.

**parapher** /parafe/ VT to initial.

**parapublic, -ique** /parapyblik/ ADJ parapublic, partly state-owned.

**parc** /park/ NM *(= lieu)* park; *(= stock)* stock ◆ **parc d'activités** business park ◆ **parc automobile** *[pays]* (total) number of cars on the road; *[firm]* car fleet ◆ **parc industriel** industrial park ◆ **parc de machines / d'ordinateurs** machine / computer population, total number of machines / computers ◆ **le parc locatif** the rental housing stock.

**parcellisation** /parselizasjɔ̃/ NF ◆ **parcellisation du travail** division of labour into separate tasks.

**parcelliser** /parselize/ VT *travail* to break up into separate tasks.

**pare-feu, parefeu** /parfø/ NM *(Inf)* (mur) **pare(-)feu** firewall.

**parental, e,** MPL **-aux** /parɑ̃tal, o/ ADJ ◆ **congé parental** parental leave.

**pari** /pari/ NM bet ◆ **l'investisseur peut tenter le pari sur cette valeur** investors can take a gamble on this stock.

**Paris** /pari/ N Paris.

**paritaire** /pariteR/ ADJ ◆ **commission paritaire** *(gén)* joint committee; *(Ind)* labour-management committee ◆ **négociations paritaires** labour-management talks *ou* negotiations ◆ **gestion paritaire** joint management *(by workers and owners)* ◆ **représentation paritaire** equal representation ◆ **réunion paritaire** labour-management meeting.

**parité** /parite/ NF a *(gén)* parity; *[monnaie]* parity, par rate of exchange ◆ **parité du change** exchange parity, parity of exchange, par rate of exchange ◆ **change à (la) parité** exchange at parity ◆ **parité de conversion** conversion price ◆ **parités à crémaillère** crawling peg exchange rates ◆ **parités croisées** cross rates of exchange ◆ **parité directe** direct parity ◆ **parité fixe** fixed parity *ou* exchange rate ◆ **parité flexible** *ou* **flottante** floating parity *ou* exchange rate ◆ **parité glissante** *ou* **rampante** sliding parity, crawling peg ◆ **parité or** gold parity ◆ **parité des revenus** income parity ◆ **parité des salaires** equality of wages ◆ **parité des prix / revenus / pouvoirs d'achat** price / income / purchasing power parity ◆ **parité de taux d'intérêt** interest parity ◆ **alignement de parité** parity adjustment ◆ **échelle de parité** parity scale ◆ **rapport de parité** parity ratio *ou* relationship ◆ **table des parités** table of parities *ou* of par values, parity table b *(Inf)* parity ◆ **bit / contrôle de parité** parity bit / check.

**parquet** /parkɛ/ NM a *(Bourse)* ◆ **le parquet** *(= lieu)* the (trading *ou* dealing) floor; *(= intervenants)* stockbrokers, the stock exchange *ou* market b *(Jur)* public prosecutor's office ◆ **déposer une plainte au parquet** to lodge a complaint with the public prosecutor.

**parrain** /parɛ̃/ NM *[entreprise]* sponsor; *[fondation]* patron.

**parrainage** /paʀɛnaʒ/ NM *[entreprise]* sponsorship; *[fondation]* patronage.

**parrainer** /paʀene/ VT *entreprise* to sponsor; *fondation* to patronize.

**part.** abrév de **particulier.**

**part** /paʀ/ NF a *(gén, Fin)* share ✦ **prendre une part d'un risque** *(Ass)* to write a line ✦ **partenaire à part entière** full partner ✦ **elle a une part dans l'affaire** she has an interest in the business ✦ **nous détenons une part du capital de cette société** we hold part of *ou* a share of that company's capital ✦ **résultat net, part du groupe** net attributable profit ✦ **chacun veut sa part du gâteau** everyone wants a slice of the cake ✦ **porteur de part** shareholder b **à part** *(= séparément) vendre* separately; *(= en supplément)* extra ✦ **emballage à part** packing extra

---
*compounds/composés*
- **part d'apport** vendor's share
- **part d'association** partnership share
- **part d'associé** partner's share
- **part d'audience** *(Pub)* share of audience
- **part bénéficiaire** founder's share
- **part civile** ✦ **les codébiteurs doivent effectuer le paiement de la dette par part civile** *(Banque)* the joint debtors must repay their share of the debt
- **part de fondateur** founder's share
- **part d'intérêt** (partner's *ou* partnership) share
- **part de marché** market share ✦ **se tailler une part de marché** to carve out a share of the market for o.s. ✦ **part de marché de la concurrence / de la marque** competitive / brand share
- **part patronale** employer's contribution
- **part salariale** workers' contribution
- **part sociale** (partner's *ou* partnership) share
- **part de syndicat, part syndicataire** underwriter's share.
---

**partage** /paʀtaʒ/ NM a *(= division)* division; *(= distribution)* distribution; *(= utilisation en commun)* sharing ✦ **partage des bénéfices** distribution of profits ✦ **partage du travail / temps** work / time sharing ✦ **partage de données** *(Inf)* data sharing b *(Jur) [succession, bien en copropriété]* partition, division ✦ **partage amiable** amicable partition ✦ **partage judiciaire** partition by court order ✦ **partage de succession** *ou* **successoral** estate distribution.

**partager** /paʀtaʒe/ VT a *(= diviser)* to divide up; *(= distribuer)* to share out, distribute; *(= utiliser en commun)* to share *(avec* with) ✦ **partager les bénéfices** to distribute the profits ✦ **partager un risque** *(Ass)* to write a line b *(Inf)* ✦ **le terminal travaille en temps partagé** the terminal works on a time sharing basis ✦ **exploitation** *ou* **travail en temps partagé** time sharing

✦ **système en temps partagé** time sharing system ✦ **ordinateur à temps partagé** time sharing computer.

**partance** /paʀtɑ̃s/ NF ✦ **cargaison en partance** outward freight ✦ **navire en partance** outward bound ship ✦ **navire en partance pour New York** ship sailing *ou* bound for New York ✦ **bâtiments en partance** list of sailings ✦ **train en partance** train due *ou* about to leave ✦ **train en partance pour Barcelone** train for Barcelona.

**partenaire** /paʀtənɛʀ/ NMF partner ✦ **partenaire commercial / financier** trading / financial partner ✦ **les partenaires sociaux** labour and management.

**partenariat** /paʀtənaʀja/ NM partnership ✦ **partenariat ouvrier** worker participation ✦ **en partenariat avec** in partnership with, partnered by.

**participant, e** /paʀtisipɑ̃, ɑ̃t/ ADJ participating ✦ **action / obligation participante** participating share / bond ✦ **banque participante** participating bank

NM,F *[réunion]* participant, attendee ✦ **participant aux bénéfices** person having a share in the profits.

**participatif, -ive** /paʀtisipatif, iv/ ADJ ✦ **gestion participative** participative management ✦ **prêt participatif** *loan entitling the bank to an interest in the company* ✦ **titre participatif** *non-voting share (in a public sector company).*

**participation** /paʀtisipasjɔ̃/ NF a *(= contribution)* participation ✦ **votre participation à la réunion est nécessaire** your presence at the meeting is necessary, you must take part in the meeting, you must attend the meeting ✦ **participation aux frais: 50 euros** cost *ou* contribution: 50 euros ✦ **la participation de l'État à ce projet est souhaitable** the involvement *ou* the participation of the state in this project is desirable ✦ **verser une participation** to contribute in part to the costs b *(= partage)* ✦ **police d'assurance avec participation aux bénéfices** with profits policy, participating policy ✦ **participation des salariés aux bénéfices** employee profit sharing ✦ **participation des employés à la gestion** worker participation ✦ **participation aux plus-values d'actif** employee profit sharing scheme *(involving the distribution of free shares)* ✦ **obligation avec participation aux bénéfices** participating bond ✦ **action avec privilège de participation** participating share ✦ **dividendes de participation** participation dividends c *(= part du capital)* interest, holding, stake ✦ **prendre une partici-**

pation majoritaire dans une société to acquire a majority *ou* controlling interest *ou* stake in a company ◆ **prise de participation** acquisition ◆ **nous avons une participation de 30% dans cette société** we have a 30% interest *ou* stake *ou* holding in this company ◆ **nous cédons nos participations dans ce secteur** we are disposing *ou* selling off our investments *ou* holdings in this sector ◆ **ils prendront une participation d'au moins 51% dans le capital** they will pick up at least 51% of the equity ◆ **participation bancaire** acquisition of an interest by a bank ◆ **participations croisées** cross holdings, reciprocal shareholding ◆ **participation minoritaire** minority interest *ou* holding ◆ **société** *ou* **entreprise en participation** joint venture company ◆ **compte de participation** participation account ◆ **(titres de) participations** *(dans le bilan)* investments *(in other companies).*

**participer** /paʀtisipe/ **VT INDIR** ◆ **participer à** *réunion* to attend; *projet, gestion* to participate in, be involved in ◆ **les produits agricoles participent pour 30% aux exportations françaises** agricultural produce makes up *ou* accounts for 30% of French exports ◆ **participer aux frais** to share in *ou* contribute to the cost, pay one's share of the cost ◆ **participer aux bénéfices** to share in the profits, have a share *ou* an interest in the profits.

**particulier, -ière** /paʀtikylje, jɛʀ/ **ADJ** *compte, secrétaire, voiture* private; *(Ass)* *conditions* specific ◆ **avaries particulières** particular average ◆ **investisseurs particuliers** individual investors ◆ **à titre particulier** in a private capacity **NM** *(Admin, Comm)* private individual *ou* person ◆ **comptes des particuliers** personal accounts ◆ **vente de particulier à particulier** private sale.

**partie** /paʀti/ **NF** **a** *(= sphère d'activité)* branch, line of business ◆ **ce n'est pas ma partie** that's not my line ◆ **il est dans la partie commerciale** he's in the sales branch *ou* field **b** *(Jur)* party ◆ **les parties** *(dans un procès)* the parties, the litigants ◆ **la partie adverse** the opposing party ◆ **la partie comparante** the appearer ◆ **les parties contractantes** the contracting parties ◆ **les parties intéressées** the interested parties, the parties involved *ou* concerned ◆ **la partie lésée** the injured party ◆ **les parties signataires** those signing, the signatories **c** *(Compta)* ◆ **comptabilité en partie double / simple** double / single entry bookkeeping **d** *(Transports)* ◆ **partie de chargement** part load **e** *(Fin)* ◆ **partie prenante** creditor, payee, recipient ◆ **être partie prenante dans une négociation** *(fig)* to be a party to a negotiation.

**partiel, -ielle** /paʀsjɛl/ **ADJ** partial ◆ **acceptation partielle** partial *ou* qualified acceptance ◆ **affrètement partiel** part cargo charter ◆ **chargement partiel** part load ◆ **chômage partiel** short-time working ◆ **mettre qn au chômage partiel** to put sb on short time ◆ **expédition partielle** part shipment ◆ **équilibre partiel** *(Écon)* partial equilibrium ◆ **livraison partielle** part delivery *ou* order ◆ **paiement partiel** part payment ◆ **perte partielle, sinistre partiel** *(Ass)* partial loss ◆ **effectuer des retraits partiels de son PEA** to make partial withdrawals from one's personal equity plan ◆ **travail à temps partiel** part-time work ◆ **travailler à temps partiel** to work part-time ◆ **travailleur à temps partiel** part-time worker, part-timer.

**partiellement** /paʀsjɛlmɑ̃/ **ADV** partially, partly ◆ **actions partiellement libérées** partly paid (up) shares.

**partir** /paʀtiʀ/ **VI** ◆ **à partir de** from ◆ **à partir du 1ᵉʳ août** (as) from August 1st, from August 1st on ◆ **le magasin est ouvert à partir de 10 heures** the store is open from 10 o'clock on(wards) ◆ **à partir d'aujourd'hui** from today (onwards) ◆ **à partir de 100 euros** from 100 euros (up).

**pas** /pa/ **NM** ◆ **pas de porte** *(Jur)* ≈ key money ◆ **pas (d'incrémentation)** *(Inf)* step, increment ◆ **les ventes marquent le pas** sales are sluggish.

**passage** /pɑsaʒ/ **NM** **a** *(gén)* ◆ **après le passage de votre technicien** after your technician's visit *ou* call ◆ **clientèle de passage** casual *ou* passing customers, passing trade ◆ **nous n'avons que la clientèle de passage** we have only the passing trade *ou* the chance customer ◆ **le passage à l'euro** the switchover to the euro **b** *(Bourse)* put-through.

**passant, e** /pɑsɑ̃, ɑ̃t/ **ADJ** *rue* busy.

**passation** /pɑsasjɔ̃/ **NF** *[commande]* placing; *[écriture comptable]* entry, posting; *[contrat, accord]* signing; *[ordre de Bourse]* transmission ◆ **passation en charges** *(gén)* charge off; *(d'un actif qui a perdu de sa valeur)* write off ◆ **passation par pertes et profits** write off ◆ **passation de pouvoir** handover.

**passavant** /pɑsavɑ̃/ **NM** *(Douanes)* transire, carnet, transit bill.

**passe** /pɑs/ **NF** *(Compta)* ◆ **passe de caisse** allowance for cashier's errors ◆ **être dans une mauvaise passe** to be going through a bad patch.

**passer** /pɑse/ **VT** **a** *(gén, Comm)* *commande* to

place; *petite annonce* to run, place, insert; *écriture comptable* to enter, post; *contrat* to sign; *accord* to sign, reach, come to; *ordre de Bourse* to transmit, give ◆ **ils nous ont passé une commande importante** they placed an important order with us ◆ **ils ont passé une commande de 300 unités** they ordered 300 units from us, they placed an order for 300 units with us ◆ **passer écriture conforme** to reciprocate an entry ◆ **passer une somme au crédit / débit d'un compte** to credit / debit an account with a sum ◆ **passer une dépense en charges** to charge off an expense ◆ **passer un élément d'actif en charges** to write off an asset ◆ **passer qch par pertes et profits** to write sth off **b** *(Douanes)* ◆ **passer la douane** to go through customs, clear customs ◆ **passer des marchandises à la douane** to carry *ou* take goods through customs ◆ **passer des marchandises en fraude** to smuggle goods in *ou* out **c** *test, examen* to take ◆ **passer une visite médicale** to have a medical (examination) **d** *(Téléc)* ◆ **passez-moi M. Gibert s'il vous plaît** could you put me through to Mr Gibert?, could I have Mr Gibert please? ◆ **pourriez-vous me passer le poste 258?** could you give me *ou* put me through to extension 258 please? ◆ **je vous passe M. Gibert** (= *je vous connecte*) I'm putting you through to Mr Gibert; (= *je lui donne le récepteur*) here's Mr Gibert **VI** **notre représentant passera chez vous 3 fois par an** our sales representative will call 3 times a year *ou* will visit you 3 times a year ◆ **l'affaire passera demain** *(Jur)* the case will be heard tomorrow ◆ **passer à l'ordre du jour** to proceed with the agenda ◆ **l'inflation est passée de 5 à 6%** inflation rose from 5 to 6% ◆ **le chômage est passé de 11% à 9.5%** unemployment fell from 11% to 9.5% ◆ **elle est passée directeur commercial** she has been promoted *ou* appointed sales manager ◆ **les actions privilégiées passent avant les actions ordinaires** preference shares rank before ordinary shares.

**passible** /pasibl(ə)/ ADJ ◆ **passible de** *amende, droits* liable to ◆ **personne passible d'un impôt** person liable for a tax ◆ **les dividendes sont passibles de l'impôt sur le revenu** dividends are liable to income tax ◆ **marchandises passibles de droits** dutiable goods, goods liable to duty.

**passif, -ive** /pasif, iv/ **ADJ** passive ◆ **balance commerciale passive** unfavourable *ou* adverse balance of trade ◆ **dettes passives** *(Compta)* accounts payable ◆ **solde passif** debit balance **NM** *(Fin)* liabilities, claims and liabilities *(Brit)* ◆ **l'actif et le passif** assets and liabilities ◆ **inscrire** *ou* **mettre** *ou* **porter qch au passif** to

enter sth on the liabilities side ◆ **un élément de passif** a liability ◆ **compte de passif** liability account

——— *compounds/composés* ———
- **passif circulant** current liabilities, short-term debt
- **passif comptable** book liabilities
- **passif à court terme** current liabilities, short-term debt
- **passif éventuel** contingent liabilities
- **passif exigible (à court terme)** current liabilities, short-term debt
- **passif externe** (external) liabilities
- **passif interne** equity, claims *(Brit)*
- **passif à long terme** long-term liabilities
- **passif monétaire** monetary liabilities
- **passif reporté** deferred liabilities
- **passif social** company's liabilities.

**patentable** /patɑ̃tabl(ə)/ ADJ *(Comm) subject to a trading licence ou to trading dues.*

**patente** /patɑ̃t/ NF **a** *(Comm)* trading licence *ou* dues *ou* tax, occupational tax, franchise tax *(US)* ◆ **payer patente** to be duly licensed **b** *(Mar)* ◆ **patente (de santé)** bill of health ◆ **patente nette** clean bill of health ◆ **patente suspecte** foul *ou* suspected bill of health.

**patenté, e** /patɑ̃te/ ADJ *(Comm) licensed.*

**patenter** /patɑ̃te/ VT *(Comm)* to license.

**paternalisme** /patɛʀnalism(ə)/ NM paternalism.

**paternaliste** /patɛʀnalist(ə)/ ADJ paternalistic.

**patrimoine** /patʀimwan/ NM *[entreprise]* assets; *[individu]* property, estate, personal fortune ◆ **notre patrimoine national** our national heritage ◆ **patrimoine fiduciaire** trust estate ◆ **patrimoine social** asset ◆ **ils ont un patrimoine immobilier** they have real estate assets.

**patrimonial, e**, MPL **-aux** /patʀimɔnjal, o/ ADJ patrimonial ◆ **actifs patrimoniaux** net estate ◆ **diagnostic patrimonial** estate *ou* asset planning ◆ **gestion / situation patrimoniale** asset management / situation ◆ **investissements patrimoniaux** investments for one's own account.

**patron** /patʀɔ̃/ NM (= *propriétaire*) owner, boss* ; (= *directeur*) head, boss* ; (= *employeur*) employer, boss* ◆ **le patron de l'entreprise** the owner of the company ◆ **les patrons** (= *les chefs d'entreprise*) the employers bosses* ◆ **le patron des patrons** the head of the French Employers' Federation ◆ **qui est votre patron?** who's your boss? ◆ **le patron du service** the department head.

**patronage** /patʀɔnaʒ/ **NM** *(Comm)* sponsorship
◆ **sous le patronage de** under the sponsorship
of.

**patronal, e** **MPL**, **-aux** /patʀɔnal, o/ **ADJ**
◆ **cotisation** *ou* **part patronale** employer's contribution ◆ **déclaration patronale** employer's
return ◆ **responsabilité patronale** employer's
liability ◆ **organisation patronale** employers'
association ◆ **syndicat patronal** employers'
union *ou* association, bosses' union ◆ **côté
patronal on estime que...** employers *ou* business leaders believe that...

**patronat** /patʀɔna/ **NM** ◆ **le patronat** the employers, the employers' federation ◆ **la Confédération nationale du patronat français** the
French Employers' Federation ◆ **le patronat et
le salariat** business and labour ◆ **le patronat et
les syndicats** bosses and unions.

**patronner** /patʀɔne/ **VT** to sponsor.

**pause** /poz/ **NF** *(dans le travail)* break ◆ **pause-café**
coffee break ◆ **pause fiscale** tax standstill
◆ **pause salariale** wage standstill ◆ **pause estivale** summer break ◆ **la montée du chômage
marque une pause** unemployment has levelled
off.

**pavé** /pave/ **NM** ◆ **pavé publicitaire** large *ou*
prominent advertisement.

**pavillon** /pavijɔ̃/ **NM** **a** *[foire, exposition]* (exhibition) hall **b** *(Mar)* flag ◆ **battant pavillon britannique** under (the) British flag ◆ **pavillon de
complaisance** flag of convenience ◆ **pavillon
d'une compagnie maritime** house flag.

**payable** /pɛjabl(ə)/ **ADJ** payable ◆ **le poste de
télévision est payable en 5 mensualités** the
television set can be paid for in 5 instalments
◆ **effet payable au 1er août** bill payable *ou* due
on August 1st ◆ **effet payable à 60 jours** bill
payable at 60 days' date ◆ **effet payable à 3
jours de vue** bill payable 3 days after
sight ▪ Voir encadré ci-contre

**payant, e** /pɛjɑ̃, ɑ̃t/ **ADJ** **a** *personne* who pays;
*place, billet* which must be paid for
**b** *(= profitable)* profitable ◆ **c'est une activité
payante** it's a profitable activity ◆ **notre campagne s'est avérée payante** our campaign
finally paid off.

**paye** /pɛj/ **NF** = **paie**.

**payement** /pɛjmɑ̃/ **NM** = **paiement**.

**payer** /pɛje/ **VT** **a** *somme, prix, frais, supplément,
loyer* to pay; *facture* to pay, settle ◆ **payer 1 000
euros à qn** to pay sb 1,000 euros ◆ **combien
avez-vous payé?** how much did you pay?
◆ **payer les impôts** to pay tax ◆ **payer des**
**intérêts sur un prêt** to pay interest on a loan
◆ **payer la note** to pay *ou* settle the bill ◆ **payer
en nature / par chèque / en espèces** *ou* **en
liquide / en numéraire** to pay in kind / by
cheque / in cash / in specie ◆ **payer d'avance**
*ou* **par anticipation** to pay in advance ◆ **payé
d'avance** prepaid ◆ **payer à la commande** to
pay cash with order ◆ **payer comptant** to pay
cash (down) ◆ **payer à l'échéance** to pay at
maturity *ou* when due ◆ **payer par intervention** to pay for honour ◆ **payer à la livraison** to
pay on delivery ◆ **payer de la main à la main** to
pay cash without receipt ◆ **payer à l'ordre de...**
pay to the order of... ◆ **payez à l'ordre de
moi-même** pay self, pay to my own order
◆ **payer à tempérament** to pay by instalments
◆ **payer à vue** to pay at sight *ou* on demand
**b** *chose, service* to pay for ◆ **je l'ai payé
100 euros** I paid 100 euros for it ◆ **payer le
prix fort pour qch** to pay through the nose for
sth ◆ **faire payer qch à qn** to charge sb for sth
◆ **payé** *(sur facture)* paid ◆ **les congés payés**
paid holidays *(Brit)* *ou* vacation *(US)* ◆ **port
payé** *(gén)* carriage paid; *(Poste)* postage paid
◆ **travail bien payé** well-paid job *ou* work
**c** *commerçant, créancier, entreprise, employé* to
pay ◆ **nous payons nos fournisseurs le 15 de
chaque mois** we pay our suppliers on the 15th
of each month ◆ **être payé à l'heure / au mois**
to be paid by the hour *ou* on an hourly basis /
by the month *ou* on a monthly basis ◆ **être
payé à l'année** to be paid on an annual basis

───── *compounds/composés* ─────
◆ **payable d'avance** payable in advance
◆ **payable à la commande** payable *ou* cash
with order
◆ **payable au comptant** payable in cash
◆ **payable sur demande** payable *ou* due on demand
◆ **payable à destination** payable at destination
◆ **payable à l'échéance** payable at maturity
◆ **payable intégralement** payable in full
◆ **payable à la livraison** cash on delivery, payable on delivery, collect on delivery *(US)*, COD *(US)*
◆ **payable moitié à la commande** half the
amount is payable with order
◆ **payable à ordre** payable to order
◆ **payable au porteur** payable to bearer
◆ **payable sur présentation** payable on demand *ou* on presentation
◆ **payable dès réception** payable *ou* cash on
delivery
◆ **payable à terme échu** payable when due
◆ **payable par versements échelonnés** *ou*
**périodiques** payable in instalments
◆ **payable à vue** payable at sight *ou* on demand
*ou* at call.

◆ **être payé à la pièce** to be on piece rate *ou* on piecework.

**payeur, -euse** /pɛjœʀ, øz/ **ADJ** *organisme, caisse, service* payments

**NM,F** payer ◆ **trésorier-payeur général** *(Admin)* paymaster ◆ **mauvais payeur** *(Admin)* defaulter ◆ **c'est un mauvais payeur** he's a bad debtor *ou* a slow payer ◆ **c'est un bon payeur** he's a good payer.

**pays** /pei/ **NM** country ◆ **les pays de l'Est / du Tiers Monde / de l'UE** Eastern / Third-World / EU countries ◆ **les pays occidentaux** Western countries, the Western world ◆ **pays membre** member country ◆ **pays créditeur / débiteur** creditor / debtor country ◆ **pays déficitaire / excédentaire** deficit / surplus country ◆ **pays exportateur / importateur de charbon** coal-exporting / importing country ◆ **les relations avec des pays tiers** relations with third countries

────── compounds/composés ──────

◆ **pays d'accueil** host country
◆ **pays émergent** emerging country
◆ **pays expéditeur** forwarding country
◆ **pays frère** sister country
◆ **pays industrialisé** industrialized country ◆ **nouveaux pays industrialisés** newly industrialized countries, new industrial countries, NICs
◆ **pays (les) moins avancés** less developed countries
◆ **pays d'origine** country of origin
◆ **pays producteur** producing country ◆ **pays producteur de pétrole** oil-producing country, oil producer
◆ **pays de résidence** home country, country of residence
◆ **pays à risques** risk country
◆ **pays signataire** signatory country
◆ **pays sous-développé** underdeveloped country
◆ **pays tiré** donor country
◆ **pays tireur** drawer country
◆ **pays en voie de développement** developing country
◆ **pays en voie d'émergence** emerging country
◆ **pays en voie d'industrialisation** industrializing country.

**paysage** /peizaʒ/ **NM** *(gén, Inf)* landscape.

**Pays-Bas** /peiba/ **NMPL** ◆ **les Pays-Bas** the Netherlands.

**p / c** abrév de **pour compte.**

**PC** /pese/ **NM** **a** abrév de **permis de construire** → **permis** **b** (abrév de **personal computer**) PC **c** abrév de **prêt conventionné** → **prêt.**

**pcc** abrév de **pour copie conforme.**

**PCG** /peseʒe/ **NM** abrév de **plan comptable général** → **plan.**

**PCV** /peseve/ **NM** abrév de **paiement contre vérification** *(Télec)* ◆ **appel en PCV** reverse charge call *(Brit)*, collect call *(US)*.

**pd** abrév de **port dû.**

**PDG** /pedeʒe/ **NM** abrév de **président-directeur général** → **président**
abrév de **part du groupe** → **part.**

**PDP** /pedepe/ **NM** (abrév de **profit direct du produit**) DPP.

**PEA** /peaa/ **NM** abrév de **plan d'épargne en actions** ≈ PEP *(Brit)*.

**péage** /peaʒ/ **NM** *(= somme due)* toll; *(= lieu)* tollgate; *(sur l'autoroute)* tollbooth ◆ **autoroute à péage** toll motorway *(Brit)*, turnpike *(US)* ◆ **pont à péage** tollbridge ◆ **télévision à péage** pay TV.

**péagiste** /peaʒist(ə)/ **NMF** tollbooth attendant.

**pécule** /pekyl/ **NM** *[apprenti]* earnings.

**pécuniaire** /pekynjɛʀ/ **ADJ** financial.

**pécuniairement** /pekynjɛʀmɑ̃/ **ADV** financially.

**PEE** /peaa/ **NM** (abrév de **plan d'épargne entreprise**) ESOP.

**peine** /pɛn/ **NF** *(= sanction)* penalty ◆ **peine pécuniaire** fine ◆ **peine de prison** prison sentence ◆ **défense d'entrer sous peine d'amende / de poursuites** trespassers will be fined / prosecuted.

**Pékin** /pekɛ̃/ **N** Peking.

**PEL** /peaɛl/ **NM** abrév de **plan d'épargne-logement** → **plan.**

**pelliculé, e** /pelikyle/ **ADJ** ◆ **emballage pelliculé** shrink-wrapping.

**peloton** /p(ə)lɔtɔ̃/ **NM** ◆ **la France est dans le peloton de tête** France is among the leaders in the race.

**pénal, e,** MPL **-aux** /penal, o/ **ADJ** penal ◆ **le droit pénal** criminal law ◆ **le Code pénal** the penal code ◆ **clause pénale** penalty clause.

**pénaliser** /penalize/ **VT** to penalize.

**pénalité** /penalite/ **NF** penalty ◆ **pénalité contractuelle** contractual penalty ◆ **pénalités fiscales** tax *ou* fiscal penalties ◆ **pénalités pécuniaires** fines ◆ **pénalité de retard** penalty for late fulfillment of an obligation.

**pendentif** /pɑ̃dɑ̃tif/ **NM** *(Pub)* overhanging advertising board.

**pénétrabilité** /penetʀabilite/ **NF** penetrability.

**pénétration** /penetʀasjɔ̃/ **NF** penetration ✦ pénétration du marché market penetration ✦ pénétration commerciale sales penetration ✦ taux de pénétration penetration rate.

**pénétrer** /penetʀe/ **VT** *marché* to penetrate, make an inroad into, break into, operate a breakthrough into ✦ ce modèle n'a pas réussi à pénétrer profondément le marché américain this model failed to make deep inroads into the US market.

**pénibilité** /penibilite/ **NF** *[tâche]* hardness ✦ prime de pénibilité strenuous work allowance.

**pénible** /penibl(ə)/ **ADJ** *travail* hard.

**pension** /pɑ̃sjɔ̃/ **NF** **a** (= *rente*) pension, annuity ✦ toucher une pension to draw a pension ✦ servir *ou* verser une pension to pay an annuity (*à* to) **pension alimentaire** *[étudiant]* living allowance; *[conjoint]* alimony, maintenance allowance ✦ pension de retraite retirement pension ✦ pension réversible *ou* de réversion survivor's pension, reversion pension, reversionary annuity ✦ pension de vieillesse old age pension ✦ pension d'invalidité disablement pension, workmen's compensation ✦ pension viagère life annuity ✦ titulaire d'une pension annuitant ✦ fonds de pension pension fund **b** (*Fin*) ✦ mettre / prendre des effets en pension to place / take bills in pawn ✦ valeurs en pension securities in pawn ✦ le taux des pensions *ou* des prises en pension à 7 jours the 7-day repurchase rate.

**pensionné, e** /pɑ̃sjɔne/ **ADJ** *ouvrier* who draws a pension **NM,F** pensioner, annuitant.

**pensionner** /pɑ̃sjɔne/ **VT** to give a pension to.

**pénurie** /penyʀi/ **NF** shortage, scarcity ✦ il y a une pénurie de main-d'œuvre qualifiée there is a shortage *ou* a scarcity of qualified labour ✦ pénurie de devises foreign exchange shortage ✦ pénurie de stock stock (*Brit*) *ou* inventory (*US*) shortage ✦ gérer la pénurie to manage scarcity.

**PEP** /pɛp/ **NM** abrév de **plan d'épargne populaire** → **plan.**

**pépinière** /pepinjɛʀ/ **NF** (*gén*) nursery, breeding-ground ✦ pépinière d'entreprises enterprise zone.

**pépite** /pepit/ **NF** (*lit*) nugget; (*fig*) gem ✦ pépite d'or gold nugget ✦ la cote recèle des pépites insoupçonnées the market harbours some surprising little gems.

**PEPS** /peəpeɛs/ (abrév de **premier entré, premier sorti**) FIFO.

**PER** /peaɛʀ/ **NM** **a** abrév de **plan d'épargne-retraite** → **plan** **b** (*Bourse*) price-earnings ration, PER ✦ PER de marché P / E ratio *ou* multiple, market P / E.

**percée** /pɛʀse/ **NF** (*Écon*) breakthrough ✦ percée commerciale commercial breakthrough *ou* thrust ✦ percée technologique technological breakthrough ✦ faire une percée sur un marché to make *ou* operate a breakthrough into a market.

**percepteur** /pɛʀsɛptœʀ/ **NM** tax collector, tax man*.

**perceptible** /pɛʀsɛptibl(ə)/ **ADJ** *impôt* collectable, payable.

**perception** /pɛʀsɛpsjɔ̃/ **NF** **a** *[impôt, droits]* collection, levy **b** (= *bureaux*) tax collector's office (*Brit*), internal revenue office (*US*).

**percer** /pɛʀse/ **VI** ✦ percer sur un marché to break into a market, make a breakthrough into a market.

**percevable** /pɛʀsəvabl(ə)/ **ADJ** *impôt* collectable, payable.

**percevoir** /pɛʀsəvwaʀ/ **VT** *impôt* to collect; *intérêts, revenu, indemnité* to receive.

**perdant, e** /pɛʀdɑ̃, ɑ̃t/ **ADJ** il est perdant dans l'affaire he's the loser in this business, he has lost out in this affair **NM,F** loser.

**perdition** /pɛʀdisjɔ̃/ **NF** ✦ en perdition in distress.

**perdre** /pɛʀdʀ(ə)/ **VTI** to lose ✦ le dollar a encore perdu par rapport aux autres monnaies the dollar declined further against the other currencies ✦ perdre sa chemise to lose one's shirt.

**perdu, e** /pɛʀdy/ **ADJ** ✦ navire perdu en mer ship lost *ou* missing at sea ✦ emballage perdu non-returnable packing, one-way package, disposable *ou* throw-away container ✦ placer son argent à fonds perdu (*Ass*) to invest one's money in an annuity ✦ mon investissement a été à fonds perdu my investment was a write off, I lost all my money in this investment.

**père** /pɛʀ/ **NM** ✦ valeurs de père de famille gilt-edged *ou* blue-chip securities, blue chips.

**péremption** /peʀɑ̃psjɔ̃/ **NF** lapsing ✦ date de péremption sell-by date.

**pérennité** /peʀenite/ **NF** (*gén*) durability ✦ assurer la pérennité de l'entreprise to ensure the firm's long-term viability.

**péréquation** /peʀekwasjɔ̃/ NF [impôts, prix] equalization, evening out; [charges] redistribution; [salaires] adjustment, harmonization.

**perfectionnant, e** /peʀfɛksjɔnɑ̃, ɑ̃t/ NM,F person enrolled in an advanced course.

**perfectionné, e** /peʀfɛksjɔne/ ADJ produit sophisticated; technologie advanced.

**perfectionnement** /peʀfɛksjɔnmɑ̃/ NM improvement ◆ stage de perfectionnement advanced ou refresher course.

**perfectionner** /peʀfɛksjɔne/ VT to improve.

**performance** /peʀfɔʀmɑ̃s/ NF result, performance ◆ évaluation des performances ou de la performance (Ind) performance appraisal ou rating ou review, merit rating ◆ les performances d'une voiture / de l'entreprise / de notre économie / d'un portefeuille the performance of a car / of the company / of our economy / of a portfolio ◆ nos performances à la production se sont améliorées our production record has improved ◆ les performances de l'industrie automobile laissent à désirer the results ou the performance of the car industry leave(s) a lot to be desired.

**performant, e** /peʀfɔʀmɑ̃, ɑ̃t/ ADJ employé effective; système efficient; entreprise profitable, successful ◆ les entreprises les plus / les moins performantes the best / the worst performing companies ◆ investissement performant high-yield investment ◆ voiture performante high-performance car ◆ il n'est pas très performant he's not performing very well ◆ ma voiture est assez performante my car performs ou runs quite well.

**péricliter** /peʀiklite/ VI to go under, decline.

**péril** /peʀil/ NM peril, danger; (Ass) peril ◆ péril de mer risk and peril of the seas, sea risk.

**périmé, e** /peʀime/ ADJ carte de crédit, document, billet out-of-date, expired; visa expired; technologie, matériel obsolete ◆ connaissement périmé stale bill of lading ◆ l'assurance est périmée the insurance has lapsed ◆ marchandises périmées goods beyond sell-by date ◆ ce passeport est périmé this passport is no longer valid.

**périmer** /peʀime/ VI laisser périmer qch to let sth expire
**se périmer** VPR (Jur) to lapse; [document] to expire.

**périmètre** /peʀimɛtʀ/ NM (Géométrie) perimeter; (= zone) area; (= structure) structure ◆ à périmètre constant (Écon) on a like-for-like basis, on a same-structure basis.

**période** /peʀjɔd/ NF (gén, Compta) period ◆ période creuse / probatoire / transitoire slack / probation / transitory period

- ◆ **période d'abonnement** subscription period
- ◆ **période d'activité** (Admin) period of active employment ou of service
- ◆ **période d'affluence** peak period
- ◆ **période d'amortissement** amortization period
- ◆ **période d'attente** (Ind) idle period
- ◆ **période comptable** accounting period
- ◆ **période de conversion** conversion period
- ◆ **période de crédit** (Banque) credit period ou phase
- ◆ **période d'épargne** (Banque) savings period ou phase
- ◆ **période d'essai** trial period
- ◆ **période de garantie** period of guarantee
- ◆ **période d'inactivité** idle period
- ◆ **période de pointe** peak period
- ◆ **période de recouvrement** collection period
- ◆ **période de récupération** (Fin) payback period
- ◆ **période de référence** base period, reference period
- ◆ **période de remboursement** [dette] repayment period
- ◆ **période test** test period.

**périodicité** /peʀjɔdisite/ NF periodicity ◆ périodicité de réapprovisionnement procurement period ◆ périodicité moyenne des révisions mean time between overhauls ◆ quelle est la périodicité des remboursements? how often are payments due?.

**périodique** /peʀjɔdik/ ADJ a (gén) periodic ◆ inventaire périodique periodic inventory ◆ entretien périodique scheduled maintenance b (Compta) interim ◆ état financier périodique interim financial statement ◆ rapport périodique (Compta) interim report ou statement; (sur l'état d'avancement d'un projet) progress report ◆ résultats périodiques interim results.

**périodiquement** /peʀjɔdikmɑ̃/ ADV periodically.

**périphérie** /peʀifeʀi/ NF periphery ◆ le centre et la périphérie (Écon) the core and the periphery.

**périphérique** /peʀifeʀik/ ADJ peripheral ◆ unité périphérique (Inf) peripheral device ou unit NM (Inf) peripheral, device ◆ périphérique d'entrée / de sortie input / output device ◆ contrôleur de périphériques device controller.

**périssable** /peʀisabl(ə)/ ADJ perishable ◆ denrées périssables perishables, perishable goods.

**perlé, e** /peʀle/ ADJ ◆ grève perlée selective strike.

**permanence** /pɛʁmanɑ̃s/ **NF** ✦ il y a une permanence toute la nuit there is someone on duty all night ✦ il est de permanence *ou* il assure une permanence le week-end he's on duty over the weekend ✦ il y aura une permanence entre 15 et 17 heures there will be someone available between 3.00 p.m. and 5.00 p.m., the office will be open between 3.00 p.m. and 5.00 p.m., calls will be taken between 3.00 p.m. and 5.00 p.m.

**permanent, e** /pɛʁmanɑ̃, ɑ̃t/ **ADJ** permanent ✦ capitaux permanents long-term capital ✦ commission permanente standing committee ✦ compte permanent charge account ✦ dossier permanent continuing audit file ✦ emploi permanent permanent job ✦ formation permanente continuing education ✦ incapacité permanente permanent disability ✦ inventaire permanent continuous *ou* permanent *ou* perpetual inventory ✦ ordre de domiciliation permanente *(Banque)* direct debit order ✦ ordre de transfert permanent *(Banque)* standing order ✦ le personnel permanent the full-time personnel, the permanent staff **NM,f** *[syndicat]* (paid) official.

**perméabilité** /pɛʁmeabilite/ **NF** *[frontières, marché]* openness.

**perméable** /pɛʁmeabl(ə)/ **ADJ** *marché* open.

**permis** /pɛʁmi/ **NM** permit, licence *(Brit)*, license *(US)*

*———— compounds/composés ————*
- **permis de conduire** driving licence *(Brit)*, driver's license *(US)*
- **permis de construire** planning permission, building permit
- **permis de débarquement** landing permit
- **permis de douane** customs permit
- **permis d'embarquement** shipping note
- **permis d'entrée** *(pour les marchandises)* import licence *ou* permit; *(pour un navire)* clearance inwards
- **permis d'exportation** export licence *ou* permit
- **permis d'importation** import licence *ou* permit
- **permis poids lourds** heavy-goods vehicle licence
- **permis de séjour** residence permit
- **permis de sortie** *(pour des marchandises)* export permit *ou* licence; *(pour un navire)* clearance outwards
- **permis de transbordement** transshipment permit
- **permis de transit** transit permit
- **permis de travail** work *ou* labour permit.

**Pérou** /peʁu/ **NM** Peru.

**perpétuel, -elle** /pɛʁpetɥɛl/ **ADJ** ✦ rente perpétuelle life *ou* perpetual annuity ✦ fonction perpétuelle permanent *ou* life office.

**perquisition** /pɛʁkizisjɔ̃/ **NF** search.

**perquisitionner** /pɛʁkizisjɔne/ **VI** to make a search ✦ perquisitionner chez qn to make a search of sb's house.

**personnalisation** /pɛʁsɔnalizasjɔ̃/ **NF** *[impôt, assurance]* personalization; *[voiture]* customization.

**personnaliser** /pɛʁsɔnalize/ **VT** *impôt, assurance* to personalize; *voiture* to customize.

**personnalité** /pɛʁsɔnalite/ **NF** ✦ l'entreprise a la personnalité civile *ou* morale the company is an artificial *ou* a fictitious person, the company is a legal person *ou* entity ✦ acquérir la personnalité juridique to acquire legal status.

**personne** /pɛʁsɔn/ **NF** person ✦ tierce personne third party ✦ entrée interdite à toute personne étrangère au service no unauthorized entry ✦ la personne assurée the insured ✦ comptes de personnes *(Banque)* personal accounts ✦ cela nous a coûté 300 euros par personne that cost us €300 each *ou* per person *ou* a head

*———— compounds/composés ————*
- **personne âgée** elderly person, senior citizen
- **personne autorisée** authorized person
- **personne à charge** dependent, dependant
- **personne civile** legal entity
- **personne interrogée** *(Mktg)* respondent
- **personne morale** legal entity ✦ revenus de personnes morales corporate incomes, incomes of legal persons
- **personne physique** natural person ✦ impôt sur le revenu des personnes physiques personal income tax
- **personne ressource** resource person.

**personnel, -elle** /pɛʁsɔnɛl/ **ADJ** personal ✦ fortune personnelle private fortune *ou* wealth ✦ cette carte est personnelle this card is not transferable *ou* is for personal use only ✦ personnel *(sur un document)* (strictly) private, confidential **NM** *(gén)* staff; *[usine]* employees, workforce; *(Admin)* personnel ✦ les membres du personnel *(gén)* staff members, staffers *(US)* ; *[usine]* employees ✦ nous sommes à court *ou* nous manquons de personnel we are understaffed *ou* shortstaffed ✦ il fait partie du personnel depuis un an he's been on the staff for a year ✦ renforcer le personnel de l'entreprise to staff up the company ✦ le service du personnel the personnel department ✦ le directeur *ou* chef du personnel the personnel manager ◆ délégué du personnel personnel representative ◆ gestion du personnel personnel management ◆ rotation du personnel staff *ou* employee *ou* personnel turnover ◆ nous avons procédé à une réduction du personnel we have carried out staff cutbacks *ou* a cutback of our workforce

— compounds/composés —
- ◆ **personnel administratif** administrative staff
- ◆ **personnel d'appoint** temporary *ou* extra staff
- ◆ **personnel auxiliaire** auxiliary staff
- ◆ **personnel de bureau** office *ou* clerical staff
- ◆ **personnel commercial** sales staff
- ◆ **personnel d'encadrement** executive *ou* managerial *ou* management staff
- ◆ **personnel d'entretien** maintenance staff
- ◆ **personnel d'exécution** operatives
- ◆ **personnel féminin** female staff
- ◆ **personnel intérimaire** temporary staff
- ◆ **personnel de maîtrise** supervisors, middle management, supervisory staff
- ◆ **personnel navigant** flight personnel *ou* staff
- ◆ **personnel permanent** regular staff
- ◆ **personnel réduit** reduced *ou* skeleton staff
- ◆ **personnel sédentaire** indoor staff
- ◆ **personnel saisonnier** seasonal staff
- ◆ **personnel technique** technicians
- ◆ **personnel temporaire** temporary staff
- ◆ **personnel à temps partiel** part-time staff *ou* personnel
- ◆ **personnel de vente** sales staff.

**perspective** /pɛʀspɛktiv/ NF prospect ◆ **perspectives de carrière** job *ou* career prospects ◆ **perspectives de croissance** growth prospects ◆ **perspectives économiques** economic prospects *ou* outlook ◆ **perspectives d'exportation** export prospects ◆ **ouvrir de nouvelles perspectives** to open up new vistas *ou* prospects.

**perte** /pɛʀt(ə)/ NF **a** *(gén)* loss ◆ **perte d'argent** *(= argent perdu)* loss of money; *(= argent mal dépensé)* waste of money ◆ **perte de temps** waste of time ◆ **l'économie est en perte de vitesse** the economy is slowing down *ou* is slipping ◆ **subir / compenser une perte** to suffer / make good a loss ◆ **facteur de perte** loss factor ◆ **fonctionner à perte** to operate at a loss ◆ **vendre qch à perte** to sell sth at a loss ◆ **leurs pertes s'élèvent à 2 millions de francs** their losses have reached 2 million francs ◆ **répartition** *ou* **ventilation des pertes** spreading of losses **b** *(Ass)* loss ◆ **pertes et dommages** loss and damage ◆ **pertes ou avaries** loss or damage **c** *(Bourse)* ◆ **être en perte** to stand at a discount ◆ **se négocier à perte** to be dealt in at a discount

— compounds/composés —
- ◆ **perte brute** gross loss
- ◆ **perte en capital** capital loss
- ◆ **perte de** *ou* **au change** exchange loss
- ◆ **perte sur créance** credit loss
- ◆ **perte de détention** holding loss
- ◆ **perte d'emploi** job loss
- ◆ **perte d'encaisse** *(Compta)* cash loss
- ◆ **perte de l'exercice** *(Compta)* net loss *(on year's trading)*
- ◆ **perte d'exploitation** *(Compta)* operating *ou* trading loss
- ◆ **pertes financières** financial losses
- ◆ **perte de mise en route** initial loss
- ◆ **perte nette** net loss
- ◆ **perte normale** *[marchandises en transit]* normal spoilage
- ◆ **perte partielle** *(Ass)* partial loss
- ◆ **perte de pouvoir d'achat** loss in *ou* of purchasing power
- ◆ **perte de production** production loss
- ◆ **pertes et profits** *(Compta)* ◆ **compte de pertes et profits** profit and loss account ◆ **passer qch par pertes et profits** to write sth off ◆ **pertes et profits exceptionnels** extraordinary items ◆ **pertes et profits sur exercices antérieurs** prior period adjustments
- ◆ **perte de revenu** loss of income
- ◆ **perte de salaire** loss of pay
- ◆ **perte sèche** dead loss
- ◆ **perte totale** total loss
- ◆ **perte de valeur** loss in value.

**perturbation** /pɛʀtyʀbasjɔ̃/ NF *[marché]* disturbance.

**perturbé, e** /pɛʀtyʀbe/ ADJ marché disturbed.

**péruvien, -ienne** /peʀyvjɛ̃, jɛn/ ADJ Peruvian **Péruvien** NM *(= habitant)* Peruvian **Péruvienne** NF *(= habitante)* Peruvian.

**pervers, e** /pɛʀvɛʀ, ɛʀs(ə)/ ADJ ◆ **effet pervers** perverse effect.

**pesage** /pəzaʒ/ NM weighing ◆ **bureau de pesage** weigh house.

**pesée** /pəze/ NF weighing.

**peser** /pəze/ VTI to weigh ◆ **il pèse 20 millions de dollars** he's worth 20 million dollars ◆ **les incertitudes qui pèsent sur le cours** the doubts weighing on the share price.

**peseta** /pezeta/ NF peseta.

**peso** /pezo/ NM peso.

**P. et Ch.** abrév de **Ponts et Chaussées** ≈ the road construction departement *(= école)* elite civil engineering school.

**petit, e** /p(ə)ti, it/ ADJ small ◆ **petite annonce** small *ou* classified ad ◆ **la page des petites annonces** the small ads page *ou* column ◆ **pe-**

tites annonces *(= rubrique de journal)* classified advertisements ✦ **petite caisse** petty cash ✦ **petites capitalisations** *(Bourse)* small capitalizations, small caps ✦ **petit commerçant** small retailer *ou* shopkeeper *ou* trader ✦ **le petit commerce** small traders, the small retail trade ✦ **petites coupures** small denominations ✦ **petit épargnant** small saver *ou* investor ✦ **petit fonctionnaire** minor official ✦ **petit porteur** small shareholder ✦ **petite monnaie** small change ✦ **petites et moyennes entreprises / industries** small and medium-sized companies / industries ✦ **expédier qch en petite vitesse** to send sth by slow goods service.

**P. et P.** (abrév de **Profits et Pertes**) P&L.

**pétrodollar** /petrɔdɔlaʀ/ **NM** petrodollar.

**pétrole** /petʀɔl/ **NM** oil, petroleum ✦ **raffinerie de pétrole** oil *ou* petroleum refinery ✦ **gisement de pétrole** oil field *ou* deposit ✦ **l'industrie du pétrole** the oil *ou* petroleum industry ✦ **pétrole brut** crude oil ✦ **émir du pétrole** oil sheik ✦ **émirat du pétrole** oil emirate ✦ **pays producteur de pétrole** oil-producing country, oil producer ✦ **les prix du pétrole se sont envolés** oil prices have soared *ou* rocketed.

**pétrolier, -ière** /petʀɔlje, jɛʀ/ **ADJ** *produits* oil, petroleum; *société, marché, prix* oil ✦ **choc pétrolier** oil shock ✦ **facture pétrolière** oil bill ✦ **l'industrie pétrolière** the oil *ou* petroleum industry ✦ **pays pétrolier** oil-producing country
**NM** *(= bateau)* oil tanker; *(= homme d'affaires)* oil magnate
**pétrolières** **NFPL** oil shares, oils.

**p. ex.** (abrév de **par exemple**) eg.

**phare** /faʀ/ **ADJ INV** *entreprise, valeur, produit* leading ✦ **marque / métier phare du groupe** flagship brand / business of the group.

**phase** /fɑz/ **NF** phase, stage ✦ **phase de commercialisation / fabrication** marketing / manufacturing stage ✦ **phase de croissance** growth stage ✦ **la phase d'introduction d'un produit** the launch phase of a product ✦ **phase de maturité / déclin** maturity / decline stage.

**philippin, e** /filipɛ̃, in/ **ADJ** Philippine
**Philippin** **NM** *(= habitant)* Filipino
**Philippine** **NF** *(= habitante)* Filipino.

**Philippines** /filipin/ **NFPL** ✦ **les Philippines** the Philippines.

**Phnom Penh** /pnɔmpɛn/ **N** Phnom Penh.

**photocopie** /fɔtɔkɔpi/ **NF** *(= action)* photocopying; *(= résultat)* photocopy.

**photocopier** /fɔtɔkɔpje/ **VT** to photocopy.

**photocopieur** /fɔtɔkɔpjœʀ/ **NM** **photocopieuse** /fɔtɔkɔpjøz/ **NF** photocopier.

**physionomie** /[fizjɔnɔmi/ **NF** *[marché]* state.

**p. i.** (abrév de **par intérim**) acting, actg.

**PIB** /peibe/ **NM** (abrév de **produit intérieur brut**) GDP.

**PIBOR** /pibɔʀ/ **NM** (abrév de **Paris Interbank Offered Rate**) PIBOR.

**pic** /pik/ **NM** *(= niveau)* peak ✦ **un pic de 6 milliards d'euros** a peak *ou* high of €6 billion.

**pictogramme** /piktɔgram/ **NM** pictogram.

**pièce** /pjɛs/ **NF** **a** *(= argent)* ✦ **pièce (de monnaie)** coin ✦ **pièce de 2 euros** 2-euro coin ✦ **la pièce française de 20 francs** the napoleon ✦ **la pièce française de 10 francs** the half napoleon **b** *(= unité)* ✦ **ces articles se vendent à la pièce** these articles are sold singly *ou* separately *ou* individually ✦ **ils coûtent 15 euros (la) pièce** they cost 15 euros each *ou* apiece ✦ **travail à la pièce** piecework, job work *(US)* ✦ **travailler à la pièce** to be on piecework ✦ **être payé à la pièce** to be on piece rate *ou* piecework **c** *(= élément d'un mécanisme)* part ✦ **pièce détachée** *ou* **de rechange** spare (part) ✦ **la machine a été livrée en pièces détachées** the machine was delivered in knockdown form *ou* kit form ✦ **la commande des pièces est effectuée par l'ordinateur** parts ordering is carried out by the computer ✦ **pièce d'origine** genuine part ✦ **pièce de rebut** reject **d** *(= document)* paper, document ✦ **pièce administrative** administrative document *ou* paper ✦ **pièces de bord** *(Mar)* ship's papers ✦ **pièce de caisse** *(Compta)* cash voucher ✦ **pièce comptable** accounting record, bookkeeping voucher ✦ **pièces à fournir** documents to be presented ✦ **pièce d'identité** identity papers ✦ **pièces jointes** *(en bas d'une lettre)* enclosures ✦ **pièce justificative** *(Compta)* voucher, receipt *(Jur, Admin)* supporting document ✦ **veuillez joindre les pièces justificatives à votre note de frais** please attach the relevant receipts and vouchers to your expense account ✦ **pièce officielle** official paper *ou* document.

**pierre** /pjɛʀ/ **NF** *(gén)* stone ✦ **pierre précieuse** precious stone, gem ✦ **la pierre** *(= l'immobilier)* bricks and mortar ✦ **la pierre papier** property shares.

**piétiner** /pjetine/ **VI** *[économie]* to mark time, be at a standstill, make no headway.

**piéton, -onne** /pjetɔ̃, ɔn/ **ADJ** **piétonnier -ière** /pjetɔnje, jɛʀ/ **ADJ** pedestrian ✦ **zone piétonne** *ou* **piétonnière** pedestrian precinct *(Brit)*, mall *(US)* ✦ **rue piétonne** *ou* **piétonnière** pedestrian street.

**pige** /piʒ/ NF *(Mktg)* ✦ **pige de la concurrence** competition checking ✦ **pige publicitaire** monitoring of competitors' advertising.

**pigiste** /piʒist(ə)/ NMF *(Mktg)* checker.

**pignoratif, -ive** /piɲɔʀatif, iv/ ADJ *(Jur)* pignorative.

**pilotage** /pilɔtaʒ/ NM ✦ **comité de pilotage** steering committee.

**pilote** /pilɔt/ ADJ experimental, pilot ✦ **article-pilote** leader ✦ **prix-pilote** special *ou* reduced *ou* introductory price ✦ **usine-pilote** pilot plant ✦ **école- / ferme-pilote** experimental school / farm ✦ **projet-pilote** pilot project ✦ **valeurs-pilotes** *(Bourse)* leading securities.

**piloter** /pilɔte/ VT *projet* to steer, manage, be in charge of.

**pincement** /pɛ̃smɑ̃/ NM ✦ **pincement des marges** contraction of profit margins.

**piquet** /pikɛ/ NM ✦ **piquet de grève** strike picket.

**piratage** /piʀataʒ/ NM *(Inf)* hacking, computer fraud *ou* piracy.

**pirate** /piʀat/ NM *(Inf)* hacker, pirate.

**pirater** /piʀate/ VT *(Inf)* to pirate.

**piste** /pist(ə)/ NF track ✦ **piste de révision** *(Compta)* audit trail.

**pister** /piste/ VT *ventes, tendances* to track, monitor.

**piston** * /pistɔ̃/ NM string-pulling ✦ **il a été promu grâce au piston** he was promoted thanks to some string-pulling, he owes his promotion to some backstairs influence.

**pistonner** * /pistɔne/ VT to pull strings for.

**pivot** /pivo/ NM *(UE)* ✦ **cours pivot** central rate ✦ **cours pivots bilatéraux** cross rates.

**p. j.** (abrév de **pièces jointes**) enc., encl.

**PL** (abrév de **poids lourd**) heavy lorry *ou* truck.

**placard** /plakaʀ/ NM ✦ **placard publicitaire** advertising placard *ou* bill *ou* poster, advertisement.

**place** /plas/ NF a *(= travail)* job ✦ **je cherche une place de secrétaire** I'm looking for a job as a secretary ✦ **il a perdu sa place** he has lost his job b *(Fin)* market ✦ **place bancable** *town in which there is a branch of the Banque de France* ✦ **place bancaire** banking centre ✦ **place boursière** stock market ✦ **place cambiste** foreign exchange market ✦ **place com-**

merciale trade centre ✦ **place écart** *town in which there is no branch of the Banque de France* ✦ **place extra-territoriale** off-shore market ✦ **place financière** money market ✦ **sur la place de Lyon** on the Lyon market ✦ **la place est acheteur** *(Bourse)* the market is a buyer ✦ **frais de place** local charges ✦ **faire la place** to work the town, canvass for orders ✦ **position de place** market position c **sur place :** **chèque sur place** town cheque ✦ **notre représentant est sur place** our sales representative is on the spot ✦ **prix sur place** loco *ou* spot price ✦ **achats sur place** local purchases ✦ **composants achetés sur place** locally purchased components d *(= rang)* rank, place ✦ **garder la première place** to stay in the lead ✦ **prendre la première place** to take the lead e *(= billet)* *[avion]* seat.

**placement** /plasmɑ̃/ NM a *(= investissement)* (portfolio) investment ✦ **bon placement** good *ou* sound investment ✦ **placement à court / long terme** short-term / long-term investment ✦ **faire un placement d'argent** to invest money ✦ **faire un placement sur le marché boursier** to make a stock market investment *ou* an investment on the stock market ✦ **conseiller en placements** investment adviser *ou* consultant ✦ **société de placement** investment company *ou* trust ✦ **titres de placement** investment securities b *[emprunt, émission de titres, marchandises]* placing ✦ **placement initial** *ou* **primaire de titres** primary distribution of stock

―――― *compounds/composés* ――――

✦ **placement boursier** equity investment, stock market investment
✦ **placement de capital** investment of funds *ou* capital
✦ **placement direct** direct investment in movables
✦ **placement à échéance** fixed-term investment
✦ **placement de fonds** investment of funds *ou* capital
✦ **placement immobilier** investment in property, real estate investment
✦ **placement intégral** sell-down
✦ **placement mobilier** investment in movables
✦ **placement obligataire** bond investment
✦ **placement de portefeuille** portfolio investment
✦ **placement de premier ordre** blue-chip investment, choice investment
✦ **placement privé** private investment
✦ **placement à revenu fixe / variable** fixed-yield / variable-yield investment
✦ **placement en valeurs** investment in securities.

✦ **syndicat de placement** placement syndicate
 **c** *[salarié]* placing ✦ **bureau de placement** employment agency *ou* bureau.

**placer** /plase/ **VT**  **a** *(= investir)* to invest ✦ **il a placé son argent sur un compte d'épargne** he has deposited *ou* invested his money in a savings account ✦ **placer de l'argent à long / à court terme** to make a long-term / short-term investment, invest money on a long-term / short-term basis ✦ **placer de l'argent à fonds perdu** *(Ass)* to invest money in a life annuity ✦ **placer de l'argent en Bourse / dans les industrielles** to invest money in the stock market / in industrial shares ✦ **placer un dépôt au jour le jour** to place a deposit at call  **b** *emprunt, émission de titres* to place; *marchandises* to sell ✦ **ces produits sont difficiles à placer** these products are hard to sell ✦ **ils sont faciles à placer** they sell readily, they find a ready sale  **c** *(= trouver un emploi pour)* to find a job for, place ✦ **on l'a placé à la tête de l'entreprise** he has been put in charge of *ou* at the head of the company  **d** *(= déposer)* ✦ **placer des titres en garde** to deposit securities in safe keeping

**se placer** **VPR**  **a** *(= trouver une situation)* to find a job ✦ **il s'est placé comme comptable** he has got *ou* found a job as an accountant  **b** *(Comm : [produits])* to sell ✦ **cet article se place facilement / difficilement** this article sells readily *ou* well / badly.

**placeur** /plasœR/ **NM** *[titres]* placer, underwriter ✦ **les placeurs institutionnels** institutional investors.

**placier** /plasje/ **NM** travelling salesman, traveller, sales representative, drummer\* *(US)*.

**plafond** /plafɔ̃/ **NM** *(= maximum)* ceiling, upper limit ✦ **prix plafond** ceiling price ✦ **cours plafond** ceiling rate ✦ **nous devons mettre un plafond aux dépenses** we must put a cap on expenditure *ou* set a ceiling for expenditure ✦ **les dépenses ont crevé le plafond** expenditure has gone through the roof

*—————— compounds/composés ——————*

✦ **plafond de crédit** credit ceiling *ou* limit
✦ **plafond d'émission** *(Fin)* issue ceiling
✦ **plafond des encours** *(Fin)* debt ceiling
✦ **plafond d'engagement** liability *ou* commitment ceiling
✦ **plafond d'escompte** *(Fin)* discount limit *ou* ceiling
✦ **plafond de garantie** *(Ass)* limit of coverage
✦ **plafond de réescompte** rediscount ceiling
✦ **plafond de la Sécurité sociale** *upper limit on which social security contributions are deducted from a person's monthly pay.*

**plafonnement** /plafɔnmɑ̃/ **NM** *[croissance]* stagnation, levelling off ✦ **imposer un plafonnement des salaires** to set a ceiling on earnings *ou* an earnings ceiling *ou* an upper limit on earnings ✦ **il devrait y avoir un plafonnement des tarifs publics** public rates should be subject to price ceiling.

**plafonner** /plafɔne/ **VT** *cotisations, salaires* to set a ceiling on, put an upper limit on, put a cap on  **VI** *[ventes, activité, prix]* to level off *ou* out, reach a ceiling.

**plage** /plaʒ/ **NF** *(= fourchette)* range, bracket ✦ **plage de prix / salaire** price / salary range *ou* bracket ✦ **plage horaire** time slot.

**plaider** /plede/ **VTI** to plead ✦ **plaider coupable / non coupable** to plead guilty / not guilty ✦ **plaider pour qch** *(fig)* to speak in favour of sth.

**plaidoirie** /pledwaRi/ **NF** *(Jur)* speech for the defence; *(fig)* plea *(en faveur de* on behalf of*)*

**plaignant, e** /plɛɲɑ̃, ɑ̃t/ **NM,F** plaintiff.

**plainte** /plɛ̃t/ **NF** *(Jur)* complaint ✦ **porter plainte** *ou* **déposer (une) plainte contre qn** to lodge a complaint *ou* to file a claim *(US) ou* press charges *(US)* against sb ✦ **abandonner** *ou* **retirer une plainte** to withdraw a complaint.

**plan** /plɑ̃/ **NM**  **a** *(= carte, schéma)* *[usine, machine]* plan, blueprint; *[ville]* map, plan; *[région]* map  **b** *(= programme)* plan, programme; *(= projet)* plan, scheme; *(= calendrier)* plan, schedule ✦ **plan triennal** *ou* **à 3 ans** 3-year plan *ou* programme ✦ **établir un plan de la journée** to draw up a schedule for the day  **c** *(= niveau)* level, plane ✦ **au plan national** at the national level ✦ **sur le plan professionnel** professionally speaking ✦ **une entreprise de tout premier plan** a top-ranking firm ■ Voir encadré page ci-contre

**planche** /plɑ̃ʃ/ **NF**  **a** *(Fin)* ✦ **planche à billets** banknote plate ✦ **faire marcher la planche à billets** to mint *ou* print money  **b** *(Mar)* ✦ **jours de planche** lay days.

**plancher** /plɑ̃ʃe/ **NM** *(= minimum)* floor, lower limit ✦ **les cours ont atteint un plancher** stock prices have bottomed out ✦ **cours plancher** *[action, obligation]* bottom *ou* floor price; *[monnaie]* minimum *ou* floor rate.

**planétaire** /planetɛR/ **ADJ** *(= mondial)* global ✦ **à l'échelle planétaire** on a global *ou* worldwide scale ✦ **village planétaire** global village.

**planificateur, -trice** /planifikatœʀ, tʀis/ **ADJ** *organisme* planning **NM,F** planner.

**planification** /planifikasjɔ̃/ **NF** planning **•** *modèle / service de* planification planning model / department **•** planification **à long terme** long-range *ou* long-term planning **•** planification **budgétaire / financière / stratégique** budget(ary) / financial / strategic planning **•** planification **commerciale** *ou* **des ventes** sales planning.

**planifier** /planifje/ **VT** to plan, schedule **•** *économie* planifiée planned economy **•** *entretien* planifié scheduled maintenance.

**planigramme** /planigʀam/ **NM** workschedule.

**planning** /planiŋ/ **NM** schedule, programme **•** planning **de production** production planning *ou* schedule **•** j'ai inscrit notre réunion dans mon planning I've written down our meeting in my diary.

**plaquette** /plakɛt/ **NF** *(= livre)* leaflet, brochure **•** plaquette **publicitaire** advertising leaflet.

**plateforme** /platfɔʀm/ **NF** *(gén, Bourse, Inf)* platform **•** plateforme **boursière européenne** European stock trading platform.

**plébisciter** /plebisite/ **VT** **•** *valeur* plébiscitée **par les investisseurs** stock in great demand with investors.

**plein, e** /plɛ̃, plɛn/ **ADJ** full **•** le plein **emploi** full employment **•** travailler **à plein régime** to work flat out **•** l'usine travaille **à plein rendement** the plant is working at full capacity **•** **en pleine saison** at the height *ou* peak of the season **•** plein **tarif** *(gén)* full rate *ou* price; *(voyageur)* full fare; *(marchandises)* full tariff **•** travailler **à plein temps** to work full time **•** il est employé **à plein temps** he is employed on a full-time basis *ou* full time **•** travailleur **à plein temps** full-time worker
**NM** la saison bat son plein the season is in full swing.

*compounds/composés*

## PLAN

- **plan d'action** plan of action, action plan
- **plan d'amortissement** *[élément d'actif]* depreciation schedule; *[emprunt, hypothèque]* redemption schedule, amortization table, sinking fund
- **plan d'arrimage** *(Mar)* stowage plan
- **plan d'austérité** austerity package
- **plan de cadastre** cadastral survey
- **plan de charge** work schedule **•** **plan de charge des machines** machine loading schedule
- **plan comptable (général)** *French accounting standards* official accounting plan, chart of accounts
- **plan de développement** development plan
- **plan directeur** master plan
- **plan d'ensemble** overall plan
- **plan d'entreprise** corporate plan
- **plan d'épargne** savings plan, « save-as-you-earn » scheme
- **plan d'épargne en actions** ≈ personal equity plan *(Brit)*
- **plan d'épargne entreprise** company savings plan *ou* scheme, ≈ employee stock *(US)* *ou* share *(Brit)* ownership plan
- **plan d'épargne-logement** *savings plan for property purchase* ≈ building society savings plan, mortgage savings plan *ou* scheme
- **plan d'épargne populaire** *individual savings plan*
- **plan d'épargne-retraite** *individual retirement plan*
- **plan d'exécution** implementation plan
- **plan d'exploitation** operational plan
- **plan de financement** financing plan
- **plan de formation** training programme *ou* scheme

- **plan d'insertion** *(Pub)* insertion schedule
- **plan d'intéressement** incentive scheme **•** **plan d'intéressement aux bénéfices** profit-sharing scheme
- **plan d'investissement** investment plan
- **plan (de) marketing** marketing plan
- **plan médias** media plan *ou* planning, advertising schedule
- **plan de motivation** incentive scheme
- **plan d'occupation des sols** land use plan *(Brit)*, zoning regulations *ou* ordinances *(US)*
- **plan d'options sur actions** stock option plan
- **plan paquet** *(Pub)* pack-shot
- **plan de prélèvement** *(Ind)* sampling plan
- **plan principal** master plan
- **plan de production** production programme *ou* schedule
- **plan de redressement** *ou* **de relance** recovery plan *ou* programme
- **plan de remboursement** redemption *ou* repayment schedule, amortization table
- **plan de restructuration** redeployment *ou* restructuring plan
- **plan de retraite** retirement scheme
- **plan de rigueur** austerity package
- **plan social** planned redundancy scheme
- **plan de stabilisation** stabilization plan
- **plan de transport** *(Mar)* shipping schedule
- **plan de travail** work schedule *ou* programme
- **plan de trésorerie** cash flow forecast, cash budget
- **plan d'urgence** contingency plan
- **plan de vente** sales *ou* selling plan.

**plénier, -ière** /plenje, jɛʀ/ **ADJ** plenary ◆ **séance plénière** plenary session *ou* meeting.

**pli** /pli/ **NM** (= *enveloppe*) envelope; (= *lettre*) letter ◆ **sous pli cacheté** in a sealed envelope ◆ **sous pli recommandé** under registered cover ◆ **sous pli séparé** under separate cover ◆ **nous vous envoyons sous ce pli notre commande de...** please find enclosed our order for... ◆ **plis consulaires** consular packages.

**plomber** /plɔ̃be/ **VT** a *paquet* to seal b *(Fin)* **l'endettement plombe les comptes** the accounts are weighed down by debt.

**plongeon** /plɔ̃ʒɔ̃/ **NM** [*devise*] plummeting, plunge ◆ **le plongeon du dollar** the dollar plunge ◆ **faire un plongeon** [*monnaie, titre*] to plummet, nose-dive, plunge ◆ **faire le plongeon** [*entreprise*] to go under.

**plonger** /plɔ̃ʒe/ **VI** *prix*] to plummet, nose-dive, plunge.

**pluriannuel, -elle** /plyʀianɥɛl/ **ADJ** ◆ **plan pluriannuel** plan covering several years.

**pluripersonnel, -elle** /plyʀipɛʀsɔnɛl/ **ADJ** ◆ **entreprise pluripersonnelle** limited liability company with more than one shareholder.

**plus** /plys/ **ADV** **le service est en plus** service is extra ◆ **1 000 livres plus la TVA** £1,000 plus VAT ◆ **nous avons réalisé un bénéfice de plus de 200 millions d'euros** we have made a profit of more than *ou* of over 200 million euros ◆ **plus haut** *(Bourse)* high ◆ **plus bas** *(Bourse)* low, bottom
**NM** (= *avantage*) plus ◆ **l'un des plus que nous offrons à notre clientèle** one of the pluses we offer to our customers.

**plus-value** **PL.** **plus-values** /plyvaly/ **NF** (= *accroissement de la valeur*) appreciation, increase in value; (= *bénéfice réalisé*) capital gain; (= *excédent*) surplus ◆ **réaliser** *ou* **dégager une plus-value** to make a gain ◆ **la plus-value dégagée par la vente de l'immeuble** the capital gain yielded by the sale of the building ◆ **impôt sur les plus-values** capital gains tax ◆ **l'entreprise dégage chaque année une plus-value importante** each year the firm shows a substantial profit *ou* surplus ◆ **nos pétrolières ont enregistré une plus-value** our oil shares have shown an appreciation ■ Voir encadré ci-contre

**PLV** /peɛlve/ **NF** abrév de **publicité sur le lieu de vente** → **publicité.**

**p. m.** (abrév de **pour mémoire**) for the record.

**PMA** /peɛma/ **NM** (abrév de **pays les moins avancés**) LDCs.

---
*compounds/composés*
---

◆ **plus-value d'actif** appreciation of assets
◆ **plus-value budgétaire** budget surplus
◆ **plus-value en capital** unearned increment
◆ **plus-value de cession** capital gain *(on an asset disposal)*
◆ **plus-value constatée par expertise** appraisal increment, appraisal increase credit
◆ **plus-value fiscale** tax surplus
◆ **plus-value sur inventaire** inventory *ou* stock appreciation
◆ **plus-value latente** unrealized capital gain
◆ **plus-value limite** limit gain
◆ **plus-value matérialisée** realised gain
◆ **plus-values résultant d'opérations sur titres** capital gains on sales of securities, paper profit
◆ **plus-value réalisée** realised gain
◆ **plus-value de réévaluation** appraisal increment, appraisal increase credit
◆ **plus-values réinvesties** retained earnings, earned surplus.

**PME** /peɛmə/ **NFPL** abrév de **petites et moyennes entreprises** → **entreprise**
**NF** abrév de **petite et moyenne entreprise** → **entreprise.**

**PMI** /peɛmi/ **NFPL** abrév de **petites et moyennes industries** → **industries**
**NF** abrév de **petite et moyenne industrie** → **industrie.**

**PMU** /peɛmy/ **NM** abrév de **pari mutuel urbain** ≈ tote, ≈ parimutual.

**PNB** /peɛnbe/ **NM** (abrév de **produit national brut**) GNP.

**PNI** /peɛni/ **NM** abrév de **point normal importation** → **point.**

**PNN** /peɛnɛn/ **NM** (abrév de **produit national net**) NNP.

**Pnom Penh** /pnɔmpɛn/ **N** Pnom Penh, Phnom Penh.

**p. o.** (abrév de **par ordre**) by order.

**poids** /pwa/ **NM** weight ◆ **excédent de poids** excess weight ◆ **vendre qch au poids** to sell sth by weight ◆ **tarif au poids** rate by weight ◆ **manque de poids** short weight ◆ **à poids égal** weight for weight

---
*compounds/composés*
---

◆ **poids brut** gross weight
◆ **poids en charge** laden weight
◆ **poids constaté** weight ascertained
◆ **poids embarqué** *(gén)* loaded weight; *(Mar)* shipping weight
◆ **poids juste** full weight

♦ **poids lourd** (= camion) heavy goods vehicle (Brit), lorry (Brit), truck (US) ; (= grosse société) heavyweight ♦ **les poids lourds de la cote** the market heavyweights
♦ **poids maximal** maximum weight
♦ **poids et mesures** weights and measures
♦ **poids mort** dead weight
♦ **poids net** net weight
♦ **poids spécifique** specific gravity
♦ **poids standard** standard weight
♦ **poids taxé** chargeable weight
♦ **poids total en charge** gross weight
♦ **poids unitaire** weight per unit
♦ **poids utile** (sur un véhicule) useful load
♦ **poids à vide** tare (weight), unladen weight.

**poinçon** / pwɛ̃sɔ̃ / **NM** (= outil) stamp; (= empreinte) hallmark.

**poinçonnage** / pwɛ̃sɔnaʒ / **NM,** **poinçonnement** **NM** [marchandise] stamping; [bijou] hallmarking.

**poinçonner** / pwɛ̃sɔne / **VT** marchandise to stamp; bijou to hallmark.

**point** / pwɛ̃ / **NM** (gén) point; (à l'ordre du jour) item ♦ **plan en trois points** three-point ou three-phase plan ♦ **l'indice a gagné / perdu 6 points** the index rose / fell 6 points ♦ **faire le point d'une situation** to take stock of a situation,

review a situation ♦ **faire le point sur les négociations en cours** to do a progress-check on ongoing negotiations ♦ **mettre les choses au point** to get things straight ♦ **mettre au point une convention** to finalize an agreement ♦ **passons au point suivant** let's move on to the next item on the agenda ♦ **imprimante par points** dot-matrix printer

**pointage** / pwɛ̃taʒ / **NM** **a** [articles] checking off, ticking off, marking off ♦ **après un pointage rapide on estime que...** after a quick check ou count we reckon that... **b** [ouvrier] (à l'arrivée) clocking in; (au départ) clocking out.

**pointe** / pwɛ̃t / **NF** peak ♦ **à la pointe du progrès** in the forefront of progress ♦ **technologie de pointe** state-of-the-art ou advanced ou cutting-edge ou leading-edge technology ♦ **industrie de pointe** high-tech ou advanced-technology industry ♦ **heure de pointe** peak ou rush hour ♦ **aux heures de pointe** at rush hour ♦ **période de pointe** peak period ♦ **pointe saisonnière** seasonal peak ♦ **secteur de pointe** leading ou growth ou hi-tech sector.

**pointeau,** PL **-x** / pwɛ̃to / **NM** (Ind) timekeeper.

**pointer** / pwɛ̃te / **VT** **a** articles d'une liste to check (off), to tick off, mark off; compte to check

───── compounds/composés ─────

### POINT

♦ **point d'accès** gateway
♦ **point de base** basis point
♦ **point de chargement** loading point ou place
♦ **point de commande** order point ou level
♦ **point de contrôle** checkpoint
♦ **point critique** critical point
♦ **point de déchargement** unloading point ou place
♦ **point de départ** departure point, point ou place of departure (fig = début) starting point
♦ **point de dépôt** stock depot ou warehouse ou point
♦ **point de destination** point ou place of destination
♦ **point d'entrée** entry point; (Aviat) gateway ♦ **point d'entrée de l'or** import gold point
♦ **point-épargne** trading stamp
♦ **point d'équilibre** breakeven point
♦ **point faible** (gén) weak point; [marché] soft spot
♦ **point fort** strong point
♦ **point d'indice** index point
♦ **point d'information** point of information
♦ **point d'interruption** break point
♦ **point d'intervention** intervention point
♦ **point mort** (Ind, Fin) break-even point ♦ **la situation est au point mort** the situation is ou things are at a standstill
♦ **point névralgique** hot spot

♦ **point noir** black spot, trouble spot
♦ **point normal importation** unloading point
♦ **point optimum** (Ind) optimum production level
♦ **point de l'or** gold point
♦ **point de pénalisation** penalty point
♦ **point de réapprovisionnement** (Ind) reorder point
♦ **point de référence** (Mar) basing point; (Ind) bench mark
♦ **point de résistance** (Bourse) resistance point ou line
♦ **point de retraite** pension unit
♦ **point de rupture** (gén) breaking point; (Inf) breakpoint
♦ **point de salaire** salary point
♦ **point de saturation** saturation point
♦ **point de sortie** exit point ♦ **point de sortie de l'or** export gold point
♦ **point de stock** stock depot ou warehouse ou point
♦ **point de vente** (Mktg) point of sale; (= magasin) sales ou retail outlet ♦ **nous avons des points de vente dans tout le Midi** we have outlets ou stockists throughout the South ♦ **liste des points de vente** list of stockists ou retailers ♦ **terminal point de vente** point-of-sale terminal ♦ **publicité au point de vente** point-of-sale ou point-of-purchase advertising.

◆ **pointer les marchandises à l'entrée** to check off incoming goods, check goods in **b** *employé (à l'arrivée)* to clock in; *(au départ)* to clock out **VI** *(en arrivant au travail)* to clock in *ou* on; *(en quittant le travail)* to clock out *ou* off.

**pointeur, -euse** /pwɛ̃tœʀ, øz/ **NM,F** *[marchandises]* checker, tally clerk; *[employés]* timekeeper **pointeuse NF** *(= machine)* time clock.

**pointillé, e** /pwɛ̃tije/ **ADJ** dotted
**NM** *(imprimé)* dotted line; *(perforé)* perforations ◆ **détachez suivant le pointillé** tear off along the dotted line.

**pointu, e** /pwɛ̃ty/ **ADJ** highly specialized.

**pôle** /pol/ **NM** pole ◆ **pôle de croissance** *ou* de **développement** pole of development ◆ **pôle de reconversion** pole of conversion, relocation area ◆ **pôle stratégique** strategic business.

**police** /pɔlis/ **NF a** *(Ass)* policy ◆ **détenteur d'une police** policyholder **b** *(Inf, Typ)* ◆ **police de caractères** character fount *ou* font *ou* set
■ Voir encadré ci-dessous

**politique** /pɔlitik/ **NF** *(= science, métier)* politics; *(= mesures décidées)* policy ◆ **la politique du gouvernement** the government's policies ◆ **c'est la politique de l'entreprise** this is company policy
**ADJ** political ◆ **économie politique** political economy ■ Voir encadré ci-contre

─── compounds/composés ───

◆ **politique agricole commune** Common Agricultural Policy
◆ **politique d'achat** *(Ind)* purchasing *ou* procurement policy
◆ **politique d'austérité** retrenchment policy, austerity policy
◆ **politique budgétaire** budgetary policy
◆ **politique de change** foreign exchange policy
◆ **politique commerciale** commercial policy
◆ **politique de communication** communication policy
◆ **politique concertée** contractual policy
◆ **politique conjoncturelle** short-term economic policy
◆ **politique contractuelle** contractual policy, collective agreement policy
◆ **politique du crédit** credit policy
◆ **politique déflationniste** deflationary policy
◆ **politique de distribution** distribution policy
◆ **politique économique** economic policy
◆ **politique de l'emploi** employment policy
◆ **politique de fabrication** manufacturing policy
◆ **politique financière** financial policy
◆ **politique fiscale** tax *ou* fiscal policy
◆ **politique industrielle** industrial policy
◆ **politique intérieure** domestic *ou* home policy
◆ **politique d'investissement** investment policy
◆ **politique de marque** brand policy
◆ **politique monétaire** monetary policy
◆ **politique du personnel** personnel policy
◆ **politique de prix** *(Mktg)* pricing policy ◆ **politique des prix** *(Écon)* prices policy
◆ **politique de promotion** promotion policy
◆ **politique de produit** product policy
◆ **politique des revenus** incomes policy
◆ **politique salariale** wage *ou* pay policy
◆ **politique de vente** sales policy.

─── compounds/composés ───

**POLICE**

◆ **police d'abonnement** floating *ou* open policy
◆ **police à l'aller et au retour** round policy
◆ **police d'assurance** insurance policy ◆ **police d'assurance incendie** fire insurance policy ◆ **police d'assurance maritime** marine insurance policy ◆ **police d'assurance à montant indéterminé** unvalued policy ◆ **police d'assurance sur la vie, police d'assurance-vie** life assurance *ou* life insurance policy
◆ **police conjointe** joint policy
◆ **police sur corps** hull policy
◆ **police évaluée** valued policy
◆ **police sur facultés** cargo policy
◆ **police fixe** valued policy
◆ **police flottante** floating *ou* open policy
◆ **police à forfait** floating *ou* open policy
◆ **police française d'assurance maritime sur corps de tous navires** French maritime hull insurance policy for all vessels

◆ **police française d'assurance maritime sur facultés** French cargo insurance policy
◆ **police générale** master policy
◆ **police à montant déterminé** valued policy
◆ **police multirisques** comprehensive insurance policy
◆ **police non évaluée** open *ou* unvalued policy
◆ **police à ordre** policy to order
◆ **police ouverte** open *ou* floating policy
◆ **police au porteur** policy to bearer
◆ **police provisoire** provisional policy
◆ **police à terme** time *ou* term policy
◆ **police tous risques** all-risks policy, comprehensive policy
◆ **police-type** standard policy
◆ **police à valeur agréée** agreed value policy
◆ **police sans valeur agréée** unvalued policy
◆ **police au voyage** voyage policy.

**polluant, e** /pɔlɥɑ̃, ɑ̃t/ **ADJ** polluting
**NM** pollutant, polluting agent.

**polluer** /pɔlɥe/ **VT** to pollute.

**pollueur, -euse** /pɔlɥœʀ, øz/ **ADJ** polluting
**NM,F** polluter.

**pollution** /pɔlysjɔ̃/ **NF** pollution.

**Pologne** /pɔlɔɲ/ **NF** Poland.

**polonais, e** /pɔlɔnɛ, ɛz/ **ADJ** Polish
**NM** (= *langue*) Polish
**Polonais NM** (= *habitant*) Pole
**Polonaise NF** (= *habitante*) Pole.

**Polynésie** /pɔlinezi/ **NF** Polynesia.

**polynésien, -ienne** /pɔlinezjɛ̃, jɛn/ **ADJ** Polyne-
sian
**NM** (= *langue*) Polynesian
**Polynésien NM** (= *habitant*) Polynesian.
**Polynésienne NF** (= *habitante*) Polynesian.

**polyvalent, e** /pɔlivalɑ̃, ɑ̃t/ **ADJ** polyvalent, multipurpose, all-purpose.

**ponction** /pɔ̃ksjɔ̃/ **NF** ✦ **faire une ponction sur les
réserves** to tap the reserves, drain off money
from the reserves ✦ **la ponction fiscale** the tax
load *ou* bite *ou* take *ou* drain ✦ **ponctions
financières dues à l'endettement** debt servicing charges.

**ponctionner** /pɔ̃ksjɔne/ **VT** *réserves* to tap ✦ **les
mesures du gouvernement vont ponctionner la
consommation** the government's measures
will reduce consumption *ou* will be a drag on
consumption ✦ **le fisc ponctionne nos économies** the taxman is dipping into our savings.

**ponctuel, -elle** /pɔ̃ktɥɛl/ **ADJ** **a** (= *à l'heure*)
punctual **b** (= *limité*) ✦ **action ponctuelle** one-
off action ✦ **contrat ponctuel** specific contract
✦ **on a réalisé quelques affaires ponctuelles** we
pulled off a few isolated *ou* one-off deals.

**ponctuellement** /pɔ̃ktɥɛlmɑ̃/ **ADV** (= *à l'heure*)
punctually; (= *d'une façon limitée*) on a one-off
basis.

**pondération** /pɔ̃deʀasjɔ̃/ **NF** [*indice, moyenne*]
weighting ✦ **coefficient de pondération**
weighting coefficient *ou* ratio.

**pondéré, e** /pɔ̃deʀe/ **ADJ** *indice, moyenne*
weighted ✦ **non pondéré** unweighted.

**pondérer** /pɔ̃deʀe/ **VT** *indice, moyenne* to weight.

**pondéreux, -euse** /pɔ̃deʀø, øz/ **ADJ** heavy
**NM** **les pondéreux** heavy goods.

**pont** /pɔ̃/ **NM** **a** (*sur un fleuve*) bridge ✦ **faire un
pont d'or à qn** pay sb a fortune **b** (*Mar*) deck
✦ **cargaison sur le pont** deck load *ou* cargo

**c** (= *congé*) extra day off (at the weekend)
✦ **un pont de 4 jours** 4 days off, a 4-day
holiday ✦ **faire le pont** to have a long week-
end.

**pontage** /pɔ̃taʒ/ **NM** (*Mar*) decking.

**pontée** /pɔ̃te/ **NF** (*Mar*) deck load *ou* cargo.

**pool** /pul/ **NM** pool ✦ **pool d'assurances** insurance
pool ✦ **pool bancaire** banking pool ✦ **pool de
dactylos** typing pool ✦ **pool du charbon et de
l'acier / de l'or** coal and steel / gold pool ✦ **pool
de l'or** the gold pool ✦ **mettre en pool** to pool.

**population** /pɔpylasjɔ̃/ **NF** (*gén, Stat*) population
✦ **population active** working population, gainfully employed population ✦ **population mère**
sampled population ✦ **population de référence**
population of reference.

**port** /pɔʀ/ **NM** **a** (*Mar*) port, harbour; (*Comm*)
port; (= *ville*) port ✦ **faire relâche dans un port**
to call at a port ✦ **être au port** to be in port
✦ **droits de port** port *ou* harbour dues ✦ **risques
de port** port risks ✦ **le port autonome de
Marseille** the Marseille Port Authority **b** (*Inf*)
port ✦ **port série / parallèle** serial / parallel
port **c** (= *transport*) carriage, portage; (= *prix
du transport*) carriage; (*Poste*) postage ✦ **franco
ou franc de port** carriage paid ✦ **frais de port**
carriage *ou* transport costs, portage

───── *compounds/composés* ─────

✦ **port d'armement** port of registry, home port,
port of commission
✦ **port d'arrivée** port of arrival
✦ **port d'attache** port of registry
✦ **port de cabotage** coasting port
✦ **port de charge** *ou* **de chargement** port of
loading
✦ **port de commerce** commercial port, trading
port
✦ **port de débarquement** [*marchandises*] port of
unloading *ou* discharge, discharge port; [*voyageurs*] port of disembarkation
✦ **port de déchargement** port of unloading *ou*
discharge, discharge port
✦ **port de départ** port of departure *ou* sailing
✦ **port de destination** port of destination
✦ **port dû** (*gén*) carriage due; (*Poste*) postage due
✦ **expédier en port dû** to ship carriage due *ou* forward
✦ **port d'embarquement** [*marchandises*] shipping port, port of shipment *ou* of loading; [*voyageurs*] port of embarkation *ou* sailing
✦ **port d'entrée** port of entry
✦ **port d'escale** port of call
✦ **port d'expédition** (*Comm*) shipping port, port
of shipment; (*Douanes*) port of clearance
✦ **port fluvial** river port
✦ **port franc** free port
✦ **port d'immatriculation** registration port

+ **port intermédiaire** way port
+ **port libre** free port
+ **port en lourd** dead weight capacity
+ **port maritime** seaport
+ **port payé** *(gén)* carriage paid; *(Poste)* postage paid + **expédier en port payé** to ship carriage paid
+ **port de pêche** fishing port
+ **port pétrolier** oil port
+ **port de relâche** port of call
+ **port de sortie** shipping port, port of shipment
+ **port de transbordement** port of transshipment
+ **port de transit** port of transit.

**portabilité** /pɔrtabilite/ NF *[logiciel]* portability.

**portable** /pɔrtabl(ə)/ ADJ *téléphone* mobile; *ordinateur* laptop, portable; *logiciel* portable NM *(= ordinateur)* laptop (computer); *(= téléphone)* mobile (phone).

**portage** /pɔrtaʒ/ NM *(Mar)* portage; *(Mktg)* piggyback; *(Inf) [logiciel]* porting; *(Bourse)* carry; *(= coût)* cost of carry + **société de portage** *(Bourse)* nominee company.

**portail** /pɔrtaj/ NM *(Internet)* portal.

**Port-au-Prince** /pɔropʀɛ̃s/ N Port-au-Prince.

**porte** /pɔrt(ə)/ NF *(gén)* door; *[aéroport, usine]* gate; *(Inf)* gate + **offrir une porte de sortie aux négociateurs / aux minoritaires** to offer negotiators / minority shareholders a way out + **faire du porte-à-porte** to sell from door to door, make house-to-house calls, be a door-to-door salesman + **le porte-à-porte est très efficace** door-to-door selling is very effective + **mettre qn à la porte** to sack* *ou* fire* sb + **être mis à la porte** to get the sack*, be fired* + **pas-de-porte** *(Jur)* ≈ key money.

**porte-conteneurs** /pɔrtk3tənœr/ NM INV *(= navire)* container ship *ou* vessel; *(= avion)* container aircraft; *(= train)* container train.

**portée** /pɔrte/ NF a *(Mar)* + **portée en lourd** deadweight capacity + **portée utile** carrying capacity b **la portée d'une mesure** *(= étendue)* the scope of a measure; *(= conséquences)* the consequences of a measure; *(= impact)* the impact of a measure c *(= accessibilité)* reach + **cet objectif n'est pas à notre portée** that objective is out of our reach *ou* is not within our reach + **c'est à la portée de toutes les bourses** it's within everyone's means, everyone can afford it.

**portefeuille** /pɔrtəfœj/ NM a *[pour billets]* wallet, pocketbook *(US)*, billfold *(US)* b *(Ass, Fin)* *(Bourse)* portfolio + **clientèle de portefeuille** investing public + **commandes en portefeuille** unfilled orders, backlog of orders + **effets en portefeuille** bills in portfolio *ou* in hand, holdings of bills + **gestion de portefeuille** *(gén)* portfolio management; *(de SICAV, FCP)* fund management + **gestionnaire de portefeuille** *(gén)* portfolio manager; *(de SICAV, FCP)* fund manager + **investissements de portefeuille** portfolio investments + **produits** *ou* **rendement du portefeuille** portfolio income *ou* returns + **risque de portefeuille** portfolio risk + **société de portefeuille** holding company + **valeurs** *ou* **titres en portefeuille** securities in portfolio

─── compounds/composés ───

+ **portefeuille d'activités** *(Ind)* range of business activities
+ **portefeuille effets** bills in portfolio, portfolio of bills, holdings of bills
+ **portefeuille d'investissements** portfolio of investments, investment holding
+ **portefeuille avec mandat** discretionary portfolio
+ **portefeuille de produits** portfolio of products
+ **portefeuille repris** assumed portfolio
+ **portefeuille titres** portfolio of securities, securities in portfolio, stock holdings.

**portefeuilliste** /pɔrtfœjist(ə)/ NM,F portfolio manager.

**porte-parole** /pɔrt(ə)parɔl/ NM INV *(gén)* spokesperson; *(homme)* spokesman; *(femme)* spokeswoman.

**porter** /pɔrte/ VT a *(= inscrire)* écriture comptable to enter, post + **porter une somme au crédit / au débit d'un compte** to credit / debit an account with a sum + **nous avons porté le montant de la facture au débit de votre compte** we have debited your account with the amount of the invoice, we have charged the amount of the invoice to your account + **veuillez porter cet achat sur mon compte** please put this purchase down to my account, please charge this purchase to my account + **porter une transaction au journal** to journalize a transaction, enter a transaction into the journal + **porter un article au grand livre** to enter *ou* post an item in the ledger + **porter une somme à la réserve** to transfer a sum to the reserves + **porter des frais en diminution d'un prêt** to apply expenses against a loan b *(Fin = rapporter)* + **porter intérêt** to bear interest + **porter un dividende** to receive a dividend + **notre stratégie a porté ses fruits** our strategy has borne fruit *ou* has paid off c *(= augmenter)* to increase, raise, bring up *(à* to*)* + **nous avons porté le dividende à 10 euros** we have raised *ou* increased the dividend to

€10 ✦ **les fonds propres ont été portés à 4 millions d'euros** the equity has been brought up *ou* increased to 4 million euros **d** *(= indiquer)* ✦ **porter qch sur une liste** to write sth down on a list ✦ **porter la mention "payé" sur** to write the word « paid » on ✦ **la mention "payé" devra être portée sur la facture** the invoice should be marked « paid » ✦ **connaissement portant la mention "fret payé"** bill of lading bearing the words « freight prepaid » ✦ **le contrat porte que...** the contract states *ou* stipulates that... ✦ **la facture porte la date du 7 août** the invoice bears the date *ou* is dated August 7th **e** *marchandises (= transporter)* to carry; *(= livrer)* to deliver **f** *(Jur)* ✦ **porter plainte contre qn** to lodge a complaint *ou* file a claim *(US) ou* press charges *(US)* against sb **g** *(Inf) logiciel* to port **vi** **le contrat porte sur 120 millions d'euros** the contract bears on 120 million euros ✦ **les négociations portent sur les salaires** the talks are about *ou* concern *ou* focus on wages
**se porter** **vpr** **se porter caution pour qn** to stand surety *ou* security for sb ✦ **se porter garant de** to answer for, vouch for ✦ **se porter acquéreur de** to come forward as a buyer for, bid for ✦ **l'économie française se porte bien** the French economy is in good shape *ou* health.

**porteur, -euse** /pɔʀtœʀ, øz/ **adj** *situation économique* buoyant ✦ **marché porteur** buoyant *ou* growth market **nm** **a** *[valise]* porter; *[lettre, colis]* carrier **b** *[chèque]* bearer; *[titres]* holder; *[effet]* bearer, holder ✦ **chèque / titre au porteur** bearer cheque / security ✦ **payable au porteur** payable to bearer ✦ **porteur d'actions** shareholder *(Brit)*, stockholder *(US)* ✦ **porteur d'obligations** bond holder ✦ **les gros / petits porteurs** big / small shareholders *ou* investors ✦ **tiers porteur** second endorser, holder in due course
**porteuse** * **nf** *(Fin)* bearer security.

**Port-Louis** /pɔʀlwi/ **n** Port-Louis.

**Port Moresby** /pɔʀmɔʀɛsbi/ **n** Port Moresby.

**portoricain, e** /pɔʀtɔʀikɛ̃, ɛn/ **adj** Puerto Rican **Portoricain** **nm** *(= habitant)* Puerto Rican **Portoricaine** **nf** *(= habitante)* Puerto Rican.

**Porto Rico** /pɔʀtɔʀiko/ **nf** Puerto Rico.

**portrait** /pɔʀtʀɛ/ **nm** *(gén, Inf)* portrait.

**portuaire** /pɔʀtɥɛʀ/ **adj** port, harbour ✦ **installations portuaires** port *ou* harbour facilities ✦ **ville portuaire** port.

**portugais, e** /pɔʀtygɛ, ɛz/ **adj** Portuguese **nm** *(= langue)* Portuguese

**Portugais** **nm** *(= habitant)* Portuguese **Portugaise** **nf** *(= habitante)* Portuguese.

**Portugal** /pɔʀtygal/ **nm** Portugal.

**POS** /pɔs/ **nm** abrév de **plan d'occupation des sols** → **plan**.

**poser** /poze/ **vt** ✦ **poser sa candidature à qch** to apply for sth ✦ **poser des jours de congé** to put in a request for leave.

**positif, -ive** /pozitif, iv/ **adj** *(gén, Fin)* positive ✦ **nous sommes très positifs sur cette valeur** we are very bullish on this stock.

**position** /pozisjɔ̃/ **nf** **a** *(gén)* position ✦ **position sur le marché** market position ✦ **position concurrentielle** competitive position ✦ **il occupe une position clé** he has a key position ✦ **être en position de force pour négocier** to be bargaining from a position of strength **b** *(Banque) [compte]* position, balance ✦ **demander la position d'un compte** to ask for the balance *ou* position of an account **c** *(Bourse)* position ✦ **liquider une position** to close a position ✦ **reporter une position** to carry over a position ✦ **rachat de positions short** buying back of short positions

*compounds/composés*
✦ **position acheteur** bull *ou* long position
✦ **position à la baisse** bear *ou* short position
✦ **position bouclée** closed position
✦ **position de change** foreign exchange position, exchange exposure
✦ **position à cheval** straddle position
✦ **position de compensation** offsetting position
✦ **position en compte** long position
✦ **position courte** short position
✦ **position à couvert** long position
✦ **position créditrice** *(Banque)* creditor position
✦ **position débitrice** *(Banque)* debtor *ou* short position
✦ **position à découvert** short position
✦ **position dominante** dominant position
✦ **position à la hausse, position longue** bull *ou* long position
✦ **position ouverte** open position; *(sur le marché des changes)* open interest; *(Bourse de marchandises)* open contract
✦ **position de place** market position
✦ **position reportée** position carried over
✦ **position à reporter** position to be carried over
✦ **position de trésorerie** cash position
✦ **position vendeur** bear *ou* short position.

**positionnement** /pozisjɔnmɑ̃/ **nm** **a** *(Mktg) [entreprise, produit]* positioning ✦ **positionnement d'une marque** brand positioning **b** *(Banque) [compte]* establishing the position *ou* balance.

**positionner** /pozisjɔne/ **VT** **a** *(Mktg)* to position ◆ **produit bien positionné** well-positioned product **b** *(Banque)* **compte** to establish the position *ou* balance of.

**posséder** /posede/ **VT** **bien,** *objet* to possess; *diplôme* to have, hold.

**possesseur** /posesœʀ/ **NM** possessor, owner ◆ **être possesseur de** to be the owner *ou* possessor of, own, possess.

**possession** /posesjɔ̃/ **NF** **a** *[bien, objet]* possession, ownership; *[diplôme]* holding ◆ **entrer en possession de, prendre possession de** *poste* to take up; *propriété* to take possession of; *marchandises livrées* to take delivery of, take possession of ◆ **être en possession de qch** to be in possession of sth ◆ **possession vaut titre** possession is title ◆ **titre de possession** possessory title ◆ **frais de possession** *(Compta)* carrying costs *ou* charges **b** *(= chose possédée)* possession.

**possibilité** /posibilite/ **NF** possibility ◆ **possibilités d'emploi** employment possibilities *ou* opportunities ◆ **le marché offre peu de possibilités en ce moment** the market offers few opportunities *ou* possibilities right now ◆ **il existe des possibilités d'amélioration sur les marchés de l'Est** there is scope for improvement on Eastern markets ◆ **possibilités financières** financial means *ou* situation ◆ **ce produit a de nombreuses possibilités** this product has considerable potential *ou* has numerous possibilities ◆ **cette machine est conçue avec une possibilité de chargement automatique** this machine has been designed with an optional automatic loading facility.

**postal, e,** **MPL** **-aux** /postal, o/ **ADJ** ◆ **avion postal** mail plane ◆ **boîte postale** post office box, P.O. box ◆ **chèque postal** post office cheque ◆ **code postal** post *ou* postal code *(Brit)*, zip code *(US)* ◆ **colis postal** parcel sent by mail *ou* by post *(Brit)* ◆ **service des colis postaux** parcel post ◆ **compte (courant) postal** post office chequing account ◆ **mandat postal** postal order ◆ **sac postal** mailbag, postbag *(Brit)* ◆ **service postal** postal *(Brit)* *ou* mail service ◆ **tarifs postaux** postage, postal rates *(Brit)* ◆ **taxe postale** postage, postal rate ◆ **train postal** mail train.

**postdater** /postdate/ **VT** to postdate, date forward.

**poste** /pɔst(ə)/ **NF** **a** *(= lieu)* post office ◆ **la Poste** *(= organisme)* the Post Office ◆ **les Postes, Télégraphes et Téléphones** *the French Post Office* ◆ **employé des postes** post office worker *ou*

employee ◆ **bureau de poste** post office **b** *(= service)* post *(Brit)*, mail service ◆ **cachet de la poste** postmark ◆ **date de la poste** *(formule sur imprimé)* date as postmark ◆ **à renvoyer avant le 15 juin, la date de la poste faisant foi** replies must be postmarked no later than June 15th ◆ **envoyer qch par la poste** to send sth by post *(Brit)* *ou* by mail *(US)* ◆ **mettre qch à la poste** to post *(Brit)* *ou* mail *(US)* sth ◆ **poste restante** poste restante ◆ **poste aérienne** airmail ◆ **mandat-poste** postal order ◆ **timbre-poste** postage stamp **NM** **a** *(= lieu)* post ◆ **être à son poste** to be at one's post **b** *(= situation)* job, post, position ◆ **je cherche un poste dans la banque** I'm looking for a job *ou* a post in banking ◆ **poste à responsabilité** responsible job ◆ **poste clé** key position ◆ **rejoindre son poste** to take up one's duties *ou* post ◆ **le poste de directeur commercial est à pourvoir** the post of sales manager is vacant ◆ **poste tremplin** ladder position ◆ **poste vacant** *ou* **à pourvoir** vacancy, vacant position, appointment ◆ **nommer qn au poste de directeur commercial** to appoint sb (to the post of) sales manager ◆ **description** *ou* **profil de poste** job *ou* position description *ou* specification **c** *(Télec)* extension ◆ **passez-moi le poste 595 s'il vous plaît** please give me extension 595 ◆ **le poste est occupé** the line is busy ◆ **poste supplémentaire** extension line ◆ **numéro de poste** extension number **d** *(Compta)* item ◆ **poste de dépense** expense item ◆ **les postes du budget** budget items *ou* headings ◆ **l'augmentation du poste "frais de déplacement" est inquiétante** the increase of the item *ou* account «travel expenses» is worrying **e** *(Ind)* shift; *(= lieu)* work station ◆ **le poste de jour** the day shift ◆ **le poste de 8h à 16h** the 8 a.m. to 4 p.m. shift ◆ **l'ordonnancement des postes de charge** work loading

---

*— compounds/composés —*
- ◆ **poste bouchon** *(Ind)* bottleneck
- ◆ **poste budgétaire** budget item *ou* heading
- ◆ **poste de cotation** *(Bourse)* trading post
- ◆ **poste créditeur** credit item
- ◆ **poste débiteur** debit item
- ◆ **poste de douanes** customs post
- ◆ **poste frontière** border *ou* frontier post
- ◆ **poste hors caisse** *ou* **hors trésorerie** non-cash item
- ◆ **poste principal** *(Télec)* exchange line
- ◆ **poste de saisie** data entry station
- ◆ **poste téléphonique** telephone set
- ◆ **poste télex** telex station
- ◆ **poste de travail** *(= lieu)* work station; *(= période)* (work) shift.

---

**posté, e** /poste/ **ADJ** ◆ **travail / travailleur posté** shift work / worker.

**poster** /pɔste/ **vt** **a** *courrier* to post *(Brit)*, mail *(US)* **b** *(Ind) travailleur* to assign to a shift, put on shift work.

**postindustriel, -ielle** /pɔstɛ̃dystʀijɛl/ **ADJ** postindustrial.

**post-marché** /pɔstmaʀʃe/ **NM** *(Fin)* back office.

**post-scriptum** /pɔstskʀiptɔm/ **NM INV** postscript.

**postulant, e** /pɔstylɑ̃, ɑ̃t/ **NM,F** applicant, candidate.

**postuler** /pɔstyle/ **vt** *emploi* to apply for.

**pot-de-vin,** **PL pots-de-vin** /podvɛ̃/ **NM** bribe, kickback*.

**potentialité** /pɔtɑ̃sjalite/ **NF** potentiality ◆ **potentialités du marché** market scope for expansion, market potential.

**potentiel, -ielle** /pɔtɑ̃sjɛl/ **ADJ** *marché, client* potential, prospective ◆ **acheteur potentiel** potential *ou* prospective *ou* would-be buyer **NM** potential ◆ **potentiel de vente / de croissance** sales / growth potential ◆ **potentiel du marché** market opportunities *ou* potential ◆ **potentiel de production** production *ou* productive potential ◆ **potentiel inexploité** untapped potential ◆ **potentiel maximum** peak capacity ◆ **le potentiel de l'entreprise** the capacity *ou* potential of the company ◆ **cadre à haut potentiel** fast tracker ◆ **cette valeur dispose d'un bon potentiel d'appréciation** this stock has good upside potential.

**pourboire** /puʀbwaʀ/ **NM** tip, gratuity ◆ **donner un** *ou* **du pourboire à qn** to tip sb.

**pourcentage** /puʀsɑ̃taʒ/ **NM** *(= proportion)* percentage; *(= commission)* percentage, commission ◆ **pourcentage d'augmentation** percentage increase, increase per cent ◆ **travailler** *ou* **être au pourcentage** to work on commission ◆ **pourcentage d'essai d'un produit** trial rate.

**pourparlers** /puʀpaʀle/ **NMPL** talks, negotiations ◆ **nous sommes en pourparlers avec nos fournisseurs** we are negotiating with our suppliers.

**poursuite** /puʀsɥit/ **NF** *(Jur)* ◆ **poursuites** (legal) proceedings ◆ **abandonner les poursuites** to drop the charges ◆ **engager des poursuites judiciaires contre qn** to take legal action *ou* legal proceedings against sb ◆ **à l'abri des poursuites** immune from court action ◆ **passible de poursuites** actionable.

**poursuivre** /puʀsɥivʀ(ə)/ **vt** ◆ **poursuivre qn en justice** to sue sb, bring an action against sb, take legal action against sb, take sb to court.

**pourvoi** /puʀvwa/ **NM** *(Jur)* appeal.

**pourvoir** /puʀvwaʀ/ **pourvoir à** **VT INDIR** pourvoir à un poste *ou* une vacance to fill a position *ou* a vacancy ◆ **poste à pourvoir** vacancy, vacant position, appointment **se pourvoir** **VPR** se pourvoir en appel *(Jur)* to lodge *ou* file an appeal.

**pousse** /pus/ **NF** *(Écon)* ◆ **jeune pousse** start-up.

**poussée** /puse/ **NF** *[prix, inflation]* upsurge, rise ◆ **poussée des importations** import surge ◆ **poussées spéculatives** speculative movements.

**pousser** /puse/ **vt** *produit* to push; *ventes* to push, boost; *prix* to push up ◆ **pousser les enchères** to run up the bidding.

**pouvoir** /puvwaʀ/ **NM** *(gén)* power; *(= procuration)* power of attorney ◆ **abus de pouvoir** abuse *ou* misuse of power ◆ **fondé de pouvoir** *(Jur)* authorized representative; *(Banque)* senior banking executive ◆ **les pouvoirs publics** the authorities ◆ **pouvoir d'achat** purchasing *ou* buying *ou* spending power ◆ **pouvoir de décision** decision-making power ◆ **pouvoir libératoire** *(Fin)* legal tender ◆ **pouvoir de souscription** *(Ass)* binding power ◆ **donner pouvoir à qn to** to give sb proxy (to do sth) ◆ **donner tous pouvoirs** to give full powers.

**pourvoyeur, -euse** /puʀvwajœʀ, øz/ **NM,F** supplier.

**pp** **a** (abrév de **pages**) pp **b** abrév de **payable au porteur** → **payable** **c** (abrév de **per procurationem**) pp p. pro, per pro **d** abrév de **port payé** → **port.**

**ppht** /pepeaʃte/ **NM** abrév de **prix public hors taxe** → **prix.**

**Ppté** abrév de **propriété.**

**PR** /peɛʀ/ abrév de **poste restante** → **poste.**

**pr** abrév de **pour.**

**Prague** /pʀag/ **N** Prague.

**praticien, -ienne** /pʀatisjɛ̃, jɛn/ **NM,F** practitioner.

**pratique** /pʀatik/ **ADJ** pratical **NF** *(= exercice)* practice; *(= méthode)* practice, procedure; *(= expérience)* experience ◆ **la pratique d'une profession** the practice *ou* exercise of a profession ◆ **dans la pratique des affaires il faut de la patience** in (conducting) business you need patience ◆ **c'est une pratique courante en affaires** it's a common business practice ◆ **il a une grande pratique des affaires** he has wide business experience ◆ **pratiques comptables** accounting practices *ou* procedures ◆ **pratiques illégales / restrictives / dis-**

criminatoires illegal / restrictive / discriminatory practices ◆ **mettre qch en pratique** to put sth into practice.

**pratiquer** /pʀatike/ **VT** *métier* to practise *(Brit)*, practice *(US)* ; *technique* to use; *prix* to apply ◆ **les multinationales pratiquent des prix différents selon les marchés** multinationals apply different prices to different markets ◆ **les prix (couramment) pratiqués dans le secteur** the current *ou* prevailing prices in the sector ◆ **les cours pratiqués** *(Bourse)* the current *ou* ruling prices

**se pratiquer** **VPR** **les prix qui se pratiquent dans le secteur** the prices which prevail in the sector, the current prices in the sector ◆ **les remises à la profession se pratiquent de plus en plus** trade discounts are more and more common *ou* are increasingly the practice.

**pré-** /pʀe/ **PRÉF** pre-, preliminary ◆ **pré-rapport** preliminary report ◆ **pré-acheter** to buy in advance.

**préalable** /pʀealabl(ə)/ **ADJ** **accord préalable** prior *ou* previous agreement ◆ **conditions préalables** prerequisites ◆ **discussions préalables** *(= antérieures)* previous discussions; *(= préparatoires)* preliminary talks ◆ **étude préalable** pilot *ou* preliminary study
**NM** precondition, prerequisite ◆ **au préalable** first ◆ **préalable budgétaire** preliminary budget.

**préalablement** /pʀealabləmã/ **ADV** first, beforehand, previously ◆ **préalablement à** prior to.

**préavis** /pʀeavi/ **NM** (advance) notice ◆ **donner un préavis de trois mois** to give three months' notice ◆ **préavis de grève** strike notice ◆ **préavis de licenciement** notice of discharge ◆ **préavis de retrait** *(Banque)* withdrawal notice ◆ **délai de préavis** term *ou* period of notice ◆ **dépôt à trois mois de préavis** deposit at three months' notice ◆ **lettre de préavis** letter of notice ◆ **sans préavis** without notice *ou* warning.

**précaire** /pʀekɛʀ/ **ADJ** precarious ◆ **emploi précaire** insecure job.

**précarité** /pʀekaʀite/ **NF** precariousness ◆ **précarité de l'emploi** job insecurity, insecurity of employment ◆ **prime de précarité** bonus for insecurity of employment.

**précaution** /pʀekosjɔ̃/ **NF** precaution ◆ **achat de précaution** precautionary *ou* hedge *ou* panic buying.

**précédent, e** /pʀesedã, ãt/ **ADJ** previous
**NM** precedent ◆ **créer un précédent** to set a precedent.

**précité, e** /pʀesite/ **ADJ** *(dans une lettre)* above, above-mentioned.

**précompte** /pʀekɔ̃t/ **NM** *(= évaluation)* estimate; *(= déduction)* deduction ◆ **précompte fiscal** tax deduction at source, tax withholding.

**précompter** /pʀekɔ̃te/ **VT** *(= évaluer)* to estimate; *(= déduire)* to deduct, withhold ◆ **les cotisations à la Sécurité sociale sont précomptées sur les salaires** Social Security contributions are deducted at source *ou* are withheld from wages.

**préconditionner** /pʀekɔ̃disjɔne/ **VT** to prepack, prepackage ◆ **articles préconditionnés** prepacked *ou* prepackaged goods *ou* articles.

**précontrôle** /pʀekɔ̃tʀol/ **NM** *(Fin)* preaudit.

**prédateur** /pʀedatœʀ/ **NM** *(Bourse)* (corporate) raider, predator.

**préemballé, e** /pʀeɑ̃bale/ **ADJ** prepacked, prepackaged.

**pré-embauche** /pʀeɑ̃boʃ/ **NF** ◆ **contrat de pré-embauche** trainee contract *(which may lead to a definite job offer)*.

**préemption** /pʀeɑ̃psjɔ̃/ **NF** pre-emption ◆ **droit de préemption** right of pre-emption, pre-emptive right.

**préenquête** /pʀeɑ̃kɛt/ **NF** *(Mktg)* pretesting, pretest.

**préférence** /pʀefeʀɑ̃s/ **NF** *(gén, Écon)* preference ◆ **préférence d'un créancier** priority *ou* prior ranking of a creditor ◆ **préférence douanière** customs preference ◆ **la préférence communautaire** *(UE)* Community preference ◆ **préférence pour la liquidité** liquidity preference ◆ **par ordre de préférence** in order of preference ◆ **les préférences du consommateur** consumer preference ◆ **avoir la préférence sur** *(en matière d'hypothèque)* to rank prior to ◆ **droit de préférence** *(Jur)* lien, priority right ◆ **tarif de préférence** *(Douanes)* preferential tariff *ou* duty ◆ **système généralisé de préférence** general preference system ◆ **actions de préférence** *(Bourse)* preference *ou* preferred shares ◆ **échelle de préférence** *(Stat)* scale of preferences.

**préférentiel, -ielle** /pʀefeʀɑ̃sjɛl/ **ADJ** preferential ◆ **tarif préférentiel** *(gén)* preferential *ou* preferred rate; *(Douanes)* preferential tariff ◆ **action préférentielle** *(Bourse)* preferred *ou* preference share ◆ **droit préférentiel de souscription** *(Bourse)* right to preferential allotment.

**préfinancement** /pʀefinɑ̃smɑ̃/ **NM** prefinancing, interim *ou* advance financing.

**préfinancer** /pʀefinɑ̃se/ **VT** to prefinance.

**préjudice** /pʀeʒydis/ **NM** *(= dommage)* damage; *(= perte)* loss; *(= tort)* harm ◆ **préjudice matériel / financier** material / financial loss ◆ **ils nous ont infligé un préjudice moral** they have inflicted moral damage on us, they have wronged us ◆ **subir un préjudice moral** to be wronged ◆ **porter** *ou* **causer préjudice à qn** to do sb harm, harm sb ◆ **réparation du préjudice** compensation for the damage *ou* loss ◆ **sans préjudice de nos droits** without prejudice to our rights, without prejudicing our rights.

**préjudiciable** /pʀeʒydisjabl(ə)/ **ADJ** prejudicial, detrimental (*à* to)

**prélèvement** /pʀelɛvmɑ̃/ **NM** **a** *(= fait de prélever) [impôt]* withholding, deduction, levying; *[échantillon]* taking; *[somme sur un compte]* withdrawal; *[cotisation sur salaire]* deduction, withdrawing ◆ **compte de prélèvement** drawing account ◆ **le prélèvement d'un dividende sur les bénéfices** the payment of a dividend out of profits ◆ **le prélèvement d'une somme sur les réserves** the drawing of a sum from the reserves ◆ **payer par prélèvement automatique sur son compte** to pay by direct debiting of one's account *(Brit)* ou by automatic deductions from one's account *(US)* ◆ **un prélèvement à la source de 10% sur les revenus de l'épargne** a 10% withholding tax on savings income ◆ **le 15 de chaque mois un prélèvement sera effectué sur votre compte** on the 15th of every month your account will be debited ◆ **ordre de prélèvement** standing order *(Brit)*, direct debit(ing) order *(Brit)*, automatic deduction order *(US)* **b** *(= somme prélevée) [impôt]* levy; *(= retenue sur salaire)* deduction

─────── *compounds/composés* ───────

◆ **prélèvements agricoles** *(UE)* agricultural levies
◆ **prélèvement automatique** *(montant fixe)* standing order; *(montant variable)* direct debit(ing) order
◆ **prélèvement bancaire** banker's order *(Brit)*, automatic deduction *(US)*
◆ **prélèvement sur le capital** capital levy
◆ **prélèvements exceptionnels** exceptional levies
◆ **prélèvement fiscal** tax levy, tax bite* *ou* take*
◆ **prélèvement forfaitaire** flat-rate withholding, standard deduction at source
◆ **prélèvement à l'importation** import levy
◆ **prélèvement libératoire** flat-rate withholding, standard deduction at source

◆ **prélèvements obligatoires** *(Écon)* (total) tax and social security contributions
◆ **prélèvement sur les réserves** withdrawal from reserves
◆ **prélèvements sociaux** Social Security contributions
◆ **prélèvement à la source** deduction at source, withholding, pay as your earn *ou* go *(US)* system.

**prélever** /pʀelve/ **VT** *taxe, droit* to levy; *commission* to charge, retain; *échantillon* to take, collect ◆ **prélever à la source** to deduct at source, withhold ◆ **prélever une somme sur un compte** to withdraw a sum from an account ◆ **il faudra prélever sur les réserves** we'll have to dip into *ou* draw upon the reserves ◆ **l'État prélève 45% des bénéfices commerciaux** the government takes a 45% cut of business profits ◆ **toutes mes factures sont prélevées sur mon compte** all my bills are paid directly out of my account *ou* are deducted from my account *ou* are directly debited to my account ◆ **dividende à prélever sur les bénéfices** dividend to be paid out of profits.

**premier, -ière** /pʀəmje, jɛʀ/ **ADJ** first ◆ **de premier choix, de première qualité** top quality, first grade ◆ **matières premières** raw materials ◆ **premiers cours** *(Bourse)* opening *ou* initial prices ◆ **première échéance** *(Bourse)* first notice day ◆ **premier entré, premier sorti** *(Ind)* first in, first out, FIFO ◆ **frais de premier établissement** initial expenses, start-up costs ◆ **premier intéressé** *(= créancier)* preferential creditor ◆ **obligation de premier ordre** prime bond ◆ **hypothèque de premier rang** first mortgage ◆ **créance de premier rang** senior debt
**NM,F** first → **sixième**.

**premièrement** /pʀəmjɛʀmɑ̃/ **ADV** in the first place, first(ly).

**prenant, e** /pʀənɑ̃, ɑ̃t/ **ADJ** ◆ **partie prenante** *(Fin)* creditor, payee, recipient ◆ **être partie prenante dans une négociation** to be a party to a negotiation.

**prendre** /pʀɑ̃dʀ(ə)/ **VT** **a** *(gén)* to take ◆ **prendre (à son service)** *employé* to take on, engage, hire *(US)* ◆ **prendre à bail** to lease, take out a lease on ◆ **prendre en charge** *projet* to take charge of; *frais* to cover, take care of, agree to pay ◆ **prendre effet à compter de** to take effect as from, become effective *ou* operative as from ◆ **prendre rendez-vous** *ou* **date avec qn** to make an appointment with sb ◆ **prendre du retard** to fall behind schedule ◆ **je suis pris toute la matinée** I'm booked up this morning ◆ **prendre le contrôle de** *(gén)* to take control of; *société* to take over **b** *(= faire payer)* commis-

*sion, prix* to charge ✦ **ils prennent 200 euros la journée** *ou* **par jour** they charge 200 euros a day *ou* per day **c** *(par écrit) adresse* to take (down), write down, make a note of; *commande* to take ✦ **prendre en sténo** to take (down) in shorthand ✦ **prenez une lettre** take a letter **d** *(Bourse, Fin)* ✦ **prendre de l'argent à la banque** to withdraw money from the bank, draw money out of the bank ✦ **prendre ses bénéfices / ses pertes** to take (one's) profits / (one's) losses ✦ **prendre une partie de ses bénéfices** to take partial profits ✦ **prendre à option / compte** to take on option / on account ✦ **prendre à l'escompte** to discount ✦ **prendre ferme** to take firm ✦ **prendre des titres en report** to take in *ou* continue stocks ✦ **les mines d'or prennent jusqu'à 1 dollar** gold mines took on as much as 1 dollar **VI** *[produit, idée]* to catch on, be a success.

**prénégociation** /pʀenegɔsjasjɔ̃/ **NF** preliminary negotiation.

**preneur, -euse** /pʀənœʀ, øz/ **NM,F** *[bien]* buyer; *[bail]* tenant, lessee, taker; *[effet, option]* taker ✦ **trouver preneur** to find a buyer ✦ **à ce prix-là ils sont preneurs** at that price they'll buy *ou* take it ✦ **preneur d'ordre** order taker ✦ **preneur de faculté de lever double** *(Bourse)* taker for a put of more ✦ **preneur d'option** taker of an option ✦ **preneur de prix** price taker.

**préparation** /pʀepaʀasjɔ̃/ **NF** preparation ✦ **préparation du travail** *(Ind)* production routing.

**prépayé, e** /pʀepeje/ **ADJ** prepaid.

**préplacement** /pʀeplasmɑ̃/ **NM** *(Bourse)* preplacement ✦ **période de préplacement** preplacement period.

**prépondérant, e** /pʀepɔ̃deʀɑ̃, ɑ̃t/ **ADJ** preponderant ✦ **voix prépondérante** casting vote.

**préposé, e** /pʀepoze/ **NM,F** *(gén)* employee; *(= facteur)* postman *(Brit)*, mailman *(US)* ✦ **préposé au guichet** counter clerk ✦ **préposé des douanes** customs officer.

**préposer** /pʀepoze/ **VT** to appoint *(à* to) ✦ **être préposé à** to be in charge of.

**préqualification** /pʀekalifikasjɔ̃/ **NF** prior qualification.

**préretraite** /pʀeʀ(ə)tʀɛt/ **NF** early *ou* advanced retirement ✦ **mettre qn en préretraite** to retire sb early, send sb into early retirement ✦ **être mis en préretraite** to be given early retirement, be retired early ✦ **les mises en préretraite augmentent** early retirements are on the increase ✦ **il est parti en préretraite** he has retired early, he has taken an early retirement ✦ **toucher une préretraite** to draw an early retirement pension.

**préretraité, e** /pʀeʀatʀɛte/ **NM,F** person who has retired early *ou* who has taken an early retirement.

**prérogative** /pʀeʀɔgativ/ **NF** prerogative.

**prescripteur** /pʀɛskʀiptœʀ/ **NM** *(Mkt)* *[produit]* prescriber, recommender, advocate, influencer.

**prescriptible** /pʀɛskʀiptibl(ə)/ **ADJ** *(Jur)* prescriptible.

**prescription** /pʀɛskʀipsjɔ̃/ **NF** **a** *(Jur)* prescription ✦ **prescription acquisitive** positive prescription, adverse possession ✦ **prescription criminelle** statute of limitations ✦ **prescription extinctive** negative prescription ✦ **opposer la prescription** to base one's defence on the statute of limitations ✦ **délai de prescription** limitation period **b** *(Mkt)* prescription.

**prescrire** /pʀɛskʀiʀ/ **VT** *(Jur)* to prescribe; *(Mkt)* *produit* to prescribe, recommend, advocate ✦ **à la date prescrite** on the prescribed date ✦ **dans les délais prescrits** within the prescribed time *ou* the time stipulated ✦ **chèque prescrit** stale cheque, lapsed cheque *(US)* ✦ **dette prescrite** statute-barred *ou* lapsed debt ✦ **cette dette est prescrite** this debt has lapsed *ou* is statute-barred ✦ **les actions nées du présent contrat se prescrivent par 2 ans** all legal rights deriving from the present contract are forfeited unless suit is brought within 2 years.

**présélection** /pʀeselɛksjɔ̃/ **NF** *(gén)* preselection; *[candidats]* shortlisting, screening.

**présélectionner** /pʀeselɛksjɔne/ **VT** to make a first *ou* prior selection, preselect; *candidats* to shortlist ✦ **être présélectionné** to be shortlisted, be on the shortlist.

**présence** /pʀezɑ̃s/ **NF** *(au bureau, à l'usine)* attendance, presence ✦ **feuille de présence** *(à une réunion)* attendance sheet *ou* list *ou* record; *(du personnel)* time sheet ✦ **registre de présence** time book, attendance register ✦ **jeton de présence** *(= rémunération)* director's fees ✦ **faire acte de présence** to put in an appearance ✦ **les parties en présence** *(Jur)* the litigants, the opposing parties ✦ **mettre les parties en présence** to bring the parties together.

**présent, e** /pʀezɑ̃/ **ADJ** present ✦ **le 10 du mois présent** on the 10th instant *(Brit)* of this month ✦ **par la présente (lettre)** by the present letter, by this letter, hereby ✦ **au reçu de la présente** on receipt of this letter *ou* of the present.

**pression**

**présentable** /pʀezɑ̃tabl(ə)/ **ADJ** ✦ présentable à l'encaissement encashable.

**présentateur, -trice** /pʀezɑ̃tatœʀ, tʀis/ **NM,F** (Fin) [effet] presenter
**ADJ** banque, banquier presenting.

**présentation** /pʀezɑ̃tasjɔ̃/ **NF** **a** (Fin) presentation, presentment; [pièces justificatives] production, presentation ✦ **présentation d'un effet à l'acceptation / d'un chèque au paiement** presentation of a bill for acceptance / of a cheque for payment ✦ **présentation à l'encaissement** presentation for collection ✦ **sur présentation de la carte d'identité** on production of your identity card ✦ **payable sur présentation** payable on demand ou on presentation ✦ **présentation du bilan en tableau / liste** account / report form of the balance sheet **b** (Mktg) [produits] display, presentation ✦ **présentation au sol** floor display ✦ **présentation en association** joint display ✦ **présentation pêle-mêle** bulk ou dump ou jumble display ✦ **présentation sur le lieu de vente** POS ou point of sale display ✦ **présentation à la sortie** checkout display ✦ **présentation en vrac** bulk ou jumble ou dump display **c** (= apparence) appearance ✦ **excellente présentation exigée** (dans une annonce) smart appearance required **d** [document, carte, billet] production, showing.

**présenter** /pʀezɑ̃te/ **VT** **a** papiers d'identité to show, produce, present; facture, rapport to submit, present; motion to introduce, table (Brit) ; candidat to put up, present; effet, chèque to present ✦ **présenter une proposition au conseil d'administration** to put a proposal to the board ✦ **présenter à l'acceptation / à l'encaissement / au paiement / à l'escompte** to present for acceptance / collection / payment / discount ✦ **présenter sa candidature à un poste** to apply for a job, put in (one's candidacy ou one's application) for a job ✦ **ce compte présente un solde de 1 250 euros** this account shows a balance of €1,250 **b** (Mktg) marchandises to display, present
**se présenter** **VPR** notre représentant se présentera chez vous lundi prochain our representative will call on you next Monday ✦ **elle s'est présentée pour le poste** she applied for ou she put in for the job ✦ **veuillez vous présenter à notre agence de Chicago** please report to our Chicago office.

**présentoir** /pʀezɑ̃twaʀ/ **NM** (= meuble) display stand ou unit; (étagère) display shelf ✦ **présentoir de caisse, présentoir à la sortie** checkout display ✦ **présentoir au sol** floor display (stand) ✦ **présentoir-distributeur** silent salesman.

**présérie** /pʀeseʀi/ **NF** (Ind) pilot production run.

**présidence** /pʀezidɑ̃s/ **NF** [tribunal] presidency; [réunion, commission] chairmanship; [entreprise] chairmanship, directorship ✦ **la réunion se déroulera sous la présidence de M. Gagnaire** the meeting will be chaired by Mr Gagnaire, the meeting will take place with Mr Gagnaire in the chair ✦ **il a quitté la présidence** he stepped down from the chairmanship ✦ **il a été élu à la présidence** he was elected chairman.

**président** /pʀezidɑ̃/ **NM** [tribunal] president; [réunion, commission] chairman, chairperson; [entreprise] chairman, chairperson, president ✦ **le président du conseil d'administration** the chairman of the board ✦ **président-directeur général** (chairman and) managing director, (chairman and) chief executive officer.

**présidente** /pʀezidɑ̃t/ **NF** [tribunal] president; [réunion, commission] chairwoman, chairlady, chairperson; [entreprise] chairwoman, chairlady, chairperson, president.

**présider** /pʀezide/ **VT** tribunal, conseil d'administration to preside over; réunion, commission to chair ✦ **le nouveau directeur présidera ce soir** the new director will chair the meeting ou will be in the chair ou will be chairing this evening.

**presse** /pʀɛs/ **NF** (= journaux) press ✦ **j'ai parcouru toute la presse** I've glanced through all the papers ✦ **la presse professionnelle** the trade press ✦ **agence / conférence de presse** press agency / conference.

**pressentir** /pʀesɑ̃tiʀ/ **VT** to sound out, approach (pour un poste about a job)

**pression** /pʀesjɔ̃/ **NF** (Écon, Comm) pressure ✦ **groupe de pression** pressure group, lobby, ginger group (Brit), special interest group (US) ✦ **exercer une pression** to exert pressure (sur on) **la direction a pris cette décision sous la pression des syndicats** the management took this decision under trade union pressure

—— compounds/composés ——
- **pression baissière** ou **à la baisse** (Bourse) downward pressure
- **pression de la demande** demand pressure
- **pression démographique** demographic pressure
- **pression fiscale** tax pressure ou burden ou load
- **pression haussière** ou **à la hausse** (Bourse) upward pressure
- **pression inflationniste** inflationary pressure.

**prestataire** /pʀɛstatɛʀ/ **NM** recipient, person receiving a benefit *ou* an allowance ◆ **prestataire de service** service provider *ou* supplier *ou* agency ◆ **entreprise prestataire de service** service-providing company, service business ◆ **prestataire extérieur** outside contractor, external service provider.

**prestation** /pʀɛstasjɔ̃/ **NF** a (= *indemnité*) benefit, allowance ◆ **verser / toucher des prestations** to pay out / draw benefits b (= *service*) service ◆ **la prestation d'un service** the provision *ou* performance of a service ◆ **nos prestations (de service) sont gratuites** our service is free ◆ **les entreprises sont contraintes d'améliorer leurs prestations** companies are obliged to improve the services they offer *ou* their offerings

--- compounds/composés ---

◆ **prestation accessoire** fringe benefit
◆ **prestation d'assurance** insurance benefit
◆ **prestation de capitaux** provision of capital
◆ **prestation en espèces** cash payment
◆ **prestations familiales** family benefits
◆ **prestations d'invalidité** disablement *ou* disability benefit *ou* allowance
◆ **prestations locatives** rental charges *ou* expenses
◆ **prestations (de) maladie** sick(ness) benefit
◆ **prestation en nature** payment in kind
◆ **prestations sociales** *ou* **de la Sécurité sociale** social security benefits, welfare benefits *(US)*
◆ **prestations de vieillesse** old age pension.

**prestige** /pʀɛstiʒ/ **NM** prestige ◆ **opération de prestige** public relations operation ◆ **perte de prestige** loss of status ◆ **symbole de prestige** status symbol.

**présumer** /pʀezyme/ **VI** to presume ◆ **cela ne présume pas de la décision qui sera prise** that should not influence the decision which will be taken.

**prêt** /pʀɛ/ **NM** (= *action*) lending, loaning; (= *somme prêtée*) loan ◆ **demander** *ou* **solliciter / contracter / accorder** *ou* **consentir un prêt** to apply for / take up / grant a loan ◆ **demande de prêt** loan application ◆ **conditions de prêt** loan terms ◆ **contrat de prêt** loan contract *ou* note *(US)* ◆ **maison de prêt** loan company ◆ **les prêts accordés par l'État aux entreprises sont en baisse** government lending to companies is falling ▪ Voir encadré ci-dessous

**prête-nom,** **PL** **prête-noms** /pʀɛtnɔ̃/ **NM** figurehead, dummy, man of straw ◆ **société prête-nom** dummy *ou* fronting *(US)* company.

**prétention** /pʀetɑ̃sjɔ̃/ **NF** ◆ **prétentions (de salaire)** salary expectations expected salary ◆ **indiquer vos prétentions** *(offre d'emploi)* state salary required.

**prêter** /pʀete/ **VT** *argent* to lend ◆ **prêter à intérêt** to lend out at interest ◆ **prêter à 12%** to lend at 12% ◆ **prêter sur gages** *ou* **sur nantissement** to lend on collateral ◆ **prêter sur garantie** to lend against security ◆ **prêter serment** to take

--- compounds/composés ---

**PRÊT**

◆ **prêt pour l'accession à la propriété** home-owner loan
◆ **prêt pour l'amélioration de l'habitat** home improvement loan
◆ **prêts et avances consentis** *(Compta)* loans and advances granted
◆ **prêt-bail** lease-lend *(Brit)*, lend-lease *(US)*
◆ **prêt bancaire** bank loan
◆ **prêt bonifié** subsidized *ou* preferential loan
◆ **prêt conditionnel** loan made on condition, tied loan
◆ **prêt à la consommation** consumer loan ◆ **les prêts à la consommation sont en hausse** consumer lending is increasing
◆ **prêt à la construction** building loan
◆ **prêt conventionné** regulated mortgage loan
◆ **prêt à court terme** short-term loan
◆ **prêt croisé en devises** currency swap
◆ **prêt à découvert** *(par découvert bancaire)* loan on overdraft; *(sans garantie)* unsecured loan
◆ **prêt épargne-logement** mortgage
◆ **prêt sur gage** loan on collateral, collateral loan

◆ **prêt garanti** secured loan
◆ **prêt à la grosse** *(Mar)* bottomry loan
◆ **prêt hypothécaire** mortgage loan
◆ **prêt immobilier** real estate loan, mortgage loan
◆ **prêt à intérêt** interest-bearing loan
◆ **prêt au jour le jour** day-to-day loan, call loan
◆ **prêt à long terme** long-term loan
◆ **prêt sur nantissement** loan on collateral, collateral loan
◆ **prêt non garanti** unsecured loan
◆ **prêt participatif** participating capital loan
◆ **prêt personnel** personal loan
◆ **prêt sur police d'assurance-vie** policy loan
◆ **prêt privé** private loan
◆ **prêt relais** bridging loan
◆ **prêt remboursable** redeemable loan
◆ **prêt à taux bonifié** government-subsidized loan, low-interest loan, reduced-rate loan
◆ **prêt à terme** time *ou* term loan
◆ **prêt sur titres** advance on securities
◆ **prêt à vue** demand loan.

the oath ✦ **faire prêter serment à qn** to administer the oath to sb, swear sb in.

**prêteur, -euse** /pʀɛtœʀ, øz/ **ADJ** *banque* lending **NM** lender ✦ **prêteur sur gages** pawnbroker ✦ **prêteur de deniers** money lender.

**Prétoria** /pʀetɔʀja/ **N** Pretoria.

**preuve** /pʀœv/ **NF** proof, evidence ✦ **preuve écrite** documentary evidence ✦ **la charge de la preuve** *(Jur)* the burden of proof.

**prévente** /pʀevɑ̃t/ **NF** advance sale ✦ **prévente de billets** advance ticket sale.

**préventif, -ive** /pʀevɑ̃tif, iv/ **ADJ** preventive.

**prévention** /pʀevɑ̃sjɔ̃/ **NF** ✦ **prévention des accidents du travail** industrial safety.

**prévision** /pʀevizjɔ̃/ **NF** *(= étude)* forecasting; *(= résultat)* forecast, projection, estimate ✦ **la prévision à court / moyen / long terme** short- / medium- / long-range *ou* long term forecasting ✦ **modèle / méthode de prévision** forecasting model / method ✦ **prévisions de vente** sales forecast *ou* projection ✦ **prévisions budgétaires** budget forecasts *ou* estimates ✦ **prévision de la demande / financière / de trésorerie** demand / financial / cash flow forecast ✦ **les résultats ont dépassé toutes nos prévisions** the results exceeded all our expectations ✦ **en prévision de** in anticipation of.

**prévisionnel, -elle** /pʀevizjɔnɛl/ **ADJ** *budget, coûts* estimated ✦ **étude prévisionnelle** advance survey ✦ **gestion prévisionnelle** forecasting and planning, predictive management ✦ **mesure prévisionnelle** future-oriented measure ✦ **plan prévisionnel** predictive plan ✦ **planning prévisionnel** forward planning.

**prévisionniste** /pʀevizjɔnist(ə)/ **NMF** forecaster.

**prévoir** /pʀevwaʀ/ **VT** a *(= évaluer)* to forecast, project ✦ **ventes prévues** projected *ou* forecasted sales b *(= planifier)* to plan ✦ **prévoir de faire qch** to plan sth, plan on doing sth ✦ **ma visite est prévue pour le 11** my visit is scheduled *ou* planned for the 11th ✦ **prévoir une somme dans le budget pour qch** to allow for sth in the budget, allow a sum in the budget for sth ✦ **nous avons prévu 4 000 euros pour ces travaux** we have allowed *ou* set aside *ou* budgeted €4,000 for this work ✦ **dépenses prévues au budget** budgeted expenses, expenses allowed in the budget, expenses provided for in the budget ✦ **les conditions prévues dans le contrat** the conditions laid down *ou* stipulated *ou* set out in the contract ✦ **ils ne nous ont pas livré dans les délais prévus** they did not meet the delivery deadline ✦ **le**

**contrat prévoit une réévaluation des primes** the contract provides for a reevaluation of premiums.

**prévoyance** /pʀevwajɑ̃s/ **NF** ✦ **caisse** *ou* **fonds de prévoyance** contingency fund ✦ **fonds de prévoyance du personnel** staff provident fund ✦ **société** *ou* **organisme de prévoyance** provident society.

**prier** /pʀije/ **VT** ✦ **nous vous prions d'accepter nos excuses** please accept our apologies ✦ **vous êtes prié de vous présenter au service du personnel** you are requested to report to the personnel department.

**prière** /pʀijɛʀ/ **NF** ✦ **prière de nous répondre par retour du courrier** please reply by return of post.

**primaire** /pʀimɛʀ/ **ADJ** primary ✦ **industrie / secteur / marché primaire** primary industry / sector / market ✦ **caisse primaire de la Sécurité sociale** social security office.

**prime** /pʀim/ **NF** a *(Mktg)* premium, bonus, free gift ✦ **recevoir qch en prime** to be given sth as a bonus *ou* as a premium ✦ **porte-clefs en prime** *(annonce publicitaire)* free key ring ✦ **paquet en prime** bonus pack ✦ **emballage prime** container premium b *(= rémunération)* bonus (payment), premium pay; *(= subvention)* subsidy, premium; *(= indemnité)* allowance c *(Ass)* premium d *(Bourse)* *(= surcote par rapport au pair)* premium; *(= décote par rapport au pair)* discount ✦ **ces titres se vendent avec une prime de 7 euros au-dessus du prix d'émission** these securities are trading at a premium of €7 on *ou* over *ou* above the issue price ✦ **la prime du titre par rapport au secteur** the share's premium to the sector e *(Marché conditionnel)* option ✦ **marché à primes** options market ✦ **acheter à prime** to give for the call ✦ **lever une prime, répondre à une prime** to take up *ou* exercise an option ✦ **réponse des primes** option declaration ✦ **jour de la réponse des primes** option declaration day ✦ **cours** *ou* **taux de la prime** option price *ou* rate ✦ **opérations à prime** options dealing *ou* trading ✦ **double prime** put and call option ✦ **marché à prime pour lever** call option, buyer's option ✦ **acheteur** *ou* **payeur de prime** option buyer, taker of an option ✦ **marché à prime pour livrer** put option, seller's option ✦ **vendeur** *ou* **receveur de prime** option seller, giver of an option ◼ Voir encadré page suivante

**primer** /pʀime/ **VT** a *(= récompenser)* to award a prize to ✦ **produit primé** award-winning *ou* prize-winning product b *(= subventionner)* to subsidize c *(hypothèque)* ✦ **primer qn** to rank before sb ✦ **être primé par qn** to rank after sb **VI** **les actions de préférence priment en matière de dividende** preference shares rank first in dividend rights.

**principal, e** MPL, **-aux** /pʀɛsipal, o/ ADJ *usine, bâtiment* main; *employé* chief, head; *problème, objectif* main, major, principal ✦ **associé principal** senior partner ✦ **fichier principal** main *ou* master file ✦ **le siège principal d'une entreprise** a company's head office ✦ **quel est votre emploi principal?** what is your main occupation? NM *(Fin)* principal ✦ **principal et intérêts** principal and interest.

**principe** /pʀɛsip/ NM principle ✦ **aboutir à un accord de principe** to reach an agreement in principle ✦ **principes comptables** accounting principles ✦ **principe de continuité** going concern principle ✦ **principe d'annualité / de bonne information / de la permanence / de rapprochement** accrual / disclosure / consistency / matching principle ✦ **principes directeurs** guiding principles, guidelines.

**prioritaire** /pʀijɔʀitɛʀ/ ADJ ✦ **action (à dividende) prioritaire** preference *ou* preferred share ✦ **commande prioritaire** priority *ou* rush order ✦ **créancier prioritaire** preferential *ou* preferred creditor.

**priorité** /pʀijɔʀite/ NF priority ✦ **avoir la priorité sur** to have *ou* take priority over ✦ **donner la priorité absolue à qch** to give sth top *ou* first priority ✦ **venir en priorité** to come first ✦ **droit de priorité** priority right ✦ **par ordre de priorité** in order of priority ✦ **priorité d'hypothèque**

—————— *compounds/composés* ——————

## PRIME

- **prime d'ancienneté** seniority bonus *ou* pay
- **prime d'apport** share premium
- **prime d'assiduité** attendance bonus
- **prime d'assurance** insurance premium
- **prime autopayante** self-liquidating premium
- **prime brute** *(Ass)* gross premium
- **prime de célérité** dispatch money
- **prime collective** group bonus
- **prime à la construction** building subsidy
- **prime de conversion** conversion premium
- **prime à la création d'emplois** new jobs tax credit
- **prime en dedans** *[obligation]* bond premium
- **prime en dehors** *[obligation]* bond discount
- **prime de départ** severance pay
- **prime de développement** development subsidy
- **prime directe** *(Bourse)* call option, buyer's option
- **prime dont** *(Bourse)* call option, buyer's option
- **prime échelonnée** *(Ass)* deferred premium
- **prime sur l'emballage** on-pack premium
- **prime d'émission** *(au-dessus du pair)* premium; *(au-dessous du pair)* discount
- **prime d'encouragement** incentive bonus *ou* pay
- **prime entière** *(Ass)* full premium
- **prime d'épargne** *(pour un PEL)* savings bonus
- **prime d'équipement** investment premium *ou* subsidy
- **prime à l'exportation** export subsidy *ou* incentive *ou* bounty *ou* bonus
- **prime de fidélité** loyalty premium
- **prime de fin d'année** end-of-year *ou* Christmas bonus
- **prime forfaitaire** standard premium, flat premium
- **prime de fusion** *(Fin)* merger surplus
- **prime indirecte** *(Bourse)* put option, seller's option

- **prime à l'investissement** investment premium *ou* subsidy
- **prime pour lever** *(Bourse)* call option, buyer's option
- **prime de licenciement** severance pay, termination bonus, redundancy payment
- **prime pour livrer** *(Bourse)* put option, seller's option
- **prime de logement** accommodation allowance
- **prime de mérite** merit bonus
- **prime nette** *(Ass)* net *ou* pure premium
- **prime ou** *(Bourse)* put option, seller's option
- **prime d'objectif** incentive bonus
- **prime de pénibilité** strenuous work allowance
- **prime de performance** efficiency premium *ou* bonus
- **prime de poste** shift bonus
- **prime de précarité** bonus for insecurity of employment
- **prime de productivité** productivity bonus
- **prime de rachat** *(Bourse)* call premium
- **prime de reconversion** relocation *ou* retraining allowance
- **prime de réexportation** *(Douanes)* drawback
- **prime de référencement** *(Comm)* listing allowance
- **prime de remboursement** *(Bourse)* redemption premium
- **prime de rendement** productivity bonus
- **prime de renouvellement** *(Ass)* renewal premium
- **prime de risque** *(= bonification salariale)* danger money; *(Bourse)* risk premium
- **prime salariale** bonus payment
- **prime supplémentaire** *(Ass)* additional premium
- **prime de transport** transport allowance
- **prime unique** *(Ass)* single premium
- **prime de vie chère** cost-of-living allowance.

priority (of) mortgage ✦ **action de priorité** preference *ou* preferred share ✦ **dividende de priorité** preferential dividend ✦ **créance de priorité** preferential debt.

**prise** /pʀiz/ **NF** ✦ **prise de bénéfices** profit-taking ✦ **les cours de clôture ont été affectés par d'importantes prises de bénéfices** prices at the close have been affected by profit-taking on a large scale ✦ **prise en charge** *[frais]* coverage ✦ **certificat de prise en charge** certificate of receipt ✦ **l'entreprise assurera la prise en charge de vos frais** the firm will cover your expenses ✦ **la prise en charge par la Sécurité sociale des frais médicaux encourus** the coverage *ou* the payment *ou* the acceptance by the Social Security authorities of the medical expenses incurred ✦ **prise de commande** order-taking ✦ **les prises de commandes sont en augmentation** new orders are up ✦ **prise de contrôle** *(Fin)* takeover ✦ **prise de décision** decision-making *ou* -taking ✦ **prise ferme de nouvelles émissions** underwriting of new issues ✦ **prise de participation** *(Fin)* acquisition ✦ **la prise de participation dans une société** the acquisition of an interest in a company ✦ **la prise de participations à l'étranger** the acquisition of holdings abroad ✦ **les prises de participations de notre société** our company's holdings *ou* acquisitions ✦ **prise de participation majoritaire** acquisition of a majority *ou* controlling interest, acquisition of a majority stake ✦ **prise en pension à 7 jours** 7-day repurchase ✦ **prise de position** gapping ✦ **prise de risques** risk-taking.

**prisée** /pʀize/ **NF** *(Jur)* valuation.

**privatif, -ive** /pʀivatif, iv/ **ADJ** private.

**privation** /pʀivasjɔ̃/ **NF** ✦ **privation de jouissance** prevention of possession.

**privatisation** /pʀivatizasjɔ̃/ **NF** privatization.

**privatiser** /pʀivatize/ **VT** to privatize ✦ **les privatisées** privatized companies.

**privé, e** /pʀive/ **ADJ** *secteur, droit, personne, investisseur* private ✦ **entreprise privée** private *ou* privately-owned company
**NM** **le privé** the private sector.

**privilège** /pʀivilɛʒ/ **NM** **a** *[créance]* preferential rank *ou* ranking; *[hypothèque]* priority ranking ✦ **le privilège du créancier / salarié** the creditor's / employee's preferential claim ✦ **privilège fiscal** tax privilege, preferential tax treatment ✦ **privilège général / maritime** *(Jur)* general / maritime lien ✦ **privilège de souscription** *(Bourse)* priority subscription right **b** *(= droit exclusif)* (exclusive) right ✦ **le privi-**

lège d'émission de la Banque de France the Banque de France's exclusive issuing right.

**privilégié, e** /pʀivileʒje/ **ADJ** privileged ✦ **action privilégiée** preference *ou* preferred share ✦ **créance privilégiée** preferential *ou* preferred *ou* senior debt ✦ **créancier privilégié** preferential *ou* senior *ou* secured creditor
**NM,F** privileged person ✦ **les privilégiés** the privileged.

**privilégier** /pʀivileʒje/ **VT** to favour ✦ **privilégier les placements à court terme** to favour short-term investments.

**prix** /pʀi/ **NM** **a** *[bien, article]* price; *[service]* cost, price ✦ **vendre qch à un prix élevé / à bas prix** to sell sth at a high / low price ✦ **à quel prix le vendez-vous?** what price are you asking for it?, how much are you asking for it? ✦ **il faut y mettre le prix** you've got to be prepared to pay for it ✦ **c'est mon dernier prix** *(vendeur)* it's the lowest I'll go; *(acheteur)* it's my final offer ✦ **vendre à moitié prix** to sell at half-price ✦ **produit à moitié prix** half-price product ✦ **hors de prix** outrageously expensive ✦ **ils nous ont fait un prix** they gave us a good price *ou* a good deal, they knocked the price down for us ✦ **vendre à vil prix** to sell at a knockout price ✦ **nous l'avons acheté à prix d'or** we paid a fortune for it ✦ **fixer** *ou* **déterminer le prix d'un produit** *(Mktg)* to price a product ✦ **augmenter / baisser un prix** to raise *ou* increase / lower a price, mark up / down a price ✦ **augmentation de prix** price increase *ou* rise, increase in price, price raise *(US)* ✦ **baisse de prix** decrease *ou* drop in price ✦ **faire monter les prix** to push prices up ✦ **mettre qch à prix** *(enchères)* to set a reserve price *(Brit)* *ou* an upset price *(US)* on sth ✦ **mise à prix** *(enchères)* reserve price *(Brit)*, upset price *(US)* ✦ **casser les prix** to slash prices ✦ **à prix d'arrivée, tous frais compris** at a full landed cost price ✦ **barème / blocage / contrôle / liste des prix** price schedule / freeze / control / list ✦ **différence de prix** difference in price ✦ **différentiel** *ou* **écart de prix** price differential *ou* spread ✦ **écart sur prix** price variance ✦ **effet prix** *(Écon)* price effect ✦ **entente illégale sur les prix** price fixing ✦ **étiquette de prix** price tag ✦ **élasticité-prix** *(Écon)* price elasticity ✦ **fourchette de prix** price range ✦ **politique de prix** *(Mktg)* pricing policy **b** *(= récompense)* prize ✦ **gagner un prix** to win a prize ■ Voir encadrés pages suivantes

**probabiliste** /pʀɔbabilist(ə)/ **ADJ** *(Stat)* ✦ **théorie probabiliste** probability theory.

**probabilité** /prɔbabilite/ NF probability ◆ **probabilité d'acceptation** probability of acceptance.

**procédé** /prɔsede/ NM process, technique ◆ **procédé de fabrication** manufacturing process ou technique ◆ **procédé comptable** accounting process ou procedure.

**procéder** /prɔsede/ VI ◆ **procéder à** enquête to carry out, conduct; élection to hold ◆ **procéder à des arbitrages** (Bourse) to arbitrage.

**procédure** /prɔsedyʀ/ NF a (= technique) procedure ◆ **procédures comptables / de gestion** accounting / management procedures ◆ **procédure d'ouverture de compte** account-opening procedures ◆ **procédures de séparation des exercices** cut-off procedures b (Jur = procès) proceedings ◆ **procédure de faillite** bankruptcy proceedings ◆ **frais de procédure** legal costs ou expenses ◆ **engager une procédure contre qn** to institute proceedings against sb ◆ **faire l'objet d'une procédure de licenciement** to be made redundant, be laid off; (pour faute grave) to be dismissed c (Inf) procedure.

**procès** /prɔsɛ/ NM (civil) lawsuit; (criminel) trial ◆ **faire** ou **intenter un procès à qn** to sue sb, take court action against sb, start legal proceedings against sb, take sb to court ◆ **il a perdu son procès** he lost his case.

**process** /prɔsɛs/ NM ◆ **industrie de process** process industry ◆ **ingénieur process** process engineer.

**processeur** /prɔsesœʀ/ NM processor.

*compounds/composés*

**PRIX**

- ◆ **prix d'abonnement** (Mktg) package deal
- ◆ **prix d'achat** purchase price
- ◆ **prix acheteur** (Bourse) bid price
- ◆ **prix d'acquisition** acquisition price
- ◆ **prix actuel** going price
- ◆ **prix d'adjudication** price awarded by auction
- ◆ **prix affiché** displayed ou posted price
- ◆ **prix d'appel** reduced price, loss-leader price
- ◆ **prix d'attaque** penetration price
- ◆ **prix de base** base price
- ◆ **prix bloqué** frozen price
- ◆ **prix à la casse** scrap value
- ◆ **prix (de) catalogue** list price
- ◆ **prix de cession (interne)** transfer price
- ◆ **prix du change** exchange premium
- ◆ **prix choc** (sur vitrine) drastic reduction ou cut, prices slashed
- ◆ **prix de clôture** (Bourse) closing price
- ◆ **prix compétitif** competitive ou keen price
- ◆ **prix (au) comptant** (gén) cash price; (Bourse) spot price
- ◆ **prix conseillé** manufacturer's recommended price, recommended retail price
- ◆ **prix à la consommation** consumer price
- ◆ **prix conventionné** controlled ou regulated price
- ◆ **prix convenu** contract ou agreed price
- ◆ **prix couramment pratiqués** current ou prevailing ou ruling prices
- ◆ **prix courant** current ou going price
- ◆ **prix coûtant** cost price ◆ **prix coûtant de base** prime cost ◆ **prix coûtant des marchandises** cost of goods sold ◆ **vendre à prix coûtant** to sell at cost (price)
- ◆ **prix à débattre** price by arrangement, price to be agreed, price subject to negotiation ◆ **25 000 euros prix à débattre** (sur petites annonces) 25,000 euros or nearest offer
- ◆ **prix défiant toute concurrence** unbeatable price
- ◆ **prix demandé** asking price
- ◆ **prix départ usine** price ex-works ou ex-factory
- ◆ **prix de détail** retail price
- ◆ **prix directeur** reference price
- ◆ **prix dirigé** controlled ou regulated price
- ◆ **prix dual** (Écon) dual price
- ◆ **prix d'écluse** (UE) sluice ou floor price
- ◆ **prix d'écrémage** skimming price
- ◆ **prix d'émission** (Bourse) issue price
- ◆ **prix d'entrée** (Ind) entry price
- ◆ **prix d'entrepôt** price ex warehouse
- ◆ **prix d'équilibre** (Écon) equilibrium price
- ◆ **prix étiquette** sticker price
- ◆ **prix d'exercice** (Bourse) striking ou strike price
- ◆ **prix à l'exportation** export price
- ◆ **prix de fabrique** factory price, manufacturer's price
- ◆ **prix fait** agreed price
- ◆ **prix de faveur** preferential price
- ◆ **prix ferme (et définitif)** firm price
- ◆ **prix fictif** (Écon) shadow price
- ◆ **prix forfaitaire** fixed ou contract ou all-inclusive price
- ◆ **prix fort** (= sans réduction) full price ◆ **payer le prix fort pour qch** to pay top price for sth
- ◆ **prix franco domicile** free to customer's premises
- ◆ **prix garanti** guaranteed price ◆ **prix garanti à la production** guaranteed production price
- ◆ **prix global** overall price
- ◆ **prix de gros** wholesale price
- ◆ **prix hiérarchisé** graded price
- ◆ **prix hors taxes, prix HT** price exclusive of taxes
- ◆ **prix imbattable** unbeatable price
- ◆ **prix à l'importation** import price
- ◆ **prix imposé** regulation ou administered ou administrated (US) price
- ◆ **prix indicatif** indicative price

**processus** /prɔsesys/ **NM** process ✦ **processus d'achat / décisionnel / de fabrication** buying / decision-making / manufacturing process ✦ **fabrication par processus continu** continuous process manufacturing.

**procès-verbal** PL, **procès-verbaux** /prɔsɛvɛrbal, o/ **NM** (= compte rendu de réunion) minutes; (Jur) report, statement ✦ **procès-verbal d'avarie** (Mar) survey report ✦ **procès-verbal de carence** record of insolvency ✦ **procès-verbal de faillite** report of bankruptcy ✦ **figurer au procès-verbal** to appear in the minutes, be minuted.

**prochain, e** /prɔʃɛ̃, ɛn/ **ADJ** next ✦ **le 12 août prochain** on the 12th August of this year ✦ **le 12 prochain** on the 12th of next month, on the 12th prox (Brit).

**proche** /prɔʃ/ **ADJ** (gén) close ✦ **proche de** close to ✦ **arrondi au centime inférieur / supérieur le plus proche** rounded down / up to the nearest cent ✦ **NM** (= parent) close relation ✦ **les proches** (Admin) the next of kin.

**procuration** /prɔkyrasjɔ̃/ **NF** **a** (lors d'un vote) proxy ✦ **voter par procuration** to vote by proxy ✦ **vote par procuration** proxy vote ✦ **donner sa procuration à qn** to give sb voting authority, appoint sb with power of proxy ✦ **signer une procuration** to sign a proxy ou an authority ✦ **b** (Fin : sur un compte) power of attorney ✦ **donner procuration à qn** to give sb power of attorney ✦ **avoir procuration sur un compte** to have power of attorney over an account ✦ **procuration générale / collective / spéciale** full / joint / particular ou special power of attorney.

───── compounds/composés ─────

PRIX

- ✦ **prix intérieur** domestic price
- ✦ **prix d'intervention** (UE) intervention price
- ✦ **prix d'inventaire** stocktaking price
- ✦ **prix de lancement** introductory price
- ✦ **prix de liquidation** clearance price
- ✦ **prix livré** delivered ou supply price
- ✦ **prix en magasin** ex-store price
- ✦ **prix marchand** trade price
- ✦ **prix du marché** market price
- ✦ **prix marqué** ticket price, price as marked
- ✦ **prix de monopole** monopoly price
- ✦ **prix moyen** average price
- ✦ **prix net** net ou inclusive ou all-in price
- ✦ **prix d'objectif** target price
- ✦ **prix offert** offered ou bid price, buying price
- ✦ **prix d'offre** offering price
- ✦ **prix de l'offre et de la demande** (Bourse) bid ask prices
- ✦ **prix d'ouverture** (Bourse) opening price
- ✦ **prix de péréquation** equalized price
- ✦ **prix à la pièce** price for one
- ✦ **prix sur place** loco ou spot price
- ✦ **prix plafond** ceiling price
- ✦ **prix plancher** floor price
- ✦ **prix de production** production price
- ✦ **prix promotionnel** promotional price
- ✦ **prix public** retail ou list ou base price ✦ **prix public hors taxe** list price exclusive of taxes
- ✦ **prix de rachat** (Ass) surrender price ou value; (Fin) repurchase price
- ✦ **prix réduit** reduced ou cut ou discount price
- ✦ **prix réel** actual price
- ✦ **prix de référence** reference price,, base price
- ✦ **prix réglementé** controlled ou regulated price
- ✦ **prix régulateur** standard price
- ✦ **prix de remboursement** [obligation] redemption price
- ✦ **prix de remplacement** replacement price ou cost
- ✦ **prix rendu** delivery price
- ✦ **prix du report** (Bourse) contango price
- ✦ **prix de revente** resale price
- ✦ **prix de revient** cost price, production ou manufacturing cost ✦ **prix de revient de base** prime cost ✦ **prix de revient complet** absorption cost ✦ **prix de revient marginal** marginal ou incremental cost ✦ **vendre qch au prix de revient** to sell sth at cost ✦ **établir un prix de revient pour un produit** to cost a product
- ✦ **prix révisable** price subject to modification
- ✦ **prix sacrifiés** knockdown prices
- ✦ **prix de seuil** (UE) threshold price
- ✦ **prix soldé** ou **de solde** bargain price, sale price
- ✦ **prix de sortie** (Ind) exit price
- ✦ **prix sortie d'usine** factory price
- ✦ **prix de soumission** bid
- ✦ **prix de souscription** subscription price
- ✦ **prix de soutien** (UE) support ou guaranteed ou pegged price
- ✦ **prix spot** spot price
- ✦ **prix standard** standard price
- ✦ **prix taxé** ou **de taxation** controlled ou regulated price
- ✦ **prix tout compris** inclusive price ou terms
- ✦ **prix toutes taxes comprises, prix TTC** tax inclusive price
- ✦ **prix de transfert** transfer price
- ✦ **prix unitaire** ou **à l'unité** unit price
- ✦ **prix d'usine** factory price
- ✦ **prix vendeur** (Bourse) asking price
- ✦ **prix de vente** selling price ✦ **prix de vente conseillé** recommended retail price ✦ **prix de vente imposé** fixed selling price ✦ **prix de vente publicitaire** promotional price
- ✦ **prix virtuels** shadow prices
- ✦ **prix de zone** area price.

**procureur** /pʀɔkyʀœʀ/ NM ◆ procureur de la République, procureur général ≈ public prosecutor.

**producteur, -trice** /pʀɔdyktœʀ, tʀis/ ADJ producing ◆ pays producteur d'étain tin-producing country ◆ pays producteur de pétrole oil-producing country, oil producer ◆ région productrice de maïs maize-growing region ◆ producteur d'intérêts interest-bearing NM,F (Ind) producer; (Agr) grower, producer ◆ ce pays est un gros producteur de cuivre this country produces a lot of copper ou is a big copper producer.

**productible** /pʀɔdyktibl(e)/ ADJ producible.

**productif, -ive** /pʀɔdyktif, iv/ ADJ investissement, personnel productive ◆ productif d'intérêts interest-bearing ◆ obligations productives d'un intérêt de 11% bonds yielding ou bearing 11% interest, bonds yielding ou bearing interest at 11%.

**production** /pʀɔdyksjɔ̃/ NF a (= action, processus) (Ind) production; (Agr) growing, production b (= quantité produite) (Ind) production, output; (Agr) production, yield ◆ ralentir / relancer la production to slow down / rev up production ◆ baisse de production fall in production ◆ biens de production capital ou producer goods ◆ budget de production production budget ◆ capacité de production manufacturing ou production capacity ◆ chaîne de production production line ◆ chef de la production production manager ◆ contrôle de (la) production production control ◆ coopérative de production producers' cooperative ◆ courbe de production production curve ◆ coûts de production production costs ◆ délai de production production (lead) time ◆ encouragements à la production production incentives ◆ éventail de production production range ◆ excédent de production production surplus, surplus output ◆ facteur de production production factor ◆ fléchissement de la production sagging in production ◆ frais de production production costs ◆ gestion de la production production management ◆ indice de la production production index ◆ moyens de production means of production, production facilities ◆ niveau de production production ou output level ◆ objectif de production production target ou objective ◆ orientation de la production output orientation ◆ perte de production production loss ◆ plan de production production programme ou schedule ou plan ◆ potentiel de production production ou productive potential ◆ prix à la production production price ◆ procédés de production production processes ◆ processus de la production production process ◆ programmation de la production production scheduling ◆ programme de production production schedule ou programme ou plan ◆ quota de production production quota ◆ rythme de production rate of production ◆ unité de production (= installation) production unit ou facility, plant; (= pièce) unit c (= bien, objet) product ◆ les productions coréennes Korean products ou goods ◆ productions agricoles agricultural produce ◆ les productions en cours goods in process d (= présentation) [document] production ◆ sur production de on production of ◆ production des créances official declaration of the amounts owed to a creditor (in the course of bankruptcy proceedings) ◆ bordereau de production production note

*compounds/composés*
- **production à la chaîne** line production
- **production en chaîne suivie** straight-line production
- **production à la ou sur commande** production to order, jobbing production
- **production continue** continuous (flow ou process) production
- **production en cours** work in process
- **production intérieure brute** gross domestic product
- **production par lots** (group) batch production, job lot production
- **production marchande** marketable production
- **production nationale** (gén) national production (Fin, Écon) national product
- **production non marchande** non-marketable production
- **production en (grande) série** mass production, flowline ou series production
- **production en ou de petite série** (line) batch production
- **production stockée** stock of goods produced
- **production pour stock** production for stock (Brit) ou inventory (US).

**productique** /pʀɔdyktik/ NF industrial automation, automated production technology.

**productivité** /pʀɔdyktivite/ NF productivity ◆ productivité interne / marginale internal / marginal productivity ◆ campagne de productivité productivity drive ◆ gain / prime de productivité productivity gain / bonus.

**produire** /pʀɔdɥiʀ/ VT a (gén) to produce; produits manufacturés to produce, make, manufacture, turn out; produits agricoles to produce, grow ◆ produire qch en série to mass-produce sth b (Fin) intérêt to yield, return, bear, carry ◆ l'investissement produira 10% the investment will yield *ou* return 10% **c** *document, passeport* to produce, show.

**produit** /pʀɔdɥi/ **NM** **a** *(Ind)* product ◆ **produits** products, goods ◆ **ligne / politique / gestion de produits** product line / policy / management ◆ **chef de produit** product manager ◆ **concevoir / lancer un produit** to design / launch a product ◆ **développement de produits** product development ◆ **gestion de produits** product management ◆ **ingénieur produit** product engineer ◆ **mix des produits** product mix ◆ **politique de produits** product policy ◆ **portefeuille de produits** product portfolio ◆ **publicité de produit** product advertising ◆ **responsabilité produit** *(Ass)* product liability ◆ **suspension de produits** product abandonment **b** *[investissement]* yield, return; *[vente]* proceeds, revenue; *[exploitation, opérations courantes de l'entreprise]* revenue, income, profit ◆ **le produit de l'investissement est de 10%** the yield from this investment *ou* the return on this investment is 10%, this investment produces a yield *ou* a return of 10% ◆ **un produit** *(Compta)* a revenue item ◆ **un produit de l'exercice** a revenue item relating to the current accounting period ◆ **le rattachement des produits à un exercice** *(Compta)* the allocation *ou* apportionment of revenues to the accounting period ◆ **compte de produit** *(Compta)* revenue account ▪ Voir encadré page suivante

**profession** /pʀɔfɛsjɔ̃/ **NF** *(gén)* job; *(Admin)* occupation; *[comptable, avocat, cadre]* profession; *[artisan]* trade; *[entreprise]* trade, (line of) business ◆ **les professions libérales** the professions ◆ **quelle est sa profession?** what's his job? ◆ **être sans profession** to have no occupation ◆ **répartition** *ou* **classement par professions** occupational classification *ou* distribution ◆ **(les gens de) la profession** the people in the trade ◆ **remise à la profession** *(Comm)* trade discount *ou* allowance.

**professionnalisme** /pʀɔfɛsjɔnalism(ə)/ **NM** professionalism.

**professionnel, -elle** /pʀɔfɛsjɔnɛl/ **ADJ** *(gén)* professional; *stage de formation* vocational; *risques* occupational ◆ **achats professionnels** *(Bourse)* shop-buying ◆ **activité professionnelle** activity, occupation ◆ **adresse professionnelle** business address ◆ **association professionnelle** trade association ◆ **carte professionnelle** business card ◆ **faute professionnelle** professional misconduct ◆ **formation professionnelle** technical *ou* vocational training ◆ **journal professionnel** trade journal *ou* paper ◆ **maladie professionnelle** occupational disease ◆ **orientation professionnelle** *(= métier)* career,

job; *(= conseil)* careers *ou* vocational guidance ◆ **presse professionnelle** trade press ◆ **qualifications professionnelles** professional qualifications ◆ **risque professionnel** occupational hazard ◆ **tenu par le secret professionnel** bound by professional secrecy ◆ **syndicat professionnel** trade association ◆ **taxe professionnelle** local tax on business activity ≈ business rates *(Brit)*
**NM,F** professional *(Ind = ouvrier qualifié)* skilled worker ◆ **les professionnels de la Bourse** stock exchange operators ◆ **les professionnels de l'immobilier** people working in real estate ◆ **les professionnels du tourisme / de la pêche** the tourist / fishing industry.

**professionnellement** /pʀɔfɛsjɔnɛlmɑ̃/ **ADV** professionally.

**profil** /pʀɔfil/ **NM** profile ◆ **profil de la clientèle / des consommateurs / du marché** customer / consumer / market profile ◆ **profil de poste** job description ◆ **profil psychologique** psychological make-up ◆ **le profil de gestion du fonds vise la croissance** the fund is managed for growth.

**profilé, e** /pʀɔfile/ **ADJ** ◆ **produit bien / mal profilé** well- / badly-designed product.

**profit** /pʀɔfi/ **NM** *(Comm, Fin)* profit ◆ **vendre à profit** to sell at a profit ◆ **profits et pertes** profit and loss ◆ **compte de profits et pertes** profit and loss account ◆ **passer qch par pertes et profits** to write sth off ◆ **tirer profit de qch** to cash in on sth, benefit from sth ◆ **centre / taux de profit** profit centre / rate ◆ **profit comptable / fictif** book / paper *ou* fictitious profit ◆ **profit direct du produit** direct profit productivity ◆ **profits d'exploitation** operating profits ◆ **profits illicites** illicit profits ◆ **profits non distribués** undistributed profits, retained earnings ◆ **profit warning** profit warning.

**profitabilité** /pʀɔfitabilite/ **NF** profitability.

**profitable** /pʀɔfitabl(ə)/ **ADJ** profitable (*à* to)

**profiter** /pʀɔfite/ **VT INDIR** **a** profiter de *situation, circonstances, baisse des prix* to take advantage of ◆ **profitez de nos prix spéciaux** take advantage of our special prices ◆ **ils profiteront de la chute du dollar** they will profit by *ou* take advantage of the fall of the dollar **b** profiter à qn to be profitable to sb, be of benefit to sb, benefit sb.

**profiteur, -euse** /pʀɔfitœʀ, øz/ **NM,F** profiteer.

**pro forma** /pʀɔfɔʀma/ **ADJ INV** ◆ **facture pro forma** pro forma invoice, interim invoice *(US)*.

**progiciel** /pʀɔʒisjɛl/ **NM** software package, program package ◆ **progiciel de gestion** business package ◆ **progiciel d'application** application package.

**programmable** /prɔgramabl(ə)/ ADJ *(Inf)* programmable.

**programmation** /prɔgramasjɔ̃/ NF a *(= planification)* [travail, production] scheduling, planning, programming ◆ **programmation linéaire** linear programming ◆ **programmation par ob-**jectif goal programming b *(Inf)* programming ◆ **ingénieur de programmation** programming engineer ◆ **langage de programmation** programming language.

**programme** /prɔgram/ NM a *[travail, journée, visite]* schedule, programme *(Brit)*, program *(US)* ◆ **programme de production** production schedule *ou* programme *ou* plan ◆ **programme**

*compounds/composés*

## PRODUIT

- ◆ **produits accessoires** *(Compta)* sundry income
- ◆ **produit agricole** agricultural *ou* farm product
  - ◆ **produits agricoles** agricultural *ou* farm produce
- ◆ **produits alimentaires** food products
- ◆ **produit d'appel** loss leader
- ◆ **produit de base** staple commodity
- ◆ **produits blancs** white goods
- ◆ **produits bruns** brown goods
- ◆ **produits bruts** *(Ind)* raw products
- ◆ **produits et charges** *(Compta)* revenues and expenses
- ◆ **produit chimique** chemical
- ◆ **produit-clé** key product
- ◆ **produits comptabilisés d'avance** *(Compta)* deferred income, unearned revenues, revenue received in advance
- ◆ **produit de consommation** consumer product
  - ◆ **produits de consommation** consumer products *ou* goods ◆ **produit de consommation courante** basic consumer product ◆ **produit de grande consommation** mass consumption product
- ◆ **produits constatés d'avance** *(Compta)* deferred income, unearned revenues, revenue received in advance
- ◆ **produit contingenté** product subjected to quota, restricted (export *ou* import) product
- ◆ **produits courants** household goods, shopping goods
- ◆ **produits en cours** *(Ind)* work in process
- ◆ **produits dangereux** hazardous substances *ou* goods
- ◆ **produit dérivé** by-product; *(Fin)* derivative product
- ◆ **produit dilemme** question-mark product
- ◆ **produit drapeau** hypermarket private label
- ◆ **produits durables** durables, durable goods
- ◆ **produits étrangers** foreign goods
- ◆ **produits exceptionnels** *(Compta)* extraordinary items
- ◆ **produit d'exploitation** *(Compta)* operating income *ou* revenue
- ◆ **produits d'exportation** export goods
- ◆ **produit final** end product
- ◆ **produit financier** *(proposé par une banque)* financial *ou* investment product
- ◆ **produits financiers** *(Compta)* interest *ou* investment income
- ◆ **produit fini** finished product
- ◆ **produit générique** generic product
- ◆ **produits d'importation** import goods
- ◆ **produit imposable** taxable product
- ◆ **produit de l'impôt** tax proceeds *ou* revenues
- ◆ **produits indigènes** home manufactures
- ◆ **produits industriels** industrial products *ou* goods
- ◆ **produit innovant** pioneer *ou* innovative product
- ◆ **produit intérieur brut** gross domestic product
- ◆ **produits intermédiaires** intermediate products
- ◆ **produit leader** market leader, leading product
- ◆ **produit libre** unbranded product
- ◆ **produits liés** *(Ind)* related *ou* combined products
- ◆ **produits locaux** local produce
- ◆ **produit de luxe** luxury product
- ◆ **produit manufacturé** manufactured product
- ◆ **produit marchand** traded product
- ◆ **produit-marché** product-market
- ◆ **produit de marque** branded product
- ◆ **produit national brut** gross national product
- ◆ **produit national net** net national product
- ◆ **produit net** *(Compta)* net proceeds
- ◆ **produit occasionnel** casual product
- ◆ **produit ouvré** finished product
- ◆ **produit de parade** product for competitive counteraction
- ◆ **produits périssables** perishable goods, perishables
- ◆ **produit pharmaceutique** pharmaceutical product
- ◆ **produit pilote** pilot *ou* experimental product
- ◆ **produit de première nécessité** essential product, staple commodity
- ◆ **produit-phare** flagship product
- ◆ **produit promotionnel** promotional product
- ◆ **produit de qualité** quality product
- ◆ **produits réalisés** *(Compta)* earned revenue(s), realized income
- ◆ **produits à recevoir** *(Compta)* accrued revenue(s), accrued receivables
- ◆ **produit de remplacement** substitute
- ◆ **produit secondaire** by-product
- ◆ **produit semi-fini** *ou* **semi-ouvré** semi-finished product
- ◆ **produit spécifique** custom-made product
- ◆ **produits standard** standard goods
- ◆ **produit standardisé** standardized product
- ◆ **produit de substitution** *ou* **substituable** substitute
- ◆ **produit type** standard product.

de formation / d'investissement / de recherche training / investment / research programme ◆ **programme de travail** work schedule, programme of work ◆ **programme des ventes** sales programme ◆ **commande par programme** programmatic control **b** *(Inf)* program, routine ◆ **fichier / instruction de programme** program file / instruction ◆ **parc de programmes** program population ◆ **programme d'application** application program *ou* routine ◆ **programme de gestion de fichiers** file manager *ou* handler ◆ **programme de test** test routine *ou* program ◆ **programme-produit** program package.

**programmé, e** /pʀɔgʀame/ **ADJ** (= *informatisé*) programmed, computerized; (= *planifié*) scheduled, planned ◆ **enseignement / vidage programmé** programmed instruction / dump ◆ **sa visite est programmée pour le 13 août** his visit is scheduled *ou* planned for August 13th ◆ **contrôle programmé** *(Ind)* scheduled *ou* routine check.

**programmer** /pʀɔgʀame/ **VT** *(Inf)* to program; *(Ind) travail, production* to schedule, plan.

**programmétrie** /pʀɔgʀametʀi/ **NF** *(Inf)* programmetry.

**programmeur, -euse** /pʀɔgʀamœʀ, øz/ **NM,F** computer programmer ◆ **chef programmeur** chief programmer.

**progrès** /pʀɔgʀɛ/ **NM** progress.

**progresser** /pʀɔgʀese/ **VI** *salaires, prix, chômage* to go up, rise, increase ◆ **les cours ont progressé** prices moved forward ◆ **le chiffre d'affaires progresse de 3%** turnover is up 3% *ou* increased by 3%.

**progressif, -ive** /pʀɔgʀesif, iv/ **ADJ** *impôt, taux, amortissement* progressive; *détérioration, amélioration* gradual.

**progression** /pʀɔgʀɛsjɔ̃/ **NF** *[chiffre d'affaires, cours, salaires, chômage]* increase, rise; *[négociations]* progress ◆ **être en progression** to increase, rise, be on the increase ◆ **le chiffre d'affaires est en progression de 35%** our sales figures increased by 35% *ou* are up 35%.

**progressivité** /pʀɔgʀesivite/ **NF** *[impôt]* progressiveness ◆ **progressivité des barèmes** progressive increase in tax scales.

**prohibitif, -ive** /pʀɔibitif, iv/ **ADJ** prohibitive.

**prohibition** /pʀɔibisjɔ̃/ **NF** prohibition, ban ◆ **prohibition à l'importation** import ban ◆ **prohibition de sortie** export ban.

**projection** /pʀɔʒɛksjɔ̃/ **NF** (= *prévision*) projection, forecast.

**projet** /pʀɔʒɛ/ **NM** **a** (= *plan*) project, plan ◆ **élaborer un projet** to work out a project ◆ **être à l'état de projet** to be in the planning stage *ou* on the drawing board ◆ **nous avons de nouveaux produits en projet** we have a number of projected new products, we have plans for new products ◆ **projet d'entreprise** corporate plan ◆ **projet de développement / d'exportation / d'investissement** development / export / investment project *ou* plan ◆ **chef** *ou* **responsable de projet** project manager ◆ **gestion de projet** project management ◆ **projet pilote** pilot project **b** (= *brouillon*) draft ◆ **projet de lettre / contrat / réponse** draft letter / contract / reply ◆ **projet d'ordre du jour** tentative agenda ◆ **projet de loi** bill.

**projeté, e** /pʀɔʒ(ə)te/ **ADJ** *chiffre d'affaires, ventes* projected, planned.

**projeteur** /pʀɔʒtœʀ/ **NM** project manager.

**prolifération** /pʀɔlifeʀasjɔ̃/ **NF** proliferation.

**proliférer** /pʀɔlifeʀe/ **VI** to proliferate.

**prolongation** /pʀɔlɔ̃gasjɔ̃/ **NF** *[contrat, accord]* extension, renewal ◆ **clause de prolongation** continuation clause ◆ **prolongation d'une lettre de change** renewal of a bill of exchange ◆ **prolongation de validité** extension of validity.

**prolonger** /pʀɔlɔ̃ʒe/ **VT** *contrat, accord, billet* to extend; *effet* to renew, extend.

**promesse** /pʀɔmɛs/ **NF** (*gén*) promise; *(Comm)* undertaking, commitment ◆ **promesse de bail / de vente / d'achat** agreement *ou* commitment to let / to sell / to buy ◆ **tenir sa promesse** to keep one's promise.

**promo** * /pʀɔmo/ **NF** *(Mktg)* special offer.

**promoteur, -trice** /pʀɔmɔtœʀ, tʀis/ **NM,F** (*immobilier*) property developer, real estate developer *(US)* ; *(Mktg)* promoter ◆ **promoteur de ventes** sales promoter ◆ **promoteur de la marque** brand promoter.

**promotion** /pʀɔmosjɔ̃/ **NF** **a** (= *nomination*) promotion ◆ **elle a eu** *ou* **obtenu une promotion** she has got a promotion, she has been promoted ◆ **promotion à l'ancienneté** promotion by seniority ◆ **promotion au choix** promotion on merit *ou* by selection ◆ **promotion professionnelle** advancement to a higher level of qualification **b** *(Univ)* year *(Brit)*, class *(US)* ◆ **la promotion de 1999** the 1999 graduating year *(Brit)*, the class of 1999 *(US)* ◆ **nous sommes de la même promotion** we graduated the same year **c** (= *technique de vente*) promotion ◆ **promotion commerciale** *ou* **des ventes** sales promotion ◆ **promotion consommateur / distributeur** consumer / dealer *ou* trader promotion

◆ **promotion force de vente** salesforce promotion ◆ **promotion généralisée** all-out sales *ou* promotion ◆ **promotion sur le lieu de vente** point-of-sale promotion ◆ **promotion réseau** *ou* **à la profession** dealer *ou* trade promotion, trade deal ◆ **promotion produit** product *ou* brand promotion **d** *(= article en réclame)* special offer ◆ **cet article est en promotion** this article is on special offer ◆ **la promotion de la semaine** this week's special offer **e** **promotion immobilière** property development, real estate development *(US)*.

**promotionnel, -elle** /pʀɔmosjɔnɛl/ **ADJ** promotional ◆ **action promotionnelle** promotional action ◆ **article promotionnel** article on special offer ◆ **budget promotionnel** publicity budget ◆ **matériel promotionnel** sales promotion material, promotional material ◆ **vente promotionnelle** promotional *ou* bargain sale ◆ **lancer une campagne promotionnelle** to launch a promotional campaign.

**promouvoir** /pʀɔmuvwaʀ/ **VT** *employé, article* to promote; *développement, recherche* to promote, further ◆ **il a été promu directeur commercial** he has been promoted (to the post of) sales manager.

**promulguer** /pʀɔmylge/ **VT** *(Jur) décret* to issue; *loi* to enact.

**pronostic** /pʀɔnɔstik/ **NM** forecast ◆ **pronostics de vente** sales forecast.

**propension** /pʀɔpɑ̃sjɔ̃/ **NF** *(Écon)* propensity *(à faire* to do) ◆ **propension marginale / moyenne à épargner** marginal / average propensity to save ◆ **propension à consommer / investir** propensity to consume / to invest.

**proportion** /pʀɔpɔʀsjɔ̃/ **NF** proportion.

**proportionnalité** /pʀɔpɔʀsjɔnalite/ **NF** proportionality ◆ **proportionnalité de l'impôt** proportional taxation.

**proportionnel, -elle** /pʀɔpɔʀsjɔnɛl/ **ADJ** *impôt, retraite* proportional ◆ **proportionnel à** proportional *ou* proportionate to, in proportion to ◆ **directement / inversement proportionnel à** directly / inversely proportional to, in direct / inverse proportion *ou* ratio to ◆ **consolidation proportionnelle** *(Fin)* proportionate consolidation ◆ **droit proportionnel** *(Douanes)* ad valorem *ou* proportional duty ◆ **frais généraux proportionnels** prorateable *ou* proportional *ou* prorated overheads ◆ **retraite proportionnelle** earnings-related pension plan.

**proportionnellement** /pʀɔpɔʀsjɔnɛlmɑ̃/ **ADV** proportionally, proportionately ◆ **proportionnellement à** in proportion to.

**proposer** /pʀɔpoze/ **VT** *service* to offer; *candidat* to propose, put forward, nominate; *solution* to suggest, propose; *motion* to move; *dividende* to recommend ◆ **proposer un prix** *(gén)* to offer a price; *(Comm)* to quote a price.

**proposition** /pʀɔpozisjɔ̃/ **NF** **a** *(gén, Ass)* proposal; *(= offre)* offer; *[dividende]* recommendation, proposal ◆ **proposition de prix** *(Comm)* price quotation ◆ **mettre une proposition aux voix** to put a motion to the vote ◆ **rejeter une proposition** to turn down an offer ◆ **des investisseurs étrangers nous ont fait des propositions** we have been approached by foreign investors ◆ **nous sommes ouverts à toute proposition** we are open to offers ◆ **proposition d'assurance** insurance proposal **b** *(Comm = argument)* proposition ◆ **proposition de vente** selling proposition.

**propre** /pʀɔpʀ(ə)/ **ADJ** ◆ **provision de propre assureur** self-insurance ◆ **fonds propres** *(Fin)* stockholders' equity, equity capital ◆ **pour son propre compte** for one's own account ◆ **produit propre à la vente** marketable product ◆ **à remettre en mains propres** to be delivered to the addressee in person.

**propriétaire** /pʀɔpʀijetɛʀ/ **ADJ** *(Inf)* proprietory **NM** owner; *[hôtel]* proprietor; *[immeuble loué]* landlord, owner ◆ **nu-propriétaire** bare owner ◆ **changement de propriétaire** *(sur une vitrine)* under new ownership
**NF** *(gén)* owner; *[hôtel]* proprietress; *[immeuble loué]* landlady, owner

—— *compounds/composés* ——

◆ **propriétaire éleveur** breeder
◆ **propriétaire exploitant** self-employed farmer
◆ **propriétaire foncier** *(gén)* property owner; *[terres]* landowner
◆ **propriétaire occupant** owner occupier
◆ **propriétaire récoltant** grower
◆ **propriétaire terrien** landowner, landed proprietor.

**propriété** /pʀɔpʀijete/ **NF** **a** *(= fait de posséder)* ownership, property ◆ **posséder qch en toute propriété** to have sole ownership of sth ◆ **accession à la propriété** home ownership ◆ **droit de propriété** right of possession ◆ **titre de propriété** title deed ◆ **translation de propriété** conveyance ◆ **acte translatif de propriété** deed of transfer ◆ **nue-propriété** bare ownership ◆ **pleine propriété** unrestricted ownership, freehold **b** *(= immeuble)* property; *(= terres)* property, land

---
*compounds/composés*

- **propriété artistique** artistic copyright
- **propriété bâtie** developed property
- **propriété commerciale** security of tenure, guaranteed leasehold
- **propriété foncière** landed property
- **propriété immobilière** real *ou* immovable property
- **propriété individuelle** individual ownership
- **propriété industrielle** patent rights, industrial property
- **propriété intellectuelle** intellectual property
- **propriété mobilière** movable *ou* personal property
- **propriété privée** private property
- **propriété publique** public *ou* state property.
---

**prorata** /prɔrata/ **NM INV** proportional share, proportion ◆ **au prorata de** in proportion to ◆ **paiement au prorata** proportional payment ◆ **intérêts calculés prorata temporis** interest calculated on a pro rata annual basis.

**prorogatif, -ive** /prɔrɔgatif, iv/ **ADJ** *délai* extending; *échéance* deferring.

**prorogation** /prɔrɔgasjɔ̃/ **NF** *[délai]* extension; *[échéance]* deferment; *[prêt, bail]* renewal, extension.

**proroger** /prɔrɔʒe/ **VT** *délai* to extend; *échéance* to defer; *(Fin)* to extend maturity; *prêt, bail* to renew, extend.

**prospect** /prɔspɛ/ **NM** *(Mktg)* prospect, prospective customer, potential buyer.

**prospecter** /prɔspɛkte/ **VT** *terrain* to prospect; *clients* to canvass; *marché* to prospect, explore, survey, investigate.

**prospecteur, -trice** /prɔspɛktœr, tris/ **NM,F** *[terrain]* prospector; *[clients]* canvasser; *[marché]* prospector, surveyor.

**prospectif, -ive** /prɔspɛktif, iv/ **ADJ** prospective.

**prospection** /prɔspɛksjɔ̃/ **NF** *[terrain]* prospecting; *[clients]* canvassing; *[marché]* surveying, survey, exploration ◆ **prospection des fournisseurs** suppliers canvassing ◆ **prospection sur le terrain** field research ◆ **faire de la prospection de nouveaux clients** to canvass for new business *ou* for new customers.

**prospective** /prɔspɛktiv/ **NF** *(gén)* futurology; *(Écon)* economic forecasting ◆ **faire de la prospective** to look ahead to the future, project o.s. into the future.

**prospectus** /prɔspɛktys/ **NM** *(= brochure)* brochure, leaflet; *(= feuille simple)* leaflet, handbill; *(distribué dans la rue)* handout; *(Bourse) [émission]* prospectus.

**prospère** /prɔspɛr/ **ADJ** prosperous, thriving.

**prospérer** /prɔspere/ **VI** *[entreprise]* to prosper, thrive, flourish; *[personne]* to prosper.

**prospérité** /prɔsperite/ **NF** prosperity ◆ **prospérité économique** economic boom *ou* prosperity.

**protecteur, -trice** /prɔtɛktœr, tris/ **ADJ** protective.

**protection** /prɔtɛksjɔ̃/ **NF** **a** *(gén)* protection *(de* from) ◆ **dispositif de protection** safety device *ou* system ◆ **mesures de protection** *(gén)* protective measures; *(Écon)* protectionist measures ◆ **taux de protection effective** *(Écon)* effective rate of protection ◆ **protection du consommateur** consumer protection ◆ **protection de l'emploi** job protection ◆ **protection de l'environnement** environmental protection ◆ **protection sociale** social security **b** *(Ass)* (insurance) protection, (insurance) coverage.

**protectionnisme** /prɔtɛksjɔnism(ə)/ **NM** protectionism.

**protectionniste** /prɔtɛksjɔnist(ə)/ **ADJ, NMF** protectionist ◆ **tarif protectionniste** protective tariff.

**protéger** /prɔteʒe/ **VT** to protect *(de* from) ◆ **secteur protégé** protected *ou* sheltered sector.

**protestable** /prɔtɛstabl(ə)/ **ADJ** *effet, facture* protestable.

**protestation** /prɔtɛstasjɔ̃/ **NF** protest ◆ **grève de protestation** protest strike.

**protester** /prɔtɛste/ **VT** *(Fin, Jur)* to protest ◆ **protester un effet** to protest a bill ◆ **faire protester un effet** to have a bill protested ◆ **traite protestée** noted bill.

**protêt** /prɔtɛ/ **NM** *(Fin, Jur)* protest ◆ **dresser un protêt** to draw up a protest ◆ **signifier un protêt** to give notice of a protest ◆ **lever** *ou* **faire protêt d'un effet** to protest a bill ◆ **acte de protêt** deed *ou* certificate of protest ◆ **délai de protêt** protest period ◆ **frais de protêt** protest charges *ou* expenses ◆ **protêt faute d'acceptation / de paiement** protest for non acceptance / non payment ◆ **protêt sans frais** no expenses.

**protocole** /prɔtɔkɔl/ **NM** **a** *(accord)* agreement ◆ **protocole d'accord** draft agreement ◆ **protocole de vente** sale agreement **b** *(Inf)* protocol.

**prototype** /prɔtɔtip/ **NM** prototype.

**provenance** /pʀɔvnɑ̃s/ NF origin ◆ **matériel en provenance d'Allemagne** ou **de provenance allemande** equipment coming from Germany ou imported from Germany ◆ **pays de provenance** country of origin ◆ **provenance des fonds** (Compta) source of funds.

**provenir** /pʀɔvniʀ/ VT INDIR ◆ **provenir de** (gén) to come from; [importation] to be imported from.

**provision** /pʀɔvizjɔ̃/ NF a (= stock) stock, supply ◆ **notre provision de stylos est épuisée** our stock ou supply of pens has run out ◆ **faire provision de** to stock up with b (Fin, Compta) reserve, allowance, provision, setasides* (US) ◆ **l'entreprise doit constituer des provisions pour des charges futures éventuelles** the firm must set up reserves for possible future liabilities ◆ **affecter des fonds aux provisions** to earmark funds for reserves ◆ **passer des provisions pour risques de change** to set aside ou write ou take provisions for currency risks ◆ **constitution de provisions** reserve build-up ◆ **dotation aux provisions** appropriation to the provisions ou reserves ◆ **reprendre une provision** to reverse ou reinstate a write-off ◆ **reprises sur provisions** reversals, reinstatements c (Banque) [chèque] funding, funds; [lettre de change] consideration ◆ **j'ai une provision suffisante à mon compte** I have sufficient funds in my account, my account is sufficiently funded ◆ **chèque sans provision** bad cheque, cheque without funds, NSF cheque ◆ **provision insuffisante, défaut de provision** [lettre de change] absence of consideration; [chèque] not sufficient funds, NSF ◆ **pour une lettre de change, la provision peut être constituée par une livraison de marchandises ou une prestation de services** for a bill of exchange, valuable consideration may consist of a delivery of goods or a provision of services ◆ **faire provision pour une lettre de change** to provide consideration for a bill of exchange, cover a bill of exchange d (= acompte) (gén) deposit; (payé à un avocat) retainer, retaining fee ◆ **verser une provision** to pay a deposit e (Bourse = dépôt de garantie) (margin) cover ◆ **conditions de provision** margin requirements ▪ Voir encadré ci-contre

**provisionnel, -elle** /pʀɔvizjɔnɛl/ ADJ provisional ◆ **acompte** ou **tiers provisionnel** (Impôts) interim payment (one of three payments in the year).

**provisionnement** /pʀɔvizjɔnmɑ̃/ NM [compte] funding ◆ **le provisionnement d'une lettre de change** providing consideration for a bill of exchange.

─── compounds/composés ───

◆ **provisions pour amortissement** depreciation allowance, provision for depreciation
◆ **provisions pour charges** provisions for liabilities and charges ◆ **provisions pour charges imprévisibles** (sur un bilan) contingencies
◆ **provision pour créances douteuses** allowance ou provision ou reserve for bad debts ◆ **provision déductible** tax-deductible provision
◆ **provision pour dépréciation** depreciation allowance, provision for depreciation ◆ **provision pour dépréciation des comptes clients** ou **des créances** allowance ou provision ou reserve for bad debts ◆ **provision pour dépréciation des stocks** reserve for inventory losses
◆ **provision pour dette** provision for debt, liability reserve
◆ **provision pour fluctuations du taux de change** provision for exchange rate fluctuations
◆ **provision pour garanties données aux clients** provision for customer warranties
◆ **provision pour impôt** provision for tax, reserve for taxation
◆ **provision pour moins-values de portefeuille** provision for depreciation of investments
◆ **provision pour perte de change** provision for exchange loss
◆ **provision pour pertes et charges** provision for liabilities and charges, reserves for contingencies
◆ **provision de propre assureur** self-insurance
◆ **provision pour reconstitution du stock** reserve for inventory maintenance
◆ **provisions réglementées** provisions required by law
◆ **provisions pour risques et charges** provisions for liabilities and charges, reserves for contingencies
◆ **provisions pour titres** provisions for securities.

**provisionner** /pʀɔvizjɔne/ VT compte to fund ◆ **provisionner une lettre de change** to provide consideration for a bill of exchange.

**provisoire** /pʀɔvizwaʀ/ ADJ (gén) provisional; (Fin) dividende, bilan interim ◆ **facture provisoire** provisional invoice ◆ **à titre provisoire** provisionally, temporarily.

**proximité** /pʀɔksimite/ NF ◆ **commerce de proximité** convenience stores.

**prudence** /pʀydɑ̃s/ NF (Compta) ◆ **principe de la prudence** the conservatism principle.

**prudentiel, -ielle** /pʀydɑ̃sjɛl/ ADJ (Compta) ratio prudential ◆ **règles prudentielles** capital adequacy requirements.

**prud'homal, e** MPL **-aux** /pʀydɔmal, o/ ADJ of an industrial tribunal ou court.

**prud'homie** /pʀydɔmi/ NF jurisdiction of an industrial tribunal.

**prud'homme** /pʀydɔm/ **NM** elected member of an industrial tribunal ✦ **les prud'hommes, le conseil de prud'hommes** the industrial tribunal.

**P.-S.** /peɛs/ (abrév de **post-scriptum**) postscript, PS.

**psychologie** /psikɔlɔʒi/ **NF** psychology ✦ **psychologie des consommateurs** consumer psychology.

**psychologue** /psikɔlɔg/ **NM,F** psychologist ✦ **psychologue d'entreprise** industrial psychologist.

**psychotechnicien, -ienne** /psikɔtɛknisjɛ̃, jɛn/ **NM,F** psychotechnician, psychotechnologist.

**psychotechnique** /psikɔtɛknik/ **NF** psychotechnology.

**pub** * /pyb/ **NF** abrév de **publicité** (= *réclame*) (*gén*) ad, advert (*TV, Radio*) ad, commercial ✦ **la pub** (= *secteur*) advertising.

**public, -ique** /pyblik/ **ADJ** *fonds, secteur* public ✦ **dépenses publiques** government *ou* public expenditure *ou* spending ✦ **dette publique** public *ou* national debt ✦ **entreprise publique** state enterprise ✦ **fonction publique** civil service ✦ **les pouvoirs publics** the authorities ✦ **directeur des relations publiques** public relations manager ✦ **opération de relations publiques** public relations exercise ✦ **service public** public utility service ✦ **le Trésor public** the Treasury (*Brit*), the Treasury department (*US*), the public revenue department ✦ **offre publique d'achat** (*Bourse*) takeover bid, tender offer (*US*) ✦ **offre publique de vente / d'échange** (*Bourse*) public offer of shares / of exchange ✦ **rendre public** to disclose, unveil, release **NM** **a** (= *secteur*) ✦ **le public** the public sector **b** (= *gens, consommateurs*) public ✦ **ouvert au public** open to the public ✦ **le grand public** the general public, the public at large ✦ **produits grand public** consumer products, mass-market products ✦ **électronique grand public** consumer electronics ✦ **distribution grand public** retail distribution ✦ **émettre des actions dans le public** to go public, go to the market ✦ **public atteint** (*Pub*) coverage ✦ **public cible** target audience *ou* public.

**publication** /pyblikasjɔ̃/ **NF** **a** (= *fait de publier*) [*livre, journal*] publication, publishing (*Fin, Compta*) [*informations chiffrées*] reporting ✦ **publication assistée par ordinateur** desk-top publishing ✦ **publication périodique d'états financiers** interim financial reporting

**b** (= *ouvrage, revue*) publication ✦ **publication périodique** periodical.

**publiciste** /pyblisist(ə)/ **NMF** advertising executive, adman*, publicity man **NF** advertising executive, publicity woman.

**publicitaire** /pyblisitɛʀ/ **ADJ** *agence, budget dépense* publicity, advertising; *vente, film* promotional ✦ **affiche publicitaire** advertising poster ✦ **annonce publicitaire** advertisement, advert, ad ✦ **battage publicitaire** media hype*, hoopla, hard sell ✦ **cadeau publicitaire** advertising gift, giveaway ✦ **campagne publicitaire** (*pour faire connaître une entreprise*) publicity campaign; (*pour vendre un produit*) advertising campaign *ou* drive ✦ **documentation publicitaire** advertising literature ✦ **encart publicitaire** advertising insert, insert ad ✦ **espace publicitaire** advertising space ✦ **matériel publicitaire** publicity material ✦ **matraquage publicitaire** media hype *ou* overkill ✦ **message publicitaire** (*gén*) advertising message; (*Radio*) commercial ✦ **opération publicitaire** promotional action ✦ **panneau publicitaire** advertisement hoarding ✦ **rédacteur publicitaire** copywriter ✦ **slogan publicitaire** advertising slogan ✦ **support publicitaire** advertising medium ✦ **tarif publicitaire** advertising rate, adrate* ✦ **vente publicitaire** promotional sale ✦ **voiture publicitaire** advertising car, admobile (*US*) **NMF** advertising executive, adman*, publicity man **NF** advertising executive, publicity woman.

**publicité** /pyblisite/ **NF** **a** (= *notoriété*) publicity ✦ **cet incident nous a valu une publicité regrettable** this incident earned us some unfortunate publicity ✦ **elle est responsable de la publicité** she's in charge of publicity ✦ **matériel de publicité** publicity material ✦ **service de la publicité** publicity department **b** (= *secteur*) advertising ✦ **il est dans la publicité** he's in advertising *ou* in the advertising business *ou* in the advertising profession ✦ **faire de la publicité pour un produit** to advertise a product ✦ **agence / agent de publicité** advertising agency / agent ✦ **campagne de publicité** advertising campaign *ou* drive ✦ **démarcheur en publicité** advertising canvasser *ou* salesman ✦ **chef de publicité** (*dans une entreprise*) advertising manager *ou* director; (*dans une agence*) account executive; (*Presse*) advertising sales manager ✦ **conseil en publicité** advertising consultant ✦ **frais de publicité** advertising expenses *ou* costs **c** (= *annonce*) (*gén*) advertisement, ad*, advert* (*Brit*) (*Rad, TV*) commercial, advertisement **d** (*Compta*) disclosure of information

---

— compounds/composés —

* **publicité aérienne** aerial *ou* sky advertising
* **publicité par affichage** poster advertising
* **publicité d'amorçage** advance advertising
* **publicité clandestine** illicit *ou* hidden advertising
* **publicité collective** collective *ou* group advertising
* **publicité comparative** comparative advertising
* **publicité connotative** connotative publicity *ou* advertising
* **publicité par coupon-réponse** coupon advertising
* **publicité dénotative** denotative publicity *ou* advertising
* **publicité directe** direct advertising
* **publicité à l'écran** screen advertising
* **publicité d'entretien** reminder *ou* follow-up advertising
* **publicité extérieure** outdoor advertising
* **publicité à forte fréquence** high-pressure advertising
* **publicité-gamme** line advertising
* **publicité grand public** consumer *ou* mass advertising
* **publicité informative** informative advertising
* **publicité institutionnelle** image *ou* corporate *ou* institutional advertising
* **publicité de lancement** launch *ou* introductory advertising
* **publicité sur le lieu de vente** point-of-sale *(Brit)* *ou* point-of-purchase *(US)* advertising
* **publicité lumineuse** neon-sign advertising
* **publicité-médias** media advertising
* **publicité mensongère** deceptive advertising
* **publicité murale** outdoor advertising on walls
* **publicité de notoriété** prestige advertising
* **publicité postale personnelle** direct-mail advertising
* **publicité-presse** newspaper *ou* press advertising
* **publicité de prestige** prestige advertising
* **publicité-produit** product *ou* brand advertising
* **publicité radiophonique** radio advertising
* **publicité de rappel** *ou* **de relance** reminder *ou* follow-up advertising
* **publicité rédactionnelle** editorial advertising
* **publicité subliminale** subliminal advertising
* **publicité télévisée** television advertising
* **publicité par voie d'affiches** poster advertising.

---

**publier** /pyblije/ **VT** *livre, journal* to publish; *informations financières, résultats* to report.

**publipostage** /pyblipɔstaʒ/ **NM** direct mail shot, (mass) mailing ◆ **publipostage-test, publipostage d'essai** test mailing.

**publirédactionnel, -elle** /pybliʀedaksjɔnɛl/ **ADJ, NM** advertorial.

**publireportage** /pybliʀəpɔʀtaʒ/ **NM** advertorial.

**puce** /pys/ **NF a** ◆ **marché aux puces** flea market **b** *(Inf)* (silicon) chip, microchip.

**puiser** /pɥize/ **VI** to dip *(dans* into) ◆ **puiser dans les caisses de l'entreprise** to dip into the company coffers.

**puissance** /pɥisɑ̃s/ **NF** *(gén)* power ◆ **montée en puissance** *[secteur]* increase in importance ◆ **la montée en puissance des banques dans le capital de la société** the increase of the banks' stake in the company ◆ **les puissances d'argent** the forces of money ◆ **la puissance publique** the public authorities.

**puissant, e** /pɥisɑ̃, ɑ̃t/ **ADJ** *allié, élan* powerful.

**pula** /pula/ **NM** pula.

**pupitrage** /pypitʀaʒ/ **NM** *(Inf)* keyboarding.

**pupitre** /pypitʀ(ə)/ **NM** *(Inf)* console ◆ **imprimante de pupitre** console printer ◆ **pupitre de commande** console desk, control console *ou* desk.

**pupitreur, -euse** /pypitʀœʀ, øz/ **NM,F** *(Inf)* keyboard operator, keyboarder, console operator.

**purger** /pyʀʒe/ **VT** *hypothèque* to redeem, pay off, lift *(US)*.

**put** /put/ **NM** *(Bourse)* put ◆ **put warrant** put warrant.

**P.-V.** /peve/ **NM** (abrév de **procès-verbal**) minutes, record.

**PVD** /pevede/ **NMPL** (abrév de **pays en voie de développement**) LDCs.

**px** abrév de **prix.**

**Pyongyang** /pjɔŋjaŋ/ **N** Pyongyang.

**pyramidal, e,** **MPL** **-aux** /piʀamidal, o/ **ADJ** pyramid-shaped ◆ **vente pyramidale** pyramid selling.

**pyramide** /piʀamid/ **NF** pyramid ◆ **pyramide des âges / salaires / revenus** age / wage / income pyramid.

# Q

**QCM** /kyseɛm/ **NM** abrév de **questionnaire à choix multiple** → **questionnaire.**

**QF** /kyɛf/ **NM** abrév de **quotient familial** → **quotient.**

**QG** /kyʒe/ **NM** (abrév de **quartier général**) HQ.

**QI** /kyi/ **NM** (abrév de **quotient intellectuel**) IQ.

**quadriennal, e** **MPL, -aux** /kwadʀijenal, o/ **ADJ** *plan* four-year, quadriennal.

**quadrimestre** /k(w)adʀimɛstʀ(ə)/ **NM** quarter, four-month period ◆ **le premier quadrimestre** the first four months.

**quadripartite** /kwadʀipaʀtit/ **ADJ** *conférence internationale* four-power.

**quadruple** /kadʀypl(ə)/ **ADJ** quadruple ◆ **cette année nos pertes sont quadruples** this year our losses are four times as great *ou* have increased fourfold *ou* are quadruple ◆ **en quadruple exemplaire** in four copies, in quadruplicate

**NM** quadruple ◆ **notre chiffre d'affaires est le quadruple de l'année dernière** our turnover is four times as great as last year's ◆ **nous l'avons revendu le quadruple du prix d'achat** we resold it for four times the purchase price.

**quadrupler** /kadʀyple/ **VTI** to quadruple ◆ **les prix ont quadruplé** prices have quadrupled *ou* have gone up by four *ou* have increased fourfold.

**quadruplex** /kwadʀyplɛks/ **NM** quadruplex system.

**quai** /ke/ **NM** **a** *(Mar)* quay, wharf ◆ **être à quai** to be docked, be alongside the quay ◆ **mettre à quai** to dock ◆ **quai de débarquement / d'embarquement** *[marchandises]* unloading / loading dock *ou* quay; *[passagers]* disembarkation / embarkation dock *ou* pier ◆ **droits de quai** wharfage, quay dues ◆ **marchandises à prendre à** *ou* **sur quai** ex-quay *ou* ex-wharf goods ◆ **franco quai** *ou* **à quai** free alongside ship, FAS, free on quay, free at wharf ◆ **quai à quai** wharf to wharf ◆ **à quai dédouané** ex-dock *ou* ex-quay duty paid ◆ **à quai non dédouané** ex-dock *ou* ex-quay duties on buyer's account ◆ **connaissement reçu à quai** alongside bill of lading ◆ **prix à quai** free on quay price ◆ **rendu à quai** delivered free on quay **b** *(Rail)* platform ◆ **quai d'arrivée / de départ** arrival / departure platform.

**qualification** /kalifikasjɔ̃/ **NF** *(= compétence)* skill; *(= diplôme)* qualification ◆ **qualification professionnelle** professional qualification ◆ **niveau de qualification** level of qualification.

**qualifié, e** /kalifje/ **ADJ** *majorité* qualified; *vol* aggravated ◆ **ouvrier qualifié / hautement qualifié / non qualifié** skilled / highly skilled / unskilled worker.

**qualitatif, -ive** /kalitatif, iv/ **ADJ** qualitative ◆ **restrictions qualitatives** qualitative restrictions.

**qualitativement** /kalitativmɑ̃/ **ADV** qualitatively.

**qualité** /kalite/ **NF** **a** *[produit, travail]* quality ◆ **qualité moyenne** *(Ind)* average outgoing quality ◆ **qualité conforme à l'échantillon** quality as per sample ◆ **qualité courante** *(Ind)* fair average quality ◆ **qualité présente** stipulated quality ◆ **qualité totale** total quality ◆ **la qualité de la vie** the quality of life ◆ **la qualité de vie au travail** the quality of working life ◆ **imprimante qualité courrier** letter-quality printer ◆ **cercle / indice / label / niveau / norme de qualité** quality circle / index / label / level /

standard ✦ **certificat de qualité** certificate of quality ✦ **contrôle de (la) qualité** quality control ✦ **coût de la qualité** quality cost, cost of quality ✦ **la fonction qualité** the quality function ✦ **garantie de la qualité** guarantee of quality ✦ **gestion de la qualité** quality management ✦ **veiller à la qualité des produits** to be careful about product quality ✦ **produit de qualité** quality product ✦ **produit de bonne / mauvaise qualité** good *ou* high / bad *ou* poor quality product, product of good *ou* high / bad *ou* poor *ou* low quality ✦ **de première qualité, de qualité supérieure** of top *ou* superior *ou* prime *ou* first-rate quality ✦ **de qualité inférieure** of inferior *ou* low *ou* low-grade quality ✦ **de qualité marchande** *ou* **commerciale** of merchantable quality ✦ **vendre sur qualité vue** to sell on approval ✦ **rapport qualité-prix** quality-price ratio **b** (*= titre, fonction*) capacity, position ✦ **il agit en sa qualité d'audit externe** he is acting in his capacity as external auditor ✦ **avoir qualité pour agir** to be entitled *ou* empowered *ou* authorized to act ✦ **je n'ai pas qualité pour régler cette affaire** I have no authority to settle this matter ✦ **nom, prénom et qualité** (*sur un formulaire*) last name, first name, position ✦ **agir ès qualités** to act in an official capacity **c** (*Inf*) ✦ **qualité courrier** near letter quality, NLQ.

**qualiticien, -ienne** /[kalitisjɛ̃, jɛn/ **NM,F** quality controller.

**quantième** /kɑ̃tjɛm/ **NM** day.

**quantifiable** /kɑ̃tifjabl(ə)/ **ADJ** quantifiable ✦ **non quantifiable** unquantifiable.

**quantification** /kɑ̃tifikasjɔ̃/ **NF** quantification.

**quantifier** /kɑ̃tifje/ **VT** to quantify.

**quantitatif, -ive** /kɑ̃titatif, iv/ **ADJ** quantitative ✦ **la théorie quantitative de la monnaie** the quantity theory of money ✦ **remise quantitative** quantity discount ✦ **analyse quantitative** quantitative analysis.

**quantitativement** /kɑ̃titativmɑ̃/ **ADV** quantitatively.

**quantité** /kɑ̃tite/ **NF** (*gén, Comm*) quantity; (*= nombre*) number; (*= masse*) amount ✦ **une grande quantité d'informations** a large quantity *ou* amount of information ✦ **une grande quantité de réclamations** a large quantity *ou* number of complaints ✦ **il y a une quantité de faillites, il y a des faillites en quantité** there are large numbers of bankruptcies, there are bankrupcies galore ✦ **il y avait des légumes frais en grande quantité** there was a good supply of fresh vegetables, fresh vegetables

were in plenty ✦ **acheter qch en (grande) quantité / en petite quantité** to buy sth in bulk *ou* in large quantities / in small quantities ✦ **remise sur quantité** quantity discount ✦ **quantité économique d'achat** economic order quantity, EOQ ✦ **quantité économique de réapprovisionnement** *ou* **de commande** economic order *ou* batch quantity, economic lot size ✦ **quantité optimale de commande** optimum order quantity *ou* size ✦ **quantité entrée / sortie** incoming / outgoing quantity ✦ **écart sur** *ou* **de quantité** quantity variance.

**quantum** /kwɑ̃tɔm/, **PL quanta** **NM** [*amende, pension*] amount ✦ **déterminer le quantum des dommages-intérêts** (*gén*) to assess the amount of damages; (*Ass Mar*) to adjust the damages.

**quarantaine** /kaʁɑ̃tɛn/ **NF a** (*= quarante*) forty; (*environ*) about forty, forty or so → **soixantaine** **b** (*Mar*) quarantine ✦ **mettre en quarantaine** to quarantine ✦ **pavillon de quarantaine** quarantine flag.

**quarante** /kaʁɑ̃t/ **ADJ, NM INV** forty ✦ **la semaine de quarante heures** the forty-hour week → **soixante.**

**quarantième** /kaʁɑ̃tjɛm/ **ADJ, NMF** forthieth → **sixième.**

**quarantièmement** /kaʁɑ̃tjɛmmɑ̃/ **ADV** in the forthieth place.

**quart** /kaʁ/ **NM** quarter ✦ **les trois quarts de notre production** three quarters of our production ✦ **je l'ai acheté au quart** *ou* **pour le quart du prix** I bought it for a quarter of the price *ou* for quarter the price ✦ **le quart-monde** the Fourth World ✦ **publicité quart de page** quarter-page advertisement.

**quartier** /kaʁtje/ **NM** district, area ✦ **quartier des affaires** business district ✦ **quartier commerçant** shopping district *ou* area ✦ **quartier général** headquarters.

**quartile** /kwaʁtil/ **NM** quartile.

**quasi** /kazi/ **PRÉF** (*Écon*) quasi ✦ **quasi-contrat** quasi-contract, implied contract ✦ **quasi-délit** technical offence ✦ **quasi-dévaluation** quasi-devaluation ✦ **quasi-espèces** cash equivalents ✦ **quasi-faillite** near bankruptcy ✦ **quasi-monnaie** quasi-money, near money ✦ **quasi-monopole** quasi-monopoly, near monopoly ✦ **quasi-réévaluation** quasi-revaluation ✦ **quasi-société** near-company ✦ **la quasi-totalité de notre production** almost all our production, almost the whole of our production.

**quatorze** /katɔʁz(ə)/ **ADJ, NM INV** fourteen → **six.**

**quitus**

**quatorzième** /katɔʀzjɛm/ **ADJ, NMF** fourteenth → **sixième.**

**quatorzièmement** /katɔʀzjɛmmɑ̃/ **ADV** in the fourteenth place.

**quatre** /katʀ(ə)/ **ADJ, NM INV** four → **six**

──── *compounds/composés* ────
- **quatre-vingt-dix** ninety
- **quatre-vingt-dixième** ninetieth
- **quatre-vingtième** eightieth
- **quatre-vingt-douze** ninety-two
- **quatre-vingt-douzième** ninety-second
- **quatre-vingts** eighty
- **quatre-vingt-deux** eighty-two
- **quatre-vingt-deuxième** eighty-second.

**quatrième** /katʀijɛm/ **ADJ, NMF** fourth → **sixième.**

**quatrièmement** /katʀijɛmmɑ̃/ **ADV** fourthly, in the fourth place.

**Québec** /kebɛk/ **N** (= *pays*) Quebec; (= *capitale*) Quebec City.

**québécois, e** /kebekwa, waz/ **ADJ** Quebec
**NM** (= *langue*) Quebec French
**Québécois** **NM** (= *habitant*) Quebecker, quebecer, Québécois (*Can*)
**Québécoise** **NF** (= *habitante*) Quebecker, Quebecer, Québécois (*Can*).

**question** /kɛstjɔ̃/ **NF** question ◆ **questions diverses** (*figurant sur un ordre du jour*) any other business ◆ **question directe / indirecte / dichotomique / ouverte** direct / indirect / dichotomous / open-ended question ◆ **mettre en question** to question ◆ **soulever une question** to raise a point.

**questionnaire** /kɛstjɔnɛʀ/ **NM** questionnaire ◆ **questionnaire à choix multiple** multiple choice questionnaire ◆ **questionnaire non administré** self-administered questionnaire ◆ **remplir un questionnaire** to fill in a questionnaire.

**questionner** /kɛstjɔne/ **VT** to question.

**quetzal** /kwɛtsal/ **NM** quetzal.

**queue** /kø/ **NF** (= *file d'attente*) queue (*Brit*), line (*US*) ◆ **faire la queue** to queue (up) (*Brit*), stand in line (*US*).

**quinquennal, e** **MPL, -aux** /kɥɛ̃kɥenal, o/ **ADJ** *quarantaine* five-year, quinquennial.

**quintal, PL -aux** /kɛ̃tal, o/ **NM** quintal.

**quintuple** /kɛ̃typl(ə)/ **ADJ** quintuple ◆ **cette année nos exportations sont quintuples** this year our exports are five times as great *ou* have increased by five ◆ **en quintuple exemplaire** in five copies, in quintuplicate
**NM** quintuple ◆ **notre chiffre d'affaires est le quintuple de l'année dernière** our turnover is five times as great as last year's ◆ **nous l'avons revendu le quintuple du prix d'achat** we resold it for five times the purchase price.

**quintupler** /kɛ̃typle/ **VTI** to quintuple ◆ **les prix ont quintuplé** prices have quintupled *ou* have gone up by five *ou* have increased fivefold.

**quinzaine** /kɛ̃zɛn/ **NF** **a** (= *quinze*) fifteen; (*environ*) about fifteen, fifteen or so ◆ **une quinzaine de personnes** about fifteen people, fifteen people or so → **soixantaine** **b** (= *paie*) two weeks' pay, fortnight's pay (*Brit*) **c** (= *période*) two weeks, fortnight (*Brit*) ◆ **quinzaine commerciale** two-week sale ◆ **quinzaine du meuble** two-week furniture sale.

**quinze** /kɛ̃z/ **ADJ, NM INV** fifteen ◆ **lundi en quinze** a fortnight on Monday (*Brit*), two weeks from Monday (*US*) ◆ **dans quinze jours** in two weeks, in two weeks' time, in a fortnight (*Brit*) ◆ **tous les quinze jours** every two weeks, every fortnight (*Brit*) → **six.**

**quinzième** /kɛ̃zjɛm/ **ADJ, NMF** fifteenth → **sixième.**

**quinzièmement** /kɛ̃zjɛmmɑ̃/ **ADV** in the fifteenth place, fifteenthly.

**Quito** /kito/ **N** Quito.

**quittance** /kitɑ̃s/ **NF** **a** (= *récépissé*) receipt ◆ **carnet de quittances** receipt book ◆ **suivant quittance** as per receipt ◆ **timbre de quittance** receipt stamp **b** (= *facture*) bill ◆ **quittance d'électricité** electricity bill

──── *compounds/composés* ────
- **quittance comptable** accountable receipt
- **quittance de douane** customs receipt
- **quittance libératoire** receipt in full discharge
- **quittance de loyer** rent receipt
- **quittance pour solde de tout compte** receipt in full, receipt for the balance
- **quittance à valoir** receipt on account.

**quittancement** /kitɑ̃smɑ̃/ **NM** billing ◆ **cette majoration sera prélevée lors du deuxième quittancement** the extra charge will be included on your next bill.

**quittancer** /kitɑ̃se/ **VT** to receipt.

**quitus** /kitys/ **NM** [*dette*] full discharge, quietus, quittance, acquittance, release; [*responsabilité*] (final) discharge, quietus ◆ **donner quitus à qn** to give sb full *ou* final discharge, give quietus *ou* quittance to sb.

**quorum** /kɔʀɔm/ **NM** quorum ◆ **le quorum est atteint** we have a quorum, there is a quorum ◆ **le quorum n'est pas atteint** we do not reach the quorum.

**quota** /kɔta/ **NM** quota ◆ **quota d'exportation / d'importation** export / import quota ◆ **quota de production / de vente** production / sales quota ◆ **fixer un quota** to set a quota.

**quote-part,** **PL** **quotes-parts** /kɔtpaʀ/ **NF** share, portion, quota ◆ **quote-part de l'employeur** employer's share ◆ **payer sa quote-part** to pay one's contribution *ou* one's share ◆ **il a une quote-part des bénéfices** he receives a share *ou* a portion of the profits.

**quotidien, -ienne** /kɔtidjɛ̃, jɛn/ **ADJ** daily ◆ **NM** daily (newspaper).

**quotient** /kɔsjɑ̃/ **NM** quotient ◆ **quotient familial** family quotient ◆ **quotient intellectuel** intelligence quotient, IQ.

**quotité** /kɔtite/ **NF** *(gén)* quota; *(Bourse)* quotity, marketable parcel, round lot *(US)* ◆ **quotité disponible** *(Jur)* portion of an estate which can be freely disposed of ◆ **quotité complète** round lot ◆ **quotité du contrat** contract size ◆ **impôt de quotité** fixed-rate tax ◆ **quotité imposable** taxable (portion of) income.

# R

**R.** abrév de **rue.**

**rabais** /Rabɛ/ **NM** reduction, discount, rebate ◆ **50 livres de rabais, rabais de 50 livres** reduction *ou* discount *ou* rebate of £50, £50 off ◆ **accorder** *ou* **faire un rabais de 50 livres sur qch** to give a reduction *ou* rebate *ou* discount of £50 on sth, knock £50 off (the price of) sth ◆ **acheter au rabais** to buy at a reduced price ◆ **vente aux enchères au rabais** Dutch auction ◆ **vente au rabais** discount sale, sale at reduced price ◆ **maison de (vente au) rabais** discount store ◆ **rabais sur achats / sur ventes** purchase / sales allowance *ou* discount *ou* rebate ◆ **rabais sur facture** invoice discount ◆ **rabais de gros** trade discount ◆ **rabais, remises et ristournes** *(Compta)* purchase / sales returns and allowances.

**Rabat** /Rabat/ **N** Rabat.

**rabattage** /Rabataʒ/ **NM** [*clients*] soliciting, touting ◆ **ils font du rabattage** they're touting for customers.

**rabatteur** /Rabatœʀ/ **NM** *(Comm)* tout.

**rabattre** /RabatR(ə)/ **VT** **a** *(= baisser)* to reduce; *(= décompter)* to deduct, take off ◆ **rabattre 10% du prix** to take *ou* knock 10% off the price, reduce the price by 10% ◆ **rabattre 100 livres sur le prix** to take *ou* knock £100 off the price, reduce the price by £100 **b** **rabattre des clients** to tout for customers, solicit customers.

**rabescompteur** /Rabɛskɔ̃tœʀ/ **NM** discount house.

**raccourci** /Rakursi/ **NM** *(= résumé)* summary ◆ **raccourci clavier, touche de raccourci** hot key, shortcut key.

**rachat** /Raʃa/ **NM** **a** [*objet qu'on a vendu*] repurchase, buying back; [*objet semblable*] repur-chase, repeat purchase; [*objet d'occasion*] pur-chase; [*usine*] takeover, buyout, buying up ◆ **rachat d'une entreprise par ses salariés** management buyout, MBO ◆ **rachat d'une entreprise avec effet de levier** leveraged man-agement buyout, LMBO ◆ **accord / clause de rachat** buyback *ou* repurchase agreement / clause ◆ **vente avec faculté de rachat** sale with option of repurchase *ou* of redemption ◆ **rachat d'actions** *(de ses propres actions)* stock repurchase; *(pour se couvrir)* covering purchase ◆ **valeur de rachat** *(Bourse)* redemption value **b** *(= remboursement)* [*dette, actions*] redemp-tion, retirement; [*rente*] redemption ◆ **pacte de rachat** *(Jur)* covenant of redemption **c** *(Ass)* [*contrat*] surrender ◆ **valeur de rachat** (cash) surrender value **d** *(Jur)* ◆ **rachat d'une servi-tude** commutation of an easement.

**rachetable** /Raʃtabl(ə)/ **ADJ** *dette, rente, action* redeemable ◆ **obligations rachetables au pair** bonds *ou* debentures *(Brit)* redeemable at par.

**racheter** /Raʃte/ **VT** **a** *objet qu'on a vendu* to repurchase, buy back; *objet semblable* to buy *ou* purchase another; *objet d'occasion* to buy, pur-chase; *usine* to buy out, take over, buy up ◆ **l'entreprise a été rachetée par une multina-tionale** the company has been taken over *ou* bought out by a multinational ◆ **ils ont tout racheté** they have bought up everything ◆ **il a racheté toutes les parts de son associé** he bought his partner out, he bought up all his partner's shares ◆ **nous leur avons racheté leurs vieux micros** we bought their old micros off *ou* from them **b** *(= rembourser)* *dette* to redeem, retire; *rente* to redeem; *titres* to buy back, redeem, retire ◆ **les obligations rem-boursables sont rachetées par tirages** redeem-able bonds *ou* debentures *(Brit)* are paid off by annual drawings **c** *(Bourse)* ◆ **racheter un vendeur** to buy in against a seller ◆ **se couvrir en rachetant des actions vendues à découvert** to cover shorts *ou* short positions, buy back short positions **d** *(Ass)* contrat to surrender.

**racket** /ʀaket/ NM racket ◆ **le racket** racketeering.

**racketter, racketteur** /ʀaketœʀ/ NM racketeer.

**racolage** /ʀakɔlaʒ/ NM *[clients]* soliciting, touting ◆ **ils font du racolage** they're touting for customers.

**racoler** /ʀakɔle/ VT *[clients]* to solicit, tout for.

**racoleur, -euse** /ʀakɔlœʀ, øz/ NM tout
ADJ *slogan, publicité* appealing, seductive, eye-catching.

**radiation** /ʀadjasjɔ̃/ NF **a** *[mot]* striking out *ou* off, crossing out *ou* off; *[membre d'un organisme professionnel]* deregistration; *[dette]* cancellation ◆ **radiation d'une inscription hypothécaire** *(Jur)* entry of satisfaction of mortgage **b** *(Compta) [perte, créance douteuse]* writing *ou* charging off, write-off ◆ **radiation directe des créances irrécouvrables** writing *ou* charging off bad debts ◆ **la radiation d'une perte** the writing off *ou* the write-off of a loss **c** *(Bourse)* delisting ◆ **radiation de la cote** share delisting.

**radier** /ʀadje/ VT **a** *(gén)* nom, mot to strike out *ou* off, cross out *ou* off; *membre d'un organisme professionnel* to strike off; *dette* to cancel ◆ **il a été radié** he has been struck off the list ◆ **radier qn des cadres** to strike sb off the strength ◆ **radier une inscription hypothécaire** *(Jur)* to enter a memorandum of satisfaction of mortgage **b** *(Compta)* perte, créance douteuse to write off, charge off **c** *(Bourse)* titre to delist.

**radoub** /ʀadu/ NM refitting ◆ **navire au radoub** ship under repair *ou* undergoing a refit ◆ **bassin de radoub** dry dock, graving dock.

**rafale** /ʀafal/ NF **a** *(Inf)* burst ◆ **lecture / écriture par rafales** read / write burst **b** *(Ind = série courte)* batch ◆ **fréquence des rafales pour la fabrication d'une pièce** batch frequency for the manufacture of a part.

**raffermir** /ʀafɛʀmiʀ/ VT to strengthen
**se raffermir** VPR *[cours]* to firm up, strengthen, harden, steady.

**raffermissement** /ʀafɛʀmismɑ̃/ NM *[cours]* strengthening, firming up, steadying ◆ **raffermissement des valeurs françaises** strengthening of French stocks.

**raffinage** /ʀafinaʒ/ NM refining.

**raffiné, e** /ʀafine/ ADJ *pétrole, sucre* refined.

**raffiner** /ʀafine/ VT *(gén, Ind)* to refine.

**raffinerie** /ʀafinʀi/ NF refinery ◆ **raffinerie de pétrole** oil *ou* petroleum refinery.

**raffineur** /ʀafinœʀ/ NM refiner.

**rafler** * /ʀafle/ VT *produit, titres boursiers* to sweep up, buy up ◆ **ils ont raflé 85 milliards de commandes** they racked up 85 billion francs in orders ◆ **ils ont tout raflé** they grabbed everything *ou* the lot.

**raid** /ʀɛd/ NM raid.

**raider** /ʀɛdɛʀ/ NM raider.

**raidir** /ʀediʀ/ VT *position* to harden, toughen
**se raidir** VPR *[position]* to harden.

**raidissement** /ʀedismɑ̃/ NM *[dans une négociation]* hardening.

**rail** /ʀaj/ NM rail ◆ **transport rail-route** road-rail transport ◆ **le rail n'est pas toujours moins cher que la route** rail (transport) is not always cheaper than road (transport).

**raison** /ʀɛzɔ̃/ NF *(= cause)* reason; *(= proportion)* ratio ◆ **raison directe** *(Math)* direct ratio *ou* proportion ◆ **à raison de 100 euros par personne** at the rate of 100 euros per person ◆ **en raison de la grève** because of *ou* owing to the strike

```
─── compounds/composés ───
◆ raison commerciale trade name
◆ raison sociale corporate ou business name.
```

**raisonnable** /ʀɛzɔnabl(ə)/ ADJ *prix, salaire, quantité* reasonable, fair.

**rajeunir** /ʀaʒœniʀ/ VT *structures, système* to modernize, revamp, renovate; *entreprise* to rejuvenate ◆ **rajeunir les cadres de l'entreprise** to bring new blood into the firm's management.

**rajeunissement** /ʀaʒœnismɑ̃/ NM *[structure, système]* modernization, revamping; *[entreprise]* rejuvenation.

**rajustement** /ʀaʒystəmɑ̃/ NM *[prix, salaires] (gén)* adjustment, revision; *(= augmentation)* increase ◆ **rajustement monétaire** monetary adjustment ◆ **rajustement vers le bas** downward revision.

**rajuster** /ʀaʒyste/ VT *prix, salaire (gén)* to adjust, revise; *(= augmenter)* to increase.

**ralenti** /ʀalɑ̃ti/ NM ◆ **aller** *ou* **marcher** *ou* **tourner au ralenti** *[affaires]* to be slack *ou* slow; *[usine]*

to idle, tick over *(Brit)* ◆ **l'économie française tourne au ralenti** the French economy is only just ticking over.

**ralentir** /ʀalɑ̃tiʀ/ **VT** *processus, production* to slow down

**VI** *demande* to slow down, drop off, fall off

**se ralentir** **VPR** to slow down.

**ralentissement** /ʀalɑ̃tismɑ̃/ **NM** *[production, demande]* slowing down, drop off, fall off ◆ **ralentissement de l'activité économique** economic downturn *ou* slowdown, slowing down *ou* slackening of the economy ◆ **ralentissement des affaires** business slowdown *ou* downturn, falling off of business ◆ **ralentissement des importations** drop off *ou* downturn in imports, slowing down of imports ◆ **ralentissement dans la construction de logements** slowdown in housing.

**rallonge** /ʀalɔ̃ʒ/ **NF** *(Fin)* extra money ◆ **rallonge budgétaire** additional budget.

**rallye** /ʀali/ **NM** rally ◆ **rallye de fin d'année** *(Bourse)* Santa Claus rally.

**RAM** /ʀam/ **NF** *(Inf)* (abrév de **Random Access Memory**) RAM.

**ramassage** /ʀamɑsaʒ/ **NM** ◆ **ramassage d'actions** share gathering ◆ **le ramassage des titres a commencé le 27 septembre** the buying up of the shares began on September 27th.

**ramasse-monnaie** /ʀamɑsmɔnɛ/ **NM INV** *(change)* tray.

**ramasser** /ʀamɑse/ **VT** *courrier, cotisations, amende* to collect; *contrat* to pick up; *(Bourse) actions* to buy up, gather ◆ **il a ramassé beaucoup d'argent** he pocketed *ou* he picked up a lot of money.

**ramener** /ʀamne/ **VT** to bring back *(à* to) ◆ **le taux de chômage a été ramené à 7%** the unemployment rate has been reduced *ou* brought back down to 7% ◆ **la banque a ramené son taux de base de 8% à 7,5%** the bank has reduced *ou* lowered *ou* brought down its base rate from 8% to 7.5%.

**rampant, e** /ʀɑ̃pɑ̃, ɑ̃t/ **ADJ** *inflation* creeping.

**rand** /ʀɑ̃d/ **NM** rand.

**rang** /ʀɑ̃/ **NM** *(gén, Admin, Fin, Jur)* rank ◆ **hypothèque de premier / de deuxième rang** first / second mortgage ◆ **prendre rang avant / après** to rank before / after ◆ **avoir le même rang que** to rank equally *ou* pari passu with ◆ **obligation de premier / deuxième rang** senior / junior bond ◆ **dette de premier / deuxième rang** senior / junior debt.

**Rangoon** /ʀɑ̃gun/ **N** Rangoon.

**ranimer (se)** /ʀanime/ **VPR** *[marché]* to recover, pick up, rally.

**rapatriement** /ʀapatʀimɑ̃/ **NM** repatriation.

**rapatrier** /ʀapatʀije/ **VT** *personne, capital, bénéfices* to repatriate.

**rapide** /ʀapid/ **ADJ** *(gén)* quick; *appareil* high-speed; *véhicule* fast; *travailleur* quick, fast; *livraison, service* quick ◆ **caisse rapide** quick checkout (counter), express counter ◆ **imprimante rapide** high-speed printer

**NM** express (train), fast train.

**rapidement** /ʀapidmɑ̃/ **ADV** *répondre, expédier* quickly, fast.

**rapidité** /ʀapidite/ **NF** *(gén)* speed.

**rappel** /ʀapɛl/ **NM** *[facture]* reminder; *[référence]* quote; *[prime d'assurance]* ajustment; *[produits non conformes]* recall, callback; *(Inf) [fichier]* calling up *ou* back, recall ◆ **lettre de rappel** reminder ◆ **rappel de compte** reminder of amount due ◆ **publicité de rappel sur le lieu de vente** tie-in advertising at the point of sale ◆ **rappel de salaire** *ou* **de traitement** back pay ◆ **salaire avec rappel depuis le 1er septembre** salary with arrears from September 1st ◆ **augmentation avec rappel à compter de janvier** increase backdated to January ◆ **rappel de fonds** calling in of funds ◆ **rappel d'impôts** additional tax assessment, back taxes ◆ **rappels de cours** *(Bourse)* errors and omissions in yesterday's prices ◆ **rappel de prime** premium adjustment.

**rappeler** /ʀaple/ **VT** *produits non conformes* to recall, call back; *référence* to quote; *(au téléphone)* to call *ou* ring *(Brit) ou* phone back ◆ **rappeler un fichier à l'écran** to call up *ou* back a file on the screen ◆ **prière de rappeler la référence ci-dessus** please quote the above reference.

**rapport** /ʀapɔʀ/ **NM a** *(= compte rendu)* report ◆ **rédiger / soumettre un rapport** to draw up / submit *ou* hand in a report **b** *(= rendement)* yield, return ◆ **le rapport d'un investissement** the return on an investment ◆ **d'un bon rapport** profitable, high-yield ◆ **ces obligations sont d'un bon rapport** these bonds bring *ou* yield a good return *ou* are quite profitable ◆ **capital en rapport** productive *ou* interest-bearing capital ◆ **maison de rapport** revenue-earning house **c** *(= ratio)* ratio **d** *(= relation)* relation; *(= contact)* contact ◆ **nos rapports avec nos fournisseurs sont excellents** our relations with our suppliers are excellent ◆ **les**

rapports patrons-ouvriers industrial *ou* labour-management relations ✦ **salaire en rapport avec qualification et expérience** salary commensurate with qualifications and experience ✦ **être en rapport avec qn** to have dealings with sb, be in touch with sb ✦ **se mettre en rapport avec qn** to get in touch *ou* contact with sb ✦ **mettre qn en rapport avec qn d'autre** to put sb in touch *ou* in contact with sb else ✦ **la force du yen par rapport au dollar** the strength of the yen against the dollar ✦ **sous tous les rapports** in all respects

─── compounds/composés ───

✦ **rapport d'activité** (annuel) annual report; (en cours d'année) progress report
✦ **rapport d'avaries** (Mar) damage report
✦ **rapport du commissaire aux comptes** auditor's report
✦ **rapport confidentiel** confidential report
✦ **rapport cours-bénéfices** price / earning / ratio, P / E ratio
✦ **rapport court** (Fin) short-form report
✦ **rapport dividende-cours** dividend-price ratio
✦ **rapport d'expertise** (Ass) expert's report *ou* appraisement, expert survey, survey report
✦ **rapport d'exploitation** operating report
✦ **rapport financier** financial report *ou* statement, treasurer's report
✦ **rapport de gestion** annual report
✦ **rapport long** (Fin) long-form report
✦ **rapport de mer** captain's report, ship's protest
✦ **rapport de parité des prix** parity price ratio
✦ **rapport performance-prix** price-performance ratio
✦ **rapport périodique** (de l'état d'avancement d'un projet) progress report; (Compta) interim report *ou* statement
✦ **rapport du président** chairman's report
✦ **rapport profit-ventes** profit-volume ratio
✦ **rapport qualité-prix** quality-price ratio
✦ **rapport de situation** situation report
✦ **rapport de surveillance** (Mar) superintendence report
✦ **rapport de visite** (d'un vendeur) call report.

**rapporter** /ʀapɔʀte/ **VT** (Fin) [titre] to yield (a return of), bring in (a yield *ou* revenue of); [transaction] to bring in (a profit of) ✦ **ces obligations ont rapporté plus de 1 000 euros** these bonds have yielded (a return of) more than 1,000 euros, these bonds have brought in more than 1,000 euros ✦ **ces obligations rapportent 10%** these bonds yield 10% *ou* have a yield of 10% *ou* bring in 10% ✦ **dépôt / capital qui rapporte des intérêts** interest-bearing deposit / capital, deposit / capital that bears interest ✦ **ça rapporte beaucoup d'argent** it's extremely profitable, it brings in a lot of money, it gives a high return ✦ **ça nous a**

**rapporté 8 000 euros** it brought us in €8,000, it yielded €8,000

**VI** (Fin) [placement] to give a good return *ou* yield, be profitable ✦ **c'est une activité qui rapporte beaucoup** it's a business that pays well, it's a highly profitable business.

**rapporteur** /ʀapɔʀtœʀ/ **NM** [comité] rapporteur, reporter.

**rapprochement** /ʀapʀɔʃmɑ̃/ **NM** **a** (Compta) reconciliation ✦ **rapprochement bancaire** *ou* **de banque** bank reconciliation ✦ **rapprochement de comptes** reconciliation of accounts ✦ **état de rapprochement** reconciliation statement **b** (Écon) ✦ **rapprochement d'entreprises** merger.

**rapprovisionnement** /ʀapʀɔvizjɔnmɑ̃/ **NM** = réapprovisionnement.

**rapprovisionner** /ʀapʀɔvizjɔne/ **VT** = réapprovisionner.

**rare** /ʀaʀ/ **ADJ** ressources scarce.

**raréfaction** /ʀaʀefaksjɔ̃/ **NF** scarcity, short supply ✦ **la raréfaction du capital risque** the growing *ou* increasing scarcity of risk capital.

**raréfier (se)** /ʀaʀefje/ **VPR** [ressources] to grow *ou* become scarce, become in short supply.

**rareté** /ʀaʀte/ **NF** [ressources] scarcity ✦ **rareté du crédit** credit scarcity *ou* crunch, tightness of credit.

**RAS** /ɛʀɑɛs/ (abrév de **rien à signaler**) nothing to report.

**rassortiment** /ʀasɔʀtimɑ̃/ **NM** = réassortiment.

**rassortir** /ʀasɔʀtiʀ/ **VT** = réassortir.

**ratification** /ʀatifikasjɔ̃/ **NF** ratification ✦ **ratification de vente** sales confirmation.

**ratifier** /ʀatifje/ **VT** to ratify.

**rating** /ʀetiŋ/ **NM** rating ✦ **agence de rating** rating agency.

**ratio** /ʀasjo/ **NM** ratio ■ Voir encadré page ci-contre

**rationalisation** /ʀasjɔnalizasjɔ̃/ **NF** rationalization, streamlining ✦ **rationalisation des choix budgétaires** planning programming budgeting system.

**rationaliser** /ʀasjɔnalize/ **VT** to rationalize, streamline.

**rationnel, -elle** /ʀasjɔnɛl/ **ADJ** rational.

**rationnement** /ʀasjɔnmɑ̃/ **NM** rationing.

**rationner** /ʀasjɔne/ **VT** ressource to ration.

**RATP** /ɛʀatepe/ **NF** abrév de **régie autonome des transports parisiens** → **régie**.

**rattachement** /Rataʃmɑ̃/ **NM** **a** *(Admin)* ◆ **quel est votre service de rattachement ?** which department are you attached to? **b** *(Compta)* apportionment, charging ◆ **rattachement de produits à un exercice** apportionment *ou* charging of income to a financial year.

**rattacher** /Rataʃe/ **VT** **a** *(Admin)* to attach (*à* to) ◆ **être rattaché au service informatique** to be attached to the computing department ◆ **il est rattaché à la direction générale** he reports to the general manager **b** *(Compta) produit, charges* to apportion, apply, charge (off) (*à* to)

**rattrapage** /Ratrapaʒ/ **NM** *(Écon)* ◆ **rattrapage des salaires / prix** adjustment of *ou* increase in salaries / prices ◆ **en juillet il y aura un rattrapage des salaires sur les prix** in July there will be an increase *ou* an adjustment to bring salaries back in line with prices ◆ **clause de rattrapage** escalator clause ◆ **effet de rattrapage** catch up effect ◆ **prime de rattrapage** adjustment premium.

**rattraper** /Ratrape/ **VT** *concurrent* to catch up with ◆ **rattraper le retard** to make up for lost time ◆ **rattraper l'arriéré** *(Fin)* to clear off an outstanding account ◆ **les prix ont rattrapé les** salaires prices have caught up with the wages.

**rature** /RatyR/ **NF** (= *biffure*) deletion; (= *modification*) alteration ◆ **sans ratures ni surcharges** without deletions or alterations.

**raturer** /RatyRe/ **VT** (= *biffer*) to cross out, delete; (= *modifier*) to alter.

**raugmenter** * /Rɔgmɑ̃te/ **VI** to go up again.

**ravitaillement** /Ravitajmɑ̃/ **NM** *(action)* resupplying; *[avion]* refuelling *(résultat* = *provisions)* supplies, resupply ◆ **nous assurons notre ravitaillement en pièces détachées auprès de deux entreprises** we obtain our supplies *ou* resupply of spare parts from two companies.

**ravitailler** /Ravitaje/ **VT** to resupply; *avion, véhicule* to refuel ◆ **ravitailler une entreprise en pièces détachées** to resupply a firm with spare parts

**se ravitailler** **VPR** **l'entreprise n'arrive plus à se ravitailler en France** the company can no longer obtain supplies in France.

**ravitailleur** /Ravitajœʀ/ **NM** (= *bateau*) supply ship; (= *avion*) supply plane.

**rayer** /Reje/ **VT** *nom, mot* to cross *ou* score *ou* strike out ◆ **rayer qn des cadres** to strike sb off the strength ◆ **rayer la mention inutile** *(sur*

*———— compounds/composés ————*

RATIO

- **ratio d'activité** operating ratio
- **ratio d'arbitrage** arbitrage ratio
- **ratio d'autonomie financière** debt ratio
- **ratio avantages-coûts** cost-benefit ratio
- **ratio de capitalisation** capitalization ratio
- **ratio des capitaux propres** debt-equity ratio
- **ratio comptable** accounting ratio
- **ratio de conversion** *(Bourse)* conversion rate
- **ratio Cooke** Cooke ratio
- **ratio cours-bénéfices** price / earning ratio *ou* multiple, P / E ratio
- **ratio coût-bénéfice** cost-benefit ratio
- **ratio de couverture** *[stocks, intérêts]* coverage ratio
- **ratio de distribution** dividend payout ratio
- **ratio d'endettement** gearing *ou* leverage ratio, debt-equity ratio
- **ratio d'exploitation (générale)** operating ratio
- **ratio de financement** capital to fixed assets ratio
- **ratio financier** financial ratio
- **ratio de fonds de roulement** current ratio, working capital ratio
- **ratio de gestion** management ratio
- **ratio des immobilisations** ratio of fixed assets to fixed liabilities

- **ratio d'indépendance** ratio of owned capital to borrowed capital
- **ratio intrants-extrants** input-output ratio
- **ratio de levier** leverage ratio
- **ratio de liquidité générale** current ratio ◆ **ratio de liquidité immédiate** acid test ratio, quick ratio, cash ratio, liquid ratio
- **ratio de liquidité restreinte** *ou* **réduite** restricted cash ratio
- **ratio de la marge brute** gross profit ratio
- **ratio de rendement** output ratio
- **ratio de rentabilité (financière)** return on assets *ou* equity, profitability ratio
- **ratio de rotation des stocks** stock *(Brit)* *ou* inventory *(US)* turnover (rate), rate of stock *ou* inventory turnover
- **ratio de rotation de l'actif** rate of assets turnover
- **ratio sinistres-primes** *(Ass)* loss ratio
- **ratio de solvabilité** debt ratio; *(Banque)* solvency ratio ◆ **ratio de solvabilité à court terme** current ratio ◆ **ratio de solvabilité à long terme** debt ratio
- **ratio de structure financière** capital structure ratio
- **ratio de trésorerie** cash *ou* liquidity ratio
- **ratio d'utilisation** utilization ratio.

*formulaire)* delete as appropriate cross out when not applicable.

**rayon** /ʀɛjɔ̃/ **NM** **a** *[boutique]* counter; *[grande surface]* department ◆ **rayon d'appel** loss-leader department ◆ **le rayon (du) fromage / (de la) parfumerie** the cheese / perfume counter *ou* department ◆ **le rayon des soldes** the bargain counter *ou* basement ◆ **chef de rayon** departmental supervisor *ou* head *ou* manager ◆ **le cinquième rayon** the non-food department **b** *(Banque)* ◆ **remise de chèques hors / sur rayon** depositing of cheques in another bank / in one's bank.

**rayonnage** /ʀɛjɔnaʒ/ **NM** shelving, set of shelves ◆ **sur les rayonnages** on the shelves on the shelving.

**RBE** /ɛʀbeə/ **NM** abrév de **revenu brut d'exploitation** → **revenu.**

**RC** /ɛʀse/ **NF** (abrév de **responsabilité civile**) (civil *ou* legal *ou* third party) liability ◆ **RC contractuelle / produit** contractual / product liability ◆ **RC professionnelle** professional negligence (insurance).

**RCB** /ɛʀsebe/ **NF** abrév de **rationalisation des choix budgétaires** → **rationalisation.**

**RCI** /ɛʀsei/ **NF** (abrév de **rentabilité des capitaux investis**) ROCE.

**RCS** (abrév de **registre du commerce et des sociétés**) CRO.

**RDS** /ɛʀdeɛs/ **NM** abrév de **(contribution au) remboursement de la dette sociale** → **contribution.**

**réabonnement** /ʀeabɔnmɑ̃/ **NM** renewal of subscription ◆ **bulletin de réabonnement** subscription renewal form.

**réabonner** /ʀeabɔne/ **VT** **réabonner qn** to renew sb's subscription (*à* to)
**se réabonner** **VPR** to renew one's subscription.

**réacheminement** /ʀeaʃ(ə)minmɑ̃/ **NM** redirecting.

**réacheminer** /ʀeaʃ(ə)mine/ **VT** to redirect.

**réactif, e** /ʀeaktif, iv/ **ADJ** quick to react.

**réaction** /ʀeaksjɔ̃/ **NF** *(gén, Bourse, Écon)* reaction; *[consommateur]* reaction, response ◆ **temps de réaction** reaction *ou* response time.

**réactique** /ʀeaktik/ **NF** *(Gestion)* reaction capability, capacity for reaction.

**réactivation** /ʀeaktivasjɔ̃/ **NF** reactivation.

**réactiver** /ʀeaktive/ **VT** to reactivate.

**réactivité** /ʀeaktivite/ **NF** *(Gestion)* reaction capability, capacity for reaction.

**réactualisation** /ʀeaktɥalizasjɔ̃/ **NF** updating.

**réactualiser** /ʀeaktɥalize/ **VT** to update, bring up to date.

**réaffectation** /ʀeafɛktasjɔ̃/ **NF** *[ressources]* redeployment, reallocation; *[employé]* new appointment, reassignment; *[fonds]* reallocation.

**réaffecter** /ʀeafɛkte/ **VT** *ressources* to redeploy, reallocate; *employé* to reassign; *fonds* to reallocate (*à* to)

**réagir** /ʀeaʒiʀ/ **VI** *(gén, Bourse, Écon)* to react ◆ **le marché a réagi à la hausse / à la baisse** the market reacted positively / negatively.

**réajustement** /ʀeaʒystəmɑ̃/ **NM** rajustement.

**réajuster** /ʀeaʒyste/ **VT** rajuster.

**real** /ʀeal/ **NM** real.

**réalignement** /ʀealiɲɑ̃/ **NM** *[taux de change]* realignment.

**réaligner** /ʀealiɲe/ **VT** *taux de change* to realign.

**réalimenter** /ʀealimɑ̃te/ **VT** *compte* to pay more money into; *projet* to earmark more funds for; *fonds* to inject more money into.

**réalisable** /ʀealizabl(ə)/ **ADJ** *(Fin)* *capital* realizable ◆ **non réalisable** unrealizable ◆ **actif** *ou* **valeur réalisable (à court terme)** realizable *ou* quick assets
**NM** **le réalisable** realizable assets.

**réalisation** /ʀealizasjɔ̃/ **NF** **a** *[vente, contrat]* conclusion; *[bénéfice]* making **b** *(Fin)* *[valeurs, capital]* realization, liquidation; *(Bourse)* *[titres]* selling out ◆ **compte de réalisation** realization account ◆ **principe de réalisation** realization concept *ou* principle ◆ **valeur de réalisation** realization *ou* realizable value **c** *(Comm = liquidation)* clearance ◆ **réalisation du stock** stock clearance (sale) **d** *[objectif]* achievement, attainment ◆ **évaluation des réalisations** performance appraisal.

**réaliser** /ʀealize/ **VT** **a** *économies, achat, bénéfice* to make; *vente, contrat* to conclude ◆ **réaliser une bonne affaire** to make a (good) bargain **b** *(Fin)* *capital, élément d'actif* to realize; *(Bourse)* *titres, position* to sell out **c** *(Comm)* *stock* to clear, sell off **d** *objectif* to achieve, attain; *projet* to carry out *ou* through.

**réalisé, e** /ʀealize/ **ADJ** *(Fin)* realized.

**réaménagement** /ʀeamenaʒmɑ̃/ **NM** *[service]* restructuring; *[taux d'intérêt]* adjustment ◆ **réaménagement monétaire** monetary adjustment.

**réaménager** /ʀeamenaʒe/ **VT** *service* to restructure; *taux d'intérêt* to adjust.

**réamorçage** /ʀeamɔʀsaʒ/ **NM** *[économie]* new priming.

**réamorcer** /ʀeamɔʀse/ **VT** *économie* to prime again, start up again.

**réapprovisionnement** /ʀeapʀɔvizjɔnmɑ̃/ **NM** restocking ◆ **niveau / point de réapprovisionnement** reorder(ing) level / point, refurnishment level / point ◆ **quantité économique de réapprovisionnement** economic order quantity, economic lot size, economic batch quantity ◆ **commande de réapprovisionnement** replenishment order, reorder.

**réapprovisionner** /ʀeapʀɔvizjɔne/ **VT** *magasin, entreprise, usine* to restock, resupply (*en* with); *(Fin) compte* to replenish, pay more money into, top up
**se réapprovisionner** **VPR** se réapprovisionner en to reorder, stock up again with, replenish one's supply of.

**réarmement** /ʀeaʀməmɑ̃/ **NM** *[navire]* refitting.

**réarmer** /ʀeaʀme/ **VT** *navire* to refit.

**réassignation** /ʀeasiɲasjɔ̃/ **NF** *(Fin)* reallocation.

**réassigner** /ʀeasiɲe/ **VT** *(Fin)* to reallocate.

**réassort** /ʀeasɔʀ/ **NM** réassortiment.

**réassortiment** /ʀeasɔʀtimɑ̃/ **NM** *(= action)* reordering, restocking; *(= résultat)* fresh supply *ou* stock ◆ **les besoins de réassortiment du magasin** the store's restocking requirements.

**réassortir** /ʀeasɔʀtiʀ/ **VT** *rayon* to restock (*en* with); *stock* to reorder, replenish
**se réassortir** **VPR** to restock, stock up again (*en* with), reorder, replenish one's stock (*de* of)

**réassurance** /ʀeasyʀɑ̃s/ **NF** reinsurance ◆ **contrat** *ou* **police de réassurance** reinsurance policy ◆ **réassurance facultative** treaty *ou* facultative insurance.

**réassurer** /ʀeasyʀe/ **VT** to reinsure
**se réassurer** **VPR** to reinsure.

**réassureur** /ʀeasyʀœʀ/ **NM** reinsurer, reinsurance underwriter.

**rebaisser** /ʀ(ə)bese/ **VI** *[prix]* to go down again, drop again
**VT** *prix* to bring back down, lower again.

**rebond** /ʀ(ə)bɔ̃/ **NM** a *(= reprise)* rebound ◆ **rebond de l'activité** business rebound ◆ **rebond technique** *(Bourse)* technical rebound ◆ **on assiste à un rebond de l'immobilier** the prop-

erty market is rebounding b *(Internet)* bounce ◆ **taux de rebond** bounce rate.

**rebondir** /ʀ(ə)bɔ̃diʀ/ **VI** *[économie, titre]* to rebound.

**rebut** /ʀəby/ **NM** a *(Ind)* scrap, rejects ◆ **mettre qch au rebut** to scrap *ou* reject sth ◆ **taux de rebut** scrap *ou* reject *ou* rejection rate ◆ **valeur de rebut** scrap value b *(Poste)* ◆ **rebuts** dead letters.

**recadrage** /ʀ(ə)kadʀaʒ/ **NM** recentering, refocussing.

**recadrer** /ʀ(ə)kadʀe/ **VT** to recenter, refocus.

**recalcul** /ʀ(ə)kalkyl/ **NM** recalculation.

**recalculer** /ʀ(ə)kalkyle/ **VT** to recalculate.

**recapitaliser** /ʀ(ə)kapitalize/ **VT** to recapitalize.

**recapitalisation** /ʀ(ə)kapitalizasjɔ̃/ **NF** recapitalization.

**récapitulatif, -ive** /ʀekapitylatif, iv/ **ADJ** *déclaration, document* recapitulative, recapitulatory ◆ **état récapitulatif** summary statement ◆ **comptes récapitulatifs** summary accounts ◆ **fichier récapitulatif** central file
**NM** summary.

**récapitulation** /ʀekapitylasjɔ̃/ **NF** recapitulation, recap*.

**récapituler** /ʀekapityle/ **VT** to recapitulate, recap*.

**recéder** /ʀ(ə)sede/ **VT** *(= revendre)* to sell back, resell; *(Fin)* to onloan.

**recensement** /ʀ(ə)sɑ̃smɑ̃/ **NM** *[habitants]* census; *[biens]* inventory ◆ **faire le recensement des besoins** to take stock of *ou* draw up a list of the needs ◆ **on a fait un recensement rapide des gens intéressés par ce projet** we have made a quick check *ou* head count to find out who is interested in this project.

**recenser** /ʀ(ə)sɑ̃se/ **VT** *habitants* to take a *ou* the census of, make a census of; *biens* to make *ou* take an inventory of; *besoins* to take stock of, draw up a list of.

**recentrage** /ʀ(ə)sɑ̃tʀaʒ/ **NM** *[stratégie, activités]* refocussing ◆ **la société procède à un recentrage sur son métier de base** the firm is refocussing on its core business.

**recentrer** /ʀ(ə)sɑ̃tʀe/ **VT** *stratégie, activités* to refocus ◆ **se recentrer sur ses métiers de base** to refocus on one's core businesses.

**récépissé** /ʀesepise/ **NM** (acknowledg(e)ment of) receipt

# récepteur

─── compounds/composés ───

- **récépissé de bord** mate's receipt, on-board bill of lading *(US)*
- **récépissé des chemins de fer** railway consignment note
- **récépissé de dépôt** deposit *ou* depositary receipt
- **récépissé de douane** customs receipt
- **récépissé d'entrepôt** warehouse receipt
- **récépissé postal** postal receipt, certificate of posting
- **récépissé de souscription** *(Bourse)* application receipt
- **récépissé de transit** transit receipt
- **récépissé de transport** carrier's receipt
- **récépissé de versement** deposit receipt
- **récépissé warrant** warrant

**récepteur, -trice** /ʀesɛptœʀ, tʀis/ **ADJ** receiving ◆ **bureau récepteur** receiving office ◆ **station réceptrice** accepting station
**NM** receiver.

**réceptif, -ive** /ʀesɛptif, iv/ **ADJ** receptive *(à* to) responsive *(à* to)
**NM** *(Mktg)* ◆ **réceptifs précoces** early adopters.

**réception** /ʀesɛpsjɔ̃/ **NF** a *(= soirée, dîner)* reception, party ◆ **salle de réception** function *ou* reception room b *(= accueil)* reception, welcome ◆ **la réception d'un client** the reception *ou* welcoming of a customer c *[hôtel]* reception desk ◆ **payer à la réception** pay at the reception desk *ou* at the check-out desk d *[pli, paquet]* receipt; *[machine, travaux]* acceptance ◆ **à la réception de votre lettre** upon receipt of your letter ◆ **accuser réception de qch** to acknowledge receipt of sth ◆ **accusé** *ou* **avis de réception** acknowledgement of receipt ◆ **(le service de) la réception** the receiving department, goods-in ◆ **bon** *ou* **bordereau** *ou* **bulletin de réception** receiving slip *ou* report *ou* note ◆ **payer à la** *ou* **dès réception des marchandises** to pay on receipt *ou* delivery of the goods ◆ **valeur jour de réception** *(Fin)* value day of reception ◆ **essai de réception** *(Ind)* acceptance test ◆ **réception provisoire** provisional acceptance.

**réceptionnaire** /ʀesɛpsjɔnɛʀ/ **NMF** a *(Comm)* receiving clerk b *(Bourse de marchandises)* receiver, last buyer c *(dans un hôtel)* chief receptionist.

**réceptionner** /ʀesɛpsjɔne/ **VT** *marchandises* to receive, take delivery of; *travaux* to accept delivery of.

**réceptionniste** /ʀesɛpsjɔnist(ə)/ **NMF** receptionist ◆ **réceptionniste-standardiste** receptionist-telephonist.

**réceptivité** /ʀesɛptivite/ **NF** receptivity, receptiveness ◆ **réceptivité des consommateurs** consumer acceptance *ou* acceptability.

**récession** /ʀesesjɔ̃/ **NF** recession ◆ **période de récession** recessionary period.

**récessionniste** /ʀesesjɔnist(ə)/ **ADJ** recessionary ◆ **tendances récessionnistes** recession(ary) trends.

**recette** /ʀ(ə)sɛt/ **NF** a *(Comm)* *[magasin]* takings, proceeds ◆ **la recette de la journée / de la semaine** the day's / week's takings b *(Compta)* *[entreprise]* **recette(s)** receipts, revenue(s) ◆ **dépenses et recettes** expenses and receipts, expenditures and revenues ◆ **état des recettes et dépenses** statement of revenues and expenditures ◆ **recette(s) brute(s) / nette(s)** gross / net receipts ◆ **recette(s) budgétaire(s)** budgetary revenue ◆ **recettes en devises** foreign exchange revenues *ou* earnings ◆ **recettes fiscales** revenue from taxation ◆ **recettes de poche** *(Impôts)* indirect taxes ◆ **recettes de publicité** advertising revenues ◆ **recettes de vente** sales revenues c *(Écon)* revenue ◆ **recette marginale / moyenne / totale** marginal / average / total revenue d *(Fin, Impôts = recouvrement)* collection ◆ **la recette de l'impôt** the collection of taxes e *(= bureau)* ◆ **recette(-perception)** tax office.

**recevabilité** /ʀəsvabilite/ **NF** admissibility.

**recevable** /ʀəsvabl(ə)/ **ADJ** *(Jur : recours, demande)* admissible, allowable, receivable.

**receveur, -euse** /ʀəsvœʀ, øz/ /ʀsəvœʀ, øz/ **NM,F** ◆ **receveur (des contributions)** tax collector ◆ **receveur (des postes)** postmaster ◆ **receveuse (des postes)** postmistress ◆ **receveur des douanes** collector of customs ◆ **receveur des Finances** district collector of taxes.

**recevoir** /ʀəsəwaʀ/ **VT** to receive ◆ **à recevoir** *(Compta)* comptes, intérêts receivable ◆ **effets à recevoir** notes receivable, receivables ◆ **j'ai bien reçu votre lettre du 17 mai** I am in receipt of your letter of May 17, I acknowledge receipt of your letter of May 17 ◆ **recevez, Monsieur, l'expression de mes sentiments distingués** yours sincerely ◆ **reçu 200 euros à valoir sur** received 200 euros on account of ◆ **il ne reçoit que le vendredi** he only takes appointments on Friday.

**rech.** abrév de **recherche.**

**rechange** /ʀ(ə)ʃɑ̃ʒ/ **NM** a ◆ **solution de rechange** alternative solution ◆ **pièce de rechange** spare part, replacement ◆ **matériel de rechange** replacement equipment b *(Fin)* *[traite]* redraft, re-exchange.

**réchauffement** /ʀeʃofmɑ̃/ **NM** ♦ **réchauffement climatique** ou **de la planète** global warming.

**recherche** /ʀ(ə)ʃɛʀʃ(ə)/ **NF** a (= fait de chercher) search (de for) ♦ **à la recherche de** in search of ♦ **recherche du profit** profit-seeking ♦ **la recherche de l'excellence** the search for excellence ♦ **faire des recherches** to make investigations b (= science, travail) ♦ **la recherche** research ♦ **faire de la recherche** to do research (sur into) **nos recherches dans ces techniques de pointe** our research (work) in these advanced techniques ♦ **recherche et développement** research and development ♦ **recherche appliquée / fondamentale / opérationnelle** applied / basic / operational research ♦ **laboratoire de recherche(s)** research laboratory ♦ **recherche commerciale** ou **marketing** marketing research ♦ **recherche documentaire** desk research ♦ **recherche sur les comportements** attitudinal ou behavioural research c (Inf) search ♦ **clé / fonction de recherche** search key / function ♦ **temps de recherche** search time ♦ **recherche de données** data retrieval ♦ **recherche binaire** binary search ♦ **zone de recherche** seek area.

**recherché, e** /ʀ(ə)ʃɛʀʃe/ **ADJ** produit in great demand ♦ **être très / peu recherché** to be in great demand / in limited demand ♦ **les valeurs aurifères étaient très recherchées cette semaine** gold shares were in active request this week.

**rechercher** /ʀ(ə)ʃɛʀʃe/ **VT** to search for, look for, seek, try to find ♦ **il faudra rechercher la lettre dans les archives** we'll have to search through the archives to find the letter, we'll have to look for the letter in the archives ♦ **rechercher une erreur** to track down an error ♦ **rechercher un nom dans un fichier** (Inf) to search a file for a name, look up a name in a file ♦ **recherche caissières** (dans une annonce) checkout clerks required ou wanted.

**rechute** /ʀ(ə)ʃyt/ **NF** relapse ♦ **les chiffres du commerce extérieur ont subi une rechute en janvier** external trade figures experienced a new fall ou setback in January ♦ **il y a eu une rechute du titre** the share lost ground again.

**récipiendaire** /ʀesipjɑ̃dɛʀ/ **ADJ** pays récipiendaire receiving country
**NM** recipient.

**réciprocité** /ʀesipʀɔsite/ **NF** reciprocity ♦ **accord de réciprocité** reciprocity ou reciprocal agreement.

**réciproque** /ʀesipʀɔk/ **ADJ** reciprocal ♦ **crédits réciproques** swap facilities.

**réclamation** /ʀeklamɑsjɔ̃/ **NF** a (= plainte) complaint ♦ **faire une réclamation** to make a complaint, complain ♦ **lettre de réclamation** letter of complaint ♦ **bureau** ou **service des réclamations** complaints department ou office b (= demande, requête) claim ♦ **faire une réclamation** to put in a claim ♦ **rejeter une réclamation** to refuse ou disallow ou fail (US) a claim ♦ **faire droit** ou **donner suite à une réclamation** to entertain a claim ♦ **réclamation en dommages-intérêts** (Jur) claim for damages c (Impôts) appeal.

**réclame** /ʀeklam/ **NF** advertisement, ad*, advert (Brit) ♦ **faire de la réclame pour qch** to advertise ou publicize sth ♦ **panneau-réclame** hoarding ♦ **la réclame de la semaine** this week's special offer ♦ **ces biscuits sont en réclame** these biscuits are on offer ♦ **vente-réclame** bargain sale.

**réclamer** /ʀeklame/ **VT** (= exiger) to claim, demand ♦ **réclamer qch** (Ass) to put in a claim for sth ♦ **réclamer des dommages-intérêts** to claim damages ♦ **dividende non réclamé** unclaimed dividend
**VI** (= faire une réclamation) to complain (auprès de qn to sb)

**reclassement** /ʀ(ə)klɑsmɑ̃/ **NM** (gén) upgrading, uprating; [demandeur d'emploi] relocation, resettlement; [fonctionnaire] regrading; [titres boursiers] sale ♦ **reclassement externe** outplacement.

**reclasser** /ʀ(ə)klɑse/ **VT** (gén) to upgrade, uprate; demandeur d'emploi to relocate, resettle, find a new job for; fonctionnaire to regrade; titres to sell.

**récognitif, -ive** /ʀekɔgnitif, iv/ **ADJ** (Jur) recognitive ♦ **acte récognitif** act of acknowledg(e)ment.

**récolement** /ʀekɔlmɑ̃/ **NM** (gén, Jur) checking.

**récoler** /ʀekɔle/ **VT** to check.

**recommandation** /ʀ(ə)kɔmɑ̃dɑsjɔ̃/ **NF** a (gén) recommendation ♦ **donner une recommandation à qn** to give sb a recommendation ♦ **sur la recommandation du chef de service** with recommendation of the departmental head ♦ **lettre de recommandation** letter of recommendation, testimonial, reference b (Poste) (= accusé de réception) recording; (= assurance) registration.

**recommandé, e** /ʀ(ə)kɔmɑ̃de/ **ADJ** a (Poste) pli (= avec accusé de réception) recorded; (= avec assurance) registered ♦ **envoi recommandé** recorded delivery (Brit), registered post (Brit), registered mail (US) ♦ **lettre recommandée** (avec accusé de réception) letter sent by recorded delivery; *(avec valeur déclarée)* registered letter ◆ **sous pli recommandé** under registered cover **b** *(Comm)* produit, prix recommended

**NM** *(= lettre)* registered letter; *(= paquet)* registered parcel ◆ **envoyer un paquet en recommandé** to send a parcel by registered post *(Brit)* ou mail *(US)*.

**recommander** /ʀ(ə)kɔmɑ̃de/ **VT** produit, prix, personne to recommend ◆ **recommander une lettre** *(pour prouver qu'elle a été reçue)* to record a letter; *(pour l'assurer)* to register a letter

**se recommander** **VPR** **se recommander de qn** to give sb's name as a reference.

**recomplètement** /ʀ(ə)kɔ̃plɛtmɑ̃/ **NM** ◆ **niveau de recomplètement** reorder level, minimum stock level.

**recomposition** /ʀ(ə)kɔ̃pozisjɔ̃/ **NF** restructuring ◆ **recomposition du portefeuille** *(Bourse)* portfolio switching ◆ **recomposition de l'équipe de direction** management overhaul.

**reconditionnement** /ʀ(ə)kɔ̃disjɔnmɑ̃/ **NM** *[produit]* repackaging.

**reconditionner** /ʀ(ə)kɔ̃disjɔne/ **VT** produit to repackage.

**reconductible** /ʀ(ə)kɔ̃dyktibl(ə)/ **ADJ** contrat, commande renewable.

**reconduction** /ʀ(ə)kɔ̃dyksjɔ̃/ **NF** renewal ◆ **reconduction tacite** renewal by tacit agreement ou reconduction ou continuation.

**reconduire** /ʀ(ə)kɔ̃dɥiʀ/ **VT** *(= renouveler)* *[commande, bail]* to renew ◆ **commande tacitement reconduite** standing order, order renewed by tacit agreement.

**reconfiguration** /ʀəkɔ̃figyʀasjɔ̃/ **NF** **a** *(= restructuration)* restructuring **b** *(Inf)* reconfiguration.

**reconfigurer** /[ʀəkɔ̃figyʀe/ **VT** *(= restructurer)* to restructure; *(Inf)* to reconfigurate.

**reconnaissance** /ʀ(ə)kɔnɛsɑ̃s/ **NF** **a** *(Jur)* recognition, acknowledg(e)ment ◆ **reconnaissance de dette** acknowledg(e)ment of a debt, IOU, note of hand ◆ **reconnaissance du mont-de-piété** pawn ticket **b** *(Mktg)* recognition ◆ **test de reconnaissance** recognition test ◆ **reconnaissance des marques par le consommateur** consumer brand recognition ◆ **reconnaissance assistée / spontanée** aided / spontaneous recognition **c** *(Inf)* recognition ◆ **reconnaissance de la parole** speech recognition ◆ **reconnaissance de caractères** character recognition.

**reconnaissant, e** /ʀ(ə)kɔnɛsɑ̃, ɑ̃t/ **ADJ** grateful *(à qn de qch* to sb for sth) ◆ **je vous serais reconnaissant de bien vouloir confirmer ce rendez-vous** I should be grateful if you would confirm this appointment.

**reconnaître** /ʀ(ə)kɔnɛtʀ(ə)/ **VT** *(gén)* to recognize; dette to acknowledge ◆ **reconnaître un coût en charge de l'exercice** *(Compta)* to charge off a cost, expense a cost ◆ **reconnaître la compétence d'un tribunal** to recognize ou acknowledge the competence of a court.

**reconquérir** /ʀ(ə)kɔ̃keʀiʀ/ **VT** marché to recapture, recover, capture back, win back.

**reconquête** /ʀ(ə)kɔ̃kɛt/ **NF** *[marché]* recapture, recovery.

**reconstituer** /ʀ(ə)kɔ̃stitɥe/ **VT** équipe, *structure* to reconstitute, re-form; réserves to build up again, rebuild ◆ **reconstituer les stocks** to restock, build up ou rebuild stocks ◆ **les entreprises ont reconstitué leurs marges** firms have strengthened their profit margins.

**reconstitution** /ʀ(ə)kɔ̃stitysjɔ̃/ **NF** *[équipe de vente]* reconstitution, reformation; *[réserves, capital]* rebuilding ◆ **reconstitution des stocks** stock rebuilding ou build up, building up of stocks, restocking ◆ **reconstitution des marges bénéficiaires** strengthening of profit margins.

**reconstruction** /ʀ(ə)kɔ̃stʀyksjɔ̃/ **NF** *[édifice]* rebuilding, reconstruction; *(Écon)* reconstruction.

**reconstruire** /ʀ(ə)kɔ̃stʀɥiʀ/ **VT** édifice to rebuild, reconstruct; pays, économie to reconstruct; fortune, réserves to build up again, rebuild.

**reconventionnel, -elle** /ʀ(ə)kɔ̃vɑ̃sjɔnɛl/ **ADJ** *(Jur)* ◆ **demande reconventionnelle** counterclaim, cross action.

**reconversion** /ʀ(ə)kɔ̃vɛʀsjɔ̃/ **NF** *[usine]* reconversion; *[travailleur]* retraining, resettlement, rehabilitation; *[entreprise en difficulté]* turnaround ◆ **stage de reconversion** retraining ou rehabilitation course ◆ **reconversion externe** outplacement ◆ **reconversion industrielle** industrial redeployment ◆ **l'entreprise a réussi sa reconversion** the company has succeeded in turning itself around.

**reconvertir** /ʀ(ə)kɔ̃vɛʀtiʀ/ **VT** locaux to reconvert *(en* to); travailleur to retrain *(for a new job)*, resettle

**se reconvertir** **VPR** *[entreprise]* to be reconverted; *[travailleur]* to retrain ◆ **elle s'est reconvertie dans la comptabilité** she has gone into accounting, she has retrained as an accountant ◆ **l'entreprise s'est reconvertie dans la**

chimie the company has gone into the chemical industry.

**record** /ʀ(ə)kɔʀ/ **NM** record ✦ **record de production / de ventes** production / sales record ✦ **battre un record** to break a record ✦ **ventes qui battent tous les records** record-breaking sales ✦ **l'indice des valeurs boursières a atteint un nouveau record** the share index has reached an all-time high ✦ **record de baisse** all-time low

**ADJ** montant, ventes, pertes, niveau record ✦ **année record** peak ou record ou bonanza year ✦ **récolte record** bumper crop ✦ **en un temps record** in record time ✦ **niveau record de production** peak ou record output.

**recoupement** /ʀ(ə)kupmɑ̃/ **NM** crosscheck(ing).

**recouponnement** /ʀ(ə)kupɔnmɑ̃/ **NM** (Bourse) renewal of coupons.

**recouponner** /ʀ(ə)kupɔne/ **VT** (Bourse) to renew the coupons of.

**recourir** /ʀ(ə)kuʀiʀ/ **VT INDIR** ✦ **recourir à** action, stratégie to resort to, have recourse to; personne to turn to, appeal to ✦ **l'État devra recourir à l'emprunt / à l'impôt** the state will have to resort to borrowing / to taxation ✦ **recourir à la justice** to take legal action ✦ **recourir à l'arbitrage** to go ou resort to arbitration.

**recours** /ʀ(ə)kuʀ/ **NM** (gén) resort, recourse; (Jur) appeal, recourse; (Ass) claim ✦ **avoir recours à** action, stratégie to resort to, have recourse to; personne to turn to, appeal to ✦ **le recours systématique à l'emprunt n'est pas une solution** systematic borrowing is no solution ✦ **en dernier recours** as a last resort ✦ **former un recours contre** to institute proceedings

---
compounds/composés
---

- ✦ **recours à l'arbitrage** appeal to arbitration
- ✦ **recours sur la cargaison** lien on the cargo
- ✦ **recours en cassation** appeal to the Supreme Court
- ✦ **recours collectif** class action
- ✦ **recours à défaut d'acceptation** recourse for non-acceptance
- ✦ **recours faute de paiement** recourse in default of payment
- ✦ **recours gracieux** submission for an out-of-court settlement
- ✦ **recours hiérarchique** disciplinary complaint
- ✦ **recours légal** legal remedy
- ✦ **recours en nullité** action for avoidance
- ✦ **recours en responsabilité** third-party claim
- ✦ **recours contre un tiers** recourse against a third party.

against ✦ **n'avoir aucun recours contre qn** to have no recourse against sb ✦ **droit de recours** right of appeal ou recourse ✦ **procédure de recours** appeal proceedings ✦ **s'assurer contre le recours de tiers** (Ass) to insure against a third party claim ✦ **les recours pour dommages corporels** claims for personal injuries.

**recouvrable** /ʀ(ə)kuvʀabl(ə)/ **ADJ** impôt collectable; créance, dette recoverable, collectable.

**recouvrement** /ʀ(ə)kuvʀəmɑ̃/ **NM** [impôts, effets, cotisations] collection; [créance, dette] collection, recovery ✦ **faire un recouvrement** to collect a debt ✦ **remise d'un effet en recouvrement** remittance of a bill for collection ✦ **remettre en recouvrement** to remit for collection ✦ **en recouvrement de** for collection of ✦ **agent de recouvrement** debt collector ✦ **bureau de recouvrement** collecting office ✦ **délai moyen ou période moyenne de recouvrement** average collection period ✦ **frais de recouvrement** collection charges ✦ **service de recouvrement** collection department ✦ **valeur en recouvrement** bill for collection ✦ **recouvrement de créances** (Compta) collection of receivables.

**recouvrer** /ʀ(ə)kuvʀe/ **VT** impôt, effets, cotisations to collect; créance, dette to recover, collect ✦ **créances à recouvrer** (Compta) receivables, accounts receivable.

**recrudescence** /ʀ(ə)kʀydesɑ̃s/ **NF** upsurge, new bout ou outbreak (de of) ✦ **une recrudescence du chômage / de l'inflation** a new bout ou spate of unemployment / inflation.

**recrutement** /ʀ(ə)kʀytmɑ̃/ **NM** recruiting, recruitment ✦ **cabinet de recrutement** recruiting agency ou consultancy ou firm ✦ **entretien de recrutement** job interview.

**recruter** /ʀ(ə)kʀyte/ **VT** to recruit ✦ **recruter qn sur titres** to recruit sb on the basis of his (ou her) qualifications.

**rectificatif, -ive** /ʀɛktifikatif, iv/ **ADJ** compte, facture rectified, corrected, amended; écriture correcting ✦ **note rectificative** correction, adjustment

**NM** correction, adjustment.

**rectification** /ʀɛktifikasjɔ̃/ **NF** rectification, correction, adjustment ✦ **rectification d'office** (Impôts) compulsory reassessment.

**rectifier** /ʀɛktifje/ **VT** calcul, compte, erreur to rectify, correct, adjust.

**recto** /ʀɛkto/ **NM** front (of a page), first side ✦ **recto verso** on both sides (of the page).

**reçu, e** /ʀ(ə)sy/ **ADJ** *somme* received ✦ **valeur reçue** for value received
 **NM** receipt ✦ **au reçu de** on receipt of

———— *compounds/composés* ————
- **reçu de bord** mate's receipt
- **reçu certifié** accountable receipt for payment
- **reçu libératoire** receipt in full discharge
- **reçu de paiement** payment receipt
- **reçu à valoir** receipt on account
- **reçu de versement** deposit receipt.

**recul** /ʀ(ə)kyl/ **NM** **a** *(= régression)* drop, fall, decline ✦ **le chômage est en recul depuis janvier** unemployment has been on the decline *ou* has been going down since January ✦ **recul des bancaires** *(Bourse)* bank shares on the decline ✦ **le recul du dollar** the drop in the dollar, the decline of the dollar, the dollar's decline ✦ **recul du dollar par rapport au yen** decline *ou* fall of the dollar against the yen ✦ **un recul de 5 points des marchés financiers** a 5-point drop of financial markets **b** *(= report)* *[échéance]* postponement.

**reculer** /ʀ(ə)kyle/ **VI** **a** *(= régresser)* *[chômage, inflation]* to decline, fall, go down; *[monnaie]* to fall, slide; *[titres]* to fall back, drop ✦ **la livre a reculé par rapport à l'euro** the pound has fallen back against the euro **b** *(= reporter)* *réunion* date to postpone, defer, put off, put back *(Brit)*.

**récupérable** /ʀekypeʀabl(ə)/ **ADJ** *matériel* retrievable, salvageable; *(Inf)* *fichier* recoverable, retrievable; *créance* recoverable; *heures de travail* which can be made up; *impôt, TVA* refundable ✦ **charges récupérables sur les locataires** charges which can be passed on to the tenants.

**récupération** /ʀekypeʀasjɔ̃/ **NF** *[matériel]* retrieval, salvaging; *[fichier informatique]* recovery, retrieval; *[créance]* recovery; *[heures de travail]* making up; *[TVA]* refunding ✦ **délai** *ou* **période de récupération d'un investissement** investment payback period ✦ **journées de récupération** make-up days ✦ **récupération des déchets** waste retrieval.

**récupérer** /ʀekypeʀe/ **VT** *matériel* to retrieve, salvage; *(Inf)* *fichier* to recover, retrieve; *créance* to recover; *pertes* to recoup; *heures de travail* to make up; *TVA* to get back.

**récurrence** /ʀekyʀɑ̃s/ **NF** *(gén)* recurrence; *(Inf)* recursion, recursiveness.

**récurrent, e** /ʀekyʀɑ̃, ɑ̃t/ **ADJ** recurrent, recurring ✦ **série récurrente** recursion series.

**récursif, -ive** /ʀekyʀsif, iv/ **ADJ** recursive.

**récursivité** /ʀekyʀsivite/ **NF** recursiveness.

**récuser (se)** /ʀekyze/ **VPR** to disclaim competence.

**recyclable** /ʀ(ə)siklabl(ə)/ **ADJ** *matériel, déchets* recyclable.

**recyclage** /ʀ(ə)siklaʒ/ **NM** *[ingénieur, cadre]* retraining; *[matières]* recycling, reprocessing; *[capitaux]* recycling ✦ **le recyclage de l'excédent japonais** the recycling of the Japanese export surplus ✦ **stage de recyclage** *(pour nouveau métier)* retraining course, rehabilitation course; *(pour perfectionnement)* refresher course, rehabilitation course.

**recycler** /ʀ(ə)sikle/ **VT** *employé, cadre* to retrain; *matières* to recycle, reprocess; *capitaux* to recycle
 **se recycler** **VPR** *(pour nouveau métier)* to retrain; *(pour se perfectionner)* to go on a refresher course.

**rédacteur, -trice** /ʀedaktœʀ, tʀis/ **NM,F** *(Presse)* sub-editor; *[lettre]* writer; *[contrat, projet]* drafter ✦ **rédacteur économique** economic editor ✦ **rédacteur-concepteur** *(Pub)* copywriter, creative writer ✦ **rédacteur en chef** editor.

**rédaction** /ʀedaksjɔ̃/ **NF** **a** *[contrat]* drafting, drawing up; *[rapport]* writing, drafting **b** *(Presse)* ✦ **la rédaction de notre journal est en grève** our editorial staff is on strike ✦ **la rédaction de notre journal se trouve à Paris** our editorial offices are in Paris.

**rédactionnel, -elle** /ʀedaksjɔnɛl/ **ADJ** editorial ✦ **publicité rédactionnelle** editorial advertising **NM** *(Presse)* ✦ **obtenir du rédactionnel pour le lancement d'un produit** to get editorial advertising for a product launch.

**reddition** /ʀedisjɔ̃/ **NF** *(Jur)* rendering.

**redécouverte** /ʀ(ə)dekuvɛʀt/ **NF** *[titre]* rediscovery.

**redécouvrir** /ʀ(ə)dekuvʀiʀ/ **VT** *titre* to rediscover.

**redéfinir** /ʀedefiniʀ/ **VT** *ligne de produits, stratégie commerciale* to redefine.

**redémarrage** /ʀ(ə)demaʀaʒ/ **NM** *[économie]* recovery, rally ✦ **un redémarrage de l'inflation** a new rise in inflation ✦ **un redémarrage des investissements** an investment recovery, a pick-up in investments.

**redémarrer** /ʀ(ə)demaʀe/ **VI** *[économie]* to take off again, recover, pick up; *[inflation]* to rise again
 **VT** *entreprise* to start up again.

**rédemption** /ʀedãpsjɔ̃/ **NF** *(Jur)* *[droit]* recovery; *[rente]* redemption.

**redéploiement** /ʀ(ə)deplwamã/ **NM** redeployment.

**redéployer** /ʀədeplwaje/ **VT** to redeploy.

**redescendre** /ʀ(ə)desãdʀ(ə)/ **VI** *[prix, Bourse]* to decline *ou* fall *ou* drop again.

**redevable** /ʀədvabl(ə)/ **ADJ** *(Fin)* ◆ **être redevable d'une somme à qn** to owe sb a sum of money ◆ **redevable de l'impôt** liable for tax **NM** taxpayer, person liable for tax.

**redevance** /ʀədvãs/ **NF** **a** *(= taxe) (gén)* dues, fees *(Rad, TV)* licence fee ◆ **redevance téléphonique** telephone rental charge **b** *(= droits d'exploitation)* royalty ◆ **redevances pétrolières** oil royalties ◆ **redevances d'auteur** royalties ◆ **redevances de brevet** patent fees.

**rédhibitoire** /ʀedibitwaʀ/ **ADJ** *(Jur)* ◆ **vice rédhibitoire** redhibitory defect.

**rédiger** /ʀediʒe/ **VT** *lettre, rapport* to write, draft; *contrat* to draw up, draft; *chèque* to make out, write *(à l'ordre de* to)

**redimensionner** /ʀ(ə)dimãsjɔne/ **VT** **a** *(= réduire) entreprise* to streamline; *effectifs* to cut back, reduce **b** *(= augmenter)* to increase (the size of).

**rediscuter** /ʀ(ə)diskyte/ **VT** *prix* to discuss again, renegotiate.

**redistribuer** /ʀ(ə)distʀibɥe/ **VT** to redistribute.

**redistribution** /ʀ(ə)distʀibysjɔ̃/ **NF** *(Écon)* redistribution ◆ **redistribution des ressources** redeployment *ou* reallocation *ou* reallotment of resources.

**redondance** /ʀ(ə)dɔ̃dãs/ **NF** redundancy ◆ **contrôle par redondance** redundancy check.

**redondant, e** /ʀ(ə)dɔ̃dã, ãt/ **ADJ** redundant.

**redressement** /ʀ(ə)dʀɛsmã/ **NM** **a** *(Compta)* *(= rectification d'erreurs)* adjustment, correction, rectification; *(= modification)* adjustment, restatement ◆ **redressement financier** financing adjustment ◆ **écriture de redressement** correcting entry **b** *(Impôts)* ◆ **redressement fiscal** additional tax assessment, tax adjustment, tax reappraisal **c** *[entreprise en difficulté]* turnaround; *[économie]* recovery, upturn ◆ **plan de redressement** recovery package ◆ **opérer un redressement** to rally ◆ **redressement brutal** *ou* **soudain** upswing ◆ **être / mettre en redressement judiciaire** to be / put into the hands of a receiver ◆ **être placé** *ou* **mis en redressement judiciaire** to go into receivership ◆ **demander à**

être placé *ou* mis en redressement judiciaire to file for bankruptcy, file for chapter eleven *(US)*.

**redresser** /ʀ(ə)dʀese/ **VT** **a** *(Écon) entreprise déficitaire* to turn round ◆ **redresser la situation économique** to straighten out the economic situation, put the economy back on its feet ◆ **redresser le pays** to get the country going again **b** *(Compta) (= corriger)* to adjust, correct; *(= modifier)* to adjust, restate

**se redresser** **VPR** *[pays, économie]* to recover ◆ **les cours se sont redressés** share prices rallied *ou* recovered.

**redresseur** /ʀ(ə)dʀɛsœʀ/ **NM** ◆ **redresseur d'entreprises** company fixer, corporate turnaround specialist, rescuer of ailing companies.

**réduction** /ʀedyksjɔ̃/ **NF** **a** *(= diminution voulue)* reduction, cut *(de* in) ◆ **réduction du capital** reduction of capital, capital reduction ◆ **réduction des dépenses** cut *ou* reduction in expenses, expenditure cuts ◆ **réduction de droits fiscaux** tax reduction ◆ **réduction des heures** *ou* **du temps de travail** reduction *ou* cut in working hours ◆ **réduction du personnel** *ou* **des effectifs** reduction in staff, staff cuts *ou* cutbacks *ou* layoffs ◆ **réduction de la production** production cut *ou* cutback ◆ **réduction de salaire / d'impôts** wage / tax cut, cut in wages / taxes ◆ **réduction des taux d'intérêts** interest rate cut, reduction *ou* cut in interest rates, lowering of interest rates **b** *(= ristourne)* discount, reduction, rebate ◆ **faire / obtenir une réduction** to give / get a discount *ou* a reduction *ou* a rebate ◆ **réduction de prix** discount, price rebate *ou* reduction, markdown ◆ **réduction sur la quantité, réduction pour achat en gros** discount *ou* rebate for bulk buying **c** *(= diminution subie) [activité, chiffre d'affaires]* reduction, drop ◆ **une forte réduction des commandes / du volume des transactions** a big reduction in the number of orders / in the volume of trades ◆ **réduction de valeur** *(gén)* reduction in value; *(Compta) [élément d'actif]* write-down.

**réduire** /ʀedɥiʀ/ **VT** **a** *(= abaisser) impôt, consommation* to reduce, cut; *prix* to reduce, cut, mark down; *production* to reduce, cut (back), lower; *dépenses* to reduce, cut, cut down *ou* back (on); *taux d'intérêt* to reduce, cut, lower; *personnel* to cut (down), pare ◆ **réduire les horaires de travail** to put workers on short shifts ◆ **l'offre de titres aux institutionnels a été réduite** the institutional offer was scaled down **b** *(Compta) élément, outil, dette* to write down.

**réduit, e** /ʀedɥi, it/ **ADJ** reduced ✦ **prix réduit** reduced *ou* cut *ou* discount price ✦ **article à prix réduit** cut-price article, discount article, article at reduced prices *ou* at a reduced price ✦ **billet à prix** *ou* **tarif réduit** cheap ticket ✦ **tarif réduit** *(gén)* reduced rate; *(pour voyageurs)* cheap fare ✦ **nous n'en avons qu'un stock réduit** we only have a limited stock of them ✦ **version réduite** scaled-down version ✦ **un nombre réduit de modèles** a restricted *ou* limited number of models.

**redynamisation** /ʀ(ə)dinamizasjɔ̃/ **NF** reactivation.

**redynamiser** /ʀ(ə)dinamize/ **VT** to reactivate.

**rééchelonnement** /ʀeeʃlɔnmɑ̃/ **NM** *[dette]* rescheduling, deferral, recycling.

**rééchelonner** /ʀeeʃlɔne/ **VT** *dette* to reschedule, recycle.

**réel, -elle** /ʀeɛl/ **ADJ** **a** *(Écon) valeur, salaire, coût, prix* actual, real ✦ **l'économie réelle** real economy ✦ **taux d'intérêt réel** effective interest rate ✦ **les chiffres réels** *(gén)* the real *ou* actual figures; *(Compta)* the actuals **b** *(Inf) adresse, code, position* absolute, actual; *temps réel* ✦ **traitement en temps réel** real-time processing **c** *(Douanes)* ✦ **entrepôt réel** bonded warehouse **NM** **le réel pour le mois** *(Compta)* this month's actuals ✦ **le réel simplifié** *(Impôts)* simplified actual *ou* real profits.

**réembauche** /ʀeɑ̃boʃ/ **NF** rehiring, re-employment, recall (to work).

**réembaucher** /ʀeɑ̃boʃe/ **VT** to take on again, re-employ, rehire.

**réemploi** /ʀeɑ̃plwa/ **NM** *[produit]* re-use; *[argent]* reinvestment; *[ouvrier]* re-employment.

**réemployer** /ʀeɑ̃plwaje/ **VT** *objet* to re-use; *argent* to reinvest; *personne* to take back on, re-employ, rehire.

**réengager** /ʀeɑ̃gaʒe/ **VT** ≈ rengager.

**rééquilibrage** /ʀeekilibʀaʒ/ **NM** *[monnaies]* readjustment; *[économie]* restabilization.

**rééquilibrer** /ʀeekilibʀe/ **VT** *monnaies* to readjust; *économie* to restabilize ✦ **rééquilibrer le budget** to rebalance the budget, put the budget back into balance.

**réescomptable** /ʀeɛskɔ̃tabl(ə)/ **ADJ** rediscountable.

**réescompte** /ʀeɛskɔ̃t/ **NM** rediscount ✦ **taux de réescompte** rediscount rate.

**réescompter** /ʀeɛskɔ̃te/ **VT** to rediscount.

**réévaluation** /ʀeevalɥasjɔ̃/ **NF** **a** *(= revalorisation)* *[monnaie, bien]* revaluation **b** *(= nouvelle estimation)* *[élément d'actif]* revaluation, write up; *[bien, propriété]* reappraisal, reassessment ✦ **réserve** *ou* **excédent de réévaluation** revaluation reserve *ou* surplus, appraisal increase credit ✦ **réévaluation du bilan** revaluation of the balance sheet, reappraisal of assets.

**réévaluer** /ʀeevalɥe/ **VT** **a** *(= revaloriser)* monnaie, bien to revalue **b** *(= estimer de nouveau)* élément d'actif to revalue, write up; *bien, propriété* to reappraise, reassess.

**réexamen** /ʀeɛgzamɛ̃/ **NM** *[problème, situation]* reconsideration; *[candidature]* re-examination; *[comptes]* recheck.

**réexaminer** /ʀeɛgzamine/ **VT** *problème, projet* to examine again, reconsider; *candidature* to re-examine; *comptes* to recheck.

**réexpédier** /ʀeɛkspedje/ **VT** *(à l'expéditeur)* to return, send back; *(au destinataire)* to send on, forward, redirect *(à to)*

**réexpédition** /ʀeɛkspedisjɔ̃/ **NF** *[à l'expéditeur]* return; *[au destinataire]* forwarding, redirection, sending on *(à to)*

**réexportateur** /ʀeɛkspɔʀtatœʀ/ **NM** re-exporter.

**réexportation** /ʀeɛkspɔʀtasjɔ̃/ **NF** re-export, re-exportation, re-exporting ✦ **nous sommes dans la réexportation** we are in the re-export trade ✦ **marchandises destinées à la réexportation** goods for re-export.

**réexporter** /ʀeɛkspɔʀte/ **VT** to re-export.

**réf.** (abrév de **référence**) ref.

**réfaction** /ʀefaksjɔ̃/ **NF** *(Comm)* allowance, rebate, reduction; *(Impôts)* reduction of the tax base, allowance.

**refacturation** /ʀ(ə)faktyʀasjɔ̃/ **NF** *(entre centres de profits)* recharging, cross-charging.

**refacturer** /ʀ(ə)faktyʀe/ **VT** *(entre centres de profits)* to cross-charge, recharge.

**référé** /ʀefeʀe/ **NM** *(procédure)* summary proceedings ✦ **audience de référé** summary hearing ✦ **juge des référés** ≈ judge in chambers ✦ **saisir un tribunal en référé** to submit a matter to summary proceedings.

**référence** /ʀefeʀɑ̃s/ **NF** **a** *(= renvoi)* reference ✦ **groupe** / **monnaie** / **numéro** / **point de référence** reference group / currency / number / point ✦ **année de référence** base year ✦ **actionnaire de référence** key *ou* main *ou* majority shareholder; *(Comm)* **article de référence** standard *ou* listed article ✦ **base de référence**

bench mark ✦ **période de référence** base period, reference period ✦ **prix de référence** reference *ou* base price ✦ **taux de référence bancaire** base rate, prime rate *(US)* ✦ **faire référence à** to refer to, make reference to ✦ **en référence à votre courrier du 5 juin** with reference to your letter of June 5, re your letter of June 5 ✦ **références à rappeler** in replying please quote reference ✦ **la référence de l'article** the article reference **b** *(= garantie)* reference ✦ **elle a de bonnes références** she has good references *ou* a good testimonial ✦ **lettre de référence** testimonial ✦ **des références bancaires** banker's reference **c** *(= article)* (listed) item, reference.

**référencé, e** /ʀefeʀɑ̃se/ **ADJ** *(gén)* entered under a reference number; *producteur* listed ✦ **cet article n'est plus référencé** this item is no longer listed in our catalogue.

**référencement** /ʀefeʀɑ̃smɑ̃/ **NM** *[producteur, produit]* listing ✦ **accord de référencement** listing agreement ✦ **centrale de référencement** central referencing unit ✦ **indemnité de référencement versée par le fournisseur** listing charge paid by the supplier.

**référencer** /ʀefeʀɑ̃se/ **VT** *(gén)* to reference; *fournisseur, client* to list; *article* to list, stock, hold in stock.

**référencier** /ʀefeʀɑ̃sje/ **NM** reference list.

**refinancement** /ʀ(ə)finɑ̃smɑ̃/ **NM** *[entreprise, projet]* refinancing; *[dette]* refunding.

**réflexion** /ʀeflɛksjɔ̃/ **NF** *(gén)* reflexion ✦ **proposition qui mérite réflexion** proposal that is worth thinking about *ou* that is worth considering ✦ **période** *ou* **délai de réflexion** *(avant de prendre des sanctions)* cooling off period ✦ **laissez-moi un délai de réflexion** give me time to think about it ✦ **constituer un groupe de réflexion** to set up a think tank.

**refluer** /ʀ(ə)flye/ **VI** *[capitaux]* to flow back; *[cours]* to fall, drop.

**reflux** /ʀəfly/ **NM** *[activité économique]* ebbing, downturn.

**refondre** /ʀ(ə)fɔ̃dʀ(ə)/ **VT** *système, programme, statuts* to overhaul, remodel, reshape.

**refonte** /ʀ(ə)fɔ̃t/ **NF** *[système, programme, statuts]* overhaul, remodelling, reshaping; *[organisation]* restructuring, redeployment ✦ **refonte de capital** recapitalization.

**réforme** /ʀefɔʀm(ə)/ **NF** reform ✦ **réforme agraire** land reform ✦ **réforme fiscale / monétaire** tax / monetary reform ✦ **mettre à la réforme** *ma-*

*chine* to retire, scrap ✦ **mise à la réforme** *[machine]* retirement, scrapping.

**refrain** /ʀ(ə)fʀɛ̃/ **NM** ✦ **refrain publicitaire** jingle.

**refroidissement** /ʀ(ə)fʀwadismɑ̃/ **NM** ✦ **politique de refroidissement de l'économie** freeze-squeeze policy.

**refuge** /ʀ(ə)fyʒ/ **NM** refuge, shelter ✦ **valeur refuge** *(= or, placement immobilier)* safe investment; *(= titre boursier)* blue-chip stock ✦ **refuge fiscal** tax shelter *ou* haven.

**refus** /ʀ(ə)fy/ **NM** refusal ✦ **refus d'acceptation** *[traite, chèque]* non-acceptance ✦ **refus de paiement** refusal to pay ✦ **refus de vente** refusal of sale ✦ **option de premier refus** first refusal option.

**refuser** /ʀ(ə)fyze/ **VT** *(gén)* to refuse; *client* to turn away; *marchandise* to reject; *candidat à un poste* to turn down; *demande, proposition* to refuse, turn down ✦ **refuser (d'honorer** *ou* **d'accepter) un effet** to dishonour a bill ✦ **le chèque a été refusé** the cheque bounced* ✦ **chèque refusé** returned *ou* bounced* cheque.

**regagner** /ʀ(ə)gɑɲe/ **VT** *argent* to earn again; *argent perdu* to win *ou* get back; *parts de marché* to regain ✦ **regagner du terrain** to regain ground, win back lost ground ✦ **ces titres ont regagné quelques points** this stock has made up a few points.

**regain** /ʀ(ə)gɛ̃/ **NM** *[confiance]* revival *(de* of) ✦ **regain d'activité** renewal *ou* revival of activity ✦ **un regain de tension sur le marché de l'emploi** renewed tension on the job *ou* labour market.

**regarnir** /ʀ(ə)gaʀniʀ/ **VT** *magasin* to stock up again, restock; *étagères* to stock up again, fill (up) again; *carnet de commandes* to fill up.

**régie** /ʀeʒi/ **NF** **a** *(= fonctionnement)* state *ou* local government control ✦ **en régie** under state *(ou* local government) control ✦ **mettre en régie** to bring under state control ✦ **travailleurs en régie** workers who have been contracted out ✦ **travail en régie, régie d'entreprise** public work contracting *(by the government)* ✦ **confier des travaux en régie à une entreprise** to subcontract work to a firm ✦ **succession en régie** estate in the hands of the public trustee **b** *(= entreprise)* agency ✦ **régie (d'État)** state-owned company, state monopoly, government corporation *(Brit)* ✦ **la Régie** the Excise

────── *compounds/composés* ──────

- **régie d'affichage** billposting agency
- **régie autonome** independent public corporation *(Brit)* ou authority ◆ **régie autonome des transports parisiens** *Paris public transport system*
- **régie d'avances** authorization to incur expenditure
- **régie du dépôt légal** copyright agency ou department
- **régie directe** *(= gestion)* direct state *(ou local government)* control; *(= entreprise)* state-owned company
- **régie d'espace publicitaire** advertising space administration ou agency
- **la Régie française de publicité** *French advertising agency*
- **la Régie française des tabacs** *French national tobacco company*
- **régie d'immeubles** *(= gestion)* real estate management; *(= entreprise)* real estate management agency
- **régie des impôts indirects** excise administration
- **régie industrielle et commerciale** state-owned corporation *(Brit)* ou company
- **régie intéressée** *(= gestion)* public service concession; *(= entreprise)* company exercising a public service concession
- **régie municipale** *(= gestion)* local government administration ou control; *(= organisme)* local government administration ou corporation *(Brit)*
- **régie de recettes** authorization to receive funds.

**régime** /ʀeʒim/ **NM** **a** *(= organisation)* scheme, system, plan; *(= dispositions)* regulations ◆ **régime douanier** customs system ou regulations ◆ **régime économique** economic system ◆ **régime des emballages** *(Douanes)* customs regulations on returnable containers ◆ **marchandises bénéficiant d'un régime préférentiel** ou **de faveur** *(Douanes)* goods which get customs preference ou which are subject to preferential duties ◆ **le régime général de la Sécurité sociale** the Social Security system ◆ **régime fiscal** tax system ou regulations ou regime ◆ **régime fiscal des amortissements / des plus-values** tax treatment ou taxation of depreciation / of capital gains ◆ **régime juridique** legal framework ◆ **régime de retraite** pension plan ou scheme ◆ **régime de retraite des cadres** executive pension scheme ◆ **régime de retraite complémentaire** supplementary pension scheme ◆ **régime de retraite obligatoire** mandatory pension plan ◆ **régime de prix** price system ◆ **régime de travail** employment regulations ◆ **nous sommes dans un régime de changes flottants** we are in a system of floating exchange rates **b** *[moteur, activité économique]* (running) speed ◆ **montée en régime** gearing up ◆ **baisse de régime** slowing down

◆ **régime de croisière** cruising speed ◆ **l'entreprise marche à plein régime** the company is working at full capacity.

**région** /ʀeʒjɔ̃/ **NF** region, area ◆ **région cible / test** *(Mktg, Pub)* target / test area.

**régional, e, MPL -aux** /ʀeʒjɔnal, o/ **ADJ** regional ◆ **conseil régional** regional council ◆ **notre siège régional** our regional ou local headquarters ◆ **la direction régionale du Sud-Ouest** the headquarters for the southwest region, regional headquarters for the southwest ◆ **directeur régional des ventes** district ou area sales manager ◆ **entreprise régionale** local firm.

**régir** /ʀeʒiʀ/ **VT** *dispositions* to govern.

**régisseur** /ʀeʒisœʀ/ **NM** *[propriété]* steward, manager.

**registre** /ʀeʒistʀ(ə)/ **NM** *(gén, Inf)* register ◆ **porter au registre** *(Compta)* to register, record, enter in the register

────── *compounds/composés* ──────

- **registre des actionnaires** register of stockholders ou shareholders, share ledger
- **registre des chèques** cheque register
- **registre du commerce et des sociétés** *(= service)* Companies Registration Office; *(= fichier)* trade ou company ou corporate *(US)* register ◆ **inscrit au registre du commerce** registered
- **registre de comptabilité** ledger, account book, book of account
- **registre de contrôle** *(Inf)* check register
- **registre d'instruction** *(Inf)* instruction register
- **registre des loyers** rent roll
- **registre maritime** shipping register
- **registre des métiers** roll of craftsmen
- **registre des salaires** payroll
- **registre des sociétés** register of companies
- **registre des transferts** *(Bourse)* transfer register.

**réglable** /ʀeglabl(ə)/ **ADJ** *(Fin)* payable ◆ **réglable en 10 mensualités** payable in 10 monthly instalments.

**règle** /ʀegl(ə)/ **NF** rule ◆ **pour la bonne règle** for regularity's sake ◆ **règles de sécurité** safety regulations ◆ **les comptes sont en règle** the accounts are in order ◆ **être en règle avec le fisc** to be straight with ou in order with the tax authorities ◆ **se mettre en règle** to straighten out one's position ◆ **adresser une candidature en règle** to send a formal application ◆ **faire qch dans** ou **selon les règles** to do sth according to the rules ou according to the proper procedures ou in due form.

**régularisation**

**règlement** /ʀɛɡləmɑ̃/ **NM** **a** (= *règle*) regulation; (= *ensemble de règles*) rules, regulations ✦ **règlement de service** administrative rule *ou* regulation ✦ **le règlement intérieur** *ou* **interne de l'entreprise** the company's rules and regulations ✦ **c'est contraire au règlement** it's against the regulations *ou* rules ✦ **règlements douaniers** customs regulations **b** (= *paiement*) settlement, payment; (= *montant payé*) payment, remittance ✦ **en règlement de votre facture du…** in settlement *ou* payment of your invoice of… ✦ **mode de règlement** method *ou* means of payment ✦ **règlement en espèces** *ou* **comptant** cash settlement *ou* payment ✦ **règlement en nature** payment in kind ✦ **faire un règlement par chèque** to pay *ou* make a payment by cheque, make a remittance by cheque ✦ **joignez votre règlement** enclose your remittance **c** (= *solution*) [*conflit*] settlement ✦ **règlement à l'amiable** out-of-court *ou* amicable settlement ✦ **règlement judiciaire** legal settlement ✦ **être en règlement judiciaire** to be in the hands of the receiver ✦ **être placé** *ou* **mis en règlement judiciaire** to go into receivership ✦ **demander à être placé** *ou* **mis en règlement judiciaire** to file for bankruptcy, file for chapter eleven (*US*) **d** (*Bourse*) settlement ✦ **marché à règlement mensuel** forward market ✦ **règlement différé** deferred settlement ✦ **service à règlement différé** deferred settlement service ✦ **règlement immédiat** cash settlement ✦ **jour du règlement** settlement day, account day **e** (*Ass*) [*sinistre*] settlement ✦ **règlement de sinistres** claims *ou* damage settlement ✦ **règlement d'avaries** average adjustment.

**réglementaire** /ʀɛɡləmɑ̃tɛʀ/ **ADJ** *procédure, réserve* statutory ✦ **pouvoir réglementaire** regulatory authority *ou* power.

**réglementairement** /ʀɛɡləmɑ̃tɛʀmɑ̃/ **ADV** statutorily ✦ **augmentation fixée réglementairement** statutory price increase.

**réglementation** /ʀɛɡləmɑ̃tasjɔ̃/ **NF** (= *action de réglementer*) regulation, control; (= *ensemble de règles*) rules, regulations ✦ **réglementation des changes** (= *contrôle*) exchange control; (= *règles*) exchange control regulations ✦ **réglementation des prix** price control ✦ **réglementation du marché du travail** regulation of the labour market ✦ **réglementation du travail** (= *lois*) labour regulations.

**réglementer** /ʀɛɡləmɑ̃te/ **VT** *prix* to regulate, control; *industrie* to regulate.

**régler** /ʀeɡle/ **VT** **a** (= *solutionner*) *conflit* to settle ✦ **régler qch à l'amiable** to settle sth amicably *ou* out of court **b** (= *payer*) *facture, dette* to settle, pay; *personne* to settle up with, pay; *service* to pay for, settle up for ✦ **je vais régler mes dettes** I am going to pay off *ou* to pay up *ou* to settle my debts ✦ **régler par chèque** to pay by cheque ✦ **compte non réglé** unpaid *ou* outstanding account ✦ **régler le solde d'un compte** to pay the balance of an account **c** (*Ass*) *sinistre* to settle, handle ✦ **régler les avaries communes** to adjust the general average **d** (*Bourse*) to settle.

**régresser** /ʀeɡʀese/ **VI** [*ventes, bénéfices, cours*] to decline, fall, drop; [*activité, marché*] to decline.

**régressif, -ive** /ʀeɡʀesif, iv/ **ADJ** regressive.

**régression** /ʀeɡʀesjɔ̃/ **NF** [*activité, marché*] regression, decline; [*ventes, chiffre d'affaires*] fall, drop, decline ✦ **être en régression** to be on the decline, be declining *ou* decreasing *ou* falling ✦ **courbe de régression** (*Stat*) regression curve.

**regret** /ʀ(ə)ɡʀɛ/ **NM** regret ✦ **j'ai le regret de vous informer que…** I regret to inform you that…, I must regretfully inform you that… ✦ **nous sommes au regret de ne pouvoir vous aider** we are sorry *ou* we regret that we cannot help you.

**regretter** /ʀ(ə)ɡʀete/ **VT** to regret ✦ **nous regrettons de ne pas pouvoir donner suite à votre commande** we are sorry not to be able to follow up your order, we are sorry that we cannot follow up your order.

**regroupement** /ʀ(ə)ɡʀupmɑ̃/ **NM** (*gén*) grouping; [*ressources*] pooling; [*services*] centralization; (*Fin*) [*comptes*] consolidation ✦ **regroupement d'actions** consolidation of shares, reverse split ✦ **regroupements d'entreprises** groupings *ou* combinations of companies, business combinations; (*par fusion*) mergers ✦ **regroupement par conglomérat** conglomerate combination.

**regrouper** /ʀ(ə)ɡʀupe/ **VT** (*gén*) to put *ou* group together; *ressources* to pool; *services* to centralize; *entreprises* to combine; (*par fusion*) to merge; (*Fin*) *comptes* to consolidate; (*Bourse*) *actions* to consolidate.

**régularisation** /ʀeɡylaʀizasjɔ̃/ **NF** **a** [*situation*] regularization; (*Banque*) [*position, compte*] regularization **b** (*Compta*) adjustment ✦ **pour la régularisation de nos écritures** to straighten our accounts ✦ **régularisation sur exercice antérieur** prior period adjustment ✦ **comptes de régularisation** accruals and deferrals ✦ **écriture de régularisation** adjustment entry ✦ **charge constatée par régularisation** accrued expense ✦ **produit constaté par régularisation** accrued revenue **c** (*Fin*) [*dividendes*] equalization ◆ **fonds** ou **compte de régularisation monétaire** currency equalization fund **d** *(Ind)* ◆ **stock de régularisation** buffer stock ◆ **office de régularisation du marché** marketing board.

**régulariser** /ʀegylaʀize/ **VT** **a** *situation* to regularize, straighten out, sort out; *(Banque) position, compte* to regularize **b** *(Compta)* to adjust **c** *(Fin) monnaie, dividende* to equalize.

**régularité** /ʀegylaʀite/ **NF** regularity ◆ **pour la régularité de nos écritures** to keep our accounts straight.

**régulateur, -trice** /ʀegylatœʀ, tʀis/ **ADJ** regulating ◆ **stock régulateur** buffer stock ◆ **système régulateur de prix** price-regulating mechanism
**NM** **a** *(= mécanisme)* regulator ◆ **régulateurs économiques** economic regulators **b** *(Transports) (= personne)* dispatcher.

**régulation** /ʀegylasjɔ̃/ **NF** *[économie]* regulation ◆ **régulation de la production** production control.

**réguler** /ʀegyle/ **VT** to regulate.

**régulier, -ière** /ʀegylje, jɛʀ/ **ADJ** **a** *(= habituel) train, avion, service* regular, scheduled ◆ **ligne régulière** *(Aviat)* regularly scheduled airline ◆ **vol régulier** scheduled flight **b** *(= honnête) opération* aboveboard, on the level; *personne* honest, on the level, straight ◆ **être régulier en affaires** to be straight ou honest in business **c** *(= sans à-coups) production, rythme* steady, regular ◆ **demande régulière** steady demand.

**réhabilitation** /ʀeabilitasjɔ̃/ **NF** *[failli]* discharge; *[immeuble, quartier]* restoration, rehabilitation; *[personne dans ses fonctions]* reinstatement.

**réhabiliter** /ʀeabilite/ **VT** *failli* to discharge; *immeuble, quartier* to restore, rehabilitate ◆ **réhabiliter qn dans ses fonctions** to reinstate sb (in his job) ◆ **réhabiliter qn dans ses droits** to restore sb's rights (to him).

**réimportation** /ʀeɛ̃pɔʀtasjɔ̃/ **NF** reimport, reimportation, reimporting ◆ **nous sommes dans la réimportation** we are in the reimport trade ou business ◆ **marchandises destinées à la réimportation** goods for reimport.

**réimporter** /ʀeɛ̃pɔʀte/ **VT** to reimport.

**réimposer** /ʀeɛ̃poze/ **VT** *(Impôts)* to impose a new ou further tax on.

**réimposition** /ʀeɛ̃pozisjɔ̃/ **NF** *(Impôts)* further taxation.

**réinitialiser** /ʀeinisjalize/ **VT** *ordinateur* to reset; *programme* to reinitialize.

**réinjecter** /ʀeɛ̃ʒɛkte/ **VT** ◆ **réinjecter des capitaux dans une affaire** to pump more money into a business.

**réinscription** /ʀeɛ̃skʀipsjɔ̃/ **NF** *(Compta)* re-entry.

**réinscrire** /ʀeɛ̃skʀiʀ/ **VT** *(Compta)* to re-enter.

**réinsérer** /ʀeɛ̃seʀe/ **VT** *employé* to relocate, resettle
**se réinsérer** **VPR** **se réinsérer dans la vie professionnelle** to get back into professional life.

**réinsertion** /ʀeɛ̃sɛʀsjɔ̃/ **NF** *[employé, chômeur]* relocation, resettlement ◆ **il est conseil en réinsertion professionnelle** he is an outplacement consultant ◆ **elle suit un stage de réinsertion** she is on a ressettlement ou retraining ou rehabilitation course.

**réinstallation** /ʀeɛ̃stalasjɔ̃/ **NF** resettlement ◆ **prime de réinstallation** resettlement allowance.

**réintégration** /ʀeɛ̃tegʀasjɔ̃/ **NF** *(gén)* reintegration; *(Compta)* reinstatement; *[fonctionnaire]* reinstatement ◆ **réintégration de l'impôt différé** reinstatement of deferred taxation.

**réintégrer** /ʀeɛ̃tegʀe/ **VT** *(gén)* to reintegrate; *(Compta)* to reinstate ◆ **réintégrer qn dans ses fonctions** to reinstate sb (in his job), give sb his job back ◆ **réintégrer une somme dans un compte** to add a sum back into an account, reinstate a sum (into an account).

**réinvestir** /ʀeɛ̃vestiʀ/ **VT** to reinvest, plough back *(Brit)*, plow back *(US)*.

**réinvestissement** /ʀeɛ̃vestismɑ̃/ **NM** *(= action)* reinvestment, reinvesting, ploughing back *(Brit)*, plowing back *(US)* ; *(= somme)* reinvestment.

**réitératif, -ive** /ʀeiteʀatif, iv/ **ADJ** reiterative.

**réitération** /ʀeiteʀasjɔ̃/ **NF** reiteration, repetition.

**réitérer** /ʀeiteʀe/ **VT** to reiterate, repeat.

**rejet** /ʀ(ə)ʒɛ/ **NM** *[plan, proposition]* rejection, dismissal; *[réclamation]* rejection, disallowance; *[dépense]* disallowance; *(Jur) [recours en grâce, pourvoi]* dismissal ◆ **rejet de la marque** brand rejection ◆ **taux de rejet** rejection rate ◆ **caractère de rejet** *(Inf)* ignore character.

**rejeter** /ʀaʒte/ **VT** *plan, proposition* to reject, turn down, dismiss; *réclamation* to reject, disallow; *(Jur) recours en grâce, pourvoi* to dismiss; *dépense* to disallow ◆ **rejeter toute responsabilité pour qch** to disclaim all responsibility for sth ◆ **rejeter la responsabilité de qch sur qn** to blame sb for sth.

**rejoindre** /Rəʒwɛ̃dR/ **VT** (= intégrer) to join.

**relâche** /R(ə)lɑʃ/ **NF** (Mar) port of call ✦ **faire relâche (dans un port)** to put into port, put in at a port, call at a port.

**relâchement** /R(ə)lɑʃmɑ̃/ **NM** (Bourse) slackening, easing (off).

**relâcher** /R(ə)lɑʃe/ **VI** (Mar) ✦ **relâcher (dans un port)** to put into port, put in at a port, call at a port.

**relais** /R(ə)lɛ/ **NM** **a** (Ind) ✦ **travail par relais** shift work ✦ **travailler par relais** to work shifts, do shift work ✦ **ouvrier / équipe de relais** shift worker / team **b** (Fin) ✦ **crédit** ou **prêt relais** bridging loan.

**relance** /R(ə)lɑ̃s/ **NF** **a** (Écon) [économie] reflation, pump priming; [secteur, entreprise] boosting, stimulation ✦ **la relance de l'économie conduit à une augmentation des importations** reflating the economy results in an increase in imports ✦ **mesures / politique de relance** reflationary ou stimulative measures / policy ✦ **relance par la demande** demand reflation **b** (Comm) [client] follow up; [appel, visite] follow-up call ✦ **lettre de relance** (pour suivi) follow-up letter; (en cas de non-paiement) reminder letter, dunning letter (US) ✦ **fichier de relance** suspense ou follow-up file.

**relancer** /R(ə)lɑ̃se/ **VT** **a** économie to reflate, revitalize, boost, give a boost to, stimulate; secteur, entreprise, ventes to boost, give a boost to, stimulate, reactivate **b** (Comm) client (pour une affaire) to contact again, follow up, stir up; (par écrit) to send a follow-up letter to; (en cas de non-paiement) to send a reminder letter ou a dunning (US) letter to ✦ **relancer un client par téléphone** to give a follow-up call to a customer.

**relation** /R(ə)lasjɔ̃/ **NF** **a** (= contact) ✦ **relations** relations ✦ **être en relation(s) avec qn** to be in touch ou contact with sb ✦ **être en relations d'affaires avec qn** to have business relations ou business dealings with sb ✦ **service des relations actionnaires** shareholder relations department ✦ **relations avec la clientèle** customer relations ✦ **relations commerciales** (entre entreprises) commercial ou business relations; (entre pays) trade relations ✦ **relations patrons-ouvriers** labour-management ou industrial relations ✦ **relations publiques** public relations, PR ✦ **service de relations publiques / humaines** public / human relations department ✦ **relations sociales** (gén) social relations; (dans l'entreprise) labour ou industrial relations **b** (= personne) acquaintance ✦ **une relation**

**d'affaires** a business acquaintance ou connection ✦ **avoir des relations** to be well connected, have (influential) relations ✦ **trouver un poste par relations** to find a job through one's connections.

**relationnel, -elle** /R(ə)lasjɔnɛl/ **ADJ** relational **NM** **elle est très forte pour le relationnel** she is very good in the area of human relations.

**relevé** /Rəlve/ / rləve/ **NM** (= décompte) [frais] summary, statement; [adresses] list; (= facture) bill ✦ **faire un relevé de qch** to list sth ✦ **nous vous adressons un relevé de votre compte arrêté au 30 avril** we are enclosing a statement of your account made up to April 30

─────── compounds/composés ───────
✦ **relevé bancaire** ou **de banque** bank statement, statement of account
✦ **relevé de caisse** cash statement
✦ **relevé comptable** (financial) statement
✦ **relevé de compte** bank statement, statement of account
✦ **relevé de factures** billing, list of invoices
✦ **relevé d'identité bancaire** bank identification form, details of one's bank account
✦ **relevé d'identité postal** post office identification form
✦ **relevé de(s) vente(s)** sales report ou return.

**relèvement** /R(ə)lɛvmɑ̃/ **NM** **a** (= augmentation) [action] raising (de of); [résultat] increase (de in) ✦ **le relèvement du prix / des taux de base** (= action) the raising of the price / of base rates; (= résultat) the rise in the price / in base rates ✦ **relèvement de l'impôt / des salaires** tax / wage increase **b** (= rétablissement) [économie, pays, entreprise] recovery.

**relever** /Rəlve/ **VT** **a** (= redresser) économie to rebuild, restore; pays, entreprise to put back on its feet **b** (= augmenter) salaire, impôts, prix, taux d'intérêt to raise, increase, put up; chiffre d'affaires, bénéfices to increase; niveau de production to raise, increase **c** (= inscrire) adresse, faits, chiffres to take down, list, note (down) **d** (Fin) ✦ **relever un compte** to make out a statement of an account **e** **relever qn de ses fonctions** to relieve sb of his office ou of his duties **relever de** **VT INDIR** (= être de la compétence de) to be a matter for; (= dépendre de) to come under ✦ **cet organisme relève de la Commission européenne** this body comes under the European Commission ✦ **cette affaire relève de la direction générale** this is a matter for the top management ✦ **cette affaire ne relève pas de ma compétence** I am not competent to deal with this matter.

**reliquat** /ʀ(ə)lika/ **NM** *(gén)* remainder; *[compte]* balance; *[somme à payer]* outstanding amount *ou* balance, remainder.

**relocalisation** /ʀəlokalizasjɔ̃/ **NF** *[entreprise, production]* relocation, transfer.

**relocaliser** /ʀəlokalize/ **VT** *entreprise, production* to relocate.

**relutif, -ive** /ʀəlytif, iv/ **ADJ** positive ◆ **cela aura un effet relutif sur le cours** it will have a positive effect on the share price.

**relution** /ʀəlysjɔ̃/ **NF** *(du bénéfice par action)* enhancement.

**remaniement** /ʀ(ə)manimɑ̃/ **NM** *[rapport]* revision, redrafting; *[organigramme]* reorganization.

**remanier** /ʀ(ə)manje/ **VT** *rapport* to revise, redraft; *organigramme* to reorganize.

**remballage** /ʀɑ̃balaʒ/ **NM** *(gén)* packing up again; *[petit paquet]* rewrapping.

**remballer** /ʀɑ̃bale/ **VT** *(gén)* to pack up again; *petit paquet* to rewrap.

**rembarquement** /ʀɑ̃baʀkəmɑ̃/ **NM** *[passagers]* re-embarkation; *[marchandises]* reloading.

**rembarquer** /ʀɑ̃baʀke/ **VT** *passagers* to re-embark; *marchandises* to reload ◆ **VI** to re-embark.

**rembaucher** /ʀɑ̃boʃe/ **VT** = réembaucher.

**rembours** /ʀɑ̃buʀ/ **NM** *(Douanes)* drawback.

**remboursable** /ʀɑ̃buʀsabl(ə)/ **ADJ** *dette* repayable, redeemable; *emprunt (gén)* repayable; *(par anticipation)* callable; *obligation (gén)* redeemable; *(par anticipation)* callable; *dépense, acompte* refundable ◆ **obligation non remboursable** irredeemable bond ◆ **voici la liste des dépenses remboursables** here is the list of refundable *ou* allowable expenses ◆ **prêt** *ou* **emprunt remboursable sur demande** loan repayable on demand, loan at call.

**remboursement** /ʀɑ̃buʀsəmɑ̃/ **NM a** *[dette]* repayment, settlement, redemption; *[hypothèque]* repayment, redemption; *[emprunt, créancier]* repayment, reimbursement; *[frais, somme payée en trop]* refund, reimbursement; *[prix d'achat]* refund; *(Fin) [effet]* retirement ◆ **obtenir le remboursement de son voyage** to get one's money back for one's trip, get one's trip refunded, get a refund on one's trip ◆ **vos capacités** *ou* **possibilités de remboursement** your ability to meet repayments ◆ **envoi** *ou* **livraison contre remboursement** cash on delivery ◆ **remboursement garanti en cas de non-satisfaction** guaranteed refund if not satisfied **b** *(Bourse) [obligation]* redemption ◆ **lors du remboursement ces titres rapporteront 10,25%** at redemption these stocks will yield 10.25% ◆ **appeler les obligations au remboursement** to call bonds for redemption ◆ **remboursement anticipé** redemption before maturity ◆ **remboursement au-dessus du pair** redemption above par ◆ **date / prime / prix / valeur de remboursement** redemption date / premium / price / value ◆ **emprunt de remboursement** refunding loan **c** *(Douanes) [droits]* refund; *(lors de l'importation en vue de la réexportation)* drawback **d** *(Impôts)* (tax) refund.

**rembourser** /ʀɑ̃buʀse/ **VT** *dette* to pay back *ou* off, repay, settle (up), redeem; *emprunt, créancier* to pay back *ou* off, repay, reimburse; *somme payée en trop, frais* to refund, reimburse; *(Fin) effet* to retire; *(Bourse) obligation* to redeem; *hypothèque* to redeem, pay off; *prix d'achat* to refund ◆ **rembourser qn de qch, rembourser qch à qn** to reimburse sth to sb, repay sb sth ◆ **rembourser intégralement** to pay off in full ◆ **elle s'est fait rembourser son billet / hôtel** she had her ticket / hotel room refunded *ou* reimbursed, she got her money back for her ticket / hotel room.

**remembrement** /ʀ(ə)mɑ̃bʀəmɑ̃/ **NM** regrouping of lands.

**remembrer** /ʀ(ə)mɑ̃bʀe/ **VT** *terrains* to regroup.

**remerciement** /ʀ(ə)mɛʀsimɑ̃/ **NM** ◆ **remerciements** thanks ◆ **avec nos remerciements** with (many) thanks ◆ **avec nos remerciements anticipés** thanking you in anticipation ◆ **lettre de remerciement** thank-you letter, letter of thanks.

**remercier** /ʀ(ə)mɛʀsje/ **VT a** *(gén)* to thank (*qn d'avoir fait qch* sb for doing sth) ◆ **nous vous remercions de votre lettre** thank you for your letter ◆ **nous vous remercions de nous avoir expédié la marchandise** (we) thank you for dispatching the goods ◆ **en vous remerciant** with many thanks ◆ **en vous remerciant par avance** thanking you in anticipation **b** *(= congédier)* to dismiss, let go, sack, fire.

**réméré** /ʀemeʀe/ **NM** ◆ **faculté de réméré** option of repurchase, repurchase agreement ◆ **vente à réméré** sale with option of repurchase ◆ **clause de réméré** repurchase clause.

**remettant** /ʀ(ə)metɑ̃/ **NM** remitter.

**remetteur, -euse** /ʀ(ə)metœʀ, øz/ **ADJ** *banque, personne* remitting ◆ **NM** remitter.

**remettre** /ʀ(ə)metʀ(ə)/ **VT a** *rendez-vous, décision* to put off, postpone (*à* to) **b** *marchandises* to deliver, hand over; *objet* to give (*à qn* to sb)

◆ **remettre son rapport** to submit one's report, hand in one's report ◆ **remettre sa démission** to hand in *ou* tender one's resignation ◆ **remettre une lettre à qn** to hand over a letter to sb, give sb a letter `c` *argent* to remit ◆ **remettre à l'escompte** to remit for discount ◆ **remettre en nantissement** to lodge as collateral ◆ **remettre des effets en recouvrement** *ou* à **l'encaissement** to remit bills for collection ◆ **remettre un chèque à l'encaissement** to cash *ou* bank a cheque ◆ **remettre un chèque à qn** to give *ou* send a cheque to sb.

**remise** /ʀ(ə)miz/ **NF** `a` *(= dépôt)* *[marchandises]* delivery, handing over, return; *[rapport]* handing in, submission ◆ **contre remise des documents** against delivery (of the documents), on presentation of the documents ◆ **payable contre remise du coupon** payable upon presentation of *ou* in exchange for the coupon ◆ **remise de titres** *(Bourse)* delivery of stocks ◆ **note de remise** consignment note `b` *(= renonciation)* remission ◆ **remise de dette** remission *ou* cancellation of a debt ◆ **faire remise d'une dette** to remit a debt ◆ **remise d'un impôt / de droits de douane** remission of a tax / of customs duty `c` *(= réduction)* discount, reduction, allowance ◆ **une remise de 20 %** a 20 % discount *ou* reduction *ou* allowance ◆ **remise d'usage** *ou* **confraternelle** customary trade discount ◆ **remise sur quantité** discount on bulk orders *ou* purchases, volume *ou* bulk *ou* quantity discount ◆ **remise sur ventes** sales discount *ou* allowance ◆ **remise sur marchandises** trade allowance *ou* discount ◆ **remise de référencement** initial trade discount ◆ **consentir** *ou* **accorder une remise sur qch** to allow *ou* grant a discount on sth, make a reduction *ou* an allowance on sth `d` *(= délai)* *[décision]* putting off, postponement `e` *[effet, chèque, fonds]* remittance ◆ **envoyer une remise** to send a remittance ◆ **faire une remise de fonds à qn** to send sb a remittance, remit funds to sb, make a remittance of funds to sb ◆ **remise d'un effet en recouvrement** *ou* **à l'encaissement** remittance of a bill for collection ◆ **remise d'un chèque à l'encaissement** cashing of a cheque, remittance of a cheque for cashing ◆ **remise à vue** *[effet]* sight remittance.

**remisier** /ʀ(ə)mizje/ **NM** *(Bourse)* intermediate broker, half-commission man, remisier, customer's man *(US)*.

**remontée** /ʀ(ə)mɔ̃te/ **NF** `a` *(= hausse)* rise ◆ **la remontée de ce titre** the rise in the price of this stock ◆ **remontée spectaculaire des valeurs françaises** spectacular rally of French

securities `b` *(= indication)* ◆ **remontées publicitaires** advertising feedback ◆ **la remontée des informations des ateliers vers la direction** the feedback *ou* the upward flow of information from shopfloor to management.

**remonter** /ʀ(ə)mɔ̃te/ **VI** *[prix, taux d'intérêt]* to go up again, rise again; *(Bourse)* to rise, rally ◆ **cette entreprise remonte dans les classements** this firm is catching up the lost ground *ou* has improved its rating
**VT** *magasin* to restock ◆ **remonter une entreprise** to get a business going again.

**remorquage** /ʀ(ə)mɔʀkaʒ/ **NM** towing ◆ **droits de remorquage** towage (dues).

**remorque** /ʀ(ə)mɔʀk(ə)/ **NF** trailer ◆ **être à la remorque** *[monnaie, économie]* to trail behind ◆ **à la remorque du Japon** trailing behind Japan.

**remorquer** /ʀ(ə)mɔʀke/ **VT** *(Mar)* to tow, tug.

**remorqueur** /ʀ(ə)mɔʀkœʀ/ **NM** tug(boat).

**remplaçant, e** /ʀɑ̃plasɑ̃, ɑ̃t/ **NM,F** replacement ◆ **je vous présente mon remplaçant** let me introduce the person who is replacing me; *(provisoirement)* let me introduce the person who is standing in for me *ou* who is deputizing for me.

**remplacement** /ʀɑ̃plasmɑ̃/ **NM** replacement ◆ **elle est ici en remplacement de M. Chenas** *(provisoirement)* she's replacing Mr Chenas, she's standing in for Mr Chenas, she is deputizing for Mr Chenas; *(définitivement)* she has replaced Mr Chenas ◆ **elle fait des remplacements dans notre service** she does replacement jobs *ou* she temps* in our department ◆ **produit de remplacement** substitute (product) ◆ **coût / valeur de remplacement** replacement cost / value ◆ **comptabilité au prix de remplacement** replacement accounting *ou* costing ◆ **délai de remplacement** replacement time ◆ **au prix de remplacement** at replacement cost.

**remplacer** /ʀɑ̃plase/ **VT** `a` *personne (provisoirement)* to stand in for, deputize for, replace; *(définitivement)* to take over from, replace ◆ **je me suis fait remplacer** I had someone stand in for me `b` *produit, objet* to replace ◆ **remplacer une chose par une autre** to replace one thing with another, change one thing for another.

**remplir** /ʀɑ̃pliʀ/ **VT** *formulaire* to fill (in *ou* out); *conditions* to satisfy, meet; *contrat* to fulfill; *formalités* to comply with, fulfill; *mission* to carry out
**se remplir** **VPR** to fill (up) *(de* with) ◆ **les**

carnets de commandes se remplissent order books are filling up.

**remplissage** /ʀɑ̃plisaʒ/ **NM** _(Aviat)_ ◆ **taux de remplissage** load factor.

**remploi** /ʀɑ̃plwa/ **NM** = réemploi.

**remployer** /ʀɑ̃plwaje/ **VT** = réemployer.

**remprunter** /ʀɑ̃pʀɛ̃te/ **VT** ◆ **remprunter de l'argent** to borrow more money, borrow money again.

**remue-méninges** /[ʀəmymenɛ̃ʒ/ **NM INV** brainstorming.

**rémunérateur, -trice** /ʀemyneʀatœʀ, tʀis/ **ADJ** _investissement_ remunerative, profitable, lucrative; _travail_ well-paid ◆ **placement peu rémunérateur** unprofitable investment.

**rémunération** /ʀemyneʀasjɔ̃/ **NF** _(= paiement)_ remuneration, payment; _(= salaire)_ salary, wage; _(= intérêt d'un placement)_ return ◆ **les rémunérations** salaries, wages, salaries and wages ◆ **en rémunération de vos services** in payment of your services, in consideration of your services ◆ **la rémunération du travail** the remuneration of labour ◆ **taux de rémunération** _[salarié]_ salary _ou_ wage _ou_ pay rate; _[investissement]_ return ◆ **rémunération du capital** return on capital, capital yield ◆ **rémunération au rendement** incentive payment ◆ **rémunération au mérite** pay for performance.

**rémunérer** /ʀemyneʀe/ **VT** _personne_ to remunerate, pay; _dépôts_ to remunerate, serve an interest on; _services_ to pay for ◆ **rémunérer le travail de qn** to remunerate _ou_ pay sb for his work ◆ **employé / travail rémunéré** paid employee / work ◆ **travail bien / mal rémunéré** well-paid / badly-paid job ◆ **la manutention des expéditions est rémunérée à 30 euros l'heure** consignment handling pays €30 an hour ◆ **argent placé sur un compte rémunéré** money deposited in an interest-bearing account.

**rencaisser** /ʀɑ̃kese/ **VT** _argent_ to receive back.

**renchérir** /ʀɑ̃ʃeʀiʀ/ **VI** _[prix]_ to rise, go up; _[produit]_ to increase in price, get dearer _ou_ more expensive, go up.

**renchérissement** /ʀɑ̃ʃeʀismɑ̃/ **NM** rise _ou_ increase in price.

**rendement** /ʀɑ̃dmɑ̃/ **NM** _[culture]_ yield; _[machine]_ output, efficiency; _[système, usine]_ output, throughput; _[travailleur]_ output, performance; _[titre boursier]_ yield ◆ **rendement d'un investissement** return on _ou_ yield from an investment ◆ **rendement d'un système informatique**

throughput of a data processing system ◆ **taux de rendement** _[capital investi]_ (rate of) return; _[actions, obligations]_ yield ◆ **taux de rendement actuariel, rendement à l'échéance** yield to maturity ◆ **titres à haut / bas rendement** high-yield / low-yield securities ◆ **travailler _ou_ tourner à plein rendement** to work at full capacity ◆ **évaluation du rendement** performance appraisal _ou_ review ◆ **prime de rendement** productivity bonus ◆ **norme de rendement** _[machine]_ output standard; _[ouvrier]_ performance standard ◆ **loi des rendements croissants / décroissants** law of increasing / diminishing returns

---
_compounds/composés_
---

- ◆ **rendement de l'actif** return on assets
- ◆ **rendement des actions** dividend yield
- ◆ **rendement actuariel brut** gross actuarial return
- ◆ **rendement boursier** dividend yield
- ◆ **rendement du capital** return on capital ◆ **rendement du capital investi** return on investment, ROI ◆ **rendement des capitaux propres** return on equity
- ◆ **rendement comptable** accounting rate of return
- ◆ **rendement courant** current yield
- ◆ **rendement à l'échelle** _(Écon)_ return on scale
- ◆ **rendement économique** _[machine, usine]_ economic efficiency
- ◆ **rendement effectif** effective yield _ou_ return
- ◆ **rendement individuel** output per person
- ◆ **rendement des investissements** return on investment, ROI
- ◆ **rendement horaire _ou_ à l'heure** output per hour
- ◆ **rendement marginal du capital** marginal return on capital
- ◆ **rendement maximum** _[investissement]_ maximum return _ou_ yield; _[machine]_ highest efficiency, maximum output _ou_ throughput; _[ouvrier]_ maximum output, best performance
- ◆ **rendement par mètre carré de surface** profitability per space foot
- ◆ **rendement nominal** accounting rate of return
- ◆ **rendement optimum _ou_ optimal** _[machine]_ ideal efficiency, maximum output _ou_ throughput
- ◆ **rendement technique** _[machine]_ technical efficiency

**rendez-vous** /ʀɑ̃devu/ **NM INV** appointment ◆ **carnet de rendez-vous** appointment book ◆ **fixer un rendez-vous à qn** to make an appointment with sb, set up an appointment with sb ◆ **sur rendez-vous** by appointment ◆ **on s'est donné rendez-vous à la gare à 8 heures** we have arranged to meet at the station at 8 a.m. ◆ **la croissance est au rendez-vous pour le prochain trimestre** there will be growth in the new quarter.

**renseigner**

**rendre** /Rãdʀ(ə)/ **VT** **a** (= *rétrocéder*) to give back, return ◆ **rendre la monnaie à qn** to give sb his change ◆ **il m'a rendu 20 euros** he gave me 20 euros change, he gave me 20 euros back ◆ **nous avons rendu les articles abîmés** we returned *ou* sent back the damaged articles **b** (*Fin* = *produire*) to yield, bring in, return ◆ **placement qui rend 12% par an** investment that yields *ou* brings in 12% a year **c** (= *remettre*) *marchandises* to deliver ◆ **rendu à domicile** delivered to your door, delivered to the house ◆ **rendu franco à bord** delivered free on board ◆ **rendu droits acquittés** delivered duty paid ◆ **rendu à quai** delivered free on quay ◆ **prix rendu** delivered price ◆ **rendu à l'usine** delivered free factory ◆ **rendu frontière** delivered at frontier.

**rendu** /Rãdy/ **NM** (= *article*) return ◆ **faire un rendu** to return *ou* exchange an article ◆ **livre des rendus** returns book ◆ **rendus au vendeur** returns to vendor ◆ **rendus sur ventes** (*Compta*) sales returns ◆ **rendus sur achats** (*Compta*) purchase returns, returns outwards.

**renégociation** /R(ə)negɔsjasjɔ̃/ **NF** renegotiation.

**renégocier** /R(ə)negɔsje/ **VT** to renegotiate.

**renflouage** /Rãflua3/ **renflouement** /Rãflu mã/ **NM** [*entreprise, personne*] bailing out; [*navire*] refloating.

**renflouer** /Rãflue/ **VT** *entreprise* to bail out, rescue, refloat; *navire* to refloat ◆ **renflouer qn** to bail sb out.

**rengager** /Rãga3e/ **VT** *capital* to reinvest; *salarié* to take on *ou* engage again, re-engage, hire again.

**renom** /R(ə)nɔ̃/ **NM** [*entreprise, produit*] repute, reputation, renown, fame.

**renommé, e** /R(ə)nɔme/ **ADJ** renowned, famous **renommée** **NF** repute, reputation, renown, fame ◆ **un produit de renommée nationale** a product famous *ou* renowned throughout the country.

**renommer** /R(ə)nɔme/ **VT** *fonctionnaire* to reappoint (*à* to)

**renouer** /Rənwe/ **VT** *relations* to resume ◆ **renouer le dialogue** to resume talks **VI** **renouer avec l'équilibre financier** to return to the black ◆ **notre économie renoue avec la stabilité** our economy is back on its feet ◆ **le marché renoue avec la reprise** *ou* **la croissance** the market is on the up again.

**renouvelable** /R(ə)nuvlabl(ə)/ **ADJ** *contrat* renewable ◆ **le pétrole est une ressource non renouvelable** oil is a depletable *ou* non-renewable

resource ◆ **crédit (par acceptation) renouvelable** revolving credit ◆ **fonds renouvelables** revolving fund.

**renouveler** /R(ə)nuvle/ **VT** *contrat, abonnement* to renew; *commande* to repeat, renew; *crédit* to renew, roll over, extend ◆ **elle a renouvelé sa candidature** she applied again, she renewed her application ◆ **nous devons renouveler notre stock de composants** we must renew *ou* replenish our supply of components ◆ **commandes renouvelées** repeat orders ◆ **nous avons renouvelé l'équipe de direction** we have renewed *ou* replaced the management team.

**renouvellement** /R(ə)nuvɛlmã/ **NM** [*contrat, abonnement*] renewal; [*commande*] renewal, repetition; [*crédit*] renewal, rolling over, extension; [*stock*] renewal, replenishment ◆ **prime de renouvellement** (*Ass*) renewal premium ◆ **conditions de renouvellement** terms of renewal ◆ **renouvellement d'achat** repeat purchase.

**rénovation** /Renɔvasjɔ̃/ **NF** [*bureaux*] renovation, modernization; [*système*] reform; [*technologie*] renewal.

**rénover** /Renɔve/ **VT** *bureaux* to renovate, modernize; *système* to reform; *technologie* to renew, bring up to date.

**renseignement** /Rãsɛɲmã/ **NM** information ◆ **un renseignement** a piece of information ◆ **demander un renseignement** *ou* **des renseignements à qn** to ask sb for information ◆ **pour (avoir) de plus amples renseignements, écrivez à l'adresse suivante** for further information, please write to the following address ◆ **prendre des renseignements sur** to inquire about ◆ **veuillez m'adresser tous les renseignements sur ce produit** please send me all (the) details *ou* particulars about this product ◆ **bureau des renseignements** information office ◆ **personne à contacter pour tout renseignement** person to contact in event of queries ◆ **renseignements** information, inquiries (*Brit*) ◆ **(service des) renseignements** (*au téléphone*) directory inquiries (*Brit*), information (*US*) ◆ **à titre de renseignement** by way of information ◆ **demande de renseignements** inquiry, request for information.

**renseigner** /Rãsɛɲe/ **VT** **a** **renseigner qn sur un produit** to give sb information about a product ◆ **être bien / mal renseigné** to be well / badly informed ◆ **pourriez-vous me renseigner? je cherche à ouvrir un compte** could you help me? I want to open an account **b** (= *remplir*) *case* to fill in

**se renseigner** **VPR** **se renseigner sur qch** to inquire *ou* make inquiries about sth ◆ **se**

**renseigner auprès de qn** to ask sb ✦ **où peut-on se renseigner?** where can one get information? ✦ **renseignez-vous à la poste** inquire at the post office ✦ **je me suis renseigné au secrétariat** I obtained information from the office, I made inquiries at the office.

**rentabilisation** /ʀɑ̃tabilizasjɔ̃/ NF ✦ **la rentabilisation d'une invention** the commercial exploitation of an invention ✦ **la rentabilisation de nos efforts** making our efforts profitable, making our efforts pay.

**rentabiliser** /ʀɑ̃tabilize/ VT *investissement, opération* to make profitable, make pay; *installations, équipement* to make optimum use of, make pay.

**rentabilité** /ʀɑ̃tabilite/ NF a *[entreprise, opération]* profitability, earning capacity *ou* performance; *[méthode]* cost-effectiveness ✦ **la rentabilité potentielle d'une entreprise** the profit potential *ou* the potential earning power of a company ✦ **étude / indice de rentabilité** profitability study / index ✦ **limite de rentabilité** limit of profitability ✦ **seuil de rentabilité** break-even point, profitless point (US) ✦ **atteindre le seuil de rentabilité** to break even, reach break-even point b *[investissement, capital]* return ✦ **rentabilité des capitaux investis** return on capital employed ✦ **rentabilité économique** return on capital invested ✦ **rentabilité financière** return on equity ✦ **rentabilité des fonds propres** return on equity ✦ **rentabilité des investissements** *(de portefeuille)* investment yields; *(productifs)* return on investment, ROI ✦ **rentabilité des ventes** return on sales ✦ **taux de rentabilité** (rate of) return.

**rentable** /ʀɑ̃tabl(ə)/ ADJ *investissement, opération* profitable; *méthode* cost-effective ✦ **l'entreprise n'est plus rentable** the firm is no longer profitable, the firm is no longer showing *ou* making a profit ✦ **la formation du personnel est vraiment rentable** staff training really pays (off) ✦ **c'est un investissement rentable** it's a profitable investment, the investment gives a good return ✦ **ce n'est pas rentable** it's not worthwhile, it doesn't pay.

**rente** /ʀɑ̃t/ NF a *(= pension)* annuity, pension ✦ **servir une rente** to pay an annuity (*à* to) **vivre de ses rentes** to live on a private income b *(= emprunt d'État)* government stock *ou* loan *ou* bond c *(Écon = surplus de revenu)* rent ✦ **rente du producteur / du consommateur** rent of the producer / the consumer, producer's / consumer's surplus ✦ **quasi-rente** quasirent
■ Voir encadré ci-contre

**rentier, -ière** /ʀɑ̃tje, jɛʀ/ NM,F person of independent *ou* private means ✦ **rentier viager** annuitant ✦ **petit rentier** small investor.

**rentrée** /ʀɑ̃tʀe/ NF a *(= recette)* cash inflow ✦ **nous attendons une rentrée d'argent importante pour le mois de janvier** we are expecting a large sum of money (to come in) in January, we are expecting a large cash inflow *ou* inflow of funds in January ✦ **les rentrées d'argent** *ou* **de fonds liées aux opérations de l'entreprise** (cash) receipts generated by the company's operations ✦ **rentrées** *(Compta)* paid bills and cheques ✦ **rentrées et sorties de caisse** *(Compta)* receipts and disbursements, cash receipts and payments ✦ **rentrées journalières** daily receipts *ou* returns ✦ **rentrée de trésorerie** cash receipt *ou* inflow ✦ **rentrées fiscales** tax revenues, tax receipts b *(= recouvrement d'une dette)* collection ✦ **rentrée sur créance** collection of a debt ✦ **opérer une rentrée** to collect a debt c ✦ **rentrée sociale** return to work **la décision sera prise à la rentrée gouvernementale de septembre** the decision will be made when the government gets back to work in September.

**rentrer** /ʀɑ̃tʀe/ VI *[argent]* to come in ✦ **faire rentrer l'argent** to get the money in ✦ **faire rentrer les fonds / les sommes dues** to collect the funds / the money owed ✦ **faire rentrer des commandes** to turn in business ✦ **rentrer dans son argent** to get back one's money.

**renversement** /ʀɑ̃vɛʀsəmɑ̃/ NM *[situation]* reversal ✦ **il y a un renversement de tendance sur le marché américain** there is a shift *ou* swing in the American market.

─── *compounds/composés* ───

- ✦ **rente absolue** *(Écon)* absolute rent
- ✦ **rente amortissable** redeemable annuity
- ✦ **rente annuelle** annuity
- ✦ **rente consolidée** consolidated government stock, consols
- ✦ **rente différentielle** differential rent
- ✦ **rente sur l'État** government stock *ou* loan *ou* bond
- ✦ **rente foncière** *(= loyer)* ground rent; *(Écon)* rent of land
- ✦ **rente d'invalidité** disablement pension
- ✦ **rente de monopole** monopoly rent
- ✦ **rente à paiement différé** deferred annuity
- ✦ **rentes perpétuelles** perpetual loan, irredeemable securities
- ✦ **rente réversible** two-way annuity, survivorship annuity
- ✦ **rente de situation** *(Écon)* situation rent
- ✦ **rente viagère** life annuity ✦ **rente viagère avec réversion** two-way annuity, survivorship annuity.

**repasser**

**renvoi** /ʀɑ̃vwa/ **NM** **a** *[employé]* dismissal, firing, sacking *(Brit)* **b** *[marchandises]* return, sending back ✦ **les renvois** returned goods **c** *(Jur) (= ajournement)* postponement; *(vers une autre juridiction)* referral **d** *(= référence)* cross-reference ✦ **numéro de renvoi** reference number.

**renvoyer** /ʀɑ̃vwaje/ **VT** **a** *employé* to dismiss, fire, sack *(Brit)* **b** *marchandises, lettre, colis* to return, send back **c** *(Jur) (= ajourner)* to postpone; *(= rediriger)* to refer ✦ **l'affaire a été renvoyée au mois prochain** the case has been postponed for a month ✦ **renvoyer une affaire devant les prud'hommes** to refer a case to the industrial tribunal.

**réorganisation** /ʀeɔʀganizasjɔ̃/ **NF** reorganization.

**réorganiser** /ʀeɔʀganize/ **VT** to reorganize **se réorganiser** **VPR** to get reorganized, reorganize oneself.

**réorientation** /ʀeɔʀjɑ̃tasjɔ̃/ **NF** *[politique économique]* reorientation, redirection.

**réorienter** /ʀeɔʀjɑ̃te/ **VT** *politique économique* to reorientate, redirect.

**réouverture** /ʀeuvɛʀtyʀ/ **NF** *(gén)* reopening; *(Compta) [compte]* opening ✦ **écritures de réouverture** opening entries.

**réparateur, -trice** /ʀepaʀatœʀ, tʀis/ **NM,F** repairer ✦ **réparateur d'appareils ménagers** household appliance repairman.

**réparation** /ʀepaʀasjɔ̃/ **NF** **a** *[appareil, immeuble]* repairing ✦ **une réparation** a repair, repairs ✦ **les réparations sur cette machine ont été très coûteuses** the repair work on this machine was very expensive ✦ **la machine est en réparation** the machine is under repair *ou* is being repaired ✦ **atelier de réparation** repair shop ✦ **réparations d'entretien** maintenance (repairs) ✦ **réparations locatives** tenant's repairs ✦ **temps de réparation** repair time **b** *[erreur]* correction **c** *[perte, dommage]* compensation *(de for)* ✦ **en réparation du préjudice causé** in compensation for the damage, to compensate *ou* make up for the damage ✦ **obtenir réparation** *(Jur)* to obtain redress **d** *(= somme d'argent)* compensation, damages.

**réparer** /ʀepaʀe/ **VT** *appareil, immeuble* to repair; *erreur* to correct, put right; *perte* to make good, make up for; *tort* to redress, put right ✦ **réparer les dommages subis** to make good the damage.

**repartir** /ʀəpaʀtiʀ/ **VI** *[économie, entreprise]* to get going again, pick up again ✦ **les affaires repartent** business is picking up.

**répartir** /ʀepaʀtiʀ/ **VT** **a** *(= partager)* somme, tâ-*ches* to share out, divide up *(en into, entre among)*; *richesses* to distribute; *(Compta) charges, dépenses* to allocate, apportion; *(Jur) succession* to apportion ✦ **charges à répartir sur plusieurs exercices** *(Compta)* deferred charges ✦ **répartir une avarie** *(Ass Mar)* to adjust an average ✦ **répartir l'impôt** to assess taxes **b** *(Bourse) actions* to allot; *dividende* to distribute **c** *(étaler) paiement, horaire* to spread *(sur over)* ✦ **répartir un risque** *(Ass)* to spread a risk **se répartir** **VPR** *chiffres, dépenses, résultats* to divide up, break down ✦ **se répartir également** to share evenly, be evenly distributed ✦ **se répartir qch** to share sth out.

**répartiteur** /ʀepaʀtitœʀ/ **ADJ, NM** ✦ *(commissaire)* **répartiteur** *(Impôts)* tax assessor ✦ **répartiteur d'avaries** *(Ass Mar)* average adjuster *ou* taker *ou* stater, averager.

**répartition** /ʀepaʀtisjɔ̃/ **NF** **a** *(= action de partager) [somme, tâches]* sharing out, dividing up; *[richesses]* distribution; *(Compta) [charges, dépenses]* allocation, apportionment; *(Jur) [succession]* apportionment ✦ **répartition d'avarie** *(Ass Mar)* average adjustment ✦ **la répartition de l'impôt** tax assessment ✦ **répartition des ressources** resource allocation **b** *(= manière d'être réparti) [population]* distribution; *[chiffres, dépenses, résultats]* breakdown ✦ **répartition par âge / revenus / sexe** age / income / sex distribution ✦ **répartition du capital** distribution *ou* breakdown of capital, capital ownership **c** *(Bourse) [actions]* allotment; *[dividendes]* distribution ✦ **lettre** *ou* **avis de répartition (d'actions)** letter of allotment ✦ **versement intégral à la répartition** full payment *ou* payment in full on allotment ✦ **versement de répartition** allotment money ✦ **première / dernière répartition** first / last dividend *ou* distribution **d** *(= étalement) [paiement, horaire]* spreading ✦ **la répartition des risques est le principe de l'assurance** risk spreading *ou* the spreading of the risks is the principle of insurance **e** *(= système de retraite)* contribution ✦ **le financement des pensions de retraite se fait par capitalisation ou par répartition** retirement pensions are financed by capitalization or by contribution ✦ **caisse de retraite par répartition** contributory pension scheme.

**repasser** /ʀ(ə)pɑse/ **VT** **je vous repasse le standard / M. Herriot** I'll put you through to the switchboard / to Mr Herriot ✦ **l'euro a repassé la barre du dollar** the euro is back above the dollar mark
**VI** **le dollar est repassé au-dessus / au-dessous de la barre des 110 yens** the dollar is back above / below the 110-yen mark.

**repayer** /ʀ(ə)peje/ **VT** to pay again.

**répercussion** /ʀepɛʀkysjɔ̃/ **NF** repercussion (*sur* on) ✦ **avoir des répercussions sur l'activité économique** to have repercussions *ou* have a knock-on effect on the economic activity ✦ **la répercussion d'une augmentation sur le consommateur** passing an increase on *ou* along *(US)* to the consumer.

**répercuter** /ʀepɛʀkyte/ **VT** **répercuter une augmentation sur le consommateur** to pass an increase on *ou* along *(US)* to the consumer **se répercuter** **VPR** **l'augmentation se répercute sur le consommateur** the increase will be passed on *ou* along *(US)* to the consumer.

**repère** /ʀ(ə)pɛʀ/ **NM** (*= indicateur*) marker, bench mark, indicator ✦ **repère économique / boursier** economic / stock market indicator ✦ **année repère** bench-mark year.

**répertoire** /ʀepɛʀtwaʀ/ **NM** (*= carnet*) notebook, index book, index; *(Inf)* directory ✦ **sous-répertoire** *(Inf)* sub-directory ✦ **répertoire d'adresses** *(personnel)* address book; (*= livre*) directory ✦ **répertoire alphabétique** alphabetical list *ou* index ✦ **répertoire de fichiers** file index *ou* directory ✦ **répertoire d'instructions** set of instructions.

**répertorier** /ʀepɛʀtɔʀje/ **VT** to make a list of, list ✦ **plus de 6 000 entreprises sont répertoriées dans cet annuaire** over 6,000 companies are listed in this directory ✦ **demandeurs d'emplois répertoriés dans les statistiques du chômage** job-seekers taken into account in unemployment figures.

**répétition** /ʀepetisjɔ̃/ **NF** repetition, recurrence ✦ **répétition d'indu** *(Jur)* recovery of payment made by mistake.

**repli** /ʀ(ə)pli/ **NM** *(Bourse)* drop, fall, decline, downturn ✦ **solution de repli** stand-by solution ✦ **le dollar est en repli à 0,85 €** the dollar has fallen back to €0,85 ✦ **net repli des pétrolières** sharp drop of oil shares ✦ **repli des valeurs françaises en clôture** French stock on the decline at the close of the day's trading ✦ **acheter une valeur sur repli** to buy a stock on weakness.

**replier (se)** /ʀ(ə)plije/ **VPR** *(Bourse)* to fall back, drop ✦ **le dollar s'est replié par rapport au yen** the dollar has fallen back against the yen.

**replonger** /ʀ(ə)plɔ̃ʒe/ **VI** to plunge again ✦ **les prises de bénéfice ont fait replonger le dollar** the dollar dived again due to profit-taking.

**répondant, e** /ʀepɔ̃dɑ̃, ɑ̃t/ **NM,F** (*= caution*) guarantor, surety.

**répondeur** /ʀepɔ̃dœʀ/ **NM** ✦ **répondeur (téléphonique)** (telephone) answering machine *ou* service *(US)*.

**répondre** /ʀepɔ̃dʀ(ə)/ **VI** to answer, reply ✦ **répondre à une lettre** to reply to a letter, answer a letter ✦ **répondre par retour (du courrier)** to reply by return (of post) ✦ **c'est sa secrétaire qui répond au téléphone** his secretary takes his calls *ou* answers the phone ✦ **répondre à une prime** *(Bourse)* to declare an option **répondre à** **VT INDIR** *besoin, demande* to answer, meet; *attente* to come up to, meet ✦ **ce matériel ne répond pas à nos exigences** this equipment does not meet *ou* satisfy our requirements **répondre de** **VT INDIR** *(Jur, Fin)* to stand surety for ✦ **répondre des dettes de qn** to answer for sb's debts, stand surety for sb's debts, be liable for sb's debts ✦ **je peux répondre de sa compétence** I can vouch for *ou* answer for his competence.

**réponse** /ʀepɔ̃s/ **NF** **a** (*à une lettre*) reply, answer ✦ **en réponse à votre lettre** in reply *ou* answer to your letter ✦ **réponse payée** reply paid ✦ **réponse par retour du courrier** reply by return of post ✦ **"libre réponse"** postage paid ✦ **coupon-réponse** reply coupon **b** *(Mktg)* response ✦ **temps de réponse** response time, lead time ✦ **taux de réponse** response rate, return rate, rate of return **c** *(Bourse)* ✦ **réponse des primes** option declaration ✦ **jour de la réponse des primes** option declaration day.

**report** /ʀ(ə)pɔʀ/ **NM** **a** *[réunion, date]* postponement, deferment ✦ **report d'échéance** *(Fin)* extension of due date **b** *[chiffres, indications]* transfer **c** *(Compta) [écriture]* posting ✦ **report du journal aux comptes du grand livre** posting from the journal to the ledger accounts ✦ **reports au grand livre** ledger postings, postings to the ledger **d** *(Compta) (à la page suivante, à l'exercice suivant)* carrying forward; *(de la page précédente, de l'exercice précédent)* bringing forward; (*= solde reporté*) balance carried *ou* brought forward ✦ **report à l'exercice suivant** balance (carried) forward *ou* down ✦ **report de l'exercice précédent** balance brought forward *ou* down ✦ **report en amont / en aval** carry-back / -forward ✦ **report en arrière** carry-back ✦ **report en arrière de déficit** loss carry-back ✦ **report à nouveau** (*= solde*) balance brought forward; (*= poste du bilan*) retained earnings ✦ **report à nouveau bénéficiaire** retained earnings, unappropriated earned surplus ✦ **report à nouveau déficitaire** retained losses ✦ **le report d'une perte** the carry-over of a loss ✦ **report de pertes** loss carry-over ✦ **report du déficit**

(deficit) carry-back ◆ **report des pertes sur les exercices antérieurs** carry-back **e** *(Bourse)* *[opération]* carrying over, continuation; *(= somme)* contango, premium ◆ **intérêt de report** contango, premium ◆ **taux de report** contango rate, continuation charge, premium ◆ **donner des titres en report** to give on stock ◆ **prendre des titres en report** to take in *ou* continue stock ◆ **devises en report** foreign exchange on continuation account, foreign exchange carried over.

**reporté** /ʀ(ə)pɔʀte/ **NM** *(Bourse)* giver.

**reporter** /ʀ(ə)pɔʀte/ **VT** **a** *réunion, date* to postpone, defer, put off, put back *(Brit)* ◆ **reporter une rencontre à une date ultérieure** to postpone a meeting until a later date, put back a meeting to a later date **b** *(= recopier) chiffres, indications* to transfer *(sur* to) write out, copy out *(sur* on) **c** *(Compta) écriture* to post ◆ **reporter un article au grand livre** to post an item in the ledger ◆ **reporter une transaction au livre des ventes** to post a transaction in the sales book **d** *(Compta) solde, somme (à la page suivante, à l'exercice suivant)* to carry forward; *(de la page précédente, de l'exercice précédent)* to bring forward ◆ **solde à reporter** balance carried forward ◆ **solde reporté** balance brought forward **e** *(Bourse)* ◆ **le vendeur reporte sa position à la liquidation suivante** the seller carries over his position to the next settlement day ◆ **l'acheteur se fait reporter** *ou* **reporte sa position** the buyer carries over his position ◆ **le reporteur reporte des titres pour le reporté** the taker takes in *ou* carries stock for the giver ◆ **titres reportés** securities carried over *ou* taken in ◆ **positions reportées** sellers' positions carried over ◆ **positions à reporter** buyers' positions carried over.

**reporteur** /ʀ(ə)pɔʀtœʀ/ **NM** *(Bourse)* taker (of stock).

**reporting** /[ʀəpɔʀtiŋ/ **NM** ◆ **reporting (financier)** financial reporting.

**repos** /ʀ(ə)po/ **NM** rest ◆ **valeurs de tout repos** blue chips, gilt-edged securities ◆ **ils ont deux jours de repos par quinzaine** they have two days off every two weeks.

**repositionnement** /ʀ(ə)pozisjɔnmɑ̃/ **NM** repositioning.

**repositionner** /ʀ(ə)pozisjɔne/ **VT** to reposition.

**repousser** /ʀ(ə)puse/ **VT** **a** *réunion, date* to postpone, defer, put off, put back *(Brit)* **b** *proposition* to reject, turn down.

**reprendre** /ʀ(ə)pʀɑ̃dʀ(ə)/ **VT** *articles, invendus* to take back; *salarié* to take back, take on again, rehire; *entreprise* to take over, buy out; *négociations* to resume; *fonctions* to take up again ◆ **les articles en solde ne sont ni repris ni échangés** sale goods cannot be returned or exchanged ◆ **on m'a repris ma vieille voiture** I traded in my old car ◆ **les nouveaux locataires nous ont repris les machines pour 10 000 euros** the new tenants took back the machines for 10,000 euros ◆ **je reprends le travail lundi prochain** I'm going back to work next Monday **VI** *(= redémarrer) [affaires]* to pick up; *[économie]* to recover, pick up ◆ **le marché reprend** *(Bourse)* the market rallies *ou* picks up *ou* is on the look-up *ou* shows an upward trend

**se reprendre** **VPR** *[marché financier, valeur boursière]* to rally, pick up.

**repreneur** /ʀ(ə)pʀənœʀ/ **NM** *(= sauveteur d'entreprise)* rescuer; *(amical)* takeover specialist *ou* artist\* ; *(inamical)* raider.

**représentant, e** /ʀ(ə)pʀezɑ̃tɑ̃, ɑ̃t/ **NM,F** representative ◆ **représentant de commerce** sales representative, commercial traveller ◆ **il est représentant en fournitures de bureau** he's a representative *ou* a rep\* *(Brit)* for an office supplies firm, he travels *ou* he is a traveller for an office supplies firm ◆ **notre représentant en Asie** our Asian agent *ou* representative ◆ **représentant multicarte** sales agent *ou* representative working for several firms ◆ **représentant exclusif** sole agent ◆ **représentant régional** district representative ◆ **représentant du personnel** member of the works committee, staff representative.

**représentatif, -ive** /ʀ(ə)pʀezɑ̃tatif, iv/ **ADJ** representative ◆ **les valeurs les plus représentatives** the most representative securities.

**représentation** /ʀ(ə)pʀezɑ̃tasjɔ̃/ **NF** **a** *(gén)* representation ◆ **la représentation française à Bruxelles** the French representatives in Brussels **b** *(Comm)* commercial travelling ◆ **elle fait de la représentation** she is a sales representative ◆ **avoir la représentation exclusive d'une société** to be sole agents for a company **c** **frais de représentation** *[VRP]* sales representation costs; *[chef d'entreprise]* entertainment expenses.

**représentativité** /ʀ(ə)pʀezɑ̃tativite/ **NF** *[échantillon]* representativeness.

**représenter** /ʀ(ə)pʀezɑ̃te/ **VT** **a** *(= compter pour)* to represent ◆ **ce marché représente 50% de nos exportations** this market accounts for *ou* represents 50% of our exports **b** *(= présenter à nouveau) traite* to represent **c** *(= être le représentant de) collègues, clients* to represent ◆ **re-**

présenter une entreprise *(comme porte-parole)* to represent a company; *(comme vendeur)* to be a representative *ou* a traveller for a firm; *(comme agent)* to be an agent for a firm.

**reprise** /ʀ(ə)pʀiz/ **NF** **a** *(= redémarrage)* *[négociations]* resumption; *[économie]* recovery revival ◆ **reprise (de l'activité) économique** economic recovery *ou* revival ◆ **reprise des affaires** business recovery *ou* upturn ◆ **reprise de l'investissement** recovery in investment, investment recovery ◆ **reprise des transactions** resumption of dealings ◆ **la reprise du travail a été votée par les grévistes** the strikers have voted to go back to work *ou* to return to work **b** *(Bourse)* *[marché, cours]* recovery, rally ◆ **reprise technique** technical recovery *ou* rally ◆ **le titre est en reprise à 250 euros** this stock is up at 250 euros **c** *(Comm)* *[marchandises, invendus]* return, taking back; *[voiture]* trade-in ◆ **nous ne faisons pas de reprise** goods cannot be returned ◆ **marchandises en dépôt avec reprise des invendus** goods on sale or return ◆ **reprise de journaux invendus** return of the unsold newspapers ◆ **valeur de reprise d'une voiture** part-exchange value of a car ◆ **on m'a donné une reprise de 5% sur ma vieille voiture** I traded in my old car for 5% of the cost of the new one **d** *(pour occuper des locaux)* key money **e** *[entreprise]* takeover ◆ **reprise d'une entreprise par ses salariés** *ou* **par ses cadres** management buyout, leveraged management buyout **f** *(Compta)* *(= report)* bringing forward, carry forward *ou* over; *(= rectificatif)* adjustment ◆ **la reprise des soldes initiaux dans le journal** the bringing forward of opening balances in the journal ◆ **reprise des soldes des comptes du bilan** balance sheet carry forward(s) *ou* over(s) **g** *(Inf)* *[programme]* restart ◆ **point de reprise** checkpoint.

**reprographie** /ʀəpʀɔɡʀafi/ **NF** photocopying, reprography ◆ **le service de reprographie** the photocopying department.

**reprographier** /ʀəpʀɔɡʀafje/ **VT** to photocopy, duplicate.

**républicain, e** /ʀepyblikɛ̃, ɛn/ **ADJ** republican.

**république** /ʀepyblik/ **NF** republic ◆ **république bananière** banana republic

———— *compounds/composés* ————
- **la République française** the French Republic
  **la République tchèque** the Czech Republic
- **la République centrafricaine** the Central African Republic
- **la République démocratique du Congo** the Democratic Republic of (the) Congo.

**réputation** /ʀepytasjɔ̃/ **NF** *[entreprise, produit]* repute, reputation, renown, fame ◆ **avoir bonne / mauvaise réputation** to have a good / bad reputation ◆ **de réputation mondiale** famous *ou* renowned throughout the world.

**réputé, e** /ʀepyte/ **ADJ** *produit, personne* renowned, famous.

**requalification** /ʀəkalifikasjɔ̃/ **NF** *[quartier]* renovation.

**requalifier** /ʀəkalifje/ **VT** *quartier* to renovate.

**requérant, e** /ʀəkeʀɑ̃, ɑ̃t/ **NM,F** *(Jur)* applicant, claimant.

**requête** /ʀəkɛt/ **NF** *(gén)* request; *(Jur)* petition ◆ **requête en cassation** appeal.

**requin** /ʀ(ə)kɛ̃/ **NM** *(= homme d'affaires)* shark.

**requis, e** /ʀəki, iz/ **ADJ** *(= exigé)* required ◆ **j'ai apporté les pièces requises** I have brought the required *ou* requisite documents ◆ **il n'a pas les diplômes requis** he does not have the requisite degrees.

**RER** /ɛʀəɛʀ/ **NM** abrév de **réseau express régional** → **réseau.**

**RES** /ɛʀəɛs/ **NM** (abrév de **rachat d'entreprise par les salariés**) MBO.

**réseau, PL -x** /ʀezo/ **NM** **a** *(gén)* network ◆ **réseau commercial** sales network ◆ **réseau de distribution** distribution network ◆ **réseau express régional** *high-speed suburban train service linked to the Paris metro* ◆ **réseau routier** road network ◆ **les réseaux de guichet** *(Banque)* retail banks, retail banking networks ◆ **banques de réseau** retail banks, high street banks *(Brit)* **b** *(Inf)* network ◆ **mettre des micro-ordinateurs en réseau** to network microcomputers ◆ **mise en réseau** networking ◆ **analyseur / architecture de réseau** network analyzer / architecture ◆ **gestion de réseau(x)** network management, networking ◆ **interconnexion de réseaux** internetworking ◆ **couche de réseau** network layer ◆ **réseau local** local area network ◆ **le réseau des réseaux** the Internet, the Web ◆ **réseau social** social network.

**réseautage** /ʀezota ʒ/ **NM** networking ◆ **réseautage social** social networking.

**réseauter** /ʀezote/ **VI** to network.

**réservation** /ʀezɛʀvasjɔ̃/ **NF** *[chambre, billet]* reservation, booking; *(Jur)* *[droit]* reservation ◆ **bureau des réservations** booking office ◆ **réservation du titre à la hausse / baisse** suspension of the share limit up / down.

**réserve** /ʀezɛʀv(ə)/ **NF** **a** *(= stock)* reserve, store, stock ◆ **mettre qch en réserve** to put sth in store *ou* in reserve ◆ **garder / avoir qch en**

réserve to keep / have sth in store *ou* stock ◆ **nos réserves de pièces de rechange** our reserve *ou* stock of spare parts ◆ **matériel en réserve** standby equipment ◆ **terminal de réserve** reserve *ou* standby terminal ◆ **constituer des réserves** to build up reserves ◆ **puiser dans ses réserves** to draw on one's reserves ◆ **les réserves britanniques de pétrole** Britain's oil reserves **b** *(Fin, Banque)* reserve ◆ **réserves** *[banque]* reserves; *[société par actions]* reserves, undistributed surplus ◆ **affecter une somme au fonds de réserve** to appropriate *ou* allocate a sum to the reserve fund ◆ **compte de réserve** reserve account ◆ **monnaie de réserve** reserve currency ◆ **incorporation des réserves au capital** incorporation *ou* capitalization of reserves ◆ **total des réserves et provisions** total surplus ◆ **faire une dotation à une réserve** to make an appropriation to a reserve **c** *(= restriction)* reservation, reserve ◆ **j'ai des réserves sur ce projet** I have reservations *ou* reserves about this project ◆ **apporter une réserve** to enter a reservation ◆ **nous donnons notre accord sous réserve de l'approbation du projet par le comité exécutif** we agree subject to the approval of the project by the executive committee ◆ **accepter qch sous réserve** to accept sth with reservations, qualify one's acceptance of sth ◆ **acceptation sous réserve d'une traite** qualified acceptance of a draft ◆ **sous réserve d'acceptation du dossier** assuming application is accepted ◆ **acceptation sans réserve d'une traite** clean *ou* general acceptance of a draft ◆ **connaissement avec réserve** unclean *ou* foul *ou* claused bill of lading ◆ **connaissement sans réserve** clean *ou* fair bill

of lading **d** *(= lieu)* storeroom, storehouse, (reserve) stockroom ◆ **magasin de réserve** (reserve) stockroom *ou* storeroom **e** **devoir de réserve** duty of confidentiality, duty to maintain secrecy ▪ Voir encadré ci-dessous

**réserver** / Rezɛrve / **VT** **a** *(= retenir)* chambre, billet to reserve, book **b** *(= garder)* article *pour un client* to keep, save, set aside *(pour for)*; somme d'argent to earmark *(pour for)* **c** *(= limiter)* accès, utilisation, offre to reserve, limit ◆ **réservé à nos clients** reserved for our customers ◆ **tous droits réservés (pour tous pays)** all rights reserved (for all countries) ◆ **réserver à la hausse / baisse** *(Bourse)* to suspend limit up / down.

**réservoir** / Rezɛrvwar / **NM** tank ◆ **réservoir de main-d'œuvre** labour pool.

**résidence** / Rezidɑ̃s / **NF** *(gén)* home; *(Admin)* residence ◆ **résidence principale / secondaire** main/ second home ◆ **indemnité de résidence** weighting allowance ◆ **lieu de résidence** place of residence.

**résident, e** / Rezidɑ̃, ɑ̃t / **NM,F** resident ◆ **résident étranger** foreign national ◆ **résident permanent** permanent resident ◆ **non-résident** non-resident.

**résider** / Rezide / **VI** *(gén)* to live; *(Admin)* to reside ◆ **les étrangers résidant en France** foreign nationals living in France.

**résidu** / Rezidy / **NM** *(gén)* residue; *(Compta)* remainder ◆ **résidus industriels** industrial waste.

**résiduel, -elle** / Rezidɥɛl / **ADJ** residual.

---

*compounds/composés*

## RÉSERVE

◆ **réserve pour amortissement** depreciation allowance
◆ **réserve cachée** hidden reserve
◆ **réserves de change** monetary reserves
◆ **réserve pour créances douteuses** bad debts reserve
◆ **réserves en devises** foreign exchange reserves
◆ **réserves disponibles** available reserve, reserve assets
◆ **réserves sur les exigibilités** *(Banque)* current liabilities reserve
◆ **réserves facultatives** revenue reserves
◆ **la Réserve fédérale (américaine)** the Federal Reserve
◆ **réserve fiscale** reserve for tax liability
◆ **réserve de garantie** contingency reserve
◆ **réserve générale** general reserve, surplus
◆ **réserve pour imprévus** contingency reserve

◆ **réserves indisponibles** undistributable reserve, capital reserve
◆ **réserve latente** hidden reserve
◆ **réserve légale** legal *ou* statutory reserve
◆ **réserve métallique** metallic *ou* bullion reserve
◆ **réserves obligatoires** *(Banque)* reserve requirements
◆ **réserve occulte** hidden reserve
◆ **réserve pour pertes sur prêts** bad loans reserve
◆ **réserve prime d'émission** share premium reserve *ou* account
◆ **réserves prises sur le revenu** revenue reserves
◆ **réserve de propre assureur** self-insurance reserve
◆ **réserve de réévaluation** revaluation reserve
◆ **réserve statutaire** statutory reserve
◆ **réserves de trésorerie** cash reserves
◆ **réserve visible** visible reserve.

**résiliable** /ʀeziljabl(ə)/ ADJ *bail, accord* cancellable, voidable; (= *non renouvelable*) which can be terminated, terminable.

**résiliation** /ʀeziljasjɔ̃/ NF [*bail, accord*] cancellation; (= *non-renouvellement*) termination ◆ **clause de résiliation annuelle** annual termination clause.

**résilier** /ʀezilje/ VT *bail, accord* to cancel, void, rescind; (= *ne pas renouveler*) to terminate.

**résistance** /ʀezistɑ̃s/ NF (*gén*) resistance ◆ **bonne résistance de la Bourse** firmness of the stock market ◆ **résistance des consommateurs** consumer resistance ◆ **résistance à court / moyen terme** (*Bourse*) short-term / medium-term resistance.

**résistant, e** /ʀezistɑ̃, ɑ̃t/ ADJ *cours, titres* firm ◆ **le franc français s'est montré résistant par rapport au mark** the French franc held out *ou* stood firm against the mark.

**résister** /ʀeziste/ VI [*cours, titres*] to stand firm ◆ **l'or a bien résisté** gold stood up well *ou* stood firm.

**résoluble** /ʀezɔlybl(ə)/ ADJ *droit, contrat* cancellable, voidable.

**résolution** /ʀezɔlysjɔ̃/ NF a [*problème*] solution b (= *détermination*) resolution, resolve c (= *motion*) ◆ **adopter une résolution** to pass a resolution d (*Jur*) [*accord*] cancellation, rescission ◆ **action en résolution de contrat** action for annulment *ou* rescission of contract.

**résolutoire** /ʀezɔlytwaʀ/ ADJ (*Jur*) resolutive ◆ **clause résolutoire** resolutive *ou* avoidance *ou* cancellation *ou* defeasance clause ◆ **condition résolutoire** condition of avoidance.

**résonance** /ʀezɔnɑ̃s/ NF (*Mktg*) ◆ **résonance de la marque** brand image.

**résorber** /ʀezɔʀbe/ VT *inflation, chômage* to bring down, reduce ◆ **résorber le déficit** to mop up *ou* absorb the deficit
**se résorber** VPR [*inflation, chômage*] to be brought down *ou* reduced ◆ **le déficit s'est résorbé** the deficit has been mopped up *ou* absorbed.

**résoudre** /ʀezudʀ(ə)/ VT a *problème* to solve; *conflit* to settle, resolve b (*Jur*) *accord* to cancel, annul, terminate, rescind.

**respect** /ʀɛspɛ/ NM [*règlement*] respect, observance (*de* of); [*condition, engagement*] compliance (*de* with); [*délai, date limite*] meeting, respect ◆ **non-respect** [*règlement*] nonobser-

vance; [*condition*] noncompliance; [*date limite*] failure to meet.

**respecter** /ʀɛspɛkte/ VT *règlement* to respect, observe; *condition* to comply with; *engagement* to meet; *délai, date limite* to meet, respect ◆ **faire respecter la loi** to enforce the law ◆ **respecter les délais de livraison** to meet delivery dates *ou* the delivery deadline ◆ **respecter les termes d'un contrat** to abide by the terms of a contract.

**responsabilisation** /ʀɛspɔ̃sabilizasjɔ̃/ NF ◆ **la responsabilisation du personnel** making the staff responsible for their work, giving responsibility to the staff.

**responsabiliser** /ʀɛspɔ̃sabilize/ VT ◆ **responsabiliser qn** to give sb responsibility, make sb aware of his responsibilities, make sb responsible for his work.

**responsabilité** /ʀɛspɔ̃sabilite/ NF a (*gén*) responsibility; (= *fait de devoir rendre des comptes*) accountability ◆ **avoir la responsabilité de qch** to be responsible *ou* accountable for sth ◆ **décliner toute responsabilité** to disclaim all responsibility ◆ **ce travail comporte de grandes responsabilités** this job involves *ou* carries considerable responsibilities ◆ **poste à responsabilité** position of responsibility, responsible job ◆ **la responsabilité incombe à l'expéditeur** the responsibility lies *ou* rests with the consigner ◆ **la maison décline toute responsabilité en cas de vol, notre responsabilité ne saurait être engagée en cas de vol** we accept no responsibility in case of theft ◆ **il a une responsabilité hiérarchique / fonctionnelle dans cette entreprise** he has line / staff responsibility in this company ◆ **la responsabilité ne peut pas être déléguée** responsibility *ou* accountability cannot be delegated b (*Jur*) liability (*de* for) ◆ **responsabilité civile** (civil *ou* legal *ou* third party) liability ◆ **responsabilité civile tiers illimités** total liability ◆ **responsabilité civile d'armateurs et transporteurs** shipowner's liability ◆ **responsabilité conjointe et solidaire** joint and several liability ◆ **recours en responsabilité** third party claim ◆ **responsabilité (civile) produit** product liability ◆ **responsabilité patronale** employer's liability ◆ **responsabilité collective** collective liability ◆ **responsabilité pénale** criminal responsibility ◆ **plafond de responsabilité** limit of liability ◆ **société à responsabilité limitée** limited company, incorporated company.

**responsable** /ʀɛspɔ̃sabl(ə)/ ADJ a (*gén*) responsible (*de* for); (*Gestion* = *devant rendre des comptes*) accountable ◆ **elle est responsable de**

ses décisions she is accountable *ou* responsible for her decisions ◆ **il est responsable du magasin** he is responsible for *ou* in charge of the store ◆ **être tenu (pour) responsable de qch** to be held responsible for sth **b** *(Jur)* liable ◆ **le fabricant est responsable des accidents causés par son produit** the manufacturer is liable for the accidents caused by his product ◆ **il est civilement responsable** he is liable in civil law ◆ **être solidairement responsable** to be jointly and severally liable

**NMF** *(gén)* person in charge; *[service, unité]* head, manager; *[association]* official, executive, officer; *[pays]* leader ◆ **qui est le responsable ici ?** who's the person in charge here? ◆ **le responsable de l'entretien** the maintenance officer, the person in charge of the maintenance ◆ **le responsable des achats** the purchasing manager, the head of the purchasing department, the head buyer ◆ **le responsable des ventes / de la maintenance** the sales / maintenance manager ◆ **nous avons rencontré des responsables de l'industrie** we met with industry leaders *ou* representatives ◆ **responsables syndicaux** trade union officials *ou* leaders.

**ressaisir (se)** /ʀ(ə)seziʀ/ **VPR** *[Bourse, marché]* to rally, pick up, firm up.

**resserrement** /ʀ(ə)sɛʀmɑ̃/ **NM** tightening ◆ **resserrement du crédit** credit squeeze *ou* tightening *ou* crunch ◆ **politique de resserrement du crédit** credit tightening policy, tight credit policy ◆ **resserrement de la hiérarchie** shortening of the lines of command.

**resserrer** /ʀ(ə)seʀe/ **VT** *crédit* to tighten, squeeze, restrict.

**ressort** /ʀ(ə)sɔʀ/ **NM** *(= responsabilité)* responsibility *(Jur = zone géographique)* jurisdiction ◆ **être du ressort de** to be *ou* fall within the competence of, be the responsibility of ◆ **c'est du ressort du directeur financier** that is the financial director's responsibility *ou* job ◆ **en dernier ressort** in the last resort.

**ressortir** /ʀəsɔʀtiʀ/ **VI** ◆ **le BNPA est ressorti à 3 millions d'euros** EPS came out at €3 million.

**ressortissant, e** /ʀ(ə)sɔʀtisɑ̃, ɑ̃t/ **NM,F** national ◆ **ressortissant britannique** British national *ou* citizen.

**ressource** /ʀ(ə)suʀs(ə)/ **NF** resource ◆ **ressources** *(gén)* resources; *(= argent)* resources, means *(Compta : dans un bilan)* funds (available), source of funds ◆ **ressources naturelles / financières / budgétaires / fiscales** natural / financial / budgetary / tax resources ◆ **le**

pétrole est une ressource non renouvelable oil is a depletable *ou* non-renewable resource ◆ **ressources humaines** human resources ◆ **gestion des ressources humaines** human resource management ◆ **ressources personnelles** private means *ou* resources, personal finances ◆ **les ressources de l'État** the financial resources of the state, government resources ◆ **allocation** *ou* **affectation** *ou* **répartition des ressources** resource allocation ◆ **gestion des ressources** resource management ◆ **soumis à une condition de ressources, assorti d'une condition de ressources** *(Admin)* means-tested ◆ **tableau des ressources et emplois** *(Compta)* statement of source and application of funds.

**restaurant** /ʀɛstɔʀɑ̃/ **NM** restaurant ◆ **restaurant d'entreprise** staff canteen *ou* dining-room.

**reste** /ʀɛst(ə)/ **NM** *(gén)* rest; *(Compta)* balance ◆ **le reste du papier** the rest *ou* remainder of the paper, what is left of the paper, the paper which is left over ◆ **rembourser le reste par mensualités** to pay back the balance in monthly instalments ◆ **restes de commande** *(Comm)* back orders.

**restituable** /ʀɛstituabl(ə)/ **ADJ** *somme, taxe* refundable.

**restituer** /ʀɛstitɥe/ **VT** *somme, taxe* to refund ◆ **elle m'a restitué 1 000 euros** she returned 1,000 euros to me, she refunded me 1,000 euros.

**restitution** /ʀɛstitysjɔ̃/ **NF** *[somme, taxe]* refund ◆ **restitution des droits d'entrée** *(Douanes)* drawback ◆ **restitution à l'exportation** *(UE)* export refund.

**restreindre** /ʀɛstʀɛ̃dʀ(ə)/ **VT** *(gén)* to cut back *ou* down, limit, restrict ◆ **restreindre le crédit** to restrict *ou* squeeze *ou* tighten credit.

**restreint, e** /ʀɛstʀɛ̃, ɛ̃t/ **ADJ** *production, personnel, moyens* limited; *crédit* restricted ◆ **acceptation restreinte** *(Fin)* partial acceptance.

**restrictif, -ive** /ʀɛstʀiktif, iv/ **ADJ** restrictive ◆ **clause restrictive** restrictive clause, proviso ◆ **pratiques restrictives** restrictive practices.

**restriction** /ʀɛstʀiksjɔ̃/ **NF** *(= action)* restriction, limiting, limitation; *(= résultat)* restriction ◆ **restriction de concurrence** restraint of trade ◆ **restrictions de crédit** credit restrictions, credit squeeze *ou* crunch *ou* tightening ◆ **restrictions salariales** wage restrictions *ou* restraints ◆ **restrictions budgétaires** budgetary restrictions *ou* cuts ◆ **restrictions sur les importations** import restrictions ◆ **restriction volontaire des salaires / des importations** voluntary wage / import restraint.

**restructuration** /ʀəstʀyktyʀasjɔ̃/   **NF**
restructuring ✦ **les restructurations d'entreprises** corporate restructuring.

**restructurer** /ʀəstʀyktyʀe/ **vt** to restructure.

**résultat** /ʀezylta/ **NM** **a** *(gén)* result ✦ **évaluation
des résultats** performance appraisal ✦ **prime
de résultat** output premium **b** *(Compta)*
*(= chiffres de l'entreprise)* figures, (trading) result; *(= revenu)* income; *(= gains)* earnings;
*(= bénéfice)* profit ✦ **résultat positif** *ou* **bénéficiaire / négatif** *ou* **déficitaire** positive / negative result *ou* figures ✦ **résultat brut** gross
profit ✦ **résultat exceptionnel** extraordinary
item ✦ **résultat d'exploitation** operating profit
✦ **résultat financier** non-operating revenues
and expenses ✦ **résultat net (de l'exercice)** net
profit *ou* income *ou* earnings ✦ **résultat opérationnel** operating profit, earnings before interest and tax, EBIT ✦ **résultat par action** earnings per share ✦ **résultat à répartir** income
summary account ✦ **compte de résultat** income statement, final accounts ✦ **les résultats
des entreprises au premier trimestre sont en
nette amélioration** corporate earnings *ou*
profit showed a strong improvement in the
first quarter.

**résurgence** /ʀezyʀʒɑ̃s/ **NF** resurgence.

**rétablir** /ʀetabliʀ/ **vt** *équilibre* to restore; *personne
dans un poste* to reinstate ✦ **rétablir la situation financière** to put the finances back on an
even keel, right the financial situation
**se rétablir** **VPR** *[situation économique]* to recover.

**rétablissement** /ʀetablismɑ̃/ **NM** *(gén)* restoring;
*[personne dans ses fonctions]* reinstatement;
*[situation économique]* recovery.

**retard** /ʀ(ə)taʀ/ **NM** *[personne]* lateness; *[livraison]*
delay; *[économie, pays]* backwardness ✦ **tout
retard sera sanctionné** *(employé)* lateness will
be punished ✦ **nous sommes en retard sur
notre programme** we are behind schedule
✦ **nous avons du travail / du courrier en retard**
we are behind with our work / mail, we have a
backlog of work / mail ✦ **tout retard dans la
réalisation du projet nous coûtera cher** any
delay in carrying out the project will cost us
dearly ✦ **nous ne pouvons pas accepter les
retards de livraison** we cannot accept delivery
delays *ou* late deliveries ✦ **livrer qch avec
retard** *ou* **en retard** to deliver sth late, be late
(in) delivering sth ✦ **paiement en retard** *(après
la date limite)* late payment; *(non effectué)*
overdue payment ✦ **être en retard dans ses
paiements** to be behind with one's payments,
be in arrears ✦ **commande exécutée avec un**

**retard de 10 jours** order fulfilled 10 days after
the due date ✦ **commandes en retard** back
orders, backlog of orders ✦ **intérêts de retard**
default *ou* penalty interest ✦ **valeur en retard**
*(Bourse)* laggard (stock) ✦ **le pays a un retard
industriel / technologique de 10 ans** the
country is industrially / technologically 10
years behind, the country's industry / technology is 10 years behind ✦ **notre retard technologique sur le Japon diminue** the technological
gap between Japan and us is narrowing.

**retarder** /ʀ(ə)taʀde/ **vt** *réunion, date* to postpone,
defer, put off, put back *(Brit)* ; *projet, vol aérien,
arrivée* to delay ✦ **cette panne nous a retardés**
this breakdown has made us late *ou* has put us
behind schedule ✦ **le train a été retardé** the
train was held up *ou* delayed ✦ **ils ont retardé
le paiement de la facture** they deferred payment of the invoice.

**R et D** *(abrév de* **recherche et développement***)* R &
D.

**retenir** /ʀətniʀ/ **vt** **a** *(= réserver)* *chambre, place,
voiture* to book, reserve **b** *(= déduire)* to deduct,
withhold ✦ **la direction a retenu 100 livres sur
les salaires à la suite de la grève** the management stopped £100 out of wages *ou* docked
*(Brit)* £100 off wages after the strike ✦ **on me
retient 250 euros par mois de cotisations** they
deduct *ou* withhold 250 euros a month (from
my wages) in contributions ✦ **retenir un impôt
à la source** to withhold *ou* deduct a tax at
source **c** *(= arrêter)* to keep, hold up ✦ **les
pièces de rechange ont été retenues à la
frontière** the spares were held up at the
border **d** *(= accepter)* *candidature, offre* to accept.

**rétention** /ʀetɑ̃sjɔ̃/ **NF** *(Jur)* retention ✦ **droit de
rétention** lien ✦ **le paiement est garanti par le
droit de rétention sur la cargaison** payment is
guaranteed by the lien on the cargo.

**retenue** /ʀətny/ **NF** *(= somme prélevée)* deduction,
stoppage* *(Brit)* ✦ **faire** *ou* **opérer une retenue
de 5% sur les revenus** to deduct *ou* withhold
5% from incomes, dock *(Brit)* 5% off incomes
✦ **retenue à la source** deduction *ou* withholding at source ✦ **système de retenue à la source**
withholding tax system *(US)*, pay-as-you-earn
system *(Brit)* ✦ **retenue fiscale** tax withholding,
tax deduction at source ✦ **les tickets restaurant sont payés par retenue sur le salaire**
luncheon vouchers are paid for by salary
deduction *ou* withholding, the cost of luncheon vouchers is deducted *ou* withheld from
the employee's salary ✦ **retenue salariale** pay-

roll deduction ✦ **retenue de Sécurité sociale** social security deduction *ou* withholding.

**réticence** /retisɑ̃s/ **NF** *[investisseurs, syndicats]* reticence.

**réticent, e** /retisɑ̃, ɑ̃t/ **ADJ** reticent.

**retirement** /r(ə)tirmɑ̃/ **NM** *(Mar)* wreck removal ✦ **frais de retirement** wreck removal expenses.

**retirer** /r(ə)tire/ **VT** *argent sur un compte* to withdraw; *objet en gage* to redeem; *marchandises* to collect, pick up; *plainte* to withdraw ✦ **retirer de l'argent de la banque / de son compte** to withdraw money from the bank / from one's account, take money out of the bank / out of one's account ✦ **retirer des marchandises de la douane** to clear goods from customs ✦ **le produit a été retiré du commerce** *ou* **de la vente** the product has been recalled ✦ **retirer un titre de la cote** to delist a share

**se retirer** **VPR** *(= partir en retraite)* to retire; *(= retirer sa candidature)* to withdraw ✦ **se retirer des affaires** to retire from business ✦ **se retirer d'un marché** to pull out of *ou* withdraw from a market.

**retombée** /r(ə)tɔ̃be/ **NF** *(= répercussions)* repercussion, consequence, fallout; *(= résultat)* result, effect; *(= bénéfice)* spin-off ✦ **retombées publicitaires** effects *ou* results of an advertising campaign ✦ **retombées économiques** economic consequences ✦ **les retombées du développement industriel** the spin-off from industrial development.

**rétorsion** /retɔrsjɔ̃/ **NF** retortion, retaliation ✦ **mesures de rétorsion** retaliatory measures, reprisals.

**retour** /r(ə)tur/ **NM** **a** *(gén)* return ✦ **retour à l'excédent de la balance commerciale** return to the black of the trade balance ✦ **retour de l'inflation** re-emergence of inflation ✦ **être de retour** to be back ✦ **en retour** in return ✦ **choc** *ou* **effet en retour** feedback ✦ **retour de bâton** kickback ✦ **retour en force** return in strength ✦ **retour de papier** *(Bourse)* return of paper ✦ **retour de manivelle** backlash ✦ **retour à la case départ** return to square one **b** *(Comm = rendu)* return ✦ **avec faculté de retour** on approval, on sale or return ✦ **retours sur achats** purchase returns ✦ **retours sur ventes** sales returns ✦ **marchandises de retour** returned goods, returns **c** *(= effet impayé)* dishonoured bill, returned bill ✦ **clause de retour** no protest clause ✦ **retour sans frais** protest waived in case of dishonour, "incur no expenses#x201D; **d** *(Fin, Compta = amortissement)* return ✦ **retour sur investissement** re-

turn on investment ✦ **retour sur valeur comptable** return on book value **e** *(Transports)* return ✦ **voyage de retour** *[bateau]* homeward *ou* return voyage; *[train, avion, voiture]* return journey *ou* trip ✦ **sur le voyage du retour** on the way back *ou* home ✦ **(voyage) aller et retour** return journey *ou* trip, round trip *(US)* ✦ **(billet) aller et retour** return ticket, round-trip ticket *(US)* ✦ **chargement de retour** return load *ou* cargo ✦ **retour en charge** loaded return ✦ **retour à vide** empty return ✦ **marché des affrètements en retour** homeward charter market **f** *(Poste)* return ✦ **adresse de retour** return address ✦ **retour à l'expéditeur** return to sender ✦ **répondre par retour (de courrier)** to reply by return (of post) **g** *(Typ)* return ✦ **retour chariot** carriage return ✦ **retour arrière** backspace ✦ **touche de retour chariot** return key ✦ **taper «retour#x00BB;** type "return#x201D;.

**retournement** /r(ə)turnəmɑ̃/ **NM** *(= tendance)* reversal *(de* of) turnaround *(de* in) ✦ **retournement à la baisse** downturn, downswing ✦ **retournement à la hausse** upturn, upswing ✦ **un retournement spectaculaire de la situation financière** a spectacular turnaround in the financial situation.

**retourner** /r(ə)turne/ **VT** *achat, article, lettre* to return, send back ✦ **marchandises retournées** returns, returned goods ✦ **prière de nous retourner le bon de commande dûment rempli** please return the completed order form.

**rétractable** /retraktabl/ **ADJ** ✦ **emballage sous film rétractable** shrink packaging ✦ **emballé sous film rétractable** shrink-wrapped.

**rétractation** /retraktasjɔ̃/ **NF** ✦ **délai de rétractation** cooling-off period.

**retrait** /r(ə)trɛ/ **NM** *[argent]* withdrawal; *[objet en gage]* redemption; *[marchandises]* collection; *[plainte]* withdrawal; *[produit défectueux]* recall ✦ **retrait d'espèces** cash withdrawal ✦ **retrait de fonds** withdrawal of funds *ou* of capital ✦ **retrait massif des dépôts en banque** run on banks ✦ **dépôt sujet à avis de retrait** deposit subject to withdrawal notice, notice deposit ✦ **retrait à vue** withdrawal on demand ✦ **effectuer des retraits partiels** to make partial withdrawals ✦ **le retrait des marchandises pourra s'effectuer lundi prochain** *(gén)* the goods can be collected *ou* picked up next Monday; *(Douanes)* the goods can be cleared (from customs) next Monday ✦ **retrait d'un titre de la cote** delisting of a share ✦ **retrait obligatoire** *(Bourse)* squeeze-out ✦ **les sociétés pétrolières ont été en retrait** *(Bourse)* oil shares suffered a setback ✦ **chiffres en retrait sur les estimations** figures lower than estimated ✦ **ce qui a motivé notre retrait du marché** what caused us to pull out from ou withdraw from the market.

**retraite** /ʀ(ə)tʀɛt/ NF a (= *non-activité*) retirement ✦ **être en** ou **à la retraite** to be retired ou in retirement ✦ **travailleur en retraite** retired worker, pensioner ✦ **mettre qn à la retraite** to pension sb off, superannuate sb, retire sb ✦ **mettre qn à la retraite d'office** to make sb take compulsory retirement ✦ **sa mise à la retraite a eu lieu à 60 ans** he was retired ou pensioned off at 60 ✦ **prendre sa retraite** to retire, go into retirement ✦ **partir en retraite anticipée** to retire early, take early retirement ✦ **départ volontaire à la retraite** voluntary retirement ✦ **le nombre de départs à la retraite a augmenté** the number of employees retiring has increased ✦ **l'âge de la retraite** retirement age ✦ **retraite à la carte** optional retirement b (= *somme*) pension ✦ **toucher** ou **percevoir une retraite** to receive ou draw a pension ✦ **caisse de retraite** retirement ou pension ou superannuation fund ✦ **pension de retraite** retirement pension ✦ **régime** ou **système** ou **plan de retraite** pension plan ou scheme ✦ **régime de retraite par capitalisation** funded pension plan, self-funded retirement plan ✦ **caisse de retraite par répartition** contributory pension scheme ✦ **retraite des cadres** executive retirement plan ✦ **retraite complémentaire** supplementary pension ✦ **retraite vieillesse** old age pension.

**retraité, e** /ʀ(ə)tʀete/ ADJ *personne* retired; *matières* reprocessed
NM,F retired person, retiree, old age pensioner.

**retraitement** /ʀ(ə)tʀɛtmɑ̃/ NM reprocessing.

**retraiter** /ʀ(ə)tʀete/ VT to reprocess.

**retrancher** /ʀ(ə)tʀɑ̃ʃe/ VT *argent* to deduct, dock (Brit), take off ✦ **on m'a retranché 150 euros de mon salaire** they have docked 150 euros off ou deducted 150 euros from my salary ✦ **nous avons retranché 100 euros de la facture** we have deducted ou taken off 100 euros from the bill ✦ **il faut retrancher 100 euros du total** you must subtract 100 euros from the total.

**rétrécir** /ʀetʀesiʀ/ VI, **se rétrécir** VPR [*marché*] to shrink.

**rétrécissement** /ʀetʀesismɑ̃/ NM [*marché*] shrinking.

**rétribuer** /ʀetʀibɥe/ VT *personne* to pay; *travail* to pay for ✦ **rétribuer le travail de qn** to pay sb

for his work, pay for sb's work ✦ **travail bien / mal rétribué** well- / badly-paid job.

**rétribution** /ʀetʀibysjɔ̃/ NF payment.

**rétroactif, -ive** /ʀetʀɔaktif, iv/ ADJ (*gén*) retrospective; (*Jur*) retroactive ✦ **augmentation de salaire avec effet rétroactif au 1ᵉʳ janvier** salary increase backdated to January 1st ✦ **les contrats n'ont pas eu d'effet rétroactif** the contracts were not backdated.

**rétroaction** /ʀetʀɔaksjɔ̃/ NF retrospective effect.

**rétroactivement** /ʀetʀɔaktivmɑ̃/ ADJ (*gén*) retrospectively, in retrospect; (*Jur*) retroactively.

**rétroactivité** /ʀetʀɔaktivite/ NF (*gén*) retrospective effect; (*Jur*) retroactivity ✦ **traitement avec rétroactivité à compter du 1ᵉʳ juin** salary with arrears as from June 1st, salary backdated to June 1st.

**rétrocéder** /ʀetʀɔsede/ VT (= *restituer*) to retrocede, cede back, reconvey, give back; (= *revendre*) to sell off, dispose of ✦ **rétrocéder un prêt** to onlend money loaned.

**rétrocession** /ʀetʀɔsesjɔ̃/ NF (= *restitution*) retrocession, retrocedence, reconveyance; (= *revente*) selling off, disposal ✦ **rétrocession d'une créance** assignment of a claim ✦ **rétrocession d'un prêt** onlending of a loan.

**réunion** /ʀeynjɔ̃/ NF meeting ✦ **à la prochaine réunion du conseil d'administration** at the next board meeting ✦ **réunion-débat** panel discussion ✦ **réunion syndicale** union meeting ✦ **réunion de travail** work ou working session ✦ **conduire** ou **animer / présider / tenir une réunion** to run / chair / hold a meeting ✦ **il est en réunion** he's at ou in a meeting.

**Réunion** /ʀeynjɔ̃/ NF ✦ **(l'île de) la Réunion** Réunion (Island).

**réunionnais, e** /ʀeynjɔnɛ, ɛz/ ADJ of ou from Réunion
**Réunionnais** NM (= *habitant*) inhabitant ou native of Réunion
**Réunionnaise** NF (= *habitante*) inhabitant ou native of Réunion.

**réunir** /ʀeyniʀ/ VT *personnes* to call a meeting of, bring together; *entreprises* to merge; *assemblée* to convene; *fonds* to raise
**se réunir** VPR to meet, have a meeting ✦ **se réunir à huis clos** to meet behind closed doors.

**réussir** /ʀeysiʀ/ VI to succeed, be successful
VT to make a success of.

**réussite** /ʀeysit/ NF success.

**revalorisation** /ʀ(ə)valɔʀizasjɔ̃/ NF [métier] upgrading; [monnaie] revaluation; [salaire] (salary) adjustment; [produit] raising the price of; [stock] revaluation ◆ **la bonne tenue des cours a permis une revalorisation des capitaux investis** the firmness of stock prices has led to growth of the capital invested ◆ **revalorisation des bas salaires** raising ou increase ou adjustment of low wages.

**revaloriser** /ʀ(ə)valɔʀize/ VT métier to upgrade; monnaie to revalue; salaire to raise, adjust; produit to raise the price of; stock to revalue.

**réveiller (se)** /ʀeveje/ VPR [titre] to bounce back to life.

**revendable** /ʀ(ə)vɑ̃dabl(ə)/ ADJ resaleable.

**revendeur, -euse** /ʀ(ə)vɑ̃dœʀ, øz/ NM,F (qui vend au détail) retailer, stockist (Brit), dealer; (qui vend d'occasion) secondhand dealer ◆ **revendeur à la sauvette** tout ◆ **rabais (consenti) aux revendeurs** trade discount.

**revendicateur, -trice** /ʀ(ə)vɑ̃dikatœʀ, tʀis/ ADJ ◆ **prendre une position revendicatrice** to adopt a conflictual stance ◆ **déclaration revendicatrice** declaration of claims.

**revendicatif, -ive** /ʀ(ə)vɑ̃dikatif, iv/ ADJ ◆ **ils ont décidé d'engager une action revendicative** they have decided to launch a protest movement ◆ **journée revendicative** day of protest ◆ **mouvement revendicatif** protest movement ◆ **programme revendicatif** industrial action programme.

**revendication** /ʀ(ə)vɑ̃dikasjɔ̃/ NF claim, demand ◆ **présenter une revendication** to put in a claim ◆ **mouvement de revendication** protest movement, movement of protest ◆ **journée de revendication** day of protest ◆ **revendications salariales** pay ou wage claims.

**revendiquer** /ʀ(ə)vɑ̃dike/ VT to claim, demand ◆ **revendiquer de meilleures conditions de travail** to demand better working conditions ◆ **revendiquer la responsabilité de qch** to claim responsibility for sth.

**revendre** /ʀ(ə)vɑ̃dʀ(ə)/ **VT** **a** (Comm) (à nouveau) to resell, sell again; (au détail) to sell, retail **b** (Bourse) ◆ **revendre un acheteur** to sell out against a buyer ◆ **revendre des actions** to sell out shares
**se revendre** **VPR** to sell ◆ **ça se revend bien** it sells easily ◆ **ce produit se revend 30 euros** this product retails ou sells for €30.

**revenir** /ʀəvniʀ/ **VI** **a** (= être égal) ◆ **revenir à** to amount to, cost, come to ◆ **cela revient à 50 euros** it comes to ou amounts to ou costs

50 euros **b** (= appartenir) ◆ **la somme qui nous revient** the amount due to us ◆ **tous les intérêts te reviendront** all the interest will be yours by right, you'll be entitled to all the interest **c** (= se rétracter) ◆ **revenir sur** offre, décision to go back on.

**revente** /ʀ(ə)vɑ̃t/ NF resale ◆ **valeur à la revente** resale value ◆ **la revente de nos filiales nous a rapporté 100 millions d'euros** the selling up of our subsidiaries brought in 100 million euros ◆ **nous avons procédé à la revente d'une majorité de nos actions** we sold out a majority of our shares ◆ **revente par appartements d'une société** undbundling of a company, piecemeal selling-off of a company.

**revenu** /ʀəvny/ NM [personne] income, earnings (de from); [entreprise] revenue, income; [terre] income; [placement mobilier] income, yield, return ◆ **les revenus du pétrole** oil revenues ◆ **mes revenus pour l'année étaient de...** my income ou earnings for the year amounted to... ◆ **avoir de gros revenus** to have a large income ◆ **impôt sur le revenu** income tax ◆ **il est dans la tranche** ou **la fourchette des hauts revenus** he is in the higher income bracket ◆ **les foyers à faible revenu** ou **à revenu modeste** low-income groups ◆ **impôt sur le revenu des personnes physiques** personal income tax ◆ **déclaration de revenus** income tax return ◆ **ménage à double revenu** two-earner household, dual income household ◆ **politique des revenus** incomes policy ◆ **effet de revenu** income effect ◆ **obligation à revenu fixe / variable** fixed-interest ou fixed yield / variable-interest ou variable-yield bond ▪ Voir encadré page suivante

**reverser** /ʀ(ə)vɛʀse/ VT argent to pay back.

**réversibilité** /ʀevɛʀsibilite/ NF [pension] revertibility.

**réversible** /ʀevɛʀsibl(ə)/ ADJ pension revertible ◆ **rente réversible** survivorship ou two-way annuity.

**réversion** /ʀevɛʀsjɔ̃/ NF (Jur) reversion ◆ **pension de réversion** survivorship pension ◆ **rente viagère avec réversion** survivorship ou two-way annuity.

**revient** /ʀ(ə)vjɛ̃/ NM ◆ **prix de revient** cost price, manufacturing ou production cost ◆ **prix de revient de fabrication, coût de revient usine** manufacturing cost ◆ **prix de revient marginal** marginal ou incremental cost ◆ **calculer le prix de revient de qch** to cost sth ◆ **calcul du prix de revient** costing ◆ **comptabilité de prix de revient** cost accounting.

─────── compounds/composés ───────

**REVENU**

- **revenus agricoles** farm *ou* agricultural income
- **revenus annexes** supplementary *ou* side income
- **revenu annuel** annual *ou* yearly income
- **revenu brut** gross income ◆ **revenu brut d'exploitation** gross operating income
- **revenu du capital** return on capital, capital yield, non-wage *ou* unearned income
- **revenus commerciaux** trading *ou* operating income
- **revenu discrétionnaire** discretionary income
- **revenu disponible** disposable income
- **revenus de l'État** public revenue
- **revenu fiscal** tax revenue
- **revenu foncier** income *ou* revenue from land
- **revenu par habitant** per capita income, income per capita
- **revenu imposable** taxable income
- **revenus industriels et commerciaux** business income

- **revenu intérieur brut** gross domestic income
- **revenus invisibles** invisible earnings
- **revenu locatif** rental
- **revenu marginal** margin income
- **revenus des ménages** household income
- **revenu minimum d'insertion** *income* support
- **revenu mobilier** investment income
- **revenu national** national income ◆ **revenu national au coût des facteurs** national income on costs basis
- **revenu net** net *ou* disposable *ou* spendable income
- **revenus non salariaux** non-wage income, unearned income
- **revenus obligataires** bond income
- **revenus salariaux** earned income, salary
- **revenus sociaux** transfer income
- **revenus de transfert** transfer income
- **revenu du travail** earned income.

**revirement** /ʀ(ə)viʀmɑ̃/ **NM** turn(a)round.

**révisable** /ʀevizabl(ə)/ **ADJ** *prévision* revisable; *salaire* reviewable, adjustable ◆ **prix révisable** price subject to modification.

**réviser** /ʀevize/ **VT** *comptes* to audit, check; *véhicule* to overhaul, service; *prix, salaire* to review, adjust; *projection* to revise; *stratégie* to review, reappraise ◆ **réviser une estimation en hausse / en baisse** to revise an estimate up / down *ou* upwards / downwards.

**réviseur** /ʀevizœʀ/ **NM** *(Fin)* auditor.

**révision** /ʀevizjɔ̃/ **NF** a *[comptes]* *(= action)* auditing, checking; *(= résultat)* audit, check ◆ **révision interne / externe** internal / external audit b *[véhicule]* overhaul, servicing c *[projet]* revision; *[prix, salaire]* adjustment, review; *[stratégie]* review, reappraisal

─────── compounds/composés ───────

- **révision comptable** (financial) audit
- **révision continue** continuous audit
- **révision de fin d'exercice** year-end audit
- **révision périodique** interim audit.

**révocabilité** /ʀevɔkabilite/ **NF** *[contrat]* revocability.

**révocable** /ʀevɔkabl(ə)/ **ADJ** *contrat* revocable, rescindable, rescissible ◆ **crédit documentaire révocable** revocable documentary credit.

**révocation** /ʀevɔkasjɔ̃/ **NF** *[contrat]* revocation, cancellation, rescission; *[personne]* dismissal.

**revoir** /ʀ(ə)vwaʀ/ **VT** *projet, prévision* to revise ◆ **revoir en baisse / en hausse** to revise downwards / upwards.

**revolving** /ʀevɔlviŋ/ **ADJ** ◆ **crédit revolving** revolving credit.

**révoquer** /ʀevɔke/ **VT** *contrat* to revoke, cancel, rescind; *personne* to remove from office, dismiss.

**revue** /ʀ(ə)vy/ **NF** a *(= magazine)* magazine, journal, review ◆ **revue professionnelle** trade journal *ou* review ◆ **revue spécialisée** specialist magazine ◆ **revue d'entreprise** house magazine *ou* organ b *(= examen)* review ◆ **revue de projet** *(Ind)* design review ◆ **année sous revue** year under review.

**Reykjavik** /ʀekjavik/ **N** Reykjavik.

**RF** (abrév de **République française**) French Republic.

**RFA** /ɛʀɛfa/ **NF** (abrév de **République fédérale d'Allemagne**) German Federal Republic, GFR.

**RI** abrév de **règlement immédiat** → **règlement**.

**rial** /ʀijal/ **NM** rial.

**RIB** /ʀib/ **NM** abrév de **relevé d'identité bancaire** → **relevé**.

**riche** /ʀiʃ/ **ADJ** rich, wealthy
**NM,F** rich *ou* wealthy person ◆ **les riches** the rich, the wealthy.

**richesse** /ʀiʃɛs/ **NF** *(= fortune)* wealth; *(= ressource)* resource ◆ **la richesse vive d'une ville** the wealth potentiality of a city ◆ **richesse vive spécifique** specific purchasing power ◆ **ri-**

**chesses naturelles / minières** natural / mining resources.

**riel** /ʀijɛl/ **NM** riel.

**Riga** /ʀiga/ **N** Riga.

**rigidité** /ʀiʒidite/ **NF** rigidity ✦ **rigidité de la demande** inelasticity of demand.

**rigueur** /ʀigœʀ/ **NF** rigour ✦ **rigueur économique** economic austerity ✦ **rigueur salariale** wage restraint ✦ **budget de rigueur** austerity budget ✦ **politique de rigueur** austerity policy ✦ **à retourner avant le 15 juin délai de rigueur** to be sent before the deadline *ou* the final date of June 15th.

**ringgit** /ʀiŋgit/ **NM** ringgit.

**RIP** /ʀip/ **NM** abrév de **relevé d'identité postal** → **relevé.**

**risque** /ʀisk(ə)/ **NM** a *(gén, Fin)* risk ✦ **courir / prendre / comporter un risque** to run / take / involve a risk ✦ **une affaire pleine de risques** a risky *ou* high-risk affair ✦ **ne prendre aucun risque** to take no risks, play it safe ✦ **le goût du risque** a liking for risk-taking ✦ **prime de risque** *(pour un employé)* danger money; *(Bourse)* risk premium ✦ **investissement à risque / à haut risque** risky / high-risk investment ✦ **aux risques de l'expéditeur** at sender's risk ✦ **aux risques et périls du propriétaire** at owner's risk ✦ **capital-risque** risk capital, venture capital ✦ **se couvrir contre le risque de change** to hedge against exchange risk *ou* exposure b *(Ass)* risk ✦ **bon / mauvais risque** good / bad risk ✦ **risque ordinaire / exceptionnel / particulier** ordinary *ou* usual / unusual / particular risk ✦ **assurer / couvrir** *ou* **garantir un risque** to insure / cover *ou* underwrite a risk ✦ **s'assurer contre un risque** to insure oneself against a risk ✦ **gestionnaire de risques** risk manager ✦ **ratio / seuil de risque** risk ratio / threshold ✦ **risques non couverts** *ou* **non garantis** risks not covered ✦ **risque assuré / non assuré** insured / non insured risk ✦ **assurance tous risques** comprehensive insurance, all-in policy

**risqué, e** /ʀiske/ **ADJ** *politique commerciale* risky; *placement* risky, high-risk.

**risquer** /ʀiske/ **VT** to risk.

**ristourne** /ʀistuʀn(ə)/ **NF** a *(= réduction)* rebate, refund, discount; *(= commission)* commission, kickback ✦ **ristourne de prime** *(Ass)* premium refund *ou* rebate ✦ **ristourne de 2% sur le chiffre d'affaires annuel** 2% rebate *ou* return on annual sales figures ✦ **ristourne d'un trop-perçu** return of an amount overpaid ✦ **rabais, remises, ristournes** *(Compta)* sales allowances ✦ **ristourne clandestine** kickback b *(Ass Mar)* policy cancellation.

**ristourner** /ʀistuʀne/ **VT** a *somme* to refund, give a rebate *ou* a refund of ✦ **ils nous ont ristourné 40 euros** they refunded us 40 euros, they gave us a 40 euros rebate b *(Ass Mar) police* to cancel.

**Riyad** /ʀijad/ **N** Riyadh.

**riyal** /ʀijal/ **NM** riyal.

---

*compounds/composés*

RISQUE

| | |
|---|---|
| ✦ **risque d'allèges** craft risk | ✦ **risque locatif** tenant's third-party risk |
| ✦ **risque assurable** insurable risk | ✦ **risque de marché** market risk |
| ✦ **risque calculé** calculated risk | ✦ **risque maritime** marine *ou* maritime risk |
| ✦ **risque de change** exchange *ou* currency risk *ou* exposure | ✦ **risques de mer** sea risks, perils of the sea |
| | ✦ **risques offshore** offshore risks |
| ✦ **risque du client** customer's risk | ✦ **risque-pays** country risk |
| ✦ **risque de collision** collision risk | ✦ **risque de pertes et d'avaries** risk of loss and damage |
| ✦ **risques de construction** builder's risks | |
| ✦ **risque de conversion** translation exposure *ou* risk | ✦ **risques de pollution** pollution risks |
| | ✦ **risque professionnel** occupational hazard |
| ✦ **risque de crédit** insolvency risk | ✦ **risque de port sur corps** hull port risk |
| ✦ **risque de dromes** raft risk | ✦ **risque de signature** credit risk |
| ✦ **risque économique** economic risk | ✦ **risque systémique** systemic risk |
| ✦ **risque financier** financial risk | ✦ **risque de taux** interest-rate risk |
| ✦ **risque du fournisseur** supplier's risk | ✦ **risque de transaction** transaction exposure *ou* risk |
| ✦ **risques de guerre** war risks | |
| ✦ **risque d'incendie** fire risk | ✦ **risque de transbordement** transhipment *ou* transfer risk |
| ✦ **risque d'insolvabilité** insolvency risk | |
| ✦ **risque d'interruption de marché** market shut-off risk | ✦ **risque de transport** transit risk |
| | ✦ **risque de vol** theft risk. |

**RM** abrév de **règlement mensuel** → **règlement.**

**RMI** /ɛʀɛmi/ **NM** abrév de **revenu minimum d'insertion** → **revenu.**

**RN** /ɛʀɛn/ **NM** abrév de **revenu national** → **revenu.**

**robot** /ʀɔbo/ **NM** robot ✦ **robot de la deuxième génération** second-generation robot.

**robotique** /ʀɔbɔtik/ **NF** robotics.

**robotisation** /ʀɔbɔtizasjɔ̃/ **NF** automation, robotisation.

**robotiser** /ʀɔbɔtize/ **VT** to automate, robotize.

**rogner** /ʀɔɲe/ **VT** *salaires* to cut down, pare ✦ **nous allons rogner sur les frais commerciaux** we're going to cut back on selling costs.

**rôle** /ʀol/ **NM** *(Admin = liste)* roll, register ✦ **rôle cadastral** register of landowners ✦ **rôle d'équipage** crew list ✦ **rôle des impôts** tax assessment register, tax list *ou* roll.

**Rome** /ʀɔm/ **N** Rome.

**rompre** /ʀɔ̃pʀ(ə)/ **VT** *relations, négociations* to break off; *traité, marché, contrat* to break
**VI** **rompre avec qn** to break with sb, break off one's relations with sb.

**rompu** /ʀɔ̃py/ **NM** *(Bourse)* fractional share ✦ **rompus** odd lots ✦ **actions formant rompus** fractional shares, odd lots.

**rond, e** /ʀɔ̃, ʀɔ̃d/ **ADJ** round ✦ **chiffre rond** round number *ou* figure ✦ **en chiffres ronds** in round figures ✦ **cela fait 20 euros tout rond** it comes to exactly 20 euros.

**rossignol** /ʀɔsiɲɔl/ **NM** *(\* : Comm)* unsaleable article, shelf-warmer\*.

**rotation** /ʀɔtasjɔ̃/ **NF** *(Ind, Comm)* turnover, rotation; *(Transports)* turnround *(Brit)*, turnaround *(US)* ✦ **rotation des stocks** stock turnover *ou* rotation, inventory turnover *(US)* ✦ **la rotation du personnel** *(d'un poste de travail à un autre)* the rotation of staff; *(quittant ou entrant dans l'entreprise)* staff turnover ✦ **rotation de la main-d'œuvre** labour turnover ✦ **rotation des postes** job rotation ✦ **rotation du capital** turnover of capital, capital turnover ✦ **rotation de l'actif / des comptes clients** asset / accounts receivable turnover ✦ **effectuer plusieurs rotations par semaine** *[bateau, camion, avion]* to make several turnrounds per week.

**rouage** /ʀwaʒ/ **NM** cog ✦ **il n'est qu'un rouage** he's only a cog in the machine ✦ **les rouages administratifs** the administrative machinery ✦ **elle connaît tous les rouages de l'administration française** she knows all the workings of the French civil service ✦ **les rouages de**

**l'entreprise** the wheels *ou* workings of the company.

**rouble** /ʀubl(ə)/ **NM** rouble, ruble.

**rouge** /ʀuʒ/ **NM** red ✦ **être dans le rouge** to be in the red ✦ **sortir du rouge** to get out of the red ✦ **tous les indicateurs sont au rouge** indicators are flashing.

**roulage** /ʀulaʒ/ **NM** haulage ✦ **entreprise de roulage** road transport company, haulage company *(Brit)*, haulier *(Brit)*, trucking company *(US)*.

**roulant, e** /ʀulɑ̃, ɑ̃t/ **ADJ** ✦ **matériel roulant** rolling stock ✦ **capitaux roulants** circulating capital.

**roulement** /ʀulmɑ̃/ **NM** a *(Ind)* *[personnel]* rotation ✦ **nous avons établi un roulement pour les permanences du samedi matin** we have set up a rota for Saturday morning duty b *(Fin)* *[capital]* circulation ✦ **fonds de roulement** working *ou* operating capital ✦ **actif de roulement** current assets.

**roulier** /ʀulje/ **NM** roll-on-roll-off ship.

**roumain, e** /ʀumɛ̃, ɛn/ **ADJ** Rumanian, Romanian **NM** *(= langue)* Rumanian, Romanian
**Roumain** **NM** *(= habitant)* Rumanian, Romanian
**Roumaine** **NF** *(= habitante)* Rumanian, Romanian.

**Roumanie** /ʀumani/ **NF** Rumania, Romania.

**roupie** /ʀupi/ **NF** rupee.

**routage** /ʀutaʒ/ **NM** routing, dispatching ✦ **entreprise / service de routage** routing firm / service.

**route** /ʀut/ **NF** a *(= axe routier)* road ✦ **transport par route** road transport ✦ **transporter par route** to transport *ou* ship by road ✦ **la route concurrence le train** *ou* **le rail** road (transport) is in competition with the train *ou* rail ✦ **feuille de route** waybill ✦ **frais de route** travelling expenses b *(= itinéraire)* route ✦ **route aérienne / maritime** air / sea route ✦ **route commerciale** trade route c **mettre en route** *machine économique, entreprise* to start (up), get going, get under way ✦ **dépenses de mise en route** start-up costs ✦ **tenir la route** *[projet]* to hold water, hold together; *[équipement]* to be good quality.

**router** /ʀute/ **VT** to pack and mail, dispatch.

**routeur** /ʀutœʀ/ **NM** *(= société)* routing firm; *(Inf)* router.

**routier, -ière** /ʀutje, jɛʀ/ **ADJ** road ✦ **transport routier** road transport *ou* haulage ✦ **entrepreneur de transports routiers** road-haulier *ou* hauler *(US)* haulage contractor ✦ **entreprise de transports routiers** road transport company, haulage company *(Brit)*, trucking company *(US)* ◆ **gare routière** *[camions]* haulage depot; *[autocars]* coach *(Brit)* ou bus *(US)* station **NM** (long-distance) lorry *(Brit)* ou truck *(US)* driver.

**routine** /ʀutin/ **NF** routine ◆ **entretien / visite de routine** routine maintenance / visit.

**routinier, -ière** /ʀutinje, jɛʀ/ **ADJ** *travail* routine.

**rouvrir** /ʀuvʀiʀ/ **VTI** to reopen, open again.

**royalties** /ʀwajalti/ **NFPL** royalties.

**Royaume-Uni** /ʀwajomyni/ **NM** ◆ **le Royaume-Uni (de Grande-Bretagne et d'Irlande du Nord)** the United Kingdom (of Great Britain and Northern Ireland).

**RP** /ɛʀpe/ **NFPL** (abrév de **relations publiques**) PR.

**Rp** (abrév de **réponse payée**) reply paid.

**RSA** /ɛʀɛsa/ **NM** (abrév de **revenu de solidarité active**) ≈ income support.

**RSI** /ɛʀɛsi/ **NM** (abrév de **retour sur investissement**) ROI.

**RSS** /ɛʀɛsɛs/ **NM** (abrév de **really simple syndication**) RSS ◆ **flux** ou **format RSS** RSS feed ou flow.

**RSVP** /ɛʀɛsvepe/ (abrév de **répondez s'il vous plaît**) reply requested.

**Rte** abrév de **route**.

**RTT** /ɛʀtete/ **NF** abrév de **réduction du temps de travail** → **réduction**.

**RU** (abrév de **Royaume-Uni**) UK.

**rubis** /ʀybi/ **NM** ruby ◆ **payer rubis sur l'ongle** to pay cash on the nail.

**rubrique** /ʀybʀik/ **NF** *[journal]* column; *[document]* heading.

**ruée** /ʀɥe/ **NF** rush ◆ **la ruée vers l'or** the gold rush ◆ **une ruée sur les banques** a run on banks.

**rufiyaa** /ʀyfijaa/ **NF** rufiyaa.

**ruine** /ʀɥin/ **NF** ruin.

**ruiner** /ʀɥine/ **VT** to ruin.

**ruineux, -euse** /ʀɥinø, øz/ **ADJ** ruinous.

**rupiah** /ʀypja/ **NF** rupiah.

**rupture** /ʀyptyʀ/ **NF** break ◆ **la rupture des relations commerciales** the breaking off ou severing ou severance of trade relations ◆ **la rupture des négociations** the breaking off ou the breakdown of negotiations ◆ **rupture de contrat** breach of contract ◆ **la rupture de la courbe haussière est intervenue le 15 mai** the bull trend broke on 15 May ◆ **nous avons atteint le point de rupture** we have reached breaking point ◆ **charge de rupture** breaking load ◆ **rupture de stock** *(Comm, Ind)* stock ou inventory shortage; *(Ind)* stockout, outage ◆ **nous sommes en rupture de stock pour cet article** this article is out of stock, we are out of stock for this article ◆ **rupture de charge** *(Ind)* break in production; *(Mar)* cargo transhipment.

**russe** /ʀys/ **ADJ** Russian **NM** *(= langue)* Russian **Russe** **NMF** *(= habitant)* Russian.

**Russie** /ʀysi/ **NF** Russia.

**RV** abrév de **rendez-vous**.

**Rwanda** /ʀwɑ̃da/ **NM** Rwanda.

**rwandais, e** /ʀwɑ̃dɛ, ɛz/ **ADJ** Rwandan **Rwandais** **NM** *(= habitant)* Rwandan **Rwandaise** **NF** *(= habitante)* Rwandan.

**rythme** /ʀitm(ə)/ **NM** *(= cadence)* rate ◆ **rythme de production / de travail** rate of production / of work ◆ **rythme d'adoption d'un produit** product adoption ou acceptance pace ◆ **produire au rythme de 100 unités par heure** to produce at the rate of 100 units an hour ◆ **le rythme des commandes s'est ralenti** the order rate ou the rate of ordering has slowed down.

# S

**s** / abrév de **sur**.

**SA** /ɛsa/ **NF** (abrév de **société anonyme**) limited liability company; *(ouverte au public)* public limited company ◆ **Marchand SA** Marchand Ltd *(Brit)*, Marchand Inc. *(US)* ; *(ouverte au public)* Marchand Plc.

**sabordage** /sabɔʀdaʒ/ **NM**, **sabordement** **NM** *[entreprise]* winding up, shutting down.

**saborder** /sabɔʀde/ **VT**, **se saborder** **VPR** *[chef d'entreprise]* to wind up, shut down.

**sabotage** /sabɔtaʒ/ **NM** *[machine, négociation]* sabotage; *[travail]* botching ◆ **c'est du sabotage** it's an act of sabotage.

**saboter** /sabɔte/ **VT** *machine, négociation* to sabotage; *travail* to botch.

**sabrer** /sɑbʀe/ **VT** **a** (= réduire) *budget, dépenses* to slash, cut, axe **b** (= renvoyer) to fire, kick out*, give the sack to*.

**sac** /sak/ **NM** *(gén)* bag; *(grand)* sack ◆ **sac en plastique** plastic bag ◆ **sac à pommes de terre** potato sack ◆ **sac de pommes de terre** sack *ou* sack ful of potatoes ◆ **sac postal** postbag *(Brit)*, mailbag.

**sacquer** * /sake/ **VT** *employé* to fire, kick out*, give the sack to* ◆ **se faire sacquer** to get the sack.

**sacrifice** /sakʀifis/ **NM** sacrifice ◆ **sacrifice d'avarie commune** *(Ass Mar)* general average sacrifice.

**sacrifié, e** /sakʀifje/ **ADJ** sacrificed; *(Comm)* ◆ **articles sacrifiés** giveaways*, articles sold at knockdown prices, loss leaders ◆ **prix sacrifiés** knockdown prices; *(dans une annonce)* prices slashed.

**sacrifier** /sakʀifje/ **VT** *marchandises* to give away (at a knockdown price).

**saignée** /seɲe/ **NF** *[budget]* huge *ou* savage cut (à, dans in)

**sain, saine** /sɛ̃, sɛn/ **ADJ** *entreprise, économie* sound, healthy; *gestion, monnaie* sound ◆ **entreprise financièrement saine** financially sound company, well capitalized company.

**Saint-Domingue** /sɛ̃dɔmɛ̃g/ **N** Santo Domingo.

**saisi, e** /sezi/ **NM,F** *(Jur)* distrainee ◆ **tiers saisi** garnishee.

**saisie** /sezi/ **NF** **a** *[biens]* seizure, impoundment; *[personne]* seizure; *[personne tierce]* garnishment; *[meubles]* distraint, distress, attachment; *[immeubles]* attachment; *[navires]* embargo; *[marchandises prohibées, publication]* seizure, confiscation; *[hypothèque]* foreclosure ◆ **lever la saisie** to withdraw the seizure ◆ **opérer une saisie** to levy a distress ◆ **mainlevée de saisie** replevin ◆ **ordonnance de saisie** writ of execution; *(sur un tiers)* garnishee order ◆ **procès-verbal de saisie** minutes of seizure ◆ **vente sur saisie** foreclosure sale **b** *(Inf)* ◆ **saisie des données** data entry *ou* capture ◆ **écran de saisie** data entry screen ◆ **opérateur de saisie** keyboard operator, keyboarder ◆ **unité de saisie** data entry unit *ou* device *ou* terminal

─── compounds/composés ───
◆ **saisie-arrêt**, **PL** **saisies-arrêts** attachment (order), garnishee order, garnishment
◆ **saisie-brandon**, **PL** **saisies-brandons** distraint by seizure of crops
◆ **saisie conservatoire** seizure of goods *(for security)*

◆ **saisie-exécution,** PL **saisies-exécutions** distraint *ou* distress *ou* attachment for sale by court order
◆ **saisie fiscale** execution for taxes
◆ **saisie immobilière** attachment *ou* seizure of real *ou* immovable estate; *(en cas d'hypothèque)* foreclosure
◆ **saisie judiciaire** seizure *ou* attachment by court order
◆ **saisie mobilière** seizure *ou* attachment of movable property
◆ **saisie de navire** embargo
◆ **saisie sur protêt** seizure under protest
◆ **saisie provisoire** provisional seizure
◆ **saisie-revendication,** PL **saisies-revendications** seizure under a prior claim.

**saisine** /sezin/ NF ◆ **la saisine d'un tribunal** the submission *ou* referral of a case to a tribunal.

**saisir** /seziR/ VT a (= *prendre*) to take hold of, catch hold of ◆ **saisir une occasion** to jump at an opportunity, avail o.s. of an opportunity, snap up an opportunity b *(Jur)* biens to seize, impound; *personne* to seize; *meubles* to distrain (upon), attach; *immeubles* to attach; *navire* to lay an embargo upon; *marchandises prohibées, publication* to seize, confiscate; *hypothèque* to foreclose ◆ **saisir une créance** to attach a debt c **saisir un tribunal** to submit *ou* refer a case to a tribunal ◆ **les prud'hommes ont été saisis de l'affaire** the case was submitted to *ou* referred to the industrial tribunal, a complaint was made to the industrial tribunal d *(Inf)* données to enter, key in, capture.

**saisissable** /sezisabl(ə)/ ADJ *(Jur)* revenus, immeubles attachable; *biens* distrainable, impoundable.

**saisissant, e** /sezisã, ãt/ ADJ *(Jur)* distraining NM,F *(Jur)* distrainer.

**saison** /sezɔ̃/ NF season ◆ **la saison touristique** the tourist season ◆ **la saison de Noël** the Christmas season ◆ **la morte saison, la saison creuse, la basse saison** the dead *ou* off *ou* slack season ◆ **la haute** *ou* **pleine saison** the high *ou* peak season ◆ **en (haute) saison nous relevons nos prix** at the height of the season *ou* during the high season we raise our prices ◆ **tarifs hors saison** *ou* **basse saison** off-season *ou* off-peak rates ◆ **prendre ses vacances hors saison** *ou* **en basse saison** to go on holiday in the off season *ou* low season ◆ **soldes de fin de saison** end-of-season *ou* clearance sale.

**saisonnalité** /sezɔnalite/ NF ◆ **à cause de la saisonnalité de leur activité** because of the seasonal nature of their business ◆ **coefficient de saisonnalité** *(Ind, Stat)* seasonal weighting.

**saisonnier, -ière** /sezɔnje, jɛR/ ADJ chômage, prix, demande, travail, variations seasonal ◆ **données corrigées des variations saisonnières** seasonally adjusted figures NM,F seasonal worker.

**salaire** /salɛR/ NM salary, pay, wage(s) ◆ **les salaires** *(Écon)* wages ◆ **famille à salaire unique / à deux salaires** single-income / double-income family ◆ **toucher le salaire unique** *ou* **l'allocation de salaire unique** ≈ to get supplementary benefit *(Brit)* ◆ **ils gagnent deux salaires** they have a double income ◆ **toucher** *ou* **percevoir un salaire de 3 000 euros par mois** to draw a salary of 3,000 euros a month ◆ **bloquer les salaires** to freeze wages ◆ **les salaires ont dérapé en mars** wages rose *ou* drifted in March ◆ **la spirale des prix et des salaires** the wage-price spiral ◆ **salaires et traitements** *(Compta)* wages and salaries ◆ **salaires à payer en mars** *(Compta)* the March payroll *ou* wage bill ◆ **retenir qch sur le salaire de qn** to deduct sth from sb's salary *ou* wages ◆ **salaire indifférent** *(demande d'emploi)* salary no object ◆ ac-

───── *compounds/composés* ─────

◆ **salaire de base** basic *ou* base salary *ou* wage *ou* pay
◆ **salaire brut** gross salary *ou* wages *ou* pay
◆ **salaire de départ** starting salary
◆ **salaire différé** deferred salary, benefits
◆ **salaire d'embauche** starting salary, entry salary
◆ **salaire extra-conventionnel** extra-contractual wage
◆ **salaire à forfait, salaire forfaitaire** time *ou* job wage
◆ **salaire hebdomadaire** weekly wage *ou* pay
◆ **salaire horaire** hourly wage *ou* pay
◆ **salaire indexé** index-linked wage *ou* salary
◆ **salaire indirect** benefits
◆ **salaire journalier** daily wage *ou* pay
◆ **salaire mensuel** monthly salary
◆ **salaire minimum** minimum wage ◆ **salaire minimum agricole garanti** *minimum guaranteed wage for those employed in agriculture* ◆ **salaire minimum interprofessionnel de croissance** *index-linked minimum growth wage(s)* ◆ **salaire minimum interprofessionnel garanti** *index-linked minimum guaranteed wage(s)*
◆ **salaire de misère** starvation wage(s)
◆ **salaire en nature** remuneration in kind
◆ **salaire net** net salary, takehome pay
◆ **salaire nominal** *(Écon)* nominal wage, money wage
◆ **salaire à la pièce** *ou* **aux pièces** piece wage
◆ **salaire à prime** incentive wage *ou* pay
◆ **salaire réel** *(Écon)* real wage
◆ **salaire au rendement** incentive wage *ou* pay
◆ **salaire social** social wage
◆ **salaire supplémentaire** extra pay
◆ **salaire à la tâche** piece wage.

cord sur les salaires wage agreement ◆ **aligne-ment des salaires** adjustment of wages ◆ **ar-riéré de salaire** back pay, wage arrears ◆ **bulle-tin** *ou* **feuille / échelle** *ou* **grille de salaire** pay slip / scale ◆ **politique / freinage / blocage des salaires** wage policy / restraint / freeze ◆ **aug-mentation** *ou* **hausse de salaire** salary *ou* wage *ou* pay increase, raise in salary, pay raise, wage *ou* pay hike *(US)* ◆ **bonification de salaire** wage bonus ◆ **bordereau de salaire** pay sheet ◆ **complément de salaire** wage supplement, fringe benefit ◆ **éventail des salaires** salary range, wage spread *(US)* ◆ **les hauts salaires** high earners ◆ **les bas salaires** low-income categories, people with low wages.

**salarial, e,** MPL **-aux** /salaʀjal, o/ ADJ wage, salary ◆ **coûts salariaux unitaires** unit labour costs ◆ **charges** *ou* **dépenses salariales** pay load, wage expenditures, payroll expenditures *ou* charges ◆ **conflits salariaux** wage disputes ◆ **convention salariale** wage agreement, wage pact *(US)* ◆ **enveloppe salariale** wage bill ◆ **fourchette salariale** wage bracket ◆ **hiérar-chie salariale** salary *ou* wage structure ◆ **masse salariale** wage bill, payroll, pay packet ◆ **revendication salariale** wage claim *ou* de-mand ◆ **taxe sur la masse salariale** payroll tax ◆ **négociations salariales** wage negotiations, pay talks ◆ **politique salariale** wage *ou* pay policy ◆ **revenus salariaux / non salariaux** *(Impôts)* earned / unearned income.

**salariat** /salaʀja/ NM a *(= salariés)* salaried class, wage earning class, wage earners b *(= mode de paiement)* payment by salary *ou* by wages.

**salarié, e** /salaʀje/ ADJ a *personne* salaried ◆ **le personnel salarié** the salaried staff *ou* person-nel b *travail* paid
NM,F salaried employee, wage earner ◆ **les sala-riés** *(Écon)* wage earners; *(dans une entreprise)* the salaried staff *ou* personnel.

**salarier** /salaʀje/ VT to put on the payroll, put on a salary.

**salarisation** /salaʀizasjɔ̃/ NF ◆ **la salarisation (progressive) de l'économie** the growth of the wage-earning class in the economy.

**saler** * /sale/ VT *addition* to bump up* ◆ **la note est plutôt salée** the bill is pretty hefty*.

**salle** /sal/ NF room

─── compounds/composés ───
◆ **salle d'accueil** reception room
◆ **salle d'attente** waiting room
◆ **salle d'audience** courtroom
◆ **salle de change** *(Bourse)* trading room
◆ **salle de conférences** lecture *ou* conference room
◆ **salle du conseil** board room
◆ **salle d'embarquement** departure lounge
◆ **salle d'exposition** showroom
◆ **salle des marchés** *ou* **des opérations** *(Bourse)* trading room, dealing room
◆ **salle de projection** film theatre; *(dans une en-treprise)* viewing room
◆ **salle de réception** reception *ou* function room
◆ **salle de réunion** conference room
◆ **salle de trading** *(Bourse)* trading room
◆ **salle des ventes** sale(s)room, auction room.

**salon** /salɔ̃/ NM a *[maison]* lounge *(Brit)*, sitting *ou* living room; *[hôtel]* lounge; *(pour conféren-ces, réceptions)* function room b *(= exposition)* **Salon** exhibition, show, trade fair

─── compounds/composés ───
◆ **Salon des arts ménagers** ≈ Ideal Home Exhi-bition
◆ **Salon de l'automobile** Motor *ou* Car Show
◆ **Salon professionnel** trade fair.

**salutations** /salytasjɔ̃/ NFPL *(fin de lettre)* ◆ **veuillez agréer, Monsieur, mes salutations distinguées** yours faithfully *ou* truly.

**Salvador** /salvadɔʀ/ NM ◆ **le Salvador** El Salva-dor.

**salvadorien, -ienne** /salvadɔʀjɛ̃, jɛn/ ADJ Salva-dorian
**Salvadorien** NM *(= habitant)* Salvadorian
**Salvadorienne** NF *(= habitante)* Salvadorian.

**samedi** /samdi/ NM Saturday ◆ **samedi prochain** next Saturday, Saturday next ◆ **samedi dernier** last Saturday ◆ **le premier / dernier samedi du mois** the first / last Saturday of *ou* in the month ◆ **un samedi sur deux** every other *ou* second Saturday ◆ **l'exposition commencera le samedi 14 mars** the exhibition will start on Saturday March 14th ◆ **le samedi précédent** the previous Saturday ◆ **le samedi suivant** the next *ou* following Saturday ◆ **samedi matin / soir** Saturday morning / evening ◆ **samedi en huit / en quinze** a week / two weeks on *(Brit)* *ou* from *(US)* Saturday.

**sanction** /sɑ̃ksjɔ̃/ NF a *(Pol, Écon = mesure)* sanc-tion; *(= pénalité)* penalty; *(= punition)* punish-ment ◆ **prendre des sanctions** to impose sanc-tions ◆ **sanctions administratives** administra-tive penalties ◆ **sanctions économiques**

economic sanctions ✦ **sanctions fiscales** tax penalties, penalties for tax evasion ✦ **sanctions pécuniaires** financial sanctions ✦ **la sanction ne s'est pas fait attendre, le titre a baissé** the punishment wasn't slow in coming, the share fell in price **b** *(= approbation)* sanction, approval ✦ **sanction juridique** legal recognition ✦ **notre innovation a reçu la sanction du marché** our innovation has met with the approval of the market *ou* with market approval, our innovation has stood the test of the market.

**sanctionner** /sɑ̃ksjɔne/ **VT a** *(= punir)* to punish ✦ **le titre a été sévèrement sanctionné par les opérateurs** the share was badly punished by the market **b** *(= confirmer) (gén)* to sanction, approve; *loi* to sanction ✦ **le programme est sanctionné par un diplôme** a degree is awarded upon completion of the programme.

**sandwich,** PL **sandwichs** *ou* **sandwiches** /sɑ̃dwitʃ, sɑ̃dwiʃ/ **NM** ✦ **homme-sandwich** sandwich man.

**San José** /sɑ̃ʒɔze/ **N** San José.

**San Juan** /sɑ̃ʒwɑ̃/ **N** San Juan.

**sans** /sɑ̃/ **PRÉP** without

---
*compounds/composés*

- ✦ **sans-abri** NMF INV homeless person ✦ **les sans-abri** the homeless
- ✦ **sans cotation** *(Bourse)* unquoted, no quotation
- ✦ **sans coupon** ex-right
- ✦ **sans date** undated
- ✦ **sans domicile fixe** of no fixed abode ✦ **les sans domicile fixe** the homeless
- ✦ **sans droit d'entrée** *(Fin)* no-load
- ✦ **sans-emploi** NMF INV unemployed person ✦ **les sans-emploi** the unemployed, the jobless
- ✦ **sans étiquette** *article* unlabelled
- ✦ **sans frais** without charges
- ✦ **sans garantie** *produit* without guarantee; *emprunt, dette* unsecured ✦ **sans garantie du gouvernement** *brevet* without Government warranty of quality
- ✦ **sans nouvelles** *(Mar)* missing
- ✦ **sans objet** not applicable
- ✦ **sans préavis** without notice *ou* warning
- ✦ **sans prix** *(= non marqué) article* unpriced
- ✦ **sans provision** no funds
- ✦ **sans travail** ≈ sans-emploi
- ✦ **sans transactions** *(Bourse)* no dealing.

---

**San Salvador** /sɑ̃salvadɔʀ/ **N** San Salvador.

**santé** /sɑ̃te/ **NF** health ✦ **la santé publique** public health ✦ **la santé** *(Mar)* the quarantine service

✦ **bonne santé financière** good financial health.

**Santiago** /sɑ̃tjago/ **N** Santiago.

**saper** /sape/ **VT** to undermine, sap ✦ **l'inflation sape notre pouvoir d'achat** inflation undermines *ou* undercuts our purchasing power.

**sapiteur** /[sapitœʀ/ **NM** *(Ass Mar)* valuer.

**saquer** */sake/ **VT** ≈ sacquer.

**SARL** /ɛsaɛʀɛl/ **NF** (abrév de **société à responsabilité limitée**) limited liability company, private limited company ✦ **Marchand SARL** Marchand Ltd *(Brit)*, Marchand Inc. *(US)*.

**satellisation** /satelizasjɔ̃/ **NF** ✦ **la satellisation des consommateurs** the creation of consumer dependence ✦ **la satellisation des entreprises** the creation of satellite companies.

**satelliser** /satelize/ **VT** *pays* to make a satellite of; *consommateurs* to make dependent ✦ **ils ont satellisé d'autres entreprises dans leur secteur** they have created a number of satellite companies in their sector.

**satellite** /satelit/ **NM** satellite ✦ **satellite de télécommunications** telecommunications satellite ✦ **pays / industrie / société / ville satellite** satellite country / industry / company / town.

**satisfaction** /satisfaksjɔ̃/ **NF** *[personne, besoin, demande]* satisfaction ✦ **donner (toute** *ou* **entière) satisfaction à qn** to give (complete) satisfaction to sb, satisfy (sb) completely ✦ **échelle de satisfaction** rating scale ✦ **taux de satisfaction** degree of satisfaction ✦ **satisfaction du consommateur** consumer satisfaction ✦ **demander / obtenir satisfaction** to demand / get *ou* obtain satisfaction.

**satisfaire** /satisfɛʀ/ **VT** *client, créancier* to satisfy ✦ **satisfaire la demande d'un produit** to satisfy *ou* meet *ou* keep up with the demand for a product ✦ **satisfaire les besoins de ses clients** to satisfy one's customers' needs, cater for one's customers' needs

**satisfaire à** **VT INDIR** *besoin* to satisfy; *demande* to satisfy, meet, keep up with; *engagement, condition* to fulfil, meet; *normes* to comply with, meet ✦ **ce composant satisfait à toutes nos conditions** this component complies with *ou* meets *ou* fulfils *ou* satisfies all our requirements ✦ **avez-vous satisfait aux procédures d'inscription ?** have you fulfilled the registration requirements *ou* procedures? ✦ **satisfaire aux critères pour toucher l'allocation chômage** to be eligible for unemployment benefit.

**satisfaisant, e** /satisfəzɑ̃, ɑ̃t/ **ADJ** *résultats* satisfactory.

**satisfait, e** /satisfɛ, ɛt/ **ADJ** satisfied ✦ **être satisfait de qch / qn** to be satisfied with sth / sb

**satisfait ou remboursé** satisfied or reimbursed, satisfaction or your money back **demandes d'emploi non satisfaites** unfilled job applications.

**saturation** /satyʀasjɔ̃/ NF saturation **être / arriver à saturation** to be at / reach saturation point **point de saturation** saturation point **saturation du marché** market saturation ou glut **campagne de saturation** (Pub) saturation campaign.

**saturer** /satyʀe/ VT to saturate (de with) **saturer le marché** to saturate ou glut the market **être saturé** [réseau téléphonique] to be saturated ou overloaded; [standard] to be jammed; [services administratifs] to be overloaded **les lignes sont saturées** (Téléc) all the lines are engaged (Brit) ou busy (US) **le marché est saturé** the market is saturated, there is a glut on the market.

**sauf** /sof/ PRÉP except, save **sauf accord** ou **convention contraire** (Jur) unless otherwise agreed **sauf avis contraire** (de vous) unless we hear to the contrary; (de nous) unless you hear to the contrary **sauf bonne fin** (Fin) under usual reserve **sauf dispositions contraires** except as otherwise provided, unless provisions are made to the contrary **sauf erreur de notre part** barring error on our part **sauf erreur ou omission** errors and omissions excepted **sauf imprévu** unless anything unforeseen happens, barring unforeseen circumstances **sauf mieux** (Bourse) or better **sauf stipulations expresses** unless expressly stipulated **sauf stipulation contraire** unless otherwise stipulated ou specified **sauf vendu** (Comm) if unsold, subject to prior sale.

**saupoudrage** /sopudʀaʒ/ NM [crédits] sprinkling.

**saupoudrer** /sopudʀe/ VT crédits to sprinkle.

**saut** /so/ NM jump, leap **saut de ligne** (Inf) linefeed **saut de papier** (Inf) (paper) slew ou throw.

**sauter** /sote/ VI **a** to jump **sauter une ligne** to skip a line **sauter sur une occasion** to jump ou leap at an opportunity, snap up an opportunity **b** (* : [banque]) to crash, fail **c** (* = être renvoyé) [employé] to get the boot*, get kicked out* **faire sauter qn** to fire sb, kick sb out*.

**sauvage** /sovaʒ/ ADJ (= illicite) vente unauthorized; urbanisation unplanned, uncontrolled **capitalisme sauvage** unrestrained capitalism **grève sauvage** wildcat ou unofficial strike **concurrence sauvage** unfair ou cut-throat ou unrestrained competition.

**sauvegarde** /sovgaʀd(ə)/ NF **a** (gén) safeguard **sous la sauvegarde de** under the safeguard of **clause de sauvegarde** saving ou safeguard ou hedge (US) clause **mesure de sauvegarde** safeguard measure **sauvegarde de l'emploi** job preservation **b** (Inf) (= action) saving; (= résultat) backup **faire la sauvegarde d'un programme** to save a program, make a backup of a program **disquette / fichier / copie de sauvegarde** backup diskette / file / copy **zone de sauvegarde** save field.

**sauvegarder** /sovgaʀde/ VT (gén) to safeguard; (Inf) to save, make a backup (copy) of.

**sauvetage** /sovtaʒ/ NM [personnes, société] rescue; [biens, navire, cargaison] salvaging, salvage **opérer le sauvetage de** [personnes] rescue; [biens] to salvage **frais de sauvetage** (Mar) salvage charges **entreprise de sauvetage** salvage company **opération / plan de sauvetage** rescue operation / plan.

**sauveteur** /sovtœʀ/ NM rescuer **sauveteur d'entreprises** company fixer, rescuer of ailing companies, corporate turnaround specialist.

**sauvette** /sovɛt/ NF **vendeur à la sauvette** (gén) street hawker; (de billets) ticket tout **vendre à la sauvette** (gén) to hawk ou peddle on the street (without authorization) ; billet to tout **vente à la sauvette** (unauthorized) street hawking ou peddling; [billets] touting.

**SAV** abrév de **service après-vente** → **service.**

**SBF** /ɛsbeɛf/ abrév de **Société des Bourses françaises** **l'indice SBF 120 / 250** the SBF 120 / 250 index.

**SC** abrév de **service compris** → **service.**

**s / c** abrév de **sous couvert de** → **couvert.**

**SCA** /ɛssea/ NF abrév de **société en commandite par actions** → **société.**

**scanner** /skanɛʀ/ NM scanner **caisse scanner** (Comm) scanning checkout, scanning register.

**sceau,** PL **-x** /so/ NM (= cachet) seal **mettre son sceau au bas d'un document** to put one's seal on a document.

**scellement** /sɛlmɑ̃/ NM sealing **rupture de scellement** (Douanes) breakage of seals **livré sous scellement intact** delivered with seals intact.

**sceller** /sele/ VT traité, colis to seal.

**scellés** /sele/ NMPL seals **mettre sous scellés** to place under seals **mettre les scellés sur une**

**porte** to put the seals on a door, affix the seals to a door ✦ **briser / lever les scellés** to break / remove the seals.

**scénario** /senaʀjo/ NM scenario ✦ **ce n'est pas le scénario le plus probable** this is not the most likely scenario ou outcome ✦ **scénario catastrophe** nightmare scenario.

**schéma** /ʃema/ NM (= diagramme) diagram, sketch (fig = grandes lignes) outline; (= structure habituelle) pattern ✦ **schéma de décision** decision tree ✦ **schéma de la reproduction** (Écon) production cycle model ✦ **schéma directeur** (Admin) development plan.

**schilling** /ʃiliŋ/ NM schilling.

**SCI** /ɛssei/ NF abrév de **société civile immobilière** → **société**.

**scie** /si/ NF ✦ **évoluer** ou **fluctuer en dents de scie** to see-saw ✦ **courbe en dents de scie** jigsaw curve.

**science** /sjɑ̃s/ NF science ✦ **institut des sciences sociales** institute of social science ✦ **les sciences économiques** economics ✦ **elle est diplômée en sciences économiques** she has a degree in economics ✦ **les sciences de la gestion** management science ✦ **la science de la vente** the art of selling, salesmanship.

**scientifique** /sjɑ̃tifik/ ADJ scientific ✦ **organisation scientifique du travail** scientific management, industrial engineering NMF scientist.

**scinder** VT **se scinder** VPR /sɛ̃de/ to split (up) (en in, into)

**scission** /sisjɔ̃/ NF [société] demerger, spin-off, hive-off; [actions] split.

**sclérose** /skleʀoz/ NF [système économique] ossification.

**sclérosé, e** /skleʀoze/ ADJ industrie ossified.

**scléroser (se)** /skleʀoze/ VPR [structures] to become ossified.

**score** /skɔʀ/ NM score ✦ **score de mémorisation** (Pub) noting score.

**SCPI** /ɛssepei/ NF (abrév de **société civile de placement immobilier**) REIT.

**scriptural, e** MPL, **-aux** /skʀiptyʀal, o/ ADJ ✦ **change scriptural** exchange between nostro and vostro accounts ✦ **monnaie scripturale** representative ou bank money ✦ **titre scriptural** script.

**scrutin** /skʀytɛ̃/ NM a (= vote) ballot ✦ **par voie de scrutin** by ballot ✦ **voter au scrutin secret** to

vote by secret ballot ✦ **dépouiller le scrutin** to count the votes ✦ **il a été élu au 5ᵉ tour de scrutin** he was elected on ou at the 5th ballot ou round b (= élection) poll ✦ **le jour du scrutin** polling day c (= mode) ✦ **scrutin de liste** list system ✦ **scrutin majoritaire à deux tours** two-round election on a majority basis.

**SCS** /ɛsseɛs/ NF abrév de **société en commandite simple** → **société**.

**s.d.** (abrév de **sans date**) undated.

**SDF** /ɛsdeɛf/ NMF INV (abrév de **sans domicile fixe**) homeless person ✦ **les SDF** the homeless.

**SDN** /ɛsdeɛn/ NF abrév de **Société des Nations** → **société**.

**SDR** /ɛsdeɛʀ/ NF abrév de **société de développement régional** → **société**.

**séance** /seɑ̃s/ NF (gén) meeting, session; [tribunal, parlement] session, sitting ✦ **être en séance** to be in session ✦ **séance extraordinaire** extraordinary meeting ✦ **séance inaugurale** opening meeting ✦ **séance d'ouverture / de clôture** opening / closing session ✦ **séance plénière** plenary session ou meeting ✦ **séance de synthèse** reporting-back session ✦ **séance de travail** work ou working session ✦ **la séance est levée** ou **close** the meeting is ended ✦ **séance boursière** trading session ✦ **en début / fin de séance** (Bourse) at the opening / close (of the day's trading) ✦ **l'indice a atteint 7 000 points en séance** the index hit 7,000 points during trading.

**sec, sèche** /sɛk, sɛʃ/ ADJ dry ✦ **une perte sèche de 2 millions d'euros** an outright loss of 2 million euros ✦ **cale sèche** dry dock ✦ **licenciement sec** compulsory redundancy (without any compensation) ✦ **marchandises sèches** dry goods.

**sécable** /sekabl(ə)/ ADJ divisible ✦ **la société est à la recherche d'activités sécables** the firm is looking for activities that can be hived off.

**second, e** /s(ə)gɔ̃, ɔ̃d/ ADJ second ✦ **de second ordre** second class ✦ **de second choix** (= de mauvaise qualité) low-quality, low-grade (Comm = classe) class two ✦ **articles de second choix** seconds ✦ **seconde classe** (Transport) second class ✦ **le second marché** (Bourse) ≈ the unlisted securities market NM (= adjoint) second in command; (Mar) first mate NF (Transport) second class ✦ **voyager en seconde (classe)** to travel second-class.

**secondaire** /s(ə)gɔ̃dɛʀ/ ADJ secondary ◆ **marché secondaire** secondary market ◆ **le secteur secondaire** *(Ind)* the manufacturing sector, manufacturing *ou* secondary industry.

**seconder** /s(ə)gɔ̃de/ VT to assist, help.

**secours** /s(ə)kuʀ/ NM *(= aide)* help, aid, assistance; *(= aumône)* aid, relief ◆ **caisse de secours** relief *ou* emergency fund ◆ **ordinateur / moyen de secours** backup computer / facilities.

**secousse** /səkus/ NF shock ◆ **secousse boursière / monétaire** market / monetary tremor *ou* shock.

**secret** /s(ə)kʀɛ/ NM secret ◆ **secret bancaire** bank secrecy ◆ **secret commercial, secret de fabrique** trade secret ◆ **le secret professionnel** professional secrecy.

**secrétaire** /s(ə)kʀetɛʀ/ NMF secretary

---
*compounds/composés*

◆ **secrétaire d'ambassade** embassy secretary
◆ **secrétaire de direction** executive secretary, personal assistant, PA
◆ **secrétaire exécutif** executive secretary
◆ **secrétaire général** general secretary; *[syndicat]* secretary-general; *[entreprise]* company secretary
◆ **secrétaire intérimaire** acting secretary
◆ **secrétaire particulier** private secretary, personal assistant.

---

**secrétariat** /s(ə)kʀetaʀja/ NM a *(= bureau) [administration]* secretariat; *[entreprise]* secretarial offices ◆ **veuillez appeler mon secrétariat pour prendre un rendez-vous** please call my office to set up an appointment ◆ **le secrétariat du service commercial** the Sales Department office, the secretarial offices of the Sales Department b *(= travail)* secretarial work ◆ **école / poste / travail de secrétariat** secretarial school / job / work c *(= personnel)* secretarial staff.

**secteur** /sɛktœʀ/ NM a *(= aire géographique)* area; *(Admin)* district ◆ **secteur de distribution** distribution area ◆ **secteur de vente** *[vendeur]* sales area *ou* territory; *[entreprise]* sales *ou* trading area ◆ **secteur témoin** test area ◆ **secteur de distribution** distribution area b *(= domaine d'activité)* line of business, area; *(= entreprises d'un même domaine)* industry ◆ **secteur de croissance / de pointe** growth / high-tech area ◆ **dans notre secteur (d'activité)** in our line of business ◆ **les secteurs (d'activité) les plus touchés** the worst-hit industry segments *ou* branches of industry ◆ **le secteur bancaire / des assurances** the banking / insurance industry ◆ **secteur énergétique** energy sector c *(= division de l'écono-*

*mie)* industry, sector ◆ **le secteur du luxe** the luxury goods sector ◆ **secteur porteur** buoyant *ou* fast-growing sector ◆ **secteur public / privé** public *ou* state *(Brit)* / private sector ◆ **le secteur primaire** primary industry, the primary sector ◆ **le secteur secondaire** manufacturing *ou* secondary industry, the manufacturing sector ◆ **le secteur tertiaire** *ou* **des services** the service industries, tertiary industry, the service sector ◆ **le secteur quaternaire** the knowledge industries.

**section** /sɛksjɔ̃/ NF *(gén)* section; *(Compta)* burden centre; *(= division, atelier)* unit ◆ **section syndicale** union branch *ou* lodge *(US)* *ou* local *(US)* ◆ **section homogène** *(Compta)* cost centre ◆ **section auxiliaire / principale** *(Ind)* service / producing department ◆ **section de fabrication** manufacturing unit.

**sectionnel, -elle** /sɛksjɔnɛl/ ADJ ◆ **comptabilité sectionnelle** burden centre accounting.

**sectoriel, -elle** /sɛktɔʀjɛl/ ADJ sectoral, sector (-based).

**sectorisation** /sɛktɔʀizasjɔ̃/ NF division into sectors.

**sectoriser** /sɛktɔʀize/ VT to divide into sectors, sector.

**Sécu** /seky/ NF abrév de **Sécurité sociale** → **sécurité**.

**sécurisation** /sekyʀizasjɔ̃/ NF ◆ **sécurisation des réseaux** securing networks.

**sécuriser** /sekyʀize/ VT to make more secure ◆ **accès sécurisé aux données** secured data access.

**sécuritaire** /sekyʀitɛʀ/ ADJ ◆ **mesures sécuritaires** law and order measures ◆ **craintes sécuritaires** fears about law and order.

**sécurité** /sekyʀite/ NF *(contre les accidents)* safety; *(contre les attentats, le vol)* security ◆ **Sécurité sociale** Social Security ≈ National Health Service ◆ **prestations de Sécurité sociale** National Insurance benefits ◆ **la sécurité de l'emploi** *[employé, ouvrier]* job security, security of employment; *[fonctionnaire]* security of tenure ◆ **sécurité sur le lieu de travail** industrial *ou* occupational safety ◆ **coefficient de sécurité** safety margin *ou* ratio ◆ **dispositif** *ou* **mécanisme de sécurité** safety device ◆ **marge de sécurité** safety margin ◆ **mesures de sécurité** *(dans une usine)* safety measures *ou* precautions; *(dans un aéroport)* security measures ◆ **normes de sécurité** safety standards ◆ **règles** *ou* **consignes de sécurité** safety regulations ◆ **stock de sécurité** safety stock.

**séduction** /sedyksjɔ̃/ NF (= charme) charm; (= attrait) appeal ✦ **opération de séduction** charm offensive.

**séduire** /sedɥiʀ/ VT consommateur to appeal to.

**séduisant, e** /sedɥizɑ̃, ɑ̃t/ ADJ offre appealing, attractive.

**segment** /sɛgmɑ̃/ NM segment ✦ **segments stratégiques** (Comm) strategic business units ✦ **segment de marché** market segment.

**segmentation** /sɛgmɑ̃tasjɔ̃/ NF (= action) segmenting, segmentation; (= résultat) segmentation ✦ **segmentation du marché** market segmentation.

**segmenter** /sɛgmɑ̃te/ **VT** marché to segment **se segmenter** **VPR** to break into segments ✦ **se segmenter en** to segment into, break down into.

**seing** /sɛ̃/ NM ✦ **acte sous seing privé** private agreement.

**séisme** /seism/ NM (Écon) shakeout ✦ **séisme boursier** market meltdown ou shakeout.

**seize** /sɛz/ ADJ, NM INV sixteen → **six.**

**seizième** /sɛzjɛm/ ADJ, NMF sixteenth → **sixième.**

**seizièmement** /sɛzjɛmmɑ̃/ ADV in the sixteenth place, sixteenth.

**séjour** /seʒuʀ/ NM stay ✦ **permis** ou **carte de séjour** residence permit ✦ **taxe de séjour** visitor's tax, tourist tax.

**sélectif, -ive** /selɛktif, iv/ ADJ selective.

**sélection** /selɛksjɔ̃/ NF **a** (= action) (gén) selection; [candidat] screening; (Univ) selective entry (Brit) ou admission (US) ✦ **faire une première sélection des candidats** to shortlist applicants **b** (= choix) selection.

**sélectionné, e** /selɛksjɔne/ ADJ produits (specially) selected.

**sélectionner** /selɛksjɔne/ VT produits to select; candidats to select, screen ✦ **faire partie des candidats sélectionnés pour un poste** to be shortlisted for a job.

**sélectivité** /selɛktivite/ NF selectivity.

**selon** /s(ə)lɔ̃/ PRÉP according to ✦ **finition selon le désir de l'acheteur** finish according to the buyer's wishes ✦ **selon plan / devis / facture** as per drawing / estimate / invoice ✦ **à remplir selon le cas** (sur formulaire) fill in where applicable ✦ **selon les termes de l'article 15** under the provisions of article 15 ✦ **selon vos instructions** in accordance with your instructions.

**SEM** /ɛsəɛm/ NF abrév de **société d'économie mixte** → **société.**

**semaine** /s(ə)mɛn/ NF week; (= salaire) week's wages ou pay, weekly wage ou pay ✦ **semaine de travail** working week (Brit), workweek (US) ✦ **semaine de travail réduite** shorter workweek ou working week ✦ **la semaine de 35 heures** the 35-hour week ✦ **faire la semaine des 35 heures** to work ou do a 35-hour week, work 35 hours a week ou per week ✦ **louer à la semaine** to rent by the week ✦ **en semaine** during the week, on week days ✦ **semaine commerciale** shopping week ✦ **la semaine du tapis / du luminaire** (sur prospectus) carpet / lightning week ✦ **réclame de la semaine** (sur prospectus) this week's special offer.

**semainier** /s(ə)mɛnje/ NM (= agenda) desk diary.

**semestre** /s(ə)mɛstʀ(ə)/ NM **a** (= période) half-year, six-month period; (Univ) semester ✦ **payé par semestre** paid half yearly ✦ **nos bénéfices ont chuté pendant le premier semestre** our profits dropped during the first half of the year ou during the first six months of the year ou during the first two quarters **b** (= loyer) half-yearly ou six month's rent.

**semestriel, -elle** /səmɛstʀijɛl/ ADJ half-yearly, six-monthly.

**semestriellement** /səmɛstʀijɛlmɑ̃/ ADV every six months, on a half-yearly basis, on a semi-annual basis (US).

**semi-** PRÉF semi ✦ **semi-automatique** semiautomatic ✦ **semi-conducteur** semiconductor ✦ **semi-fini** semifinished ✦ **semi-indépendant** semi-independent ✦ **semi-liquidités** (Fin) near money, quasi-money ✦ **semi-ouvré** semifinished ✦ **semi-produit** semifinished product ✦ **semi-public** semipublic ✦ **semi-qualifié** semiskilled ✦ **semi-remorque** (nf = remorque) trailer (Brit), semitrailer (US) (nm = camion) articulated lorry ou truck (Brit), trailer truck (US).

**sémiométrie** /semjɔmetʀi/ NF semiometry.

**Sénégal** /senegal/ NM Senegal.

**sénégalais, e** /senegalɛ, ɛz/ **ADJ** Senegalese **Sénégalais** **NM** (= habitant) Senegalese **Sénégalaise** **NF** (= habitante) Senegalese.

**sensibilisation** /sɑ̃sibilizasjɔ̃/ NF ✦ **nous visons la sensibilisation de nos clients aux avantages de ce produit** we are attempting to increase our customers' awareness of the advantages of this product ou to make our customers aware of the advantages of this product ✦ **campagne de sensibilisation** public awareness campaign.

**sensibiliser** /sãsibilize/ **vt** ◆ **sensibiliser qn à** to make sb aware of *ou* sensitive to ◆ **sensibiliser l'opinion publique au problème** to heighten public awareness of the problem, make the public aware of the problem ◆ **être sensibilisé à un problème** to be sensitive to *ou* aware of a problem.

**sensibilité** /sãsibilite/ **nf** *[marché, titre]* sensitivity (*à* to)

**sensible** /sãsibl(ə)/ **adj** **a** *marché boursier, secteur* sensitive (*à* to) **b** *progrès, augmentation, changement* considerable, noticeable, marked, significant; *pertes* heavy.

**sensiblement** /sãsibləmã/ **adv** *progresser, changer* noticeably, markedly, significantly.

**sentence** /sãtãs/ **nf** (= *verdict*) sentence ◆ **sentence d'arbitrage** *ou* **arbitrale** arbitration award.

**SEO** abrév de **sauf erreur ou omission** → **sauf.**

**Séoul** /seul/ **n** Seoul.

**séparateur** /separatœr/ **nm** *(Tech, Inf)* separator.

**séparation** /separasjɔ̃/ **nf** *(Jur)* separation ◆ **séparation de biens** *matrimonial agreement to retain separate ownership of property* ◆ **séparation de corps** judicial separation.

**séparé, e** /separe/ **adj** separate ◆ **devis transmis sous pli séparé** estimate sent under separate cover ◆ **ces articles feront l'objet d'un envoi séparé** these items will be sent separately.

**séparément** /separemã/ **adv** *envoyer* separately.

**séparer (se)** /separe/ **vpr** **a** *[conjoints]* to separate; *[assemblée]* to break up **b** **se séparer de** *collaborateur* to part with ◆ **ils viennent de se séparer d'une douzaine de sociétés** they have just hived off a dozen companies.

**sept** /sɛt/ **adj, nm inv** seven → **six.**

**septembre** /sɛptãbr(ə)/ **nm** September ◆ **le mois de septembre** the month of September ◆ **le 15 septembre** on September the 15th ◆ **mardi 15 septembre** Tuesday September the 15th ◆ **en septembre** in September ◆ **début / fin septembre** in early / late September ◆ **à la mi-septembre** in mid-september ◆ **septembre prochain / dernier** next / last September.

**septième** /sɛtjɛm/ **adj, nmf** seventh → **sixième.**

**septièmement** /sɛtjɛmmã/ **adv** seventhly.

**séquence** /sekãs/ **nf** *(gén, Inf)* sequence ◆ **mettre en séquence** to sequence ◆ **mise en séquence** sequencing ◆ **contrôle de séquence** sequence check(ing).

**séquencement** /sekãsmã/ **nm** *(Inf)* sequencing.

**séquenceur** /sekãsœr/ **nm** *(Inf)* sequencer.

**séquentiel, -ielle** /sekãsjɛl/ **adj** *programme, information, ordinateur, analyse* sequential ◆ **mémoire à accès séquentiel** sequence *ou* sequential access storage ◆ **fichier séquentiel** sequential file, sequentially organized file.

**séquentiellement** /sekãsjɛlmã/ **adv** sequentially.

**séquestration** /sekɛstrasjɔ̃/ **nf** *[biens]* sequestration, impoundment.

**séquestre** /sekɛstr(ə)/ **nm** **a** ◆ **mettre** *ou* **placer les biens sous séquestre** to sequester *ou* impound goods ◆ **mise sous séquestre** sequestration, impoundment ◆ **ordonnance de mise sous séquestre** receiving order ◆ **biens sous séquestre** sequestered *ou* impounded goods **b** (= *dépositaire*) depository, receiver, trustee ◆ **administrateur-séquestre** official receiver, judicial factor *(US)*.

**séquestrer** /sekɛstre/ **vt** *biens* to sequester, impound.

**serbe** /sɛrb(ə)/ **adj** Serbian
**nm** (= *langue*) Serbian
**Serbe** **nmf** (= *habitant*) Serb.

**Serbie** /sɛrbi/ **nf** Serbia.

**serbo-croate** /sɛrbokrɔat/ **adj** Serbo-Croat(ian)
**nm** (= *langue*) Serbo-Croat.

**série** /seri/ **nf** **a** *[documents]* set, series; *[clefs]* set; *[tests]* series, battery; *[événements]* series; *[accidents, réussites, ennuis]* series, string; *[mesures]* package, set, series ◆ **numéro de série** serial number **b** (= *catégorie*) *(Mar)* class **c** *(Ind)* (production) run; (= *lot de fabrication*) batch ◆ **série économique** *ou* **optimale** economic *ou* optimum batch size ◆ **grandes séries** long (production) runs ◆ **petites séries** (= *production*) short (production) runs; (= *quantités produites*) batches ◆ **pré-série** pilot run ◆ **production** *ou* **fabrication en (grande) série** *ou* **en grandes séries** mass production ◆ **production** *ou* **fabrication en petites séries** batch *ou* job production, small-scale production *ou* manufacturing ◆ **chaîne de fabrication en série** production line ◆ **fabriquer qch en série** to mass-produce sth ◆ **produits de grande série** mass-produced products ◆ **article / voiture de série** standard *ou* standardized article / car ◆ **voiture hors-série** custom-made *ou* customized car ◆ **machine hors-série** custom-built machine, machine made to order **d** *(Comm)* *[produits]* line; *[échantillons, tailles, couleurs]* range, array ◆ **fins de série** remnants, oddments, end of range *ou* line ✦ **séries disconti- nuées** discontinued lines e *(Stat, Math, Inf)* series ✦ **série chronologique** time series ✦ **opé- ration en série** serial operation ✦ **imprimante / port / traitement série** serial printer / port / processing.

**sériel, -elle** /seʀjɛl/ **ADJ** *ordre* serial.

**sérier** /seʀje/ **VT** *problèmes* to classify.

**sérieux, -euse** /seʀjø, øz/ **ADJ** *entreprise, employé* dependable, reliable; *travail* careful, painstak- ing; *acheteur, client* genuine ✦ **offre sérieuse** bona fide *ou* genuine offer
**NM** *[entreprise, employé]* dependability, reliabil- ity; *[travail]* carefulness; *[acheteur, offre]* genu- ineness.

**serment** /seʀmɑ̃/ **NM** *(Jur)* oath ✦ **déclarer sous serment** to declare on *ou* under oath ✦ **décla- ration sous serment** sworn statement, state- ment under oath, affidavit ✦ **prêter serment** to take an *ou* the oath ✦ **lors de sa prestation de serment** when he was sworn in ✦ **faire prêter serment à qn** to administer the oath to sb, swear sb in.

**SERNAM** /seʀnam/ **NF** abrév de **service national des messageries** → **service**.

**serpent** /seʀpɑ̃/ **NM** snake ✦ **le serpent (moné- taire)** the (currency) snake ✦ **le serpent dans le tunnel** the snake in the tunnel.

**serré, e** /seʀe/ **ADJ** *prix* keen, low; *concurrence* tight, keen, stiff, fierce; *négociation* closely conducted; *budget* tight; *emploi du temps* tight, tight-knit.

**serrer** /seʀe/ **VT** ✦ **serrer les prix** to keep prices down.

**serveur** /seʀvœʀ/ **NM** *(Inf)* server ✦ **serveur de fichiers, serveur-fichier** file server ✦ **serveur vocal** voice server ✦ **opération de serveur** server operation ✦ **centre serveur** service *ou* retrieval centre.

**service** /seʀvis/ **NM** a *(= travail, fonction) (Ind, Ad- min)* duty; *[employé de maison]* service ✦ **heures de service** hours of service *ou* duty ✦ **mon service commence à 8 heures** my period of duty begins at 8 a.m., I go on at 8 a.m. ✦ **être de service** to be on duty ✦ **prendre son service** to come on duty ✦ **prendre qn à son service** to take on *ou* engage sb ✦ **entrée de service** service *ou* tradesmen entrance ✦ **note de ser- vice** memorandum ✦ **tableau de service** *(gén)* work notice board; *(horaire)* duty roster ✦ **voi- ture de service** company car ✦ **médecin de service** duty doctor, doctor on duty ✦ **être en service commandé** to be acting under orders ✦ **autorisation refusée dans l'intérêt du service**

*(Admin)* permission refused on administrative grounds *ou* for administrative reasons ✦ **ser- vice antérieur** prior service ✦ **service ouvrant droit à pension** contributory service, pension- able period ✦ **services validables pour la re- traite** pensionable *ou* countable service ✦ **il a pris sa retraite après 35 ans de service** he retired after 35 years of service b *(= prestation)* service ✦ **offrir ses services à qn** to offer sb one's services ✦ **offre de service** offer of service ✦ **prestation de services** provi- sion of services ✦ **prestataire / preneur de services** provider / recipient of services ✦ **so- ciété (prestataire) de services** service company ✦ **société de services et de conseils en infor- matique** computer service and consultancy company *ou* firm ✦ **société de services et d'ingéniérie en informatique** computer service company *ou* firm ✦ **les services, le secteur des services** the service industries, tertiary indus- try, the service sector ✦ **biens et services** goods and services c *(= département)* department; *(= institution d'intérêt public)* service ✦ **le service hospitalier** the hospital service ✦ **les services de santé** the health (care) services ✦ **le service (du) marketing** the marketing department ✦ **chef de service** department *ou* departmental manager *ou* head d *(au restaurant)* service; *(= pourboire)* service charge ✦ **premier / deuxième service** first / second sitting ✦ **ser- vice compris / non compris** service included / not included, inclusive / exclusive of service ✦ **restaurant / magasin en libre service** self- service restaurant / store ✦ **la vidéothèque est en libre service** the video library works on a self-service basis e *[machine, installation]* op- eration ✦ **mettre en service** to put *ou* bring into service, bring *ou* put on stream *ou* on line ✦ **entrer en service** to come on stream *ou* on line *ou* into service ✦ **être en service** to be on, be in operation *ou* in use, be working ✦ **hors (de) service** out of order ✦ **l'ascenseur est / n'est pas en service** the lift is / isn't working f *(= transport)* service ✦ **service hebdoma- daire / d'hiver / d'été** weekly / winter / summer service ✦ **un service de taxis** a taxi service g *(Fin) [intérêt]* payment, service; *[dette, em- prunt]* service, servicing ✦ **le service de la dette écrase certains pays** the servicing *ou* service of the debt is crushing for some countries ✦ **frais de service d'intérêts** interest service expenses ▪ Voir encadré page ci-contre

**servir** /seʀviʀ/ **VT** a *(gén)* to serve; *client* to serve, attend to; *marché* to service b *(Fin = verser) (gén)* to pay; *dette* to pay, service ✦ **servir une rente / une pension / des intérêts à qn** to pay sb an annuity / a pension / interest.

**servitude** /sɛʀvityd/ **NF** *(Jur)* easement, encumbrance ◆ **servitude active / passive** affirmative / negative easement ◆ **servitude de passage** right of passage *ou* of way ◆ **immeuble sans servitude** building free from encumbrances.

**seuil** /sœj/ **NM** *(fig, Math, Stat, Écon)* threshold ◆ **effet de seuil** threshold effect ◆ **point de seuil** breakeven point

**sévère** /sevɛʀ/ **ADJ** *baisse des cours* heavy, sharp; *mesures d'économie* drastic, stringent, severe ◆ **correction sévère du marché** *(Bourse)* heavy fall of stock market prices, sharp downturn in stockmarket prices.

**sévèrement** /sevɛʀmɑ̃/ **ADV** severely ◆ **les valeurs les plus sévèrement touchées** the worst-hit securities.

**SF** abrév de **sans frais** → **sans.**

―――― *compounds/composés* ――――

◆ **seuil d'ajustement** adjustment threshold
◆ **seuil de déclaration** *(Bourse)* declaration threshold
◆ **seuil de déclenchement** *(Bourse)* trigger rate*
◆ **seuil d'imposition** tax threshold
◆ **seuil d'intervention** support level, trigger point
◆ **seuil de pauvreté** poverty line
◆ **seuil de prix** price threshold
◆ **seuil psychologique** psychological threshold
◆ **seuil de réapprovisionnement** reorder point *ou* level
◆ **seuil de rentabilité** break-even point, profitless point *(US)*
◆ **seuil de résistance** *(Bourse)* resistance level
◆ **seuil de rupture** breaking up threshold
◆ **seuil de tolérance** threshold of tolerance.

**SG** /ɛsʒe/ **NM** abrév de **secrétaire général** → **secrétaire.**

―――― *compounds/composés* ――――

### SERVICE

◆ **service d'accueil** reception desk
◆ **service (des) achats** purchasing department, buying department
◆ **service administratif** administrative service
◆ **service approvisionnement** supply department, procurement department
◆ **service après-vente** after-sales service
◆ **services en aval** downstream services
◆ **service du change** foreign exchange department
◆ **service à la clientèle, service clients** customer service
◆ **service commercial** sales *ou* commercial department
◆ **service comptable** *ou* **(de la) comptabilité** accounts *ou* accounting department
◆ **service du contentieux** law *ou* legal department
◆ **service création** *(Pub)* art *ou* design department
◆ **le service des douanes** the customs service
◆ **service des encaissements** collection department
◆ **service de l'entretien** maintenance *ou* upkeep department
◆ **service études** research department
◆ **service (des) expéditions** shipping *ou* dispatch *ou* forwarding department, traffic department *(US)*
◆ **service export** *ou* **des exportations** export department
◆ **service fabrication** production department
◆ **service facturation** invoicing *ou* billing department
◆ **service financier** accounts *ou* accounting *ou* financial department
◆ **service fonctionnel** staff department
◆ **service de groupage** groupage service, joint cargo service

◆ **service de l'immigration** immigration department
◆ **service informatique** data processing department, EDP department, computer service
◆ **service juridique** legal department
◆ **service de livraison** *(= prestation)* delivery service; *(= départment)* delivery department *ou* section
◆ **services logistiques** extension services
◆ **service de la maintenance** maintenance service
◆ **service de marchandises** *(Train)* freight *ou* goods service
◆ **service médias** media department
◆ **service méthodes** *(Ind)* engineering department
◆ **service national des messageries** French national parcels service
◆ **service du personnel** personnel department
◆ **service postal** postal *ou* mail service
◆ **service de presse** *(= département)* press office *ou* department ◆ **(ouvrage en) service de presse** review copy
◆ **service du prêt** loan department
◆ **service public** public utility service
◆ **service de la publicité** advertising department
◆ **service à règlement différé** Paris stock exchange's deferred settlement service
◆ **service régulier** regular service; *(Aviat)* scheduled service
◆ **service social** welfare department
◆ **service des sinistres** claims department
◆ **service technique** technical *ou* engineering department
◆ **service des titres** *(Banque)* securities department
◆ **service trafic** traffic department
◆ **service des ventes** sales department
◆ **service de voyageurs** *(Rail)* passenger service.

**SGBD** /ɛsʒebede/ **NM** (abrév de **système de gestion de bases de données**) DBMS.

**SGDG** abrév de **sans garantie du gouvernement** → **sans.**

**shekel** /ʃekɛl/ **NM** shekel.

**shilling** /ʃiliŋ/ **NM** shilling.

**shopping** /ʃɔpiŋ/ **NM** shopping ◆ **faire du shopping** to go shopping.

**SI** **NM** abrév de **syndicat d'initiative** → **syndicat.**

**SICA** /sika/ **NF** abrév de **société d'intérêt collectif agricole** → **société.**

**SICAF** /sikaf/ **NF** abrév de **société d'investissement à capital fermé** ou **fixe** → **société.**

**SICAV** /sikav/ **NF** (abrév de **société d'investissement à capital variable**) open-end investment company, unit trust (Brit), mutual fund (US) ◆ **sicav actions** equity unit trust (Brit), equity mutual fund (US) ◆ **sicav de capitalisation** unit trust ou mutual fund in which dividends and interests are reinvested ◆ **sicav à compartiments** unit trust ou mutual fund in which investors can switch from one product to another ◆ **sicav court terme** short-term unit trust ou mutual fund ◆ **sicav de distribution** distribution fund ◆ **sicav monétaire** money market fund ◆ **sicav obligataire** bond market fund ◆ **sicav de trésorerie** cash management unit trust ou mutual fund ◆ **part de sicav** unit.

**SICOMI** /sikɔmi/ **NF** abrév de **société immobilière pour le commerce et l'industrie** → **société.**

**SICOVAM** /sikɔvam/ **NF** (abrév de **Société interprofessionnelle pour la compensation des valeurs mobilières**) France's central securities depository ◆ **code SICOVAM** code assigned to securities traded on the Paris stock exchange.

**sidérurgie** /sideryRʒi/ **NF** (iron and) steel industry.

**sidérurgique** /sideryRʒik/ **ADJ** industrie iron and steel.

**sidérurgiste** /sideryRʒist(ə)/ **NMF** (iron and) steel maker.

**siège** /sjɛʒ/ **NM** [société] head office; [parti, organisation] headquarters ◆ **le siège social de l'entreprise** the company's head ou registered office.

**Sierra Leone** /sjɛRaleɔn/ **NF** Sierra Leone.

**sierra-léonien, -ienne** /sjɛRaleɔnjɛ̃, jɛn/ **ADJ** Sierra Leonean
**Sierra-Léonien** **NM** (= habitant) Sierra Leonean

**Sierra-Léonienne** **NF** (= habitante) Sierra Leonean.

**sigle** /sigl(ə)/ **NM** (set of) initials, acronym.

**signal,** PL **-aux** /siɲal, o/ **NM** signal ◆ **signal d'achat / de vente** (Bourse) buying / selling signal ◆ **signal d'alarme** alarm signal ◆ **traitement du signal** (Inf) signal processing.

**signaler** /siɲale/ **VT** (= faire remarquer) anomalie, détail to indicate, point out; (= déclarer) vol, incident to report ◆ **je vous signale que...** I inform you that..., I point out that... ◆ **rien à signaler** nothing to report.

**signalétique** /siɲaletik/ **ADJ** identifying, descriptive ◆ **état signalétique** descriptive report ◆ **fiche signalétique** identification sheet.

**signataire** /siɲatɛR/ **NMF** [traité, contrat] signatory; [chèque] signer ◆ **les signataires** those signing, the signatories ◆ **les pays signataires** the signatory countries ◆ **signataire autorisé** person authorized to sign, signing officer.

**signature** /siɲatyR/ **NF** **a** (= action) signing; (= marque, nom) signature ◆ **présenter à la signature** to submit for signature ◆ **vérifier une signature** to verify a signature, to signature-check (US) ◆ **elle a la signature** she is authorized ou empowered to sign, she has signatory power ◆ **la lettre est partie sous la signature du président** the letter went out under the president's signature ◆ **légalisation d'une signature** authentication of a signature ◆ **fondé de signature** signing officer ◆ **signature témoin** specimen signature ◆ **l'abus de la signature sociale** abuse of the company's power of signature ◆ **attester une signature** to authenticate a signature ◆ **signature admise / écartée** ou **usurpée** (Banque) authorized / unauthorized signature **b** (= solvabilité) signature ◆ **la signature de l'État** the state's signature ◆ **une bonne signature** a low credit risk.

**signe** /siɲ/ **NM** (gén) sign ◆ **signes extérieurs de richesse** (Impôts) outward signs of wealth ◆ **signe monétaire** paper money.

**signer** /siɲe/ **VT** **a** to sign ◆ **signer par procuration** to sign by proxy ◆ **à nous retourner dûment signé** please sign and return to us **b** (Tech) to hallmark.

**signet** /siɲe/ **NM** (Inf) bookmark.

**signification** /siɲifikasjɔ̃/ **NF** (Jur) notification ◆ **signification d'actes** serving ou service of writs ◆ **acte de signification** writ.

**signifier** /siɲifje/ **VT** (Jur) to serve notice of (à qn on sb) notify ◆ **signifier un acte judiciaire** to serve legal process ◆ **signifier un exploit** to serve a writ ✦ **signifier un congé** to give notice to quit ✦ **signifier une décision** to notify a decision.

**SII** /ɛsdøzi/ **NF** abrév de **société immobilière d'investissement → société**.

**sillage** /sijaʒ/ **NM** wake ✦ **Londres s'est replié dans le sillage de Wall Street** London has retreated in the wake of Wall Street.

**simple** /sɛpl(ə)/ **ADJ** simple ✦ **billet simple, aller simple** single ticket *(Brit)*, one-way ticket *(US)* ✦ **comptabilité en partie simple** single-entry bookkeeping ✦ **intérêts simples** simple interest ✦ **avarie simple** *(Mar)* ordinary *ou* particular average.

**simplex** /sɛplɛks/ **NM** simplex.

**simulateur** /simylatœʀ/ **NM** *(Tech, Inf)* simulator.

**simulation** /simylasjɔ̃/ **NF** *(Inf, Gestion)* simulation ✦ **programme de simulation** simulator program.

**simuler** /simyle/ **VT** *(Inf, Gestion)* to simulate ✦ **vente simulée** bogus sale.

**Singapour** /sɛ̃gapuʀ/ **N** *(= pays, capitale)* Singapore.

**singapourien, -ienne** /sɛ̃gapuʀjɛ̃, jɛn/ **ADJ** Singaporean
**Singapourien** **NM** *(= habitant)* Singaporean
**Singapourienne** **NF** *(= habitante)* Singaporean.

**sinistre** /sinistʀ(ə)/ **NM** *(= catastrophe)* disaster; *(= incendie)* fire; *(= accident)* accident; *(= perte)* loss; *(= dégâts)* damage; *(procédure de déclaration)* claim ✦ **sinistre inconnu** incurred but not reported losses ✦ **sinistre maximum possible / prévisible / total** maximum possible / foreseeable / total loss ✦ **excédent de sinistres** excess loss ✦ **l'assuré doit déclarer le sinistre dans les 24 heures** any claim must be notified within 24 hours, the insured must notify the company of any loss within 24 hours ✦ **déclaration de sinistre** *(= action)* (loss) claim; *(= document)* claim form ✦ **faire une déclaration de sinistre** to put in a claim ✦ **sinistres automobiles** automobile claims ✦ **régler un sinistre** to settle a claim ✦ **règlement du sinistre** settlement of the claim ✦ **gestion de ou instruction des sinistres** claims handling ✦ **service sinistres** claims department ✦ **rédacteur sinistre** claims adjuster ✦ **procédure en cas de sinistre** claims procedure ✦ **évaluer le sinistre** to assess the damage *ou* the loss ✦ **assurer le suivi des sinistres** to follow up on claims.

**sinistré, e** /sinistʀe/ **ADJ** disaster-stricken ✦ **zone** *ou* **région sinistrée** *(par catastrophe naturelle)* distress *ou* disaster area; *(par récession économique)* depressed area ✦ **notre économie est sinistrée** our economy is in a disastrous state *ou* is in a disaster **NMF** disaster victim ✦ **indemniser les sinistrés** to indemnify the disaster victims.

**site** /sit/ **NM** site ✦ **site web, site Internet** website ✦ **site de production** production site ✦ **site industriel** industrial site ✦ **négociation site par site** site by site negotiation.

**situation** /sityasjɔ̃/ **NF** **a** *(= conjoncture)* situation ✦ **la situation économique** the economic situation ✦ **quelle est votre situation personnelle?** what is your marital status? **b** *(= emploi)* job, post, situation, position ✦ **chercher une situation** to look for a job *ou* post ✦ **perdre sa situation** to lose one's job **c** *(Fin)* *(= relevé)* statement; *(= position)* position; *(à la banque)* status ✦ **la situation d'un compte** *(position)* the status of an account; *(relevé)* the statement of an account ✦ **situation en banque** bank position, position at the bank ✦ **situation financière** financial situation *ou* position ✦ **situation nette (comptable)** net worth ✦ **situation provisoire** interim statement ✦ **situation de caisse** cash statement ✦ **situation de trésorerie** *(= relevé)* cash flow statement; *(= condition)* cash position ✦ **situation spéciale** *(Bourse)* special *ou* recovery situation.

**six** /sis/ **ADJ, NM INV** six ✦ **six cents / mille euros** six hundred / thousand euros ✦ **appareil de six mille euros** six-thousand-euro machine ✦ **les six dixièmes de la recette** six tenths of the takings ✦ **il est cinq heures moins six** it is six minutes to five ✦ **par neuf voix contre six** by nine votes to six ✦ **cinq fois sur six** five times out of six ✦ **se terminer le six avril** to end on April the sixth *ou* on the sixth of April ✦ **article six** article six ✦ **nous sommes au (numéro) six de la rue** we are located at (number) six in the street ✦ **il est six heures du matin / du soir** it's 6 a.m. / p.m., it's six in the morning / in the evening ✦ **ils viendront le six** they'll come on the sixth ✦ **lettre datée du six** letter dated the sixth.

**sixième** /sizjɛm/ **ADJ, NMF** sixth ✦ **quarante- / cinquante-sixième** forty- / fifty-sixth ✦ **nos locaux se trouvent au sixième étage** our premises are on the sixth floor ✦ **se classer sixième** to come sixth ✦ **un** *ou* **le sixième du montant** a *ou* one sixth of the amount ✦ **les cinq sixièmes de la recette** five sixths of the takings.

**sixièmement** /sizjɛmmɑ̃/ **ADV** in the sixth place, sixthly.

**Skopje** /skɔpje/ **N** Skopje.

**slogan** /slɔgã/ **NM** slogan, catch phrase, catchline ✦ **slogan publicitaire** advertising slogan.

**slovaque** /slɔvak/ **ADJ** Slovak
**Slovaque** **NMF** *(= habitant)* Slovak.

**Slovaquie** /slɔvaki/ **NF** Slovakia.

**slovène** /slɔvɛn/ **ADJ** Slovene
**NM** *(= langue)* Slovene
**Slovène** **NMF** *(= habitant)* Slovene.

**Slovénie** /slɔveni/ **NF** Slovenia.

**SM** /ɛsɛm/ **NM** **a** (abrév de **système métrique**) metric system **b** abrév de **second marché** → **second.**

**SMAG** /smag/ **NM** abrév de **salaire minimum agricole garanti** → **salaire.**

**SME** /ɛsɛmə/ **NM** (abrév de **système monétaire européen**) EMS.

**SMIC** /smik/ **NM** abrév de **salaire minimum interprofessionnel de croissance** → **salaire.**

**smicard, e** /smikaʀ, aʀd/ **NM,F** minimum wage earner.

**SMIG** /smig/ **NM** abrév de **salaire minimum interprofessionnel garanti** → **salaire.**

**SNC** **a** abrév de **service non compris** → **service** **b** abrév de **société en nom collectif** → **société.**

**S.O.** abrév de **sans objet** → **sans.**

**social, e,** **MPL** -**aux** /sɔsjal, o/ **ADJ** **a** *(gén, Sociol) questions, environnement* social ✦ **les sciences sociales** the social sciences, social science **b** *(Ind, Pol)* social, labour, industrial ✦ **agitation sociale** labour unrest ✦ **conflits sociaux** *(= grèves, revendications)* industrial disputes ✦ **la gestion sociale** social management, human resource management ✦ **malaise social** labour *ou* industrial *ou* social unrest ✦ **politique sociale** industrial relations policy, social policy ✦ **problèmes sociaux dans l'entreprise** labour *ou* social *ou* industrial problems in the firm ✦ **les relations sociales** *(dans l'entreprise)* industrial *ou* labour relations, labour-management relations **c** *(Admin)* social ✦ **l'aide sociale** *(= administration)* welfare; *(= allocations)* social security (benefits) ✦ **assistant(e) social(e)** social worker ✦ **Assurances sociales** Social Security ≈ National Insurance *(Brit)* ✦ **assuré social** welfare recipient ✦ **avantages sociaux** welfare benefits, benefits package ✦ **cotisations sociales** social security contributions ✦ **prestations sociales** social security benefits ✦ **la Sécurité sociale** Social Security ✦ **services sociaux** social services **d** **année sociale** company's trading year ✦ **capital social** authorized *ou* share

capital, capital stock *(US)*, share capital ✦ **exercice social** accounting period ✦ **la raison sociale d'une entreprise** the name of the company, the corporate name ✦ **siège social** *(Gestion) firme* head *ou* registered office; *parti, administration* headquarters **e** *(Écon)* ✦ **le produit social brut** the gross national product.

**sociétaire** /sɔsjetɛʀ/ **NMF** member (of a society) ✦ **carte de sociétaire** membership card.

**société** /sɔsjete/ **NF** **a** *(= communauté, groupe)* society ✦ **la société de consommation** the consumer society ✦ **la société de gaspillage** the throwaway society **b** *(= entreprise)* company, firm, (business) corporation ✦ **constituer une société** to form *ou* set up *ou* incorporate a company ✦ **constitution de société** formation *ou* incorporation of company ✦ **fonder une société** to found *ou* start up a company ✦ **liquider** *ou* **dissoudre une société** to wind up *ou* liquidate a company ✦ **acte (constitutif) de société** certificate of incorporation ✦ **les bénéfices des sociétés** corporate earnings ✦ **contrat de société** deed of partnership ✦ **droit des sociétés** company *ou* corporate law ✦ **impôt sur les sociétés** corporation *ou* corporate tax ✦ **loi sur les sociétés** Companies Act ✦ **part de société** share in the capital of a company ✦ **registre des sociétés** register of companies ◼ Voir encadrés pages suivantes

**socio-économique** /sɔsjoekɔnɔmik/ **ADJ** socio-economic.

**socio-professionnel, -elle** /sɔsjopʀɔfesjɔnɛl/ **ADJ** socioprofessional.

**Sofia** /sɔfja/ **N** Sofia.

**SOFRES** /sɔfʀɛs/ **NF** abrév de **Société française d'études par sondages** → **société.**

**soft(ware)** /sɔft(wɛʀ)/ **NM** software.

**soin** /swɛ̃/ **NM** *(sur une enveloppe)* ✦ **aux bons soins de** care of, c / o.

**soixantaine** /swasãtɛn/ **NF** *(= soixante)* sixty; *(environ)* about sixty, sixty or so ✦ **une soixantaine d'entreprises** sixty or so companies, sixty companies or so, about sixty companies ✦ **la soixantaine de grévistes** the sixty or so strikers.

**soixante** /swasãt/ **ADJ, NM INV** sixty ✦ **soixante et un** sixty-one ✦ **soixante-deux** / -**trois** sixty-two / -three ✦ **soixante-dix** seventy ✦ **soixante et onze** seventy-one ✦ **soixante-douze** / -**treize** seventy-two / -three ✦ **soixante et unième** sixty-first ✦ **soixante-dixième** seventieth ✦ **notre siège est au (numéro) soixante de l'avenue Foch** our head office is at (number) sixty avenue Foch ✦ **à la ligne soixante** on line sixty.

**soixantième** /swasɑ̃tjɛm/ ADJ, NMF sixtieth → **sixième.**

**soixantièmement** /swasɑ̃tjɛmmɑ̃/ ADV in the sixtieth place.

**sol** /sɔl/ NM **a** *(Admin)* ✦ **plan d'occupation des sols** land use plan *(Brit)*, zoning regulations *ou* ordinances *(US)* **b** *(= monnaie)* sol ✦ **nouveau sol** new sol.

**solde** /sɔld(ə)/ NM **a** *(Fin)* *(= reliquat)* balance; *(= reste à payer)* balance outstanding ✦ **il y a un solde de 60 euros en votre faveur** there is a balance of 60 euros in your favour *ou* to your credit ✦ **pour solde de (tout) compte** in (full) settlement ✦ **régler le solde (d'un compte)** to settle an account, pay the balance (of an account) ✦ **balance par antériorité de solde** aged trial balance ✦ **balance par soldes** trial balance **b** *(Comm = braderie)* (bargain *ou* clearance) sale ✦ **solde de marchandises** sale of goods at reduced prices ✦ **des soldes, des**

*———— compounds/composés ————*

- ✦ **solde acheteur** *(Bourse)* buyer's balance
- ✦ **solde actif** positive *ou* credit balance
- ✦ **solde bénéficiaire** profit balance
- ✦ **solde en caisse** balance in hand
- ✦ **solde de clôture** closing balance
- ✦ **solde commercial** trade balance, trade account, balance of trade
- ✦ **solde créditeur** credit balance
- ✦ **solde débiteur** debit balance
- ✦ **solde de dividende** final dividend
- ✦ **solde dû** balance due
- ✦ **solde de fermeture** closing balance
- ✦ **solde industriel** balance of trade in industrial *ou* manufactured goods
- ✦ **soldes intermédiaires de gestion** intermediate balance
- ✦ **solde migratoire** balance sheet of migration movement
- ✦ **solde à nouveau** balance carried forward
- ✦ **solde d'ouverture** opening balance
- ✦ **solde passif** debit balance
- ✦ **solde reporté** balance brought forward
- ✦ **solde à reporter** balance carried forward
- ✦ **solde de trésorerie** cash balance
- ✦ **solde vendeur** *(Bourse)* seller's balance.

*———— compounds/composés ————*

## SOCIÉTÉ

- ✦ **société absorbante** acquiring company
- ✦ **société absorbée** acquired company
- ✦ **société par actions** joint-stock company
- ✦ **société d'affacturage** factoring company
- ✦ **société affiliée** affiliated company
- ✦ **société anonyme** *(gén)* limited liability company; *(ouverte au public)* public limited company ✦ **société anonyme par actions** joint-stock company, incorporated company *(US)*
- ✦ **société apéritrice** *(Ass)* leading office
- ✦ **société apparentée** affiliated company
- ✦ **Société des auteurs, compositeurs et éditeurs de musique** French society of music authors, composers and publishers
- ✦ **société de Bourse** stockbroker, brokerage firm, broking firm
- ✦ **société à but non lucratif** non-profit-making organization *(Brit)*, not-for-profit organization *(US)*
- ✦ **société à capital variable** variable capital company
- ✦ **société de capitaux** joint-stock company
- ✦ **société captive** captive firm
- ✦ **société civile** non-trading company ✦ **société civile immobilière** non-trading real estate investment company ✦ **société civile de placement immobilier** real estate investment trust
- ✦ **société en commandite par actions** limited partnership with shares
- ✦ **société en commandite simple** limited partnership
- ✦ **société commerciale** trading company, commercial firm *ou* establishment, business concern *ou* corporation

- ✦ **société commune** joint-venture company ✦ **créer une société commune** to set up a joint venture
- ✦ **société concessionnaire** statutory company
- ✦ **société de conseils** consultancy firm
- ✦ **société coopérative** cooperative society, coop*
- ✦ **société de crédit** credit *ou* finance company ✦ **société de crédit mutuel** friendly society
- ✦ **société de crédit immobilier** ≈ building society
- ✦ **société de développement régional** *regional development corporation*
- ✦ **société duale** two-speed society
- ✦ **société d'économie mixte** semi-public company, government-controlled corporation
- ✦ **société écran** bogus *ou* dummy company
- ✦ **société d'État** state-owned company
- ✦ **société en expansion** growth company
- ✦ **société d'exploitation** development company *ou* corporation
- ✦ **société fantôme** bogus *ou* dummy company
- ✦ **société fiduciaire** trust company
- ✦ **société de fiducie** trust company
- ✦ **société de financement** credit *ou* finance company
- ✦ **société financière** finance company ✦ **société financière d'innovation** venture capital firm *ou* company
- ✦ **société foncière** estate agency, realtors *(US)*
- ✦ **Société française d'études par sondages** *French public opinion polling institute*
- ✦ **société de gérance** real estate management company

**articles en solde** sale goods ✦ **solde de chaussures** shoe sale, sale of shoes ✦ **solde de livres, livres en solde** remainders ✦ **mettre des articles en solde** to put articles *ou* goods on sale ✦ **acheter qch en solde** to buy sth in the sales, buy sth at a bargain *ou* discount price ✦ **article en solde** sale item *ou* article ✦ **en solde** *(sur étiquette)* to clear, reduced ✦ **prix de soldes** sale prices, bargain prices, ground-floor prices, basement prices *(US)* ✦ **rayon des soldes** bargain counter, bargain basement *(US)* ✦ **soldes de fin d'année** end of year sales *ou* clearance ✦ **soldes après inventaire** stock-taking sale **c** *(Écon)* *[bilan]* balance ✦ **le solde des échanges sur six mois est excédentaire** the balance of trade for the six-month period is in surplus ✦ **les variations du solde extérieur** the variations in (the balance of) the trade account, the variations in the trade balance ✦ **la balance commerciale montre un solde positif** the trade balance is showing a surplus.

**soldé, e** /sɔlde/ **ADJ** **a** *articles, prix* sale, discount ✦ **chaussures soldées** sale shoes, shoes at sale

prices ✦ **livres soldés** remainders **b** *compte* settled, paid.

**solder** /sɔlde/ **VT** **a** *compte (= calculer la balance de)* to balance; *(= arrêter)* to close, wind up; *(= payer)* to settle, pay (off) the balance of ✦ **solder un découvert** to pay off an overdraft **b** *(= brader) (gén)* to sell (off), sell at sale prices *ou* at discount prices, clear; *livres* to remainder ✦ **ils soldent ces articles à 20 euros** they are selling off *ou* clearing these articles at 20 euros

**se solder** **VPR** **l'exercice s'est soldé par un bénéfice de 2 millions d'euros** the end-of-year figures showed a profit of 2 million euros ✦ **les comptes se soldent par une perte** the accounts show a loss.

**solderie** /sɔldəʀi/ **NF** discount store.

**soldeur, -euse** /sɔldœʀ, øz/ **NM,F** *(= commerçant) (gén)* discount store owner; *[livres]* remainder seller; *(= entreprise)* discount house.

_____ compounds/composés _____

### SOCIÉTÉ

- **Société française d'études par sondages** *French public opinion polling institute*
- **société de gérance** real estate management company
- **société de gestion** management company ✦ **société de gestion de portefeuille** investment trust
- **société holding** holding company
- **société immobilière** property company ✦ **société immobilière pour le commerce et l'industrie** *real estate development company run on a lease-purchase base* ✦ **société immobilière d'investissement** *real estate investment company*
- **société d'intérêt collectif agricole** *rural economic developement group*
- **société par intérêt** partnership
- **société d'investissement** investment company *ou* trust ✦ **société d'investissement à capital fermé** *ou* **fixe** closed-end investment company ✦ **société d'investissement à capital variable** open-end investment company, unit trust *(Brit)*, mutual fund *(US)*
- **société liée** affiliated company
- **société mère** parent company
- **société minière** mining company
- **société mixte** joint-venture company
- **société multinationale** multinational company *ou* corporation
- **société mutualiste** friendly society
- **Société des Nations** Society of Nations
- **société nationale** state-owned company
- **société en nom collectif** general partnership
- **société de participation** holding company

- **société en participation** joint-venture company
- **société de personnes** partnership
- **société de placement** investment company *ou* trust
- **société de portefeuille** holding company
- **société de prévoyance** provident society
- **société privée** private company
- **société publique** state-owned company
- **société de réassurance** reinsurance company
- **société reconnue d'utilité publique** institution officially recognized as serving the public interest
- **société de recouvrement** debt collection company
- **société à responsabilité limitée** limited liability company, private limited company
- **société sans but lucratif** non-profit-making organization
- **société semi-publique** semi-public company
- **société de services** service company ✦ **société de services et de conseils en informatique** computer service and consultancy firm *ou* company ✦ **société de services et d'ingénierie en informatique** computer service firm *ou* company
- **société sœur** sister company
- **société à succursales multiples** chain store, multiple (store)
- **société transnationale** transnational corporation *ou* company
- **société unipersonnelle** sole proprietorship, one-man business (corporation)
- **société d'utilité publique** public utility company, utility *(US)*.

**sort**

**solidaire** /sɔlidɛʀ/ **ADJ** *(Jur) contrat* binding (on) all parties; *débiteurs* jointly liable ✦ **responsabilité solidaire** joint and several liability.

**solidairement** /sɔlidɛʀmɑ̃/ **ADV** *(Jur)* jointly (and severally) ✦ **conjointement et solidairement responsable** jointly and severally liable.

**solidarité** /sɔlidaʀite/ **NF** solidarity; *(Jur)* joint and several liability ✦ **grève de solidarité** sympathy *ou* sympathetic strike ✦ **faire un grève de solidarité** to walk out *ou* strike in sympathy.

**solide** /sɔlid/ **ADJ** *(financièrement) entreprise* sound, solid; *garantie* solid, reliable.

**solidement** /sɔlidmɑ̃/ **ADV** solidly ✦ **être solidement implanté sur un marché** to be firmly established on a market.

**solidité** /sɔlidite/ **NF** *[entreprise]* soundness, solidity; *[garantie]* solidity, reliability.

**solliciter** /sɔlisite/ **VT** **a** *poste* to seek, apply for; *faveur, explication* to seek, request *(de qn* from sb); *entretien* to request; *prêt* to apply for, request, seek **b** *(= faire appel à)* to appeal to, call upon ✦ **notre service après-vente est très sollicité** there are many calls upon our after-sales service, our after-sales service is being greatly called upon.

**solvabilité** /sɔlvabilite/ **NF** *[personne pouvant payer ses dettes]* solvency; *[personne pouvant emprunter]* creditworthiness ✦ **cote de solvabilité** credit rating ✦ **enquête de solvabilité** status inquiry ✦ **ratio de solvabilité** debt ratio; *(Banque)* solvency ratio.

**solvable** /sɔlvabl(ə)/ **ADJ** *(Fin) (= ayant des ressources)* solvent; *(= pouvant emprunter)* creditworthy.

**som** /sɔm/ **NM** som.

**Somalie** /sɔmali/ **NF** Somalia.

**somalien, -ienne** /sɔmaljɛ̃, jɛn/ **ADJ** Somalian
**Somalien** **NM** *(= habitant)* Somalian
**Somalienne** **NF** *(= habitante)* Somalian.

**somani** /sɔmani/ **NM** somani.

**sommation** /sɔmasjɔ̃/ **NF** *(Jur)* summons ✦ **recevoir une sommation de payer une dette** *(Jur)* to be served with notice to pay a debt.

**somme** /sɔm/ **NF** *(gén) (= total)* sum total; *(= quantité)* amount ✦ **la somme totale** the grand total, the total sum ✦ **une somme (d'argent)** a sum *ou* amount of money ✦ **faire la somme de** to add up ✦ **une somme de travail considérable** a considerable amount of work ✦ **la somme versée** the amount paid ✦ **somme assurée** insured amount ✦ **somme déductible des im-**

pôts tax-deductible amount, tax write-off ✦ **somme forfaitaire** lump sum.

**sommer** /sɔme/ **VT** **a** *(Jur)* ordonner ✦ **sommer qn de** *ou* **à comparaître** to summon sb to appear **b** *(= additionner)* to sum.

**sommet** /sɔmɛ/ **NM** *[hiérarchie, échelle, courbe]* top ✦ **conférence au sommet** summit meeting *ou* talks.

**sommier** /sɔmje/ **NM** *(= registre) (Admin)* register; *(Compta)* ledger.

**somnolence** /sɔmnɔlɑ̃s/ **NF** *[marché]* lethargy, sluggishness.

**son** /sɔ̃/ **NM** *(Bourse)* ✦ **acheter au son du canon, vendre au son du violon** buy on the bad news, sell on the good news.

**sonal** /sɔnal/ **NM** *(Mktg)* jingle.

**sondage** /sɔ̃daʒ/ **NM** *(= enquête)* poll, survey; *(= technique statistique)* sampling ✦ **faire un sondage** to make *ou* conduct *ou* carry out a survey, take a poll ✦ **faire un sondage auprès des ménages** to poll households ✦ **enquête** *ou* **étude par sondage** sample survey ✦ **erreur de sondage** sample *ou* sampling error ✦ **contrôle par sondage** *(Ind)* spot checking ✦ **organisme de sondage** polling agency

―――――――― compounds/composés ――――――
✦ **sondage aléatoire** random sampling
✦ **sondage de conformité** *(Compta)* compliance test
✦ **sondage à deux degrés** double sampling
✦ **sondage au hasard** random sampling
✦ **sondage d'opinion** opinion poll *ou* survey *ou* probe
✦ **sondage probabiliste** random sampling
✦ **sondage par segments** cluster sampling
✦ **sondage stratifié** stratified sampling
✦ **sondage de vérification** *(Compta)* audit test
✦ **sondage par zone** *(Mktg)* area sampling, sampling survey.

**sondé, e** /sɔ̃de/ **NM,F** respondent, person polled, pollee.

**sonder** /sɔ̃de/ **VT** *personne* to sound out; *(par sondage d'opinion)* to poll ✦ **sonder l'opinion** to make a survey of public opinion.

**sondeur, -euse** /sɔ̃dœʀ, øz/ **NM,F** *[sondage d'opinion]* pollster.

**sort** /sɔʀ/ **NM** ✦ **tirer au sort** to draw lots ✦ **tirer qch au sort** to draw lots for sth ✦ **tirage au sort** *(= action)* drawing; *(= opération)* draw ✦ **obligations remboursables par tirages au sort annuels** bonds redeemable by annual drawings.

**sortant, e** /sɔʀtɑ̃, ɑ̃t/ **ADJ** *député, président, membres* outgoing, retiring.

**sortie** /sɔʀti/ **NF** **a** *(Comm : sur le marché)* *[produit, nouveauté]* launching; *[livre]* publication; *[disque]* release **b** *(Fin = exode)* outflow ✦ **sorties de capitaux** capital outflows ✦ **il y a eu d'importantes sorties de devises** large amounts of currency have been flowing out of the country ✦ **il faut freiner la sortie des dollars** we must reduce dollar outflows *ou* the outflow of dollars **c** *(= exportation)* *[devises, or, marchandises]* export ✦ **la sortie de capitaux sera bientôt autorisée** the export(ing) of capital will soon be permitted, taking capital out of the country will soon be permitted ✦ **la sortie de l'or / des devises est soumise à une réglementation** the export of gold / currency is regulated *ou* is subject to control, there are controls on gold / currency leaving the country ✦ **connaissement de sortie** *(Mar)* outward bill of lading ✦ **déclaration de sortie** *(Douanes)* clearance outwards ✦ **droits de sortie** *(Douanes)* export duties ✦ **sortie d'entrepôt** *(Douanes)* taking out of bond, clearing from bond ✦ **point de sortie de l'or** export gold point **d** *(= somme dépensée)* ✦ **sortie d'argent** *ou* **de fonds** cash outflow ✦ **sorties et rentrées** expenses *ou* outgoings *ou* disbursements and receipts ✦ **entrées et sorties de caisse** cash receipts and payments **e** *[magasin, usine]* *(= expédition)* withdrawal, issue; *(= production)* output ✦ **la sortie des marchandises du magasin** the withdrawal *ou* the issuing of goods from the store ✦ **bon de sortie** issue order *ou* voucher ✦ **inventaire de sortie** outgoing inventory ✦ **tableau des entrées-sorties** input-output table ✦ **examiner la qualité à la sortie** to examine the output quality *ou* the quality of the output **f** *(Inf)* output ✦ **entrée-sortie** input-output ✦ **données / éditeur / fichier de sortie** output data / writer / file ✦ **sortie sur écran** readout ✦ **sortie sur imprimante** printout ✦ **sortie sur (support) papier** hard copy ✦ **tri de sortie** outsort **g** *(Fin = retrait)* withdrawal ✦ **pénalités en cas de sortie anticipée d'un contrat d'assurance-vie** penalties for early withdrawal from a life insurance policy ✦ **à la sortie du contrat** on withdrawal from the policy.

**sortir** /sɔʀtiʀ/ **VI** **a** *(= être exporté)* to leave ✦ **tout ce qui sort du pays doit être déclaré** everything going out *ou* leaving the country must be declared **b** *(= être mis en vente)* *(gén)* to come out; *[disque, film]* to be released ✦ **le rapport de la commission vient de sortir** the commission report is out *ou* has just been released *ou* disclosed **c** *(Fin = se retirer)* to

withdraw ✦ **sortir d'un contrat d'assurance-vie** to withdraw from a life insurance policy
**VT** **a** *(= exporter)* *(par la douane)* to take out; *(en fraude)* to smuggle out **b** *(= mettre sur le marché)* *nouveau modèle* to bring out, launch; *livre* to bring out, publish; *disque* to release **c** *(= produire)* to turn out ✦ **cette usine sort 200 voitures par jour** this plant turns out 200 cars a day, 200 cars roll out from this plant per day **d** *(= débourser)* to lay out **e** *(Inf)* **sortir (sur imprimante)** to print out.

**soubresaut** /subʀəso/ **NM** jolt, start ✦ **la Bourse a progressé par soubresauts** the stock exchange jolted forward ✦ **les soubresauts de l'économie** the ups and downs of the economy.

**souche** /suʃ/ **NF** *(= talon)* counterfoil, stub ✦ **action à la souche** unissued share ✦ **carnet à souches** counterfoil book, stub book *(US)* ✦ **souche de chèque** cheque stub.

**Soudan** /sudɑ̃/ **NM** Sudan.

**soudanais, e** /sudanɛ, ɛz/ **ADJ** Sudanese
**Soudanais** **NM** *(= habitant)* Sudanese
**Soudanaise** **NF** *(= habitante)* Sudanese.

**soudure** /sudyʀ/ **NF** ✦ **crédit de soudure** *(Fin)* bridging loan ✦ **faire la soudure** to bridge the gap.

**souffle** /sufl(ə)/ **NM** ✦ **trouver son second souffle** to find one's second wind ✦ **l'économie est à bout de souffle** the economy has run out of steam.

**souffrance** /sufʀɑ̃s/ **NF** ✦ **être en souffrance** *[marchandises]* to be awaiting delivery; *(à la douane)* to be held up; *[affaire, dossier]* to be pending, be waiting attention ✦ **colis en souffrance** undelivered parcel, hung-up parcel *(US)* ✦ **commandes en souffrance** outstanding orders ✦ **compte en souffrance** *(Fin)* overdue *ou* outstanding account ✦ **délai** *ou* **jours de souffrance** days of grace ✦ **effet en souffrance** *(Fin)* unpaid *ou* overdue bill ✦ **marchandises en souffrance** *(gén)* unclaimed goods; *(Rail)* goods on demurrage.

**souffrir** /sufʀiʀ/ **VI** *(gén)* to suffer ✦ **ils ont souffert de la crise** they have suffered from the recession.

**soulte** /sult(ə)/ **NF** *(Fin, Jur)* balancing cash adjustment.

**soum** /sum/ **NM** sum.

**soumettre** /sumɛtʀ(ə)/ **VT** **a** *(= imposer)* ✦ **soumettre qn / qch à** to subject sb / sth to ✦ **soumettre qch à une épreuve** to test sth ✦ **soumis à l'impôt** subject to taxation, liable for *ou* to tax ✦ **soumis aux droits de douane**

liable to custom duties, dutiable ✦ **offre soumise à conditions** offer subject to conditions b (= *présenter*) *rapport, projet* to submit (*à* to) ✦ **soumettre à un arbitrage** to submit *ou* refer to arbitration ✦ **soumettre à la signature** to submit for signature ✦ **soumettre une proposition** to bring forward a proposal.

**soumission** /sumisjɔ̃/ NF a *(Comm)* tender, bid *(US)* ✦ **faire une soumission pour un contrat** to tender *ou* submit a tender for a contract ✦ **par voie de soumission** by tender ✦ **soumission cachetée** sealed *ou* sealed-bid tender ✦ **ouvrir la soumission pour un projet** to invite tenders for a project, put a project out for public tender b *(Douanes = garantie bancaire)* ✦ **soumission cautionnée** (secured) bond.

**soumissionnaire** /sumisjɔnɛʀ/ NMF bidder, tenderer ✦ **adjudication au plus bas soumissionnaire** allocation to the lowest tenderer.

**soumissionner** /sumisjɔne/ VT to bid for, tender for ✦ **soumissionner à une adjudication** to tender for *ou* submit a tender for a contract.

**souple** /supl(ə)/ ADJ *règlement, horaire* flexible.

**souplesse** /suplɛs/ NF *[règlement, horaire]* flexibility.

**source** /suʀs(ə)/ NF a *(gén)* source ✦ **sources d'approvisionnement** sources of supply ✦ **sources externes de financement** external sources of financing ✦ **source d'informations / de profits / d'énergie / de revenus** source of information / of profit / of energy / of income ✦ **de source autorisée** from official *ou* reliable sources ✦ **de source sûre, de bonne source** from a reliable *ou* knowledgeable source, on good authority ✦ **de source généralement bien informée** from a usually well-informed source ✦ **je tiens cela de source sûre** I have it straight from the horse's mouth b *(Impôts)* ✦ **30% forfaitaire retenu à la source** 30% flat rate withholding (at source) ✦ **en Grande-Bretagne les impôts sont retenus à la source** in Great Britain tax is withheld at source *ou* on a pay-as-you-earn basis ✦ **système de retenue à la source** pay-as-you-earn system *(Brit)*, withholding tax system *(US)* ✦ **retenue à la source** tax deduction *ou* withholding at source c *(Inf)* source ✦ **langage / programme source** source language / program.

**souris** /suʀi/ NF *(Inf)* mouse.

**sous** /su/ PRÉP under ✦ **vous êtes placé sous sa responsabilité** you are responsible to him, you report to him ✦ **l'affaire est sous sa responsabilité** the affair is his responsibility *ou* comes within his responsibility ✦ **sous garantie** under

guarantee ✦ **sous huitaine** within a week ✦ **sous réserve de** subject to ✦ **sous réserve de sinistre connu** no known loss ✦ **sous réserve d'approbation** subject to approval ✦ **sous réserve de vente antérieure** subject to prior sale ✦ **sous réserve d'examen** subject to survey ✦ **sous douane** in bond

PRÉF *(subordination)* sub-; *(insuffisance)* under- ✦ **sous-catégorie** sub-category ✦ **sous-production** underproduction ▪ Voir encadré page suivante

**souscripteur, -trice** /suskʀiptœʀ, tʀis/ NM,F *[emprunt, publication]* subscriber; *[billet à ordre]* payer, maker; *[police d'assurance]* taker, policy holder, insured person; *[titres boursiers]* *(à l'introduction)* subscriber; *(à une augmentation de capital)* applicant ✦ **souscripteur par complaisance** accommodation party.

**souscription** /suskʀipsjɔ̃/ NF *[emprunt, publication]* subscription *(à, de* to); *[billet à ordre]* signing, making, taking; *[police d'assurance]* taking out; *[titres boursiers]* *(lors de l'introduction)* subscription; *(lors d'une augmentation de capital)* application, subscription *(à, de* for) ✦ **clôturer la souscription** to close the subscription list ✦ **bulletin de souscription** application form ✦ **droit / date / versement de souscription** *(Bourse)* application right / date / money ✦ **droit préférentiel de souscription** right to preferential allotment ✦ **lettre de souscription** letter of application ✦ **prix de souscription** subscription price ✦ **ex-droit de souscription** ex-claim, ex-new ✦ **mettre une émission en souscription** to offer an issue for application, invite applications for an issue ✦ **la souscription est ouverte** applications are being received ✦ **appel pour la souscription d'une émission** invitation to subscribe to an issue ✦ **la souscription du capital social** the taking up of the authorized capital ✦ **souscription irréductible** application as of right for new shares ✦ **souscription réductible** application for excess shares ✦ **obligation à bon de souscription d'actions** bond with equity warrant ✦ **augmentation de capital par souscription de deux actions nouvelles pour cinq anciennes** increase of capital through a seven-for-five stock split ✦ **payable lors de la souscription** payable on application.

**souscrire** /suskʀiʀ/ ✦ **souscrire à** VT INDIR *emprunt, publication, émission* to subscribe to; *actions* to apply for, subscribe for ✦ **souscrire à un certificat payable le 6 avril** to subscribe to a certificate payable on April 6th ✦ **il a souscrit pour 500 euros à la construction de la nouvelle piscine** he subscribed 500 euros towards

_compounds/composés_

SOUS

- **sous-activité** _(Ind)_ [usines, machines] below capacity utilization
- **sous-affréter** to sub-charter
- **sous-affreteur** sub-charterer
- **sous-agence** sub-agency, sub-branch
- **sous-agent** sub-agent
- **sous-bail** sub-lease
- **sous-bailleur** sub-lessor
- **sous-capitalisation** undercapitalization
- **sous-capitalisé** undercapitalized
- **sous-chaîne** _(Inf)_ sub-string
- **sous-chef** second-in-command
- **sous-chef de bureau** deputy chief clerk
- **sous-chef de service** assistant manager
- **sous-comité, sous-commission** sub-committee
- **sous-consommation** underconsumption
- **sous-développé** underdeveloped
- **sous-développement** underdevelopment
- **sous-directeur** assistant manager, sub-manager
- **sous-effectifs** undermanning
- **sous-emploi** underemployment
- **sous-employé** _personne, ressource_ underemployed
- **sous-ensemble** _(Math)_ subset; _(Ind)_ subcomponent
- **sous-équipé** underequipped
- **sous-équipement** underequipment
- **sous-estimation** underestimation
- **sous-estimer** _(gén)_ to underestimate; _adversaire, collaborateur_ to underrate
- **sous-évaluation** underestimation, undervaluation; _(Compta)_ understatement
- **sous-évaluer** to underestimate, undervalue; _(Compta)_ to understate

- **sous-fichier** sub-file
- **sous-filiale** sub-branch
- **sous-groupe** subgroup ◆ **sous-groupe de travail** buzz group
- **sous-imposition** underassessment
- **sous-jacent** _perte, produit_ underlying ◆ **le sous-jacent d'un produit dérivé** _(Bourse)_ the underlying asset of a derivative
- **sous-locataire** subtenant, sublessee
- **sous-louer** (= _recevoir un loyer_) to sublet, sublease; (= _verser un loyer_) to sublease
- **sous-marque** sub-brand
- **sous-menu** _(Inf)_ sub-menu
- **sous-payer** to underpay
- **sous-performer** [indice] to underperform
- **sous-production** underproduction
- **sous-produit** by-product
- **sous-programme** sub-program, sub-routine
- **sous-tâche** sub-task
- **sous-total** sub-total
- **sous-traitance** subcontracting ◆ **donner qch en sous-traitance** to subcontract _ou_ contract out _ou_ farm out sth ◆ **contrat de sous-traitance** subcontract
- **sous-traitant** subcontractor
- **sous-traiter** (= _être sous-traitant_) to be subcontracted, become a subcontractor ◆ **sous-traiter une affaire** to subcontract _ou_ contract out _ou_ farm out a job
- **sous-utilisation** underuse
- **sous-utiliser** to underuse, underutilize.

the construction of the new pool ◆ **le droit de souscrire à une action de 50 euros** the right to subscribe for one share at 50 euros

**VT** _billet à ordre_ to sign; _police d'assurance, abonnement_ to take out; _titres boursiers_ to apply for, subscribe for ◆ **quel montant d'assurance avez-vous souscrit ?** how much insurance do you carry ? ◆ **souscrire des bons du Trésor** to apply for Treasury bonds ◆ **les actions émises seront souscrites par un holding de banques** the shares will be taken up by a bank holding company ◆ **80% des actions ont déjà été souscrites** 80% of the shares have already been taken up ◆ **l'émission n'a été souscrite qu'à 50%** the issue was only 50% subscribed.

**souscrit, e** /suskʀi, it/ **ADJ** _émission, emprunt_ subscribed ◆ **capital souscrit** subscribed capital ◆ **émission entièrement souscrite** fully subscribed issue.

**soussigné, e** /susiɲe/ **ADJ, NM,F** undersigned ◆ **Je soussigné, Dupont Charles déclare que...** I the

undersigned, Charles Dupont, certify that...

**soussigner** /susiɲe/ **VT** to undersign.

**soustraction** /sustʀaksjɔ̃/ **NF** subtraction.

**soustraire** /sustʀɛʀ/ **VT** _somme_ to subtract, take away (de from)
   **se soustraire** **VPR** se soustraire à _autorité, justice_ to elude; _impôt_ to evade.

**soute** /sut/ **NF** [navire] hold ◆ **soute à bagages** [bateau, avion] baggage hold.

**soutenir** /sutniʀ/ **VT** to support, back (up) ◆ **soutenir une monnaie** to support _ou_ bolster a currency ◆ **il nous a soutenus financièrement** he gave us financial backing _ou_ support ◆ **soutenir une motion** to second a motion.

**soutenu, e** /sutny/ **ADJ** _effort, travail_ sustained; _activité boursière_ steady, buoyant.

**souterrain, e** /sutɛʀɛ̃, ɛn/ **ADJ** underground, subterranean ◆ **économie souterraine** underground economy.

**soutien** /sutjɛ̃/ **NM** (= appui) support, backing; (Bourse) support ◆ **achats de soutien** supporting purchases ◆ **crédit de soutien** stand-by credit ◆ **mesures de soutien** backing up ou support measures ◆ **soutien des prix** price support ◆ **prix / plan de soutien** support price / plan ◆ **soutien financier** financial support ou backing ◆ **politique de soutien à l'agriculture** agricultural support policy ◆ **objectif de soutien** (Gestion) supporting objective.

**souverain, e** /suv(ə)ʀɛ̃, ɛn/ **ADJ** (Fin) sovereign.

**soviétique** /sɔvjetik/ **ADJ** Soviet
**Soviétique** **NMF** Soviet citizen.

**spécial, e,** MPL **-aux** /spesjal, o/ **ADJ** special ◆ **outils à usage spécial** specialized ou special-purpose tools.

**spécialisation** /spesjalizasjɔ̃/ **NF** specialization.

**spécialisé, e** /spesjalize/ **ADJ** machine special-purpose; ordinateur, terminal, programme dedicated, special-purpose; travail, entreprise specialized ◆ **être spécialisé dans** personne to be a specialist in, specialize in; entreprise to specialize in ◆ **main-d'œuvre spécialisée** unskilled labour ◆ **ouvrier spécialisé** unskilled ou semi-skilled worker ◆ **magasin spécialisé** speciality (Brit) ou specialty (US) store ◆ **revue spécialisée** specialist magazine.

**spécialiser (se)** /spesjalize/ **VPR** to specialize (dans in) ◆ **se spécialiser en économie** (Univ) to major in economics.

**spécialiste** /spesjalist(ə)/ **NMF** specialist, expert.

**spécialité** /spesjalite/ **NF** speciality.

**spécification** /spesifikasjɔ̃/ **NF** specification.

**spécificité** /spesifisite/ **NF** specificity.

**spécifié, e** /spesifje/ **ADJ** specified ◆ **compte spécifié** detailed ou itemized (US) account ◆ **conditions spécifiées dans la police** stipulations set forth in the policy.

**spécifier** /spesifje/ **VT** (= préciser) to specify, state, stipulate ◆ **pourriez-vous spécifier les couleurs que vous désirez ?** please specify the colours that you desire ◆ **spécifier les conditions d'un contrat** to specify ou stipulate the terms of a contract.

**spécifique** /spesifik/ **ADJ** specific ◆ **impôt** ou **droit spécifique** (à certains produits) excise tax; (calculé d'après la grandeur physique) specific duties.

**spécifiquement** /spesifikmɑ̃/ **ADV** specifically.

**spécimen** /spesimɛn/ **NM** (gén) specimen; (= livre donné gratuitement) sample copy, desk copy (US) ◆ **spécimen de signature** specimen signature.

**spectre** /spɛktʀ/ **NM** spectre ◆ **le spectre de l'inflation** the spectre of inflation.

**spéculateur, -trice** /spekylatœʀ, tʀis/ **NM,F** speculator ◆ **spéculateur à la baisse** bear ◆ **spéculateur à la hausse** bull ◆ **spéculateur boursier / immobilier** stock-market / real-estate speculator.

**spéculatif, -ive** /spekylatif, iv/ **ADJ** speculative ◆ **capitaux (flottants) spéculatifs** speculative capital, hot money ◆ **mouvements spéculatifs sur des titres** speculative trading in securities.

**spéculation** /spekylasjɔ̃/ **NF** speculation (sur in, contre against) ◆ **spéculation à la baisse / à la hausse** bear / bull operation ◆ **la spéculation boursière** stock market speculation ◆ **valeurs** ou **titres de spéculation** speculative stock.

**spéculer** /spekyle/ **VI** to speculate (sur in, contre against) ◆ **spéculer à la baisse / à la hausse** to go a bear / a bull ◆ **spéculer sur les différentiels de cours** to spread.

**sphère** /sfɛʀ/ **NF** sphere ◆ **il évolue dans les hautes sphères de la finance** he circulates in the higher realms of finance ◆ **sphère d'influence / d'activité** sphere of influence / of activity.

**spirale** /spiʀal/ **NF** spiral ◆ **spirale inflationniste** inflationary spiral ◆ **la spirale des coûts** the cost spiral, spiralling costs ◆ **la spirale des salaires et des prix** the wage-price spiral ◆ **les prix montent en spirale** prices are skyrocketing ou spiralling upwards.

**split** /split/ **NM** (Bourse) split.

**sponsor** /spɔ̃sɔʀ/ **NM** sponsor.

**sponsoring** /spɔ̃sɔʀiŋ/ **NM** sponsoring, sponsorship.

**sponsoriser** /spɔ̃sɔʀize/ **VT** to sponsor.

**spontané, e** /spɔ̃tane/ **ADJ** spontaneous ◆ **achat spontané** (= action) impulse buying; (= chose achetée) impulse purchase ◆ **reconnaissance spontanée** (Mktg) spontaneous recognition.

**spot** /spɔt/ **ADJ** marché, prix, crédit spot
**NM** **spot publicitaire** commercial, ad* ◆ **spot télé** * TV commercial.

**spread** /spʀɛd/ **NM** (Bourse) spread.

**SRD** /ɛsɛʀde/ **NM** abrév de **service à règlement différé** → **service.**

**Sri Lanka** /sʀilɑ̃ka/ **NF** Sri Lanka.

**sri-lankais, e** /sʀilɑ̃kɛ, ɛz/ **ADJ** Sri-Lankan
  **Sri-Lankais** **NM** (= *habitant*) Sri-Lankan
  **Sri-Lankaise** **NF** (= *habitante*) Sri-Lankan.

**SS** abrév de **sous.**

**SS** abrév de **Sécurité sociale** ≈ NHS.

**SSCI** /ɛsɛssei/ **NF** abrév de **société de services et de conseils en informatique** → **société.**

**SSII** /ɛsɛsii/ **NF** abrév de **société de services et d'ingenérie en informatique** → **société.**

**stabilisateur, -trice** /stabilizatœʀ, tʀis/ **ADJ** stabilizing
  **NM** stabilizer **◆ stabilisateurs automatiques** (*Écon*) automatic stabilizers.

**stabilisation** /stabilizasjɔ̃/ **NF** (*gén*) stabilization; [*prix, salaires, marché*] stabilization, pegging **◆ fonds de stabilisation des changes** Exchange Equalization Account **◆ emprunt / politique de stabilisation** stabilization loan / policy.

**stabiliser** /stabilize/ **VT** to stabilize **◆ stabiliser le marché / les prix / les salaires** to stabilize *ou* peg the market / prices / wages
  **se stabiliser** **VPR** to stabilize, become stabilized **◆ les prix se sont stabilisés** prices have levelled off.

**stabilité** /stabilite/ **NF** stability **◆ stabilité de l'emploi / des prix** job / price stability.

**stable** /stabl(ə)/ **ADJ** *marché, monnaie* stable, steady.

**stade** /stad/ **NM** (= *étape*) stage **◆ au stade de la production / du détail** at the production / retail stage.

**staff** /staf/ **NM** (= *personnel*) staff **◆ le personnel en staff** staffers, staff personnel **◆ cadre en staff** staff executive, staffer.

**stage** /staʒ/ **NM** (= *formation*) training course, internship (*US*) ; (= *durée*) training period; (= *période d'essai*) probationary period **◆ faire** *ou* **suivre un stage** (*pratique*) to go on a (training) course; (*théorique*) to do a period of training, undertake a period of training; (*chez un avocat*) to be in articles **◆ faire un stage de marketing** to go on *ou* be on a marketing course **◆ stage pratique** pratical training period **◆ stage de formation (professionnelle)** (vocational) training course **◆ stage d'initiation** introductory course **◆ stage de perfectionnement** advanced *ou* refresher course **◆ stage de pré-emploi** training period **◆ stage en usine** industrial

training period *ou* traineeship **◆ stage en entreprise** in-company training period, internship (*US*), company attachment.

**stagflation** /stagflasjɔ̃/ **NF** stagflation.

**stagiaire** /staʒjɛʀ/ **ADJ** trainee **◆ secrétaire stagiaire** trainee secretary
  **NMF** (= *qui fait un stage pratique*) trainee, intern (*US*) ; (= *qui suit un cours*) course participant; (*dans une étude d'avocat*) articles clerk.

**stagnant, e** /stagnɑ̃, ɑ̃t/ **ADJ** stagnant.

**stagnation** /stagnasjɔ̃/ **NF** stagnation.

**stagner** /stagne/ **VI** to stagnate, be at a standstill.

**stand** /stɑ̃d/ **NM** [*exposition*] stand; [*foire*] stall.

**standard** /stɑ̃daʀ/ **ADJ INV** *produit, prix, qualité* standard **◆ coûts / déviation / erreur standard** standard cost / deviation / error **◆ échange standard** replacement
  **NM** **a** (*Téléc*) switchboard **◆ je vous repasse le standard** I'll put you back through to the operator **b** (= *critère*) standard **◆ standard de vie** standard of living **◆ standard de temps et de mouvement** time and motion standard **◆ la radio est installée en standard** the radio is installed as a standard feature **◆ les standards de qualité** quality standards **◆ standard bimétallique** parallel standard.

**standardisation** /stɑ̃daʀdizasjɔ̃/ **NF** standardization.

**standardiser** /stɑ̃daʀdize/ **VT** to standardize **◆ fabrication standardisée** standardized production.

**standardiste** /stɑ̃daʀdist(ə)/ **NMF** switchboard operator **◆ demandez à la standardiste** ask the operator.

**stand-by** /stɑ̃dbaj/ **ADJ INV** **◆ crédit stand-by** standby credit.

**starie** /staʀi/ **NF** (*Mar*) lay days.

**start-up** /staʀtœp/ **NF INV** (*Écon*) start-up.

**stationnaire** /stasjɔnɛʀ/ **ADJ** stationary **◆ le chômage est stationnaire** unemployment has reached a plateau *ou* has levelled off.

**statisticien, -ienne** /statistisjɛ̃, jɛn/ **NM,F** statistician.

**statistique** /statistik/ **ADJ** statistical **◆ état / table statistique** statistical report / table
  **NF** statistic **◆ des statistiques** statistics **◆ la statistique** (= *science*) statistics (sing) ; **statistiques officielles** returns **◆ statistiques démographiques** vital statistics **◆ statistiques bud-**

gétaires / à l'exportation budget / export figures.

**statistiquement** /statistikmɑ̃/ **ADV** statistically.

**statuer** /statɥe/ **VI** to give a verdict ◆ **statuer sur** to rule on, give a ruling on ◆ **statuer sur le cas de qn** to decide sb's case.

**statut** /staty/ **NM** **a** (= *situation*) status ◆ **statut fiscal** income tax status ◆ **quel est son statut dans la société ?** what is his status *ou* position in the company ? ◆ **elle a un statut de fonctionnaire** she has civil servant status **b** (= *règlement d'une société*) ◆ **statuts d'une société** ≈ Memorandum and Articles of Association (*Brit*),Incorporation Charter (*US*),Articles of Incorporation (*US*) (= *règlement intérieur*) Articles of Association (*Brit*),bylaws (*US*) ◆ **déposer les statuts** to register a company ◆ **d'après les statuts** according to the articles *ou* to the charter (*US*).

**statutaire** /statytɛʀ/ **ADJ** statutory ◆ **horaire statutaire** regulation *ou* statutory number of working hours ◆ **actions statutaires** qualification shares ◆ **assemblée / réserve statutaire** statutory meeting / reserve ◆ **selon les dispositions statutaires de la société** according to the company's articles *ou* charter (*US*).

**statutairement** /statytɛʀmɑ̃/ **ADV** (*gén*) in accordance with the regulations; (*entreprise*) in accordance with the articles *ou* charter (*US*).

**Sté** abrév de **société**.

**stellage** /stɛlaʒ/ **NM** (*Bourse*) straddle.

**stencil** /stɛnsil/ **NM** stencil.

**sténo** /steno/ **NMF** (= *personne*) shorthand typist **NF** shorthand (typing) ◆ **prendre une lettre en sténo** to take down a letter in shorthand.

**sténo(dactylo)** /steno(daktilo)/ **NMF** (= *personne*) shorthand typist **NF** (= *activité*) shorthand (typing).

**sténographe** /stenɔgʀaf/ **NMF** stenographer.

**sténographie** /stenɔgʀafi/ **NF** shorthand, stenography.

**sténographier** /stenɔgʀafje/ **VT** to take down in shorthand.

**sténographique** /stenɔgʀafik/ **ADJ** shorthand.

**sténotype** /stenotip/ **NF** stenotype.

**sténotyper** /stenotipe/ **VT** to stenotype.

**sténotypie** /stenotipi/ **NF** stenotypy.

**sténotypiste** /stenotipist(ə)/ **NMF** stenotypist.

**sterling** /stɛʀliŋ/ **NM** sterling ◆ **balances / zone sterling** sterling balances / area ◆ **livre sterling** pound sterling.

**stimulant, e** /stimylɑ̃, ɑ̃t/ **ADJ** stimulating ◆ **salaire stimulant** incentive wage *ou* salary **NM** (= *mesure de relance*) stimulus; (= *encouragement*) incentive ◆ **stimulant de la production / salarial / de vente** production / wage / sales incentive.

**stimulation** /stimylasjɔ̃/ **NF** stimulation ◆ **plan de stimulation de la demande** (*Écon*) pump-priming plan.

**stimuler** /stimyle/ **VT** to stimulate ◆ **mesures pour stimuler l'économie** measures designed to stimulate the economy, pump-priming (measures).

**stipulation** /stipylasjɔ̃/ **NF** stipulation, provision ◆ **stipulation dérogatoire** derogatory stipulation ◆ **sauf stipulation contraire** unless otherwise stipulated *ou* specified.

**stipuler** /stipyle/ **VT** (*gén*) to specify, state, stipulate; (*dans un contrat*) to stipulate.

**stock** /stɔk/ **NM** (*gén, Comm*) stock; (*Compta*) inventory, stock (*fig* = *provisions*) supply, stock ◆ **carte d'entrée / de sortie de stock** stock receipt / issue card ◆ **contraction / épuisement des stocks** stock decumulation / depletion ◆ **contrôle des stocks** stock *ou* inventory control ◆ **cotation / état des stocks** inventory *ou* stock turnover / position ◆ **entrées / sorties de stock** stock entries / issues ◆ **évaluation des stocks** stock *ou* inventory valuation ◆ **fiche / freinte / niveau / pénurie de stock** inventory *ou* stock card / shrinkage / level / shortage ◆ **formation** *ou* **constitution des stocks** inventory *ou* stock building (up) ◆ **gestion** *ou* **tenue des stocks** inventory *ou* stock control, inventory management ◆ **liquidation du stock** stock clearance ◆ **renouvellement des stocks** restocking ◆ **rotation des stocks** stock turnover *ou* rotation, inventory turnover (*US*) ◆ **profit fictif sur stocks** inventory profit ◆ **stock au début / à la fin de l'exercice** beginning *ou* opening / ending *ou* closing inventory ◆ **avoir qch en stock** to stock sth, have *ou* keep sth in *ou* on (*US*) stock ◆ **constituer des stocks de pièces détachées** to build up stocks of spare parts ◆ **écouler / épuiser les stocks** to run down *ou* sell off / exhaust *ou* deplete the stocks ◆ **renouveler le stock** to replenish the stock ◆ **leur stock est épuisé, ils sont en rupture de stock** they are out of stock ◆ **soldes jusqu'à épuisement des stocks** (*sur affiche*) everything must go! ◆ **entrer un article en stock** to enter an item into stock ◆ **fournir sur**

**stock** to supply from stock ◆ **sortir un article du stock** to issue an item from stock

─── *compounds/composés* ───

◆ **stock d'alerte** emergency stock
◆ **stock amont** upstream inventory
◆ **stock aval** downstream stock
◆ **stock de clôture** ending *ou* closing inventory *ou* stock
◆ **stock comptable** book inventory *ou* stock
◆ **stock critique** critical inventory
◆ **stock excédentaire** inventory *ou* stock overage
◆ **stock existant** inventory *ou* stock in hand
◆ **stock de fabrication** inventory at manufacturing stage
◆ **stock final** closing inventory
◆ **stock initial** beginning *ou* opening inventory *ou* stock
◆ **stock en magasin** inventory *ou* stock in hand
◆ **stock de matières** materials inventory *ou* stock
◆ **stock maximum** maximum inventory *ou* stock (level)
◆ **stock minimal** base stock
◆ **stock moyen** average inventory *ou* stock
◆ **stock d'opportunité** opportunity stock
◆ **stock options** stock option
◆ **stock-outil** base inventory *ou* stock, inventory safety stock
◆ **stock d'ouverture** beginning *ou* opening inventory *ou* stock
◆ **stock physique** physical inventory *ou* stock
◆ **stock pièces** parts inventory *ou* stock
◆ **stock de précaution** reserve stock
◆ **stock de produits finis** *ou* **ouvrés** finished goods inventory *ou* stock
◆ **stock de régularisation** buffer stock
◆ **stocks régulateurs** *(Écon)* regulatory stocks
◆ **stock de sécurité** safety stock
◆ **stock de sous-ensembles** sub-components inventory *ou* stock
◆ **stock de spéculation** speculative stock
◆ **stock tampon** buffer stock
◆ **stock zéro** zero inventory *ou* stock.

**stockage** /stɔkaʒ/ **NM** *(Ind, Comm)* stocking, storage; *(Inf)* storage; *(péj)* stockpiling ◆ **le stockage des pièces de rechange coûte cher** the stocking of spare parts *ou* stocking spare parts is expensive ◆ **frais** *ou* **coûts de stockage** inventory *ou* stock carrying costs, storage costs ◆ **capacité de stockage** storage capacity ◆ **le stockage du beurre à l'intérieur de l'UE** the storage *ou* stockpiling of butter within the EU ◆ **unité de stockage** *(Inf)* storage device.

**stocké, e** /stɔke/ **ADJ** *(Ind, Comm)* stocked; *données* stored ◆ **production stockée** stock of goods produced.

**stocker** /stɔke/ **VT** *(Ind, Comm)* to stock, keep in stock; *(péj)* to stockpile; *(Inf)* to store.

**Stockholm** /stɔkɔlm/ **N** Stockholm.

**stockiste** /stɔkist(ə)/ **NMF** *(Comm)* stockist *(Brit)*, dealer *(US)* ; *(Aut)* agent.

**stop** /stɔp/ **ADJ INV** *(Bourse)* ◆ **ordre stop** stop (loss) order ◆ **ordre de vente stop** stop order to sell ◆ **achat / vente stop** stop order to buy / sell, buy / sell stop order ◆ **cours stop** stop price.

**stopper** /stɔpe/ **VT** to stop, halt.

**straddle** /stʀadœl/ **NM** *(Bourse)* straddle.

**strate** /stʀat/ **NF** stratum ◆ **strate de marché** market stratum *ou* segment.

**stratégie** /stʀateʒi/ **NF** strategy ◆ **stratégie commerciale / financière / marketing** sales / financial / marketing strategy ◆ **stratégie d'entreprise / sectorielle** corporate / sectorial strategy ◆ **stratégie de la marque** brand strategy ◆ **stratégie de produit** product strategy.

**stratégique** /stʀateʒik/ **ADJ** strategic ◆ **cession d'actifs non stratégiques** sale of non-strategic assets, non-strategic asset sale.

**stratification** /stʀatifikasjɔ̃/ **NF** stratification.

**stratifié, e** /stʀatifje/ **ADJ** stratified ◆ **sondage stratifié** stratified sampling.

**stratifier** /stʀatifje/ **VT** to stratify.

**structuration** /stʀyktyʀasjɔ̃/ **NF** structuring.

**structure** /stʀyktyʀ/ **NF** *(gén)* structure; *(= organisation)* organization *(Écon : architecture)* pattern ◆ **problèmes de structure** structural problems, problems of structure ◆ **réformes de structure** structural reforms ◆ **la structure des dépenses des ménages** household spending patterns ◆ **la structure de l'entreprise** the structure *ou* organization of the company ◆ **les structures d'entreprise** corporate structures ◆ **frais** *ou* **coûts** *ou* **charges de structure** *(Compta)* committed costs; *(= frais généraux)* overheads ◆ **modification de structure** organizational change

─── *compounds/composés* ───

◆ **structure d'accueil** reception facilities
◆ **structure arborescente** tree structure
◆ **structure du capital** capital structure
◆ **structure des échanges** trade pattern
◆ **structure financière** financial structure
◆ **structure fonctionnelle** staff organization
◆ **structure hiérarchico-fonctionnelle** line and staff organization
◆ **structure du marché** market structure
◆ **structure matricielle** matrix structure *ou* organization
◆ **structure mixte** line and staff organization

♦ **structure organique** organizational relationship
♦ **structure organisationnelle** organization structure
♦ **structure des prix** price structure
♦ **structure des salaires** wage ou salary structure.

**structuré, e** /stʀyktyʀe/ **ADJ** structured.

**structurel, -elle** /stʀyktyʀɛl/ **ADJ** structural ♦ **chômage structurel** structural unemployment.

**structurer** /stʀyktyʀe/ **VT** to structure.

**stylique** /stilik/ **NF** (Ind) design.

**stylisation** /stilizasjɔ̃/ **NF** stylization.

**styliser** /stilize/ **VT** to stylize.

**stylisme** /stilism(ə)/ **NM** (= métier) dress designing; (= manière) style, styling ♦ **stylisme maison** house style ou styling.

**styliste** /stilist(ə)/ **NMF** (= dessinateur industriel) designer ♦ **styliste de mode** clothes ou dress designer.

**subalterne** /sybaltɛʀn(ə)/ **ADJ** rôle subordinate, subsidiary; employé, poste junior ♦ **personnel subalterne** down-the-line personnel **NMF** subordinate.

**subir** /sybiʀ/ **VT** pertes, dégâts to incur, suffer, sustain; test to undergo, go through ♦ **subir les effets de qch** to be affected by sth, experience the effects of sth ♦ **subir une hausse / baisse** to experience a rise / fall ♦ **ce modèle pourra subir des modifications** this model is liable to alterations ♦ **faire subir un examen à qn** to subject sb to an examination, put sb through an examination.

**submerger** /sybmɛʀʒe/ **VT** to swamp, inundate ♦ **submergé de** appels téléphoniques, commandes snowed under with, swamped with.

**subordonné, e** /sybɔʀdɔne/ **ADJ** subordinate (à to) **NM,F** subordinate.

**subordonner** /sybɔʀdɔne/ **VT** to subordinate (à to) ♦ **cette décision est subordonnée à notre capacité de financement** this decision is subject to our financing capacity ♦ **vente subordonnée à l'obtention d'un prêt** sale conditional on obtaining a loan.

**subrogation** /sybʀɔgasjɔ̃/ **NF** (Jur) subrogation.

**subrogatoire** /sybʀɔgatwaʀ/ **ADJ** (Jur) ♦ **acte subrogatoire** act of subrogation.

**subrogé, e** /sybʀɔʒe/ **ADJ** subrogated ♦ **être su-**brogé aux droits de l'assuré to be subrogated in the rights of the insured **NM,F** (Jur) subrogate.

**subroger** /sybʀɔʒe/ **VT** (Jur) to subrogate.

**subside** /sybzid/ **NM** grant ♦ **toucher des subsides de l'État** to be subsidized by the state, get subsidies ou a grant from the state.

**subsidiaire** /sybzidjɛʀ/ **ADJ** subsidiary ♦ **crédit subsidiaire** back-to-back credit.

**subsidiairement** /sybzidjɛʀmɑ̃/ **ADV** subsidiarily.

**subsidiarité** /sybzidjaʀite/ **NF** ♦ **le principe de subsidiarité** the subsidiary status principle; (UE) the principle of subsidiarity.

**subsistance** /sybzistɑ̃s/ **NF** (= moyens d'existence) subsistence ♦ **assurer la subistance de qn** to support ou keep ou maintain sb ♦ **moyens de subsistance** means of subsistence ♦ **niveau de subsistance** subsistence level.

**substituabilité** /sypstitɥabilite/ **NF** (Écon) substitutability.

**substituable** /sypstitɥabl(ə)/ **ADJ** produit substitutable.

**substituer** /sypstitɥe/ **VT** to substitute (à for)
**se substituer** **VPR** se substituer à qn (sans son accord) to substitute o.s. for sb; (avec son accord) to substitute for sb, stand in for sb.

**substitut** /sypstity/ **NM** **a** (= produit de remplacement) substitute (de for) **b** (= juge) deputy public prosecutor.

**substitution** /sypstitysjɔ̃/ **NF** substitution (à for) ♦ **substitution entre les facteurs** substitution among factors, factor substitution ♦ **substitution du capital travail** substituting capital for labour, replacing labour by capital ♦ **effet de substitution** substitution effect ♦ **élasticité de substitution** elasticity of substitution ♦ **produit de substitution** substitute product ♦ **ligne de crédit de substitution** (Fin) backup line of credit.

**subvenir** /sybvəniʀ/ **VT INDIR** ♦ **subvenir à** besoins to provide for meet.

**subvention** /sybvɑ̃sjɔ̃/ **NF** (gén) grant (Écon, Fin) subsidy, grant, support; (Agr) subsidy; (Banque) deficiency payment; (transfert de l'administration centrale vers les administrations locales) grant-in-aid ♦ **subvention de l'État** government ou state subsidy ou grant ou support ♦ **percevoir ou recevoir une subvention de l'État** to be subsidized ou supported by the state ou government.

---
compounds/composés
---

- **subvention en capital** capital subsidy *ou* grant
- **subvention aux consommateurs** price subsidy
- **subvention d'équilibre** deficiency subsidy *ou* grant
- **subvention d'exploitation** operating subsidy
- **subvention à l'exportation** export subsidy *ou* grant
- **subvention d'investissement** investment subsidy *ou* grant
- **subvention à la production** production subsidy.

---

**subventionnement** /sybvãsjɔnmã/ **NM** subsidization.

**subventionner** /sybvãsjɔne/ **VT** to subsidize, support ◆ **subventionné par l'État** state-aided, subsidized *ou* supported by the state *ou* government.

**succédané** /syksedane/ **NM** substitute (*de* for).

**succéder** /syksede/ **VT INDIR** ◆ **succéder à qn dans une fonction** to take over from sb *ou* succeed sb in a job.

**succès** /syksɛ/ **NM** **a** (*= réussite*) success ◆ **avoir du succès, être un succès** to be successful, be a success ◆ **avec succès** successfully **b** (*= produit*) success, bestseller, bestselling article ◆ **succès de librairie** bestseller ◆ **auteur à succès** bestselling author.

**successeur** /syksesœʀ/ **NM** successor.

**succession** /syksesjɔ̃/ **NF** **a** (*= suite*) succession, series **b** [*pouvoir, bien*] succession; (*= patrimoine hérité ou transmis*) estate, inheritance ◆ **la succession est ouverte** ≈ the will is going through probate ◆ **préparer sa succession** [*chef d'entreprise*] to prepare to hand over the reins *ou* to step down ◆ **prendre la succession de** [*cadre, responsable*] to succeed, take over from; [*entreprise*] to take over ◆ **droits de succession** death *ou* estate duties, inheritance tax (*US*) ◆ **loi sur les successions** inheritance law ◆ **succession ab intestat** intestate estate *ou* succession ◆ **succession testamentaire** succession bestowed by will ◆ **succession vacante** estate in abeyance.

**succursale** /sykyʀsal/ **NF** [*magasin, entreprise*] branch, sub-office ◆ **succursale de vente** sales office ◆ **magasin à succursales (multiples)** chain store, multiple (store).

**succursalisme** /sykyʀsalism(ə)/ **NM** (*= système*) chain-store *ou* multiple(-store) distribution; (*= ensemble de la profession*) multiples, chains ◆ **le succursalisme alimentaire** food chains.

**succursaliste** /sykyʀsalist(ə)/ **ADJ** distribution, système chain-store, multiple(-store)
■ **a** (*= société*) chain store, multiple (store) ◆ **les chaînes de succursalistes alimentaires** food chains **b** (*= gérant*) chain store operator, multiple operator.

**sucre** /sykʀ(ə)/ **NM** (*Fin*) sucre.

**sud-africain, e** /sydafʀikɛ̃, ɛn/ **ADJ** South African
**Sud-Africain** ■ (*= habitant*) South African
**Sud-Africaine** ■ (*= habitante*) South African.

**sud-américain, e** /sydameʀikɛ̃, ɛn/ **ADJ** South American
**Sud-Américain** ■ (*= habitant*) South American
**Sud-Américaine** ■ (*= habitante*) South American.

**sud-coréen, -enne** /sydkɔʀeɛ̃, ɛn/ **ADJ** South Korean
**Sud-Coréen** ■ (*= habitant*) South Korean
**Sud-Coréenne** ■ (*= habitante*) South Korean.

**Suède** /sɥɛd/ **NF** Sweden.

**suédois, e** /sɥedwa, waz/ **ADJ** Swedish
■ (*= langue*) Swedish
**Suédois** ■ (*= habitant*) Swede
**Suédoise** ■ (*= habitante*) Swede.

**suffrage** /syfʀaʒ/ **NM** (*= voix*) vote; (*= système d'élection*) suffrage; (*= approbation*) approval, approbation ◆ **suffrage indirect / universel** indirect / universal suffrage ◆ **recevoir les suffrages des consommateurs** to meet with consumer approval.

**suisse** /sɥis/ **ADJ** Swiss
**Suisse** ■ (*= pays*) Switzerland
**Suisse** ■ (*= habitant*) Swiss.

**suite** /sɥit/ **NF** **a** (*Comm*) ◆ **article sans suite** discontinued line ◆ **sans suite** (*sur affiche*) cannot be repeated ◆ **classé sans suite** (*Admin : sur un dossier*) no action ◆ **(comme) suite à votre lettre / notre conversation téléphonique** further to your letter / our telephone conversation ◆ **suite à votre commande** as per your order ◆ **donner suite à un projet** to follow up (on) *ou* pursue a project ◆ **donner suite à une commande / une lettre** to follow up an order / a letter ◆ **nous n'avons pas donné suite à sa lettre** we have taken no action concerning his letter ◆ **prendre la suite d'une affaire** to take over a business ◆ **prendre la suite de qn** to take over from sb **b** **suites** (*= conséquences*) consequences, repercussions; (*= résultats*) results.

**suivant, e** /sɥivã, ãt/ **ADJ** following, next
**PRÉP** according to, as per ◆ **suivant facture / vos**

**instructions** according to *ou* as per invoice / your instructions.

**suivi, e** /sɥivi/ **ADJ** *qualité* consistent; *demande* steady, constant; *relations commerciales* steady, regular; *achats, commandes* regular, repeated; *article* available, in general production

**NM** *(= contrôle)* monitoring, control; *(= accompagnement)* follow-up ◆ **assurer le suivi d'un projet** to follow a project through, be in charge of a project ◆ **assurer le suivi d'un produit** to go on stocking a product ◆ **assurer le suivi d'une commande** to follow up (on) an order ◆ **il n'y a pas eu de suivi** there was no follow-up ◆ **suivi des commandes** order handling, order follow-up ◆ **suivi commercial** commercial follow-up ◆ **le suivi des dépenses** the tracking *ou* monitoring of expenses ◆ **suivi budgétaire** budgetary control.

**suivre** /sɥivʀ(ə)/ **VT** *(gén)* to follow; *produit, article* to (continue to) stock, go on stocking; *projet* to follow through, be in charge of; *commande* to follow up (on), handle; *dépenses* to monitor, track, keep track of ◆ **c'est elle qui suit l'affaire** she's in charge of the affair ◆ **nous ne suivons plus ce produit** we no longer stock this product, this product line has been discontinued ◆ **nous devons suivre ce projet jusqu'au bout** we must follow this project through to the end

**VI** **faire suivre son courrier** to have one's mail forwarded ◆ **faire suivre une lettre** to forward a letter *(à qn* to sb) **(prière de) faire suivre** *(sur enveloppe)* please forward

**VT IMPERS** **comme suit** as follows.

**sujet, -ette** /syʒɛ, ɛt/ **ADJ** **sujet à** *modifications de prix, impôt* liable to, subject to ◆ **sujet à la casse** *(Ass)* subject to breakage

**NM** subject ◆ **sujet fiscal** tax payer.

**superbénéfice** /sypɛʀbenefis/ **NM** immense profit, excess *ou* surplus profit ◆ **impôt sur les superbénéfices** excess profit tax.

**superdividende** /sypɛʀdividɑ̃d/ **NM** surplus dividend.

**superette** /sypɛʀɛt/ **NF**, **supérette** /sypeʀɛt/ **NF** mini-market, small supermarket, superette *(US)*.

**superfin, e** /sypɛʀfɛ̃, in/ **ADJ** *qualité* superfine.

**supérieur, e** /sypeʀjœʀ/ **ADJ** *(= de meilleure qualité)* superior *(à* to) better *(à* than); *(= plus élevé, plus important)* higher *(à* than) ◆ **produit de qualité supérieure** product of superior quality, top-quality product ◆ **être hiérarchiquement supérieur à qn** to be higher (up) than sb *ou* be above sb in the hierarchy, be hierarchically

superior to sb ◆ **dans les échelons supérieurs** in the upper grades ◆ **cadre supérieur** senior manager *ou* executive, top manager *ou* executive ◆ **les cadres supérieurs de l'entreprise** the company's top management *ou* top managers ◆ **arrondi au cent supérieur le plus proche** rounded up to the nearest cent ◆ **faire une offre supérieure** *(enchères)* to make a higher bid ◆ **faire une offre supérieure à celle de qn** *(enchères)* to outbid sb

**NM** superior ◆ **mon supérieur hiérarchique direct** my immediate superior.

**supériorité** /sypeʀjɔʀite/ **NF** superiority.

**supermarché** /sypɛʀmaʀʃe/ **NM** *(gén)* supermarket; *(= grande surface)* superstore, hypermarket *(Brit)*.

**superpétrolier** /sypɛʀpetʀɔlje/ **NM** supertanker.

**superprofit** /sypɛʀpʀɔfi/ **NM** immense profit, excess *ou* surplus profit.

**superpuissance** /sypɛʀpɥisɑ̃s/ **NF** superpower.

**superstructure** /sypɛʀstʀyktyʀ/ **NF** superstructure.

**supertanker** /sypɛʀtɑ̃kœʀ/ **NM** supertanker.

**superviser** /sypɛʀvize/ **VT** to supervise, oversee.

**superviseur** /sypɛʀvizœʀ/ **NM** supervisor, overseer.

**supervision** /sypɛʀvizjɔ̃/ **NF** supervision.

**supplanter** /syplɑ̃te/ **VT** to supplant.

**suppléance** /sypleɑ̃s/ **NF** temporary replacement.

**suppléant, e** /sypleɑ̃, ɑ̃t/ **ADJ** *membre* deputy, substitute *(US)*

**NM,F** *[juge]* deputy (judge); *[comité, assemblée]* deputy, alternate *(US)* ◆ **nous aurons besoin de suppléants à Noël** we shall need relief *ou* temporary staff over Xmas.

**suppléer** /syplee/ **VT** *personne* to deputize for, substitute for, stand in for.

**supplément** /syplemɑ̃/ **NM** **a** *[prix]* extra charge, supplement; *(dans le train)* excess fare, supplement ◆ **payer un supplément** to pay extra ◆ **percevoir un supplément** to make an extra charge, charge excess fare ◆ **supplément de 1re classe** 1st class supplement ◆ **supplément de prix** additional charge, surcharge ◆ **payer un supplément pour excès de bagages** to pay (for) excess luggage, pay excess on one's luggage ◆ **supplément d'imposition** additional tax ◆ **supplément familial** Family Income Supplement **b** *(Presse)* supplement **c** *(= complément)* ◆ **supplément d'information** additional *ou* supplementary *ou* extra *ou* further information.

**supplémentaire** /syplemɑ̃tɛʀ/ **ADJ** *informations, frais, sommes* additional, supplementary, extra, further ✦ **accorder un délai supplémentaire** to allow additional time, extend the deadline ✦ **accorder un crédit supplémentaire** to grant an extension of credit ✦ **heures supplémentaires** overtime ✦ **faire des heures supplémentaires** to work *ou* do overtime ✦ **refus des heures supplémentaires** overtime ban.

**supplétif, -ive** /sypletif, iv/ **ADJ** *(gén, Compta) charge élément* additional.

**support** /sypɔʀ/ **NM** **a** *(gén, Inf = vecteur)* medium ✦ **nouveaux supports** new media ✦ **fabricant de supports** media manufacturer **b** *(Bourse) (= produit financier)* instrument, product; *(= soutien)* support ✦ **niveau de support à long terme** long-term support level ✦ **le support d'une option sur action** the share underlying the option

——— compounds/composés ———

- **support audiovisuel** audio-visual aid
- **supports de communication** communication media
- **support écrit** written text
- **support d'enregistrement** *(Inf)* recording medium
- **support d'entrée** *(Inf)* input medium
- **support d'épargne** savings instrument *ou* product
- **support d'information** *(Inf)* (data) medium, storage medium
- **support d'introduction** *(Inf)* input medium
- **support magnétique** tape
- **support de mémoire** *(Inf)* storage medium
- **support papier** print-out, hard copy ✦ **nous l'avons sorti sur support papier** we have made a hard copy, we have done a print-out
- **support publicitaire** advertising medium
- **supports radiotélévisés** broadcast media
- **support de sortie** *(Inf)* output medium
- **support vierge** blank *ou* virgin medium
- **support visuel** visual aid.

**supporter** /sypɔʀte/ **VT** *frais, risques* to bear; *conséquences, perte* to suffer.

**suppression** /sypʀesjɔ̃/ **NF** *[mot, clause]* deletion; *[obstacle]* removal; *[train, autorisation]* cancellation; *[impôt]* abolition; *[interdiction]* lifting; *[produit]* abandonment, withdrawal ✦ **suppression des barrières douanières** removal of tariff barriers ✦ **il y a eu 300 suppressions d'emplois** there have been 300 redundancies *ou* lay-offs, 300 jobs have been axed *ou* lost.

**supprimer** /sypʀime/ **VT** *mot, clause* to delete; *obstacle* to remove; *trains, autorisation* to cancel; *impôt, règlement* to do away with, abolish; *concurrence* to do away with, put an end to;

*interdiction* to lift; *produit* to withdraw ✦ **ils ont supprimé 300 emplois** they have laid off 300 people, they have axed 300 jobs, they have made 300 people redundant ✦ **supprimer les intermédiaires dans un circuit de distribution** to cut out *ou* eliminate the middlemen in a distribution channel.

**sûr, e** /syʀ/ **ADJ** *personne, firme* reliable, trustworthy; *renseignements* reliable; *moyen, remède* safe, reliable; *placement* safe.

**surabondance** /syʀabɔ̃dɑ̃s/ **NF** overabundance, superabundance, surfeit ✦ **il y a une surabondance de fruits sur le marché** there is a glut *ou* a surfeit of fruit on the market.

**surabondant, e** /syʀabɔ̃dɑ̃, ɑ̃t/ **ADJ** overabundant, superabundant.

**surabonder** /syʀabɔ̃de/ **VI** *[produits, matières premières]* to be overabundant, be superabundant, overabound.

**suraccumulation** /syʀakymylasjɔ̃/ **NF** *[capital]* overaccumulation, excessive accumulation.

**suracheter** /syʀaʃte/ **VT** *(Bourse)* ✦ **le marché a été suracheté** the market was overbought.

**surapprovisionnement** /syʀapʀɔvizjɔnmɑ̃/ **NM** *(gén)* oversupplying; *(= excès de stock)* overstocking.

**surapprovisionner** /syʀapʀɔvizjɔne/ **VT** to oversupply
**se surapprovisionner** **VPR** se surapprovisionner en qch to overstock sth.

**surarbitre** /syʀaʀbitʀ(ə)/ **NM** *(Jur)* referee.

**surassurance** /syʀasyʀɑ̃s/ **NF** overinsurance.

**surbooking** /syʀbukiŋ/ **NM** overbooking, double booking ✦ **faire du surbooking** to overbook, double-book ✦ **il y a eu du surbooking** *(Aviat)* the seats were overbooked *ou* double-booked.

**surcapacitaire** /syʀkapasitɛʀ/ **ADJ** ✦ **industrie surcapacitaire** industry plagued with overcapacity.

**surcapacité** /syʀkapasite/ **NF** overcapacity.

**surcapitalisation** /syʀkapitalizasjɔ̃/ **NF** overcapitalization.

**surcapitaliser** /syʀkapitalize/ **VT** to overcapitalize.

**surcharge** /syʀʃaʀʒ(ə)/ **NF** **a** *[véhicule]* overloading **b** *(= excédent)* extra *ou* excess load ✦ **une tonne de surcharge** an extra *ou* excess load of a ton ✦ **les passagers / les marchandises en surcharge** the excess *ou* extra passengers / goods ✦ **payer un supplément pour une sur-**

charge de bagages to pay (for) excess luggage ✦ **surcharge de travail** extra work, work overload ✦ **surcharge de dépenses** extra expenses **c** *(= ajout) [document, chèque]* alteration; *[timbre-poste]* surcharge ✦ **surcharge d'une écriture** *(Compta)* alteration *ou* amendment of an entry ✦ **sans ratures ni surcharges** without deletions or alterations **d** *(= supplément) [hôtel, voyage]* surcharge.

**surcharger** /syRʃaRʒe/ **VT** *véhicule* to overload; *timbre* to surcharge; *mot, écriture comptable, chèque* to alter ✦ **surcharger qn d'impôts** to overload *ou* overburden sb with taxes ✦ **surchargé de travail** snowed under *ou* overloaded with work, overworked ✦ **surcharger le marché** to saturate *ou* glut the market.

**surchauffe** /syRʃof/ **NF** *(Écon)* overheating.

**surchoix** /syRʃwa/ **ADJ INV** top-quality.

**surconsommation** /syRkɔ̃sɔmasjɔ̃/ **NF** overconsumption.

**surcote** /syRkɔt/ **NF** *(Fin)* premium ✦ **la surcote du franc suisse freine les exportations** the overvalued Swiss franc puts a damper on exports.

**surcoter** /syRkɔte/ **VT** ✦ **titres surcotés** securities selling at a premium, overpriced securities ✦ **cette entreprise est surcotée** this company is overrated ✦ **le franc suisse est surcoté** the Swiss franc is overvalued.

**surcotisation** /syRkɔtizasjɔ̃/ **NF** overcontribution.

**surcoût** /syRku/ **NM** extra *ou* additional cost *ou* expenditure ✦ **le projet a constamment engendré des surcoûts** the project has continually been plagued by cost overruns ✦ **le surcoût de la retraite à 60 ans** the extra cost *ou* burden of retirement at age 60 ✦ **l'opération se solderait par un surcoût** the operation would lead to extra expenditure.

**surcroît** /syRkRwa/ **NM** ✦ **surcroît de travail / de dépenses** additional *ou* extra work / expenditure.

**surdéveloppé, e** /syRdevlɔpe/ **ADJ** overdeveloped.

**surdéveloppement** /syRdevlɔpmɑ̃/ **NM** overdevelopment.

**surdévelopper** /syRdevlɔpe/ **VT** to overdevelop.

**surdimensionnement** /syRdimɑ̃sjɔnmɑ̃/ **NM** oversizing.

**surdimensionner** /syRdimɑ̃sjɔne/ **VT** to oversize ✦ **entreprise surdimensionnée** bloated company.

**surdon** /syRdɔ̃/ **NM** **a** *(= droit de refus)* right to refuse damaged goods **b** *(= prime)* allowance for damage *(to be paid to purchaser)*.

**sureffectifs** /syRefɛktif/ **NMPL** overmanning ✦ **les sureffectifs dans l'industrie automobile** overmanning in the automobile industry ✦ **les sureffectifs dans le secteur bancaire** overstaffing in the banking sector ✦ **ils sont en sureffectifs dans ce service** this department is overstaffed.

**suremballage** /syRɑ̃balaʒ/ **NM** overwrap ✦ **suremballage par trois / par six** tripack / sixpack.

**surémission** /syRemisjɔ̃/ **NF** *(Fin)* overissue.

**suremploi** /syRɑ̃plwa/ **NM** *[main-d'œuvre]* overemployment; *[ressources]* overutilization.

**surenchère** /syRɑ̃ʃɛR/ **NF** higher bid, overbid ✦ **faire une surenchère** to make a higher bid ✦ **faire une surenchère sur qn** to outbid *ou* overbid sb, bid higher than sb ✦ **faire une surenchère de 100 dollars** to bid $100 more *ou* higher, bid $100 over the previous bid *ou* bidder ✦ **plusieurs surenchères successives ont fait monter le prix** successive bids drove up the price ✦ **la dernière surenchère** *(plus récente)* the latest bid; *(l'ultime)* the last bid ✦ **faire de la surenchère** *(fig)* to try to outdo one's rivals ✦ **une nouvelle surenchère à la baisse est à craindre** a further drop in selling prices is to be feared ✦ **la surenchère de la publicité** the constant overstatement of advertising.

**surenchérir** /syRɑ̃ʃeRiR/ **VI** **a** *(dans une vente)* to bid higher ✦ **surenchérir sur une offre** to make a higher bid, to bid higher than an offer, top a bid\* ✦ **surenchérir sur qn** to bid higher than sb, outbid *ou* overbid sb **b** *[coût de la vie]* to go up, rise, increase, become more expensive.

**surenchérissement** /syRɑ̃ʃeRismɑ̃/ **NM** *[coût de la vie]* rise, increase *(de* in)

**surenchérisseur, -euse** /syRɑ̃ʃeRisœR, øz/ **NM,F** (higher) bidder.

**surencombré, e** /syRɑ̃kɔ̃bRe/ **ADJ** *lignes téléphoniques* overloaded.

**surencombrement** /syRɑ̃kɔ̃bRəmɑ̃/ **NM** *[lignes téléphoniques]* overloading.

**surencombrer** /syRɑ̃kɔ̃bRe/ **VT** *lignes téléphoniques* to overload.

**surendetté, e** /syRɑ̃dete/ **ADJ** overindebted.

**surendettement** /syRɑ̃dɛtmɑ̃/ **NM** overindebtedness.

**surépargne** /syRepaRɲ(ə)/ **NF** oversaving.

**suréquipé, e** /syRekipe/ **ADJ** overequipped.

**suréquipement** /syʀekipmɑ̃/ **NM** over-equipment.

**suréquiper** /syʀekipe/ **VT** to overequip.

**surestarie** /syʀestaʀi/ **NF** demurrage ◆ **les surestaries seront à la charge de l'affréteur** demurrage shall run against the charterer.

**surestimation** /syʀestimasjɔ̃/ **NF** *[importance, capacité, coût]* overestimation; *[bien]* overvaluation.

**surestimer** /syʀestime/ **VT** *importance, capacité, coût* to overestimate, overrate; *bien* to overvalue.

**sûreté** /syʀte/ **NF** **a** *(= sécurité)* safety ◆ **serrure / verrou de sûreté** safety lock / bolt **b** *(= garantie)* assurance, guarantee ◆ **sûreté réelle** *(Fin)* security, collateral.

**surévaluation** /syʀevalyasjɔ̃/ **NF** overvaluation.

**surévalué, e** /syʀevalɥe/ **ADJ** overvalued.

**surévaluer** /syʀevalɥe/ **VT** to overvalue.

**surexploitation** /syʀeksplwatasjɔ̃/ **NF** overexploitation.

**surexploiter** /syʀeksplwate/ **VT** to overexploit.

**surface** /syʀfas/ **NF** **a** *(gén)* surface; *[magasin]* surface area, floor surface ◆ **le magasin fait 300 mètres carrés de surface** the shop has a surface area of 300 square metres ◆ **la surface au sol** the floor surface **b** *(Comm)* ◆ **(magasin à) grande surface** supermarket, superstore, hypermarket *(Brit)*, mass distribution outlet ◆ **surface de présentation** facing, display area ◆ **surface de vente** sales *ou* selling area **c** *(Fin)* ◆ **surface financière** financial standing.

**surfacturation** /syʀfaktyʀasjɔ̃/ **NF** overbilling, transfer pricing *(in order to repatriate profits)*.

**surfacturer** /syʀfaktyʀe/ **VT** *produit* to overprice; *client* to overcharge.

**surfaire** /syʀfɛʀ/ **VT** *marchandise* to overprice.

**surfait, e** /syʀfɛ, ɛt/ **ADJ** *prix* excessive, inflated; *réputation* overrated.

**surfer** /syʀfe/ **VI** ◆ **surfer sur Internet** to surf the Internet.

**surfin, e** /syʀfɛ̃, in/ **ADJ** *produit* superfine, super-quality, top-quality; *qualité* superfine.

**surgélation** /syʀʒelasjɔ̃/ **NF** deep-freezing, fast-freezing.

**surgelé, e** /syʀʒəle/ **ADJ** deep-frozen ◆ **le rayon des surgelés** the frozen food department ◆ **les surgelés** frozen food.

**surgeler** /syʀʒəle/ **VT** to deep-freeze, fast-freeze.

**surgénérateur** /syʀʒeneʀatœʀ/ **ADJ M, NM** ◆ **(réacteur) surgénérateur** fast breeder (reactor).

**surimposer** /syʀɛ̃poze/ **VT** to surtax; *(de manière excessive)* to overtax.

**surimposition** /syʀɛ̃pozisjɔ̃/ **NF** *(= taxation excessive)* overassessment, overtaxation; *(= somme à payer)* supertax, surtax.

**surimputer** /syʀɛ̃pyte/ **VT** *(Compta)* frais généraux to overabsorb.

**Surinam** /syʀinam/ **NM** Surinam.

**surinamais, e** /syʀiname, ɛz/ **ADJ** Surinamese **Surinamais** **NM** *(= habitant)* Surinamese **Surinamaise** **NF** *(= habitante)* Surinamese.

**surindustrialisation** /syʀɛ̃dystʀijalizasjɔ̃/ **NF** overindustrialization.

**surindustrialisé, e** /syʀɛ̃dystʀijalize/ **ADJ** overindustrialized.

**surinvestir** /syʀɛ̃vɛstiʀ/ **VI** to overinvest.

**surinvestissement** /syʀɛ̃vɛstismɑ̃/ **NM** overinvestment.

**surmarquage** /syʀmaʀkaʒ/ **NM** *[produit]* overpricing.

**surmarquer** /syʀmaʀke/ **VT** *produit* to overprice.

**surnombre** /syʀnɔ̃bʀ(ə)/ **NM** ◆ **ouvriers en surnombre** redundant workers ◆ **ils sont en surnombre dans ce service** this department is overstaffed.

**surnuméraire** /syʀnymeʀɛʀ/ **ADJ, NMF** supernumerary.

**suroffre** /syʀɔfʀ(ə)/ **NF** higher offer *ou* bid, overbid.

**surpaye** /syʀpɛj/ **NF** overpayment.

**surpayer** /syʀpeje/ **VT** *employé* to overpay; *marchandise* to pay too much for.

**surperformer** /syʀpɛʀfɔʀme/ **VT** *[indice]* to outperform.

**surpeuplé, e** /syʀpœple/ **ADJ** overpopulated.

**surpeuplement** /syʀpœpləmɑ̃/ **NM** overpopulation.

**sur-place** /syʀplas/ **NM** ◆ **faire du sur-place** *[cours, économie]* to mark time.

**surplus** /syʀply/ **NM** surplus ◆ **vendre son surplus de stock** to sell off one's surplus stock ◆ **avoir des marchandises en surplus** to have surplus goods ◆ **il nous reste un surplus de catalogues de l'année dernière** we've got some of last year's catalogues left over

surveillance

- **surplus agricoles** agricultural surpluses
- **surplus en capital** capital surplus
- **surplus du consommateur** consumer's surplus
- **surplus monétaire** monetary surplus
- **surplus non distribué** undistributed surplus
- **surplus du producteur** producer's surplus
- **surplus de productivité** productivity surplus.

**surpopulation** /syʀpɔpylasjɔ̃/ NF overpopulation.

**surprime** /syʀpʀim/ NF *(Ass)* additional *ou* extra premium *(Ind = rémunération)* additional bonus.

**surprix** /syʀpʀi/ NM excess price.

**surproducteur, -trice** /syʀpʀɔdyktœʀ, tʀis/ ADJ overproducing.

**surproduction** /syʀpʀɔdyksjɔ̃/ NF overproduction.

**surproduire** /syʀpʀɔdɥiʀ/ VT to overproduce.

**surproduit** /syʀpʀɔdɥi/ NM *(Écon)* (production) surplus.

**surprofit** /syʀpʀɔfi/ NM immense profit, excess *ou* surplus profit.

**surqualité** /syʀkalite/ NF ♦ **faire de la surqualité** to produce too high a quality standard.

**surréagir** /syʀʀeaʒiʀ/ VI to over-react.

**surrégénérateur** /syʀʀeʒeneʀatœʀ/ NM fast breeder (reactor).

**surremise** /syʀʀ(ə)miz/ NF extra discount *ou* allowance.

**surréservation** /syʀʀezɛʀvasjɔ̃/ NF overbooking, double-booking.

**sursalaire** /syʀsalɛʀ/ NM bonus, supplementary wage, extra pay; *(sécurité sociale)* supplementary payments *ou* benefits ♦ **sursalaires invisibles** invisible bonuses.

**sursaut** /syʀso/ NM *[cours, économie]* spurt ♦ **le dollar a enregistré un léger sursaut en début de séance** the dollar put on a spurt in early trading.

**surseoir** /syʀswaʀ/ VT IND ♦ **surseoir à** to put off, postpone, delay ♦ **ordonnance de surseoir à l'exécution d'un arrêt** stay of execution ♦ **une décision mutuelle de surseoir à de nouvelles hausses de salaires** a standstill agreement on wage increase.

**sursis** /syʀsi/ NM *(= temps de répit)* reprieve ♦ **sursis à exécution** *(Jur)* stay of execution ♦ **sursis de paiement** respite of payment, deferment ♦ **aucun sursis de paiement n'est admis** payment cannot be deferred ♦ **la société est en**

sursis the company is on the verge of collapse.

**sursouscription** /syʀsuskʀipsjɔ̃/ NF *(Bourse)* oversubscription.

**sursouscrire** /syʀsuskʀiʀ/ VT *(Bourse)* to oversubscribe.

**sursouscrit, e** /syʀsuskʀi, it/ ADJ *(Bourse)* oversubscribed.

**surstock** /syʀstɔk/ NM inventory *ou* stock overage, excess inventory *ou* stock, overstocks *(US)*.

**surstockage** /syʀstɔkaʒ/ NM overstocking, inventory *ou* stock overage.

**surstocker** /syʀstɔke/ VT to overstock.

**surtaux** /syʀto/ NM excessive rate.

**surtaxation** /syʀtaksasjɔ̃/ NF overassessment, overtaxation.

**surtaxe** /syʀtaks(ə)/ NF **a** *(= majoration)* surcharge, extra charge; *[lettre insuffisamment affranchie]* surcharge; *[envoi spécial]* additional charge, surcharge ♦ **surtaxe à l'importation** import surcharge ♦ **surtaxe d'encombrement** congestion surcharge ♦ **surtaxe postale** additional postage, surcharge **b** *(Impôts)* *(= taxation excessive)* overassessment, overtaxation; *(= somme à payer)* supertax, surtax ♦ **surtaxe fiscale** surtax, tax surcharge ♦ **surtaxe progressive** progressive supertax, surtax at graduated rates.

**surtaxer** /syʀtakse/ VT *service, lettre, colis* to surcharge; *(Impôts)* to surtax; *(de manière excessive)* to overtax.

**survaleur** /syʀvalœʀ/ NF ♦ **survaleur d'un bilan consolidé** consolidated goodwill.

**survaloir** /syʀvalwaʀ/ NM goodwill.

**survalorisation** /syʀvalɔʀizasjɔ̃/ NF *[produit]* overpricing; *[actifs]* overvaluation.

**survaloriser** /syʀvalɔʀize/ VT *produit* to overprice; *actifs* to overvalue.

**surveillance** /syʀvɛjɑ̃s/ NF *[travaux, construction]* supervision; *[projet]* monitoring; *[locaux, magasin]* surveillance ♦ **sous la surveillance de la police** under police surveillance ♦ **mission / service de surveillance** surveillance mission / personnel ♦ **surveillance électronique** electronic surveillance ♦ **société de surveillance** security firm ♦ **surveillance des prix / de la production** monitoring of prices / production ♦ **conseil** *ou* **comité de surveillance** monitoring committee, supervisory board, watchdog committee.

**surveillant, e** /syʀvɛjɑ̃, ɑ̃t/ **NM,F** *[usine, chantier]* supervisor, overseer; *[magasin]* shopwalker.

**surveiller** /syʀveje/ **VT** *réparation construction* to supervise, oversee; *avancement d'un projet, fonctionnement d'un service* to monitor; *locaux* to keep watch on.

**survendre** /syʀvɑ̃dʀ(ə)/ **VT** *produit* to overcharge for; *(Bourse)* ◆ **le marché a été survendu** the market was oversold.

**survente** /syʀvɑ̃t/ **NF** overcharge.

**survie** /syʀvi/ **NF** survival ◆ **tables de survie** *(Ass)* life expectancy tables.

**survivant, e** /syʀvivɑ̃, ɑ̃t/ **ADJ** *conjoint* surviving **NM,F** survivor.

**survivre** /syʀvivʀ(ə)/ **VI** to survive.

**sus** /sy(s)/ **ADV** ◆ **en sus** in addition ◆ **le service est en sus** service is extra *ou* not included.

**susdit, e** /sysdi, dit/ **ADJ, NM,F** aforementioned, above-mentioned, aforesaid, foresaid.

**susmentionné, e** /sysmɑ̃sjɔne/ **ADJ, NM,F** above-named.

**susnommé, e** /sysnɔme/ **ADJ, NM,F** above-named.

**suspendre** /syspɑ̃dʀ(ə)/ **VT** **a** *(= arrêter) (gén)* to suspend; *travail, paiement* to suspend, stop; *cotation* to suspend ◆ **suspendre la cotation d'un titre** to suspend trading in a share **b** *(= ajourner) réunion* to adjourn; *mesure, jugement* to suspend, postpone, defer **c** *(= renvoyer) ouvrier* to suspend ◆ **suspendre qn de ses fonctions** to suspend sb from office.

**suspens** /syspɑ̃/ **NM** ◆ **en suspens** *projet* in abeyance; *dossier* pending ◆ **rester en suspens** to be left pending ◆ **laisser une affaire en suspens** to leave an affair in abeyance, hold over an affair, let a matter stand.

**suspension** /syspɑ̃sjɔ̃/ **NF** **a** *(= arrêt) (gén)* suspension; *[travail]* stoppage; *[cotation]* suspension ◆ **suspension de paiement** suspension of payment(s); *[chèque]* stoppage of payment **b** *(= ajournement) [réunion]* adjournment; *[mesure, jugement]* suspension, postponement, deferral, deferment ◆ **suspension de séance** adjournment ◆ **suspension provisoire des poursuites** *(faillite)* temporary suspension of proceedings **c** *(= renvoi) [ouvrier]* suspension.

**susvisé, e** /sysvize/ **ADJ** aforementioned, above-mentioned, aforesaid, foresaid.

**SVP** /ɛsvepe/ abrév de **s'il vous plaît.**

**swap** /swap/ **NM** swap.

**symbolique** /sɛ̃bɔlik/ **ADJ** *(gén)* symbolic(al); *cotisation* nominal; *somme, grève* token ◆ **obtenir le franc symbolique des dommages-intérêts** to be awarded nominal damages ◆ **arrêt de travail symbolique** token stoppage.

**synallagmatique** /sinalagmatik/ **ADJ** *contrat* synallagmatic.

**synchronisation** /sɛ̃kʀɔnizasjɔ̃/ **NF** synchronization.

**synchronisé, e** /sɛ̃kʀɔnize/ **ADJ** synchronized.

**synchroniser** /sɛ̃kʀɔnize/ **VT** to synchronize.

**syndic** /sɛ̃dik/ **NM** **a** ◆ **syndic de faillite** official receiver, trustee in bankruptcy ◆ **syndic des naufrages** *(Mar)* receiver of wreck, wreck master *(US)* **b** **syndic d'immeuble** *(= personne)* managing agent, property manager; *(= société)* property management firm **c** *(Bourse)* ◆ **syndic des agents de change** president of the Stock Exchange Committee.

**syndical, e,** **MPL** **-aux** /sɛ̃dikal, o/ **ADJ** **a** *mouvement ouvrier* (trade-)union ◆ **liberté syndicale** right to organize ◆ **le mouvement syndical** the trade union movement ◆ **revendications syndicales** union demands ◆ **dirigeant syndical** union leader ◆ **représentant syndical** union representative ◆ **délégué syndical** union representative, shop steward *(Brit)* ◆ **section syndicale** union branch *ou* lodge *(US)* *ou* local *(US)* ◆ **les relations syndicales** industrial relations, relations with the trade unions **b** *organisation professionnelle* ◆ **chambre syndicale** employers' federation *ou* association ◆ **Chambre syndicale des agents de change** Stock Exchange Committee ◆ **commission syndicale** *(Fin)* underwriting commission ◆ **conseil syndical** *immeuble* management committee.

**syndicalisation** /sɛ̃dikalizasjɔ̃/ **NF** union membership, unionization ◆ **le taux de syndicalisation** the unionization rate.

**syndicalisme** /sɛ̃dikalism(ə)/ **NM** *(= philosophie)* syndicalism; *(= mouvement)* trade unionism ◆ **faire du syndicalisme** to have union(ist) activities.

**syndicaliste** /sɛ̃dikalist(ə)/ **ADJ** *dirigeant* trade-union; *doctrine, idéal* unionist **NMF** trade unionist, (trade) union official.

**syndicat** /sɛ̃dika/ **NM** **a** *[travailleurs]* (trade) union, labour union; *[employeurs]* association, federation, union, syndicate; *[locataires, propriétaires]* association ◆ **être membre d'un syndicat** to belong to a union ◆ **les syndicats** the unions, organized labor *(US)* **b** *(Bourse, Fin)* syndicate

——— compounds/composés ———

- **syndicat bancaire** ou **de banque** banking syndicate
- **syndicat d'émission** issuing syndicate
- **syndicat d'enchères** tender panel
- **syndicat de faillite** trusteeship, bankruptcy committee
- **syndicat financier** (emprunts) loan syndicate, syndicate of financiers; (émission de titres) issue ou issuing syndicate, syndicate of financiers
- **syndicat de garantie** underwriting syndicate
- **syndicat industriel** industrial pool
- **syndicat d'initiative** tourist information office
- **syndicat interdépartemental** association of regional authorities
- **syndicat d'introduction** placement syndicate
- **syndicat ouvrier** trade ou labour union
- **syndicat patronal** employers' union ou association, bosses' union*
- **syndicat de placement** placement syndicate
- **syndicat de prise ferme** inderwriting syndicate
- **syndicat de producteurs** producers' association
- **syndicat professionnel** trade association.

**syndicataire** /sẽdikatɛʀ/ **ADJ** of an association; (Fin) of a syndicate
**NMF** member of an association; (Fin) syndicate member, underwriter.

**syndication** /sẽdikasjɔ̃/ **NF** syndication.

**syndiqué, e** /sẽdike/ **ADJ** belonging to a (trade) union ◆ **ouvrier syndiqué** union member ◆ **elle est syndiquée** she belongs to a (trade) union, she is a union member ◆ **ouvrier non syndiqué** non-union ou non-unionized worker, worker who is not a member of a union
**NM,F** union member.

**syndiquer** /sẽdike/ **VT** to unionize
**se syndiquer** **VPR** **a** (= se fédérer) [ouvriers] to form a trade union, unionize; [producteurs, locataires] to form an association **b** (= devenir membre) to join a union ou an association.

**syndrome** /sẽdʀom/ **NM** syndrome.

**synergie** /sinɛʀʒi/ **NF** synergy, synergism.

**synergique** /sinɛʀʒik/ **ADJ** synergetic.

**synthèse** /sẽtɛz/ **NF** synthesis ◆ **faire la synthèse de qch** to synthesize sth ◆ **produit de synthèse** product of synthesis.

**synthétique** /sẽtetik/ **ADJ** synthetic ◆ **call / put synthétique** synthetic call / put.

**Syrie** /siʀi/ **NF** Syria.

**syrien, -ienne** /siʀjɛ̃, jɛn/ **ADJ** Syrian
**Syrien** **NM** (= habitant) Syrian
**Syrienne** **NF** (= habitante) Syrian.

**systématique** /sistematik/ **ADJ** systematic ◆ **entretien systématique** preventive ou planned maintenance ◆ **indice systématique** compound index.

**systématisation** /sistematizasjɔ̃/ **NF** systematization.

**systématiser** /sistematize/ **VT** to systematize
**se systématiser** **VPR** to become the rule.

**système** /sistɛm/ **NM** (gén, Inf) system ◆ **faire partie du système** to be part of the system ◆ **logiciel (de) système** system(s) software ◆ **analyste / ingénieur système** systems analyst / engineer ◆ **bande système** system tape ◆ **contrôle du système** system check ◆ **théorie des systèmes** systems theory

——— compounds/composés ———

- **système bancaire** banking system
- **système comptable** accounting system
- **système de contrôle** control ou monitoring system
- **système de cotation électronique** computerized trading system
- **système de direction** management system, way of managing
- **système expert** expert system
- **système d'exploitation** (Inf) operating system
- **système fiscal** tax system
- **système de gestion de bases de données** database management system
- **système d'information** information system ◆ **système d'information de gestion** management information system
- **système intégré de gestion** integrated management system
- **système métrique** metric system
- **système monétaire** monetary system ◆ **système monétaire européen** European Monetary System, European Exchange Rate Mechanism
- **système de primes** bonus scheme
- **système de retraite** pension scheme
- **système de traitement de l'information** data processing system
- **système de valeurs** value system
- **système de vie** way of life, lifestyle.

**systémique** /sistemik/ **ADJ** systemic ◆ **analyse / approche systémique** systems analysis / approach.

# T

**t.** [a] abrév de **tonne** [b] abrév de **titre**.

**table** /tabl(ə)/ NF (= *meuble, liste*) table ✦ **tour de table** *(Fin)* pool, financial package ✦ **procéder à un tour de table** to put together a financial package, go round the table ✦ **dessous de table** under the counter payment, bribe, sweetener, kickback, payola *(US)*

─────── compounds/composés ───────
- ✦ **table de changes** exchange table
- ✦ **table de corrélation** correlation table
- ✦ **table de décision** decision table
- ✦ **table des intérêts** interest table
- ✦ **table des matières** table of contents
- ✦ **table de mortalité** mortality table
- ✦ **table de multiplication** multiplication table
- ✦ **table des parités** table of parities *ou* of par values, parity table
- ✦ **table ronde** round table (discussion)
- ✦ **table traçante** *(Inf)* plotter, plotting board
- ✦ **table de travail** work table, (work) desk
- ✦ **table de vente** truth table.

**tableau,** PL **-x** /tablo/ NM [a] (= *panneau*) board; (= *horaire des trains*) train indicator ✦ **tableau des départs / arrivées** departure(s) / arrival(s) board ✦ **jouer sur les deux tableaux** to play on both sides of the board [b] (= *graphique*) table, chart; *(matriciel)* matrix ✦ **statistiques sous forme de tableau** statistics in tabular form ✦ **disposer des chiffres en tableau** to tabulate figures [c] *(Admin = liste de noms)* register, roll, list ✦ **le tableau des médecins** the official register of the medical profession [d] *(Compta)* (= *document analytique*) statement; (= *liste de prix*) schedule ✦ **nous avons préparé un tableau des variations de la situation nette** we have drawn up a statement of changes in net worth [e] *(Inf)* array ✦ **disposer en tableau** to array

✦ **tableau logique / de données** logic / data array ✦ **processeur de tableaux** array processor ✦ **structure en tableau** array structure [f] *(Élec, Aviat)* board, panel

─────── compounds/composés ───────
- ✦ **tableau d'affichage** notice board *(Brit)*, bulletin board *(US)*
- ✦ **tableau d'amortissement** depreciation schedule, amortization table
- ✦ **tableau d'avancement** promotion table *ou* roster *ou* list
- ✦ **tableau de bord** *(Aut)* instrument panel, control panel; *(Gestion)* key business indicators, vital statistics, management chart, operating report
- ✦ **tableau comptable** financial statement
- ✦ **tableau de contingence** contingency table
- ✦ **tableau d'échanges interindustriels** input-output table *ou* matrix
- ✦ **tableau économique** input-output matrix
- ✦ **tableau des emplois et ressources** statement of source and application of funds
- ✦ **tableau entrées-sorties** *(Écon)* input-output matrix
- ✦ **tableau de financement** statement of source and application of funds
- ✦ **tableau d'honneur** list of merit
- ✦ **tableau de marche** progress schedule
- ✦ **tableau matriciel** matrix
- ✦ **tableau opérande** *(Inf)* operand array
- ✦ **tableau des opérations financières** flow of funds table
- ✦ **tableau de prix** price list *ou* schedule
- ✦ **tableau de remboursement** amortization table, repayment schedule
- ✦ **tableau des ressources et emplois** statement of source and application of funds
- ✦ **tableau saturé** *(Inf)* closed array
- ✦ **tableau de service** *(gén)* work notice board; (= *horaire de service*) duty roster
- ✦ **tableau synoptique** conspectus, synoptic table.

**tabler** /table/ VI ✦ **tabler sur qch** to count ou bank on sth.

**tableur** /tablœʀ/ NM (Inf) spreadsheet (package ou program).

**tabulaire** /tabylɛʀ/ ADJ tabular.

**tabulateur** /tabylatœʀ/ NM (= système) tabulator; (= touche) tab key.

**tabulation** /tabylasjɔ̃/ NF tabulation ✦ **tabulation horizontale / verticale** horizontal / vertical tabulation ✦ **poser une tabulation** to set a tab ou a tabulation ✦ **aller à la deuxième tabulation** to go to the second tab setting ✦ **caractère de tabulation** tabulation character.

**tabulatrice** /tabylatʀis/ NF (Inf : pour cartes perforées) tabulator, tabulating machine ou equipment.

**tabuler** /tabyle/ VT to tabulate, tab ✦ **résultat tabulé** tabulated result.

**tâche** /taʃ/ NF work, task, job ✦ **assigner une tâche à qn** to set ou assign sb a task, give sb a job to do ✦ **analyse des tâches** job analysis ✦ **enrichissement des tâches** job enrichment ✦ **payer à la tâche** to pay by the piece ✦ **ouvrier à la tâche** (agricole) pieceworker; (dans le bâtiment) jobber ✦ **travail à la tâche** task ou job ou contract work, piecework ✦ **être ou travailler à la tâche** to be on piecework.

**tâcheron** /taʃʀɔ̃/ NM (dans le bâtiment) jobber; (agricole) pieceworker.

**tachistoscope** /takistɔskɔp/ NM tachistoscope.

**Tachkent** /taʃkɛnt/ NM Tashkent.

**tachygraphe** /takigʀaf/ NM tachograph.

**tachymètre** /takimɛtʀ(ə)/ NM tachometer.

**tacite** /tasit/ ADJ tacit ✦ **le contrat sera renouvelé par tacite reconduction** the contract will be renewed by tacit agreement ✦ **consentement tacite** tacit consent.

**tacitement** /tasitmɑ̃/ ADV tacitly ✦ **commande tacitement reconduite** standing order, order renewed by tacit agreement.

**tacticien, -ienne** /taktisjɛ̃, jɛn/ NM,F tactician.

**tactile** /taktil/ ADJ tactile ✦ **écran tactile** touch screen.

**tactique** /taktik/ ADJ tactical
 NF tactics (pl) ✦ **tactique commerciale** commercial ou marketing tactics ✦ **changer de tactique** to change (one's) tactics.

**Tadjikistan** /tadʒikistɑ̃/ NM Tajikistan, Tadzhikistan.

**taille** /taj/ NF size ✦ **entreprise de taille moyenne** medium-sized firm ✦ **colis de petite / grande taille** small-sized / large-sized package ✦ **effet de taille** (Écon) size effect ✦ **veste de taille 42** size 42 jacket ✦ **il me faut la taille en dessous / au-dessus** I need the next size down / up, I need one ou a size smaller / larger ✦ **2 tailles en dessous / au-dessus** 2 sizes smaller / larger ✦ **cette veste n'est pas à ma taille** this jacket isn't my size, this jacket doesn't fit (me) ✦ **c'est une décision de taille** it's a major ou sizeable ou considerable decision.

**tailler** /taje/ VI ✦ **tailler dans le budget** to cut ou trim ou prune the budget.

**Taipei, T'ai-pei** /tajpɛ/ N Taipei, T'ai-pei.

**Taiwan, Taïwan** /tajwan/ NM Taiwan.

**taiwanais, e, taïwanais, e** /tajwanɛ, ɛz/ ADJ Taiwanese
 **Taiwanais, Taïwanais** NM (= habitant) Taiwanese
 **Taiwanaise, Taïwanaise** NF (= habitante) Taiwanese.

**taka** /taka/ NM taka.

**tala** /tala/ NM tala.

**Tallinn** /talin/ N Tallinn.

**talon** /talɔ̃/ NM (Anat) heel; [chèque] stub, counterfoil, stump; [carnet à souches] stub; (Bourse) talon.

**talonner** /talɔne/ VT to follow on the heels of ✦ **le Japon talonne les États-Unis** Japan is close behind the United States.

**tampon** /tɑ̃pɔ̃/ NM a (= instrument) (rubber) stamp; (= cachet) stamp ✦ **le tampon de la poste** the postmark ✦ **le tampon de la poste faisant foi** date as postmark ✦ **tampon buvard** blotter ✦ **tampon encreur** inking-pad b (Inf) buffer ✦ **gestion de tampons** buffer control ✦ **mettre en tampon** to buffer ✦ **tampon de données / d'entrée / de sortie** data / input / output buffer ✦ **des données en tampon** buffered data
 ADJ INV **État / zone tampon** buffer state / zone ✦ **stock tampon** buffer stock ✦ **mémoire tampon** (Inf) buffer (storage ou store).

**tamponnage** /tɑ̃pɔnaʒ/ NM (Inf) buffering.

**tamponner** /tɑ̃pɔne/ VT document, lettre to stamp; (Inf) to buffer.

**tangible** /tɑ̃ʒibl(ə)/ ADJ tangible ✦ **valeurs tangibles** tangible assets.

**tantième** /tɑ̃tjɛm/ NM percentage; [charges de copropriété] percentage share ✦ **tantième d'ac-**

tion subshare ✦ **tantièmes** *[administrateur de société]* directors' fees, directors' percentage of profits ✦ **impôt sur les tantièmes** tax on allocated portions of profit.

**Tanzanie** /tãzani/ **NF** Tanzania.

**tanzanien, -ienne** /tãʒanjɛ̃, jɛn/ **ADJ** Tanzanian **Tanzanien** **NM** (= *habitant*) Tanzanian **Tanzanienne** **NF** (= *habitante*) Tanzanian.

**TAO** /teao/ **NF** abrév de **traduction assistée par ordinateur** → **traduction.**

**tapageur, -euse** /tapaʒœʀ, øz/ **ADJ** ✦ **publicité tapageuse** obtrusive publicity.

**taper** /tape/ **VT** **taper (à la machine)** to type ✦ **lettre tapée à la machine** typed letter ✦ **il tape bien** he types well
**VI** **il va falloir taper dans les réserves** we'll have to dig into the reserves ✦ **je me suis fait taper sur les doigts** I was rapped over the knuckles ✦ **nous avons tapé à côté** we were wide of the mark.

**tapis** /tapi/ **NM** carpet ✦ **le tapis vert** the green baize ✦ **mettre une question sur le tapis** to bring up a question *ou* a matter for discussion.

**tarage** /taʀaʒ/ **NM** taring.

**tard** /taʀ/ **ADV** late ✦ **inscription à remettre le 29 novembre au plus tard** registration to be returned on *ou* by November 29 at the latest.

**tarder** /taʀde/ **VI** ✦ **tarder à faire qch** to be long (about) doing sth ✦ **sans (plus) tarder** without (further) delay ✦ **sa réponse ne va pas tarder** his reply won't be long coming.

**tardif, -ive** /taʀdif, iv/ **ADJ** late.

**tare** /taʀ/ **NF** **a** (= *contrepoids*) tare, dead weight *(US)* ✦ **faire la tare** to allow for tare *ou* weight ✦ **tare commune** *ou* **moyenne, tare par épreuve** average tare ✦ **tare réelle** actual tare ✦ **tare d'usage** customary tare **b** (= *défaut*) *[système, marchandise]* defect (*de* in, of) ✦ **tare de caisse** shortage in the cash.

**tarer** /taʀe/ **VT** *(Comm)* to tare, allow for the tare *ou* weight of.

**tarif** /taʀif/ **NM** **a** (= *liste*) price list, schedule, tariff *(Brit)* ✦ **afficher le tarif des consommations** to put up the price list for drinks *ou* the drinks tariff *(Brit)* ✦ **le prix selon le tarif est de ...** the scheduled price is ... **b** (= *prix*) *(gén)* price, rate; *[gaz, transport de marchandises, assurance, impôts]* rate, tariff; *[passagers]* fare; *[téléphone, prestations]* charge; *(Pub)* rate ✦ ta-

*compounds/composés*

**TARIF**

✦ **tarif ad valorem** *(Douanes)* ad valorem tariff
✦ **tarifs d'affranchissement** *(Poste)* postage *ou* postal rates
✦ **tarif d'annonces** *(Pub)* advertising rates, adrates *(US)*
✦ **tarif de base** *(gén)* standard *ou* basic rate; *(Pub)* open rate, transient rate *(US)*
✦ **tarif dégressif** *(gén)* tapering charges; *(Pub)* earned rate
✦ **tarif différentiel** *(Douanes)* differential *ou* discriminating tariff
✦ **tarif d'entrée** *(Douanes)* import list
✦ **tarif d'espace** *(Pub)* space rate
✦ **tarif d'expédition** freight rate
✦ **tarif extérieur** external tariff ✦ **tarif extérieur commun** *(UE)* common external tariff
✦ **tarif de faible écoute** *(Pub)* off-peak rate
✦ **tarif de faveur** *(Douanes)* preferential tariff *ou* duty
✦ **tarif forfaitaire** *(gén)* inclusive rate *ou* charge, fixed rate *ou* charge; *(contrat)* tariff as by *ou* per contract
✦ **tarif de forte écoute** *(Pub)* premium rate, prime time rate
✦ **tarif (des) heures creuses / heures pleines** *(gaz, électricité)* off-peak / full tariff *ou* rate *ou* charge
✦ **tarif (des) imprimés** printed paper rate, third-class matter *(US)*

✦ **tarif d'insertion** *(Pub)* advertising rate
✦ **tarif intérieur** *(Poste)* inland rate
✦ **tarif kilométrique** *(Transports)* *(pour les voyageurs)* per kilometre fare; *(pour les marchandises)* per kilometre rate *ou* tariff
✦ **tarif (des) lettres** letter rate
✦ **tarif à la ligne** *(Pub)* line rate
✦ **tarif (des) marchandises** goods rate *ou* tariff, freight rate *ou* tariff
✦ **tarifs médias** media rates
✦ **tarif de nuit** night *ou* off-peak tariff *ou* rate
✦ **tarif ordinaire** ordinary *ou* standard rate
✦ **tarif à la page** *(Pub)* page rate
✦ **tarif (des) périodiques** newspaper rate
✦ **tarifs postaux** postage, postal rates
✦ **tarif préférentiel** *(gén)* preferential *ou* preferred rate; *(Douanes)* preferential tariff
✦ **tarif publicitaire** advertising rates, adrates *(US)*
✦ **tarif réduit** *(gén)* reduced rate; *(pour voyageurs)* cheap fare
✦ **tarifs routiers** road tariff
✦ **tarif de sortie** *(Douanes)* export list
✦ **tarif des supports** *(Pub)* media rate
✦ **tarif télex** telex rate
✦ **tarif uniforme** flat rate *ou* charge, standard rate *ou* charge.

rifs médicaux doctors' fees, doctors' fee schedule ✦ **le tarif en vigueur** the rates in force, the going rate ✦ **quels sont vos tarifs pour ce service?** what are your charges *ou* rates for this service? ✦ **tarif double pour heures supplémentaires** double-time rate for all overtime work ✦ **la guerre des tarifs aériens** the air-fare war ✦ **j'ai pris deux (billets) demi-tarif pour Paris** I took two half-fare tickets to Paris ✦ **plein tarif** *(gén)* full rate *ou* price; *[passager]* full fare; *[marchandises]* full tariff **c** *(Douanes)* *(= barème)* tariff; *(= droit)* duty ✦ **tarif douanier** customs tariff ✦ **abaisser / relever les tarifs** to lower / raise tariffs ✦ **accord général sur les tarifs douaniers et le commerce** General Agreement on Tariffs and Trade ✦ **les tarifs sur les voitures à l'importation** import duties on cars, duties on imported cars

**tarifaire** /taʀifɛʀ/ **ADJ** *(Douanes)* tariff ✦ **accord / loi tarifaire** tariff agreement / law ✦ **barrières** *ou* **obstacles tarifaires** tariff barriers.

**tarifer** /taʀife/ **VT** to fix the price *ou* rate *ou* tariff for ✦ **marchandises tarifées** fixed-price goods ✦ **prix tarifé** scheduled *ou* list price.

**tarification** /taʀifikasjɔ̃/ **NF** price *ou* rate *ou* tariff fixing ✦ **types de tarification** charging rates.

─────── *compounds/composés* ───────

## TAUX

- **taux d'achat** *(Bourse)* bid rate
- **taux d'actualisation** discount rate, rate of discount
- **taux actuariel (brut)** yield to maturity, redemption yield
- **taux d'amortissement** depreciation rate ✦ **taux de l'argent** interest rate, rate of interest ✦ **taux de l'argent hors banque** market rate (of interest)
- **taux de l'argent au jour le jour** day-to-day rate
- **taux d'attribution** *(Bourse)* allocation rate
- **taux des avances de la Banque de France** rate for Bank of France advances ✦ **taux des avances sur nantissement** Lombard rate
- **taux banque** discount rate
- **taux de base** *[impôt, salaires]* basic rate ✦ **taux de base bancaire** minimum lending rate, base rate, prime rate *(US)*
- **taux bonifié** subsidized (interest) rate
- **taux de capitalisation (boursière)** (market) capitalization rate ✦ **taux de capitalisation des bénéfices** price / earnings ratio, p / e ratio
- **taux central** central rate
- **taux de change** rate of exchange, exchange rate ✦ **taux de change acheteur / à terme / vendeur** buying / forward / selling rate ✦ **taux de change croisés** cross rates ✦ **taux de change rampant** crawling rate
- **taux de charge** load per unit
- **taux de chômage** unemployment *ou* jobless rate
- **taux de circulation** *(Presse, Pub)* circulation (rate), readership
- **taux de commission** commission rate
- **taux contractuel** nominal rate
- **taux de conversion** conversion rate
- **taux courant** current rate
- **taux à court terme, taux court** short(-period) rate
- **taux de couverture** *(Banque = obligation de réserve)* reserve ratio, cash ratio, cash-deposit ratio, coverage *(Bourse : pour les opérations à terme)* margin rate, coverage rate, margin requirements ✦ **taux de couverture des importations par les exportations** import-export coverage

- **taux de couverture du dividende** dividend cover ✦ **taux de couverture publicitaire** advertising-coverage rate
- **taux de croissance** growth rate, rate of growth
- **taux dégressif** tapering rate, decreasing rate
- **taux demandé** bid rate
- **taux du déport** *(Bourse)* backwardation rate
- **taux de diffusion** *(Pub)* circulation (rate), readership
- **taux directeur** base rate, prime rate *(US)* ✦ **les taux directeurs américains** US key rates
- **taux de distribution** payout ratio
- **taux d'écoute** *(Pub)* audience rating
- **taux effectif** *[intérêts des obligations]* effective (interest) rate, yield; *(Impôts)* effective (tax) rate ✦ **taux effectif global** *(dans un contrat de prêt)* annualized percentage rate, overall effective rate
- **taux d'émission** issue rate *ou* price
- **taux emprunteur** bid rate
- **taux d'endettement** debt ratio ✦ **taux d'endettement des entreprises** corporate leverage *ou* gearing
- **taux de l'épargne** savings rate
- **taux équivalent** yield to maturity, redemption yield
- **taux d'erreurs** error rate
- **taux de l'escompte** *ou* **d'escompte** discount rate; *(de la banque centrale)* minimum lending rate *(Brit)*, (official) discount rate *(US)* ✦ **taux d'escompte banque** dicount rate
- **taux étalon** hurdle rate
- **taux fixe** fixed rate
- **taux flottant** floating rate
- **taux fluctuant** fluctuating rate
- **taux horaire** hourly rate
- **taux hors banque** market rate (of interest)
- **taux d'imposition** tax rate, rate of taxation ✦ **taux d'imposition moyen / effectif** average / effective tax rate ✦ **taux d'imposition sur le revenu** income rate

**tas** /tɑ/ NM pile, heap ◆ **former qn sur le tas** to train sb on the job ◆ **formation sur le tas** in-house *ou* on-the-job *ou* on-site training ◆ **grève sur le tas** sit-down strike.

**tassement** /tɑsmɑ̃/ NM *[chômage]* (slight) drop *(de* in); *[cours, activité économique]* (slight) drop *(de* in), weakening *(de* of), setback *(de* in)

**tasser (se)** /tɑse/ VPR *[cours, activité économique]* to fall back, be off, weaken, suffer a setback.

**taux** /to/ NM **a** *(gén, Écon, Fin)* rate ◆ **le taux d'accroissement de la population** the rate of increase of the population ◆ **obligation à taux fixe / flottant / variable** fixed- / floating- / variable-rate *ou* -yield bond ◆ **le taux standard du café** the standard price of coffee, the going rate for coffee ◆ **écart sur taux** rate variance **b** *(= teneur)* *[alcool, sucre]* level

**taxable** /taksabl(ə)/ ADJ taxable; *marchandises à l'importation* dutiable.

**taxation** /taksasjɔ̃/ NF *(= imposition)* taxation; *(= fixation du prix)* assessment ◆ **taxation du dommage** assessment *ou* appraisal of the damage ◆ **taxation d'office** estimation of tax, arbitrary tax assessment *(in case of failure to file a return).*

**taxe** /taks(ə)/ NF **a** *(= impôt)* tax; *(Douanes)* duty,

───── compounds/composés ─────

TAUX

◆ **taux indicatif** info rate
◆ **taux d'inflation** inflation rate
◆ **taux interbancaire** interbank rate ◆ **taux interbancaire offert** interbank offered rate IBOR
◆ **taux d'intérêt** interest rate, rate of interest ◆ **taux d'intérêt actuariel** yield to maturity redemption rate ◆ **taux d'intérêt bonifié** subsidized interest rate ◆ **taux d'intérêt contractuel** *ou* **nominal** *(gén)* nominal interest rate; *[obligations]* coupon rate, nominal interest rate ◆ **taux d'intérêt préférentiel** prime rate
◆ **taux d'intervention** intervention rate
◆ **taux d'invendus** rate of return
◆ **taux du jour** daily rate
◆ **taux de lecture** *(Pub)* readership; *(de la plus grande partie d'une annonce)* read most (percentage) ◆ **taux de lecture et d'observation** reading and noting
◆ **taux de liquidité** liquidity ratio
◆ **taux Lombard** Lombard (funding) rate
◆ **taux à long terme, taux long** long-term rate
◆ **taux du marché monétaire** money market rates
◆ **taux du marché obligataire** bond market rates
◆ **taux de marge** mark-up *(as percentage of cost price)*
◆ **taux marginal d'imposition** marginal tax rate
◆ **taux de marque** mark-up *(as percentage of selling price)*, retailer's margin
◆ **taux de mortalité** mortality *ou* death rate
◆ **taux moyen du marché monétaire au jour le jour** money market rate
◆ **taux de natalité** birth rate
◆ **taux d'observation** *(Pub)* noting score
◆ **taux offert** offered rate
◆ **taux de pénétration** penetration rate ◆ **taux de pénétration des importations** import (penetration) ratio
◆ **taux pivot** *(UE)* central rate
◆ **taux plancher / plafond** floor / ceiling caps
◆ **taux préférentiel** prime rate, fine rate
◆ **taux des prêts au jour le jour** call-loan rate
◆ **taux prêteur** offer(ed) rate

◆ **taux de prime** premium rate
◆ **taux de profit** return (on capital)
◆ **taux progressif** graduated (interest) rate
◆ **taux de réescompte** rediscount rate
◆ **taux de référence bancaire** base rate, prime rate *(US)*
◆ **taux de remontée** *(Pub)* response rate, return rate, rate of return
◆ **taux de remplacement** replacement rate
◆ **taux de remplissage** *(Aviat)* load factor
◆ **taux de rémunération** salary *ou* wage *ou* pay rate
◆ **taux de rendement** *(gén)* (rate of) return; *[placement]* yield, return ◆ **taux de rendement de l'actif** return on assets ◆ **taux de rendement des actions** dividend yield ◆ **taux de rendement actuariel** yield to maturity, redemption yield ◆ **taux de rendement actuariel annuel brut** gross annual yield ◆ **taux de rendement du capital investi** return on investment ◆ **taux de rendement des capitaux propres** return on (stockholder's) equity ◆ **taux de rendement effectif** *ou* **interne** internal rate of return
◆ **taux de rentabilité** (rate of) return (on capital) ◆ **taux de rentabilité interne** internal rate of return
◆ **taux de réponse** *(Pub)* response rate, return rate, rate of return
◆ **taux du report** *(Bourse)* contango rate
◆ **taux de réserve** *(Banque)* reserve ratio
◆ **taux révisable** variable rate
◆ **taux de rotation** turnover rate, rate of turnover ◆ **taux de rotation de l'actif / des stocks** asset / stock turnover (rate)
◆ **taux spot** spot rate
◆ **taux uniforme** *[salaires]* flat rate
◆ **taux usuraire** usurious rate (of interest)
◆ **taux d'utilisation** utilization rate *ou* ratio ◆ **taux d'utilisation des capacités industrielles** (industrial) capacity utilization rate
◆ **taux variable** variable *ou* adjustable rate
◆ **taux de vente** *(Bourse)* bid rate
◆ **taux à vue** demand rate.

levy ◆ **taxe sur le tabac** (excise) tax *ou* duty on tobacco ◆ **exempt de taxe** tax exempt, tax free, free of tax; *(Douanes)* duty *ou* tax free ◆ **chiffre d'affaires hors taxes** turnover *(Brit)* *ou* sales exclusive of tax ◆ **toutes taxes comprises** inclusive of tax, tax inclusive ◆ **boutique hors-taxe** duty-free shop ◆ **soumis** *ou* **sujet à une taxe** dutiable, taxable ◆ **lever** *ou* **instaurer une taxe sur un produit, frapper un produit d'une taxe** to levy a tax *ou* a duty on a product ◆ **il y a une taxe supplémentaire par minute** *(Téléc)* there is an additional charge for each minute **b** *(= tarif)* statutory *ou* controlled price ◆ **vendre des marchandises à la taxe / plus cher que la taxe** to sell goods at / for more than the statutory price **c** *(Jur)* taxation, assessment ◆ **taxe des dépens** taxation of costs

┌─────────── *compounds/composés* ───────────┐

◆ **taxe d'aéroport** airport tax
◆ **taxe d'affranchissement** prepaid rate of postage
◆ **taxe d'apprentissage** apprenticeship tax
◆ **taxe d'atterrissage** landing tax *ou* fees
◆ **taxe de base** *(Téléc)* unit charge
◆ **taxe sur le chiffre d'affaires** turnover tax *(Brit)*, sales tax *(US)*
◆ **taxe à la consommation** excise duty
◆ **taxe conjoncturelle** conjunctural levy *(to tax profit increases in firms over a certain size when they exceed a permitted margin for prices and productivity increases)*
◆ **taxe de décollage** take-off tax *ou* fees
◆ **taxe de factage** porterage charge
◆ **taxe foncière** land tax
◆ **taxe d'habitation** ≈ council tax *(Brit)*, ≈ property tax *(US)*
◆ **taxe sur les importations** import tax *ou* duty *ou* levy
◆ **taxe intérieure** excise tax ◆ **taxe intérieure sur les produits pétroliers** *excise tax on petroleum products*
◆ **taxes locales** local tax *ou* rates
◆ **taxe municipale** municipal tax
◆ **taxe parafiscale** special tax *(levied for a specific purpose)*
◆ **taxe sur les plus-values** capital-gains tax
◆ **taxe de port** harbour dues
◆ **taxe postale** postage, postal rate
◆ **taxe de prestation de service** tax on services rendered
◆ **taxe professionnelle** local tax on business activity, ≈ business rates *(Brit)*
◆ **taxe de rapprochement** *(Mar)* quay handling charges
◆ **taxe de régie** excise duties *ou* taxes
◆ **taxe de séjour** visitor's tax, tourist tax
◆ **taxe sur les spectacles** entertainment tax
◆ **taxe successorale** death duty, inheritance tax
◆ **taxe de transit** transit charge
◆ **taxe à** *ou* **sur la valeur ajoutée** value-added tax.

└────────────────────────────────────────────┘

**taxer** /takse/ **VT** **a** *(= imposer)* personne, firme to tax; marchandises, service to tax, put *ou* impose a tax on ◆ **marchandises taxées à la valeur** goods charged with an ad valorem duty ◆ **marchandises fortement / faiblement taxées** high-duty / low-duty goods ◆ **taxer qn d'office** to assess sb to tax *ou* taxation **b** *(= fixer le prix de)* valeur to fix (the rate of); marchandises to fix the price of; *(Jur)* dépens to tax, assess; *(Téléc)* communication to set a charge for ◆ **mémoire taxé** *(Jur)* taxed bill of costs ◆ **prix taxé** controlled price ◆ **poids taxé** chargeable weight.

**taxi** /taksi/ **NM** taxi, taxi cab ◆ **taxis** * straw companies *(for fraudulent deals)*.

**TB** abrév de **taux banque** → **taux.**

**TBB** /tebebe/ **NM** abrév de **taux de base bancaire** → **taux.**

**TBE** /tebeø/ **NM** abrév de **taux d'escompte banque** → **taux.**

**t. b. é.** abrév de **très bon état.**

**Tbilissi** /tbilisi/ **N** Tbilisi.

**TCA** /tesea/ **NF** abrév de **taxe sur le chiffre d'affaires** → **taxe.**

**Tchad** /tʃad/ **NM** Chad.

**tchadien, -ienne** /tʃadjɛ̃, jɛn/ **ADJ** Chad
**Tchadien** **NM** *(= habitant)* Chad
**Tchadienne** **NF** *(= habitante)* Chad.

**tchécoslovaque†** /tʃekɔslɔvak/ **ADJ** Czechoslovakian
**Tchécoslovaque** **NMF** *(= habitant)* Czechoslovakian.

**Tchécoslovaquie†** /tʃekɔslɔvaki/ **NF** *(Hist)* Czechoslovakia.

**tchèque** /tʃɛk/ **ADJ** Czech
**NM** *(= langue)* Czech
**Tchèque** **NMF** *(= habitant)* Czech.

**Tchéquie** /tʃeki/ **NF** the Czech Republic.

**TCN** /teseɛn/ **NM** abrév de **titre de créance négociable** → **titre.**

**TEC** /teøse/ **NF** abrév de **tonne équivalent charbon** → **tonne.**

**technicien, -ienne** /tɛknisjɛ̃, jɛn/ **NM,F** technician.

**technicité** /tɛknisite/ **NF** technical nature ◆ **c'est un travail de haute technicité** it is highly technical work.

**technico-commercial, e,** **MPL** **-aux** /tɛkni kɔkɔmɛrsjal, o/ **ADJ** sales

**NM,F** (= agent) sales technician; (= ingénieur) sales engineer.

**technique** /tɛknik/ **ADJ** technical ◆ **assistance technique** technical aid ou assistance ◆ **mettre en chômage technique** to lay off temporarily ◆ **directeur technique** works ou plant manager, technical manager (US) ◆ **enseignement technique** technical education ◆ **il enseigne dans le technique** he teaches in a technical school ◆ **service technique** technical department, engineering department
**NF a** technique ◆ **techniques commerciales** marketing techniques ◆ **techniques de gestion / de vente** management / sales techniques **b** (Ind) ◆ **la technique** the production function.

**techniquement** /tɛknikmɑ̃/ **ADV** technically.

**technocrate** /tɛknɔkʀat/ **NMF** technocrat.

**technocratie** /tɛknɔkʀasi/ **NF** technocracy.

**technocratique** /tɛknɔkʀatik/ **ADJ** technocratic.

**technologie** /tɛknɔlɔʒi/ **NF** technology ◆ **la technologie des lasers** laser technology ◆ **technologie des systèmes automatisés** automated systems technology ◆ **les nouvelles technologies** new technologies ◆ **technologie de pointe** state-of-the-art ou leading-edge ou cutting-edge technology ◆ **transfert de technologie** technology transfer.

**technologique** /tɛknɔlɔʒik/ **ADJ** technological ◆ **écart technologique** technological gap ◆ **valeurs technologiques** (Bourse) technology stocks, techs
**technologiques** **NFPL** (Bourse) technology stocks, techs.

**technologiquement** /tɛknɔlɔʒikmɑ̃/ **ADV** technologically.

**technologue** /tɛknɔlɔg/ **NMF** technologist.

**technopole** /tɛknɔpɔl/ **NF** high-tech business centre ou zone.

**technostructure** /tɛknɔstʀyktyʀ/ **NF** technostructure.

**TEE** /teəə/ **NM** abrév de **Trans-Europe-Express.**

**TEG** /teəʒe/ **NM** (abrév de **taux effectif global**) APR.

**Tegucigalpa** /tegusigalpa/ **N** Tegucigalpa.

**Téhéran** /teeʀɑ̃/ **N** Teheran, Tehran.

**tél.** abrév de **téléphone.**

**téléachats** /teleaʃa/ **NMPL** teleshopping.

**télécarte** /telekaʀt/ **NF** phonecard.

**téléchargeable** /teleʃaʀʒabl(ə)/ **ADJ** (Inf) downloadable.

**téléchargement** /teleʃaʀʒəmɑ̃/ **NM** (Inf) downloading; (vers un serveur) uploading.

**télécharger** /teleʃaʀʒe/ **VT** (Inf) to download; (vers un serveur) to upload.

**TELECOM** /telekɔm/ **NFPL** abrév de **télécommunications.**

**télécommunication** /telekɔmynikasjɔ̃/ **NF** telecommunication ◆ **les télécommunications** (= techniques) telecommunications, telecom, telecoms; (= administration) the telecommunications company, the telephone company ou service.

**télécoms** /telekɔm/ **NMPL** abrév de **télécommunications** ◆ **les télécoms** the telecommunications company, the telephone company ou service.

**téléconférence** /telekɔ̃feʀɑ̃s/ **NF** (= conversation) teleconference; (= technique) teleconferencing.

**télécopie** /telekɔpi/ **NF** (= système) facsimile transmission, fax; (= document) facsimile ou fax copy, fax, telefax ◆ **par télécopie** by fax.

**télécopier** /telekɔpje/ **VT** to fax, send by fax.

**télécopieur** /telekɔpjœʀ/ **NM** facsimile ou fax machine, fax.

**télégestion** /teleʒɛstjɔ̃/ **NF** remote management ◆ **poste / terminal de télégestion** teleprocessing station / terminal.

**télégramme** /telegʀam/ **NM** telegram, cable, wire ◆ **envoyer un télégramme à qn** to send sb a telegram, cable ou wire sb.

**télégraphe** /telegʀaf/ **NM** telegraph.

**télégraphie** /telegʀafi/ **NF** (= technique) telegraphy.

**télégraphier** /telegʀafje/ **VT** to telegraph, cable.

**télégraphique** /telegʀafik/ **ADJ** telegraph, telegraphic ◆ **adresse télégraphique** telegraphic address ◆ **cours télégraphique** tape price ◆ **message télégraphique** telegraphic message ◆ **ordre télégraphique** cable order ◆ **service télégraphique** telegraph service ◆ **virement télégraphique** telegraphic ou cable transfer.

**télégraphiquement** /telegʀafikmɑ̃/ **ADV** telegraphically, by telegraph, by cable.

**télégraphiste** /telegʀafist(ə)/ **NMF** telegrapher, telegraphist.

**téléinformatique** /teleɛ̃fɔʀmatik/ **NF** telecomputing, teleprocessing.

**télémarketing** /telemaʀkətiŋ/ **NM** telemarketing.

**télématique** /telematik/ **ADJ** serveur *ou* service télématique data communications service ◼ telematics.

**télémesure** /telemǝzyʀ/ **NF** telemetering.

**télémètre** /telemɛtʀ(ǝ)/ **NM** telemeter.

**télémétrie** /telemetʀi/ **NF** telemetry.

**télémétrique** /telemetʀik/ **ADJ** telemetric(al).

**télépaiement** /telepɛmɑ̃/ **NM** electronic payment.

**téléphone** /telefɔn/ **NM** telephone, phone ◆ être abonné au téléphone, avoir le téléphone to be on the (tele)phone ◆ appeler qn au téléphone to (tele)phone sb, call sb, ring sb (up) *(Brit)* ◆ avoir qn au téléphone to get sb on the (tele)phone ◆ je lui ai parlé au téléphone I spoke to him on the (tele)phone ◆ par téléphone by (tele)phone ◆ commande par téléphone (tele)phone order ◆ coup de téléphone (tele)phone call ◆ enquête par téléphone telephone survey ◆ numéro de téléphone (tele)phone number ◆ la vente par téléphone telephone selling ◆ les ventes par téléphone telephone sales

─── *compounds/composés* ───
◆ **téléphone automatique** automatic telephone system, direct dialling system
◆ **téléphone à carte** cardphone
◆ **téléphone cellulaire** cellular telephone
◆ **téléphone intérieur** internal telephone
◆ **téléphone mobile** *ou* **portable** mobile *ou* portable (tele)phone
◆ **téléphone public** pay-phone
◆ **téléphone sans fil** cordless telephone
◆ **téléphone de voiture** car phone.

**téléphoner** /telefɔne/ ◼ *message* to (tele)phone ◼ téléphoner à qn to (tele)phone sb, call sb, ring sb (up) *(Brit)* ◆ elle téléphone beaucoup dans son métier she uses the phone a lot in her job.

**téléphonie** /[telefɔni/ **NF** telephony ◆ téléphonie fixe fixed-line telephony ◆ téléphonie mobile mobile telephony.

**téléphonique** /telefɔnik/ **ADJ** (tele)phone ◆ annuaire téléphonique (tele)phone directory, phone book ◆ appel *ou* communication téléphonique (tele)phone call ◆ cabine téléphonique call box, telephone booth *ou* box ◆ carte téléphonique phone card ◆ central téléphonique telephone exchange ◆ indicatif téléphonique dialling code ◆ message téléphonique tele-

phone message ◆ **permanence téléphonique** answering service ◆ **poste téléphonique** telephone set ◆ **répondeur téléphonique** telephone answerer, telephone answering machine *ou* service *(US)* ◆ **standard téléphonique** switchboard.

**téléphoniste** /telefɔnist(ǝ)/ **NMF** telephone operator.

**téléscripteur** /teleskʀiptœʀ/ **NM** teleprinter, telewriter.

**télésecrétariat** /[telesǝkʀetarja/ **NM** secretarial teleworking.

**télésurveillance** /telesyʀvɛjɑ̃s/ **NF** telewatching.

**télétraitement** /teletʀɛtmɑ̃/ **NM** teleprocessing, telecomputing ◆ **télétraitement par lots** remote batch processing ◆ **centre de télétraitement** telecentre ◆ **logiciel de télétraitement** teleprocessing software.

**télétravail** /teletʀavaj/ **NM** telework ◆ **terminal de télétravail** work-at-home terminal.

**télétravailleur, -euse** /teletʀavajœʀ, øz/ **NM,F** teleworker.

**télétype** /teletip/ **NM** teletype (machine), teleprinter.

**télétypiste** /teletipist(ǝ)/ **NMF** teletype operator.

**télévendeur, -euse** /televɑ̃dœʀ, øz/ **NM,F** telesales operator *ou* person.

**télévente** /televɑ̃t/ **NF** *(= technique)* telephone selling ◆ **téléventes** telephone sales.

**télex** /telɛks/ **NM** telex ◆ **par télex** by telex ◆ **envoyer un télex à qn** to send sb a telex ◆ **bande/ réseau / tarif télex** telex tape / network / rate.

**télexer** /telɛkse/ **VT** to telex ◆ **télexer un message à qn** to send sb a message by telex, telex sb (a message).

**télexiste** /telɛksist(ǝ)/ **NMF** telex operator.

**témoignage** /temwaɲaʒ/ **NM** *(Jur)* testimony, evidence.

**témoigner** /temwaɲe/ **VI** *(Jur)* to testify, give evidence.

**témoin** /temwɛ̃/ **ADJ** appartement-témoin show flat *(Brit)* *ou* apartment *(US)* ◆ **lampe témoin** warning light ◆ **marché-témoin** test area *ou* market ◆ **réalisation-témoin** pilot *ou* test development ◆ **usine-témoin** demonstration *ou* pilot plant
◼ *(gén, Jur = personne)* witness.

**tempérament** /tɑ̃peʀamɑ̃/ **NM** ◆ **acheter à tempérament** to buy on credit, buy on hire purchase *(Brit)*, buy on the instalment plan *(US)*

◆ **achat à tempérament** credit purchase, hire purchase *(Brit)* ◆ **l'achat à tempérament d'une voiture** buying a car on credit *ou* on the instalment plan *(US)* ◆ **vendre à tempérament** to sell on credit, sell on deferred (payment) terms, sell on the instalment plan *(US)* ◆ **vente à tempérament** (= *technique*) credit *ou* instalment selling; (= *transaction*) credit *ou* instalment sale, sale on deferred (payment) terms, hire-purchase sale *(Brit)* ◆ **crédit pour achats à tempérament** instalment credit.

**tempête** /tɑ̃pɛt/ **NF** storm ◆ **tempête boursière** stock market turmoil *ou* upheaval.

**temporaire** /tɑ̃pɔʀɛʀ/ **ADJ** temporary ◆ **à titre temporaire** on a temporary basis ◆ **main-d'œuvre temporaire** casual labour, temporary employees, temps*.

**temporairement** /tɑ̃pɔʀɛʀmɑ̃/ **ADV** temporarily.

**temps** /tɑ̃/ **NM** **a** time ◆ **à temps** on time ◆ **terminer dans les temps** to finish on schedule *ou* on time ◆ **en temps voulu** *ou* **utile** in due time *ou* course ◆ **dans un premier temps** first of all ◆ **dans un deuxième temps** secondly, afterwards ◆ **c'est un gain de temps considérable** it will save a lot of time ◆ **c'est une perte de temps** it's a waste of time ◆ **travailler à plein temps / à mi-temps / à temps partiel** to work full-time / half-time / part-time ◆ **le travail à**

plein temps / à mi-temps / à temps partiel full-time / half-time / part-time work ◆ **un travail à temps partiel** a part-time job ◆ **le personnel à temps partiel** the part-time staff, the part-timers ◆ **étude des temps et des méthodes / des temps et des mouvements** time and methods / time and motion study ◆ **affrètement à temps** *(Mar)* time charter ◆ **base de temps** time base, time frame ◆ **limite de temps** time limit ◆ **tranche de temps** period of time, time slot, time slice **b** (= *conditions météorologiques*) weather

**tenancier** /tənɑ̃sje/ **NM** *[hôtel]* manager; *[ferme]* tenant farmer.

**tenancière** /tənɑ̃sjɛʀ/ **NF** *[hôtel]* manageress.

**tenants** /tənɑ̃/ **NMPL** ◆ **les tenants et les aboutissants de qch** the ins and outs of sth.

**tendance** /tɑ̃dɑ̃s/ **NF** trend, tendency ◆ **tendances démographiques** population trends ◆ **tendance à la hausse / baisse** *[prix]* upward / downward trend; *(Bourse)* bullish / bearish trend, upward / downward trend, rising / falling trend ◆ **tendance inflationniste** inflationary trend *ou* tendency ◆ **tendance du marché** market trend, trend of the market ◆ **tendance saisonnière** seasonal trend ◆ **tendance soutenue** *(Bourse)* steady trend ◆ **retournement de tendance** trend reversal *ou* turn(a)

*——— compounds/composés ———*

TEMPS

◆ **temps d'accès** access time
◆ **temps d'antenne** airtime, on-air time, broadcast time
◆ **temps d'arrêt** pause, halt ◆ **marquer un temps d'arrêt** *[reprise économique, hausse]* to pause, mark time
◆ **temps d'attente** period of waiting, waiting period, standby time
◆ **temps de bon fonctionnement** *[machine]* up time, time between failures
◆ **temps d'écriture** *(Inf)* write time
◆ **temps effectif** *(Inf)* actual time
◆ **temps d'exécution** operation *ou* execution time
◆ **temps de fonctionnement** running *ou* operating time
◆ **temps d'immobilisation** down time, engineering *ou* maintenance time
◆ **temps improductif** down *ou* idle time
◆ **temps d'inutilisation** dead *ou* idle time
◆ **temps de latence** lead time
◆ **temps de lecture** *(Inf)* read time
◆ **temps machine** *(Inf)* machine time; *(Ind)* running time
◆ **temps mort** *(Comm)* slack period *(Ind, Inf)* dead *ou* down *ou* idle time

◆ **temps moyen** mean time ◆ **temps moyen de réparation** mean repair time ◆ **temps moyen entre pannes** mean time between failures, MTBF
◆ **temps de panne** down time
◆ **temps partagé** time sharing ◆ **utiliser un ordinateur en temps partagé** to use a computer on a time sharing basis, time share a computer ◆ **ordinateur en temps partagé** time sharing computer ◆ **exploitation en temps partagé** time sharing
◆ **temps de préparation** *(Inf)* set-up time
◆ **temps de réalisation** lead time
◆ **temps de recherche** search time
◆ **temps réel** real time ◆ **fonctionner en temps réel** to work *ou* operate in real time ◆ **connaître les cours en temps réel** to have access to real-time prices ◆ **fonctionnement en temps réel** real-time operation ◆ **entrée / sortie en temps réel** real-time input / output ◆ **traitement en temps réel** real-time processing
◆ **temps de réglage** *(Ind)* setup time
◆ **temps de réparation** repair time
◆ **temps de réponse** response time, lead time
◆ **temps de retour** *(sur investissement)* payoff period
◆ **temps universel** universal time, Greenwich Mean Time, GMT.

round ◆ **les prix ont tendance à baisser** prices have a tendency to go down.

**tendanciel, -ielle** /tɑ̃dɑ̃sjɛl/ **ADJ** ◆ **une baisse tendancielle de l'inflation** a downward inflationary trend.

**tendre (se)** /tɑ̃dʀ(ə)/ **VPR** [*cours, prix*] to harden, stiffen, firm up.

**tendu, e** /tɑ̃dy/ **ADJ** *cours* firm; *marché* tight; *situation* tense; *rapports* tense, strained.

**teneur** /tənœʀ/ **NF** [*contrat*] terms; [*document*] content ◆ **teneur en fer / en alcool** iron / alcohol content ◆ **minerai de haute / faible teneur** high-grade / low-grade ore
**NM** (*Compta*) ◆ **teneur de livres** book-keeper ◆ **teneur de marché** (*Bourse*) market maker.

**tenge** /tɛŋge/ **NM** tenge.

**tenir** /t(ə)niʀ/ **VT** **a** (*gén*) to hold ◆ **tenir à bail** to hold on lease ◆ **la banque qui tient le compte** the bank that holds the account ◆ **tenir un compte chez qn** to have *ou* keep an account with sb ◆ **tenir compte de qch** to take sth into account ◆ **tenir à jour** to keep up to date ◆ **nous le tenons à votre disposition** we hold it at your disposal ◆ **tenir une réunion** to hold a meeting ◆ **tenir les prix** to contain prices, keep prices down **b** (*Comm = stocker*) *marchandises* to stock, keep **c** *hôtel, magasin* to run, keep; *stand* to man **d** *livres de comptes* to keep ◆ **tenir la caisse** to be in charge of the cash *ou* the till ◆ **tenir la comptabilité** *ou* **les comptes** *ou* **les livres** to keep the accounts *ou* the books **e** *promesse* to keep ◆ **tenir ses engagements** to meet one's commitments ◆ **tenir les délais** to keep to the schedule, meet the deadline **f** (*sur étiquette*) ◆ **tenir au frais** keep refrigerated *ou* cool ◆ **tenir à l'abri de l'humidité** keep dry ◆ **tenir debout** keep upright
**VI** **tenir dans** : **les marchandises ne tiendront pas dans le camion** the lorry won't hold the goods, the goods won't fit into the lorry.

**tension** /tɑ̃sjɔ̃/ **NF** tension ◆ **tension sociale** labour unrest ◆ **la tension sur le marché des obligations s'est accrue** the bond market has tightened.

**tenter** /tɑ̃te/ **VT** (*= essayer*) to try, attempt ◆ **le pari sur cette valeur peut être tenté** investors can take a gamble on this stock.

**tenu, e** /t(ə)ny/ **ADJ** **a** ◆ **bien tenu** *comptabilité, usine* well-kept ◆ **mal tenu** badly *ou* poorly kept **b** ◆ **être tenu de faire** to be obliged to do ◆ **être tenu au secret professionnel** to be bound by professional secrecy ◆ **être tenu à**

**des dommages-intérêts** to be liable for damages **c** (*Bourse*) *cours* hard; *valeurs* firm

**tenue** **NF** **a** [*magasin*] running; [*réunion*] holding; [*stocks*] control; (*Inf*) [*fichier*] maintenance **b** (*Compta*) ◆ **la tenue des livres de comptes** book-keeping ◆ **la tenue en partie simple** single-entry book-keeping ◆ **la tenue en partie double** double-entry book-keeping ◆ **la bonne tenue des livres de comptes est essentielle** it is essential to keep the books straight ◆ **frais de tenue des comptes** account charges ◆ **l'organisme qui assure la tenue du compte** the institution that operates the account **c** (*Écon, Bourse = performance*) firmness ◆ **la bonne tenue des valeurs françaises** the firmness of French stocks and shares ◆ **la bonne tenue du franc** the steadiness of the franc ◆ **la tenue générale du marché** the general tone of the market **d** (*= qualité*) [*journal*] standard, quality ◆ **une revue de haute tenue** a quality review.

**TEP** /teəpe/ **NF** (abrév de **tonne équivalent pétrole**) TOE.

**termaillage** /tɛʀmaja3/ **NM** (*Écon*) leads and lags.

**terme** /tɛʀm(ə)/ **NM** **a** (*= fin*) end; (*= date*) date; (*= date butoir*) time limit, deadline (*Fin = échéance*) due date, date for payment ◆ **mettre un terme à une expérience** to bring an experiment to an end, put an end *ou* a stop to an experiment ◆ **venir** *ou* **arriver à terme** [*délai*] to expire; [*expérience*] to come to an end; [*paiement*] to fall *ou* come due ◆ **par l'échéance du terme** when the payment falls *ou* comes due ◆ **terme de rigueur** deadline, final *ou* latest date ◆ **demander / accorder un terme de grâce** to ask for / grant extra time to pay ◆ **le terme de grâce est de 3 jours** there are 3 days of grace **b** ◆ **à court terme** *investissement* short-term; *prévisions, planification* short-term, short-range; *crédit, emprunt* short-term, short-dated ◆ **argent à court terme** money at call *ou* at short notice ◆ **dettes à court terme** current liabilities ◆ **investir à court terme** to make a short-term investment ◆ **la situation à court terme** the situation in the short term ◆ **à moyen terme** *prévisions, effet de commerce* medium-term ◆ **à long terme** *investissement* long-term; *prévisions, planification* long-term, long-range; *crédit, emprunt* long-term, long-dated ◆ **dettes à moyen et à long terme** medium and long-term debt ◆ **passif à long terme** long-term liabilities ◆ **nous travaillons pour le long terme** we are working on a long-term basis ◆ **nous nous plaçons dans le long terme** *ou* **dans une perspective à long terme** we are taking a long view of things ◆ **à terme, nous**

**perdrons notre part de marché** in the long run we shall lose our share of the market [c] *(Bourse, Fin)* ◆ **acheter / vendre à terme** *(gén = à crédit)* to buy / sell on credit; *(Bourse des marchandises)* to buy / sell forward; *(Bourse de valeurs)* to buy / sell for the account *ou* for the settlement ◆ **assurance à terme** time insurance, endowment insurance ◆ **changes à terme** forward foreign exchange ◆ **contrat de change à terme** forward exchange contract ◆ **cours à terme** forward rate ◆ **dépôt à terme** time *ou* term deposit ◆ **effet à terme** time draft *ou* bill ◆ **franc / livre à terme** forward franc / sterling ◆ **livrable à terme** for future delivery ◆ **livraisons à terme** futures ◆ **marché à terme** *(Bourse de marchandises)* futures market; *(Bourse de valeurs)* monthly settlement market; *(Change)* forward market ◆ **marché à terme ferme** dealings *ou* transactions for the settlement *ou* the account ◆ **marché à terme conditionnel** options market ◆ **marché à terme des instruments financiers** financial futures market ◆ **marché à terme international de France** French financial futures market ◆ **opération** *ou* **transaction à terme** *(Bourse de marchandises)* forward transaction; *(Bourse de valeurs)* settlement bargain *ou* transaction *ou* deal, transaction for the settlement *ou* for the account ◆ **opération de change à terme** forward exchange deal *ou* transaction ◆ **paiement à terme** payment by instalments ◆ **prêt à terme** time *ou* term loan ◆ **règlement à terme** credit settlement ◆ **valeurs à terme** forward securities, securities dealt in for the settlement *ou* the account [d] *(= loyer à payer)* (quarterly) rent; *(= période de location)* rental term *ou* period ◆ **le loyer du terme** the term's rent ◆ **payer son terme** to pay one's rent ◆ **avoir plusieurs termes de retard** to be several payments behind with one's rent ◆ **payer à terme échu** to pay at the end of the rental term, pay a term in arrears ◆ **le jour du terme** term *ou* rent day, quarter-day, the term *ou* date for payment [e] *(= mot)* term ◆ **termes commerciaux internationaux** incoterms ◆ **aux termes de l'accord** under the agreement, according to *ou* in accordance with the terms of the agreement ◆ **aux termes de l'article 43** in pursuance of article 43, pursuant to article 43 ◆ **en d'autres termes** in other words ◆ **d'après les termes de votre lettre** according to the terms *ou* the wording of your letter ◆ **termes de l'échange** *(Écon)* terms of trade.

**terminal, PL -aux** /tɛʀminal, o/ **NM** terminal ◆ **terminal à écran de visualisation** display terminal ◆ **terminal intelligent / passif** smart / dumb terminal ◆ **terminal de paiement électronique**

electronic payment terminal ◆ **terminal pétrolier** oil terminal ◆ **terminal point de vente** point-of-sale terminal.

**terminer** /tɛʀmine/ **VT** *(gén)* to end, finish; *travail* to finish (off), complete ◆ **je terminerai à six heures ce soir** *(horaire)* I'll get off at six this evening; *(travail en cours)* I'll be through *ou* I'll finish at six this evening ◆ **les actions ont terminé à 330** shares closed at 330 ◆ **se terminer** **VPR** *[vacances, contrat, journée]* to (come to an) end ◆ **l'exercice se terminant le 15 avril** the financial year ending April 15 ◆ **se terminer par** to end with.

**terne** /tɛʀn(ə)/ **ADJ** *(Bourse)* dull.

**terrain** /tɛʀɛ̃/ **NM** [a] (piece of) land, plot (of land), lot *(US)* ◆ **lotir un terrain** to lot (out) a piece of land, divide a piece of land into plots *ou* lots *(US)* ◆ **nous recherchons un terrain pour notre usine** we are looking for a site for our factory [b] **céder / gagner / perdre du terrain** to give / gain / lose ground ◆ **regagner le terrain perdu** to regain ground ◆ **tâter le terrain** to test the ground, see how the land lies ◆ **préparer / déblayer le terrain** to prepare / clear the ground ◆ **trouver un terrain d'entente** to find an area of agreement, find common ground ◆ **nous avons 4 vendeurs sur le terrain** we have 4 salesmen in the field ◆ **il a beaucoup d'expérience du** *ou* **sur le terrain** he has a lot of experience in the field ◆ **recherches sur le terrain** fieldwork, field research ◆ **aller sur le terrain** to go out in the field ◆ **c'est un homme de terrain** he's a good field operator

---------- *compounds/composés* ----------

- **terrain à bâtir** building land *ou* site
- **terrain industriel** industrial site *ou* land
- **terrain à lotir** land for building, development site
- **terrain vague** (piece of) waste ground, empty lot *(US)*.

**terrestre** /tɛʀɛstʀ(ə)/ **ADJ** *transport, voie* land ◆ **par voie terrestre** by land ◆ **assurance terrestre** land insurance.

**terrien, -ienne** /tɛʀjɛ̃, jɛn/ **ADJ** landed ◆ **propriétaire terrien** landowner, landed proprietor.

**terril** /tɛʀi(l)/ **NM** (coal) tip, slag heap.

**territoire** /tɛʀitwaʀ/ **NM** *(gén)* territory; *[département, commune]* area; *[juge]* jurisdiction ◆ **territoire de vente** sales territory *ou* area ◆ **aménagement du territoire** regional development, town and country planning.

**tertiaire** /tɛʀsjɛʀ/ **ADJ** *secteur* tertiary

**NM** tertiary sector, service sector *ou* industries, tertiary industry.

**tertiarisation** /tɛʀsjaʀizasjɔ̃/ **tertiairisation** /tɛʀsjɛʀizasjɔ̃/ **NF** expansion *ou* development of the service sector.

**test** /tɛst/ **NM** test ◆ **passer un test** to take a test ◆ **faire passer un test à qn** to give sb a test ◆ **soumettre un produit à des tests** to subject a product to tests, test a product ◆ **les tests constituent la dernière phase de l'opération** the last stage of the operation is testing

───── *compounds/composés* ─────
- **test d'ajustement** goodness of fit test
- **test d'aptitude** aptitude test
- **test d'association** association test
- **test en aveugle** blind test
- **test de (la) cohérence** test of reasonableness
- **test comparatif** comparison test
- **test de conditionnement** package test
- **test de conformité** compliance test
- **test auprès des consommateurs** consumer test
- **test de corroboration** substantive test
- **test de diagnostic** diagnostic test
- **test de faisabilité** feasibility test
- **test d'impact** impact test
- **test du lendemain** day-after recall
- **test de marché** market test ◆ **les tests de marché sont un outil indispensable** market tests are *ou* test marketing is an indispensable tool
- **test médias** media test
- **test de mémorisation** memory *ou* recall test
- **test de notoriété** recall *ou* recognition test
- **test paramétrique** parametric test
- **test de perception thématique** thematic apperception test
- **test de produit** product test
- **test projectif** projective test
- **test publicitaire** advertising test
- **test de rappel** recall test
- **test de vente** market test.

**testament** /tɛstamɑ̃/ **NM** will, testament ◆ **valider / invalider un testament** to probate / invalidate a will ◆ **dresser un testament** to draw up a will ◆ **mourir sans testament** to die intestate ◆ **héritier par testament** devisee.

**testamentaire** /tɛstamɑ̃tɛʀ/ **ADJ** ◆ **dispositions testamentaires** provisions of a will ◆ **donation testamentaire** bequest, legacy ◆ **exécuteur testamentaire** executor ◆ **héritier testamentaire** devisee ◆ **lettres testamentaires** testamentary letters.

**testateur** /tɛstatœʀ/ **NM** testator, devisor.

**testatrice** /tɛstatʀis/ **NF** testatrix, devisor.

**tester** /tɛste/ **VT** *(gén)* to test; *idée* to try out, test; *produit* to test; *(Mktg)* to test market **VI** *(Jur)* to make one's will.

**tête** /tɛt/ **NF** head ◆ **cela coûte 50 euros par tête** it costs 50 euros a head *ou* per person ◆ **la consommation par tête d'habitant** the per capita consumption ◆ **fixer un prix à la tête du client** to set a price somewhat arbitrarily ◆ **prendre une assurance sur la tête de qn** to take out a life insurance policy on sb ◆ **assurance-vie prise sur 2 têtes** two-life policy ◆ **être à la tête d'une entreprise** to be at the head of a company ◆ **être à la tête d'un pays** to lead *ou* rule a country, be the leader *ou* the ruler of a country ◆ **être à la tête d'une délégation syndicale** to be the leader of a union delegation ◆ **elle est à la tête d'une immense fortune** she commands a huge fortune ◆ **l'Allemagne est en tête dans la course à la désinflation** Germany is in the lead *ou* comes first in the disinflation race ◆ **les entreprises qui se classent en tête par la progression du chiffre d'affaires** the companies which are at the top of the league for increase in sales volume ◆ **(figure en) tête-épaules** *(Bourse)* head and shoulders

───── *compounds/composés* ─────
- **tête d'affiche** top of the bill
- **être en tête d'affiche** to head the bill, be top of the bill
- **tête de gondole** *(Mktg)* gondola head
- **tête de liste** *(Pol)* chief candidate
- **tête de page** page head, top of the page
- **tête de pont** bridgehead.

**texte** /tɛkst(ə)/ **NM** **a** *(gén)* text; *[contrat]* text, wording; *(Pub)* copy, text ◆ **texte publicitaire** advertising copy ◆ **texte rédactionnel** editorial copy **b** *(Inf)* ◆ **traitement de texte** *(= technique)* word processing, text processing; *(= logiciel)* word processing package *ou* program ◆ **unité** *ou* **machine de traitement de texte** word processor ◆ **fichier de texte, fichier-texte** text file ◆ **éditeur de texte** text editor ◆ **texte de loi** law.

**textile** /tɛkstil/ **ADJ** textile ◆ **l'industrie textile** the textile industry, textiles **NM** *(= matière)* textile ◆ **le textile** *(= industrie)* the textile industry, textiles ◆ **textiles synthétiques** synthetic *ou* man-made fibres.

**TGI** abrév de **tribunal de grande instance** → **tribunal.**

**TGV** /teʒeve/ **NM** abrév de **train à grande vitesse** → **train.**

**thaïlandais, e** /tailɑ̃dɛ, ɛz/ **ADJ** Thai
  **Thaïlandais** **NM** (= habitant) Thai, Thailander
  **Thaïlandaise** **NF** (= habitante) Thai, Thailander.

**Thaïlande** /tailɑ̃d/ **NF** Thailand.

**thème** /tɛm/ **NM** (gén) theme; [discours, rapport] theme, subject ✦ **thème publicitaire** advertising theme ✦ **thème de vente** (Mktg) sales proposition.

**théoricien, -ienne** /teɔʀisjɛ̃, jɛn/ **NM,F** theoretician, theorist.

**théorie** /teɔʀi/ **NF** theory ✦ **en théorie** in theory ✦ **théorie des ensembles** (Math) set theory ✦ **théorie du portefeuille** (Fin) portfolio theory ✦ **théorie des jeux** game theory.

**théorique** /teɔʀik/ **ADJ** (gén) theoretical; valeur, profit on paper.

**thermique** /tɛʀmik/ **ADJ** unité thermal; énergie thermic ✦ **centrale thermique** thermal power station ou plant ✦ **centrale thermique au charbon / au fioul** coal-burning / oil-burning plant.

**thésaurisation** /tezɔʀizasjɔ̃/ **NF** hoarding (of money), saving; (Écon) building up of capital, accumulation of capital.

**thésauriser** /tezɔʀize/ **VI** to hoard money, save.

**thésauriseur, -euse** /tezɔʀizœʀ, øz/ **NM,F** hoarder (of money) ; (Écon) accumulator (of capital).

**TI** abrév de **tribunal d'instance** → **tribunal.**

**TIBEUR** (abrév de **taux interbancaire européen**) EURIBOR.

**ticket** /tikɛ/ **NM** ticket ✦ **ticket de caisse** till ou sales receipt ou slip ✦ **ticket de métro** underground (Brit) ou subway (US) ticket ✦ **ticket modérateur** (Admin) patient's contribution (towards medical costs) ✦ **ticket-restaurant** luncheon voucher.

**tiers, tierce** /tjɛʀ, tjɛʀs(ə)/ **ADJ** third ✦ **une tierce personne** a third party
  **NM** **a** (= fraction) third ✦ **les deux tiers du marché** two thirds of the market **b** (= troisième personne) third party ou person; (= étranger) (gén) outsider; (Jur) third party ✦ **pour compte d'un tiers** for account of a third party ✦ **garanties reçues de tiers** (Fin) guarantees received ✦ **avoir recours à un tiers** to have recourse to a third person **c** (Ass) ✦ **assurance au tiers** third party insurance ✦ **risque aux tiers, risque (du recours) de tiers** third party risk ✦ **l'assurance ne couvre pas les tiers** the insurance does not cover third party risks

---

*compounds/composés*

- **tiers arbitre** (Jur) umpire, independent arbitrator
- **tiers bénéficiaire** beneficiary
- **tierce caution** contingent liability
- **tiers détenteur** third holder (of pledged goods)
- **tiers gestionnaire** funding agency
- **Tiers-Monde** Third World ✦ **les pays du Tiers-Monde** Third World countries
- **tiers opposant** (Jur) third party
- **tierce opposition** (Jur) opposition by third party
- **tiers payant** (Jur) direct payment by insurers
- **tiers porteur** (Jur) second endorser, holder in due course
- **tiers provisionnel** (Impôts) interim tax payment (which corresponds to a third of the amount due)
- **tiers saisi** (Jur) garnishee
- **tiers secteur** (Écon) tertiary sector.

---

**TIF** /teiɛf/ **NMPL** abrév de **transports internationaux par chemin de fer** → **transport.**

**timbrage** /tɛ̃bʀaʒ/ **NM** [document] stamping; [lettre] postmarking ✦ **dispensé de timbrage** postage paid.

**timbre** /tɛ̃bʀ(ə)/ **NM** **a** (à coller) stamp; (Comm) trading stamp ✦ **carnet de timbres** book of stamps ✦ **distributeur de timbres** stamp machine ✦ **droit de timbre** stamp duty ✦ **soumis au timbre** subject to stamp duty ✦ **oblitérer un timbre** to cancel a stamp **b** (= marque, instrument) stamp; (= cachet postal) postmark

---

*compounds/composés*

- **timbre à date, timbre dateur** date stamp
- **timbre d'escompte, timbre-escompte** trading stamp
- **timbre fiscal** excise ou fiscal ou revenue stamp
- **timbre horodateur** time and date stamp
- **timbre de la poste** (= cachet) postmark
- **timbre-poste** postage stamp
- **timbre-prime** trading stamp
- **timbre proportionnel** ad valorem stamp
- **timbre de quittance, timbre-quittance** receipt stamp
- **timbre de réduction** trading stamp
- **timbre-taxe** postage due stamp.

---

**timbré, e** /tɛ̃bʀe/ **ADJ** document, papier, enveloppe stamped ✦ **veuillez joindre une enveloppe timbrée à votre adresse** please enclose a stamped addressed envelope.

**timbrer** /tɛ̃bʀe/ **VT** (= marquer) document, acte to stamp; (Poste) (= oblitérer) to postmark; (= coller un timbre sur) to stamp, put a stamp on ✦ **lettre timbrée de ou à Lyon** letter with a Lyon postmark, letter postmarked Lyons.

**timoré, e** /timɔre/ **ADJ** *mesure* overly cautious.

**TIOP** (abrév de **taux interbancaire offert à Paris**) PIBOR.

**TIP** /teip/ **NM** abrév de **titre interbancaire de paiement** → **titre**.

**TIPP** /teipepe/ **NF** abrév de **taxe intérieure sur les produits pétroliers** → **taxe**.

**TIR** /tiʀ/ **NM** (abrév de **transports internationaux routiers**) TIR.

**tirage** /tiʀaʒ/ **NM** a (*Fin*) *[chèque, effet]* drawing; (= *effet tiré*) draft ✦ **avis de tirage sur qn** advice of a drawing upon sb ✦ **droits de tirage spéciaux** special drawing rights ✦ **tirage en l'air** *ou* **en blanc** kiting, kiteflying b (= *action d'imprimer*) printing; (*sur une photocopieuse*) running off, copying ✦ **je ferai le tirage cette après-midi** I'll run off the copies this afternoon c (*Édition*) edition; (= *nombre d'exemplaires*) *[journal, magazine]* circulation; *[livre]* (print-)run ✦ **journal à gros tirage** mass-circulation newspaper, newspaper with a large circulation ✦ **les gros tirages de la presse britannique** the high circulation figures of the British press ✦ **tirage de 5 000 exemplaires** run *ou* impression of 5,000 copies ✦ **quel est le tirage de ce livre?** how many copies of this book have been printed? ✦ **tirage à part** (= *action*) offprinting; (= *exemplaire*) offprint, separate (*US*) ✦ **tirage de luxe** luxury edition ✦ **tirage limité** limited edition d *[loterie]* ✦ **tirage (au sort)** (= *action*) drawing; (= *résultat*) draw ✦ **obligations amortissables par tirages annuels** bonds redeemable by annual drawings ✦ **par voie de tirage** by lot ✦ **bon sorti au tirage** drawn bond.

**Tirana** /tiʀana/ **N** Tirana.

**tirant** /tiʀɑ̃/ **NM** (*Mar*) ✦ **tirant (d'eau)** draught ✦ **avoir 6 mètres de tirant (d'eau)** to draw 6 metres of water.

**tiré, e** /tiʀe/ **ADJ** (*Fin*) ✦ **la personne tirée** the drawee
**NM** a (*Fin*) drawee b *[article]* ✦ **tiré à part** offprint, separate (*US*).

**tirelire** /tiʀliʀ/ **NF** moneybox, piggy bank.

**tirer** /tiʀe/ **VT** a (*Fin*) *effet de commerce, traite* to draw ✦ **tirer (une traite) en l'air** to kite, fly a kite ✦ **tirer un chèque sur une banque** to draw a cheque on a bank b (*Loterie*) to draw ✦ **tirer au sort** to draw lots c (= *imprimer*) to print; (*sur une photocopieuse*) to run off, copy ✦ **ils tirent (la revue) à 10 000 exemplaires** the review has a circulation of 10,000 ✦ **tirer un livre à 20 000 exemplaires** to print 20,000

copies of a book d (*Mar*) ✦ **tirer 6 mètres d'eau** to draw 6 metres of water e **tirer les prix** to quote competitive prices ✦ **tirer ses revenus de** to derive one's income from
**VI** (*Fin*) ✦ **tirer sur qn** to draw on sb ✦ **tirer à vue sur qn** to draw on sb at sight ✦ **tirer à découvert** to overdraw one's account.

**tireur** /tiʀœʀ/ **NM** (*Fin*) *[chèque, traite]* drawer.

**tiroir** /tiʀwaʀ/ **NM** drawer ✦ **tiroir-caisse** till.

**tissu** /tisy/ **NM** (= *étoffe*) fabric, material; (*Écon*) fabric ✦ **tissu social / industriel** social / industrial fabric.

**titre** /titʀ(ə)/ **NM** a *[personne]* (*gén*) title; (= *diplôme*) degree, qualification ✦ **il a le titre de directeur des ventes** he has the title of sales manager ✦ **nommer / recruter sur titres** to appoint / recruit according to qualifications ✦ **fournisseur en titre** appointed supplier ✦ **propriétaire en titre** legal owner b *[livre, article, loi]* (*gén*) title; (= *tête de chapitre*) heading ✦ **titre d'un compte** (*Compta*) name of an account c (= *acte notarié*) title; (= *acte de propriété*) deed, title deed d (= *valeur boursière*) security; (= *certificat*) certificate; (= *reconnaissance d'une créance nantie*) debt security; (= *action*) security, share, stock; (= *obligation*) security, bond ✦ **titres** (*gén*) securities; (= *actions*) stock, shares, stocks and shares ✦ **porteur de titres** stockholder, shareholder ✦ **acheter / vendre des titres** to buy / sell securities *ou* stock ✦ **avances sur titres** advances against *ou* on securities, credit on security ✦ **certificat de titres** share certificate ✦ **compte titres** stock account ✦ **émission de titres** stock issue, issue of stock ✦ **garde de titres** safe custody of securities ✦ **portefeuille de titres** stock portfolio, stock holding ✦ **service des titres** (*Banque*) securities department ✦ **titres admis / non admis à la cote officielle, titres inscrits / non inscrits à la Bourse** listed / unlisted securities, stock *ou* shares quoted / unquoted on the stock exchange ✦ **titres remis en collatéral** securities pledged as collateral ✦ **le capital de l'entreprise est composé de 5 millions de titres** the firm's capital is made up of 5 million shares ✦ **la valeur du titre avoisine 30 livres** the price of the share *ou* stock is around £30 e *[or, argent]* fineness; *[solution]* titre ✦ **or / argent au titre** standard gold / silver ✦ **titre d'alcool** alcohol content f **à titre de** : **à titre d'acompte sur** in part payment of ✦ **à titre consultatif** in an advisory capacity ✦ **la distribution d'actions à titre de dividendes** the distribution of shares by way of a dividend ✦ **à titre d'essai / expérimental** on a trial / an experimental basis ✦ **à titre gracieux** *ou* **gra-**

tuit free of *ou* without charge ◆ **contrat à titre gratuit** bare contract, deed-poll ◆ **je reçois 200 euros à titre d'indemnité** I get 200 euros by way of indemnity *ou* as an indemnity ◆ **à titre indicatif** for information only ◆ **à titre onéreux** against payment, for a consideration ◆ **souscription à des actions à titre irréductible** exercise of a right to subscribe to new shares ◆ **acquérir à titre lucratif** to acquire in return for payment ◆ **à titre officiel / officieux** officially / unofficially, in an official / unofficial capacity ◆ **à titre de paiement** in payment ◆ **legs à titre particulier** specific legacy ◆ **héritier à titre particulier** specific *ou* particular legatee ◆ **possesseur à titre précaire** naked possessor ◆ **à titre de prêt** as a loan ◆ **à titre provisoire** provisionally, temporarily ◆ **souscription à des actions à titre réductible** application for available shares ◆ **déduction au titre de revenus salariaux** earned income allowance ◆ **à titre révocable** revocable

◆ **achats à titre spéculatif** speculative buying ◆ **légataire à titre universel** *(unique)* sole legatee; *(du restant de la succession)* general *ou* residuary legatee ◆ **legs à titre universel** general *ou* residuary legacy

**titrisation** / titʀizasjɔ̃ / **NF** *(Fin)* securitization.

**titriser** / titʀize / **VT** to securitize.

**titulaire** / titylɛʀ / **ADJ** *cadre, enseignant* tenured; *membre* regular, permanent ◆ **être titulaire** to have tenure ◆ **être titulaire de** *droit* to be entitled to; *permis* to be the holder of ◆ **être titulaire de son poste** to have a tenured position, be permanently employed in one's job

**NMF** *[poste]* incumbent; *[permis, passeport]* holder; *(Ass)* policy holder ◆ **titulaire d'un brevet** patentee, patent holder ◆ **titulaire d'un compte** account holder ◆ **titulaire d'une**

------

*compounds/composés*

**TITRE**

- **titres adirés** lost certificates
- **titres de bonne livraison** good delivery shares
- **titre de bourse, titre boursier** stock exchange security, stock certificate
- **titre budgétaire** budgetary item
- **titres cotés** listed securities
- **titre de créance** debt security *ou* instrument ◆ **titre de créance négociable** negociable debt instrument, short-to-medium-term note
- **titre de crédit** proof of credit
- **titre d'emprunt** loan certificate, debt security
- **titres entièrement libérés** fully paid(-up) stock *ou* shares
- **titres d'État** government securities *ou* bonds
- **titre exécutoire** *(Jur)* writ of execution
- **titres fiduciaires** paper securities
- **titres frappés d'opposition** stopped bonds
- **titre de gage** *(Douanes)* warehouse receipt, security bond
- **titre hypothécaire** mortgage bond
- **titres immobilisés** *(Compta)* long-term investment
- **titre interbancaire de paiement** interbank remittance slip, bank giro transfer slip
- **titres livrables** deliverable securities
- **titre à lots** lottery bond
- **titre mixte** registered certificate with coupons attached
- **titre négociable** marketable *ou* tradable security, negotiable stock
- **titre nominatif** registered share *ou* certificate
- **titres non cotés** unlisted securities
- **titres non entièrement libérés** partly paid stock *ou* shares
- **titre d'obligation** bond, (debenture) bond *(Brit)*
- **titre de paiement** order to pay, remittance

- **titre participatif** non-voting share *(in a public sector enterprise)*, corporate debt security
- **titre de participation** equity share *ou* security ◆ **titres de participation** *(dans le bilan)* equity stake *ou* interest
- **titre de pension** pension book
- **titres de placement** investment securities
- **titre au porteur** bearer security *ou* certificate
- **titre de premier rang** *ou* **de première catégorie** senior security
- **titre de prêt** loan certificate
- **titre prioritaire** senior security
- **titre ayant priorité de rang** senior security
- **titre de propriété** title deed ◆ **titre de propriété irréfragable** good title
- **titre provisoire** interim certificate
- **titre de rachat** certificate of redemption
- **titre de rang inférieur** junior security
- **titre de rente** government bond
- **titre de répartition** notice of allotment
- **titre en report** security on contango *ou* continuation
- **titre-restaurant** luncheon voucher *(Brit)*
- **titre à revenu fixe** fixed-interest security, fixed-yield security
- **titre à revenu variable** variable-interest security, variable-yield security
- **titre de second rang** junior security
- **titre support** underlying stock
- **titres à terme** forward securities
- **titres de tout repos** blue chips (stock), gilt-edged (stock *ou* security)
- **titre de transport** ticket
- **titre universel de paiement** universal payment order.

**créance** debtholder ✦ **titulaire d'une pension** *ou* **d'une rente** annuitant, pensioner.

**titularisation** /titylaʀizasjɔ̃/ NF ✦ **la titularisation des stagiaires** giving tenure to the trainees, appointing the trainees permanently in their jobs.

**titulariser** /titylaʀize/ VT *(gén)* to give tenure to; *fonctionnaire* to appoint officially to a post ✦ **être titularisé** to get tenure.

**TMM** /teɛmɛm/ NM abrév de **taux moyen du marché monétaire au jour le jour** → **taux.**

**TMO** /teɛmo/ NM abrév de **taux du marché obligataire** → **taux.**

**TMT** /teɛmte/ NFPL (abrév de **technologies, médias, télécoms**) TMT ✦ **valeurs TMT** TMT stocks.

**Togo** /togo/ NM Togo.

**togolais, e** /togɔlɛ, ɛz/ ADJ of *ou* from Togo
**Togolais** NM (= *habitant*) inhabitant *ou* native of Togo
**Togolaise** NF (= *habitante*) inhabitant *ou* native of Togo.

**togrog** /tɔgʀɔg/ NM togrog.

**toile** /twal/ NF (= *Internet*) ✦ **la Toile** the Web.

**Tokyo** /tɔkjo/ N Tokyo.

**tolar** /tɔlaʀ/ NM tolar.

**tolérable** /tɔleʀabl(ə)/ ADJ tolerable.

**tolérance** /tɔleʀɑ̃s/ NF **a** *(Douanes)* (= *quantité permise*) allowance, concession ✦ **il y a une tolérance de 2 litres d'alcool par personne** there is an allowance of 2 litres of spirits per person, you are allowed 2 litres of duty-free spirits per person **b** *(Tech, Comm = écart par rapport à la spécification)* tolerance ✦ **tolérance de poids** remedy for weight ✦ **avec une tolérance de 250 grammes par sac de café** with an allowance *ou* tolerance of 250 grams per sack of coffee.

**tolérer** /tɔleʀe/ VT to tolerate.

**TOM** /tɔm/ NM (abrév de **territoire d'outre-mer**) *French overseas territory.*

**tomber** /tɔ̃be/ VI *[prix, coûts, inflation]* to fall, drop, come down, decrease ✦ **le projet est tombé à l'eau** the project has fallen through ✦ **tomber dans le domaine public** to become public property ✦ **nous sommes tombés d'accord après une semaine de négociation** we reached an agreement after a week of negotiations ✦ **la machine est tombée en panne** the machine has broken down ✦ **ça tombe sous le coup de la loi** it is a criminal offense.

**tonalité** /tɔnalite/ NF *(Téléc)* dialling tone ✦ **attendez la tonalité** wait for *ou* wait until you get the dialling tone.

**tonnage** /tɔnaʒ/ NM tonnage, tunnage ✦ **droit de tonnage** tonnage duty

─────── compounds/composés ───────
✦ **tonnage brut** gross tonnage
✦ **tonnage désarmé** idle tonnage
✦ **tonnage de jauge** register tonnage ✦ **tonnage de jauge brut / net** gross / net register tonnage
✦ **tonnage marchand** shipping (tonnage).

**tonne** /tɔn/ NF (= *1 000 kilos*) ton, tonne *(Brit)* ✦ **un navire de 50 000 tonnes** a 50,000-ton ship, a ship of 50,000 tons ✦ **un camion de 3 tonnes** a 3-ton lorry *(Brit)* *ou* truck *(US)* ✦ **conduire un 15 tonnes** to drive a 15-ton lorry *(Brit)* *ou* truck *(US)* ✦ **affrètement à la tonne** freighting per ton

─────── compounds/composés ───────
✦ **tonne d'affrètement** freight *ou* shipping ton
✦ **tonne d'arrimage** measurement ton, shipping ton
✦ **tonne courte** short ton
✦ **tonne de cubage** measurement ton, shipping ton
✦ **tonne d'encombrement** measurement ton, shipping ton
✦ **tonne équivalent charbon** ton coal equivalent
✦ **tonne équivalent pétrole** ton oil equivalent
✦ **tonne forte** long *ou* gross ton
✦ **tonne de jauge** register ton ✦ **tonne de jauge brute / nette** gross / net register ton, ton gross / net register
✦ **tonne kilométrique** *(Stat)* ton kilometre.

**tonneau, PL -x** /tɔno/ NM **a** *(Mar)* ton ✦ **un navire qui jauge 50 000 tonneaux, un navire de 50 000 tonneaux** a 50,000-ton ship, a ship of 50,000 tons, a ship of 50,000 tons' burden **b** (= *récipient, contenu*) barrel

─────── compounds/composés ───────
✦ **tonneau d'affrètement** freight ton
✦ **tonneau de capacité** measurement ton, shipping ton
✦ **tonneau de déplacement** displacement ton
✦ **tonneau d'encombrement** measurement ton, shipping ton
✦ **tonneau de fret** freight ton
✦ **tonneau de jauge** register ton ✦ **tonneau de jauge brute / nette** gross / net register ton, ton gross / net register
✦ **tonneau de portée en lourd** freight ton, ton dead weight
✦ **tonneau de registre** register ton.

**tontine** /tɔ̃tin/ NF tontine.

**tonus** /tɔnys/ NM tonus ✦ **les commandes étrangères ont donné du tonus au marché** foreign orders boosted the market.

**torpiller** /tɔʀpije/ VT *projet* to torpedo.

**tort** /tɔʀ/ NM **a** *(= erreur, faute)* fault ✦ **les torts sont de leur côté** the fault is theirs, the fault lies with them, they are the ones to be blamed ✦ **ils ont des torts envers nous** they have wronged us ✦ **être dans son tort** to be in the wrong, be at fault ✦ **avoir tort** to be wrong ✦ **mon patron m'a donné tort** my boss blamed me *ou* laid the blame on me ✦ **les événements lui ont donné tort** events have proved him wrong *ou* have shown that he was wrong ✦ **le marché a donné tort à nos prévisions** the market has shown *ou* proved our forecasts to be wrong **b** *(= préjudice)* wrong ✦ **les importations japonaises font du tort aux producteurs européens** Japanese imports are damaging *ou* harmful to European producers ✦ **cet incident a fait du tort à notre réputation** this incident has damaged our reputation.

**total, e,** MPL **-aux** /tɔtal, o/ ADJ *hauteur, somme, coût, revenu* total ✦ **garantie totale** full cover ✦ **somme totale** total, sum total ✦ **sinistre total** *(Ass)* complete loss
■ NM total ✦ **le total s'élève à 40 euros** the total amounts to €40 ✦ **le total de nos exportations** the total amount of our exports, our total exports ✦ **le total des dépenses / des ventes** total expenditure / sales ✦ **le total global** *ou* **général** the grand total, the sum total ✦ **le total de l'actif / du passif** total assets / liabilities ✦ **le total des inscrits** the total number of people enrolled *ou* registered ✦ **faire le total** to work out *ou* figure out the total, add up the figures ✦ **au total ils ont gagné** all in all *ou* all things considered *ou* on the whole they have won.

**totalement** /tɔtalmɑ̃/ ADV totally, completely.

**totalisateur, -trice** /tɔtalizatœʀ, tʀis/ ADJ adding ■ NM adding machine.

**totalisation** /tɔtalizasjɔ̃/ NF adding up, totalization.

**totaliser** /tɔtalize/ VT **a** *(= faire le total de)* to total, totalize, add up, tot up* **b** *(= avoir)* to total, have a total of.

**totalité** /tɔtalite/ NF ✦ **la totalité de nos ventes** all (of) our sales ✦ **la totalité des revenus imposables** all taxable income ✦ **la totalité de la somme** the whole *ou* entire sum ✦ **cette voiture est fabriquée en totalité en Allemagne** this car is manufactured entirely in Germany ✦ **les réclamations s'élèvent à 550 en totalité** complaints amount to 550 altogether *ou* in the aggregate ✦ **la facture a été payée en totalité** the invoice has been fully paid.

**touchable** /tuʃabl(ə)/ ADJ *chèque* cashable, payable; *effet* collectable, payable.

**touche** /tuʃ/ NF **a** *[clavier]* key ✦ **touche de majuscule / de fonction / de contrôle / de tabulation** shift / function / control / tab key ✦ **touche programmable** user-defined key ✦ **touche de retour arrière** backspace ✦ **touche de retour chariot** return key ✦ **touche de direction** arrow key **b** **mettre qn sur la touche** to put sb on the sidelines, sideline sb *(US)*.

**toucher** /tuʃe/ VT **a** *salaire, pension* to draw; *chèque* to cash; *effet* to collect; *prime* to get, receive; *intérêts* to be paid, receive ✦ **elle touche 2 000 livres par mois** she gets *ou* she's paid £2,000 a month **b** *(= contacter)* to reach, get in touch with, contact ✦ **je n'ai pas pu le toucher par téléphone** I couldn't reach him by phone, I couldn't get him on the phone ✦ **avec cette campagne publicitaire nous avons touché un public très large** we have reached a very large audience through this advertising campaign **c** *(= affecter)* to affect ✦ **cette augmentation ne nous touche pas encore** this increase has not affected us yet ✦ **cette mesure touche tout le monde** this measure applies to everyone **d** *(Bourse)* **le cours a été touché** the price was hit.

**tour** /tuʀ/ NF tower; *(= immeuble)* tower block, high-rise block ✦ **tour de bureaux** office tower ✦ **tour de forage** derrick

───── *compounds/composés* ─────

✦ **tour de force** feat ✦ **notre société a accompli le tour de force de battre les Japonais sur leur propre terrain** our company has achieved the amazing feat of beating the Japanese on their home territory
✦ **tour de garde** turn of duty
✦ **tour d'horizon** survey
✦ **tour de scrutin** ballot ✦ **être élu au troisième tour (de scrutin)** to be elected at the third ballot *ou* round
✦ **tour de service** turn of duty
✦ **tour de table** *(Fin)* capital structure ✦ **constituer un tour de table** *(Fin)* to put together a financial package, set up a pool ✦ **procéder à un tour de table avant de passer au vote** to seek the views of all those present before voting
✦ **tour de vis** *(fiscal)* squeeze; *(politique)* crackdown ✦ **donner un tour de vis à** *crédit* to freeze, put a squeeze on; *libertés* to crack down on, clamp down on ✦ **donner un tour de vis monétaire** to tighten the monetary screw ✦ **donner un tour de vis fiscal** to crank up taxation.

**NM** turn ✦ **c'est au tour de la France d'occuper la présidence** it is France's turn to be in the chair ✦ **faire qch à tour de rôle** to do sth in turn, take turns at doing sth ✦ **les négociations ont pris un tour agressif** negotiations took an agressive turn *ou* twist ✦ **le Premier ministre a fait le tour des capitales européennes** the Prime Minister has gone on a tour of the European capitals, the Prime Minister has done the rounds of the European capitals ✦ **faire le tour des magasins** to go round *ou* look round the shops

**tourisme** /tuʀism(ə)/ **NM** (= *secteur*) tourism, tourist industry *ou* trade; (= *activité individuelle*) touring, sightseeing ✦ **tourisme d'affaires/ de masse** business/mass tourism ✦ **tourisme culturel/sexuel** cultural/sex tourism ✦ **tourisme industriel** industrial tourism ✦ **tourisme solidaire** voluntourism ✦ **tourisme vert** green tourism, ecotourism ✦ **il fait du tourisme en Grèce** he's touring Greece ✦ **le secteur du tourisme est excédentaire** the tourist sector is in surplus ✦ **agence** *ou* **bureau de tourisme** tourist agency ✦ **office du tourisme** tourist office, tourist information centre ✦ **visa de tourisme** tourist visa ✦ **avion / voiture de tourisme** private plane / car.

**touriste** /tuʀist(ə)/ **ADJ, NMF** tourist ✦ **classe touriste** tourist *ou* economy class.

**touristique** /tuʀistik/ **ADJ** *itinéraire, billet, guide* tourist; *région, ville* popular with (the) tourists ✦ **menu touristique** tourist *ou* cheap menu ✦ **renseignements touristiques** tourist information.

**tournage** /tuʀnaʒ/ **NM** (*Fin*) refinancing of lendings.

**tournant, e** /tuʀnɑ̃, ɑ̃t/ **ADJ** **grève tournante** strike by rota *ou* by turns (*Brit*), staggered strike, hit-and-run strike (*US*) ✦ **inventaire tournant** continuous inventory ✦ **plaque tournante** (*Rail*) turntable; (*fig*) centre, hub **NM** (*politique, économique*) turning point ✦ **c'est un tournant dans l'histoire de l'entreprise** it is a turning point *ou* watershed in the history of the company.

**tournée** /tuʀne/ **NF** [*conférencier, artiste*] tour; [*représentant, inspecteur*] round ✦ **partir / être en tournée** [*homme politique*] to set off on / be on tour; [*livreur*] to set off on / be on one's round ✦ **nos représentants sont en tournée** our salesmen are on the road ✦ **tournée d'information** fact-finding tour ✦ **tournée d'inspection** round of inspection.

**tourner** /tuʀne/ **VI** a (= *marcher*) to run ✦ **tourner à plein rendement** to work *ou* operate at full capacity ✦ **tourner au ralenti** to tick over ✦ **l'entreprise tourne bien** the company is running *ou* going well ✦ **c'est elle qui fait tourner l'entreprise** she keeps the company going, she's running *ou* managing the company b [*stock*] to turn over c [*représentant*] ✦ **il tourne sur le nord de la France** his sales area is the north of France, he covers the north of France.

**tournure** /tuʀnyʀ/ **NF** [*événements*] turn ✦ **les affaires prennent meilleure tournure** business is looking up *ou* is improving ✦ **cela prend tournure** it's taking shape ✦ **la tournure que prennent les événements** the way things are developing ✦ **la situation a pris une mauvaise tournure** the situation has taken a turn for the worse.

**toxique** /tɔksik/ **ADJ** *actifs, produits* toxic.

**TP** /tepe/ **NM** abrév de **Trésor public** → **trésor** **NMPL** abrév de **travaux publics** → **travail** **NM** abrév de **titre participatif** → **titre**.

**TPE** /tepeə/ **NM** abrév de **terminal de paiement électronique** → **terminal**.

**TPG** abrév de **trésorier-payeur général** → **trésorier**.

**tps** abrév de **temps**.

**TPS** /tepeɛs/ **NF** abrév de **taxe de prestation de service** → **taxe**.

**TPV** /tepeve/ **NM** abrév de **terminal point de vente** → **terminal**.

**TRAAB** abrév de **taux de rendement actuariel annuel brut** → **taux**.

**traçabilité** /tʀasabilite/ **NF** traceability.

**traçage** /tʀasaʒ/ **NM** (*Inf*) plotting.

**traçant, e** /tʀasɑ̃, ɑ̃t/ **ADJ** ✦ **table traçante** plotter, plotting board.

**trace** /tʀas/ **NF** trace ✦ **nous avons perdu la trace de cette correspondance** we have lost track of *ou* we are unable to trace back this correspondence ✦ **il n'y a pas trace de cette facture** there is no trace of this invoice.

**tracé** /tʀase/ **NM** a [*dessin*] line; [*voie ferrée*] (= *plan*) plan; (= *itinéraire*) route b (= *parcours*) [*ligne de chemin de fer, autoroute*] route c (= *graphisme*) [*dessin, écriture*] line.

**tracer** /tʀase/ **VT** *dessin* to draw; (*Inf*) to plot; *voie ferrée* (= *indiquer*) to mark out; (= *ouvrir*) to open up.

**traceur** /tʀasœʀ/ **NM** ✦ **traceur (de courbes)** (curve) plotter ✦ **traceur à laser / à tambour** laser / drum plotter.

**tractation** /tʀaktasjɔ̃/ **NF** ✦ **tractations** dealings, negotiations, bargaining.

**traite**

**trader** /tʀɛdœʀ/ **NM** trader.

**trading** /tʀadiŋ/ **NM** trading ◆ **faire du trading** to trade, do trading ◆ **stratégies de trading** trading strategies.

**tradition** /tʀadisjɔ̃/ **NF** (*Jur* = *transfert*) tradition, transfer.

**traducteur, -trice** /tʀadyktœʀ, tʀis/ **NM,F** translator ◆ **traducteur-interprète** translator-interpreter.

**traduction** /tʀadyksjɔ̃/ **NF** translation ◆ **traduction assistée par ordinateur** computer-aided translation ◆ **traduction automatique** machine *ou* automatic translation ◆ **traduction consécutive / simultanée** consecutive / simultaneous translation.

**traduire** /tʀadɥiʀ/ **VT** **a** langue to translate (*en* into, *de* from) ◆ **machine à traduire** translating machine **b** **traduire qn en justice** to bring sb before the courts, prosecute sb
**se traduire** **VPR** la progression se traduit par une hausse de notre chiffre d'affaires a rise in earnings testifies to our progress ◆ **ça s'est traduit par une augmentation du chômage** it brought about *ou* caused higher unemployment, unemployment increased as a result *ou* as a consequence of it.

**trafic** /tʀafik/ **NM** **a** (= *commerce illicite*) traffic; (= *manœuvres louches*) (shady) dealings ◆ **trafic d'armes** gunrunning, arms dealing ◆ **trafic de drogue** drugrunning, drug traffic *ou* trafficking ◆ **faire le trafic de la drogue** to traffic in drugs ◆ **trafic d'influence** (*Jur*) influence peddling ◆ **c'est un drôle de trafic** it's a funny business **b** (*Transports*) traffic ◆ **trafic d'éclatement** feeder ◆ **trafic maritime / routier / aérien / ferroviaire** sea / road / air / rail traffic ◆ **trafic (de) marchandises / (de) voyageurs** goods / passenger traffic **c** (*Mktg : dans un supermarché*) traffic.

**trafiquant, e** /tʀafikɑ̃, ɑ̃t/ **NM,F** (= *péj*) trafficker ◆ **trafiquant de drogue** drug trafficker *ou* runner ◆ **trafiquant d'armes** gunrunner, arms dealer.

**trafiquer** /tʀafike/ **VI** to traffic, trade (illicitly) (*de* in)
**VT** machine to tamper with; *vin* to doctor* ; *chiffres, statistiques* to fake, doctor, fiddle, tamper *ou* tinker with; *comptes, bilan* to cook, window-dress.

**train** /tʀɛ̃/ **NM** **a** (*Rail*) train ◆ **train de banlieue** suburban *ou* commuter train ◆ **train direct** through *ou* non-stop train ◆ **train à grande vitesse** high-speed train, bullet train ◆ **train de marchandises / de voyageurs** goods *ou* freight (*US*) / passenger train ◆ **train omnibus / express / rapide** slow *ou* stopping / fast / express train ◆ **train supplémentaire** relief *ou* extra train ◆ **expédier par le train** to ship *ou* send by rail *ou* train ◆ **prendre le train en marche** to jump *ou* climb on the bandwaggon **b** (= *ensemble*) [*mesures, réformes*] batch, set, package, series ◆ **train de législation** raft of legislation **c** **train de vie** life style ◆ **le train de vie de l'État** government spending ◆ **éléments de train de vie** (*Impôts*) taxation criteria based on living standards.

**traînard, e** /tʀɛnaʀ, aʀd(ə)/ **NM,F** laggard.

**traîne** /tʀɛn/ **NF** **être à la traîne** to lag behind.

**traite** /tʀɛt/ **NF** **a** (= *lettre de change*) draft, bill ◆ **accepter une traite** to accept a draft *ou* a bill ◆ **encaisser** *ou* **toucher / tirer / honorer une traite** to collect / draw / honour *ou* meet a bill ◆ **envoyer une traite à l'encaissement** to send a bill for collection ◆ **escompter une traite** to discount a draft *ou* a bill ◆ **faire protester une traite** to have a bill noted *ou* protested

--- compounds/composés ---
◆ **traite à l'acceptation** acceptance bill
◆ **traite en l'air** kite ◆ **faire une traite en l'air** to kite, fly a kite
◆ **traite avalisée** guaranteed *ou* backed bill
◆ **traite bancaire** *ou* **de banque** bank draft *ou* bill, cashier's cheque, banker's draft
◆ **traite de cavalerie** kite
◆ **traite de complaisance** accommodation bill *ou* draft
◆ **traite à courte échéance** short-dated bill, short bill
◆ **traite à date fixe** time draft *ou* bill, date draft *ou* bill
◆ **traite à délai de date** bill after date
◆ **traite documentaire** documentary bill
◆ **traite domiciliée** domiciled bill
◆ **traite échue** due bill
◆ **traite escomptable** discountable bill
◆ **traite escomptée** discounted bill
◆ **traite sur l'étranger** foreign bill of exchange, external bill (*US*)
◆ **traite sur l'extérieur** foreign bill, external bill (*US*)
◆ **traite sur l'intérieur** domestic *ou* home bill
◆ **traite libre** general *ou* clean bill
◆ **traite à longue échéance** long-dated bill, long bill
◆ **traite renvoyée** dishonoured bill
◆ **traite en souffrance** bill in abeyance *ou* in suspense
◆ **traite à terme** time draft *ou* bill, date draft *ou* bill
◆ **traite à vue** bill *ou* draft payable at sight, sight bill *ou* draft, demand bill *ou* draft.

♦ **présenter une traite à l'acceptation** to present a bill for acceptance ♦ **proroger l'échéance d'une traite** to prolong a bill *ou* a draft ♦ **tirer une traite sur une banque** to make a draft on a bank ♦ **bénéficiaire d'une traite** payee ♦ **délai d'une traite** currency of a bill ♦ **l'échéance d'une traite** the due date of a draft *ou* bill **b** (= *versement périodique*) instalment, (monthly) payment ♦ **j'ai mes traites à payer** I have the instalments to pay *ou* the payments to make **c** (= *trafic*) ♦ **traite des noirs / des blanches** slave / white slave trade.

**traité** /tʀete/ **NM** (= *ouvrage*) treatise; (= *accord*) treaty, agreement; (*Ass*) (= *convention*) policy ♦ **traité de réassurance** reinsurance policy.

**traitement** /tʀɛtmɑ̃/ **NM** **a** [*personne*] treatment; [*problème, plainte*] handling, treatment; [*factures, commandes*] processing, handling ♦ **traitement de faveur** special *ou* preferential treatment ♦ **le traitement social du chômage** the social treatment of unemployment **b** (= *salaire*) salary ♦ **toucher un traitement** to earn *ou* to draw a salary ♦ **traitement de début** commencing *ou* initial salary ♦ **rappel de traitement** back pay **c** (*Inf*) [*données*] processing ♦ **unité centrale de traitement** central processing unit ♦ **centre / support / puissance de traitement** processing centre / medium / power **d** (*Tech*) [*bois, cuir*] treating; [*matières premières, déchets*] processing

─── *compounds/composés* ───

♦ **traitement de commandes** order processing *ou* handling
♦ **traitement en direct** on-line processing
♦ **traitement des données** data processing
♦ **traitement de l'information** data processing
♦ **traitement par lots** (*Ind*) batch *ou* bulk processing; (*Inf*) batch processing
♦ **traitement multitâche** multiple-job processing
♦ **traitement en parallèle** parallel processing
♦ **traitement de texte** (*gén*) word processing, text processing; (= *programme*) word-processing package *ou* program ♦ **machine de traitement de texte** word processor.

**traiter** /tʀete/ **VT** **a** *personne* to treat; *problème, plainte* to handle, deal with, treat; *factures, commandes* to process, handle; (*Inf*) to process ♦ **ils traitent toutes sortes d'affaires** they handle all kinds of business ♦ **traiter une affaire** (*Comm*) to transact a piece of business; (*Bourse*) to make a deal *ou* a trade ♦ **le volume des affaires traitées a augmenté** (*Bourse*) trading (volume) has increased **b** (*Ind*) *bois, cuir* to treat; *matières premières* to process

**VI** (= *négocier*) ♦ **traiter avec qn** (= *avoir des*

*contacts*) to deal with sb, have dealings with sb; (= *conclure un marché*) to make a deal with sb ♦ **traiter avec ses créanciers** to negotiate with one's creditors

**se traiter** **VPR** [*valeurs boursières*] to be dealt in, sell ♦ **les valeurs qui se traitent à Paris** securities which sell *ou* are dealt in at the Paris stock exchange ♦ **les valeurs les plus activements traitées ont été les mines d'or** there was some heavy dealing *ou* trading on gold mines.

**traiteur** /tʀetœʀ/ **NM** caterer.

**trajectoire** /tʀaʒɛktwaʀ/ **NF** trajectory ♦ **trajectoire de carrière** career path.

**tramp** /tʀɑp/ **NM** (*Mar*) tramp (ship).

**tramping** /tʀɑpiŋ/ **NM** (*Mar*) tramping.

**tranche** /tʀɑʃ/ **NF** **a** (= *partie*) (*gén*) part, section; [*travaux*] phase ♦ **la deuxième tranche va être mise en chantier** the second phase of the work is about to start ♦ **tranche horaire** time slot **b** (*Bourse*) [*émission*] tranche, block; [*actions*] block, lot; [*emprunt obligataire*] instalment ♦ **par tranche de 100 ou fraction de 100** for every complete sum of 100 or part thereof ♦ **tranche (d'émission)** (*Loterie*) issue ♦ **émettre un emprunt en** *ou* **par tranches** to issue a loan in instalments ♦ **tranche-or** gold tranche ♦ **une première tranche de ce titre a été émise** a first tranche of this stock has been issued ♦ **il a acquis une tranche de 1 000 actions** he acquired a block *ou* a lot of 1,000 shares **c** (*Stat*) section; (*Admin*) bracket, band ♦ **atteindre la tranche supérieure** to reach the higher band ♦ **tranches de barème de l'impôt** income bands ♦ **tranche d'âge / d'imposition / de salaires** age / tax / wage bracket ♦ **une tranche représentative de la population** a representative cross-section of the population.

**trancher** /tʀɑʃe/ **VT** *problème, conflit* to settle **VI** **a** (= *décider*) to take a decision, come to a decision ♦ **le directeur a fini par trancher** the director finally settled the matter ♦ **trancher en faveur de qch** to decide in favour of sth *ou* for sth **b** (= *se distinguer*) to contrast ♦ **la bonne tenue des mines d'or tranche sur la morosité du marché** the firmness of the gold mines stands in sharp contrast to the dull tone of the market.

**transaction** /tʀɑ̃zaksjɔ̃/ **NF** **a** (*Comm*) transaction, (business) deal; (*Bourse*) transaction, deal, trade, bargain ♦ **près des deux tiers des transactions ont été réalisées par les investisseurs institutionnels** nearly two thirds of the deal-

**transformation**

ings *ou* trades were due to institutional investors ◆ **l'indice Dow Jones a battu son record avec des transactions dépassant 200 millions de titres** the Dow Jones reached an all-time high with dealings *ou* trading above 200 million shares ◆ **l'augmentation du volume des transactions** the increase in trading *ou* in the number of trades **b** *(Jur)* settlement, compromise, agreement, composition ◆ **accepter une transaction** to agree to a compromise *ou* a settlement

---

────── compounds/composés ──────
◆ **transaction baissière** bear transaction
◆ **transactions bancaires** bank transactions *ou* operations
◆ **transaction commerciale** commercial transaction, business deal
◆ **transaction au comptant** cash transaction *ou* deal
◆ **transaction à crédit** credit transaction *ou* deal
◆ **transaction globale** package deal
◆ **transaction haussière** bull transaction
◆ **transaction à terme** *(Bourse des valeurs)* settlement bargain *ou* deal *ou* transaction, transaction for the settlement *ou* for the account; *(Bourse des marchandises)* forward transaction *ou* deal.

---

**transactionnel, -elle** /tʀɑ̃zaksjɔnɛl/ **ADJ a** *(Jur)* compromise ◆ **arriver à une solution transactionnelle** to effect a compromise, reach a compromise (agreement) ◆ **formule transactionnelle** compromise formula ◆ **règlement transactionnel** compromise settlement **b** *(Inf, Gestion)* transactional ◆ **analyse transactionnelle** transactional analysis ◆ **traitement transactionnel** transaction processing ◆ **logiciel transactionnel de gestion** transaction management software.

**transbordement** /tʀɑ̃sbɔʀdəmɑ̃/ **NM** *(Mar)* tran(s)shipment, reshipment; *(Rail)* transfer ◆ **certificat de transbordement** transhipment shipping bill ◆ **connaissement de transbordement** transhipment bill of lading ◆ **déclaration de transbordement** transhipment entry ◆ **frais de transbordement** *(Mar)* transhipment charges; *(Rail)* transfer *ou* reloading charges ◆ **permis de transbordement** transhipment permit ◆ **risque de transbordement** *(Ass)* transhipment *ou* transfer risk.

**transborder** /tʀɑ̃sbɔʀde/ **VT** *(Mar)* to tran(s)ship; *(Rail)* to transfer.

**transcodage** /tʀɑ̃skɔdaʒ/ **NM** *(Inf)* compiling.

**transcoder** /tʀɑ̃skɔde/ **VT** *(Inf)* to compile.

**transcodeur** /tʀɑ̃skɔdœʀ/ **NM** *(Inf)* compiler.

**transcontinental, e,** **MPL -aux** /tʀɑ̃skɔ̃tinɑ̃tal, o/ **ADJ, NM** transcontinental.

**transcription** /tʀɑ̃skʀipsjɔ̃/ **NF a** *(gén)* transcription; *(Compta)* posting; *(Jur)* recording, registration ◆ **erreur de transcription** transcription error ◆ **transcription hypothécaire** mortgage registration **b** *(= exemplaire)* copy.

**transcrire** /tʀɑ̃skʀiʀ/ **VT** *(gén)* to copy out, transcribe; *(Compta)* to post, transfer; *(Jur)* to record, register.

**transférabilité** /tʀɑ̃sfeʀabilite/ **NF** transferability.

**transférable** /tʀɑ̃sfeʀabl(ə)/ **ADJ** *valeurs, droits, propriété* transferable ◆ **crédit transférable** transferable credit, assignable credit *(US)*.

**transférer** /tʀɑ̃sfeʀe/ **VT** *(gén, Fin, Compta)* to transfer; *(Jur)* *propriété, droit* to transfer, convey, assign ◆ **transférer de l'argent par virement** to transfer money ◆ **locaux transférés à** premises moved *ou* removed *ou* transferred to.

**transfert** /tʀɑ̃sfeʀ/ **NM a** *[fonctionnaire, bureaux, données]* transfer ◆ **adresse / opération / temps de transfert** *(Inf)* transfer address / operation / time ◆ **transfert de personnel** staff transfer ◆ **transfert de technologie** technology transfer **b** *(Fin)* *[capitaux]* transfer ◆ **ordre de transfert** transfer order ◆ **transfert bancaire** bank transfer ◆ **transfert de devises étrangères** foreign exchange transfer ◆ **transfert électronique de fonds** electronic funds transfer ◆ **transfert télégraphique** cable *ou* telegraphic transfer **c** *(Jur)* *[droit, propriété]* transfer, conveyance, assignment ◆ **acte de transfert** deed of assignment *ou* assignation **d** *(Bourse)* *[titres]* transfer ◆ **transfert d'ordre** stock transfer (procedure) ◆ **agent comptable des transferts** transfer agent ◆ **droit / frais / feuille de transfert** transfer duty / fee / deed ◆ **formule de transfert** stock transfer (form) ◆ **registre des transferts** transfer register **e** *(Écon, Compta)* transfer ◆ **opérations de transfert** transfer payments ◆ **revenu de transfert** transfer income ◆ **transferts sociaux** transfer payments, welfare transfers ◆ **transferts courants** current transfers.

**transformation** /tʀɑ̃sfɔʀmasjɔ̃/ **NF** *(= changement)* alteration, change; *(= profondes modifications)* transformation; *[bureaux, magasin]* conversion; *[modèle de voiture]* remodelling; *[matières premières]* processing, transformation ◆ **travaux de transformation** conversion work, alteration ◆ **industries de transformation** transformation *ou* processing industries.

**transformer** /tʀɑ̃sfɔʀme/ **VT** (= *changer*) to alter, change; (= *modifier profondément*) to transform; *bureaux, magasin* to convert; *modèle de voiture* to remodel; *matières premières* to process, transform ◆ **transformer qch en** to turn *ou* change *ou* convert sth into.

**transfrontalier, ière** /tʀɑ̃sfʀɔ̃talje, jɛʀ/ **trans-frontière** /tʀɑ̃sfʀɔ̃tjɛʀ/ **ADJ** *échanges, transport* cross-border.

**transgresser** /tʀɑ̃sgʀese/ **VT** *règlement* to infringe; *ordre* to disobey; *loi* to break.

**transgression** /tʀɑ̃sgʀesjɔ̃/ **NF** [*règlement*] infringement (*à* of), disobedience (*à* to) ◆ **en transgression de la loi** in breach of the law.

**transiger** /tʀɑ̃ziʒe/ **VI** to compromise, come to terms *ou* to an agreement ◆ **transiger avec ses créanciers** to come to terms with one's creditors.

**transit** /tʀɑ̃zit/ **NM** transit ◆ **marchandises en transit** goods in transit ◆ **voyageurs** *ou* **passagers en transit** passengers in transit, transit *ou* transfer passengers ◆ **acquit / droit / manifeste / port de transit** transit bond / duty / manifest / port ◆ **entrepôt de transit** transit *ou* bonded warehouse ◆ **fret de transit** through *ou* transit freight ◆ **salle de transit** transit lounge ◆ **visa de transit** transit permit *ou* visa ◆ **transit temporaire (autorisé)** (authorized) temporary transit *(special licence plate number for a vehicle which is to be reexported).*

**transitaire** /tʀɑ̃zitɛʀ/ **ADJ** *pays* of transit ◆ **commerce transitaire** transit trade **NMF** forwarding agent, transit agent, freight forwarder, freight forwarding agent ◆ **transitaire en douane** customs agent.

**transiter** /tʀɑ̃zite/ **VT** *marchandises* to pass *ou* convey in transit **VI** [*marchandises*] to pass in transit; [*voyageurs*] to be in transit ◆ **transiter par** *pays, ville, service* to go through ◆ **tout cela transite par mon bureau** (*fig*) all that goes across my desk.

**transition** /tʀɑ̃zisjɔ̃/ **NF** transition ◆ **période / mesure de transition** transitional *ou* provisional period / measure ◆ **année de transition** transitional year, year of transition.

**transitoire** /tʀɑ̃zitwaʀ/ **ADJ** *mesures, régime* transitional, provisional; *fonction* interim, provisional.

**translatif, -ive** /tʀɑ̃slatif, iv/ **ADJ** ◆ **acte translatif de propriété** deed of transfer ◆ **procédure translative** conveyancing.

**translation** /tʀɑ̃slɑsjɔ̃/ **NF** (*Jur*) [*droit, propriété*] transfer, assignment, conveyance ◆ **la translation de l'impôt** the passing on of the tax burden.

**trans-Manche** /tʀɑ̃smɑ̃ʃ/ **ADJ** *trafic, commerce* cross-Channel.

**transmettre** /tʀɑ̃smɛtʀ(ə)/ **VT** **a** *pouvoir* to hand over; *biens, titres* (*gén*) to hand down, pass on; (*Jur* = *transférer*) to make over, transfer, convey, assign (*à* to) ◆ **transmettre son patrimoine** to transfer one's estate **b** (= *faire parvenir*) *message, plainte* to send, pass on, convey; *lettre, paquet* to send (on), forward; (*Inf*) *signal, données* to transmit; *ordre de Bourse* to transmit, send.

**transmissible** /tʀɑ̃smisibl(ə)/ **ADJ** (*Jur*) *propriété* transferable, assignable.

**transmission** /tʀɑ̃smisjɔ̃/ **NF** **a** [*pouvoir*] handing over; [*biens, titres*] (*gén*) handing down, passing on; (*Jur* = *transfert*) transfer, conveyance, assignment ◆ **transmission par endossement** (*Fin*) transfer by endorsement ◆ **transmission de patrimoine** estate transfer **b** [*message, plainte*] sending, conveying; [*lettre, paquet*] sending (on), forwarding; [*signal, données*] transmission; [*ordre de Bourse*] transmission ◆ **pour transmission aux archives** for transfer to records.

**transnational, e** **MPL**, **-aux** /tʀɑ̃snasjɔnal, o/ **ADJ** transnational.

**Transpac** ® /tʀɑ̃spak/ **NM** ◆ **réseau Transpac** packet switch network.

**transparence** /tʀɑ̃spaʀɑ̃s/ **NF** (*Impôts, Mktg*) transparency ◆ **transparence fiscale / financière** tax / financial transparency ◆ **transparence du marché** market transparency.

**transparent, e** /tʀɑ̃spaʀɑ̃, ɑ̃t/ **ADJ** transparent **NM** (= *écran*) transparent screen; (= *feuille pour rétroprojecteur*) transparency, foil.

**transplacement** /tʀɑ̃splasmɑ̃/ **NM** outplacement.

**transport** /tʀɑ̃spɔʀ/ **NM** **a** (= *action*) (*gén*) transport, transportation; [*fret*] freight, freighting ◆ **transport par air** *ou* **avion, transport aérien** air transport(ation), air freight ◆ **transports internationaux par chemin de fer** international rail transport(ation) ◆ **transports internationaux routiers** international road transport(ation) ◆ **transport maritime** *ou* **par mer** sea transport(ation), transport(ation) by sea, sea freight ◆ **transport routier** road transport *ou* haulage ◆ **transport par train** *ou* **rail** *ou* **chemin de fer** rail transport(ation), transport(ation) by rail, rail carriage ◆ **le transport de voyageurs / marchandises** passenger / goods transportation, the conveyance *ou* transport *ou* carriage of passengers / goods ◆ **entreprise de transports** *(gén)* transport company; *(pour fret maritime ou aérien)* freight company; *(par route)* road haulage *ou* transport company, trucking company *(US)* ◆ **entreprise de transports publics** common carrier ◆ **entrepreneur de transports** *(gén)* carrier; *(par mer, air)* carrier, freighter; *(par route)* haulage contractor, haulier *(Brit)*, trucking contractor *(US)* ◆ **compagnie de transports maritimes** shipping company ◆ **payer le transport** to pay for carriage ◆ **coûts** *ou* **frais de transport** transportation *ou* transport costs *ou* expenses; *(pour marchandises lourdes)* freight charges, freightage ◆ **matériel de transport** transportation equipment ◆ **moyen de transport** means of transport(ation) ◆ **endommagé pendant le transport** damaged in transit ◆ **transports sur achats** *(Compta)* freight-in ◆ **transports sur ventes** *(Compta)* freight-out ◆ **transport intermodal** intermodal transport ◆ **transport à la demande** *(Mar)* tramping **b** **les transports** transport ◆ **les transports en commun** public transport(ation) ◆ **transports urbains** city *ou* urban transport(ation) ◆ **transports aériens / maritimes** air / sea transport **c** *(Jur)* [droits] transfer, assignment **d** *(Compta)* [écriture] transfer, carrying over.

**transporter** /trãsporte/ **VT** **a** *passagers, marchandises, matériel* to transport, carry, convey ◆ **transporter par train / avion / mer** to transport *ou* convey *ou* carry by train / plane / sea **b** *(Jur) droits* to transfer, assign **c** *(Compta)* to transfer, carry over.

**transporteur** /trãsportœr/ **NM** **a** *(= entrepreneur)* *(gén)* carrier; *(par mer, air)* carrier, freighter ◆ **transporteur routier** haulage contractor, haulier *(Brit)*, trucking contractor *(US)* ◆ **responsabilité / risque du transporteur** carrier's liability / risk **b** *(= entreprise)* transport company; *(pour fret maritime ou aérien)* freight company; *(par route)* road haulage *ou* transport company, trucking company *(US)* ◆ **transporteur aérien** [passagers] air carrier; [marchandises] air freight company **c** *(Comm = expéditeur)* forwarding agent, forwarder **d** *(= véhicule)* transporter **e** *(Jur = partie contractante)* carrier.

**traquer** /trake/ **VT** *fraudeurs* to track down, hunt down ◆ **traquer les bonnes affaires** to stalk deals.

**travail** PL, **-aux** /travaj, o/ **NM** **a** *(= activité)* work ◆ **séance / déjeuner de travail** working session/

lunch ◆ **espace de travail** *(sur une table)* work space; *(dans un bureau)* work space *ou* area ◆ **il m'a fallu un mois de travail pour le faire** it took me a month's work to do it ◆ **2 heures de travail** 2 hours' work ◆ **il faut se mettre au travail** we must get down to work **b** *(= opération)* job, piece of work ◆ **travaux** work ◆ **commencer / terminer un travail** to start / finish a job *ou* a piece of work ◆ **travaux de recherche** research work ◆ **travaux de réfection / de réparation / de construction** renovation / repair / building work ◆ **travaux d'aménagement** alterations, alteration work ◆ **entreprendre de gros travaux de modernisation** to undertake large-scale modernisation work ◆ **le magasin sera fermé pendant les travaux** the shop will be closed during alterations ◆ **la vente continue pendant les travaux** business as usual ◆ **attention! travaux** caution! work in progress *ou* men at work; *(sur une route)* road works ahead **c** *(= emploi)* job, occupation, position ◆ **avoir un travail bien rémunéré** to have a well-paid job ◆ **chercher un travail / du travail** to look for a job / for work ◆ **un travail de bureau** an office job ◆ **le travail de bureau** office *ou* clerical work ◆ **changer de travail** to change jobs ◆ **être sans travail, ne pas avoir de travail** to be out of work, be out of a job ◆ **j'ai perdu mon travail** I've lost my job ◆ **un travail à mi-temps / plein temps** a part-time / full-time job ◆ **je cherche du travail à mi-temps** I'm looking for part-time work ◆ **cesser le travail** *(par suite de grève)* to down tools, go on strike, walk out ◆ **reprendre le travail** to go back to *ou* resume work ◆ **le monde du travail** the world of work **d** *(Écon)* labour ◆ **théorie de la valeur-travail** labour theory of value ◆ **le travail est un facteur de production** labour is a factor of production **e** *[métal, matière première]* working ◆ **le travail du bois** woodwork, working with wood ◆ **c'est un très beau travail** it's a fine piece of work *ou* of workmanship **f** *[machine]* *(= fonctionnement spécifique)* working(s); *(= tâche spécifique)* work, operation **g** **accident du travail** industrial injury *ou* accident, occupational injury ◆ **aptitude au travail** ability to work, capacity for work ◆ **arrêt de travail** work stoppage; *(= congé de maladie)* sick leave ◆ **être / mettre en arrêt de travail** to be / put on sick leave ◆ **Bourse du travail** labour exchange ◆ **Bureau international du travail** International Labour Office ◆ **charge de travail** work load ◆ **Code du travail** labour code ◆ **conditions de travail** working conditions ◆ **conflit du travail** industrial *ou* labour dispute ◆ **contrat de travail** employment *ou* work ou labour contract, service contract (US) ✦ **coût du travail** labour cost ✦ **demande de travail** (Écon) demand for labour ✦ **prix de la demande de travail** demand price of labour ✦ **division du travail** division of labour ✦ **droit au travail** right to work ✦ **droit du travail** labour law ✦ **durée du travail** working time ou hours; (de la journée) length of the working day, daily working hours; (de la semaine) length of the working week, weekly working hours ✦ **étude du travail** work study ✦ **fichier de travail** (Inf) scratch ou work file ✦ **flexibilité du travail** labour flexibility ✦ **groupe de travail** working party, task force ✦ **heures de travail** [employé] hours of work, working hours; (= heures d'ouverture des bureaux) working hours ✦ **incapacité de travail** industrial disability ou disablement ✦ **inspection du travail** factory inspectorship ✦ **inspecteur du travail** factory inspector ✦ **journée de travail** day of work ✦ **législation du travail** industrial legislation, labour laws ✦ **lieu de travail** workplace ✦ **formation sur le lieu de travail** on-site training, on-the-job training, in-plant training ✦ **marché du travail** employment ou job ou labour market ✦ **médecin du travail** state-paid general practitioner specialized in industrial medicine ✦ **médecine du travail** industrial ou occupational medicine ✦ **offre du travail** (Écon) supply of labour ✦ **organisation scientifique du travail** scientific management, industrial engineering ✦ **permis de travail** work ou labour permit ✦ **petits travaux** odd jobs ✦ **planification du travail** job scheduling ✦ **poste de travail** (= lieu) work station; (= période) (work) shift ✦ **productivité du travail** labour productivity ✦ **réglementation du travail** labour regulations ✦ **rémunération du travail** remuneration of labour ✦ **reprise du travail** resumption of work, return to work ✦ **revenu du travail** earned income ✦ **séance** ou **réunion de travail** work ou working session ✦ **sécurité du travail** occupational safety ✦ **réduction du temps de travail** cut in working time

**travailler** /tʀavaje/ **vi** to work ✦ **travailler à un projet** to work on a project ✦ **travailler dans un bureau / en usine / à domicile** to work in an office / in a factory / at home ✦ **travailler pour** ou **à son compte** to be self-employed, work for oneself ✦ **travailler en indépendant** (gén) to be self-employed; [rédacteur] to work freelance ✦ **travailler aux pièces** to do piecework ✦ **travailler à mi-temps / plein temps** to work part-time / full-time ✦ **travailler à temps partiel** to work part-time ✦ **elle travaille chez un grossiste** she works for a wholesaler ✦ **je finis de travailler à 17 heures** I finish ou stop ou get off work at 5 p.m. ✦ **travailler à la chaîne** to work on the assembly line ✦ **travailler à façon** to (hand)tailor ou make up (Brit) customers' own material ✦ **travailler au noir** to moonlight, work on the side ✦ **l'usine travaille à perte** the factory is working at a loss ✦ **elle sait faire travailler son argent** she knows how to make her money work for her

**vt** **a** métal, matière première to work ✦ **travailler la terre** to work ou cultivate the land

---

_compounds/composés_

### TRAVAIL/TRAVAUX

- ✦ **travaux agricoles** agricultural ou farm work
- ✦ **travail en atelier** factory work
- ✦ **travail à la chaîne** assembly-line work
- ✦ **travail** ou **travaux en cours** (Ind) work in progress
- ✦ **travail différencié** interim work
- ✦ **travail à domicile** outwork, home work, work done at home
- ✦ **travail à l'entreprise** contract work
- ✦ **travail d'équipe** teamwork ✦ **travail par équipes** shift work, work in shifts
- ✦ **travail à façon** [robe] dressmaking; [costume] tailoring
- ✦ **travail à forfait** contract work
- ✦ **travail hebdomadaire** weekly work
- ✦ **travail intellectuel** brainwork, intellectual work
- ✦ **travail intérimaire** temporary work
- ✦ **travail manuel** manual work
- ✦ **travail noir** ou **au noir** moonlighting
- ✦ **travail de nuit** (= activité) night work; (= emploi) night job

- ✦ **travail à la pièce** ou **aux pièces** piecework, jobwork
- ✦ **travail posté** (= travail par équipe) shift work; (= travail à la chaîne) assembly-line work
- ✦ **travaux préparatoires** (Admin) preliminary documents
- ✦ **travaux publics** public works
- ✦ **travail qualifié** skilled work
- ✦ **travail en retard** work in arrear, backlog of work
- ✦ **travail saisonnier** seasonal work
- ✦ **travail supplémentaire** extra work; (= heures supplémentaires) overtime
- ✦ **travail à la tâche** task ou job ou contract work, piecework
- ✦ **travail temporaire** temporary work
- ✦ **travail sur le terrain** fieldwork
- ✦ **travail en usine** factory work
- ✦ **travail d'utilité collective** community job, public interest job (created as a way of reducing unemployement).

◆ **travailler la clientèle** *(Comm)* to canvass customers **b** *(Bourse)* to deal in ◆ **cuprifères très travaillées** coppers heavily dealt in.

**travailleur, -euse** /tʀavajœʀ, øz/ **NM,F** *(gén)* worker; *(travail pénible et peu qualifié)* labourer ◆ **les travailleurs** workers, working people ◆ **travailleur à mi-temps / plein temps** part-time / full-time worker

─── *compounds/composés* ───

◆ **travailleur agricole** agricultural *ou* farm worker, farm labourer, farm hand
◆ **travailleur à domicile** outworker, home worker
◆ **travailleur émigré** migrant worker
◆ **travailleur étranger** foreign *ou* immigrant worker
◆ **travailleur de force** labourer
◆ **travailleur immigré** immigrant worker ◆ **les travailleurs immigrés** immigrant labour *ou* workers
◆ **travailleur indépendant** *(gén)* self-employed person; *(= rédacteur)* freelance worker, freelancer
◆ **travailleur intellectuel** intellectual worker
◆ **travailleur manuel** manual worker, blue collar, blue-collar worker
◆ **travailleur au noir** moonlighter, unregistered worker
◆ **travailleur occasionnel** casual worker.

**travailliste** /tʀavajist(ə)/ **ADJ** labour
**NMF** Labour Party member ◆ **les travaillistes** Labour.

**travaillistique** /tʀavajistik/ **ADJ** labour, labour-intensive ◆ **intensité travaillistique** labour intensity ◆ **produits travaillistiques** labour-intensive products.

**treize** /tʀɛz/ **ADJ, NM INV** thirteen → **six.**

**treizième** /tʀɛzjɛm/ **ADJ, NM** thirteenth ◆ **treizième mois** *(de salaire)* thirteenth month's salary → **sixième.**

**treizièmement** /tʀɛzjɛmmɑ̃/ **ADV** in the thirteenth place.

**trend** /tʀɛnd/ **NM** *(Bourse)* trend ◆ **trend baissier** downtrend ◆ **trend haussier** uptrend.

**trentaine** /tʀɑ̃tɛn/ **NF** *(= trente)* thirty; *(environ)* about thirty, thirty or so → **soixantaine.**

**trente** /tʀɑ̃t/ **ADJ, NM INV** thirty ◆ **les trente-cinq heures** the thirty-five-hour (working) week pour autres loc. → **six, soixante.**

**trentième** /tʀɑ̃tjɛm/ **ADJ, NMF** thirtieth → **sixième.**

**trentièmement** /tʀɑ̃tjɛmmɑ̃/ **ADV** in the thirtieth place.

**trésor** /tʀezɔʀ/ **NM** *(gén)* treasure; *(= fonds)* funds, finances ◆ **trésor de guerre** *(Fin)* war chest ◆ **le**

**Trésor (public)** the public revenue department, the Treasury, the Exchequer ◆ **bon du Trésor** Treasury bill *ou* bond, government bond, Exchequer bill ◆ **comptable du Trésor** local official of the Treasury ◆ **obligation assimilable du Trésor** ≈ Treasury bond.

**trésorerie** /tʀezɔʀʀi/ **NF** **a** *(= liquidités)* cash, liquidity, cash in hand, cash balances ◆ **avoir des problèmes** *ou* **des difficultés de trésorerie** to have cash *ou* liquidity *ou* cash flow problems ◆ **la trésorerie de l'entreprise est en mauvaise posture** the company's cash position *ou* situation is shaky ◆ **besoins de trésorerie** cash requirements ◆ **billets de trésorerie** commercial paper ◆ **budget de trésorerie** cash budget ◆ **coefficient de trésorerie** cash ratio ◆ **crédit de trésorerie** cash advance ◆ **état de trésorerie** cash flow statement ◆ **excédent de trésorerie** cash surplus ◆ **gestion de trésorerie** cash management ◆ **journal de trésorerie** cash book ◆ **mouvements de trésorerie** cash flows ◆ **opération de trésorerie** cash operation *ou* transaction ◆ **plan de trésorerie** cash flow forecast, cash budget ◆ **position de trésorerie** cash position ◆ **prévision de trésorerie** cash flow forecast ◆ **ratio de trésorerie** cash *ou* liquidity ratio ◆ **rentrées de trésorerie** cash inflows, cash receipts ◆ **réserve de trésorerie** cash *ou* liquid reserve ◆ **situation de trésorerie** *(= condition)* cash position; *(= document)* cash flow statement ◆ **solde de trésorerie** cash balance ◆ **sorties de trésorerie** cash outflows, cash payments *ou* disbursements **b** *(= comptabilité)* accounts ◆ **leur trésorerie est mal tenue** their accounts *ou* books are badly kept **c** *(= service comptable)* [club, association] accounts department; [Trésor public] revenue office

─── *compounds/composés* ───

◆ **trésorerie de départ** initial cash resources
◆ **trésorerie nette** net liquid funds
◆ **trésorerie potentielle** potential funds
◆ **trésorerie zéro** zero funds.

**trésorier, -ière** /tʀezɔʀje, jɛʀ/ **NM,F** treasurer ◆ **trésorier-payeur général** *(Admin)* paymaster *(of a French department)* ◆ **trésorier d'entreprise** *(Fin)* cash manager, company treasurer.

**trève** /[tʀɛv/ **NF** truce ◆ **la trève des confiseurs** the Christmas and New Year break.

**TRI** /teɛʀi/ **NM** (abrév de **taux de rentabilité interne**) IRR.

**tri** /tʀi/ **NM** **a** *(gén)* sorting; [candidats] selection; *(Rail)* marshalling *(Agr = calibrage)* grading ◆ **faire le tri de** to sort (out) ◆ **nous avons fait**

un premier **tri des candidats** we have made a preliminary ou a first selection of the candidates, we have drawn up a short list of candidates ◆ **opérer un tri plus sélectif** to sort out ou screen more closely **b** *(Poste)* sorting ◆ **bureau de tri** sorting office **c** *(= fonction d'un photocopieur)* sort, sorter ◆ **on va le mettre sur tri** we are going to put it on sort **d** *(Inf)* sort, sorting ◆ **méthode de tri** sorting method ou process ◆ **tri interne / externe** internal / external sorting ◆ **case de tri** sorting bin, sort ou sorter ou sorting pocket ◆ **casier de tri** *[cartes perforées]* sorter ou sorting rack ◆ **clé** ou **indicatif de tri** sort key ◆ **dispositif de tri** sort facility ◆ **fichier de tri** sort file ◆ **programme de tri** sort ou sorting program, sorter ◆ **générateur de programme de tri** sort generator

――――――― compounds/composés ―――――――
- ◆ **tri arborescent** tree sort
- ◆ **tri par blocs** block sort
- ◆ **tri en cascade** cascade sort
- ◆ **tri-fusion** sort merge
- ◆ **tri par permutations** bubble sort
- ◆ **tri vertical** heap sort.

**triage** /tʀijaʒ/ **NM** *(gén)* sorting ◆ **gare de triage** marshalling yard, classification yard *(US)* ◆ **voie de triage** siding.

**tribunal,** PL **-aux** /tʀibynal, o/ **NM** court (of justice), law court; *(ayant une compétence limitée à un domaine: conflits industriels, loyers)* tribunal ◆ **porter une affaire devant les tribunaux** to bring a case before the courts ◆ **rôle du tribunal** *(= liste)* roll of court ◆ **salle du tribunal** courtroom

――――――― compounds/composés ―――――――
- ◆ **tribunal administratif** administrative court, administrative tribunal
- ◆ **tribunal arbitral** ou **d'arbitrage** court of arbitration
- ◆ **tribunal de commerce** commercial court
- ◆ **tribunal des conflits** jurisdictional court
- ◆ **tribunal correctionnel** *court of summary jurisdiction*
- ◆ **tribunal de grande instance** ≈ county court
- ◆ **tribunal d'instance** magistrates' court
- ◆ **tribunal judiciaire** judicial court
- ◆ **tribunal de police** police court.

**tributaire** /tʀibytɛʀ/ **ADJ** ◆ **être tributaire de** to be dependent ou reliant on.

**tricher** /tʀiʃe/ **VI** to cheat ◆ **tricher sur le poids** to cheat over ou on the weight, give short weight ◆ **tricher sur les prix** to cheat over the price, overcharge.

**triennal, e,** MPL **-aux** /tʀiɛnal, o/ **ADJ** *prix, foire* triennial, three-yearly ◆ **mandat triennal** three-year mandate.

**trier** /tʀije/ **VT** *(gén)* to sort; *candidats* to select; *(Rail)* to marshal *(Agr = calibrer)* to grade ◆ **trié sur le volet** hand-picked.

**trieur, -euse** /tʀijœʀ, øz/ **NM,F** *(= personne)* sorter *(Agr = calibreur)* grader ◆ **NM** *(= machine)* sorter ◆ **trieur-calibreur** grader, grading machine ◆ **trieuse** **NF** *[photocopies, cartes perforées]* sorter ◆ **trieuse-liseuse** *(Inf)* sorter-reader ◆ **trieuse de chèques / de documents** cheque / document sorter.

**trillion** /tʀiljɔ̃/ **NM** trillion ◆ **un trillion de dollars** one trillion dollars.

**trimestre** /tʀimɛstʀ(ə)/ **NM** **a** *(= période)* quarter ◆ **payer par trimestre** to pay quarterly ou on a quarterly basis ◆ **les résultats du premier trimestre** the first quarter's earnings ou results, earnings for the first quarter **b** *(= somme)* *[loyer]* quarter, quarter's rent; *[salaire]* quarter's income.

**trimestriel, -elle** /tʀimɛstʀijɛl/ **ADJ** *résultats, bénéfices* quarterly; *paiement* quarterly, three-monthly ◆ **publication trimestrielle d'états financiers** quarterly ou interim financial reporting.

**trimestriellement** /tʀimɛstʀijɛlmɑ̃/ **ADV** *payer* on a quarterly ou three-monthly basis, every quarter, every three months.

**triple** /tʀipl(ə)/ **ADJ** *(gén)* triple; *(= trois fois plus élevé)* triple, treble ◆ **le prix est triple de ce qu'il était** the price is three times what it was ◆ **imprimer qch en triple exemplaire** to print three copies of sth, print sth in triplicate ◆ **NM** **il m'a fait payer le triple** he charged me three times as much ◆ **celui-ci coûte le triple du prix de l'autre modèle** this one costs treble ou three times the price of the other model, this one costs three times as much as the other model.

**tripler** /tʀiple/ **VTI** *prix* to treble, triple, increase by three.

**triplicata** /tʀiplikata/ **NM INV** triplicate, third copy.

**Tripoli** /tʀipɔli/ **N** Tripoli.

**tripotage** /tʀipɔtaʒ/ **NM** *(péj)* *(= spéculation)* speculation; *(= manoeuvres louches)* shady dealings ◆ **le tripotage des chiffres** faking ou doctoring ou fiddling the figures ◆ **tripotage en Bourse** market-rigging ◆ **tripotage financier** financial juggling.

**tripoter** /tʀipɔte/ **VT** (péj) fonds to play with, speculate with; chiffres to fake, doctor, fiddle, tamper ou tinker with; comptes to cook, window-dress
**VI** to get involved in ou have a hand in a lot of shady deals.

**tripoteur, -euse** /tʀipɔtœʀ, øz/ **NM,F** (péj) shady dealer.

**troc** /tʀɔk/ **NM** (gén) exchange; (Écon) barter, countertrade, countertrading ◆ **faire le troc de qch avec qch d'autre** (gén) to exchange ou swap ou swop sth for sth else; (Écon) to barter sth for sth else ◆ **accord de troc** barter ou countertrade agreement ◆ **le commerce du troc** barter trade, countertrade, countertrading ◆ **opération de troc** barter transaction.

**trois** /tʀwɑ/ **ADJ, NM INV** three ◆ **effet à trois mois** bill at three months ◆ **facture à trois mois** invoice payable within three months ◆ **faire les trois-huit** to operate ou work three eight-hour shifts → **six**.

**troisième** /tʀwazjɛm/ **ADJ NMF** third ◆ **les gens du troisième âge** senior citizens → **sixième**.

**troisièmement** /tʀwazjɛmmɑ̃/ **ADV** third(ly), in the third place.

**tromper** /tʀɔ̃pe/ **VT** (= escroquer) to deceive, trick, cheat; (= induire en erreur) to mislead ◆ **tromper sur la marchandise** to cheat as to the quality or quantity of the goods
**se tromper** **VPR** to make a mistake, be mistaken ◆ **se tromper dans ses calculs** to get one's figures wrong, be out in one's reckoning.

**tromperie** /tʀɔ̃pʀi/ **NF** deception, deceit, trickery ◆ **tromperie sur la marchandise** deception ou cheating as to the quality or quantity of the goods.

**trompeur, -euse** /tʀɔ̃pœʀ, øz/ **ADJ** chiffres misleading, deceptive.

**trop-perçu** PL, **trop-perçus** /tʀopɛʀsy/ **NM** (gén) excess payment, overpayment; (Impôts) excess tax payment.

**troquer** /tʀɔke/ **VT** (gén) to exchange; (Écon) to barter (contre for)

**trou** /tʀu/ **NM** (gén) hole; (= moment de libre) gap; (= déficit) deficit ◆ **le trou de la Sécurité sociale** the Social Security deficit ◆ **cela va faire un gros trou dans nos finances** it will make a big hole in our finances.

**trouble** /tʀubl/ **NM** ◆ **trouble de jouissance** disturbance of possession.

**trucage** /tʀykaʒ/ ≈ truquage.

**truchement** /tʀyʃmɑ̃/ **NM** ◆ **par le truchement de** through (the agency of).

**truquage** /tʀykaʒ/ **NM** [élection] rigging, fixing; [chiffres] faking, doctoring, fiddling; [comptes] cooking, window-dressing ◆ **le truquage d'un bilan** the window-dressing of a balance sheet.

**truquer** /tʀyke/ **VT** élections to rig, fix; chiffres to fake, doctor, fiddle, tamper ou tinker with; comptes, bilan to cook, window-dress.

**trust** /tʀœst/ **NM** (Écon) trust; (= société importante) corporation ◆ **trust de placement** investment trust ◆ **trust de valeurs** holding company ◆ **constitution de trust** trust settlement ◆ **valeurs mises en trust** securities in trust ◆ **trust vertical / horizontal** vertical / horizontal trust.

**truster** /tʀœste/ **VT** marché to monopolize, corner; produit to monopolize.

**TSA** /teɛsa/ **NF** abrév de **technologie des systèmes automatisés** → **technologie**.

**TSVP** (abrév de **tournez s'il vous plaît**) please turn over, see overleaf (US).

**TT(A)** abrév de **transit temporaire (autorisé)** → **transit**.

**TTC** /tetese/ abrév de **toutes taxes comprises** → **taxe**.

**TU** abrév de **temps universel** → **temps**.

**TUC** /tyk/ **NMPL** abrév de **travaux d'utilité publique** → **travail**.

**Tunis** /tynis/ **N** Tunis.

**Tunisie** /tynizi/ **NF** Tunisia.

**tunisien, -enne** /tynizjɛ̃, ɛn/ **ADJ** Tunisian
**Tunisien** **NM** (= habitant) Tunisian
**Tunisienne** **NF** (= habitante) Tunisian.

**tunnel** /tynɛl/ **NM** tunnel ◆ **va-t-on enfin arriver au bout du tunnel?** are we going to see the (light at the) end of the tunnel at last?.

**turbulence** /tyʀbylɑ̃s/ **NF** (= agitation) turbulence ◆ **les turbulences que traverse le groupe** the turmoil experienced by the group ◆ **le yen traverse une zone de turbulence** le yen is going through a period of turbulence ◆ **turbulences sociales** social unrest.

**turc, turque** /tyʀk(ə)/ **ADJ** Turkish
**NM** (= langue) Turkish
**Turc** **NM** (= habitant) Turk
**Turque** **NF** (= habitante) Turkish woman.

**Turquie** /tyʀki/ **NF** Turkey.

**tutélaire** /tytelɛʀ/ **ADJ** tutelary.

**tutelle** /tytɛl/ NF *(Jur)* guardianship; *(Pol)* trusteeship; *(= surveillance)* supervision; *(= protection)* tutelage, protection ◆ **avoir la tutelle de qn, avoir qn en tutelle** to have the guardianship of sb ◆ **autorité de tutelle** *(Admin)* regulatory authority ◆ **ministère de tutelle** supervisory ministry.

**tuteur, -trice** /tytœʀ, tʀis/ NM,F *(Jur)* guardian.

**tuyau** \*, PL -x /tɥijo/ NM *(= conseil)* tip.

**tuyauter** \* /tɥijote/ VT ◆ **tuyauter qn** \* *(= renseigner)* to give sb a tip; *(= mettre au courant)* to gen sb up\*.

**TVA** /tevea/ NF (abrév de **taxe sur la valeur ajoutée**) VAT.

**type** /tip/ ADJ INV *(gén)* typical *(Stat, Tech)* standard ◆ **écart / erreur type** standard deviation / error ◆ **échantillon type** representative sample ◆ **police d'assurance type** standard policy NM *(= modèle)* type.

# U

**UCE** /ysea/ NF (abrév de **unité de compte européenne**) EUA.

**UE** /yə/ NF (abrév de **Union européenne**) EU.

**UEM** /yəɛm/ NF (abrév de **union économique et monétaire**) EMU.

**UEO** /yəo/ NF (abrév de **Union de l'Europe occidentale**) WEO.

**UEP** /yəpe/ NF (abrév de **Union européenne des paiements**) EPU.

**UER** /yəɛʀ/ NF abrév de **Union européenne de radiodiffusion** → union.

**UFC** /yɛfse/ NF (abrév de **Union fédérale des consommateurs**) *French consumers' federation.*

**UIT** /yite/ NF abrév de **Union internationale des télécommunications** → union.

**Ukraine** /ykʀɛn/ NF Ukraine.

**ukrainien, -ienne** /ykʀɛnjɛ̃, jɛn/ **ADJ** Ukrainian **NM** *(= langue)* Ukrainian
**Ukrainien** **NM** *(= habitant)* Ukrainian
**Ukrainienne** **NF** *(= habitante)* Ukrainian.

**Ulster** /ylstɛʀ/ NM Ulster.

**ultérieur, e** /ylteʀjœʀ/ ADJ later, subsequent ◆ **à une date ultérieure** at a later date ◆ **commande ultérieure** further order ◆ **au cours d'une réunion ultérieure** at a subsequent meeting.

**ultérieurement** /ylteʀjœʀmɑ̃/ ADV later ◆ **marchandises livrables ultérieurement** goods for further *ou* future delivery.

**ultime** /yltim/ ADJ ultimate ◆ **consommateur ultime** final user.

**ultra** /yltʀa/ PRÉF *(gén)* ultra ◆ **ultra-confidentiel** top secret ◆ **ultra-sensible** *dossier* ultrasensitive ◆ **ultra-libéral** *politique* ultra-free-market ◆ **ultra-spéculatif** ultra-speculative.

**UMTS** /yɛmteɛs/ ADJ (abrév de **Universal Mobile Telecommunication System**) UMTS ◆ **licence UMTS** UMTS licence.

**un, une** /œ̃, yn/ ADJ, NM INV one → **six**.

**unanimité** /ynanimite/ NF unanimity ◆ **voter à l'unanimité pour** to vote unanimously for ◆ **vote acquis à l'unanimité** unanimous vote.

**UNEDIC** /ynedik/ NF (abrév de **Union nationale pour l'emploi dans l'industrie et le commerce**) *French national organization managing unemployment benefit schemes.*

**UNESCO** /ynɛsko/ NF (abrév de **United Nations Educational, Scientific and Cultural Organization**) UNESCO.

**UNICE** /ynis/ NF abrév de **Union des industries de la communauté européenne** → union.

**UNICEF** /ynisɛf/ NM (abrév de **United Nations International Children's Emergency Fund**) UNICEF.

**unicité** /ynisite/ NF *(gén)* uniqueness ◆ **le principe d'unicité de la cotation** *the principle that a security may only be quoted on one stock exchange* ◆ **l'unicité d'un brevet** the unity of a patent.

**unième** /ynjɛm/ ADJ ◆ **quarante / cinquante et unième** forty- / fifty-first.

**unièmement** /ynjɛmmɑ̃/ ADV ◆ **quarante / cinquante et unièmement** in the forty- / fifty-first place.

**unification** /ynifikasjɔ̃/ NF *[prix, normes]* unification, standardization; *[dette]* consolidation.

**unifier** /ynifje/ **VT** *prix, normes* to standardize, unify ◆ **dette unifiée** consolidated debt.

**uniforme** /ynifɔʀm(ə)/ **ADJ** *(gén)* uniform ◆ **tarif uniforme** flat rate *ou* charge, standard rate *ou* charge.

**uniformément** /ynifɔʀmemã/ **ADV** uniformly.

**uniformisation** /ynifɔʀmizasjɔ̃/ **NF** standardization.

**uniformiser** /ynifɔʀmize/ **VT** to standardize.

**uniformité** /ynifɔʀmite/ **NF** uniformity.

**unilatéral, e,** **MPL** **-aux** /ynilateʀal, o/ **ADJ** unilateral ◆ **décision unilatérale** unilateral *ou* one-sided decision.

**unilatéralement** /ynilateʀalmã/ **ADV** unilaterally.

**union** /ynjɔ̃/ **NF** a union ◆ **l'Union soviétique** the Soviet Union ◆ **union de consommateurs** consumers' union ◆ **union douanière / patronale** customs / employers' union ◆ **union économique et monétaire** Economic and Monetary Union ◆ **Union européenne** European Union ◆ **Union de l'Europe occidentale** Western European Union ◆ **Union européenne des paiements** European Payment Union ◆ **Union européenne de radiodiffusion** *European radio broadcasting union* ◆ **Union des industries de la communauté européenne** union of industries of the European Community ◆ **Union internationale des télécommunications** international telecommunications union b *(Jur)* ◆ **union des créanciers** (body of) creditors *(acting collectively in bankruptcy proceedings)* ◆ **contrat d'union** creditors' agreement ◆ **syndic d'union** trustee in bankruptcy.

**unipersonnel, -elle** /ynipεʀsɔnεl/ **ADJ** ◆ **entreprise** *ou* **société unipersonnelle** one-man business, one-person (corporation), sole proprietorship.

**unique** /ynik/ **ADJ** a (= *seul*) *(gén)* only; *versement* single ◆ **notre unique filiale** our only subsidiary ◆ **propriétaire unique** sole owner *ou* proprietor ◆ **tarif unique** flat rate ◆ **marque unique** single brand ◆ **famille à salaire unique** single-income family ◆ **articles à prix unique** one-price articles ◆ **indemnité de salaire unique** single income family allowance ◆ **magasin à prix unique** one-price store, nickel *ou* dollar *ou* dime store *(US)* ◆ **le marché unique européen** *(UE)* the European single market ◆ **monnaie unique** single currency ◆ **l'Acte unique** *(UE)* the Single Act b (= *exceptionnel*) *don, service* unique.

**uniquement** /ynikmã/ **ADV** only, solely ◆ **valable en France uniquement** only valid in France, valid in France only ◆ **vendu uniquement en pharmacie** sold exclusively by chemists *ou* in pharmacies *(US)* ◆ **uniquement pour vous être agréable** just *ou* only to be of service.

**unitaire** /ynitεʀ/ **ADJ** a (= *unifié*) unitary ◆ **système unitaire d'imposition** unitary tax system b (= *à l'unité*) unit ◆ **charge unitaire** unit load ◆ **prix / valeur unitaire** unit price / value ◆ **prix unitaire de vente** unit selling price ◆ **coûts unitaires salariaux** unit wage costs ◆ **prix de revient unitaire** unit cost.

**unité** /ynite/ **NF** a (= *homogénéité*) unity b (= *élément*) unit ◆ **la colonne des unités** the units column ◆ **prix de vente à l'unité** unit selling price ◆ **prix de l'unité** price per unit, unit price ◆ **disques: 10 euros l'unité** records: 10 euros each ◆ **les coûts salariaux par unité produite** salary costs per unit ◆ **on peut les acheter à l'unité** you can buy them singly ◆ **actions émises en unités** shares issued in ones c (= *département, section*) unit d *(Inf)* unit

─────── compounds/composés ───────
◆ **unité d'affichage** *(Inf)* display unit
◆ **unité de calcul** *(Inf)* processing unit
◆ **unité centrale (de traitement)** *(Inf)* central processing unit
◆ **unité de charge** load unit
◆ **unité de commande** control unit
◆ **unité comptable** accounting unit *ou* entity
◆ **unité de compte** *(Écon)* unit of account ◆ **unité de compte européenne** European unit of account
◆ **unité de coût** cost unit
◆ **unité décisionnelle** decision unit
◆ **unité d'échantillonnage** unit of sampling
◆ **unité de fabrication** manufacturing facility *ou* plant *ou* unit
◆ **unité d'exploitation** operation unit
◆ **unité fonctionnelle** *(Compta)* functional unit
◆ **unité de mémoire** *(Inf)* storage unit
◆ **unité de mesure** unit of measure
◆ **unité monétaire** monetary *ou* currency unit ◆ **unité monétaire européenne** European currency unit
◆ **unité d'œuvre** *(Compta)* homogeneous unit, common unit of measure *(in the allocation of costs)*
◆ **unité payante** *(Douanes)* freight unit
◆ **unité périphérique** peripheral device *ou* unit
◆ **unité de production** (= *usine*) production unit *ou* plant *ou* facility
◆ **unité de réserve** reserve unit
◆ **unité de salaire** wage unit
◆ **unité de travail** (= *mesure*) unit of labour; (= *organisation*) work unit, organizational unit
◆ **unité de vente** sales unit.

**univers** /yniveʀ/ NM *(gén)* universe; *(Pub, Marktg)* ◆ l'univers d'une enquête the total field of a survey.

**universel, -elle** /yniveʀsɛl/ ADJ *(gén)* universal ◆ ordinateur universel general-purpose *ou* all-purpose computer ◆ légataire (à titre) universel *(du restant de la succession)* residuary legatee; *(unique)* sole legatee *ou* devisee.

**urbain, e** /yʀbɛ̃, ɛn/ ADJ *(gén)* urban; *transports* city, urban ◆ appel urbain, communication urbaine local call ◆ planification urbaine town planning ◆ zone urbaine urban zone, built-up area.

**urbanisation** /yʀbanizasjɔ̃/ NF urbanization.

**urbaniser** /yʀbanize/ VT to urbanize ◆ zone urbanisée urbanized *ou* built-up area.

**urbanisme** /yʀbanism(ə)/ NM town *ou* city planning ◆ règlements d'urbanisme zoning regulations.

**urbaniste** /yʀbanist(ə)/ NMF town *ou* city planner.

**urgence** /yʀʒɑ̃s/ NF **a** *[décision, départ, situation]* urgency ◆ il y a urgence it's urgent ◆ clause / mesures d'urgence emergency clause / measures ◆ programme d'urgence crash programme, contingency plan ◆ faire qch d'urgence to do sth as a matter of urgency ◆ à expédier d'urgence to be shipped immediately ◆ prière de répondre d'urgence please answer immediately **b** *(= cas urgent)* emergency.

**urgent, e** /yʀʒɑ̃, ɑ̃t/ ADJ urgent ◆ commande urgente urgent *ou* rush order ◆ pli urgent for immediate delivery.

**URL** /[yɛʀɛl/ NF (abrév de **Universal Resource Locator**) URL.

**URSS** /yɛʀɛsɛs, yʀs/ NF (abrév de **Union des républiques socialistes soviétiques**) USSR.

**URSSAF** /yʀsaf/ NF (abrév de **Union pour le recouvrement des cotisations de la Sécurité sociale et des allocations familiales**) *social security contribution collection office.*

**Uruguay** /yʀygwɛ/ NM Uruguay ◆ Uruguay round Uruguay Round.

**uruguayen, -yenne** /yʀygwajɛ̃, jɛn/ ADJ Uruguayan
    **Uruguayen** NM *(= habitant)* Uruguayan
    **Uruguayenne** NF *(= habitante)* Uruguayan.

**US(A)** /yɛs(a)/ NMPL (abrév de **United States (of America)**) US(A).

**usage** /yzaʒ/ NM **a** *(= utilisation)* use ◆ valeur d'usage value in use, use value ◆ usage de faux *(Jur)* use of a false instrument ◆ appareil à usages multiples multi-purpose *ou* general-purpose device ◆ locaux à usage de bureau office premises *ou* space ◆ locaux à usage commercial business *ou* commercial premises ◆ à usage personnel / industriel for personal / industrial use ◆ à l'usage de nos clients intended for our customers **b** *(= coutume)* custom ◆ usages bancaires banking practice ◆ selon l'usage according to custom ◆ sous les réserves d'usage with the usual reserves ◆ nous demandons les références d'usage we are requesting the usual *ou* customary references ◆ clause / droit d'usage customary clause / right ◆ c'est l'usage it's common practice ◆ contraire aux usages contrary to common practice.

**usagé, e** /yzaʒe/ ADJ *(= usé)* worn; *(= d'occasion)* used, second hand.

**usager** /yzaʒe/ NM user ◆ effets usagers *(Douanes)* personal effects ◆ les usagers du crédit borrowers ◆ les usagers de la route road users.

**usance** /yzɑ̃s/ NF usance ◆ tirer un effet de commerce à une usance / à deux usances to draw a bill at usance / at double usance ◆ effet à usance bill at usance ◆ à usance de 60 jours at 60 days' usance.

**USB** /yɛsbe/ NM USB ◆ port/connexion USB USB port/connection ◆ clé USB USB key, flash drive.

**usé, e** /yze/ ADJ *objet* worn; *vêtement* worn, worn-out.

**usinage** /yzinaʒ/ NM *(= façonnage)* machining; *(= fabrication)* manufacturing.

**usine** /yzin/ NF factory, (manufacturing) plant ◆ directeur d'usine plant *ou* factory *ou* works manager ◆ fermeture d'usine plant *ou* factory closure ◆ formation à l'usine in-plant training ◆ magasin d'usine factory outlet ◆ ouvrier *ou*

─── compounds/composés ───

◆ **usine atomique** nuclear *ou* atomic plant, atomic energy station
◆ **usine d'automobiles** car factory *ou* plant, automobile plant *(US)*
◆ **usine center** factory center
◆ **usine chimique** chemical works
◆ **usine clés en main** turnkey plant *ou* factory
◆ **usine électrique** power plant
◆ **usine de filature** spinning mill
◆ **usine à gaz** gasworks
◆ **usine de laminage** rolling mill
◆ **usine métallurgique** ironworks
◆ **usine fantôme** hidden waste and costs in a firm due to absenteeism, accidents, shoddy work, etc
◆ **usine de montage** assembly plant
◆ **usine de pâte à papier** paper mill
◆ **usine-pilote** pilot plant
◆ **usine sidérurgique** steelworks, steel mill
◆ **usine textile** textile plant *ou* factory, mill

**travailleur d'usine** factory worker ✦ **prix (sortie** ou **départ) usine** ex-works price, price ex-works ✦ **travail en usine** factory work ✦ **travailler en usine** to work in a factory.

**usiner** /yzine/ **VT** (= façonner) to machine, tool; (= fabriquer) to manufacture.

**usinier, -ière** /yzinje, jɛʀ/ **ADJ** ✦ **groupe usinier** group of factories ✦ **industrie usinière** manufacturing industry ✦ **un quartier usinier** a factory district.

**usucapion** /yzykapjɔ̃/ **NF** usucapion, acquisitive prescription.

**usufruit** /yzyfʀɥi/ **NM** usufruct, life tenancy, beneficial ownership.

**usufruitier, -ière** /yzyfʀɥitje, jɛʀ/ **ADJ** usufructuary, beneficial owner ou occupant ◼ **NM,F** usufructuary, life tenant, tenant for life, beneficial occupant, beneficial owner, user.

**usuraire** /yzyʀɛʀ/ **ADJ** taux, prêt usurious.

**usure** /yzyʀ/ **NF** a (= processus) [objet] wear; [vêtement] wear and tear ✦ **usure normale** fair wear and tear ✦ **résister à l'usure** to resist wear, wear well ✦ **usure en magasin** shelf depreciation ✦ **guerre d'usure** (Écon) war of attrition b (= état) [objet, vêtement] worn state c (Fin) usury, loan-sharking (US) ✦ **prêter à usure** to lend at usurious rates of interest ✦ **taux de l'usure** usury rate.

**usurier, -ière** /yzyʀje, jɛʀ/ **NM,F** usurer, loan shark (US).

**utile** /ytil/ **ADJ** useful ✦ **en temps utile** in due course ✦ **à toutes fins utiles** for your information ✦ **elle m'a donné tous les renseignements utiles** she gave me all relevant information ✦ **prendre toutes les dispositions utiles** to make all necessary arrangements, take the necessary steps ✦ **charge utile** carrying capacity, payload ✦ **poids utile** useful load.

**utilement** /ytilmɑ̃/ **ADV** profitably, usefully.

**utilisable** /ytilizabl(ə)/ **ADJ** usable ✦ **crédit utilisable à vue** credit available at sight.

**utilisateur, -trice** /ytilizatœʀ, tʀis/ **NM,F** user, utilizer ✦ **utilisateur final** end user ✦ **association / groupement d'utilisateurs** users' association / group ✦ **parc d'utilisateurs** (Inf) user base ou population.

**utilisation** /ytilizasjɔ̃/ **NF** use, utilization ✦ **quel est le mode d'utilisation de ce produit?** what is the way to use this product?, how should this product be used? ✦ **mode** ou **consignes d'utilisation** instructions for use ✦ **frais d'utilisation** running expenses ou costs ✦ **la période d'utilisation d'un bien** the economic life of a good ✦ **taux d'utilisation** utilization rate ou ratio ✦ **utilisation finale** end use ✦ **utilisation de fonds** (Fin) application of funds.

**utiliser** /ytilize/ **VT** (gén) to use; appareil, système to use, utilize; avantage to make use of.

**utilitaire** /ytilitɛʀ/ **ADJ** utilitarian; (Inf) utility ✦ **articles utilitaires** utility goods ✦ **calculs utilitaires** utilitarian calculations ✦ **conception / produit utilitaire** functional ou utilitarian design / product ✦ **logiciel utilitaire** utility software ou program ✦ **véhicule utilitaire** commercial vehicle ◼ **NM** (= véhicule) commercial vehicle; (Inf) utility.

**utilité** /ytilite/ **NF** a usefulness, use ✦ **d'une grande utilité** very useful, of great use ou usefulness ✦ **d'aucune utilité** of no use ou help ✦ **sans utilité** useless b (Écon) utility ✦ **utilité marginale** marginal utility ✦ **fonction d'utilité** utility function ✦ **expropriation pour cause d'utilité publique** expropriation for public purposes, compulsory purchase (Brit), condemnation of property (US) ✦ **travaux d'utilité collective** community jobs ✦ **reconnu** ou **déclaré d'utilité publique** state-approved ✦ **valeur d'utilité** utility value.

# V

**V.** abrév de **voir** abrév de **voyez.**

**vacance** /vakɑ̃s/ NF [a] (= poste) vacancy, job opening ◆ **combler une vacance, suppléer à une vacance** to fill a vacancy [b] (Jur) ◆ **vacance de succession** abeyance of succession [c] (= congé) ◆ **vacances** (= nfpl) holiday(s) (Brit), vacation (US) ◆ **une semaine de vacances** a week's holiday ◆ **les vacances d'été, les grandes vacances** the summer holidays ◆ **vous avez droit à six semaines de vacances dans l'année** you are entitled to six weeks' holiday in the year ◆ **être en vacances** (gén) to be on holiday ou vacation; [parlement, tribunal] to be in recess.

**vacant, e** /vakɑ̃, ɑ̃t/ ADJ vacant ◆ **poste vacant** vacancy, vacant position, job opening ◆ **pourvoir un poste vacant** to fill a vacancy ◆ **succession vacante** estate in abeyance.

**vacataire** /vakatɛʀ/ ADJ part-time ◆ **personnel vacataire** part-time staff NMF part-time employee.

**vacation** /vakasjɔ̃/ NF [a] (= travail) part-time work; (= honoraires) part-time fees ◆ **il est payé en vacations** he is paid on a part-time fee basis [b] (Jur = vacances) vacations, recess.

**vache** /vaʃ/ NF ◆ **vache à lait** (Fin) cash cow.

**Vaduz** /vadyz/ N Vaduz.

**vague** /vag/ NF wave ◆ **vague de protestations** wave of protest ◆ **le secteur bancaire a été affecté par une vague de ventes** bank shares were affected by a spate of selling orders.

**valable** /valabl(ə)/ ADJ raison, papiers d'identité, accord valid ◆ **valable jusqu'au 31 juillet** valid until July 31 ◆ **ce ticket est valable 2 mois** this ticket is available ou valid for 2 months ◆ **mon passeport n'est plus valable** my passport has lapsed ◆ **quittance valable** valid ou proper ou good receipt.

**valeur** /valœʀ/ NF [a] (gén) value; (= prix) price; (= coût) cost ◆ **quelle est la valeur de cet immeuble?** what is this building worth? ◆ **prendre / perdre de la valeur** to go up / down in value, gain / lose in value ◆ **cet objet est sans valeur** this object is worthless ou valueless, this object is of no value ◆ **de valeur** valuable, of value ◆ **objets de valeur** valuables ◆ **échantillon sans valeur** (sur paquet) no commercial value ◆ **mettre un terrain en valeur** to exploit ou develop a piece of land ◆ **analyse de la valeur** value analysis [b] (= titre boursier) security ◆ **valeurs** securities, stock, stocks and shares ◆ **valeurs cuprifères / minières / pétrolières** copper / mining / oil shares ou securities ou stock ◆ **valeurs industrielles** industrials, industrial shares ◆ **Bourse de valeurs** securities market, stock exchange ou market [c] (= effet de commerce) bill (of exchange) ◆ **escompter une valeur** to discount a bill [d] (Banque) ◆ (date ou jour de) **valeur** value date ◆ **valeur ce jour** value today ◆ **valeur le 6 novembre** payable on November 6 [e] (Compta) asset ◆ **les stocks sont des valeurs d'exploitation** stocks are working assets ◆ **l'entreprise a réduit ses valeurs immobilisées** the company has reduced its fixed assets ◼ Voir encadrés pages suivantes

**validable** /validabl(ə)/ ADJ (= ouvrant droit à pension) pensionable.

**validation** /validasjɔ̃/ NF [contrat, passeport, billet] validation; (= certification) [acte] authentication; [testament] probate ◆ **le projet sera sou-**

mis au groupe de travail pour validation theproject will be submitted to the work group for approval ou for vetting ✦ **validation d'une obligation** (Bourse) execution of a bond ✦ **sous-programme de validation** (Inf) vetting routine ✦ **passage de validation** (Inf) vetting run.

**valide** /valid/ **ADJ** billet, document valid ✦ **mon passeport n'est plus valide** my passport has lapsed ou is no longer valid.

**valider** /valide/ **VT** (= rendre valable) billet, passeport, contrat to validate; (= déclarer authentique) acte to authenticate; (= approuver) projet to

─────── compounds/composés ───────

### VALEUR

* **valeur absolue** absolute value
* **valeur d'achat** acquisition cost
* **valeur d'acquisition** acquisition cost
* **valeur active** asset
* **valeur actualisée** (discounted) present ou current value ✦ **valeur actualisée nette** discounted cash flow
* **valeur actuelle** present ou current value, present worth, market value ✦ **valeur actuelle nette** net present value
* **valeurs admises à la cote** listed securities
* **valeur agréée** (Ass Mar) agreed valuation ✦ **clause valeur agréée** agreed valuation clause
* **valeur ajoutée** added value ✦ **taxe sur la valeur ajoutée** value-added tax
* **valeur après amortissement** amortized value
* **valeur assurable** insurable value
* **valeur d'assurance** insurance value, value of the insurance carried
* **valeur assurée** insured value
* **valeur attribuée** stated value
* **valeur d'aujourd'hui** value today
* **valeur en baisse** loser
* **valeurs de bonne livraison** good delivery shares
* **valeur boursière** (estimation) market value, value on the open market; (= titre) stock exchange security
* **valeur brute** gross value
* **valeur de capitalisation** capital value, capitalized value
* **valeur de casse** ou **à la casse** scrap value, breaker's value
* **valeur comptable** book value ✦ **valeur comptable nette** net book value ✦ **valeur comptable résiduelle** amortized value
* **valeur au comptant** (estimation) cash value; (= titre) security dealt in for cash
* **valeur en compte** value in account
* **valeur constatée par expertise** appraised value
* **valeur de continuation** going concern value
* **valeur de construction** (Ind) construction value
* **valeur corporelle nette** tangible net worth
* **valeurs cotées en Bourse** listed securities, securities quoted on the stock exchange
* **valeurs de coulisse** unlisted securities
* **valeur courante** present ou current value, present worth, market value
* **valeur de croissance** (Bourse) growth stock
* **valeur cyclique** (Bourse) cyclical stock ou play

* **valeur déclarée** declared value
* **valeur défensive** (Bourse) defensive stock ou play
* **valeur demain** value tomorrow
* **valeurs détenues en portefeuille** paper assets
* **valeurs de deuxième catégorie** private sector stock ou securities
* **valeurs disponibles** liquid ou available assets ✦ **valeurs disponibles et réalisables** current assets less stock, quick assets, realizable assets
* **valeur de douane** ou **en douane** customs valuation, value for customs purposes
* **valeur d'échange** exchange value, value in exchange
* **valeur à l'échéance** maturity value
* **valeur aux échéances** cash at maturity
* **valeur effective** actual ou real value
* **valeur à l'encaissement** value for collection
* **valeur enregistrée** registered value
* **valeur escomptée** discounted value, prospective value
* **valeur en espèces** cash value
* **valeur estimative** appraised ou estimated value
* **valeur à l'état avarié** (Ass) damaged value
* **valeur à l'état sain** (Ass) sound value
* **valeurs étrangères** foreign securities ou stock
* **valeur d'expertise** appraised value
* **valeurs d'exploitation** operating ou working assets, stock and raw materials
* **valeur faciale** [monnaie] nominal ou face value, face amount (US)
* **valeur de facture** invoice value
* **valeur à la ferraille** scrap value
* **valeur fiscale** assessed value ou valuation
* **valeur fournie** value received ✦ **clause de valeur fournie** value given clause, valuation clause
* **valeur en gage** ou **en garantie** pledged security
* **valeur en hausse** winner
* **valeurs immobilisées** fixed assets, capital assets
* **valeur d'impact** (Pub) exposure value
* **valeur imposable** assessed value, value for tax purposes, rateable value (Brit)
* **valeurs industrielles** industrial shares, industrials
* **valeurs inscrites à la cote** listed securities
* **valeur intrinsèque** intrinsic value
* **valeur d'inventaire** stocktaking value
* **valeur d'isolement** (Pub) solus value

approve, vet *(Inf = vérifier)* to vet ◆ **valider un testament** to probate a will ◆ **valider un service antérieur** to count previous service.

**validité** /validite/ **NF** *(gén)* validity; *[ticket]* availability, validity ◆ **contrôle de validité** *(Inf)* validity check ◆ **durée de validité d'une police** currency of a policy ◆ **quelle est la durée de validité de cette carte?** how long is this card valid? ◆ **admettre la validité d'une réclamation** to allow a claim.

**valise** /valiz/ **NF** ◆ **valise diplomatique** diplomatic bag *(Brit)* ou pouch *(US)*.

―――― *compounds/composés* ――――

## VALEUR

◆ **valeur latente** underlying value
◆ **valeur de liquidation, valeur liquidative** *[fonds d'investissement]* liquidation value, net asset value; *[entreprise]* breakup ou windup value
◆ **valeur locative** rental value
◆ **valeur marchande** market ou commercial ou sale value
◆ **valeurs matérielles** tangible assets
◆ **valeur mathématique comptable** book value ◆ **valeur mathématique comptable par action** value asset per share
◆ **valeurs mobilières** (transferable) securities, stocks and bonds ◆ **valeurs mobilières de placement** *(Acc)* investment securities
◆ **valeur monétaire** money value
◆ **valeurs mono-produit** *stocks of a company which focuses on one given product*
◆ **valeurs négociables** marketable securities, negotiable instruments
◆ **valeur nette** net worth ◆ **valeur nette après amortissement** amortized value ◆ **valeur nette comptable** net asset value, book value ◆ **valeur nette réelle** equity value
◆ **valeur à neuf** replacement value ou cost, value as new
◆ **valeur nominale** nominal ou face value, face amount *(US)*
◆ **valeurs non admises à la cote officielle** unlisted securities
◆ **valeurs non cotées** unlisted securities
◆ **valeur objective** objective value
◆ **valeur d'origine** historical cost
◆ **valeur au pair** par value, value at par
◆ **valeurs de père de famille** blue chip ou gilt-edged securities, blue chips
◆ **valeur phare** *(Bourse)* leader, leading share, high-flying stock, high-flier, floater *(US)*
◆ **valeur pilote** *(Bourse)* leader, leading share, high-flying stock, high-flier, floater *(US)*
◆ **valeurs de placement** investment securities
◆ **valeurs de portefeuille** portfolio securities
◆ **valeurs de première catégorie** public sector stock ou securities
◆ **valeur de premier ordre** blue chip
◆ **valeur de rachat** *(Bourse)* redemption value; *(Ass)* (cash) surrender value
◆ **valeur de rareté** scarcity value
◆ **valeurs réalisables** realizable assets, quick assets
◆ **valeur de réalisation** realization value, realizable value

◆ **valeur de rebut** scrap value
◆ **valeur de reconstitution** replacement value ou cost
◆ **valeur en recouvrement** bill for collection
◆ **valeur reçue** for value received
◆ **valeur de récupération** salvage value
◆ **valeur refuge** safe investment
◆ **valeur de remboursement** redemption price
◆ **valeur de remplacement** replacement value ou cost
◆ **valeur de rendement** *(= évaluation)* capital value; *(Bourse)* income stock
◆ **valeur reportable** *(Bourse)* contangoable stock
◆ **valeur de reprise** trade-in value ou allowance
◆ **valeur résiduelle** salvage ou residual value
◆ **valeur en retard** laggard (stock)
◆ **valeur de retournement** recovery stock ou play
◆ **valeur de revente** resale value
◆ **valeur à revenu fixe / variable** fixed-yield / variable-yield security, fixed-interest / variable-interest security
◆ **valeurs de spéculation** speculative securities ou stock
◆ **valeur subjective** subjective value
◆ **valeur support** *(d'une option)* underlying instrument
◆ **valeurs sûres** gilts, gilt-edged securities, blue chips
◆ **valeurs tangibles** tangible assets
◆ **valeur taux** *(Bourse)* interest-rate stock ou play
◆ **valeurs technologiques** technology stocks, techs
◆ **valeur temps** time value
◆ **valeurs de tendance** barometer stock
◆ **valeurs à terme** forward securities, securities dealt in for the account ou the settlement
◆ **valeur TMT** TMT stock
◆ **valeur de tout repos** gilt-edged security, blue chip
◆ **valeur de transaction** transaction value
◆ **valeur travail** work value
◆ **valeur unitaire** unit value
◆ **valeur d'usage** value in use, use value
◆ **valeur (d')utilité** utility value
◆ **valeurs vedettes** leaders, leading shares, high-flying stock, high-fliers, floaters *(US)*
◆ **valeur vénale** market ou sale ou trade value
◆ **valeur verte** *(Bourse)* green stock.

**valoir** /valwaʀ/ **VI** a *[propriété, produit]* to be worth ✦ **valoir 1 500 euros / une somme importante** to be worth 1,500 euros / a large amount of money ✦ **cela vaut de l'argent** it's worth money ✦ **valoir cher** to be worth a lot, be expensive ✦ **valoir plus cher** to be worth more, be more expensive, cost more ✦ **combien cela vaut-il?** how much is it?, how much does it cost? ✦ **cela vaut 10 livres** it costs £10 ✦ **ce champagne vaut 250 euros le carton de 12 bouteilles** this champagne sells at *ou* costs *ou* is worth 250 euros for a 12-bottle case b *(= s'appliquer)* to apply *(à* to) ✦ **ce règlement vaut pour tous les membres du personnel** this rule applies *ou* is applicable to all staff members ✦ **cette idée ne vaut pas pour le marché italien** that idea doesn't hold for the Italian market c *(Comm)* ✦ **à valoir** to be deducted, on account ✦ **paiement / acompte à valoir sur...** payment / deposit to be deducted from...., in part payment of... ✦ **j'ai payé 500 euros à valoir** I paid 500 euros on account ✦ **100 dollars à valoir sur votre prochaine facture** $100 credit against your next invoice d **faire valoir** *domaine* to exploit, develop; *argent* to invest profitably, invest to good account ✦ **faire valoir ses droits** to assert *ou* establish one's rights ✦ **il peut faire valoir ses droits à la retraite** he is eligible for retirement.

**valorisation** /valɔʀizasjɔ̃/ **NF** a *(= mise en valeur) [terrain]* development b *(= évaluation) [élément d'actif]* valuation; *[stock]* pricing, (cost) valuation c *(= augmentation) [monnaie]* rise; *[titre boursier]* gain, rise *(de* in); *(Admin) [produit]* valorization ✦ **la valorisation du yen** the rise in the yen.

**valoriser** /valɔʀize/ **VT** a *(= mettre en valeur)* terrain to develop b *(= évaluer)* bien, propriété to value ✦ **valoriser les éléments de stock** to cost *ou* value *ou* price the stock items, obtain a cost valuation of the stock items c *(= augmenter la valeur de) (Admin)* produit to valorize, raise the price of ✦ **savoir valoriser ses actifs** to know how to enhance the value of one's assets
**se valoriser** **VPR** *[investissement]* to rise in value.

**VAN** /veaɛn/ **NF** (abrév de **valeur actuelle nette**) NPV.

**vanne** /van/ **NF** *[barrage]* floodgate ✦ **ouvrir les vannes de l'immigration** to open the immigration floodgates.

**vanter** /vɑ̃te/ **VT** *produit* to praise, vaunt, talk up.

**variabilité** /vaʀjabilite/ **NF** variability, variableness.

**variable** /vaʀjabl(ə)/ **ADJ** *(gén)* variable; *taux de change* fluctuating ✦ **obligations à revenu variable** variable-yield *ou* variable-interest bonds ✦ **prêt à taux variable** variable-interest *ou* variable-rate loan ✦ **société d'investissement à capital variable** open-end investment company, unit trust *(Brit)*, mutual fund *(US)* ✦ **charges** *ou* **frais variables** variable expenses ✦ **coûts variables** variable costs ✦ **méthode des coûts variables** *(Compta)* variable costing, marginal costing *(Brit)*, direct costing *(US)*
**NF** variable ✦ **variable d'ajustement** adjustment variable ✦ **variable aléatoire** random variable ✦ **variable à deux états** two-state variable ✦ **variable dépendante** *ou* **endogène** *ou* **expliquée** dependent variable ✦ **variable indépendante** *ou* **exogène** *ou* **explicative** independent variable.

**variance** /vaʀjɑ̃s/ **NF** *(Stat)* variance ✦ **analyse de variance** variance analysis ✦ **variance de l'échantillon / de l'erreur** sampling / error variance.

**variante** /vaʀjɑ̃t/ **NF** variant *(de* of) variation *(de* on)

**variation** /vaʀjasjɔ̃/ **NF** variation ✦ **il faut tenir compte des variations de la demande** demand fluctuation must be taken into account ✦ **variations en baisse / en hausse** downward / upward variations *ou* fluctuations ✦ **variations cycliques** cyclical variations ✦ **variations brusques des cours** *(Bourse)* price swings ✦ **variations de prix** price changes *ou* fluctuations ✦ **variations de stocks** changes in stocks *(Brit)* *ou* inventories *(US)* ✦ **variations de la situation nette** *(Compta)* changes in net worth ✦ **corrections des variations saisonnières** seasonal adjustment ✦ **statistiques / données corrigées des variations saisonnières** seasonally adjusted statistics / figures ✦ **les bons du Trésor ont enregistré des variations de l'ordre de + 0,10% à + 0,25%** treasury bonds hovered between + 0.10% and + 0.25%.

**varier** /vaʀje/ **VI** *(gén)* to vary; *[cours, taux]* to fluctuate, vary, change ✦ **les prix varient entre 100 livres et 500 livres** prices range from £100 to £500 ✦ **les prix varient tous les jours** prices vary *ou* change *ou* fluctuate every day ✦ **faire varier les prix** to vary *ou* change prices.

**variété** /vaʀjete/ **NF** variety ✦ **il y a une grande variété de produits dans ce supermarché** there is a great variety *ou* a wide range of products in this supermarket.

**Varsovie** /vaʀsɔvi/ **N** Warsaw.

**Vatican** /vatikɑ̃/ **NM** le Vatican the Vatican.

**vatu** /vatu/ **NM** vatu.

**VDQS** (abrév de **vin délimité de qualité supérieure**) *label guaranteeing a wine as being of good quality from a designed vineyard.*

**vds** abrév de **vends**.

**vecteur** /vɛktœʀ/ NM vector ✦ **générateur de vecteurs** vector generator ✦ **le minitel est un excellent vecteur de diffusion pour l'EAO** the minitel is a fine vehicle for the distribution of CAL.

**vectoriel, -elle** /vɛktɔʀjɛl/ ADJ vectorial ✦ **calcul vectoriel** vector analysis ✦ **ordinateur vectoriel** vector computer.

**vectorisé, e** /vɛktɔʀize/ ADJ vectored.

**vedette** /vədɛt/ NF star ✦ **produit vedette** star product, leading product, flagship product ✦ **valeurs vedettes, vedettes de la cote** (Bourse) leaders, leading shares, high-flying stock, high-fliers, glamour stocks, floaters (US).

**véhicule** /veikyl/ NM a (= voiture) vehicle ✦ **véhicule utilitaire** commercial vehicle b (= moyen) medium (Bourse = instrument) instrument; (= investissement) investment ✦ **la radio est un excellent véhicule pour faire connaître ce service** the radio is an excellent vehicle ou medium for making this service known ✦ **véhicule de croissance** growth investment ✦ **un excellent véhicule pour jouer les TMT** an excellent TMT play, an excellent way to play TMTs ✦ **véhicule de placement** investment instrument.

**véhiculer** /veikyle/ VT marchandises to transport, convey; message, informations to convey, serve as a vehicle for, communicate.

**veille** /vɛj/ NF ✦ **veille technologique** (Ind) technological scanning ou watch.

**veilleuse** /vɛjøz/ NF ✦ **mettre en veilleuse** projet to put on the back burner.

**vélocité** /velɔsite/ NF (Écon) velocity.

**vénal, e,** MPL **-aux** /venal, o/ ADJ a (Comm) marketable, saleable ✦ **poids vénal** usual selling weight ✦ **valeur vénale** market ou sale ou trade value b personne venal, mercenary; activité venal.

**vénalité** /venalite/ NF venality.

**vendable** /vãdabl(ə)/ ADJ saleable, marketable ✦ **ces produits sont facilement / peu vendables** these products are easy / hard to sell ✦ **votre idée n'est pas vendable** you'll never sell that idea.

**venderesse** /vãdʀɛs/ ADJ (Jur, Admin) vending, selling

NF (Jur, Admin) vendor, vender, seller.

**vendeur** /vãdœʀ/ NM a [boutique] shop assistant; [grand magasin] shop ou sales assistant, salesman, salesperson, sales clerk (US) b (= marchand) seller, salesman ✦ **vendeur ambulant** itinerant salesman ✦ **vendeur d'espace** (Pub) space seller, advertising salesman ✦ **vendeur de journaux** newsvendor, newspaper seller ✦ **vendeur à la sauvette** (gén) street hawker; (de billets) ticket tout c (= représentant de commerce) salesman, sales representative, sales rep ✦ **c'est un bon vendeur** he is a good salesman ✦ **vendeur à domicile** door-to-door salesman ✦ **vendeur par téléphone** telesales operator d (Écon) seller ✦ **un marché réunit des acheteurs et des vendeurs** a market brings together buyers and sellers ✦ **je suis vendeur** I'm selling ✦ **les pays vendeurs de matières premières** the countries which sell raw materials ✦ **les pays vendeurs de sucre** the sugar-selling countries ✦ **marché vendeur** seller's market e (Bourse) seller ✦ **vendeur à découvert** short ou bear seller ✦ **vendeur de l'option** seller of the option ✦ **cours vendeur** selling price ✦ **position vendeur** bear ou short position f (Jur, Admin) vendor, vender, seller g **cet emballage n'est pas très vendeur** this packing doesn't sell well ou does not induce people to buy ✦ **elle a un discours très vendeur** she talks very persuasively ✦ **slogan vendeur** catchy slogan.

**vendeuse** /vãdøz/ NF a [boutique] shop assistant; [grande surface] shop ou sales assistant, saleswoman, saleslady, salesperson, sales clerk (US) ; (= jeune fille) salesgirl b (= marchande) seller, saleswoman c (= représentante) saleswoman, sales representative ✦ **vendeuse par téléphone** telesales operator.

**vendre** /vãdʀ(ə)/ VT a to sell ✦ **vendre un produit à qn** to sell sb a product, sell a product to sb ✦ **à quel prix vendez-vous ces lampes?** what price are you asking for those lamps? ✦ **il m'a vendu une voiture 15 000 euros** he sold me a car for 15,000 euros ✦ **l'art de vendre** salesmanship, the art of selling ✦ **ce magasin vend cher** this shop is expensive ou dear ✦ **la publicité fait vendre** advertising boosts sales ou gets things sold ✦ **vendre moins cher que qn** to sell cheaper than sb, undersell sb ✦ **vendre sa part d'une affaire** to sell (out) one's share of a business ✦ **ils ont vendu tout leur vieux stock** they sold off all their old stock ✦ **acheter est plus difficile que vendre** buying is harder than selling ✦ **usine à vendre** factory for sale b **vendre au comptant** to sell for cash ✦ **vendre par correspondance** to sell by mail order ◆ **vendre à crédit** to sell on credit ◆ **vendre à découvert** *(Bourse)* to sell short, go *ou* sell a bear, bear the market ◆ **vendre qch au détail** to retail sth ◆ ils **vendent au détail** they are retailers ◆ **vendre à domicile** to sell door-to-door ◆ **vendre aux enchères** to auction, sell by auction *ou* at an auction ◆ **vendre qch en gros** to wholesale sth ◆ **vendre à perte** to sell at a loss ◆ **vendre à prix coûtant** to sell at cost (price) ◆ **vendre à la sauvette** *(gén)* to hawk *ou* peddle on the street *(without authorization)* ; *billets* to tout ◆ **vendre à tempérament** to sell on the instalment plan, sell on deferred (payment) terms, sell on credit ◆ **vendre à terme** *(gén)* to sell on credit; *(Bourse)* to sell for the settlement *ou* the account; *(Bourse de marchandises)* to sell for future delivery; *(marché des changes)* to sell forward

**se vendre** ⓥ to sell, be sold ◆ **se vendre à la pièce** to be sold singly ◆ **se vendre cher** to fetch a high price ◆ **ces produits se vendent bien** these products sell well *ou* are quick sellers *ou* find a ready sale ◆ **ils se vendent comme des petits pains** they are selling like hot cakes ◆ **ces chemises se vendent à 25 livres** these shirts sell for *ou* fetch £25 ◆ **nous**

devons remplacer les articles qui se vendent mal we must replace the slow sellers.

**vendredi** /vɑ̃dʀədi/ **NM** Friday → **samedi.**

**vendu, e** /vɑ̃dy/ **ADJ** *(aux enchères)* ◆ une fois, deux foix, trois fois, vendu! going, going, gone!.

**Venezuela** /venezɥela/ **NM** Venezuela.

**vénézuélien, -ienne** /venezɥeljɛ̃, jɛn/ **ADJ** Venezuelan

**Vénézuélien** **NM** *(= habitant)* Venezuelan
**Vénézuélienne** **NF** *(= habitante)* Venezuelan.

**vent** /vɑ̃/ **NM** wind ◆ **vent de panique / de folie** wave of panic / of madness.

**vente** /vɑ̃t/ **NF** **a** *(= action)* sale, selling; *(= technique)* selling ◆ **la vente de produits pharmaceutiques est réservée aux pharmacies** the sale *ou* the selling of pharmaceutical products is restricted to pharmacies ◆ **être en vente libre** *(gén)* to be freely sold, have no sales restrictions; *(sans ordonnance)* to be sold without prescription ◆ **en vente chez tous les libraires** on sale in all bookshops *ou* at all booksellers ◆ **tous les articles exposés sont en vente** all

*compounds/composés*

**VENTE**

- **vente à l'acquitté** sale ex-bond, duty-paid sale
- **vente par adjudication** *(gén)* sale by auction, auction (sale); *(marché public)* sale by tender
- **vente à l'amiable** private sale, sale by private agreement *ou* contract
- **ventes à la boule de neige** snowballing sales
- **ventes brutes** gross sales
- **ventes CAF** CIF sales
- **vente sur catalogue** *(= action, technique)* mail order selling ◆ **les ventes sur catalogue** mail order sales
- **vente de charité** charity sale, sale of work, jumble sale, bazaar
- **vente à la commission** sale on commission
- **vente au comptant** *(gén)* cash sale; *(Bourse)* spot selling
- **vente à condition** sale or return ◆ **la vente à condition se pratique dans la distribution des magazines** a sale or return basis is used for magazine distribution
- **vente sous condition** conditional sale
- **vente en consignation** consignment sale
- **vente par correspondance** *(= action, technique)* mail-order selling; *(= résultat)* mail-order sale ◆ **société / catalogue de vente par correspondance** mail-order business / catalogue
- **vente au cours (du marché)** sale at market rate
- **vente à crédit** credit sale

- **vente à découvert** *(Bourse des valeurs)* bear sale, short sale; *(Bourse des marchandises)* selling of futures
- **vente sur description** sale by description
- **vente en dépôt** consignment sale
- **vente au détail** *(= action)* retail selling; *(= profession)* retail trade; *(= résultat)* retail sale
- **vente directe** *(= action, technique)* direct selling; *(= résultat)* direct sale
- **vente contre documents** sale against documents
- **vente à domicile** *(= action, technique)* door-to-door *ou* house-to-house selling; *(= résultat)* door-to-door sale
- **vente sur échantillon** sale on sample
- **vente émotionnelle** emotional sale
- **vente à l'encan** auction (sale), sale by auction
- **vente aux enchères** auction (sale), sale by auction
- **vente en entrepôt** *(Douanes)* sale in bonded warehouse
- **vente à l'essai** sale on approval *ou* trial
- **vente d'espace** *(Pub)* space selling
- **vente dans l'état** sale as seen *ou* as is
- **vente à l'exportation** *(= action)* export selling; *(= résultat)* export sale
- **vente ferme** firm sale
- **vente fictive** *(gén)* fictitious sale; *(Bourse)* wash sale

(the) goods on show are for sale ✦ **offrir à la vente** to offer for sale ✦ **article de grande vente** bestseller, best-selling item ✦ **articles de bonne vente** ou **de vente facile** quick sellers, quick-selling articles ✦ **mettre en vente** *produit* to put on sale, put on the market; *maison, objet personnel* to put up for sale ✦ **la mise en vente du produit est prévue pour novembre** the product is due to be put on the market in November ✦ **retirer de la vente** to withdraw from sale ✦ **la vente du vieux stock a été très difficile** selling off the old stock was very difficult, the sale of the old stock was very difficult ✦ **l'art de la vente** salesmanship, the art of selling ✦ **vente au distributeur** selling-in ✦ **vente au consommateur** *(par le distributeur)* selling-out ✦ **nous ne pratiquons pas la vente agressive** we do not go in for high-pressure selling ou salesmanship, we do not go in for hard selling **b** *(= résultat, transaction)* sale ✦ **le produit de la vente** the proceeds of the sale ✦ **les ventes de téléviseurs sont en baisse** sales of TV sets are declining ✦ **les ventes de voitures augmentent** car sales are increasing ✦ **réaliser une vente** to make a sale **c** *(= activité commerciale)* sales (pl) ✦ **il est dans la vente** he's in sales ✦ **il a une grande expérience de la vente** he has considerables sales experience **d** *(Fin = chiffre d'affaires)* ✦ **les ventes** sales, turnover *(Brit)* ✦ **les ventes pour le premier trimestre ont atteint 2 millions d'euros** first quarter sales ou the turnover for the first quarter reached 2 million euros **e** *(= foire, braderie)* sale ✦ **acheter qch dans une vente** to buy sth in a sale **f** **acte de vente** bill of sale, sale contract ✦ **argument de vente** selling point ou proposition ✦ **bureau de vente** sales office ✦ **campagne de vente** sales ou selling campaign, sales ou selling drive ✦ **chiffres des ventes** sales figures ✦ **commission de vente** selling commission, sales commission ✦ **compte de vente** sales account ✦ **conditions de vente** terms of sale, conditions of sale ✦ **contrat de vente** *[bien]* bill of sale, sale contract; *[marchandises]* sales contract, sales agreement ✦ **cours de vente** *(Bourse)* selling price; *(marché des changes)* selling rate ✦ **directeur** ou **chef des ventes** sales manager, merchandizing manager *(US)* ✦ **direction des ventes** sales management ✦ **équipe de vente** sales force ✦ **facture de vente** sales invoice ✦ **force de vente** sales force ✦ **frais de vente** selling costs ou expenses ✦ **grand livre des ventes** sales ledger ✦ **journal des ventes** sales book ou

*compounds/composés*

### VENTE

- **vente par filière** sale by connected contract
- **vente de fin de saison** end-of-season sale
- **vente forcée** compulsory ou forced sale *(Mktg = technique)* high-pressure sale
- **vente de gré à gré** private sale, sale by private agreement ou contract ou treaty
- **vente en gros** *(= action)* wholesaling; *(= profession)* wholesale trade; *(= résultat)* wholesale sale ✦ **ils font de la vente en gros** they are wholesalers ✦ **les ventes en gros ont diminué cette année** wholesale trading has fallen off this year
- **vente groupée** tie-in sale, banded pack ou offer, joint-product offer
- **ventes induites** related sales
- **vente judiciaire** judicial sale, auction by order of the court
- **vente jumelée** tie-in sale, banded pack ou offer, joint-product offer
- **ventes liées** related sales
- **vente de liquidation** winding-up sale, close-out sale
- **vente à livrer** *(Bourse)* sale for delivery, forward sale
- **ventes nettes** net sales
- **vente à perte** sale at a loss, leader pricing ou merchandising
- **vente de porte à porte** *(= action, technique)* door-to-door selling; *(= résultat)* door-to-door sale
- **vente à prix réduit** discount sale, sale at a reduced price

- **vente à la profession** trade sale
- **vente promotionnelle** promotional ou bargain sale
- **vente publique** public sale ou auction
- **vente pyramidale** pyramid selling
- **vente sur qualité vue** sale on approval
- **vente au rabais** discount sale, sale at reduced prices
- **vente rapide** quick sale, ready sale
- **vente-réclame** bargain sale
- **vente contre remboursement** cash-on-delivery sale
- **vente avec reprise** *(de l'ancien appareil)* trade-in; *(des invendus)* sale or return
- **vente à réméré** sale with option of repurchase
- **vente à la sauvette** (unauthorized) street hawking ou peddling; *[billets]* touting
- **vente par souscription** sale by subscription
- **vente par téléphone** *(= action, technique)* telephone selling; *(= résultat)* telesale, telephone sale
- **vente à tempérament** *(= technique)* credit ou instalment selling; *(= transaction)* credit ou instalment sale, sale on deferred (payment) terms, hire-purchase sale *(Brit)*
- **vente à terme** *(gén)* credit sale; *(Bourse)* sale for the account ou settlement; *(Bourse des changes)* forward sale; *(Bourse des marchandises)* futures sale
- **vente en vrac** *(= action)* bulk selling; *(= résultat)* bulk sale

ledger ◆ **lieu de vente** point of sale ◆ **publicité sur le lieu de vente** point-of-sale *ou* point-of-purchase advertising ◆ **livre des ventes** sales day book, sales journal ◆ **location-vente** hire purchase ◆ **méthodes de vente** selling practices ◆ **objectif de vente** sales target *ou* objective ◆ **option de vente** *(Bourse)* option to sell, put option ◆ **ordre de vente** *(Bourse)* selling order ◆ **point de vente** *(= magasin)* sales *ou* retail outlet *(Mktg = lieu de vente)* point of sale ◆ **prévisions de vente** sales forecast *ou* projection ◆ **prix de vente** selling price ◆ **promesse de vente** promise of sale, sales agreement ◆ **produit des ventes** *(Compta)* sales revenue, revenue from sales ◆ **promotion des ventes** sales promotion ◆ **rendus sur ventes** sales returns ◆ **réseau de vente** sales network ◆ **salle des ventes** sale(s)room, auction room ◆ **sauf vente** subject unsold ◆ **secteur de vente** *[vendeur]* sales area *ou* territory; *[entreprise]* sales *ou* trading area ◆ **service après-vente** after-sales service ◆ **service des ventes** sales department ◆ **syndicat de vente** *(Bourse)* selling group ◆ **techniques de vente** selling *ou* sales techniques

**ventilation** /vɑ̃tilasjɔ̃/ NF a *(= décomposition)* *[coûts, résultats, ventes]* breakdown ◆ **nous avons préparé une ventilation des coûts de commercialisation par secteur et par produit** we have made an analysis *ou* a breakdown of marketing costs by sector and by product ◆ **la ventilation des prix de revient révèle quelques anomalies** the cost breakdown *ou* distribution *ou* analysis shows up several problems b *(Compta = répartition)* apportionment, allocation, distribution ◆ **la ventilation des charges entre les différents comptes** the allocation *ou* apportionment of expenses to the various accounts.

**ventiler** /vɑ̃tile/ VT *(= décomposer)* coûts, résultats, ventes to break down; *(Compta = répartir)* to apportion, allocate ◆ **ventiler les dépenses entre les différents comptes** to allocate *ou* apportion expenses to the various accounts.

**vépéciste** /vepesist/ NM mail-order firm.

**verbal, e,** MPL **-aux** /vɛʀbal, o/ ADJ verbal ◆ **convention verbale, accord verbal** verbal agreement.

**verdict** /vɛʀdik(t)/ NM verdict ◆ **rendre** *ou* **prononcer un verdict** to return *ou* bring in a verdict ◆ **verdict de culpabilité / d'acquittement** verdict of guilty / not guilty.

**véreux, -euse** /veʀø, øz/ ADJ financier, avocat dubious, shady ◆ **affaire véreuse** bubble scheme ◆ **société véreuse** bogus company.

**vérificateur, -trice** /veʀifikatœʀ, tʀis/ NM,F *(gén)* controller, checker, examiner; *(Admin)* inspector; *(Fin)* auditor; *(Impôts)* (tax) auditor *ou* inspector ◆ **vérificateur des douanes** customs inspector ◆ **vérificateur des comptes, vérificateur comptable** auditor ◆ **vérificateur général** *(au Canada)* Auditor General ◆ **vérificateur interne / externe** internal / external auditor ◆ **vérificateur des poids et mesures** inspector of weights and measures.

**vérification** /veʀifikasjɔ̃/ NF a *(= action)* *(gén)* checking, examination; *(Admin)* inspection; *(Fin)* auditing ◆ **balance de vérification** trial balance ◆ **la vérification de ce compte m'a pris longtemps** checking this account took me a long time ◆ **la vérification annuelle des comptes est une obligation légale** the annual auditing of the account is a legal obligation b *(= résultat)* *(gén)* check, control, examination; *(Admin)* inspection; *(Fin)* audit ◆ **nous avons procédé à deux vérifications** we carried out two checks ◆ **la vérification annuelle des comptes a été présentée au conseil d'administration** the annual audit of the accounts was presented to the board

————— compounds/composés —————

◆ **vérification analytique** systems-based audit, analytical audit
◆ **vérification du bilan** balance sheet audit
◆ **vérification de clôture** year-end audit
◆ **vérification comptable** (financial) auditing, audit
◆ **vérification continue** continuous audit
◆ **vérification en douane** customs examination
◆ **vérification externe** external audit
◆ **vérification fiscale** tax audit
◆ **vérification d'identité** identity check
◆ **vérification intégrée** comprehensive auditing
◆ **vérification interne** internal audit
◆ **vérification légale** statutory audit
◆ **vérification organisationnelle** management audit
◆ **vérification périodique** interim audit
◆ **vérification permanente** continuous audit
◆ **vérification préalable** pre-audit
◆ **vérification par sondage** audit testing
◆ **vérification des stocks** stock control *ou* check.

**vérifier** /veʀifje/ VT *(gén)* to check, control, examin, verify; *(Admin)* to inspect; *(Fin)* to audit ◆ **en vérifiant nos comptes** on checking our accounts.

**verrou** /veʀu/ NM ◆ **faire sauter un verrou** to unblock a situation, remove an obstacle.

**verrouillage** /veʀuja3/ NM *(= action)* bolting, locking; *(= dispositif)* locking mechanism ◆ **le**

**verrouillage du capital de la société** the lock on the company's capital.

**verrouiller** /vɛʀuje/ **vt** *porte* to bolt, lock; *capital* to lock ◆ **verrouiller un marché** to tie up a market, shut one's competitors out of market ◆ **verrouiller une situation** to get firm control of a situation ◆ **le capital de la société est mal verrouillé** the company's capital ownership does not protect it much.

**versement** /vɛʀsəmɑ̃/ **NM** **a** (= *paiement*) payment ◆ **contre versement de 10 000 euros** against payment of 10,000 euros ◆ **versement comptant** cash *ou* down payment ◆ **j'ai fait un premier versement de 1 000 euros** I made an initial *ou* down payment of 1,000 euros ◆ **versements anticipés** advance *ou* anticipated payments ◆ **versements échelonnés** *ou* **périodiques** instalments, instalment payments ◆ **échelonner des versements sur...** to space out payments over... ◆ **payer par versements échelonnés** *ou* **périodiques** to pay by instalments ◆ **payer par** *ou* **en 36 versements mensuels de 100 euros** to pay in 36 monthly instalments of 100 euros ◆ **versement de libération** last *ou* final instalment ◆ **versement partiel** instalment, part payment ◆ **versement de souscription** *(Bourse)* application money **b** *(sur un compte)* (= *action*) paying in, depositing; (= *somme*) payment, deposit ◆ **versement compensatoire** *(UE)* compensatory payment ◆ **versement de fonds** remittance ◆ **avis de versement** deposit receipt ◆ **bulletin** *ou* **bordereau de versement** credit voucher, paying-in slip *(Brit)*, deposit slip *ou* receipt *(US)* ◆ **carnet de versements** deposit book, paying-in book, bank book *(US)*, passbook *(US)* ◆ **faire un versement à** *ou* **sur un compte** to pay in money to an account, pay money into an account, make a deposit in an account, deposit money in an account.

**verser** /vɛʀse/ **vt** **a** (= *payer*) to pay ◆ **verser de l'argent à** *ou* **sur un compte** to pay in money to an account, pay money into an account, deposit money in an account ◆ **verser un chèque à son compte** to pay in a cheque to one's account, deposit a cheque in one's account ◆ **verser des intérêts / une rente / un salaire à qn** to pay sb interest / a pension / a salary ◆ **verser des arrhes** *ou* **un acompte** to put down *ou* pay a deposit, make a down payment ◆ **verser des fonds dans une affaire** to invest capital in a venture ◆ **verser le solde** to pay the balance ◆ **capitaux versés** paid-up capital ◆ **je leur ai versé 300 livres** I paid them £300 **b** *(Admin = ajouter)* **pièce** to add (*à* to)

**version** /vɛʀsjɔ̃/ **NF** (= *modèle*) version, model.

**verso** /vɛʀso/ **NM** *[page]* back ◆ **signer au verso** to sign on the back ◆ **voir au verso** see over(leaf), please turn over, PTO ◆ **effets comme au verso** *(Fin)* bills as per back.

**vert, verte** /vɛʀ, vɛʀt(ə)/ **ADJ** green ◆ **le billet vert** *(Bourse)* the dollar ◆ **l'Europe verte** European agriculture ◆ **le franc vert** the green franc ◆ **la livre verte** the green pound ◆ **numéro vert** freefone number *(Brit)*, toll-free number *(US)* ◆ **la révolution verte** the green revolution ◆ **donner le feu vert** to give the go-ahead *ou* the green light (*à* to) **les indicateurs sont au vert** lights are on green *ou* on go.

**vertical, e**, **MPL** **-aux** /vɛʀtikal, o/ **ADJ** vertical ◆ **concentration / intégration verticale** vertical concentration / integration.

**vertu** /vɛʀty/ **NF** ◆ **en vertu de** *(règlement)* in accordance *ou* compliance with; *(pouvoirs)* by virtue of, in accordance with.

**vertueux, -euse** /vɛʀtɥø, øz/ **ADJ** virtuous ◆ **cercle vertueux** virtuous circle.

**veto** /veto/ **NM** veto ◆ **mettre** *ou* **opposer son veto à qch** to veto sth ◆ **droit de veto** right of veto.

**vétuste** /vetyst(ə)/ **ADJ** *matériel, locaux* ancient, old, timeworn, antiquated.

**vétusté** /vetyste/ **NF** ◆ **étant donné la vétusté du matériel** given the fact that the equipment is old *ou* antiquated ◆ **clause de vétusté** clause of obsolescence ◆ **coefficient de vétusté** obsolescence ratio.

**via** /vja/ **PRÉP** via ◆ **envoyé via Paris** sent via Paris.

**viabilisé, e** /vjabilize/ **ADJ** *terrain* with services.

**viabiliser** /vjabilize/ **vt** *terrain* to service.

**viabilité** /vjabilite/ **NF** **a** *[route]* practicability; *[terrain]* servicing **b** *[projet]* viability.

**viable** /vjabl(ə)/ **ADJ** viable.

**viager, -ère** /vjaʒe, ɛʀ/ **ADJ** **rente viagère** life annuity ◆ **rentier viager** annuitant ◆ **bien viager** life estate **NM** life income, life annuity ◆ **placer son argent en viager** to invest one's money in a life annuity, invest one's money at life interest ◆ **acheter une maison en viager** to buy a house by paying a life annuity.

**vice** /vis/ **NM** *(Tech)* fault, defect; *(Jur)* flaw

─────── *compounds/composés* ───────

◆ **vice apparent** conspicuous *ou* obvious defect
◆ **vice caché** latent *ou* concealed defect
◆ **vice de construction** construction fault *ou* defect, fault *ou* defect in construction
◆ **vice de forme** legal flaw *ou* irregularity; *(d'un document)* faulty drafting
◆ **vice inhérent** inherent defect
◆ **vice latent** latent defect
◆ **vice propre** inherent defect
◆ **vice rédhibitoire** redhibitory defect.

**vice-** /vis/ **PRÉF** vice- ◆ **vice-présidence** vice-presidency, vice-chairmanship ◆ **vice-président** vice-president, vice-chairman.

**vicier** /visje/ **VT** *(Jur)* to invalidate, make void.

**vicieux, -euse** /visjø, øz/ **ADJ** ◆ **cercle vicieux** vicious circle.

**victime** /viktim/ **NF** *(gén)* victim ◆ **la société a été victime de la flambée des cours du pétrole** the company fell victim to the surge in oil prices.

**Victoria** /viktɔʀja/ **N** Victoria.

**vide** /vid/ **ADJ** empty ◆ **les emballages vides sont repris** the empties are returnable
**NM** **le camion rentre à vide** the lorry is coming back empty, the lorry is coming back with no return load ◆ **navire à vide** ship going light ◆ **fret sur le vide** *(Mar)* dead freight ◆ **emballage sous vide** vacuum packing ◆ **emballé sous vide** vacuum packed ◆ **vide juridique** gap in the law.

**vidéo** /video/ **ADJ INV** video ◆ **image / écran / signal vidéo** video image / screen / signal ◆ **on l'a enregistré sur bande vidéo** we have recorded it on video tape ◆ **logiciel vidéo** videoware
**NF** video ◆ **il fait de la vidéo** *(métier)* he's in video (arts) ◆ **vidéo inverse** *(Inf)* reverse video.

**vidéoachat** /videoaʃa/ **NM** videoshopping.

**vidéocassette** /videokasɛt/ **NF** video cassette.

**vidéoconférence** /videokɔ̃feʀɑ̃s/ **NF** video conference.

**vidéographie** /videɔgʀafi/ **NF** videographics ◆ **vidéographie dialoguée** viewdata.

**vidéophone** /videofɔn/ **NM** videophone.

**vidéotex** /videotɛks/ **NM INV** videographics, videotex ◆ **décodeur / terminal vidéotex** videotex decoder / terminal.

**vidéotexte** /videotɛkst/ **NM** videotext.

**vidéothèque** /videotɛk/ **NF** video library.

**vidéotransmission** /videotʀɑ̃smisjɔ̃/ **NF** video-transmission.

**vider** /vide/ **VT** *(gén)* to empty (* = *licencier*) employé to sack, fire, kick out* ◆ **vider les lieux** to vacate the premises.

**vie** /vi/ **NF** **a** *(gén)* life ◆ **vie active** working life ◆ **espérance de vie** life expectancy ◆ **assurance (sur la) vie** life insurance *ou* assurance *(Brit)* ◆ **durée de vie d'un produit** (shelf) life of a product ◆ **cycle de vie d'un produit** life cycle of a product ◆ **la qualité de la vie** the quality of life ◆ **pension à vie** life pension, pension for life ◆ **être nommé à vie** to be appointed for life **b** (= *conditions économiques*) ◆ **le coût de la vie** the cost of living ◆ **augmentation** *ou* **renchérissement du coût de la vie** increase *ou* rise in the cost of living ◆ **niveau de vie** standard of living ◆ **il gagne bien sa vie** he earns a good wage, he makes a good living ◆ **comment gagne-t-il sa vie ?** what does he do for a living? ◆ **éléments de train de vie** *taxation criteria based on living standards* ◆ **vie chère** cost-of-living escalation.

**vieillesse** /vjɛjɛs/ **NF** old age ◆ **assurance vieillesse** retirement insurance, old age insurance.

**Vienne** /vjɛn/ **N** Vienna.

**Vientiane** /vjɑ̃tjan/ **N** Vientiane.

**vierge** /vjɛʀʒ(ə)/ **ADJ** *terrain* virgin; *papier* blank, virgin; *bande magnétique, disquette* blank ◆ **casier judiciaire vierge** clean (police) record.

**Viêtnam** /vjɛtnam/ **NM** Vietnam, Viet Nam.

**vietnamien, -ienne** /vjɛtnamjɛ̃, jɛn/ **ADJ** Vietnamese
**NM** (= *langue*) Vietnamese
**Vietnamien NM** (= *habitant*) Vietnamese
**Vietnamienne NF** (= *habitante*) Vietnamese.

**vif, vive** /vif, viv/ **ADJ** *concurrence* keen; *regret, satisfaction* deep, great; *remerciements* sincerest, deepest; *repli* sharp
**NM** **donation entre vifs** donation inter vivos.

**vigile** /viʒil/ **NM** security guard, night watchman.

**vignette** /viɲɛt/ **NF** *(gén)* stamp; *(à coller)* sticker ◆ **la vignette (de l'impôt)** *(Aut)* the tax disc *(Brit)* ◆ **vignette de la Sécurité sociale** *price label on medicines to stick on claims for reimbursement by Social Security* ◆ **vignette du fabricant** (manufacturer's) label.

**vigoureux, -euse** /viguʀø, øz/ **ADJ** *monnaie* strong; *reprise économique* robust, strong.

**vigueur** /vigœʀ/ **NF** **a** [*reprise économique, monnaie*] strength **b** **en vigueur** *loi, règlement* in force; *tarif* current ◆ **les prix actuellement en vigueur** the current *ou* ruling *ou* going prices

◆ **entrer en vigueur** to come into force *ou* effect, take effect, become effective *ou* operative *(à partir de* from) **cesser d'être en vigueur** to lapse, cease to apply, be no longer in force ◆ **mettre en vigueur** to put into force, enforce, implement ◆ **la police entre en vigueur dès que le navire a quitté le port** *(Ass)* the policy comes into effect *ou* attaches as soon as the ship has left the port.

**vil, e** /vil/ ADJ ◆ **à vil prix** at a very low price, at a knock-out price, dirt cheap*.

**village** /vilaʒ/ NM village ◆ **le village planétaire** the global village.

**ville** /vil/ NF a *(= agglomération)* town; *(grande)* city ◆ **aller au centre-ville** to go to the town centre *(Brit)*, go downtown *(US)* ◆ **un bureau au centre-ville** an office in the centre *(Brit)*, a downtown office *(US)* ◆ **hôtel de ville** town hall *(Brit)*, city hall *(US)* b *(= municipalité)* town council *(Brit)*, city hall *(US)* ◆ **il travaille pour la ville** he works for the town council *(Brit)* ou for city hall *(US)*.

**Vilnius** /vilnjys/ N Vilnius.

**vin** /vɛ̃/ NM wine ◆ **négociant en vins** wine merchant ◆ **pot-de-vin** pay-off, bribe, sweetener ◆ **grands vins** vintage wines.

**vingt** /vɛ̃/ ADJ, NM INV twenty → **six, soixante**.

**vingtaine** /vɛ̃tɛn/ NF *(= vingt)* a score; *(environ)* about twenty, twenty or so, (about) a score → **soixantaine**.

**vingtième** /vɛ̃tjɛm/ ADJ, NMF twentieth → **sixième**.

**vingtièmement** /vɛ̃tjɛmmɑ̃/ ADV in the twentieth place.

**vinicole** /vinikɔl/ ADJ wine(-growing) ◆ **la culture vinicole** wine growing ◆ **l'industrie vinicole** the wine industry ◆ **région vinicole** wine-growing region.

**viniculteur** /vinikyltœʀ/ NM wine grower.

**viniculture** /vinikyltyʀ/ NF wine growing.

**violation** /vjɔlasjɔ̃/ NF *[loi]* breach, violation; *[droits]* infringement ◆ **agir en violation des règlements** to act against the regulations, break the regulations ◆ **en violation de la loi** in breach *ou* violation of the law ◆ **violation de brevet** patent infringement ◆ **violation de contrat** breach of contract ◆ **violation de domicile** forcible entry, breach of domicile ◆ **violation de propriété** trespassing ◆ **violation du secret professionnel** breach *ou* violation of professional secrecy.

**violer** /vjɔle/ VT *contrat, loi* to break, violate; *droits, brevet* to infringe.

**virage** /viʀaʒ/ NM *(économique, politique)* turn ◆ **la France a pris le virage** France weathered the cape ◆ **la société a su prendre le virage du numérique** the company has adapted to the onset of digital technology.

**virement** /viʀmɑ̃/ NM *(Banque)* transfer, payment; *(Compta)* transfer ◆ **effectuer** *ou* **faire** *ou* **opérer un virement sur le compte de qn** to make a transfer *ou* deposit to sb's account, transfer money to sb's account ◆ **la Sécurité sociale me fait un virement mensuel** the Social Security office makes a monthly payment to my account ◆ **avis de virement** transfer advice *ou* notice, payment notice ◆ **chèque de virement** transfer cheque ◆ **mandat** *ou* **ordre de virement** transfer order, order to transfer

*compounds/composés*

◆ **virement bancaire** bank transfer ◆ **payer par virement bancaire** to pay by bank transfer, pay by bank giro *(Brit)*
◆ **virement budgétaire** reallocation of funds
◆ **virement de crédit** credit transfer
◆ **virement déplacé** external transfer
◆ **virement externe** external transfer
◆ **virement de fonds** transfer of funds
◆ **virement interne** internal transfer
◆ **virement permanent** standing order
◆ **virement sur place** local transfer
◆ **virement postal** postal transfer, giro transfer *(Brit)*
◆ **virement reçu** *(sur relevé de compte)* deposit
◆ **virement télégraphique** telegraphic *ou* cable transfer
◆ **virement télex** transfer by telex, telex transfer.

**virer** /viʀe/ VI to turn ◆ **de nombreux indicateurs virent au vert** numerous indicators are no longer flashing *ou* are turning green *ou* are throwing positive signals
VT a *(Fin)* to transfer ◆ **virer de l'argent à** *ou* **sur un compte** to pay money into an account, transfer money to an account ◆ **virer une somme d'un compte à un autre** to transfer a sum from one account to another b * *(= expulser)* to kick out* ; *(= renvoyer)* to sack, kick out*, fire ◆ **se faire virer** to get kicked out* ◆ **il s'est fait** *ou* **il a été viré du conseil** he got kicked off the board, he was ousted from the board.

**virt** abrév de **virement**.

**virtuel, -elle** /viʀtɥɛl/ ADJ virtual ◆ **mémoire virtuelle** *(Inf)* virtual storage *ou* memory.

**visa** /viza/ NM a *[passeport]* visa; *[chèque]* certification ◆ **visa de censure** (censor's) certificate

◆ **visa de la douane** customs visa ◆ **visa d'une lettre de change** sighting of a bill ◆ **demander un visa** to apply for a visa ◆ **carte Visa** ® *(Banque)* Visa ® card **b** *(= signature)* signature; *(= initiales)* initials; *(= tampon)* stamp ◆ **visa du responsable du budget** signature *ou* initials of the person responsible for the budget ◆ **mettre son visa sur un document** to put one's initials on a document, initial a document, sign a document.

**viscosité** /viskozite/ **NF** *[marché]* uneasiness, viscosity.

**viser** /vize/ **VT** **a** *objectif* to aim at *ou* for; *clientèle* to target, aim at ◆ **les personnes visées par cette réforme** the people who are affected by this reform, the people to whom this reform applies **b** *passeport* to visa; *chèque* to certify; *document (= tamponner)* to stamp; *(= signer)* to sign; *(= parapher)* to initial ◆ **visé pour la somme de...** certified for the amount of... ◆ **chèque visé** certified cheque ◆ **faire viser sa note de frais** to have one's expense sheet initialed.

**visibilité** /vizibilite/ **NF** visibility.

**visible** /vizibl(ə)/ **ADJ** visible ◆ **exportations / importations visibles** visible exports / imports ◆ **visibles** **NMPL** visibles.

**visionner** /vizjɔne/ **VT** to view.

**visite** /vizit/ **NF** *(gén)* visit; *(Comm)* visit, call; *(guidée)* tour; *(Admin)* inspection, examination; *(= fouille)* search ◆ **j'ai reçu la visite d'un représentant** a salesman called on me, I received a call *ou* a visit from a salesman ◆ **heures de visite** *(gén)* visiting hours; *[maison à vendre]* viewing hours ◆ **carte de visite** visiting card, calling card *(US)* ; *(professionnelle)* business card ◆ **droit de visite** *(Douanes)* right of search

───── *compounds/composés* ─────
◆ **visite domiciliaire** house search
◆ **visite de douane** customs inspection *ou* examination
◆ **visite d'entretien** service call
◆ **visite guidée** guided tour
◆ **visite médicale** medical (examination) *(Brit)*, physical examination *(US)* ◆ **passer la visite médicale** to have a medical *(Brit)* *ou* physical *(US)* examination
◆ **visite d'usine** factory tour

**visiter** /vizite/ **VT** *(gén)* to visit; *(Comm)* to visit, call on; *(Admin)* to inspect, examine; *(= fouiller)* to search; *maison à vendre* to view, go *ou* look over ◆ **il nous a fait visiter l'usine** he showed us round *ou* he took us round the factory.

**visiteur, -euse** /vizitœʀ, øz/ **NM,F** *(gén)* visitor; *(= représentant)* representative ◆ **visiteur en maroquinerie** leather goods representative ◆ **visiteur des douanes** customs inspector.

**visu** /vizy/ **NM** abrév de **visuel.**

**visualisable** /vizɥalizabl(ə)/ **ADJ** displayable, viewable.

**visualisation** /vizɥalizasjɔ̃/ **NF** *(Inf)* (visual) display, viewing ◆ **écran** *ou* **console de visualisation** visual display unit, VDU ◆ **terminal à écran de visualisation** display terminal.

**visualiser** /vizɥalize/ **VT** *(Inf)* *données* to display (visually), view.

**visuel, -elle** /vizɥɛl/ **ADJ** visual ◆ **supports visuels** visual aids
**NM** *(= image)* (visual) display; *(= appareil)* visual display unit.

**vital, e,** **MPL** **-aux** /vital, o/ **ADJ** vital ◆ **n'avoir que le minimum vital** *(ressources)* to be at subsistence level; *(paye)* to earn barely a living wage.

**vitalité** /vitalite/ **NF** vitality.

**vitesse** /vitɛs/ **NF** *(gén, Écon)* speed ◆ **l'économie américaine a atteint sa vitesse maximum** the US economy is in top gear ◆ **passer à la vitesse supérieure** to speed things up, get into higher gear ◆ **prendre la concurrence de vitesse** to get ahead of competition, outstrip *ou* forestall competitors ◆ **être en perte de vitesse** *[économie, entreprise]* to be slowing down ◆ **expédier qch en petite vitesse** *(Rail)* to send sth by slow goods service ◆ **expédier qch en grande vitesse** *(Rail)* to express sth, send sth express *ou* by fast goods service *ou* by fast freight ◆ **économie à deux vitesses** two-speed economy ◆ **protection sociale à deux vitesses** two-tier welfare protection system

───── *compounds/composés* ─────
◆ **vitesse acquise** momentum
◆ **vitesse de circulation** *[monnaie]* velocity of circulation ◆ **vitesse de circulation des revenus** income velocity
◆ **vitesse de croisière** cruising speed
◆ **vitesse de frappe** typing speed
◆ **vitesse de pointe** maximum *ou* top speed
◆ **vitesse de rotation** *[stocks, salariés]* rate *ou* speed of turnover.

**viticole** /vitikɔl/ **ADJ** wine(-growing) ◆ **la culture viticole** wine growing ◆ **l'industrie viticole** the wine industry ◆ **région viticole** wine-growing region.

**viticulteur** /vitikyltœʀ/ **NM** wine grower.

**viticulture** /vitikyltyʀ/ **NF** wine growing.

**vitrine** /vitʀin/ NF (= *devanture*) (shop) window; (= *présentoir*) display (case), showcase ◆ **les objets (exposés) en vitrine** the objects on display, the objects in the window ◆ **les objets qui ont fait la vitrine sont vendus à moitié prix** shop-soiled items are sold at half-price ◆ **je l'ai vu en vitrine** I saw it in the window ◆ **faire la vitrine** to dress the windows ◆ **lécher les vitrines** to go window-shopping ◆ **vitrine à l'exportation** export showcase, showcase for foreigners ◆ **Paris, la vitrine de la France** Paris, France's shop-window.

**vivoter** /vivɔte/ VI [*entreprise, personne*] to struggle along.

**vn** abrév de **valeur à neuf** → **valeur.**

**v°** abrév de **verso.**

**vocal, e,** MPL -**aux** /vɔkal, o/ ADJ (*gén*) vocal ◆ **boîte** *ou* **messagerie vocale** voice mail ◆ **serveur vocal** voice server ◆ **synthèse vocale** voice *ou* speech synthesis.

**vocation** /vɔkasjɔ̃/ NF vocation, calling ◆ **la vocation de notre entreprise / pays** our company's / country's calling.

**vogue** /vɔg/ NF fashion, vogue ◆ **être en vogue** to be in fashion *ou* in vogue, be fashionable.

**voie** /vwa/ NF (*gén*) way; (= *route*) road; (= *itinéraire*) route; (*Rail*) track (*Téléc, Admin*) channel ◆ **ouvrir la voie à un compromis** to open *ou* pave the way for a compromise ◆ **être sur la bonne voie** [*économie*] to be on the right track ◆ **l'affaire est en bonne voie** the matter is shaping well *ou* going well ◆ **voie aérienne / maritime / terrestre** (*transport*) air / sea / land transport; (*itinéraire*) air / sea / land route ◆ **expédier par voie maritime** *ou* **de mer / terrestre** *ou* **de terre** to send *ou* ship by sea / by land ◆ **par la voie officielle** *ou* **hiérarchique** through official *ou* the proper channels ◆ **par voie de presse** through the press ◆ **par voie d'affiche** by poster ◆ **publicité par voie d'affiche** poster advertising ◆ **en voie de restructuration / d'exécution / d'achèvement** in the process of reorganization / being carried out / being completed ◆ **pays en voie d'émergence / de développement** emergent / developing countries ▪ Voir encadré ci-contre

**voir** /vwaʀ/ VT (*gén*) to see; (*Fin*) *effet* to sight.

**voiture** /vwatyʀ/ NF a (= *automobile*) (motor) car, automobile (*US*) ◆ **voiture de location** hired (*Brit*) *ou* rented *ou* rental (*US*) car ◆ **voiture de fonction** *ou* **de service** company car ◆ **voiture publicitaire** advertising car, admobile (*US*) b (*Rail* = *wagon*) carriage, coach ◆ **voiture-**restaurant dining car c (*Comm*) ◆ **lettre de voiture** waybill, consignment note ◆ **lettre de voiture aérienne** air waybill, air bill of lading (*US*) ◆ **lettre de voiture ferroviaire** rail waybill, railroad bill of lading (*US*) ◆ **lettre de voiture de transport routier** road waybill, trucking bill of lading (*US*).

**voix** /vwa/ NF [*élection*] vote ◆ **voix prépondérante** casting vote ◆ **avoir voix consultative** to be present in an advisory capacity ◆ **mettre une résolution aux voix** to put a resolution to the vote, take a vote on a resolution, move a resolution.

**vol** /vɔl/ NM a (= *délit*) theft ◆ **c'est du vol!** it's a racket!, it's a rip-off!* ◆ **vol à l'étalage** shoplifting ◆ **vol à main armée** armed robbery ◆ **vol à la roulotte** car theft ◆ **assurance (contre le) vol** insurance against theft, theft insurance b (*Aviat*) flight ◆ **vol sans escale** non-stop flight ◆ **vol charter / régulier** charter / scheduled flight ◆ **le vol vers la qualité** (*Bourse*) the flight to quality.

**vol.** (abrév de **volume**) vol.

**volant, e** /vɔlɑ̃, ɑ̃t/ ADJ **secrétaire volante** mobile secretary ◆ **le personnel volant** (*Aviat*) the flight *ou* flying staff NM a (*Aut*) steering wheel b [*carnet à souches*] tear-off portion, leaf c (*Fin, Écon*) margin, reserve ◆ **volant de réserve** reserve ◆ **volant de chômage** unemployment margin ◆ **volant de sécurité** reserve fund, reserves ◆ **volant de trésorerie** cash reserve.

---
*compounds/composés*

- **voie bidirectionnelle** duplex channel
- **voies de communication** communication routes
- **voie diplomatique** diplomatic channels
- **voie de droit** legal means *ou* proceedings
- **voies d'exécution** (*Jur*) measures of execution
- **voie ferrée** (= *rails*) railway (*Brit*) *ou* railroad (*US*) track; (= *ligne*) railway (*Brit*) *ou* railroad (*US*) line ◆ **expédier par voie ferrée** to ship by rail
- **voie fluviale** inland waterway
- **voie de garage** (*Rail*) siding ◆ **mettre sur une voie de garage** *cadre d'entreprise* to shunt to one side; *projet* to shelve
- **voies et moyens** (*Admin*) ways and means
- **voie navigable** inland waterway
- **voie piétonne** *ou* **piétonnière** pedestrian street *ou* mall (*US*)
- **voie publique** (*Admin*) **la voie publique** the public highway
- **voies de recours** (*Jur*) recourse, remedy at law, grounds for appeal
- **voie de transmission** transmission line *ou* channel.

**volatil, e** /vɔlatil/ ADJ *(Bourse)* volatile.

**volatilité** /vɔlatilite/ NF *(Bourse)* volatility.

**voler** /vɔle/ VI **a** *(Aviat)* to fly **b** *objet* to steal; *personne* to rob ◆ **voler sur le poids** to cheat over the weight ◆ **le marchand a essayé de me voler** the shopkeeper tried to cheat me.

**volet** /vɔlɛ/ NM *[chèque, facture]* tear-off section, part; *[politique, plan]* part.

**voleur, -euse** /vɔlœʀ, øz/ ⬛ *personne* thieving; *commerçant* dishonest
⬛ *(gén)* thief; *(= escroc)* swindler ◆ **voleur à l'étalage** shoplifter.

**volontaire** /vɔlɔ̃tɛʀ/ ⬛ *(= sans contrainte)* voluntary; *(= de propos délibéré)* intentional ◆ **limitation volontaire d'exportations** voluntary export restraint ◆ **se mettre en liquidation volontaire** to go into voluntary liquidation *ou* winding-up
⬛ volunteer ◆ **se porter volontaire** to volunteer.

**volontariat** /vɔlɔ̃taʀja/ NM voluntary help.

**volonté** /vɔlɔ̃te/ NF *(= force de caractère)* will; *(= désir)* wish ◆ **à volonté** at will ◆ **payable à volonté** payable on demand.

**volume** /vɔlym/ NM volume ◆ **indice de volume** volume index ◆ **mesures de volume** solid measures ◆ **en volume** in volume terms ◆ **charger en volume** *(Mar)* to load in bulk ◆ **portée en volume** *(Mar)* measurement capacity ◆ **faire du volume** *[objets]* to take up space, be bulky ◆ **la stratégie de l'entreprise consiste à faire du volume** the firm's strategy is to go for volume ◆ **le volume des achat / des ventes / des échanges** volume of purchase / sales / exchanges ◆ **le volume des exportations** total exports, the volume of exports ◆ **nous avons classé ces entreprises par volume des exportations** we have ranked these companies by export volume ◆ **volume d'affaires** *(Comm)* business volume, turnover; *(Bourse)* trading ◆ **volume des affaires traitées** trading volume ◆ **volume flottant** floating supply ◆ **volume global** bulk volume ◆ **le volume des transactions a augmenté à la Bourse de Paris** trading increased on the Paris Stock Exchange ◆ **notre volume de production a baissé** our (production) output *ou* our output volume has declined.

**volumineux, -euse** /vɔlyminø, øz/ ADJ bulky, voluminous ◆ **marchandises volumineuses** bulky goods.

**votant, e** /vɔtɑ̃, ɑ̃t/ NM,F voter.

**vote** /vɔt/ NM vote ◆ **vote d'une loi** *(= adoption)* passing of a bill ◆ **procéder à un vote** to proceed to a vote ◆ **vote à main levée** vote by a show of hands ◆ **vote de confiance** vote of confidence ◆ **vote secret** secret vote *ou* ballot ◆ **vote par correspondance / par procuration** postal / proxy vote ◆ **bulletin de vote** ballot paper ◆ **bureau de vote** polling station ◆ **action avec / sans droit de vote** voting / non-voting share.

**voter** /vɔte/ ⬛ to vote ◆ **voter blanc** to cast a blank vote ◆ **voter à main levée** to vote by a show of hands ◆ **voter pour qn** to vote for sb ◆ **population en âge de voter** voting-age population
⬛ *motion, mesure (= donner sa voix à)* to vote for; *(= adopter)* to pass; *budget* to vote.

**voyage** /vwajaʒ/ NM journey, trip; *(en mer)* voyage, journey ◆ **je n'aime pas les voyages** I don't like travelling *ou* travel ◆ **le voyage en avion est trop cher** air travel is too expensive ◆ **un voyage en avion** a plane journey *ou* trip ◆ **ils sont spécialisés dans les voyages d'affaires** they specialize in business travel ◆ **elle est en voyage d'affaires** she is (away) on a business trip ◆ **voyage d'information / d'études** fact-finding / study trip ◆ **voyage aller** outward journey; *(en mer)* outward voyage ◆ **voyage aller et retour** return journey *ou* trip, round trip *(US)* ◆ **voyage organisé** package tour ◆ **voyage (de) retour** return journey *ou* trip; *(en mer)* homeward voyage ◆ **agence / agent de voyage** travel agency / agent ◆ **allocation** *ou* **indemnité de voyage** travel allowance ◆ **chèque de voyage** traveller's cheque, traveler's check *(US)* ◆ **frais de voyages** travel *ou* travelling expenses.

**voyager** /vwajaʒe/ VI to travel ◆ **voyager en avion / par mer / en bateau / en train / en 1$^{re}$ classe** to travel by plane / by sea / by ship / by train / 1st class ◆ **elle voyage beaucoup pour affaires** she travels on business a lot ◆ **voyager pour une entreprise** to travel for a company ◆ **ces marchandises voyagent bien / mal** these goods travel well / badly.

**voyageur, -euse** /vwajaʒœʀ, øz/ ⬛ **commis voyageur** commercial traveller, traveling salesman *(US)*
⬛ traveller, passenger ◆ **train de voyageurs** passenger train ◆ **les voyageurs par avion** air travellers ◆ **voyageur de commerce** commercial traveller, travelling salesman ◆ **voyageur, représentant, placier** commercial traveller, sales representative, traveling salesman *(US)*.

**voyagiste** /vwajaʒist(ə)/ **NM** tour operator, travel agent.

**voyant** /vwajɑ̃/ **NM** (= *signal*) control *ou* pilot light; *(d'avertissement)* warning light ◆ **tous les voyants sont au rouge** *(Écon)* indicators are flashing.

**VPC** /vepese/ **NF** abrév de **vente par correspondance** → **vente**.

**VPCiste** /vepesist/ **NM** mail-order firm.

**vrac** /vʀak/ **ADV** **vendre / acheter qch en vrac** *(en petites quantités)* to sell / buy sth loose; *(en grandes quantités)* to sell / buy sth in bulk ◆ **charger en vrac** to load in bulk ◆ **cargaison en vrac** bulk cargo
**NM** **vrac sec** dry cargo in bulk.

**vraquier** /vʀakje/ **NM** bulk carrier.

**V / Réf** (abrév de **votre référence**) your ref.

**VRP** /veɛʀpe/ **NMF** abrév de **voyageur, représentant, placier** → **voyageur.**

**vu** /vy/ **NM** **au vu de** on sight of
**PRÉP** in view of ◆ **vu les circonstances** in view of the circumstances.

**vue** /vy/ **NF** **a** (= *idée*) view ◆ **vue d'ensemble** overall *ou* general *ou* comprehensive view ◆ **ses vues sont différentes** his views are different ◆ **point de vue** viewpoint, point of view, standpoint **b** *(Fin)* sight ◆ **exigible à 3 jours de vue** payable 3 days after sight ◆ **à 10 jours de vue payer 1 000 euros** 10 days after sight pay 1,000 euros ◆ **payable à vue** payable at sight *ou* on demand *ou* at call ◆ **dépôts à vue** demand *ou* sight deposits ◆ **engagements à vue** demand *ou* sight liabilities ◆ **papier à vue** sight *ou* demand bill ◆ **retrait à vue** withdrawal on demand ◆ **traite à vue** bill *ou* draft payable at sight, sight bill *ou* draft, demand bill *ou* draft.

**vulnérabilité** /vylneʀabilite/ **NF** vulnerability.

**vulnérable** /vylneʀabl(ə)/ **ADJ** vulnerable (*à* to)

**wagon** /vagɔ̃/ **NM** **a** *[marchandises]* truck, wagon, (closed) van, freight car *(US)* ; *[voyageurs]* carriage, coach, car *(US)* ✦ **prix sur wagon** price on rail ✦ **franco wagon** free on rail **b** (= *contenu*) truckload, wagonload ✦ **un wagon complet** *ou* **un plein wagon de marchandises** a truckful *ou* a truckload of goods ✦ **expé-**

─────── compounds/composés ───────
- ✦ **wagon à bascule** dump wagon, tip truck
- ✦ **wagon à bestiaux** cattle truck *ou* wagon
- ✦ **wagon-citerne,** MPL **wagons-citernes** tanker, tank wagon
- ✦ **wagon découvert** open truck, gondola (car) *(US)*
- ✦ **wagon-foudre,** MPL **wagons-foudres** (wine) tanker, tank wagon
- ✦ **wagon frigorifique** refrigerated van, ice-car *(US)*
- ✦ **wagon gondole** gondola car
- ✦ **wagon de groupage** through wagon
- ✦ **wagon isotherme** insulated van
- ✦ **wagon-lit,** MPL **wagons-lits** sleeping car, sleeper
- ✦ **wagon de marchandises** goods truck *ou* van *ou* wagon, freight car *(US)*
- ✦ **wagon plat, wagon à plate-forme** flat truck *ou* car *(US)*
- ✦ **wagon-poste,** MPL **wagons-poste** mail van *ou* car *(US)*
- ✦ **wagon-réservoir,** MPL **wagons-réservoirs** tanker, tank wagon
- ✦ **wagon-restaurant,** MPL **wagons-restaurants** restaurant *ou* dining car
- ✦ **wagon-tombereau,** MPL **wagons-tombereaux** tip truck *ou* car *(US)*
- ✦ **wagon-trémie,** MPL **wagons-trémies** hopper car
- ✦ **wagon de voyageurs** passenger carriage *ou* coach *ou* car *(US)*

**dié par wagons complets** forwarded in truckloads ✦ **wagon incomplet** part truckload.

**wagonnage** /vagɔnaʒ/ **NM** wagonage.

**wagonnet** /vagɔnɛ/ **NM** small truck.

**WAP** /wap/ **NM** (abrév de **Wireless Access Protocol**) Wap ✦ **téléphone WAP** WAP phone.

**warrant** /w(v)aʀɑ̃(t)/ **NM** **a** *[magasins généraux]* warrant, warehouse warrant *ou* receipt, bond warrant; *[port]* dock warrant, deposit warrant ✦ **récépissé-warrant** warehouse *ou* dock receipt, warehouse-keeper's receipt ✦ **endosser un warrant** to endorse a warrant **b** *(Bourse)* (share *ou* stock) warrant ✦ **warrant acheteur / vendeur, call / put warrant** call / put warrant

─────── compounds/composés ───────
- ✦ **warrant agricole** agricultural warrant
- ✦ **warrant à domicile** domiciled warrant
- ✦ **warrant hôtelier** hotel warrant
- ✦ **warrant industriel** industrial warrant
- ✦ **warrant en marchandises** product warrant
- ✦ **warrant de pétrole brut** warrant on crude oil
- ✦ **warrant pétrolier** oil warrant.

**warrantage** /vaʀɑ̃taʒ/ **NM** warrant discounting.

**warranter** /vaʀɑ̃te/ **VT** to warrant, secure by warrant, cover by a warehouse *ou* dock receipt ✦ **marchandises warrantées** goods secured by warrant.

**Washington** /waʃiŋtɔn/ **N** Washington.

**Web** /wɛb/ **NM** ✦ **le Web** the Web.

**Wellington** /wɛliŋtɔn/ **N** Wellington.

**wifi, wi-fi** /wifi/ **NM INV** wifi ✦ **borne** *ou* **point d'accès wifi** wifi *ou* wireless hotspot.

**Windhoek** /windøk/ **N** Windhoek.

**won** /won/ **NM** won.

**X,x** /iks/ NM **a** (*gén, Math*) X,x ◆ **l'axe des X** the X-axis ◆ **rayon X** X-rays **b** (*= indéterminé*) ◆ **pendant x mois** for n months ◆ **ça coûte x dollars** it costs n dollars *ou* so many dollars ◆ **une quantité x** a given quantity ◆ **porter plainte contre X** to bring an action against person *ou* persons unknown **c** (*Univ*) ◆ **l'X** the École polytechnique ◆ **les X** the students of the École polytechnique.

**xérographie** /kseʀɔgʀafi/ NF xerography.

**xérographique** /kseʀɔgʀafik/ ADJ xerographic.

**xième** /iksjɛm/ ADJ nth ◆ **pour la xième fois** for the nth time *ou* the umpteenth time.

# Y

**Y** abrév de **yen**.

**Yamoussoukro** /jamusukro/ **N** Yamoussoukro.

**Yaoundé** /jaunde/ **N** Yaoundé.

**Yémen** /jemɛn/ **NM** Yemen ◆ **Yémen du Nord / du Sud** North / South Yemen.

**yéménite** /jemenit/ **ADJ** Yemeni
  **Yéménite** **NMF** (= habitant) Yemeni.

**yen** /jɛn/ **NM** yen.

**yougoslave** /jugɔslav/ **ADJ** Yugoslav, Yugoslavian
  **Yougoslave** **NMF** (= habitant) Yugoslav, Yugoslavian.

**Yougoslavie** /jugɔslavi/ **NF** Yugoslavia.

**yoyo** ® /jojo/ **NM INV** (= fluctuation) wild fluctuation ◆ **faire du yoyo** [monnaie] to fluctuate wildly.

**yuan** /juan/ **NM** yuan.

# Z

**ZAC** /zak/ NF abrév de **zone d'aménagement concerté** → **zone.**

**ZAD** /zad/ NF abrév de **zone d'aménagement différé** → **zone.**

**Zagreb** /zagʀɛb/ N Zagreb.

**Zaïre†** /zaiʀ/ NM (Hist) Zaire.

**zaïre** /zaiʀ/ NM (= monnaie) zaïre.

**zaïrois, e†** /zaiʀwa, waz/ ADJ Zairian
   **Zaïrois** NM (= habitant) Zairian
   **Zaïroise** NF (= habitante) Zairian.

**Zambie** /zɑ̃bi/ NF Zambia.

**zambien, -ienne** /zɑ̃bjɛ̃, jɛn/ ADJ Zambian
   **Zambien** NM (= habitant) Zambian
   **Zambienne** NF (= habitante) Zambian.

**zèle** /zɛl/ NM zeal ◆ **grève du zèle** work-to-rule ou go-slow strike, slowdown (US).

**zélé, e** /zele/ ADJ zealous.

**ZEP** /zɛp/ NF abrév de **zone d'environnement protégé** → **zone.**

**zéro** /zeʀo/ ADJ **zéro heure** zero hour ◆ **zéro heure trente** zero thirty hours ◆ **on a reçu zéro réponse à notre courrier** we didn't receive a single answer to our letters ◆ **le risque zéro, ça n'existe pas** there is no such thing as zero risk ◆ **budget (à) base zéro** zero base budgeting ◆ **état zéro** (Inf) zero condition ou state ◆ **obligation à coupon zéro** ou **à zéro coupon** zero coupon bond ◆ **stock zéro** zero stock ◆ **prêt à zéro pour cent** zero-interest loan, interest-free loan ◆ **taux de croissance zéro** zero growth ◆ **zéro défaut** (Ind) zero defect
   NM (gén, Math) zero, nought (Brit) ; (dans une série de chiffres) 0, zero; (dans un numéro de téléphone) 0 (Brit), zero (US) ; (= température) freezing (point), zero (centigrade) ◆ **repartir à zéro** to start from scratch go back to square one ◆ **remettre un compteur à zéro** to reset a counter at ou to zero ◆ **remettre les compteurs à zéro** (fig) to start from scratch ◆ **la valeur est tombée à zéro** the value has fallen to zero ou to nothing.

**ZI** abrév de **zone industrielle** → **zone.**

**Zimbabwe** /zimbabwe/ NM Zimbabwe.

**zimbabwéen, -éenne** /zimbabweɛ̃, ɛn/ ADJ Zimbabwean
   **Zimbabwéen** NM (= habitant) Zimbabwean
   **Zimbabwéenne** NF (= habitante) Zimbabwean.

**zinzins** * /zɛ̃zɛ̃/ NMPL (Bourse) institutional investors.

**zloty** /zlɔti/ NM zloty.

**zonage** /zonaʒ/ NM zoning.

**zone** /zon/ NF area, zone ◆ **zone sterling** sterling area ◆ **de deuxième / troisième zone** (fig) second- / third-rate ◆ **chef de zone** area manager ◆ **responsable de zone export** area export manager ▪ Voir encadré page suivante

**ZUP** /zyp/ NF abrév de **zone à urbaniser en priorité** → **zone.**

## ZONE

- **zone d'accueil** reception area
- **zone d'activité** business park, enterprise zone
- **zone d'aménagement concerté** mixed housing development zone *(public and private housing)*
- **zone d'aménagement différé** future development zone
- **zone d'appel** catchment area
- **zone artisanale** industrial estate *(Brit)* ou park *(US)* for small businesses
- **zone d'attraction commerciale** catchment area, trading area
- **zone bâtie** built-up area
- **zone bleue** ≈ restricted parking zone ou area
- **zone de chalandise** catchment area, trading area
- **zone critique** problem area
- **zone dangereuse** danger zone ou area
- **zone d'entreprise** enterprise zone
- **zone d'environnement protégé** environmentally protected zone
- **zone euro** eurozone
- **zone européenne de libre-échange** European free trade area
- **zone franche** free zone, customs-free area
- **zone géographique** geographical area

- **zone industrielle** industrial park, industrial estate *(Brit)*
- **zone d'influence** sphere of influence
- **zone interdite** restricted ou prohibited area
- **zone de libre-échange** free trade area
- **zone de marketing** marketing area
- **zone de mémoire** *(Inf)* storage area
- **zone monétaire** monetary area
- **zone ombrée** *(sur formulaire)* shaded area
- **zone piétonne** ou **piétonnière** pedestrian precinct *(Brit)*, mall *(US)*
- **zone postale** postal area ou zone
- **zone de recrutement** recruitment zone
- **zone résidentielle** residential area
- **zone de résistance** *(Bourse)* resistance zone
- **zone de salaires** wage zone
- **zone de stationnement** parking area
- **zone support** *(Bourse)* support zone
- **zone tampon** *(Inf)* buffer zone
- **zone test** test area
- **zone de travail** *(Inf)* working area
- **zone urbaine** built-up area, urban zone
- **zone à urbaniser en priorité** priority development area, urban development zone.

# DICTIONNAIRE ANGLAIS-FRANÇAIS

# ENGLISH-FRENCH DICTIONARY

# A

**A** /eɪ/ **N** ✦ **A1** de première qualité ✦ **A1 at Lloyds** (= *ship*) en parfait état ✦ **triple-A rating, AAA rating** classification AAA *cote optimale dans la classification des titres* ✦ **triple-A-rated borrower** emprunteur classé AAA ✦ **the company has an AAA** *or* **a triple-A rating** la société est classée AAA *(par l'une des agences d'évaluation)* ✦ **A share** action ordinaire sans droit de vote.

**AAR** abbr of **against all risks** → **against.**

**abandon** /ə'bændən/ **VT** *(gen)* abandonner; *right* renoncer à; *(St Ex) option* abandonner ✦ **to abandon ship** abandonner le navire ✦ **the case was abandoned by the prosecution** l'accusation a retiré sa plainte *or* a renoncé aux poursuites ✦ **to abandon goods in customs** délaisser des marchandises en douane ✦ **abandoned goods** marchandises délaissées.

**abandonee** /ə,bændə'niː/ **N** *(Mar Ins)* abandonnataire mf.

**abandonment** /ə'bændənmənt/ **N** *(gen)* abandon m *(of* de); *(Mar Ins) [goods, cargo]* délaissement m ; *[patent, trademark, property]* cession f ; *[right]* renonciation f ; *(St Ex) [option]* abandon m ; *[asset]* cession f, liquidation f ✦ **abandonment of a complaint** *(Jur)* retrait d'une plainte ✦ **abandonment clause** *(Mar Ins)* clause de délaissement.

**abate** /ə'beɪt/ **VT** *price* baisser, réduire; *(Jur) writ* annuler.

**abatement** /ə'beɪtmənt/ **N** *[price]* rabais m, réduction f ; *[legacy]* réduction f ; *[fine]* annulation f, levée f ; *[tax]* dégrèvement m ; *(Acc)* défalcation f.

**abbreviate** /ə'briːvɪeɪt/ **VT** abréger, raccourcir.

**abbreviation** /ə,briːvɪ'eɪʃən/ **N** abréviation f.

**ABC** /,eɪbiː'siː/ **N** (abbr of **Audit Bureau of Circulation**) ≈ OJD m
**ADJ** ABC analysis *(Mktg)* analyse ABC.

**abeyance** /ə'beɪəns/ **N** ✦ **to fall into abeyance** tomber en désuétude ✦ **in abeyance** *decision* en suspens ✦ **estate in abeyance** succession vacante.

**abide by** /ə'baɪd/ **VT FUS** *rule, decision* se conformer à, se soumettre à; *consequences* accepter ✦ **to abide by an agreement** se conformer *or* s'en tenir à un contrat.

**Abidjan** /,æbid'ʒɑːn/ **N** Abidjan.

**ability** /ə'bɪlɪtɪ/ **N** **a** (= *competence*) compétence f ✦ **ability to do** aptitude à faire ✦ **she has great ability** elle est très compétente ✦ **we are looking for a person with confirmed sales ability** nous recherchons une personne ayant une bonne expérience de vendeur, nous recherchons un vendeur confirmé **b** **ability to pay** *[borrower]* solvabilité, capacité de rembourser; *(Tax)* capacité contributive; *[company]* capacité rémunératrice.

**able** /'eɪbl/ **ADJ** capable *(to do* de faire) ✦ **able to pay** en mesure de payer, à même de payer.

**abnormal** /æb'nɔːməl/ **ADJ** anormal ✦ **abnormal spoilage** gaspillage.

**aboard** /ə'bɔːd/ **ADV** à bord ✦ **to go aboard** (s')embarquer, monter à bord ✦ **to take sth aboard** embarquer qch ✦ **shipped aboard** embarqué sur le navire.

**abolish** /ə'bɒlɪʃ/ **VT** supprimer, abolir.

**abolition** /,æbə'lɪʃən/ **N** suppression f, abolition f.

**abort** /ə'bɔːt/ **VT** *(Comp) mission* abandonner
■ **VI** avorter
■ *(Comp)* abandon m.

**above** /ə'bʌv/ **ADJ** ci-dessus mentionné, précité
♦ **the above address** / **order** l'adresse / la commande précitée
**ADV** *(in letter)* ci-dessus, plus haut ♦ **the address as above** l'adresse ci-dessus ♦ **above-mentioned** susmentionné, précité ♦ **above-named** susnommé
**PREP** au-dessus de ♦ **above par** au-dessus du pair ♦ **above average** supérieur à la moyenne ♦ **above-the-line item** *(Econ)* opération au-dessus de la ligne ♦ **above quota** *(EU)* hors contingent.

**aboveboard** /ə'bʌv'bɔːd/ **ADJ** *person, deal* régulier, loyal.

**abroad** /ə'brɔːd/ **ADV** à l'étranger ♦ **assets held abroad** avoirs à l'étranger ♦ **to be** / **go abroad on business** être / aller à l'étranger pour affaires.

**abrogate** /'æbrəʊgeɪt/ **VT** abroger.

**abrogation** /ˌæbrəʊ'geɪʃən/ **N** abrogation f.

**absence** /'æbsəns/ **N** **a** *[person]* absence f ♦ **absence without leave** absence non motivée *or* injustifiée ♦ **on leave of absence** en congé spécial ♦ **in** *or* **during sb's absence** pendant *or* en l'absence de qn **b** *(= lack)* manque m, défaut m ♦ **in the absence of information** faute de renseignements ♦ **absence of consideration** *(Fin)* défaut de provision.

**absent** /'æbsənt/ **ADJ** absent.

**absentee** /ˌæbsən'tiː/ **N** *(gen)* absent(e) m(f), manquant(e) m(f) ♦ **habitual absentee** absentéiste ♦ **absentee landlord** propriétaire absentéiste.

**absenteeism** /ˌæbsən'tiːɪzəm/ **N** absentéisme m.

**absolute** /'æbsəluːt/ **ADJ** absolu ♦ **absolute address** adresse absolue ♦ **absolute advantage** avantage absolu ♦ **absolute liability** obligation inconditionnelle ♦ **absolute monopoly** monopole absolu ♦ **absolute title** *(to property)* titre irréfutable.

**absorb** /əb'sɔːb/ **VT** *sound, shock* amortir; *deficit, surplus* résorber, absorber ♦ **to absorb another company** absorber une autre société.

**absorption** /əb'sɔːpʃən/ **N** *[one company by another]* absorption f ♦ **absorption costing** méthode du prix de revient *or* du coût complet.

**abstract** /'æbstrækt/ **N** *(= summary)* résumé m, abrégé m ♦ **abstract of account** relevé de compte ♦ **abstract of title** *(Jur)* intitulé d'acte.

**Abu Dhabi** /ˌæbʊ'dɑːbɪ/ **N** Abou Dhabi.

**Abuja** /ə'buːdʒə/ **N** Abuja.

**abundance** /ə'bʌndəns/ **N** abondance f.

**abundant** /ə'bʌndənt/ **ADJ** abondant.

**abuse** /ə'bjuːz/ **N** abus m ♦ **abuse of dominant position** abus de position dominante ♦ **abuse of power** / **confidence** abus de pouvoir / confiance ♦ **to remedy abuses** réprimer les abus ♦ **service abuse** *[tool]* utilisation anormale ■ **VT** *privilege* abuser de.

**A / C** abbr of **account.**

**academic** /ˌækə'demɪk/ ■ *(= university teacher)* universitaire mf
**ADJ** universitaire, scolaire.

**ACAS** /['eɪkæs/ **N** abbr of **Advisory, Conciliation and Arbitration Service** → **advisory.**

**accede** /æk'siːd/ **VI** ♦ **to accede to a request** agréer une demande, faire droit à une demande, donner suite à une demande ♦ **they acceded to our terms** ils ont accepté nos conditions.

**accelerate** /æk'seləreɪt/ **VT** *work, production* accélérer.

**accelerated** /æk'seləreɪtəd/ **ADJ** ♦ **accelerated depreciation, Accelerated Cost Recovery System** amortissement dégressif *or* accéléré ♦ **accelerated redemption** remboursement anticipé.

**acceleration** /æk,selə'reɪʃən/ **N** accélération f

─────── *compounds/composés* ───────
♦ **acceleration clause** *(Fin)* clause de remboursement anticipé *(en cas de non-paiement d'une échéance)*
♦ **acceleration premium** *(Ind)* prime de productivité
♦ **acceleration principle** *(Econ)* principe de l'accélérateur.

**accelerator** /æk'seləreɪtəʳ/ **N** accélérateur m.

**accept** /ək'sept/ **VT** *bill, report* accepter; *goods* prendre livraison de ♦ **to accept on presentation** accepter à vue ♦ **"accepted"** *(on bill)* « bon pour acceptation ».

**acceptable** /ək'septəbl/ **ADJ** *offer* acceptable ♦ **of acceptable quality** d'une qualité acceptable *or* suffisante.

**acceptance** /ək'septəns/ **N** **a** *[bill, draft]* acceptation f ♦ **to present a draft for acceptance** présenter une traite à l'acceptation ♦ **to refuse acceptance of a draft** refuser d'accepter une traite ♦ **acceptance against documents** acceptation contre documents ♦ **acceptance by in-**

**accommodation**

tervention / for honour / supra protest acceptation par intervention / par honneur / sur protêt ♦ **bank acceptance** acceptation bancaire ♦ **clean** or **general acceptance** acceptation sans réserve **b** (= approval) réception f or accueil m favorable, approbation f ♦ **brand acceptance** acceptation de la marque, accueil réservé à la marque ♦ **consumer acceptance** acceptation par les consommateurs ♦ **market acceptance** acceptation du produit par le marché ♦ **these products have achieved world-wide acceptance** ces produits ont reçu un accueil favorable dans le monde entier **c** [invitation, gift] acceptation f ; [goods] réception f

— compounds/composés —
♦ **acceptance account** compte d'acceptations
♦ **acceptance bank** banque d'acceptation
♦ **acceptance bill** effet or traite à l'acceptation
♦ **acceptance credit** crédit par or d'acceptation
♦ **acceptance duty** obligation d'acceptation
♦ **acceptance house** banque or maison d'acceptation
♦ **acceptance ledger** or **register** livre des acceptations
♦ **acceptance liability** (Bank) encours sous forme d'acceptation
♦ **acceptance line** (ligne de) crédit par acceptation
♦ **acceptance market** marché des effets acceptés
♦ **acceptance sampling** contrôle de qualité par échantillonnage pour acceptation
♦ **acceptance test** or **trial** (Mktg) essai de réception.

**accepting** /ək'septɪŋ/ ADJ ♦ **accepting banker** banquier acceptant ♦ **accepting bank** or **house** banque d'acceptation.

**acceptor** /ək'septə<sup>r</sup>/ N [bill] accepteur m, tiré m ♦ **acceptor for honour** intervenant.

**access** /'ækses/ **N** (gen, Comp) accès m ♦ **to have access to information** avoir accès à l'information ♦ **to give sb access to** permettre à qn d'accéder à ♦ **you get easy and immediate access to your money** votre argent reste disponible à tout moment ♦ **access code** code d'accès ♦ **access time** (Comp) temps d'accès ♦ **random / sequential access** accès aléatoire / séquentiel
**VT** (Comp) file, database accéder à.

**accessibility** /æk,sesɪ'bɪlɪtɪ/ N [place] accessibilité f, facilité f d'accès ♦ **his accessibility is remarkable for such a busy man** il est d'une disponibilité remarquable pour un homme aussi occupé.

**accessible** /æk'sesəbl/ ADJ place accessible, d'accès facile ; person disponible ; information accessible, à la portée de tous.

**accessor** /æk'sesə<sup>r</sup>/ N (Comp) utilisateur m.

**accessory** /æk'sesərɪ/ **ADJ** (gen) accessoire ; equipment annexe
**N** (Jur) complice mf ♦ **accessory before / after the fact** complice par instigation / par assistance
**accessories** **NPL** accessoires mpl.

**accident** /'æksɪdənt/ **N** accident m ♦ **accident insurance** assurance contre les accidents, assurance-accidents ♦ **industrial accident** accident du travail ♦ **accidents at sea** fortunes de mer, accidents de mer.

**accommodate** /ə'kɒmədeɪt/ VT **a** (= provide lodging for) person loger, recevoir, accueillir ; (= contain) [vehicle] contenir ; [room] contenir, recevoir **b** (= supply) équiper (sb with sth qn de qch) fournir (sb with sth qch à qn) ♦ **to accommodate sb with a loan** consentir un prêt à qn ♦ **we are sorry we cannot accommodate you** nous regrettons de ne pouvoir vous rendre service or vous être utile.

**accommodation** /ə,kɒmə'deɪʃən/ N **a** (= space for people) place f ♦ **there is seating accommodation for 20 people** il y a 20 places assises ♦ **there is ample office accommodation** il y a un espace bureau important **b** (= lodging) hébergement m, logement m ♦ **I need hotel accommodation for two nights** il me faut une chambre pour deux nuits ♦ **can you provide us with accommodation?** pouvez-vous nous loger or nous héberger? ♦ **accommodation provided** facilités de logement **c** (= adjustment) arrangement m, compromis m ♦ **to come to** or **reach an accommodation with sb** arriver à un compromis avec qn **d** (Fin) prêt m, crédit m ♦ **to take accommodation** contracter un em-

— compounds/composés —
♦ **accommodation address** boîte aux lettres (adresse utilisée simplement pour la correspondance)
♦ **accommodation allowance** indemnité de logement
♦ **accommodation berth** mouillage réservé (à l'usage d'une compagnie maritime)
♦ **accommodation bureau** office de logement
♦ **accommodation draft** traite de complaisance
♦ **accommodation party** endosseur or accepteur or souscripteur par complaisance
♦ **accommodation train** (US Rail) (train ) omnibus.

prunt, faire un prêt **e** (Comm) **accommodation acceptance / bill / endorsement** acceptation / billet / aval or endossement de complaisance

**accompany** /əˈkʌmpəni/ **VT** (= *escort*) accompagner ◆ **accompanied by** accompagné de *or* par ◆ **the accompanying documents** les documents ci-joints ◆ **accompanied baggage** bagages accompagnés.

**accomplish** /əˈkʌmplɪʃ/ **VT** accomplir, exécuter.

**accomplishment** /əˈkʌmplɪʃmənt/ **N** [*task*] exécution f, réalisation f ◆ **it is a wonderful accomplishment** c'est un résultat *or* une réalisation magnifique ◆ **accomplishments** (= *skills*) talents; (= *achievements*) réalisations, performances.

**accord** /əˈkɔːd/ **N** (= *agreement*) consentement m, accord m ; (= *treaty*) traité m, pacte m.

**accordance** /əˈkɔːdəns/ **N** ◆ **in accordance with your instructions** conformément à *or* suivant *or* selon vos instructions.

**according** /əˈkɔːdɪŋ/ **ADV** ◆ **according to** conformément à, suivant, selon ◆ **it went according to plan** cela s'est passé comme prévu.

**account** /əˈkaʊnt/ **N** **a** *(Fin, Acc)* compte m ; (= *bill*) note f, facture f ; *(Pub)* budget m ◆ **to balance an account** équilibrer un compte ◆ **to charge an expense to an account** imputer une dépense à un compte ◆ **to charge sth to one's account, put sth on one's account** faire mettre qch à *or* sur son compte ◆ **to open an account** ouvrir un compte ◆ **to overdraw an account** mettre un compte à découvert ◆ **my account is overdrawn** mon compte est à découvert ◆ **account of** pour le compte de ◆ **they have some prestigious accounts** [*advertising firm*] ils ont des comptes *or* des budgets *or* des clients prestigieux ◆ **to pay £100 on account** verser un acompte de 100 livres ◆ **payment on account** acompte, provision, arrhes ◆ **to post up an account** mettre un compte à jour ◆ **to settle an account** régler un compte ◆ **please send me your account** veuillez m'envoyer votre note *or* votre facture ◆ **I have £1,000 on account with this bank** j'ai 1 000 livres en compte à cette banque ◆ **active account** compte mouvementé ◆ **bank account** compte bancaire *or* en banque ◆ **current account** *(Brit)*, **checking account** *(US)* compte courant, compte de chèques ◆ **clearing account** compte de passage, compte provisoire, compte clearing ◆ **contra account** compte de contrepartie ◆ **credit / debit account** compte créditeur / débiteur ◆ **escrow account** compte bloqué ◆ **reconciliation account** compte collectif ◆ **savings account** compte d'épargne ◆ **statement of account** relevé de compte **b** *(Bookkeeping)* ◆ **accounts** [*company*] comptes, comptabilité ◆ **to keep the accounts** tenir les comptes *or* la comptabilité ◆ **to agree the accounts** équilibrer les comptes ◆ **imprest account** compte d'avances ◆ **final accounts** états financiers de fin d'exercice ◆ **operating** *or* **trading** *or* **working account** compte d'exploitation ◆ **profit and loss account** compte de profits et pertes **c** *(St Ex)* liquidation f ◆ **to buy for the account** acheter en liquidation ◆ **dealings for the account** opérations de liquidation *or* à terme ◆ **end of month account** liquidation de fin de mois, règlement mensuel ◆ **price / sale for the account** cours / vente à terme ◆ **margin account** compte de marge ◆ **short account** position à découvert **d** *(phrases)* ◆ **to call sb to account for having done sth** demander des comptes à qn pour avoir fait qch ◆ **to take sth into account** prendre qch en considération, tenir compte de qch ◆ **on account of** à cause de ◆ **on no account** en aucun cas, sous aucun prétexte ◆ **to set up business on one's own account** se mettre à son compte

─── *compounds/composés* ───
◆ **account balance** solde (comptable)
◆ **account book** livre de comptes, registre de comptabilité, journal
◆ **account charges** frais de tenue de compte
◆ **account current** compte de mandataire
◆ **Account Day** *(St Ex)* (jour de) liquidation
◆ **account executive** *(Pub)* responsable de budget
◆ **account form** [*balance sheet*] présentation horizontale
◆ **account holder** titulaire d'un compte
◆ **account market** *(St Ex)* marché à terme
◆ **account number** numéro de compte
◆ **accounts payable** comptes mpl fournisseurs
◆ **account payee** *(on cheque)* ≈ chèque non endossable
◆ **accounts receivable** comptes mpl clients, créances fpl
◆ **account rendered** solde à nouveau.

**accountability** /əˌkaʊntəˈbɪlɪti/ **N** responsabilité f (*for* de) ◆ **accountability in management** responsabilisation des cadres supérieurs.

**accountable** /əˈkaʊntəbl/ **ADJ** responsable (*for* de) ◆ **to be accountable to sb for sth** être responsable de qch *or* répondre de qch devant qn ◆ **accountable advance** avance à justifier ◆ **accountable receipt** quittance comptable.

**accountancy** /ə'kaʊntənsɪ/ N (= *subject*) comptabilité f ; (= *profession*) la profession de comptable ◆ **to study accountancy** faire des études de comptabilité.

**accountant** /ə'kaʊntənt/ N comptable mf ◆ **chartered accountant** (*Brit, Can*), **certified public accountant** (*US*) expert-comptable ◆ **cost** or **management accountant** contrôleur de gestion ◆ **chief accountant** chef comptable.

**account for** /ə'kaʊntfɔː/ VT FUS *expenses* rendre compte de, justifier de; *one's actions* justifier; *situation* expliquer.

**accounting** /ə'kaʊntɪŋ/ N comptabilité f ◆ **to render an accounting for sth** établir une comptabilité de qch ◆ **cost** or **management** or **managerial accounting** comptabilité analytique ◆ **financial accounting** comptabilité générale or financière ◆ **materials accounting** comptabilité matière ◆ **standard cost accounting** méthode comptable des coûts standard

———————— compounds/composés ————————
- ◆ **accounting clerk** aide-comptable
- ◆ **accounting conventions** normes fpl or conventions comptables
- ◆ **accounting department** service comptable or de la comptabilité
- ◆ **accounting entry** écriture comptable
- ◆ **accounting firm** cabinet d'expert(s)-comptable(s) or d'expertise comptable
- ◆ **accounting income** bénéfice comptable
- ◆ **accounting period** exercice comptable
- ◆ **accounting records** documents mpl comptables
- ◆ **accounting standards** normes fpl comptables
- ◆ **accounting system** plan comptable
- ◆ **accounting year** exercice comptable.

**Accra** /ə'krɑː/ N Accra.

**accredit** /ə'kredɪt/ VT *representative* accréditer (*to* auprès de); (*US Scol, Univ*) habiliter, agréer; (= *guarantee*) *product* garantir.

**accreditation** /ə,kredɪ'teɪʃn/ N (*US Scol, Univ*) habilitation f, agrément m.

**accretion** /ə'kriːʃən/ N [*wealth*] accroissement m.

**accrual** /ə'kruːəl/ N **a** (*Fin*) [*interest, cost, revenue*] accumulation f **b** (*Acc*) ◆ **the accrual of wages** les charges de salaires constatées d'avance ◆ **the accrual of previously unrecorded expenses** les charges à payer, les charges constatées d'avance ◆ **the accrual of previously unrecorded revenues** les produits à recevoir, les produits constatés d'avance ◆ **concept** or **principle of accrual** principe de rattachement à

l'exercice **c** **accruals** écritures de régularisation; (= *accounts*) comptes de régularisation; (*US*) montants cumulés

———————— compounds/composés ————————
- ◆ **accrual accounting** comptabilité d'engagements
- ◆ **accrual method (of accounting)** (méthode de la) comptabilité d'engagements.

**accrue** /ə'kruː/ **vi** **a** [*money, advantages*] revenir (*to* à) **b** (*Fin*) [*interest*] courir; [*expense, revenue*] s'accumuler, s'accroître
**vt** *expense, revenue* constater d'avance.

**accrued** /ə'kruːd/ ADJ ◆ **accrued asset** or **income** or **revenue** produit constaté d'avance ◆ **accrued charge** or **cost** or **expense** or **liability** charge constatée d'avance ◆ **accrued dividends** dividendes cumulés ◆ **accrued interest** (*St Ex*) intérêts courus; (*Fin*) intérêts cumulés; (*Acc*) intérêts à recevoir ◆ **year-end adjustments for accrued expenses** opérations de régularisation des charges à payer à la clôture de l'exercice.

**accruing** /ə'kruːɪŋ/ ADJ *expenses, revenue* afférent, imputable (*to* à); *interests* à échoir.

**accumulate** /ə'kjuːmjʊleɪt/ **vt** accumuler, amasser
**vi** s'accumuler ◆ **to allow interest to accumulate** laisser courir les intérêts.

**accumulated** /ə'kjuːmjʊleɪtɪd/ ADJ *dividends, depreciation* cumulé ◆ **accumulated profits** (*on balance sheet*) report à nouveau ◆ **accumulated total** total cumulé, cumul.

**accumulation** /ə,kjuːmjʊ'leɪʃən/ N (*gen*) accumulation f ; [*capital*] accroissement m.

**accumulative** /ə'kjuːmjʊlətɪv/ ADJ *dividends* cumulatif; (*Comp*) *error, total* cumulé.

**accumulator** /ə'kjuːmjʊleɪtər/ N (*Comp*) accumulateur m, totalisateur m ◆ **accumulator register** registre de cumul.

**accuracy** /'ækjʊrəsɪ/ N [*figures*] exactitude f ; [*report, document*] précision f ; [*assessment, judgment*] justesse f.

**accurate** /'ækjʊrɪt/ ADJ *figures* exact; *report* précis; *judgment* juste ◆ **an accurate description of the goods** une description fidèle des marchandises.

**accusation** /,ækjʊ'zeɪʃən/ N (*Jur*) accusation f, plainte f ◆ **to bring an accusation against sb** porter plainte contre qn.

**accuse** /ə'kjuːz/ VT accuser (*sb of sth* qn de qch, *sb of doing* qn de faire)

**accy** abbr of **accountancy**.

**ACH** abbr of **automated clearing house** → **automate**.

**achieve** /ə'tʃiːv/ **VT** *task* accomplir, exécuter; *objective* réaliser, atteindre; *success* obtenir ♦ **the aim is to achieve 3% growth in the next year** l'objectif est d'atteindre une croissance de 3% l'an prochain.

**achievement** /ə'tʃiːvmənt/ **N** **a** (= *completion*) [*objective*] réalisation f ; [*task*] exécution f, accomplissement m **b** (= *thing accomplished*) réalisation f, accomplissement m ; (= *success, feat*) réussite f, exploit m ♦ **please list your educational achievements** veuillez mentionner vos diplômes ♦ **professional achievements** expérience professionnelle ♦ **achievement quotient** quotient de réussite ♦ **achievement test** test de niveau.

**achiever** /ə'tʃiːvəʳ/ **N** ♦ **high– / low–achiever** sujet doué / peu doué.

**acid test** /'æsɪdtest/ **N** (*fig*) épreuve f décisive ♦ **to stand the acid test of competition** résister à l'épreuve de la concurrence ♦ **acid test ratio** (*Acc*) ratio de liquidité immédiate.

**ackgt** abbr of **acknowledgement**.

**acknowledge** /ək'nɒlɪdʒ/ **VT** *error* reconnaître, avouer; *debt, claim* reconnaître ♦ **to acknowledge receipt of a letter** accuser réception d'une lettre.

**acknowledgement** /ək'nɒlɪdʒmənt/ **N** **a** [*error*] aveu m ♦ **act of acknowledgement** (*Jur*) acte récognitif ♦ **acknowledgement of debt** reconnaissance de dette **b** [*money*] reçu m, récépissé m, quittance f ; [*letter, parcel*] accusé m de réception; [*purchase order*] confirmation f ♦ **we have not yet received acknowledgement of our letter** vous n'avez pas encore accusé réception de notre lettre **c** (= *signature on document*) paraphe m.

**a / c payee** abbr of **account payee** → **account**.

**acquaint** /ə'kweɪnt/ **VT** (= *inform*) aviser, avertir, instruire (*sb with sth* qn de qch) renseigner (*sb with sth* qn sur qch) ♦ **to acquaint sb with the situation** mettre qn au courant de la situation ♦ **to be acquainted with** *person* connaître; *fact* savoir, être au courant de.

**acquaintance** /ə'kweɪntəns/ **N** (= *person*) relation f ♦ **business acquaintance** relation d'affaires ♦ **to make sb's acquaintance** faire la connaissance de qn, faire connaissance avec qn ♦ **I have some acquaintance with this problem** je connais un peu ce problème, j'ai une certaine connaissance de ce problème.

**acquest** /ə'kwest/ **N** (*Jur*) acquêt m.

**acquire** /ə'kwaɪəʳ/ **VT** *goods* acquérir; *reputation* se faire.

**acquired** /ə'kwaɪəd/ **ADJ** acquis ♦ **acquired share** (*US Fin*) action rachetée ♦ **acquired surplus** (*US Fin*) surplus acquis.

**acquisition** /ˌækwɪ'zɪʃən/ **N** [*company*] acquisition f ♦ **an acquisition policy** une politique d'acquisition

---
*compounds/composés*

♦ **acquisition accounting** comptabilité par coûts historiques
♦ **acquisition cost** [*company*] frais mpl *or* coût *or* prix d'acquisition; [*fixed asset*] coût *or* prix d'acquisition, coût historique.

---

**acquisitive** /ə'kwɪzɪtɪv/ **ADJ** ♦ **the acquisitive society** la société du toujours plus ♦ **the acquisitive instinct** l'instinct de possession.

**acquit** /ə'kwɪt/ **VT** (*Jur*) *accused* acquitter; *debt* régler, s'acquitter de.

**acquittal** /ə'kwɪtl/ **N** [*accused, debt*] acquittement m.

**acquittance** /ə'kwɪtəns/ **N** (= *paying of debt*) acquittement m, règlement m ; (= *proof of payment*) reçu m, décharge f.

**acre** /'eɪkəʳ/ **N** acre m (*4 046,86 mètres carrés*), ≈ demi-hectare m.

**acreage** /'eɪkərɪdʒ/ **N** superficie f.

**acronym** /'ækrənɪm/ **N** sigle m, acronyme m.

**across** /ə'krɒs/

---
*compounds/composés*

♦ **across-the-board** *increase* uniforme, général
♦ **stock prices were weak across the board** les cours sont restés déprimés dans tous les compartiments ♦ **across-the-counter** *sales* sans intermédiaire.

---

**act** /ækt/ **N** **a** (= *deed, action*) action f, acte m ♦ **act of God** (*Ins*) catastrophe naturelle **b** (= *law*) loi f ♦ **Companies Act** (*Brit*) loi sur les sociétés ♦ **Finance Act** (*Brit*) loi de finances ♦ **Act of Congress** (*US*) loi (adoptée par le Congrès) ♦ **Act of Parliament** (*Brit*) loi adoptée par le Parlement **c** (*Jur* = *document*) acte m **VI** agir ♦ **to act on sb's behalf, act for sb** agir au nom de qn, agir pour le compte de qn.

**actg** (abbr of **acting**) par intérim, p.i.

**acting** /'æktɪŋ/ **ADJ** ♦ **acting director** directeur par intérim ♦ **acting partner** associé commandité.

**action** /'ækʃən/ **N** **a** *(gen)* action f ✦ **to put a plan into action** mettre un projet à exécution ✦ **to take action** prendre des mesures, agir ✦ **industrial action** action revendicative, grève ✦ **to take industrial action** se mettre en grève, faire grève ✦ **action-oriented** tourné vers l'action **b** **to be out of action** *[telephone]* être en dérangement; *[machine]* être en panne, être hors d'usage *or* hors d'état de fonctionner **c** *(Jur)* procès m, action f en justice ✦ **to take legal action** avoir recours à la justice ✦ **to take legal action against sb, bring an action against sb** intenter un procès à qn, poursuivre qn en justice ✦ **action for cancellation** recours en annulation ✦ **action for damages / libel** action *or* procès en dommages-intérêts / diffamation **d** *(Comp)* ✦ **action code / message** code / message d'intervention.

**actionable** /'ækʃnəbl/ **ADJ** qui peut donner lieu à des poursuites.

**activate** /'æktɪveɪt/ **VT** *contingency plan* déclencher; *mechanism, device* actionner; *(Comp) program* lancer.

**active** /'æktɪv/ **ADJ** **a** *(St Ex) market* animé, actif ✦ **industrials were up in active trading** les industrielles étaient en hausse dans un marché animé ✦ **active demand** forte demande ✦ **active securities / shares** valeurs / actions très travaillées ✦ **active money** monnaie circulante *or* en circulation **b** *capital, assets* qui rapporte, productif; *debt* actif ✦ **active bond** bon productif d'intérêt ✦ **Germany has an active trade balance** l'Allemagne a une balance commerciale excédentaire **c** *person, life* actif ✦ **in active employment** en activité ✦ **the active population** la population active ✦ **active file** *(Comp)* fichier actif ✦ **active partner** partenaire actif.

**activity** /æk'tɪvɪtɪ/ **N** **a** activité f ✦ **business activity has slowed** les affaires ont diminué ✦ **stock market activity rose last week** la Bourse a connu un regain d'activité *or* d'animation la semaine dernière ✦ **sales activity was disappointing last year** les ventes ont été décevantes l'année dernière **b** *(Bank, Comp)* *[account, file]* mouvement m **c** *(Econ)* ✦ **tertiary activities** secteur tertiaire.

**act on** **VT** **FUS** *advice, suggestion* suivre, se conformer à; *order* exécuter; *decision* donner suite à ✦ **we acted on your letter immediately** nous avons fait le nécessaire dès réception de votre lettre.

**actual** /'æktjʊal/ **ADJ** *price, cost* réel; *evidence* concret, positif ✦ **the actual figures** les chiffres exacts ✦ **the actual level of unemployment** le niveau effectif du chômage ✦ **actual address** *(Comp)* adresse réelle *or* effective ✦ **actual cash value** valeur de remplacement ✦ **actual instruction** *(Comp)* instruction effective ✦ **actual total loss** *(Mar Ins)* perte totale absolue ✦ **actual quotation** *(St Ex)* cours effectif ✦ **actual stock** *(Brit)* stock réel ✦ **actual yield** *bond, investment* rendement effectif **n** **a** *(= physical commodity)* existant m ✦ **the actuals** *(Acc)* les chiffres réels ✦ **this month's actuals** le réel pour le mois **b** *(= actual price)* prix m réel.

**actuality** /ˌæktjʊ'ælɪtɪ/ **N** réalité f.

**actualize, actualise** /'æktjʊəˌlaɪz/ **VT** réaliser.

**actuarial** /ˌæktjʊ'ɛərɪəl/ **ADJ** actuariel ✦ **actuarial liability** dette actuarielle, engagement actuariel ✦ **actuarial loss** perte *or* insuffisance actuarielle.

**actuary** /'æktjʊərɪ/ **N** actuaire mf.

**actuate** /'æktjʊeɪt/ **VT** *person* faire agir, inciter; *device* actionner, déclencher.

**acumen** /'ækjʊmen/ **N** ✦ **business acumen** sens (aigu) des affaires.

**a.c.v.** abbr of **actual cash value** → **actual.**

**a.d.** abbr of **after date** → **after.**

**ad** */ˈæd/ **N** abbr of **advertisement** *(= announcement)* annonce f ; *(Comm)* pub f * ; *(TV)* spot m ✦ **to put** *or* **run an ad in the paper** mettre *or* insérer *or* faire passer une annonce dans le journal ✦ **small ads, classified ads** petites annonces.

**adapt** /ə'dæpt/ **VI** s'adapter.

**adaptability** /əˌdæptə'bɪlɪtɪ/ **N** *[product, machine]* adaptabilité f, possibilités fpl d'adaptation; *[technology, procedure, project]* souplesse f.

**adaptable** /ə'dæptəbl/ **ADJ** *(gen)* adaptable.

**adaptation** /ˌædæp'teɪʃən/ **N** adaptation f.

**add** /æd/ **VT** *(gen)* ajouter *(to* à); *(Math) figures* additionner; *points* gagner ✦ **added value** valeur ajoutée

───── compounds/composés ─────

✦ **add-back method** *(Acc)* méthode dite de réintégration *or* de réincorporation
✦ **add lister, add listing machine** machine à calculer à imprimante
✦ **add-on** *(Comp)* périphérique, extension; *(Telec)* conférence à trois ✦ **add-on equipment** *(Comp)* périphérique ✦ **add-on memory** mémoire additionnelle *or* supplémentaire
✦ **add time** *(Comp)* temps d'addition.

**add back** /ˌæd'bæk/ **VT SEP** *sum* réincorporer, réintégrer ✦ **we have added the depreciation back**

in to obtain our cash flow nous avons réincorporé les amortissements pour dégager notre marge brute d'autofinancement.

**addendum** /əˈdendəm/ **N** addendum m, additif m.

**adder** /ˈædəʳ/ **N** additionneur m.

**add in** /ˌædˈɪn/ **VT SEP** *details, figures* ajouter, inclure.

**adding** /ˈædɪŋ/ **N** addition f ◆ **adding counter** *(Comp)* compteur additif ◆ **adding machine** machine à calculer.

**Addis Ababa** /ˈædɪsˈæbəbə/ **N** Addis-Abeba.

**addition** /əˈdɪʃən/ **N** **a** *(gen, Math)* addition f *(to* à*)*; *(equipment)* ajout m, élément m complémentaire ◆ **the latest addition to our product range** le dernier-né de notre gamme de produits ◆ **an addition to our storeroom** une extension de notre magasin ◆ **the new machine will be an addition to our existing capacity** la nouvelle machine viendra augmenter notre capacité actuelle **b** *(= text added)* ajout m ◆ **no additions or corrections may be made to this document** ce document ne doit comporter ni ajout ni correction *or* ni surcharge ni rature **c** *(= new asset)* acquisition f.

**additional** /əˈdɪʃənl/ **ADJ** supplémentaire ◆ **we shall require additional information** nous aurons besoin de plus amples renseignements *or* de renseignements supplémentaires *or* d'un complément d'information ◆ **there is an additional charge** il y a un supplément à payer ◆ **we are building additional production capacity** nous augmentons nos capacités de production ◆ **additional labour** apport de main-d'œuvre ◆ **additional postage** surtaxe postale ◆ **additional pay** supplément de salaire ◆ **additional clause** avenant.

**additive** /ˈædɪtɪv/ **N** additif m ◆ **free of all additives** sans additifs.

**address** /əˈdres/ **N** **a** *[person, company]* adresse f ◆ **to change one's address** changer d'adresse ◆ **change of address** changement d'adresse ◆ **our business address** l'adresse de nos bureaux ◆ **my home address** (l'adresse de) mon domicile, mon adresse personnelle ◆ **forwarding address** adresse de réexpédition ◆ **registered address** (adresse du) siège social **b** *(= talk)* discours m, allocution f ◆ **public address system** sonorisation **c** *(Comp)* adresse f ◆ **absolute** *or* **machine address** adresse absolue

─── *compounds/composés* ───
◆ **address book** carnet *or* répertoire d'adresses
◆ **address field** *(Comp)* zone d'adresse
◆ **address file** fichier d'adresses
◆ **address label** étiquette-adresse

**VT** **a** *(= direct)* *speech, parcel* adresser *(to* à*)* ◆ **the letter is addressed to you** la lettre vous est adressée ◆ **to address o.s. to a problem** s'attaquer à un problème ◆ **this problem will have to be addressed** ce problème devra être abordé ◆ **please address all enquiries to our sales office** pour tout renseignement s'adresser au bureau des ventes ◆ **address your complaints to** adressez vos réclamations à **b** *(= speak to)* s'adresser à ◆ **she addressed the meeting** elle a pris la parole devant l'assistance **c** *(Comp)* adresser.

**addressable** /əˈdresəbl/ **ADJ** *(Comp)* adressable.

**addressee** /ˌædreˈsiː/ **N** destinataire mf.

**addresser, addressor** /əˈdresəʳ/ **N** expéditeur(-trice) m(f).

**addressing** /əˈdresɪŋ/ **N** *(Comp)* adressage m.

**add to** **VT FUS** augmenter, accroître, ajouter à ◆ **we are going to add to our existing capacity** nous allons ajouter à *or* augmenter notre capacité actuelle.

**add together** **VT SEP** *figures* additionner.

**adduce** /əˈdjuːs/ **VT** *(Jur)* *evidence* produire.

**add up** **VI** **these figures don't add up** ces chiffres ne font pas le compte exact, l'addition de ces chiffres est différente du total **VT SEP** *figures* additionner ◆ **to add up a column of figures** totaliser une colonne de chiffres.

**add up to** **VT FUS** *[figures]* s'élever à, se monter à.

**Aden** /ˈeɪdn/ **N** Aden.

**adequacy** /ˈædɪkwəsɪ/ **N** *[report, explanation]* fait m d'être suffisant *or* acceptable ◆ **I have doubts about the adequacy of this analysis** je doute que cette analyse soit acceptable *or* suffisante.

**adequate** /ˈædɪkwɪt/ **ADJ** *amount, supply, explanation* suffisant, adéquat *(for sth* pour qch, *to do* pour faire*)*; *technique* adapté *(to* à*)*; *work* acceptable.

**ad interim** /ˈædˈɪntərɪm/ **ADV** par intérim **ADJ** *(Jur) judgment* provisoire.

**adjourn** /əˈdʒɜːn/ **VT** *meeting* ajourner, renvoyer, remettre, reporter *(to* à*)*; *(Jur) case* renvoyer *(for a week* à huitaine) ✦ **to adjourn sth for a week / until the next day** remettre qch à huitaine / au lendemain ✦ **the meeting is** *or* **stands adjourned** la séance est levée **VI the meeting adjourned** la séance a été levée.

**adjournment** /əˈdʒɜːnmənt/ **N** *[meeting]* suspension f, ajournement m ; *[decision]* remise f, ajournement m.

**adjudge** /əˈdʒʌdʒ/ **VT** ✦ **to adjudge sb guilty** prononcer *or* déclarer qn coupable ✦ **he was adjudged bankrupt** il a été déclaré en faillite ✦ **he was adjudged heavy damages** on lui a accordé des dommages-intérêts considérables.

**adjudicate** /əˈdʒuːdɪkeɪt/ **VT** *(= judge) competition* juger; *claim* décider ✦ **to adjudicate sb bankrupt** déclarer qn en faillite **VI** se prononcer *(upon* sur)

**adjudication** /ə,dʒuːdɪˈkeɪʃən/ **N** ✦ **adjudication of bankruptcy, adjudication order** déclaration de faillite, jugement déclaratif de faillite.

**adjudicator** /əˈdʒuːdɪkeɪtəʳ/ **N** juge m, arbitre m.

**adjunct** /ˈædʒʌŋkt/ **N** *(= thing)* accessoire m ✦ **adjunct professor** *(US)* (professeur) vacataire.

**adjust** /əˈdʒʌst/ **VT** **a** *(= adapt) (gen)* ajuster, adapter *(to* à*)*; *mechanism* ajuster, régler, mettre au point; *prices* ajuster, revoir; *salary* revaloriser, revoir **b** *(Mar Ins) average* répartir ✦ **to adjust a claim** régler un sinistre **c** *(= correct) figures, error* corriger; *account* redresser, rectifier ✦ **the statistics have been adjusted for seasonal variations** les statistiques ont été corrigées des variations saisonnières, les statistiques ont été désaisonnalisées ✦ **figures have been adjusted downwards / upwards** les statistiques ont été corrigées *or* revues à la baisse / à la hausse **VI** s'adapter *(to* à)

**adjustable** /əˈdʒʌstəbl/ **ADJ** *tool, setting* réglable; *date, time* flexible; *mortgage rate, insurance policy* variable; *interest rate* variable, révisable.

**adjusted** /əˈdʒʌstɪd/ **ADJ** ✦ **the adjusted gross estate is worth $2 million** la valeur imposable de la succession après déduction des abattements fiscaux est de 2 millions de dollars ✦ **adjusted gross income** revenu(s) imposable(s) après déduction des abattements fiscaux ✦ **adjusted price** *(St Ex)* cours ajusté ✦ **adjusted selling price** prix de vente rajusté ✦ **adjusted**

**trial balance** *(Acc)* balance de vérification régularisée ✦ **inflation-adjusted income** bénéfices en monnaie constante, bénéfices réels compte tenu de l'inflation ✦ **seasonally adjusted figures** données corrigées des variations saisonnières, données désaisonnalisées.

**adjuster** /əˈdʒʌstəʳ/ **N** *(Ins)* ✦ **(claims** *or* **loss) adjuster** (inspecteur) régleur ✦ **average adjuster** *(Mar)* répartiteur d'avaries, dispatcheur.

**adjusting** /əˈdʒʌstɪŋ/ **ADJ** ✦ **adjusting entry** *(= accrual accounting)* écriture de régularisation; *(to correct an error)* écriture de correction *or* de redressement.

**adjustment** /əˈdʒʌstmənt/ **N** **a** *[prices, wages]* ajustement m ; *[tool, setting]* réglage m, ajustage m, mise f au point; *(to a situation)* adaptation f ✦ **automatic adjustment point** *[salaries]* seuil de réajustement automatique ✦ **cost-of-living adjustment** *(US)* indexation sur le coût de la vie ✦ **seasonal adjustment** *(Econ)* désaisonnalisation ✦ **inventory valuation adjustment** réévaluation des stocks **b** *(= correction) [figures, error]* correction f **c** *(Ins) [loss]* règlement m ; *(Mar)* dispache f, règlement m d'avarie ✦ **average adjustment** règlement *or* répartition d'avaries ✦ **claims adjustment** règlement de sinistre **d** *(= accrual accounting)* régularisation f

___ *compounds/composés* ___

✦ **adjustment account** compte de vérification; *(in accrual accounting)* compte de régularisation
✦ **adjustment bond** *(US)* obligation *(émise à la suite d'une restructuration)*.

**adman** * /ˈædˌmæn/ **N** publicitaire m.

**admass** /ˈædmæs/ **N** public m ciblé, cible f **ADJ** *culture, life* de masse, de grande consommation.

**admin** /ˈædmɪn/ **N** abbr of **administration.**

**administer** /ədˈmɪnɪstəʳ/ *(Brit)*, **administrate** *(US)* **VT** gérer, administrer.

**administered** /ədˈmɪnɪstəd/ **ADJ** *price* imposé, réglementé.

**administration** /əd,mɪnɪsˈtreɪʃən/ **N** **a** *(= management) (gen)* administration f, gestion f ; *[estate, inheritance]* curatelle f **b** *(= government)* gouvernement m ; *(= ministry)* ministère m

─── compounds/composés ───

• **administration costs** frais mpl d'administration *or* de gestion
• **administration order** *ordonnance instituant l'administrateur judiciaire d'une succession ab intestat.*

**administrative** /əd'mɪnɪstrətɪv/ **ADJ** *(gen)* administratif • **administrative costs** *or* **overheads** frais de gestion, frais administratifs • **to take administrative control of a company** prendre le contrôle administratif d'une société • **administrative receiver** administrateur *or* liquidateur judiciaire.

**administrator** /əd'mɪnɪstreɪtəʳ/ **N** *[business]* administrateur(-trice) m(f), gestionnaire mf, gérant(e) m(f) ; *[estate, inheritance]* curateur (-trice) m(f).

**admissible** /əd'mɪsəbl/ **ADJ** *idea, plan* acceptable, admissible; *document* valable; *evidence, witness, appeal* recevable.

**admission** /əd'mɪʃən/ **N** **a** *(= entry)* admission f, entrée f, accès m *(to* à) • **admission fee** droit d'entrée • **admission free** *(to exhibitions)* entrée gratuite *or* libre; *(Customs)* admission en franchise officielle • **admission to quotation** *(St Ex)* admission à la cote officielle **b** *(= confession)* aveu m • **by his own admission** de son propre aveu.

**admit** /əd'mɪt/ **VT** **a** *(= let in)* laisser entrer **b** *(= acknowledge)* reconnaître, admettre **c** *claim* faire droit à.

**admit of** **VT FUS** admettre • **our order admits of no delay** notre commande n'admet *or* ne peut souffrir aucun retard.

**admittance** /əd'mɪtəns/ **N** admission f, accès m *(to* auprès de) • **no admittance** entrée interdite.

**adopt** /ə'dɒpt/ **VT** *budget, resolution* adopter, voter; *minutes* approuver.

**adoption** /ə'dɒpʃən/ **N** adoption f • **adoption process** *(Mktg)* processus d'adoption.

**ADP** /ˌeɪdiːˈpiː/ **N** *abbr of* **automatic data processing** → **automatic.**

**adrate** * /'ædreɪt/ **N** *(Pub)* tarif m publicitaire *or* des annonces.

**ad valorem** /ˌæd vəˈlɔːrəm/ **ADJ** *duty, tax* proportionnel, ad valorem, sur la valeur.

**advance** /əd'vɑːns/ **N** **a** avance f, progrès m • **the advance of technology** les progrès de la technologie **b** **in advance** en avance, par avance, d'avance • **a week in advance** une semaine à l'avance • **payable in advance** payable d'avance • **to book in advance** retenir *or* louer d'avance • **thanking you in advance** avec nos remerciements anticipés, en vous remerciant d'avance *or* par avance **c** *(in prices) (gen)* hausse f, augmentation f ; *(St Ex)* progression f, hausse f *(in* de) • **is there any further advance on £300?** *(at auction)* 300 livres, qui dit mieux? **d** *(= loan)* avance • **an advance on salary** une avance sur salaire • **an advance against security / goods** une avance sur nantissement / marchandises • **secured / unsecured advance** avance sur garantie / à découvert • **to make an advance of £200 to sb** faire une avance de 200 livres à qn, avancer 200 livres à qn • **advances** *(Bank)* avances, découvert, facilités de trésorerie **e** *(= down payment)* acompte m, arrhes fpl ; *(on contract)* acompte m, avance f • **to make an advance payment** verser un acompte *or* des arrhes

─── compounds/composés ───

• **advance account** compte d'avance
• **advance bill** effet tiré d'avance
• **advance billing** *(US)* facturation par anticipation
• **advance booking** *(Theat, Cine)* location; *(hotel, restaurant)* réservation
• **advance factory** usine-pilote
• **advance freight** fret payé d'avance
• **advance notice** préavis
• **advance payment** *(= down payment)* acompte, arrhes fpl, avance; *(= full payment)* paiement anticipé *or* par anticipation
• **advance premium** prime payée d'avance
• **advance publicity** publicité d'amorçage
• **advance ticket sales** prévente de billets

**VT** **a** *date, explanation, money* avancer; *work* faire progresser *or* avancer; *prices* augmenter, faire monter **b** *(Comp) paper* faire avancer; *tape* faire défiler

**VI** *[work, project]* progresser; *[person]* recevoir de l'avancement; *[prices]* monter, augmenter, progresser.

**advanced** /əd'vɑːnst/ **ADJ** avancé • **advanced language** *(Comp)* langage évolué • **advanced technology** technologie de pointe • **advanced countries** pays avancés *or* industrialisés.

**advancement** /əd'vɑːnsmənt/ **N** *(= promotion)* avancement m, promotion f.

**advantage** /əd'vɑːntɪdʒ/ **N** avantage m • **comparative advantage** *(Econ)* avantage comparatif • **to have a competitive advantage over sb** avoir un avantage concurrentiel sur qn • **to take advantage of an opportunity to do** profiter d'une occasion de faire.

**advantageous** /ˌædvənˈteɪdʒəs/ ADJ *(gen)* avantageux *(to* pour); *(= financially profitable)* intéressant, avantageux *(to* pour) profitable *(to* à)

**adverse** /ˈædvɜːs/ ADJ *factor, report* défavorable ✦ **adverse balance of trade** balance commerciale déficitaire *or* défavorable ✦ **adverse price movements** fluctuations défavorables des cours.

**advert** /ədˈvɜːt/ N abbr of **advertisement** *(= announcement)* annonce f ; *(Comm)* pub f * ; *(TV)* spot m ✦ **to run an advert in the paper** mettre *or* insérer une annonce dans le journal.

**advertise** /ˈædvətaɪz/ **VI** **a** *(Comm) product* faire de la publicité *or* de la réclame pour ✦ **as advertised on TV** vu à la télévision **b** *(in newspaper)* ✦ **to advertise a house (for sale)** mettre *or* insérer *or* faire passer une annonce pour vendre une maison ✦ **they advertised the job in the press** ils ont mis *or* inséré *or* fait passer une annonce pour le poste dans le journal ✦ **I am applying for the post (as) advertised in the Times** j'ai l'honneur de poser ma candidature pour l'emploi correspondant à votre annonce parue dans le Times
**VI** **a** faire de la publicité *or* de la réclame ✦ **it pays to advertise** la publicité paie **b** **to advertise for a sales manager** faire paraître une annonce pour trouver un directeur des ventes.

**advertisement** /ədˈvɜːtɪsmənt/ N *(= announcement)* annonce f ; *(Comm)* réclame f, publicité f, annonce f publicitaire; *(TV)* spot m (publicitaire) ✦ **to put an advertisement in a paper** mettre *or* insérer *or* faire passer une annonce dans un journal.

**advertiser** /ˈædvətaɪzəʳ/ N annonceur m.

**advertising** /ˈædvətaɪzɪŋ/ N publicité f ✦ **he is in advertising** *or* **in the advertising business** il est dans la publicité ✦ **deceptive** *or* **misleading advertising** publicité mensongère ✦ **point-of-sale advertising** publicité sur le lieu de vente ✦ **newspaper advertising** publicité-presse ✦ **radio / television advertising** publicité radiophonique / télévisée

————— compounds/composés —————

✦ **advertising agency** agence de publicité
✦ **advertising allocation** *or* **account** *or* **budget** budget (de) publicité
✦ **advertising appeal** thème *or* axe publicitaire ✦ **the best advertising appeal for a product** l'axe publicitaire le plus approprié pour présenter un produit
✦ **advertising blitz** campagne de publicité intensive
✦ **advertising campaign** campagne de publicité, campagne publicitaire

✦ **advertising channel** *or* **medium** support publicitaire
✦ **advertising copy** texte publicitaire
✦ **advertising coverage** couverture publicitaire
✦ **advertising department** service (de la) publicité
✦ **advertising manager** chef *or* directeur de la publicité
✦ **advertising revenues** recettes fpl publicitaires
✦ **advertising schedule** programme des annonces
✦ **advertising space** espace publicitaire
✦ **Advertising Standards Authority** *(Brit)* ≈ Bureau de vérification de la publicité.

**advertorial** /ˌædvəˈtɔːrɪəl/ N publireportage m.

**advice** /ədˈvaɪs/ N **a** avis m, conseils mpl ✦ **a piece of advice** un conseil ✦ **to take legal advice** consulter un avocat **b** *(Comm = notification)* avis m ✦ **as per advice of** *or* **from** suivant avis de ✦ **until further advice** jusqu'à nouvel avis **c** *(Comm)* ✦ **advices** informations ✦ **we have received the latest advices from our agent in Taiwan** nous avons reçu les dernières informations de notre agent de Taiwan

————— compounds/composés —————

✦ **advice note** lettre d'avis
✦ **advice of arrival** avis d'arrivée
✦ **advice of collection** *or* **of payment** *(Bank)* avis d'encaissement
✦ **advice of deal** *(St Ex)* avis d'exécution *or* d'opération
✦ **advice of delivery** avis de livraison.

**advisable** /ədˈvaɪzəbl/ ADJ conseillé, opportun, judicieux ✦ **I do not think it is advisable for you to accept** je ne vous conseille pas d'accepter ✦ **if you think it advisable** si vous le jugez bon.

**advise** /ədˈvaɪz/ VT **a** *(= give advice to)* conseiller, donner des conseils à ✦ **to advise sb on** *or* **about sth** conseiller qn sur qch ✦ **to advise sb to do** conseiller à qn de faire ✦ **to advise sb against sth** déconseiller qch à qn ✦ **to advise sb against doing** conseiller à qn de ne pas faire, déconseiller à qn de faire **b** *(Comm = notify)* ✦ **to advise sb of sth** aviser *or* informer qn de qch ✦ **we are pleased to advise you that...** nous avons le plaisir de vous informer que... ✦ **to advise a draft** donner avis d'une traite ✦ **advised bill** traite avisée.

**adviser** /ədˈvaɪzəʳ/ N conseiller(-ère) m(f) ✦ **legal adviser** conseiller juridique, avocat-conseil.

**advisory** /ədˈvaɪzərɪ/ ADJ *committee* consultatif ✦ **Advisory, Conciliation and Arbitration Ser-**

vice *organisme indépendant d'arbitrage dans les conflits du travail* ◆ **consumer advisory service** service de conseil au consommateur ◆ **in an advisory capacity** à titre consultatif.

**advocate** /'ædvəkɪt/ **VT** recommander, préconiser.

**AE** abbr of **account executive** → **account**.

**AEA** /eɪiː'eɪ/ **N** *(Brit)* (abbr of **Atomic Energy Authority**) CEA m.

**AEC** /,eɪiː'siː/ **N** *(US)* (abbr of **Atomic Energy Commission**) CEA m.

**aerogram** /'ɛərəʊgræm/ **N** *(= letter)* aérogramme m ; *(= radiotelegram)* radiotélégramme m.

**aeroplane** /'ɛərəpleɪn/ *(Brit)* **N** avion m.

**aerosol** /'ɛərəsɒl/ **N** *(= system)* aérosol m ◆ **aerosol can** aérosol, bombe.

**affair** /ə'fɛəʳ/ **N** *(= issue)* affaire f ◆ **this is our affair** c'est notre affaire, ceci nous regarde ◆ **the company's affairs** les affaires de l'entreprise ◆ **in the present state of affairs** étant donné les circonstances, les choses étant ce qu'elles sont ◆ **to put one's affairs in order** mettre de l'ordre dans ses affaires ◆ **current affairs** questions *or* problèmes d'actualité ◆ **foreign / international affairs** affaires étrangères / internationales ◆ **statement of affairs** bilan de liquidation.

**affect** /ə'fekt/ **VT** *business* avoir un effet sur, influer sur.

**affidavit** /,æfɪ'deɪvɪt/ **N** *(Jur)* déclaration f écrite sous serment ◆ **to swear on affidavit that** déclarer sous serment que.

**affiliate** /ə'fɪlɪeɪt/ **VT** affilier *(to, with* à) ◆ **to affiliate o.s., be affiliated** s'affilier *(to, with* à) **N** *(= person)* membre m, affilié m ; *(= company)* filiale f ◆ **affiliate member** membre affilié.

**affiliated** /ə'fɪlɪeɪtɪd/ **ADJ** ◆ **affiliated company** *or* **corporation** *or* **firm** *(gen)* filiale; *(on balance sheet)* société liée *or* apparentée ◆ **affiliated trade unions** syndicats affiliés.

**affiliation** /ə,fɪlɪ'eɪʃən/ **N** affiliation f.

**affix** /ə'fɪks/ **VT** *label* attacher; *notice* afficher; *signature* apposer; *stamp* coller *(to* à) ◆ **the affixed testimonial** l'attestation ci-jointe.

**affluence** /'æfluəns/ **N** *(= wealth)* richesse f.

**affluent** /'æfluənt/ **ADJ** *(= wealthy)* riche ◆ **the affluent society** la société d'abondance.

**afford** /ə'fɔːd/ **VT** ◆ **to be able to afford to buy sth** avoir les moyens d'acheter qch ◆ **we cannot afford to take the risk** nous ne pouvons pas nous permettre de courir le risque.

**affordable** /ə'fɔːdəbl/ **ADJ** abordable.

**affreightment** /ə'freɪtmənt/ **N** affrètement m.

**Afghan** /'æfgæn/ **ADJ** afghan
**N** **a** *(= language)* afghan m **b** *(= inhabitant)* Afghan(e) m(f).

**afghani** /æf'gɑːnɪ/ **N** afghani m.

**Afghanistan** /æf'gænɪstæn/ **N** Afghanistan m.

**afloat** /ə'fləʊt/ **ADV** à flot ◆ **to keep bills afloat** faire circuler des effets ◆ **the company is only just afloat** l'entreprise se maintient tout juste à flot ◆ **afloat price** *(Commodity Exchange)* prix à flot *or* à bord ◆ **the goods are still afloat** les marchandises sont toujours en mer.

**aforementioned** /ə,fɔː'menʃənd],/ **aforenamed** /ə'fɔːneɪmd],/ **aforesaid** /ə'fɔːsed/ **ADJ** *(Jur, Admin)* susdit, susmentionné, précité.

**afoul** /ə'faʊl/ **ADV** ◆ **to run afoul of the tax authorities** *(US)* avoir des ennuis avec le fisc.

**afraid** /ə'freɪd/ **ADJ** ◆ **I am afraid we cannot fill your order** j'ai le regret de vous dire que nous ne sommes pas en mesure d'exécuter votre commande ◆ **I am afraid I can't do it** je crains de ne pas pouvoir le faire.

**Africa** /'æfrɪkə/ **N** Afrique f.

**African** /'æfrɪkən/ **ADJ** africain
**N** *(= inhabitant)* Africain(e) m(f).

**Afrikaans** /,æfrɪ'kɑːns/ **ADJ** afrikaans inv
**N** *(= language)* afrikaans m.

**Afrikaner** /,æfrɪ'kɑːnəʳ/ **ADJ** afrikaner
**N** Afrikaner mf.

**after** /'ɑːftəʳ/ **PREP** *or* **COMP** ◆ **after date: three months after date pay** à trois mois de date payer ◆ **after-effect** suite, répercussion ◆ **after-hours** *(St Ex)* **market** après Bourse ◆ **after-market** *(St Ex) transaction* après Bourse; *(Mktg) sales, revenue* généré par le premier achat ◆ **after-sales service** service après-vente ◆ **after sight : 10 days after sight pay** à 10 jours de vue payer ◆ **after-tax profit** bénéfices mpl après impôts.

**aftermarket** /'ɑːftəʳmɑːkɪt/ **N** marché m secondaire.

**against** /ə'genst/ **PREP** contre ◆ **against all risks** *(Mar Ins)* contre tous les risques ◆ **against documents / payment** contre documents /

paiement ✦ **it is against our policy to grant discounts** il est contraire à notre politique d'accorder des remises.

**age** /eɪdʒ/ **N** âge m

───── compounds/composés ─────
- ✦ **age allowance** *(Brit Tax)* abattement vieillesse
- ✦ **age bracket** groupe *or* classe *or* tranche d'âge
- ✦ **age distribution** distribution *or* répartition par âge
- ✦ **age group** groupe *or* tranche d'âge ✦ **the 30-40 age group** le groupe *or* la tranche d'âge de(s) 30-40 ans, les 30-40 ans
- ✦ **age limit** limite d'âge ✦ **to reach the age limit** être touché par la limite d'âge

**VT** vieillir, prendre de l'âge

**VT** *accounts* classer par antériorité *or* par ancienneté ✦ **to age inventories** classer *or* analyser le stock par date d'entrée.

**agency** /'eɪdʒənsɪ/ **N** **a** *(Comm, Admin)* agence f, bureau m ; *(Bank)* succursale f ✦ **advertising agency** agence de publicité ✦ **customs agency** agence de transit en douane ✦ **employment agency** bureau de placement ✦ **they have the exclusive** *or* **sole agency for our firm** ils ont l'exclusivité de notre société ✦ **forwarding agency** bureau *or* société de transitaires ✦ **news** *or* **press agency** agence de presse ✦ **sales agency** agence commerciale ✦ **shipping agency** agence maritime ✦ **travel agency** agence de voyages **b** *(= means)* intermédiaire m, entremise f ✦ **through** *or* **by sb's agency** par l'intermédiaire *or* par l'entremise de qn

───── compounds/composés ─────
- ✦ **agency account** compte agence
- ✦ **agency agreement** contrat de mandat
- ✦ **agency bill** *effet tiré sur l'agence londonienne d'une banque étrangère*
- ✦ **agency billing** chiffre d'affaires d'une agence de publicité
- ✦ **agency contract** contrat de mandat *or* d'agence
- ✦ **agency fund** fonds en fidéicommis.

**agenda** /ə'dʒendə/ **N** ordre m du jour, programme m ✦ **on the agenda** à l'ordre du jour ✦ **to draw up the agenda** dresser *or* établir l'ordre du jour ✦ **to place** *or* **put a question on the agenda** mettre *or* inscrire une question à l'ordre du jour.

**agent** /'eɪdʒənt/ **N** agent m, représentant(e) m(f) *(of, for* de); *(Jur, Admin)* mandataire mf, fondé m de pouvoir ✦ **authorized agent** fondé de pouvoir, mandataire ✦ **estate agent** *(Brit)* agent immobilier, marchand de biens *or* de

fonds ✦ **forwarding agent** transitaire ✦ **insurance agent** agent d'assurances ✦ **mercantile agent** commissionnaire ✦ **real estate agent** *(US)* agent immobilier, marchand de biens *or* de fonds ✦ **overseas agent** agent *or* représentant à l'étranger ✦ **sales agent** agent commercial ✦ **shipping agent** *(gen)* agent maritime; *(= forwarder)* transitaire ✦ **sole agent** agent *or* représentant exclusif ✦ **to be sole agent for** être seul dépositaire de *or* concessionnaire exclusif de.

**aggregate** /'ægrɪgɪt/ **N** **a** ensemble m, total m ✦ **in the aggregate** dans l'ensemble **b** *(Econ, Acc)* agrégat m ✦ **monetary aggregate** agrégats monétaires
**ADJ** *amount, value, demand* global, total.

**aggressive** /ə'gresɪv/ **ADJ** *marketing, sales* agressif.

**agio** /'ædʒɪəʊ/ **N** *(in foreign exchange trading)* agio m ✦ **agio account** compte d'agios.

**agiotage** /'ædʒətɪdʒ/ **N** agiotage m.

**AGM** /,eɪdʒiː'em/ **N** *(abbr of* **annual general meeting)** AGO f.

**agree** /ə'griː/ **VT** **a** *(= consent)* consentir (*to do* à faire) accepter (*to do* de faire) ✦ **we agree to do it** nous acceptons de le faire, nous sommes d'accord pour le faire ✦ **everyone agrees that we should sell** tout le monde est d'accord (sur le fait) que nous devrions vendre, tout le monde s'accorde à penser que nous devrions vendre **b** *report* accepter, approuver; *prices* [*two or more people*] se mettre d'accord sur, convenir de; [*one person*] accepter, donner son accord à ✦ **to agree the books** faire accorder *or* conformer les écritures
**VI** [*person*] être d'accord, être du même avis; [*figures*] concorder, coïncider (*with* avec) ✦ **to agree to a project** donner son adhésion à un projet ✦ **the words and the figures on the cheque don't agree** la somme en lettres et la somme en chiffres ne concordent pas sur le chèque.

**agreeable** /ə'griːəbl/ **ADJ** ✦ **if this is agreeable to you** si vous en êtes d'accord ✦ **we are agreeable to the terms as outlined in the contract** nous acceptons les termes exprimés dans le contrat.

**agreed** /ə'griːd/ **ADJ** *time, place, amount* convenu ✦ **we are agreed** nous sommes d'accord (*about* au sujet de, *on* sur) **as agreed** comme convenu ✦ **unless otherwise agreed** sauf stipulation contraire ✦ **agreed price** prix convenu

♦ **agreed valuation clause** *(Mar Ins)* clause valeur agréée ♦ **agreed-value insurance** assurance valeur agréée.

**agreement** /əˈgriːmənt/ N *(= contract, arrangement)* accord m, contrat m ♦ **to enter into an agreement** passer un accord *or* un contrat ♦ **an agreement has been reached** un accord est intervenu ♦ **to sign a legal agreement** s'engager par contrat ♦ **by mutual agreement** d'un commun accord ♦ **your figures are in agreement with ours** vos chiffres concordent avec les nôtres ♦ **bank summary and agreement** rapprochement bancaire ♦ **agreement of clearing** accord de clearing ♦ **agreement of service** *(US)* contrat de travail ♦ **blanket agreement** accord global ♦ **collective bargaining agreement** convention collective ♦ **Agreement on Trade-Related Aspects of Intellectual Property Rights** Accord sur les aspects du droit de propriété intellectuelle qui touchent au commerce ♦ **General Agreement on Tariffs and Trade** accord général sur les tarifs douaniers et le commerce ♦ **real agreement** *(Jur)* bail ♦ **standard agreement** contrat type *or* standard ♦ **stand-by agreement** accord stand-by ♦ **verbal agreement** accord verbal ♦ **wage agreement** convention salariale, accord salarial *or* sur les salaires.

**agribusiness** /ˈægrɪˌbɪznɪs/ N industries fpl agro-alimentaires, agro-industries fpl.

**agricultural** /ˌægrɪˈkʌltʃərəl/ ADJ agricole ♦ **agricultural bank** organisme bancaire de crédit aux agriculteurs ♦ **agricultural show** exposition agricole, Salon de l'agriculture ♦ **Common Agricultural Policy** *(EU)* politique agricole commune.

**agriculture** /ˈægrɪkʌltʃər/ N agriculture f.

**agricultur(al)ist** /ˌægrɪˈkʌltʃər(əl)ɪst/ N agronome m.

**agrifoodstuffs** /ˈægrɪˈfuːdstʌfz/ N agro-alimentaire m.

**agrochemical** /ˌægrəʊˈkemɪkəl/ N produit m agrochimique
ADJ agrochimique.

**agronomist** /əˈgrɒnəmɪst/ N agronome m.

**agronomy** /əˈgrɒnəmi/ N agronomie f.

**aground** /əˈgraʊnd/ ADJ *ship* échoué
ADV **to run aground** *[ship]* s'échouer.

**agt** abbr of **agent.**

**agy** abbr of **agency.**

**ahead** /əˈhed/ ADV ♦ **to get ahead** *[person]* réussir dans la vie ♦ **shares moved ahead** les actions ont progressé ♦ **to plan ahead for sth** préparer *or* prévoir qch.

**aid** /eɪd/ N **a** *(= help)* aide f, assistance f, secours m ♦ **financial aid** aide financière ♦ **foreign aid** aide étrangère *or* extérieure **b** *(= helper)* aide mf, assistant(e) m(f) **c** *(gen pl = equipment)* aide f ♦ **audio-visual aids** supports *or* moyens audio-visuels ♦ **decision / design aids** aides à la décision / à la conception ♦ **office aids** matériel de bureau ♦ **programming aids** outils de programmation
VT *person* aider, assister; *industry, company* aider, subventionner; *country* aider, apporter une aide à; *progress, recovery* contribuer à ♦ **aided recall test** *(Pub)* test de mémorisation assistée ♦ **computer-aided** assisté par ordinateur ♦ **state-aided** subventionné par l'État.

**AIDA** (abbr of **attention, interest, desire, action**) AIDA.

**aide** /eɪd/ N aide mf, assistant(e) m(f) ♦ **aide-mémoire** mémorandum.

**ailing** /ˈeɪlɪŋ/ ADJ *company* en difficulté; *industry* en déclin.

**AIM** *(Brit)* N (abbr of **Alternative Investment Market**) ≈ NM m

**aim** /eɪm/ N but m, objet m, objectif m
VT *remark* diriger (*at* contre) ♦ **to aim to do** viser à faire, avoir pour but de faire.

**air** /ɛər/ N air m ♦ **to carry** *or* **transport by air** transporter par avion

> ––––––––––––––– *compounds/composés* –––––––––––––––
> ♦ **air bill of lading, air waybill** lettre de transport aérien
> ♦ **air cargo** fret aérien
> ♦ **air carrier** transporteur aérien
> ♦ **air-conditioned** climatisé
> ♦ **air-conditioning** climatisation
> ♦ **air freight** *(= transport)* transport aérien; *(= goods)* fret aérien ♦ **to (send by) air freight** expédier par voie aérienne *or* par avion
> ♦ **air hostess** hôtesse de l'air
> ♦ **air lane** couloir aérien
> ♦ **air letter / parcel** lettre / colis par avion
> ♦ **air show** Salon de l'aéronautique
> ♦ **air terminal** aérogare
> ♦ **air time** temps d'antenne ♦ **air time buyer** acheteur de temps
> ♦ **air traffic** trafic aérien ♦ **air traffic control** contrôle du trafic aérien ♦ **air traffic controller** aiguilleur du ciel
> ♦ **air transport** transport aérien *or* par avion
> ♦ **air travel** les voyages mpl en avion
> ♦ **air traveller** voyageur par avion

**vt** *opinions* faire connaître, émettre; *idea, proposal* mettre sur le tapis.

**aircraft** /'ɛərkrɑːft/ **n** avion m ◆ **the aircraft industry** l'industrie aéronautique ◆ **aircraft charter agreement** contrat d'affrètement aérien.

**aircrew** /'ɛərkruː/ **n** équipage m (d'un avion).

**airlift** /'ɛərlɪft/ **n** pont m aérien.

**airline** /'ɛərlaɪn/ **n** compagnie f aérienne, compagnie f d'aviation.

**airliner** /'ɛərlaɪnər/ **n** avion m de ligne.

**airmail** /'ɛəmeɪl/ **n** poste f aérienne ◆ **by airmail** *(on letter)* par avion
**vt** *letter, parcel* expédier par avion.

**airplane** /'ɛərpleɪn/ *(US)* **n** avion m.

**airport** /'ɛərpɔːt/ **n** aéroport m ◆ **airport tax** taxe d'aéroport.

**airtight** /'ɛərtaɪt/ **adj** hermétique, étanche (à l'air).

**airway** /'ɛərweɪ/ **n** *(= route)* ligne f aérienne ◆ **airway bill** lettre de transport aérien.

**airworthy** /'ɛərwɜːði/ **adj** *plane* en état de navigation.

**aisle** /aɪl/ **n** *(in supermarket, plane)* allée f.

**alarm** /ə'lɑːm/ **n** *(= warning)* alarme f, alerte f ; *(in clock)* sonnerie f ◆ **burglar alarm** (sonnerie d') alarme ◆ **to raise the alarm** donner l'alarme *or* l'alerte

───── *compounds/composés* ─────
◆ **alarm bell** (sonnerie d') alarme
◆ **alarm clock** réveil
◆ **alarm signal** signal d'alarme.

**Albania** /æl'beɪnɪə/ **n** Albanie f.

**Albanian** /æl'beɪnɪən/ **adj** albanais
**n** **a** *(= language)* albanais m **b** *(= inhabitant)* Albanais(e) m(f).

**aleatory** /'eɪlɪətərɪ/ **adj** *(Ins)* aléatoire.

**alert** /ə'lɜːt/ **n** alerte f ◆ **to give the alert** donner l'alerte ◆ **we are on the alert for new opportunities** nous sommes à l'affût de nouvelles opportunités.

**Algeria** /æl'dʒɪərɪə/ **n** Algérie f.

**Algerian** /æl'dʒɪərɪən/ **adj** algérien
**n** *(= inhabitant)* Algérien(ne) m(f).

**Algiers** /æl'dʒɪəz/ **n** Alger.

**algorithm** /'ælgə‚rɪðəm/ **n** algorithme m.

**algorithmic** /‚ælgə'rɪðmɪk/ **adj** algorithmique.

**alien** /'eɪlɪən/ **n** étranger(-ère) m(f) ◆ **alien registration card** *(US)* ≈ carte de séjour
**adj** étranger ◆ **alien from** étranger à, éloigné de ◆ **alien to** contraire à, opposé à.

**alienable** /'eɪljənəbl/ **adj** *(Jur)* aliénable.

**alienate** /'eɪlɪəneɪt/ **vt** *(Jur)* aliéner.

**alienation** /‚eɪlɪə'neɪʃən/ **n** *(Jur)* aliénation f.

**alienee** /‚eɪljə'niː/ **n** *(Jur)* aliénataire mf.

**align** /ə'laɪn/ **vt** aligner.

**alignment** /ə'laɪnmənt/ **n** alignement m.

**aliquot** /'ælɪkwɒt/ **adj** aliquote ◆ **aliquot parts** parties aliquotes.

**all** /ɔːl/

───── *compounds/composés* ─────
◆ **all-in** *(Brit) price* net, tout compris; *insurance* tous risques
◆ **it costs £50 all-in** cela coûte 50 livres tout compris
◆ **all-inclusive** *rate, price* net, tout compris
◆ **all-loss, all-risk** *insurance policy* tous risques
◆ **all-or-none order** ordre tout ou rien
◆ **all-out** *effort* maximum
◆ **all-out sales campaign** campagne de vente tous azimuts
◆ **all-purpose** *computer, device* universel, polyvalent; *financial statement* à vocation générale
◆ **all-round** *price* tout compris
◆ **all-time : the dollar reached an all-time low** le dollar a atteint son niveau le plus bas
◆ **stock prices reached an all-time high** les cours ont atteint un niveau historique
◆ **all-time record** record absolu.

**allied** /'ælaɪd/ **adj** ◆ **allied industries** industries connexes.

**allocate** /'æləʊkeɪt/ **vt** *money, resources (to person)* allouer, attribuer; *(to purpose)* affecter; *task* assigner; *contract* adjuger (*to* à) ◆ **to allocate costs to the appropriate accounts** ventiler *or* répartir les charges entre les comptes appropriés.

**allocation** /‚æləʊ'keɪʃən/ **n** **a** *[money] (to person)* allocation f ; *(to purpose)* affectation f ; *[responsibility]* attribution f ; *[contract]* adjudication f ; *[costs]* ventilation f, répartition f ◆ **the allocation basis of accounting** le système de comptabilité par ventilation *or* par répartition ◆ **an allocation to a provision** une dotation à une provision ◆ **resource allocation** allocation *or* affectation *or* répartition des ressources **b** *(= sum allocated)* allocation f ◆ **travel allocation** indemnité de déplacement ◆ **advertising allocation** budget (de) publicité.

**allonge** /'ælɔːʒ/ **n** *(on bill of exchange)* allonge f.

**allot** /ə'lɒt/ **vt** *money* attribuer, allouer; *task* assigner; *(St Ex) shares* attribuer (*to* à) ◆ **we allot-**

ted £2,000 to the repairs nous avons affecté 2 000 livres aux réparations ◆ I allotted a week to the problem j'ai consacré une semaine au problème.

**allotment** /ə'lɒtmənt/ N *[shares]* attribution f ; *[task]* assignation f ◆ payment in full on allotment libération à la répartition

―――― compounds/composés ――――
> ◆ **allotment letter** avis d'attribution
> ◆ **allotment money** versement de souscription
> ◆ **allotment price** prix de souscription
> ◆ **allotment right** droit d'attribution.

**allottee** /əlɒ'tiː/ N *(St Ex)* attributaire mf.

**allow** /ə'laʊ/ VT **a** (= *permit*) permettre, autoriser **b** (= *grant*) *money* accorder, allouer ◆ to allow sb £10,000 damages accorder à qn 10 000 livres de dommages et intérêts ◆ to allow sb a discount consentir *or* accorder une remise à qn, faire bénéficier qn d'une remise ◆ banks allow no interest on current accounts les banques ne paient pas *or* n'accordent pas d'intérêts sur les comptes courants ◆ allowed time *(Ins)* délai accordé **c** (= *accept*) *claim* reconnaître la recevabilité de.

**allowable** /ə'laʊəbl/ ADJ permis, admissible ◆ allowable expenses *(Tax)* dépenses déductibles ◆ an allowable claim une réclamation recevable.

**allowance** /ə'laʊəns/ N **a** (= *money given to sb*) *(gen)* allocation f ; *(for lodgings, travel)* indemnité f ◆ allowance in kind prestation en nature ◆ car allowance indemnité de déplacement, indemnité kilométrique ◆ cost of living allowance indemnité de vie chère ◆ family allowance allocations familiales ◆ foreign currency allowance allocation en devises ◆ travelling allowance indemnité de déplacement **b** (*Comm, Fin*) (= *discount*) réduction f, rabais m, remise f ; (= *reduction in price of damaged or lost goods*) réfaction f ◆ sales returns and allowances retours et réfactions accordés sur ventes ◆ purchase returns and allowances retours et réfactions obtenus sur achats ◆ trade allowance remise à la profession, remise confraternelle **c** (*Tax*) abattement m (à la base), déduction f avant impôts ◆ earned income allowance déduction au titre des revenus salariaux ◆ investment allowance déduction fiscale sur les investissements **d** (= *tolerance*) tolérance f ◆ with an allowance of 3% for spoilage avec une tolérance de 3% pour détérioration ◆ there is a 20 kilo free baggage allowance il y a une franchise de 20 kilos pour les bagages ◆ there is a cashier's

error allowance of £10 il y a une passe de caisse de 10 livres ◆ import allowance tolérance à l'importation **e** (*Acc*) provision f, dotation f ◆ to make an allowance for depreciation faire une provision pour amortissement, faire une dotation aux amortissements ◆ allowance method méthode de provision pour dépréciation des comptes clients.

**allow for** VT FUS tenir compte de ◆ we must allow 3% for leakage nous devons ajouter 3% pour le coulage, nous devons prévoir 3% de coulage ◆ we must allow for a fall in the dollar rate il faut tenir compte d'une chute éventuelle du dollar ◆ transportation charges not allowed for frais de transport non compris.

**alongside** /ə'lɒŋ'saɪd/ PREP ◆ free alongside ship franco le long du navire ◆ alongside bill of lading connaissement reçu à quai.

**aloof** /ə'luːf/ ADV ◆ investors are standing aloof les investisseurs boudent *or* s'abstiennent.

**alphabetic(al)** /ˌælfə'betɪk(əl)/ ADJ ◆ in alphabetical order par ordre alphabétique.

**alphanumeric** /ˌælfənjuː'merɪk/ ADJ alphanumérique.

**alpha stock** /['ælfə'stɒk/ N grande valeur f de la cote, valeur f de premier plan.

**alter** /'ɒltər/ VT changer, modifier.

**alteration** /ˌɒltə'reɪʃən/ N changement m, modification f ◆ closed for alterations *(sign on shop)* fermé pour travaux.

**alternate** /ɒl'tɜːnɪt/ ADJ (= *by turns*) alternatif, alterné ◆ on alternate days tous les deux jours ◆ alternate press *(US)* presse parallèle
**N** *(US)* remplaçant(e) m(f), suppléant(e) m(f)
**VT** alterner.

**alternative** /ɒl'tɜːnətɪv/ ADJ *possibility, answer* autre ; *strategy* de rechange, autre ◆ alternative proposal contre-proposition ◆ alternative (use) cost coût d'opportunité *or* de substitution ◆ alternative energy énergie nouvelle *or* de substitution ◆ Alternative Investment Market *(Brit)* ≈ Nouveau Marché ◆ alternative technology technologie douce
**N** (= *choice*) (*between two*) alternative f, choix m ; (*between several*) choix m ◆ the alternative is to sell l'alternative est *or* la solution de rechange est de vendre ◆ we have no alternative but to accept nous n'avons pas d'autre solution que d'accepter ◆ best alternative choix optimal.

**a / m** abbr of **above-mentioned** → **above.**

**a.m.** /eɪˈem/ **ADV** abbr of **ante meridiem** ✦ **at 6 a.m.** à 6 heures du matin.

**amalgamate** /əˈmælgəmeɪt/ **VTI** *(Econ)* fusionner.

**amalgamation** /əˌmælgəˈmeɪʃən/ **N** *[companies]* fusion f ; *[shares]* fusion f, fusionnement m ✦ **horizontal / vertical amalgamation** intégration horizontale / verticale.

**ambassador** /æmˈbæsədəʳ/ **N** ambassadeur m ✦ **ambassador extraordinary** ambassadeur extraordinaire ✦ **the French ambassador (to Spain)** l'ambassadeur de France (en Espagne).

**amend** /əˈmend/ **VT** *rule, text* amender, modifier.

**amendment** /əˈmendmənt/ **N** *[text]* modification f ; *[legislation]* amendement m.

**amenities** /əˈmiːnɪtiːz/ **NPL** *(= facilities)* aménagements mpl, équipements mpl ✦ **public amenities** équipements collectifs.

**America** /əˈmerɪkə/ **N** Amérique f.

**American** /əˈmerɪkən/ **ADJ** américain ✦ **American ton** tonne courte ✦ **American clause** *(Mar Ins)* clause de double assurance ✦ **American National Standards Institute, American Standards Association** *association américaine de normalisation* ≈ AFNOR ✦ **American Stock Exchange** l'Amex, l'American Stock Exchange ✦ **American selling price** prix intérieur américain **N a** *(= language)* américain m **b** *(= inhabitant)* Américain(e) m(f).

**Amex** /ˈæmeks/ **N** (abbr of **American Stock Exchange**) Amex f.

**amicable** /ˈæmɪkəbl/ **ADJ** à l'amiable, amical ✦ **amicable settlement** arrangement à l'amiable.

**amicably** /ˈæmɪkəblɪ/ **ADV** *(Jur)* à l'amiable.

**Amman** /əˈmɑːn/ **N** Amman.

**amortizable, amortisable** /[əˈmɔːtɪzəbl/ **ADJ** *asset* amortissable; *loan* amortissable, remboursable.

**amortization, amortisation** /əˌmɔːtaɪˈzeɪʃən/ **N** *[asset]* amortissement m ; *[loan]* amortissement m, remboursement m

———— compounds/composés ————

- ✦ **amortization expense** dotation aux amortissements
- ✦ **amortization fund** fonds *or* caisse d'amortissement
- ✦ **amortization payment** remboursement périodique

- ✦ **amortization reserve** provision pour amortissements
- ✦ **amortization table** tableau d'amortissement.

**amortize, amortise** /əˈmɔːtaɪz/ **VT** *asset* amortir; *loan* amortir, rembourser ✦ **amortized mortgage loan** prêt hypothécaire à remboursements périodiques.

**amortizement, amortisement** /əˈmɔːtɪzmənt/ **N** → **amortization**.

**amount** /əˈmaʊnt/ **N** *(= total)* montant m, total m ; *(= quantity)* quantité f ; *(= sum of money)* somme f ✦ **the amount of a bill** le montant d'une facture ✦ **a check in** *(US)* or a **cheque to** *(Brit)* **the amount of £536** un chèque d'un montant de 536 livres ✦ **we have authorized expenditure to the amount of £1,000** nous avons autorisé des dépenses jusqu'à un plafond de or jusqu'à concurrence de 1 000 livres ✦ **amount brought forward** *(Acc)* somme reportée ✦ **amount due / paid** somme due / versée, montant dû / versé ✦ **amounts to be made good** *(Mar Ins)* masse créancière ✦ **compensatory amounts** *(EU)* montants compensatoires ✦ **the amount of business** le volume des affaires; *(St Ex)* le volume des transactions.

**amount to** /əˈmaʊnt/ **VT FUS** *[sum, debt]* s'élever à, se monter à, se chiffrer à.

**Amsterdam** /ˈæmstədæm/ **N** Amsterdam.

**amt** abbr of **amount**.

**amusement industry** /əˈmjuːzmənt ˈɪndəstrɪ/ **N** industrie f des loisirs.

**analog** /ˈænəlɒg/ *(US)* **N** → **analogue**.

**analogic(al)** /ˌænəˈlɒdʒɪk(əl)/ **ADJ** analogique.

**analogue** *(Brit)*, **analog** *(US)* /ˈænəlɒg/ **N** analogue m

———— compounds/composés ————

- ✦ **analog computer** calculateur analogique
- ✦ **analog-digital converter** convertisseur analogique-numérique.

**analyze, analyse** /ˈænəlaɪz/ **VT** *(gen)* analyser, faire l'analyse de; *sales, costs, results* analyser, ventiler.

**analysis** /əˈnæləsɪs/ **N** *(gen)* analyse f ; *[account]* analyse f, dépouillement m ✦ **analysis book** livre de comptes ✦ **cost-benefit analysis** analyse coûts-avantages or coûts-rendements, analyse de rendement ✦ **securities analysis** analyse financière ✦ **systems analysis** analyse de système, analyse fonctionnelle.

**analyst** /'ænəlɪst/ N *(financial)* analyste mf ✦ **program analyst** analyste-programmeur.

**analytic(al)** /ˌænə'lɪtɪk(əl)/ ADJ analytique.

**anchorage** /'æŋkərɪdʒ/ N mouillage m, ancrage m ✦ **anchorage charges** *or* **dues** droits de mouillage.

**ancillary** /æn'sɪlərɪ/ ADJ *service, operation* auxiliaire; *costs* annexe.

**and** /ænd, ənd, nd, ən/ CONJ et ✦ **and Co.** et Cie ✦ **to be given practical and / or financial help** bénéficier d'une aide pratique et / ou financière.

**Andorra** /æn'dɔːrə/ N Andorre f.

**Andorran** /æn'dɔːrən/ ADJ andorran
◨ *(= inhabitant)* Andorran(e) m(f).

**Anglo-** /'æŋgləʊ/ PREF anglo- ✦ **Anglo–French** anglo-français, franco-britannique, franco-anglais.

**Angola** /æŋ'gəʊlə/ N Angola m.

**Angolan** /æŋ'gəʊlən/ ADJ angolais
◨ *(= inhabitant)* Angolais(e) m(f).

**Ankara** /'æŋkərə/ N Ankara.

**annex** /ə'neks/ ◨ annexe f ✦ **balance sheet annex** annexe du bilan
◪ annexer.

**announce** /ə'naʊns/ VT *(gen)* annoncer, faire connaître; *profit, earnings* enregistrer.

**announcement** /ə'naʊnsmənt/ N *(gen)* annonce f; *(Admin)* avis m ✦ **announcement of sale** avis de vente.

**annual** /'ænjʊəl/ ADJ *(gen)* annuel ✦ **annual abstract of statistics** *(Brit)* rapport annuel de statistiques économiques ✦ **annual depreciation charge, annual charge to depreciation** annuité d'amortissement ✦ **annual general meeting** assemblée générale (annuelle) ✦ **annual payment** *(gen)* versement annuel; *(= repayment)* annuité de remboursement ✦ **annual report** rapport annuel, rapport d'activité.

**annualize, annualise** /'ænjʊəlaɪz/ VT annualiser ✦ **annualized percentage rate** taux effectif global.

**annually** /'ænjʊəlɪ/ ADV annuellement.

**annuitant** /ə'njuːɪtənt/ N *(Jur)* [life annuity] crédirentier m.

**annuity** /ə'njuːɪtɪ/ N ◨ *(= regular income)* rente f; *(for life)* rente f viagère; *(= amount paid)* arrérages mpl ✦ **to invest in an annuity** placer de l'argent en viager ✦ **annuity in reversion** rente réversible ✦ **government annuity** rente d'État ✦ **insurance annuity** prime d'assurance ✦ **reversionary** *or* **two-life annuity** rente réversible ◪ *(= annual payment)* annuité f, versement m périodique *or* annuel ✦ **annuity in arrears, ordinary annuity** annuité de fin de période

─────── compounds/composés ───────

- ✦ **annuity bond** obligation de rente
- ✦ **annuity certain** rente certaine
- ✦ **annuity due** rente payable d'avance
- ✦ **annuity insurance** assurance-vie avec option rente viagère
- ✦ **annuity instalment** arrérages mpl
- ✦ **annuity plan** *(Ins)* option rente viagère
- ✦ **annuity policy** *(Ins)* contrat (de) rente viagère.

**annul** /ə'nʌl/ VT *law* abroger; *decision, judgment* casser, annuler, infirmer; *contract* résilier.

**annulling** /ə'nʌlɪŋ/ ADJ *(Jur)* *clause* abrogatoire.

**annulment** /ə'nʌlmənt/ N *[law]* abrogation f; *[decision]* cassation f, annulation f; *[contract]* résiliation f.

**anonymity** /ˌænə'nɪmɪtɪ/ N anonymat m.

**anonymous** /ə'nɒnɪməs/ ADJ anonyme.

**Ansaphone**® /'ænsəfəʊn/ N répondeur m téléphonique.

**ANSI** /ˌeɪenes'aɪ/ N (abbr of **American National Standards Institute**) ≈ AFNOR f.

**answer** /'ɑːnsər/ ◨ réponse f *(to* à*)* ✦ **to get an answer** obtenir *or* recevoir une réponse ✦ **there's no answer** *(telephone)* ça ne répond pas ✦ **in answer to your letter** en réponse à *or* suite à votre lettre ✦ **answer mode** *(Comp)* mode réponse
◪ répondre à
◪ répondre, donner une réponse.

**answerable** /'ɑːnsərəbl/ ADJ ✦ **to be answerable to sb** être responsable devant qn ✦ **he is answerable for his decisions** il doit répondre de ses décisions, il est responsable de ses décisions.

**answer for** VT FUS *safety of product* répondre de, être responsable de; *person's honesty* se porter garant de.

**answering** /'ɑːnsərɪŋ/ ADJ ✦ *(telephone)* **answering machine** répondeur téléphonique.

**answerphone** /'ɑːnsərfəʊn/ N répondeur m téléphonique.

**Antananarivo** /ˌæntəˌnænə'riːvəʊ/ N Antananarivo.

**antedate** /ˈæntɪˈdeɪt/ **VT** (= give earlier date to) document antidater; (= come before) [event] précéder.

**anticipate** /ænˈtɪsɪpeɪt/ **VT** **a** (= expect, foresee) prévoir, s'attendre à ◆ **we anticipate a profit** nous prévoyons or escomptons un bénéfice ◆ **anticipated demand** demande prévue or escomptée ◆ **anticipated sales** ventes prévues **b** payment anticiper ◆ **anticipated repayment** remboursement anticipé ◆ **anticipated redemption** rachat anticipé ◆ **to anticipate a bill** anticiper le paiement d'un effet.

**anticipation** /æn,tɪsɪˈpeɪʃən/ **N** **a** (= expectation) (gen) attente f ; (Econ) anticipation f ◆ **elasticity of anticipation** (Econ) élasticité d'anticipation ◆ **thanking you in anticipation** en vous remerciant d'avance, avec mes remerciements anticipés ◆ **in anticipation of your order** dans l'attente de votre commande ◆ **he sold his shares in anticipation of a fall in the price** il a vendu ses actions en prévision d'une chute du cours **b** [profits, income] jouissance f anticipée; (Jur) droit m d'anticipation.

**anticipatory** /æntɪsɪˈpeɪtərɪ/ **ADJ** ◆ **anticipatory breach** (Jur) rupture de contrat.

**anticyclical** /ˌæntɪˈsaɪklɪkəl/ **ADJ** anticyclique ◆ **anticyclical policy** politique conjoncturelle.

**anti-dumping** /ˌæntɪˈdʌmpɪŋ/ **N** anti-dumping m ◆ **anti-dumping agreement** convention antidumping.

**anti-inflationary** /ˌæntɪɪnˈfleɪʃnərɪ/ **ADJ** measures anti-inflationniste.

**antitheft** /ˌæntɪˈθeft/ **ADJ** ◆ **antitheft device** (dispositif ) antivol.

**antitrust** /ˌæntɪˈtrʌst/ **ADJ** (US) law, suit antitrust ◆ **antitrust commission** commission antimonopole, conseil de la concurrence.

**antivirus** /ˌæntɪˈvaɪrəs/ **ADJ, N** (Comp) antivirus m.

**any** /ˈenɪ/ **ADJ** ◆ **any other (competent) business** (in a meeting) autres questions à l'ordre du jour; (on an agenda) questions diverses.

**a / o** abbr of **account of** → **account**.

**AO(C)B** abbr of **any other (competent) business** → **any**.

**APEC** /ˈeɪpek/ **N** (abbr of **Asia Pacific Economic Cooperation**) APEC f.

**APEX** /ˈeɪpeks/ (abbr of **advance purchase excursion**) APEX ◆ **APEX ticket** billet APEX.

**apiece** /əˈpiːs/ **ADV** ◆ **they were given £30 apiece** on leur a donné 30 livres chacun or par personne ◆ **they cost 10 euros apiece** ils coûtent 10 euros (la) pièce.

**apologize, apologise** /əˈpɒlədʒaɪz/ **VI** s'excuser ◆ **to apologize to sb for sth** s'excuser de qch auprès de qn, faire or présenter ses excuses à qn pour qch ◆ **we apologize for the delay in delivery** nous nous excusons pour le retard intervenu dans la livraison.

**apology** /əˈpɒlədʒɪ/ **N** excuses fpl ◆ **letter of apology** lettre d'excuses ◆ **please accept our apologies** veuillez agréer or accepter nos excuses.

**apparent** /əˈpærənt/ **ADJ** apparent ◆ **apparent damage** (Mar Ins) dommage apparent.

**appeal** /əˈpiːl/ **N** **a** (= public call) appel m ◆ **appeal for funds** appel de fonds ◆ **appeal for tenders** appel d'offres **b** (Jur) appel m, pourvoi m ◆ **notice of appeal** infirmation ◆ **with no right of appeal** sans appel ◆ **to lodge an appeal** faire or interjeter appel **c** (= attraction) [person, object] attrait m ; [plan, idea] intérêt m ◆ **this product has little consumer appeal** ce produit présente peu d'attrait pour les consommateurs ◆ **sales appeal** attrait commercial ◆ **advertising appeal** thème or axe publicitaire

―――― compounds/composés ――――

◆ **Appeal Court** cour d'appel
◆ **appeal proceedings** (Jur) procédure d'appel
◆ **appeal product** produit d'appel

**VI** **a** (= request publicly) lancer un appel (on behalf of en faveur de, for sth pour obtenir qch) ◆ **to appeal for funds / tenders** faire un appel de fonds / d'offres **b** (Jur) se pourvoir en appel, faire appel ◆ **to appeal against a judgment** appeler d'un jugement **c** (= attract) ◆ **to appeal to** plaire à, attirer ◆ **this colour appeals to most consumers** cette couleur plaît à la plupart des consommateurs ◆ **this ad appeals to children** cette publicité s'adresse aux enfants or est faite pour les enfants.

**appear** /əˈpɪər/ **VI** [item] (in catalogue) figurer; (Jur) [person] comparaître.

**append** /əˈpend/ **VT** notes, list, document joindre, annexer; signature apposer (to à)

**appendix** /əˈpendɪks/ **N** [document] annexe f ; [book] appendice m (to à)

**appliance** /əˈplaɪəns/ **N** appareil m ◆ **electrical / household appliances** appareils électriques / ménagers.

**applicable** /ə'plɪkəbl/ **ADJ** applicable (*to* à)

**applicant** /'æplɪkənt/ **N** *(gen)* candidat(e) m(f) *(for a job* à un poste) postulant(e) m(f) ; *(Jur)* requérant(e) m(f) *(St Ex : for shares)* souscripteur (-trice) m(f) ; *(for trademark patent)* déposant(e) m(f) ◆ **we have 50 applicants for this job** nous avons 50 candidats pour ce poste.

**application** /ˌæplɪ'keɪʃən/ **N** **a** *(= request) (gen)* demande f ; *(for job)* demande f, candidature f ◆ **to put in an application for a job** poser sa candidature à un emploi ◆ **job application** demande d'emploi, candidature ◆ **letter of application** lettre de candidature ◆ **unsuccessful job applications** demandes d'emploi non satisfaites ◆ **prices on application** prix sur demande **b** *(St Ex) (for shares)* demande f de souscription ◆ **letter of application** lettre *or* bulletin de souscription ◆ **application for quotation** demande d'admission à la cote officielle **c** *(= implementing) [technique, law, method]* application f **d** *(Comp)* application f

─── compounds/composés ───

- **application form** *(for job)* dossier de candidature; *(for shares)* bulletin de souscription ◆ **to fill in an application form for an export licence** remplir un formulaire de demande de licence d'exportation
- **application of funds** *(Fin Acc)* utilisation *or* emploi *or* affectation des fonds
- **application money** *(St Ex)* versement de souscription
- **application package** *(Comp)* progiciel d'application
- **application program** programme d'application
- **application right** *(St Ex)* droit de souscription
- **application software** logiciel d'application.

**applied** /ə'plaɪd/ **ADJ** *research* appliqué ◆ **applied cost** coût affecté *or* réparti *or* imputé ◆ **applied overheads** frais généraux imputés.

**apply** /ə'plaɪ/ **VT** *law, measure* appliquer; *payment* affecter, répartir, imputer; *overheads* imputer ◆ **to apply revenues / expenses to a period** rattacher les produits / les charges à un exercice **VI** s'adresser (*to sb for sth* à qn pour obtenir qch) ◆ **apply at the office** adressez-vous au bureau; *(on notice)* s'adresser au bureau ◆ **apply in person** *(on notice)* se présenter.

**apply for** **VT** **FUS** *passport, licence, money* demander, faire une demande de ◆ **to apply for a job** faire une demande d'emploi, poser sa candidature pour un poste, être candidat à un poste ◆ **to apply for shares** faire une demande de souscription d'actions.

**appoint** /ə'pɔɪnt/ **VT** **a** *manager* nommer (*to a post* à un poste); *office worker* engager; *committee* constituer, désigner ◆ **appointed agent / chairman** agent / président attitré **b** *(= decide) date, place* fixer ◆ **at the appointed time** à l'heure dite *or* convenue.

**appointee** /əpɔɪn'tiː/ **N** *(executive rank)* personne f nommée; *(junior rank)* candidat m retenu.

**appointive** /ə'pɔɪntɪv/ *(US)* **ADJ** obtenu par nomination.

**appointment** /ə'pɔɪntmənt/ **N** **a** *(= arrangement to meet)* rendez-vous m ◆ **to make an appointment with sb** donner un rendez-vous à qn, prendre rendez-vous avec qn ◆ **to keep / miss an appointment** aller à / manquer un rendez-vous ◆ **I have made an appointment for next Thursday / for 9.00 am** j'ai pris rendez-vous pour jeudi prochain / pour 9 heures ◆ **by appointment only** sur rendez-vous uniquement **b** *(= selection, nomination)* nomination f *(to a post* à un poste); *(= office assigned)* emploi m, poste m ◆ **Appointments Vacant** *(in newspaper)* offres d'emploi ◆ **there are 2 appointments to be made in this department** il y a 2 postes à pourvoir dans ce service **c** *(Jur)* ◆ **power of appointment** faculté de distribution des biens conférés à un légataire.

**apportion** /ə'pɔːʃən/ **VT** *land, property* lotir; *costs, overheads* répartir, ventiler ◆ **to apportion the average** *(Mar Ins)* répartir les avaries ◆ **to apportion revenues / expenses to a period** rattacher les produits / charges à un exercice.

**apportionment** /ə'pɔːʃənmənt/ **N** *[costs, overheads]* répartition f, ventilation f.

**appraisal** /ə'preɪzəl/ **N** *(= evaluation)* évaluation f, estimation f ; *(by expert)* expertise f ◆ **to make an appraisal of future needs** faire une estimation des besoins futurs ◆ **job appraisal** évaluation des emplois *or* des tâches ◆ **market / performance appraisal** évaluation du marché / des résultats

─── compounds/composés ───

- **appraisal increment** *or* **surplus** plus-value constatée par expertise
- **appraisal report** (rapport d') expertise.

**appraise** /ə'preɪz/ **VT** *property, asset, situation* évaluer ◆ **appraised value** valeur estimative.

**appraisement** /ə'preɪzmənt/ **N** → **appraisal.**

**appraiser** /ə'preɪzər/ **N** *(US) [property, value, asset]* expert m.

**appreciate** /ə'priːʃɪeɪt/ VI *[currency, share]* monter, s'apprécier; *[asset, property]* prendre de la valeur ✦ **appreciated surplus** plus-value.

**appreciation** /ə,priːʃɪ'eɪʃən/ N ⓐ *[currency, share]* appréciation f, hausse f; *[asset, property]* accroissement m de la valeur, plus-value f ✦ **appreciation surplus** plus-value ⓑ *(= estimation)* évaluation f, estimation f.

**apprentice** /ə'prentɪs/ Ⓝ apprenti(e) m(f) *(Archit, Mus)* élève mf
Ⓥ mettre *or* placer en apprentissage *(to* chez) ✦ **to be apprenticed to sb** être en apprentissage chez qn.

**apprenticeship** /ə'prentɪʃɪp/ N apprentissage m.

**appro** * /'æprəʊ/ N abbr of **approval** ✦ **goods on appro** marchandises à l'essai, marchandises à *or* sous condition.

**approach** /ə'prəʊtʃ/ Ⓥ *subject, person* aborder ✦ **to approach sb about sth** contacter qn au sujet de qch
Ⓝ approche f, abord m ✦ **to make an approach to a customer** faire une proposition à un client.

**appropriate** /ə'prəʊprɪt/ Ⓥ *funds* affecter *(to, for* à) ✦ **we have appropriated £20,000 for this project** nous avons affecté 20 000 livres à ce projet
ⒶⓓⒿ *moment, decision* opportun; *department, official* compétent ✦ **appropriate for** *or* **to** propre à ✦ **to make a request to the appropriate authority** faire une demande auprès des autorités compétentes.

**appropriation** /ə,prəʊprɪ'eɪʃən/ N *[funds]* affectation f, dotation f ✦ **government defense appropriations** *(US)* budget de la défense ✦ **an appropriation for the purchase of data processing equipment** une affectation (de ressources) pour l'achat de matériel informatique ✦ **appropriation of income** *or* **profits** affectation *or* répartition des bénéfices ✦ **appropriation to a reserve** dotation à une provision *or* à une réserve

─── compounds/composés ───
✦ **appropriation account** *(Brit)* compte d'affectation des bénéfices
✦ **Appropriation Act** *(Brit)*, **Appropriation Bill** *(US)* loi de finances.

**approval** /ə'pruːvəl/ N *(= agreement, acceptance)* approbation f, assentiment f; *[machine, process]* homologation f ✦ **on approval** *(Brit)* (on form) à *or* sous condition, à l'essai ✦ **to buy sth on approval** acheter qch à l'essai ✦ **to gain formal approval from** obtenir l'accord *or* l'agrément officiel de ✦ **the approval of the accounts** l'approbation des comptes.

**approve** /ə'pruːv/ VT *action, accounts* approuver; *decision, document* ratifier, homologuer; *contract, request* agréer.

**approved** /ə'pruːvd/ ADJ *machine, product* agréé; *decision, document* ratifié ✦ **approved accounts** comptes approuvés ✦ **approved place** entrepôt public *or* des douanes.

**approx.** (abbr of **approximately**) env.

**approximate** /ə'prɒksɪmɪt/ ADJ approximatif.

**approximately** /ə'prɒksɪmətlɪ/ ADV approximativement, environ.

**approximation** /ə,prɒksɪ'meɪʃən/ N approximation f.

**APR** /,eɪpiː'ɑːʳ/ N (abbr of **annualized percentage rate**) TEG m.

**April** /'eɪprəl/ N avril m → **September.**

**aptitude** /'æptɪtjuːd/ N aptitude f *(for* à) ✦ **aptitude test** test d'aptitude.

**Arab** /'ærəb/ ADJ arabe
Ⓝ *(= inhabitant)* Arabe mf.

**Arabia** /ə'reɪbɪə/ N Arabie f.

**Arabian** /ə'reɪbɪən/ ADJ arabe.

**Arabic** /'ærəbɪk/ ADJ arabe
Ⓝ *(= language)* arabe m.

**arbiter** /'ɑːbɪtəʳ/ N arbitre m, médiateur (-trice) m(f).

**arbitrage** /'ɑːbɪtrɪdʒ/ Ⓝ *(Fin, St Ex)* arbitrage m, opération f d'arbitrage ✦ **arbitrage trader** arbitragiste ✦ **currency arbitrage** arbitrage sur devises ✦ **space arbitrage** arbitrage de place à place ✦ **stock arbitrage** arbitrage de portefeuille ✦ **time arbitrage** arbitrage dans le temps
Ⓥ *(St Ex)* procéder à des arbitrages, arbitrer.

**arbitrager, arbitrageur** /'ɑːbɪtræˈʒɜːʳ/ N arbitragiste m.

**arbitraging** /'ɑːbɪtrɑːʒɪŋ/ N → **arbitrage.**

**arbitral** /'ɑːbɪtrəl/ ADJ arbitral ✦ **arbitral award** sentence arbitrale.

**arbitrary** /'ɑːbɪtrərɪ/ ADJ arbitraire.

**arbitrate** /'ɑːbɪtreɪt/ VTI arbitrer, juger, trancher.

**arbitration** /,ɑːbɪ'treɪʃən/ N *(gen, Ind)* arbitrage m ✦ **to submit** *or* **refer a dispute to arbitration** soumettre un différend à arbitrage ✦ **to settle**

a dispute by arbitration régler un conflit par arbitrage ♦ **arbitration of exchange** (Fin) arbitrage de change ♦ **wage arbitration** arbitrage en matière de salaires

——————— compounds/composés ———————

- **arbitration agreement** convention d'arbitrage
- **arbitration award** sentence d'arbitrage
- **arbitration board** commission d'arbitrage
- **arbitration clause** clause d'arbitrage, clause compromissoire
- **arbitration committee** commission d'arbitrage
- **arbitration tribunal** tribunal d'arbitrage.

**arbitrator** /'ɑ:bɪtreɪtər/ N arbitre m, médiateur (-trice) m(f) ♦ **judicial arbitrator** juge-arbitre.

**arcade** /ɑ:'keɪd/ N ♦ **(shopping) arcade** galerie marchande.

**architect** /'ɑ:kɪtekt/ N architecte mf.

**architecture** /'ɑ:kɪtektʃər/ N (gen, Tech) architecture f.

**archival** /ɑ:'kaɪvəl/ ADJ ♦ **archival storage** (Comp) mémoire auxiliaire or d'archivage.

**archive** /'ɑ:kaɪv/ VT archiver.

**archives** /'ɑ:kaɪvz/ NPL archives fpl.

**archiving** /'ɑ:kaɪvɪŋ/ N archivage m.

**archivist** /'ɑ:kɪvɪst/ N archiviste mf.

**area** /'ɛərɪə/ N  a  (= surface, measure) aire f, superficie f ♦ **surface area** superficie  b  (= space) (gen, Comp) zone f ; (= region) région f, zone f ; (in town) quartier m ♦ **in the Paris area** dans la région parisienne ♦ **geographical area** zone géographique ♦ **sterling area** zone sterling ♦ **sales area** (= territory) secteur de vente; (floor area) surface de vente ♦ **no-smoking area** zone non-fumeurs; (on notice) interdiction de fumer ♦ **reception area** zone d'accueil, réception ♦ **working area** (in office) espace de travail; (Comp) zone de travail ♦ **storage area** (Comm) surface or aire de stockage; (Comp) zone de mémoire or de stockage  c  [knowledge, enquiry] domaine m, champ m ♦ **problem area** domaine problématique ♦ **growth area** (Mktg) secteur de croissance

——————— compounds/composés ———————

- **area code** (Telec) indicatif
- **area manager** directeur régional
- **area office** agence régionale
- **area salesman** représentant or vendeur régional
- **area sales manager** or **executive** chef d'une région or d'un secteur de vente.

**Argentina** /ˌɑ:dʒən'ti:nə/ N Argentine f.

**Argentine** /'ɑ:dʒəntaɪn/ ADJ argentin
 N  a  ♦ **the Argentine** (= country) l'Argentine
 b  (= inhabitant) Argentin(e) m(f).

**Argentinian** /ˌɑ:dʒən'tɪnɪən/ ADJ argentin
 N  (= inhabitant) Argentin(e) m(f).

**argument** /'ɑ:gjʊmənt/ N  (= dispute) dispute f, discussion f ; (= reason) argument m ♦ **I had an argument with my boss** je me suis disputé avec mon patron ♦ **his argument is that we must expand to stay competitive** son argument or la raison qu'il donne est que nous devons nous développer pour rester compétitifs.

**arithmetic** /ə'rɪθmətɪk/ N arithmétique f.

**arithmetical** /ˌærɪ'metɪkəl/ ADJ arithmétique.

**arm** /ɑ:m/ N ♦ **arm's-length agreement** accord conclu dans les conditions normales du commerce ♦ **an arm's-length transaction** une transaction au prix du marché ♦ **to trade at arm's length** négocier sur une base purement commerciale.

**Armenia** /ɑ:'mi:nɪə/ N Arménie f.

**Armenian** /ɑ:'mi:nɪən/ ADJ arménien
 N  a  (= language) arménien m  b  (= inhabitant) Arménien(ne) m(f).

**arms** /ɑ:mz/ NPL (= weapons) armes fpl ♦ **arms manufacturer** fabricant d'armes ♦ **arms trade** commerce des armes.

**around** /ə'raʊnd/ PREP ♦ **around-the-clock service** (US) service 24 heures sur 24.

**arrange** /ə'reɪndʒ/ VT meeting organiser, fixer; date fixer; schedule arrêter, convenir de; price fixer, déterminer ♦ **to arrange to do** s'arranger pour faire ♦ **we have arranged to meet next Thursday** nous sommes convenu d'un rendez-vous jeudi prochain ♦ **we have ordered 50 units at a price to be arranged** nous avons commandé 50 unités à un prix à déterminer or à débattre ♦ **an arranged price** un prix fixé or déterminé.

**arrangement** /ə'reɪndʒmənt/ N  a  (= agreement) arrangement m, accord m ♦ **to come to an arrangement with sb** s'arranger or s'entendre avec qn (to do pour faire) **price by arrangement** prix à débattre ♦ **we have a good arrangement with our suppliers** nous avons un bon accord avec nos fournisseurs  b  (Jur : with creditors) concordat m ♦ **to sign a deed of arrangement** signer un concordat ♦ **to draw up a scheme of arrangement** établir or dresser un concordat ♦ **testamentary arrangement** disposition testamentaire  c  (= plans, preparations) ♦ **arrange-**

ments dispositions, préparatifs, mesures ◆ **what arrangements have you made?** quelles dispositions avez-vous prises? ◆ **please make arrangements for this bill to be paid** veuillez faire le nécessaire pour le règlement de cette facture.

**array** /ə'reɪ/ N **a** (= *display*) [*objects*] ensemble m, collection f, étalage m ◆ **an array of tax incentives** une panoplie d'incitations fiscales ◆ **an array of products** une gamme *or* un éventail de produits **b** (*Math, Comp*) tableau m ◆ **array of figures** tableau de chiffres ◆ **character array** jeu de caractères ◆ **data array** tableau de données ◆ **three-dimensional array** tableau à trois dimensions.

**arrearages** /ə'rɪərɪdʒəz/ (*US*) NPL [*dividends*] arriéré m.

**arrears** /ə'rɪəz/ NPL arriéré m ◆ **arrears of interest / tax** arriéré d'intérêts / d'impôts, intérêts / impôts arriérés ◆ **to pay off arrears** payer un arriéré ◆ **to fall** *or* **get into arrears** s'arriérer ◆ **to be in arrears with one's payments** être en retard dans ses paiements ◆ **arrears of wages** rappel de salaire ◆ **arrears of work** travail en retard ◆ **a salary increase with arrears as from May 1st** une augmentation de salaire avec effet rétroactif à compter du 1ᵉʳ mai.

**arrest** /ə'rest/ VT ◆ **to arrest the trend** casser la tendance.

**arrival** /ə'raɪvəl/ N **a** [*person, vehicle, letter*] arrivée f ; (*Comm*) [*goods in bulk*] arrivage m ◆ **date of arrival** date d'arrivée ◆ **on arrival** à l'arrivée ◆ **daily arrivals** arrivages quotidiens ◆ **to await arrival** (*on letter*) ne pas faire suivre **b** (= *person*) arrivant(e) m(f) ◆ **a new arrival** un nouveau venu.

**arrive** /ə'raɪv/ VI arriver.

**arrive at** VT FUS *decision, solution, conclusion* arriver à, parvenir à, aboutir à ◆ **to arrive at a price** (*after negotiation*) se mettre d'accord sur un prix.

**arrow** /['ærəʊ/ N flèche f ◆ **arrow key** (*Comp*) touche de direction.

**art** /ɑːt/ N art m ◆ **art agency** (*Pub*) agence artistique ◆ **art director** (*Pub*) directeur artistique ◆ **art department** (*Pub*) service création.

**art.** abbr of **article**.

**article** /'ɑːtɪkl/ **N a** [*document, contract*] article m ◆ **the company's articles of association** (*Brit*), **the company's articles of incorporation** (*US*) les statuts de la société ◆ **articles of agreement** (*Mar*) contrat d'embauche ◆ **articles of partnership** contrat d'association ◆ **as provided**

**by** *or* **in accordance with the articles** conformément aux statuts, statutairement ◆ **articles of apprenticeship** (*Brit*) contrat d'apprentissage ◆ **to be in articles with a firm of solicitors** (*Brit*) être élève *or* être en stage dans un cabinet d'avocats **b** (*Comm* = *product*) article m ◆ **an article of clothing** un habit, un vêtement ◆ **articles of value** objets de valeur ◆ **leading article** article-réclame ◆ **luxury article** article de luxe **c** (*Press*) article m ◆ **leading article** éditorial

**VT** (*Brit*) *apprentice* (*to trade*) mettre en apprentissage (*to* chez); (*to profession*) mettre en stage (*to* chez, auprès de) ◆ **articled clerk** stagiaire (*dans un cabinet d'avocats, de notaires*).

**articulated lorry** /ɑː'tɪkjuleɪtɪd 'lɒrɪ/ N (= *camion*) semi-remorque m.

**artwork** /'ɑːt,wɜːk/ N (*Pub*) illustrations fpl.

**A / S, a.s. a** abbr of **after sight** → **after b** abbr of **at sight** → **at**.

**as** /æz, əz/ CONJ ◆ **balance as at 12th May** bilan au 12 mai ◆ **as from 13th June all sales will be handled from our Glasgow office** à partir du 13 juin toutes nos ventes seront traitées par notre bureau de Glasgow ◆ **for sale as is** vente en l'état *or* tel quel ◆ **the goods as described in the catalogue** les articles tels qu'ils sont décrits dans le catalogue ◆ **as per contra** (*Acc*) comme ci-contre ◆ **as per invoice** suivant facture ◆ **as per your letter** conformément à votre lettre ◆ **as soon as possible** dès que possible.

**ASA** /,eɪes'eɪ/ N **a** (*Brit*) (abbr of **Advertising Standards Authority**) ≈ BVP m **b** abbr of **American Standards Association** → **American**.

**a.s.a.p.** /,eɪeseɪ'piː/ abbr of **as soon as possible** → **as**.

**ascertain** /,æsə'teɪn/ VT *truth, price* établir; *facts* vérifier; *damage, insurance loss* constater ◆ **to ascertain a price** établir un prix ◆ **ascertained goods** marchandises vérifiées.

**ascribe** /ə'skraɪb/ VT *piece of work, achievement* attribuer (*to* à); *fault, failure* imputer (*to* à)

**ASEAN** /,eɪesiː'eɪ'en/ N (abbr of **Association of South-East Asian Nations**) ANASE f.

**ashore** /ə'ʃɔːʳ/ ADV à terre ◆ **to go ashore** se rendre à terre.

**Asia** /'eɪʃə/ N Asie f.

**Asian** /'eɪʃn/ ADJ asiatique ◆ **Asian tigers** (*St Ex*) dragons asiatiques

N (= *inhabitant*) Asiatique mf.

**Asiatic** /,eɪsɪ'ætɪk/ ADJ asiatique

N (= *inhabitant*) Asiatique mf.

**ask** /ɑːsk/ **VT** question, price demander ◆ **asked** or **asking price, ask price** (US) (gen) prix demandé or de départ; (St Ex) cours vendeur **N** (US) prix m demandé or de départ.

**Asmara** /æsˈmɑːrə/ **N** Asmara.

**ASP** /ˌeɪesˈpiː/ **N** abbr of **American selling price** → **American.**

**assemble** /əˈsembl/ **VT** objects, ideas assembler; (Tech) monter, assembler.

**assembler** /əˈsemblər/ **N** (Comp) assembleur m ◆ **assembler program** programme d'assemblage.

**assembly** /əˈsemblɪ/ **N** (Tech, Ind) assemblage m, montage m ◆ **the engine assembly** le bloc moteur

───── compounds/composés ─────
◆ **assembly language** (Comp) langage d'assemblage, langage assembleur
◆ **assembly line** chaîne de montage
◆ **assembly program** (Comp) programme d'assemblage, assembleur
◆ **assembly shop** atelier de montage.

**assess** /əˈses/ **VT** payment, damages fixer or déterminer le montant de; tax calculer, établir; property évaluer, calculer la valeur imposable de; (Ins) damage, loss évaluer, apprécier; situation évaluer; time, amount estimer, évaluer ◆ **assessed value** valeur imposable.

**assessable** /əˈsesəbl/ **ADJ** income imposable.

**assessment** /əˈsesmənt/ **N** [payment] détermination f; [tax] calcul m, établissement m; (Jur) [damages] fixation f; (Ins) [damage, loss, risk] évaluation f ◆ **land** or **property assessment** cote foncière ◆ **arbitrary assessment** taxation d'office ◆ **basis of assessment** assiette de l'impôt, base d'imposition ◆ **year of assessment** année d'imposition

───── compounds/composés ─────
◆ **assessment notice** [property tax] avis d'évaluation; [income tax] avis d'imposition
◆ **assessment roll** rôle d'évaluation.

**assessor** /əˈsesər/ **N** [property] expert m; (Jur) (juge m) assesseur m; (Ins) inspecteur régleur m ◆ **assessor of taxes** (US) contrôleur des contributions directes.

**asset** /ˈæset/ **N** **a** (on balance sheet) élément m d'actif; (fixed) immobilisation f ◆ **to sell off an asset** céder un élément d'actif ◆ **stock is an operating asset** les stocks sont une valeur d'exploitation ◆ **assets** (= property) biens; (= money) capital, avoir; (= person's estate, company's worth) patrimoine ◆ **our assets amount to 10 million dollars** notre actif est de 10 millions de dollars, nous avons 10 millions de dollars d'actif ◆ **on the assets side of the balance sheet** à l'actif du bilan ◆ **to sell off assets** céder des éléments d'actif ◆ **capital assets** actif immobilisé, immobilisations ◆ **cash** or **liquid assets** actif disponible, liquidités ◆ **current assets** actif réalisable à court terme, actif de roulement ◆ **deferred asset** actif différé ◆ **equitable assets** avoirs applicables au paiement de dettes ◆ **fixed assets** actif immobilisé, immobilisations ◆ **frozen assets** actifs gelés or bloqués ◆ **hidden assets** actif sous-évalué or caché ◆ **intangible assets** immobilisations incorporelles, actifs incorporels ◆ **net asset value** valeur liquidative ◆ **quick assets** actif disponible ◆ **tangible assets** immobilisations corporelles, actifs corporels **b** (= advantage) avantage m, atout m ◆ **the shop's location in the town centre is an asset** la situation du magasin dans le centre ville est un avantage or un atout

───── compounds/composés ─────
◆ **asset conversion cycle** cycle de rotation des actifs circulants
◆ **asset coverage** couverture par l'actif
◆ **asset formation** formation de capital
◆ **assets and liabilities** actif et passif ◆ **assets and liability statement** (US) bilan
◆ **asset management** gestion de patrimoine, gestion d'actifs
◆ **asset pricing** évaluation des actifs
◆ **asset revaluation** réévaluation d'actif
◆ **asset-stripping** démembrement or dégraissage d'actif
◆ **asset swap** croisement d'actif
◆ **asset transfer** apport d'actifs
◆ **asset turnover** rotation de l'actif
◆ **asset value** valeur de l'actif
◆ **asset valuation** évaluation des actifs.

**assign** /əˈsaɪn/ **N** cessionnaire mf **VT a** task assigner; date fixer; room attribuer; person nommer, affecter, désigner (to à) ◆ **he has been assigned work in the office** on lui a confié du travail au bureau ◆ **rank assigned to a mortgage** rang assigné à un prêt hypothécaire **b** (Jur) property, right céder, faire cession de (to sb à qn) transférer (to sb sur la tête de or au nom de qn) ◆ **assigned account** compte or créance en garantie **c** (St Ex) shares transmettre.

**assignation** /ˌæsɪɡˈneɪʃən/ **N a** (= allocation) [money] allocation f; [person] affectation f

**b** (Jur) [right, claim] cession f ; [property] transmission f, transfert m ♦ **deed of assignation** acte de cession or de transfert.

**assignee** /ˌæsaɪˈniː/ N (Jur) cessionnaire mf ♦ **assignee in bankruptcy** syndic de faillite.

**assignment** /əˈsaɪnmənt/ N **a** (= task) mission f **b** (= allocation) [money] allocation f ; [person] affectation f ♦ **job assignment** affectation or répartition des tâches **c** (Jur) [right, claim] cession f ; [property] transmission f, transfert m ♦ **assignment of receivables** cession de créances; (to borrow money) mobilisation de créances ♦ **assignment clause** (Mar Ins) clause de cession.

**assignor** /ˌæsɪˈnɔːr/ N (Jur) cédant(e) m(f).

**assistant** /əˈsɪstənt/ N aide mf, assistant(e) m(f) ; (to director) adjoint(e) m(f) ♦ **personal assistant** secrétaire particulier, assistant ♦ **shop assistant** employé de magasin, commis, vendeur

―――――― compounds/composés ――――――
♦ **assistant accountant** aide-comptable
♦ **assistant director** directeur(-trice) adjoint(e)
♦ **assistant manager** sous-directeur(-trice), directeur(-trice) adjoint(e)
♦ **assistant secretary** secrétaire adjoint(e), sous-secrétaire .

**Assn, Assoc.** abbr of **association.**

**associate** /əˈsəʊʃɪt/ ADJ associé ♦ **associate director** directeur adjoint
**a** (= colleague) collègue mf ; (in business) associé(e) m(f)
**b** associer (one thing with another une chose à or avec une autre) ♦ **to associate o.s. with** or **be associated with sb in a business venture** s'associer à or avec qn dans une affaire.

**associated** /əˈsəʊsɪeɪtɪd/ ADJ associé ♦ **associated company** société liée.

**association** /əˌsəʊsɪˈeɪʃən/ N association f ; (= club) société f, club m ♦ **the company's Articles of Association** (Brit) les statuts de la société ♦ **Memorandum of Association** (Brit) acte constitutif de société ♦ **employers' association** syndicat patronal ♦ **trade association** association professionnelle ♦ **Association of South-East Asian Nations** Association des nations de l'Asie du Sud-Est.

**assorted** /əˈsɔːtɪd/ ADJ ♦ **in assorted sizes** clothes dans toutes les tailles.

**assortment** /əˈsɔːtmənt/ N [objects] assortiment m, collection f ♦ **this shop has a good assortment** ce magasin a un grand choix.

**assurance** /əˈʃʊərəns/ N **a** (= certainty, promise) assurance f ♦ **I can give you every assurance that this will not occur again** je peux vous donner l'assurance que cela ne se reproduira pas **b** (Brit = insurance) assurance f ♦ **life assurance** assurance-vie or sur la vie.

**assure** /əˈʃʊər/ VT **a** (= state, guarantee) assurer ♦ **he assured me that** il m'a assuré que **b** (Brit = insure) assurer ♦ **to assure one's life** s'assurer sur la vie.

**assured** /əˈʃʊəd/ ADJ assuré
**n** assuré(e) m(f).

**assurer** /əˈʃʊərər/ N assureur m.

**Astana** /æˈstænə/ N Abidjan.

**Asuncion** /asunˈsjon/ N Assomption.

**asynchronous** /æˈsɪŋkrənəs/ ADJ asynchrone.

**at** /æt/ PREP ♦ **at best** (St Ex) au mieux ♦ **at call** à vue ♦ **at the money** (St Ex) à la monnaie ♦ **at-the-market order** ordre au prix du marché ♦ **at par** (Bank) au pair ♦ **at sea** en mer ♦ **at sight** à vue, sur présentation ♦ **at sign** arobase f ♦ **at ship's rail** sous-palan.

**AT** /eɪˈtiː/ abbr of **alternative technology** → **alternative.**

**Athens** /ˈæθɪnz/ N Athènes.

**Atlantic** /ətˈlæntɪk/ ADJ atlantique ♦ **Atlantic Standard Time** (in North America) heure de l'Atlantique
**n** Atlantique m.

**ATM** /ˌeɪtiːˈem/ (abbr of **Automated Teller Machine**) GAB m, DAB m.

**atomic** /əˈtɒmɪk/ ADJ ♦ **Atomic Energy Authority** (Brit) or **Commission** (US) Commissariat à l'énergie atomique.

**attach** /əˈtætʃ/ **n a** (gen) attacher, lier, joindre (to à); (Tech, Comp) connecter, interconnecter ♦ **to attach value to sth** attacher or attribuer de la valeur à qch ♦ **the documents attached to our letter** les documents joints à notre lettre, les documents ci-joints **b** (Jur) person arrêter, appréhender; goods, salary, account saisir ♦ **debtor attached** débiteur saisi
**n** être attaché (to à) ♦ **salary attaching to a post** salaire attaché à un emploi.

**attaché** /əˈtæʃeɪ/ N attaché(e) m(f) ♦ **attaché-case** mallette, serviette.

**attachment** /əˈtætʃmənt/ N **a** (for tool = accessory) accessoire m ; (Comp) connexion f **b** (Jur) (on person) arrestation f ; (on goods, salary, account) saisie f ♦ **attachment ledger** livre des comptes bloqués **c** she is on attachment to our department for 6 months (as trainee) elle est en stage dans notre service pour 6 mois; (for special purpose) elle est détachée dans notre service pour 6 mois **d** (= slip attached to insurance policy, bill of lading) papillon m.

**attend** /ə'tend/ **VT** meeting, dinner, conference assister à, participer à ✦ **it was a well attended meeting** il y avait beaucoup de monde à la réunion.

**attendance** /ə'tendəns/ **N** (= people present) assistance f ✦ **there was good attendance at the meeting** il y avait une assistance nombreuse à la réunion

---
*compounds/composés*

✦ **attendance figures** (at exhibition) nombre de visiteurs or d'entrées; (at match) nombre de spectateurs; (at meeting) nombre de participants
✦ **attendance sheet** or **list** feuille de présence
✦ **attendance record** ✦ **his attendance record at meetings is poor** il a été peu assidu aux réunions
✦ **we must keep an attendance record** nous devons tenir un registre de présence.
---

**attendant** /ə'tendənt/ **N** préposé(e) m(f), employé(e) m(f).

**attend to** **VT FUS** task s'occuper de ✦ **to attend to a customer** servir un client, s'occuper d'un client ✦ **are you being attended to?** est-ce qu'on s'occupe de vous? ✦ **to attend to an order** exécuter une commande.

**attention** /ə'tenʃən/ **N** attention f ✦ **we shall give your order our earliest attention** votre commande sera exécutée dans les plus brefs délais ✦ **for immediate attention** urgent ✦ **for the attention of Mr Watson** à l'attention de M. Watson.

**attest** /ə'test/ **VT** (= certify) attester, assurer; (= prove) démontrer, prouver; (Jur) signature légaliser ✦ **attested copy** copie certifiée conforme
**VI** **to attest to sth** se porter garant de qch, témoigner de qch.

**attestant** /ə'testənt/ **N** déposant(e) m(f), témoin m.

**attestation** /ˌætes'teɪʃən/ **N** (gen) attestation f; [signature] légalisation f; (under oath) déclaration f sous serment.

**attestor** /ə'testər/ **N** (Jur) certificateur(-trice) m(f), témoin m instrumentaire.

**attorney** /ə'tɜːnɪ/ **N** (Admin) mandataire m, représentant m, fondé m de pouvoir; (US Jur) avocat de la défense ✦ **attorney-at-law** (US)

avocat ✦ **Attorney General** (Brit) ≈ Procureur général; (US) ≈ Garde des Sceaux, ≈ ministre de la Justice ✦ **defence attorney** (US) avocat de la défense.

**attract** /ə'trækt/ **VT** (gen) attirer ✦ **the remaining balance attracts interest at 1.75% per month** le solde restant comporte un intérêt mensuel de 1,75%.

**attractive** /ə'træktɪv/ **ADJ** product attrayant, séduisant, intéressant; price attractif.

**attributable** /ə'trɪbjʊtəbl/ **ADJ** ✦ **attributable profits** bénéfices nets.

**attribute** /ə'trɪbjuːt/ **VT** attribuer
**N** attribut m, caractéristique f ✦ **attributes sampling** échantillonnage or sondage par attributs.

**attrition** /ə'trɪʃən/ **N** usure f ✦ **attrition rate** [customers] taux d'attrition, pourcentage de clients perdus; [subscribers] taux d'attrition, taux de désabonnement.

**auction** /'ɔːkʃən/ **N** vente f aux enchères, vente f publique, adjudication f ✦ **to sell by auction** (Brit) or **at auction** (US) vendre aux enchères, vendre par voie d'adjudication ✦ **the house is up for auction** la maison va être vendue aux enchères ✦ **Dutch auction** enchères au rabais

---
*compounds/composés*

✦ **auction room** salle des ventes
✦ **auction sale** vente aux enchères
---

**VT** (also **auction off**) vendre aux enchères.

**auctioneer** /ˌɔːkʃə'nɪər/ **N** commissaire-priseur m.

**audience** /'ɔːdɪəns/ **N** (Theat) spectateurs mpl, public m; (at lecture) auditoire m, assistance f; (Mus, Rad) auditeurs mpl; (TV) téléspectateurs mpl; (Pub) audience f ✦ **target audience** cible, public ciblé or visé

---
*compounds/composés*

✦ **audience analysis** analyse de l'audience
✦ **audience rating(s)** (TV) indice d'écoute, taux d'écoute
✦ **audience research** études fpl d'opinion.
---

**audio** /'ɔːdɪəʊ/ **COMP** ✦ **audio cassette** cassette sonore or audio ✦ **audio conference** audioconférence.

**audiotyping** /'ɔːdɪəʊtaɪpɪŋ/ **N** audiotypie f.

**audiotypist** /'ɔːdɪəʊtaɪpɪst/ **N** audiotypiste mf.

**audiovisual** /ˌɔːdɪəʊˈvɪzjʊəl/ **ADJ** *aids* audio-visuel.

**audit** /ˈɔːdɪt/ **N** (*Acc*) audit m *or* contrôle m (de gestion), vérification f des comptes; (*leading to discharge*) apurement m ; (*Comp*) vérification f, contrôle m ◆ **external / internal audit** audit *or* contrôle externe / interne ◆ **general audit** audit général, contrôle général de comptabilité ◆ **snap audit** vérification par sondage ◆ **tax audit** contrôle fiscal

— *compounds/composés* —

◆ **Audit Bureau of Circulation** ≈ Office de justification de la diffusion
◆ **audit committee** commission d'audit
◆ **audit list** (*Comp*) liste de contrôle
◆ **audit report** (*Acc*) rapport du commissaire aux comptes
◆ **audit trail** (*Acc*) piste de vérification *or* de révision

**VT** *business, accounts* faire un audit de, auditer, contrôler, vérifier; (*leading to discharge*) apurer ◆ **audited results** résultats audités.

**auditing** /ˈɔːdɪtɪŋ/ **N** (*= profession, discipline*) expertise f comptable; (*= act of checking*) audit m, vérification f, contrôle m ; (*Tax*) contrôle m ; (*Acc*) audit m (de gestion), révision f (comptable), contrôle m (des comptes), vérification f (comptable) ◆ **auditing procedures** *or* **practices** techniques de révision *or* de vérification ◆ **internal / external auditing** audit *or* contrôle interne / externe.

**auditor** /ˈɔːdɪtəʳ/ **N** (*Acc*) auditeur m, contrôleur m de gestion; (*officially appointed*) commissaire m aux comptes ◆ **auditor's report** rapport du commissaire aux comptes.

**augment** /ɔːgˈment/ **VT** *income* augmenter, accroître.

**August** /ˈɔːgəst/ **N** août m → **September**.

**austerity** /ɒsˈterɪtɪ/ **N** austérité f ◆ **austerity budget** budget de rigueur.

**austral** /ˈɒstrəl/ **N** austral m.

**Australia** /ɒsˈtreɪlɪə/ **N** Australie f.

**Australian** /ɒsˈtreɪlɪən/ **ADJ** australien **N** (*= inhabitant*) Australien(ne) m(f).

**Austria** /ˈɒstrɪə/ **N** Autriche f.

**Austrian** /ˈɒstrɪən/ **ADJ** autrichien **N** (*= inhabitant*) Autrichien(ne) m(f).

**authenticate** /ɔːˈθentɪkeɪt/ **VT** (*gen*) établir l'authenticité de; *signature* certifier; *copy of a deed* certifier conforme.

**authentication** /ɔːˌθentɪˈkeɪʃən/ **N** [*document, signature*] authentification f, certification f.

**authority** /ɔːˈθɒrɪtɪ/ **N** **a** (*= power, competence*) autorité f, pouvoir m ◆ **to be in authority over sb** avoir autorité sur qn **b** (*= right*) autorisation f, mandat m, pouvoir m ◆ **to give sb authority to do sth** autoriser qn à faire qch ◆ **you have no authority to do it** (*gen*) vous n'êtes pas autorisé à le faire; (*Jur*) vous n'avez pas qualité pour le faire **c** (*Admin*) ◆ **authorities** autorités, administration ◆ **the public / local / district authorities** les autorités publiques / locales / régionales ◆ **the monetary authorities** les autorités monétaires ◆ **the New York Port Authority** le port autonome de New York **d** (*= expert*) autorité f (*on* en matière de) expert m (*on* en)

**authorization, authorisation** /ˌɔːθəraɪˈzeɪʃən/ **N** autorisation f (*of, for* pour, *to do* de faire); (*Jur = right*) pouvoir m (*to do* de faire) mandat m (*to do* pour faire)

**authorize, authorise** /ˈɔːθəraɪz/ **VT** *plan, expense* autoriser; *person* autoriser (*to do* à faire) ◆ **to be authorized to do sth** (*gen*) être autorisé à faire qch; (*Jur*) avoir qualité pour faire qch.

**authorized, authorised** /ˈɔːθəraɪzd/ **ADJ** ◆ **authorized agent** fondé de pouvoir, mandataire ◆ **authorized capital** capital social (autorisé) ◆ **authorized clerk** (*Brit St Ex*) commis de Bourse ◆ **authorized credit** crédit autorisé ◆ **authorized dealer** concessionnaire ◆ **authorized distributor** distributeur agréé.

**autocall** /ˈɔːtəkɔːl/ **N** appel m automatique.

**automat** /ˈɔːtəmæt/ **N** distributeur m automatique.

**automate** /ˈɔːtəmeɪt/ **VT** automatiser ◆ **automated teller machine** guichet automatique, distributeur de billets ◆ **automated clearing house** (*US*) *chambre de compensation automatisée.*

**automatic** /ˌɔːtəˈmætɪk/ **ADJ** automatique ◆ **the automatic retirement age is 65** l'âge obligatoire de la retraite est 65 ans ◆ **automatic answering machine** répondeur automatique *or* téléphonique ◆ **automatic bill payment** (*US*) paiement des factures par prélèvement automatique ◆ **automatic cash dispenser** distributeur automatique de billets ◆ **automatic data processing** traitement automatique des données ◆ **automatic selling** vente par distributeur automatique ◆ **automatic stabilizers** (*Econ*) stabilisateurs automatiques.

**automatics** /ˌɔːtəˈmætɪks/ **N** automatique f.

**automation** /ˌɔːtəˈmeɪʃən/ N (= technique) automatisation f ◆ **automation** **expert** automaticien ◆ office automation bureautique.

**automobile** /ˈɔːtəməbiːl/ (US) N automobile f, auto f, voiture f ◆ **the automobile industry** l'industrie (de l') automobile.

**automotive** /ˌɔːtəˈməʊtɪv/ (US) ADJ industry, design, worker (de l') automobile.

**autonomous** /ɔːˈtɒnəməs/ ADJ autonome.

**auto-teller** /ˈɔːtəʊtelə'/ N guichet m automatique.

**auxiliary** /ɔːgˈzɪlɪərɪ/ ADJ (gen) auxiliaire, annexe; (Comp) memory auxiliaire 🄽 auxiliaire mf.

**av.** abbr of **average**.

**a / v.** abbr of **ad valorem**.

**Av., Ave.** abbr of **avenue**.

**availability** /əˌveɪləˈbɪlɪtɪ/ N 🄰 (gen) disponibilité f ◆ **labour availability** disponibilité en main-d'œuvre 🄱 (US = validity) [airline ticket, reservation] validité f.

**available** /əˈveɪləbl/ ADJ 🄰 person, object disponible ◆ **to make sth available to sb** mettre qch à la disposition de qn ◆ **I am not available in the mornings** je ne suis pas libre or disponible le matin ◆ available assets actif disponible, disponibilités ◆ **this service is no longer available** ce service n'est plus offert or assuré 🄱 (US = valid) ticket, reservation valable.

**avails** /əˈveɪls/ (US) NPL [sale] produit m, revenu m.

**avdp.** (US) → avoirdupois.

**avenue** /ˈævənjuː/ N avenue f.

**average** /ˈævərɪdʒ/ 🄽 🄰 moyenne f ◆ **on average** en moyenne ◆ **to take an average of the figures** prendre la moyenne des chiffres ◆ above / below average au-dessus / audessous de la moyenne ◆ **moving average** moyenne mobile ◆ **weighted average** moyenne pondérée 🄱 (Mar Ins) avarie f ◆ **to adjust the average** répartir les avaries ◆ free from average franc d'avarie ◆ **general average** avarie commune or grosse ◆ **particular average** avarie(s) particulière(s) 🄲 (St Ex) indice m ◆ **the Dow Jones average** l'indice Dow Jones

—— compounds/composés ——

◆ **average adjuster** or **agent** or **stater** or **taker** répartiteur d'avaries, dispacheur
◆ **average adjustment** or **statement** règlement or répartition d'avaries

◆ **average bond** compromis d'avaries
◆ **average deposit** cautionnement d'avarie
◆ **average surveyor** commissaire d'avaries

🄰🄳🄹 cost, price moyen ◆ **average life** durée de vie moyenne

🆅🆃 🄰 (= find the average of) établir or faire la moyenne de 🄱 (= reach an average of) atteindre la moyenne de ◆ **sales averaged £3,000 a month** la moyenne des ventes mensuelles s'est établie à 3 000 livres ◆ **the factory averages 300 cars a day** l'usine produit en moyenne 300 voitures par jour.

**average down** VI (St Ex) faire la moyenne à la baisse.

**average out** VI ◆ **that averages out at 10 per month** cela fait en moyenne 10 par mois ◆ **our sales average out at 400 units a month** nous vendons en moyenne 400 unités par mois, la moyenne mensuelle des ventes est de 400 unités.

**averager** /ˈævərɪdʒə'/ N 🄰 (Mar Ins) répartiteur m d'avaries, dispacheur m 🄱 (St Ex) faiseur m de moyenne.

**average up** VI (St Ex) faire la moyenne à la hausse.

**aversion** /əˈvɜːʃən/ N ◆ **risk aversion is part of our strategy** prévenir les risques fait partie de notre stratégie.

**avert** /əˈvɜːt/ VT risk éviter, prévenir.

**aviation** /ˌeɪvɪˈeɪʃən/ N aviation f ◆ **aviation industry** industrie aéronautique.

**avoid** /əˈvɔɪd/ VT 🄰 (gen) éviter ◆ **to avoid tax** (legally) se soustraire à l'impôt; (illegally) frauder le fisc 🄱 (Jur) contract résilier, annuler.

**avoidable** /əˈvɔɪdəbl/ ADJ évitable ◆ **avoidable costs** (Acc) coûts évitables.

**avoidance** /əˈvɔɪdəns/ N 🄰 ◆ **avoidance of duty will not be tolerated** les manquements au devoir ne seront pas tolérés ◆ **tax avoidance** évasion fiscale 🄱 (Jur) [contract] résiliation f, annulation f ◆ **action for avoidance of contract** action en résiliation de contrat ◆ **condition of avoidance** condition résolutoire ◆ **avoidance clause** clause résolutoire.

**avoirdupois** /ˌævədəˈpɔɪz/ (Brit) N système m avoirdupoids ◆ **an avoirdupois pound** une livre (453,6 grammes).

**await** /əˈweɪt/ VT attendre ◆ **parcels awaiting delivery** colis en souffrance ◆ **awaiting your order** dans l'attente de votre commande.

**award** /ə'wɔːd/ **VT** *prize* décerner, attribuer; *sum of money* allouer, attribuer; *damages, wage increase* accorder; *contract* adjuger, accorder (*to* à); *licence* concéder
**N** **a** (= *prize*) récompense f, prix m ; (*damages*) dommages-intérêts mpl ; [*licence*] concession f ♦ **a pay award** une augmentation de salaire **b** (*Jur* = *judgment*) décision f ♦ **arbitration award** sentence d'arbitrage.

**awarder** /ə'wɔːdəʳ/ **N** (*Jur*) adjudicateur m.

**awareness** /ə'weənɪs/ **N** conscience f (*of* de) ♦ **brand awareness** notoriété de la marque ♦ **we must develop cost awareness in all departments** il nous faut sensibiliser tous les services au problème des coûts.

**awash** /ə'wɒʃ/ **ADJ** ♦ **awash with cash** regorgeant de liquidités.

**axe** (*Brit*), **ax** (*US*) /æks/ **N** (*fig* : *in expenditure*) coupe f sombre ♦ **to get the axe** \* être viré\* *or* limogé
**VT** *expenditure* réduire, faire *or* opérer des coupes sombres dans; *project* abandonner; *jobs* supprimer.

**Azerbaijan** /ˌæzəbaɪ'dʒɑːn/ **N** Azerbaïdjan.

**Azerbaijani** /ˌæzəbaɪ'dʒɑːnɪ/ **N** **a** (= *language*) azerbaïdjanais m **b** (= *inhabitant*) Azerbaïdjanais(e) m(f).

# B

**B** /biː/ N ◆ **B share** action ordinaire (avec droit de vote) ◆ **B2B** commerce électronique interentreprises, B2B ◆ **B2C** vente directe sur Internet B2C.

**baby** /'beɪbɪ/

```
─────────── compounds/composés ───────────
◆ baby bond (US) obligation inférieure à 100 dollars
◆ baby boom (the) le baby-boom.
```

**back** /bæk/ **N** (gen) dos m ; [page, cheque] verso m ◆ **please sign on the back** prière de signer au dos or verso
**ADJ** arrière, de derrière ◆ **see back page for** voir détails au dos or verso ◆ **to put a project on the back burner** mettre un projet en veilleuse
**VT** (= support) (gen) soutenir, appuyer; (with finance) financer, commanditer; currency garantir ◆ **sterling is no longer backed by gold** la livre sterling n'est plus garantie par l'or ◆ **to back a bill** (= endorse) avaliser or endosser un effet

**backdate** /'bækdeɪt/ VT cheque, letter antidater ◆ **increase in salary backdated to August 1st** augmentation de salaire avec effet rétroactif au 1er août or avec rappel à compter du 1er août ◆ **the contract is backdated to August 1st** le contrat est antidaté avec effet rétroactif au 1er août ◆ **the contracts were not backdated** les contrats n'ont pas eu d'effet rétroactif.

**backer** /'bækər/ N [firm, deal, project] commanditaire m ; [bill] avaliseur m, donneur m d'aval; [idea, proposal] partisan m ◆ **financial backer** bailleur de fonds, commanditaire.

**backfire** /'bæk'faɪər/ VI [plan, idea] échouer ◆ **their takeover bid has backfired on them** leur tentative d'OPA s'est retournée contre eux.

**background** /'bækgraʊnd/ N arrière-plan m ◆ **can you give us the background to this problem** or **some background information about this problem?** pourriez-vous nous faire l'historique de ce problème? ◆ **what's the background to this decision?** quel est le contexte de cette décision? ◆ **what is your professional background?** quelle est votre expérience professionnelle? ◆ **she has a good**

```
─────────── compounds/composés ───────────
◆ back-channel negotiations (US) négociations fpl en coulisse
◆ back cover [magazine] quatrième de couverture
◆ back files dossiers mpl archivés
◆ back freight (Mar) (frais mpl du) fret en retour (lorsque le déchargement n'a pu être effectué dans le port de destination)
◆ back interest arriérés mpl d'intérêts
◆ back load chargement de retour
◆ back number [magazine] vieux numéro
◆ back office back office, arrière-guichet ◆ back office applications / terminal (Comp) applications / terminal d'arrière-guichet
◆ back orders commandes fpl en attente or en souffrance or en retard
◆ back pay rappel de salaire or de traitement
◆ back rent arriéré(s) de loyer
◆ backroom boy spécialiste or chercheur qui reste dans l'ombre
◆ back taxes arriérés mpl d'impôts, rappel d'impôts
◆ back-to-back credit crédit dos à dos or back-to-back
◆ back-to-work agreement protocole de reprise du travail.
```

**business background** elle a une bonne expérience des affaires ◆ **educational background** formation.

**backhander** * /ˈbækˌhændəʳ/ N (Brit: bribe) pot-de-vin m.

**backing** /ˈbækɪŋ/ N (= support) (gen) soutien m, appui m ; [currency] garantie f ◆ **financial backing** soutien or appui financier ◆ **gold backing of a currency** la couverture or d'une monnaie.

**backlash** /ˈbæklæʃ/ N choc m en retour.

**backlog** /ˈbæklɒg/ N [rent] arriéré m ◆ **there is a backlog of work** il y a beaucoup de travail en retard ◆ **backlog of orders** accumulation de commandes non exécutées or en retard or en attente ◆ **to catch up with the backlog** liquider l'arriéré or le travail en retard.

**back off** VT FUS demand abandonner ◆ **they backed off their original bargaining position** ils ont fait marche arrière par rapport à leur position de départ dans la négociation.

**back out** VI faire machine arrière, se retirer ◆ **they backed out of the deal** ils se sont retirés or dégagés de l'affaire.

**backshift** /ˈbækʃɪft/ N (Ind) (= period) poste m du soir; (= workers) équipe f du soir.

**backslash** /ˈbækˌslæʃ/ N (Typ, Comp) barre f oblique inverse.

**backspace** /ˈbækspeɪs/ Ⅵ (Typ, Comp) faire un espacement or un retour arrière
Ⓝ (Typ, Comp) espacement m or retour m arrière

─── compounds/composés ───
◆ **backspace character** caractère d'espacement arrière or de retour arrière
◆ **backspace key** touche d'espacement or de retour arrière.

**backstairs influence** /ˈbækˈstɛəz ˈɪnfluəns/ N piston m *.

**backstop** /ˈbækstɒp/ N protection f ◆ **deposit insurance is a necessary backstop against bank failures** l'assurance des dépôts est une protection nécessaire contre les faillites bancaires ◆ **backstop loan facility** crédit exceptionnel.

**backstrike printer** /ˈbækstraɪk ˈprɪntəʳ/ N imprimante f bidirectionnelle.

**backtrack** /ˈbækˌtræk/ VI faire marche or machine arrière (on par rapport à)

**backup** /ˈbækʌp/ N (= support) (gen) appui m, soutien m ; (Comp) [file] sauvegarde f ◆ **logistic backup** appui logistique

─── compounds/composés ───
◆ **backup computer** ordinateur de secours
◆ **backup copy** copie de sauvegarde
◆ **backup facilities** (= installations) installations-fpl de secours; (= means) moyens mpl de secours
◆ **backup file** fichier de sauvegarde
◆ **backup line of credit** ligne de crédit de substitution
◆ **backup material** matériel de secours or de réserve
◆ **backup plan** plan de rechange
◆ **backup plane** avion de réserve
◆ **backup service** service après-vente.

**back up** VT (Comp) sauvegarder.

**backward** /ˈbækwəd/ ADJ methods, country arriéré ◆ **backward integration** (Econ) intégration en amont, intégration verticale vers les fournisseurs.

**backwardation** /ˈbækwəˈdeɪʃən/ N (St Ex) report m ◆ **backwardation rate** taux de report.

**backwash** /ˈbækwɒʃ/ N contrecoup m.

**bad** /bæd/ ADJ (gen) mauvais

─── compounds/composés ───
◆ **bad cheque** chèque sans provision
◆ **bad debt** créance douteuse or irrécouvrable
◆ **bad delivery** (St Ex) mauvaise livraison ◆ **to be bad delivery** être de mauvaise livraison
◆ **bad name** mauvaise réputation
◆ **bad paper** (Fin) mauvais papier.

**badge** /bædʒ/ N badge m.

**bag** /bæg/ Ⓝ (gen) sac m ; (= luggage) valise f ◆ **the contract's as good as in the bag** * le contrat est pratiquement dans la poche* ◆ **a mixed bag of** un assortiment de
Ⓥ goods ensacher, mettre en sac ◆ **bagged cargo** cargaison ensachée.

**Bagdhad** /bægˈdæd/ N Bagdad.

**baggage** /ˈbægɪdʒ/ N (= luggage) bagages mpl

─── compounds/composés ───
◆ **baggage allowance** (Aviat) franchise de bagage
◆ **baggage check** (= receipt) bulletin de consigne; (= security check) contrôle des bagages.

**Bahamas** /bəˈhɑːməz/ NPL ◆ **the Bahamas** les Bahamas.

**Bahamian** /bə'heɪmɪən/ **ADJ** bahamien **N** (= *inhabitant*) Bahamien(ne) m(f).

**baht** /bɑːt/ **N** baht m.

**bail** /beɪl/ **N** (*Jur*) (= *sum*) caution f ; (= *person*) caution f, répondant m ◆ **to go** *or* **stand bail for sb** se porter caution pour qn ◆ **to put up bail for sb** payer la caution de qn ◆ **to release sb on bail** libérer qn sous caution ◆ **to refuse sb bail** refuser de mettre qn en liberté sous caution **VT** *goods* mettre en dépôt (*with* auprès de, chez)

**bailee** /beɪ'liː/ **N** (*Comm*) dépositaire mf de caution *or* de biens.

**bailiff** /'beɪlɪf/ **N** (= *law officer*) huissier m ; (= *supervisor*) [*estate, lands*] régisseur m, intendant m.

**bailment** /'beɪlmənt/ **N** (*Comm*) dépôt m.

**bailor** /'beɪləʳ/ **N** (*Comm*) déposant m.

**bail out** **VT SEP** *person* (*Jur*) faire mettre en liberté sous caution; (*fig*) sortir d'affaire, dépanner* ; *company* renflouer ◆ **the bank bailed out the company** la banque a renfloué cette société.

**bailout** /'beɪlaʊt/ **N** [*company*] sauvetage m, renflouement m.

**bait-and-switch** /'beɪtənd'swɪtʃ/ **N** (*US Pub*) technique f de l'appât (pour attirer le client).

**Baku** /ba'kuː/ **N** Bakou.

**bal.** abbr of **balance**.

**balance** /'bæləns/ **N** **a** (*Econ, Comm, Fin*) (= *equality of sides*) balance f ; (= *difference of one side over another*) solde m ◆ **the balance of our trade in capital goods is in deficit** le solde de nos échanges de biens d'équipement est déficitaire ◆ **to strike the balance of an account** établir la balance d'un compte ◆ **cash balance** solde de trésorerie ◆ **credit / debit balance** solde créditeur / débiteur ◆ **please pay the balance of this account within 30 days** veuillez régler le solde de ce compte dans les 30 jours ◆ **the balance amounts to...** le solde est arrêté à la somme de... ◆ **receipt for the balance** reçu pour solde de compte ◆ **our terms are 20% upon receipt of invoice, the balance to be paid within 60 days** nos conditions sont les suivantes: 20% dès réception de la facture, le solde à régler dans les 60 jours ◆ **dollar balances** balances dollars ◆ **idle balances** soldes non mouvementés ◆ **trial balance** balance de vérification ◆ **aged trial balance** balance par antériorité de solde **b** (= *remainder*) [*order*] reste m **c** **system of checks and balances**

système de freins et de contrepoids ◆ **to be** *or* **hang in the balance** être en balance *or* dans la balance

────── compounds/composés ──────
◆ **balance in account** solde créditeur
◆ **balance book** livre de balance *or* d'inventaire
◆ **balance brought down** solde à reporter
◆ **balance brought forward** report, solde reporté
◆ **balance on capital accounts** balance des opérations en capital
◆ **balance carried forward** solde à reporter
◆ **balance on current accounts** balance des paiements courants
◆ **balance due** (*statement on invoice*) solde à régler; (*to creditor*) solde créditeur; (*to debtor*) solde débiteur
◆ **balance from last account** solde de l'exercice précédent
◆ **balance of goods and services** solde des échanges de biens et de services
◆ **balance in** *or* **on hand** solde créditeur
◆ **balance item** poste du bilan
◆ **balance of payments** balance des paiements
◆ **balance of power** équilibre des forces
◆ **balance sheet** bilan ◆ **to draw up a balance sheet** dresser *or* établir un bilan ◆ **balance sheet showing a loss / a profit** bilan déficitaire / bénéficiaire ◆ **balance sheet accounts** comptes de bilan ◆ **balance sheet item** poste du bilan ◆ **consolidated balance sheet** bilan consolidé ◆ **off (the) balance sheet items** éléments hors bilan ◆ **interim** *or* **provisional balance sheet** bilan intérimaire ◆ **summarized balance sheet** extrait du bilan
◆ **balance of trade** balance commerciale ◆ **balance of trade for industrial goods** solde des échanges de biens industriels

**VT** *budget* équilibrer; *accounts* arrêter, établir le solde *or* la balance de ◆ **the accounts receivable are balanced every day** les comptes clients sont arrêtés chaque jour ◆ **to balance the books** arrêter les comptes ◆ **to balance the cash** faire la caisse **VI** [*accounts*] s'équilibrer, être en équilibre.

**balanced** /'bælənst/ **ADJ** *budget, account* équilibré.

**balancing** /'bælənsɪŋ/ **N** [*accounts*] règlement m, solde m, arrêté m.

**balboa** /bæl'bəʊə/ **N** balboa m.

**bale goods** /'beɪl gʊdz/ **NPL** marchandises fpl en balles.

**ballast** /'bæləst/ **N** (*Mar*) lest m ◆ **cargo ballast** cargaison à fond de cale ◆ **ship in ballast** vaisseau en lest **VT** lester.

**balloon** \*/bə'lu:n/ **VI** [prices] monter en flèche

― compounds/composés ―
- **balloon loan** prêt dont le dernier remboursement est plus élevé que les versements périodiques
- **balloon payment** dernier remboursement d'un montant supérieur aux versements périodiques.

**ballot** /'bælət/ **N** (= method of voting) scrutin m
- **legislation to bring in secret ballots for trade unions** législation visant à rendre obligatoire le vote à bulletin secret dans les syndicats
- **postal ballot** vote par correspondance • **in the second / third ballot** au second / troisième tour de scrutin

― compounds/composés ―
- **ballot box** urne • **ballot-box stuffing** bourrage d'urne, fraude électorale
- **ballot paper** bulletin de vote.

**ballpark figure** \*/'bɔ:lpɑ:k,fɪgər/ **N** chiffre m approximatif.

**Baltic** /'bɔ:ltɪk/ **ADJ** • **the Baltic Exchange** la Baltique (l'une des Bourses de commerce de Londres).

**Bamako** /'bæməkəu/ **N** Bamako.

**ban** /bæn/ **N** interdiction f (on de) • **the union has imposed an overtime ban** le syndicat a imposé une interdiction des heures supplémentaires • **there is a ban on goods from** il y a un embargo sur les marchandises en provenance de
**VT** (gen) interdire (sb from doing à qn de faire); person exclure (from de)

**banana** /bə'nɑ:nə/ **N** (= fruit) banane f ; (= tree) bananier m • **banana boat** bananier • **banana republic** république bananière.

**band** /bænd/ **N** a (gen, Comm) bande f • **elastic** or **rubber band** élastique b (= range) bande f, fourchette f ; [income] tranche f • **to vary within a narrow band** varier à l'intérieur d'une fourchette étroite • **income band** tranche de revenu • **tax band** tranche d'imposition • **to reach the highest tax band** atteindre la tranche d'imposition la plus élevée
**VT** goods cercler • **banded offer** or **pack** (Mktg) [same product] vente groupée; [two different products] vente jumelée.

**banding** /'bændɪŋ/ **N** [goods] cerclage m, ceinturage m.

**bandwagon** /'bænd,wægən/ **N** • **to jump** or **climb on the bandwagon** prendre le train en marche.

**bang** /bæŋ/ **N** **the Big Bang** (Brit St Ex) le Big Bang (de Londres)
**VT** **to bang the market** (St Ex) casser les cours (en vendant massivement).

**Bangkok** /bæŋ'kɒk/ **N** Bangkok.

**Bangladesh** /,bæŋglə'deʃ/ **N** Bangladesh m.

**Bangladeshi** /,bæŋglə'deʃɪ/ **ADJ** bangladais
**N** (= inhabitant) Bangladais(e) m(f).

**Banjul** /bæn'dʒu:l/ **N** Banjul.

**Bamako** /'bæməkəu/ **N** Bamako.

**bank** /bæŋk/ **N** a (Fin) banque f • **bank of issue** or **circulation** banque d'émission • **accepting bank** banque acceptante • **central bank** banque centrale • **clearing bank** (Brit) banque de dépôt • **commercial** or **deposit** or **joint-stock bank** banque de dépôt • **high-street banks** les grandes banques de dépôt • **investment** (US) or **merchant** (Brit) **bank** banque d'affaires • **issuing bank** banque émettrice • **land bank** banque agricole • **lead bank** banque chef de file • **presenting bank** banque présentatrice • **retail bank** banque de dépôt or de réseau • **savings bank** caisse d'épargne • **trust bank** banque d'investissement • **wholesale bank** banque spécialisée dans les opérations des entreprises b **data bank** banque de données • **memory bank** (Comp) bloc or banc de mémoire • **safety bank** (Ind) stock de dépannage • **bank of keys** rangée de touches

― compounds/composés ―
- **bank acceptance** acceptation bancaire
- **bank accommodation** facilité de caisse, avance bancaire
- **bank account** compte en banque, compte bancaire
- **bank advances** facilités fpl de caisse, avances fpl bancaires
- **bank annuities** rente perpétuelle
- **bank balance** avoir en banque, solde en banque
- **bank bill** (= draft) effet bancaire (US = banknote); billet de banque
- **bank bond** obligation bancaire
- **bank book** (= passbook) livret de compte (d'épargne); (Acc) livre or journal de banque
- **bank card** carte (d'identité) bancaire
- **bank certificate** bon de caisse
- **bank charges** frais mpl de banque or de gestion de compte, frais mpl bancaires
- **bank charter** charte bancaire
- **bank cheque** chèque de banque
- **bank clearing** compensation (inter)bancaire
- **bank clerk** employé(e) de banque
- **bank commission** frais mpl de banque or de gestion de compte, frais mpl bancaires
- **bank credit** crédit bancaire

- **bank deposit** dépôt en banque
- **bank discount** escompte
- **bank draft** chèque de banque; (Brit) effet bancaire
- **bank examiner** (US) inspecteur de banque
- **bank failure** faillite de banque
- **bank giro** (Brit) paiement par virement bancaire
- **bank guarantee** garantie or caution bancaire
- **bank holding company** holding bancaire
- **bank holiday** (Brit) jour férié
- **Bank for International Settlements** Banque des règlements internationaux
- **bank lien** droit de rétention bancaire
- **bank loan** prêt bancaire
- **bank manager** directeur d'agence
- **bank money** monnaie scripturale
- **bank officer** gradé(e) or cadre de banque
- **bank overdraft** découvert
- **bank paper** papier avalisé par une banque, effet bancaire
- **bank postbill** mandat de banque
- **bank rate** taux d'escompte or de l'escompte
- **bank reconciliation statement** état de rapprochement bancaire
- **bank reserves** réserves fpl bancaires
- **bank return** situation de la banque ◆ **weekly bank return** situation or bilan hebdomadaire (de la banque)
- **bank runner** encaisseur
- **bank shares** valeurs fpl bancaires
- **bank statement** (= individual's account) relevé de compte; (= bank's financial position) situation de banque
- **bank teller** guichetier(-ière), caissier(-ière)
- **bank transfer** virement bancaire

**VT** money mettre or déposer en banque or à la banque ◆ **she banked the cheque** elle a déposé le chèque à la banque
**VI** **to bank with the National Bank** avoir un compte à la National Bank ◆ **where do you bank?** quelle est votre banque?

**bankable** /'bæŋkəbl/ **ADJ** assets, bills, securities bancable, escomptable.

**banker** /'bæŋkər/ **N** banquier m ◆ **syndicate of bankers** consortium bancaire ◆ **banker's acceptance** acceptation de banque, effet bancaire ◆ **banker's card** carte (d'identité) bancaire ◆ **banker's deposits** (Brit) réserves des banques de dépôts (déposées à la Banque d'Angleterre) ◆ **banker's discount** escompte de banque ◆ **banker's draft** or **cheque** chèque de banque ◆ **banker's order** (ordre de) virement bancaire ◆ **banker's reference** références bancaires ◆ **discounting / issuing / lending / paying banker** banquier en escompte / émetteur / prêteur / payeur ◆ **investment** or **merchant** (Brit) **banker** banquier d'affaires.

**banking** /'bæŋkɪŋ/ **N** (= line of business) la banque f ; (= transactions) opérations fpl de banque or bancaires ◆ **he is in investment banking** il est dans la banque d'affaires, il est banquier d'affaires ◆ **the banking business** l'activité bancaire, le métier de banquier ◆ **retail banking has shown poor results this year** le secteur des banques de réseau a enregistré des résultats médiocres cette année ◆ **corporate banking** services bancaires aux entreprises ◆ **direct banking** la banque directe ◆ **investment** or **merchant** (Brit) **banking** (le secteur de) la banque d'affaires, la profession de banquier d'affaires ◆ **private banking** services bancaires aux particuliers, structures bancaires dirigées vers la clientèle

─────── compounds/composés ───────

- **banking account** compte en banque, compte bancaire
- **banking business** ◆ **they are in the banking business** ils sont dans la banque, ils sont banquiers ◆ **banking business has risen rapidly in recent years** l'activité bancaire a augmenté rapidement ces dernières années ◆ **banking business consists of receiving deposits and making loans** le métier de banquier consiste à recevoir des dépôts et à faire des prêts
- **banking hours** heures fpl d'ouverture de la banque
- **banking industry (the)** le secteur bancaire
- **banking institution** institution bancaire
- **banking law** droit bancaire
- **banking regulation** réglementation des banques
- **banking syndicate** (gen) consortium bancaire; (for loan) syndicat de banque
- **banking system** système bancaire.

**banknote** /'bæŋknəʊt/ **N** billet m de banque.

**bankroll** /'bæŋkrəʊl/ **N** fonds mpl, ressources fpl monétaires
**VT** financer.

**bankrupt** /'bæŋkrʌpt/ **N** (Jur) failli(e) m(f) ; (* = penniless person) sans-le-sou m
**ADJ** (Jur) failli ; (* = penniless) sans le sou, fauché* ◆ **to go bankrupt** person, company faire faillite, déposer son bilan ◆ **to be bankrupt** être en faillite ◆ **to be declared** or **adjudged** or **adjudicated bankrupt** être déclaré en faillite ◆ **bankrupt's certificate** concordat ◆ **bankrupt's estate** masse or actif de la faillite ◆ **certificated bankrupt** concordataire ◆ **discharged / undischarged bankrupt** failli réhabilité / non réhabilité
**VT** person, company (Jur) mettre en faillite; (* = ruin) ruiner.

# bankruptcy

**bankruptcy** /ˈbæŋkrəptsɪ/ N faillite f ♦ **to file (a petition) for bankruptcy** déposer son bilan, se déclarer en faillite ♦ **adjudication of bankruptcy** decree in bankruptcy, déclaration de faillite, jugement déclaratif de faillite ♦ **assignee** *or* **trustee in bankruptcy** syndic de faillite ♦ **discharge in bankruptcy** réhabilitation du failli ♦ **fraudulent bankruptcy** banqueroute *or* faillite frauduleuse ♦ **voluntary bankruptcy** dépôt de bilan

— *compounds/composés* —

- **bankruptcy committee** administration de la faillite
- **bankruptcy court** ≈ tribunal de commerce
- **bankruptcy estate** masse *or* actif de la faillite
- **bankruptcy notice** avis de faillite
- **bankruptcy proceedings** procédure de faillite.

**banner** /ˈbænəʳ/ N *(gen)* bannière f, étendard m ; *(Comp)* drapeau m ♦ **towed banner** *(Pub)* banderole publicitaire tirée par un avion, publicité remorquée

— *compounds/composés* —

- **banner headlines** manchettes fpl *or* gros titres des journaux
- **banner year** année exceptionnelle.

**bar** /bɑːʳ/ N **a** *[metal]* barre f *(Comp, Typ)* barre f ♦ **bar of gold** barre (d'or) ♦ **menu bar** barre de menu ♦ **space bar** barre d'espacement ♦ **status bar** barre d'état ♦ **print** *or* **type bar** barre d'impression ♦ **tool bar** barre d'outils **b** *(Jur = profession)* ♦ **the bar** le barreau ♦ **to call** *(Brit)* *or* **admit** *(US)* **to the bar** inscrire au barreau **c** *(= counter)* comptoir m ♦ **jeans / hat bar** *(in shop)* rayon des blue-jeans / des chapeaux **d** *(= ban)* interdiction f *(on* de*)* ♦ **the bar on Sunday trading** l'interdiction d'ouvrir les magasins le dimanche

— *compounds/composés* —

- **bar chart** *or* **graph** graphique en barres *or* en tuyaux d'orgue
- **bar code** code (à) barres
- **bar code scanner** *or* **reader** lecteur de code barres, crayon optique, crayon-lecteur

**VT** *(= exclude, prohibit)* **person** exclure *(from* de*)*; **action** défendre, interdire ♦ **these debts are barred (by limitation)** *(Jur)* il y a prescription pour ces dettes.

**bare** /bɛəʳ/ ADJ *(gen)* nu ♦ **bare-boat charter** affrètement en coque nue ♦ **bare contract** contrat à titre gratuit ♦ **bare owner** nu-propriétaire ♦ **bare ownership** *or* **property** nue-propriété.

**bargain** /ˈbɑːgɪn/ N **a** *(= deal)* *(gen)* marché m ; *(St Ex)* transaction f ♦ **to make** *or* **strike** *or* **drive a bargain** conclure un marché *or* une affaire *(with* avec*)* **he drives a hard bargain** il est dur en affaires ♦ **a good / bad bargain** une bonne / mauvaise affaire ♦ **cash / option bargain** *(St Ex)* marché au comptant / à prime ♦ **settlement** *or* **time bargain, bargain for the account** *(St Ex)* marché à terme ♦ **bargain done** *(St Ex)* cours pratiqués *or* faits ♦ **unconscionable bargain** *(Jur)* contrat léonin **b** *(= cheap offer)* occasion f, affaire f ♦ **it's a bargain at that price** c'est une bonne affaire à ce prix ♦ **this week's bargain** l'affaire de la semaine

— *compounds/composés* —

- **bargain basement** coin des (bonnes) affaires
  - **on bargain-basement terms** *(fig)* à des conditions exceptionnelles, à très bas prix
- **bargain book** *(St Ex)* carnet d'agent de change
- **bargain counter** rayon des soldes
- **bargain offer** offre spéciale *or* promotionnelle, réclame
- **bargain price** prix promotionnel *or* soldé *or* réduit
- **bargain rate** tarif promotionnel
- **bargain sale** soldes mpl

**VI** **to bargain with sb** marchander avec qn ♦ **to bargain over sth** marchander qch ♦ **to bargain with sb for sth** négocier qch avec qn.

**bargainee** /ˌbɑːgəˈniː/ N *(Jur)* acheteur (-euse) m(f), preneur(-euse) m(f).

**bargainer** /ˈbɑːgənəʳ/ N négociateur(-trice) m(f).

**bargaining** /ˈbɑːgənɪŋ/ N *(= haggling)* marchandage m ; *(= negotiating)* négociation f ♦ **collective bargaining** *(Ind Rel)* négociations en vue de signer une convention collective ♦ **collective bargaining agreement** convention collective

— *compounds/composés* —

- **bargaining position** ♦ **what is their bargaining position?** quelle est leur position dans la négociation?
- **bargaining power** pouvoir de négociation ♦ **they have considerable bargaining power** ils sont en position de force pour négocier
- **bargaining table** table de négociations.

**barge** /bɑːdʒ/ N chaland m, péniche f.

**barometer** /bəˈrɒmɪtəʳ/ N *(Econ)* baromètre m ♦ **business barometer** *(gen)* baromètre économique; *(= index)* indicateur de tendance ♦ **barometer stock** valeur de référence *(de l'indicateur de tendance)*.

**barratry** /'bærətrɪ/ **N** *(Mar Ins)* baraterie f.

**barrel** /'bærəl/ **N** *(gen)* tonneau m ; *[beer, wine]* fût m, tonneau m ; *[oil]* baril m ♦ **goods in barrel, barrel cargo** marchandises de tonnelage *or* en fût ♦ **countries producing more than 5 million barrels (of oil) a year** les pays qui produisent plus de 5 millions de barils de pétrole par an.

**barrier** /'bærɪəʳ/ **N** *(lit, fig)* barrière f *(to* à*)* ♦ **customs barrier** barrière douanière ♦ **entry / exit barrier** *(Econ, Ind)* barrière d'entrée / de sortie ♦ **tariff / non-tariff barrier** barrière tarifaire / non tarifaire ♦ **trade barrier** barrière douanière.

**barrister** /'bærɪstəʳ/ **N** *(Brit)* avocat m.

**barter** /'bɑːtəʳ/ **N** *(gen)* troc m, échange m ; *(Foreign Trade)* compensation f

─── *compounds/composés* ───
- ♦ **barter agreement** *(gen)* accord de troc; *(Foreign Trade)* accord de compensation
- ♦ **barter trade** *(gen)* commerce de troc; *(Foreign Trade)* (commerce d')échanges compensés, compensation
- ♦ **barter trader** compensateur
- ♦ **barter transaction** *(gen)* opération de troc *or* d'échange; *(Foreign Trade)* opération de compensation

**VT** échanger, troquer *(for* contre*)*
**VI** *(on one occasion)* faire un échange *or* un troc; *(in general)* faire du troc.

**base** /beɪs/ **N** base f ♦ **data base** base de données ♦ **tax base** assiette de l'impôt, base d'imposition
**ADJ** *coin* faux ♦ **base metal** métal vil
**VT** fonder, baser *(on* sur*)* ♦ **he is based in London** il travaille *or* il opère à partir de Londres ♦ **the company is based in Paris** la société est basée *or* a son siège à Paris

─── *compounds/composés* ───
- ♦ **base lending rates** taux mpl de base
- ♦ **base pay** salaire de base
- ♦ **base period** période de base *or* de référence
- ♦ **base price** prix de base *or* de référence
- ♦ **base rate** *(Bank)* taux de base; *[pay]* taux (horaire) de base
- ♦ **base salary** salaire de base
- ♦ **base stock** stock-outil
- ♦ **base year** année de base *or* de référence.

**baseband** /'beɪsbænd/ **N** *(Comp)* bande f de base.

**baseline** /'beɪslaɪn/ **N** *[diagram]* ligne f zéro ♦ **baseline configuration** *(Comp)* configuration de base; *(Pub)* signature.

**basement** /'beɪsmənt/ **N** sous-sol m ♦ **bargain basement** coin des (bonnes) affaires.

**basic** /'beɪsɪk/ **ADJ** *(gen, Comp)* de base

─── *compounds/composés* ───
- ♦ **basic commodity** produit de base
- ♦ **basic earnings per share** bénéfice non dilué par action
- ♦ **basic income** revenus mpl directs
- ♦ **basic industry** industrie de base
- ♦ **basic language** *(Comp)* langage de base
- ♦ **basic message** *(Pub)* axe publicitaire
- ♦ **basic needs** *(Econ)* besoins mpl fondamentaux
- ♦ **basic pay** salaire de base
- ♦ **basic rate (of pay)** *(hourly)* taux horaire de base; *(weekly, monthly)* salaire de base
- ♦ **basic research** recherche fondamentale
- ♦ **basic wage** salaire de base

**basics** **NPL** bases fpl ♦ **to learn the basics** apprendre les principes essentiels *or* de base.

**basin** /'beɪsn/ **N** *(= harbour)* bassin m.

**basis** /'beɪsɪs/ **N** *(gen)* base f ; *(Tax)* assiette f, base f ♦ **we hope to do business with you on a long-term basis** nous espérons avoir des relations professionnelles durables avec vous ♦ **we sell strictly on an arm's-length basis** nous vendons sur une base strictement commerciale ♦ **we are open on a 24-hour basis** nous sommes ouverts 24 heures sur 24 ♦ **rental on an hourly / weekly / monthly basis** location à l'heure / à la semaine / au mois, location sur une base horaire / hebdomadaire / mensuelle ♦ **basis of assessment** *(Tax)* assiette de l'impôt, base d'imposition ♦ **basis point** *(Fin)* point de base.

**basket** /'bɑːskɪt/ **N** panier m ♦ **the housewife's shopping basket** le panier de la ménagère ♦ **basket of currencies / products** *(Econ)* panier de devises / produits ♦ **basket purchase** *(Fin)* achat à un prix forfaitaire *or* global.

**batch** /bætʃ/ **N** *(gen)* lot m ; *(Ind)* lot m de fabrication, petite série f ; *[letters, invoices]* liasse f, paquet m ♦ **the scheduling of batches is the responsibility of the technical director** la programmation des lots de fabrication *or* des séries est placée sous la responsabilité du directeur technique.

*compounds/composés*

- **batch control** contrôle par lots
- **batch data transmission** transmission de données par paquets
- **batch job** *(Comp)* traitement par lots
- **batch process** *(Comp)* traiter par lots
- **batch processing** *(Comp)* traitement par lots, traitement séquentiel
- **batch production** fabrication *or* production par lots *or* en petites séries
- **batch size** taille des séries *or* des lots ◆ **economic** *or* **optimum batch size** série économique
- **batch terminal** terminal lourd

**VT** *goods, letters* grouper.

**bath** /bɑːθ/ N ◆ **to take a bath** *(Fin)* boire la tasse\*, prendre un bouillon\*.

**battery** /'bætərɪ/ N *(Aut, Ind)* [*test, measures*] batterie f ; [*torch, radio*] pile f ◆ **a battery of economic measures** un train de mesures économiques ◆ **battery-operated** *device* à pile(s).

**bay** /beɪ/ N *(Rail)* voie f d'arrêt, quai m subsidiaire; *(in factory, warehouse)* quai m ◆ **loading bay** aire *or* baie *or* quai de chargement.

**Bay Street** /'beɪstriːt/ N *le quartier des affaires à Toronto.*

**bbl.** abbr of **barrels.**

**b.c., b.c.c.** abbr of **blind (carbon) copy → blind.**

**BCD** /biːsiːˈdiː/ N (abbr of **binary-coded decimal**) DCB m.

**B / D** a abbr of **bank draft → bank** b abbr of **bills discounted → bill.**

**b / d** abbr of **brought down → brought.**

**B / E, B.E** abbr of **Bank of England.**

**b.e., b / e** a abbr of **bill of exchange → bill** b abbr of **bill of entry → bill.**

**bear** /bɛəʳ/ **N** *(St Ex)* baissier m, spéculateur m à la baisse, vendeur m à découvert ◆ **to go a bear** jouer *or* spéculer à la baisse ◆ **to raid** *or* **squeeze the bears** faire la chasse aux vendeurs à découvert ◆ **to sell a bear** vendre à découvert **VT** a (= *yield*) *interest* porter, produire, rapporter ◆ **to bear fruit** porter ses fruits ◆ **to bear interest at 8%** produire *or* rapporter un intérêt de 8% ◆ **an interest-bearing account** un compte productif d'intérêts, un compte qui rapporte (des intérêts) b **to bear the market** *(gen)* chercher à faire baisser les cours; *(St Ex)* jouer *or* spéculer à la baisse c *(Ins) loss* supporter; *risk, responsibility* assumer **VI** *(St Ex)* jouer *or* spéculer à la baisse

*compounds/composés*

- **bear account** *(gen)* position vendeur, position à la baisse; *(before settlement day)* position à découvert
- **bear campaign** spéculation à la baisse, opération destinée à faire baisser les cours
- **bear closing** *or* **covering** rachats mpl des vendeurs à découvert
- **bear market** marché (orienté) à la baisse, marché baissier
- **bear operation** transaction à la baisse
- **bear position** *(gen)* position vendeur *or* à la baisse; *(before settlement day)* position à découvert
- **bear raid** opération destinée à faire baisser les cours
- **bear rumours** bruits mpl alarmants (de baisse)
- **bear sale** *(gen)* vente à la baisse; *(before settlement day)* vente à découvert
- **bear seller** vendeur à découvert
- **bear speculation** spéculation à la baisse
- **bear squeeze** chasse aux vendeurs à découvert
- **bear transaction** transaction à la baisse
- **bear trend** canal descendant *or* baissier.

**bearer** /'bɛərəʳ/ N porteur m ◆ **cheque / bill payable to bearer** chèque / effet payable au porteur ◆ **pay bearer** payez au porteur ◆ **in bearer form** au porteur

*compounds/composés*

- **bearer bill** effet au porteur
- **bearer bond** bon anonyme, obligation au porteur
- **bearer certificate** titre au porteur
- **bearer cheque** chèque au porteur
- **bearer clause** clause au porteur
- **bearer debenture** obligation *or* bon au porteur
- **bearer paper** papier au porteur
- **bearer security** titre au porteur
- **bearer share** *or* **stock** action au porteur
- **bearer warrant** bon de souscription au porteur.

**bearish** /'bɛərɪʃ/ ADJ *(St Ex) market* baissier, orienté à la baisse ◆ **bearish tendency** tendance à la baisse.

**beat down** /biːt/ VT SEP *prices* faire baisser; *person* faire baisser ses prix à ◆ **she beat him down to $20** elle l'a fait descendre à 20 dollars.

**beat off** VT SEP *competition* repousser.

**bed-and-breakfast** /'bedənd'brekfəst/ ADJ ◆ **bed-and-breakfast operation** *vente puis rachat immédiat d'actions pour dégager une moins-value fiscale.*

**beef up** /biːf/ VT SEP *publicity* renforcer, étoffer, gonfler, muscler.

**beep** /biːp/ **N** (= sound) bip m
**VI** faire bip
**VT** person biper.

**beeper** /'biːpər/ **N** (= object) bip m.

**before** /bɪ'fɔːr/ **PREP** avant ◆ **before tax** avant impôts.

**beg** /beg/ **VT** ◆ **we beg to inform you that...** nous avons l'honneur de vous informer que..., nous tenons à vous informer que... ◆ **I beg to state that...** je me permets de vous faire remarquer que...

**beginning** /bɪ'gɪnɪŋ/ **N** commencement m ◆ **beginning inventory** stock initial, stock à l'ouverture or au début de l'exercice.

**behalf** /bɪ'hɑːf/ **N** ◆ **on behalf of** (= representing) de la part de, au nom de; (= in the interest of) en faveur de, dans l'intérêt de ◆ **to act on sb's behalf** agir pour qn or pour le compte de qn.

**behave** /bɪ'heɪv/ **VI** se comporter.

**behaviour** (Brit), **behavior** (US) /bɪ'heɪvjər/ **N** comportement m ◆ **behaviour segmentation** segmentation du marché selon les types de comportement ◆ **consumer behaviour** comportement des consommateurs ◆ **purchase behaviour** comportement d'achat.

**behavioural** (Brit), **behavioral** (US) /bɪ'heɪvjərəl/ **ADJ** pattern de comportement.

**behind** /bɪ'haɪnd/ **ADV** (= late) en retard ◆ **to be behind with one's payments** être en retard dans ses paiements.

**Beijing** /'beɪ'dʒɪŋ/ **N** Beijing.

**Beirut** /beɪ'ruːt/ **N** Beyrouth.

**Belarus** /belə'rʊs/ **N** Bélarus m, Biélorussie f.

**Belarussian** /belə'rʌʃən/ **ADJ** bélarusse, biélorusse
**N** (= inhabitant) Bélarusse mf, Biélorusse mf.

**Belfast** /bel'fɑːst/ **N** Belfast.

**Belgian** /'beldʒən/ **ADJ** belge
**N** (= inhabitant) Belge mf.

**Belgium** /'beldʒəm/ **N** Belgique.

**Belgrade** /bel'greɪd/ **N** Belgrade.

**bell-shaped** /'belʃeɪpd/ **ADJ** ◆ **bell-shaped curve** (Econ) courbe en cloche.

**bellwether** /'belweðər/ **N** indicateur m ◆ **bellwether jobless rate** taux de chômage qui sert d'indicateur ◆ **bellwether stock** (US St Ex) titre dont les mouvements servent d'indicateur des tendances du marché.

**belly** /'beli/ **N** ◆ **to go belly up** * [company] boire la tasse*, faire faillite.

**below** /bɪ'ləʊ/ **PREP** sous, au-dessous de ◆ **below par** (St Ex) au-dessous du pair ◆ **below-the-line revenue** (Acc) produit exceptionnel ◆ **below-the-line advertising costs** coûts de promotion ◆ **below-the-line item** (Econ) opération au-dessous de la ligne.

**belt** /belt/ **N** [dress] ceinture f ; (Geog) zone f ; (Agr) région f ◆ **industrial belt** zone industrielle ◆ **the cotton belt** (US) la région de la culture du coton ◆ **the sun belt** (US) la partie sud des États-Unis ◆ **the rust belt** (US) la région des industries en déclin ◆ **to tighten one's belt** se serrer la ceinture ◆ **belt-tightening measures** mesures fpl d'austérité.

**bench** /bentʃ/ **N** **a** [laboratory, factory] établi m ◆ **test bench** banc d'essai ◆ **work bench** établi **b** (Brit Jur) ◆ **the Bench** (= court) la cour, le tribunal; (= judges) la magistrature.

**benchmark** /'bentʃmɑːk/ **N** (gen) point m de repère or de référence, jalon m ; (Comp) banc m or jeu m d'essai; (St Ex) indice de référence ◆ **prices reached a benchmark low** les prix sont descendus à un niveau historique.

─── compounds/composés ───
◆ **benchmark decision** décision qui sert de référence
◆ **benchmark price** prix de référence
◆ **benchmark reserves** (US Bank) réserves fpl obligatoires
◆ **benchmark statistics** données fpl statistiques de base or de référence
◆ **benchmark test** (Comp) test d'évaluation (de programme)

**VT** (Comp) évaluer les performances de.

**beneficial** /beni'fiʃəl/ **ADJ** salutaire, avantageux (to pour) favorable (to à) ◆ **beneficial interest** (Jur) droit d'usufruit ◆ **beneficial owner** (Jur) usufruitier ◆ **beneficial ownership** (Jur) usufruit ◆ **beneficial society** mutuelle.

**beneficiary** /beni'fiʃəri/ **N** bénéficiaire mf ◆ **contingent / primary beneficiary** bénéficiaire éventuel / principal.

**benefit** /'benifit/ **N** **a** (= advantage) avantage m, profit m ◆ **for the benefit of our customers** dans l'intérêt de nos clients **b** (= allowance) allocation f, prestation f, indemnité f ◆ **benefits in kind** prestations en nature ◆ **death benefit** (Ins) capital-décès, indemnité en cas de décès ◆ **disablement** or **disability benefit** indemnité d'invalidité ◆ **redundancy benefit** indemnité de licenciement (pour raison économique) ◆ **sickness benefit** allocation *or* prestation *or* indemnité de maladie ◆ **Social Security** *or* **welfare benefits** prestations sociales, prestations *or* allocations de la Sécurité sociale ◆ **tax-free benefits** indemnités non soumises à retenues ◆ **unemployment benefit** *(Brit)* allocation *or* indemnité de chômage **c** *(Ind Rel)* (= *material advantage other than salary*) avantage non salarial ◆ **the union negotiated a package of wage increases and improved benefits** le syndicat a négocié un ensemble d'augmentations des salaires et des avantages non salariaux ◆ **fringe benefits** *(gen)* avantages divers; *(company car, luncheon vouchers)* avantages en nature

────── *compounds/composés* ──────
◆ **benefit club** caisse *or* association *or* société de secours mutuel
◆ **benefit package** avantages mpl sociaux
◆ **benefit society** caisse *or* association *or* société de secours mutuel

**VI** *[person]* profiter, tirer avantage, bénéficier *(from, by* de*)* gagner *(from doing, by doing* à faire*)*; *[work, situation]* être avantagé *(from* par*)* ◆ **all our customers will benefit by our cheaper rates** tous nos clients bénéficieront de nos tarifs réduits ◆ **not everybody has benefited from disinflation** la désinflation n'a pas profité à tout le monde.

**Benelux** /ˈbenɪlʌks/ N Bénélux m.

**Benin** /beˈniːn/ N Bénin m.

**Beninese** /ˌbenɪˈniːz/ **ADJ** béninois **N** (= *inhabitant*) Béninois(e) m(f).

**bequeath** /bɪˈkwiːð/ **VT** *(in will)* léguer *(to* à*)*

**bequest** /bɪˈkwest/ N legs m.

**Berlin** /bɜːˈlɪn/ N Berlin.

**Bermuda** /bɜːˈmjuːdə/ N Bermudes fpl.

**Bermudan** /bɜːˈmjuːdən/ **ADJ** bermudien(ne) **N** (= *inhabitant*) Bermudien(ne) m(f).

**Bermudian** /bɜːˈmjuːdjən/ **ADJ** bermudien(ne) **N** (= *inhabitant*) Bermudien(ne) m(f).

**Bern** /bɜːn/ N Berne.

**berth** /bɜːθ/ **N** **a** *[plane, train, ship]* couchette f **b** *(Mar)* mouillage m ◆ **loading berth** emplacement de chargement

────── *compounds/composés* ──────
◆ **berth cargo** cargaison au mouillage
◆ **berth charter** affrètement au mouillage
◆ **berth rates** droits mpl de mouillage *or* d'amarrage

**VI** *(at anchor)* mouiller; *(alongside)* venir à quai, accoster
**VT** **to berth a ship** (= *assign place*) donner *or* assigner un mouillage à un navire; (= *perform action*) amarrer un navire, faire accoster un navire.

**berthage** /ˈbɜːθɪdʒ/ N droits mpl de mouillage.

**bespoke** /bɪˈspəʊk/ *(Brit)* **ADJ** *garment* fait sur mesure; *tailor* à façon; *software* personnalisé, fait sur mesure.

**best** /best/ **ADJ** meilleur ◆ **please quote your best price** veuillez indiquer votre meilleur prix ◆ **this week's best buy** l'affaire de la semaine ◆ **best-before date: 30th October** à consommer de préférence avant le 30 octobre, date limite de fraîcheur: 30 octobre ◆ **best-price order** ordre à tout prix, ordre au mieux.

**best seller** /ˌbestˈseləʳ/ N (= *book*) best-seller m, succès m de librairie; *(Comm)* article m *or* produit m de grande vente, best-seller m.

**best-selling** /ˌbestˈselɪŋ/ **ADJ** *book* qui fait partie des meilleures ventes, à succès; *author* à succès; *item* de bonne vente.

**beta** /ˈbiːtə/

────── *compounds/composés* ──────
◆ **beta factor** facteur beta
◆ **beta test** *(Comp)* essai pilote
◆ **beta version** prototype, version beta.

**better** /ˈbetəʳ/ **ADJ** mieux ◆ **or better** *(St Ex)* sauf mieux.

**betterment** /ˈbetəmənt/ N *(Jur)* *[property]* plus-value f ◆ **betterment tax** impôt sur les plus-values.

**beware** /bɪˈwɛəʳ/ **VI** ◆ **beware of imitations** méfiez-vous des imitations *or* contrefaçons.

**b / f** abbr of **brought forward** → **brought.**

**B / G, b / g** abbr of **bonded goods** → **bonded.**

**BH** /biːˈeɪtʃ/ N abbr of **bill of health** → **bill.**

**biannual** /baɪˈænjʊəl/ **ADJ** (= *twice a year*) semestriel; (= *every alternate year*) biennal, bisannuel.

**bid** /bɪd/ **VT** *amount* offrir, faire une offre de; *(at auction)* faire une enchère de ◆ **to bid a high price** faire une forte enchère, offrir un prix élevé *or* une grosse somme, faire une offre élevée ◆ **to bid a low price** faire une offre *or* une enchère peu élevée
**VI** **to bid for sth** *(gen)* faire une offre pour qch; *(at auction)* faire une enchère pour qch ◆ **to bid**

for a company's stock faire une offre de rachat des actions d'une entreprise ◆ **to bid against sb** renchérir sur qn
**N** **a** *(= offer)* offre f ; *(at auction)* enchère f ; *(in tender offer)* soumission f ; *(for shares)* cours or prix acheteur ◆ **to make a bid for sth** *(gen)* faire une offre pour qch ; *(at auction)* faire une enchère pour qch ◆ **a high bid** une forte enchère ◆ **a higher bid** *(gen)* une offre supérieure ; *(at auction)* une surenchère ◆ **to make a higher bid** surenchérir, faire une offre supérieure ◆ **to make a bid for a company's stock** faire une offre de rachat des actions d'une entreprise ◆ **cash bid** offre au comptant ◆ **closing bid** dernière enchère *or* offre ◆ **takeover bid** offre publique d'achat, OPA ◆ **hostile takeover bid** OPA inamicale, tentative de prise de contrôle sauvage *or* inamicale ◆ **counter bid, rival bid** contre-offre, surenchère
**b** *(= attempt)* tentative f ◆ **to make a bid for market dominance** tenter de dominer le marché ◆ **to make a bid for power** tenter de prendre le pouvoir

*────── compounds/composés ──────*
◆ **bid bond** *(St Ex)* caution de participation à une adjudication
◆ **bid price** prix d'achat; *(St Ex)* cours *or* prix acheteur; *[unit trust]* prix de rachat
◆ **bid rate** taux emprunteur.

**bidder** /ˈbɪdəʳ/ **N** *(at sale)* enchérisseur m, offrant m *(Fin : in tender offer)* soumissionnaire m ◆ **the highest bidder** *(at sale)* le plus offrant; *(in tender offer)* le soumissionnaire le plus offrant ◆ **to knock down to the highest bidder** adjuger au plus offrant ◆ **there were no bidders** personne n'a fait d'offre, il n'y a pas eu de preneur ◆ **there are several bidders for this company** il y a plusieurs acquéreurs *or* preneurs potentiels pour cette entreprise.

**bidding** /ˈbɪdɪŋ/ **N** *(at sale)* enchère(s) f(pl) ◆ **the bidding is closed** l'enchère est faite, c'est adjugé ◆ **the bidding started at £100** les enchères ont démarré à 100 livres

*────── compounds/composés ──────*
◆ **bidding ring** *(St Ex)* corbeille
◆ **bidding war** guerre des enchères.

**bid down** **VI** baisser ◆ **the dollar has bid down to...** le dollar est descendu à...
**VT SEP** faire baisser.

**bid up** **VT SEP** *price* faire monter ◆ **he bid me up** il m'a forcé à surenchérir, il m'a fait monter

◆ **prices are bid up** la surenchère pousse les cours
**VI** surenchérir.

**biennial** /baɪˈenɪəl/ **ADJ** biennal, bisannuel.

**big** /bɪg/ **ADJ** *(gen)* grand ◆ **the Big Bang** *(Brit St Ex)* le Big Bang (de Londres) ◆ **the Big Board** *(US)* la Bourse de New York ◆ **big business does not like the tax reform** les grands milieux d'affaires n'aiment pas la réforme fiscale ◆ **the teenage market is big business** les adolescents représentent un gros marché ◆ **to earn big money** gagner gros ◆ **there is big money at stake** il y a de grosses sommes en jeu ◆ **big ticket item** * *(US)* produit *or* article cher ◆ **he has made the big time** * il a réussi ◆ **a big-time financier** un financier de premier plan.

**bilateral** /baɪˈlætərəl/ **ADJ** bilatéral ◆ **bilateral clearing** compensation bilatérale ◆ **bilateral contract** contrat bilatéral ◆ **bilateral monopoly** monopole bilatéral.

**bill** /bɪl/ **N** **a** *(Fin)* effet m, traite f ◆ **bill for collection / for discount** effet à l'encaissement / à escompter ◆ **bills payable / receivable** effets à payer / à recevoir ◆ **a three-month's bill** un effet *or* une traite à trois mois ◆ **to accept a bill** accepter un effet *or* une traite ◆ **to back a bill** endosser *or* avaliser un effet *or* une traite ◆ **to draw a bill on sb** tirer une traite sur qn ◆ **to meet a bill** honorer une traite ◆ **to present a bill for acceptance** présenter une traite *or* un effet à l'acceptation ◆ **to return a bill to drawer** contrepasser un effet *or* une traite ◆ **to take up a bill** honorer un effet *or* une traite ◆ **acceptance bill** effet *or* traite à l'acceptation ◆ **accommodation bill** effet *or* billet de complaisance ◆ **bank bill** *(= draft)* effet bancaire ◆ **demand bill** traite *or* effet à vue **b** *(= list)* état m, liste f ; *(= account)* facture f, note f ; *(Brit) [restaurant]* addition f ; *[hotel]* note f ◆ **the oil bill has cost the country a fortune** la facture pétrolière a coûté une fortune au pays ◆ **telephone bill** note de téléphone ◆ **to pay** *or* **to settle a bill** payer *or* régler une note *or* une facture ◆ **to foot the bill** * payer la note, casquer* ◆ **the business has a large wage bill** le poste salaires est élevé dans cette entreprise ◆ **please put it on my bill, please charge it on** *or* **to my bill** veuillez le porter sur ma note **c** *(US: banknote)* ◆ **(bank) bill** billet (de banque) ◆ **10-dollar bill** billet de 10 dollars **d** *(Pol)* projet m de loi **e** *(= poster, advertisement)* affiche f ◆ **stick no bills** défense d'afficher

―――――― compounds/composés ――――――

- **bill after date** effet or traite à terme
- **bill book** (Acc) livre des effets (à payer et à recevoir), échéancier d'effets
- **bill broker** courtier d'escompte or de change
- **bill case** portefeuille d'effets
- **bill of costs** état des frais
- **bill of debt** billet à ordre, reconnaissance de dette
- **bill department** service du portefeuille
- **bill diary** échéancier, carnet d'échéances
- **bills discounted** effets mpl escomptés
- **bill of entry** (Customs) déclaration d'entrée en douane
- **bill of exchange** effet de commerce, traite
  - **foreign bill of exchange** traite sur l'étranger
- **bill of fare** menu
- **bill of freight** (Customs) lettre de voiture
- **bill of health** (Customs) patente de santé ◆ **clean / foul / suspected bill of health** patente de santé nette / brute / suspecte
- **bill of lading** (Mar, Aviat) connaissement ◆ **air bill of lading** lettre de transport aérien ◆ **alongside bill of lading** connaissement reçu à quai ◆ **claused** or **foul bill of lading** connaissement brut or avec réserves or clausé ◆ **clean bill of lading** connaissement sans réserve(s) or net ◆ **custody bill of lading** connaissement custody
- **dirty** or **discharged bill of lading** connaissement accompli ◆ **inland waterway / ocean bill of lading** connaissement fluvial / maritime ◆ **shipped** or **on board bill of lading** connaissement embarqué ◆ **order bill of lading** connaissement à ordre ◆ **railroad bill of lading** (US) lettre de voiture ferroviaire connaissement ferroviaire ◆ **shortform bill of lading** connaissement shortform or abrégé ◆ **stale bill of lading** connaissement périmé ◆ **straight bill of lading** connaissement nominatif ◆ **through bill of lading** connaissement direct or through ◆ **transhipment bill of lading** connaissement de transbordement ◆ **trucking bill of lading** (US) lettre de voiture
- **bill of materials** nomenclature (des composants et matières premières)
- **bill market** marché de l'escompte
- **bill merchant** courtier d'escompte or de change
- **bill to order** billet à ordre
- **bill rate** taux d'escompte
- **bill of sale** acte or contrat de vente
- **bill of sight** déclaration provisoire
- **bill of store** (Customs) autorisation de réimportation ◆ **bill of stores** (US) autorisation d'embarquer des provisions
- **bill of sufferance** lettre d'exemption des droits de douane (entre entrepôts situés dans des ports différents)

**VT** goods facturer ◆ **they billed us for the maintenance** ils nous ont facturé l'entretien ◆ **we bill them once a month** nous leur envoyons une facture une fois par mois ◆ **please bill me starting next month** veuillez me facturer à compter du mois prochain.

**billboard** /'bɪlbɔːd/ **N** panneau m d'affichage.

**biller** /'bɪlər/ (US) **N** (= person) facturier (-ière) m(f) ; (= machine) facturière f, machine f à facturer.

**billing** /'bɪlɪŋ/ **N** facturation f ◆ **annual billings reached $2 million** les facturations annuelles ont atteint or le chiffre d'affaires annuel a atteint 2 millions de dollars

―――――― compounds/composés ――――――

- **billing department** service facturation
- **billing machine** facturière, machine à facturer.

**billion** /'bɪljən/ **N** (gen) milliard m ; (formerly in Brit) billion m.

**bimetallic** /ˌbaɪmɪ'tælɪk/ **ADJ** bimétallique.

**bimetallism** /baɪ'metəlɪzəm/ **N** bimétallisme m.

**bimetallist** /baɪmetəlɪst/ **N** bimétalliste mf.

**bimonthly** /'baɪ'mʌnθlɪ/ **ADJ** (= twice a month) bimensuel ; (= every two months) bimestriel
**ADV** (= twice a month) deux fois par mois ; (= every two months) tous les deux mois.

**bin** /bɪn/ **N** **a** (Brit) [wine] casier m (à bouteilles) **b** (in shops, supermarkets) panier m ; (for wastepaper) corbeille f ; (for refuse) poubelle f, boîte f à ordures **c** (stock control) case f, casier m

―――――― compounds/composés ――――――

- **bin card** fiche d'inventaire
- **bin end** (Brit: wine) fin de série.

**binary** /'baɪnərɪ/ **ADJ** binaire

―――――― compounds/composés ――――――

- **binary coding** codage (en) binaire
- **binary-coded decimal** décimal codé binaire.

**bind** /baɪnd/ **N** **to be in a financial bind** être dans une situation financière difficile ◆ **to be in a cash bind** être à court de liquidités
**VT** **a** (= oblige) obliger, contraindre (sb to do qn à faire) ◆ **to bind o.s. by contract** se lier par contrat **b** book relier
**VI** (= jam) [machinery] se coincer.

**binder** /'baɪndər/ **N** **a** (for documents) classeur m **b** (Ins) police f provisoire ; (Jur) contrat m provisoire **c** (US: for property) compromis m de vente.

**binding** /'baɪndɪŋ/ **N** [book] reliure f
**ADJ** rule obligatoire ; agreement, clause, promise qui engage contractuellement, irrévocable ◆ **the contract is legally binding on all parties** le contrat lie toutes les parties en droit ◆ a

**binding contract** un contrat irrévocable ◆ a **binding signature** une signature qui engage or qui lie.

**binge** * /bɪndʒ/ N ◆ consumers went on a spending binge les consommateurs ont dévalisé les magasins.

**binomial** /baɪˈnəʊmɪəl/ N binôme m
**ADJ** binomial.

**biochip** /ˈbaɪəʊtʃɪp/ N biopuce f.

**biosensor** /ˌbaɪəʊˈsensəʳ/ N biocapteur m.

**bipolar** /baɪˈpəʊləʳ/ ADJ bipolaire.

**birr** /bɜːʳ/ N birr m.

**birth** /bɜːθ/ N naissance

—— compounds/composés ——
- **birth certificate** acte or extrait de naissance
- **birth control** contrôle des naissances
- **birth rate** taux de natalité ◆ the declining birth rate la dénatalité.

**birthplace** /ˈbɜːθpleɪs/ N lieu m de naissance.

**BIS** /biːaɪˈes/ N (abbr of **Bank for International Settlements**) BRI n.

**Bishkek** /bɪʃˈkɛk/ N Bichkek.

**Bissau** /bɪˈsaʊ/ N Bissau.

**bit** /bɪt/ N *(Comp)* bit m ◆ **information bit** bit d'information

—— compounds/composés ——
- **bit configuration** configuration binaire
- **bit counter** compteur de bits
- **bit density** densité binaire
- **bit location** position binaire
- **bit mapping** mode point, représentation binaire d'image
- **bit rate** débit binaire
- **bit string** chaîne de bits.

**bite** /baɪt/ N ◆ **to put the bite on sb** * *(US)* harceler qn pour obtenir de l'argent, essayer d'extorquer de l'argent à qn ◆ **the tax bite has increased** la ponction fiscale a augmenté ◆ **we're beginning to feel the bite of the austerity measures** les mesures d'austérité commencent à se faire sentir, on commence à sentir l'effet des mesures d'austérité.

**bi-weekly** /ˈbaɪˈwiːklɪ/ **ADJ** *(= twice a week)* bihebdomadaire; *(= fortnightly)* bimensuel
**ADV** *(= twice a week)* deux fois par semaine; *(= fortnightly)* tous les quinze jours.

**bk** **a** abbr of **backwardation** **b** abbr of **bank** **c** abbr of **book.**

**bkg** abbr of **banking.**

**bkpt** abbr of **bankrupt.**

**B / L, b.l.** /biːˈel/ N abbr of **bill of lading** → **bill.**

**black** /blæk/ **N** noir m ◆ **to be in the black** * *[private individual]* avoir un solde or un compte créditeur, être solvable; *[businessman, trade balance]* être bénéficiaire ◆ **to return to the black** *[private individual]* redevenir créditeur or solvable; *[businessman, trade balance]* redevenir bénéficiaire
**ADJ** noir ◆ **a black day on the stock market** un jour noir à la Bourse ◆ **Black Monday / Thursday** le lundi / jeudi noir
**VT** *(= boycott)* cargo, firm boycotter

—— compounds/composés ——
- **black economy** économie parallèle or souterraine
- **black goods** marchandises fpl boycottées par les syndicats
- **black market** marché noir ◆ **on the black market** au marché noir
- **black marketeer** vendeur(-euse) au marché noir
- **black money** argent non déclaré au fisc.

**blackball** /ˈblækbɔːl/ VT blackbouler.

**blackleg** /ˈblækleg/ *(Brit)* **N** *(= strike-breaker)* jaune m, briseur m de grève
**VI** briser la grève
**VT** striker prendre la place de; *fellow workers, union* se désolidariser de.

**blacklist** /ˈblæklɪst/ **N** liste f noire
**VT** person mettre sur la liste noire; firm, product boycotter.

**blackmail** /ˈblækmeɪl/ **N** chantage m
**VT** faire chanter, faire du chantage auprès de ◆ **to blackmail sb into doing sth** forcer qn à faire qch par le chantage.

**blackmailer** /ˈblækmeɪləʳ/ N maître chanteur m.

**blackout** /ˈblækaʊt/ N ◆ **news blackout** blackout sur l'information.

**blading** /ˈbleɪdɪŋ/ ≈ bill of lading → **bill.**

**blank** /blæŋk/ **ADJ** sheet, page blanc, vierge; tape vierge, vide ◆ **please leave (this space) blank** laisser en blanc, ne rien écrire dans ce cadre

—— compounds/composés ——
- **blank acceptance** *(= name not specified)* effet or traite au porteur; *(= sum not specified)* effet or traite en blanc
- **blank bill of exchange** *(= name not specified)* effet traite au porteur; *(= sum not specified)* effet traite en blanc

♦ **blank bill of lading** connaissement en blanc
♦ **blank character** *(Comp)* (caractère ) blanc
♦ **blank cheque** chèque en blanc ♦ **to give sb a blank cheque** *(fig)* donner carte blanche à qn
♦ **blank credit** crédit à découvert *or* sur notoriété *or* en blanc
♦ **blank endorsement** endossement en blanc
♦ **blank form** formulaire, imprimé (à remplir)
♦ **blank signature** blanc-seing
♦ **blank space** blanc, (espace ) vide

**N** **a** *(= void)* blanc m, (espace m) vide m ♦ **to fill in the blanks** remplir les blancs **b** *(= form)* formulaire m, imprimé m ♦ **telegraph blank** formule de télégramme
**VT** *(Comp)* memory effacer, supprimer; zone occulter.

**blanket** /ˈblæŋkɪt/

*compounds/composés*

♦ **blanket agreement** accord global
♦ **blanket bond** *(Ins)* garantie générale
♦ **blanket clause** *(Jur)* (clause de) condition générale
♦ **blanket cover(age)** *(Ins)* couverture globale; *(Pub)* couverture publicitaire globale
♦ **blanket insurance** assurance globale
♦ **blanket mortgage** hypothèque générale
♦ **blanket order** commande globale
♦ **blanket policy** *(Ins)* police tous risques
♦ **blanket rate** tarif global *or* uniforme ♦ **blanket rate increase** augmentation générale *or* globale des tarifs ♦ **blanket settlement** règlement d'ensemble.

**blanking** /ˈblæŋkɪŋ/ **N** *(Comp)* [memory] effacement m ; [zone] occultation f.

**blank out** **VT SEP** *(Comp)* effacer, remplacer par des blancs.

**bldg** abbr of **building.**

**bleep** /bliːp/ **N** *(= sound)* bip m
**VI** faire bip
**VT** person biper.

**bleeper** /ˈbliːpəʳ/ **N** *(= object)* bip m.

**blemish** /ˈblemɪʃ/ **N** *(= defect)* défaut m, imperfection f ; *(on fruit)* tache f.

**blend** /blend/ **N** mélange m
**VT** mélanger, mêler *(with* à, avec)
**VI** se mélanger, se mêler *(with* à, avec)

**blind** /blaɪnd/ **ADJ** *(gen)* aveugle ♦ **blind advertisement** *annonce qui ne révèle pas l'identité de l'annonceur* ♦ **blind (carbon) copy** copie pour information *(d'une lettre envoyée à l'insu du destinataire)* ♦ **blind entry** *(Acc)* écriture aveugle ♦ **blind test** *(Mktg)* test en aveugle.

**blister pack** /ˈblɪstəʳpæk/ **N** *(Comm)* blister m, blister-pack m, emballage m blister *or* bulle *or* transparent.

**blister-packing** /ˈblɪstəʳˌpækɪŋ/ **N** emballage m *or* conditionnement m sous blister.

**blitz** /blɪts/ **N** marketing blitz campagne de marketing intensive *or* éclair
**VT** bombarder ♦ **they blitzed their target market with direct mail cards** ils ont bombardé leur marché cible avec un envoi de cartes par la poste.

**blk** abbr of **bulk.**

**bloated** /ˈbləʊtɪd/ **ADJ** market surchargé; inventory gonflé.

**bloc** /blɒk/ **N** *(Pol)* bloc m ♦ **dollar / sterling bloc** zone dollar / sterling ♦ **the Eastern bloc** les pays *or* le bloc de l'Est.

**block** /blɒk/ **N** **a** *(Fin)* [shares] paquet m ; *(larger)* bloc m ♦ **controlling block** bloc de contrôle **b** *(= obstruction)* [traffic] embouteillage m ; [pipe] obstruction f **c** *(Comp = section)* bloc m ♦ **to move** *or* **transfer a block** déplacer *or* transférer un bloc ♦ **input / output block** bloc d'entrée / de sortie **d** **the subsidiary is on the block** la filiale a été mise en vente

*compounds/composés*

♦ **block booking** [theatre tickets] location groupée; *(in hotel)* réservation groupée *or* en bloc
♦ **block capitals** majuscules fpl d'imprimerie
♦ **block diagram** *(Comp)* block-diagramme, schéma fonctionnel, organigramme, ordinogramme
♦ **block exemptions** *(EU)* exemptions fpl par catégories
♦ **block form** [letter] présentation compacte
♦ **block funding** financement global
♦ **block grant** *(Brit Admin)* enveloppe globale
♦ **block insurance** assurance groupée
♦ **block length** *(Comp)* longueur de bloc
♦ **block letters** majuscules fpl d'imprimerie
♦ **block mark** *(Comp)* drapeau bloc
♦ **block mode** *(Comp)* mode bloc
♦ **block move** *(Comp)* transfert *or* déplacement de bloc
♦ **block offer** *(St Ex)* offre en bloc
♦ **block positioner** *(St Ex)* négociant en bloc de titres
♦ **block purchase** achat groupé *or* en bloc
♦ **block sale** vente groupée *or* en bloc
♦ **block trade** *(St Ex)* transaction sur bloc de titres
♦ **block vote** *(Brit Ind Rel)* vote groupé

**VT** **a** *(= obstruct)* negotiations, credit bloquer; progress entraver ♦ **blocked account** compte bloqué ♦ **blocked currency** monnaie bloquée **b** *(= group)* data, merchandise grouper.

**blockade** /blɒˈkeɪd/ **N** blocus m ✦ **to run the blockade** forcer or briser le blocus ✦ **blockade runner** briseur de blocus ✦ **paper blockade** blocus fictif
**VT** bloquer, faire le blocus de.

**blotter** /ˈblɒtər/ **N** **a** (Acc) brouillard m, main f courante **b** (US: notebook) registre m **c** [ink] buvard m ; (with handle) tampon m buvard; (to write on) sous-main m inv.

**blow up** /bləʊˈʌp/ **VT SEP** photo agrandir
**N** [photo] agrandissement m.

**blue** /bluː/

────── compounds/composés ──────
✦ **blue chip** (St Ex) valeur de premier ordre, valeur vedette, valeur de fonds de portefeuille, blue chip ✦ **blue-chip investment** placement sûr or de tout repos or de père de famille ✦ **blue-chip company** société de premier ordre
✦ **blue chipper** société de premier ordre
✦ **blue-collar** blue-collar worker col bleu, travailleur manuel ✦ **blue-collar labour** les cols bleus
✦ **blue point** bleu de dessinateur
✦ **blue-sky** stock, bond douteux ✦ **blue-sky law** (US) loi protégeant les investisseurs contre l'achat de valeurs boursières douteuses.

**blueprint** /ˈbluːprɪnt/ **N** (= print, process) bleu m ; (fig) plan m, projet m, schéma m directeur (for de) ✦ **a blueprint for success** les clés de la réussite.

**blurb** * /blɜːb/ **N** texte m or baratin m * publicitaire ✦ **what does the blurb say?** que dit la publicité?

**BN** abbr of **banknote**.

**BO** abbr of **branch office** → **branch**.

**board** /bɔːd/ **N** **a** (= group of officials) conseil m, comité m, commission f ✦ **he is on the board** il siège au conseil d'administration, il est membre du conseil d'administration ✦ **advisory board** comité consultatif ✦ **supervisory board** conseil de surveillance ✦ **The Federal Reserve Board** la Réserve fédérale américaine ✦ **the Board** * (US) la Fed ✦ **marketing board** office de régularisation des ventes **b** (Aviat, Mar) ✦ **to go on board** monter à bord, (s') embarquer ✦ **to take goods on board** embarquer des marchandises ✦ **on board ship** à bord (du navire) ✦ **free on board** franco (à) bord **c** (= meals) pension f ✦ **board and lodging** (chambre avec) pension ✦ **full board** pension complète ✦ **half board** demi-pension **d** (phrases) ✦ **it is all quite above board** c'est tout ce qu'il y a de plus régulier ✦ **across the board** (agree) systématiquement; agreement général ✦ **across the board pay rise** (Brit) or **raise** (US) augmentation de

salaire générale **e** (for notices) tableau, panneau; (outside house, building for sale) écriteau **f** (Comp) carte f

────── compounds/composés ──────
✦ **board of directors** conseil d'administration
✦ **board of enquiry** commission d'enquête
✦ **board meeting** réunion du conseil (d'administration)
✦ **board minutes** procès-verbal or compte rendu de réunion du conseil d'administration
✦ **board room** salle du conseil ✦ **board-room politics** politique au niveau du conseil
✦ **board of trade** (US) chambre de commerce
✦ **Board of Trade (the)** (Brit) le ministère du Commerce
✦ **board of trustees** (US) [savings bank, hospital] conseil d'administration

**VT** ship [passenger] monter à bord de; [inspector] arraisonner; train, bus monter dans ✦ **before boarding the aircraft** avant de monter dans l'appareil, avant d'embarquer.

**boarding card** /ˈbɔːdɪŋˌkɑːd/ **N** (Aviat) carte f d'embarquement.

**boat** /bəʊt/ **N** (gen) bateau m ; (= ship) navire m ; (= vessel) vaisseau m ; (= liner) paquebot m ✦ **bare-boat charter** affrètement en coque nue.

**boatbuilder** /ˈbəʊtbɪldər/ **N** (gen) constructeur m naval; [small boats] constructeur m de bateaux.

**boatload** /ˈbəʊtˌləʊd/ **N** cargaison f.

**body** /ˈbɒdɪ/ **N** **a** [car] carrosserie f ; [plane] fuselage m ; [ship] coque f ; [camera] boîtier m ; [speech, report] fond m, corps m **b** (Jur) ✦ **body corporate, corporate body** personne morale ✦ **governing body** conseil de direction.

**Bogota** /ˌbəʊgəˈtɑː/ **N** Bogota.

**bogus** /ˈbəʊgəs/ **ADJ** faux, bidon* ✦ **bogus company** société fictive or fantôme ✦ **bogus money** fausse monnaie ✦ **bogus shares** actions fictives ✦ **bogus signature** fausse signature, signature de complaisance ✦ **bogus transactions** transactions véreuses or frauduleuses.

**bold** /bəʊld/ **ADJ** ✦ **bold type** caractères gras.

**bolivar** /ˈbɒlɪˌvɑː/ **N** bolivar m.

**Bolivia** /bəˈlɪvɪə/ **NF** Bolivie f.

**Bolivian** /bəˈlɪvɪən/ **ADJ** bolivien
**N** (= inhabitant) Bolivien(ne) m(f).

**boliviano** /bəˌlɪvɪˈɑːnəʊ/ **N** boliviano m.

**bolster** /ˈbəʊlstər/ **VT** currency, sales, demand, economy soutenir.

**bona fide** /ˈbəʊnəˈfaɪdɪ/ **ADJ** *person* de bonne foi ✦ **bona fide offer** offre sérieuse.

**bonanza** /bəˈnænzə/ **N** *(US Min)* riche filon m (de minerai); *(fig)* aubaine f, filon m, mine f d'or ✦ **bonanza year** année exceptionnelle *or* record ✦ **the North Sea oil bonanza** la manne pétrolière de la mer du Nord.

**bond** /bɒnd/ **a** *(= binding agreement)* engagement m, obligation f, contrat m ✦ **appraisement bond** compromis d'arbitrage ✦ **average bond** *(Mar Ins)* compromis d'avaries ✦ **joint and several bond** obligation conjointe et solidaire **b** *(Customs = custody of goods)* entreposage m ✦ **to put sth into bond** entreposer qch en douane ✦ **to take goods out of bond** dédouaner des marchandises ✦ **goods in bond** marchandises en entrepôt sous douane ✦ **to sell in bond** vendre en entrepôt (sous douane) ✦ **customs bond** acquit-à-caution **c** *(Fin)* *(= promise to pay)* bon m ; *(= short term savings, Treasury)* bon m ; *(= corporate or public loan stock)* obligation f ✦ **to issue** *or* **float bonds** émettre des bons *or* des obligations ✦ **to redeem bonds, call bonds for repayment** rembourser *or* amortir des obligations *or* des bons ✦ **to draw bonds for redemption** rembourser des obligations *or* des bons par tirage au sort ✦ **active bond** bon productif d'intérêts ✦ **accumulation / convertible bond** obligation cumulative / convertible

─────── *compounds/composés* ───────
- **bond agio** prime d'émission
- **bond amortization** amortissement d'obligations *or* de bons
- **bond certificate** certificat d'obligation
- **bond conversion** conversion d'obligations *or* de bons
- **bond creditor** créancier obligataire
- **bond discount** prime d'émission
- **bond float** émission d'obligations *or* de bons
- **bond house** société spécialisée dans les obligations
- **bond interest** intérêts mpl obligataires
- **bond issue** émission d'obligations *or* de bons
- **bond market** marché obligataire
- **bond note** *(Customs)* acquit-à-caution
- **bond premium** prime d'émission
- **bond rating** évaluation d'une obligation *(établie par une agence d'évaluation)*
- **bond sinking fund** réserve pour amortissement des obligations
- **bond warrant** *(St Ex)* warrant, bon de souscription (à des obligations); *(Customs)* warrant
- **bond washing** *(US)* vente de valeurs à revenu fixe *(juste avant le paiement de l'intérêt pour des raisons fiscales)*
- **bond yield** rendement d'une obligation *or* d'un bon ✦ **bond yield to maturity** taux actuariel d'une obligation *or* d'un bon

✦ **what is the bond liability of this company?** quelle est la part des obligations émises par cette société dans son passif? ✦ **bearer bond** obligation *or* bon au porteur ✦ **debenture bond** (titre d') obligation ✦ **government bond** bon du Trésor ✦ **junk bond** obligation spéculative à haut risque ✦ **redeemable bond** obligation remboursable *or* amortissable ✦ **secured / unsecured bond** obligation garantie / non garantie **d** *(= guarantee)* [contract performance] garantie f ; *(= bail)* cautionnement m ✦ **indemnity bond** cautionnement ✦ **performance bond** garantie de bonne fin

**vt** *(Customs)* *goods* entreposer (en douane).

**bonded** /ˈbɒndɪd/

─────── *compounds/composés* ───────
- **bonded debt** dette obligataire
- **bonded factory** usine sous douane
- **bonded goods** marchandises entreposées en douane, marchandises (en entrepôt) sous douane
- **bonded manufacturing** fabrication en entrepôt sous douane ✦ **bonded manufacturing warehouse** *(US)* entrepôt de fabrication sous douane
- **bonded stores** provisions fpl sous douane
- **bonded warehouse** *(for public storage of goods)* magasins mpl généraux; *(Customs)* entrepôt en douane *or* sous douane.

**bonder** /ˈbɒndər/ **N** entrepositaire m.

**bondholder** /ˈbɒndˌhəʊldər/ **N** porteur m d'obligations *or* de bons, obligataire mf.

**bonding** /ˈbɒndɪŋ/ **N** *(Customs)* entreposage m.

**bondsman** /ˈbɒndzmən/ **N** garant m, caution f.

**bonus** /ˈbəʊnəs/ **N** **a** *(to employee)* prime f ; *(Brit St Ex)* dividende m exceptionnel ✦ **cost of living bonus** indemnité de vie chère ✦ **incentive bonus** *(Ind)* *(gen)* prime; *(for manual workers)* prime de rendement ✦ **output** *or* **production** *or* **performance-related** *or* **productivity bonus** prime de rendement ✦ **profit-related bonus** prime liée aux bénéfices *or* aux résultats, prime d'intéressement ✦ **I received an end-of-year bonus of £50** j'ai reçu une prime de fin d'année de 50 livres ✦ **a bonus item** un article gratuit *or* donné en prime **b** *(Ins)* ✦ **(no-claims) bonus** bonus

─────── *compounds/composés* ───────
- **bonus issue** émission *or* attribution d'actions gratuites
- **bonus payment** *(to employee)* prime; *(Brit St Ex)* dividende exceptionnel
- **bonus scheme** programme de primes de rendement
- **bonus share** action gratuite.

**book** /bʊk/ **N** *(gen)* livre m ; *[tickets, stamps, cheques]* carnet m ; *(Acc)* livre m, journal m ; *(= register)* registre m ; *(Bank)* livret m (de compte) **♦ book of samples** album *or* jeu d'échantillons **♦ to be on the books of an organization** être inscrit à une organisation **♦ to keep the books of a company** tenir les livres (comptables) *or* les comptes *or* la comptabilité d'une société **♦ to check the books** vérifier les comptes *or* les livres *or* la comptabilité **♦ to cook the books** falsifier *or* truquer les comptes **♦ to square one's books** *(St Ex)* liquider sa position **♦ to close the books** arrêter les comptes **♦ book of final entry** *(Acc)* grand-livre **♦ book of first** *or* **original** *or* **prime entry** *(Acc)* journal originaire **♦ account book** livre de comptes, registre de comptabilité, journal **♦ cheque book** carnet de chèques, chéquier **♦ order book** carnet de commandes **♦ purchase book** livre *or* journal des achats **♦ sales book** livre *or* journal des ventes **♦ telephone book** annuaire téléphonique

─── *compounds/composés* ───

**♦ book claims** créances fpl comptables
**♦ book cost** coût d'acquisition comptable
**♦ book credit** crédit compte
**♦ book depreciation** dépréciation comptable
**♦ book debit** dette compte
**♦ book debt** *(= money owed by company)* comptes mpl fournisseurs ; *(= money owed to company)* comptes mpl clients
**♦ book entry** écriture (comptable), inscription comptable
**♦ book fair** Salon du livre, foire du livre **♦ the Frankfurt Book Fair** la foire du livre de Francfort
**♦ book inventory** stock *or* inventaire comptable
**♦ book liability** dette comptable
**♦ book post** tarif imprimés
**♦ book profit** bénéfice *or* profit comptable
**♦ book squaring** *(St Ex)* liquidation des positions
**♦ book-to-bill ratio** rapport prise de commande-facturation
**♦ book token** chèque-cadeau *(à échanger contre des livres)*
**♦ book trade (the)** le commerce *or* l'industrie du livre
**♦ book transfer** virement comptable *(entre deux comptes de la même banque)*
**♦ book value** valeur comptable **♦ net book value** valeur comptable nette

**VT** **a** seat on plane, train réserver; *room, table* réserver, retenir **♦ the hotel is booked up** *or* **fully booked** l'hôtel est complet **♦ he is fully booked this week** il est complètement pris cette semaine **♦ please book me through to London** veuillez me prendre des réservations jusqu'à Londres **♦ we have booked a conference room at the airport hotel** nous avons réservé une salle de conférence à l'hôtel de l'aéroport **b** *(Comm, Fin)* order inscrire, enregistrer **♦ to book goods to sb's account** inscrire des marchandises sur le compte de qn **♦ to book an expense** inscrire une dépense.

**bookable** /'bʊkəbl/ **ADJ** **♦ seats bookable in advance** on peut retenir ses places (à l'avance).

**book in** **VI** *(at hotel)* prendre une chambre **VT SEP** person réserver une chambre pour.

**booking** /'bʊkɪŋ/ **N** *[orders]* enregistrement m, inscription f ; *(Brit)* réservation f **♦ to make a booking** faire une réservation, réserver, retenir **♦ to make a double booking** faire une réservation en surnombre, faire du surbooking **♦ no advance booking** il n'est pas possible de réserver *or* de faire une réservation *or* de retenir à l'avance

─── *compounds/composés* ───

**♦ booking fee** *(Brit)* frais mpl de réservation *or* d'agence
**♦ booking office** *(Brit)* *(in theatre)* (bureau de) locations fpl ; *(Rail)* guichet (de vente de billets).

**bookkeeper** /'bʊkkiːpər/ **N** (aide-)comptable mf.

**bookkeeping** /'bʊkkiːpɪŋ/ **N** tenue f des livres comptables, comptabilité f **♦ double entry / single entry bookkeeping** comptabilité en partie double / en partie simple.

**booklet** /'bʊklɪt/ **N** *(= small book)* brochure f, petit livre m ; *(describing company or organization)* plaquette f **♦ booklet of instructions** *(for electrical appliance)* notice (explicative).

**bookseller** /'bʊkselər/ **N** libraire mf.

**bookshop** /'bʊkʃɒp/ **N** librairie f.

**book up** **VT SEP** retenir, réserver **♦ the hotel is booked up** l'hôtel est complet **♦ I'm booked up** *(fig)* mon carnet de rendez-vous est plein.

**boom** /buːm/ **VI** *(Econ, St Ex)* *[prices]* monter en flèche, être en forte hausse, flamber **♦ business is booming** les affaires marchent très bien *or* sont en plein essor **♦ the company is booming** l'entreprise est en pleine expansion **♦ the economy is booming** l'économie est en plein essor
**N** *[business]* forte expansion f *or* progression f ; *[sales]* forte progression f ; *[prices]* forte hausse f, montée f en flèche, flambée f ; *[product]* boom m *(in* de) **♦ economic boom** boom *or* essor économique, période de prospérité économique **♦ a boom in computer**

**sales** un boom sur les ordinateurs ◆ **boom town** ville en plein développement ◆ **the baby boom** le baby-boom.

**boomlet** /'buːmlɪt/ N *(Econ)* expansion f de faible amplitude.

**boost** /buːst/ ◼ to give sales a boost relancer les ventes, donner un coup de pouce aux ventes ◆ to give a product a boost faire de la réclame *or* du battage pour un produit, relancer un produit ◆ the news gave the industry a boost cette nouvelle a redonné de la vigueur à l'industrie ◆ a boost in demand une relance de la demande
◼ *sales* relancer, donner un coup de pouce à ; *prices* faire monter ; *output, productivity* augmenter, accroître ◆ to boost the economy relancer l'économie ◆ the trade figures boosted prices on the stock exchange les chiffres du commerce ont fait monter les cours à la Bourse.

**booster** /'buːstəʳ/ N stimulant m ◆ booster training (stage de) recyclage.

**boot** /buːt/ VT *(Comp)* ◆ to boot (up) *system* amorcer, lancer.

**bootstrap** /'buːtˌstræp/ ◼ ◼ ◆ to pull o.s. up by one's (own) bootstraps s'élever à la force du poignet ◆ bootstrap operation *opération menée en se servant uniquement de ses propres moyens* ◼ *(Comp = start-up program)* ◆ bootstrap (routine) (programme ) amorce, programme d'amorçage
◼ *(Comp)* amorcer, lancer.

**BOP** abbr of **balance of payments → balance.**

**border** /'bɔːdəʳ/ N *[country]* frontière f.

**bordereau** /ˌbɔːdəˈrəʊ/ N *(Ins)* bordereau m.

**borderline case** /'bɔːdəʳlaɪnˌkeɪs/ N cas m limite.

**borough** /'bʌrə/ *(Brit)* N (also **municipal borough**) municipalité f ; *(in London)* arrondissement m.

**borrow** /'bɒrəʊ/ VT emprunter *(from* à) ◆ to borrow on mortgage / on securities emprunter sur hypothèque / sur titres ◆ to borrow at interest emprunter à intérêt ◆ to borrow long / short emprunter à long terme / à court terme ◆ to borrow stock reporter des titres.

**borrowed** /'bɒrəʊd/ ADJ emprunté ◆ borrowed capital capitaux empruntés ◆ borrowed funds emprunts.

**borrower** /'bɒrəʊəʳ/ N emprunteur m ◆ public borrower emprunteur public ◆ public borrowers at home émetteurs publics nationaux ◆ sovereign borrower emprunteur souverain.

**borrowing** /'bɒrəʊɪŋ/ N emprunt m ◆ borrowings emprunts ◆ corporate borrowing has increased l'endettement des entreprises a augmenté ◆ corporate borrowings les emprunts des entreprises ◆ borrowing on short-term markets has slackened on note un ralentissement des emprunts sur les marchés à court terme ◆ the growth of private and public borrowing in the USA la croissance de l'endettement privé et public aux États-Unis

───── compounds/composés ─────

◆ **borrowing charges** le coût de l'emprunt ◆ bank borrowing charges dropped to 10.5% le coût du crédit bancaire est tombé à 10,5%
◆ **borrowing power** capacité *or* possibilités fpl d'emprunt
◆ **borrowing requirements** besoins mpl de financement ◆ public sector / corporate borrowing requirements besoins de financement des entreprises / du secteur public.

**boss** * /bɒs/ N patron(ne) m(f), chef mf ◆ corporate bosses chefs d'entreprise.

**BoT** /ˌbiːəʊˈtiː/ *(Brit)* N abbr of **Board of Trade → board.**

**bot.** abbr of **bought.**

**botch** /bɒtʃ/ VT (also **botch up**) *job* bousiller*, saboter.

**bottle** /'bɒtl/ N bouteille f.

**bottleneck** /'bɒtlnek/ N *[traffic]* embouteillage m, bouchon m ; *[production]* goulot m d'étranglement *(in* dans)

**bottom** /'bɒtəm/ ◼ ◼ *[box, glass]* fond m ; *[page]* bas m ; *[sea]* fond ◆ at the bottom of page 6 au bas de la page 6 ◆ the bottom line on page 6 la dernière ligne de la page 6 ◆ prices have touched bottom les prix ont atteint un plancher ◆ prices are at rock bottom les prix sont au plus bas *or* à leur plus bas niveau ◆ this is our bottom price c'est notre dernier prix, c'est notre prix le plus bas ◆ the bottom has fallen out of the market le marché s'est effondré ◆ a bottom-of-the-line *or* a bottom-of-the-range-product un produit bas de gamme

───── compounds/composés ─────

◆ **bottom end** ◆ at the bottom end of their product range au bas de leur gamme de produits, dans leur bas de gamme
◆ **bottom line** *(Acc)* résultat *or* bénéfice net *(fig = main concern)* essentiel ◆ all they care about is the bottom line *(Acc)* ils ne s'intéressent qu'aux bénéfices *or* qu'au résultat net ◆ the bottom line for us is improved productivity ce qui importe finalement pour nous c'est l'amélioration de la productivité

**b** *(= ship)* bateau m, navire m ✦ **merchandise carried in British bottoms** marchandises transportées par *or* sur les bateaux britanniques

**VI** *(also* **bottom out**) ✦ **prices have bottomed (out)** les cours ont atteint leur plancher *(et commencent à remonter).*

**bottomry** /'bɒtəmrɪ/ **N** *(Mar)* hypothèque f à la grosse aventure ✦ **to borrow money on bottomry** emprunter à la grosse **COMP** ✦ **bottomry bond** contrat à la grosse aventure ✦ **bottomry loan** prêt à la grosse aventure.

**bottom-up** /ˌbɒtəm'ʌp/

---
*compounds/composés*
- **bottom-up design** conception ascendante, conception de bas en haut
- **bottom-up information** information remontante *or* ascendante
- **bottom-up planning** planification de bas en haut *or* de la base au sommet, planification pyramidale.
---

**bought** /bɔːt/

---
*compounds/composés*
- **bought (day) book, bought journal** *(Acc)* livre *or* journal des achats
- **bought ledger** *(Acc)* grand livre des achats
- **bought contract** *or* **note** *(St Ex)* bordereau d'achat
- **bought of** *(on invoice)* doit
- **bought deal** *(St Ex)* transaction d'achat, prise ferme.
---

**bought-in** /bɔːtɪn/ **ADJ** ✦ **bought-in components** composants achetés à l'extérieur *or* sous-traités.

**bounce** /baʊns/ **VI** *[cheque]* être refusé pour non-provision *or* pour défaut de provision ✦ **bounced cheque** chèque sans provision **VT** *cheque* refuser (pour défaut de provision).

**bounce back** VI *[share prices]* rebondir, reprendre, remonter ✦ **housing may bounce back** le secteur de la construction peut se ressaisir très vite ✦ **the share has bounced back to life** le titre s'est repris *or* s'est réveillé.

**bounceback** /'baʊnsbæk/ **N** rebond m.

**bounce up** VI *[shares]* rebondir ✦ **coffee prices bounced up on forecasts of cool weather** les cours du café ont fait un bond *or* se sont envolés à l'annonce d'un temps plus froid.

**bound** /baʊnd/ **N** *(Comp)* borne f, limite f **ADJ** **a** *book, document* relié **b** *(= obliged)* obligé, tenu ✦ **bound by the terms of the contract** tenu *or* lié par les termes du contrat ✦ **printer-**

bound limité par la vitesse d'impression ✦ **desk-bound executive** cadre sédentaire *or* qui ne bouge pas de son bureau **c** *(= destined)* ✦ **bound for** *person* en route pour; *shipment* à destination de; *train* en direction de; *ship, plane* à destination de, en route pour; *(= about to leave)* en partance pour ✦ **homeward bound** *person* sur le chemin du retour; *ship* à destination de son port d'attache ✦ **outward bound** en partance.

**boundary** /'baʊndərɪ/ **N** limite f, frontière f.

**bounty** /'baʊntɪ/ **N** *(= gift)* prime f, subvention f ✦ **export bounty** prime à l'exportation ✦ **bounty-fed farmers** agriculteurs qui ne vivent que de subventions.

**bout** /baʊt/ **N** *(= period)* période f ✦ **bout of inflation** poussée inflationniste.

**boutique** /buːˈtiːk/ **N** boutique f ✦ **she runs a fashion boutique** elle dirige une boutique de mode.

**box** /bɒks/ **N** *(gen)* boîte f; *(large)* caisse f; *[money]* caisse; *(on document, to be checked)* case f; *(= text set apart on printed page)* encadré m; *[gift, jewels, luxury product]* coffret m ✦ **tick** *(Brit)* *or* **check** *(US)* **the box** cocher la case ✦ **see box on page 10** voir encadré page 10 ✦ **letter box** boîte à lettres

---
*compounds/composés*
- **box diagrams** diagrammes mpl emboîtés
- **box file** classeur
- **box number** *(Press)* (numéro de) référence ✦ **please reply to box number 50** envoyer votre réponse au journal, référence 50
- **box office** bureau de location ✦ **box-office receipts** recettes ✦ **box-office success** pièce à succès
- **box wagon** *(Brit)* wagon de marchandises couvert
---

**VT** *(gen)* mettre en boîte *or* en caisse; *article, product for sale* conditionner, habiller ✦ **boxed goods** marchandises conditionnées *or* habillées.

**boxboard** /'bɒksbɔːd/ **N** carton m compact.

**boxcar** /'bɒkskɑːʳ/ *(Brit)* **N** *(Rail)* wagon m de marchandises couvert.

**boycott** /'bɔɪkɒt/ **VT** boycotter **N** boycottage m, boycott m ✦ **consumer boycott** boycottage par les consommateurs ✦ **secondary boycott** boycottage de soutien.

**B / P, b.p.** abbr of **bills payable** → **bill.**

**B / R, b.r.** abbr of **bills receivable** → **bill.**

**brace** /breɪs/ **N** *(Typ)* accolade f.

**bracket** /'brækɪt/ **N** **a** (= range) tranche f ◆ age /
tax bracket tranche d'âge / d'imposition
◆ lower / middle / higher income bracket
tranche inférieure / moyenne / supérieure de
revenus ◆ price bracket fourchette de prix
◆ she's in the £20,000 a year bracket * elle est
dans la tranche des 20 000 livres par an
**b** (Typ) ◆ round brackets parenthèses ◆ square
brackets crochets ◆ in brackets entre parenthèses or crochets **COMP** ◆ bracket creep (Tax)
glissement d'une tranche d'imposition à
l'autre (dû à l'effet de l'inflation)

**VT** (Typ) mettre entre parenthèses or entre
crochets.

**brain** /breɪn/ **N** cerveau m **COMP** ◆ brain drain
fuite or exode des cerveaux.

**brainstorming** /'breɪnˌstɔːmɪŋ/ N remue-méninges m inv, brain-storming m ◆ we held a brain-
storming session nous avons organisé une
séance de remue-méninges or de brain-storming.

**brainwave** /'breɪnweɪv/ N idée f géniale, inspiration f.

**brake** /breɪk/ N frein m ◆ to put a brake on
consumer spending mettre un frein à la
consommation, freiner la consommation.

**branch** /brɑːntʃ/ N **a** [company] succursale f,
filiale f ; [bank] agence f, succursale f ; [store]
succursale f ; (in provinces) agence f régionale
◆ main branch maison mère **b** (= sector, subject
area) branche f **c** (Comp) branchement m

---
_compounds/composés_

◆ **branch line** (Rail) ligne secondaire
◆ **branch manager** [store, company] gérant or directeur de succursale; [bank] directeur d'agence
◆ **branch network** réseau de succursales
◆ **branch office** succursale, agence.

---

**branch out** /brɑːntʃ/ VI [company] se diversifier
◆ we are going to branch out into business
services nous allons nous diversifier or nous
lancer dans les services aux entreprises, nous
allons étendre nos activités vers les services
aux entreprises.

**brand** /brænd/ **N** marque f (de fabrique) ◆ all
these articles bear our brand tous ces articles
portent notre marque ◆ this is an excellent
brand of tobacco c'est une excellente marque
de tabac ◆ to switch brands [consumer] changer de marque ◆ name brand marque réputée
◆ own or private brand marque du distributeur
◆ producer's or manufacturer's brand marque
du fabricant ◆ subsidiary brand sous-marque

---
_compounds/composés_

◆ **brand acceptance** acceptation de la marque,
  accueil réservé à la marque
◆ **brand advertising** publicité produit
◆ **brand awareness** notoriété de la marque (chez
  le consommateur)
◆ **brand identification** identification de la marque
◆ **brand image** image de marque
◆ **brand leader** produit leader, marque qui détient la plus grande part du marché
◆ **brand loyalty** fidélité à une marque ◆ brand
  loyalty for this product has increased la fidélité à
  la marque a augmenté pour ce produit
◆ **brand management** gestion de la marque
◆ **brand manager** chef de marque
◆ **brand marketing** marketing de la marque
◆ **brand name** (nom de) marque, marque de fabrique ◆ brand name recall mémo-marque
◆ **brand policy** politique de marque
◆ **brand positioning** positionnement de la marque
◆ **brand preference** préférence pour une marque
◆ **brand promotion** promotion produit
◆ **brand recognition** identification de la marque
◆ **brand share** part de marché d'une marque
◆ **brand switching** changement de marque (par
  le consommateur)

---

**VT** goods donner une marque à; cattle marquer
au fer rouge; packing cases marquer.

**branded** /'brændɪd/ ADJ goods de marque.

**branding** /'brændɪŋ/ N choix m d'une marque.

**Brasilia** /brə'zɪljə/ N Brasilia.

**Bratislava** /ˌbrætɪ'slɑːvə/ N Bratislava.

**Brazil** /brə'zɪl/ N Brésil m.

**Brazilian** /brə'zɪlɪən/ ADJ brésilien
**N** (= inhabitant) Brésilien(ne) m(f).

**Brazzaville** /brazavil/ N Brazzaville.

**breach** /briːtʃ/ **N** [law, rules] infraction f (of à);
[trend] rupture (of de) ◆ breach of contract
rupture de contrat ◆ they were in breach of
contract ils étaient en rupture de contrat
◆ breach of faith déloyauté ◆ breach of trust
abus de confiance ◆ breach of warranty rupture de garantie
**VT** contract rompre ◆ in the event of any of
these terms being breached en cas de non-
respect d'une de ces conditions, si l'une de ces
conditions venait à ne pas être respectée.

**bread** /bred/ N pain m ◆ tourists are our bread
and butter c'est le tourisme qui nous fait vivre,
nous vivons du tourisme ◆ a bread-and-butter
technique une technique courante.

**breadboard** /'bredbɔːd/ N (Elec, Comp) montage m expérimental, maquette f.

**breadwinner** /'bredwɪnəʳ/ N soutien m de famille.

**break** /breɪk/ **N** **a** (gen) cassure f ; [negotiations] rupture f ; [share prices] effondrement m (in de) ♦ a break in supplies from the Far East une rupture des approvisionnements en provenance d'Extrême-Orient **b** (= pause) pause f ; (= holiday) congé m, vacances fpl ♦ let's take a break (a few minutes) faisons la pause, arrêtons-nous cinq minutes; (holiday) prenons quelques jours de vacances ♦ coffee break pause-café ♦ tea break pause-thé ♦ after the August break après les vacances du mois d'août ♦ commercial break (TV) interruption publicitaire; (Rad) page de publicité **c** lucky break coup de chance ♦ tax break avantage fiscal, réduction d'impôt
**VT** **a** (gen) casser; agreement rompre; regulations enfreindre ♦ to break the law être en infraction, enfreindre la loi ♦ to break an appointment with sb faire faux bond à qn, poser un lapin à qn* **b** (= ruin financially) ruiner ♦ to break the bank * (Betting) faire sauter la banque **c** (= interrupt) journey arrêter; word couper; (Elec) circuit, current couper **d** (Comm) ♦ to break bulk (= begin unloading) commencer le déchargement; (= divide into smaller units) dégrouper or fractionner un chargement or une livraison

—— compounds/composés ——
♦ **break bulk agent** dégroupeur
♦ **break bulk cargo** cargaison fractionnée.

**breakable** /'breɪkəbl/ **ADJ** cassable, fragile **breakables** **NPL** objets mpl fragiles.

**breakage** /'breɪkɪdʒ/ N casse f, bris m ♦ to pay for breakages payer la casse ♦ breakage of seals (Jur) bris de scellés ♦ breakage insurance assurance contre la casse.

**breakaway** /'breɪkəweɪ/ **ADJ** group, movement séparatiste, dissident ♦ a breakaway union un syndicat dissident.

**break down** **VI** [negotiations] échouer
**VT SEP** (= analyse) figures, statistics ventiler, décomposer; accounts détailler, analyser; expenses répartir, faire le décompte de; argument décomposer.

**breakdown** /'breɪkdaʊn/ N **a** [machine, vehicle] panne f ; [communication] rupture f ; [railway system, service] interruption f de service (in de) **b** (= analysis) [figures, statistics] ventilation f, décomposition f ; [account] détail m, analy-

se f ; [expenses] décompte m, ventilation f, répartition f ♦ tax revenue breakdown répartition des revenus fiscaux

—— compounds/composés ——
♦ **breakdown service** service de dépannage
♦ **breakdown table** (Stat) tableau analytique
♦ **breakdown vehicle** dépanneuse.

**break even** **VI** [company] atteindre le point d'équilibre or le point mort or le seuil de rentabilité; [person] s'y retrouver, rentrer dans ses frais.

**break-even** /ˌbreɪk'iːvən/

—— compounds/composés ——
♦ **break-even analysis** analyse de rentabilité
♦ **break-even chart** graphique de rentabilité
♦ **break-even deal** affaire blanche
♦ **break-even point** seuil de rentabilité, point mort, point d'équilibre.

**break into** **VT FUS** market pénétrer, s'implanter dans.

**break off** **VT SEP** negotiations rompre
**VI** negotiations have broken off les négociations ont été rompues or suspendues.

**break out** **VT SEP** ♦ to break out sales and earnings (US: subdivide) donner séparément le détail du chiffre d'affaires et des bénéfices.

**breakpoint** /'breɪkpɔɪnt/ N (Comp) point m d'arrêt ♦ breakpoint instruction instruction de renvoi or d'arrêt.

**break through** **VI** faire une percée
**VT** defences, obstacles enfoncer, percer.

**breakthrough** /'breɪkθruː/ N **a** percée f ♦ a market breakthrough une percée commerciale ♦ the breakthrough came in year two when we expanded into the Far East la percée s'est produite la deuxième année qui a suivi notre implantation en Extrême-Orient **b** (Ind) avancée f technologique.

**break up** **VI** [group of people] se disperser; [meeting] se terminer; [industrial group] éclater; [partnership, alliance] prendre fin, cesser
**VT SEP** meeting disperser; business empire, industrial group démembrer, démanteler.

**breakup** /'breɪkʌp/ N [industrial group] démembrement m, démantèlement m ; (= winding up) liquidation f

—— compounds/composés ——
♦ **breakup price** prix de liquidation
♦ **breakup value** valeur de liquidation.

**breathing space** /'briːðɪŋ,speɪs/ N répit m ♦ **it will give us a breathing space** cela va nous permettre de respirer un peu.

**breed** /briːd/ **VT** *animals* élever, faire l'élevage de **N** race f, espèce f ♦ **a new breed of manager** une nouvelle race de dirigeants.

**breeder** /'briːdəʳ/ N **a** *(Phys : also* **breeder reactor***)* générateur m *or* réacteur m nucléaire ♦ **fast breeder reactor** surrégénérateur **b** *(= person)* éleveur m ♦ **all the top breeders will be there** tous les grands éleveurs seront là.

**bribe** /braɪb/ **N** pot-de-vin m ♦ **to take a bribe** se laisser corrompre *or* acheter, accepter des pots-de-vin
**VT** *(gen)* corrompre, acheter; *witness* suborner.

**bribery** /'braɪbərɪ/ N *(gen)* corruption f ; *[witness]* subornation f.

**brick** /brɪk/ N brique ♦ **bricks and mortar** *(= investment)* l'immobilier, la pierre; *(= company)* traditionnel *(qui n'utilise pas Internet pour commercialiser ses produits)*.

**bridge** /brɪdʒ/

---
compounds/composés
---
♦ **bridge financing** (financement par) crédit-relais
♦ **bridge loan** prêt *or* crédit relais
♦ **bridge-over** prêt *or* crédit relais.

**bridgeware** /'brɪdʒwɛəʳ/ N *(Comp)* logiciel m de transition.

**bridging** /'brɪdʒɪŋ/

---
compounds/composés
---
♦ **bridging facility** crédit-relais
♦ **bridging loan** prêt *or* crédit-relais
♦ **bridging software** logiciel de transition.

**brief** /briːf/ **N** *(Jur)* dossier m, cause f, affaire f *(gen = instructions)* mission f ♦ **his brief is to develop market share** il a pour mission de développer la part de marché ♦ **the marketing brief** le cahier des charges de l'action marketing
**VT** *barrister* confier une cause à; *salesman* donner des instructions à ♦ **we brief our salesmen once a week** nous faisons un briefing hebdomadaire à l'intention de nos vendeurs.

**briefcase** /'briːfkeɪs/ N serviette f, porte-documents m inv.

**briefing** /'briːfɪŋ/ N briefing m.

**brighten** /'braɪtn/ **VI** *[economic outlook]* s'éclaircir.

**bring** /brɪŋ/ **VT** ♦ **to bring products to market** mettre des produits sur le marché.

**bring down** **VT SEP** **a** *(Acc)* *figure, amount* reporter **b** *prices [person]* baisser; *[competition, lower interest rates]* faire baisser.

**bring forward** **VT SEP** **a** *(Acc)* *figure, amount* reporter **b** *(= advance time of)* *meeting, product launch* avancer.

**bring in** **VT SEP** *income, interest* rapporter ♦ **the investment brings in a good return** l'investissement a un bon rendement, l'investissement rapporte bien ♦ **the investment brings in 12%** cet investissement rapporte (un intérêt de) 12% *or* porte intérêt à 12%.

**bring off** **VT SEP** *contract* enlever.

**bring out** **VT SEP** *book* publier, faire paraître; *new product* lancer, sortir; *(St Ex)* *new shares* émettre, introduire sur le marché.

**bring together** **VT SEP** *(= put in touch)* mettre en contact, réunir ♦ **the meeting brought together some of the best engineers** la réunion a mis en contact *or* a rassemblé quelques-uns des meilleurs ingénieurs.

**bring up** **VT SEP** **a** *question, problem* soulever; *fact* mentionner **b** **to bring sth up to date** mettre qch à jour ♦ **to bring sb up to date on sth** mettre qn au courant de qch.

**brisk** /brɪsk/ **ADJ** *market* actif, animé ♦ **trading was brisk** le marché était actif *or* animé ♦ **business is brisk** les affaires marchent bien ♦ **there is a brisk trade in software** les logiciels se vendent bien.

**briskly** /'brɪsklɪ/ **ADV** ♦ **these goods are selling briskly** ces articles se vendent très bien.

**Britain** /['brɪtən/ N Grande-Bretagne f, Angleterre f.

**British** /'brɪtɪʃ/ **ADJ** britannique
**N** **the British** les Britanniques

---
compounds/composés
---
♦ **British Isles (the)** les îles fpl britanniques
♦ **British Standards Institute** *association britannique de normalisation* ≈ AFNOR ♦ **British Standard Time** l'heure d'hiver (en Grande-Bretagne)
♦ **British Summer Time** l'heure d'été (en Grande-Bretagne).

**Britisher** /'brɪtɪʃəʳ/ *(US)* N *(= inhabitant)* Britannique mf.

**Briton** /'brɪtən/ N *(= inhabitant)* Britannique mf.

**broad** /brɔːd/ ADJ *(= wide)* large; *(= extensive)* vaste, immense ♦ **a broad range of products** une large gamme de produits ♦ **the broad outlines of a plan** les grandes lignes d'un projet ♦ **our broad aim is to diversify the product range** globalement notre but est de diversifier notre gamme de produits.

**broadband** /'brɔːdbænd/ N *(Comp)* bande f large.

**broadcast** /'brɔːdkɑːst/ Ⅵ *news, programme (Rad)* diffuser, émettre; *(TV)* téléviser, diffuser, émettre
Ⓝ *(Rad, TV)* émission f ♦ **live / recorded broadcast** émission en direct / en différé ♦ **repeat broadcast** reprise, rediffusion.

**broaden** /'brɔːdn/ Ⓥ élargir
Ⓥ s'élargir.

**broadline supplier** /'brɔːdlaɪnsə'plaɪər/ N *fournisseur offrant une large gamme de produits.*

**broadsheet** /'brɔːdʃiːt/ N *(Press)* placard m.

**brochure** /'brəʊʃjʊər/ N *(= booklet)* brochure f ; *(= leaflet)* dépliant m.

**broke** * /brəʊk/ ADJ fauché* ♦ **to go broke** faire faillite.

**broken** /'brəʊkən/ ADJ *contract* rompu; *appointment* manqué ♦ **broken amount** *(St Ex)* titres formant rompus ♦ **broken lots** *(Comm)* articles dépareillés, fins de séries; *(St Ex)* titres formant rompus.

**broker** /'brəʊkər/ N Ⓐ *(Comm, Fin, Mar)* courtier (-ière) m(f) ; *(St Ex)* agent m de change ♦ **broker's lien** droit de rétention du courtier ♦ **broker's return** *(Mar)* ristourne du courtier ♦ **wine / grain / coffee** *etc.* **broker** courtier en vins / grains / cafés *etc.* ♦ **chartering broker** courtier d'affrètement ♦ **commodity broker** courtier en matières premières ♦ **curbstone** *or* **curb broker** coulissier ♦ **(foreign-)exchange broker** cambiste, courtier de change ♦ **inside broker** courtier officiel ♦ **insurance broker** courtier d'assurances ♦ **issue broker** courtier d'émission *or* de placement ♦ **outside broker** coulissier ♦ **shipping broker** courtier maritime ♦ **space broker** courtier en publicité Ⓑ *(= secondhand dealer)* brocanteur m.

**brokerage** /'brəʊkərɪdʒ/ N *(= trade, commission)* courtage m ♦ **they are in brokerage** *or* **in the brokerage business** ils font du courtage, ils sont courtiers

─── compounds/composés ───
♦ **brokerage account** compte de courtage
♦ **brokerage fee** (frais mpl de) courtage
♦ **brokerage house** maison de courtage.

**broking** /'brəʊkɪŋ/ N *(= trade)* courtage m ♦ **broking house** maison de courtage.

**brot** abbr of **brought.**

**brotherhood** /'brʌðəhʊd/ N *(US Ind Rel)* syndicat m ouvrier.

**brought** /brɔːt/ PTP ♦ **balance brought down** solde à reporter ♦ **balance brought forward** report, solde reporté.

**brown** /[braʊn/ ADJ ♦ **brown goods** *(Mktg)* produits bruns.

**browser** /[braʊzər/ N *(Comp)* navigateur m, logiciel m de navigation.

**brunt** /brʌnt/ N ♦ **to bear the brunt of the work** faire le plus gros du travail ♦ **to bear the brunt of the expense** supporter *or* payer le plus gros des frais.

**Brussels** /'brʌslz/ N Bruxelles ♦ **the Brussels authorities** les autorités de Bruxelles.

**B / S, b.s.** Ⓐ abbr of **balance sheet** → **balance**
Ⓑ abbr of **bill of sale** → **bill.**

**BSI** /ˌbiːes'aɪ/ N (abbr of **British Standards Institute**) ≈ AFNOR f.

**BSS** /ˌbiːes'es/ N (abbr of **British Standards Specification**) *norme de l'association britannique de normalisation.*

**B / St** /ˌbiːes'tiː/ abbr of **bill of sight** → **bill.**

**BST** /ˌbiːes'tiː/ N abbr of **British Summer Time** → **British.**

**Buba** /buba/ N (abbr of **Bundesbank**) Buba f.

**bubble** /'bʌbl/ N *(Comm)* affaire f pourrie ♦ **financial / speculative bubble** bulle financière / spéculative

─── compounds/composés ───
♦ **bubble memory** *(Comp)* mémoire à bulles
♦ **bubble pack** emballage transparent, emballage-bulle
♦ **bubble scheme** *(Comm)* projet frauduleux.

**Bucharest** /ˌbuːkə'rest/ N Bucarest.

**buck** /bʌk/ Ⓝ Ⓐ *(US*: dollar)* dollar m ♦ **to earn big bucks** gagner beaucoup de fric* ♦ **to make a fast buck** gagner rapidement de l'argent Ⓑ **to pass the buck** * refiler* la responsabilité à quelqu'un d'autre ◆ **the buck stops here** * il n'y a plus personne sur qui rejeter la responsabilité

**VT** **to buck the trend** * aller *or* agir à contrecourant.

**bucket shop** /ˈbʌkɪtʃɒp/ N *(St Ex)* bureau m de courtier marron; (= *travel agent*) agence f de voyages *(offrant des billets d'avion à prix réduits).*

**Budapest** /ˌbjuːdəˈpest/ N Budapest.

**budget** /ˈbʌdʒɪt/ **N** budget m ◆ **to balance the budget** équilibrer le budget ◆ **to draft a budget** établir *or* élaborer *or* dresser un budget ◆ **we have overrun our budget, we have gone over our budget** nous avons dépassé notre budget ◆ **capital budget** budget d'investissement ◆ **cash budget** budget de trésorerie ◆ **draft budget** projet de budget ◆ **operating budget** budget de fonctionnement

─── compounds/composés ───
◆ **budget account** (*in department store*) compte crédit; (*Brit Bank*) paiement par la banque des factures courantes d'un ménage moyennant un système de prélèvements mensuels
◆ **budget appropriations** affectations fpl budgétaires
◆ **budget ceiling** plafond budgétaire
◆ **budget day** (*Brit Pol*) jour de la présentation du budget
◆ **budget deficit** déficit budgétaire
◆ **budget department** (*in store*) rayon des soldes
◆ **budget estimates** prévisions fpl budgétaires
◆ **budget heading** ligne budgétaire
◆ **budget holiday** vacances fpl à prix réduits *or* à prix promotionnels
◆ **budget plan** (*US*) (*in department store*) système de crédit, solution crédit
◆ **budget prices** prix mpl réduits *or* promotionnels, petits prix mpl
◆ **budget surplus** excédent budgétaire
◆ **budget variance** écart budgétaire *or* sur budget

**VI** dresser *or* établir un budget ◆ **to budget for sth** inscrire *or* porter qch au budget, budgétiser *or* budgéter qch

**VT** budgétiser, budgéter ◆ **budgeted balance sheet** bilan provisionnel ◆ **a budgeted expense** une dépense budgétée.

**budgetary** /ˈbʌdʒɪtrɪ/ ADJ budgétaire ◆ **budgetary accounts** comptes du budget ◆ **budgetary control** contrôle budgétaire ◆ **budgetary cuts** compressions *or* restrictions budgétaires ◆ **budgetary deficit** déficit budgétaire ◆ **budgetary policy** politique budgétaire ◆ **budgetary year** exercice budgétaire.

**budgeting** /ˈbʌdʒɪtɪŋ/ N [*project, expense*] budgétisation f ◆ **Planning, Programming, Budgeting System** ≈ rationalisation des choix budgétaires.

**Buenos Aires** /ˈbweɪnɒsˈaɪrɪz/ N Buenos Aires.

**buffer** /ˈbʌfəʳ/ **N** (*gen*) tampon m; (*Comp*) mémoire f tampon *or* intermédiaire ◆ **input buffer** tampon d'entrée

─── compounds/composés ───
◆ **buffer area** (*Comp*) zone tampon
◆ **buffer state** (*Pol*) État tampon
◆ **buffer stock** (*Comm*) stock de sécurité *or* de régularisation *or* tampon
◆ **buffer store** mémoire tampon

**VT** (*Comp*) mettre en mémoire tampon.

**bug** /bʌg/ **N** (*gen*) défaut m; (*Comp*) bogue m, défaut m, erreur f ◆ **to get the bugs out of a program** déboguer un programme, supprimer les erreurs dans un programme ◆ **bug-free program** programme sans bogues *or* exempt d'erreurs

**VT** (* *phone*) brancher sur table d'écoute; *room* poser *or* installer des micros dans.

**build** /bɪld/ VT *house, town* bâtir, construire; *ship, machine* construire; *plan* bâtir, construire, échafauder.

**builder** /ˈbɪldəʳ/ N [*houses*] entrepreneur m, maçon m; [*ships, machines*] constructeur m.

**build in** VT SEP *design feature, safeguard* intégrer, incorporer (*in, into* à)

**building** /ˈbɪldɪŋ/ N **a** (= *edifice*) (*gen*) construction f, bâtiment m; (*large, imposing*) édifice m; (*apartments or offices*) immeuble m **b** (= *action*) construction f ◆ **the building of the ship took 2 years** la construction du navire a demandé 2 ans

─── compounds/composés ───
◆ **building and loan association** (*US*) société coopérative d'investissement et de crédit immobiliers
◆ **building block** [*project, logical construction*] élément, module, bloc
◆ **building contractor** entrepreneur de maçonnerie
◆ **building ground** terrain à bâtir
◆ **building industry (the)** l'industrie du bâtiment, le bâtiment
◆ **building land** terrain à bâtir
◆ **building licence** permis de construire
◆ **building loan** prêt immobilier *or* hypothécaire
◆ **building materials** matériaux mpl de construction
◆ **building plot** (petit) terrain à bâtir

+ **building site** chantier de construction
+ **building society** *(Brit)* *société d'investissement et de crédit immobiliers* ◆ **building society account** ≈ compte d'épargne-logement
+ **building trade (the)** l'industrie du bâtiment, le bâtiment ◆ **the building trades** les métiers mpl du bâtiment.

**build up** **VI** *[business, relationship]* se développer; *[competition]* s'intensifier; *[inflation, anger]* augmenter, s'accroître

**VT SEP** **a** *(= establish) reputation* bâtir, établir; *business* développer; *(= increase) production, sales* augmenter, accroître; *stocks* accumuler ◆ **the economy is building up steam** l'économie prend de la vitesse *or* s'accélère **b** *(= urbanize) area, land* urbaniser.

**buildup** /ˈbɪldʌp/ **N** **a** *[competition]* intensification f ; *[stocks]* accumulation f ; *[production, sales]* accroissement m, augmentation f ◆ **the debt buildup in the United States** l'accroissement de la dette des États-Unis **b** **to give sb / sth a good buildup** faire de la publicité pour qn / qch ◆ **the product got a good buildup** on a fait beaucoup de battage* autour du produit.

**built-in** /ˈbɪltɪn/ **ADJ** *feature, design* incorporé, intégré

──── compounds/composés ────
+ **built-in obsolescence** vieillissement programmé
+ **built-in stabilizers** *(Econ)* stabilisateurs mpl automatiques
+ **built-in test** *(Comp)* test intégré.

**built-up area** /ˈbɪltʌpˈɛərɪə/ **N** agglomération f (urbaine).

**Bulgaria** /bʌlˈgɛərɪə/ **N** Bulgarie f.

**Bulgarian** /bʌlˈgɛərɪən/ **ADJ** bulgare
**N** **a** *(= language)* bulgare m **b** *(= inhabitant)* bulgare mf.

**bulk** /bʌlk/ **N** **a** *(= size)* grosseur f, grandeur f ; *(= volume)* masse f, volume m **b** *(= main part)* ◆ **the bulk of our customers** la majeure partie de nos clients ◆ **the bulk of the work** le plus gros du travail ◆ **the bulk of our business is done in the summer** nous faisons la plus grosse partie de nos affaires pendant l'été **c** *(Comm)* ◆ **in bulk** *(= in large quantities)* en gros; *(= not packed)* en vrac ◆ **to buy in bulk** acheter en gros *or* en grandes quantités ◆ **to deliver / load / ship in bulk** livrer / charger / transporter en vrac ◆ **to break bulk** *(= begin unloading)* commencer le déchargement; *(= divide into smaller units)* fractionner une cargaison *or* un chargement *or* une livraison ◆ **these**

**goods were sold without breaking bulk** ces marchandises ont été vendues sous corde **d** *(Mar)* cargaison f (en cale), chargement m ◆ **to load in bulk** charger en volume

──── compounds/composés ────
+ **bulk buying** achat en gros
+ **bulk cargo** cargaison en vrac
+ **bulk carrier** transporteur de vrac, vraquier
+ **bulk discount** remise sur la quantité
+ **bulk mail** *(Post)* envoi en nombre
+ **bulk sale** *(in large quantity)* vente en gros *or* en grandes quantités; *(loose)* vente en vrac
+ **bulk sample** échantillon moyen
+ **bulk storage** *(Comp)* mémoire de masse
+ **bulk transport** transport en vrac

**VT** *(Customs)* estimer ◆ **to bulk a container** estimer le contenu d'un conteneur
**VI** **to bulk up to** s'élever à ◆ **to bulk large** tenir une place importante.

**bulky** /ˈbʌlkɪ/ **ADJ** encombrant, volumineux.

**bull** /bʊl/ **N** *(St Ex) (gen)* haussier m, acheteur m *or* spéculateur m à la hausse; *(buying stock in the expectation of selling at a profit before settlement day)* acheteur m à découvert ◆ **to buy a bull** *(gen)* acheter *or* spéculer *or* jouer à la hausse; *(before settlement day)* acheter à découvert ◆ **the market is all bulls** le marché est orienté à la hausse

──── compounds/composés ────
+ **bull account** *(gen)* position acheteur *or* à la hausse; *(before settlement day)* position à découvert
+ **bull campaign** spéculation à la hausse, opération destinée à faire monter les cours
+ **bull market** marché haussier, marché orienté à la hausse
+ **bull operation** transaction à la hausse
+ **bull operator** haussier, acheteur *or* spéculateur à la hausse
+ **bull position** *(gen)* position acheteur *or* à la hausse; *(before settlement day)* position à découvert
+ **bull purchase** *(gen)* achat à la hausse; *(before settlement day)* achat à découvert
+ **bull speculation** spéculation à la hausse
+ **bull transaction** transaction à la hausse
+ **bull trend** canal ascendant *or* haussier

**VT** **to bull the market** spéculer à la hausse, chercher à faire monter les cours.

**bullet** /ˈbʊlɪt/ **N** *(Fin, St Ex)* emprunt m remboursable in fine ◆ **bullet repayment** remboursement in fine.

**bulletin** /'bʊlɪtɪn/ N bulletin m, communiqué m ◆ **bulletin board** tableau d'affichage ◆ **news bulletin** (bulletin d')informations.

**bullion** /'bʊljən/ N encaisse-or f ; (= gold bullion) or m en barre or en lingot(s); (= silver bullion) argent m en lingot(s) ◆ **bullion reserve** encaisse or réserve métallique.

**bullish** /'bʊlɪʃ/ ADJ market, tendency, operator haussier, à la hausse; stocks en hausse.

**bullishness** /'bʊlɪʃnəs/ N (St Ex) tendance f haussière or à la hausse.

**bumper** /'bʌmpəʳ/ ADJ crop, year exceptionnel.

**bundle** /'bʌndl/ ◼ [goods] paquet m, ballot m ; [optical fibers] faisceau m ; [papers, letters] liasse f ◆ **a bundle of stocks** un paquet d'actions
◼ papers, banknotes mettre en liasse.

**bundling** /'bʌndlɪŋ/ N groupage m.

**bungle** /'bʌŋgl/ VT gâcher, bâcler*, saboter.

**bunkering** /'bʌŋkərɪŋ/ N (Mar) soutage m.

**buoyancy** /'bɔɪənsɪ/ N (St Ex) [market, prices] fermeté f, tendance f à la hausse.

**buoyant** /'bɔɪənt/ ADJ (St Ex) market ferme, soutenu, haussier.

**burden** /'bɜːdn/ ◼ ⓐ fardeau m, charge f ; [work] charge f ; [debt] fardeau ◆ **tax burden** poids de l'impôt, pression fiscale ⓑ (Acc, Fin) charges fpl indirectes, frais mpl indirects or généraux ◆ **the burden of the expense will be met by us** les frais seront à notre charge ⓒ (Mar) port m, portée f, charge f, contenance f, tonnage m ◆ **a ship of 10,000 tons burden** un navire de 10 000 tonneaux de charge, un navire qui jauge 10 000 tonneaux ⓓ (Fin, Jur = debt weighing on company's balance sheet or on an estate) encombrement m

─── compounds/composés ───
- **burden centre** (Acc) section homogène ◆ **burden centre accounting** comptabilité par sections homogènes
- **burden of proof** (Jur) charge de la preuve

◼ charger (with de) ◆ **to burden an estate with a mortgage** grever or encombrer un domaine d'une hypothèque.

**bureau** /'bjʊərəʊ/ N ⓐ (= office) bureau m ◆ **employment bureau** bureau de placement ◆ **information bureau** bureau de renseignements ◆ **travel bureau** agence de voyages ◆ **bureau de change** bureau de change ⓑ (US: government department) service m or département m

(gouvernemental) ◆ **the Bureau of Customs** les services des douanes ◆ **Bureau of Labor Statistics** institut statistique de l'emploi.

**bureaucracy** /bjʊə'rɒkrəsɪ/ N bureaucratie f.

**bureaucrat** /'bjʊərəʊkræt/ N bureaucrate mf.

**bureaucratic** /ˌbjʊərəʊ'krætɪk/ ADJ bureaucratique.

**burgeoning** /'bɜːdʒənɪŋ/ ADJ ◆ **the burgeoning tourist trade** l'industrie naissante du tourisme.

**Burkina-Faso** /bɜː'kiːnə'fæsəʊ/ N Burkina Faso m.

**Burma†** /'bɜːmə/ N Birmanie f.

**Burmese** /bɜː'miːz/ ADJ birman
◼ ⓐ (= language) birman m ⓑ (= inhabitant) Birman(e) m(f).

**burning** /'bɜːnɪŋ/ ADJ (Ins) ◆ **burning cost** rapport sinistres-primes.

**burnout** /'bɜːnaʊt/ N épuisement m ◆ **to suffer from burnout** [executive] être usé.

**burst** /bɜːst/ ◼ [activity] vague f ; [enthusiasm] vague f, accès m, montée f (Ind, Comp) [throughput] rafale f ◆ **burst of energy** sursaut d'énergie ◆ **he works in bursts** il travaille par à-coups ◆ **the orders come in bursts** les commandes arrivent par à-coups or par vagues

─── compounds/composés ───
- **burst advertising** matraquage publicitaire
- **burst campaign** (Pub) campagne de matraquage
- **burst forms** imprimés mpl détachés
- **burst mode** (Comp) mode continu
- **burst speed** (Comp) grande vitesse

◼ (= separate) sheets séparer, éclater.

**burster** /'bɜːstəʳ/ N (Comp) rupteuse f, rupteur m, éclateur m, séparateur m de feuillets.

**bus** /bʌs/ N ⓐ (= vehicle) autobus m, bus m * ; (US: motorcoach) autocar m, car m ⓑ (Comp) bus m ◆ **data bus** bus de données.

**bushel** /'bʊʃl/ N boisseau m.

**business** /'bɪznɪs/ N ⓐ (= commerce) affaires fpl ◆ **to be in business** être dans les affaires ◆ **they are in business together** ils sont partenaires ◆ **to be in the travel business** être dans le tourisme ◆ **to be in the shoe business** (as manufacturer) être dans l'industrie de la chaussure; (as retailer) être dans le commerce des chaussures, avoir un magasin de chaussures ◆ **our wholesale / retail business has grown** nos ventes en gros / au détail ont augmenté ◆ **we**

are in the retail business nous sommes détaillants, nous faisons le commerce de détail ♦ they have a successful retail business ils ont une affaire *or* un magasin *or* un commerce de détail qui marche bien ♦ to be in business for o.s. travailler pour son propre compte ♦ to set up in business se lancer dans les affaires ♦ to go out of business *(= cease trading)* fermer boutique, se retirer des affaires; *(= go bankrupt)* faire faillite ♦ to succeed in business réussir dans les affaires *or* en affaires ♦ to do business with sb faire des affaires avec qn, travailler avec qn ♦ to go to Lyon on business aller à Lyon pour affaires ♦ to be away on business être en déplacement pour affaires ♦ business as usual during repairs nous restons ouverts *or* la vente continue pendant les travaux ♦ open for business ouvert ♦ to talk business parler affaires ♦ to get down to business passer aux choses sérieuses **b** *(= profession)* métier m, profession f, activité f ♦ what's your business? quel est votre métier *or* profession? ♦ their main business is components manufacturing leur activité de base est la fabrication de composants ♦ we must concentrate on our core business nous devons nous recentrer sur notre métier de base ♦ only one in 40 shops will be trading in the same business 7 years after start-up seulement un magasin sur 40 aura gardé sa vocation *or* n'aura pas changé d'activité 7 ans après sa création ♦ their business is management consultancy ils sont conseillers en gestion, ils ont une affaire de conseil en gestion ♦ to know one's business connaître son affaire *or* son métier, s'y connaître **c** *(= volume of trade)* affaires fpl ♦ business is looking up *or* picking up les affaires reprennent ♦ business is booming les affaires marchent très bien *or* sont en plein essor ♦ business is slow les affaires tournent au ralenti ♦ our (volume of) business has doubled in the last year notre chiffre d'affaires a doublé au cours de l'année passée ♦ our mail order business has declined nos ventes par correspondance ont baissé ♦ business done *(St Ex)* cours faits **d** *(= customers)* clientèle f ♦ the shop's business is mostly with teenagers la clientèle du magasin est constituée surtout d'adolescents ♦ we get a lot of business from tourists nous travaillons beaucoup avec les touristes *or* avec une clientèle de touristes ♦ we want your business nous voulons travailler avec vous, nous voulons vous avoir comme client ♦ thank you for your business nous vous remercions de votre commande ♦ to lose business perdre de la clientèle ♦ 90% of the bank's corporate finance business is geared to Britain 90% de l'activité de la banque dans le secteur du financement des entreprises concerne la Grande-Bretagne ♦ bankers are competing for farmer's business les banquiers se disputent la clientèle agricole **e** *(= company)* *(gen)* affaire f; *(= shop)* commerce m, magasin m, boutique f; *(= firm)* entreprise f ♦ they have a little business ils ont une petite affaire *or* un petit commerce ♦ he has a shoe business il a un magasin de chaussures ♦ he has a grocery business il a une épicerie *or* un commerce d'alimentation ♦ small businesses petites entreprises ♦ business for sale fonds *or* affaire à céder **f** *(= task)* affaire f ♦ we have an important piece of business to deal with nous devons traiter une affaire importante ♦ the business of the day the order of business, l'ordre du jour ♦ any other (competent) business *(in a meeting)* autres questions à l'ordre du jour; *(on an agenda)* questions diverses ♦ is there any other business? y a-t-il d'autres questions à traiter? ♦ to make it one's business to do sth se charger de faire qch ♦ that's your business c'est ton affaire *or* ton problème ■ Voir encadré page suivante.

**businesslike** /ˈbɪznɪslaɪk/ ADJ *person* efficace, pratique; *firm, transaction* sérieux; *manner* sérieux, carré; *method* efficace; *style* net, précis; *appearance* sérieux.

**businessman** /ˈbɪznɪsmæn/ N homme m d'affaires.

**businesswoman** /ˈbɪznɪswʊmən/ N femme f d'affaires.

**bust** * /bʌst/ ADJ ♦ to go bust faire faillite.

**busy** /ˈbɪzɪ/ ADJ *(= occupied)* person occupé *(doing* à faire); *(Telec)* line occupé ♦ busy hours *(US)* heures d'affluence ♦ busy signal *(US)* tonalité occupé ♦ the line's busy c'est occupé, la ligne est occupée.

**butt** /bʌt/ N *(= barrel)* (gros) tonneau m, barrique f, futaille f.

**buttress** /ˈbʌtrɪs/ VT *economy* soutenir; *argument* étayer.

**buy** /baɪ/ **VT** **a** *(= purchase)* acheter *(sth from sb* qch à qn, *sth for sb* qch pour *or* à qn) ♦ to buy and sell goods acheter et revendre des marchandises ♦ to buy for cash acheter (au) comptant ♦ to buy in bulk acheter en gros *or* en grandes quantités ♦ to buy on credit acheter à crédit *or* à tempérament ♦ to buy outright acheter (au) comptant ♦ to buy round contourner les intermédiaires *(en achetant directement au fabricant)* ♦ to buy wholesale

_compounds/composés_

## BUSINESS

- **business acumen** sens (aigu) des affaires
- **business address** adresse commerciale ◆ this is my business address voici l'adresse de mon bureau or de mon travail
- **business agent** (= commercial) agent d'affaires; (US Ind) délégué(e) syndical(e)
- **business bank** banque d'affaires
- **business call** visite d'affaires
- **business card** carte de visite (professionnelle)
- **business career** carrière dans les affaires
- **business centre** (gen) centre d'affaires; (in airport) bureau de services de secrétariat
- **business circles** milieux mpl d'affaires
- **business computer** ordinateur de gestion, ordinateur professionnel
- **business computing** informatique de gestion, informatique professionnelle
- **business concern** entreprise (commerciale)
- **business connection** relation d'affaires
- **business corporation** entreprise, société commerciale
- **business creation** création d'entreprise(s)
- **business cycle** (Econ) cycle économique
- **business data processing** informatique de gestion
- **business day** jour ouvrable
- **business decision** décision commerciale
- **business economics** économie de l'entreprise
- **business ethics** déontologie des affaires
- **business expenses** frais mpl professionnels
- **business experience** expérience professionnelle
- **business failures** faillites fpl d'entreprises
- **business finance** gestion financière des entreprises
- **business forecasting** prévision économique
- **business game** jeu d'entreprise
- **business goods** biens mpl de production
- **business hours** (gen) heures fpl ouvrables; [shop] heures fpl d'ouverture; [office] heures fpl de bureau
- **business house** maison de commerce
- **business indicator** indicateur de conjoncture

- **business intelligence** intelligence économique
- **business interruption policy** or **insurance** assurance pertes d'exploitation
- **business law** droit commercial
- **business letter** lettre commerciale
- **business lunch** déjeuner d'affaires
- **business machine** machine de bureau or de gestion, machine comptable
- **business management** gestion d'entreprise
- **business manager** dirigeant d'entreprise
- **business matter** affaire
- **business meeting** réunion d'affaires
- **business opportunity** créneau
- **business-oriented** person qui a le sens des affaires; government policy favorable aux entreprises; computer de gestion
- **business outlet** point de vente
- **business outlook** perspectives fpl économiques
- **business package** (Comp) progiciel de gestion
- **business park** parc d'activités
- **business portfolio** portefeuille d'activités
- **business premises** locaux mpl commerciaux
- **business relation** relation d'affaires
- **business reply mail** carte-réponse
- **business risk** risque commercial
- **business school** école de gestion or de commerce
- **business sense** sens des affaires
- **business slowdown** ralentissement économique
- **business services** services mpl aux entreprises
- **business software** logiciel de gestion
- **business-to-business** business to business
  - **business-to-business e-commerce** commerce électronique interentreprises
- **business-to-consumer e-commerce** vente directe sur Internet
- **business transaction** transaction commerciale
- **business travel** les voyages mpl d'affaires
- **business trip** voyage d'affaires
- **business world** monde des affaires
- **business year** (Acc) exercice.

---

acheter en gros ◆ he bought (his way) into the company il a pris une participation dans l'entreprise **b** (St Ex) ◆ to buy a bull, buy long (US) (gen) spéculer or jouer la hausse; (before settlement day) acheter à découvert, acheter au comptant pour revendre à terme ◆ to buy firm acheter ferme ◆ to buy forward acheter à terme ◆ to buy for a rise acheter à la hausse ◆ to buy for the account or for settlement acheter à terme ◆ to buy on bid acheter aux enchères ◆ to buy on a fall / on a rise acheter à la baisse / à la hausse ◆ to buy on margin acheter à terme en versant un dépôt de garantie ◆ to buy on opening acheter à l'ouverture ◆ buy and sell-back (St Ex) acheté-vendu

**N** affaire f ◆ it's a good buy c'est une bonne affaire ◆ buy order (St Ex) ordre d'achat.

**buy back** VT SEP racheter
**N** rachat m

_compounds/composés_

- **buy-back agreement** (foreign trade) accord de compensation or de rachat (des produits fabriqués à l'étranger)
- **buy-back clause** clause de rachat
- **buy-back offer** offre (publique) de rachat
- **buy-back option** option or possibilité de rachat.

**buyer** /ˈbaɪəʳ/ N **a** acheteur(euse) m(f), acquéreur(euse) m(f), preneur(euse) m(f) ◆ **a buyer**

and seller of furniture un acheteur et revendeur de meubles ✦ **buyer's market** marché acheteur ✦ **buyer's monopoly** monopsone ✦ **at buyer's risk** aux risques de l'acheteur ✦ **buyer's pass** carte d'acheteur ✦ **potential** or **prospective buyer** acheteur potentiel, prospect **b** *(for company or shop)* acheteur(euse) m(f) ✦ **chief** or **head buyer** responsable or directeur des achats **c** *(St Ex)* acheteur m ✦ **there were buyers over all this week** toute cette semaine il y a eu plus d'acheteurs que de vendeurs ✦ **buyer's option** prime pour lever ✦ **buyer's option to double** faculté de lever double

─── *compounds/composés* ───
- **buyer credit** *(export finance)* crédit acheteur
- **buyer response** réaction de l'acheteur
- **buyer survey** enquête auprès des acheteurs.

**buy in** **VT SEP** **a** *goods* s'approvisionner en **b** *(= subcontract)* *components, parts* sous-traiter, s'approvisionner à l'extérieur en **c** *(at auction sale)* racheter ✦ **the clock was bought in at £200** la pendule a été rachetée or retirée de la vente à 200 livres
**VI** **a** *(Fin)* prendre une participation dans une société **b** *(St Ex)* ✦ **to buy in against a seller** exécuter or racheter un vendeur **c** *(EU)* ✦ **to buy into intervention** acheter à l'intervention.

**buy-in** /'baɪɪn/ **N** *(St Ex)* exécution f en Bourse.

**buying** /'baɪɪŋ/ **N** *(= action)* achat m ; *(= function)* achats mpl, approvisionnements mpl ✦ **impulse buying** achat d'impulsion or impulsif or spontané ✦ **space buying** *(Pub)* achat d'espace

**buy out** **VT SEP** *(Fin)* *person* désintéresser; *shareholder* racheter les actions de; *company* racheter; *(= subcontract)* sous-traiter, s'approvisionner à l'extérieur en ✦ **we bought him out for $100,000** nous lui avons acheté sa part pour 100 000 dollars.

**buy-out** /'baɪaʊt/ **N** rachat m (d'entreprise) ✦ **(leveraged) management buy-out** rachat d'une entreprise par ses salariés, RES ✦ **the**

company was the object of a management buy-out l'entreprise a été rachetée par ses salariés ✦ **leveraged buy-out** rachat d'entreprise financé par l'endettement ✦ **compulsory buy-out offer** offre publique de retrait obligatoire.

**buy up** **VT SEP** *goods, shares* acheter en bloc, ratisser, rafler* ; *company* racheter.

**buzz** * /bʌz/ **N** ✦ **to give sb a buzz** *(= telephone)* donner or passer un coup de fil à qn ✦ **buzz word** mot à la mode, terme branché* ✦ **buzz group** sous-groupe de discussion.

**buzzer** * /'bʌzəʳ/ **N** *(in office)* interphone m.

**Byelorussia** /ˌbjeləʊ'rʌʃə/ **N** Biélorussie f.

**Byelorussian** /ˌbjeləʊ'rʌʃən/ **ADJ** biélorusse **N** *(= inhabitant)* Biélorusse mf.

**bypass** /'baɪpɑːs/ **N** *(= road)* rocade f, route f or bretelle f de contournement
**VT** *town* contourner; *superior* court-circuiter; *middleman, service company, supplier* court-circuiter, contourner.

**by-product** /'baɪˌprɒdʌkt/ **N** sous-produit m, produit m dérivé.

**byte** /baɪt/ **N** multiplet m, octet m ✦ **8-bit byte** octet.

─── *compounds/composés* ───
- **buying agent** agent d'achat
- **buying commission** commission d'achat
- **buying department** service (des) achats or approvisionnements
- **buying group** centrale d'achat
- **buying hedge** couverture d'une position acheteur
- **buying inducement** incitation à l'achat
- **buying-in price** *(EU)* prix d'intervention
- **buying order** *(St Ex)* ordre d'achat
- **buying power** pouvoir d'achat
- **buying price** *(gen)* prix d'achat; *(St Ex)* cours acheteur
- **buying process** processus d'achat
- **buying rate** *(Fin)* cours acheteur.

# C

**C** /siː/ N C2C transactions entre particuliers, C2C.

**C / A** **a** abbr of **capital account** → **capital** **b** abbr of **credit account** → **credit** **c** abbr of **current account** → **current**.

**cable** /ˈkeɪbl/ **N** *(Telec)* câble m

```
─────────────── compounds/composés ───────────────
♦ cable address adresse télégraphique
♦ cable television télévision par câble
♦ cable transfer virement télégraphique
```

**VT** câbler, télégraphier *(sth to sb* qch à qn)

**cablecast** /ˈkeɪblkɑːst/ **VT** émettre *or* diffuser par câble.

**cache** /kæʃ/ **N** *(Comp)* cache m ♦ **cache store** *or* **memory** mémoire cache, antémémoire ■ **VT** *(Comp)* mettre en mémoire cache *or* antémémoire.

**CAD** /ˌsiːeɪˈdiː/ **N** (abbr of **computer-aided** *or* **assisted design**) CAO f, DAO m.

**c.a.d.** abbr of **cash against documents** → **cash.**

**cadastre** /kəˈdæstər/ *(US)* **N** cadastre m.

**CADM** /ˌsiːeɪdiːˈem/ **N** (abbr of **computer-aided** *or* **assisted design and manufacturing**) CFAO f.

**cadre** /ˈkædrɪ/ **N** *(collectively)* personnel m d'encadrement, cadres mpl.

**c.a.f.** (abbr of **cost and freight**) CFR.

**CAI** /ˌsiːeɪˈaɪ/ **N** (abbr of **computer-aided** *or* **assisted instruction**) EAO m.

**Cairo** /ˈkaɪərəʊ/ **N** Le Caire.

**CAL** /ˌsiːeɪˈel/ **N** (abbr of **computer-aided** *or* **assisted learning**) EAO m.

**calculate** /ˈkælkjʊleɪt/ **VT** *(Math)* calculer; *(= suppose)* supposer, estimer
■ **VI** *(Math)* calculer, faire des calculs.

**calculated** /ˈkælkjʊleɪtɪd/ **ADJ** *action, decision, risk* calculé.

**calculating machine** /ˈkælkjʊleɪtɪŋməʃiːn/ **N** machine f à calculer, calculatrice f.

**calculation** /ˌkælkjʊˈleɪʃən/ **N** calcul m ♦ **to make a calculation** faire *or* effectuer un calcul ♦ **by my calculations** d'après mes calculs.

**calculator** /ˈkælkjʊleɪtər/ **N** *(= machine)* calculatrice f, machine f à calculer ♦ **hand** *or* **pocket calculator** calculatrice de poche, calculette.

**calendar** /ˈkæləndər/ **N** calendrier m

```
─────────────── compounds/composés ───────────────
♦ calendar management gestion d'agenda
♦ calendar month mois du calendrier
♦ calendar year année civile.
```

**calibre** *(Brit)*, **caliber** *(US)* /ˈkælɪbər/ **N** calibre m, envergure f, stature f ♦ **a man of his calibre** un homme de son envergure.

**call** /kɔːl/ **N** **a** *(gen)* appel m, demande f ; *(Telec)* communication f, appel m, coup m de fil *or* de téléphone ♦ **to make a call** téléphoner, donner *or* passer un coup de fil ♦ **I'd like a call at 6 a.m.** *(in hotel)* pourriez-vous me réveiller à 6 heures ♦ **reverse charge call** *(Brit)*, **collect call** *(US)* communication en PCV ♦ **long-distance call** *(Brit)*, **toll call** *(US)* appel interurbain (payant) ♦ **person–to–person call** communication avec préavis **b** *(= short visit)* visite f ♦ **to make** *or* **pay a call on sb** rendre visite à qn, aller voir qn ♦ **business call** visite d'affaires ♦ **cold call** *(by sales representative)* visite impromptue ✦ **sales call** visite d'un représentant ✦ **service call** *(gen)* visite d'entretien; *(Ind)* intervention sur machine **c** *(St Ex)* option f d'achat, dont m, call m ✦ **call for the premium** levée de la prime ✦ **call of more** faculté de lever double ✦ **to give / take for the call** acheter / vendre un call *or* un dont ✦ **giver / taker for the call** acheteur / vendeur d'un call *or* d'un dont **d** *(Fin, St Ex)* appel m ✦ **call for additional cover** appel de marge ✦ **call for capital** appel de fonds ✦ **to make a call for money** *or* **for capital** faire un appel de fonds ✦ **call for tenders** appel d'offres ✦ **call and check** *(Fin)* collationnement ✦ **payable at call** remboursable *or* payable sur présentation *or* à vue ✦ **withdrawal at call** retrait à vue

─────── compounds/composés ───────
- **call and put option** stellage
- **call birds** \* articles mpl d'appel
- **call box** *(Brit)* cabine téléphonique; *(US)* téléphone de police secours
- **call buyer** acheteur d'un call *or* d'un dont
- **call centre** centre d'appel
- **call charge** montant *or* prix de la communication téléphonique
- **call deposit** dépôt à vue
- **call letter** *(Brit)* avis d'appel de fonds
- **call letters** *(US Telec)* indicatif (d'appel)
- **call loan** prêt au jour le jour, prêt remboursable sur demande
- **call money** emprunt au jour le jour, emprunt remboursable sur demande; *(US)* argent au jour le jour prêté aux agents de change ✦ **call money rate** taux de l'argent au jour le jour
- **call option** option d'achat ✦ **call option price** dont, prime d'achat
- **call pay** *(US)* rémunération garantie par contrat *pour un travail effectué en dehors des journées de travail légales*
- **call premium** dont, prime d'achat
- **call price** prix d'exercice
- **call protection** garantie contre le risque de remboursement anticipé d'obligations
- **call rate** taux d'intérêt à court terme
- **call risks** *(Mar)* risques mpl d'escale
- **call warrant** call warrant

**VT** **a** *(St Ex, Fin)* ✦ **to call (in) a loan** demander le remboursement d'un prêt ✦ **to call the shares** se déclarer acheteur **b** *(= consider)* trouver, considérer ✦ **shall we call it £100?** *(agree on price)* disons 100 livres? **c** *(= summon) (gen)* appeler; *meeting* convoquer; *strike* décider, décréter, déclencher ✦ **could you call me at 6 a.m.?** pourriez-vous me réveiller à 6 heures? ✦ **to call a press conference** réunir les journalistes *or* une conférence de presse ✦ **to call the meeting to order** ouvrir la séance ✦ **the chairman called clause fifteen** le président a mis en discussion l'article quinze ✦ **to call sb to account** demander des comptes à qn ✦ **to call sb's attention to sth** attirer l'attention (de qn) sur qch ✦ **the measure will call a halt to speculation** la mesure va mettre un terme à la spéculation ✦ **let's call it a deal** considérons l'affaire comme conclue **d** *(Comp) program* appeler

**VI** *[ship]* ✦ **to call (in) at a port** faire escale dans un port.

**callable** /'kɔːləbl/ **ADJ** *bond* remboursable par anticipation ✦ **callable capital** capital exigible ✦ **callable loan** prêt révocable ✦ **callable preferred stock** *(US)* obligation remboursable par anticipation.

**call away** **VT SEP** ✦ **to be called away on business** être obligé de s'absenter pour affaires.

**call back** **VI** *(Telec)* rappeler; *(= come back)* revenir ✦ **I'll call back in half an hour** je reviendrai dans une demi-heure; *(Telec)* je rappellerai dans une demi-heure
**VT SEP** *(Telec)* rappeler ✦ **I'll call you back in half an hour** je vous rappellerai dans une demi-heure.

**callback** /'kɔːlbæk/ **N** **a** *(Telec)* rappel m automatique **b** **callback pay** prime f *(payée en cas de rappel sur le lieu de travail).*

**call down** **VT SEP** *(Comp) program, file* appeler.

**caller** /'kɔːlə'/ **N** *(Telec)* demandeur m, personne f qui appelle; *(Comm)* visiteur m ; *(Bond Market)* personne f qui exerce une option d'achat.

**call for** **VT FUS** **a** *(= summon) person* appeler, faire venir; *measures* réclamer, demander, exiger **b** *(= collect)* ✦ **I'll call for you at 10** je passerai vous prendre à 10 heures ✦ **to be called for** *(on parcel, letter)* à remettre au demandeur ≈ poste restante.

**call in** **VT SEP** *expert* faire venir, appeler; *money* faire rentrer; *faulty machines* rappeler; *banknotes* retirer de la circulation ✦ **the bank called in his overdraft** la banque l'a obligé à combler son découvert *or* à approvisionner son compte ✦ **to call in a debt** exiger le remboursement immédiat d'une dette.

**calling** /'kɔːlɪŋ/ **N** **a** *(= vocation)* vocation f, métier m **b** *[meeting]* convocation f

─────── compounds/composés ───────
- **calling card** *(US)* carte de visite
- **calling party** *(Telec)* demandeur
- **calling program** *(Comp)* programme d'appel

**call off** **VI** se décommander

**capability**

**VT SEP** *appointment* annuler, décommander; *agreement, contract, deal* rompre, résilier, annuler ◆ **to call off a strike** annuler un mot d'ordre de grève.

**call-off** /'kɔːlɒf/ **N** annulation f.

**call out** **VT SEP** appeler ◆ **to call workers out** appeler à la grève, lancer un mot d'ordre de grève.

**call up** **VT SEP** *(US)* appeler (au téléphone), téléphoner à ◆ **called up capital** capital appelé.

**calm down** /kɑːm/ **VI** *[stock market]* se calmer.

**CAM** /ˌsiːeɪ'em/ **N** (abbr of **computer-aided** *or* **assisted manufacturing**) FAO f.

**cambist** /'kæmbɪst/ **N** *(St Ex)* cambiste m.

**Cambodia** /kæm'bəʊdɪə/ **N** Cambodge m.

**Cambodian** /kæm'bəʊdɪən/ **ADJ** cambodgien **N** (= inhabitant) Cambodgien(ne) m(f).

**camera** /'kæmərə/ **N** ◆ **in camera** *(Jur)* à huis clos.

**Cameroon** /ˌkæmə'ruːn/ **N** Cameroun m.

**Cameroonian** /ˌkæmə'ruːnɪən/ **ADJ** camerounais **N** (= inhabitant) Camerounais(e) m(f).

**campaign** /kæm'peɪn/ **N** campagne f ◆ **to lead** *or* **run** *or* **wage a campaign for / against** mener une campagne *or* faire campagne pour / contre ◆ **sales / press / advertising campaign** campagne de vente / de presse / de publicité ◆ **campaign brief** dossier de lancement d'une campagne
**VI** mener une *or* faire campagne (*for* pour, *against* contre)

**can** /kæn/ **N** boîte f (de conserve)
**VT** **a** *food* mettre en boîte(s) *or* en conserve ◆ **canned goods** conserves ◆ **canned software** logiciel standard **b** (* *US* = fire) virer*, renvoyer.

**Canada** /'kænədə/ **N** Canada m.

**Canadian** /kə'neɪdɪən/ **ADJ** canadien **N** (= inhabitant) Canadien(ne) m(f).

**Canberra** /'kænbərə/ **N** Canberra.

**cancel** /'kænsəl/ **VT** *(gen)* annuler; *contract* résilier; *appointment* décommander; *mortgage* lever; *decree, will* révoquer; *debt* régler; *train* supprimer; *candidature* retirer; *shares* annuler ◆ **cancelled cheque** chèque payé *or* oblitéré ◆ **cancelling clause** clause résolutoire ◆ **cancel order** *(St Ex)* ordre d'annulation.

**cancellation** /ˌkænsə'leɪʃən/ **N** *(gen)* annulation f; *[contract]* résiliation f; *[mortgage]* levée f; *[decree, will]* révocation f; *[debt]* règle-

ment m; *[train]* suppression f; *[candidature]* retrait m; *[shares]* annulation f ◆ **cancellation clause** clause résolutoire.

**cancel out** **VT SEP** *amounts* annuler; *(fig)* neutraliser ◆ **they cancel each other out** *[two amounts]* ils s'annulent; *[two factors]* ils se neutralisent.

**c. and i.** abbr of **cost and insurance** → **cost.**

**candidacy** /'kændɪdəsɪ/ *(US)* **N** → **candidature.**

**candidate** /'kændɪdeɪt/ **N** candidat(e) m(f) ◆ **to stand as candidate** se porter candidat, se présenter.

**candidature** /'kændɪdətʃəʳ/ *(Brit)*, **candidacy** *(US)* **N** candidature f.

**canner** /'kænəʳ/ **N** conserveur m.

**cannery** /'kænərɪ/ **N** conserverie f.

**cannibalization, cannibalisation** /ˌkænɪbəlaɪ'zeɪʃən/ **N** *[machine, product]* cannibalisation f.

**cannibalize, cannibalise** /'kænɪbəlaɪz/ **VT** *machine, product* cannibaliser.

**canning** /'kænɪŋ/

─── compounds/composés ───
◆ **canning factory** conserverie f
◆ **canning industry** industrie f de la conserve.

**canvass** /'kænvəs/ **VT** *(Comm)* customers, district prospecter
**VI** *(Comm)* visiter la clientèle, faire la place; *(door-to-door)* faire du démarchage *or* du porte-à-porte.

**canvasser** /'kænvəsəʳ/ **N** *(Comm)* placier m; *(door-to-door)* démarcheur m ◆ **no canvassers** *(on sign)* accès interdit aux démarcheurs.

**canvassing** /'kænvəsɪŋ/ **N** *(Comm)* démarchage m.

**CAP** /ˌsiːeɪ'piː/ **N** *(EU)* (abbr of **Common Agricultural Policy**) PAC f.

**cap** /kæp/ **N** plafond m, maximum m ◆ **there are talks of putting an interest rate cap on loans** on parle de plafonner les taux d'intérêt (*to* pour)
**VT** *interest rates* plafonner.

**capability** /ˌkeɪpə'bɪlɪtɪ/ **N** *[person]* aptitude f, capacité f (*to do, for doing* à faire); *[machine]* potentiel m ◆ **growth capability** capacité *or* possibilité d'extension, potentiel de croissance ◆ **the software has a search capability** le logiciel a une fonction recherche.

**capable** /ˈkeɪpəbl/ **ADJ** *person* capable ◆ **capable of** *event* susceptible de ◆ **the situation is capable of review** la situation est susceptible d'être reconsidérée.

**capacity** /kəˈpæsɪtɪ/ **N** **a** *[container]* contenance f, capacité f ; *[hotel]* capacité f ◆ **the lecture hall has a seating capacity of 500** l'amphithéâtre peut accueillir *or* contenir 500 personnes, l'amphithéâtre a (une capacité de) 500 places assises ◆ **carrying capacity** *[ship]* capacité de charge, charge utile ◆ **dead weight / measurement capacity** *[ship]* portée en lourd / en volume ◆ **excess capacity** capacité excédentaire *or* inutilisée, surcapacité ◆ **storage capacity** *(Comm)* capacité de stockage *or* d'entreposage; *(Comp)* capacité de mémoire **b** *[machine, factory]* capacité f, rendement m ◆ **to operate at full capacity** tourner à plein rendement *or* régime ◆ **to expand capacity** accroître le potentiel *or* la capacité de production ◆ **ideal capacity** capacité maximale *or* théorique ◆ **idle capacity** capacité inutilisée ◆ **industrial capacity** capacité industrielle ◆ **production** *or* **manufacturing capacity** potentiel *or* capacité de production ◆ **yield capacity** productivité **c** *(Tax)* ◆ **taxable capacity** faculté contributive ◆ **lack of taxable capacity** insuffisance de ressources fiscales ◆ **earning capacity** capacité bénéficiaire **d** *(= position, status)* qualité f, titre m ; *(= legal power)* pouvoir m légal *(to do* de faire) ◆ **to have the capacity to do** avoir qualité pour faire ◆ **in my capacity as a lawyer** en tant que juriste ◆ **in his official capacity** dans l'exercice de ses fonctions

―― compounds/composés ――
◆ **capacity cost** coût de capacité *or* d'activité
◆ **capacity output** rendement maximum
◆ **capacity utilization rate** taux d'utilisation des capacités *or* du potentiel de production
◆ **capacity variance** écart d'activité.

**capital** /ˈkæpɪtl/ **ADJ** *(= chief, principal)* capital, principal ◆ **capital city** capitale ◆ **capital letter** (lettre) majuscule *or* capitale **N** **a** *(= money and property)* capital m ; *(= money only)* capital m, capitaux mpl, fonds mpl (propres) ◆ **to raise capital** réunir *or* mobiliser *or* trouver des capitaux *or* des fonds ◆ **to lock up** *or* **tie up capital** immobiliser *or* bloquer des capitaux *or* des fonds ◆ **capital and labour** le capital et le travail ◆ **company with a capital of...** société au capital de... ◆ **capital of which 20% is paid up** capital libéré (à hauteur) de 20% ◆ **capital to fixed assets ratio** ratio de financement ◆ **authorized capital** capital social (autorisé) ◆ **called up**

capital capital appelé ◆ **circulating capital** capitaux circulants ◆ **fixed capital** capital fixe ◆ **idle** *or* **dead capital** capitaux improductifs *or* dormants ◆ **start-up** *or* **initial capital** mise de fonds initiale, capital de départ, capital initial ◆ **invested capital** capital engagé ◆ **loan capital** capital d'emprunt ◆ **operating** *or* **working** *or* **trading capital** fonds de roulement ◆ **registered capital** capital social ◆ **risk** *or* **venture capital** capital risque ◆ **tied-up capital** capitaux *or* fonds immobilisés, immobilisations **b** *(= letter)* capitale f, majuscule f **c** *(= city)* capitale f

―― compounds/composés ――
◆ **capital account** compte (de) capital *or* d'immobilisations
◆ **capital allowance** déduction (fiscale) pour investissement
◆ **capital appropriation** affectation de capitaux
◆ **capital assets** m actif immobilisé, immobilisations fpl
◆ **capital assistance** aide financière
◆ **capital base** capital social
◆ **capital bonus** *(Ins)* ≈ dividende m exceptionnel *(St Ex)* actions fpl gratuites
◆ **capital budget** budget d'investissement
◆ **capital commitment** engagement de capitaux
◆ **capital consumption allowance** dotation aux amortissements
◆ **capital cost** coût d'immobilisation ◆ **capital cost allowance** déduction pour amortissement, amortissement fiscal
◆ **capital cover** *(Bank)* ratio fonds propres / engagements
◆ **capital deepening** intensification de l'apport en capital dans la production
◆ **capital drain** hémorragie de capitaux
◆ **capital endowment** dotation en capital
◆ **capital expenditure** dépenses d'équipement ◆ **capital expenditure account** compte d'immobilisations ◆ **capital expenditure budget** budget d'investissement
◆ **capital flows** flux de capitaux
◆ **capital formation** formation de capital
◆ **capital funds** fonds mpl propres
◆ **capital gains** plus-value (en capital) ◆ **capital gains exemption** exonération des plus-values (en capital) ◆ **capital gains tax** impôt sur les plus-values (en capital)
◆ **capital goods** biens mpl d'équipement
◆ **capital impairment** insuffisance de capital
◆ **capital increase** augmentation de capital
◆ **capital inflow** afflux de capitaux
◆ **capital-intensive** *industry* à forte intensité de capitaux, capitalistique
◆ **capital investment** investissement de capitaux

♦ **capital issue** émission d'actions ♦ **Capital Issues Committee** ≈ Commission des opérations de Bourse
♦ **capital item** bien immobilisé, élément d'actif
♦ **capital leverage** levier financier
♦ **capital levy** prélèvement *or* impôt sur le capital
♦ **capital loss** moins-value
♦ **capital market** marché des capitaux, marché financier
♦ **capital movements** mouvements mpl de capitaux
♦ **capital outflow** fuite des capitaux
♦ **capital outlay** mise de fonds
♦ **capital requirements** besoins mpl en capitaux
♦ **capital reserves** réserves fpl et provisions
♦ **capital spending** dépenses fpl d'investissement
♦ **capital stock** capital social
♦ **capital structure** structure du capital
♦ **capital sum** capital
♦ **capital surplus** excédent de capital
♦ **capital tie-up** entente financière
♦ **capital transaction** opération sur le capital
♦ **capital transfer tax** droits mpl de mutation
♦ **capital turnover** rotation du capital.

**capitalism** /ˈkæpɪtəlɪzəm/ **N** capitalisme m.

**capitalist** /ˈkæpɪtəlɪst/ **ADJ, N** capitaliste mf.

**capitalistic** /ˌkæpɪtəˈlɪstɪk/ **ADJ** capitaliste.

**capitalization, capitalisation** /kə,pɪtəlaɪˈzeɪʃən/ **N** capitalisation f ♦ **market capitalization** *(St Ex)* capitalisation boursière ♦ **small capitalizations** petites capitalisations

———— *compounds/composés* ————
♦ **capitalization issue** attribution d'actions gratuites
♦ **capitalization ratio** ratio de capitalisation
♦ **capitalization of reserves** émission d'actions gratuites (par capitalisation des réserves)
♦ **capitalization shares** actions fpl gratuites.

**capitalize, capitalise** /kəˈpɪtəlaɪz/ **VT** *(= supply money to) company* financer, doter en capital; *(= convert into capital) interests, property* capitaliser ♦ **over- / under-capitalized** sur- / sous-capitalisé ♦ **well-capitalized firm** entreprise financièrement saine ♦ **capitalized expenditure** dépenses capitalisées *or* immobilisées ♦ **your income if capitalized would run to...** votre revenu en termes de capital se monterait à...

**capitation** /ˌkæpɪˈteɪʃən/ **N** impôt m par tête ♦ **capitation fee** *(in a club)* cotisation f.

**caps** * /kæps/ **NPL** **a** (abbr of **capitals**) (lettres) majuscules *or* capitales **b** (abbr of **capitalizations**) **small caps** petites capitalisations.

**capsize** /kæpˈsaɪz/ **VI** *[ship]* chavirer.

**captain** /ˈkæptɪn/ **N** capitaine m ♦ **captain of industry** capitaine d'industrie ♦ **captain's report** rapport du capitaine, rapport de mer.

**caption** /ˈkæpʃən/ **N** *(Press)* *(= heading)* soustitre m ; *(under illustration)* légende f **VT** *illustration* mettre une légende à.

**captive** /ˈkæptɪv/ **ADJ** *market, audience* captif.

**capture** /ˈkæptʃəʳ/ **VT** *market* s'emparer de, conquérir; *(Comp) data* saisir; *attention* capter.

**car** /kɑːʳ/ **N** **a** *(Brit Aut)* voiture f, automobile f, auto f ♦ **company car** voiture de société *or* de fonction **b** *(US Rail)* wagon m, voiture f ♦ **flat car** plate-forme ♦ **freight car** wagon de marchandises **c** *[elevator]* cabine f

———— *compounds/composés* ————
♦ **car allowance** indemnité de déplacement, indemnité kilométrique
♦ **car-hire** location de voiture ♦ **car-hire concern** entreprise de location de voitures
♦ **car-load** *(US)* wagon complet ♦ **less than car-load** wagon incomplet
♦ **car manufacturer** constructeur *or* fabricant automobile
♦ **car transporter** camion *(or* wagon *)* pour transport d'automobiles
♦ **car-worker** ouvrier(-ière) de l'industrie automobile.

**Caracas** /kəˈrækəs/ **N** Caracas.

**carbon** /ˈkɑːbən/

———— *compounds/composés* ————
♦ **carbon copy** carbone m ♦ **a carbon copy of the previous proposal** une réplique de la proposition précédente
♦ **carbon paper** papier m carbone.

**card** /kɑːd/ **N** **a** carte f ♦ **business card** carte de visite (professionnelle) ♦ **cash card** carte de crédit *(utilisable dans les billetteries)*, carte de retrait bancaire ♦ **charge card** carte de crédit (non bancaire) ♦ **credit card** carte de crédit ♦ **file** *or* **index card** fiche ♦ **identity card** carte d'identité ♦ **visiting card** carte de visite ♦ **to get one's cards** *(Ind)* être licencié ♦ **to play one's cards well** bien mener son jeu *or* sa barque ♦ **to put one's cards on the table** jouer cartes sur table **b** *(Comp)* ♦ **(punched) card** carte f (perforée) ♦ **data / magnetic / master card** carte mécanographique / magnétique / maîtresse

─── compounds/composés ───

- **card-bin** *(Comp)* case de réception
- **card catalogue** *(Brit)*, **card catalog** *(US)* fichier
- **card file** *or* **index** fichier
- **card reader** *(Comp)* lecteur de cartes

**VT** *(also* **card-index***)* mettre sur fiches.

**cardboard** /ˈkɑːdbɔːd/ **N** carton m.

**Cardiff** /ˈkɑːdɪf/ **N** Cardiff.

**care** /kɛəʳ/ **N** *(= attention)* attention f, soin m ; *(= charge, responsibility)* soins mpl, charge f, garde f ◆ **with care** *(on parcels)* fragile ◆ **to take care of** *details* s'occuper de, se charger de; *valuables* garder ◆ **care of** *(Brit)*, **in care of** *(US) (on letters)* aux bons soins de, chez ◆ **care of general delivery** *(US)* poste restante.

**career** /kəˈrɪəʳ/ **N** carrière f, profession f ◆ **trade is his career** il fait carrière dans le commerce ◆ **career girl / woman** jeune fille / femme qui veut faire carrière *or* qui veut arriver

─── compounds/composés ───

- **career advancement** *or* **development** déroulement d'une carrière ◆ **career development leave** congé de perfectionnement
- **career guidance** orientation professionnelle
- **career management** gestion des carrières
- **career officer** conseiller(-ère) d'orientation professionnelle, conseiller-orienteur
- **career path** plan de carrière
- **career prospects** perspectives fpl de carrière
- **career record** curriculum vitæ.

**careful** /ˈkɛəfʊl/ **ADJ** *worker* consciencieux, soigneux.

**careless** /ˈkɛəlɪs/ **ADJ** *worker* négligent.

**caretaker** /ˈkɛəteɪkəʳ/ **N** gardien(ne) m(f), concierge mf.

**cargo** /ˈkɑːgəʊ/ **N** cargaison f, chargement m, fret m ◆ **to take on cargo** charger des marchandises, prendre du fret *or* un chargement ◆ **break bulk cargo** cargaison fractionnée ◆ **bulk cargo** cargaison en vrac ◆ **deck cargo**

─── compounds/composés ───

- **cargo-boat** cargo
- **cargo homeward** fret de retour
- **cargo insurance** assurance sur facultés
- **cargo-liner** cargo mixte
- **cargo outward** fret d'aller
- **cargo plane** avion-cargo
- **cargo-vessel** cargo.

pontée, cargaison en pontée ◆ **dry cargo** marchandise *or* cargaison sèche ◆ **full-cargo charter** affrètement total

**carnet** /ˈkɑːneɪ/ **N** autorisation f d'importation temporaire.

**carpark** /ˈkɑːpɑːk/ **N** parking m, parc m de stationnement.

**carr. fwd.** abbr of **carriage forward** → **carriage.**

**carriage** /ˈkærɪdʒ/ **N** **a** *(Brit Rail)* voiture f, wagon m *(de voyageurs)* **b** *(Brit Comm = conveyance of goods)* transport m, factage m, port m ◆ **carriage free** franco de port ◆ **carriage forward** (en) port dû ◆ **carriage paid** (en) port payé ◆ **land carriage** transport par terre *or* terrestre ◆ **carriage and insurance paid to** port payé assurance comprise jusqu'à

─── compounds/composés ───

- **carriage charge** *or* **expenses** frais mpl de port
- **carriage return** *(Typ)* retour chariot
- **carriage trade** *(US)* clientèle aisée.

**carrier** /ˈkærɪəʳ/ **N** **a** *(Comm = company)* entreprise f de transports; *(= truck owner)* entrepreneur m de transports, transporteur m, camionneur m ; *(= airline)* transporteur m aérien ◆ **by carrier** *(Aut)* par la route, par camion; *(Rail)* par chemin de fer ◆ **actual carrier** transporteur substitué *or* réel ◆ **common carrier** entrepreneur général de transports ◆ **data carrier** support de données ◆ **express carrier** messageries **b** *(= cargo boat)* ◆ **bulk carrier** vraquier, transporteur de vrac **c** *(Comp, Elec)* onde f porteuse.

**carry** /ˈkærɪ/ **VT** **a** *goods, heavy loads* transporter; *message* porter ◆ **enough stocks to carry us through the winter** des stocks suffisants pour (nous durer) tout l'hiver ◆ **all the newspapers carried articles about the government's privatization plan** tous les journaux parlaient du projet gouvernemental de privatisation **b** *consequences* entraîner ◆ **to carry interest** rapporter *or* produire des intérêts ◆ **the agreement carries an insurance for...** l'accord comporte une assurance pour... ◆ **this job carries a lot of responsibility** ce travail implique *or* comporte de grandes responsabilités ◆ **to carry weight** compter, avoir de l'importance *or* du poids **c** *bill (= pass)* adopter; *(= cause to pass)* faire passer, faire adopter ◆ **the motion was carried** la motion a été votée *or* adoptée **d** *(Comm) goods* avoir en magasin, vendre ◆ **we don't carry that line** nous ne faisons pas *or* nous ne vendons pas cette gamme de produits ◆ **to**

**carry a large stock** avoir un stock important ▪ **e** *(St Ex) [broker] credit* accorder ▪ **f** *(Acc)* comptabiliser, enregistrer ◆ **to carry a loss** enregistrer une perte ▪ **g** *(Comp)* ◆ **carry bit** bit de retenue ◆ **carry digit** retenue ◆ **carry time** temps de report
▪ **N** *(Fin)* portage m.

**carry back** VT SEP *(Acc)* reporter sur les exercices antérieurs, reporter en amont.

**carry-back** /'kæri,bæk/ N report m sur exercices antérieurs, report m en amont.

**carry down** VT SEP *(Acc)* reporter (*to* à) ◆ **carried down** *(on balance sheet)* à reporter.

**carry forward** VT SEP *(Acc)* reporter (*to* à) ◆ **amount carried forward** report ◆ **carried forward** *(on ledger)* à reporter ◆ **to carry forward to next account** reporter à nouveau.

**carry-forward** /'kæri,fɔːwəd/ N report m (en aval *or* sur les exercices suivants).

**carrying** /'kæriɪŋ/

― *compounds/composés* ―
- **carrying capacity** capacité f de charge, charge f utile
- **carrying cost** *or* **charges** *[stock]* frais mpl de possession; *[debt]* frais financiers; *(St Ex)* frais de couverture
- **carrying value** *(Acc)* valeur f comptable.

**carry on** VT SEP **a** *(= conduct) business* exploiter, faire marcher, diriger; *correspondence* entretenir; *negotiations* mener, conduire **b** *(= continue) business, conversation* continuer, poursuivre.

**carry out** VT SEP *plan* exécuter, mener à bien *or* à bonne fin, réaliser; *order* exécuter; *idea* mettre en pratique *or* à exécution *or* en œuvre; *obligation* s'acquitter de; *inquiry, survey* mener, procéder à, conduire, effectuer; *reform* effectuer, opérer; *law* appliquer.

**carry over** VT SEP *(Acc, St Ex)* reporter ◆ **to carry over a balance** reporter un solde ◆ **stock carried over** titres (pris) en report ◆ **carried over** *(on balance sheet)* à reporter.

**carry-over** /'kæri,əʊvəʳ/ N *(Acc, St Ex)* report m

― *compounds/composés* ―
- **carry-over effect** *(Pub)* effet de rappel *or* de rémanence
- **carry-over loss** déficit reportable sur les années suivantes
- **carry-over stocks** stocks mpl de report *or* reportés.

**cart** /kɑːt/ VT *goods (in van, truck)* transporter.

**cartage** /'kɑːtɪdʒ/ N *(in van, truck)* camionnage m.

**cartel** /kɑːˈtel/ N cartel m.

**carter** /'kɑːtəʳ/ N camionneur m.

**carton** /'kɑːtən/ N *(= container)* emballage m en carton, carton m.

**carve up** /kɑːv/ VT SEP découper ◆ **to carve up the market** se partager le marché.

**carve-up** /'kɑːvʌp/ N découpage m ◆ **market carve-up** partage *or* division du marché.

**case** /keɪs/ **N a** *(Jur)* affaire f, procès m, cause f ◆ **to win one's case** *(Jur)* gagner son procès; *(fig)* avoir gain de cause ◆ **to state the case** exposer les faits ◆ **to withdraw a case** abandonner les poursuites ◆ **stated case** exposé motivé **b** *(= argument, reasoning)* arguments mpl ◆ **to make out a good case for sth** réunir *or* présenter de bons arguments en faveur de qch ◆ **border-line case** cas limite **c** *(= suitcase)* valise f ; *(= packing case)* caisse f ; *[vegetables]* cageot m ; *(= box)* boîte f ; *[goods on display]* vitrine f ◆ **a case of beer / wine** une caisse de bière / de vin ◆ **gift case** coffret-cadeau

― *compounds/composés* ―
- **case file** dossier
- **case history** *[individual]* antécédents mpl, dossier personnel; *[company]* historique
- **case notes** dossier
- **case papers** pièces fpl d'un dossier
- **case strip** *(Merchandising)* bande d'étagère
- **case study** étude de cas ◆ **case study method** méthode des cas

**VT** mettre en caisse, emballer.

**cash** /kæʃ/ **N a** *(= notes and coins)* espèces fpl, argent m ◆ **to pay in cash** payer en (argent) liquide *or* en espèces ◆ **for cash** contre espèces ◆ **hard cash** espèces ◆ **ready cash** (argent) liquide ◆ **to have cash in hand** *or* **on hand** avoir de l'argent en caisse *or* disponible ◆ **cash in bank** fonds disponibles en banque ◆ **to be short of cash** être à court d'argent ◆ **discounted cash flow** valeur actualisée nette ◆ **petty cash** petite caisse **b** *(= immediate payment)* ◆ **cash down** argent comptant ◆ **to pay cash (down)** payer comptant *or* cash ◆ **discount for cash** escompte *or* remise en cas de paiement comptant ◆ **cash on delivery** paiement à la livraison, livraison contre remboursement ◆ **cash with order, cash before delivery** payable à la commande ◆ **cash less discount** comptant avec escompte **c** *(Acc)* encaisse f,

─── compounds/composés ───

CASH

- **cash account** *(Comm)* compte de caisse; *(Bank)* compte-espèces
- **cash advances** débours mpl
- **cash against documents** comptant contre documents
- **cash assets** avoirs mpl en caisse
- **cash-and-carry** supermarché de gros et demi-gros, libre-service de gros
- **cash balance** solde de trésorerie
- **cash benefit** *(Ins)* prestation en espèces
- **cash bind** difficultés fpl de trésorerie
- **cash budget** budget de trésorerie
- **cash card** carte de crédit *(utilisable dans les billetteries)*, carte de retrait bancaire
- **cash certificate** bon de caisse
- **cash collateral account** compte de dépôt en garantie
- **cash contribution** apport en numéraire
- **cash cow** * *(= profitable industry)* mine d'or
- **cash crop** *(US)* récolte destinée à la vente
- **cash currency option** option sur devises au comptant
- **cash deficit** déficit de caisse or de trésorerie
- **cash desk** caisse
- **cash discount** escompte de caisse
- **cash dispenser** distributeur automatique de billets, billetterie

- **cash dividend** dividende en espèces
- **cash flow** marge brute d'autofinancement, cash-flow
- **cash holding** avoirs mpl liquides
- **cash inflow** rentrée de fonds or d'argent
- **cash item** article de caisse
- **cash management** gestion de trésorerie ◆ **cash management account** compte de gestion de fonds ◆ **cash management bill** bon à court terme
- **cash market** marché au comptant
- **cash offer** offre d'achat avec paiement comptant
- **cash option** *(Ins)* faculté de toucher la valeur de rachat
- **cash outflow** sortie de fonds or d'argent
- **cash position** situation de caisse or de trésorerie
- **cash ratio** coefficient de trésorerie
- **cash-register** caisse enregistreuse
- **cash sale** vente au comptant
- **cash settlement** règlement en espèces
- **cash shorts and overs** déficits mpl et excédents de caisse
- **cash statement** bordereau de caisse, situation de caisse
- **cash stock index option** option sur indice
- **cash surrender value** *(St Ex, Ins)* valeur de rachat
- **cash transaction** *(Comm)* opération au comptant; *(Fin)* opération de caisse or de trésorerie

caisse f ; *(available cash or near cash)* trésorerie f ; *(on balance sheet)* banque f et caisse f, encaisse f

**VT** cheque encaisser, toucher; banknote changer, faire la monnaie de ◆ **to cash sb a cheque** donner à qn de l'argent contre un chèque; *[bank]* payer un chèque à qn.

**cashable** /'kæʃəbl/ **ADJ** encaissable, payable à vue.

**cashier** /kæ'ʃɪəʳ/ **N** *(Comm, Fin)* caissier (-ière) m(f).

**cash in** **VT SEP** bonds, savings certificates réaliser, se faire rembourser.

**cash in on** **VT FUS** tirer profit de.

**Cashomat**® /'kæʃəʊmæt/ **N** distributeur m automatique de billets, billetterie f.

**cassette** /kæ'set/ **N** cassette f ◆ **video cassette** cassette vidéo ◆ **video cassette recorder** magnétoscope

─── compounds/composés ───

- **cassette player** lecteur de cassettes
- **cassette tape recorder** magnétophone à cassettes.

**cast** /kɑːst/ **VT** **a** *(= throw)* jeter ◆ **to cast one's vote** voter ◆ **to cast doubt on** émettre des doutes sur ◆ **he was cast in damages** *(Jur)* il a été condamné à des dommages-intérêts **b** *(Typ)* ◆ **to cast a page** clicher une page **c** *(Tech)* metal, object couler.

**casting** /'kɑːstɪŋ/ **ADJ** ◆ **to have a casting vote** avoir voix prépondérante.

**cast-iron** /'kɑːst‚aɪrən/ **N** fonte f.

**cast up** **VT SEP** *(Math)* calculer, faire l'addition de ◆ **to cast up figures** additionner des chiffres.

**casual** /'kæʒjʊl/ **ADJ** **a** meeting fortuit; attitude désinvolte ◆ **casual variables** variables aléatoires ◆ **he was very casual about it** il l'a pris à la légère ◆ **casual absences** absences injustifiées **b** worker temporaire, occasionnel; user occasionnel ◆ **casual labour** main-d'œuvre temporaire or occasionnelle ◆ **casual work** travail temporaire
**N** *(= worker)* *(in office)* employé(e) m(f) temporaire; *(in factory)* ouvrier(-ière) m(f) temporaire.

**cat** /kæt/ **N** ◆ **cats and dogs** *(St Ex)* titres douteux, actions et obligations de valeur douteuse; *(Comm)* articles peu demandés ◆ **cat plant** * *(US)* raffinerie de pétrole.

**catalogue** *(Brit)*, **catalog** *(US)* /ˈkætəlɒg/ **N** catalogue m

———— compounds/composés ————
- **catalogue customers** acheteurs mpl sur catalogue *or* par correspondance
- **catalogue file** fichier catalogue
- **catalogue price** prix (de) catalogue, prix public

**VT** cataloguer.

**catastrophe** /kəˈtæstrəfɪ/ **N** catastrophe f ◆ **catastrophe cover** *(Ins)* couverture de pointe.

**catch** /kætʃ/ **N** *(gen, Fishing)* prise f ; *(= concealed drawback)* entourloupette f ◆ **there must be a catch (in it) somewhere** il doit y avoir une entourloupette quelque part

———— compounds/composés ————
- **catch-all** *phrase, solution* qui englobe tout
- **catch-all category** catégorie fourre-tout
- **catch-line, catch-phrase** accroche, formule accrocheuse, slogan accrocheur

**VT** *(gen)* attraper; *(= understand)* saisir, comprendre.

**catchment area** /ˈkætʃmənt,ɛərɪə/ **N** *(Comm)* zone f d'attraction *or* d'appel *or* de chalandise.

**catch on** VI *(= become popular)* *[fashion]* prendre.

**catch up** VI *(gen)* combler son retard; *(with news)* se remettre au courant ◆ **to catch up on** *or* **with one's work** se mettre à jour dans son travail.

**catch-up** /ˈkætʃʌp/

———— compounds/composés ————
- **catch-up demand** rattrapage m de la demande
- **catch-up effect** effet m de rattrapage.

**catchword** /ˈkætʃwɜːd/ **N** *(= slogan)* slogan m.

**catchy** /ˈkætʃɪ/ **ADJ** *slogan* accrocheur.

**categorization, categorisation** /ˈkætɪgəraɪzeɪʃən/ **N** catégorisation f.

**categorize, categorise** /ˈkætɪgəraɪz/ **VT** classer par catégories.

**category** /ˈkætɪgərɪ/ **N** catégorie f.

**cater** /ˈkeɪtəʳ/ **VI** ◆ **to cater for a company** *(= provide food)* servir de traiteur pour une firme ◆ **to cater for consumers' needs** pourvoir aux besoins des consommateurs ◆ **this magazine caters for all ages** ce magazine s'adresse à tous les âges ◆ **to cater for all tastes** satisfaire tous les goûts.

**caterer** /ˈkeɪtərəʳ/ **N** traiteur m.

**catering** /ˈkeɪtərɪŋ/ **N** restauration f ◆ **the catering for our reception was done by them** nous les avons pris comme traiteurs pour notre réception

———— compounds/composés ————
- **catering department** rayon alimentation, rayon traiteur
- **catering industry** industrie de la restauration
- **catering trade** restauration .

**cattle** /ˈkætl/ **N** bétail m ◆ **he has 200 heads of cattle on his farm** il a 200 têtes de bétail dans sa ferme

———— compounds/composés ————
- **cattle-breeder** éleveur (de bétail)
- **cattle-breeding** élevage (de bétail)
- **cattle market** marché *or* foire aux bestiaux.

**caution** /ˈkɔːʃən/ **N** *(= circumspection)* prudence f, circonspection f ◆ **to induce caution** inciter *or* inviter à la prudence

———— compounds/composés ————
- **caution money** *(gen)* caution, cautionnement; *(for purchase of property)* dépôt de garantie *(Jur : given to witness)* remboursement de frais, défraiement .

**cautionary** /ˈkɔːʃənərɪ/ **ADJ** *(Jur)* donné en garantie ◆ **cautionary judgment** mesure conservatoire, ordonnance de saisie conservatoire.

**cautioner** /ˈkɔːʃənəʳ/ **N** caution f, garant m, répondant m.

**caveat** /ˈkævɪæt/ **N** **a** *(gen)* avertissement m, mise f en garde ◆ **caveat emptor** sans garantie du fournisseur, aux risques de l'acheteur ◆ **caveat subscriptor** *or* **venditor** aux risques du vendeur ◆ **caveat against unfair practices** avertissement contre la concurrence déloyale ◆ **to agree to sth with the caveat that such an agreement may be subject to revision** accepter qch sous réserve que *or* avec la restriction que l'accord puisse être révisé **b** *(Jur)* notification f d'opposition ◆ **to put in** *or* **enter a caveat** faire opposition *(against* à)

**CBI** /,siːbiːˈaɪ/ **N** (abbr of **Confederation of British Industry**) ≈ CNPF m.

**CBOE** *(US)* (abbr of **Chicago Board Options Exchange**) *marché des options négociables de Chicago*

**c.b.u.** abbr of **completely built up** → **completely**.

**c.c.** abbr of **carbon copy** → **carbon**.

**CCA** abbr of **current cost accounting** → **current.**

**CD** /siːˈdiː/ **N** abbr of **certificate of deposit** → **certificate.**

**cd.** abbr of **carried down** → **carry down.**

**cd.fwd.** abbr of **carried forward** → **carry forward.**

**c.div.** abbr of **cum dividend** → **cum.**

**cease** /siːs/ **VI** [activity] cesser
**VT** work, activity cesser, arrêter ✦ **to cease doing** cesser or arrêter de faire ✦ **cease and desist order** (US Jur) mise en demeure de mettre fin à une pratique illégale or déloyale ✦ **to cease trading** [company] cesser ses activités; [person] se retirer des affaires.

**cede** /siːd/ **VT** right, ownership céder.

**cedi** /ˈseɪdɪ/ **PL, cedi N** cédi m.

**ceiling** /ˈsiːlɪŋ/ **N** (gen) plafond m ✦ **monetary ceilings** plafonds monétaires ✦ **to fix a ceiling for** or **put a ceiling on prices / wages** fixer un plafond pour les prix / salaires, fixer un prix / un salaire plafond ✦ **tin price hit its ceiling** le cours de l'étain a atteint son plafond ✦ **prices have reached their ceiling at £15** les prix plafonnent à 15 livres

――――――― compounds/composés ―――――――
✦ **ceiling price** prix plafond
✦ **ceiling rate** taux plafond.

**census** /ˈsensəs/ **N** recensement m ✦ **to take a census of the population** faire le recensement de la population.

**cent** /sent/ **N** (Can, US = coin) cent m ; (EU) cent m ✦ **cents-off offer / sale** offre / vente à prix réduit.

**center** /ˈsentəʳ/ (US) **N** → **centre.**

**centigrade** /ˈsentɪgreɪd/ **ADJ** centigrade.

**centimetre** (Brit), **centimeter** (US) /ˈsentɪˌmiːtəʳ/ **N** centimètre m.

**central** /ˈsentrəl/ **ADJ** central

――――――― compounds/composés ―――――――
✦ **central bank** banque centrale
✦ **central buying** achat dans une centrale d'achats
✦ **central planning** planification centralisée
✦ **central processing station** (Comp) centre de traitement
✦ **central processing unit** (Comp) unité centrale
✦ **central purchasing office** centrale d'achats
✦ **Central Standard Time** (US) heure normale du Centre

**N** (US) central m téléphonique.

**Central African Republic** /ˈsentrəlˌæfrɪkənrɪˈpʌblɪk/ **N** République f centrafricaine.

**Central America** /ˈsentrələˈmerɪkə/ **N** Amérique f centrale.

**centralization, centralisation** /ˌsentrəlaɪˈzeɪʃən/ **N** centralisation f.

**centralize, centralise** /ˈsentrəlaɪz/ **VT** centraliser.

**centre** (Brit), **center** (US) /ˈsentəʳ/ **N** centre m ✦ **city centre** centre ville ✦ **business** or **commercial centre** centre commercial ✦ **cost centre** centre de coûts ✦ **profit centre** centre de profit ✦ **shopping centre** centre commercial ✦ **centre spread** (Pub) annonce occupant les deux pages centrales
**VI** [problem, talks] tourner (on autour de)

**CEO** /ˈsiːiːˈəʊ/ **N** (abbr of **chief executive officer**) PDG m.

**cereal** /ˈsɪərɪəl/ **N** céréale f.

**certificate** /səˈtɪfɪkɪt/ **N** **a** (= legal document) certificat m, acte m (Comm = receipt) reçu m, récépissé m ; (= diploma) diplôme m ✦ **death / marriage / birth certificate** acte de décès / mariage / naissance ✦ **bankrupt's certificate** (Jur) concordat ✦ **clearance certificate** (Mar) congé maritime or de navigation, lettre de mer **b** (Fin) titre m, certificat m ✦ **bearer certificate** titre au porteur ✦ **provisional certificate** titre provisoire ✦ **registered certificate** titre nominatif ✦ **savings certificate** bon d'épargne ✦ **scrip certificate** certificat provisoire ✦ **share**

――――――― compounds/composés ―――――――
✦ **certificate of air worthiness** or **sea worthiness** certificat de navigabilité
✦ **certificate of compliance** certificat de conformité
✦ **certificate of deposit** certificat de dépôt
✦ **certificate of incorporation** [company] acte constitutif
✦ **certificate of indebtedness** reconnaissance de dette
✦ **certificate of insurance** attestation d'assurance
✦ **certificate of measurement** certificat de jaugeage
✦ **certificate of origin** certificat d'origine
✦ **certificate of ownership** titre de propriété
✦ **certificate of receipt** attestation de prise en charge
✦ **certificate of registry** (Mar) acte or certificat de nationalité

**certificate** certificat *or* titre d'action ♦ **voting rights certificate** *(St Ex)* certificat de droit de vote

🆅🆃 *(gen)* certifier; *(in bankruptcy)* accorder le concordat à.

**certification** /ˌsɜːtɪfɪˈkeɪʃən/ **N** *(gen)* certification f ; *[document]* authentification f ; *(US labor relations)* accréditation f ♦ **certification procedure** procédure d'accréditation.

**certified** /ˈsɜːtɪfaɪd/

---
*compounds/composés*
- **certified accounts** comptes mpl approuvés
- **certified bill of lading** connaissement m certifié
- **certified broker** courtier m agréé
- **certified (true) copy** copie f (certifiée) conforme
- **certified mail** ♦ **to send by certified mail** *(US)* envoyer en recommandé *or* avec avis de réception
- **certified public accountant** *(US)* expert-comptable m
- **certified statement** état m certifié conforme.
---

**certify** /ˈsɜːtɪfaɪ/ **VT** *(gen)* certifier, assurer; *document* légaliser, authentifier; *(Comm)* goods garantir; *(Fin)* cheque certifier ♦ **certified accounts** comptes certifiés ♦ **certified as a true copy** *(Jur)* certifié conforme, copie (certifiée) conforme ♦ **certified cheque** chèque certifié ♦ **certifying officer** *(Admin)* agent certificateur.

**cession** /ˈseʃən/ **N** *[rights, property]* cession f, abandon m ♦ **act of cession** acte de cession.

**cf.** (abbr of **confer**) cf.

**CF** abbr of **compensation fee** → **compensation.**

**CFO** /ˌsiːefˈəʊ/ abbr of **chief financial officer** → **chief.**

**cge** abbr of **carriage.**

**CGT** /ˌsiːdʒiːˈtiː/ **N** abbr of **capital gains tax** → **capital.**

**Chad** /tʃæd/ 🅰🅳🅹 tchadien

🅽 **a** *(= country)* Tchad m **b** *(= inhabitant)* Tchadien(ne) m(f).

**chain** /tʃeɪn/ **N** *(gen)* chaîne f ♦ **chain of shops** chaîne de magasins

---
*compounds/composés*
- **chain reaction** réaction en chaîne
- **chain store** magasin à succursales multiples
---

🆅🆃 *(Comp)* chaîner ♦ **chained calculation** calcul en chaîne ♦ **chained file** fichier en chaîne.

**chair** /tʃeəʳ/ **N** *(Admin = function)* fauteuil m présidentiel, présidence f ♦ **the motion before the chair** la motion présentée ♦ **to take the chair** prendre la présidence, présider ♦ **to speak from the chair** s'exprimer en tant que président

🆅🆃 *meeting* présider.

**chairlady** /ˈtʃeəleɪdɪ/ **N** présidente f.

**chairman** /ˈtʃeəmən/ **N** *(gen)* président m ; *[company]* président m (du conseil d'administration) ♦ **Madame Chairman** Madame la Présidente ♦ **Mr Chairman** Monsieur le Président ♦ **chairman and managing director** *(Brit)*, **chairman and chief executive** président-directeur général ♦ **chairman's annual report** rapport annuel du président ♦ **acting chairman** président par intérim ♦ **deputy chairman, vice-chairman** vice-président.

**chairmanship** /ˈtʃeəmənʃɪp/ **N** présidence f ♦ **under the chairmanship of** sous la présidence de.

**chairperson** /ˈtʃeəpɜːsn/ **N** président(e) m(f).

**chairwoman** /ˈtʃeəwʊmən/ **N** présidente f.

**challenge** /ˈtʃælɪndʒ/ 🅽 défi m ♦ **to issue / take up a challenge** lancer / relever un défi ♦ **this is a challenge to us all** c'est un défi qui s'adresse à nous tous

🆅🆃 *statement* mettre en doute, contester.

**chamber** /ˈtʃeɪmbəʳ/ **N** *[barrister, judge]* cabinet m ; *[solicitor]* étude f ♦ **to hear a case in chambers** juger un cas en référé ♦ **audience chamber** salle d'audience

---
*compounds/composés*
- **Chamber of Commerce** Chambre de commerce
- **Chamber of Trade** Chambre des métiers.
---

**chancellor** /ˈtʃɑːnsələʳ/ **N** chancelier m ♦ **the Chancellor of the Exchequer** *(Brit)* le Chancelier de l'Échiquier, le ministre des Finances britannique.

**chandler** /ˈtʃɑːndləʳ/ **N** ♦ **ship chandler** shipchandler, marchand de fournitures pour bateaux.

**chandlery** /ˈtʃɑːndlərɪ/ **N** ♦ **ship chandlery** magasin de fournitures pour bateaux.

**change** /tʃeɪndʒ/ 🅽 **a** *(= alteration)* changement m *(from* de, *into* en) ♦ **sweeping changes** changements radicaux ♦ **changes in stocks** mouvements des stocks ♦ **price changes** variations de prix ♦ **technical change** l'évolution technique ♦ **net change** *(St Ex)* écart net,

variation nette ✦ **change of address** changement d'adresse ✦ **change of job** changement
de travail *or* d'emploi *or* de poste ✦ **change of
ownership** mutation **b** *(= money)* monnaie f
✦ **small** *or* **loose change** petite monnaie ✦ **can
you give me change for £1?** pouvez-vous me
faire la monnaie d'une livre? **c** *(St Ex)* ✦ **the
Change** la Bourse ✦ **on (the) Change** en Bourse
✦ **on Change** *(in press report)* ce qui se dit en
Bourse

---
*compounds/composés*

✦ **change dispenser** distributeur de monnaie
✦ **change dump** *(Comp)* vidage de mouvements
✦ **change file** *(Comp)* fichier mouvements

---

**VT** **a** ✦ **to change hands** *[goods]* changer de
mains *or* de propriétaire; *[money] (between
several people)* circuler (de main en main); *(from
one person to another)* changer de mains
**b** *(= exchange)* échanger, troquer *(sth for sth
else* qch contre qch d'autre) **c** *banknote* faire
la monnaie de, changer; *foreign currency* changer, convertir *(into* en) **d** *(= modify)* changer,
modifier, transformer *(sth into sth else* qch en
qch d'autre)

**changeover** /'tʃeɪnd ʒəʊvə<sup>r</sup>/ N changement m,
passage m *(from one thing to another* d'une
chose à une autre)

**channel** /'tʃænl/ **N** **a** *(TV)* chaîne f **b** *(= way)*
canal m ✦ **channel of communication** voie de
communication ✦ **channels of distribution** canaux *or* circuits de distribution ✦ **to go
through the usual channels** suivre la procédure habituelle, passer par la voie normale ✦ **to
go through the proper** *or* **official channels**
passer par la voie hiérarchique ✦ **to open up
new channels for trade** créer de nouveaux
débouchés pour le commerce **c** **the (English)
Channel** la Manche ✦ **the Channel Tunnel** le
tunnel sous la Manche
**VT** *energies, efforts, information* canaliser *(towards* vers) ✦ **the funds could be channelled
into more profitable investments** les capitaux
pourraient recevoir une affectation plus profitable ✦ **money is being channelled into developing countries** les fonds sont dirigés *or*
canalisés vers les pays en voie de développement.

**channel off** VT *resources* canaliser.

**CHAPS** /'tʃæps/ N abbr of **Clearing House Automatic
Payments System** → **clearing.**

**chapter** /'tʃæptə<sup>r</sup>/ N chapitre m ✦ **to file for
chapter eleven** *(US)* demander à être mis en
redressement judiciaire.

**character** /'kærɪktə<sup>r</sup>/ N caractère m ✦ **certificate
of character** certificat de bonnes vie et mœurs

---
*compounds/composés*

✦ **character card** fiche confidentielle
✦ **character file** fichier confidentiel
✦ **character string** *(Comp)* chaîne de caractères.

---

**charge** /tʃɑːdʒ/ **N** **a** *(= price)* prix m (demandé),
tarif m *(Acc = cost, debt)* charge f, frais mpl
✦ **to make a charge for sth** faire payer qch
✦ **free of charge** gratuit ✦ **at a charge of $100**
moyennant 100 dollars ✦ **extra charge** supplément ✦ **charges forward** contre-rembourse-
ment ✦ **the company took a charge against
earnings that reduced profit by 25%** la société a réduit ses bénéfices de 25% à la suite
d'une charge exceptionnelle ✦ **they took an
extraordinary charge of $80 million for the
reduction in net assets last year** 80 millions de
dollars ont été passés en charges exceptionnelles pour tenir compte de la réduction de
l'actif net l'an dernier ✦ **bank charges** frais de
banque *or* de gestion de compte, frais bancaires ✦ **budgetary charges** imputations budgétaires ✦ **carrying charges** *[debt]* frais financiers;
*[stock]* frais de possession; *(St Ex)* frais de
couverture ✦ **delivery charges** frais de port
✦ **discount charges** frais d'escompte ✦ **fixed
charges** frais *or* charges *or* coûts fixes (d'exploitation) ✦ **flat charge** tarif unique ✦ **forwarding charges** frais d'expédition ✦ **handling
charges** frais de manutention ✦ **inclusive
charge** tarif forfaitaire *or* tout compris ✦ **interest charge** *(on a loan)* intérêts; *(on income
statement)* charge financière ✦ **labour charges**
charges salariales ✦ **legal charges** frais de
contentieux, frais judiciaires ✦ **lending charges**
intérêts sur emprunts ✦ **maintenance charge**
frais d'entretien ✦ **mortgage charge** affectation hypothécaire ✦ **overhead charge** frais généraux ✦ **porterage charge** frais de portage
✦ **service charge** *(Bank)* frais de gestion de
compte; *[property maintenance]* charges locatives; *(restaurant)* service ✦ **a 15% service charge
will be added to your bill** votre note sera
majorée de 15% pour le service ✦ **shipping
charge** frais d'expédition ✦ **warehousing
charge** frais d'entreposage **b** *(Jur = accusation)*
(chef m d') accusation f ✦ **the charges against
him** les charges retenues contre lui ✦ **what are
the charges against him?** quels sont les chefs
d'accusation? ✦ **to be tried on a charge of
embezzlement** être accusé de détournement
de fonds publics, être jugé pour détournement
de fonds publics ✦ **to bring** *or* **lay a charge
against sb** porter plainte *or* déposer une

plainte contre qn ◆ **to press charges against sb** porter plainte contre qn **c** *(= responsibility)* charge f, responsabilité f ◆ **he took charge** il a pris la suite, il a assumé les responsabilités ◆ **to take charge of** se charger de ◆ **the man in charge** le responsable

---
*compounds/composés*
- **charge account** *(in stores)* compte clients
- **charge card** carte de crédit (non bancaire)
- **charge hand** chef d'équipe
- **charge ticket** note de débit
---

**vt** **a** *(Jur)* accuser ◆ **to charge someone with fraud** porter une accusation de fraude contre qn **b** *(in payment) person* faire payer; *amount* prendre, demander, faire payer *(for pour)* ◆ **to charge a commission** prélever *or* prendre une commission *or* un pourcentage ◆ **we are charging you the old prices** nous vous faisons encore les anciens prix ◆ **how much will you charge for the lot?** à combien me faites-vous le tout? **c** *(= record as debt)* ◆ **to charge sth to sb** mettre *or* porter qch sur le compte de qn, inscrire qch au compte *or* au débit de qn ◆ **charge all these purchases to my account** mettez tous ces achats sur mon compte ◆ **property charged as security for a debt** immeuble affecté à la garantie d'une créance ◆ **to charge an expense** *(Acc)* passer une dépense en charges ◆ **to charge an account** débiter un compte.

**chargeable** /'tʃɑːdʒəbl/ **ADJ** **a** *offence* passible de poursuites **b** *(= payable)* à payer ◆ **chargeable to sb** à porter au compte de qn ◆ **chargeable to an account** imputable sur un compte.

**charge back vt sep** réimputer.

**chargee** /tʃɑːˈdʒiː/ **N** *(Jur)* créancier m privilégié.

**charge off vt sep** amortir ◆ **they charged off drilling costs as business expenses** ils ont imputé les coûts de forage à l'exploitation ◆ **to charge off an expense** passer une dépense en charge.

**charge-off** /'tʃɑːdʒɒf/ **N** amortissement m ◆ **net charge-offs declined to £20.5 million from £28.5 million** les amortissements sont tombés de 28,5 millions de livres à 20,5 millions de livres.

**charitable** /'tʃærɪtəbl/ **ADJ** charitable ◆ **charitable donation** don à une œuvre de charité ◆ **charitable organization** organisation caritative, œuvre de bienfaisance.

**charity** /'tʃærɪtɪ/ **N** organisation f caritative, œuvre f de bienfaisance

---
*compounds/composés*
- **charity funds** caisse de secours
- **charity performance** représentation au profit d'une œuvre de bienfaisance.
---

**charm price** /'tʃɑːmpraɪs/ **N** prix m psychologique.

**chart** /tʃɑːt/ **N** **a** *(= map)* carte f (marine) **b** *(= graph)* graphique m, diagramme m, tableau m ◆ **bar chart** graphique en tuyaux d'orgue *or* en barres ◆ **flip chart** chevalet, tableau-papier ◆ **flow chart** *(gen)* diagramme de circulation, flow chart; *(Comp)* organigramme ◆ **organization chart** organigramme ◆ **pie chart** graphique circulaire *or* à secteurs, camembert ◆ **process chart** *(Comp)* organigramme

---
*compounds/composés*
- **chart analyst** analyste sur graphiques
- **chart of accounts** plan comptable
---

**vt** *(on graph) sales, profits, results* tracer la courbe de, faire le graphique de; *(Comp)* établir un organigramme de ◆ **this graph charts the progress made last year** ce graphique montre les progrès accomplis l'an dernier.

**charter** /'tʃɑːtəʳ/ **N** **a** *(= document)* charte f ; *[company]* statuts mpl **b** *[plane, boat]* affrètement m, nolisement m ◆ **on charter** sous contrat d'affrètement ◆ **demise charter (party)** affrètement en coque nue ◆ **lump-sum charter** affrètement moyennant un fret global ◆ **slot charter** affrètement à compartiment *or* de cellule

---
*compounds/composés*
- **charter of ethics** charte déontologique
- **charter flight** (vol en) charter ◆ **to take a charter flight to Rome** aller à Rome en charter
- **charter member** *(US)* membre fondateur
- **charter party** charte-partie
- **charter plane** (avion) charter
---

**vt** **a** accorder une charte à, accorder un privilège (par une charte) à **b** *plane, ship* affréter, fréter, noliser.

**charterage** /'tʃɑːtərɪdʒ/ *(US)* **N** affrètement m, nolisement m.

**chartered** /'tʃɑːtəd/

---
*compounds/composés*
---

+ **chartered accountant** (*Brit, Can*) expert-comptable m
+ **chartered bank** banque f à charte
+ **chartered company** société f privilégiée
+ **chartered flight** vol m affrété, vol m charter
+ **chartered plane** avion m affrété, avion m charter
+ **chartered surveyor** expert m immobilier.

**charterer** /'tʃɑːtərəʳ/ N affréteur m, chargeur m.

**chartering** /'tʃɑːtərɪŋ/ N affrètement m, nolisement m ◆ **bare hull chartering** affrètement en coque nue ◆ **round chartering** affrètement aller et retour

---
*compounds/composés*
---

+ **chartering agent** agent d'affrètement
+ **chartering broker** courtier d'affrètement.

**chartism** /'tʃɑːtɪsə m/ N chartisme m.

**chartist** /'tʃɑːtɪst/ N chartiste mf, opérateur (-trice) m(f) sur graphique, conjoncturiste mf.

**chattels** /'tʃætəlz/ NPL (= *gen*) biens mpl, possessions fpl ; (*Jur*) biens mpl meubles ◆ **chattels mortgage** hypothèque sur biens meubles ◆ **chattels personal / real** biens personnels / réels.

**cheap** /tʃiːp/ ▪ ADJ ▪ a (= *inexpensive*) bon marché, peu cher; *ticket* à prix réduit; *fare* réduit; *price* bas; *money* déprécié ◆ **cheap money policy** politique de l'argent *or* du crédit à bon marché ◆ **it's dirt cheap** \* c'est donné\* ▪ b (*pej = poor quality*) de mauvaise qualité, de pacotille ▪ ADV **to buy sth cheap** (= *not expensive*) acheter qch bon marché *or* à bas prix; (= *cut-price*) acheter qch au rabais.

**cheaply** /'tʃiːplɪ/ ADV à bon marché, à bas prix, pour pas cher.

**cheat** /tʃiːt/ ▪ VT (= *deceive*) tromper, duper; (= *defraud*) frauder; (= *swindle*) escroquer ◆ **to cheat sb out of sth** escroquer qch à qn ▪ N ▪ a (= *deceiver*) fourbe mf ; (= *crook*) escroc m ▪ b (= *deceitful act*) tromperie f ; (= *fraud*) fraude f ; (= *swindle*) escroquerie f.

**check** /tʃek/ ▪ N ▪ a (= *setback*) [*movement*] arrêt m brusque; [*plans*] empêchement m ; (= *temporary halt*) arrêt m momentané, pause f, interruption f ◆ **to hold in check** tenir en échec ◆ **to put a check on** mettre un frein à ▪ b (= *examination*) [*passport, ticket*] contrôle m, vérification f (*on* de); (*at factory door*) poin-

tage m ; (= *mark*) marque f de contrôle ◆ **to make a check on** contrôler, vérifier, pointer ◆ **to keep a check on** surveiller ◆ **code / built-in check** (*Comp*) contrôle de programmation / automatique ◆ **random check** contrôle par sélection aléatoire *or* par sondage ◆ **customs check** vérification douanière, contrôle douanier ◆ **checks and balances** (*Pol*) freins et contrepoids ▪ c (*US = receipt*) [*left luggage*] bulletin m de consigne; [*restaurant*] addition f ▪ d (*US = bank cheque*) chèque m ◆ **flash check** chèque sans provision

---
*compounds/composés*
---

+ **check box** (*US*) case à cocher
+ **check digit** (*Comp*) chiffre de contrôle, clé
+ **check market** marché témoin
+ **check sample** échantillon témoin
+ **check sum** (*Comp*) total de contrôle
+ **check survey** contre-expertise, expertise contradictoire
+ **check test** contre-essai

▪ VT ▪ a (= *verify*) vérifier, contrôler; (= *mark off*) pointer, faire le pointage de; (= *tick off*) cocher ◆ **to check the books** vérifier la comptabilité *or* les livres *or* les comptes ▪ b (= *stop*) contenir, enrayer, endiguer; (= *restrain*) freiner, maîtriser ◆ **to check inflation** maîtriser *or* juguler l'inflation ▪ c (*US*) *coats* mettre au vestiaire; *luggage* (= *register*) faire enregistrer; *left luggage* mettre à la consigne ▪ d (*Jur*) *inventory* récoler.

**checkbook** /'tʃekbʊk/ (*US*) N carnet m de chèques, chéquier m.

**checker** /'tʃekəʳ/ N vérificateur(-trice) m(f), contrôleur(-euse) m(f) ; (*US : in supermarket*) caissier(-ière) m(f) ; (*Pub*) pigiste mf.

**check in** ▪ VI (*in hotel*) (= *arrive*) arriver; (= *register*) remplir une fiche (d'hôtel); (*Aviat*) se présenter à l'enregistrement ▪ VT SEP faire remplir une fiche (d'hôtel) à; (*Aviat*) enregistrer.

**check-in** /'tʃekɪn/ N (*Aviat*) enregistrement m ◆ **your check-in time is half an hour before departure** présentez-vous à l'enregistrement des bagages une demi-heure avant le départ.

**checking** /'tʃekɪŋ/

---
*compounds/composés*
---

+ **checking account** (*US*) compte m courant, compte de chèques
+ **checking deposit** (*US*) dépôt m à vue
+ **checking routine** (*Comp*) programme m de contrôle.

**checklist** /'tʃeklɪst/ N  check-list f, liste f de contrôle.

**checkmark** /'tʃekmɑːk/ N marque f de contrôle.

**check off** VT SEP pointer, cocher.

**checkoff** /'tʃekɒf/ N *(US)* prélèvement m automatique des cotisations syndicales.

**check on** VT FUS vérifier.

**check out** VI *(from hotel)* régler sa note
VT SEP **a** *luggage* retirer; *hotel guest* faire payer sa note à **b** *(= verify)* vérifier, contrôler.

**checkout** /'tʃekaʊt/ N *(= supermarket cash desk)* caisse f de sortie

───── *compounds/composés* ─────
◆ **checkout assistant** or **clerk** *(US : [supermarket])* caissier(-ière); *[hotel]* réceptionniste
◆ **checkout desk** *[hotel]* réception
◆ **checkout lane** caisse de sortie
◆ **checkout time** heure limite d'occupation.

**check over** VT SEP examiner, vérifier.

**checkpoint** /'tʃekpɔɪnt/ N  point m de contrôle; *(Comp)* point m de reprise.

**checkroom** /'tʃekrʊm/ N *(US)* vestiaire m ; *(Rail)* consigne f.

**checkstand** /'tʃekstænd/ N *(US : in supermarket)* poste m d'encaissement.

**check up** VI se renseigner, vérifier ◆ **to check up on sth** vérifier qch ◆ **to check up on sb** se renseigner sur qn.

**checkup** /'tʃekʌp/ N *(gen)* contrôle m, vérification f ; *(Med)* examen m médical, bilan m de santé, check-up m.

**chemical** /'kemɪkəl/ ADJ chimique ◆ **chemical engineer** ingénieur chimiste
N produit m chimique.

**chemist** /'kemɪst/ N **a** *(= researcher)* chimiste mf **b** *(Brit = pharmacist)* pharmacien(ne) m(f).

**cheque** *(Brit)*, **check** *(US)* /tʃek/ N  chèque m
◆ **cheque sent for collection** chèque mis en recouvrement ◆ **cheque made to cash, bearer cheque** chèque au porteur ◆ **to cash a cheque** toucher un chèque ◆ **to make out a cheque to...** établir or faire or rédiger un chèque à l'ordre de... ◆ **to pay by cheque** régler par chèque ◆ **to pay a cheque into one's account** verser de l'argent à son compte par chèque ◆ **to refer a cheque to drawer** refuser d'honorer un chèque, renvoyer un chèque à l'émetteur ◆ **to stop a cheque** faire opposition à un chèque ◆ **to write out** or **draw a cheque**

émettre or tirer or faire un chèque ◆ **dud** or **bad** or **rubber cheque** chèque sans provision, chèque en bois ◆ **cheque without funds** chèque sans provision ◆ **blank cheque** chèque en blanc ◆ **certified cheque** chèque certifié ◆ **open / crossed cheque** chèque non barré / barré ◆ **to get one's pay cheque** toucher or recevoir son salaire ◆ **traveller's cheque** chèque de voyage

───── *compounds/composés* ─────
◆ **cheque book** *(Brit)* carnet de chèques, chéquier
◆ **cheque counterfoil** or **stub** *(Brit)* talon de chèque.

**ch. fwd.** abbr of **charges forward** → **charge**.

**chief** /tʃiːf/ N *(\* = boss)* patron(-onne) m(f), chef mf
ADJ principal, en chef ◆ **chief accountant** chef comptable ◆ **chief assistant** premier assistant ◆ **chief buyer** chef du service achats ◆ **chief cashier** *(Brit)* caissier principal ◆ **chief editor** rédacteur en chef ◆ **chief executive officer** président-directeur général, PDG ◆ **chief financial officer** directeur financier ◆ **chief operating officer** directeur général, DG.

**Chile** /'tʃɪlɪ/ N Chili m.

**Chilean** /'tʃɪlɪən/ ADJ chilien
N *(= inhabitant)* Chilien(ne) m(f).

**China** /'tʃaɪnə/ N Chine f.

**Chinese** /tʃaɪ'niːz/ ADJ chinois ◆ **Chinese wall** *(Econ)* muraille de Chine
N **a** *(= language)* chinois m **b** *(= inhabitant)* Chinois(e) m(f).

**chip** /tʃɪp/ N **a** *(St Ex)* ◆ **blue chips, blue-chip stocks** or **securities** valeurs vedettes, valeurs de fonds de portefeuille, blue chips ◆ **blue-chip company** société de premier ordre ◆ **blue-chip investment** placement sûr or de tout repos or de père de famille **b** *(Comp)* puce f, pastille f
VT *(St Ex)* points perdre.

**CHIPS** /'tʃɪpz/ N abbr of **Clearing House Inter-Bank Payments System** → **clearing**.

**China** /'tʃaɪnə/ N Chine f.

**choice** /tʃɔɪs/ N choix m
ADJ *(Comm)* de premier choix, de première qualité.

**choose** /tʃuːz/ VT choisir.

**chop** /tʃɒp/ VT *prices* réduire.

**choppy** /'tʃɒpɪ/ ADJ *sea* un peu agité ◆ **choppy monthly pattern** *stock market* physionomie irrégulière *or* schéma un peu irrégulier sur l'ensemble du mois.

**chose** /tʃəʊz/ N *(Jur)* chose f ◆ **choses in action** droit incorporel ◆ **choses in possession** biens meubles ◆ **chose transitory** objet mobilier ◆ **assignation of chose in action** cession-transport.

**ch. pd.** abbr of **charges paid** → **charge.**

**churn** /tʃɜːn/ VT *(St Ex) accounts* faire tourner *(pour encaisser les commissions).*

**churn out** * VT SEP *[factory]* produire à forte cadence.

**CI** abbr of **competitive intelligence** → **competitive.**

**c.i.** (abbr of **cost and insurance**) C&A.

**c.i.f.** (abbr of **cost, insurance and freight**) CAF.

**c.i.f. and c.** abbr of **cost, insurance, freight and commission** → **cost.**

**cipher** /'saɪfəʳ/ **N** **a** *(= zero)* zéro m ◆ **he's a cipher** *(fig)* c'est un zéro *or* une nullité **b** *(= secret writing)* chiffre m, code m secret ◆ **in cipher** en chiffre, en code **VT** *calculations, communications* chiffrer, coder.

**circle** /'sɜːkl/ N *(gen)* cercle m ◆ **an inner circle of advisers** un groupe de proches conseillers ◆ **in political / financial / stock exchange / government circles** dans les milieux politiques / financiers / boursiers / gouvernementaux ◆ **vicious / virtuous circle** cercle vicieux / vertueux ◆ **to come full circle** revenir à son point de départ.

**circuit** /'sɜːkɪt/ N *(Elec)* circuit m ◆ **closed circuit** circuit fermé ◆ **integrated circuit** circuit intégré ◆ **printed circuit** circuit imprimé.

**circular** /'sɜːkjʊləʳ/ **ADJ** *letter* circulaire **N** *(gen)* circulaire f ; *(= printed advertising)* prospectus m.

**circularize, circularise** /'sɜːkjʊləraɪz/ VT *person, firm* envoyer des circulaires *or* des prospectus à ◆ **a widely circularized decision** une décision que l'on a fait connaître à grand renfort de circulaires.

**circulate** /'sɜːkjʊleɪt/ **VI** circuler **VT** *news* propager.

**circulating** /'sɜːkjʊleɪtɪŋ/ ADJ circulant ◆ **circulating capital** capitaux circulants ◆ **circulating medium** *(Fin)* monnaie d'échange.

**circulation** /ˌsɜːkjʊ'leɪʃən/ N *[capital]* circulation f ; *[news]* propagation f ; *[newspaper]* tirage m, diffusion f ◆ **to put into circulation**

*money* mettre en circulation ◆ **for circulation** *document* à diffuser, à faire circuler ◆ **credit circulation** circulation financière ◆ **newspaper with a wide circulation** journal à grand *or* gros tirage

————— *compounds/composés* —————

◆ **circulation breakdown** analyse sectorielle
◆ **circulation department** *(Press)* service des ventes
◆ **circulation manager** *(Press)* directeur du service des ventes.

**circumstance** /'sɜːkəmstəns/ N circonstance f ◆ **under no circumstances** en aucun cas ◆ **to take the circumstances into account** faire la part des choses ◆ **mitigating** *or* **extenuating circumstances** circonstances atténuantes ◆ **circumstances beyond my control** circonstances indépendantes de ma volonté.

**circumstantial** /ˌsɜːkəm'stænʃəl/ ADJ **a** *(= detailed) report, statement* circonstancié, détaillé **b** *(= indirect) knowledge* indirect ◆ **circumstancial evidence** *(Jur)* preuve indirecte, présomption.

**circumstantiate** /ˌsɜːkəm'stænʃɪeɪt/ VT *evidence* étayer (en donnant des détails); *event* donner des détails *or* des précisions sur.

**circumvent** /ˌsɜːkəm'vent/ VT *person* circonvenir; *law, regulations* tourner.

**cite** /saɪt/ VT *(= quote)* citer ◆ **to cite sb to appear** *(Jur)* citer qn à comparaître.

**citizen** /'sɪtɪzn/ N *[town]* habitant(e) m(f) ; *[state]* citoyen (ne) m(f).

**citizenship** /'sɪtɪznʃɪp/ N citoyenneté f.

**city** /'sɪtɪ/ N **a** (grande) ville f, cité f **b** *(Brit)* ◆ **the City** la Cité (de Londres), le centre des affaires de Londres ◆ **City news / column** *(Press)* chronique / rubrique *or* page boursière *or* financière (de la Bourse de Londres) ◆ **City editor** chroniqueur boursier ◆ **City desk** service financier

————— *compounds/composés* —————

◆ **city hall** hôtel de ville
◆ **city planner** urbaniste
◆ **city planning** urbanisme .

**civic** /'sɪvɪk/ ADJ *rights* civique; *authorities* municipal ◆ **civic centre** *(Brit)* centre administratif.

**civil** /'sɪvl/ ADJ civil; *rights, liberties* civique ◆ **civil status** état civil

─── compounds/composés ───
- **civil commotions** (Ins) troubles mpl intérieurs
- **civil engineer** ingénieur des travaux publics
- **civil engineering** génie civil, travaux mpl publics ◆ **civil engineering company** société de génie civil, entreprise de travaux publics
- **civil law** (= system) code civil; (= study) droit civil
- **civil servant** (Brit) fonctionnaire
- **civil service** (Brit) fonction publique, administration.

**c.k.d.** abbr of **completely knocked down** → **completely.**

**claim** /kleɪm/ **VT** **a** (= demand) réclamer (sth from sb qch à qn); property, right revendiquer ◆ **to claim damages** réclamer or demander des dommages et intérêts ◆ **to claim a person as a dependent** (Tax) déclarer qn à sa charge, compter qn comme personne à charge **b** (= profess, contend) prétendre, déclarer ◆ **he claims that he was misinformed** il prétend avoir été mal informé

**N** **a** (gen = demand) réclamation f; (Ind Rel) revendication f ◆ **to allow / disallow a claim** faire droit à / rejeter une réclamation ◆ **to lay claim to** prétendre à, revendiquer ◆ **to file** or **set up** or **put in a claim** déposer or faire une réclamation ◆ **they put in a claim for £1 per hour more** ils ont demandé une augmentation d'une livre de l'heure ◆ **any claim must be made within eight days** toute réclamation doit être faite dans les huit jours ◆ **wage claims** revendications de salaire or salariales ◆ **travel claim** demande de remboursement de frais de voyage ◆ **claim for compensation** demande d'indemnisation ◆ **claim for damages** demande de dommages et intérêts ◆ **claims and liabilities** (Brit Acc) ≈ passif, créances et engagements **b** (Fin) créance f ◆ **bad / contested claim** créance douteuse / litigieuse ◆ **to collect a claim** toucher or recouvrer une créance ◆ **the enforcibility of the claim** l'exigibilité de la créance **c** (= right) droit m, titre m ◆ **to have an a priori claim** avoir un droit de priorité or d'antériorité **d** (Min) concession f ◆ **mineral claim** concession minière **e** (= statement)

─── compounds/composés ───
- **claims adjuster** (Ins) (inspecteur) régleur; (Mar Ins) répartiteur d'avaries, dispacher, dispatcher
- **claims department** (gen) service des réclamations; (Ins) service (des) sinistres
- **claims dispute** lutte revendicative
- **claim form** formulaire de déclaration de sinistre
- **claims manager** chef du service des réclamations.

déclaration f; (= promise) promesse f ◆ **advertising claim** argument publicitaire **f** (Ins : also **insurance claim**) (déclaration f de) sinistre m ◆ **to put in a claim** faire une déclaration de sinistre ◆ **to settle a claim** régler un sinistre ◆ **settlement of a claim** règlement d'un sinistre

**claimant** /ˈkleɪmənt/ **N** (Jur) requérant(e) m(f); (Ins) assuré(e) m(f) sinistré(e), réclamant m ◆ **rightful claimant** ayant droit ◆ **claimant for a patent** demandeur de brevet.

**clamp** /klæmp/ **N** to put a clamp on monetary expansion freiner l'expansion monétaire ◆ **to tighten the credit clamp** donner un tour de vis supplémentaire au crédit
**VT** **to clamp a three-month price freeze on all goods and services** imposer un blocage des prix pendant trois mois sur tous les biens et services.

**clampdown** /ˈklæmpdaʊn/ **N** contrôle m, blocage m, limitation f (on de) ◆ **clampdown on credit** resserrement du crédit, tour de vis en matière de crédit.

**clamp down on** * **VT FUS** expenditure mettre un frein à, donner un tour de vis à, freiner, restreindre ◆ **the government plans to clamp down on tax-evasion** le gouvernement envisage de mettre un frein à l'évasion fiscale.

**clash** /klæʃ/ **VI** (= conflict) être en conflit (over sur, with avec) ◆ **the management and the unions clash over the question** la direction et les syndicats sont en désaccord total sur la question ◆ **the two meetings clash** les deux réunions tombent en même temps or tombent le même jour
**N** **a** (between people) accrochage m; (with police) affrontement m, accrochage m, heurts mpl, échauffourée f **b** [interests] conflit m **c** [dates, invitations] coïncidence f (fâcheuse).

**class** /klɑːs/ **N** (gen) classe f, catégorie f; [ship] (gen) type m; (in Lloyd's Register) cote f ◆ **first-class** product de premier choix, de première qualité; ticket de première classe ◆ **high-class product** produit de première qualité or de premier ordre ◆ **economy class** (Aviat) classe économique or touriste ◆ **business** or **club class** (Aviat) classe affaires ◆ **the middle class** (gen) les classes moyennes; (wealth and property-owning) la bourgeoisie ◆ **the lower / upper middle class** la petite / grande bourgeoisie ◆ **the upper class** l'aristocratie ◆ **the working class** la classe ouvrière

─── compounds/composés ───
 ◆ **class action** *(Jur)* action collective en justice, recours collectif en justice

**VT** *(gen)* classer, classifier *(as* comme); *(Mar Ins)*
coter.

**classifiable** /ˈklæsɪfaɪəbl/ **ADJ** qu'on peut classifier, classable.

**classification** /ˌklæsɪfɪˈkeɪʃən/ **N** classification f
 ◆ **classification by kind of economic activity**
nomenclature par nature d'activités économiques ◆ **classification by purpose** nomenclature
des fonctions.

**classified** /ˈklæsɪfaɪd/ **ADJ** *(= secret)* secret

─── compounds/composés ───
 ◆ **classified ad** *or* **advertisement** * petite annonce
 ◆ **classified directory** annuaire téléphonique
par professions
 ◆ **classified information** *(Admin = secret)* renseignements mpl secrets *or* confidentiels.

**classify** /ˈklæsɪfaɪ/ **VT** **a** classer, classifier *(as*
comme) **b** *(Admin)* classer secret *or* confidentiel.

**classy** * /ˈklɑːsɪ/ **ADJ** *magazine* de luxe; *car, hotel*
chic, de luxe.

**clause** /klɔːz/ **N** [*contract, law*] clause f; [*will*]
disposition f; *(Ins)* avenant m ◆ **cancellation**
*or* **cancelling clause** clause résolutoire ◆ **conscience clause** clause de conscience ◆ **customary clause** clause d'usage ◆ **escape clause**
clause résolutoire ◆ **exclusion clause** clause
d'exclusion, exclusion de garantie ◆ **optional
clause** disposition facultative ◆ **penalty clause**
clause de pénalité ◆ **saving clause** clause de
sauvegarde, clause restrictive ◆ **termination
clause** clause de résiliation.

**claused** /klɔːzd/ **ADJ** avec réserves ◆ **claused bill
of lading** connaissement avec réserves.

**clawback** /ˈklɔːbæk/ **N** *(Fin)* récupération f.

**claw back** /klɔː/ **VT** **SEP** *capital* rapatrier; *loss,
money* récupérer.

**clean** /kliːn/ **ADJ** *(gen)* propre, net; *reputation* net,
sans tache; *receipt, signature* sans réserve ◆ **a
clean record** *(Jur)* un casier judiciaire vierge
 ◆ **to make a clean sweep** faire table rase *(of* de)
**clean acceptance** acceptation sans réserve
 ◆ **clean bill** *(Fin)* effet libre ◆ **clean bill of lading**
*(Mar)* connaissement sans réserve(s) *or* net
 ◆ **clean signature** signature sans réserve
**VT** nettoyer.

**clean out** **VT** **SEP** *stocks* nettoyer, liquider.

**clean up** **VI** *(* * *= make profit)* faire son beurre*
 ◆ **he cleaned up on that sale** cette vente lui a
rapporté gros, il a touché un joli paquet sur
cette vente
**VT** *balance sheet* nettoyer ◆ **clean-up operation**
opération de nettoyage.

**clear** /klɪər/ **ADJ** **a** *explanation, sign* clair ◆ **do I
make myself quite clear?** suis-je assez clair?
 ◆ **I wish to make it clear that** je tiens à préciser
que ◆ **I want to be quite clear on this point**
*(understand)* je veux savoir exactement ce qu'il
en est; *(explain)* je veux être tout à fait clair sur
ce point **b** *(= free of obstacle)* libre, dégagé
 ◆ **clear of debts** libre de dettes ◆ **clear loss**
perte sèche ◆ **clear profit** bénéfice net ◆ **three
clear days** *(gen)* trois jours pleins; *(Jur)* trois
jours francs ◆ **clear accounts** comptes en règle
 ◆ **clear estate** biens libres d'hypothèque ◆ **clear
title** titre incontestable *or* irréfragable ◆ **clear
certificate** *(Mar)* congé maritime; *(Aviat)* congé
aérien
**VT** **a** *(= remove obstacle from)* débarrasser ◆ **to
clear the way for further discussions** préparer
le terrain pour *or* ouvrir la voie à des négociations ultérieures **b** *(Jur)* *person* innocenter, disculper *(of* de); *(fig)* *doubts* dissiper ◆ **he was
cleared of that charge** il a été disculpé de
cette accusation **c** *(= get past or over)* franchir,
sauter ◆ **to clear harbour** quitter le port ◆ **to
clear a ship inwards** *(Customs)* faire la déclaration d'entrée d'un navire ◆ **to clear a ship
outwards** *(Customs)* faire la déclaration de
sortie d'un navire **d** *cheque* compenser; *account* solder, liquider; *port dues* acquitter; *debt*
s'acquitter de; *profit* gagner net; *goods (Comm)*
liquider; *(Customs)* dédouaner ◆ **must be
cleared** *(Comm : on sign)* tout doit disparaître
 ◆ **to clear** *(Comm : on sign)* en solde ◆ **to clear a
bill** régler un effet ◆ **the goods have been
cleared through customs** les marchandises ont
été dédouanées ◆ **I've cleared £100 on this
business** cette affaire me rapporte 100 livres
net ◆ **I didn't even clear my expenses** je ne suis
même pas rentré dans mes frais ◆ **cleared
without inspection** dédouané sans inspection
préalable ◆ **to clear an estate** purger *or* lever *or*
payer une hypothèque **e** *(Comp)* *memory* effacer, remettre à zéro; *screen* effacer; *tab settings*
supprimer
**VI** **you must allow ten working days for any
cheque paid into your account to clear before
drawing against it** un délai de dix jours
ouvrables est nécessaire avant de pouvoir tirer
sur un chèque viré à votre compte.

**clearance** /'klɪərəns/ N **a** (Comm : also **clearance sale**) soldes mpl, liquidation f (du stock) **b** [cheque] compensation f ; (Customs) dédouanement m ; (= permission) autorisation f, permis m ; [mortgage] purge f, levée f ✦ **customs clearance** dédouanement ✦ **to effect customs clearance** procéder aux formalités douanières ✦ **diplomatic clearance** autorisation diplomatique ✦ **security clearance** visa de sécurité

———— compounds/composés ————
• **clearance certificate** (Mar) congé maritime or de navigation, lettre de mer
• **clearance inwards** (Customs) déclaration d'entrée ; (= permit) permis d'entrée, acquit, manifeste d'entrée
• **clearance outwards** (Customs) déclaration de sortie ; (= permit) permis de sortie, congé des douanes, manifeste de sortie
• **clearance papers** papiers mpl d'expédition.

**clearer** /klɪərəʳ/ (Brit) N banque f de dépôt.

**clearing** /'klɪərɪŋ/ N **a** [cheque] compensation f ; [account] liquidation f ✦ **computer clearing** compensation électronique **b** (Customs) [ship] expédition f

———— compounds/composés ————
• **clearing account** compte de passage, compte provisoire, compte clearing
• **clearing advances** avances fpl en clearing
• **clearing agreement** accord de clearing or de compensation ·
• **clearing bank** (Brit) banque de dépôt
• **clearing certificate** certificat de dédouanement
• **clearing computer** ordinateur de compensation
• **clearing house** (Fin) Chambre de compensation ; (St Ex) Comptoir de liquidation ✦ **Clearing House Automatic Payments System, Clearing House Inter-Bank Payments System** (US) Chambre de compensation interbancaire internationale
• **clearing office** bureau de liquidation
• **clearing payment** versement au clearing
• **clearing sheet** feuille de liquidation.

**clear off** VT SEP debts s'acquitter de ; stock liquider ; goods solder ; mortgage purger.

**clear up** VT SEP problem tirer au clair, éclaircir.

**clerical** /'klerɪkəl/ ADJ (Comm, Fin, Jur) job de commis, d'employé ; work, staff de bureau ✦ **clerical error** (Acc) erreur d'écriture.

**clerk** /klɑːk, klɜːrk/ N **a** (in office) employé(e) m(f) (de bureau), commis m ; (Jur) clerc m ✦ **articled clerk** stagiaire (dans un cabinet d'avocats,

de notaires) ✦ **authorized clerk** (Brit St Ex) commis de Bourse ✦ **bank clerk** employé de banque ✦ **desk clerk** (in hotel) réceptionniste ✦ **head clerk** (in office) premier commis, chef de bureau ; (Jur) premier clerc, principal ✦ **shipping clerk** expéditionnaire ✦ **town clerk** (Brit) ≈ secrétaire de mairie **b** (US = shop assistant) vendeur(-euse) m(f)

———— compounds/composés ————
• **clerk of the court** (Brit) greffier (du tribunal)
• **clerk of works** (Brit) conducteur de travaux.

**click** /klɪk/ VI (Comp) cliquer (on sur)

**client** /'klaɪənt/ N [lawyer, accountant, bank] client(e) m(f) ✦ **client / server** (Comp) client / serveur.

**clientele** /ˌkliːɑːnˈtel/ N [shop, restaurant] clientèle f.

**climate** /'klaɪmɪt/ N climat m ✦ **labour climate** climat social.

**climb** /klaɪm/ **N** [interest rates, value] augmentation f, progression f ✦ **the day-to-day climb of the Dow-Jones industrial index** la progression journalière de l'indice Dow-Jones des valeurs industrielles
**VI** augmenter, progresser ✦ **our firm climbed to second place** notre entreprise s'est hissée à la seconde place.

**climb down** VI reculer ✦ **neither party will climb down** aucune des deux parties ne reculera or ne cédera.

**climbdown** /'klaɪmdaʊn/ N reculade f.

**clinch** /klɪntʃ/ VT argument consolider ; deal conclure ✦ **to clinch an agreement** sceller un accord

**clip** /klɪp/ **N a** trombonne m **b** (Cine) extrait m de film **c** (US Press) coupure f de presse or de journal
**VT a** ✦ **to clip together** papers attacher (avec un trombone) ; (staple) agrafer **b** (St Ex) ✦ **to clip a point** perdre un point.

**clipping** /'klɪpɪŋ/ N (Brit Press) coupure f de presse or de journal.

**cloakroom** /'kləʊkrʊm/ N [coats] vestiaire m (Brit : left luggage) consigne f.

**clock** /klɒk/ N **a** horloge f ✦ **round-the-clock banking** (Brit), **around-the-clock banking** (US) services bancaires vingt-quatre heures sur vingt-quatre ✦ **this decision will set the clock back 50 years** cette décision va nous faire revenir 50 ans en arrière **b** *[car]* compteur m kilométrique; *[taxi]* taximètre m, compteur m (de taxi) COMP ◆ **clock card** *(Ind)* carte de pointage.

**clock in, clock on** VI *(Ind)* pointer (à l'arrivée).

**clock off, clock out** VI *(Ind)* pointer (à la sortie).

**clone** /kləʊn/ **N** *(Bio, Comp)* clone m **VT** cloner.

**close** /kləʊs/ **ADJ** *(gen)* proche *(to* de); *control* étroit; *check* minutieux, attentif; *attention* soutenu ◆ **close connection between** rapport étroit entre ◆ **close price** prix tiré, prix qui ne laisse que peu de marge ◆ **close company** société dont les actionnaires sont limités en nombre
**ADV** de près ◆ **to sail close to the wind** *(fig)* friser l'illégalité
**N** *(= end)* fin f, conclusion f; *(St Ex) [operations]* clôture f ◆ **to come to a close** prendre fin, se terminer ◆ **at the close** *(St Ex)* en clôture ◆ **close of business** fermeture des bureaux
**VT** **a** *(= shut)* shop fermer, clore **b** *(= bring to an end)* discussion achever, terminer, clore, mettre fin or un terme à; *bank account* fermer, solder; *file* clore; *account books* arrêter, clore; *sale, bargain* conclure ◆ **to close the meeting** lever la séance, clôturer la réunion ◆ **to close a deal** *(Comm)* conclure une transaction; *(St Ex)* liquider une opération ◆ **to close one's position** *(St Ex)* liquider or déboucler sa position **c** **to close the gap** *(Fin)* combler le déficit
**VI** **a** *[shop, banks]* fermer **b** *(= end)* (se) terminer, finir, prendre fin ◆ **the meeting closed abruptly** la séance a pris fin or s'est terminée brusquement **c** *(St Ex)* clôturer ◆ **shares closed at 120p** les actions étaient cotées à 120 pence en clôture, les actions ont terminé à 120 pence ◆ **shares closed unchanged** les actions ont terminé la séance inchangées ◆ **to close at a loss** clôturer à perte ◆ **to close at the day's worst** clôturer au plus bas de la journée.

**closed** /kləʊzd/ **ADJ** fermé ■ Voir encadré ci-contre.

**close down** VI *[business, shop]* fermer (définitivement), cesser ses activités *(Brit : TV)* terminer les émissions.

**close-down** /ˈkləʊzdaʊn/ **N** *[shop, factory]* fermeture f (définitive), cessation d'activité; *(Comp) [program]* arrêt m *(Brit : TV)* fin f des émissions.

---
compounds/composés
---
◆ **closed account** *(Fin)* compte soldé or clos
◆ **closed-circuit television** télévision à circuit fermé
◆ **closed economy** économie fermée
◆ **closed-end investment company** or **fund** or **trust** société d'investissement à capital fixe
◆ **closed-end mortgage** emprunt hypothécaire plafonné
◆ **closed file** dossier clos
◆ **closed mortgage** hypothèque purgée
◆ **closed session** réunion à huis clos
◆ **closed shop** entreprise où existe un monopole syndical de l'embauche ◆ **the unions insisted on a closed-shop policy** les syndicats ont exigé l'exclusion des travailleurs non syndiqués.

**close out** *(US)* **VT SEP** **a** *(= sell off)* goods solder, liquider ◆ **close-out sale** liquidation totale du stock avant fermeture, vente de liquidation, soldes de fermeture **b** *(= terminate)* business fermer (définitivement), cesser ses activités **c** **to close out an exchange risk** exclure un risque de change.

**close with** **VT FUS** **a** *(= strike bargain with)* conclure un marché avec **b** *(= agree to)* offer, conditions accepter.

**closing** /ˈkləʊzɪŋ/ **N** *(St Ex)* clôture f ◆ **at closing** en clôture.

---
compounds/composés
---
◆ **closing balance** solde de clôture
◆ **closing bid** dernière enchère or offre
◆ **closing date** date limite
◆ **closing entry** *(Acc)* écriture de clôture
◆ **closing price** *(St Ex)* cours de clôture or en clôture, dernier cours ◆ **closing price order** ordre dernier cours
◆ **closing procedures** procédures fpl d'inventaire
◆ **closing quotations** *(St Ex)* cours de clôture, dernières cotations fpl
◆ **closing range** *(St Ex)* fourchette des cours en fin de séance
◆ **closing session** *(St Ex)* séance de clôture
◆ **closing stock** or **inventory** stock final or en fin d'exercice
◆ **closing time** *(Brit)* heure de fermeture.

**closing-down** /ˌkləʊzɪŋˈdaʊn/ **N** ◆ **closing-down sale** liquidation totale du stock avant fermeture, vente de liquidation, soldes de fermeture.

**closing out** *(US)* **N** *[shop]* fermeture f; *[company]* liquidation f ◆ **closing-out sale** liquidation totale du stock avant fermeture, vente de liquidation, soldes de fermeture.

**closure** /ˈkləʊʒəʳ/ N [factory, business] fermeture f ; [session] clôture f ♦ **to move the closure of debate** proposer la clôture des débats.

**cloth** /klɒθ/ N tissu m, étoffe f.

**clothing** /ˈkləʊðɪŋ/ N habillement m, vêtements mpl ♦ **the clothing industry** l'industrie du vêtement or de l'habillement.

**cloud** /klaʊd/ VT obscurcir, assombrir ♦ **the outlook is clouded** les perspectives sont incertaines.

**clout** * /klaʊt/ N (pej, hum = influence) influence f, pouvoir m ♦ **trade unions with clout** syndicats puissants or influents ♦ **they have considerable marketing clout** ils ont un très fort impact dans le domaine du marketing.

**club** /klʌb/ N club m ♦ **club loan** prêt à syndication réduite (consenti par un groupe limité de banques).

**clue** (Brit), **clew** (US) /kluː/ N indice m, indication f, fil m directeur.

**clue in** * VT SEP person mettre au courant.

**clue up** VT SEP person renseigner (on sur) mettre au courant (on de) ♦ **he's very clued up about company law** il est très calé en droit des sociétés.

**cluster** /ˈklʌstəʳ/ N groupe m ♦ **cluster of countries** (Mktg) groupe de pays partageant certaines caractéristiques

―――― compounds/composés ――――
♦ **cluster pack** [bottles] emballage groupé, pack
♦ **cluster sampling** sondage en grappes.

**clustering** /ˈklʌstərɪŋ/ N (Mktg) segmentation f.

**C.N., C / N** a abbr of **credit note** → **credit** b (Brit) abbr of **consignment note** → **consignment** c (Brit) abbr of **cover note** → **cover.**

**c / o** /ˈkeərɒv/ a abbr of **carried over** → **carry over** b abbr of **care of** ♦ **c/o Mr Smith** aux bons soins de M. Smith, chez M. Smith.

**Co.** (abbr of **company**) Cie.

**coal** /kəʊl/ N (gen) charbon m ; (Ind) houille f

―――― compounds/composés ――――
♦ **coal mine** houillère, mine de charbon
♦ **coal mining** charbonnage .

**coalition** /ˌkəʊəˈlɪʃən/ N coalition f (between entre)

**coast** /kəʊst/ VI (Mar) caboter.

**coastal** /ˈkəʊstəl/ ADJ côtier ♦ **coastal navigation** navigation côtière, cabotage.

**coaster** /ˈkəʊstəʳ/ N (Mar) caboteur m.

**coasting** /ˈkəʊstɪŋ/ N cabotage m ♦ **coasting trade** commerce de cabotage.

**coat** /kəʊt/ N (= garment) manteau m ; (= covering) [paint] couche f.

**co-chaired** /ˈkəʊtʃɛəd/ ADJ meeting coprésidé.

**co-creditor** /ˌkəʊˈkredɪtəʳ/ N cocréancier(-ière) m(f).

**COD** /ˌsiːəʊˈdiː/ N a (Brit) abbr of **cash on delivery** → **cash** b (US) abbr of **collect on delivery** → **collect.**

**code** /kəʊd/ N a (Admin, Jur, fig) code m ♦ **area code** (Telec) indicatif ♦ **bar code** code (à) barres ♦ **internal revenue code** (US) Code des impôts ♦ **post code** (Brit), **zip code** (US) code postal ♦ **tax code** (Brit) code des impôts b (= cipher) code m, chiffre m ; (Comp) code m ♦ **in code** en code, chiffré ♦ **absolute code** (Comp) code absolu, code machine ♦ **cashier code** code de caisse

―――― compounds/composés ――――
♦ **code of behaviour** code de conduite
♦ **code check** (Comp) contrôle de programmation
♦ **to code-check** contrôler la programmation de
♦ **code element** codet
♦ **code of good practice** code de bonne conduite
♦ **code line** ligne de code or de programmation
♦ **code name** nom de code
♦ **code of practice** code de bonne conduite, déontologie

VT letter, dispatch chiffrer, coder; (Comp) coder, programmer.

**co-debtor** /ˌkəʊˈdetəʳ/ N codébiteur(-trice) m(f).

**co-defendant** /ˌkəʊdɪˈfendənt/ N coaccusé(e) m(f).

**codicil** /ˈkɒdɪsɪl/ N codicille m.

**codify** /ˈkəʊdɪfaɪ/ VT codifier.

**coding** /ˈkəʊdɪŋ/ N [telegram, message] codage m, chiffrage m ; (Comp) codage m, programmation f ♦ **coding error** erreur de programmation.

**co-director** /ˌkəʊdɪˈrektəʳ/ N codirecteur(-trice) m(f).

**coefficient** /ˌkəʊɪˈfɪʃənt/ N coefficient m.

**coffer** /ˈkɒfəʳ/ N coffre m, caisse f ♦ **the state coffers** les caisses or coffres de l'État.

**co-finance** /ˌkəʊfaɪˈnæns/ **vt** cofinancer.

**cog** /kɒg/ **N** (Tech) dent f (d'engrenage) ♦ **he's only a cog in the wheel** il n'est qu'un simple rouage (de la machine).

**cognizance** /ˈkɒgnɪzəns/ **N** (Jur) compétence f ♦ **this case falls within the cognizance of the court** cette affaire est de la compétence or du ressort du tribunal.

**cognizant** /ˈkɒgnɪzənt/ **ADJ** (Jur) compétent (of pour) ♦ **court cognizant of an offence** tribunal compétent pour juger un délit.

**coheir** /ˈkəʊˈɛər/ **N** cohéritier m.

**coheiress** /ˈkəʊˈɛərɪs/ **N** cohéritière f.

**coin** /kɔɪn/ **N** (gen) monnaie f ; (= single piece of money) pièce f de monnaie ♦ **in coin** en espèces

───── compounds/composés ─────
♦ **coin-operated** machine automatique, qui marche avec des pièces

**VT** money, medal frapper ♦ **he is coining money, he's coining it in** * il fait des affaires d'or.

**coinage** /ˈkɔɪnɪdʒ/ **N** (= act) [money] frappe f ; (= coins) monnaie f ; (= system) système m monétaire.

**coinsurance** /ˌkəʊɪnˈʃʊərəns/ **N** coassurance f.

**coinsure** /ˌkəʊɪnˈʃʊər/ **vt** coassurer.

**coinsurer** /ˌkəʊɪnˈʃʊərər/ **N** coassureur m.

**co-investor** /ˌkəʊɪnˈvestər/ **N** co-investisseur m.

**cold** /kəʊld/ **ADJ** froid

───── compounds/composés ─────
♦ **cold call** (by sales representative) visite impromptue
♦ **cold calling** (by sales representative) démarchage par téléphone
♦ **cold start** démarrage à froid
♦ **cold storage plant** entrepôt frigorifique ♦ **to put into cold storage** perishable goods mettre en chambre froide or frigorifique; scheme mettre en attente.

**cold-shoulder** /ˈkəʊldˌʃəʊldər/ **vt** battre froid à ♦ **the suggestion was cold-shouldered** la suggestion a été fraîchement accueillie.

**collaborate** /kəˈlæbəreɪt/ **vi** collaborer (with avec)

**collaboration** /kəˌlæbəˈreɪʃən/ **N** collaboration f.

**collaborative** /kəˈlæbərətɪv/ **ADJ** de collaboration ♦ **collaborative practices distort trade** les ententes commerciales affectent le marché ♦ **collaborative venture** entreprise jointe or en collaboration.

**collaborator** /kəˈlæbəreɪtər/ **N** collaborateur (-trice) m(f).

**collapse** /kəˈlæps/ **vi** [prices] chuter, s'effondrer, dégringoler; [plan] s'écrouler, tomber à l'eau, s'effondrer ♦ **the talks collapsed** les négociations ont échoué, il y a eu rupture des négociations ♦ **the firm collapsed** l'entreprise a sombré
**N** [prices] effondrement m, chute f brutale, dégringolade f ; [plan] effondrement m, écroulement m ♦ **the collapse of the dollar** le naufrage or la dégringolade or la débâcle du dollar ♦ **the collapse of the talks** l'échec des pourparlers, la rupture des négociations ♦ **the industry is in a state of collapse** l'industrie est en état de délabrement.

**collar** /ˈkɒlər/ **N** col m ♦ **blue-collar worker** col bleu, travailleur manuel ♦ **white-collar worker** col blanc, employé de bureau.

**collate** /kɒˈleɪt/ **vt** information (gen) collationner; (Comp) interclasser, fusionner (with avec)

**collateral** /kɒˈlætərəl/ **ADJ** **a** (= parallel) parallèle; fact, phenomenon concomitant **b** (= subordinate) secondaire, accessoire; (Fin) subsidiaire

───── compounds/composés ─────
♦ **collateral acceptance** (Fin) acceptation de cautionnement
♦ **collateral bill** effet en nantissement
♦ **collateral loan** prêt or emprunt garanti
♦ **collateral note** effet garanti
♦ **collateral security** nantissement
♦ **collateral trust bond** obligation nantie, obligation garantie par nantissement de titres

**N** (Fin) (bien m donné en) nantissement m, sûreté f réelle; (Jur) collatéral(e) m(f) ♦ **securities lodged as collateral** titres remis en nantissement.

**collateralize, collateralise** /kɒˈlætərəlaɪz/ **vt** garantir par nantissement ♦ **the issues are collateralized by first mortgages** les émissions sont garanties par des hypothèques de premier rang.

**collation** /kəˈleɪʃən/ **N** [information] (gen) collationnement m ; (Comp) interclassement m, fusionnement m.

**collator** /kəˈleɪtər/ **N** (= machine) [data] interclasseuse f ; [documents] assembleuse f.

**colleague** /ˈkɒliːg/ **N** collègue mf.

**combination**

**collect** /ˈkɒlekt/ **VT** **a** money, subscriptions recueillir; taxes percevoir, lever, recouvrer; rents, cheque encaisser, toucher; debt recouvrer **b** information, evidence, data, documents rassembler, recueillir, collecter ♦ the mail is collected twice a day le courrier est ramassé or levé deux fois par jour **c** (= to go and fetch) person, parcel aller chercher, passer prendre ♦ I'll collect you in the car je passerai vous prendre en voiture **ADV** (US) ♦ to call collect téléphoner en PCV ♦ collect parcel colis payable à la livraison ♦ to send a parcel collect envoyer un colis payable à la livraison ♦ collect on delivery paiement à la livraison, livraison contre remboursement.

**collectable** /kɒˈlektəbl/ **ADJ** (Fin) encaissable, recouvrable.

**collecting** /kɒˈlektɪŋ/

─── compounds/composés ───
♦ **collecting agency** banque f de recouvrement
♦ **collecting banker** banquier m encaisseur
♦ **collecting charges** frais mpl de recouvrement (à domicile)
♦ **collecting department** service m de recouvrement.

**collection** /kəˈlekʃən/ **N** **a** [money, rent] encaissement m ; [taxes] perception f, levée f, recouvrement m ; [debt] recouvrement m ♦ to send for collection (gen) envoyer à l'encaissement ♦ cash collection entrée de caisse ♦ clean collection encaissement simple ♦ debt collection recouvrement de créance ♦ draft / remittance for collection effet / remise à l'encaissement or en recouvrement **b** [luggage] enlèvement m **c** (Fashion) collection f ♦ the spring collection la collection de printemps

─── compounds/composés ───
♦ **collection agent** agent de recouvrements
♦ **collection charges** (gen) frais mpl d'encaissement; (in case of debt) frais mpl de recouvrement
♦ **collection procedure** procédure de mise en recouvrement.

**collective** /kəˈlektɪv/ **ADJ** responsibility, ownership, security, liability collectif ♦ **collective bargaining agreement** convention collective ♦ **collective bargaining** (Ind Rel) négociations en vue de signer une convention collective ♦ **collective B / L** (Mar) connaissement de groupage ♦ **collective pay agreement** accord collectif sur les salaires
**N** workers' collective collectif de travailleurs.

**collectivism** /kəˈlektɪvɪzəm/ **N** collectivisme m.

**collectivist** /kəˈlektɪvɪst/ **ADJ, N** collectiviste mf.

**collector** /kəˈlektər/ **N** [dues] receveur(-euse) m(f)
♦ **customs-collector** receveur des douanes
♦ **debt collector** agent de recouvrement de créances ♦ **tax collector, collector of taxes** percepteur ♦ **ticket collector** contrôleur.

**collide** /kəˈlaɪd/ **VI** entrer en collision, se tamponner, se heurter.

**collision** /kəˈlɪʒən/ **N** collision f

─── compounds/composés ───
♦ **collision course** ♦ to be on a collision course with the unions aller au devant de l'affrontement avec les syndicats
♦ **collision coverage** or **insurance** tierce collision .

**Colombia** /kəˈlɒmbɪə/ **N** Colombie f.

**Colombian** /kəˈlɒmbɪən/ **ADJ** colombien
**N** (= inhabitant) Colombien(ne) m(f).

**Colombo** /kəˈlʌmbəʊ/ **N** Colombo.

**colon** /ˈkəʊləʊn/ **N** colon m.

**colony** /ˈkɒlənɪ/ **N** (= gen) colonie f ♦ **colony grouping** (US) production groupée.

**colour** (Brit), **color** (US) /ˈkʌlər/ **N** couleur f ♦ **fast colour** (on label) grand teint

─── compounds/composés ───
♦ **colour range** gamme de couleurs
♦ **colour scheme** combinaison de couleurs
♦ **colour supplement** (Press) supplément (en) couleur.

**column** /ˈkɒləm/ **N** (gen, Acc) colonne f ; (Press) page f, rubrique f ♦ **credit / debit column** colonne créditrice / débitrice, colonne des crédits / des débits.

**co-maker** /ˌkəʊˈmeɪkər/ **N** (Fin) cosignataire mf.

**co-manager** /ˌkəʊˈmænəgər/ **N** (Comm) co-directeur(-trice) m(f) ; (Fin) co-chef m de file.

**combat** /ˈkɒmbæt/ **VT** inflation combattre, lutter contre.

**combination** /ˌkɒmbɪˈneɪʃən/ **N** [lock] combinaison f ; [people] association f, coalition f ; [events] concours m ; [interests] coalition f ♦ **right combination** (Jur) droit syndical ♦ **horizontal / vertical combination** (Ind) intégration horizontale / verticale

─── compounds/composés ───
+ **combination carrier** pétrolier-minéralier
+ **combination lock** serrure à combinaison
+ **combination rate** tarif groupé.

**combine** /kəm'baɪn/ **vt** combiner, joindre (*with* à, avec) + **combined effort** effort conjugué + **combined issue** *[magazine]* numéro couplé + **combined trade** commerce intégré + **combined transport** transport combiné *or* multimodal + **combined transport operator** entrepreneur de transport combiné

**vi** *[business interests]* s'unir, s'associer; *[workers]* se syndiquer

**n** *(Comm, Fin)* trust m, cartel m, entente f industrielle; *(Jur)* corporation f.

**come** /kʌm/ **vi** venir, arriver + **to come into force** *[law]* entrer en vigueur *or* en application + **to come to an understanding, come to terms** parvenir *or* arriver à un accord + **to come to maturity** *[bill]* venir *or* arriver à échéance.

**come across** **vi** faire de l'effet + **his message came across** son message a porté *or* a passé la rampe + **he came across very well in the interview** il s'est montré à son avantage *or* il a bien su se mettre en valeur *or* il est bien passé lors de l'entretien.

**come along** **vi** (= *develop*) avancer, faire des progrès + **the project is coming along well** le projet avance bien.

**come back** **vi** *(lit, fig)* revenir + **the fountain pen has come back into fashion** le stylo à encre est redevenu à la mode

**vt fus** **to come back with** répondre par + **the unions came back with a new proposal** les syndicats ont répondu par de nouvelles propositions.

**comeback** /'kʌm,bæk/ **n** retour m, rentrée f + **to make** *or* **stage a comeback** *[politician]* faire sa rentrée, revenir sur le devant de la scène.

**COMECON** /'kɒmɪkɒn/ **n** (abbr of **Council for Mutual Economic Assistance**) COMECON m, CAEM m.

**come down** **vi** *[prices]* baisser.

**come forward** **vi** se présenter + **who will come forward as a candidate?** qui va se présenter comme candidat?, qui va se porter candidat?.

**come in** **vi** *(lit)* entrer + **to come in handy** s'avérer très utile + **he came in for a lot of criticism over that deal** il a été l'objet de nombreuses critiques dans cette affaire + **he**

**has £5,000 coming in every year** il touche *or* encaisse 5 000 livres chaque année, il lui tombe 5 000 livres par an.

**come off** **vi** (= *succeed*) *[plans]* se réaliser; *[experiment]* réussir

**vt fus** se détacher de + **to come off the gold standard** abandonner l'étalon-or.

**come out** **vi** *[books, statistics]* sortir, paraître, être publié; *[secret]* être divulgué *or* révélé + **the total comes out at 500** le total s'élève à 500 + **to come out on strike** *(Brit)* se mettre en grève.

**come through** **vi** *(Telec)* + **the call came through** on a eu *or* obtenu la communication.

**come to** **vt fus** *[sum]* revenir à, se monter à + **how much does it come to?** cela fait combien?, cela se monte *or* s'élève à combien?.

**come under** **vt fus** (= *be classified under*) être classé sous + **that comes under the heading of provision** cela se trouve sous la rubrique provision + **this comes under another department** c'est du ressort *or* de la compétence d'un autre service.

**come up** **vi** *[subjects for discussion]* être soulevé, être mis sur le tapis; *[questions]* se poser, être soulevé + **the president will come up for reelection in April** on votera en avril pour la réélection du président

**vt fus** **the sales figures did not come up to our expectations** le chiffre d'affaires n'a pas répondu à notre attente + **to come up with a plan / an idea** proposer *or* suggérer un plan / une idée + **to come up against** *opposition* se heurter à.

**come upon** **vi** + **to come upon sb for £2,000 damages** attaquer qn en dommages-intérêts pour 2 000 livres.

**COMEX** /'kəʊmeks/ *(US)* **n** abbr of **Commodity Exchange** → **commodity**.

**comma** /'kɒmə/ **n** virgule f.

**command** /kə'mɑːnd/ **vt** **a** (= *order*) ordonner, commander + **to command sb to do** ordonner *or* commander à qn de faire **b** (= *make use of*) *money, services, resources* disposer de, avoir à sa disposition **c** (= *obtain*) *attention* exiger + **that commands a high price** cela vaut très cher *or* se vend très cher

**n** **a** (= *order*) ordre m **b** (= *power, authority*) commandement m + **to be in command of** être à la tête de + **under the command of** sous le commandement de + **the chain** *or* **line of command** la hiérarchie, la chaîne de commandement + **command economies** économies pla-

— compounds/composés —

+ **commercial artist** or **designer** dessinateur de publicité, créateur(-trice) publicitaire, graphiste
+ **commercial bank** banque de dépôt
+ **commercial break** (TV) pause publicitaire; (Rad) page de publicité
+ **commercial concern** entreprise commerciale
+ **commercial efficiency** rendement économique
+ **commercial establishment** maison de commerce, établissement commercial
+ **commercial law** droit commercial
+ **commercial marine** marine marchande
+ **commercial paper** (= short-term instrument) billet de trésorerie; (= bank advances on goods sold) papier commercial
+ **commercial stocks** stocks mpl marchands
+ **commercial television / radio** télévision / radio commerciale
+ **commercial traffic** mouvements mpl commerciaux
+ **commercial traveller** (Brit) voyageur or représentant de commerce, VRP
+ **commercial vehicle** véhicule utilitaire

nifiées **c** (= mastery) maîtrise f ◆ **he has a magnificent command of English** il parle magnifiquement l'anglais, il a une excellente maîtrise de l'anglais **d** (Comp) commande f ◆ **command file / key / line** fichier / touche / ligne de commande.

**commence** /kə'mens/ **VTI** débuter, commencer, entamer ◆ **commencing salary** salaire de départ.

**commencement** /kə'mensmənt/ **N** [regulation] commencement m ◆ **commencement of a policy** (Ins) effet d'une police ◆ **commencement of pension** ouverture de la pension de retraite.

**commend** /kə'mend/ **VT** (= praise) louer, faire l'éloge de; (= recommend) recommander, conseiller; (= entrust) confier (to à) remettre (to à, aux soins de)

**commendable** /kə'mendəbl/ **ADJ** recommandable.

**commensurate** /kə'menʃərɪt/ **ADJ** (= proportionate) proportionné (with, to à) ◆ **salary commensurate with the job** salaire en rapport avec le poste.

**comment** /'kɒment/ **VI** faire des remarques or des observations or des commentaires (on sur) **N** observation f, remarque f, commentaire m ◆ **for your comments** pour observations ◆ **adverse comment** critique f.

**commentary** /'kɒməntərɪ/ **N** commentaire m.

**commerce** /'kɒmɜːs/ **N** commerce m, affaires fpl ◆ **Department of Commerce** (US) ministère du Commerce ◆ **Chamber of Commerce** Chambre de commerce.

**commercial** /kə'mɜːʃəl/ **ADJ** (gen) commercial; value marchand; district commerçant; property à usage commercial ◆ **sample of no commercial value** échantillon sans valeur ◆ **in the commercial world** dans le monde du commerce **N** (TV) annonce f publicitaire, publicité f, spot m publicitaire, pub f *.

**commercialese** /kə'mɜːʃəˌliːz/ **N** jargon m commercial.

**commercialization, commercialisation** /kəˌmɜːʃələr'zeɪʃən/ **N** commercialisation f.

**commercialize, commercialise** /kə'mɜːʃəlaɪz/ **VT** commercialiser.

**commissary** /'kɒmɪsərɪ/ **N** (US Admin) coopérative f.

**commission** /kə'mɪʃən/ **N a** (Comm) commission f, courtage m, pourcentage m ◆ **paid on a commission basis** rémunéré à la commission ◆ **to charge a commission** prélever une commission or un pourcentage ◆ **to receive 5% commission** toucher une commission de 5% ◆ **banking commission** commission bancaire ◆ **buying commission** commission d'achat ◆ **sale commission** commission de vente ◆ **underwriting commission** commission de garantie **b** (= official warrant) pouvoir m, mandat m **c** (= delegation of authority) délégation f de pouvoir or d'autorité, mandat m **d** (= body of people) commission f, comité m ◆ **European Commission** Commission européenne ◆ **fact-finding commission** commission d'enquête **e** (Mar) armement m ◆ **in commission** en armement, en service ◆ **out of commission** hors service

— compounds/composés —

+ **commission account** compte de commission
+ **commission agent** courtier, commissionnaire, agent
+ **commission for acceptance** commission d'acceptation
+ **commission for collection** commission d'encaissement
+ **commission house** maison de commission or de courtage
+ **commission of inquiry** commission d'enquête
+ **commission merchant** or **salesman** courtier, commissionnaire, agent
+ **commission system** système de rémunération à la commission

**vt** **a** *survey, inquiry* demander, ordonner ◆ **to commission sb to do sth** mandater qn pour faire qch, donner pouvoir à qn pour faire qch, charger qn de faire qch ◆ **I have been commissioned to inquire into** j'ai reçu mission de faire une enquête sur ◆ **government commissioned report** enquête demandée *or* ordonnée *or* prescrite par le gouvernement **b** *ship, nuclear plant* mettre en service.

**commissionaire** /kə,mɪʃə'nɛəʳ/ **N** **a** *(US)* courtier m, commissionnaire m, agent m **b** *(Brit)* *[hotel]* portier m.

**commissioner** /kə'mɪʃənəʳ/ **N** *(Admin)* commissaire m ; *(Brit Police)* préfet m de police ◆ **commissioner for oaths** *officier ministériel ayant qualité pour recevoir les déclarations sous serment* ◆ **Commissioners of Customs and Excise** agents du fisc *or* comptables du Trésor *or* percepteurs chargés du recouvrement des droits de douane et des impôts indirects ◆ **Commissioners of the Inland Revenue** *(Brit)* agents du fisc *or* comptables du Trésor *or* percepteurs chargés du recouvrement des impôts directs ◆ **European commissioner** commissaire européen.

**commissioning** /kə'mɪʃənɪŋ/ **N** *[ship, plant]* mise f en service.

**commit** /kə'mɪt/ **vt** *mistake* commettre ◆ **to commit o.s. to do** s'engager à faire

———— *compounds/composés* ————
◆ **committed costs** charges fpl de structure
◆ **committed assets** actifs mpl engagés.

**commitment** /kə'mɪtmənt/ **N** engagement m ◆ **bull commitments** *(St Ex)* engagements à la hausse ◆ **capital commitment** engagement de capitaux ◆ **owing to previous commitments** par suite d'engagements antérieurs ◆ **to meet one's commitments** tenir ses engagements, faire face à ses obligations

———— *compounds/composés* ————
◆ **commitment fee** commission sur le montant d'un prêt non utilisé.

**committee** /kə'mɪtɪ/ **N** commission f, comité m ◆ **to be** *or* **sit on a committee** faire partie d'une commission *or* d'un comité, siéger dans une commission ◆ **ad hoc committee** commission ad hoc ◆ **advisory committee** commission consultative ◆ **arbitration committee** commission d'arbitrage ◆ **executive** *or* **management committee** comité de direction ◆ **joint consultative committee** commission consultative

paritaire ◆ **joint production committee** comité d'entreprise ◆ **standing committee** commission permanente ◆ **steering committee** commission d'organisation ◆ **Stock-Exchange committee** chambre syndicale des agents de change ◆ **supply committee** *(US)* commission des finances

———— *compounds/composés* ————
◆ **committee of inquiry** *(Pol)* commission d'enquête
◆ **committee of inspection** *(Jur)* comité de contrôle des créanciers
◆ **committee meeting** réunion de commission *or* de comité
◆ **committee member** commissaire, membre d'une commission *or* d'un comité
◆ **committee of public accounts** *(Brit)* ≈ Cour f des comptes
◆ **committee of ways and means** *(Pol)* commission des finances.

**commodity** /kə'mɒdɪtɪ/ **N** *(gen)* produit m, article m, marchandise f ; *(= food)* denrée f ◆ **commodities** *(= raw materials)* matières premières ◆ **commodity flow** circulation des marchandises ◆ **household commodity** article de ménage ◆ **staple** *or* **basic** *or* **primary commodities** produits de base ◆ **standard commodity** bien étalon

———— *compounds/composés* ————
◆ **commodity approach** *(Mktg)* approche (du) produit
◆ **commodity broker** courtier en matières premières
◆ **commodity credit** crédits mpl commerciaux
◆ **commodity credit corporation** *(US)* agence gouvernementale chargée de veiller à la stabilité des produits agricoles
◆ **commodity currency** monnaie marchandise
◆ **Commodity Exchange** *(US)* Bourse de commerce *or* de marchandises
◆ **commodity futures market** marché à terme des matières premières
◆ **commodity futures trading** opérations fpl à terme sur les marchandises
◆ **commodity market** Bourse de commerce *or* des marchandises
◆ **commodity pricing** fixation des prix par le jeu du marché
◆ **commodity research bureau index** *(US)* indice des marchés commerciaux aux États-Unis.

**common** /'kɒmən/ **ADJ** *interest, cause, language* commun ◆ **by common consent** d'un commun accord ◆ **there is no common ground for negotiations** il n'y a aucun terrain d'entente pour des négociations ◆ **it's common knowledge that** chacun sait que, il est de notoriété publique que

**compact**

---
*compounds/composés*

- **common adventure** *(Mar)* aventure commune
- **Common Agricultural Policy** *(EU)* politique agricole commune
- **common average** *(Mar Ins)* avarie(s) commune(s)
- **common carrier** entrepreneur général de transports
- **common costs** charges fpl communes
- **common customs tariff** *(EU)* tarifs mpl douaniers communautaires
- **common labour** main-d'œuvre non qualifiée
- **common law** droit coutumier
- **(European) Common Market (the)** le Marché commun
- **common pricing** entente (illicite) en matière de prix
- **common revenue** produit d'exploitation commun
- **common seal** sceau légal
- **common shares** *(Brit)*, **common stock** *(US)* actions fpl ordinaires.

---

**commonality** /ˌkɒməˈnælɪtɪ/ **N** *(Ind)* standardisation f ◆ **we are looking for commonalities** nous cherchons à utiliser des composants communs à plusieurs produits.

**Commonwealth** /ˈkɒmənwelθ/ **N** ◆ **The Commonwealth, The British Commonwealth (of Nations)** le Commonwealth ◆ **Commonwealth of Independent States** Communauté des États indépendants, CEI.

**communal** /ˈkɒmjuːnl/ **ADJ** *(= of the community)* communautaire, de la communauté; *(= owned in common)* commun, public ◆ **communal ownership** copropriété.

**communicate** /kəˈmjuːnɪkeɪt/ **VTI** communiquer *(with* avec)

**communication** /kəˌmjuːnɪˈkeɪʃən/ **N** *(gen, Comp, Tech)* communication f ◆ **horizontal / vertical communication** communication horizontale / verticale ◆ **to be in communication with sb** être en contact *or* en rapport *or* relation(s) avec qn ◆ **data communication(s)** *(Comp)* communication *or* transmission de données ◆ **communications** *(= roads, railways)* communications

---
*compounds/composés*

- **communication barrier** obstacle à la communication
- **communication gap** manque *or* absence de communication
- **communication link** liaison
- **communication media** média(s) mpl, supports mpl de communication
- **communication network** réseau de communication

---

- **communications satellite** satellite de communication
- **communication strategy** stratégie de communication
- **communications theory** théorie de la communication.

---

**communicator** /kəˈmjuːnɪkeɪtəʳ/ **N** communicateur m ◆ **she's a good communicator** elle communique bien.

**communiqué** /kəˈmjuːnɪkeɪ/ **N** communiqué m.

**communism** /ˈkɒmjʊnɪzəm/ **N** communisme m.

**community** /kəˈmjuːnɪtɪ/ **N** **a** *(gen, Jur)* communauté f ◆ **the business community** le monde des affaires ◆ **community of goods / interests** communauté de biens / d'intérêts **b** *(Pol)* ◆ **the Community** la Communauté ◆ **Community budget / regulation** budget / règlement communautaire

---
*compounds/composés*

- **community charge** *(Brit)* impôts locaux, ≈ taxe d'habitation
- **community jobs** ≈ travaux mpl d'utilité collective
- **community network** réseau de télévision par câbles.

---

**communization, communisation** /ˌkɒmjuːnaɪˈzeɪʃən/ **N** collectivisation f.

**communize, communise** /ˈkɒmjuːnaɪz/ **VT** *land, industries* collectiviser.

**commutability** /kəˌmjuːtəˈbɪlɪtɪ/ **N** *(gen)* interchangeabilité f, permutabilité f ; *(Jur)* commuabilité f.

**commutable** /kɒˈmjuːtəbl/ **ADJ** *(gen)* interchangeable, permutable; *(Jur)* commuable *(to* en)

**commutation** /ˌkɒmjʊˈteɪʃən/ **N** **a** *(gen = change)* échange m *(Jur, Ins)* commutation f **b** *(US)* trajet m journalier ◆ **commutation ticket** carte d'abonnement.

**commute** /kəˈmjuːt/ **VT** *(gen)* échanger *(for, into* pour, contre, avec); *(Jur)* commuer *(into* en) **VI** faire un trajet journalier *(between* entre)

**commuter** /kəˈmjuːtəʳ/ **N** banlieusard(e) m(f)

---
*compounds/composés*

- **commuter belt (the)** *(Brit)* la grande banlieue
- **commuter migrations** migrations fpl alternantes.

---

**compact** /kəmˈpækt/ **N** *(= agreement)* contrat m, convention f, entente f, accord m ◆ **social compact** contrat social

―――― compounds/composés ――――
◆ **compact disc** disque compact.

**company** /ˈkʌmpənɪ/ **N** *(Comm, Fin)* entreprise f, société f, compagnie f, firme f ◆ **to incorporate a company** constituer une société ◆ **to liquidate** *or* **wind up a company** liquider une société ◆ **the City Companies** *(Brit)* les corporations de la Cité de Londres ◆ **register of companies** registre du commerce ◆ **registered company** société inscrite au registre du commerce ◆ **registrar of companies** *(Brit Jur)* (= office) enregistrement, registre du commerce *or* des sociétés; (= person) conservateur du registre du commerce *or* des sociétés ◆ **acting company** compagnie gérante ◆ **affiliated** *or* **subsidiary company** *(gen)* filiale; *(on balance sheet)* société apparentée ◆ **bogus company** société fictive *or* fantôme ◆ **controlling company** société holding ◆ **daughter company** société captive ◆ **holding company** *(Brit)*, **pure holding company** *(US)* société holding ◆ **insurance company** compagnie *or* société d'assurances ◆ **investment company** société d'investissement *or* de placement *or* de portefeuille ◆ **issuing company** société émettrice ◆ **joint-stock company** société par actions ◆ **limited liability company** société à responsabilité limitée ◆ **parent company** maison *or* société mère ◆ **private limited company** *(Brit)* société à responsabilité limitée ◆ **promotary company** *(US)* société de financement ◆ **public limited company** société anonyme ◆ **public utility company** service public ◆ **shipping company** compagnie maritime; *(US)* entreprise de transport routier ◆ **sister company** société appartenant au même groupe, société sœur ◆ **statutory company** société concessionnaire ◆ **subsidiary company** filiale ◆ **trading company** société *or* entreprise commerciale, société de commerce; *(importing)* société d'importation; *(import-export)* société d'import-export

―――― compounds/composés ――――
◆ **Companies Act** *(Brit)* loi sur les sociétés
◆ **company car** voiture de société *or* de fonction
◆ **company director** chef d'entreprise
◆ **company executive** cadre *or* dirigeant d'entreprise
◆ **company formation** constitution de société
◆ **company fixer** repreneur d'entreprise
◆ **company law** droit des sociétés
◆ **company man** homme dévoué à l'entreprise ◆ **he's a real company man** il est complètement dévoué à l'entreprise
◆ **company meeting** assemblée *or* réunion des actionnaires
◆ **company mission** objet de la société

◆ **company newspaper** journal d'entreprise
◆ **company raiders** raiders mpl, attaquants mpl
◆ **Companies Registration Office** Registre du commerce et des sociétés
◆ **company seal** sceau légal
◆ **company secretary** secrétaire général(e)
◆ **company tax** impôt sur les sociétés.

**comparability** /kəmˌpærəˈbɪlɪtɪ/ **N** comparabilité f ◆ **pay comparability** alignement des salaires *(sur ceux d'autres secteurs industriels)*.

**comparative** /kəmˈpærətɪv/ **ADJ** comparatif ◆ **comparative advertising** publicité comparative ◆ **comparative advantage** *(Econ)* avantage comparatif ◆ **theory of comparative costs** théorie des coûts comparatifs.

**comparable** /ˈkɒmpərəbl/ **ADJ** comparable ◆ **on a comparable basis** à périmètre comparable, sur une base comparable.

**compare** /kəmˈpeər/ **VT** *(= liken)* comparer *(to* à); *(= contrast)* comparer *(with* avec)
**VI** se comparer, être comparable *(with* avec) ◆ **how do the prices compare?** les prix sont-ils comparables?, les prix peuvent-ils se comparer?

**comparison** /kəmˈpærɪsn/ **N** comparaison f ◆ **in comparison with** comparé à, en comparaison avec ◆ **by comparison** par comparaison ◆ **to stand comparison** soutenir *or* supporter la comparaison *(with* avec)

―――― compounds/composés ――――
◆ **comparison shopper** *personne chargée de surveiller les prix des magasins concurrents*
◆ **comparison test** test comparatif.

**compatible** /kəmˈpætɪbl/ **ADJ** compatible *(with* avec)
**N** *(Comp)* (ordinateur m) compatible m.

**compel** /kəmˈpel/ **VT** contraindre, obliger, forcer *(sb to do* qn à faire)

**compensate** /ˈkɒmpənseɪt/ **VT** *(= indemnify)* dédommager, indemniser *(for* de); *(= pay)* rémunérer *(for* pour); *(in strength)* compenser, contrebalancer
**VI** compenser, constituer une compensation *(for* de) ◆ **how can we compensate for it?** comment pouvons-nous vous dédommager *or* vous indemniser?

**compensating** /ˈkɒmpənseɪtɪŋ/ **ADJ** *errors, duties* compensatoire.

**compensation** /ˌkɒmpənˈseɪʃən/ **N** *(= indemnity)* compensation f, dédommagement m, indemnisation f, indemnité f ; (= payment) rémunération f ♦ **hourly compensation** salaire horaire ♦ **monetary compensation amount** (EU) montant compensatoire monétaire ♦ **executive compensation** rémunération des cadres ♦ **unemployment compensation** allocation or indemnité de chômage ♦ **to file for compensation** réclamer un dédommagement

___ compounds/composés ___
♦ **compensation fee** (Post) indemnité en cas de perte
♦ **Compensation Fund** (St Ex) caisse de garantie
♦ **compensation stocks** (Brit St Ex) actions fpl de compensation (lors d'une nationalisation).

**compensatory** /ˌkɒmpən'seɪtərɪ/ **ADJ** compensateur ♦ **compensatory fiscal policy** politique de déficit budgétaire ♦ **monetary compensatory amounts** montants compensatoires monétaires.

**compete** /kəm'piːt/ **VI** (= take part) concourir, se mettre sur les rangs (for pour); (Comm) faire concurrence (with à,, for pour) ♦ **to compete with one another** se faire concurrence, être en concurrence.

**competence** /'kɒmpɪtəns/ **N** **a** compétence f, capacité f (for pour, in en) aptitude f (for à, in en) **b** (Jur) compétence f ♦ **within the competence of the court** de la compétence du tribunal.

**competent** /'kɒmpɪtənt/ **ADJ** **a** (= capable) compétent, capable; (= qualified) qualifié (for pour) **b** (= adequate) qualities suffisant, satisfaisant **c** (Jur) court compétent; evidence receivable ♦ **this court is not competent to deal with your case** votre affaire n'est pas de la compétence de ce tribunal.

**competing** /kəm'piːtɪŋ/ **ADJ** product, firm, idea concurrent.

**competition** /ˌkɒmpɪ'tɪʃən/ **N** (= action of competing) compétition f ; (Comm) concurrence f ♦ **cut-throat competition** concurrence féroce or acharnée or sauvage ♦ **imperfect** or **monopolistic competition** (Econ) concurrence monopolistique ♦ **perfect** or **pure competition** (Econ) concurrence pure or parfaite ♦ **unfair competition** concurrence déloyale ♦ **to meet competition** faire face à la concurrence ♦ **in competition with** en concurrence avec **COMP** ♦ **competition clause** clause d'exclusivité.

**competitive** /kəm'petɪtɪv/ **ADJ** **a** entry, selection par concours **b** person combatif; strategy, advantage, position concurrentiel; market compétitif; price, environment concurrentiel, compétitif; goods à prix concurrentiel ♦ **to have a competitive edge on another supplier** être un peu plus compétitif qu'un autre fournisseur

___ compounds/composés ___
♦ **competitive bidding** système d'appel d'offres or de soumission
♦ **competitive claims** promesses fpl de la concurrence
♦ **competitive intelligence** intelligence économique
♦ **competitive pricing** fixation des prix à des niveaux compétitifs
♦ **competitive thrust** agressivité commerciale.

**competitiveness** /kəm'petɪtɪvnɪs/ **N** compétitivité f.

**competitor** /kəm'petɪtəʳ/ **N** concurrent(e) m(f) ♦ **competitor analysis** analyse des concurrents.

**compile** /kəm'paɪl/ **VT** material compiler, rassembler; catalogue, inventory établir, dresser.

**compiler** /kəm'paɪləʳ/ **N** (Comp) compilateur m.

**complain** /kəm'pleɪn/ **VI** (gen) se plaindre (of, about de); (Comm) faire une réclamation (of, about au sujet de) ♦ **to complain that** se plaindre que or de ce que ♦ **you should complain to the director** vous devriez vous plaindre à la direction.

**complainant** /kəm'pleɪnənt/ **N** plaignant(e) m(f).

**complaint** /kəm'pleɪnt/ **N** (gen) plainte f, récrimination f ; (reason for complaint) grief m ; (Comm) réclamation f ; (Jur) plainte f ♦ **I have no cause for complaint** je n'ai pas lieu de me plaindre, je n'ai aucun motif de plainte ♦ **to make a complaint** se plaindre (about de) faire une réclamation (about au sujet de) **to lodge** or **lay a complaint against** (Jur) porter plainte contre ♦ **complaints office** service des réclamations.

**complement** /'kɒmplɪmənt/ **N** (gen) complément m ♦ **staff complement** effectif complet ♦ **with full complement** au grand complet **VT** compléter, être le complément de.

**complementary** /ˌkɒmplɪ'mentərɪ/ **ADJ** complémentaire.

**complete** /kəm'pliːt/ **ADJ** (= total) complet, entier, total; (= finished) achevé, terminé, fini **VT** collection compléter; piece of work achever, finir, terminer; order exécuter; form, questionnaire remplir.

**completely** /kəm'pliːtlɪ/ ADV complètement ◆ **completely built up** *goods* prêt à l'usage ◆ **completely knocked down** en pièces détachées.

**completeness** /kəm'pliːtnɪs/ N intégralité f.

**completion** /kəm'pliːʃən/ N [*work*] achèvement m ; [*contract, sale, order*] exécution f ◆ **payment on completion of contract** paiement en fin de travaux ◆ **under completion, in progress of completion** en cours d'exécution *or* d'achèvement

——— *compounds/composés* ———
◆ **completion date** [*contract*] date d'achèvement
◆ **completion meeting** réunion de signature.

**complex** /'kɒmpleks/ ADJ complexe
◼ complexe m, ensemble m ◆ **entertainment complex** complexe de loisirs ◆ **housing complex** (*gen*) complexe immobilier; [*private houses*] lotissement; [*high rise*] grand ensemble.

**complexity** /kəm'pleksɪtɪ/ N complexité f.

**compliance** /kəm'plaɪəns/ N (= *acceptance*) acquiescement m (*with* à); (= *conformity*) conformité f (*with* avec) ◆ **in compliance with** conformément à, en accord avec ◆ **certificate of compliance** certificat de conformité ◆ **to bring into compliance with** mettre en conformité avec

——— *compounds/composés* ———
◆ **compliance costs** frais mpl de mise en conformité *or* d'adaptation
◆ **compliance test** sondage de conformité.

**complicate** /'kɒmplɪkeɪt/ VT compliquer.

**complicity** /kəm'plɪsɪtɪ/ N complicité f (*in* dans)

**compliment** /'kɒmplɪmənt/ N compliment m ◆ **with compliments** avec les compliments de la direction ◆ **compliments slip** ≈ carte de visite de l'entreprise.

**complimentary** /ˌkɒmplɪ'mentərɪ/ ADJ (= *gratis*) gracieux, à titre gracieux

——— *compounds/composés* ———
◆ **complimentary copy** spécimen (gratuit)
◆ **complimentary subscription** abonnement gratuit
◆ **complimentary ticket** billet de faveur.

**comply** /kəm'plaɪ/ VI obéir, céder, se soumettre (*with* à) ◆ **to comply with a request** faire droit à une requête, accéder à une demande ◆ **to comply with a clause** (*Jur*) observer *or* respecter une disposition.

**component** /kəm'pəʊnənt/ ADJ composant, constituant ◆ **component parts** (*Ind*) composants; (= *elements*) éléments constitutifs
◼ (*gen, Econ*) élément m (*Chem, Ind*) composant m ◆ **electronic components** composants électroniques ◆ **this is a major component of our strategy** c'est un élément majeur *or* une composante majeure de notre stratégie

——— *compounds/composés* ———
◆ **component factory** usine de composants *or* de pièces détachées.

**componentry** /kəm'pəʊnəntrɪ/ N (*Chem, Ind*) composants mpl.

**composite** /'kɒmpəzɪt/ ADJ (*gen*) composite; (= *combined*) combiné ◆ **composite currency units** unités monétaires composites ◆ **composite index** indice composite ◆ **composite insurance** assurance avec participation aux bénéfices ◆ **composite package** (*Mktg*) vente jumelée ◆ **composite rate** taux composite.

**composition** /ˌkɒmpə'zɪʃən/ N (*gen*) composition f (*Jur : with creditor*) accommodement m, compromis m, arrangement m ◆ **to come to a composition** venir à composition, arriver à une entente *or* un accord, parvenir à un compromis ◆ **composition of fifty pence in the pound** concordat de cinquante pour cent.

**compound** /'kɒmpaʊnd/ ADJ *interest* composé ◆ **compound interest bond** obligation à intérêts composés ◆ **compound duties** (*Customs*) droits composés ◆ **compound entry** (*Acc*) article collectif *or* récapitulatif ◆ **compound yield** (*Fin*) rendement global
◼ a *problem, difficulties* aggraver ◆ **unemployment compounded by inflation** chômage aggravé par l'inflation b (*Jur*) *debt, quarrel* régler à l'amiable
◼ (*Jur*) composer, transiger (*with* avec, *for* au sujet de, pour) s'arranger à l'amiable (*with* avec, *for* au sujet de) ◆ **to compound for a tax** transiger avec le fisc.

**compounder** /kɒm'paʊndəʳ/ N (*Jur*) amiable compositeur m.

**comprehensive** /ˌkɒmprɪ'hensɪv/ ADJ *report, review, survey* détaillé, complet, exhaustif ◆ **comprehensive budget** budget directeur *or* général ◆ **comprehensive measures** mesures d'ensemble ◆ **comprehensive insurance policy** (*gen*) police multirisque; (*Aut*) assurance tous risques.

**compress** /kəm'pres/ **VT** *salary, income* comprimer.

**comprise** /kəm'praɪz/ **VT** comprendre, englober, embrasser.

**compromise** /'kɒmprəmaɪz/ **N** compromis m, transaction f ◆ **to come to** or **reach a compromise** aboutir à un compromis, transiger ◆ **to agree to a compromise** accepter une transaction

---
*compounds/composés*
◆ **compromise decision** décision de compromis
◆ **compromise solution** solution de compromis
---

**VI** transiger (*over* sur) aboutir à or accepter un compromis
**VT** **a** (= *imperil*) *project* compromettre **b** (*US*) *disagreement* régler ◆ **they compromised the last significant differences** ils sont arrivés à un compromis sur les derniers points importants de désaccord.

**comptroller** /kən'trəʊlə'/ **N** (*Fin*) contrôleur (-euse) m(f), vérificateur(-trice) m(f) ; (*Admin*) économe mf, intendant(e) m(f) ◆ **Comptroller General** (*US*) président de la Cour des comptes.

**compulsion** /kəm'pʌlʃən/ **N** contrainte f, force f, coercition f ◆ **you are under no compulsion** vous n'êtes nullement obligé, rien ne vous force ◆ **compulsion to buy** obligation d'achat.

**compulsive** /kəm'pʌlsɪv/ **ADJ** **a** (= *obligatory*) coercitif, obligatoire **b** (= *irrational*) irraisonné ◆ **compulsive buying** achat impulsif or d'impulsion.

**compulsorily** /kəm'pʌlsərɪlɪ/ **ADV** obligatoirement ◆ **to be compulsorily retired** être mis à la retraite d'office.

**compulsory** /kəm'pʌlsərɪ/ **ADJ** *loan* forcé; *powers* coercitif, contraignant; *regulations* obligatoire ◆ **compulsory arbitration** arbitrage obligatoire ◆ **compulsory deduction** franchise obligatoire ◆ **compulsory purchase** expropriation (pour cause d'utilité publique) ◆ **compulsory purchase order** (*Brit*) (ordre d') expropriation ◆ **compulsory liquidation** liquidation forcée ◆ **compulsory retirement** mise à la retraite d'office ◆ **compulsory sale** vente forcée or judiciaire ◆ **compulsory surrender** expropriation.

**computation** /ˌkɒmpjʊ'teɪʃən/ **N** **a** calcul m **b** estimation f, évaluation f ◆ **at the lowest computation it will cost...** selon les estimations les plus basses cela va coûter...

**computational** /ˌkɒmpjʊ'teɪʃənl/ **ADJ** de calcul ◆ **computational error** erreur de calcul.

**compute** /kəm'pjuːt/ **VT** calculer, évaluer, estimer (*at* à)

**computer** /kəm'pjuːtə'/ **N** ordinateur m ◆ **he is in computers** il est dans l'informatique ◆ **analog / digital computer** ordinateur analogique / numérique ◆ **desk-top computer** ordinateur de bureau ◆ **personal computer** ordinateur personnel or individuel ■ Voir encadré page suivante.

**computerate** * /kəm'pjuːtərɪt/ **ADJ** qui connaît l'informatique, ayant une culture informatique de base.

**computerization,      computerisation** /kəm,pjuːtəraɪ'zeɪʃən/ **N** traitement m par ordinateur, informatisation f.

**computerize, computerise** /kəm,pjuːtəraɪz/ **VT** traiter or gérer par ordinateur, informatiser ◆ **computerized file** fichier informatisé ◆ **computerized management** gestion informatisée.

**computing** /kəm'pjuːtɪŋ/ **N** (*gen*) calcul m ; (*Comp*) traitement m de données, informatique f ◆ **computing centre** centre de calcul ◆ **computing power** puissance de calcul.

**conceal** /kən'siːl/ **VT** *object* cacher, dissimuler; *news* garder or tenir secret, ne pas divulguer ◆ **concealed assets** actifs non déclarés ◆ **concealed unemployment** chômage caché.

**concealment** /kən'siːlmənt/ **N** [*evidence, profits*] dissimulation f ; [*facts*] non-divulgation f.

**concede** /kən'siːd/ **VT** *privilege* concéder, accorder; *point* concéder.

**conceive** /kən'siːv/ **VT** concevoir.

**concentration** /ˌkɒnsən'treɪʃən/ **N** concentration f ◆ **concentration of industry** concentration industrielle.

**concept** /'kɒnsept/ **N** (*gen*) concept m ◆ **advertising concept** concept or axe publicitaire ◆ **concept testing** test de concept.

**concern** /kən'sɜːn/ **VT** **a** (= *affect*) concerner, toucher, affecter; (= *be of importance to*) concerner, intéresser, importer à; [*be the responsibility of*] regarder, être l'affaire de ◆ **to whom it may concern** à qui de droit ◆ **the persons concerned** les intéressés, les personnes concernées ◆ **the department concerned** (= *under discussion*) le service en question or dont il s'agit; (= *relevant*) le service compétent ◆ **to be concerned in** avoir un intérêt dans **b** (= *trouble*) inquiéter ◆ **to be concerned by** or **about** s'inquiéter de, être inquiet de.

────────── compounds/composés ──────────

COMPUTER

- ◆ **computer accounting** comptabilité informatique
- ◆ **computer age (the)** l'ère de l'ordinateur *or* de l'informatique
- ◆ **computer-aided** *or* **-assisted design** conception assistée par ordinateur, dessin assisté par ordinateur
- ◆ **computer-aided** *or* **-assisted design and manufacturing** conception et fabrication assistées par ordinateur
- ◆ **computer-aided** *or* **-assisted instruction** *or* **learning** enseignement assisté par ordinateur
- ◆ **computer-aided** *or* **-assisted manufacturing** fabrication assistée par ordinateur
- ◆ **computer-assisted trading system** système de cotation électronique
- ◆ **computer-based** *file system* informatisé; *learning* assisté par ordinateur
- ◆ **computer centre** centre de calcul, centre informatique
- ◆ **computer company** société d'informatique; (= *manufacturer*) constructeur d'ordinateurs
- ◆ **computer control** *[stocks]* gestion informatisée
- ◆ **computer-controlled** commandé par ordinateur
- ◆ **computer engineer** ingénieur informaticien
- ◆ **computer file** fichier informatique
- ◆ **computer fraud** fraude informatique
- ◆ **computer graphics** infographie, informatique graphique

- ◆ **computer instruction** instruction machine
- ◆ **computer-integrated manufacturing** production intégrée par ordinateur
- ◆ **computer language** langage de programmation
- ◆ **computer literate** qui connaît l'informatique, ayant une culture informatique de base
- ◆ **computer log** journal de marche
- ◆ **computer map** carte infographique
- ◆ **computer network** réseau informatique *or* d'ordinateurs
- ◆ **computer-operated** commandé par ordinateur
- ◆ **computer operation** opération machine
- ◆ **computer operator** opérateur(-trice) sur ordinateur
- ◆ **computer print-out** sortie (sur) imprimante *or* papier, listage, listing
- ◆ **computer processing** traitement sur ordinateur
- ◆ **computer program** programme informatique
- ◆ **computer programmer** programmeur(-euse)
- ◆ **computer programming** programmation
- ◆ **computer room** salle des machines
- ◆ **computer run** passage-machine
- ◆ **computer science** informatique
- ◆ **computer scientist** informaticien(ne)
- ◆ **computer system** système informatique
- ◆ **computer time** temps machine.

**m** **a** *(Comm :* also **business concern**) entreprise f, affaire f, firme f, maison f (de commerce) ◆ **a going concern** une affaire qui marche *or* florissante **b** (= *share*) intérêt(s) m(pl) (*in* dans) ◆ **he has a concern in the business** il a des intérêts dans l'affaire **c** (= *interest, business*) affaire f ; (= *responsibility*) responsabilité f ◆ **it's no concern of his** cela ne le regarde pas, ce n'est pas son affaire *or* son problème **d** (= *anxiety*) inquiétude f, souci m, préoccupation f.

**concerning** /kən'sɜːnɪŋ/ **PREP** en ce qui concerne, au sujet de, à propos de, concernant.

**concession** /kən'seʃən/ **N** *(gen, Jur)* concession f ; *(Comm)* réduction f ; *[tax]* abattement m, allègement m.

**concessionaire** /kən,seʃə'nɛəʳ/ **N** concessionnaire mf.

**concessional** /kən'seʃənəl/ **ADJ** favorable, avantageux.

**concessionary** /kən'seʃənərɪ/ **ADJ** *(Fin, Jur)* concessionnaire; *ticket, fare* à prix réduit ◆ **concessionary bargaining** *(Ind)* concessions syndicales *négociations dans lesquelles les syndicats admettent des concessions*

**n** concessionnaire mf.

**conciliate** /kən'sɪlɪeɪt/ **VT** **a** (= *placate*) apaiser **b** (= *reconcile*) *opposing views* concilier.

**conciliation** /kən,sɪlɪ'eɪʃən/ **N** conciliation f

────────── compounds/composés ──────────

- ◆ **conciliation board** *(Brit)* conseil d'arbitrage, commission arbitrale
- ◆ **conciliation officer** *(Brit)* conciliateur
- ◆ **conciliation procedure** *(Brit)* procédure de conciliation.

**conciliatory** /kən'sɪlɪətərɪ/ **ADJ** *person* conciliant; *procedure* conciliatoire, de conciliation.

**conclude** /kən'kluːd/ **VT** **a** (= *end*) *business, agenda* conclure, finir, terminer **b** (= *infer*) conclure, déduire, inférer (*from* de, *that* que)

**conclusion** /kən'kluːʒən/ **N** *(gen)* conclusion f ; *[contract]* passation f ◆ **it was a foregone conclusion** c'était réglé *or* prévu d'avance ◆ **to jump to conclusions** tirer des conclusions hâtives ◆ **at the conclusion of the negotiations** à la fin *or* à l'issue des négociations.

**conclusive** /kən'kluːsɪv/ **ADJ** concluant.

**conference**

**concur** /kən'kɜː<sup>r</sup>/ **VI** **a** (= *agree*) être d'accord, s'entendre (*with sb* avec qn, *in sth* sur or au sujet de qch) ◆ **report concurred in by all members** rapport adopté à l'unanimité des membres **b** (= *happen together*) coïncider, arriver en même temps; (= *contribute*) concourir (*to* à)

**concurrence** /kən'kʌrəns/ **N** approbation f, accord m ◆ **to move concurrence in a report** proposer l'adoption d'un rapport.

**concurrent** /kən'kʌrənt/ **ADJ** **a** (= *occurring at same time*) concomitant, simultané **b** (= *acting together*) concerté **c** (= *in agreement*) concordant ◆ **the views of the three experts are concurrent** les opinions des trois experts concordent.

**condemnation** /ˌkɒndem'neɪʃən/ **N** (*gen*) condamnation f (*US* Jur : *of property*) expropriation f pour cause d'utilité publique.

**condition** /kən'dɪʃən/ **N** **a** (= *determining factor*) condition f ◆ **conditions of sale** conditions de vente ◆ **conditions of a contract** conditions d'un contrat, cahier des charges ◆ **terms and conditions of an issue** (*Fin*) modalités d'une émission ◆ **express condition** condition expresse ◆ **implied condition** condition tacite **b** (= *circumstances*) ◆ **conditions** conditions, circonstances ◆ **under present conditions** dans les conditions présentes or actuelles ◆ **working / living conditions** conditions de travail / de vie **c** (= *state*) état m, condition f ◆ **goods in fair condition** marchandises en bon état ◆ **consolidated statement of condition** (*US Fin*) bilan consolidé **VT** **a** (= *determine*) déterminer, conditionner ◆ **our decision was conditioned by the company's half-yearly results** notre décision a été motivée par les résultats semestriels de la société **b** (= *bring into good condition*) remettre en état **c** **to condition people into believing** conditionner les gens à croire.

**conditional** /kən'dɪʃənl/ **ADJ** *agreement, order* conditionnel ◆ **conditional clause** (*Jur*) clause conditionnelle ◆ **conditional endorsement** (*Fin*) endossement conditionnel ◆ **conditional sales agreement** vente sous condition ◆ **to be conditional upon** dépendre de ◆ **sale conditional on obtaining a loan** vente subordonnée à l'obtention d'un prêt ◆ **his appointment is conditional upon his passing his exams** sa nomination dépend de son succès aux examens, pour être nommé, il faut qu'il soit reçu à ses examens.

**condominium** /ˌkɒndə'mɪnɪəm/ (*US*) **N** (= *ownership*) copropriété f ; (= *building*) immeuble m (en copropriété).

**condonation** /ˌkɒndəʊ'neɪʃən/ **N** remise f d'une dette.

**conducive** /kən'djuːsɪv/ **ADJ** contribuant (*to* à) ◆ **to be conducive to** conduire à, mener à, entraîner.

**conduct** /'kɒndʌkt/ **N** **a** (= *behaviour*) conduite f, tenue f, comportement m ◆ **his conduct towards his colleagues** son comportement à l'égard de ses collègues or envers ses collègues **b** [*business*] conduite f

――――― compounds/composés ―――――
◆ **conduct money** cautionnement, dépôt de garantie

**VT** **a** (= *lead*) *campaign, survey* conduire, mener ◆ **conducted visit** visite guidée ◆ **to conduct an inquiry** conduire or mener une enquête (*into* sur) **b** (= *direct, manage*) diriger ◆ **to conduct one's business** diriger ses affaires ◆ **we conduct business with this firm** nous sommes en relations d'affaires avec cette entreprise.

**confederation** /kənˌfedə'reɪʃən/ **N** confédération f ◆ **Confederation of British Industry** conseil national du patronat britannique ≈ CNPF.

**confer** /kən'fɜː<sup>r</sup>/ **VT** (= *award*) conférer, accorder (*on* à) ◆ **to confer a title** conférer un titre **VI** (= *discuss*) conférer, s'entretenir (*with sb* avec qn, *on, about sth* de qch)

**conferee** /ˌkɒnfɜː'riː/ **N** (*at congress*) participant(e) m(f), congressiste mf.

**conference** /'kɒnfərəns/ **N** (= *meeting*) conférence f, réunion f, assemblée f, colloque m, congrès m ; (= *discussion*) conférence f, consultation f ◆ **the secretary is in conference** la secrétaire est en conférence or est occupée ◆ **the conference decided...** les participants à la conférence ont décidé... ◆ **pre-job conference** réunion (*avant l'ouverture d'un chantier*) ◆ **press conference** conférence de presse

――――― compounds/composés ―――――
◆ **Conference Board** ≈ institut m patronal d'études économiques
◆ **conference call** (*Telec*) conférence téléphonique
◆ **conference delegate** congressiste
◆ **conference line** association internationale des armateurs
◆ **conference member** congressiste
◆ **conference proceedings** travaux mpl d'une conférence
◆ **conference table** table de conférence
◆ **conference venue** lieu du congrès.

**confess** /kən'fes/ **VT** avouer, confesser ◆ **confessed judgment note** (US) reconnaissance de dette (autorisant les poursuites judiciaires sans aviser le débiteur en cas de non-paiement).

**confession** /kən'feʃən/ **N** aveu m, confession f.

**confidence** /'kɒnfɪdəns/ **N** **a** (= trust) confiance f ◆ **to pass a vote of confidence** voter la confiance (in à) **to restore confidence** rétablir la confiance ◆ **he lacks confidence** il manque de confiance **b** (= secret) confidence f ◆ **this is in strict confidence** c'est strictement confidentiel ◆ **write in strict confidence to X** écrire à X: discrétion garantie or assurée

---
*compounds/composés*

- **confidence game** abus de confiance, escroquerie
- **confidence indicator** indicateur de confiance
- **confidence man** escroc
- **confidence trick** abus de confiance, escroquerie
- **confidence trickster** escroc .
---

**confidential** /ˌkɒnfɪ'denʃəl/ **ADJ** letter, information confidentiel ◆ **confidential clerk** homme de confiance ◆ **confidential secretary** secrétaire particulier.

**configuration** /kən,fɪgjʊ'reɪʃən/ **N** (Comp) configuration f.

**configure** /kən'fɪgəʳ/ **VT** (Comp) configurer.

**confine** /kən'faɪn/ **VT** limiter, borner, restreindre (to à)

**confirm** /kən'fɜːm/ **VT** statement, news, suspicions confirmer, corroborer; authority raffermir, consolider; appointment ratifier; (Jur) decision entériner; election valider ◆ **the court confirms the referee's report** le tribunal adopte or fait siennes les conclusions du juge rapporteur ◆ **confirming house** firme spécialisée dans la mise en contact d'exportateurs et d'acheteurs et garantissant la solvabilité des acheteurs ◆ **confirming my letter** en confirmation de ma lettre.

**confirmation** /ˌkɒnfə'meɪʃən/ **N** [news] confirmation f ; [appointment] ratification f ; (Jur) [decision] entérinement m.

**confirmed** /kən'fɜːmd/ **ADJ** confirmé ◆ **confirmed credit** crédit confirmé ◆ **confirmed letter of credit** lettre de crédit confirmée.

**confiscate** /'kɒnfɪskeɪt/ **VT** confisquer (sth from sb qch à qn)

**confiscation** /ˌkɒnfɪs'keɪʃən/ **N** confiscation f.

**conflict** /'kɒnflɪkt/ **N** conflit m ◆ **conflict of laws** droit international privé
**VI** [opinions, ideas] s'opposer, se heurter ◆ **conflicting evidence** témoignages contradictoires ◆ **conflicting interests** intérêts personnels opposés or divergents.

**confluence** /'kɒnfluəns/ **N** [interests] convergence f.

**conform** /kən'fɔːm/ **VT** actions, methods conformer, adapter, rendre conforme (to à)
**VI** se conformer, s'adapter (to à)

**conformity** /kən'fɔːmɪtɪ/ **N** (= likeness) conformité f, ressemblance f ; (= agreement) conformité f, accord m ◆ **in conformity with the articles** conformément aux statuts.

**confront** /kən'frʌnt/ **VT** **a** rivals confronter (with avec) mettre en présence (with de) **b** difficulty affronter, faire face à.

**confrontation** /ˌkɒnfrən'teɪʃən/ **N** confrontation f (with avec)

**confrontational** /ˌkɒnfrən'teɪʃənəl/ **ADJ** negotiations, tactics d'affrontement.

**confuse** /kən'fjuːz/ **VT** (= throw into disorder) plans bouleverser; (= embarrass) embarrasser; (= mix up) persons, ideas embrouiller ◆ **to confuse sth with sth** confondre qch avec qch.

**congested** /kən'dʒestɪd/ **ADJ** market encombré; telephone lines embouteillé, saturé.

**congestion** /kən'dʒestʃən/ **N** [market] encombrement m ; [telephone lines] saturation f ◆ **congestion surcharge** (Mar) surtaxe d'encombrement ◆ **traffic congestion** embouteillages, encombrements.

**conglomerate** /kən'glɒməreɪt/ **N** conglomérat m ◆ **conglomerate diversification** diversification de type congloméral.

**Congo** /'kɒŋgəʊ/ **N** Congo m ◆ **the Democratic Republic of (the) Congo** la République démocratique du Congo.

**Congolese** /ˌkɒŋgəʊ'liːz/ **ADJ** congolais
**N** (= inhabitant) Congolais(e) m(f).

**congratulate** /kən'grætjʊleɪt/ **VT** féliciter, complimenter (sb on sth qn de qch)

**congratulations** /kən,grætjʊ'leɪʃənz/ **NPL** félicitations fpl, compliments mpl ◆ **congratulations on your success** je vous félicite de votre succès, toutes mes félicitations or tous mes compliments pour votre succès.

**congress** /'kɒŋgres/ **N** a congrès m ◆ **the Trades Union Congress** (Brit) la confédération des syndicats britanniques b (US Pol) ◆ **Congress** Congrès m.

**Congressional** /kɒŋ'græʃənəl/ **ADJ** (US Pol) du Congrès.

**Congressman** /'kɒŋgresmən/ **N** (US Pol) membre m du Congrès, ≈ député m.

**Congresswoman** /'kɒŋgreswʊmən/ **N** (US Pol) femme f membre du Congrès, ≈ femme f député.

**congruence** /'kɒŋgrʊəns/ **N** conformité f.

**congruent** /'kɒŋgrʊənt/ **ADJ** conforme (with à)

**con. inv. N** abbr of **consular invoice** → **consular.**

**conjunction** /kən'dʒʌŋkʃən/ **N** conjonction f ◆ **conjunction of circumstances** concours de circonstances.

**conjuncture** /kən'dʒʌŋktʃər/ **N** conjoncture f, circonstance(s) f(pl).

**connect** /kə'nekt/ **VT** (Elec) raccorder, connecter; (Telec) caller mettre en communication (with avec); telephone brancher ◆ **we are trying to connect you** (Telec) nous essayons d'obtenir votre communication ◆ **a high-speed rail link connects Paris with its outer suburbs** une liaison ferroviaire à grande vitesse relie Paris à la grande banlieue ◆ **to be connected with** (= have dealings with) avoir des rapports or des contacts or des relations avec ◆ **closely connected professions** professions connexes

**VI** this train connects with the boat ce train assure la correspondance avec le bateau ◆ **connecting flight** correspondance.

**connection, connexion** /kə'nekʃən/ **N** a (= link) jonction f, liaison f ; (= relation) rapport m, lien m, relation f, liaison f (with avec, between entre); (= clientele, business contacts) clientèle f, relations fpl d'affaires ◆ **wrong connection** (Telec) faux numéro, fausse communication ◆ **to open up** or **build up a connection with a firm** établir des relations d'affaires avec une entreprise ◆ **to have no further connection with** rompre tout contact avec ◆ **we have no connection with any other firm** nous n'avons rien à voir ni de près ni de loin avec une autre entreprise, toute ressemblance avec une autre société serait purement forfuite ◆ **the forwarding agent brought us into connection** le transitaire nous a mis en relation or en rapport ◆ **our local representative has a wide connection** notre représentant

régional a une vaste clientèle b (Rail) correspondance f (with avec) ◆ **to miss one's connection** manquer la correspondance.

**connect up VT SEP** (gen) raccorder; (Commodity Exchange) mettre en filière; telephone brancher.

**connivance** /kə'naɪvəns/ **N** connivence f, collusion f (with avec)

**connive** /kə'naɪv/ **VI** ◆ **to connive at sth** (= pretend not to notice) fermer les yeux sur qch; (= aid and abet) être de connivence dans qch, être complice de qch.

**conquer** /'kɒŋkər/ **VT** markets conquérir.

**conquest** /'kɒŋkwest/ **N** conquête f.

**conscientious** /ˌkɒnʃɪ'enʃəs/ **ADJ** employee consciencieux.

**consecutive** /kən'sekjʊtɪv/ **ADJ** consécutif ◆ **on 4 consecutive days** pendant 4 jours consécutifs or de suite ◆ **consecutive interpreting** interprétation consécutive.

**consensual** /kən'sensjʊəl/ **ADJ** contract consensuel.

**consensus** /kən'sensəs/ **N** consensus m, accord m général ◆ **market consensus** consensus de place ◆ **the general consensus was that we should accept their offer** de l'avis général nous devrions accepter leur offre, tout le monde s'est accordé pour dire que nous devrions accepter leur offre.

**consent** /kən'sent/ **VI** consentir (to sth à qch, to do à faire); (to a request) accéder (to à)
**N** consentement m, assentiment m ◆ **to give one's consent** donner son consentement (to à) **by common consent** d'un commun accord ◆ **by mutual consent** (general agreement) d'un commun accord; (private agreement) de gré à gré, à l'amiable

———— compounds/composés ————
◆ **consent decree** (Jur) ordonnance de confirmation.

**consequence** /'kɒnsɪkwəns/ **N** (= result, effect) conséquence f, suites fpl ; (= importance) importance f, conséquence f ◆ **the consequences of this takeover are of global significance for the industry** les conséquences de ce rachat affectent l'ensemble de l'industrie ◆ **it's of no consequence** cela n'a aucune importance.

**consequential** /ˌkɒnsɪ'kwenʃəl/ **ADJ** (= important) important; (= resultant) consécutif; (= indirect) indirect ◆ **consequential damage** dommage indirect ◆ **consequential effect of a court**

action conséquences indirectes d'une action ◆ **consequential-loss policy** police couvrant les pertes indirectes.

**conservation** /ˌkɒnsəˈveɪʃən/ N *(gen)* préservation f ◆ **energy conservation** économies d'énergie ◆ **nature conservation** défense de l'environnement, protection de la nature.

**conservationist** /ˌkɒnsəˈveɪʃənɪst/ N partisan m de la défense de l'environnement, écologiste mf.

**conservative** /kənˈsɜːvətɪv/ ADJ **a** *(Pol)* conservateur ◆ **the Conservative Party** *(Brit)* le parti conservateur **b** *assessment* prudent ◆ **conservative estimate** évaluation prudente ◆ **at a conservative estimate** au minimum, au bas mot ◆ **conservative accounting** comptabilisation prudente

**N** *(Pol)* conservateur(-trice) m(f).

**conserve** /kənˈsɜːv/ VT *(= save) (gen)* conserver, préserver; *resources* ménager.

**consider** /kənˈsɪdər/ VT *problem, possibility* considérer, envisager, examiner, réfléchir à; *cost, difficulties, dangers* tenir compte de, considérer ◆ **everything considered** tout bien considéré, tout compte fait ◆ **he is being considered for the post** on songe à lui pour le poste ◆ **to consider retaliatory measures** envisager des représailles.

**considerable** /kənˈsɪdərəbl/ ADJ *(= sizeable)* non négligeable, relativement important; *(= huge)* considérable ◆ **we had considerable difficulty in getting this appointment** nous avons eu beaucoup de mal à obtenir ce rendez-vous ◆ **it will involve us in considerable expense** cela nous entraînera dans des dépenses considérables.

**consideration** /kənˌsɪdəˈreɪʃən/ N **a** *(= careful thought)* considération f ◆ **to take sth into consideration** prendre qch en considération, tenir compte de qch ◆ **taking everything into consideration** tout bien considéré or posé ◆ **your project is under consideration** votre projet est à l'examen or à l'étude ◆ **after due consideration** après mûre réflexion ◆ **on further consideration** après plus amples examens ◆ **please give my suggestion your careful consideration** je vous prie d'accorder toute votre attention à ma suggestion **b** *(Fin)* provision f *(for* de) ◆ **to give consideration for a bill** provisionner une lettre de change ◆ **inadequate consideration** contrepartie insuffisante ◆ **part(ial) consideration** contrepartie partielle **c** *(= facts to be taken into account)* préoccupation f, considération f ; *(= motive)* motif m

◆ **money is the first consideration** il faut considérer en premier lieu la question d'argent ◆ **it's of no consideration** cela n'a aucune importance ◆ **money is no consideration** l'argent n'entre pas en ligne de compte ◆ **for valuable consideration** à titre onéreux ◆ **his age was an important consideration** son âge constituait un facteur important **d** *(= reward, payment)* rétribution f, rémunération f ◆ **to do sth for a consideration** faire qch moyennant finance *or* paiement.

**consign** /kənˈsaɪn/ VT **a** *(= send) goods* consigner, expédier, envoyer *(to sb* à qn, à l'adresse de qn) ◆ **bill of lading consigned to...** connaissement établi au nom de... **b** *(= hand over) funds* confier, remettre, déposer *(to* à)

**consignation** /ˌkɒnsaɪˈneɪʃən/ N **a** *[goods]* consignation f, expédition f, envoi m ◆ **to ship goods to the consignation of sb** envoyer des marchandises en consignation à qn **b** *(Fin)* dépôt m en banque.

**consignee** /ˌkɒnsaɪˈniː/ N *[goods]* consignataire mf, destinataire mf ◆ **bare boat consignee** consignataire en coque nue.

**consigner** /kənˈsaɪnər/ N *[goods]* expéditeur (-trice) m(f), consignateur(-trice) m(f).

**consignment** /kənˈsaɪnmənt/ N **a** *(= action of sending)* consignation f, expédition f, envoi m ◆ **goods for consignment abroad** marchandises à destination de l'étranger ◆ **on consignment** en consignation, en dépôt **b** *(= goods consigned)* arrivage m, envoi m ◆ **I am expecting a large consignment of spare parts** j'attends un gros arrivage de pièces détachées

───── *compounds/composés* ─────

◆ **consignment note** feuille *or* bordereau d'expédition
◆ **consignment sale** vente en dépôt.

**consignor** /kənˈsaɪnər/ N *[goods]* expéditeur (-trice) m(f), consignateur(-trice) m(f).

**consistency** /kənˈsɪstənsɪ/ N *[argument, report, policy]* cohérence f, logique f ◆ **to lack consistency** manquer de cohérence

───── *compounds/composés* ─────

◆ **consistency check** contrôle de cohérence *or* d'uniformité
◆ **consistency principle** *(Acc)* principe de la continuité.

**consistent** /kənˈsɪstənt/ ADJ *behaviour* cohérent, conséquent, logique ◆ **his arguments are not**

**consistent** ses arguments ne se tiennent pas *or* n'offrent aucune cohérence ♦ **consistent with** compatible avec, d'accord avec.

**console** /kən'səʊl/ N *(Comp)* console f, pupitre m ♦ **console operator** pupitreur.

**consolidate** /kən'sɒlɪdeɪt/ **VI** **a** *(= strengthen)* one's position consolider, affermir **b** *(Comm, Fin = unite)* businesses réunir; loan, funds, annuities, debts consolider ♦ **consolidated annuities** or **stock** *(Brit)* fonds consolidés, rentes consolidées ♦ **consolidated balance sheet** bilan consolidé ♦ **consolidated figures** chiffre d'affaires consolidé ♦ **consolidated fund** *(Brit)* ≈ fonds consolidés ♦ **consolidated quotation system** *(US)* système centralisé de cotation ♦ **50%-consolidated subsidiary** filiale consolidée à 50% ♦ **they'll try to consolidate employees now working in several locations** ils essaient de regrouper les employés qui travaillent à des endroits différents ♦ **consolidated deliveries** livraisons groupées
**VI** *(= become stronger)* se consolider, s'affermir.

**consolidation** /kən,sɒlɪ'deɪʃən/ N **a** *(= strengthening)* consolidation f, affermissement m **b** *(Comm, Fin)* unification f, consolidation f **c** *(= regrouping)* regroupement m, groupage m ♦ **consolidation of shares** regroupement d'actions **d** *(St Ex : fall)* consolidation f ♦ **market consolidation** consolidation du marché.

**consols** /'kɒnsɒlz/ NPL *(Brit Fin)* fonds mpl consolidés, rentes fpl consolidées.

**consortium** /kən'sɔːtɪəm/ N consortium m ♦ **consortium bank** consortium bancaire.

**conspectus** /kən'spektəs/ N vue f d'ensemble *or* générale.

**conspicuous** /kən'spɪkjʊəs/ ADJ person, clothes voyant; fact notable, remarquable ♦ **conspicuous consumption** consommation ostentatoire.

**conspiracy** /kən'spɪrəsɪ/ N entente f frauduleuse.

**constant** /'kɒnstənt/ **ADJ** dollars, francs constant ♦ **constant equity principle** (principe de la) fixité du capital ♦ **constant monetary unit** monnaie constante
**N** constante f.

**constituent** /kən'stɪtjʊənt/ **ADJ** part, element constituant, composant, constitutif
**N** *(= part, element)* élément m constitutif.

**constitute** /'kɒnstɪtjuːt/ VT **a** *(= appoint)* constituer, instituer, désigner **b** *(= establish)* organization monter, établir; committee constituer **c** *(= amount to)* faire, constituer.

**constitution** /,kɒnstɪ'tjuːʃən/ N *[company]* *(= setting up)* constitution f; *(= articles)* statuts mpl ♦ **under the terms of our constitution** aux termes de nos statuts.

**constrain** /kən'streɪn/ VT **a** *(= force)* contraindre, forcer, obliger (sb to do qn à faire) **b** *(= restrict)* liberty, person restreindre ♦ **constrained shares** actions à participation restreinte.

**constraint** /kən'streɪnt/ N **a** *(= compulsion)* contrainte f ♦ **to act under constraint** agir sous la contrainte **b** *(= restriction)* contrainte f, gêne f ♦ **budget constraint** contrainte budgétaire ♦ **time constraints** contraintes horaires.

**construction** /kən'strʌkʃən/ N **a** *[building]* construction f **b** *(= interpretation)* interprétation f

─── compounds/composés ───
♦ **construction industry (the)** l'industrie du bâtiment, le bâtiment
♦ **construction worker** ouvrier du bâtiment.

**constructive** /kən'strʌktɪv/ ADJ criticism constructif ♦ **constructive total loss** *(Ins)* perte censée totale ♦ **constructive dismissal** démission forcée *(à cause des pressions exercées par la direction)*.

**consul** /'kɒnsəl/ N consul m.

**consulage** /'kɒnsjʊlɪdʒ/ N droits mpl consulaires, frais mpl consulaires.

**consular** /'kɒnsjʊləʳ/ ADJ consulaire ♦ **consular invoice** *(Customs)* facture consulaire.

**consulate** /'kɒnsjʊlɪt/ N consulat m.

**consult** /kən'sʌlt/ **VT** book, person consulter
**VI** consulter, être en consultation *(with* avec*)* ♦ **to consult together over sth** se consulter sur *or* au sujet de qch.

**consultancy** /kən'sʌltənsɪ/ N conseil m ; *(= company)* cabinet-conseil m ; *(= service)* service m de conseil

─── compounds/composés ───
♦ **consultancy fees** frais mpl d'expertise
♦ **consultancy firm** cabinet *or* société de conseil
♦ **consultancy work** expertise .

**consultant** /kən'sʌltənt/ N *(gen)* *(independent)* consultant m, expert-conseil m ; *(salaried)* conseiller m ♦ **he acts as consultant to the firm** il est expert-conseil auprès de la société ♦ **engineering consultant** ingénieur-conseil ♦ **management consultant** conseiller *or* conseil en gestion d'entreprise ✦ **recruitment consul-tant** conseil en recrutement ✦ **tax consultant** conseiller fiscal

─── compounds/composés ───
✦ **consultant engineer** ingénieur-conseil
✦ **consultant service** assistance technique.

**consultation** /ˌkɒnsəlˈteɪʃən/ N consultation f ✦ **in consultation with** en consultation avec ✦ **to hold a consultation** délibérer (*about* sur) conférer.

**consultative** /kənˈsʌltətɪv/ ADJ consultatif.

**consulting** /kənˈsʌltɪŋ/

─── compounds/composés ───
✦ **consulting engineer** ingénieur-conseil m
✦ **consulting firm** société f de conseil.

**consumable** /kənˈsjuːməbl/ ADJ consommable ◼ produit m de consommation ✦ **consumables** (*Comp*) consommables.

**consume** /kənˈsjuːm/ VT *food, drink, petrol* consommer; *supplies, resources* consommer, dissiper ✦ **consumed cost** coût abordé.

**consumer** /kənˈsjuːməʳ/ N consommateur(-tri-ce) m(f) ✦ **end consumer** consommateur final ◼ Voir encadré ci-dessous.

**consumerism** /kənˈsjuːməˌrɪzəm/ N consumé-risme m, défense f des consommateurs.

**consumerist** /kənˈsjuːməˌrɪst/ N consumé-riste mf, défenseur m des consommateurs.

**consummate** /kənˈsʌmɪt/ (*US*) VT parfaire ✦ **28 meetings were necessary to consummate a new agreement** il a fallu 28 séances pour parachever un nouvel accord.

**consumption** /kənˈsʌmpʃən/ N [*food, fuel*] consommation f ✦ **consumption per capita** consommation par tête ✦ **domestic** *or* **internal consumption** consommation intérieure

─── compounds/composés ───
✦ **consumption goods** biens mpl de consom-mation
✦ **consumption pattern** schéma *or* modèle de consommation
✦ **consumption research** consommatique.

**contact** /ˈkɒntækt/ ◼ a contact m ✦ **to be in / come into contact with sb** être / entrer en contact *or* en rapport avec qn

─── compounds/composés ───

### CONSUMER

✦ **consumer acceptance** acceptation par les consommateurs
✦ **consumer advertising** publicité grand public
✦ **consumer brand** marque grand public, produit de grande consommation
✦ **consumer company** société de biens de grande consommation
✦ **consumer credit** crédit à la consommation
✦ **consumer demand** demande des consomma-teurs
✦ **consumer durables** biens mpl de consomma-tion durables *or* d'équipement ménager, arti-cles mpl d'équipement
✦ **consumer expenditure** dépenses fpl de consommation
✦ **consumer goods** biens mpl de (grande) consommation
✦ **consumer habits** habitudes fpl de consomma-tion
✦ **consumer loyalty** fidélité du consommateur
✦ **consumer market** marché de la consommation
✦ **consumer marketing** marketing des produits de grande consommation
✦ **consumer needs** besoins mpl des consomma-teurs
✦ **consumer organization** organisme de défense des consommateurs
✦ **consumer-oriented products** produits mpl grand public

✦ **consumer panel** groupe-témoin, panel de consom-mateurs
✦ **consumer price** prix à la consommation
✦ **consumer price index** (*US*) indice des prix de détail, indice des prix à la consommation
✦ **consumer product** produit de grande consomma-tion
✦ **consumer protection** protection *or* défense du consommateur ✦ **consumer protection agency** orga-nisme de défense des consommateurs
✦ **consumer reluctance** réticence des consomma-teurs
✦ **consumer requirements** exigences fpl des consommateurs
✦ **consumer research** étude de consommation
✦ **consumer resistance** résistance des consomma-teurs
✦ **consumer response** réaction des consommateurs
✦ **consumer society** société de consommation
✦ **consumer spending** dépenses fpl de consomma-tion *or* des ménages
✦ **consumer survey** étude de consommation, en-quête auprès des consommateurs
✦ **consumer test** test de consommation
✦ **consumer trends** tendances fpl de la consomma-tion
✦ **consumer union** mouvement de consommateurs.

**b** *(= acquaintance)* contact m, connaissance f, relation f ◆ **he has some contacts in Hong-Kong** il a des contacts *or* des relations à Hong-Kong

―――――― *compounds/composés* ――――――
◆ **contact man** agent de liaison chargé des relations publiques

**VT** *person* contacter, se mettre en contact *or* en rapport avec, entrer en relations avec.

**contain** /kən'teɪn/ **VT** **a** *[box, envelope]* contenir ◆ **the room will contain 70 people** la salle peut contenir 70 personnes **b** *(= restrain)* demand restreindre, contenir, modérer, maîtriser.

**container** /kən'teɪnəʳ/ **N** *(gen)* contenant m ; *(Comm)* emballage m ; *(goods transport)* conteneur m

―――――― *compounds/composés* ――――――
◆ **container berth** poste à quai pour navires porte-conteneurs
◆ **container car** *(US)* wagon porte-conteneurs
◆ **container dock** dock pour la manutention de conteneurs
◆ **container line** ligne transconteneur
◆ **container ship** porte-conteneurs
◆ **container terminal** terminal de conteneurs
◆ **container transport** transport par conteneurs.

**containerization,**      **containerisation** /kən,teɪnəraɪ'zeɪʃən/ **N** conteneurisation f, mise f en conteneurs.

**containerize, containerise** /kən,teɪnəraɪz/ **VT** mettre en conteneurs, conteneuriser ◆ **containerized shipping** expédition en conteneur(s).

**containment** /kən'teɪnmənt/ **N** *[demand]* restriction f ◆ **cost containment** compression du prix de revient.

**contango** /kən'tæŋgəʊ/ **N** *(St Ex)* report m ◆ **contango day / market** jour / marché des reports **VTI** *(St Ex)* reporter (une position).

**contemplate** /'kɒntempleɪt/ **VT** *action, purchase* envisager ◆ **to contemplate doing** envisager de *or* songer à *or* se proposer de faire.

**contempt** /kən'tempt/ **N** mépris m ◆ **contempt of the chair** manquement envers l'autorité du président ◆ **contempt of court** refus de se plier à l'autorité de la loi ≈ outrage à la cour *or* à magistrat ◆ **contempt of court proceedings will be served on the union** le syndicat sera poursuivi pour non-respect des décisions de justice.

**contend** /kən'tend/ **VI** combattre, lutter *(with* contre) être aux prises *(with* avec) ◆ **the contending party** *(Jur)* la partie contestante.

**content** /kən'tent/ **N** *[book, report, official document]* teneur f, contenu m ; *[metal]* teneur f, titre m ◆ **contents** *[box]* contenu ◆ **what do you think of the content of the article?** que pensez-vous du contenu *or* du fond de l'article? ◆ **(table of) contents** *[book]* table des matières.

**contention** /kən'tenʃən/ **N** **a** *(= dispute)* démêlé m, dispute f ◆ **bone of contention** pomme de discorde **b** *(= argument, point argued)* assertion f, affirmation f ◆ **my contention is that** je soutiens que.

**contentious** /kən'tenʃəs/ **ADJ** *subject, issue* contesté, litigieux ◆ **contentious negotiations** négociations litigieuses ◆ **contentious matter** point litigieux ◆ **contentious proceedings** procédure contradictoire.

**contest** /kən'test/ **VT** *question, result* contester, discuter ◆ **to contest sb's right to do** contester à qn le droit de faire ◆ **to contest a will** attaquer *or* contester un testament ◆ **contested claim** *(Fin)* créance litigieuse
**N** *(= struggle)* combat m, lutte f *(with* avec, contre, *between* entre); *(= competition)* concours m ◆ **beyond contest** sans contestation possible.

**contestant** /kən'testənt/ **N** concurrent(e) m(f).

**context** /'kɒntekst/ **N** contexte m.

**continent** /'kɒntɪnənt/ **N** *(gen)* continent m ◆ **the Continent** *(Brit)* l'Europe continentale.

**contingency** /kən'tɪndʒənsɪ/ **N** **a** *(= unforeseen event)* éventualité f, événement m imprévu *or* inattendu ◆ **contingencies** impondérables ◆ **to provide for** *or* **guard against all contingencies** parer à toutes éventualités **b** *(Stat)* contingence f

―――――― *compounds/composés* ――――――
◆ **contingency fund** caisse *or* fonds de prévoyance
◆ **contingency payments** frais mpl divers
◆ **contingency plan** plan d'urgence *or* de secours
◆ **contingency reserve** fonds mpl de réserve.

**contingent** /kən'tɪndʒənt/ **ADJ** éventuel, fortuit, accidentel ◆ **contingent account** (compte d') imprévus ◆ **contingent assets** actif potentiel *or* éventuel ◆ **contingent budget** budget conjoncturel ◆ **contingent claim** créance éventuelle ◆ **contingent**     **consideration**     contrepartie conditionnelle ✦ **contingent expenses** dépenses imprévues ✦ **contingent liability** passif éventuel, dette éventuelle ✦ **contingent market** *(Ins)* marché conditionnel ✦ **contingent order** *(St Ex)* ordre lié ✦ **to be contingent upon** dépendre de.

**continuation** /kən,tɪnjʊ'eɪʃən/ **N** **a** *(= no interruption)* poursuite f ✦ **the continuation of the economic upturn** la poursuite de la reprise **b** *(after interruption)* reprise f ✦ **the continuation of work after holidays** la reprise du travail après les vacances **c** *(St Ex)* report m **d** *[text, document]* suite f

—————— *compounds/composés* ——————
✦ **continuation day** *(St Ex)* jour des reports
✦ **continuation operation** opération de report.

**continue** /kən'tɪnjuː/ **VT** continuer *(to do* à *or* de faire); *piece of work* continuer, poursuivre; *policy* maintenir, poursuivre ✦ **to continue sb in a job** maintenir qn dans un poste ✦ **continuing education** formation continue *or* permanente ✦ **continued on page 7** suite (à la) page 7
**VI** **a** *[meeting]* *(= go on without interruption)* continuer, se prolonger; *(after interruption)* reprendre **b** *(= remain)* rester ✦ **to continue in one's job** garder *or* conserver son poste ✦ **to continue in force** demeurer *or* rester en vigueur.

**continuous** /kən'tɪnjʊəs/ **ADJ** *(gen)* continu; *survey* permanent ✦ **continuous audit** vérification continue *or* permanente ✦ **continuous budget** budget perpétuel ✦ **continuous inventory** inventaire permanent *or* continu ✦ **continuous market** *(St Ex)* marché (en) continu ✦ **continuous monitoring** *system* contrôle permanent; *market* suivi *or* pistage permanent ✦ **continuous production** production en continu ✦ **continuous process manufacturing** fabrication *or* transformation en continu ✦ **continuous stationery** papier en continu ✦ **continuous trading** cotation en continu ✦ **continuous variable** variable continue.

**contra** /'kɒntrə/ **N** as per contra *(Acc)* comme ci-contre ✦ **settlement per contra** compensation ✦ **to settle a debt per contra** compenser une dette avec une autre

—————— *compounds/composés* ——————
✦ **contra account** compte de contrepartie
✦ **contra entry** contre-passation, contre-passement

**VT** accounts contrepasser.

**contraband** /'kɒntrəbænd/ **N** *(= smuggling)* contrebande f ; *(= goods)* marchandises fpl de contrebande
**ADJ** de contrebande ✦ **contraband goods** marchandises de contrebande.

**contract** /'kɒntrækt/ **N** contrat m ✦ **by contract** par contrat ✦ **by private contract** à l'amiable, de gré à gré ✦ **to bind o.s. by contract** s'engager par contrat ✦ **to draw up a contract** dresser *or* rédiger un contrat ✦ **to enforce a contract** faire exécuter un contrat ✦ **to enter into a contract with sb for sth** passer un contrat avec qn pour qch ✦ **to impugn a contract** attaquer un contrat ✦ **to put work out to contract** mettre *or* donner du travail en adjudication *or* à l'entreprise ✦ **to cancel** *or* **void a contract** annuler un contrat ✦ **to tender for a contract** faire une soumission pour une adjudication, répondre à un appel d'offres ✦ **to terminate a contract** résilier *or* mettre fin à un contrat ✦ **to secure a contract** *[business firm]* obtenir un contrat; *(Admin)* être déclaré adjudicateur d'un contrat ✦ **non-fulfilment of contract** non-respect du contrat ✦ **breach of contract** rupture de contrat ✦ **draft contract** projet de contrat ✦ **employment contract** contrat de travail ✦ **express contract** contrat en bonne et due forme ✦ **government contract** contrat-adjudication de l'État ✦ **group contract** contrat collectif ✦ **implied contract** contrat tacite ✦ **labour contract** *(= agreement)* accord sur les salaires; *(= document)* contrat de travail ✦ **private contract** contrat sous seing privé ✦ **skeleton contract** contrat type ✦ **union contract** convention collective ✦ **yellow-dog contract** *(US)* contrat interdisant la participation à des grèves et l'appartenance à un syndicat

—————— *compounds/composés* ——————
✦ **contract bargaining** négociations fpl salariales
✦ **contract bond** garantie de bonne fin
✦ **contract joint venture** joint venture sans création de société
✦ **contract labour** main-d'œuvre contractuelle
✦ **contract note** *(St Ex)* bordereau d'achat (or de vente)
✦ **contract party** partie contractante
✦ **contract price** prix forfaitaire *or* contractuel
✦ **contract size** *(St Ex)* quotité du contrat
✦ **contract work** travail à forfait

**VT** **a** debts contracter **b** *(= reduce)* profit margins, home demand comprimer, resserrer
**VI** **a** s'engager (par contrat) ✦ **to contract with sb** passer un marché avec qn ✦ **to contract with sb to do** passer un contrat avec qn pour

faire, s'engager vis-à-vis de qn à faire ◆ **he has contracted for the building of the new hospital** il a un contrat *or* il a passé un marché pour la construction du nouvel hôpital ◆ **contracting party** partie contractante **b** *(= shrink) [market]* se contracter, se réduire, se rétrécir.

**contract in** vi s'engager (par contrat).

**contraction** /kən'trækʃən/ N *[market]* contraction f, rétrécissement m.

**contractionary** /kən'trækʃənərɪ/ ADJ ◆ **contractionary pressure** *(Econ)* poussée récessionniste ◆ **contractionary policy** politique d'austérité.

**contractor** /ˌkən'træktə<sup>r</sup>/ N entrepreneur m ◆ **building contractor** entrepreneur de maçonnerie ◆ **haulage contractor** *(gen)* entrepreneur de transports routiers, transporteur.

**contract out** vi *(= withdraw)* se libérer, se dégager, se retirer *(of* de) ◆ **to contract out of an agreement** rompre un contrat ◆ **contracting out clause** clause de renonciation vt *(= subcontract)* sous-traiter ◆ **the work was contracted out to sb else** on a donné le travail à un autre sous-traitant.

**contractual** /kən'træktʃʊəl/ ADJ *commitments* contractuel ◆ **contractual liability** responsabilité contractuelle ◆ **contractual payment** paiement forfaitaire.

**contradict** /ˌkɒntrə'dɪkt/ VT *(gen)* contredire.

**contradiction** /ˌkɒntrə'dɪkʃən/ N contradiction f ◆ **a contradiction in terms** une contradiction dans les termes.

**contrary** /'kɒntrərɪ/ ADJ contraire *(to* à) en opposition *(to* avec) N contraire m ◆ **unless you hear to the contrary** sauf instruction contraire, sauf contrordre.

**contravene** /ˌkɒntrə'viːn/ VT *law* enfreindre, violer, contrevenir à.

**contravener** /ˌkɒntrə'viːnə<sup>r</sup>/ N *(Jur)* contrevenant m.

**contravention** /ˌkɒntrə'venʃən/ N infraction f *(of* à) ◆ **in contravention of the rules** en violation des règles.

**contribute** /kən'trɪbjuːt/ VT *money* verser ◆ **contributed capital** capital d'apport vi **to contribute to** *(gen)* contribuer à; *discussion* participer à; *magazine* collaborer à ◆ **he contributed nothing to the discussion** il n'a contribué en rien à la discussion.

**contribution** /ˌkɒntrɪ'bjuːʃən/ N *[money, goods]* contribution f *(Admin : to pension fund)* cotisa-

tion f *(to* à) ◆ **employees' contribution** cotisations salariales versées par les employés ◆ **employers' contribution** cotisations patronales ◆ **National Insurance contribution** *(Brit)* cotisation à la Sécurité sociale ◆ **to pay one's contribution** cotiser ◆ **contribution of capital** apport de capitaux

─── *compounds/composés* ───

◆ **contribution analysis** méthode des coûts variables
◆ **contribution margin** *(Acc)* marge contributive
◆ **contribution pricing** tarification contributive.

**contributor** /kən'trɪbjʊtə<sup>r</sup>/ N *(to publication)* collaborateur(-trice) m(f) ; *[money, goods]* donateur(-trice) m(f) ; *(within the EU)* contributeur m ; *[pension]* cotisant(e) m(f) ◆ **this country is a net contributor** ce pays est un contributeur net ◆ **contributor of capital** apporteur de capital.

**contributory** /kən'trɪbjʊtərɪ/ ADJ **a** *(Jur) cause* accessoire ◆ **contributory negligence** imprudence de la part du sinistré **b** **contributory / non-contributory pension fund** caisse de retraite avec / sans cotisation salariale ◆ **contributory pension scheme** système de retraite par répartition ◆ **non-contributory pension scheme** régime de retraite entièrement financé par l'employeur ◆ **contributory service** années de cotisation *or* de versement validables pour la retraite.

**contrive** /kən'traɪv/ VT *plan, scheme* combiner, inventer ◆ **to contrive to do** s'arranger pour faire, trouver le moyen de faire.

**control** /kən'trəʊl/ N **a** *(= authority) (gen)* autorité f *[traffic]* réglementation f ; *[aircraft]* contrôle m ; *[pests]* élimination f, suppression f ◆ **to lose control of a situation** perdre le contrôle d'une situation, ne plus être maître d'une situation ◆ **to be in control of a situation, have a situation under control** contrôler une situation, être maître d'une situation ◆ **under government control** sous contrôle gouvernemental ◆ **circumstances beyond our control** circonstances indépendantes de notre volonté ◆ **who is in control here?** quel est le responsable ici? ◆ **control by exception** contrôle par exception ◆ **accounting / budgetary control** contrôle comptable / budgétaire ◆ **credit control** encadrement du crédit ◆ **exchange control** contrôle des changes ◆ **exchange controls have been lifted** les mesures de contrôle des changes ont été levées ◆ **management control** contrôle de gestion ◆ **price**

**controls** contrôle des prix ◆ **quality control** contrôle de qualité ◆ **inventory** or **stock control** contrôle or gestion des stocks **b controls** [train, car, ship] commandes fpl **c** (Comp) commande f, contrôle m

**VT** inflation maîtriser, contenir; credit encadrer; organization, business diriger, être à la tête de; prices, wages contrôler

─────── compounds/composés ───────
◆ **control account** compte collectif
◆ **control block** bloc de contrôle
◆ **control character** (Comp) caractère de contrôle
◆ **control knob** bouton de réglage or de commande
◆ **control panel** [aircraft] tableau de bord ; (TV, Comp) pupitre de commande
◆ **control room** (gen) poste de contrôle ; (Rad, TV) régie
◆ **control unit** (Comp) unité de commande.

**controllable** /kənˈtrəʊləbl/ **ADJ** expenditure, inflation, imports maîtrisable ◆ **controllable cost** coût contrôlable

**controllables** **NPL** (Mktg) facteurs mpl or éléments mpl contrôlables.

**controlled** /kənˈtrəʊld/ **ADJ** market, price réglementé ◆ **controlled economy** économie dirigée ◆ **controlled company** société contrôlée ◆ **controlled label** marque de distributeur ◆ **computer-controlled** commandé par ordinateur.

**controller** /kənˈtrəʊləʳ/ **N** [accounts] contrôleur m, vérificateur m ; (Admin, Ind = manager) contrôleur m ◆ **inventory** or **stock controller** responsable des stocks.

**controllership** /ˌkənˈtrəʊləʃɪp/ (US) **N** commissariat m aux comptes.

**controlling** /kənˈtrəʊlɪŋ/ **ADJ** ◆ **controlling account** compte collectif ◆ **controlling company** société holding ◆ **controlling shareholder** actionnaire majoritaire ◆ **to have a controlling interest in a company** avoir une participation majoritaire dans une société ◆ **rising interest rates are an important controlling factor in determining the level of business investment** l'augmentation des taux d'intérêts est un facteur essentiel dans la maîtrise des niveaux d'investissement des entreprises.

**controversial** /ˌkɒntrəˈvɜːʃəl/ **ADJ** action, decision discutable, sujet à controverse.

**controversy** /kənˈtrɒvəsɪ/ **N** controverse f, polémique f ◆ **to spark controversy** déclencher une controverse or une polémique.

**conurbation** /ˌkɒnɜːˈbeɪʃən/ **N** conurbation f.

**convene** /kənˈviːn/ **VT** meeting convoquer ◆ **to convene a meeting of shareholders** convoquer une assemblée d'actionnaires

**VI** se réunir ◆ **the meeting will convene at 3 o'clock** l'assemblée se réunira à 3 heures, la réunion aura lieu à 3 heures.

**convener** /kənˈviːnəʳ/ **N** [assembly] président(e) m(f).

**convenience** /kənˈviːnɪəns/ **N** (= suitability, comfort) commodité f ◆ **for convenience('s) sake** par souci de commodité ◆ **at your earliest convenience** dans les meilleurs délais, dès que possible ◆ **the house has all modern conveniences** la maison a tout le confort moderne

─────── compounds/composés ───────
◆ **convenience bill** traite de complaisance
◆ **convenience card** carte accréditive
◆ **convenience flag** pavillon de complaisance
◆ **convenience foods** aliments mpl prêts à cuire, plats mpl tout préparés
◆ **convenience goods** produits mpl de grande diffusion or de grande consommation, produits mpl d'achat courant
◆ **convenience store** magasin de proximité.

**convenient** /kənˈviːnɪənt/ **ADJ** commode, pratique ◆ **if it is convenient to you** si vous n'y voyez pas d'inconvénient, si cela ne vous dérange pas ◆ **will it be convenient for you to come tomorrow?** est-ce que cela vous arrange or vous convient de venir demain? ◆ **what would be a convenient time for you?** quelle heure vous conviendrait?.

**conveniently** /kənˈviːnɪəntlɪ/ **ADV** d'une manière commode ◆ **conveniently situated / placed for access to all parts of the country** idéalement situé / placé pour assurer la liaison avec l'ensemble du pays or pour desservir tout le pays.

**convention** /kənˈvenʃən/ **N** (= meeting, agreement) convention f ◆ **convention participant** congressiste.

**conventional** /kənˈvenʃənl/ **ADJ** equipment classique, traditionnel ◆ **using conventional methods the costs are too high** on obtient des coûts trop élevés en utilisant des méthodes traditionnelles.

**convergent** /[kənˈvɜːdʒənt/ **ADJ** convergent ◆ **convergent economy** économie de la convergence.

**convergence** /[kənˈvɜːdʒəns/ **N** convergence f ◆ **convergence criteria** (EU) critères de convergence.

**Copenhagen**

**conversation** /ˌkɒnvəˈseɪʃən/ **N** conversation f, entretien m.

**conversational** /ˌkɒnvəˈseɪʃənl/ **ADJ** ◆ **conversational English** necessary anglais courant exigé ◆ **conversational entry** *(Comp)* saisie en (mode) conversationnel.

**conversationally** /ˌkɒnvəˈseɪʃnəlɪ/ **ADV** *(Comp)* en (mode) conversationnel.

**conversely** /kɒnˈvɜːslɪ/ **ADV** inversement.

**conversion** /kənˈvɜːʃən/ **N** conversion f ◆ **improper conversion of funds** détournement de fonds, malversations

—————— *compounds/composés* ——————
◆ **conversion cost** coût de transformation
◆ **conversion issue** *(St Ex)* émission de conversion
◆ **conversion loan** emprunt de conversion
◆ **conversion premium** prime de conversion
◆ **conversion rate** *(Pub)* taux de ventes générées; *(Fin)* taux de conversion.

**convert** /ˈkɒnvɜːt/ **VT** convertir *(into* en*)* ◆ **to convert funds to another purpose** affecter des fonds à un autre usage ◆ **to convert funds to one's own use** détourner des fonds.

**convertibility** /kənˌvɜːtəˈbɪlɪtɪ/ **N** convertibilité f.

**convertible** /kənˈvɜːtəbl/ **ADJ** *bonds, shares* convertible ◆ **convertible loan stock** titres de créance convertibles.

**convey** /kənˈveɪ/ **VT** *goods, passengers* transporter, acheminer; *(Jur) property* transférer, transmettre, céder *(to* à*)*; *idea* communiquer *(to* à*)* ◆ **the name conveys nothing to me** le nom ne me dit *or* ne m'évoque rien.

**conveyance** /kənˈveɪəns/ **N** **a** *(= transport)* transport m ◆ **conveyance of goods** transport de marchandises ◆ **means of conveyance** moyens de transport **b** *(Jur) [property] (= action)* transmission f, transfert m, cession f ; *(= document)* acte m translatif, acte m de cession.

**conveyancing** /kənˈveɪənsɪŋ/ **N** *(Jur) [property]* rédaction f d'actes translatifs *or* d'actes de cession.

**conveyor** /kənˈveɪəʳ/ **N** transporteur m, convoyeur m ◆ **conveyor belt** tapis roulant.

**convict** /kənˈvɪkt/ **VT** *person* déclarer *or* reconnaître coupable
**N** /ˈkɒnvɪkt/ détenu m, prisonnier m.

**conviction** /kənˈvɪkʃən/ **N** **a** *(Jur)* condamnation f ◆ **to have no previous convictions** avoir un casier judiciaire vierge **b** *(= belief)* conviction f ◆ **to carry conviction** être convaincant.

**convincing** /kənˈvɪnsɪŋ/ **ADJ** *argument* convaincant, persuasif.

**convocation** /ˌkɒnvəˈkeɪʃən/ **N** convocation f *(to* à*)*

**COO** /ˌsiːəʊˈəʊ/ **N** *(abbr of* **chief operating officer)** DG m.

**cook** /kʊk/ **VT** ◆ **to cook the books** truquer *or* falsifier les comptes.

**cool** /kuːl/ **ADJ** *response* calme ◆ **he keeps cool in a crisis** il garde tout son calme *or* la tête froide dans les périodes de crise.

**cool down** /kuːl/ **VI** *[situation]* s'apaiser, se calmer ◆ **let things cool down** attendez que ça se tasse *or* que les choses se calment.

**cooling-off period** /ˌkuːlɪŋˈɒfˌpɪərɪəd/ **N** *(in dispute)* période f de détente; *(before signing contract)* délai m de réflexion *or* de rétractation.

**co-op** /ˈkəʊɒp/ **N** *(abbr of* **cooperative)** coopé f *, coop f *.

**cooperate** /kəʊˈɒpəreɪt/ **VI** coopérer, collaborer *(with sb in sth* avec qn à qch*)* ◆ **I hope he'll cooperate** j'espère qu'il va se montrer coopératif.

**cooperation** /kəʊˌɒpəˈreɪʃən/ **N** coopération f, concours m ◆ **in cooperation with, with the cooperation of** avec la coopération *or* le concours de.

**cooperative** /kəʊˈɒpərətɪv/ **ADJ** *firm* coopératif ◆ **cooperative advertising** publicité groupée ◆ **cooperative farm** coopérative agricole ◆ **cooperative society** coopérative, société coopérative *or* mutuelle ◆ **cooperative education** *(US)* enseignement alterné
**N** coopérative f.

**coopt** /kəʊˈɒpt/ **VT** coopter *(into* à*)*

**coordinate** /kəʊˈɔːdɪnɪt/ **VT** coordonner
**N** coordonnée f.

**coordination** /kəʊˌɔːdɪˈneɪʃən/ **N** coordination f.

**co-owner** /ˈkəʊˈəʊnəʳ/ **N** copropriétaire mf.

**co-ownership** /ˈkəʊˈəʊnəʃɪp/ **N** copropriété f.

**copartner** /ˈkəʊˈpɑːtnəʳ/ **N** coassocié(e) m(f).

**copartnership** /ˈkəʊˈpɑːtnəʃɪp/ **N** *(gen)* coparticipation f ; *(Fin)* société f en participation ◆ **industrial copartnership** ≈ actionnariat ouvrier, ≈ participation ouvrière aux bénéfices.

**cope** /kəʊp/ **VI** ◆ **to cope with** *task* se charger de, s'occuper de; *problem (= tackle)* affronter; *(= solve)* venir à bout de.

**Copenhagen** /ˌkəʊpnˈheɪgən/ **N** Copenhague.

**copier** /'kɒpɪəʳ/ N machine f à photocopier, photocopieuse f, photocopieur m ◆ **file copier** copieur de fichier.

**copper** /'kɒpəʳ/ N cuivre m ◆ **coppers** *(St Ex)* les cuprifères.

**co-product** /'kəʊ'prɒdʌkt/ N coproduit m.

**copy** /'kɒpɪ/ N **a** *[letter]* copie ◆ **to take** *or* **make a copy of sth** faire une copie de qch ◆ **certified (true) copy** copie (certifiée) conforme ◆ **file copy** exemplaire d'archives ◆ **hard copy** *(Comp)* sortie (sur support) papier *or* sur imprimante ◆ **soft copy** *(Comp)* visualisation sur écran ◆ **top copy** original **b** *[book, magazine]* exemplaire m ◆ **free copy** spécimen gratuit ◆ **presentation copy** exemplaire en service de presse **c** *(= newspaper article)* copie f, sujet m d'article, matière f à reportage; *(= advertisement)* message m, texte m

─── compounds/composés ───
◆ **copy appeal** *(Pub)* axe publicitaire du message, attrait du message
◆ **copy deadline** *(Press)* date limite de la remise d'un texte
◆ **copy department** *(Pub)* service de rédaction
◆ **copy editor** *(Press)* secrétaire de rédaction
◆ **copy platform** charte de création
◆ **copy reader** *(US Press)* secrétaire de rédaction
◆ **copy strategy** stratégie de communication
◆ **copy testing** test d'annonce
◆ **copy writer** rédacteur(trice) (publicitaire), concepteur-rédacteur, créatif .

**copyright** /'kɒpɪraɪt/ **N** droits mpl, copyright m ◆ **copyright notice** (indication *or* mention du) copyright ◆ **copyright reserved** tous droits réservés ◆ **out of copyright** dans le domaine public
**VT** *book* obtenir les droits exclusifs sur *or* le copyright de.

**cordoba** /'kɔːdəbə/ N *(= currency)* cordoba m.

**core** /kɔːʳ/ N **a** *[problem]* essentiel m, fond m, cœur m ◆ **hard core** *[supporters]* noyau dur; *(in government)* inconditionnels **b** *(Comp)* tore m ◆ **magnetic core** *(gen)* tore magnétique; *(= memory)* mémoire à tores

**corn** /kɔːn/ N *(Brit)* blé m ; *(US)* maïs m ◆ **Corn Exchange** Bourse aux grains.

**corner** /'kɔːnəʳ/ **N** **to make a corner in wheat** accaparer le marché du blé
**VT** **to corner the market** accaparer le marché ◆ **cornered market** marché étranglé.

**cornerer** /'kɔːnərəʳ/ N *(Fin)* accapareur m.

**cornerstone** /'kɔːnəstəʊn/ N pierre f angulaire ◆ **this was the cornerstone of their foreign policy** c'était la pierre angulaire *or* l'élément fondamental de leur politique étrangère.

**corp.** N abbr of **corporation**.

**corporate** /'kɔːpərɪt/ ADJ *financing* d'entreprise, de société; *action, ownership* en commun ◆ **corporate advertising** publicité institutionnelle ◆ **corporate affiliate** société apparentée *or* affiliée ◆ **corporate America** l'Amérique des affaires ◆ **corporate assets** éléments d'actif ◆ **corporate banking** services bancaires aux entreprises ◆ **corporate body** personne morale ◆ **corporate bond** *(US) (local)* obligation municipale; *(private)* obligation émise par une société privée ◆ **corporate credit** crédit aux grosses entreprises ◆ **corporate culture** culture d'entreprise ◆ **corporate debt securities** titres émis par une société commerciale ≈ bons de caisse ◆ **corporate earnings** bénéfices des sociétés ◆ **corporate executive** dirigeant de société ◆ **corporate feeling** esprit de corps ◆ **corporate financial statements** comptes sociaux ◆ **corporate giants** grosses entreprises ◆ **corporate governance** gestion *or* gouvernement d'entreprise ◆ **corporate image** image de marque (de l'entreprise) ◆ **corporate investment** investissements des entreprises ◆ **corporate issue** émission de titres (par une société commerciale) ◆ **corporate law** droit des entreprises ◆ **corporate lawyer** juriste d'entreprise ◆ **corporate lending** prêt aux entreprises ◆ **corporate name** raison sociale ◆ **corporate planning** planification d'entreprise ◆ **corporate profit** bénéfices des sociétés ◆ **corporate property** biens sociaux ◆ **corporate retention** délai de conservation des documents commerciaux ◆ **corporate spending** dépenses des entreprises ◆ **corporate tax** impôt sur les sociétés ◆ **corporate treasurer** trésorier d'entreprise.

**corporation** /ˌkɔːpəˈreɪʃən/ N *(Comm, Fin)* société f commerciale; *(US)* société à responsabilité limitée ◆ **municipal corporation** autorités municipales *or* communales, municipalité, commune ◆ **public corporation** régie d'État,

─── compounds/composés ───
◆ **core business** activité principale, métier *or* activité de base
◆ **core hours** *(Ind)* plages fpl horaires fixes
◆ **core inflation** inflation structurelle
◆ **core memory** *(Comp)* mémoire centrale (à tores)
◆ **core-periphery** *(Econ)* centre-périphérie
◆ **core shareholder grouping** groupe d'actionnaires stables
◆ **core size** *(Comp)* capacité de mémoire.

société nationale ♦ **corporation tax** impôt sur les sociétés.

**corporeal** /kɔːˈpɔːrɪəl/ **ADJ** *assets, property* corporel.

**correct** /kəˈrekt/ **ADJ** *forecast, estimate* juste, exact, correct **VT** corriger, rectifier ♦ **corrected invoice** facture rectificative ♦ **correcting entry** écriture rectificative ♦ **to correct upwards** corriger *or* réviser à la hausse.

**correction** /kəˈrekʃən/ **N** correction f ♦ **technical correction** *(St Ex)* correction technique.

**corrective** /kəˈrektɪv/ **ADJ** *action* rectificatif; *measures* correctif ♦ **corrective maintenance** dépannage.

**correlation** /ˌkɒrɪˈleɪʃən/ **N** corrélation f *(between* entre)

**correspond** /ˌkɒrɪsˈpɒnd/ **VI** **a** *(= agree)* correspondre *(with, to* à) ♦ **the reports do not correspond on a number of points** les rapports ne concordent pas *or* se contredisent sur plusieurs points **b** *(= exchange letters)* correspondre *(with* avec)

**correspondence** /ˌkɒrɪsˈpɒndəns/ **N** **a** *(= agreement)* correspondance f *(between* entre, *with* avec) **b** *(= letter-writing)* correspondance f ; *(= mail received)* courrier m

――― *compounds/composés* ―――
♦ **correspondence course** cours par correspondance
♦ **correspondence quality printer** imprimante qualité courrier.

**correspondent** /ˌkɒrɪsˈpɒndənt/ **N** *(Comm, Press)* correspondant(e) m(f) ♦ **foreign correspondent** *(Press)* correspondant *or* envoyé permanent à l'étranger; *(Bank)* correspondant.

**corresponding** /ˌkɒrɪsˈpɒndɪŋ/ **ADJ** correspondant ♦ **corresponding entry** *(Acc)* écriture conforme.

**corrupt** /kəˈrʌpt/ **ADJ** *(gen)* corrompu ♦ **corrupt practices** *(gen)* pratiques illégales *or* illicites; *(by official)* trafic d'influence ♦ **corrupt disk** *(Comp)* disquette défectueuse **VT** *(gen)* corrompre, soudoyer; *disk, file* altérer.

**corruption** /kəˈrʌpʃən/ **N** *(gen)* corruption f ; *[disk, file]* altération f.

**cosignatory** /ˈkəʊˈsɪɡnətərɪ/ **N** cosignataire mf.

**co-sponsor** /ˈkəʊˈspɒnsəʳ/ **N** commanditaire m associé.

**co-sponsoring** /ˈkəʊˈspɒnsərɪŋ/ **N** coparrainage m.

**cost** /kɒst/ **VT** **a** coûter ♦ **how much** *or* **what does it cost?** combien cela coûte-t-il *or* vaut-il? **b** *(Comm) articles for sale* établir le prix de revient de; *piece of work, project* calculer *or* évaluer le coût de, valoriser ♦ **the job was costed at £9,500** le devis des travaux s'est élevé à 9 500 livres **N** *(= price)* prix m, coût m; *[asset]* coût d'acquisition; *(= expense)* frais mpl, dépense f ; *(Acc)* charge f *or* frais (d'exploitation) ♦ **the cost of the deal** le montant *or* le coût de l'opération ♦ **to bear the cost of** supporter les frais de ♦ **to be ordered to pay costs** *(Jur)* être condamné aux dépens ♦ **cost and insurance**

――― *compounds/composés* ―――

**COST**

♦ **cost accounting** comptabilité analytique
♦ **cost adjustment** indexation des coûts
♦ **cost allocation** affectation *or* attribution *or* répartition d'un coût
♦ **cost analysis** analyse des coûts
♦ **cost-benefit ratio** rapport coût-rendement
♦ **cost breakdown** analyse des coûts
♦ **cost centre** centre de coûts
♦ **cost containment** compression du prix de revient
♦ **cost control** maîtrise des coûts
♦ **cost-cutting measures** mesures fpl d'économie
♦ **cost effective** rentable, d'un bon rapport coût / performance *or* coût / efficacité
♦ **cost effectiveness** rentabilité, rapport coût / efficacité *or* coût / performance
♦ **cost estimate** évaluation des coûts
♦ **cost factor** élément du prix de revient

♦ **cost (induced) inflation** inflation par les coûts
♦ **cost methods** méthodes fpl d'évaluation des stocks fondées sur le flux des coûts
♦ **cost ledger** grand livre des prix de revient
♦ **cost overrun** surcoût, dépassement de budget
♦ **cost-performance ratio** rapport performance / prix
♦ **cost plus N** prix *(de revient majoré du pourcentage contractuel)*
♦ **cost price** *[distribution]* prix coûtant; *[manufacturing]* prix de revient
♦ **to sell at cost price** vendre à prix coûtant ♦ **to sell under cost price** vendre à perte
♦ **cost push inflation** inflation par les coûts
♦ **cost sheet** fiche de fabrication
♦ **cost standards** normes fpl de prix de revient
♦ **cost variance** écart de prix.

coût et assurance ✦ **cost and freight** coût et fret ✦ **cost, insurance and freight** coût, assurance et fret ✦ **cost, insurance, freight and commission** coût, assurance, fret et commission ✦ **cost of capital** coût du capital ✦ **cost of borrowing** frais d'emprunt ✦ **cost of entry** *(to new market)* coût de pénétration ✦ **cost of living** coût de la vie ✦ **cost of living adjustment** indexation des salaires ✦ **cost of living allowance, cost of living payment** indemnité de vie chère ✦ **cost of living clause** clause d'indexation des salaires sur les prix ✦ **cost of living escalator** échelle mobile des salaires ✦ **cost of living index** indice du coût de la vie ✦ **cost of money** loyer de l'argent ✦ **cost of sales** coût d'achat des marchandises vendues ✦ **actual cost** prix de revient ✦ **depreciated cost** coût non amorti, valeur résiduelle amortissable ✦ **direct cost** coût direct ✦ **first cost** coût initial ✦ **fixed cost** coûts fixes ✦ **gross cost** prix de revient brut ✦ **incidental cost** faux frais ✦ **labour cost** coût de la main-d'œuvre ✦ **manufacturing costs** coûts de fabrication ✦ **operating costs** frais *or* charges d'exploitation *or* de fonctionnement ✦ **overhead costs** frais généraux ✦ **prime cost** coût initial, prix de revient initial ✦ **production costs** coûts de production ✦ **replacement cost** coût *or* valeur de remplacement ✦ **set-up costs** frais d'établissement ✦ **variable costs** coûts variables

**Costa Rica** /ˈkɒstəˈriːkə/ N Costa Rica m.

**Costa Rican** /ˈkɒstəˈriːkən/ **ADJ** costaricien **N** *(= inhabitant)* Costaricien(ne) m(f).

**costing** /ˈkɒstɪŋ/ N estimation f du prix de revient ✦ **variable** *or* **direct costing** méthode des coûts variables ✦ **full costing** méthode de capitalisation du coût entier ✦ **process costing** comptabilité par fabrication.

**cost out** VT SEP *project* calculer *or* évaluer le coût de, valoriser.

**cottage industry** /ˈkɒtɪdʒˌɪndəstrɪ/ N industrie f à domicile *or* artisanale.

**cotton** /ˈkɒtn/ N coton m

― compounds/composés ―
- **cotton goods** cotonnades fpl
- **cotton industry** industrie cotonnière *or* du coton
- **cotton mill** filature de coton.

**council** /ˈkaʊnsl/ N conseil m, assemblée f ✦ **town council** conseil municipal ✦ **works council** comité d'entreprise ✦ **Council of Min-**

isters *(EU)* conseil des ministres ✦ **Council for Mutual Economic Assistance** Conseil d'assistance économique mutuelle.

**counsel** /ˈkaʊnsəl/ N avocat m ✦ **counsel for the defence** avocat de la défense.

**count** /kaʊnt/ **VTI** *(lit, fig)* compter ✦ **to count the cost** *(lit)* calculer la dépense; *(fig)* faire le bilan ✦ **his opinion counts for a lot** son avis compte pour beaucoup, ses avis sont très respectés **N** *(gen)* compte m ; *[votes]* dépouillement m

― compounds/composés ―
- **count sheet** relevé m d'inventaire, feuille f de dénombrement.

**countdown** /ˈkaʊntdaʊn/ N compte m à rebours.

**counter** /ˈkaʊntəʳ/ **N a** *(in shop)* comptoir m ; *(in bank)* guichet m ✦ **under the counter** clandestinement, en sous-main, sous le manteau ✦ **under-the-counter payment** dessous-de-table ✦ **over-the-counter sales** *(Comm)* au comptant ✦ **payable over the counter** payable au guichet ✦ **over-the-counter market / securities** marché / titres hors-cote **b** *(Tech)* compteur m

― compounds/composés ―
- **counter clerk** guichetier(-ière)
- **counter display** présentoir de comptoir
- **counter hand** *(in shop)* vendeur(-euse)

**ADV counter to** à l'encontre de, contrairement à ✦ **to go counter to** aller contre **VT** *decision, order* s'opposer à; *plans* contrecarrer **VI** contre-attaquer, riposter **PREF** contre ✦ **counter trade** *or* **trading** *(Comm)* troc m ; *(clearing)* compensation f ; **counter trade deal** accord de troc.

**counteract** /ˌkaʊntərˈækt/ **VT** *influence, effect* neutraliser, contrebalancer.

**counterattack** /ˈkaʊntərəˌtæk/ **N** contre-attaque f **VI** contre-attaquer.

**counterbalance** /ˈkaʊntəˌbæləns/ **VT** contrebalancer, faire contrepoids à.

**counterbid** /ˈkaʊntəbɪd/ N *(gen)* contre-offre f, contre-proposition f ; *(in takeover bid)* contre-OPA f ; *(at auction)* surenchère f.

**countercheck** /ˈkaʊntətʃek/ **N** deuxième contrôle m *or* vérification f **VT** revérifier, contre-vérifier.

**counterclaim** /ˈkaʊntəkleɪm/ N *(Jur)* demande f reconventionnelle.

**countercyclical** /ˌkaʊntəˈsaɪklɪkəl/ **ADJ** *(Econ)* anticyclique.

**counterfeit** /ˈkaʊntəfiːt/ **ADJ** *money, coin* faux **N** faux m, contrefaçon f **VT** *banknote, signature* contrefaire.

**counterfeiter** /ˈkaʊntəfiːtər/ **N** faux-monnayeur m.

**counterfeiting** /ˈkaʊntəfiːtɪŋ/ **N** contrefaçon f.

**counterfoil** /ˈkaʊntəfɔɪl/ **N** *[cheque]* talon m, souche f.

**countermand** /ˈkaʊntəmɑːnd/ **VT** *order* annuler ◆ **unless countermanded** sauf contrordre.

**countermeasure** /ˈkaʊntəmeʒər/ **N** mesure f défensive.

**counteroffensive** /ˈkaʊntərəfensɪv/ **N** contre-offensive f.

**counteroffer** /ˈkaʊntəɒfər/ **N** *(= counter-proposal)* contre-offre f, contre-proposition f ; *(at auction)* surenchère f.

**counterpart** /ˈkaʊntəpɑːt/ **N** *[document]* double m, contrepartie f ; *[person]* homologue mf ◆ **he informed his counterpart of his decision** il a informé son homologue de sa décision.

**counterproductive** /ˌkaʊntəprəˈdʌktɪv/ **ADJ** *(lit)* qui entrave la productivité; *(fig)* inefficace, qui va à l'encontre du but recherché.

**counterproposal** /ˈkaʊntəprəpəʊzəl/ **N** contre-offre f, contre-proposition f.

**counterpurchase** /ˈkaʊntəpɜːtʃɪs/ **N** compensation f.

**countersecurity** /ˈkaʊntəsəˌkjʊərɪtɪ/ **N** contre-caution f.

**countersign** /ˈkaʊntəsaɪn/ **VT** contresigner.

**countervail** /ˈkaʊntəveɪl/ **VT** compenser, contre-balancer ◆ **countervailing duties** droits compensatoires.

**countervaluation** /ˈkaʊntəvæljʊˌeɪʃən/ **N** contre-expertise f.

**counting house** /ˈkaʊntɪŋhaʊs/ **N** (service m de la) comptabilité f.

**country** /ˈkʌntrɪ/ **N** pays m ◆ **developing countries** pays en voie de développement ◆ **emergent countries** pays en voie d'émergence ◆ **host country** pays d'accueil ◆ **less developed countries** pays moins développés ◆ **low-cost countries** pays à bas salaires ◆ **underdeveloped countries** pays sous-développés

─── *compounds/composés* ───
◆ **country planning** aménagement du territoire
◆ **country risk** *(Fin)* risque pays.

**count up** **VT SEP** faire le compte de, compter, additionner.

**county** /ˈkaʊntɪ/ **N** *(Admin)* comté m ◆ **county court** ≈ tribunal de grande instance.

**coup** /kuː/ **N** *(gen)* coup m (audacieux); *(Pol)* coup m d'État ◆ **he scored a major coup** il a réussi un très joli coup.

**coupon** /ˈkuːpɒn/ **N** *(Fin)* coupon m ; *[advertisement]* coupon m (détachable) *(Comm : offering reductions)* bon m de réduction ◆ **reply** *or* **send-in coupon** coupon-réponse ◆ **cum / due / ex-coupon** *(St Ex)* coupon attaché / échu / détaché ◆ **outstanding coupons** coupons échus

─── *compounds/composés* ───
◆ **coupon advertising** publicité par coupon-nage *or* par coupon-réponse
◆ **coupon bond** obligation à coupons
◆ **coupon rate** taux d'intérêt contractuel
◆ **coupon-type works** *(US)* titres mpl au porteur
◆ **coupon securities** ◆ **low- / high-coupon securities** titres mpl à coupon peu élevé / élevé
◆ **zero-coupon security** titre à coupon zéro.

**couponing** /ˈkuːpɒnɪŋ/ **N** couponnage m, promotion f par coupons de réduction.

**courier** /ˈkʊrɪər/ **N** **a** *[letters, parcels]* coursier m ◆ **by courier** par coursier **b** *[package tour]* accompagnateur(-trice) m(f), guide m.

**course** /kɔːs/ **N** **a** *(= direction)* cours m ◆ **to change course** changer de cap ◆ **there are several courses (of action) open to us** plusieurs voies s'offrent à nous ◆ **to let sth take its course** laisser qch suivre son cours ◆ **holder in due course** détenteur de bonne foi **b** *(Univ)* cours m, stage m ◆ **crash course** cours *or* stage accéléré *or* intensif (in de) ◆ **refresher course** stage de recyclage ◆ **retraining course** stage de recyclage *or* de reconversion.

**court** /kɔːt/ **N** *(Jur)* cour f, tribunal m ◆ **Court of Appeal** *(Brit)*, **Court of Appeals** *(US)* cour d'appel ◆ **court of inquiry** commission d'enquête ◆ **to appear in court charged with sth** comparaître devant le tribunal pour répondre de qch ◆ **to settle (a case) out of court** arranger une affaire à l'amiable ◆ **to rule sth out of court** déclarer qch irrecevable ◆ **to take sb to court over** *or* **about sth** poursuivre *or* actionner qn en justice à propos de qch.

**courtesy** /'kɜːtɪsɪ/ N courtoisie f, politesse f ♦ **to pay sb a courtesy call** faire une visite de politesse à qn ♦ **(by) courtesy of** avec la permission de.

**courtroom** /'kɔːtruːm/ N salle f du tribunal or d'audience.

**covenant** /'kʌvɪnənt/ ◼ *(Jur)* convention f ; *(Fin)* obligation f contractuelle ♦ **covenant not to compete** clause de non-concurrence ♦ **covenant with the land** ≈ servitude foncière ♦ **the lessee is a good covenant** *(US)* le locataire est tout à fait solvable
◼ s'engager (*to do* à faire) convenir (*to do* de faire)

**covenantee** /ˌkʌvɪnən'tiː/ N créancier(-ière) m(f).

**covenantor** /'kʌvɪməntəʳ/ N débiteur(-trice) m(f).

**cover** /'kʌvəʳ/ ◼ *(gen)* couverture f ; *(Fin)* couverture f, provision f ; *(Ins)* couverture f, garantie f ♦ **call for additional cover** *(St Ex)* appel de marge ♦ **fire cover** assurance-incendie ♦ **forward cover** *(St Ex)* couverture à terme ♦ **full cover** *(Ins)* garantie totale, assurance tous risques ♦ **to operate without cover** *(Fin)* opérer à découvert ♦ **to lodge stock as cover** déposer des titres en garantie or en nantissement ♦ **to send sth under separate cover** envoyer qch sous pli séparé

—————— compounds/composés ——————
♦ **cover note** *(Brit Ins)* lettre de couverture, police provisoire
♦ **cover page** page de couverture
♦ **cover story** *(Press)* article principal
♦ **cover-up** tentatives fpl faites pour étouffer une affaire

◼ **a** *(gen, Ins = protect)* couvrir ♦ **to be covered against fire** être assuré or couvert contre l'incendie **b** *(Fin, St Ex)* couvrir ♦ **to cover a bill** faire la provision d'une lettre de change ♦ **to cover shorts** se racheter, racheter des titres vendus à découvert ♦ **to cover a short account** couvrir un découvert, approvisionner son compte ♦ **to cover one's costs** or **expenses** couvrir ses frais, rentrer dans ses frais ♦ **to cover a deficit / a loss** combler un déficit / une perte ♦ **covered call / put** call / put couvert ♦ **covered long** achat d'option couverte ♦ **covered short** vente d'option couverte ♦ **the application is covered** la souscription est couverte **c** *(= include)* englober, comprendre ♦ **in order to cover all possibilities** pour parer à toute éventualité **d** *(Press)* news, story couvrir, assurer la couverture de.

**coverage** /'kʌvərɪdʒ/ N **a** *(Press, Rad, TV)* reportage m ♦ **the takeover got massive newspaper coverage** la prise de contrôle a reçu une importante couverture de presse **b** *(Ins)* couverture f, garantie f ♦ **limit of coverage** plafond de garantie **c** *(Press, Pub)* public m atteint, audience f ♦ **an advertisement with wide coverage** une annonce touchant un large public ♦ **advertising coverage** couverture publicitaire

—————— compounds/composés ——————
♦ **coverage rate** *(Fin)* taux de couverture.

**covering** /'kʌvərɪŋ/ ADJ ♦ **covering letter** lettre explicative ♦ **covering note** *(Ins)* lettre de couverture, police provisoire.

**cover up** ◼ **to cover up for one's subordinates** couvrir or protéger ses subordonnés ◼ **VT SEP** *facts* dissimuler, cacher, étouffer.

**co-worker** /'kəʊ'wɜːkəʳ/ N collègue mf (de travail).

**c / p** abbr of **carriage paid** → **carriage.**

**CPA** /ˌsiːpiː'eɪ/ *(US)* N abbr of **Certified Public Accountant** → **certified.**

**CPI** /ˌsiːpiː'aɪ/ N (abbr of **Consumer Price Index**) IPC m.

**CPM** /ˌsiːpiː'em/ N abbr of **critical path method** → **critical.**

**CPU** /ˌsiːpiː'juː/ N abbr of **central processing unit** → **central.**

**Cr.** **a** abbr of **credit** **b** abbr of **creditor.**

**crackdown** /'krækdaʊn/ N ♦ **crackdown on** mesures fpl de répression contre ♦ **there has been a crackdown on speculation** des mesures draconiennes ont été prises pour réprimer la spéculation.

**crack down on** /kræk/ VT FUS *expenditure* mettre un frein à, donner un tour de vis à ; *abuse* réprimer ♦ **to crack down on tax avoidance** s'attaquer à la fraude fiscale.

**craft** /krɑːft/ N **a** *(= skill)* art m, métier m ; *(= occupation)* métier m, profession f **b** *(Mar)* bateau m, embarcation f ♦ **craft risk** risque d'allège.

**craftsman** /'krɑːftsmən/ N artisan m.

**craftsmanship** /'krɑːftsmənʃɪp/ N connaissance f d'un métier ; *[object]* facture f ♦ **the standard of craftmanship in this furniture is very high** ce meuble est d'une excellente facture or d'un haut niveau de savoir-faire artisanal.

**cram** /kræm/ VT bourrer (*with* de)

**crank up** /kræŋk/ VT remonter (à la manivelle) ♦ **retooled plants take months to crank up to**

**full output** les usines rééquipées prennent des mois pour retrouver leur pleine capacité de production.

**crash** /kræʃ/ ◼ *(Fin)* *[company, firm]* faillite f ; *(St Ex)* krach m ◆ **system crash** *(Comp)* arrêt anormal du système, incident

◼ *[bank, firm]* faire faillite; *[computer]* tomber en panne ◆ **the stock market crashed** les cours de la Bourse se sont effondrés

─────── compounds/composés ───────
- ◆ **crash-action timetable** calendrier d'urgence
- ◆ **crash course** cours *or* stage intensif *or* accéléré
- ◆ **crash landing** atterrissage en catastrophe
- ◆ **crash programme** programme intensif.

**crate** /kreɪt/ ◼ caisse f, cageot m

◼ *goods* mettre en caisse(s) *or* en cageot(s).

**crawling** /ˈkrɔːlɪŋ/ ADJ ◆ **crawling inflation** inflation rampante ◆ **crawling peg** *(Fin)* parité rampante *or* à crémaillère.

**cream** /kriːm/ VT *market* écrémer.

**cream off** VT *profits* prélever, écrémer.

**create** /kriːˈeɪt/ VT *(gen)* créer; *new fashion* lancer, créer ◆ **to create value** créer de la valeur.

**creation** /kriːˈeɪʃən/ N création f ◆ **value / job creation** création de valeur / d'emplois ◆ **job-creation programme** ≈ pacte pour l'emploi.

**creative** /kriːˈeɪtɪv/ ADJ *(gen, Pub)* créatif ◆ **creative department** service création ◆ **creative manager** directeur de la création ◆ **creative strategy** stratégie de création ◆ **creative team** équipe des créatifs ◆ **creative thinking** imagination créative, production d'idées ◆ **creative work** (travail de) création.

**creativity** /ˌkriːeɪˈtɪvɪtɪ/ N créativité f.

**creator** /kriːˈeɪtər/ N créateur(-trice) m(f).

**credential card** /krɪˈdenʃəlkɑːd/ N carte f accréditive.

**credentials** /krɪˈdenʃəlz/ NPL *(= identifying papers)* pièce f d'identité; *[diplomat]* lettres fpl de créance; *(= references)* références fpl, certificat m.

**credibility** /ˌkredəˈbɪlɪtɪ/ N crédibilité f.

**credible** /ˈkredɪbl/ ADJ *person* crédible; *statement* plausible ◆ **there is no credible alternative** il n'y a aucune solution de rechange valable.

**credit** /ˈkredɪt/ ◼ a *(Bank)* crédit m ◆ **letter of credit** lettre de crédit ◆ **to give sb credit** faire

─────── compounds/composés ───────

CREDIT

- ◆ **credit account** compte créditeur
- ◆ **credit advice** avis de crédit
- ◆ **credit agency** *(US)* établissement de crédit; *(= rating agency)* service d'informations financières
- ◆ **credit balance** solde créditeur ◆ **account showing a credit balance** compte m créditeur
- ◆ **credit bank** banque de crédit
- ◆ **credit bureau** service d'informations financières
- ◆ **credit card** carte de crédit ◆ **credit card receipt** facturette
- ◆ **credit ceiling** plafond de crédit
- ◆ **credit control, credit crunch** resserrement *or* encadrement du crédit, restrictions fpl de crédit
- ◆ **credit department** service du crédit
- ◆ **credit entry** inscription *or* écriture au crédit
- ◆ **credit facilities** facilités fpl de paiement *or* de crédit
- ◆ **credit file** dossier de crédit
- ◆ **credit inflation** gonflement du crédit
- ◆ **credit inquiry** enquête de solvabilité, demande de renseignements commerciaux
- ◆ **credit institution** organisme *or* institution *or* établissement de crédit
- ◆ **credit insurance** assurance crédit
- ◆ **credit item** poste créditeur
- ◆ **credit limit** limite *or* plafond de crédit
- ◆ **credit line** ligne de crédit, autorisation de crédit
- ◆ **credit loss** créance irrécouvrable, perte sur créance
- ◆ **credit multiplier** multiplicateur de crédit
- ◆ **credit note** bordereau *or* avis de crédit
- ◆ **credit outlining** encadrement du crédit
- ◆ **credit policy** politique du crédit
- ◆ **credit purchase** achat à crédit
- ◆ **credit rating** degré de solvabilité, rating
- ◆ **credit report** rapport de solvabilité
- ◆ **credit-reporting agency** agence de renseignements commerciaux
- ◆ **credit restraints** *or* **restrictions** restrictions fpl de crédit, encadrement du crédit, resserrement du crédit
- ◆ **credit risk** risque de crédit *or* de signature ◆ **sound credit risk** risque de crédit bien calculé
- ◆ **credit sale** vente à crédit *or* à tempérament
- ◆ **credit slip** bulletin de versement
- ◆ **credit squeeze** restrictions fpl de crédit, encadrement du crédit, resserrement du crédit
- ◆ **credit standing** *or* **status** réputation de solvabilité
- ◆ **credit stringency** restrictions fpl de crédit, encadrement du crédit, resserrement du crédit
- ◆ **credit terms** conditions fpl de paiement
- ◆ **credit transfer** (paiement par) virement bancaire
- ◆ **credit union** *(US)* société *or* caisse de crédit.

crédit à qn ✦ **to sell on credit** vendre à crédit ✦ **to live on credit** vivre à crédit ✦ **to enter** or **put a sum to sb's credit** porter une somme au crédit de qn ✦ **on the credit side** à l'actif ✦ **blank** or **open credit** crédit en blanc ✦ **buyer credit** crédit acheteur ✦ **consumer credit** crédit à la consommation ✦ **frozen credits** crédits gelés or bloqués ✦ **long credit** crédit à long terme ✦ **permanent credit** crédit permanent ✦ **revolving credit** crédit revolving or (par acceptation) renouvelable ✦ **standby credit** crédit stand-by or de soutien ✦ **supplier credit** crédit fournisseur ✦ **tax credit** crédit d'impôt, avoir fiscal; (Acc) report créditeur d'impôt ✦ **unsecured credit** crédit sur notoriété or sans garantie **b** (= merit) mérite m, honneur m ✦ **it does you credit** cela est tout à votre honneur ✦ **to take (the) credit for sth** s'attribuer le mérite de qch **c** (Cinema, TV) ✦ **the credits** le générique

**vt** **to credit £500 to sb, credit sb with £500** créditer (le compte de) qn de 500 livres, porter 500 livres au crédit de qn ✦ **to credit an account with a sum, credit a sum to an account** créditer un compte d'une somme, porter une somme au crédit d'un compte

**creditor** /'kredɪtər/ **N** créancier(-ière) m(f) ✦ **bond creditor** créancier obligataire ✦ **joint creditor** cocréancier ✦ **mortgage creditor** créancier hypothécaire ✦ **preferential creditor** créancier privilégié or de premier rang ✦ **unsecured creditor** créancier chirographaire ✦ **to satisfy** or **pay off one's creditors** satisfaire or désintéresser ses créanciers

─── compounds/composés ───
✦ **creditor account** compte créditeur
✦ **creditor nation** nation créditrice

**creditworthiness** /'kredɪtwɜːθɪnəs/ **N** solvabilité f, capacité f d'endettement.

**creditworthy** /'kredɪtwɜːθɪ/ **ADJ** solvable, digne de confiance.

**creeping** /'kriːpɪŋ/ **ADJ** inflation rampant, larvé.

**creep up** /kriːp/ **VI** monter lentement.

**criminal** /'krɪmɪnl/ **N** criminel(-elle) m(f)
**ADJ** action, motive, law criminel ✦ **criminal lawyer** pénaliste ✦ **to take criminal proceedings against sb** poursuivre qn au pénal.

**crimp** /krɪmp/ (US) **N** **to put a crimp in sth** faire obstacle à qch
**vt** **to crimp sales** gêner or entraver les ventes.

**cripple** /'krɪpl/ **VT** production, export paralyser ✦ **crippling taxes** impôts écrasants.

**crisis** /'kraɪsɪs/ pl, crises **N** crise f ✦ **crisis management** gestion de crise ✦ **to solve a crisis** dénouer or résoudre une crise ✦ **the crisis in the steel industry** la crise dans la sidérurgie.

**criterion** /kraɪˈtɪərɪən/ pl, criteria **N** critère m ✦ **convergence criteria** (EU) critères de convergence.

**critic** /'krɪtɪk/ **N** critique m ✦ **he has been a consistent critic of this policy ever since it was first introduced** il n'a pas cessé de critiquer cette politique depuis le début.

**critical** /'krɪtɪkəl/ **ADJ** critique ✦ **to be critical of** critiquer, trouver à redire à ✦ **critical path method** méthode du chemin critique ✦ **critical size** taille critique ✦ **negotiations are at a critical juncture** nous sommes à un point critique dans la négociation.

**criticism** /'krɪtɪsɪzəm/ **N** critique f.

**criticize, criticise** /'krɪtɪsaɪz/ **VT** critiquer.

**Croat** /'krəʊæt/ **N** **a** (= language) croate m **b** (= inhabitant) Croate mf.

**Croatia** /krəʊˈeɪʃɪə/ **N** Croatie f.

**Croatian** /krəʊˈeɪʃɪən/ **ADJ** croate
**N** **a** (= language) croate m **b** (= inhabitant) Croate mf.

**crook** /krʊk/ **N** escroc m.

**crooked** /'krʊkɪd/ **ADJ** person, method malhonnête.

**crop** /krɒp/ **N** (Agr) culture f; (= yield) récolte f; [problems, questions] série f, quantité f ✦ **bumper crop** récolte magnifique or record ✦ **standing crop** récolte sur pied

─── compounds/composés ───
✦ **crop-spraying** pulvérisation des cultures.

**crop up** /krɒp/ **VI** [questions, problems] surgir, survenir, se présenter ✦ **the subject cropped up at the last meeting** le sujet a été soulevé or mis sur le tapis au cours de la dernière réunion.

**cross** /krɒs/ **VT** cheque barrer

─── compounds/composés ───
✦ **cross-action** (Jur) demande reconventionnelle
✦ **cross-border** transfrontalier
✦ **cross charge** débit interservice
✦ **cross-couponing** couponnage croisé
✦ **cross-default clause** clause de défaillance envers des tiers
✦ **cross-elasticity** (Econ) élasticité croisée
✦ **cross-entry** contre-passation
✦ **cross-fertilization** fertilisation croisée

♦ **cross-hatching** hachurage croisé
♦ **cross hedging** couverture croisée
♦ **cross-holding** participations fpl croisées
  ♦ **cross-holding of shares** détention croisée d'actions
♦ **cross listing** (*St Ex*) cotations fpl croisées (*sur plusieurs Bourses*)
♦ **cross-posting** contre-passation
♦ **cross-rates** (*EU*) parités fpl croisées
♦ **cross-refer** renvoyer (*to* à)
♦ **cross-reference** renvoi, référence (*to* à) **cross-reference files** dossiers multiréférencés
♦ **cross-section** [*population*] échantillon représentatif
♦ **cross-sell** to cross-sell each other's products vendre chacun les produits de l'autre
♦ **cross-subsidization** interfinancement
♦ **cross-trade** (*St Ex*) application (de titres).

**crosscheck** /'krɒstʃek/ **VT** vérifier par recoupement, contre-vérifier
**N** recoupement m, contre-épreuve f.

**crossing** /'krɒsɪŋ/ **N** (*Fin*) barrement m ♦ **general / special crossing** barrement général / spécial.

**crossnet** /'krɒsnet/ **N** interréseau m.

**cross out** **VT SEP** *word* barrer, rayer, biffer ♦ **cross out words when not applicable** rayer les mentions inutiles.

**crowded** /'kraʊdɪd/ **ADJ** *market* encombré.

**crowding** /'kraʊdɪŋ/ **N** [*market, segment*] encombrement m.

**crowd out** /kraʊd/ **VT SEP** *competitor* évincer, chasser; *investors* évincer.

**crowd up** **VT SEP** (*St Ex*) *prices* faire monter.

**crown** /kraʊn/ **N** couronne f.

**crowner** /'kraʊnəʳ/ **N** (*Merchandising*) surmontoir m.

**crude** /kruːd/ **ADJ** *materials* brut ♦ **crude oil** (pétrole) brut.

**crumble** /'krʌmbl/ **VI** [*hopes, plans*] s'effondrer, s'écrouler; (*St Ex*) [*prices*] s'effriter.

**crunch** /krʌntʃ/ **N** ♦ **liquidity crunch** crise de liquidité ♦ **credit crunch** resserrement or encadrement du crédit, restrictions de crédit ♦ **will he do it when it comes to the crunch?** le fera-t-il au moment décisif? or quand viendra le moment crucial?.

**crux** /krʌks/ **N** [*problem*] cœur m, centre m, nœud m.

**cruzado** /kruːˈzeɪdəʊ/ **N** cruzado m.

**cruzeiro** /kruːˈzeərəʊ/ **N** cruzeiro m.

**cry off** /kraɪ/ **VI** (*from meeting*) se décommander ♦ **the contract wasn't signed because they cried off at the last minute** le contrat n'a pas été signé parce qu'ils ont renoncé à la dernière minute
**VT FUS** *deal* annuler.

**CST** /ˌsiːesˈtiː/ (*US*) **N** abbr of **Central Standard Time** → **central.**

**Cstms** **N** abbr of **Customs.**

**CT** /siːˈtiː/ **N** **a** abbr of **cable transfer** → **cable b** abbr of **corporation tax** → **corporation.**

**CTT** /ˌsiːtiːˈtiː/ **N** abbr of **capital transfer tax** → **capital.**

**Cuba** /'kjuːbə/ **N** Cuba f.

**Cuban** /'kjuːbən/ **ADJ** cubain
**N** (= *inhabitant*) Cubain(e) m(f).

**cubic** /'kjuːbɪk/ **ADJ** *content* cubique ♦ **cubic capacity** volume ♦ **cubic metre** mètre cube.

**cuff** /kʌf/ **N** ♦ **to buy on the cuff** * (*US*) acheter à crédit.

**culpable** /'kʌlpəbl/ **ADJ** (*Jur*) coupable (*of* de) ♦ **culpable negligence** négligence coupable.

**culprit** /'kʌlprɪt/ **N** coupable mf.

**cultural** /'kʌltʃərəl/ **ADJ** culturel ♦ **cultural environment** environnement or milieu culturel ♦ **cultural affairs** affaires culturelles.

**culture** /'kʌltʃəʳ/ **N** culture f.

**cum** /kʌm/ **PREP** avec ♦ **cum distribution** avec droit à distribution ♦ **cum dividend** coupon attaché ♦ **cum right** droit attaché.

**cum.** abbr of **cumulative.**

**cumbersome** /'kʌmbəsəm/ **ADJ** *goods* encombrant.

**cum dist.** abbr of **cum distribution** → **cum.**

**cum div.** abbr of **cum dividend** → **cum.**

**cum pref.** abbr of **cumulative preference shares** → **cumulative.**

**cumulative** /'kjuːmjʊlətɪv/ **ADJ** *dividend, interest* cumulatif ♦ **cumulative / non cumulative preference shares** actions privilégiées cumulatives / non-cumulatives.

**curb** /kɜːb/ **N** **a** (= *restraint*) frein m ♦ **to put a curb on prices** mettre un frein aux prix, enrayer la hausse des prix **b** (*US St Ex*) ♦ **curb broker** coulissier ♦ **curb market** marché après Bourse
**VT** *expenditure* réduire, freiner, restreindre; *inflation* maîtriser, contenir, enrayer, endiguer.

**curbstone** /'kɜːbstəʊn/ *(US)*

— compounds/composés —
- **curbstone broker** coulissier m
- **curbstone market** marché m après Bourse.

**cure** /kjʊər/ **vt** remédier à ◆ **to cure a problem** résoudre un problème
**n** remède m *(for à)* ◆ **to find a cure for the country's decline** trouver un remède au déclin du pays.

**currency** /'kʌrənsɪ/ **N** **a** *(= money)* monnaie f, argent m ◆ **foreign currency** devises étrangères ◆ **foreign currency allowance** allocation en devises ◆ **hard** *or* **strong / soft** *or* **weak currency** devise forte / faible ◆ **legal (tender) currency** monnaie légale ◆ **overrated currency** monnaie surcotée ◆ **paper currency** papier-monnaie, monnaie fiduciaire ◆ **the single currency** la monnaie unique **b** *(Fin, fig = circulation)* circulation f ◆ **this coin is no longer in currency** cette pièce n'est plus en circulation ◆ **to give currency to a rumour** accréditer une rumeur

— compounds/composés —
- **currency account** compte en devises (étrangères)
- **currency adjustment** réajustement *or* réalignement *or* réaménagement monétaire
- **currency area** zone monétaire
- **currency assets** avoir en devises
- **currency basket** panier de devises
- **currency bill** traite libellée en devises étrangères
- **currency certificate** *(US)* bon du Trésor
- **currency exposure** position *or* risque de change
- **currency future** contrat de change à terme
- **currency gain** gain de change
- **currency loss** perte de change
- **currency note** billet
- **currency payables** comptes mpl fournisseurs *or* effets à payer en devises
- **currency rate** cours des devises
- **currency receivables** comptes mpl clients *or* effets à recevoir en devises
- **currency risk** risque de change
- **currency transactions** transactions fpl de change
- **currency transfer** transfert de devises
- **currency unit** unité monétaire.

**current** /'kʌrənt/ **ADJ** *value* actuel; *price* courant, couramment pratiqué; *rate* actuel, actuellement en vigueur; *month, year* en cours ◆ **current account** *(Brit Bank)* compte courant; *(St Ex)* liquidation en cours ◆ **current assets** actif réalisable à court terme, actif de roulement ◆ **current budget** budget ordinaire *or* de fonctionnement ◆ **current cost accounting** comptabilité en coûts actuels ◆ **current issue** *[magazine]* dernier numéro; *[shares]* émission en cours ◆ **current liabilities** passif exigible à court terme, dettes à court terme ◆ **current loan** prêt en cours ◆ **current market prices** prix courants du marché ◆ **current matters** affaires courantes ◆ **current ratio** ratio de liquidité générale ◆ **current settlement** *(St Ex)* liquidation en cours ◆ **current weighted** *(Econ)* pondéré d'après les données de la période en cours ◆ **current yield** taux actuariel.

**curriculum vitæ** /kə'rɪkjʊləm'viːtaɪ/ **N** curriculum vitæ m.

**curtail** /kɜː'teɪl/ **vt** *discussions, proceedings* écourter; *wages* rogner, réduire, amputer; *expenses* restreindre, réduire, comprimer.

**curtailment** /kɜː'teɪlmənt/ **N** réduction f, compression f, diminution f *(in de)*

**curve** /kɜːv/ **N** courbe f ◆ **the slope of a curve** la pente d'une courbe ◆ **downward / upward sloping curve** courbe descendante / ascendante ◆ **consumption curve** courbe de consommation ◆ **learning curve** courbe d'apprentissage ◆ **supply curve** courbe de l'offre.

**cushion** /'kʊʃən/ **n** coussin m ◆ **foreign-exchange cushion** coussin *or* matelas de devises ◆ **to provide a cushion against the effects of the drop in oil prices** se prémunir contre les effets de la chute des cours du pétrole
**vt** *shock* amortir ◆ **cuts in personal taxation to cushion the expected rise in prices** réduction de l'impôt sur le revenu des personnes physiques pour amortir le choc de la hausse attendue des prix.

**custodian** /kɒs'təʊdɪdən/ **N** *[securities]* dépositaire m.

**custody** /'kɒstədi/ **N** garde f ◆ **share custody** conservation des titres.

**custom** /'kʌstəm/ **N** *(Brit Comm)* clientèle f ◆ **to lose sb's custom** perdre la clientèle de qn ◆ **he has lost a lot of custom** il a perdu beaucoup de

— compounds/composés —
- **custom-built** (fait) sur commande
- **custom-designed** sur mesure
- **custom guaranty** acquit à caution
- **custom-made** *clothes* sur mesure; *other goods* sur commande; *insurance policy* personnalisé ◆ **custom-made programme** programme personnalisé *or* individualisé
- **custom order** commande à façon
- **custom software** logiciel personnalisé.

clients ✦ **he took his custom elsewhere** il est allé se fournir ailleurs

**customary** /'kʌstəmərɪ/ **ADJ** ✦ **customary clause** clause d'usage ✦ **customary residence** résidence habituelle.

**customer** /'kʌstəmə'/ **N** client(e) m(f)

*— compounds/composés —*

✦ **customer base** clientèle ✦ **we must enlarge our customer base** nous devons élargir notre clientèle
✦ **customer-developed program** *(Comp)* programme écrit par l'utilisateur
✦ **customer file** fichier clients
✦ **customer loyalty** fidélité du client
✦ **customer-operated** commandé *or* déclenché par le client
✦ **customer relations** relations fpl avec la clientèle
✦ **customer response** réaction du consommateur
✦ **customer satisfaction** satisfaction du client
✦ **customer service** service clients, service clientèle.

**customize, customise** /'kʌstəmaɪz/ **VT** fabriquer sur mesure, personnaliser ✦ **customized integrated circuits** circuits intégrés sur mesure.

**customs** /'kʌstəmz/ **N** *(= place)* douane f ; *(= duties)* droits mpl de douane ✦ **the customs** la douane ✦ **to go through customs** passer la douane

**cut** /kʌt/ **N** **a** *(= reduction)* réduction f, diminution f *(in* de*)* ✦ **to take a cut in salary** subir une diminution *or* une réduction de salaire ✦ **wage cut** diminution *or* réduction de salaire **b** *(* = *share)* part f ✦ **they all want a cut in the**

**project** ils veulent tous leur part du gâteau* ✦ **he'll take his cut of the profits** il prendra sa part des bénéfices

**VT** **a** *(= reduce)* profits, wages réduire, diminuer ✦ **to cut prices** réduire les prix, vendre à prix réduit *or* au rabais ✦ **to cut one's losses** faire la part du feu, sauver les meubles **b** cloth couper ✦ **to cut short the discussions** abréger les discussions, couper court aux discussions ✦ **cut along the dotted line** découper suivant le pointillé.

**cut back** **VT SEP** production, expenditure réduire, diminuer.

**cutback** /'kʌtbæk/ **N** *[expenditure, production, staff]* réduction f, diminution f *(in* de*)* ✦ **the company has experienced cutbacks in all departments over the last year** la société a subi des compressions dans tous les services l'an dernier.

**cut back on** **VT FUS** production, expenditure réduire, diminuer.

**cut down** **VT SEP** expenses réduire, rogner.

**cut down on** **VT FUS** energy économiser sur; expenditure réduire, restreindre.

**cut in** **VI** **to cut in on the market** s'infiltrer sur le marché
**VT SEP** **to cut sb in on a deal** * faire entrer qn dans une combine*.

**cut off** **VT SEP** telephone, electricity couper ✦ **we were cut off** *(on phone)* nous avons été coupés.

**cut-off** /'kʌtɒf/ **ADJ** ✦ **cut-off date** date limite ✦ **cut-off point** point d'arrêt.

*— compounds/composés —*

**CUSTOMS**

✦ **customs barriers** barrières fpl douanières
✦ **customs broker** agent en douane
✦ **customs charges** frais mpl de douane
✦ **customs check** vérification douanière, contrôle douanier
✦ **customs clearance** dédouanement ✦ **to effect customs clearance** procéder aux formalités douanières
✦ **customs declaration** déclaration en douane
✦ **customs duty** droits mpl de douane
✦ **customs entry** déclaration en douane
✦ **the Customs and Excise** ≈ les douanes, ≈ l'administration des douanes et des impôts indirects
✦ **customs formalities** formalités fpl douanières
✦ **customs house** *(poste or bureaux mpl de)* douane

✦ **customs inspection** visite douanière
✦ **customs manifest** manifeste de douane
✦ **customs note** bordereau de douane
✦ **customs officer** douanier
✦ **customs passbook** carnet de passage en douane
✦ **customs procedure** formalité douanière
✦ **customs receipt** récépissé de douane
✦ **customs regulations** règlements mpl douaniers
✦ **customs seal** plomb de douane
✦ **customs tariff** tarif douanier
✦ **customs union** union douanière
✦ **customs walls** barrières fpl douanières
✦ **customs warehouse** entrepôt de douane.

**cut out** `VT SEP` **a** *(Commodity Exchange)* compenser **b** **to cut sb out of a deal** éliminer *or* exclure qn d'une transaction, ravir *or* enlever un marché à qn
  `VT` **he is not cut out for the job** il n'est pas taillé *or* fait pour le poste.

**cut-price** /ˈkʌtpraɪs/ **ADJ** au rabais, à prix réduit ◆ **cut-price offer** offre à prix réduit ◆ **cut-price store** magasin à prix réduits.

**cut-throat** /ˈkʌtθrəʊt/ **ADJ** féroce, sans pitié ◆ **cut-throat competition** concurrence acharnée *or* sauvage *or* féroce.

**cutting** /ˈkʌtɪŋ/ **N** réduction f ◆ **cutting limit order** ordre stop ◆ **press cutting** coupures de presse ◆ **cutting-edge technology** technologie de pointe.

**CV** /siːˈviː/ **N** (abbr of **curriculum vitæ**) CV m.

**C.W.O.** abbr of **cash with order** → **cash.**

**cy** abbr of **currency.**

**cybernetics** /ˌsaɪbəˈnetiks/ **N** cybernétique f.

**cyberspace** /ˌsaɪbəˈspeɪs/ **N** cyberespace m.

**cyberfraud** /ˌsaɪbəˈfrɔːd/ **N** cyberfraude f.

**cybermarketing** /ˌsaɪbəˈmɑːkɪtɪŋ/ **N** cybermarketing m.

**cycle** /ˈsaɪkl/ **N** cycle m ◆ **business** *or* **economic** *or* **trade cycle** cycle économique ◆ **planning cycle** cycle de planification.

**cyclic(al)** /ˈsaɪklɪk(əl)/ **ADJ** *inflation, stocks* cyclique ◆ **cyclical fluctuations** variations conjoncturelles *or* cycliques ◆ **cyclical unemployment** chômage cyclique *or* conjoncturel ◆ **cyclical recovery** redressement de la conjoncture
  `N` **cyclicals** *(St Ex)* cycliques, valeurs cycliques.

**Cypriot** /ˈsɪprɪət/ `ADJ` cypriote, chypriote
  `N` *(= inhabitant)* Cypriote mf, Chypriote mf.

**Cyprus** /ˈsaɪprəs/ **N** Chypre.

**Czech** /tʃek/ `ADJ` tchèque ◆ **the Czech Republic** la République tchèque
  `N` **a** *(= language)* tchèque m **b** *(= inhabitant)* Tchèque mf.

**Czechoslovakia†** /tʃəkəʊsləˈvækɪə/ **N** Tchécoslovaquie f.

**Czechoslovakian†** /tʃekəʊsləˈvækɪən/ `ADJ` tchécoslovaque
  `N` *(= inhabitant)* Tchécoslovaque mf.

# D

**d.** **a** abbr of **date** **b** abbr of **dividend** **c** abbr of **distribution.**

**d / a, D / A** (abbr of **documents against acceptance**) D / A.

**DA** abbr of **deed of arrangement** or **assignment** → **deed.**

**dabble** /'dæbl/ **VI** ◆ to dabble in stocks and shares, dabble on the stock market boursicoter.

**dabbler** /'dæblə'/ **N** (St Ex) boursicotier m, boursicoteur m.

**daily** /'deɪlɪ/ **ADJ** quotidien, journalier ◆ daily allowance (= expense account) forfait journalier; (Ins) indemnité journalière ◆ daily balance (Acc) solde journalier ◆ daily loan prêt au jour le jour ◆ daily (news)paper quotidien ◆ daily rate pay taux journalier ◆ daily returns (= takings) recettes journalières; (= statement) relevés journaliers; (= unsold items) invendus journaliers
**ADV** tous les jours, quotidiennement
**N** (= newspaper) quotidien m ◆ one of the national dailies un des quotidiens nationaux.

**dairy** /'dɛərɪ/ **N** (in farm, factory) laiterie f; (= shop) crémerie f, laiterie f

—————— compounds/composés ——————

◆ **dairy butter** beurre fermier
◆ **dairy farming** élevage laitier
◆ **dairy industry** industrie laitière
◆ **dairy produce** produits mpl laitiers.

**daisy** /'deɪzɪ/

—————— compounds/composés ——————

◆ **daisy-chain** (Oil Ind) transactions fpl à terme en chaîne ◆ to daisy-chain sth (Comp) connecter qch en chaîne ◆ **daisy wheel** (Comp) marguerite ◆ **daisy-wheel printer** imprimante à marguerite.

**Dakar** /'dækə/ **N** Dakar.

**dalasi** /də'lɑːsɪ/ **N** dalasi m.

**damage** /'dæmɪdʒ/ **N** **a** (gen) dommage(s) m(pl), dégâts mpl ; (to ship, cargo) avarie(s) f(pl), dommage(s) m(pl) ◆ to cause extensive damage causer des dégâts or des dommages importants ◆ the extent of the damage has not yet been assessed (gen) l'importance des dégâts n'a pas encore été évaluée; (Ins) l'importance du sinistre or des dommages n'a pas encore été évaluée ◆ damage by fire / frost / water dommages or dégâts causés par l'incendie / le gel / l'eau ◆ damage to property (gen) dégâts matériels; (Ins) dommages matériels à des biens ◆ damage to goods in transit avaries de marchandises en cours de transit, avaries de route ◆ to suffer damage subir des dommages or des dégâts ◆ to make good the damage (= repair) réparer les dégâts; (= indemnify) verser une indemnité pour les dommages occasionnés ◆ the damage is not covered by the policy les dommages ne sont pas garantis or couverts par l'assurance ◆ consequential damage dommage indirect **b** (Jur) ◆ damages dommages et intérêts, dommages-intérêts ◆ claim for damages demande de dommages et intérêts ◆ to sue (sb) for damages poursuivre (qn) en dommages-intérêts ◆ to claim $20,000 damages réclamer 20 000 dollars de dommages-intérêts ◆ to recover damages obtenir des dommages-intérêts ◆ **to assess the damages** fixer les dommages-intérêts ◆ **contemptuous** *or* **nominal damages** dommages-intérêts symboliques ◆ **general** *or* **ordinary** *or* **substantial damages** dommages-intérêts dus pour tout préjudice ◆ **real / indirect damages** dommages-intérêts directs / indirects ◆ **retributory damages** dommages-intérêts pour préjudice moral ◆ **special damages** indemnisation spéciale, dommages-intérêts spécifiques c *(moral damage)* préjudice m, tort m ◆ **this mistake has done great damage to the business** cette erreur a porté un grand préjudice *or* a fait beaucoup de tort à l'entreprise ◆ **the damage to his reputation** l'atteinte à sa réputation

---
*compounds/composés*

- ◆ **damage certificate** attestation de sinistre *or* de dommages *or* de dégâts
- ◆ **damage claim** déclaration de sinistre
- ◆ **damage insurance** assurance (de) dommages
- ◆ **damage liability** responsabilité (civile) pour dommages causés
- ◆ **damage report** *(gen)* rapport d'expertise; *(Mar)* rapport d'avaries
- ◆ **damage survey** *(gen)* expertise des dommages *or* des dégâts; *(Mar)* expertise des avaries

---

vt *goods, machine, building* endommager, abîmer, détériorer; *food* abîmer, gâter; *reputation* nuire à, porter atteinte à.

**damaging** /ˈdæmɪdʒɪŋ/ **ADJ** *(gen, Jur)* préjudiciable *(to* à)

**Damascus** /dəˈmɑːskəs/ **N** Damas.

**damp down** /dæmp/ **VT SEP** *consumption, demand* freiner, réduire.

**Dane** /deɪn/ **N** *(= inhabitant)* Danois(e) m(f).

**danger** /ˈdeɪndʒəʳ/ **N** danger m

---
*compounds/composés*

- ◆ **danger area** *or* **zone** zone dangereuse
- ◆ **danger money** prime de risque
- ◆ **danger signal** signal d'alarme.

---

**dangerous** /ˈdeɪndʒrəs/ **ADJ** dangereux.

**Danish** /ˈdeɪnɪʃ/ **ADJ** danois
N *(= language)* danois m.

**d.a.p.** abbr of **documents against payment** → **document**.

**d.a.s.** abbr of **delivered alongside ship** → **deliver**.

**data** /ˈdeɪtə/ **NPL** *(sometimes with singular verb)* données fpl, information(s) f(pl) ◆ **data in / out** entrée / sortie de données, données en entrée /

sortie ◆ **we have insufficient data** nous n'avons pas assez d'informations, les informations *or* les données dont nous disposons sont insuffisantes ◆ **master data** données permanentes ◆ **personal data sheet** curriculum vitae ◆ **raw data** données brutes *or* non traitées ◆ **test data** données d'essai

---
*compounds/composés*

- ◆ **data bank** banque de données
- ◆ **data base** base de données ◆ **data base management system** système de gestion de bases de données ◆ **data base manager** gestionnaire de bases de données
- ◆ **data capture** saisie de données
- ◆ **data collection** collecte de données
- ◆ **data communication(s)** communication *or* transmission de données
- ◆ **data communications** télématique
- ◆ **data decryption** décryptage des données
- ◆ **data encryption** cryptage des données
- ◆ **data entry** saisie *or* introduction de données ◆ **data entry device / screen** unité / écran de saisie (de données)
- ◆ **data file** fichier de données
- ◆ **data flow** flux *or* circulation des données ◆ **data flow chart** organigramme
- ◆ **data handling** traitement de données, traitement de l'information
- ◆ **data input** introduction *or* entrée de données
- ◆ **data logging** enregistrement chronologique des données
- ◆ **data management** gestion de données
- ◆ **data output** sortie de données
- ◆ **data processing** *(gen)* informatique; *(= data handling)* traitement de données, traitement de l'information ◆ **data processing centre** centre de calcul *or* de traitement de l'information ◆ **data processing department** service informatique
- ◆ **Data Protection Act** *(Brit)* ≈ loi informatique et libertés
- ◆ **data recording** enregistrement de données
- ◆ **data retrieval** recherche *or* extraction de données
- ◆ **data sheet** *[machine]* fiche technique; *[applicant]* curriculum vitae
- ◆ **data terminal** terminal de données, poste de télégestion
- ◆ **data throughput** débit (de traitement des données).

---

**datacom** /ˈdeɪtəkɒm/ **N** abbr of **data communications** → **data**.

**dataline** /ˈdeɪtəlaɪn/ **N** liaison f, ligne f télématique.

**datamation** /ˌdeɪtəˈmeɪʃən/ **N** traitement m automatique de données.

**date** /deɪt/ N a date f ◆ **date of birth** date de naissance ◆ **date as postmark** date de la poste ◆ **to fix** *or* **to set a date for a meeting** fixer la date d'une réunion, convenir d'une date pour une réunion ♦ **final date** date limite ♦ **date of sailing** date de départ ♦ **date of record** *(Fin)* date de clôture (des registres) ♦ **date of trade** *(St Ex)* jour d'exécution d'un ordre (de Bourse) ♦ **delivery date** date *or* délai de livraison ♦ **payment date** date de paiement ♦ **starting date** *[project]* date de démarrage; *[insurance policy]* date d'entrée en vigueur **b** *[bill, note]* terme m, échéance f ♦ **due** *or* **maturity date** date d'échéance *or* d'exigibilité ♦ **at three months' date, three months after date** à trois mois de date *or* d'échéance ♦ **to buy at long date** acheter à long terme ♦ **to pay at fixed dates** payer à échéances fixes ♦ **average (due) date** échéance commune **c** *(phrases)* ♦ **we have not received your remittance to date** nous n'avons pas reçu votre règlement à ce jour ♦ **interest to date** intérêts à ce jour ♦ **to be out of date** *[passport]* être périmé; *[idea, product, technology]* être démodé ♦ **to be up to date** *[document]* être à jour ♦ **to be up to date in one's work** être à jour dans son travail ♦ **to bring up to date** *accounts* mettre à jour; *technology* moderniser, actualiser; *person* mettre au courant (*on* de)

───── compounds/composés ─────
♦ **date book** agenda
♦ **date line** *(Geog)* ligne de changement de date; *(Press)* date
♦ **date plan** *or* **schedule** *(Pub)* calendrier d'insertions
♦ **date stamp** *[library]* timbre *or* tampon dateur; *(= postmark)* cachet de la poste ♦ **to date-stamp** *document* tamponner, dater; *envelope* apposer le cachet (de la poste) sur; *(= stamp)* oblitérer

**vt** *letter* dater ♦ **the letter is dated May 26** la lettre est datée du 26 mai ♦ **to date a letter back to April 14** dater une lettre du 14 avril (passé) ♦ **to date a letter forward to July 14** dater une lettre du 14 juillet (à venir)
**vi** **a** ♦ **to date from** dater de ♦ **to date back to** dater de, remonter à **b** *(= become old-fashioned)* dater.

**dated** /'deɪtɪd/ **ADJ** ♦ **long- / short-dated** *bond* à longue / courte échéance ♦ **dated security / bond** valeur / obligation à échéance fixe ♦ **the dated sector** le secteur des obligations à échéance fixe.

**dawn raid** /'dɔːnreɪd/ **N** *(St Ex)* tentative f d'OPA surprise.

**DAX** /[daks/ **N** *(St Ex)* DAX m

**day** /deɪ/ **N** jour m, journée f ♦ **they are paid by the day** ils sont payés à la journée ♦ **he works a 7-hour day** il travaille 7 heures par jour, il fait une journée de 7 heures ♦ **days of grace** jours

or délai *or* terme de grâce ♦ **account** *or* **call day** *(St Ex)* jour de liquidation ♦ **we have 30 clear days before payment must be made** nous avons 30 jours francs *or* pleins avant de faire le paiement ♦ **exchange** *or* **market day** *(St Ex)* jour de Bourse *or* de place ♦ **last-day** *loan* remboursable à la fin du mois ♦ **one-day option** *(St Ex)* prime au lendemain ♦ **pay day** *(Ind)* jour de (la) paie; *(St Ex)* jour de la liquidation ♦ **same-day delivery / payment** livraison / paiement le jour même ♦ **working day** *(= day available for work)* jour ouvrable; *(= day of work)* journée de travail

───── compounds/composés ─────
♦ **day bill** effet *or* traite à date fixe
♦ **day labour** travail à la journée
♦ **day loan** prêt au jour le jour
♦ **day off** jour de congé *or* de libre
♦ **day order** *(St Ex)* ordre (valable ce) jour
♦ **day-to-day** *occurrence* journalier, qui se produit tous les jours; *loan* au jour le jour; *operations, management* quotidien
♦ **day trader** investisseur au jour le jour, day trader
♦ **day trading** *(St Ex)* achat et revente dans la même journée, transactions au jour le jour, day trading.

**daybook** /'deɪbʊk/ **N** *(Acc)* brouillard m, main f courante, journal m.

**daylight** /'deɪlaɪt/ **COMP** ♦ **daylight exposure** *or* **overdraft** *(Bank)* découvert au jour le jour ♦ **daylight trading** *(St Ex)* achat et revente dans la même journée ♦ **daylight-saving time** *(US)* heure d'été.

**DB** abbr of **daybook**.

**db.** abbr of **debenture**.

**dbk** abbr of **drawback**.

**d / c., DC** abbr of **documents against cash** → **document**.

**DCF** /ˌdiːsiːˈef/ (abbr of **discounted cash flow**) VAN.

**DD, D / D** **a** abbr of **demand draft** → **demand** **b** abbr of **delivered at docks** → **deliver** **c** abbr of **direct debit** → **direct**.

**DDD** /ˌdiːdiːˈdiː/ abbr of **deadline delivery date** → **deadline**.

**d.e.** abbr of **double entry** → **double**.

**deactivate** /diːˈæktɪveɪt/ **VT** *(Comp, Tech)* désactiver.

**dead** /ded/ **ADJ** *person* mort; *account, file, capital* inactif ♦ **dead book** (* : *St Ex*) registre des entreprises disparues ◆ **dead freight** faux fret, fret sur le vide; *(penalty)* dédit pour défaut de chargement ◆ **dead letter** *(Post)* lettre mise au rebut ◆ **Dead Letter Office** *(Brit)* service des rebuts ◆ **to become a dead letter** *(Jur)* tomber en désuétude ◆ **dead load** poids mort, poids à vide, charge constante ◆ **dead loan** emprunt irrécouvrable ◆ **dead loss** *(Comm)* perte sèche ◆ **this product is a dead loss** * ce produit ne vaut rien ◆ **dead matters** documents périmés ◆ **dead money** argent improductif ◆ **dead period** *(gen)* période morte *or* d'inactivité; *(= season)* morte-saison ◆ **dead pledge** *or* **security** garantie irrécouvrable ◆ **dead stock** *(Comm)* invendus, marchandises invendues ◆ **dead time** *machine* temps d'inutilisation *or* d'immobilisation ◆ **dead weight** *(gen)* poids mort ◆ **dead weight (capacity)** *(Mar)* chargement *or* charge *or* port en lourd ◆ **dead weight cargo** marchandises lourdes ◆ **dead weight charter** affrètement en lourd ◆ **dead weight debt** *(Brit Econ)* dette improductive ◆ **dead weight tonnage** tonnage de portée en lourd.

**deadline** /'dedlaɪn/ N date f *or* heure f limite, délai m de rigueur ◆ **to meet a deadline** terminer dans les délais, respecter les délais ◆ **we have a Friday evening deadline on this job** nous devons terminer ce travail vendredi soir dernier délai ◆ **deadline delivery date** date limite *or* impérative de livraison.

**deadlock** /'dedlɒk/ N ◆ **to be at a deadlock** *[negotiations]* être dans l'impasse, être au point mort ◆ **to break a deadlock** sortir d'une impasse.

**deadwood** /'dedwʊd/ N ◆ **to get rid of the deadwood in the company** se débarrasser du personnel improductif dans l'entreprise.

**deal** /diːl/ **Ⅲ** **a** *(Comm, Fin : also **business deal**)* affaire f, marché m ◆ **a good deal** une bonne affaire ◆ **to do a deal with sb** faire *or* conclure *or* passer un marché avec qn, faire affaire avec qn ◆ **it's a deal!** * marché conclu!, d'accord!, ça marche!* ◆ **to clinch a deal** conclure une affaire *or* un marché ◆ **to call off a deal** annuler un marché ◆ **to give sb a fair deal** traiter qn honnêtement *or* équitablement ◆ **this was the best deal we could get** c'est ce qu'on a pu obtenir de mieux ◆ **perhaps we can do a deal** on pourra peut-être s'arranger ◆ **we pulled off a deal with the Germans** on a réussi un coup* *or* une affaire avec les Allemands ◆ **this summer's best deal** la meilleure affaire de l'été ◆ **firm deal** marché ferme ◆ **new deal** *(Pol)* programme de réformes ◆ **the New Deal** *(US Pol)* le New Deal, la Nouvelle Donne

◆ **package deal** *(= agreement)* accord global; *(= proposal)* offre globale **b** *(Comm = transaction)* transaction f, vente f *(Fin, St Ex)* transaction f, opération f ; *(= special offer)* offre f spéciale ◆ **cash / credit deal** transaction *or* vente au comptant / à crédit ◆ **option deal** opération à prime **c** *(promotion to the retail trade : also **trade deal**)* offre f spéciale *or* vente f promotionnelle à la profession

**Ⅵ** **to deal in wine** être dans *or* faire le commerce du vin, être négociant en vins ◆ **to deal in stocks and shares** être opérateur en Bourse.

**dealer** /'diːləʳ/ N **a** *(Bank, Commodity Exchange)* négociant m ; *(St Ex)* opérateur m ◆ **dealer on the bond market** opérateur sur le marché obligataire ◆ **foreign exchange dealer** cambiste ◆ **the bank is involved in dealer activities on the New York Stock Exchange** la banque opère à la Bourse de New York **b** *[wine, foodstuffs]* fournisseur m (*in* de) marchand m, négociant m (*in* en) ◆ **authorized** *or* **licensed dealer** revendeur agréé ◆ **exclusive dealer** *(gen)* concessionnaire (exclusif) ◆ **car dealer** concessionnaire automobile; *(without exclusive territorial rights)* agent revendeur ◆ **retail dealer** détaillant ◆ **wholesale lumber dealer** grossiste en bois ◆ **drugs / arms dealer** trafiquant de drogue / d'armes

───── *compounds/composés* ─────

◆ **dealer aids** *(Pub)* matériel promotionnel *(mis à la disposition des revendeurs)*
◆ **dealer audit** audit du réseau de distribution
◆ **dealer brand** marque de revendeur
◆ **dealer financing** financement par le distributeur
◆ **dealer loan** prêt consenti par le distributeur
◆ **dealer merchant** grossiste
◆ **dealer promotion** promotion auprès des distributeurs, promotion-réseau.

**dealership** /'diːləʃɪp/ N concession f, exclusivité f ◆ **they have obtained the dealership for this make** ils ont obtenu la concession de cette marque.

**dealing** /'diːlɪŋ/ N **a** *(St Ex)* ◆ **dealing(s)** opérations, transactions ◆ **the dealings for the account** *or* **for the settlement** les opérations à terme ◆ **dealings for cash** opérations au comptant ◆ **foreign exchange dealings** opérations de change ◆ **forward exchange dealings** opérations de change à terme ◆ **insider dealing** délit d'initiés ◆ **there was heavy dealing on Wall Street** l'activité (boursière) a été soutenue à Wall Street ◆ **there was heavy dealing in**

**oil shares** les pétrolières ont été très actives ✦ **the market steadied when dealing resumed** le marché s'est stabilisé quand les transactions ont repris ✦ **first dealings** *[new share]* première cotation ✦ **dealing room** salle des marchés **b** *(Comm = trading)* ✦ **they have a reputation for honest dealing** ils ont la réputation d'être honnêtes en affaires ✦ **dealing in timber is less profitable this year** le commerce du bois est moins rentable cette année ✦ **their business is second-hand car dealing** ils sont dans la voiture d'occasion **c** **dealings** *(= relations)* relations, rapports ✦ **we have had business dealings with them for 5 years** nous sommes en relations d'affaires avec eux depuis 5 ans ✦ **our dealings with them have always been satisfactory** nos relations avec eux ont toujours été satisfaisantes **d** *(= trafficking)* trafic m ✦ **drugs / arms dealing** trafic de stupéfiants / d'armes

— *compounds/composés* —

- ✦ **dealing arrangements** accords mpl de distribution
- ✦ **dealing desk** table de change
- ✦ **dealing room** salle des transactions *or* des opérations.

**dealmaker** /ˈdiːlmeɪkəʳ/ **N** *(St Ex)* opérateur m.

**deal out** **VT SEP** *money, gifts* distribuer, répartir, partager *(between* entre)

**deal with** **VT SEP** **a** *(= do business with)* être en relations d'affaires avec, travailler avec ✦ **we have dealt with them for many years** nous sommes en relations d'affaires *or* nous traitons avec eux depuis bien des années; *(as customers)* nous nous fournissons chez eux depuis bien des années ✦ **we deal exclusively with supermarkets** nous vendons exclusivement aux supermarchés **b** *(= manage, handle) person, task* s'occuper de, se charger de; *problem (= tackle)* s'occuper de; *(= find a solution for)* venir à bout de ✦ **I'll deal with John** je m'occuperai *or* je me chargerai de John ✦ **we shall deal with your order immediately** nous allons traiter *or* exécuter votre commande tout de suite **c** *(= be concerned with) [book, film]* traiter de, avoir pour sujet.

**de-allocate** /diːˈæləkeɪt/ **VT** *funds* désaffecter, libérer.

**dear** /dɪəʳ/ **ADJ** **a** *(= expensive) service, goods* cher, coûteux; *shop* cher; *price* élevé ✦ **to get dearer** *goods* renchérir; *prices* augmenter ✦ **dear money has discouraged borrowers** la cherté de l'argent *or* l'argent cher a découragé les emprunteurs **b** *(in letter writing)* cher ✦ **Dear Sir**

(Cher) Monsieur ✦ **Dear Sir or Madam** Madame, (Mademoiselle,) Monsieur ✦ **Dear Sirs** Messieurs ✦ **Dear Mr Jones** Monsieur ✦ **Dear Ms Jones, Dear Mrs Jones** Madame
**ADV** *buy, pay, sell* cher.

**dearness** /ˈdɪənɪs/ **N** cherté f.

**dearth** /dɜːθ/ **N** *[money, resources]* pénurie f ✦ **there is no dearth of ideas** les idées ne manquent pas.

**death** /deθ/ **N** *[person]* mort f, décès m ; *[plans, hopes]* effondrement m, anéantissement m

— *compounds/composés* —

- ✦ **death benefit** *(Ins)* capital-décès, indemnité en cas de décès
- ✦ **death certificate** extrait d'acte de décès
- ✦ **death duty** *or* **duties** *(Tax)* droits mpl de succession, impôt successoral
- ✦ **death and invalidity benefit insurance** assurance décès-invalidité
- ✦ **death penalty** *(Jur)* peine de mort
- ✦ **death rate** taux de mortalité.

**debar** /dɪˈbɑːʳ/ **VT** exclure *(from* de) ✦ **to debar sb from doing** interdire *or* défendre à qn de faire.

**debark** /dɪˈbɑːk/ **VTI** *(US)* débarquer.

**debarkation** /ˌdiːbɑːˈkeɪʃən/ **N** *(US)* débarquement m.

**debarment** /dɪˈbɑːmənt/ **N** exclusion f *(from* de)

**debase** /dɪˈbeɪs/ **VT** *(in value or quality)* rabaisser; *metal* altérer; *coinage* déprécier, dévaloriser.

**debasement** /dɪˈbeɪsmənt/ **N** *[coinage]* dépréciation f.

**debatable** /dɪˈbeɪtəbl/ **ADJ** discutable, contestable, litigieux.

**debate** /dɪˈbeɪt/ **VT** *question* discuter, débattre **VI** discuter *(with* avec, *about* sur) **N** discussion f, débat m.

**debenture** /dɪˈbentʃəʳ/ **N** **a** *(Customs : also* **debenture certificate**) certificat m de drawback **b** *(Fin, St Ex = bond)* obligation f ; *(Jur)* obligation f (non garantie) ✦ **the conversion of debentures into equity** la conversion d'obligations en actions ✦ **fixed / floating debenture** obligation à taux fixe / variable ✦ **graduated interest debenture** obligation à taux progressif ✦ **naked debenture** obligation non garantie ✦ **prior-lien debenture** obligation de premier rang *or* prioritaire ✦ **registered debenture** obligation nominative ✦ **simple debenture** obligation chirographaire ✦ **unissued debenture** obligation non encore émise, obligation à la souche

─── compounds/composés ───

+ **debenture bond** (titre d') obligation
+ **debenture capital** capital-obligations
+ **debenture debt** dettes fpl obligataires
+ **debenture holder** obligataire
+ **debenture interest** intérêts mpl obligataires
+ **debenture issue** émission d'obligations
+ **debenture loan** emprunt obligataire
+ **debenture redemption** remboursement des obligations + **debenture redemption premium** prime de remboursement d'obligations
+ **debenture redemption reserve** provision pour remboursement des obligations
+ **debenture register** registre des obligations
+ **debenture stock** (gen) obligations fpl (US = shares) actions fpl privilégiées.

**debit** /'debɪt/ **N** débit m + **to pass** or **enter to the debit of** porter au débit de + **to enter an amount on the debit side of an account** porter or inscrire une somme au débit d'un compte + **on the debit side** au passif + **direct debit** (Brit Bank) (paiement par) prélèvement bancaire automatique

─── compounds/composés ───

+ **debit account** compte débiteur
+ **debit adjustment** réapprovisionnement (pour corriger un solde débiteur)
+ **debit balance** solde débiteur
+ **debit card** (US) carte de débit
+ **debit column** colonne débitrice or des débits
+ **debit entry** écriture or inscription au débit
+ **debit interest** intérêts mpl débiteurs
+ **debit item** somme portée au débit
+ **debit memorandum** (to customer) note or avis or bordereau de débit; (to accountant) autorisation de débit
+ **debit note** (to customer) (gen) note or avis or bordereau de débit; (Ins) avis or relevé de prime
+ **debit party** (Bank) banque débitrice
+ **debit product** nombres mpl débiteurs
+ **debit ticket** (US Bank) bordereau de débit
+ **debit transfer** (to accountant) autorisation de débit

**VT** person, account débiter + **to debit sb's account with a sum, debit a sum against sb's account** débiter le compte de qn d'une somme, porter or inscrire une somme au débit du compte de qn + **this item will be debited as a charge** cette somme sera passée en charges, cette somme sera portée au débit d'un compte de charges + **all travel expenses will be debited to this account** ce compte sera débité du montant de tous les frais de déplacement + **to debit $2,000 to accounts payable** débiter le compte fournisseurs de 2 000 dollars, porter or inscrire 2 000 dollars au débit du compte fournisseurs.

**debiting** /'debɪtɪŋ/ **N** débit m + **the debiting of the purchases account** le débit du compte achats + **direct debiting** (Brit Bank) (paiement par) prélèvement bancaire automatique.

**debt** /det/ **N** **a** (gen) dette f ; (from the creditor's point of view) créance f + **to be in debt** avoir des dettes, être endetté + **they are $5,000 in debt** ils doivent 5 000 dollars + **to run into debt** s'endetter, faire or contracter des dettes + **to pay one's debts** payer ses dettes + **to pay off a debt** rembourser une dette + **debts due to us** or **owed to us** dettes actives or exigibles, créances + **debts owed by us** dettes passives + **to discharge a debt** acquitter or régler une dette + **to discharge sb from a debt** libérer qn d'une dette + **to write off a debt** amortir une dette + **to collect a debt** recouvrer une créance + **the estate is entirely free from debt** le patrimoine or l'héritage n'est grevé d'aucune dette + **the company is selling assets to write down debt** l'entreprise procède à des cessions d'actif pour réduire ses emprunts or sa dette + **to reschedule a debt** rééchelonner une dette + **assignable debt** dette cessible or négociable or transférable + **bad debt** créance douteuse or irrécouvrable + **bad debts account** compte de pertes sur

─── compounds/composés ───

+ **debt capital** emprunts mpl à moyen et long terme; (on balance sheet) emprunts mpl et dettes assimilées
+ **debt ceiling** plafond d'endettement
+ **debt collection** recouvrement de créances
+ **debt collector** agent de recouvrement de créances
+ **debt due** créance exigible
+ **debt-equity ratio** ratio d'endettement
+ **debt financing** financement par l'emprunt + **excessive debt financing has weakened their balance sheet** le recours excessif à l'emprunt comme moyen de financement obère leur bilan
+ **debt instrument** instrument financier sous forme de dette
+ **debt limit** (US) limite or plafond d'endettement
+ **debt offering** (St Ex) émission obligataire
+ **debt ratio** ratio d'endettement
+ **debt redemption** amortissement or remboursement d'une dette
+ **debt rescheduling** rééchelonnement de la dette
+ **debt retirement** remboursement d'une dette
+ **debt-ridden** criblé de dettes
+ **debt security** (= pledge) nantissement d'une dette; (= stock) valeur obligataire
+ **debt service** service de la dette + **debt-service ratio** ratio du coût du service de la dette + **debt-service requirement** financement nécessaire au service de la dette
+ **debt servicing** service de la dette
+ **debt waiver** abandon de créance.

créances irrécouvrables ✦ **bonded debt** dette obligataire ✦ **book debt** (= *money owed by company*) comptes fournisseurs; (= *money owed to company*) comptes clients ✦ **current debt** dettes exigibles ✦ **current debt stands at $1,500** les dettes exigibles s'élèvent *or* l'exigible s'élève à 1 500 dollars ✦ **floating debt** dette flottante ✦ **judgment debt** dette reconnue judiciairement ✦ **living** *or* **productive debt** dette productive ✦ **outstanding debt** dette active, dette *or* créance à recouvrer ✦ **fixed** *or* **funded** *or* **permanent debt** dette consolidée ✦ **preferential** *or* **privileged debt** dette privilégiée ✦ **secured debt** dette garantie ✦ **unfunded / unpaid debt** dette non provisionnée / non acquittée **b** (= *indebtedness, total debt*) endettement m ✦ **Third World debt** l'endettement *or* la dette des pays du Tiers Monde ✦ **gross debt** endettement brut ✦ **corporate debt has reached unprecedented levels** l'endettement des entreprises a atteint des niveaux sans précédent ✦ **consumer debt** l'endettement des consommateurs

**debtholder** /'deθhəʊldər/ **N** *(gen)* titulaire mf d'une créance; *(St Ex)* porteur m d'obligations.

**debtor** /'detər/ **N** débiteur(-trice) m(f) ✦ **joint debtor** codébiteur ✦ **judgment debtor** débiteur condamné ✦ **trade debtor** client débiteur

---
*compounds/composés*
- **debtor account** compte débiteur
- **debtor and creditor account** compte par doit et avoir
- **debtor bank** banque débitrice
- **debtor country, debtor nation** pays débiteur
- **debtors ledger** grand livre des ventes
- **debtor side** *(Acc)* colonne des débits.
---

**debug** /diː'bʌg/ **VT** *(Comp)* *program* mettre au point, déboguer, corriger; *machine* dépanner, roder ✦ **debugging routine** sous-programme de mise au point *or* de mise au point.

**decalitre** *(Brit)*, **decaliter** *(US)* /'dekəˌliːtər/ **N** décalitre m.

**decametre** *(Brit)*, **decameter** *(US)* /'dekəˌmiːtər/ **N** décamètre m.

**decartelize, decartelise** /diː'kɑːtəlaɪz/ **VT** décartelliser.

**decasualization** /ˌdiːkæzjʊlaɪ'zeɪʃən/ *(US)* **N** suppression f du travail temporaire, transformation f de la main-d'œuvre temporaire en main-d'œuvre permanente.

**decasualize** /ˌdiː'kæsjʊlaɪz/ *(US)* **VT** *workers* rendre permanent.

**deceitful** /dɪ'siːtful/ **ADJ** mensonger, trompeur ✦ **deceitful advertising** publicité mensongère.

**decelerate** /diː'seləreɪt/ **VTI** ralentir.

**deceleration** /'diːˌselə'reɪʃən/ **N** *[engine, economic growth]* ralentissement m ; *[car]* décélération f, freinage m.

**December** /dɪ'sembər/ **N** décembre m → **September.**

**decentralization, decentralisation** /diːˌsentrəlaɪ'zeɪʃən/ **N** décentralisation.

**decentralize, decentralise** /diː'sentrəlaɪz/ **VT** décentraliser.

**deceptive** /dɪ'septɪv/ **ADJ** mensonger, trompeur ✦ **deceptive advertising** publicité mensongère.

**decertification** /ˌdiːsɜːtɪfɪ'keɪʃən/ *(US)* **N** suppression f de l'habilitation *(accordée à un syndicat de représenter les salariés dans une entreprise).*

**decertify** /diː'sɜːtɪfaɪ/ *(US)* **VT** ✦ **the union has been decertified in this company** le syndicat a perdu son droit de représenter les employés dans cette entreprise.

**decide** /dɪ'saɪd/ **VT** **a** (= *make up one's mind*) se décider (*to do* à faire) décider (*to do* de faire) se résoudre (*to do* à faire) **b** (= *settle*) *question* décider, trancher; *piece of business* régler; *future, sb's fate* décider de **c** (= *cause to make up one's mind*) décider, déterminer (*sb to do* qn à faire)

**decider** /dɪ'saɪdər/ **N** décideur m.

**decilitre** *(Brit)*, **deciliter** *(US)* /'desɪˌliːtər/ **N** décilitre m.

**decimal** /'desɪməl/ **ADJ** décimal ✦ **decimal point** virgule (décimale) ✦ **floating decimal point** virgule flottante ✦ **to two decimal places** (jusqu') à la deuxième décimale, jusqu'à deux chiffres après la virgule **N** décimale f.

**decimalize, decimalise** /'desɪməlaɪz/ **VT** décimaliser.

**decimetre** *(Brit)*, **decimeter** *(US)* /'desɪˌmiːtər/ **N** décimètre m.

**decipher** /dɪ'saɪfər/ *(US)* **VT** déchiffrer.

**decision** /dɪ'sɪʒən/ **N** *(gen)* décision f ; *(Jur)* jugement m, arrêt m ✦ **to come to a decision, take** *or* **make a decision** prendre une décision ✦ **our decision is final** notre décision est irrévocable *or* sans appel

---

— compounds/composés —

- **decision aid** aide à la décision
- **decision element** élément à seuil, élément-seuil
- **decision maker** décideur
- **decision making** prise de décision ◆ **decision-making authority** pouvoir de décision ◆ **the decision-making process** le processus de (prise de) décision
- **decision model** modèle décisionnel, grille de décision
- **decision-support system** système d'aide à la décision
- **decision table** table de décision
- **decision theory** théorie de la décision
- **decision tree** arbre de décision, arbre décisionnel
- **decision unit** unité décisionnelle.

---

**decisive** /dɪˈsaɪsɪv/ **ADJ** *factor, victory* décisif; *manner* décidé; *answer* catégorique.

**deck** /dek/ **N** **a** *[ship]* pont m ◆ **deck cargo, deck load** pontée, cargaison sur le pont ◆ **on deck** en pontée **b** *[vehicle]* plate-forme f **c** *(Comp) [punched cards]* paquet m de cartes **d** *[record player]* table f de lecture; *(for recording)* platine f magnétophone ◆ **cassette deck** platine à cassettes ◆ **tape deck** platine magnétophone *or* de bande magnétique.

**declaration** /ˌdekləˈreɪʃən/ **N** **a** *(gen)* déclaration f ; *(= public announcement)* proclamation f, déclaration f ◆ **declaration above value / below value** déclaration au-dessus de la valeur / au-dessous de la valeur ◆ **tax declaration** déclaration d'impôts ◆ **customs declaration** déclaration en douane ◆ **declaration for free exportation / importation** déclaration de libre sortie / entrée ◆ **Declaration of Association** *(Jur)* acte déclaratif d'association ◆ **declaration of bankruptcy** jugement déclaratif de faillite ◆ **Declaration of Compliance** *(Jur)* déclaration de conformité ◆ **declaration of solvency** *(Brit)* déclaration de solvabilité ◆ **statutory declaration** attestation **b** *(St Ex)* ◆ **declaration of options** réponse des primes

---

— compounds/composés —

- **declaration date** *(St Ex) [dividends]* date de la déclaration
- **declaration day** *(St Ex)* jour de la réponse des primes
- **declaration insurance** police d'assurance ouverte *or* d'abonnement *or* à primes révisables.

---

**declaratory** /dɪˈklærətərɪ/ **ADJ** *judgment* déclaratif.

**declare** /dɪˈklɛəʳ/ **VT** **a** *(Tax, Fin, Customs)* déclarer ◆ **have you anything to declare?** avez-vous

quelque chose à déclarer? ◆ **nothing to declare** rien à déclarer ◆ **goods to declare** marchandises à déclarer ◆ **the company declared earnings of $2 million** la société a déclaré *or* annoncé *or* enregistré des bénéfices de 2 millions de dollars **b** *(St Ex)* option répondre à **c** *(= assert)* déclarer *(that* que) ◆ **to declare bankruptcy** déposer son bilan, se déclarer en faillite ◆ **to declare sb bankrupt** déclarer qn en faillite ◆ **he declared the motion carried** il a déclaré la proposition adoptée.

**declassify** /diːˈklæsɪfaɪ/ **VT** *information, document* donner libre accès à, ne plus classer comme confidentiel.

**decline** /dɪˈklaɪn/ **N** *(gen)* déclin m ; *[prices]* baisse *(in* de) ◆ **prices are on the decline** les prix sont en baisse, les prix baissent ◆ **bankruptcies are on the decline** les faillites sont moins fréquentes *or* moins nombreuses, les faillites sont en diminution ◆ **decline in business** ralentissement *or* fléchissement des affaires

**VT** *invitation* refuser, décliner; *responsibility* décliner, rejeter ◆ **she declined to do it** elle a refusé de le faire

**VI** *[influence]* décliner, baisser; *[prices]* baisser, être en baisse; *[company]* péricliter, décliner ◆ **business has declined** les affaires ont ralenti *or* fléchi ◆ **to decline in importance** perdre de l'importance.

**declining** /dɪˈklaɪnɪŋ/ **ADJ** ◆ **declining balance method (of depreciation)** *(US)* méthode de l'amortissement décroissant *or* dégressif, méthode du solde décroissant ◆ **declining marginal efficiency of capital** efficacité marginale décroissante du capital ◆ **declining industry** industrie en déclin ◆ **declining market** marché en baisse ◆ **declining oil shares prices are worrying investors** la baisse *or* le fléchissement des pétrolières inquiète les investisseurs.

**decode** /diːˈkəʊd/ **VT** décoder.

**decoder** /diːˈkəʊdəʳ/ **N** décodeur m.

**decollate** /dɪˈkɒleɪt/ **VT** déliasser.

**decollator** /ˈdɪkɒˌleɪtəʳ/ **N** déliasseuse f.

**decompile** /ˌdiːkəmˈpaɪl/ **VT** décompiler.

**decompiler** /ˌdiːkəmˈpaɪləʳ/ **N** décompilateur m.

**deconcentrate** /dɪkɒnsəntreɪt/ **VT** *industry* déconcentrer.

**deconfigure** /ˌdiːkənˈfɪɡəʳ/ **VT** *(Comp)* retirer de la configuration.

**decontrol** /ˌdiːkənˈtrəʊl/ **VT** *prices, wages* libérer.

**decrease** /diːˈkriːs/ **vi** *[value]* baisser, diminuer; *[strength]* décroître, s'affaiblir; *[inflation, unemployment]* baisser, être en régression *or* en recul; *[profits, share prices]* baisser, fléchir, reculer

**vt** diminuer, réduire, faire baisser

**n** *[value]* baisse f, diminution f ; *[strength]* affaiblissement m ; *[inflation, unemployment]* baisse f, régression f, recul m ; *[profits, share prices]* baisse f, fléchissement m, recul m ◆ **a decrease in economic activity** un ralentissement de l'activité économique ◆ **decrease in value of an asset** moins-value d'un élément d'actif.

**decree** /diˈkriː/ **n** décret m ; *(by tribunal)* arrêt m, jugement m ◆ **decree in bankruptcy** jugement déclaratif de faillite ◆ **to issue a decree** promulguer un décret

**vt** décréter.

**decrement** /ˈdekrɪmənt/ **vt** *(Comp)* décrémenter ◆ **to decrement by one** décrémenter *or* diminuer d'une unité.

**decrypt** /diːˈkrɪpt/ **vt** *(Comp)* décrypter.

**decryption** /diːˈkrɪpʃən/ **n** *(Comp)* décryptage.

**decumulation** /ˌdiːkjuːmjʊˈleɪʃən/ **n** *[capital]* réduction f, diminution f ; *[stocks]* contraction f, réduction f ◆ **stock decumulation** déstockage.

**dedicate** /ˈdedɪkeɪt/ **vt** book dédier (*to* à); *(US)* factory inaugurer; *(Comp)* equipment, computer spécialiser, dédier.

**dedicated** /ˈdedɪˌkeɪtɪd/ **ADJ** *(Comp)* terminal, computer spécialisé, dédié.

**dedication** /ˌdedɪˈkeɪʃən/ **n** **a** *(US)* *[factory]* inauguration f **b** *(in book)* dédicace f **c** *(Comp)* *[terminal, equipment]* spécialisation f **d** *(= commitment)* dévouement m (*to* à)

**dedollarization** /ˌdiːˌdɒləˈraɪzeɪʃən/ **n** dédollarisation.

**dedollarize** /ˌdiːˈdɒləˈraɪz/ **vt** dédollariser.

**deduct** /diˈdʌkt/ **vt** déduire, retrancher, défalquer, soustraire (*from* de) ◆ **to deduct 5% from the quoted price** rabattre 5% sur le prix indiqué, réduire le prix indiqué de 5% ◆ **to deduct £20 from sb's wages** faire une retenue *or* un prélèvement de 20 livres sur le salaire de qn ◆ **to deduct a tax at source** prélever un impôt à la source ◆ **to be deducted** *(on invoice)* à déduire.

**deductible** /diˈdʌktəbl/ **ADJ** expense, loss, amount déductible; numbers à déduire, à retrancher, à

défalquer (*from* de) ◆ **deductible clause** *(Ins)* clause de franchise ◆ **deductible coverage** *(Ins)* garantie avec franchise

**n** *(Ins)* franchise f.

**deduction** /diˈdʌkʃən/ **n** *(gen)* déduction f ; *(from wage)* retenue f, prélèvement m (*from* de) ◆ **deduction at source** *(Tax)* retenue à la source; *(on dividend income)* précompte ◆ **wage** *or* **payroll deductions** retenues sur salaire ◆ **flat-rate deduction** prélèvement forfaitaire ◆ **itemized deductions** *(US Tax)* déduction des frais réels ◆ **standard deduction** *(US Tax)* déduction forfaitaire ◆ **allowable deduction** *(Brit Tax)* déduction autorisée.

**deed** /diːd/ **n** **a** *(Jur)* acte m ◆ **to draw up a deed** rédiger un acte ◆ **deed of arrangement** *or* **assignment** acte de transfert (en paiement d'une dette) ◆ **deed of conveyance** *[property]* acte de cession ◆ **deed of gift** acte de donation ◆ **deed of partnership** acte *or* contrat de société ◆ **deed of protest** acte de protêt ◆ **deed of release** *or* **surrender** acte de cession ◆ **deed of transfer** acte translatif de propriété ◆ **deed of trust** *(US Jur)* contrat de prêt ◆ **private deed** acte sous seing privé ◆ **trust deed** acte fiduciaire **b** *(also* **title deed***)* titre m (constitutif) de propriété ◆ **deed absolute** titre de propriété garanti *or* dûment enregistré

**vt** *(US)* transférer par acte.

**deemed** /diːmd/ **ADJ** ◆ **deemed dividend** dividende présumé.

**deep** /diːp/ **ADJ** ◆ **deep in debt** criblé de dettes, endetté jusqu'au cou, très endetté ◆ **deep-discount bond** obligation à forte décote ◆ **deep-discount fares** *(Aviat)* tarifs très réduits.

**de-escalate** /diːˈeskəˌleɪt/ **vt** tension faire baisser, diminuer; situation détendre, décrisper.

**def.** abbr of **deficit**.

**deface** /diˈfeɪs/ **vt** coin, banknote altérer; cheque raturer, surcharger.

**de facto** /deɪˈfæktəʊ/ **ADJ** situation, decision de fait ◆ **de facto corporation** *(US)* société de fait.

**defalcate** /ˈdiːfælkeɪt/ **vi** détourner des fonds.

**defalcation** /ˌdiːfælˈkeɪʃən/ **n** détournement m de fonds.

**defalcator** /ˈdiːfælkeɪtər/ **n** personne f coupable d'un détournement de fonds.

**default** /diˈfɔːlt/ **n** **a** *(Jur)* *(in civil cases)* défaut m, non-comparution f ; *(in criminal cases)* contumace f ◆ **judgment by default** jugement *or* arrêt par défaut *or* par contumace **b** *(= failure*

# defaulted

*to fulfil an obligation)* défaut m, défaillance f ♦ **they are in default** ils ont failli à leurs obligations, ils ont manqué à leurs engagements `c` *(= failure to pay)* défaut m de paiement, défaillance f ♦ **to call into default** déclarer en cessation de paiement ♦ **to go into default** se déclarer en cessation de paiement ♦ **to be in default of payment** être en cessation de paiement ♦ **the monthly payments on this loan are in default** les mensualités sur ce prêt n'ont pas été remboursées à la date prévue ♦ **default by the principal** défaillance du donneur d'ordre ♦ **protracted default** *(Ins)* défaillance `d` *(= lack, absence)* manque m, carence f, absence f ♦ **in default of instructions from the head office** en l'absence de consignes *or* d'instructions du siège `e` *(Comp)* défaut ♦ **by default** par défaut

─── compounds/composés ───
- **default interest** intérêts mpl moratoires
- **default option** option par défaut
- **default price** *(St Ex)* cours de résiliation
- **default risk** risque de non-paiement
- **default value** valeur par défaut

`VI` `a` *(Jur)* faire défaut; *(in criminal cases)* être en état de contumace `b` *(= fail to fulfil an obligation)* manquer *or* faillir à ses engagements, être en défaut `c` *(= fail to pay)* ne pas honorer ses engagements ♦ **he has defaulted on his mortgage repayments** il n'a pas honoré les échéances de son hypothèque ♦ **he has defaulted on this loan** il n'a pas remboursé ce prêt ♦ **the company has defaulted** l'entreprise est en (état de) cessation de paiement

`VT` *(Jur)* condamner par défaut; *(in criminal cases)* condamner par contumace.

**defaulted** /dɪˈfɔːltɪd/ **ADJ** *(Fin) paper, security* impayé, non honoré.

**defaulter** /dɪˈfɔːltər/ **N** *(Jur)* accusé m défaillant; *(in criminal cases)* contumace mf *(Fin, St Ex)* défaillant(e) m(f) ; *(Tax)* contribuable m défaillant.

**defaulting** /dɪˈfɔːltɪŋ/ **N** non-paiement m *(on de)*
**ADJ** *(St Ex, Jur)* défaillant.

**defeasance** /dɪˈfiːsəns/ **N** `a` *(Jur = action)* annulation f, abrogation f ♦ **defeasance clause** *[contract]* clause résolutoire `b` *(Jur = document)* contre-lettre f `c` *(Econ, Fin)* défaisance f.

**defeasible** /dɪˈfiːsəbl/ **ADJ** annulable, abrogeable.

**defeat** /dɪˈfiːt/ **VT** *inflation* vaincre, maîtriser.

**defect** /ˈdiːfekt/ **N** défaut m, imperfection f ; *(in machine, building)* défaut m, défectuosité f, vice m de construction, malfaçon f ♦ **conspicuous defect** vice apparent ♦ **hidden** *or* **latent defect** défaut *or* vice caché ♦ **manufacturing defect** défaut de fabrication ♦ **patent defects** défauts apparents ♦ **zero defect** zéro défaut ♦ **defect rate** taux de rebut
**VI** faire défection ♦ **to defect to another corporation** passer à l'entreprise concurrente.

**defective** /dɪˈfektɪv/ **ADJ** *thing* défectueux; *reasoning* mauvais ♦ **defective title** titre contestable *or* vicié.

**defence** *(Brit)*, **defense** *(US)* /dɪˈfens/ **N** *(Jur, Mil)* défense f ♦ **in his defence** à sa décharge ♦ **witness for the defence** témoin à décharge ♦ **the case for the defence** la défense ♦ **defence counsel** *(Brit)*, **defense attorney** *(US)* or **lawyer** *(US)* avocat de la défense

─── compounds/composés ───
- **defense procurements** *(US)* achats mpl publics de matériel militaire
- **defence spending** *(Brit)* budget de la défense, dépenses fpl militaires.

**defendant** /dɪˈfendənt/ **N** *(Jur)* défendeur (-eresse) m(f) ; *(on appeal)* intimé(e) m(f) ; *(in criminal case)* prévenu(e) m(f) ; *(in assizes court)* accusé(e) m(f).

**defense** /dɪˈfens/ *(US)* **N** → **defence.**

**defensible** /dɪˈfensɪbl/ **ADJ** défendable, justifiable, soutenable.

**defensive** /dɪˈfensɪv/ **ADJ** *strategy, portfolio* défensif ♦ **defensive stock** valeur défensive.

**defer** /dɪˈfɜːr/ **VT** *meeting* ajourner, reporter; *business* renvoyer; *payment* différer, remettre; *decision, judgment* suspendre, différer ♦ **the meeting was deferred to the following week** la réunion a été reportée à la semaine suivante ♦ **to defer doing** différer de *or* à faire ♦ **payment may be deferred to a later date** le paiement peut être différé *or* remis à une date ultérieure.

**deferment** /dɪˈfɜːmənt/ **N** *[meeting]* report m, ajournement m ; *[business]* renvoi m ; *[decision]* suspension f ; *[account]* report m ♦ **deferment of a debt** sursis de paiement d'une dette.

**deferrable** /dɪˈfɜːrəbl/ **ADJ** *expense, charge, cost* à reporter.

**deferral** /dɪˈfɜːrəl/ *(US)* **N** *[account]* report m ♦ **deferral method** *(US Tax)* méthode du report

◆ **deferrals** (= revenue received) produits constatés d'avance; (= cash disbursed) charges différées or à étaler.

**deferred** /dɪˈfɜːd/ ADJ compensation, tax différé ◆ **deferred annuity** rente différée ◆ **deferred asset** actif différé ◆ **deferred bond** obligation à intérêts différés ◆ **deferred charges** charges différées or à étaler ◆ **deferred delivery** (St Ex) cession reportée ◆ **deferred income** or **revenue, deferred credit** produit comptabilisé or constaté d'avance ◆ **3-year deferred loan** prêt avec franchise de 3 ans (avant le premier remboursement) ◆ **deferred liabilities** dettes à moyen et long terme ◆ **deferred payment** instalment contract paiement par versements périodiques; (= credit facilities) paiement différé ◆ **deferred payment agreement** or **plan** contrat de vente à crédit or à tempérament ◆ **deferred posting** (Acc) écriture différée ◆ **deferred repayment** loan différé d'amortissement ◆ **deferred sale** vente à tempérament or à crédit ◆ **deferred ordinary shares** actions à dividende différé, actions différées.

**deficiency** /dɪˈfɪʃənsɪ/ N **a** (= lack) [goods] manque m, insuffisance f, défaut m (of de); (Fin) déficit m, insuffisance f ◆ **deficiency in assets** insuffisance or déficit de l'actif ◆ **to make up a deficiency** combler un déficit **b** (= fault) (in system) imperfection f, faille f, faiblesse f (in dans)

──── compounds/composés ────
◆ **deficiency advances** (Acc) avances fpl provisoires, crédits mpl budgétaires
◆ **deficiency appropriation** (Acc) rallonge budgétaire
◆ **deficiency payment** (Econ) paiement différentiel.

**deficient** /dɪˈfɪʃənt/ ADJ (= lacking) insuffisant, faible (in en); (= defective) défectueux ◆ **to be deficient in sth** manquer de qch ◆ **deficient packing** emballage défectueux.

**deficit** /ˈdefɪsɪt/ N déficit m ◆ **to make up** or **to make good a deficit** combler un déficit ◆ **the trade balance shows a deficit** la balance commerciale est déficitaire or accuse un déficit ◆ **France is running a budget deficit** la France a un déficit budgétaire ◆ **the budget has run into** or **gone into deficit** le budget est devenu déficitaire ◆ **operating deficit** déficit or pertes d'exploitation ◆ **deficit financing** financement par le déficit budgétaire.

**definite** /ˈdefɪnɪt/ ADJ order, sale, intention ferme; plan déterminé, précis; decision, agreement précis.

**definitive** /dɪˈfɪnɪtɪv/ ADJ définitif.

**deflate** /diːˈfleɪt/ **VT** prices faire tomber, faire baisser ◆ **to deflate the economy** ralentir l'économie, provoquer la déflation ◆ **to deflate the currency** provoquer la déflation monétaire **VI** [government] ralentir l'économie.

**deflated** /diːˈfleɪtɪd/ ADJ (Econ) déflaté.

**deflation** /diːˈfleɪʃən/ N déflation f.

**deflationary** /diːˈfleɪʃənərɪ/ ADJ measures, policy déflationniste, de déflation ◆ **deflationary gap** écart déflationniste ◆ **deflationary pressures** pressions à la baisse or déflationnistes.

**deflator** /diːˈfleɪtər/ N déflateur m, mesure f déflationniste.

**deflection** /dɪˈflekʃən/ N ◆ **deflection of tax liability** transfert d'imposition.

**defraud** /dɪˈfrɔːd/ VT customs, tax authorities, state frauder; person escroquer ◆ **to defraud sb of sth** escroquer qch à qn.

**defrauder** /dɪˈfrɔːdər/ N fraudeur(-euse) m(f).

**defray** /dɪˈfreɪ/ VT (= cover) cost couvrir, prendre à sa charge ◆ **to defray sb's expenses** défrayer qn, rembourser ses frais à qn.

**defrayal** /dɪˈfreɪəl/, **defrayment** /dɪˈfreɪmənt/ N défraiement m, paiement m or remboursement m des frais.

**defunct** /dɪˈfʌŋkt/ ADJ body dissous ◆ **defunct company** société dissoute.

**defuse** /diːˈfjuːz/ VT crisis désamorcer.

**defy** /dɪˈfaɪ/ VT (gen) défier ◆ **our prices defy all competition** nos prix défient toute concurrence.

**degree** /dɪˈɡriː/ N (= measurement) degré m ; (Univ) diplôme m (universitaire).

**degressive** /dɪˈɡresɪv/ ADJ taxation dégressif.

**de-indexation** /ˌdiːɪndekˈseɪʃən/ N désindexation f.

**deindustrialization, deindustrialisation** /ˌdiːɪndʌstrɪəlaɪˈzeɪʃən/ N désindustrialisation f.

**deindustrialize, deindustrialise** /ˌdiːɪndʌstrɪəlaɪz/ VT désindustrialiser.

**delay** /dɪˈleɪ/ **VT** **a** (= postpone) action, event retarder, différer; payment différer **b** (= keep waiting, hold up) person retarder, retenir; train, order, delivery retarder ◆ **our order must not be delayed** notre commande ne doit souffrir aucun délai, notre commande ne doit pas être retardée

**N** *(= waiting period)* délai m, retard m ♦ **we will do it without delay** nous le ferons sans tarder *or* sans délai ♦ **without further delay** sans plus tarder, sans plus attendre ♦ **an hour's delay** une heure de retard ♦ **there is a delay in the production line** il y a un retard dans la chaîne de fabrication ♦ **delay in delivery, delivery delay** retard de livraison.

**delayering** /dɪˈleɪərɪŋ/ **N** écrasement m des niveaux hiérarchiques.

**delaying** /dɪˈleɪɪŋ/ **AJ ACTION** dilatoire ♦ **to use delaying tactics** user de moyens dilatoires.

**del credere** /delˈkreɪdərɪ/ **ADJ** ♦ **del credere agent** *(= person)* ducroire ♦ **del credere commission** *(= money)* ducroire.

**deld** abbr of **delivered**.

**delegate** /ˈdelɪgeɪt/ **N a** délégué(e) m(f) **b** *(Brit = conference attender)* congressiste mf
**VT** *responsibility* déléguer (*to* à) ♦ **to delegate sb to do sth** déléguer qn *or* se faire représenter par qn pour faire qch
**VI** déléguer ♦ **he is not good at delegating** il ne sait pas déléguer.

**delegation** /ˌdelɪˈgeɪʃən/ **N a** *(= power)* délégation f ; *[person]* nomination f, désignation f *(as* comme) **b** *(= group of people)* délégation f **c** *(Jur)* subrogation f.

**delete** /dɪˈliːt/ **VT** *(gen)* barrer, rayer, effacer (*from* de) biffer; *(Comp)* supprimer, effacer ♦ **delete where inapplicable** *(on form)* rayer les mentions inutiles.

**deletion** /dɪˈliːʃən/ **N** *(= act of deleting)* suppression f ; *(= word deleted)* rature f.

**deliberate** /dɪˈlɪbərɪt/ **VI a** *(= think)* délibérer, réfléchir (*upon* sur) **b** *(= discuss)* délibérer, tenir conseil
**ADJ** *(= intentional)* délibéré.

**deliberation** /dɪˌlɪbəˈreɪʃən/ **N** *(= consideration)* délibération f, réflexion f ♦ **deliberations** *(= discussions)* débats, délibérations.

**deliberative** /dɪˈlɪbərətɪv/ **ADJ** ♦ **deliberative assembly** assemblée délibérante.

**delimit** /diːˈlɪmɪt/ **VT** délimiter.

**delimiter** /diːˈlɪmɪtər/ **N** *(Comp)* séparateur m, borne f.

**delineate** /dɪˈlɪnɪeɪt/ **VT** *idea, plan* esquisser, tracer.

**delineation** /dɪˌlɪnɪˈeɪʃən/ **N** *[idea, plan]* esquisse f ♦ **job delineation** profil du poste.

**delinquency** /dɪˈlɪŋkwənsɪ/ **N a** *(= behaviour)* délinquance f **b** *(US Fin = failure to pay)* défaillance f, défaut m de paiement ♦ **the bank has had a high percentage of delinquencies this year** la banque a connu un taux élevé de défaillance cette année ♦ **delinquency ratio** taux de défaillance.

**delinquent** /dɪˈlɪŋkwənt/ **ADJ a** *behaviour* délinquant **b** *(US)* *debtor* défaillant; *payment* arriéré, impayé, échu ♦ **accounts should not be permitted to remain delinquent without action** des mesures doivent être prises contre les comptes défaillants ♦ **delinquent account receivable** compte client arriéré ♦ **delinquent tax** impôts dus et non payés ♦ **delinquent delivery** livraison en retard
**N** *(gen)* délinquant(e) m(f) ; *(US Fin)* défaillant(e) m(f).

**delist** /dɪˈlɪst/ **VT a** *(US St Ex)* *security* radier *or* retirer de la cote **b** *(Comm)* *product* déréférencer.

**delisting** /diːˈlɪstɪŋ/ **N a** *(US St Ex)* *[security]* radiation f *or* retrait m de la cote **b** *(Comm)* *[product]* déférencement m.

**deliver** /dɪˈlɪvər/ **VT a** *(= take)* remettre (*to* à); *letters* distribuer **b** *goods* livrer ♦ **delivered free** livraison gratuite, livraison franco, expédié franco de port ♦ **to deliver the goods** *(fig)* tenir ses engagements *or* ses promesses, tenir parole ♦ **to deliver on board a vessel** livrer à bord d'un navire ♦ **delivered alongside ship** livré le long du navire ♦ **delivered on board** rendu à bord ♦ **delivered price** prix rendu ♦ **delivered frontier** rendu frontière ♦ **delivered at docks** rendu à quai ♦ **delivered duty paid** rendu droits acquittés **c** *(St Ex)* *stocks* livrer **d** *(= get across)* *message* communiquer, transmettre
**VI** *(* = keep promise) *[person]* tenir parole, tenir ses promesses; *[machine, system]* faire le travail.

**deliveree** /dɪˌlɪvəˈriː/ *(US)* **N** destinataire mf.

**deliverer** /dɪˈlɪvərər/ **N** *(gen)* livreur m ; *(Commodity Exchange)* créateur m de la filière.

**delivery** /dɪˈlɪvərɪ/ **N a** *(Post)* *[parcels]* remise f, livraison f ; *[letters]* distribution f ♦ **general delivery** *(US)* poste restante ♦ **to send by special delivery** envoyer par exprès ♦ **recorded delivery** *(Brit)* envoi recommandé ♦ **times of delivery** heures de distribution ♦ **parcels awaiting delivery** colis en souffrance **b** *[goods]* livraison f ♦ **to take delivery of** prendre livraison de ♦ **to pay on delivery** payer à la livraison ♦ **cash on delivery** livraison contre remboursement, payable à la livraison

◆ **delivery against payment** remise contre paiement ◆ **free delivery** livraison gratuite, franco de port ◆ **late delivery** retard de livraison ◆ **purchase for future delivery** achat à terme ◆ **split delivery** livraison fractionnée or échelonnée ◆ **terms** or **conditions of delivery** conditions de livraison ◆ **we should appreciate prompt delivery of our order** nous vous serions reconnaissants de bien vouloir livrer notre commande rapidement or assurer une livraison rapide de notre commande **c** *(St Ex, Fin)* livraison f, remise f ◆ **to take delivery of the stocks** prendre livraison des titres ◆ **to sell for delivery** vendre à couvert ◆ **sale for delivery** vente à livrer ◆ **to be bad / good delivery** être de mauvaise / bonne livraison ◆ **forward** or **future delivery** livraison à terme **d** *(Jur)* *[writ]* signification f ; *[title]* tradition f

──── *compounds/composés* ────

◆ **delivery area** aire de réception des marchandises
◆ **delivery date** date or délai de livraison
◆ **delivery man** livreur
◆ **delivery note** *(accompanying goods)* bon de livraison
◆ **delivery order** bon de livraison
◆ **delivery price** *(Comm)* prix rendu *(Fin, St Ex)* cours de livraison
◆ **delivery slip** *(signed on receipt of goods)* bordereau de livraison
◆ **delivery system** *(Comm)* système de livraison; *[message]* véhicule
◆ **delivery time** délai de livraison
◆ **delivery truck** *(US)*, **delivery van** *(Brit)* camion de livraison.

**delta** /ˈdeltə/ **N** delta m.

**dely** abbr of **delivery**.

**dem.** abbr of **demand**.

**demand** /dɪˈmɑːnd/ **VT** *money, higher pay* exiger, réclamer *(from, of* de)
**N** **a** (= *claim*) *(for payment, money, help)* demande f; *(for higher pay)* revendication f ◆ **due** or **payable on demand** payable à vue or sur présentation ◆ **final demand for payment** *[bill]* dernier avertissement (d'avoir à payer) **b** *(Econ, Comm)* demande f ◆ **these products are much in demand, these products are in great demand** ces produits sont très demandés, il y a une très forte demande pour ces produits ◆ **there is no demand for these products** il n'y a pas de demande pour ces produits ◆ **steady demand for a product** demande constante or suivie pour un produit ◆ **the law of supply and demand** la loi de l'offre et de la demande ◆ **overall / effective demand** demande globale / effective

──── *compounds/composés* ────

◆ **demand bill** traite or effet à vue
◆ **demand curve** *(Econ)* courbe de la demande
◆ **demand deposit** *(Bank)* dépôt à vue
◆ **demand draft** traite or effet à vue
◆ **demand forecasting** prévision de la demande
◆ **demand inflation** inflation par la demande
◆ **demand-led** *market* stimulé par la demande
◆ **demand loan** prêt or crédit à vue
◆ **demand management** gestion de la demande
◆ **demand note** *(Fin)* engagement or promesse de payer à la première demande; *(Tax)* avertissement
◆ **demand-oriented pricing** fixation des prix en fonction de la demande
◆ **demand price** prix en fonction de la demande
◆ **demand processing** *(Comp)* traitement à la demande
◆ **demand pull inflation** inflation par la demande
◆ **demand rate** *[exchange]* cours or taux à vue.

**demanning** /diːˈmænɪŋ/ **N** *(Ind)* licenciements mpl, réduction f d'effectifs.

**demarcate** /ˈdiːmɑːkeɪt/ **VT** délimiter.

**demarcation** /ˌdiːmɑːˈkeɪʃən/ **N** démarcation f, délimitation f ◆ **demarcation line** ligne de démarcation ◆ **demarcation dispute** *(Brit Ind)* conflit d'attributions.

**demassing** /diːˈmæsɪŋ/ *(US)* **N** *(Ind)* dégraissage m, réduction f d'effectifs.

**demerge** /ˌdiːˈmɜːdʒ/ **VT** *company* défusionner.

**dematerialize** /[diːməˈtɪərɪəlaɪz/ **VT** dématérialiser.

**dematerialization** /[diːməˈtɪərɪəlaɪˈzeɪʃən/ **N** dématérialisation.

**demerger** /ˌdiːˈmɜːdʒəʳ/ **N** scission f, déconcentration f, démantèlement m.

**demise** /dɪˈmaɪz/ **N** **a** *(Jur) (by legacy)* cession f or transfert m par legs, transfert m par testament; *(by lease)* transfert m par bail **b** *(Mar)* ◆ **demise charter (party)** affrètement en coque nue
**VT** **a** *(Jur) estate, property* léguer, céder par legs; *(by lease)* céder à bail **b** *(Mar)* affréter (en coque nue or à temps).

**demit** /dɪˈmɪt/ **VT** ◆ **to demit office** se démettre de ses fonctions, démissionner.

**demographer** /dɪˈmɒɡrəfəʳ/ **N** démographe mf.

**demographic** /ˌdeməˈɡræfɪk/ **ADJ** démographique.

**demography** /dɪˈmɒɡrəfɪ/ **N** démographie f.

**demonetization, demonetisation** /diːˌmʌnɪtaɪˈzeɪʃən/ N démonétisation f.

**demonetize, demonetise** /diːˈmʌnɪtaɪz/ VT démonétiser.

**demonstrate** /ˈdemənstreɪt/ VT a *truth, need* démontrer, prouver; *system, plan* expliquer, décrire b *product, machine* faire une démonstration de ◆ to demonstrate how sth works montrer le fonctionnement de qch, faire une démonstration de qch
VI *(Pol)* manifester, faire une manifestation (*for* pour, *in favour of* en faveur de, *against* contre)

**demonstration** /ˌdemənˈstreɪʃən/ N a *[new product]* démonstration f ◆ demonstration model modèle de démonstration ◆ demonstration effect *(Econ)* effet de démonstration b *(Pol = meeting)* manifestation f.

**demonstrator** /ˈdemənstreɪtəʳ/ N a *(Econ)* (= *person*) démonstrateur(-trice) m(f) *(US = model)* modèle m de démonstration b *(Pol)* manifestant(e) m(f).

**demote** /dɪˈməʊt/ VT *person* rétrograder.

**demotion** /dɪˈməʊʃən/ N rétrogradation f.

**demurrage** /dɪˈmʌrɪdʒ/ N a *(Mar)* surestarie (s) f(pl), indemnité f de surestaries ◆ the charter must pay demurrage if sailing is delayed l'affréteur doit payer une indemnité de surestaries *or* payer des surestaries si le départ du navire est retardé b *(Rail) (for goods)* droits mpl *or* frais mpl de magasinage; *(for railway wagon)* droits mpl *or* frais mpl de stationnement ◆ goods on demurrage marchandises en souffrance.

**denar** /dɪˈnɛɑːʳ/ N denar m.

**denationalization, denationalisation** /ˈdiːˌnæʃnəlaɪˈzeɪʃən/ N dénationalisation f.

**denationalize, denationalise** /diːˈnæʃnəlaɪz/ VT dénationaliser.

**denial** /dɪˈnaɪəl/ N *[rights]* dénégation f ; *[report, authority]* rejet m ; *[access, permission]* refus m ◆ to issue a denial publier un démenti ◆ denial of justice déni de justice ◆ denial of opinion *(Fin)* impossibilité de certifier.

**Denmark** /ˈdenmɑːk/ N Danemark m.

**denominate** /dɪˈnɒmɪneɪt/ VT (= *designate*) dénommer; *(Fin)* libeller ◆ to denominate a loan in dollars libeller un prêt en dollars ◆ denominated in foreign currency libellé en monnaie étrangère.

**denomination** /dɪˌnɒmɪˈneɪʃən/ N a (= *designation*) dénomination f, appellation f b *[weight, measure]* unité f c *[coins]* valeur f ; *[notes]* coupure f ◆ $1,000 in small denominations 1 000 dollars en petites coupures ◆ denomination value *[banknotes, securities, coins]* valeur nominale.

**denote** /dɪˈnəʊt/ VT dénoter, marquer, indiquer.

**density** /ˈdensɪtɪ/ N densité f ◆ population density densité de peuplement ◆ income density densité de revenu.

**deny** /dɪˈnaɪ/ VT a *fact, accusation* nier; *sb's authority* rejeter ◆ to deny having done sth nier avoir fait qch ◆ to deny that nier que b (= *refuse*) ◆ to deny sb access to refuser à qn l'accès à ◆ he was denied promotion on lui a refusé la promotion.

**dep.** abbr of **department.**

**department** /dɪˈpɑːtmənt/ N a *(Pol) (gen)* département m ; (= *ministry*) ministère m ◆ Treasury Department *(US)* ministère des Finances ◆ Department of Commerce *(US)* ministère du Commerce ◆ Department of Employment *(Brit)* ministère du Travail ◆ Department of Energy ministère de l'Énergie ◆ Department of the Environment *(Brit)* ministère de l'Environnement ◆ Department of Health *(Brit)* ministère de la Santé ◆ Department of Health and Human Services *(US)* ministère de la Santé ◆ Department of Labor *(US)* ministère du Travail ◆ Department of Health and Social Security *(Brit)* ministère de la Sécurité sociale ◆ Department of Trade and Industry *(Brit)* ministère du Commerce et de l'Industrie ◆ Department of Transport *(Brit)* ministère des Transports b (= *division of company*) service m, bureau m ◆ which department does she work in? dans quel service travaille-t-elle ? ◆ accounts department service (de la) comptabilité, service comptable ◆ design department *(Ind)* bureau d'études, service conception ◆ export department service des exportations, service export ◆ legal department *(complaints)* service du contentieux; *(legal problems)* service juridique ◆ marketing department service du marketing, département marketing ◆ personnel department service du personnel ◆ research department bureau d'études c *(in a store)* rayon m ◆ you will find it in the hardware department vous le trouverez au rayon quincaillerie

─── *compounds/composés* ───
◆ **department head** chef de service
◆ **department invoice** facture d'ordre
◆ **department store** grand magasin.

**departmental** /ˌdiːpɑːt'mentl/ **ADJ** ✦ **departmental manager** shop chef de rayon; company chef de service ✦ **departmental ledger** grand livre fractionnaire ✦ **departmental stock sheet** shop fiche d'inventaire par rayon ✦ **departmental store** (US) grand magasin.

**departure** /dɪ'pɑːtʃəʳ/ **N** **a** (gen) départ m (from de); (from habit) écart m (from par rapport à); (from law) manquement m (from à) ✦ **a departure from the norm** une exception à la règle, un écart par rapport à la norme **b** (= new course) nouvelle orientation f (Comm = new type of goods) nouveauté f, innovation f

───── compounds/composés ─────
- **departure date** date de départ
- **departure gate** (Aviat) porte (de départ)
- **departure indicator** (Rail) horaire des départs
- **departure lounge** (Aviat) salle d'embarquement
- **departure time** heure de départ.

**depend (up)on** /dɪ'pend/ **VT FUS** **a** (= rely on) compter sur, se fier à **b** (= need support or help from) dépendre de ✦ **we depend upon our suppliers** nous dépendons de nos fournisseurs.

**dependability** /dɪˌpendə'bɪlɪtɪ/ **N** [machine, person] fiabilité f.

**dependable** /dɪ'pendəbl/ **ADJ** machine, person fiable; information sûr ✦ **he is not dependable** on ne peut pas compter sur lui or se fier à lui or lui faire confiance.

**dependant** /dɪ'pendənt/ **N** personne f à charge ✦ **to have dependants** avoir des charges de famille ✦ **I have three dependants** j'ai trois personnes à charge.

**dependency exemption** /dɪ'pendənsɪɡ'zempʃən/ **N** (Admin) abattement m pour personne à charge.

**dependent** /dɪ'pendənt/ **ADJ** **a** person dépendant (on de); condition, decision dépendant (on de) subordonné (on à) ✦ **two dependent children** (Tax, Admin) deux enfants à charge ✦ **a dependent relative** une charge de famille ✦ **the plan is dependent on our receiving an investment subsidy** notre projet est subordonné à or dépend de l'obtention d'une subvention d'investissement ✦ **to be dependent on sb** dépendre de qn **b** (Math) dépendant ✦ **dependent variable** variable dépendante
**N** personne f à charge ✦ **to have dependents** avoir des charges de famille.

**deplete** /dɪ'pliːt/ **VT** supplies, strength (= reduce) diminuer, réduire; (= exhaust) épuiser ✦ **our**

**stock is very depleted** nos stocks sont très bas ✦ **increasingly depleted order books** carnets de commandes de plus en plus dégarnis.

**depletion** /dɪ'pliːʃən/ **N** (gen) réduction f, diminution f; [non-renewable natural resources] épuisement m, raréfaction f ✦ **depletion of stocks** épuisement des stocks ✦ **provision for depletion, depletion reserve** (Oil, Mining) provision pour reconstitution des gisements; (Forestry) provision pour épuisement

───── compounds/composés ─────
- **depletion accounting** amortissement or dépréciation des ressources naturelles non renouvelables
- **depletion allowance** (Tax) exonération fiscale pour reconstitution des gisements
- **depletion expense** dotation à la provision pour reconstitution des gisements.

**deponent** /dɪ'pəʊnənt/ **N** (Jur) déposant m.

**depopulation** /'diːˌpɒpjʊ'leɪʃən/ **N** dépeuplement m, dépopulation f ✦ **rural depopulation** dépeuplement or désertification des campagnes.

**deposit** /dɪ'pɒzɪt/ **VT** **a** (= pay into bank) verser, déposer ✦ **I deposited £200 into my account** j'ai versé 200 livres à mon compte, j'ai déposé or mis 200 livres sur mon compte **b** valuables déposer, laisser or mettre en dépôt (in or with the bank à la banque) ✦ **to deposit a security with sb** déposer une garantie chez qn **c** (= pay money down) ✦ **to deposit $50 for a purchase** verser un acompte de 50 dollars or verser 50 dollars d'arrhes pour un achat **d** (Customs) ✦ **to deposit the duty** cautionner les droits
**N** **a** (Bank, Fin) dépôt m ; (Commodity Exchange) dépôt m de garantie, déposite m ✦ **to make a deposit of $200** déposer or verser 200 dollars ✦ **deposit at 30 days notice** dépôt à 30 jours de préavis ✦ **deposit at long / short notice** dépôt à long / court terme ✦ **deposit at** or **on call, call** or **sight deposit** dépôt à vue ✦ **certificate of deposit** certificat de dépôt ✦ **demand deposit** dépôt à vue ✦ **fixed deposit** dépôt à échéance fixe or à terme ✦ **money on deposit with the bank** argent en dépôt à la banque ✦ **deposit-taking institution** société de dépôt ✦ **safe deposit** (= vault) salle des coffres; (= box) coffre ✦ **I have placed the securities in safe deposit with the bank** j'ai mis les titres en dépôt à la banque **b** (= part payment) arrhes fpl, acompte m, provision f ; (in hire purchase agreement) versement m initial, premier versement m ✦ **to make** or **pay a deposit** verser des arrhes or un acompte ✦ **to leave a deposit of $10 on a purchase** verser 10 dollars d'arrhes or

d'acompte sur un achat ✦ **a $50 deposit and 24 monthly instalments of $15** un versement initial or un premier versement de 50 dollars et 24 mensualités de 15 dollars **c** (= *payment given as security*) dépôt m de garantie, caution f, cautionnement m ✦ **there is a deposit of $500 on all car rentals** on exige une caution de 500 dollars pour toute location de voiture ✦ **loan on deposit** prêt en nantissement ✦ **general average deposit** *(Mar Ins)* cautionnement pour avarie commune **d** *(on bottles, containers)* consigne f ✦ **no deposit** non consigné, emballage perdu

─── compounds/composés ───

- ✦ **deposit account** *(Brit)* compte sur livret, compte d'épargne bancaire; *(US)* compte de dépôts à terme
- ✦ **deposit bank** banque de dépôt
- ✦ **deposit banking** gestion des dépôts par les banques commerciales
- ✦ **deposit book** livret de compte d'épargne
- ✦ **deposit certificate** certificat de dépôt
- ✦ **deposit currency** devise de virement
- ✦ **deposit funds** dépôts mpl bancaires
- ✦ **deposit in escrow** dépôt en main tierce, dépôt conditionnel
- ✦ **deposit insurance** *(US)* garantie par l'État des dépôts à terme
- ✦ **deposit interest** rémunération des dépôts
- ✦ **deposit receipt** récépissé de dépôt
- ✦ **deposit slip** bulletin or bordereau de versement or de dépôt.

**depositary** /dɪˈpɒzɪtərɪ/ N dépositaire mf.

**deposition** /ˌdiːpəˈzɪʃən/ N *(Jur)* déposition f sous serment, témoignage m.

**depositor** /dɪˈpɒzɪtəʳ/ N *(Bank)* (= *person making a deposit*) déposant(e) m(f) ; (= *account holder*) client(e) m(f), titulaire mf.

**depository** /dɪˈpɒzɪtərɪ/ N *(gen)* dépôt m, entrepôt m ; *(Bank)* banque f de dépôt

─── compounds/composés ───

- ✦ **depository agreement** contrat de dépôt
- ✦ **depository institution** *(US)* banque de dépôt.

**depot** /ˈdepəʊ/ N **a** (= *warehouse*) dépôt m, entrepôt m ✦ **goods depot** dépôt or entrepôt de marchandises **b** *(Brit = garage)* garage m, dépôt m **c** *(US = railway station)* gare f ✦ **freight depot** gare de marchandises.

**depreciable** /dɪˈpriːʃəbl/ ADJ *assets, costs* amortissable.

**depreciate** /dɪˈpriːʃɪeɪt/ **VT** **a** *currency, property* déprécier, dévaloriser **b** (= *write off*) *asset, investment* amortir ✦ **to depreciate sth by 25%** a

year amortir qch de 25% or à un rythme de 25% par an ✦ **depreciated cost** or **value** coût non amorti, valeur résiduelle amortissable
**VI** *[currency, asset, property]* se déprécier, se dévaloriser ✦ **share prices have depreciated this month** le cours des actions a baissé or reculé ce mois-ci.

**depreciation** /dɪˌpriːʃɪˈeɪʃən/ N **a** *[currency]* dépréciation f, dévalorisation f ; *[property, asset]* dépréciation f ; *[goods]* moins-value f, avilissement m ; *[securities]* moins-value f, baisse f ✦ **the physical depreciation of an asset** la dépréciation physique d'un bien or d'une immobilisation **b** (= *writing off*) *[asset, investment]* amortissement m ✦ **income before depreciation** bénéfices avant amortissement ✦ **accelerated depreciation** amortissement dégressif or accéléré ✦ **accumulated depreciation** *(on balance sheet)* ≈ amortissement des immobilisations ✦ **annual depreciation** annuité d'amortissement ✦ **straight-line depreciation** amortissement linéaire

─── compounds/composés ───

- ✦ **depreciation account** compte d'amortissement
- ✦ **depreciation allowance** *(Tax)* régime d'amortissement autorisé; *(Acc)* dotation aux amortissements
- ✦ **depreciation base** base des amortissements
- ✦ **depreciation charge** or **expense** dotation aux amortissements
- ✦ **depreciation fund** or **reserve** provision pour amortissement
- ✦ **depreciation schedule** plan or tableau d'amortissement.

**depress** /dɪˈpres/ VT *demand, trade* réduire, (faire) diminuer; *market, prices* faire baisser.

**depressant** /dɪˈpresnt/ N facteur m de faiblesse.

**depressed** /dɪˈprest/ ADJ *industry* en déclin, en crise; *market, economy* déprimé, languissant ✦ **depressed area** zone déprimée or en perte de vitesse or en crise.

**depression** /dɪˈpreʃən/ N *(Econ)* dépression f, crise f, récession f ✦ **trade depression** crise économique.

**deprive** /dɪˈpraɪv/ VT *(of funds, help)* priver *(of* de) ✦ **to deprive sb of an asset** ôter or enlever un bien à qn ✦ **to deprive sb of a right** priver or déposséder qn d'un droit.

**depth** /depθ/ N *(gen)* profondeur f ✦ **to study sth in depth** étudier qch en profondeur, approfondir qch ✦ **in-depth study / analysis** étude / analyse approfondie.

**deputation** /ˌdepjʊˈteɪʃən/ N délégation f, députation f.

**depute** /dɪˈpjuːt/ VT *power, authority* déléguer; *person* députer, déléguer (*sb to do* qn pour faire)

**deputize, deputise** /ˈdepjʊtaɪz/ VI assurer l'intérim (*for sb* de qn)
VT députer, déléguer (*sb to do* qn pour faire)

**deputy** /ˈdepjʊtɪ/ N (= *second-in-command*) adjoint(e) m(f), assistant(e) m(f) ; (= *replacement*) suppléant(e) m(f), remplaçant(e) m(f) (*Jur* = *proxy*) fondé m de pouvoir; (= *member of deputation*) délégué m ♦ **to act as deputy for sb** remplacer qn, suppléer qn

--- *compounds/composés* ---
- ♦ **deputy chairman** vice-président
- ♦ **deputy judge** juge suppléant
- ♦ **deputy manager** directeur(-trice) adjoint(e), sous-directeur(-trice)
- ♦ **deputy mayor** maire adjoint, adjoint au maire

**derate** /diːˈreɪt/ VT a (*Tax*) *land, property* dégrever b (*St Ex*) déclasser.

**derating** /diːˈreɪtɪŋ/ N a (*Tax*) dégrèvement m b (*St Ex*) déclassement m.

**deregister** /diːˈredʒɪstər/ VT radier.

**deregistration** /ˌdiːredʒɪsˈtreɪʃən/ N radiation f.

**deregulate** /dɪˈregjʊˌleɪt/ VT *economy, industry, service* déréglementer; *prices* libérer.

**deregulation** /dɪˌregjʊˈleɪʃən/ N [*economy, industry, service*] déréglementation f ; [*prices*] libération f.

**derelict** /ˈderɪlɪkt/ ADJ a (= *abandoned*) abandonné, délaissé; (= *ruined*) (tombé) en ruine b (*Jur*) négligent N (*Mar*) navire m abandonné en mer, épave f.

**dereliction** /ˌderɪˈlɪkʃən/ N [*property*] état m d'abandon ♦ **dereliction of duty** faute professionnelle.

**derestrict** /ˌdiːrəˈstrɪkt/ VT *trade* libérer.

**derivative** /[dɪˈrɪvətɪv/ ADJ *instrument, market* dérivé N **derivatives** produits dérivés **derivatives market** marchés dérivés.

**derive** /dɪˈraɪv/ VT *profit, income* tirer (*from* de) ♦ **income derived from normal operations** revenus provenant de l'exploitation courante ♦ **revenue derived from taxes** recettes fiscales ♦ **derived demand** demande induite ♦ **derived expense** dépense dérivée.

**derogation** /ˌderəˈgeɪʃən/ N (*Jur*) dérogation f.

**derrick** /ˈderɪk/ N (*Mar*) palan m, mât m de charge; [*oil well*] derrick m ♦ **under ship's derrick** sous-palan.

**descending** /dɪˈsendɪg/ ADJ *order, sequence* décroissant.

**deschedule** /diːˈʃedjuːl/ VT *advertising campaign* déprogrammer.

**description** /dɪsˈkrɪpʃən/ N a (*gen*) description f ; [*goods*] désignation f, description f ♦ **description of contents** désignation du contenu ♦ **to answer to the description** être conforme à la désignation ♦ **sale by description** vente sur description ♦ **job description** définition *or* profil de poste ♦ **trade description** descriptif des marchandises à vendre b (= *sort*) sorte f, espèce f, genre m ♦ **they do not carry goods of that description** ils ne vendent pas cette sorte *or* cette espèce *or* ce genre de marchandise, ils ne font pas ce genre d'article c (= *occupation*) ♦ **name, address and description** nom, adresse et qualité.

**design** /dɪˈzaɪn/ N a [*machine, building, product*] conception f, élaboration f, création f ♦ **a machine of good / bad design** une machine bien / mal conçue ♦ **of faulty design** de conception défectueuse ♦ **the design process for the new product took 6 months** le processus d'élaboration *or* de création *or* de conception du nouveau produit a duré 6 mois ♦ **who is responsible for product design?** qui est responsable de la conception *or* de l'élaboration des produits? ♦ **the improved design features of this machine make it safer than ever** la conception améliorée de cette machine la rend encore plus fiable ♦ **computer-aided design** conception assistée par ordinateur ♦ **job design** conception des tâches ♦ **software / program / systems design** conception de logiciels / de programme / de systèmes b (= *model*) [*building*] plan m ; [*car, product*] modèle m, création f ♦ **they have brought out a new design** ils ont sorti un nouveau modèle ♦ **the latest designs** les derniers modèles, les dernières créations ♦ **we prefer Italian designs** nous préférons les créations italiennes ♦ **registered design** modèle déposé c (*style*) (*Comm, Mktg*) design m ♦ **industrial design** dessin *or* design industriel, esthétique industrielle ♦ **the design of this car makes it popular with young people** l'esthétique *or* le design *or* le look* de cette voiture plaît aux jeunes ♦ **the design of the packaging is highly original** le dessin de l'emballage est très original

───── *compounds/composés* ─────

- **design aid** aide à la conception
- **design automation** conception automatisée
- **design costs** frais mpl de conception
- **design department** *(Ind)* bureau d'études, service conception; *(Pub)* service design, service création
- **designs department** *(Brit : within the Patent Office)* ≈ dépôt des dessins et modèles
- **design engineering** *(Ind)* étude de conception
- **design house** société de design
- **design lead time** délai de conception
- **design patent** modèle de fabrique
- **design registration** dépôt des dessins et modèles

**VT** *(= plan) machine* concevoir, dessiner; *production line, factory* dessiner, tracer le plan de; *product* créer, concevoir, dessiner; *scheme* projeter, préparer ◆ **his job is to design and implement information systems** son travail consiste à concevoir et à mettre en œuvre les systèmes d'information ◆ **they have designed a new technique** ils ont inventé *or* créé *or* conçu une technique nouvelle ◆ **it is designed for easy use** c'est conçu pour être facile à utiliser.

**designate** /'dezɪgneɪt/ **VT** **a** *person* désigner, nommer *(to* à) ◆ **he was designated by the board to examine the company's finances** il a été désigné *or* nommé par le conseil d'administration pour examiner l'état financier de la société **b** *funds, resources* affecter, allouer *(to* à)
**ADJ** désigné ◆ **the chairman designate of the board** le président désigné du conseil.

**designation** /ˌdezɪg'neɪʃən/ **N** désignation f ◆ **designation of origin** appellation d'origine.

**designer** /dɪ'zaɪnəʳ/ **N** *(Art)* dessinateur (-trice) m(f), créateur(-trice) m(f) *(Comm, Ind)* concepteur(-trice) m(f), créateur(-trice) m(f) ; *[product packaging]* designer m, styliste mf ◆ **fashion designer** styliste, couturier ◆ **industrial designer** dessinateur industriel.

**design in** **VT SEP** ◆ **to design in a new technique** intégrer *or* incorporer une nouvelle technique.

**designing** /dɪ'zaɪnɪŋ/ **N** conception f, création f, élaboration f.

**design out** **VT SEP** ◆ **to design a feature out** supprimer *or* éliminer une caractéristique.

**desk** /desk/ **N** **a** *(in office)* bureau m ; *(in shop, restaurant)* caisse f *(in hotel, at airport :* also **reception desk)** réception f ◆ **please pay at the desk** veuillez payer à la caisse ◆ **cash desk** caisse ◆ **front desk** *(in hotel)* réception **b** *(Press)* ◆ **the desk** le secrétariat de rédaction ◆ **the**

**news / sports desk** le service des informations / des sports **c** *(Fin, Bank :* also **trading desk)** table f de change ◆ **the desk** *(US)* la table de change *(de la New York Federal Reserve Bank)*

───── *compounds/composés* ─────

- **desk calculator** machine à calculer de bureau
- **desk check** *(Comp)* *[programming]* vérification, contrôle
- **desk clerk** *(in hotel)* réceptionniste
- **desk diary** agenda (de bureau)
- **desk job** ◆ **to have a desk job** avoir un travail de bureau
- **desk pad** bloc-notes
- **desk research** recherche documentaire
- **desk terminal** *(Comp)* terminal de bureau
- **desk-top** **ADJ** *computer, peripheral* de bureau ◆ **desk-top publishing** publication assistée par ordinateur, PAO, micro-édition
- **desk work** travail de bureau.

**deskill** /dɪ'skɪl/ **VT** *(Ind)* déqualifier.

**deskilling** /dɪ'skɪlɪŋ/ **N** *(Ind)* déqualification f.

**despatch** /dɪs'pætʃ/ **VT, N** → **dispatch.**

**destabilize, destabilise** /diː'steɪbɪˌlaɪz/ **VT** déstabiliser.

**destabilizing, destabilising** /diː'steɪbɪlaɪzɪŋ/ **ADJ** *factor, effect* déstabilisateur.

**destination** /ˌdestɪ'neɪʃən/ **N** destination f ◆ **to arrive at destination** arriver à destination ◆ **the goods have reached their destination** les marchandises sont arrivées à destination *or* sont bien arrivées ◆ **place / port of destination** lieu / port de destination ◆ **destination file** *(Comp)* fichier de destination.

**destine** /'destɪn/ **VT** destiner *(for* à)

**destocking** /diː'stɒk/ **N** déstockage m.

**destroy** /dɪs'trɔɪ/ **VT** détruire.

**destruction** /dɪs'trʌkʃən/ **N** destruction f ◆ **destruction storage** *(Comp)* mémoire à lecture destructive ◆ **destruction read** *(Comp)* lecture destructive.

**destructive** /dɪs'trʌktɪv/ **ADJ** *fire, person, criticism* destructeur; *power, competition* destructif.

**detail** /'diːteɪl/ **N** détail m ◆ **in detail** en détail ◆ **to go into details** entrer dans les détails ◆ **for further details write to** pour plus de détails veuillez écrire à ◆ **details of a transaction** décompte d'une opération ◆ **please send us a telex with all relevant details** prière de nous adresser un télex avec tous les renseignements utiles

―――― *compounds/composés* ――――
♦ **detail file** *(Comp)* fichier mouvement(s)
♦ **detail roll** *(on cash register)* bande de contrôle

**VT** **a** *fact, plan* exposer en détail; *items, goods* énumérer, détailler ♦ **please send a detailed account of your expenses** prière d'envoyer le décompte de vos frais **b** *(Admin = designate)* désigner, détacher *(for* pour, *to do* pour faire)

**detain** /dɪ'teɪn/ **VT** *(= keep back)* retenir, garder ♦ **to be detained at the office** être retenu au bureau.

**detect** /dɪ'tekt/ **VT** *error* détecter.

**detection** /dɪ'tekʃən/ **N** *[error]* détection f.

**detector** /dɪ'tektəʳ/ **N** détecteur m.

**detention** /dɪ'tenʃən/ **N** détention f ♦ **damage for detention** *(Mar Ins)* contrestaries.

**deteriorate** /dɪ'tɪərɪəreɪt/ **VT** détériorer, abîmer **VI** *[goods, machine]* se détériorer, s'abîmer; *[situation]* se dégrader, se détériorer.

**deterioration** /dɪ,tɪərɪə'reɪʃən/ **N** *[goods, situation]* détérioration f.

**determination** /dɪ,tɜːmɪ'neɪʃən/ **N** **a** *(= deciding)* *[conditions, policy, date, price]* fixation f, détermination f ; *[frontier]* délimitation f ♦ **income determination** *[business]* calcul du résultat **b** *(Jur) [contract]* résolution f, expiration f ♦ **determination clause** clause résolutoire ♦ **determination of a lease** expiration d'un bail **c** *(= resoluteness)* détermination f, résolution f.

**determine** /dɪ'tɜːmɪn/ **VT** **a** *(= settle, fix)* *conditions, policy, date, rate* fixer, déterminer; *frontier* délimiter; *cause, meaning* déterminer, établir **b** *(Jur) contract* résilier **c** *(= resolve)* décider *(to do* de faire) se déterminer, se résoudre *(to do* à faire)

**determined** /dɪ'tɜːmɪnd/ **ADJ** **a** *person* décidé, déterminé, résolu ♦ **to be determined to do** être décidé *or* déterminé à faire **b** *quantity* déterminé, établi ♦ **price-determined** déterminé par le prix.

**deterrent** /dɪ'terənt/ **N** *(gen, Mil)* force f *or* moyen m de dissuasion ♦ **to act as a deterrent** exercer un effet de dissuasion ♦ **the new regulation is a deterrent to small investors** la nouvelle réglementation a un effet dissuasif sur les petits épargnants **ADJ** dissuasif, de dissuasion.

**detinue** /'detɪnjuː/ **N** *(Jur)* détention f illégale ♦ **action of detinue** action de restitution.

**detriment** /'detrɪmənt/ **N** handicap m, détriment m, préjudice m, tort m ♦ **to the detriment of** au détriment de, au préjudice de ♦ **without detriment to** sans porter atteinte *or* préjudice à.

**detrimental** /,detrɪ'mentl/ **ADJ** nuisible, préjudiciable *(to* à) ♦ **detrimental clause** *(Jur)* clause restrictive.

**detruck** /dɪ'trʌk/ *(US)* **VT** décharger d'un camion.

**devalorize, devalorise** /diː'væləraɪz/ **VT** dévaloriser.

**devaluate** /diː'væljʊeɪt/ **VT** *see* devalue.

**devaluation** /,diːvæljʊ'eɪʃən/ **N** *(Fin, fig)* dévaluation f ♦ **the devaluation of the franc against the dollar** la dévaluation du franc par rapport au dollar.

**devalue** /'diːvæljuː/ **VT** *(Fin, fig)* dévaluer ♦ **the pound has been devalued by 5%** la livre a été dévaluée de 5%.

**develop** /dɪ'veləp/ **VT** *(gen)* développer; *(= exploit)* exploiter, mettre en valeur ♦ **to develop the premises as a warehouse** aménager les locaux en entrepôt
**VI** *[person, business]* se développer ♦ **an unusual situation has developed** il s'est produit une situation insolite.

**developed** /dɪ'veləpd/ **ADJ** *country* développé ♦ **the less developed countries** les pays les moins industrialisés.

**developer** /dɪ'veləpəʳ/ **N** *[land]* promoteur m ♦ **real estate developer** *(US)* promoteur immobilier.

**developing** /dɪ'veləpɪŋ/ **ADJ** ♦ **developing countries** pays en voie de développement ♦ **developing industry** industrie en expansion ♦ **a developing crisis** une crise en gestation.

**development** /dɪ'veləpmənt/ **N** **a** *(gen)* développement m ; *(= exploitation)* exploitation f, mise f en valeur; *(= conversion)* aménagement m *(as* en) ♦ **management** *or* **executive development** formation *or* perfectionnement des cadres ♦ **product development** développement de (nouveaux) produits ♦ **property** *or* **real estate development** promotion immobilière ♦ **research and development** recherche et développement **b** *(= new event)* développement m, fait m nouveau ♦ **to await developments** attendre la suite des événements ♦ **developments in the industry have improved productivity** des changements *or* des innovations dans le secteur ont amélioré la productivité

─────── *compounds/composés* ───────

+ **development aid** aide au développement
+ **development area** zone de développement *or* d'aménagement
+ **development company** *or* **corporation** société de promotion immobilière
+ **development cost** coût de développement
+ **development expenses** *(Ind)* frais mpl de développement *or* de mise au point; *(Mktg)* frais mpl promotionnels *or* de lancement
+ **development planning** *(in municipal government)* planification urbaine; *(in industry)* planification à long terme *or* stratégique
+ **development stage** stade du développement.

**deviate** /ˈdiːvɪeɪt/ **vi** dévier (*from* de) + **to deviate from the norm** s'écarter de la norme.

**deviation** /ˌdiːvɪˈeɪʃən/ **N** **a** *(gen)* déviation f, écart m (*from* par rapport à) + **mean** *or* **standard deviation** écart type *or* moyen **b** *(Mar Ins)* déroutement m.

**device** /dɪˈvaɪs/ **N** **a** *(mechanical)* appareil m, dispositif m, mécanisme m (*for* pour) + **automatic sorting device** appareil de tri automatisé + **safety device** dispositif de sécurité **b** (= *scheme, plan*) formule f, moyen m (*to do* de faire) **c** *(Comp)* (= *unit*) unité f ; (= *peripheral*) périphérique m + **input–output device** unité *or* périphérique d'entrée-sortie

─────── *compounds/composés* ───────

+ **device driver** *(Comp)* programme de gestion de périphérique(s)
+ **device file** *(Comp)* fichier de périphérique
+ **device identifier** *(Comp)* identificateur de périphérique.

**devise** /dɪˈvaɪz/ **vt** **a** (= *invent*) concevoir, inventer **b** *(Jur)* léguer
**n** *(Jur)* legs m.

**devisee** /dɪvaɪˈziː/ **N** *(Jur)* légataire mf, héritier (-ière) m(f).

**deviser, devisor** /dɪˈvaɪzəʳ/ **N** *(Jur)* donateur (-trice) mf.

**devolution** /ˌdiːvəˈluːʃən/ **N** *[authority]* délégation f ; *(Jur) [property]* transmission f ; *(Brit Pol)* décentralisation f.

**devolve** /dɪˈvɒlv/ **vi** **a** *[task]* incomber (*on, upon* à) **b** *(Jur) [property]* passer (*on, upon* à) **vt** transmettre, remettre (*on, upon* à); *(Brit Pol)* décentraliser.

**d.f.** abbr of **dead freight** → **dead**.

**df., dft** abbr of **draft**.

**Dhaka** /ˈdækə/ **N** Dacca.

**diagnose** /ˈdaɪəgnəʊz/ **vt** diagnostiquer.

**diagnosis** /ˌdaɪəgˈnəʊsɪs/ **N** diagnostic m.

**diagram** /ˈdaɪəgræm/ **N** *[Math]* figure f, diagramme m ; *[book, leaflet]* schéma m, diagramme m + **block diagram** schéma fonctionnel, organigramme, ordinogramme + **flow diagram** *(Comp)* organigramme + **logical diagram** schéma *or* diagramme logique + **scatter diagram** diagramme de dispersion
**vt** représenter schématiquement.

**diagrammatic** /ˌdaɪəgrəˈmætɪk/ **ADJ** schématique.

**dial** /ˈdaɪəl/ **N** cadran m + **dial tone** *(US)* tonalité
**vt** *telephone number* faire, composer + **please dial 783.22.21** veuillez faire *or* composer le 783.22.21 + **I have dialled a wrong number** j'ai fait un faux *or* un mauvais numéro + **to dial direct** appeler par l'automatique + **you can dial New York from your hotel** vous pouvez avoir New York directement de votre hôtel.

**dialling** /ˈdaɪəlɪŋ/ **N** *[telephone number]* composition f + **dialling code** indicatif + **dialling tone** *(Brit)* tonalité + **international direct dialling** automatique international.

**diamond** /ˈdaɪəmənd/ **N** *(gen)* diamant m ; *(Technical analysis)* figure f en diamant *or* en losange + **diamond merchant** diamantaire + **diamond shares** (valeurs) diamantifères, mines de diamants + **to break out of the diamond** *(St Ex)* sortir du diamant *or* du losange.

**diary** /ˈdaɪərɪ/ **N** (= *record of events*) journal m ; *(for appointments)* agenda m + **bill** *or* **forward diary** carnet d'échéances + **desk diary** agenda (de bureau) + **electronic diary** agenda électronique.

**Dictaphone** ® /ˈdɪktəfəʊn/ **N** Dictaphone m (R).

**dictate** /dɪkˈteɪt/ **vt** *letter* dicter (*to* à); *terms, conditions* dicter, imposer.

**dictation** /dɪkˈteɪʃən/ **N** dictée f + **at dictation speed** à vitesse de dictée + **to write to sb's dictation** écrire sous la dictée de qn.

**differ** /ˈdɪfəʳ/ **vi** (= *be different*) différer, être différent (*from* de); (= *disagree*) ne pas être d'accord (*from sb* avec qn, *on or about sth* sur qch) + **we differ on the terms of payment** nous ne sommes pas d'accord sur les conditions de paiement.

**difference** /ˈdɪfrəns/ **N** **a** *(in height, weight)* différence f + **there is a big difference in price between these two models** il y a une grande différence *or* un écart important de prix entre ces deux modèles **b** (= *dispute*) différend m, désaccord m ✦ **to settle a difference** régler un différend *or* un désaccord.

**different** /'dɪfrənt/ ADJ différent (*from* de); (= *various*) différent, divers, plusieurs.

**differential** /ˌdɪfə'renʃəl/ ADJ *analysis, rate* différentiel ✦ **differential cost** coût différentiel *or* marginal ✦ **differential freight rate** fret de transport différentiel *or* modulé ✦ **differential prices** différentiels de prix, prix différentiels **N** (*Math*) différentielle f ; (*Econ*) écart m, différentiel m ✦ **the inflation differential between the two countries has narrowed** le différentiel *or* l'écart inflationniste entre les deux pays s'est réduit ✦ **wage differential** écart salarial *or* de salaires.

**differentiate** /ˌdɪfə'renʃɪeɪt/ VT **a** (= *distinguish*) *two things* distinguer, faire la différence entre **b** (= *make different*) *product* différencier **VI** différencier, distinguer (*between* entre)

**differentiation** /ˌdɪfərenʃɪ'eɪʃən/ N (*gen, Mktg*) différenciation f ✦ **product differentiation** différenciation de produits.

**difficulty** /'dɪfɪkəltɪ/ N difficulté f ✦ **to be in financial difficulties** avoir des difficultés financières.

**diffuse** /dɪ'fju:z/ VT *information* diffuser, répandre.

**diffusion** /dɪ'fju:ʒən/ N diffusion f ✦ **diffusion process** processus de diffusion.

**digest** /daɪ'dʒest/ **N** [*book, facts*] sommaire m, abrégé m, résumé m ; (= *magazine*) digest m ✦ **in digest form** en abrégé **VT** *information* digérer, assimiler.

**digit** /'dɪdʒɪt/ N (*Math*) chiffre m ✦ **in digit form** sous forme numérique ✦ **digit key** touche de chiffre ✦ **two** *or* **double-digit inflation** inflation à deux chiffres.

**digital** /'dɪdʒɪtəl/ ADJ *computer* numérique ✦ **digital telephone** téléphone à touches ✦ **digital watch** montre à affichage numérique.

**digitally** /'dɪdʒɪtəlɪ/ ADV ✦ **digitally-controlled** *or* **programmed machine tool** machine-outil à commande numérique.

**digitize, digitise** /'dɪdʒɪtaɪz/ VT convertir *or* traduire en numérique, numériser ✦ **digitizing machine** numériseur, digitaliseur, convertisseur numérique.

**digitizer, digitiser** /ˌdɪdʒɪtaɪzər/ N numériseur m, digitaliseur m, convertisseur m numérique.

**dilute** /daɪ'lu:t/ VT *liquid* diluer ✦ **to dilute the work force** adjoindre de la main-d'œuvre non qualifiée ✦ **fully diluted earnings per share** (*St Ex*) bénéfices par action entièrement dilués.

**dilution** /daɪ'lu:ʃən/ N (*gen*) dilution f ✦ **dilution of equity** dilution du capital (*due à l'émission de nouvelles actions*) ✦ **dilution of labour** adjonction de main-d'œuvre non qualifiée.

**dime** /daɪm/ N (*Can, US*) (pièce f de) dix cents ✦ **it's not worth a dime** * cela ne vaut rien, cela ne vaut pas un clou* ✦ **they're a dime a dozen** * il y en a *or* on en trouve à la pelle* ✦ **dime store** magasin à prix unique.

**dimension** /daɪ'menʃən/ N dimension f.

**dimensional** /daɪ'menʃənəl/ ADJ (*Comp*) ✦ **three-dimensional array** tableau à trois dimensions ✦ **multi-dimensional array** tableau multidimension *or* multidimensionnel.

**diminish** /dɪ'mɪnɪʃ/ VT *cost, effect* réduire, diminuer **VI** diminuer, se réduire.

**diminishing** /dɪ'mɪnɪʃɪŋ/ ADJ *amount, importance, speed* décroissant; *value, price* en baisse ✦ **law of diminishing returns** loi des rendements décroissants ✦ **law of diminishing utility** loi de l'utilité décroissante ✦ **the diminishing balance method of depreciation** la méthode de l'amortissement dégressif *or* décroissant.

**diminution** /ˌdɪmɪ'nju:ʃən/ N [*value*] baisse f, diminution f ; [*speed*] réduction f ; [*energy*] diminution f, affaiblissement m.

**dinar** /di:'nɑ:/ N dinar m.

**diner** /'daɪnər/ N **a** (= *person*) dîneur(-euse) m(f) **b** (*Rail*) wagon-restaurant m **c** (*US*) petit restaurant m.

**dining** /'daɪnɪŋ/

_____ compounds/composés _____

✦ **dining car** (*Rail*) wagon-restaurant ✦ **dining room** salle à manger.

**DIP** /ˌdi:aɪ'pi:/ N abbr of **dividend investment plan** → **dividend.**

**dip** /dɪp/ **VI a** [*prices*] fléchir, baisser ✦ **the pound dipped on the Stock Exchange** le cours de la livre a fléchi *or* a baissé, la livre s'est effritée **b** **to dip into reserves** puiser dans ses réserves **N** [*prices*] fléchissement m, baisse f ✦ **a dip in the jobless figures** une réduction du nombre de chômeurs, une diminution des chiffres du chômage.

**diploma** /dɪ'pləʊmə/ N diplôme m.

**diplomacy** /dɪˈpləʊməsɪ/ **N** diplomatie f.

**diplomat** /ˈdɪpləmæt/ **N** diplomate m.

**diplomatic** /ˌdɪpləˈmætɪk/ **ADJ** *mission, relations* diplomatique ◆ **diplomatic bag** *(Brit)*, **diplomatic pouch** *(US)* valise diplomatique ◆ **diplomatic body** *or* **corps** corps diplomatique ◆ **diplomatic immunity** immunité diplomatique

**direct** /daɪˈrekt/ **ADJ** *taxation, selling* direct ◆ **direct access** *(Comp)* accès direct *or* sélectif ◆ **direct action** *(Ind)* action directe ◆ **direct address** *(Comp)* adresse absolue *or* directe ◆ **direct banking** banque directe ◆ **direct costing** méthode des coûts variables ◆ **direct debit(ing)** *(Brit Bank)* (paiement par) prélèvement bancaire automatique ◆ **direct lease financing, direct financing lease** (contrat de) location-financement ◆ **direct mail** *(Pub)* mailing, publipostage ◆ **direct mail advertising** publipostage, publicité par mailing ◆ **direct mail shot** mailing ◆ **direct mail selling** vente par correspondance *or* par publipostage ◆ **direct marketing** marketing direct ◆ **direct placing** autocourtage ◆ **direct-response** *advertising, selling* par correspondance, par coupon-réponse

**VT** **a** *remark, letter* adresser (*to* à); *efforts, policy* orienter (*toward* vers) **b** (= *control*) *sb's work* diriger; *business* diriger, gérer, administrer **c** *film* réaliser; *play* mettre en scène; *actors* diriger **d** (= *instruct*) charger (*sb to do* qn de faire) ordonner (*sb to do* à qn de faire) ◆ **to do sth as directed** faire qch selon les instructions **ADV** directement ◆ **to sell direct to the consumer** vendre directement au consommateur.

**direction** /dɪˈrekʃən/ **N** **a** (= *way*) direction f, sens m **b** (= *management*) direction f, conduite f, administration f ◆ **under the direction of** sous la direction *or* la conduite de **c** (= *instruction*) ordre m, indication f, instruction f ◆ **directions for use** mode d'emploi ◆ **follow our directions** suivez nos instructions.

**directive** /dɪˈrektɪv/ **N** directive f.

**director** /dɪˈrektəʳ/ **N** **a** (= *senior manager*) directeur m ; *[small department]* chef m de service, responsable m ; *(Jur, Admin)* gérant m ◆ **director of maintenance** responsable *or* directeur de l'entretien ◆ **director of customer service** chef *or* directeur du service clients ◆ **divisional director** directeur de division ◆ **executive director** directeur exécutif ◆ **finance director** directeur financier **b** (= *elected member of a company's board*) administrateur m ◆ **board of directors** conseil d'administration ◆ **director's fees** jetons de présence ◆ **directors' shares** actions réservées aux membres du conseil d'administration ◆ **company director** chef d'entreprise ◆ **managing director** président-directeur général, PDG ◆ **he is managing director of a textile company** il est PDG d'une entreprise de textile ◆ **non-executive director** administrateur **c** *(Theat)* metteur m en scène ; *(Cine, Rad, TV)* réalisateur m

———— *compounds/composés* ————
◆ **director-designate** directeur désigné
◆ **director general** directeur général
◆ **Director of Public Prosecutions** *(Brit)* ≈ procureur général.

**directorate** /daɪˈrektərɪt/ **N** (= *board of directors*) conseil m d'administration ◆ **Directorate General** *(EU)* direction générale ◆ **interlocking directorates** directions croisées.

**directorship** /dɪˈrektəʃɪp/ **N** poste m *or* fonctions fpl de directeur *or* d'administrateur ◆ **during his directorship** pendant qu'il était directeur ◆ **he has taken over the directorship of the company** il a pris la direction de l'entreprise.

**directory** /dɪˈrektərɪ/ **N** *[addresses]* répertoire m ; (also **street directory**) guide m des rues ; *(Telec :* also **telephone directoty**) annuaire m téléphonique, Bottin m (R); *(Comm)* annuaire m du commerce ◆ **electronic directory** annuaire électronique ◆ **to be ex-directory** être sur la liste rouge

———— *compounds/composés* ————
◆ **directory enquiries** *(Brit)*, **directory assistance** *(US)* *(Telec)* (service des) renseignements mpl
◆ **directory file** *(Comp)* fichier répertoire.

**dirham** /ˈdɪəræm/ **N** dirham m.

**dirt-cheap** * /ˈdɜːtʃiːp/ **ADV** *buy* pour rien, pour une bouchée de pain*
**ADJ** très bon marché ◆ **it is dirt-cheap** c'est donné*.

**dirty** /ˈdɜːtɪ/ **ADJ** sale ◆ **dirty bill of lading** connaissement brut, connaissement avec réserves ◆ **dirty float** *(US Fin)* flottement impur.

**dis., disc.** abbr of **discount.**

**disability** /ˌdɪsəˈbɪlɪtɪ/ **N** *(physical)* invalidité f, incapacité f ; *(mental)* incapacité f

———— *compounds/composés* ————
◆ **disability income** pension *or* rente d'invalidité
◆ **disability pension** pension d'invalidité
◆ **disability retirement** retraite pour invalidité.

**disable** /dɪsˈeɪbl/ **VT** *person* rendre infirme; *ship* avarier, mettre hors d'état *(Jur = pronounce incapable)* déclarer incapable *(from doing* de faire); *machine* rendre inutilisable, mettre hors service.

**disabled** /dɪsˈeɪbld/ **ADJ** **a** *person* infirme, handicapé ◆ **disabled driver** conducteur handicapé ◆ **disabled ex-serviceman** mutilé *or* invalide de guerre **b** *ship* to be disabled avoir des avaries, être avarié *or* désemparé **c** *(Jur)* incapable *(from* de)

**disablement** /dɪsˈeɪblmənt/ **N** infirmité f ◆ **degree of disablement** coefficient d'invalidité ◆ **permanent disablement** invalidité permanente

---
*compounds/composés*
◆ **disablement benefit** indemnité d'invalidité
◆ **disablement insurance** assurance invalidité
◆ **disablement pension** pension d'invalidité.
---

**disadvantage** /ˌdɪsədˈvɑːntɪdʒ/ **N** *(gen)* désavantage m, inconvénient m ; *(Comm)* perte f ◆ **to sell at a disadvantage** vendre à perte **VT** désavantager, défavoriser.

**disadvantageous** /ˌdɪsædvɑːnˈteɪdʒəs/ **ADJ** désavantageux, défavorable *(to* à)

**disaffirm** /ˌdɪsəfˈɜːm/ **VT** *(Jur) agreement* défaire; *contract* dénoncer.

**disaffirmation** /ˌdɪsæfəˈmeɪʃən/ **N** *(Jur)* annulation f.

**disagree** /ˌdɪsəˈgriː/ **VI** **a** *[person]* se trouver *or* être en désaccord *(with* avec) ne pas être d'accord *(with* avec) ◆ **I disagree** je ne suis pas de cet avis, je ne suis pas d'accord **b** *(= differ)* *[figures, reports, explanations]* ne pas concorder.

**disagreement** /ˌdɪsəˈgriːmənt/ **N** **a** *(of opinion, between figures, accounts)* désaccord m, différence f **b** *(= quarrel)* désaccord m, différend m.

**disallow** /ˌdɪsəˈlaʊ/ **VT** *(gen)* rejeter, ne pas admettre; *(Jur) complaint* rejeter.

**disaster** /dɪˈzɑːstəʳ/ **N** désastre m.

**disastrous** /dɪˈzɑːstrəs/ **ADJ** désastreux.

**disb.** abbr of **disbursement.**

**disburse** /dɪsˈbɜːs/ **VT** débourser, décaisser.

**disbursement** /dɪsˈbɜːsmənt/ **N** *(= paying out)* déboursement m, décaissement m, paiement m ; *(= money paid)* débours m, décaissement m ◆ **to recover one's disbursements** rentrer dans ses débours ◆ **the country's foreign capital disbursement target** l'objectif du pays

en matière de sortie de capitaux étrangers ◆ **cash disbursements** décaissements, sorties d'argent

---
*compounds/composés*
◆ **disbursements account** compte de débours
◆ **disbursement voucher** bordereau de décaissement.
---

**discharge** /dɪsˈtʃɑːdʒ/ **VT** **a** *ship, cargo* décharger; *liquid* déverser **b** *employee* renvoyer, congédier; *prisoner* libérer, élargir; *accused* relaxer; *committee* dessaisir **c** *(= pay) debt, bill* acquitter, s'acquitter de, liquider; *account* régler, solder; *(= perform satisfactorily) duty* remplir, s'acquitter de; *function* remplir **d** *(= release from debt, obligation) person* décharger, libérer; *bankrupt* réhabiliter ◆ **discharged bankrupt** failli réhabilité **e** *(Acc) (= approve) account* apurer
**N** **a** *[duty]* accomplissement m, exécution f, exercice m ◆ **discharge of the contract** accomplissement du contrat ◆ **in the discharge of his duties** dans l'exercice de ses fonctions **b** *[employee]* renvoi m ; *[prisoner]* libération f, élargissement m ; *[accused]* relaxe m ; *[committee]* dessaisissement m **c** *[cargo]* déchargement m ◆ **discharge port, port of discharge** port de déchargement **d** *(= payment) [debt]* acquittement m ; *(= receipt for payment)* quittance f, acquit m **e** *(= release from debt)* décharge f, libération f ; *(= release from contractual responsibility)* décharge f *(Acc, Mktg : for duties correctly carried out)* quitus m ◆ **discharge of lien** suppression du droit de rétention ◆ **final discharge** décharge définitive ◆ **in full discharge** pour acquit **f** *(Jur) [bankrupt]* réhabilitation f **g** *(Acc) [account]* apurement m.

**disciplinary** /ˈdɪsɪplɪnərɪ/ **ADJ** disciplinaire ◆ **disciplinary board** conseil de discipline ◆ **disciplinary sanctions** sanctions disciplinaires.

**discipline** /ˈdɪsɪplɪn/ **N** discipline f.

**disclaim** /dɪsˈkleɪm/ **VT** *(gen)* nier; *claim, right* renoncer à ◆ **to disclaim responsibility** rejeter toute responsabilité.

**disclaimer** /dɪsˈkleɪməʳ/ **N** dénégation f, démenti m ◆ **to issue a disclaimer** publier un démenti ◆ **disclaimer of opinion** *(Acc)* absence d'opinion.

**disclose** /dɪsˈkləʊz/ **VT** *information* publier, rendre public, divulguer, révéler.

**disclosure** /dɪsˈkləʊʒəʳ/ **N** divulgation f, révélation f ◆ **disclosure of information** *(Acc, Mktg)* production *or* publication d'informations ◆ **full disclosure** *(= statement)* exposé complet et véridique; *(Acc)* état comptable complet ✦ **timely disclosure** publication en temps opportun

---
*compounds/composés*

✦ **disclosure principle** principe de bonne information
✦ **disclosure requirement** obligation d'information
✦ **disclosure standards** normes fpl de présentation de l'information.

---

**disconnect** /'dɪskə'nekt/ **VT** *(gen)* détacher, séparer; *television* débrancher; *(Comp)* déconnecter; *telephone* couper ✦ **to disconnect a call** couper *or* interrompre une communication ✦ **we've been disconnected** *(in the middle of a call)* on nous a coupés.

**discontinue** /'dɪskən'tɪnju:/ **VT** *(= stop) (gen)* cesser, interrompre; *production of an article* arrêter ✦ **discontinued line** *(Comm)* série *or* article qui ne se fait plus, série discontinuée ✦ **discontinued** *(on sale goods)* fin de série, sans suite ✦ **to discontinue some products** suspendre *or* arrêter la fabrication de certains produits.

**discontinuity** /ˌdɪskɒntɪ'nju:ɪtɪ/ **N** discontinuité f.

**discontinuous** /'dɪskən'tɪnjʊəs/ **ADJ** discontinu.

**discount** /'dɪskaʊnt/ **N** **a** *(= reduction in price) (gen)* réduction f, abattement m ; *(on substandard goods)* rabais m ; *(on quantity or to a particular category of customer)* remise f ; *(= rebate on transaction, not shown on invoice)* ristourne f ✦ **discount without recourse** escompte à forfait *or* sans recours ✦ **cash discount** escompte de caisse ✦ **to give a discount of 15%** consentir *or* accorder un rabais *or* une remise de 15% ✦ **to sell sth at a discount** vendre qch au rabais ✦ **deep discount fare** tarif très réduit ✦ **trade discount** remise à la profession, remise confraternelle **b** *(Bank)* [*bill, paper*] escompte m ✦ **bills for discount** effets à l'escompte ✦ **to tender for discount** présenter à l'escompte ✦ **true discount** escompte en dedans, escompte rationnel **c** *(St Ex :* also **share discount***)* décote f ✦ **these shares are at a discount** il y a une forte décote sur ces actions ✦ **these shares are selling at a discount of 100 p** ces actions se vendent avec une décote de 100 pence ✦ **to issue shares at a discount** émettre des actions au-dessous du pair ✦ **a discount of 25% below the nominal value of the shares** une décote de 25% par rapport à la valeur nominale de l'action **d** *(Forward Markets)* déport m ✦ **the discount on forward sterling** le déport de la livre sterling ✦ **the franc is selling at a discount**

le franc se vend avec un déport ✦ **the forward rate is at a discount to the spot rate** le cours à terme comporte un déport par rapport au cours au comptant **e** *(Ins) (= reduction in premium)* ristourne f **f** *(Fin : between future value and discounted present value)* écart m d'actualisation

---
*compounds/composés*

✦ **discount bank** banque d'escompte
✦ **discount banker** banquier escompteur
✦ **discount bond** obligation vendue au-dessous du pair
✦ **discount broker** *(dealing in commercial paper)* courtier d'escompte; *(charging low fees)* courtier en valeurs mobilières à commission réduite
✦ **discount certificate of deposit** certificat de dépôt à intérêts précomptés
✦ **discount charges** frais d'escompte
✦ **discount factor** facteur d'actualisation
✦ **discount house** *(= bank)* banque d'escompte; *(= shop)* magasin discount, discounter
✦ **discount market** marché de l'escompte
✦ **discount order quantity** seuil de remise
✦ **discount period** *(Comm)* délai d'escompte
✦ **discount price** prix réduit
✦ **discount rate** *(Bank)* taux d'escompte *(Acc : calculating discounted value)* taux d'actualisation *(US = minimum lending rate)* taux de base bancaire
✦ **discount store** magasin discount, discounter
✦ **discount terms** remise (exceptionnelle) ✦ **discount terms: 10% off list price for orders over £100** remise de 10% sur le prix catalogue pour toutes commandes supérieures à 100 livres
✦ **discount window** *(US)* possibilité offerte aux banques américaines de se financer auprès de la Réserve fédérale

---

**VT** **a** *(Bank) bill, paper* escompter, prendre à l'escompte **b** *(Fin, Acc = calculate present value of a future sum)* actualiser **c** *(= anticipate)* ✦ **the stock market has already discounted the expected drop in earnings** la Bourse a déjà anticipé la baisse attendue des bénéfices ✦ **this sum must be discounted for inflation** cette somme doit être corrigée pour tenir compte de l'inflation ✦ **present prices partly discount the economic uncertainties** les prix actuels tiennent en partie compte des incertitudes économiques **d** *(= disregard)* ne pas tenir compte de.

**discountable** /dɪs'kaʊntəbl/ **ADJ** *bill, paper* escomptable.

**discounted** /dɪs'kaʊntɪd/ **ADJ** *bill, paper* escompté; *product* réduit, à prix réduit; *service* à tarif réduit; *(St Ex) share* décoté ✦ **discounted cash flow** valeur actualisée nette ✦ **discounted (present) value** valeur actualisée.

**discounter** /dɪs'kaʊntəʳ/ N a (Fin, Bank) escompteur m b (Comm) magasin m discount, discounter m.

**discrepancy** /dɪs'krepənsɪ/ N (between figures) écart m, divergence f (between entre) nonconcordance f (between de); (between facts, points of view) contradiction f, divergence f (between entre) ♦ there is a discrepancy in the accounts les comptes ne s'accordent pas ♦ statistical discrepancy écart statistique ♦ discrepancy report liste d'anomalies.

**discrete** /dɪs'kriːt/ ADJ (gen, Math, Comp) discret ♦ discrete components composants discrets or non intégrés ♦ discrete data données discrètes ♦ discrete representation représentation discrète ♦ discrete variable variable discrète or discontinue.

**discretion** /dɪs'kreʃən/ N discrétion f ♦ to leave sth to sb's discretion laisser qch à la discrétion de qn ♦ at master's discretion (Mar) à la diligence du capitaine.

**discretionary** /dɪs'kreʃənərɪ/ ADJ powers, costs, purchase discrétionnaire ♦ discretionary income revenu discrétionnaire ♦ discretionary order (St Ex) ordre à appréciation.

**discuss** /dɪs'kʌs/ VT price discuter, négocier; (= talk about) discuter de, débattre de.

**discussion** /dɪs'kʌʃən/ N discussion f, débat m (of, about sur, au sujet de) ♦ the matter is under discussion la question est en discussion or est en train d'être débattue ♦ a subject for discussion un sujet de discussion ♦ I shall bring it up for discussion at the next meeting je soulèverai la question à la prochaine réunion, je proposerai qu'on en discute lors de la prochaine réunion ♦ panel discussion réunion-débat

——— compounds/composés ———
♦ **discussion memorandum** (US) document de travail.

**disease** /dɪˈziːz/ N maladie f ♦ occupational disease maladie professionnelle.

**diseconomy** /ˌdɪsɪˈkɒnəmɪ/ N (Econ) déséconomie f ♦ diseconomies of scale déséconomies d'échelle.

**disembargo** /ˌdɪsɪmbɑːˈgəʊ/ VT lever l'embargo sur.

**disembark** /ˌdɪsɪmˈbɑːk/ VTI débarquer.

**disembarkation** /ˌdɪsembɑːˈkeɪʃən/ N [passengers, cargo] débarquement m ♦ disembarkation card carte de débarquement.

**disencumber** /ˌdɪsɪnˈkʌmbəʳ/ VT mortgage payer; property déshypothéquer.

**disengage** /ˌdɪsɪnˈgeɪdʒ/ VT ♦ to disengage o.s. from se dégager de.

**disequilibrium** /ˌdɪsiːkwɪˈlɪbrɪəm/ N déséquilibre m.

**disguised** /dɪsˈgaɪzd/ ADJ (gen) déguisé; unemployment caché, déguisé.

**dishoard** /dɪsˈhɔːd/ VT money déthésauriser, remettre en circulation; stocks, goods déstocker.

**dishonest** /dɪsˈɒnɪst/ ADJ malhonnête.

**dishonesty** /dɪsˈɒnɪstɪ/ N malhonnêteté f.

**dishonour** (Brit), **dishonor** (US) /dɪsˈɒnəʳ/ N a (= non-payment) [cheque] non-paiement m, refus m de paiement; (= non-acceptance) [draft, bill] non-acceptation f, refus m d'acceptation ♦ notice of dishonour protêt b [person, company] déshonneur m
VT a bill, cheque refuser d'honorer ♦ to dishonour a draft ne pas honorer un effet ♦ to dishonour a draft by non-acceptance refuser d'accepter un effet b person, company déshonorer.

**disincentive** /ˌdɪsɪnˈsentɪv/ N élément m dissuasif, désincitation f ♦ high interest rates are a disincentive to investment les taux d'intérêts élevés constituent un frein à l'investissement or découragent l'investissement ♦ high income tax is a disincentive for senior managers la forte pression fiscale démotive les cadres supérieurs ♦ disincentive to trade effet dissuasif pour le commerce.

**disinflation** /ˌdɪsɪnˈfleɪʃən/ N désinflation f.

**disinflationary** /ˌdɪsɪnˈfleɪʃənərɪ/ ADJ measures, policy désinflationniste.

**disinstall** /ˌdɪsɪnˈstɔːl/ VT (Comp, Ind) désinstaller, retirer du service

**disintegration** /dɪsˌɪntɪˈgreɪʃən/ N (= collapse) désintégration f, désagrégation f (Ind = contracting out previously integrated production) désengagement m.

**disintermediation** /ˌdɪsɪntəmiːˈdjeɪʃən/ N désintermédiation f.

**disinvest** /dɪsɪnˈvest/ VI désinvestir.

**disinvestment** /dɪsɪnˈvestmənt/ N désinvestissement m.

**disk** /dɪsk/ N (Comp) disque m ♦ hard / magnetic / floppy disk disque dur / magnétique / souple

— compounds/composés —

- **disk drive (unit)** unité or lecteur de disques or de disquettes
- **disk file** fichier sur disque, fichier-disque
- **disk operating system** système d'exploitation
- **disk space** espace disque
- **disk storage** mémoire sur disque.

**diskette** /dɪsˈket/ **N** (Comp) disquette f

— compounds/composés —

- **diskette drive, diskette storage unit** unité or lecteur de disquettes
- **diskette file** fichier sur disquette.

**dismantle** /dɪsˈmæntl/ **VT** démanteler.

**dismember** /dɪsˈmembəʳ/ **VT** démanteler.

**dismemberment** /dɪsˈmembəmənt/ **N** démantèlement m.

**dismiss** /dɪsˈmɪs/ **VT** **a** worker renvoyer, licencier; official destituer; assembly dissoudre **b** idea, suggestion écarter; request rejeter **c** (Jur) accused relaxer; appeal rejeter ◆ to dismiss a case considérer une plainte comme non recevable.

**dismissal** /dɪsˈmɪsəl/ **N** **a** [worker] renvoi m ; [official] destitution f ; [assembly] dissolution f ◆ mass dismissal licenciement collectif ◆ unfair dismissal licenciement abusif **b** (Jur) [accused] relaxe f ; [appeal] rejet m.

**disobedience** /ˌdɪsəˈbiːdɪəns/ **N** désobéissance f, insoumission f.

**disobey** /ˈdɪsəˈbeɪ/ **VT** superior désobéir à; law enfreindre.

**disorder** /dɪsˈɔːdəʳ/ **N** désordre m.

**disorganize, disorganise** /dɪsˈɔːgənaɪz/ **VT** désorganiser.

**disparity** /dɪsˈpærɪtɪ/ **N** disparité f (in au niveau de, between entre)

**dispatch** /dɪsˈpætʃ/ **VT** **a** (= send) letter, goods expédier, envoyer; messenger dépêcher, envoyer; messages, information envoyer, acheminer **b** (= finish off) job expédier ◆ to dispatch the outstanding business expédier les affaires en suspens **N** **a** [goods, letter] envoi m, expédition f ◆ date of dispatch date d'expédition ◆ office of dispatch bureau expéditeur ou d'origine ◆ advice of dispatch avis or bordereau or bulletin d'expédition **b** (= promptness) promptitude f **c** (= official report) dépêche f

— compounds/composés —

- **dispatch case** serviette, porte-documents
- **dispatch department** service des expéditions
- **dispatch manager** chef du service des expéditions.

**dispatcher** /dɪsˈpætʃəʳ/ **N** [goods] expéditeur m ; (in transport company) régulateur m.

**dispatching** /dɪsˈpætʃɪŋ/ **N** [goods] expédition f ◆ dispatching department service des expéditions.

**dispensation** /ˌdɪspenˈseɪʃən/ **N** (= exemption) exemption f, dérogation f ◆ to have a special dispensation avoir obtenu une dérogation.

**dispense with** /dɪsˈpens/ **VT FUS** (= do without) se passer de.

**dispenser** /dɪsˈpensəʳ/ **N** (= machine) distributeur m ◆ cash dispenser distributeur automatique de billets, billetterie ◆ soft drinks dispenser distributeur de boissons.

**dispersed** /dɪspɜːsd/ **ADJ** (gen) dispersé, disséminé; (Comp) réparti ◆ dispersed data processing informatique répartie, traitement réparti des données.

**dispersion** /dɪsˈpɜːʃən/ **N** dispersion f.

**displace** /dɪsˈpleɪs/ **VT** (St Ex) shares déclasser; (Mar) water déplacer; workers déplacer.

**displacement** /dɪsˈpleɪsmənt/ **N** **a** (St Ex) [shares] déclassement m **b** (Mar) [water] déplacement m ◆ light displacement déplacement à vide ◆ load displacement déplacement en charge ◆ displacement ton tonneau de déplacement.

**display** /dɪsˈpleɪ/ **VT** **a** (gen) montrer; (on notice board) notice, results, information afficher (Press, Typ) mettre en vedette **b** (in shop) mettre à l'étalage, exposer **c** (Comp) data afficher, visualiser
**N** **a** (in shop) [goods] étalage m, présentation f ◆ our goods are on display on the 1st floor nos articles sont exposés or présentés au 1ᵉʳ étage ◆ there is a fine display of cameras in this new shop il y a une excellente présentation d'appareils-photos dans ce nouveau magasin ◆ window display étalage (en vitrine), vitrine ◆ they have a fine window display ils ont une belle vitrine **b** (Comp) affichage m, visualisation f ; (= screen) écran m, visuel m ◆ graphic display visualisation graphique ◆ visual display unit console or écran de visualisation, visuel

─── compounds/composés ───

• **display ad** * grande annonce
• **display advertising** publicité par (grande) annonce
• **display board** panneau d'affichage
• **display cabinet** vitrine
• **display case** vitrine
• **display console** console de visualisation
• **display face** *(Typ)* caractère à vedette
• **display file** fichier graphique *or* de visualisation
• **display material** *(Pub)* matériel promotionnel *(sur le lieu de vente)*, matériel de publicité sur le lieu de vente *or* de PLV
• **display pack, display packaging** *(Comm)* emballage de présentation, emballage présentoir
• **display panel** *(Comm)* tableau *or* panneau d'affichage
• **display position** *(Comm)* emplacement de PLV
• **display screen** *(Comp)* écran de visualisation, visuel
• **display stand** présentoir
• **display unit** *(Comp)* écran de visualisation, visuel *(Comm, Pub)* présentoir
• **display window** *(in shop)* vitrine, étalage; *(Comp)* viseur.

**disposable** /dɪsˈpəʊzəbl/ **ADJ** **a** *(= not reusable)* à jeter, jetable • **disposable wrapping** emballage perdu • **disposable razor** rasoir jetable • **disposable goods** articles jetables **b** *(= available)* objects, money disponible • **disposable income** revenu(s) disponible(s) • **disposable funds** disponibilités, fonds disponibles
**disposables** **NPL** *(Comm)* articles mpl jetables; *(= assets)* cessions fpl.

**disposal** /dɪsˈpəʊzəl/ **N** **a** [rubbish] *(= collection)* enlèvement m ; *(= destruction)* destruction f ; *(Jur)* [property] disposition f, cession f ; [problem, question] résolution f • **deed of disposal** *(Jur)* acte de disposition • **the disposal of current business** l'expédition des affaires courantes **b** *(Comm)* [goods for sale] vente f, écoulement m • **disposal of goods** *(on form)* destination des marchandises **c** [securities] cession f ; [company, subsidiary] cession f, revente f • **disposal of assets** cession d'éléments d'actif **d** [resources, funds, goods] disposition f • **I am at your disposal for any further advice** je suis à votre disposition pour tout conseil supplémentaire • **we hold these goods at your entire disposal** nous tenons ces marchandises à votre entière disposition.

**dispose of** /dɪsˈpəʊz/ **VT FUS** **a** rubbish, opponent se débarrasser de, se défaire de; question, problem, business régler, expédier **b** *(Comm)* goods écouler, vendre • **to dispose of one's business** céder son fonds, céder son affaire **c** asset, securities céder.

**dispossess** /ˌdɪspəˈzes/ **VT** *(gen)* déposséder, priver *(of* de); *(Jur)* exproprier.

**disproportion** /ˌdɪsprəˈpɔːʃən/ **N** disproportion f

**disproportionate** /ˌdɪsprəˈpɔːʃnɪt/ **ADJ** disproportionné *(to* à, avec)

**disprove** /dɪsˈpruːv/ **VT** démontrer la fausseté de.

**disputable** /dɪsˈpjuːtəbl/ **ADJ** discutable, contestable.

**disputants** /dɪsˈpjuːtənts/ **NPL** • **the disputants** *(Jur)* les parties.

**dispute** /dɪsˈpjuːt/ **N** *(= argument)* discussion f ; *(Ind)* conflit m • **industrial dispute, labour dispute** conflit social, conflit du travail • **wage dispute** conflit salarial • **beyond dispute** incontestable • **in dispute** matter en discussion; facts, figures contesté; *(Jur)* en litige **VT** claim, will contester.

**disputed** /dɪsˈpjuːtɪd/ **ADJ** *(gen)* contesté; *(Jur)* en litige.

**disqualify** /dɪsˈkwɒlɪfaɪ/ **VT** • **to disqualify sb from doing** retirer à qn le droit de faire • **to be disqualified from holding a trading licence** se voir retirer sa patente.

**disrupt** /dɪsˈrʌpt/ **VT** train service, plans perturber; market éclater, disloquer.

**disruption** /dɪsˈrʌpʃən/ **N** [train service, plans] perturbation f ; [market] éclatement m *(of, in* de)

**disruptive** /dɪsˈrʌptɪv/ **ADJ** perturbateur.

**dissatisfaction** /ˈdɪsˌsætɪsˈfækʃən/ **N** mécontentement m, insatisfaction f.

**dissatisfied** /ˈdɪsˈsætɪsfaɪd/ **ADJ** mécontent *(with* de)

**dissave** /ˌdɪsˈseɪv/ **VI** *(Econ)* désépargner.

**dissaver** /ˌdɪsˈseɪvər/ **N** *(Econ)* désépargnant(e) m(f).

**dissaving** /ˌdɪsˈseɪvɪŋ/ **N** *(Econ)* désépargne f ; *(Acc)* réduction f de la situation nette.

**disseize** /dɪsˈsiːz/ **VT** *(Jur)* déposséder.

**dissent** /dɪˈsent/ **VI** différer (d'opinion) • **dissenting opinion** *(Jur)* opinion contraire **N** dissentiment m.

**disservice** /dɪsˈsɜːvɪs/ **N** mauvais service m • **to do sb a disservice** desservir qn.

**dissociate** /dɪˈsəʊʃɪeɪt/ **VT** dissocier, séparer *(from* de) • **to dissociate o.s. from** se dissocier de, se désolidariser de.

**dissolution** /ˌdɪsə'luːʃən/ **N** *[company, partnership]* dissolution f.

**dissolvable** /dɪ'zɒlvəbl/ **ADJ** *(Jur)* dissoluble.

**dissolve** /dɪ'zɒlv/ **VT** *company, partnership* dissoudre

**VI** *[company]* se dissoudre, être dissous.

**dist.** abbr of **district.**

**distance** /'dɪstəns/ **N** distance f ◆ **long–distance flight** (vol) long-courrier ◆ **long–distance lorry** *(Brit)* or **truck** *(US)* camion à long rayon d'action ◆ **long–distance telephone call** communication interurbaine ◆ **I would like to make a call long distance** or **make a long-distance call please** pourriez-vous me passer une communication interurbaine?

───── compounds/composés ─────

◆ **distance freight** fret à longue distance
◆ **distance teaching** enseignement à distance

**VI** *(Sport) competitor* distancer ◆ **to distance o.s. from sth** se distancier de qch.

**distinctive** /dɪs'tɪŋktɪv/ **ADJ** distinctif, caractéristique.

**distinguishing** /dɪs'tɪŋgwɪʃɪŋ/ **ADJ** distinctif, caractéristique ◆ **distinguishing mark** caractéristique; *(on passport)* signe particulier.

**distort** /dɪs'tɔːt/ **VT** *judgment* fausser; *words, facts* dénaturer.

**distortion** /dɪs'tɔːʃən/ **N** *[facts, text]* déformation f ◆ **price distortion** distorsion de prix.

**distrain** /dɪs'treɪn/ **VI** *(Jur)* ◆ **to distrain upon sb's goods** saisir les biens or opérer la saisie des biens de qn ◆ **to distrain upon a debtor** saisir un débiteur.

**distrainable** /dɪs'treɪnəbl/ **ADJ** *(Jur)* saisissable.

**distrainee** /ˌdɪstreɪ'niː/ **N** *(Jur)* saisi(e) m(f).

**distrainer, distrainor** /dɪ'streɪnəʳ/ **N** *(Jur)* saisissant(e) m(f).

**distrainment** /dɪs'treɪnmənt/ **N** *(Jur)* saisie f.

**distrainor** /dɪ'streɪnəʳ/ **N** → **distrainer.**

**distraint** /dɪs'treɪnt/ **N** *(Jur)* saisie f, saisie-exécution f *(sur les meubles d'un débiteur).*

**distress** /dɪs'tres/ **N** **a** *(Mar)* ◆ **ship in distress** navire en perdition or en détresse **b** *(Jur)* saisie-gagerie f ◆ **distress for rent** saisie en cas de non-paiement du loyer

───── compounds/composés ─────

◆ **distress goods** marchandises fpl sacrifiées à très bas prix
◆ **distress sale** vente de biens saisis
◆ **distress selling** vente forcée, vente par nécessité
◆ **distress signal** signal de détresse
◆ **distress warrant** mandat de saisie.

**distributable** /dɪs'trɪbjʊtəbl/ **ADJ** *profit* distribuable.

**distribute** /dɪs'trɪbjuːt/ **VT a** *brochures* distribuer; *load, weight* répartir; *work, tasks* répartir, distribuer **b** *dividend* distribuer, mettre en distribution, répartir; *money* distribuer, répartir, partager ◆ **distributed earnings** bénéfices distribués **c** *goods* distribuer, être distributeur de **d** *(Comp)* ◆ **distributed computing, distributed data processing** traitement réparti or décentralisé ◆ **distributed data base** base de données répartie.

**distribution** /ˌdɪstrɪ'bjuːʃən/ **N a** *[earnings, profits, dividend, tasks]* répartition f, distribution f ; *(= amount paid on a given date)* montant m du dividende; *[bankrupt's personal assets]* répartition f ◆ **next distribution: July 22** prochain dividende le 22 juillet ◆ **distribution of risk** *(St Ex, Ins)* répartition des risques ◆ **estate distribution** partage successoral ◆ **the theory of distribution** la théorie de la distribution ◆ **income distribution** répartition or distribution des revenus **b** *[goods]* distribution f ◆ **chain of distribution** circuit de distribution ◆ **to be in retail / wholesale distribution** faire du commerce de détail / de gros ◆ **the wholesale distribution of a product** la distribution en gros d'un produit **c** *(= placing) [securities]* placement m ◆ **primary distribution** *(St Ex)* première introduction **d** *(Stat)* distribution f ◆ **age distribution** distribution or répartition par âge ◆ **random distribution** distribution aléatoire

───── compounds/composés ─────

◆ **distribution channel** canal or circuit de distribution
◆ **distribution centre** centre de distribution
◆ **distribution costs** *(Acc)* frais mpl or charges de distribution
◆ **distribution function** fonction de distribution
◆ **distribution manager** chef de la distribution
◆ **distribution network** réseau de distribution
◆ **distribution stock** *(St Ex)* action de répartition.

**distributive** /dɪsˈtrɪbjʊtɪv/ **ADJ** distributif ◆ **distributive costs** frais or charges de distribution ◆ **the distributive trades** le secteur de la distribution, le commerce de distribution.

**distributor** /dɪsˈtrɪbjʊtəʳ/ **N** **a** *(Comm) (gen)* distributeur m ; *(with exclusive rights in an area)* concessionnaire m ◆ **distributor network** réseau de distributeurs ◆ **distributor's price** prix de gros, prix à la distribution ◆ **authorized distributor** distributeur agréé ◆ **last distributor** détaillant ◆ **retail distributor** détaillant, distributeur au détail ◆ **sole distributor** concessionnaire exclusif, seul distributeur *(for* de) **wholesale distributor** grossiste, distributeur en gros **b** *(= machine)* distributeur m.

**district** /ˈdɪstrɪkt/ **N** *[country]* région f ; *[town]* quartier m ; *(= administrative area)* district m, arrondissement m ◆ **business district** quartier des affaires ◆ **postal district** *(Brit)* secteur postal ◆ **shopping district** quartier commerçant

───── compounds/composés ─────
◆ **district attorney** *(US Jur)* magistrat fédéral, ≈ procureur de la République
◆ **district bank** banque régionale
◆ **district manager** directeur régional
◆ **district office** bureau régional.

**disturb** /dɪsˈtɜːb/ **VT** *meeting, conversation* troubler; *person [inconvenience]* déranger; *[alarm]* inquiéter; *(Jur)* troubler (la jouissance de) ◆ **the chairman is in a meeting and has given orders he is not to be disturbed** le président est en réunion et a donné ordre de ne pas être dérangé.

**disuse** /dɪsˈjuːs/ **N** ◆ **to fall into disuse** tomber en désuétude.

**DIT** /ˌdiːaɪˈtiː/ **N** abbr of **double income tax → double**.

**ditto** /ˈdɪtəʊ/ **ADV** idem.

**div.** abbr of **dividend**.

**dive** /daɪv/ **N** ◆ **to take a dive** *, **go into a dive** * *[prices]* plonger, chuter.

**diverge** /daɪˈvɜːdʒ/ **VI** diverger.

**divergence** /daɪˈvɜːdʒəns/ **N** divergence f ◆ **divergence indicator** *(EU)* indicateur de divergence ◆ **divergence limit** limite de divergence.

**divergent** /daɪˈvɜːdʒənt/ **ADJ** divergent.

**diversification** /daɪˌvɜːsɪfɪˈkeɪʃən/ **N** *(gen)* diversification f ◆ **horizontal / lateral / vertical diversification** diversification horizontale / latérale / verticale.

**diversify** /daɪˈvɜːsɪfaɪ/ **VT** diversifier ◆ **diversified fund / portfolio** fonds / portefeuille diversifié **VI** se diversifier ◆ **they took the decision to diversify into household goods** ils ont décidé une diversification dans les appareils ménagers.

**diversion** /daɪˈvɜːʃən/ **N** **a** *(Brit : [traffic])* déviation f ◆ **there is a diversion in place on the M4 north of Birmingham** on a mis en place une déviation sur la M4 au nord de Birmingham **b** *(Econ)* détour m ◆ **intermediate output diversion** *(Ind)* détour de production.

**diversity** /daɪˈvɜːsɪtɪ/ **N** diversité f, variété f.

**divert** /daɪˈvɜːt/ **VT** *train, plane, ship* dérouter, détourner; *traffic* dévier; *attention, conversation* détourner ◆ **because of bad weather we were diverted by Frankfurt** à cause du mauvais temps notre avion a été détourné par Francfort.

**divest** /daɪˈvest/ **VT** *(of rights, property)* dépouiller, priver *(of* de) ◆ **the company has divested itself of all its overseas subsidiaries** la société s'est défaite de or a procédé à la cession de toutes ses filiales étrangères ◆ **to divest o.s. of an asset** céder un élément d'actif.

**divestiture** /daɪˈvestɪtʃəʳ/ **N** *(Jur)* dépossession f ; *(= disposing of all or part of a business)* cession f.

**divestment** /daɪˈvestmənt/ **N** *[subsidiary]* cession f.

**divide** /dɪˈvaɪd/ **VT** diviser ◆ **to divide 4 into 32, to divide 32 by 4** diviser 32 par 4.

**dividend** /ˈdɪvɪdend/ **N** *(Fin, St Ex)* dividende m ; *(Ins)* bonification f, participation f aux bénéfices *(Jur : in bankruptcy or liquidation)* dividende m or boni m de liquidation *(Brit : [cooperative society])* ristourne f ◆ **to declare** or **announce a dividend** déclarer un dividende ◆ **to distribute a dividend** mettre en distribution or distribuer un dividende ◆ **cum dividend** coupon attaché ◆ **ex dividend** coupon détaché, ex-dividende ◆ **final dividend** solde de dividende

───── compounds/composés ─────
◆ **dividend appropriations** affectation de dividendes
◆ **dividend counterfoil** talon de dividende
◆ **dividend cover** couverture des dividendes
◆ **dividend income** revenu(s) des dividendes
◆ **dividend limitation** *(imposed by government)* blocage des dividendes
◆ **dividend mandate** ordonnance de paiement de dividende, coupon d'arrérages
◆ **dividend on** *(US)* coupon attaché
◆ **dividend off** *(US)* coupon détaché

♦ **dividend payout ratio** ratio des dividendes distribués aux bénéfices, ratio de distribution
♦ **dividend reinvestment plan** plan d'épargne avec capitalisation *or* réinvestissement des dividendes
♦ **dividend share** action de garantie *or* de jouissance
♦ **dividend tax credit** avoir fiscal
♦ **dividend warrant** coupon de dividende
♦ **dividend yield** rendement des actions, rendement boursier.

**divide out** VT SEP répartir, distribuer (*among* entre)

**division** /dɪˈvɪʒən/ N **a** (= *act of dividing*) division f, séparation f (*into* en); (= *sharing out*) partage m, répartition f, distribution f (*between* entre) ♦ **the division of labour** la division du travail ♦ **division in a succession** (*Jur*) partage de succession **b** (*Admin*) (= *section*) division f ; (= *category*) classe f, catégorie f ♦ **the agrochemical division** la division agrochimie ♦ **operating division** division *or* branche opérationnelle **c** (= *discord*) division f.

**divisional** /dɪˈvɪʒənəl/ ADJ ♦ **divisional coin** monnaie divisionnaire ♦ **divisional director** directeur de division ♦ **divisional management** gestion par département ♦ **divisional structure** structure par division ♦ **the decision will be taken at divisional level** la décision sera prise au niveau de la division.

**DIY** /diːaɪˈwaɪ/ (*Brit*) N abbr of **do-it-yourself** ♦ **a DIY shop** un magasin de bricolage.

**Djibouti** /dʒɪˈbuːtɪ/ N Djibouti.

**dk** abbr of **dock.**

**dld** abbr of **delivered.**

**DLO** /ˌdiːelˈəʊ/ (*Brit*) N abbr of **Dead Letter Office** → **dead.**

**dly** abbr of **daily.**

**D / N, DN** N abbr of **debit note** → **debit.**

**do.** abbr of **ditto.**

**D / O** **a** abbr of **deferred ordinary shares** → **deferred b** abbr of **delivery order** → **delivery.**

**d.o.b.** abbr of **date of birth** → **date.**

**dobra** /ˈdəʊbrə/ N dobra m.

**doc.** abbr of **document.**

**dock** /dɒk/ **N a** (*for berthing*) bassin m, dock m ; (*for loading*) dock(s) m(pl) ♦ **the docks** les docks ♦ **dry dock** cale sèche, bassin de radoub ♦ **floating dock** dock flottant ♦ **graving dock** bassin de radoub ♦ **loading dock** embarcadère,

quai d'embarquement ♦ **tidal dock** bassin d'échouage ♦ **unloading dock** débarcadère, quai de débarquement ♦ **wet dock** bassin à flot **b** (*Jur*) banc m des accusés **c** (= *loading, unloading bay in factory*) quai m ♦ **receiving dock** quai de réception

— *compounds/composés* —
♦ **dock dues** droits mpl de bassin *or* de docks
♦ **dock house** bureaux mpl des docks
♦ **dock labourer** docker, débardeur
♦ **dock receipt** reçu des docks
♦ **dock strike** grève des dockers
♦ **dock warrant** dock-warrant

**VT a** *ship* mettre à quai **b** (* = *reduce*) *wages* rogner* ♦ **to dock £5 off sb's wages** retenir *or* rogner* 5 livres *or* faire une retenue de 5 livres sur le salaire de qn ♦ **he had his wages docked for absenteeism** on lui a fait une retenue sur son salaire pour absentéisme **c** (*Jur*) ♦ **to dock an entail** annuler une substitution
**VI** entrer au bassin *or* aux docks, se mettre à quai ♦ **the ship has docked** le navire est à quai.

**dockage** /ˈdɒkɪdʒ/ N droits mpl de docks *or* de bassin.

**docker** /ˈdɒkər/ N docker m, débardeur m.

**docket** /ˈdɒkɪt/ **N a** (*Brit* = *receipt*) reçu m, récépissé m ; (*Customs*) certificat m de paiement des droits de douane **b** (*Jur*) (= *register*) registre m des comptes rendus d'audience; (= *list of cases*) rôle m des causes à juger
**VT a** (*Jur*) *judgment* faire le compte rendu de **b** *packet, document* étiqueter.

**doctor** /ˈdɒktər/ N (= *title*) docteur m ; (= *occupation*) médecin m ♦ **company doctor** médecin d'entreprise ♦ **doctor's certificate** certificat médical ♦ **Doctor of law** docteur en droit ♦ **doctor of medicine** docteur en médecine.

**dockyard** /ˈdɒkjɑːd/ N chantier m naval.

**document** /ˈdɒkjʊmənt/ **N** (*gen*) document m ; (*Jur*) acte m ♦ **to draw up** *or* **raise a document** (*gen*) rédiger un document; (*Jur*) rédiger un acte ♦ **legal document** acte authentique, document juridique ♦ **official document** (*gen*) document officiel; (*Jur*) acte authentique public ♦ **you must produce supporting documents** vous devez fournir des justificatifs *or* des pièces justificatives ♦ **documents attached to the consignment note** annexes à la lettre de voiture ♦ **a letter of credit with documents attached** une lettre de crédit assortie de documents ♦ **the buyer must accept the documents when tendered by the seller** l'acheteur doit lever les documents lors de la présentation par le vendeur ✦ **document for collection** encaissement documentaire ✦ **document of title** titre de propriété ✦ **shipping documents** pièces d'embarquement, documents d'expédition

———— *compounds/composés* ————

- ✦ **documents against acceptance** documents mpl contre acceptation ✦ **documents-against-acceptance bill** traite documents contre acceptation
- ✦ **documents against cash** encaissement documentaire
- ✦ **documents against payment** documents mpl contre paiement ✦ **documents-against-payment bill** traite documents contre paiement
- ✦ **documents against presentation** documents mpl contre présentation
- ✦ **document case** porte-documents
- ✦ **document handler** (Comp) lecteur de documents
- ✦ **document retrieval** recherche documentaire

**VT** **a** *case, point of view* documenter, appuyer à l'aide de documents **b** *ship* munir des papiers nécessaires.

**documentary** /ˌdɒkjʊ'mentərɪ/ **ADJ** (gen) documentaire ✦ **documentary letter of credit, documentary acceptance credit** crédit documentaire ✦ **documentary bill** traite *or* effet documentaire ✦ **documentary collection** encaissement documentaire ✦ **documentary evidence** documents, preuve documentaire *or* écrite
**N** (also **documentary film**) (film m) documentaire m.

**documentation** /ˌdɒkjʊmən'teɪʃən/ **N** documentation f ✦ **there is excellent documentation with this computer** le manuel d'utilisation de cet ordinateur est très bien fait.

**Dodoma** /'dəʊdəmə/ **N** Dodoma.

**DOE** /ˌdiːəʊ'iː/ **N** **a** (Brit) abbr of **Department of the Environment** → **department** **b** abbr of **Department of Energy** → **department**.

**doer** /'duː(ː)ər/ **N** (= active person) personne f dynamique *or* efficace ✦ **he's a doer** c'est un homme d'action.

**dog** /dɒg/ **N** (US Fin sl) (= promissory note) billet m à ordre; (= portfolio analysis) poids m mort.

**do-it-yourself** /'duːɪtjə'self/ **ADJ** ✦ **do-it-yourself shop** magasin de bricolage ✦ **do-it-yourself kit** kit prêt-à-monter ✦ **do-it-yourself department** rayon (de) bricolage.

**doldrums** /'dɒldrəmz/ **NPL** ✦ **to be in the doldrums** [business] être dans le marasme.

**dole** * /dəʊl/ (Brit) **N** ✦ **dole (money)** allocation *or* indemnité de chômage ✦ **to go / be on the dole** s'inscrire / être au chômage ✦ **to join the dole queue** être mis au chômage.

**dollar** /'dɒlər/ **N** dollar m ✦ **Australian / Canadian dollar** dollar australien / canadien ✦ **East Caribbean dollar** dollar des Caraïbes orientales

———— *compounds/composés* ————

- ✦ **dollar acceptance** effet de commerce *or* crédit documentaire payable en dollars
- ✦ **dollar area** zone dollar
- ✦ **dollar balances** balances fpl dollars
- ✦ **dollar bill** billet d'un dollar ✦ **a five-dollar bill** un billet de cinq dollars ✦ **dollar bill of exchange** effet de commerce libellé en dollars
- ✦ **dollar bond** obligation libellée en dollars
- ✦ **dollar credit** crédit documentaire libellé en dollars
- ✦ **dollar exchange rate** cours du dollar
- ✦ **dollar gap** pénurie de dollars, déficit de la balance dollar
- ✦ **dollar glut** surabondance de dollars
- ✦ **dollar premium** prime sur le dollar
- ✦ **dollar standard** étalon dollar
- ✦ **dollar stocks** valeurs fpl en dollars
- ✦ **dollar store** magasin à prix unique.

**domain** /dəʊ'meɪn/ **N** domaine m ; ✦ (Jur) **right of eminent domain** droit d'expropriation pour cause d'utilité publique ✦ (Comp) **domain name** nom de domaine.

**domestic** /də'mestɪk/ **ADJ** *work* domestique; *trade, market, policy, flight* intérieur; *production* national; *science, equipment* ménager ✦ **domestic acceptance** (US Fin) traite sur l'intérieur ✦ **domestic appliance** appareil ménager ✦ **domestic bill** (US) traite payable à l'intérieur de l'État dans lequel elle a été tirée (Brit) traite sur l'intérieur ✦ **domestic consumption** consommation intérieure ✦ **domestic currency** devise du pays *or* nationale ✦ **domestic investment** investissements nationaux ✦ **domestic rates** impôts locaux ✦ **gross domestic product** produit intérieur brut ✦ **domestic sales** ventes sur le marché intérieur ✦ **domestic staff** domestiques, employés de maison.

**domicile** /'dɒmɪsaɪl/ **N** domicile m ✦ **domicile of corporation** adresse légale de l'entreprise ✦ **domicile of choice** domicile élu ✦ **domicile commission** commission de domiciliation
**VT** domicilier ✦ **to domicile a bill with a bank** domicilier un effet à une banque ✦ **bill domiciled in Britain** effet domicilié *or* payable en Grande-Bretagne ✦ **to be domiciled at** [person] être domicilié à, résider à, demeurer à.

**domiciliary** /ˌdɒmɪ'sɪlɪərɪ/ **ADJ** domiciliaire.

**domiciliation** /ˌdɒmɪsɪlɪˈeɪʃən/ N [bill, cheque] domiciliation f ♦ **domiciliation clause** clause de domiciliation ♦ **bank of domiciliation** banque domiciliataire.

**dominant** /ˈdɒmɪnənt/ ADJ dominant ♦ **dominant firm** entreprise leader ♦ **abuse of dominant position** abus de position dominante.

**dominate** /ˈdɒmɪneɪt/ VTI dominer.

**domination** /ˌdɒmɪˈneɪʃən/ N domination f.

**Dominican** /dəˈmɪnɪkən/ ADJ dominicain N (= inhabitant) Dominicain(e) m(f).

**Dominican Republic** /dəˈmɪnɪkənrɪˈpʌblɪk/ N République f dominicaine.

**donate** /dəʊˈneɪt/ VT faire le don de ♦ **donated stock** or **shares** actions gratuites ♦ **donated surplus** (in balance sheet) surplus d'apport obtenu à titre gratuit.

**donation** /dəʊˈneɪʃən/ N (= act of giving) donation f ; (= gift) don m ♦ **to make a donation to a charity** faire un don à une œuvre de bienfaisance ♦ **deed of donation** acte de donation ♦ **donation inter vivos** donation entre vifs.

**donee** /dəʊˈniː/ N (Jur) donataire mf.

**dong** /dɒŋ/ N dông m.

**donor** /ˈdəʊnər/ N (Jur) donateur(-trice) m(f).

**door** /dɔːr/ N porte f ♦ **to go from door to door** [salesman] faire du porte à porte ♦ **behind closed doors** à huis clos

─── compounds/composés ───
- **door-to-door delivery service** service de livraison à domicile
- **door-to-door salesman** démarcheur à domicile, vendeur qui fait du porte-à-porte
- **door-to-door selling** porte-à-porte, démarchage à domicile.

**doorstep** /ˈdɔːstep/ N seuil m, pas m de la porte ♦ **doorstep selling** porte-à-porte, démarchage à domicile.

**dormant** /ˈdɔːmənt/ ADJ rule, law inappliqué; title tombé en désuétude ♦ **dormant account** compte sans mouvement ♦ **dormant balance** solde inactif ♦ **dormant company** société inactive ♦ **dormant file** (Comp) fichier de consultation ♦ **dormant needs** besoins latents ♦ **dormant partner** commanditaire, bailleur de fonds ♦ **dormant warrant** mandat en blanc ♦ **to let a matter lie dormant** laisser une affaire en sommeil.

**dossier** /ˈdɒsɪeɪ/ N dossier m.

**dot** /dɒt/ N point m ♦ **at 2 o'clock on the dot** * à 2 heures pile*

─── compounds/composés ───
- **dot command** commande précédée d'un point
- **dot-dash line** trait mixte
- **dot (matrix) printer** imprimante matricielle or par points.

**dotcom, dot.com** /dɒtˈkɒm/ N dotcom f, point n com.

**dotted** /ˈdɒtɪd/ ADJ ♦ **dotted line** ligne pointillée or en pointillé ♦ **to tear along the dotted line** détacher suivant le pointillé ♦ **to sign on the dotted line** (lit) signer à l'endroit indiqué (fig = agree officially) donner son consentement (en bonne et due forme).

**double** /ˈdʌbl/ N double m ▪ Voir encadré ci-contre. VTI doubler ♦ **this card also doubles as a credit card** cette carte joue aussi le rôle de carte de crédit ADV deux fois ♦ **earnings are double what they were last year** les bénéfices sont le double de ce qu'ils étaient l'année dernière.

**doubling** /ˈdʌblɪŋ/ N [prices, costs] doublement m.

**doubtful** /ˈdaʊtfʊl/ ADJ a (= questionable) person suspect, louche; affair douteux, louche ♦ **doubtful debt** créances douteuses b (= undecided) person incertain, indécis; result indécis, peu concluant.

**Dow Jones** /daʊˈdʒəʊnz/ N Dow Jones m ♦ **Dow Jones index** or **average** indice Dow Jones (des valeurs industrielles).

**down** /daʊn/ ADV a (= lower) ♦ **stock prices are down** les cours de la Bourse sont en baisse ♦ **takings are down £300 this week** les recettes ont baissé de 300 livres cette semaine ♦ **I'm 50 dollars down** il me manque 50 dollars ♦ **we are down on quota** nous n'avons pas atteint notre quota ♦ **on the down side** côté pertes b (Comp, Ind = out of action) ♦ **the computer's gone down** l'ordinateur est tombé en panne c (= cash) ♦ **to pay 10 dollars down** payer 10 dollars comptant VT **to down tools** (= stop work) cesser le travail; (= strike) se mettre en grève, débrayer

─── compounds/composés ───
- **down market** ♦ **to go** or **move down market** se repositionner or se déplacer vers le bas de gamme ♦ **a down-market product** un produit bas de gamme
- **down payment** premier acompte ♦ **to make a down payment of £50** payer or verser un acompte de 50 livres, payer 50 livres d'acompte or d'arrhes
- **down period** [factory] période de fermeture
- **down tick** (St Ex) (légère) baisse
- **down time** [machine] temps or durée d'immobilisation.

————— *compounds/composés* —————

### DOUBLE

- **double-book** *(Aviat)* faire du surbooking ◆ **our seats were double-booked** nos sièges avaient été loués deux fois
- **double booking** double réservation, surbooking
- **double bottom** *(St Ex)* deux plus bas successifs
- **double-check** **VT** revérifier, recontrôler **N** revérification ◆ **to do a double-check on sth** vérifier qch de nouveau, revérifier qch
- **double-cross** * trahir, doubler*
- **double-dealing** double jeu, duplicité
- **double declining balance method** méthode d'amortissement dégressif *or* décroissant
- **double eagle** *(US)* pièce de 20 dollars
- **double entry (bookkeeping)** comptabilité en partie double
- **double figures interest rates have reached double figures** les taux d'intérêts sont à deux chiffres *or* ont atteint les deux chiffres ◆ **double-figure inflation** inflation à deux chiffres
- **double-income** *family* à deux salaires ◆ **double-income tax** double-imposition ◆ **double-income-tax relief** exonération relative à la double imposition
- **double insurance** assurance cumulative
- **double keying** *(Comp)* double frappe
- **double option** *(St Ex)* stellage
- **double-page spread** *(Pub)* (publicité en) double page ◆ **we took a double-page spread to promote the new model** nous avons pris une double page pour promouvoir notre nouveau modèle
- **double-park** stationner en double file
- **double-parking** stationnement en double file
- **double posting** *(Acc)* écriture en partie double
- **double room** chambre pour deux personnes, chambre double
- **double-space** *text, page* disposer en double interligne
- **double-spaced** en double interligne
- **double spacing** double interligne
- **double standard** *(Fin, Econ)* double étalon
- **double taxation relief** exonération relative à la double imposition
- **double time to be on double time** être payé (le) double ◆ **I'm paid double time on Sundays** le dimanche je suis payé (le) double
- **double top** *(St Ex)* deux plus hauts successifs
- **double track** (= *tape*) double piste; *(Cine)* double bande

---

**downgrade** /'daʊn,greɪd/ **VT** *person* rétrograder; *hotel* déclasser; *work, job* déclasser, dévaloriser; *product* réduire *or* baisser la qualité de, adapter vers le bas de gamme; *project* accorder une moindre priorité à, réduire; *(St Ex)* bond déclasser.

**downgrading** /'daʊngreɪdɪŋ/ **N** *[person]* rétrogradation f ; *[hotel, bond]* déclassement m.

**downline** /'daʊnlaɪn/

————— *compounds/composés* —————
- **downline loader** *(Comp)* téléchargeur ◆ **downline loading** téléchargement.

**download** /'daʊn,ləʊd/ **VT** *(Comp)* télécharger ◆ **the file must be downloaded to the office micro** le fichier doit être transféré dans le micro du bureau.

**downplay** /'daʊn,pleɪ/ **VT** minimiser l'importance de ◆ **experts downplay the consequences of this merger** les experts minimisent les conséquences de cette fusion.

**downside** /'daʊn,saɪd/ **ADJ** **downside risk** risque de baisse *or* de chute du cours **N** désavantage m, inconvénient m ◆ **on the downside** côté inconvénients, côté pertes.

**downsize** /'daʊn,saɪz/ **VT** *company* réduire les effectifs de, dégraisser. **VI** réduire ses effectifs, dégraisser.

**downstairs** /'daʊn'steəz/ **COMP** ◆ **downstairs merger** fusion dans laquelle une filiale absorbe la société mère.

**downstream** /'daʊn,striːm/ **ADV** en aval ◆ **downstream industries** industries en aval.

**downswing** /'daʊn,swɪŋ/ **N** → **downturn.**

**downtown** /'daʊn'taʊn/ **ADV** **to go downtown** aller au centre ville
**ADJ** **downtown Boston** le centre de Boston.

**downtrend** /'daʊn,trend/ **N** tendance f *or* orientation f baissière.

**downturn** /'daʊn,tɜːn/ **N** *[economy, investment, consumption]* ralentissement m ; *[prices, interest rates]* fléchissement m, repli m, baisse f ; *[stockmarket]* retournement m à la baisse (*in, of* de).

**downward** /'daʊnwəd/ **ADJ** *movement* vers le bas ◆ **downward trend** *(St Ex)* tendance à la baisse ◆ **downward pressure on the dollar** pression à la baisse sur le dollar.

**dowry** /'daʊrɪ/ **N** dot f ◆ **dowry insurance** assurance dotale.

**dozen** /'dʌzn/ **N** douzaine f ◆ **4 dozen bottles** 4 douzaines de bouteilles ◆ **$5 a dozen** 5 dollars la douzaine ◆ **half-dozen, half-a-dozen** demi-douzaine.

**DP** abbr of **data processing** → **data.**

**D / P** abbr of **documents against payment** → **document.**

**DPP** /diːpiːˈpiː/ (abbr of **direct profit productivity**) DPP.

**dr** a (abbr of **debtor**) dr b abbr of **drawer**.

**Dr** /ˈdɒktəʳ/ (abbr of **Doctor**) Dr.

**D / R** abbr of **deposit receipt** → **deposit**.

**dr.** abbr of **debit**.

**drachma** /ˈdrækmə/ N dalasi m.

**draft** /drɑːft/ N a (= first version) [contract] première ébauche f; [letter, report] brouillon m ♦ **a rough draft** un brouillon ♦ **the first draft of the budget** la première version or mouture du budget b (Fin) (= bill) traite f, effet m, lettre f de change; (= document authorizing withdrawal) ordre m de virement ♦ **to make a draft on** tirer sur ♦ **to honour** or **meet a draft** honorer une traite ♦ **the bank will accept your draft at 90 days after date** la banque acceptera votre traite à 90 jours de date ♦ **accommodation draft** traite de complaisance ♦ **bank** or **banker's draft** chèque bancaire ♦ **collection draft** lettre à l'encaissement ♦ **sight** or **demand draft** traite or effet à vue ♦ **documentary draft** traite documentaire ♦ **foreign / inland draft** traite sur l'extérieur / l'intérieur c (US) [ship] tirant m d'eau

> —— compounds/composés ——
> ♦ **draft agreement** projet or protocole d'accord
> ♦ **draft bill** projet de loi
> ♦ **draft budget** projet de budget
> ♦ **draft contract** projet de contrat
> ♦ **draft terms** conditions fpl de vente nécessitant la remise d'une traite

VT a (= sketch out) letter, report faire le brouillon de b (= draw up) report rédiger, établir; contract rédiger, dresser; plan esquisser, dresser.

**draftsman** /ˈdræftsmən/ (US) N → **draughtsman**.

**drag** /dræg/ N a (= hindrance) entrave f, frein m (on à) ♦ **fiscal drag** ralentissement de l'économie causé par une trop forte ponction fiscale sur les revenus élevés (Brit) b (* US) ♦ **to use one's drag** utiliser son influence VI [prices] languir.

**drain** /dreɪn/ N ponction f (on sur) ♦ **it will be a drain on our resources** cela provoquera une ponction sur nos ressources ♦ **a drain of capital from the country** une fuite or une évasion de capitaux vers l'étranger ♦ **the brain drain** la fuite or l'exode des cerveaux.

**dram** /dræm/ N dram m.

**drastic** /ˈdræstɪk/ ADJ remedy énergique; effect, change radical; measures énergique, draconien ♦ **drastic reductions** (on sign) réductions massives, prix sacrifiés.

**draught** /drɑːft/ (Brit), **draft** (US) N (Mar) tirant m d'eau.

**draughtsman** /ˈdrɑːftsmən/ (Brit), **draftsman** (US) N dessinateur m industriel.

**draw** /drɔː/ VT a cheque, bill tirer ♦ **to draw a cheque on a bank** tirer un chèque sur une banque ♦ **please draw 2 months' bill on Paris** veuillez fournir à 2 mois sur Paris ♦ **to draw at short sight** tirer à courte échéance b (= obtain) salary toucher ♦ **to draw a commission on a deal** prélever une commission sur une affaire ♦ **to draw money from one's account / from the bank** retirer de l'argent de son compte / de la banque ♦ **to draw expenses** être remboursé de ses frais ♦ **the money is drawing interest** l'argent est productif d'intérêts ♦ **to draw lots (for sth)** tirer (qch) au sort c (= attract) customers attirer d (= establish, formulate) conclusion tirer (from de); parallel, distinction établir (between entre) N a (= lottery) loterie f; (= act of drawing) tirage m au sort b (= attraction) (gen) attraction f, succès m.

**drawback** /ˈdrɔːbæk/ N (= disadvantage) inconvénient m, désavantage m (to à); (Customs = refund) drawback m, rembours m.

**draw down** VT SEP credit tirer.

**drawdown** /ˈdrɔːdaʊn/ N [stocks] réduction f ♦ **the drawdown period for a credit** la période de mise à disposition d'un crédit, la période de tirage d'un crédit.

**drawee** /drɔːˈiː/ N tiré(e) m(f).

**drawer** /drɔːʳ/ N [cheque] tireur m ♦ **refer to drawer** (on cheque) retour au tireur.

**drawing** /ˈdrɔːɪŋ/ N (Fin) [cheque, bill] tirage m

> —— compounds/composés ——
> ♦ **drawing(s) account** (in private company) compte de prélèvements or de retraits
> ♦ **drawing board** planche à dessin ♦ **the plan is still on the drawing board** (fig) le projet est encore à l'étude
> ♦ **drawing office** (Brit) bureau de dessin industriel
> ♦ **drawing rights** droits mpl de tirage ♦ **special drawing rights** droits de tirage spéciaux.

**drawn** /drɔːn/

────── compounds/composés ──────
◆ **drawn bill** effet tiré ◆ **drawn bond** obligation sortie au tirage.

**draw out** ᴠᴛ **ꜱᴇᴘ** money retirer (from de)

**draw up** ᴠᴛ **ꜱᴇᴘ** contract dresser, rédiger; document rédiger; plan dresser; (Fin) bill, balance sheet établir, dresser; budget préparer, établir; (Jur) deed passer.

**draw (up) on** ᴠᴛ **ꜰᴜꜱ** (Comm, Fin) tirer sur ◆ **you may draw on us at 60 days for the amount of the invoice** vous pouvez tirer sur nous à 60 jours pour le montant de la facture ◆ **to draw (up)on one's savings / stocks / reserves** prendre or tirer sur ses économies / stocks / réserves, puiser dans ses économies / stocks / réserves.

**dress** /dres/ ᴠᴛ person habiller ◆ **to dress a shop window** faire l'étalage, faire la vitrine.

**drift** /drɪft/ **ᴠɪ** to drift up(wards) / down(wards) [prices] monter / baisser lentement
**ɴ** dérive f, glissement m, dérapage m ◆ **upward / downward drift** glissement à la hausse / à la baisse.

**drill** /drɪl/ **ᴠᴛ** oil well forer
**ᴠɪ** to drill for oil / minerals forer or effectuer des forages pour trouver du pétrole / des minéraux.

**drilling** /'drɪlɪŋ/ ɴ forage m ◆ **offshore drilling** forage en mer

────── compounds/composés ──────
◆ **drilling rig** (on land) derrick; (at sea) plate-forme de forage
◆ **drilling ship** navire de forage.

**drink** /drɪŋk/ ɴ boisson f ◆ **the soft drinks industry** l'industrie des boissons non alcoolisées.

**dripping** /'drɪpɪŋ/ ɴ (sl = slow but steady seller) article qui se vend lentement mais sûrement.

**drive** /draɪv/ **ɴ** **a** (= energy) dynamisme m, énergie f ◆ **to have plenty of drive** avoir de l'allant or du dynamisme **b** (= campaign) campagne f ◆ **export drive** campagne de promotion à l'exportation ◆ **recruitment drive** campagne d'embauche ◆ **sales drive** campagne de vente, animation des ventes ◆ **we're having a drive to raise productivity** nous menons une campagne or nous faisons un grand effort pour augmenter la productivité **c** (= impulse) instinct m,

impulsion f **d** (Comp) unité f (de disque), lecteur m ◆ **disk drive** unité or lecteur de disque or de disquette
**ᴠᴛ** **a** vehicle conduire **b** to drive a bargain conclure un marché ◆ **he drives a hard bargain** il est dur en affaires **c** technology is driving new product development la technologie est le moteur du développement de nouveaux produits ◆ **technology-driven development** développement tiré par la technologie ◆ **a market-driven decision** une décision imposée par le marché.

**drive down** ᴠᴛ **ꜱᴇᴘ** prices faire baisser.

**driver** /'draɪvəʳ/ ɴ [car] conducteur(-trice) m(f) ; [taxi, truck, bus] chauffeur m, conducteur(-trice) m(f) ; [train] mécanicien m, conducteur(-trice) m(f).

**drive up** ᴠᴛ **ꜱᴇᴘ** prices faire monter.

**driving** /'draɪvɪŋ/ ɴ conduite f ◆ **driving licence** permis de conduire.

**droop** /druːp/ ᴠɪ (St Ex) [prices] fléchir, baisser légèrement.

**drop** /drɒp/ **ɴ** (= fall) [prices, inflation] baisse f, chute f ; [sales, activity] retombée f, baisse f, chute f ◆ **drop in value** baisse de la valeur ◆ **there was a sizeable drop in interest rates** il y a eu une baisse importante des taux d'intérêts

────── compounds/composés ──────
◆ **drop dead halt** (Comp) arrêt immédiat
◆ **drop shipment** drop shipment (envoi direct de l'usine au détaillant)
◆ **drop shipper** intermédiaire en gros
◆ **drop tag** (US) démarquer

**ᴠᴛ** **a** price baisser; cargo, passengers débarquer **b** (= abandon) programme, plan, idea renoncer à, abandonner **c** (* = lose) money perdre, laisser
**ᴠɪ** [price, interest rates] baisser, diminuer, être en régression ◆ **the pound had dropped (by) 2 pence against the dollar** la livre a baissé de 2 pence contre le dollar.

**drop away** ᴠɪ [sales, support] diminuer.

**drop back, drop behind** ᴠɪ rester en arrière, se laisser distancer; (in work) prendre du retard.

**drop off** ᴠɪ [sales, support] diminuer.

**drop-off** /'drɒpɒf/ ɴ (= decrease) [sales, support, attendance] diminution f (in de).

---

*compounds/composés*

◆ **drop-off point** *(Comm)* point de livraison.

---

**drop out** vi abandonner ◆ **to drop out of the race** abandonner la course.

**dropout** /'drɒpaʊt/ n *(Comp)* perte f d'information *or* de niveau.

**DRP** /ˌdiːɑːˈpiː/ n abbr of **dividend re-investment plan** → **dividend.**

**drug** /drʌg/ n *(gen)* drogue f, stupéfiant m ; *(Med)* médicament m, drogue f ◆ **a drug on the market** un article *or* une marchandise invendable.

**drugstore** /'drʌgstɔː/ *(US)* n drugstore m.

**drum** /drʌm/ n  **a** *(= container)* *[oil]* tonnelet m, bidon m ; *(= cylinder)* *[wire]* tambour m ; *(= machine part)* tambour m  **b** *(Comp)* tambour m (magnétique)

---

*compounds/composés*

◆ **drum memory** *(Comp)* mémoire à tambour
◆ **drum plotter** *(Comp)* traceur à tambour
◆ **drum storage** *(Comp)* mémoire à tambour.

---

**drummer** /'drʌmər/ n *(US sl)* représentant m, voyageur m de commerce.

**dry** /draɪ/ ADJ sec ◆ **to be kept dry** *(on label)* tenir au sec, craint l'humidité ◆ **to run dry** *supplies* s'épuiser, se tarir

---

*compounds/composés*

◆ **dry-bulk cargo ship** vraquier
◆ **dry cargo** marchandise *or* cargaison sèche
◆ **dry cleaning** nettoyage à sec, pressing
◆ **dry dock** *(Mar)* cale sèche, bassin de radoub
◆ **dry farming** culture sèche, dry-farming
◆ **dry goods** *(= foodstuffs)* marchandises sèches; *(= cloth and clothing)* mercerie, tissus mpl ◆ **dry goods store** *(US)* magasin de nouveautés
◆ **dry measure** mesure de capacité pour matières sèches
◆ **dry money** argent liquide
◆ **dry run** (coup d') essai.

---

**dry up** /draɪ/ vi *[supplies, funds]* s'épuiser, se tarir.

**DS** abbr of **debenture stock** → **debenture.**

**DTI** /ˌdiːtiːˈaɪ/ *(Brit)* n abbr of **Department of Trade and Industry** → **department.**

**DTP** /ˌdiːtiːˈpiː/ n (abbr of **desk-top publishing**) PAO f.

**DTR** abbr of **double taxation relief** → **double.**

**dual** /'djʊəl/ ADJ double, à deux ◆ **dual carriageway** *(Brit)* route à quatre voies, voie express

◆ **dual exchange market** double marché des changes ◆ **dual listing** *share* cotation sur deux Bourses ◆ **dual nationality** double nationalité ◆ **dual ownership** copropriété *(à deux)* ◆ **dual port memory** mémoire à double accès ◆ **dual processor** biprocesseur ◆ **dual-purpose** à double usage *or* emploi, à deux usages ◆ **the dual society** la société duale ◆ **dual-speed** à deux vitesses ◆ **dual-track tape** bande à deux pistes.

**dualism** /'djʊəlɪzəm/ n dualisme m.

**dub** /dʌb/ VT *(Cine)* doubler.

**Dublin** /'dʌblɪn/ n Dublin.

**duck** /dʌk/  **a** *(St Ex)* spéculateur m insolvable; *(Comm)* failli m  **b** **lame duck** *(= company, person)* canard boîteux  **vt** *responsibility* éviter, fuir.

**dud** * /dʌd/ ADJ *object* à la noix*, mauvais; *note, coin* faux; *person* nul, mauvais ◆ **dud cheque** chèque sans provision ◆ **dud goods** articles *or* marchandises de mauvaise qualité ◆ **dud stock** rossignols*, marchandises invendables.

**due** /djuː/  **a** *(= owing)* *sum, money* dû; *(= payable)* *bill, note* exigible, payable ◆ **the sum which is due to us** la somme qui nous est due *or* qui nous revient ◆ **balance due** *(statement on invoice)* solde à régler; *(to creditor)* solde créditeur; *(by debtor)* solde débiteur ◆ **amounts due within one year** *(= to be paid)* échéances à moins d'un an; *(= to be received)* créances à moins d'un an ◆ **to fall** *or* **become due** échoir, venir *or* arriver à échéance ◆ **bill due on August 19** effet payable *or* exigible le 19 août, effet venant à échéance le 19 août ◆ **the bill is now due** l'effet est échu *or* exigible ◆ **past due** en souffrance ◆ **when due** à l'échéance ◆ **due bill** *(US)* reconnaissance de dette; *(payable)* effet exigible *or* échu ◆ **due date** (date d') échéance, date d'exigibilité ◆ **to due date a bill** coter un effet ◆ **due from / to balance** *(US)* compte nostro / vostro  **b** *(= proper, suitable)* *respect, regard* qui convient ◆ **in due form** en bonne et due forme ◆ **receipt in due form** quittance régulière ◆ **after due consideration** après mûre réflexion ◆ **the accounts will be audited with all due care** les comptes seront vérifiés avec tout le soin qui convient ◆ **to give due notice** donner le préavis légal  **c** **due to** dû à, attribuable à, imputable à  **d** *(= scheduled)* ◆ **the delivery is due on Tuesday** la livraison est attendue *or* prévue mardi ◆ **the plane is due (in) at 8.00 a.m.** l'avion doit atterrir à 8 heures, l'arrivée du vol est prévue pour 8 heures

**N** **a** ✦ **to claim one's due** réclamer son dû ✦ **to give sb his due** être juste envers qn, faire or rendre justice à qn **b** (= fees) ✦ **dues** (gen) droits; [union] cotisation ✦ **dock / port dues** droits de bassin / port ✦ **market dues** droits d'emplacement, hallage ✦ **dues shop** (US) atelier dont la main-d'œuvre est entièrement syndiquée **c** (= advance orders) commandes fpl anticipées ✦ **dues book** or **card** carnet des commandes anticipées.

**dull** /dʌl/ **ADJ** (St Ex) trading, market terne, inactif; trade, business lent, languissant.

**duly** /'djuːlɪ/ **ADV** (= on time) en temps voulu, en temps utile; (= properly) dûment, comme il faut, ainsi qu'il convient ✦ **I have duly received your letter** j'ai bien reçu votre lettre.

**dummy** /'dʌmɪ/ **N** (Comm = sham object) factice m (Fin = nominal owner) prête-nom m, homme m de paille; [book, promotional material] maquette f; (= model for display of clothing) mannequin m

**ADJ** faux, factice, fictif; (Ind) ✦ **dummy run** (coup d') essai ✦ **dummy company** société-écran, société prête-nom ✦ **dummy director** directeur fictif ✦ **dummy instruction** (Comp) instruction fictive ✦ **dummy stockholder** actionnaire fictif.

**dump** /dʌmp/ **N** **a** (= pile of rubbish) tas m d'ordures; (= place) décharge f **b** (Comp) vidage m ✦ **memory** or **storage dump** vidage de (la) mémoire ✦ **to take a dump** prendre une image-mémoire, faire un vidage

———— compounds/composés ————

✦ **dump check** (Comp) contrôle par vidage
✦ **dump display** (Comm) présentoir d'articles en vrac
✦ **dump file** (Comp) fichier de vidage
✦ **dump point** (Comp) point de reprise
✦ **dump truck** camion à benne

**VT** **a** (* = get rid of) rubbish déposer, jeter; business associate plaquer* **b** (Comm = sell cheap) ✦ **they were accused of dumping steel** ils ont été accusés de faire du dumping sur l'acier ✦ **they have been dumping their products on overseas markets** ils ont fait du dumping sur les marchés extérieurs, ils ont écoulé leurs produits à bas prix sur les marchés extérieurs **c** (Comp) file, disk vider, faire un vidage de, prendre une image-mémoire de ✦ **to dump to a magnetic tape** copier or transférer sur bande magnétique.

**dumping** /'dʌmpɪŋ/ **N** [rubbish, load] décharge f; (Comm) dumping m; (Comp) [data] vidage m.

**dun.** abbr of **dunnage.**

**dun** /dʌn/ **N** (= claim) demande f de remboursement; (= person) agent m de recouvrement **VT** debtor relancer, harceler ✦ **dunning letter** lettre d'avertissement or de relance.

**dunnage** /'dʌnɪdʒ/ **N** (Mar) fardage m, calage m.

**duopoly** /djuˈɒpəlɪ/ **N** (Econ) duopole m.

**duopsony** /djuˈɒpsənɪ/ **N** (Econ) duopsone m.

**duplex** /'djuːpleks/ **ADJ** (gen, Telec) duplex ✦ **duplex apartment** (US) duplex ✦ **duplex channel** (Comp) voie bidirectionnelle **N** (US = apartment) duplex m.

**duplexing** /'djuːpleksɪŋ/ **N** duplexage m.

**duplicate** /'djuːplɪkeɪt/ **VT** document faire un double or une copie de; (on a duplicating machine) polycopier; action répéter, réitérer ✦ **we must avoid duplicating the work** il faut éviter de refaire le même travail **N** [document] double m, copie f; (Jur) duplicata m inv, ampliation f ✦ **in duplicate** en deux exemplaires; (Jur) en duplicata ✦ **duplicate of exchange** (Fin) seconde de change **ADJ** copy en double; parts de rechange ✦ **duplicate receipt** reçu en duplicata ✦ **please send us a duplicate invoice** prière de nous envoyer un double de la facture ✦ **duplicate document** (Jur) document ampliatif ✦ **duplicate record** enregistrement en double **VT** (Acc) faire double emploi.

**duplicating** /'djuːplɪkeɪtɪŋ/

———— compounds/composés ————

✦ **duplicating book** carnet multicopiste ✦ **duplicating machine** machine à polycopier, duplicateur ✦ **duplicating system** (Acc) comptabilité par décalque.

**duplication** /ˌdjuːplɪˈkeɪʃən/ **N** **a** [document] reproduction f, polycopie f **b** [efforts, work] répétition f, double emploi m ✦ **there has been a duplication in the billing** il y a eu une double facturation ✦ **there is some duplication between television and magazine advertising** il y a un certain recoupement entre la publicité télévisée et la publicité dans les magazines.

**duplicator** /'djuːplɪkeɪtər/ **N** duplicateur m.

**durability** /ˌdjʊərəˈbɪlɪtɪ/ **N** solidité f, résistance f.

**durable** /'djʊərəbl/ **ADJ** object solide, résistant ✦ **consumer durable goods** biens de consommation durables
**durables** **NPL** (= goods) biens mpl durables.

**duration** /djʊəˈreɪʃən/ N durée f ✦ **duration of validity** durée de validité ✦ **of long / short duration** de longue / courte durée.

**duress** /djʊəˈres/ N contrainte f, coercition f ✦ **under duress** sous la contrainte.

**Dushanbe** /duːˈʃɑːnbɪ/ N Douchanbe.

**Dutch** /dʌtʃ/ ADJ néerlandais ✦ **Dutch auction** enchères au rabais
◼ **a** *(= language)* néerlandais m **b** **the Dutch** les Néerlandais.

**Dutchman** /ˈdʌtʃmən/ N Néerlandais m.

**Dutchwoman** /ˈdʌtʃˌwʊmən/ N Néerlandaise f.

**dutiable** /ˈdjuːtɪəbl/ ADJ *(gen)* taxable, imposable; *(Customs)* soumis à des droits de douane, passible de droits de douane.

**duty** /ˈdjuːtɪ/ N **a** *(Customs)* droit m (de douane) *(Fin, Tax)* droit m, taxe f, impôt m ✦ **liable to duty** soumis à des droits de douane, passible de droits de douane ✦ **to pay duty on** payer un droit *or* une taxe sur ✦ **the government increased the duty on cigarettes** le gouvernement a augmenté la taxe sur les cigarettes ✦ **countervailing duty** droit compensatoire ✦ **customs duty** droits de douane ✦ **death** *or* **estate duty, death duties** droits de succession ✦ **excise duty** impôt indirect ✦ **import / export duty** droit d'entrée / de sortie, taxe à l'impor-

tation / à l'exportation ✦ **stamp duty** droit de timbre ✦ **treaty duty** droit conventionnel **b** *(= responsibilities)* ✦ **duties** fonctions, responsabilités ✦ **to take up one's duties** entrer en fonctions **c** *[doctor]* ✦ **to be on duty** être de service ✦ **to be off duty** être libre, ne pas être de service **d** *(= moral, legal obligation)* devoir m, obligation f ✦ **to do one's duty** faire son devoir

—— *compounds/composés* ——

✦ **duty-free** *goods* exempt *or* exempté de droits de douane, (admis) en franchise de douane; *(in shop)* détaxé ✦ **duty-free shop** magasin *or* boutique hors taxe
✦ **duty-paid** duty-paid goods marchandises acquittées *or* dédouanées ✦ **duty-paid entry** déclaration d'acquittement des droits de douane ✦ **duty-paid sale** vente à l'acquitté.

**D / W** abbr of **dock warrant** → dock.

**dwell** /dwel/ VI demeurer, résider.

**dwindle** /ˈdwɪndl/ VI diminuer.

**dwindling** /ˈdwɪndlɪŋ/ ADJ *sales, activity* décroissant, en baisse; *resources* en diminution.

**d.w.t.** abbr of **dead weight tonnage** → dead.

**dynamic** /daɪˈnæmɪk/ ADJ dynamique
◼ **group dynamics** dynamique de groupe.

**dynamism** /ˈdaɪnəmɪzəm/ N dynamisme m.

# E

**e-** /iː/ **PREF** (abbr of **electronic**) e- ◆ **e-commerce** commerce électronique, e-commerce, e-business.

**EAEC** /iːˌeɪiːˈsiː/ **N** (abbr of **European Atomic Energy Community**) CEEA f.

**eager** /ˈiːgəʳ/ **ADJ** désireux, avide (*for* de, *to do* de faire) ◆ **to be eager to do** avoir très envie *or* être très désireux de faire.

**eagle** /ˈiːgl/ **N** (= *coin*) aigle m *(pièce de 10 dollars)*.

**E and OE** abbr of **errors and omissions excepted** → **error**.

**early** /ˈɜːlɪ/ **ADJ** *delivery* rapide ◆ **early adopter** *(Mktg)* adopteur *or* réceptif précoce, premier adopteur ◆ **an early reply would oblige** une réponse rapide nous obligerait ◆ **it's early closing day today** *(Brit Comm)* aujourd'hui les magasins ferment l'après-midi ◆ **early fruit and vegetables** primeurs ◆ **in the early afternoon** au commencement *or* au début de l'après-midi ◆ **at your earliest convenience** *(Comm)* dans les meilleurs délais, dès que possible ◆ **in early trading** *(St Ex)* en début de séance ◆ **to take early retirement** prendre une retraite anticipée ◆ **penalties for early withdrawal** *(life insurance policy)* pénalités en cas de sortie anticipée **ADV** de bonne heure, tôt ◆ **not earlier than Friday** pas avant vendredi ◆ **early in the season** au commencement de la saison, en début de saison ◆ **book early** réservez longtemps à l'avance.

**earmark** /ˈɪəʳmɑːk/ **VT** *funds* affecter, destiner, réserver (*for* à) ◆ **earmarked property** biens réservés ◆ **earmarked for refund** *(Fin)* appelé au remboursement ◆ **to be earmarked for promotion** *[person]* être sélectionné pour un avancement.

**earn** /ɜːn/ **VT** *money* gagner; *salary* toucher, percevoir; *(Fin) interest* rapporter, produire ◆ **how does he earn his living?** comment est-ce qu'il gagne sa vie? ◆ **earned income** revenus salariaux ◆ **earned interest** intérêts créditeurs ◆ **earned surplus** bénéfices non distribués ◆ **earned rate** *(Pub)* tarif dégressif ◆ **these shares earn a good dividend** ces actions rapportent un bon dividende ◆ **the company earned less profit than a year ago** la société a réalisé des bénéfices inférieurs à ceux de l'an dernier ◆ **to earn a fast buck** gagner *or* faire de l'argent rapidement.

**earner** /ˈɜːnəʳ/ **N** (also **wage-earner**) salarié(e) m(f) ◆ **high earners** les hauts salaires ◆ **Europe was still the largest profit earner** l'Europe représentait toujours la part la plus importante du chiffre d'affaires.

**earnest money** /ˈɜːnɪstˈmʌnɪ/ **N** arrhes fpl, acompte m.

**earning** /ˈɜːnɪŋ/

───── compounds/composés ─────
◆ **earning assets** investissements mpl productifs d'intérêt
◆ **earning capacity** or **power** *[person]* capacité de gain; *[company]* rentabilité, capacité bénéficiaire
◆ **earning performance** *[product]* rentabilité.

**earnings** /ˈɜːnɪŋz/ **NPL** *[person]* salaire m, gain(s) m(pl) ; *[business]* bénéfices mpl, résultats mpl, profits mpl ◆ **casual earnings** revenus *or* bénéfices occasionnels ◆ **export earnings**

gains *or* bénéfices à l'exportation ✦ **foreign exchange earnings** rentrée de devises ✦ **operating earnings** bénéfices d'exploitation ✦ **pre-tax earnings** bénéfices avant impôt ✦ **price-earnings ratio** *(St Ex)* rapport cours-bénéfices, taux *or* coefficient de capitalisation, price-earning, PER ✦ **retained earnings** bénéfices non distribués ✦ **real spendable earnings** revenu réel disponible ✦ **windfall earnings** bénéfices exceptionnels ✦ **loss in earnings** perte de revenus

*compounds/composés*

- **Earnings before Interest and Tax** résultat opérationnel, résultat d'exploitation
- **Earnings before Interest, Tax, Depreciation and Amortization** résultat opérationnel *or* d'exploitation avant dotation aux amortissements
- **earnings ceiling** salaire plafond
- **earnings forecasts** résultats mpl prévisionnels
- **earnings multiple** taux *or* coefficient de capitalisation, rapport cours-bénéfices
- **earnings per share** bénéfice par action
- **earnings report** *or* **statement** compte d'exploitation *or* de résultat
- **earnings yield** rentabilité.

**earphone** /ˈɪəˈfəʊn/ N *(Rad, Telec)* écouteur m.

**Easdaq** /ˈiːzdæk/ N (abbr of **European Association of Securities Dealers Automated Quotations**) Easdaq f.

**ease** /iːz/ **VT** *pressure, tension* diminuer, réduire ✦ **to ease the bite** *or* **burden of inflation** atténuer les effets de l'inflation ✦ **to ease the burden of taxation** diminuer les impôts, alléger la charge fiscale ✦ **to ease (the) controls** desserrer les contrôles ◼ *(gen)* se détendre; *[prices]* fléchir, baisser ✦ **the situation has eased** une détente s'est produite ✦ **prices eased** *(St Ex)* il y a eu une baisse des cours ✦ **coffee prices are easing** les cours du café accusent un fléchissement, les cours du café mollissent ✦ **the FT Index eased 0.1** l'indice du Financial Times a cédé *or* perdu un dixième de point ✦ **on the takeover rumour the share eased 6p** à l'annonce de l'OPA l'action a perdu 6 pence.

**easement** /ˈiːzmənt/ N servitude f, droit m d'usage ✦ **negative easement** servitude passive.

**ease off** VI *[person]* se relâcher; *(St Ex) [prices]* accuser une baisse, fléchir, mollir; *[situation]* se détendre; *[pressure]* diminuer, se relâcher; *[demand]* baisser.

**ease up** VI *[situation]* se détendre ✦ **the rush on gold shares has eased up** la ruée sur les mines d'or s'est ralentie.

**easing** /ˈiːsɪŋ/ N *[credit]* relâchement m, allègement m ✦ **easing of money rates** détente du loyer de l'argent.

**east** /iːst/ ◼ est ✦ **the East** *(gen)* l'Orient; *(Pol)* les pays de l'Est
ADJ est.

**East Africa** /ˌiːstˈæfrɪkə/ N Afrique f orientale.

**eastern** /ˈiːstən/ ADJ est, de l'est ✦ **the Eastern bloc** les pays *or* le bloc de l'Est ✦ **Eastern European Time** heure de l'Europe orientale ✦ **Eastern (Standard) Time** *(US)* heure de la côte Est.

**East Germany†** /ˌiːstˈdʒɜːmənɪ/ N Allemagne f de l'Est.

**easy** /ˈiːzɪ/ ADJ **a** *problem, decision* facile **b** *(Fin, Comm)* ✦ **in easy circumstances** dans l'aisance ✦ **on easy terms, by easy payments** *(Comm)* avec facilités de paiement ✦ **easy market** *(St Ex)* marché calme *or* mou ✦ **prices are easy today** les cours sont un peu moins élevés aujourd'hui, les cours accusent une détente *or* un fléchissement aujourd'hui ✦ **easier credit conditions** desserrement du crédit ✦ **easy money policy** politique de l'argent facile *or* abondant ✦ **it's easy money** c'est de l'argent facile à gagner ✦ **easier tendency** *(St Ex)* orientation à la baisse.

**eat** /iːt/ VTI manger.

**eat away** VT SEP *(= erode) [inflation]* saper, éroder.

**eat into** VT FUS *savings* entamer, écorner ✦ **we were obliged to eat into our reserves** nous avons dû entamer nos réserves, nous avons dû prélever sur *or* puiser dans nos réserves.

**ebb** /eb/ ◼ *[tide]* reflux m ; *(fig)* déclin m, baisse f ✦ **business is at a low ebb** les affaires vont *or* marchent mal ✦ **the country's economy has fallen to its lowest ebb** l'économie du pays n'est jamais tombée aussi bas
◼ *(also* **ebb away**) *[enthusiasm, exports]* décliner, baisser.

**Ebit** /eˈbit/ N abbr of **Earnings before Interest and Tax** → **earnings.**

**Ebitda** /eˈbitda/ N (abbr of **Earnings before Interest, Tax, Depreciation and Amortization**) Ebitda m, EBE m.

**EBRD** /ˌiːbiːɑːˈdiː/ N (abbr of **European Bank for Reconstruction and Development**) BERD f.

**e-business** /ˈiːˈbɪznɪs/ N (abbr of **electronic business**) commerce m électronique, e-business m.

**ECB** /ˌiːsiːˈbiː/ N (abbr of **European Central Bank**) BCE f.

**ECGD** /ˌiːˌsiːdʒiːˈdiː/ (Brit) N (abbr of **Export Credits Guarantee Department**) ≈ COFACE f.

**echelon** /ˈeʃəlɒn/ N échelon m ✦ **the higher echelons** les échelons supérieurs ✦ **lower echelon officials** fonctionnaires subalternes.

**echo** /ˈekəʊ/ N écho m
◼ VT répercuter, renvoyer ✦ **those rumours were echoed in the press** la presse s'est fait l'écho de ces rumeurs.

**Ecofin** /ˌiːkəˈfiːn/ N (abbr of **Economic and Finance Council of Ministers**) Ecofin m, conseil m Ecofin.

**ecological** /ˌiːkəʊˈlɒdʒɪkəl/ ADJ écologique.

**ecologist** /ɪˈkɒlədʒɪst/ N écologiste mf.

**ecology** /ɪˈkɒlədʒɪ/ N écologie f.

**e-commerce** /ˈiːkɒmɜːs/ N (abbr of **electronic commerce**) commerce m électronique, e-commerce m.

**econ.** a abbr of **economic** b abbr of **economics.**

**econometric** /ɪˌkɒnəˈmetrɪk/ ADJ économétrique.

**econometrician** /ɪˌkɒnəməˈtrɪʃən/ N économètre mf économétricien(ne) m(f).

**econometrics** /ɪˌkɒnəˈmetrɪks/ N économétrie f.

**economic** /ˌiːkəˈnɒmɪk/ ADJ a (gen) économique ✦ **economic indicator** indicateur économique ✦ **economic intelligence** intelligence économique ✦ **Economic and Monetary Union** Union économique et monétaire ✦ **economic planning** planification économique ✦ **the economic situation** or **outlook** la conjoncture (économique) ✦ **economic system** système économique ✦ **economic trend** tendance économique b (= profitable) rentable, qui rapporte ✦ **this business is no longer economic** or **an economic proposition** cette affaire n'est plus rentable ✦ **economic rent** (Real estate) loyer déterminé par le marché locatif; (Econ) rente économique ✦ **economic lot size, economic order quantity** quantité économique or optimale de réapprovisionnement, lot économique ✦ **economic production quantity** quantité optimale de production.

**economical** /ˌiːkəˈnɒmɪkəl/ ADJ person économe; method économique.

**economics** /ˌiːkəˈnɒmɪks/ N (= science) science(s) f(pl) économique(s), économie f politique; (financial aspect) côté m économique ✦ **applied /**

**normative economics** économie appliquée / normative ✦ **welfare economics** économie du bien-être ✦ **the economics of a project** les aspects financiers d'un projet.

**economist** /ɪˈkɒnəmɪst/ N économiste mf, spécialiste mf d'économie politique ✦ **business economist** économiste d'entreprise ✦ **chief economist** économiste en chef.

**economize, economise** /ɪˈkɒnəmaɪz/ VI économiser (on sur) faire des économies (on de) ◼ VT time, money économiser, épargner ✦ **to economize 20% on the labour costs** économiser 20% sur les coûts salariaux.

**economy** /ɪˈkɒnəmɪ/ N a [time, money] économie f (in, of de) ✦ **to make economies in** faire des économies de ✦ **economies of scale** économies d'échelle ✦ **external / internal economies** économies externes / internes b (= system) économie f, système m économique ✦ **controlled economy** économie dirigée ✦ **expanding economy** économie en expansion ✦ **free-market economy** économie de marché ✦ **mixed economy** économie mixte ✦ **old / new economy** économie ancienne / nouvelle ✦ **open economy** économie ouverte ✦ **planned economy** économie planifiée

—— compounds/composés ——
✦ **economy class** (Aviat, Mar) classe touriste or économique
✦ **economy drive** (campagne de) restrictions fpl budgétaires
✦ **economy pack** paquet économique
✦ **economy size** emballage économique.

**ecosystem** /ˈiːkəʊˌsɪstəm/ N écosystème m.

**ECSC** /ˌiːsiːesˈsiː/ N (abbr of **European Coal and Steel Community**) CECA f.

**Ecuador** /ˈekwədɔːʳ/ N Équateur m.

**Ecuador(i)an** /ˌekwəˈdɔːr(i)ən/ ADJ équatorien ◼ N (= inhabitant) Équatorien(ne) m(f).

**ed.** abbr of **editor.**

**EDF** /ˌiːdiːˈef/ N (abbr of **European Development Fund**) FED m.

**edge** /edʒ/ N a [knife] tranchant m (fig = advantage) (léger) avantage m ✦ **competitive edge** avantage concurrentiel ✦ **technological edge** avance technologique ✦ **to have an edge over** or **on one's competitors** avoir un léger avantage or l'emporter de justesse sur ses concurrents ✦ **to take the edge off prices** (St Ex) écrêter les cours ✦ **leading edge technology** technologie de pointe b [page, coin] tranche f ✦ **to be on the edge of bankruptcy** être au

bord de la faillite, courir à la faillite `c` *(US)*
♦ **Edge Act Corporation** *succursale d'une des
banques spécialisées dans les transactions internationales de la Réserve fédérale*
`vi` **to edge into the market** pénétrer le marché
progressivement ♦ **interest rates edged higher**
les taux d'intérêt ont progressé légèrement
♦ **the country is edging towards recession** le
pays s'achemine peu à peu vers la récession.

**edge down** `vi` *[prices]* se replier, décliner lentement *or* progressivement.

**edge up** `vi` *[prices]* monter insensiblement, progresser petit à petit.

**edibles** /'edɪblz/ **NPL** denrées fpl comestibles.

**Edinburgh** /'edɪnbərə/ **N** Édimbourg.

**edit** /'edɪt/ **VT** *magazine, review* diriger; *daily newspaper* être le rédacteur en chef *or* la rédactrice
en chef de; *article* mettre au point, préparer;
*text (= correct)* corriger, remanier; *(= shorten)*
raccourcir, couper; *(Comp) file* éditer

––––––– *compounds/composés* –––––––
♦ **edit line** *(Comp)* ligne d'entrée
♦ **edit mode** *(Comp)* mode d'édition
♦ **edit program** *(Comp)* éditeur, programme
d'édition.

**edit in** `vt sep` insérer.

**editing** /'edɪtɪŋ/ **N** *(gen, Comp)* édition f ; *(Mktg)*
mise au point de questionnaires en vue du
codage et de l'analyse ♦ **editing character**
*(Comp)* caractère d'édition ♦ **graphical editing**
édition graphique.

**edition** /ɪ'dɪʃən/ **N** *[newspaper, book]* édition f ;
*[print]* tirage m ♦ **first edition** première édition
♦ **revised edition** édition revue et corrigée.

**editor** /'edɪtə͡r/ **N** *[daily newspaper] (also* **editor-in-
chief)** rédacteur(-trice) m(f) en chef; *[magazine,
review]* directeur(-trice) m(f) ; *[text]* responsable mf de la publication *(Rad, TV)* réalisateur
(-trice) m(f) *(Comp = program)* éditeur m, programme m d'édition.

**editorial** /ˌedɪ'tɔːrɪəl/ **ADJ** *(gen)* rédactionnel, de la
rédaction ♦ **editorial advertising** publicité rédactionnelle ♦ **editorial staff** (équipe de) rédaction
`n` *[newspaper]* éditorial m.

**editorialist** /ˌedɪ'tɔːrɪəlɪst/ *(US)* **N** éditorialiste mf.

**editorship** /'edɪtəʃɪp/ **N** rédaction f, direction f
♦ **under the editorship of** sous la direction de.

**edit out** `vt sep` supprimer.

**edn.** abbr of **edition.**

**EDP** /ˌiːdiː'piː/ **N** abbr of **electronic data processing**
→ **electronic.**

**education** /ˌedjʊ'keɪʃən/ **N** *(gen)* éducation f ;
*(= teaching)* enseignement m ; *(= training)* formation f ♦ **further** *or* **adult education** formation permanente, enseignement post scolaire.

**educational** /ˌedjʊ'keɪʃənl/ **ADJ** *methods* pédago-
gique; *system* d'éducation; *film, games* éducatif
♦ **educational software** logiciels éducatifs.

**EEA** /ˌiːiː'eɪ/ **N** (abbr of **European Economic Area)**
EEE m.

**EEC** /ˌiːiː'siː/ **N** (abbr of **European Economic Community)** CEE f.

**EET** /ˌiːiː'tiː/ **N** abbr of **Eastern European Time** → **eastern.**

**effect** /ɪ'fekt/ `n` `a` *(= impression)* effet m ; *(= result)* effet m, conséquence f *(on* sur) ♦ **wealth /
scarcity effect** effet de richesse / de rareté
♦ **financial effects** incidences financières ♦ **the
effects of the new regulation are already
noticeable** les incidences *or* les effets de la
nouvelle réglementation sont déjà perceptin-
bles ♦ **to put into effect** mettre en application
*or* en vigueur ♦ **to take effect** prendre effet,
entrer en vigueur *(from* à partir de) **to be of no
effect** être inefficace *or* inopérant ♦ **with effect from July 1st** applicable à compter du 1$^{er}$
juillet, avec effet au 1$^{er}$ juillet `b` *(= meaning)*
sens m ♦ **we have made provisions to this
effect** nous avons pris des dispositions dans ce
sens ♦ **...or words to that effect** ...ou quelque
chose d'analogue *or* de ce genre `c` **effects**
*(= property)* biens ♦ **personal effects** effets personnels ♦ **movable effects** *(Jur)* biens meubles,
effets mobiliers ♦ **no effects** *(Bank)* sans provision, défaut de provision ♦ **effects not cleared**
*(Bank)* effets en cours d'encaissement
`vt` *(= accomplish) change, payment* effectuer; *sale*
réaliser, effectuer ♦ **to effect a settlement /
compromise** parvenir *or* arriver à un accord /
un compromis ♦ **to effect customs clearance**
procéder aux formalités douanières ♦ **to effect
a corresponding entry** *(Acc)* passer une écriture
conforme ♦ **to effect an insurance policy** prendre *or* souscrire une (police d')assurance
♦ **payment will be effected as follows** le paiement s'effectuera *or* se fera comme suit.

**effective** /ɪ'fektɪv/ **ADJ** `a` *(= efficient) measure* efficace ♦ **to become effective** *[law, regulation]*
prendre effet, entrer en vigueur *or* en application ♦ **effective date** date d'entrée en vigueur,
date d'effet ♦ **effective on** *or* **as from January**

**1st** applicable à partir du 1<sup>er</sup> janvier, qui entre en vigueur *or* qui prend effet le 1<sup>er</sup> janvier **b** (= *actual*) *contribution, debt, income* effectif, réel ✦ **effective address** / **instruction** *(Comp)* adresse / instruction effective ✦ **effective demand** *(Econ)* demande effective ✦ **effective interest rate** taux d'intérêt réel ✦ **effective money** monnaie effective *or* réelle ✦ **effective tax rate** *(Brit)* taux d'imposition effectif ✦ **effective time** temps utile ✦ **effective value** valeur réelle ✦ **effective yield** rendement effectif *or* réel.

**effectiveness** /ɪˈfektɪvnɪs/ **N** efficacité f.

**efficacious** /ˌefɪˈkeɪʃəs/ **ADJ** efficace.

**efficacy** /ˈefɪkəsɪ/ **N** efficacité f, rendement m.

**efficiency** /ɪˈfɪʃənsɪ/ **N** *(gen)* efficacité f ; *[machine]* bon rendement m, performance f ✦ **marginal efficiency of capital** efficacité marginale du capital ✦ **economic efficiency** efficacité économique

─────── compounds/composés ───────
✦ **efficiency bonus** prime de rendement *or* d'efficacité
✦ **efficiency expert** ingénieur-conseil, expert en organisation
✦ **efficiency rating** courbe d'efficacité
✦ **efficiency variance** écart de rendement *(en terme de main-d'œuvre)*
✦ **efficiency wages** salaires mpl au rendement

**efficient** /ɪˈfɪʃənt/ **ADJ** *(gen)* efficace ; *method* efficace, opérant, performant ; *machine* d'un bon rendement, performant ✦ **efficient market** marché efficient *or* efficace.

**effluent** /ˈefluənt/ **N** effluent m, rejet m industriel.

**efflux** /ˈeflʌks/ **N** ✦ **efflux of capital** fuite *or* exode de capitaux.

**effort** /ˈefət/ **N** effort m.

**EFT** /ˌiːefˈtiː/ **N** abbr of **electronic funds transfer** → **electronic.**

**EFTA** /ˈeftə/ **N** (abbr of **European Free Trade Association**) AELE f.

**eg, e.g.** /ˌiːˈdʒiː/ **ADV** (abbr of **exempli gratia**) ex.

**EGM** /ˌiːdʒiːˈem/ **N** (abbr of **extraordinary general meeting**) AGE f.

**Egypt** /ˈiːdʒɪpt/ **N** Égypte f.

**Egyptian** /ɪˈdʒɪpʃən/ **ADJ** égyptien
**N** (= *inhabitant*) Égyptien(ne) m(f).

**EIB** /ˌiːaɪˈbiː/ **N** (abbr of **European Investment Bank**) BEI f.

**eight** /eɪt/ **ADJ, N** huit m ✦ **an eight-hour day** la journée de huit heures → **six.**

**eighteen** /ˈeɪˈtiːn/ **ADJ, N** dix-huit m → **six.**

**eighteenth** /ˈeɪˈtiːnθ/ **ADJ, N** dix-huitième mf ✦ **in the eighteenth place** dix-huitièmement → **sixth.**

**eighth** /eɪtθ/ **ADJ, N** huitième mf → **sixth.**

**eighthly** /ˈeɪtθlɪ/ **ADV** huitièmement.

**eightieth** /ˈeɪtɪəθ/ **ADJ, N** quatre-vingtième mf → **sixth.**

**eighty** /ˈeɪtɪ/ **ADJ, N** quatre-vingts m ✦ **eighty-one** quatre-vingt-un ✦ **eighty-first** quatre-vingt-unième → **sixty.**

**Eire** /ˈɛərə/ **N** Éire f, (république f d')Irlande f.

**eject** /ɪˈdʒekt/ **VT** *(Tech)* éjecter ; *tenant* expulser.

**ejection** /ɪˈdʒekʃən/ **N** *(Tech)* éjection f ; *[tenant]* expulsion f.

**elaborate** /ɪˈlæbərɪt/ **ADJ** *scheme* complexe, compliqué ; *style* recherché, travaillé
**VT** élaborer
**VI** donner des détails *(on* sur*)* entrer dans les détails, préciser les détails *(on* de*)* ✦ **he refused to elaborate on this statement** il s'est refusé à commenter cette déclaration.

**elapse** /ɪˈlæps/ **VI** s'écouler, (se) passer ✦ **elapsed time** temps écoulé.

**elastic** /ɪˈlæstɪk/ **ADJ** *market, demand* élastique.

**elasticity** /ˌiːlæsˈtɪsɪtɪ/ **N** *[demand, supply]* élasticité f ✦ **income elasticity of demand** élasticité-revenu de la demande ✦ **price elasticity of demand** / **supply** élasticité-prix de la demande / de l'offre ✦ **elasticity of substitution** élasticité de substitution.

**elect** /ɪˈlekt/ **VT a** *office-bearer (by ballot)* élire ; (= *choose informally*) nommer ✦ **he was elected chairman** il a été élu président ✦ **to elect sb to the board** élire qn au conseil d'administration ✦ **elected members** membres élus ✦ **elected office** charge élective **b to elect to do** choisir de faire ✦ **to elect one's residence** élire domicile (*in* dans, en, à) **to elect French nationality** opter pour *or* choisir la nationalité française ✦ **if the taxpayer so elects** si le contribuable choisit cette option *or* possibilité
**ADJ** élu ✦ **the chairman elect** le futur président, le président élu.

**election** /ɪˈlekʃən/ **N** élection f ✦ **general election** élections législatives *or* générales ✦ **local elections** *(Brit)* élections régionales ✦ **special election** *(US)* élection partielle ✦ **election of domicile** élection de domicile

─── *compounds/composés* ───
- **election campaign** campagne électorale
- **election day** jour du scrutin
- **election results** résultats mpl du scrutin
- **election speech** discours électoral.

**elector** /ɪˈlektəʳ/ **N** *(gen)* électeur(-trice) m(f) ; *(US)* grand électeur m, membre m du collège électoral *(qui élit le président et le vice-président)*.

**electoral** /ɪˈlektərəl/ **ADJ** électoral ◆ **electoral college** *(US)* collège électoral (présidentiel) ◆ **electoral roll** *(Brit)* liste électorale ◆ **electoral system** mode de scrutin, système électoral.

**electorate** /ɪˈlektərɪt/ **N** ◆ **the electorate** l'électorat, le corps électoral, les électeurs.

**electric** /ɪˈlektrɪk/ **ADJ** électrique.

**electrical** /ɪˈlektrɪkəl/ **ADJ** électrique ◆ **electrical engineer** ingénieur électricien ◆ **electrical engineering** électrotechnique, génie électrique.

**electricity** /ɪlekˈtrɪsɪtɪ/ **N** électricité f.

**electrify** /ɪˈlektrɪfaɪ/ **VT** *railway* électrifier.

**electronic** /ɪlekˈtrɒnɪk/ **ADJ** électronique ◆ **electronic accounting system** comptabilité informatisée ◆ **electronic business** *or* **commerce** commerce électronique ◆ **electronic cash register** caisse enregistreuse électronique ◆ **electronic data processing** analyse électronique des données, informatique ◆ **electronic data processing department** service informatique ◆ **the electronic data processing industry** l'industrie de l'informatique ◆ **electronic directory** annuaire électronique ◆ **electronic engineer** ingénieur électronicien ◆ **electronic funds** *or* **money transfer system** transfert électronique de fonds, système de virements informatisés, télévirement ◆ **electronic mail / mailbox** courrier / boîte aux lettres électronique ◆ **electronic news gathering** collecte électronique d'information ◆ **electronic point of sale** point de vente électronique.

**electronics** /ɪlekˈtrɒnɪks/ **N** électronique f ◆ **electronics industry** industrie électronique.

**element** /ˈelɪmənt/ **N** élément m ◆ **the human element** le facteur humain.

**elevator** /ˈelɪveɪtəʳ/ **N** *(in hotel, shop)* ascenseur m ; *(also* **grain elevator***)* silo m pneumatique ◆ **bonded elevator** silo sous douane.

**eleven** /ɪˈlevn/ **ADJ, N** onze m → **chapter, six.**

**eleventh** /ɪˈlevnθ/ **ADJ, N** onzième mf ◆ **in the eleventh place** onzièmement → **sixth.**

**elicit** /ɪˈlɪsɪt/ **VT** *reply, explanation, information* tirer, obtenir *(from* de) ◆ **to elicit the facts** tirer les faits au clair.

**eligibility** /ˌelɪdʒəˈbɪlɪtɪ/ **N** *(for election)* éligibilité f *(for* à) ; *(for employment)* admissibilité f *(for* à) ◆ **eligibility requirements** *(Ins)* conditions d'admission ; *(Social Security)* conditions d'octroi des prestations.

**eligible** /ˈelɪdʒəbl/ **ADJ** *(for membership)* éligible *(for* à) ; *(for post)* qualifié *(for* pour) ; *(for pension)* qui a droit, ayant droit *(for* à) ◆ **to be eligible for promotion** remplir les conditions requises pour une promotion *or* pour obtenir de l'avancement ◆ **he is eligible for tax relief** il a droit à un allègement d'impôts ◆ **eligible for government subsidies** justifiable d'une aide de l'État, remplissant les conditions requises pour une aide de l'État ◆ **eligible for retirement** admis à faire valoir ses droits à la retraite ◆ **eligible papers** *or* **bills** effets bancables *or* escomptables ◆ **eligible investment** *(US)* investissement justifié.

**eliminate** /ɪˈlɪmɪneɪt/ **VT** *candidate, competitor* éliminer, écarter ; *idea* écarter, exclure ; *errors, expenditure* éliminer, supprimer ◆ **eliminating entry** *(Acc)* écriture d'annulation *or* d'élimination.

**elimination** /ɪˌlɪmɪˈneɪʃən/ **N** *(gen)* élimination f ; *(Acc)* écriture f d'annulation *or* d'élimination.

**elite** /ɪˈliːt/ **N** élite f.

**elitism** /ɪˈliːtɪzəm/ **N** élitisme m.

**El Salvador** /elˈsælvəˌdɔːʳ/ **N** le Salvador.

**EMA** /ˌiːemˈeɪ/ **N** (abbr of **European Monetary Agreement**) AME m.

**e-mail** /ˈiːmeɪl/ **N** (abbr of **electronic mail**) e-mail m, mel m, courriel m ◆ **e-mail address** adresse e-mail ▪ **VT** envoyer par e-mail *or* par courrier électronique ◆ **to e-mail sb** envoyer un e-mail *or* un mel *or* un courriel à qn.

**emanate** /ˈeməneɪt/ **VI** *[rumour, document]* émaner, provenir *(from* de)

**emancipate** /ɪˈmænsɪpeɪt/ **VT** *(gen, Jur)* émanciper.

**emancipation** /ɪˌmænsɪˈpeɪʃən/ **N** *(gen, Jur)* émancipation f.

**embargo** /ɪmˈbɑːgəʊ/ **N** ▪ *(Comm)* *(= prohibition)* embargo m ; *(= sequestration)* confiscation f ◆ **to lay** *or* **put** *or* **impose an embargo on** mettre l'embargo sur ◆ **to lift** *or* **remove** *or* **raise an embargo** lever l'embargo ◆ **under (an)**

**embargo** mis sous séquestre, confisqué **b** *(fig)* interdiction f, restriction f ♦ **to put an embargo on sth** interdire qch
**vt** *(= prohibit)* mettre l'embargo sur, frapper d'embargo; *(= sequester)* séquestrer, placer sous séquestre, confisquer ♦ **embargoed until 12 noon** *[press release]* à ne pas diffuser *or* rendre public avant midi.

**embark** /ɪmˈbɑːk/ **vt** *passengers* embarquer, prendre à bord; *goods* embarquer, charger
**vi** *(Mar, Aviat)* (s')embarquer *(on* à bord de, sur) ♦ **to embark on** *business, deal* s'engager dans, se lancer dans; *discussion* entamer ♦ **to embark on a programme** entreprendre *or* démarrer *or* mettre en train un programme.

**embarkation** /ˌembɑːˈkeɪʃən/ **n** *[passengers]* embarquement m; *[cargo]* chargement m ♦ **embarkation card** carte d'embarquement ♦ **embarkation port** port d'embarquement.

**embassy** /ˈembəsɪ/ **n** ambassade f ♦ **the French Embassy** l'ambassade de France.

**embedded** /ɪmˈbedɪd/ **adj** *command, system* intégré ♦ **embedded character** caractère intercalé

**embezzle** /ɪmˈbezl/ **vt** *funds* détourner.

**embezzlement** /ɪmˈbezlmənt/ **n** détournement m de fonds, malversation f.

**embezzler** /ɪmˈbezlə<sup>r</sup>/ **n** escroc m.

**embody** /ɪmˈbɒdɪ/ **vt** inclure, incorporer, insérer ♦ **to embody a clause in a contract** inclure une clause dans un contrat.

**embrace** /ɪmˈbreɪs/ **vt** *(= take up) opportunity* saisir; *cause* épouser, embrasser; *(= include) theme, period* embrasser, englober.

**emcee** /ˈemˈsiː/ *(US)* **n** *(= master of ceremonies)* animateur(-trice) m(f),   présentateur(-trice) m(f)
**vt** animer, présenter.

**EMCF** /ˌiːemsiːˈef/ **n** (abbr of **European Monetary Cooperation Fund**) FECOM m.

**emend** /ɪˈmend/ **vt** *document* corriger.

**emendation** /ˌiːmenˈdeɪʃən/ **n** *[document]* correction f.

**emerge** /ɪˈmɜːdʒ/ **vi** *[person] (from meeting, conference)* sortir *(from* de); *[truth, difficulties, new ideas]* apparaître; *[facts]* émerger ♦ **emerging countries** pays émergents *or* en voie de développement ♦ **emerging needs / wants** besoins / désirs naissants ♦ **emerging markets** marchés émergents.

**emergence** /ɪˈmɜːdʒəns/ **n** *[new factors]* apparition f; *[theory]* naissance f; *[new customers]* émergence f.

**emergency** /ɪˈmɜːdʒənsɪ/ **n** urgence f, imprévu m ♦ **state of emergency** état d'urgence ♦ **in case of emergency** en cas d'urgence *or* d'imprévu *or* de nécessité ♦ **in this emergency** dans ces circonstances critiques ♦ **to be prepared for any emergency** être prêt à toute éventualité

---- compounds/composés ----
♦ **emergency credit** crédit d'urgence *or* de soutien
♦ **emergency exit** issue *or* sortie de secours
♦ **emergency fund** caisse de secours
♦ **emergency goods** biens mpl de première nécessité
♦ **emergency legislation** mesures fpl d'exception
♦ **emergency measures** mesures fpl d'urgence
♦ **emergency powers** pouvoirs mpl extraordinaires
♦ **emergency reserves** réserves fpl en cas d'urgence
♦ **emergency session** session extraordinaire
♦ **emergency shutdown** arrêt d'urgence
♦ **emergency tax** impôt extraordinaire
♦ **emergency unit** cellule de crise.

**emergent** /ɪˈmɜːdʒənt/ **adj** ♦ **emergent leader** leader *or* chef qui commence à s'imposer ♦ **emergent nations** pays émergents *or* en voie de développement.

**EMI** /ˌiːemˈaɪ/ **n** (abbr of **European Monetary Institute**) IME m.

**emigrant** /ˈemɪɡrənt/ **n** émigrant(e) m(f).

**emigrate** /ˈemɪɡreɪt/ **vi** émigrer.

**emigration** /ˌemɪˈɡreɪʃən/ **n** émigration f.

**eminent** /ˈemɪnənt/ **adj** éminent ♦ **eminent domain** *(US Jur)* droit d'expropriation.

**emirate** /eˈmɪərɪt/ **n** émirat m.

**emission** /ɪˈmɪʃən/ **n** *[toxic waste]* émission f, dégagement m, rejet m; *[coins, banknotes]* émission f, mise f en circulation ♦ **emission abatement** *[toxic waste]* suppression des rejets.

**emit** /ɪˈmɪt/ **vt** *toxic waste* émettre, rejeter; *banknotes* émettre.

**emitter** /ɪˈmɪtə<sup>r</sup>/ **n** *(Comp, Elec)* émetteur m.

**emoluments** /ɪˈmɒljʊmənts/ **npl** émoluments mpl, rémunération f; *(= fee)* honoraires mpl.

**emotional** /ɪ'məʊʃənl/ **ADJ** *reaction* émotionnel, affectif ◆ **emotional buying motives** *(Mktg)* motivation impulsive d'achat.

**emphasis** /'emfəsɪs/ **N** accent m ◆ **to lay emphasis on** mettre l'accent sur, insister sur.

**emphasize, emphasise** /'emfəsaɪz/ **VT** insister sur, mettre l'accent sur, faire ressortir.

**emphatic** /ɪm'fætɪk/ **ADJ** *denial, condemnation* catégorique, énergique.

**empirical** /em'pɪrɪkəl/ **ADJ** empirique.

**employ** /ɪm'plɔɪ/ **VT** *person, method* employer *(as* comme) ◆ **the gainfully employed population** la population active ◆ **capital employed** capital investi ◆ **to be fully employed** travailler à plein temps ◆ **employed tax payers** contribuables salariés
**N** **to be in the employ of** être employé par, travailler chez *or* pour.

**employable** /ɪm'plɔɪəbl/ **ADJ** apte au travail, embauchable.

**employee** /ˌɪmplɔɪ'iː/ **N** salarié(e) m(f), employé(e) m(f) ◆ **employee's contribution** cotisation salariale ◆ **to take on employees** engager *or* recruter du personnel ◆ **we wish all our employees a very happy New Year** nous souhaitons une bonne année à l'ensemble du personnel

—— *compounds/composés* ——
◆ **employee benefits** avantages mpl en nature
◆ **employee buy-out** rachat de l'entreprise par les salariés, RES
◆ **employee development** *(US)* perfectionnement du personnel
◆ **employee handbook** brochure d'accueil
◆ **employee orientation** *(US)* programme d'intégration des nouveaux employés
◆ **employee savings scheme** *(Brit)*, **employee share ownership plan** *(Brit)*, **employee stock ownership plan** *(US)* plan d'épargne entreprise.

**employer** /ɪm'plɔɪə'/ **N** *(Comm, Ind)* employeur m, patron(ne) m(f) ; *(Jur)* employeur m ◆ **employers** *(Ind)* le patronat ◆ **employers' federation** syndicat patronal, organisation patronale ◆ **employer's contribution** *(Ins)* cotisation patronale ◆ **employer's liability insurance** assurance responsabilité civile *or* assurance RC de l'employeur ◆ **employer's return** *(Tax)* déclaration patronale ◆ **employer** *or* **employer's rights** droits de l'employeur ◆ **employer's final offer** ultime proposition de la direction.

**employment** /ɪm'plɔɪmənt/ **N** *(= job)* *(gen)* emploi m, travail m ; *(jobs in general)* emploi m

◆ **out of employment** sans travail, sans emploi
◆ **full employment** le plein emploi ◆ **full employment policy** politique du plein emploi
◆ **full-time employment** travail à plein temps
◆ **part-time employment** travail à mi-temps *or* à temps partiel ◆ **temporary employment** travail temporaire ◆ **place of employment** lieu de travail ◆ **guaranteed employment, security of employment** sécurité de l'emploi ◆ **terms** *or* **conditions of employment** conditions d'emploi
◆ **selective employment tax** taxe sur la main-d'œuvre non productive ◆ **to seek / find employment** chercher / trouver un emploi *or* du travail ◆ **to take up employment** prendre un emploi ◆ **in sb's employment** employé par qn

—— *compounds/composés* ——
◆ **employment agency** *or* **bureau** bureau de placement
◆ **employment contract** contrat de travail
◆ **employment decision** décision d'embauche
◆ **employment division** service d'embauche
◆ **employment exchange** *(Brit)* ≈ Agence nationale pour l'emploi
◆ **employment expenses** frais mpl professionnels ◆ **employment expenses allowance** déductions pour frais professionnels
◆ **employment function** *(US)* fonction *or* responsabilités fpl de recrutement
◆ **employment interview** entretien d'embauche
◆ **employment law** législation *or* droit du travail
◆ **employment protection** protection de l'emploi
◆ **employment record** antécédents professionnels mpl **he has a good employment record** il est bien noté dans son travail, il a de bons états de service
◆ **Employment Service** *(US)* ≈ Agence nationale pour l'emploi
◆ **employment situation (the)** la situation de l'emploi
◆ **employment tax** taxe sur l'emploi ◆ **employment tax credit** dégrèvement d'impôt, avantages fiscaux *(en cas de création d'emplois)*.

**emporium** /em'pɔːrɪəm/ **N** *(= shop)* grand magasin m, bazar m ; *(= market)* centre m commercial, marché m ; *(= warehouse)* entrepôt m, hall m d'exposition.

**empower** /ɪm'paʊə'/ **VT** ◆ **to empower sb to do** *(gen)* autoriser qn à faire; *(Jur)* habiliter qn à faire ◆ **to be empowered to do** avoir les pleins pouvoirs pour faire, être mandaté pour faire.

**empty** /'emptɪ/ **ADJ** *box* vide; *premises* inoccupé, vide; *lorry* vide, sans chargement; *ship* lège
**empties** **NPL** *(= bottles)* bouteilles fpl vides; *(= boxes)* emballages mpl vides ◆ **empties are**

**returnable** les emballages sont consignés ✦ **non-returnable empties** emballages perdus or non consignés **vT** vider.

**EMS** /ˌiːemˈes/ **N** **a** (abbr of **European Monetary System**) SME m **b** abbr of **express mail service** → **express.**

**EMU** /ˌiːemˈjuː/ **N** (abbr of **Economic and Monetary Union**) UEM f.

**emulate** /ˈemjʊleɪt/ **vT** (Comp) émuler.

**emulator** /ˈemjʊleɪtəʳ/ **N** (Comp) émulateur m.

**enable** /ɪˈneɪbl/ **vT** **a** ✦ **to enable sb to do** (gen) permettre à qn de faire; (Jur) habiliter qn à faire **b** (Comp) circuit valider; program mettre en service ✦ **enable pulse** impulsion de validation.

**enact** /ɪˈnækt/ **vT** promulguer, donner force de loi à ✦ **as by law enacted** aux termes de la loi, selon la loi ✦ **enacting clauses of a law** dispositions d'une loi.

**enactment** /ɪˈnæktmənt/ **N** [law] promulgation f.

**encapsulate** /ɪnˈkæpsjʊleɪt/ **vT** renfermer, résumer.

**encash** /ɪnˈkæʃ/ **vT** chèque encaisser, toucher.

**encashment** /ɪnˈkæʃmənt/ **N** encaissement m ✦ **encashment value** (Ins) valeur de rachat.

**encl.** (abbr of **enclosure**) p. j.

**enclose** /ɪnˈkləʊz/ **vT** ✦ **to enclose sth with a letter** joindre qch à une lettre ✦ **please find enclosed** veuillez trouver ci-joint or sous ce pli ✦ **the enclosed document** le document ci-joint or ci-inclus ✦ **enclosed herewith** sous ce pli.

**enclosure** /ɪnˈkləʊʒəʳ/ **N** (= document) pièce f jointe or annexée ✦ **3 enclosures** 3 pièces jointes.

**encode** /ɪnˈkəʊd/ **vT** coder, encoder.

**encoder** /ɪnˈkəʊdəʳ/ **N** codeur m, encodeur m ✦ **data encoder** codeur de données.

**encoding** /ɪˈkəʊdɪŋ/ **N** codage m, encodage m.

**encounter** /ɪnˈkaʊntəʳ/ **vT** opposition se heurter à; difficulties affronter, rencontrer, éprouver **N** rencontre f (inattendue) ✦ **encounter group** groupe de rencontre.

**encourage** /ɪnˈkʌrɪdʒ/ **vT** person encourager; industry, projects, growth encourager, favoriser.

**encouragement** /ɪnˈkʌrɪdʒmənt/ **N** encouragement m.

**encroach** /ɪnˈkrəʊtʃ/ **vI** (on sb's rights) empiéter (on sur) ✦ **to encroach on one's capital** entamer son capital.

**encroachment** /ɪnˈkrəʊtʃmənt/ **N** empiètement f (sur on)

**encrypt** /ɪnˈkrɪpt/ **vT** (Comp) crypter.

**encryption** /ɪnˈkrɪpʃən/ **N** (Comp) cryptage m, encryptage m ✦ **encryption key** clé de chiffrement.

**encumber** /ɪnˈkʌmbəʳ/ **vT** person, room encombrer (with de); market encombrer, surcharger; (Jur) grever ✦ **to encumber with a mortgage** grever d'une hypothèque ✦ **encumbered estate** propriété hypothéquée ✦ **Chinese trade remains encumbered by protectionist regulations** le commerce chinois reste entravé par des réglementations protectionnistes.

**encumbrance** /ɪnˈkʌmbrəns/ **N** (= easement) servitudes fpl ; (= mortgage) charge f hypothécaire ✦ **estate free from encumbrances** bien sans servitudes ni hypothèques.

**end** /end/ **N** **a** [road, table] bout m ; [production line] bout m, extrémité f ; [event] fin f ✦ **the top end of the range** le haut de gamme ✦ **the top / bottom end of the market** le haut / le bas de gamme ✦ **to make (both) ends meet** (fig) joindre les deux bouts **b** (= conclusion) [talks, report] fin f ; [efforts] fin f, aboutissement m ; [work] achèvement m ✦ **in the end they decided to intervene** ils ont finalement décidé d'intervenir ✦ **to bring to an end** negotiations achever, conclure; work terminer, achever; relations mettre fin à ✦ **to come to an end** [event] prendre fin, se terminer, arriver à son terme; [contract] venir à expiration ✦ **to get to the end of** supplies finir, épuiser; work venir à bout de ✦ **to put an end to** mettre fin à, mettre un terme à ✦ **end-of-month settlement** (St Ex) liquidation de fin de mois ✦ **the end of the account** (St Ex) le jour de la liquidation ✦ **end**

_compounds/composés_

- ✦ **end account** (St Ex) compte de liquidation
- ✦ **end consumer** consommateur final
- ✦ **end game** phase finale
- ✦ **end mark** (Comp) drapeau indicateur de fin
- ✦ **end-of-season sale** soldes de fin de saison
- ✦ **end product** (Comm, Ind) produit final; (fig) résultat
- ✦ **end rate** (US Pub) tarif minimum
- ✦ **end result** résultat final or définitif
- ✦ **end returns** résultats mpl définitifs
- ✦ **end user** utilisateur final ✦ **end user promotion** promotion-consommateur

of file *(Comp)* fin de fichier ✦ **end of fiscal period** fin d'exercice ✦ **end-of-month maturity** *(Fin)* échéance de fin de mois ✦ **end of year** *(Fin)* fin *or* clôture de l'exercice ✦ **at the end of the six months allowed** au bout *or* au terme des six mois **c** *(= purpose)* but m, fin f, dessein m, objectif m ✦ **with this end in view** dans ce dessein *or* but, à cette fin, avec cet objectif en vue ✦ **the end justifies the means** la fin justifie les moyens **d** *(Econ)* ✦ **ends** emplois finaux, utilisations finales

**VT** *work* finir, achever, terminer; *report* terminer, conclure; *dispute* mettre fin à

**VI** *[speech, programme]* finir, se terminer, s'achever; *[contract]* se terminer, arriver à son terme, venir à expiration ✦ **the fiscal year ends on March 31st** l'exercice se termine le 31 mars ✦ **your subscription ends next month** votre abonnement expire le mois prochain ✦ **bond prices ended unchanged** les obligations ont terminé inchangées.

**endanger** /ɪnˈdeɪndʒəʳ/ **VT** *interests, reputation* mettre en danger *or* en péril, exposer; *future* compromettre.

**endeavour** /ɪnˈdevəʳ/ **N** effort m, tentative f *(to do* pour faire) ✦ **he made every endeavour to satisfy them** il a fait son possible pour les satisfaire, il a tout fait pour les satisfaire **VI** **to endeavour to do** essayer *or* s'efforcer *or* tenter de faire.

**endemic** /enˈdemɪk/ **ADJ** endémique.

**ending** /ˈendɪŋ/ **N** *(gen)* fin f ; *(= outcome)* issue f ✦ **ending inventory** *or* **stock** stock final *or* de clôture.

**endless** /ˈendlɪs/ **ADJ** *attempts* innombrable; *resources* inépuisable; *possibilities* illimité.

**endorse** /ɪnˈdɔːs/ **VT** *(= sign)* document, cheque endosser; *(= guarantee)* bill avaliser; *(= approve)* claim, candidature appuyer, soutenir; *opinions* souscrire à, adhérer à; *action, decision* approuver, sanctionner, appuyer ✦ **to endorse back a bill to drawer** contre-passer un effet au tireur ✦ **to endorse over a bill to sb** transmettre par voie d'endossement une lettre de change à qn ✦ **an endorsed driving licence** *(Brit)* un permis de conduire portant la mention d'une infraction.

**endorsee** /ˌɪndɔːˈsiː/ **N** endossataire mf.

**endorsement** /ɪnˈdɔːsmənt/ **N** *[cheque]* endossement m, endos m ; *[bill]* aval m ; *[candidate]* appui m ; *[action, decision]* approbation f, sanction f *(of* de); *(Ins)* avenant m ✦ **accommodation endorsement** aval *or* endossement

de complaisance ✦ **blank** *or* **general endorsement** endossement en blanc ✦ **conditional endorsement** endossement conditionnel ✦ **decrease / increase endorsement** *(Ins)* avenant de réduction / d'augmentation ✦ **qualified endorsement** endossement conditionnel ✦ **restrictive endorsement** endossement restrictif *or* limitatif

─── compounds/composés ───

✦ **endorsement advertising** technique publicitaire faisant intervenir des personnalités connues.

**endorser** /ɪnˈdɔːsəʳ/ **N** *[cheque]* endosseur m ; *[bill]* avaliste m, avaliseur m ✦ **second endorser** tiers porteur.

**endow** /ɪnˈdaʊ/ **VT** institution doter *(with* de)

**endowment** /ɪnˈdaʊmənt/ **N** dotation f ✦ **capital endowment** dotation en capital ✦ **combined endowment and whole-life insurance** assurance en cas de vie et de décès

─── compounds/composés ───

✦ **endowment fund** fonds de dotation
✦ **endowment insurance** assurance à capital différé
✦ **endowment mortgage** hypothèque liée à une assurance en cas de vie
✦ **endowment policy** assurance à capital différé.

**ENEA** /ˌiːeniːˈeɪ/ **N** (abbr of **European Nuclear Energy Authority)** AEN f.

**energetic** /ˌenəˈdʒetɪk/ **ADJ** *(gen)* énergique.

**energy** /ˈenədʒɪ/ **N** *(gen)* énergie f ✦ **to save energy** faire des économies d'énergie ✦ **energy-saving device** système qui permet d'économiser l'énergie ✦ **the energy crisis** la crise énergétique *or* de l'énergie ✦ **energy conservation** économies d'énergie ✦ **energy futures** marché à terme des produits énergétiques.

**enforce** /ɪnˈfɔːs/ **VT** *decision, policy* mettre en vigueur *or* en pratique *or* en application; *contract* faire exécuter; *ruling* faire observer *or* respecter; *demand* appuyer ✦ **to enforce one's rights** faire valoir ses droits ✦ **to enforce payment** exiger le paiement, mettre en demeure de payer.

**enforceable** /ɪnˈfɔːsɪbl/ **ADJ** *verdict* exécutoire; *law, rule* applicable ✦ **to be enforceable** avoir force exécutoire.

**enforced** /ɪnˈfɔːst/ **ADJ** forcé, obligé, obligatoire.

**enforcement** /ɪnˈfɔːsmənt/ **N** *[decision, policy, law]* mise f en vigueur, exécution f ✦ **law enforce-**

**ment** application de la loi ✦ **law enforcement authorities** autorités chargées d'appliquer la loi ✦ **for enforcement** *(Fin)* aux fins de recouvrement ✦ **the administration has slackened its enforcement of work place safety regulations** l'administration s'est montrée moins stricte dans l'application des règlements de sécurité sur le lieu de travail

— *compounds/composés* —

✦ **enforcement chief** *directeur chargé de l'application des décisions de la Commission des opérations de Bourse*
✦ **enforcement order** mise en demeure
✦ **enforcement procedure** procédure coercitive.

**enfranchise** /ɪn'fræntʃaɪz/ **VT** accorder le droit de vote à.

**ENG** /ˌiːen'dʒiː/ **N** abbr of **electronic news gathering** → **electronic.**

**engage** /ɪn'geɪdʒ/ **VT** *workers* embaucher, engager; *lawyer* prendre
**VI** **to engage in politics / business** se lancer dans la politique / les affaires.

**engaged** /ɪn'geɪdʒd/ **ADJ** *person* (= hired) engagé, embauché; (= busy) pris, occupé; *seat, room* pris, occupé; *taxi* pris, pas libre; *(Brit Telec) number, line* occupé ✦ **Mr X is engaged at present** M. X est occupé *or* est pris *or* n'est pas libre en ce moment ✦ **to be engaged in doing** être occupé à faire ✦ **the engaged signal** *or* **tone** *(Brit Telec)* la tonalité occupé, la tonalité pas libre.

**engagement** /ɪn'geɪdʒmənt/ **N** **a** (= meeting) rendez-vous m ✦ **public engagement** obligation officielle ✦ **previous engagement** engagement antérieur ✦ **I have an engagement** je ne suis pas libre, je suis pris, j'ai un rendez-vous **b** (= hiring) engagement m, recrutement m, embauche f **c** (= promise) engagement m, obligation f, promesse f ✦ **to meet one's engagements** faire face à ses engagements, respecter ses engagements

— *compounds/composés* —

✦ **engagement book** agenda
✦ **engagement letter** lettre d'engagement *or* de mission.

**engine** /'endʒɪn/ **N** *(Tech)* machine f, moteur m ; *(Rail)* locomotive f.

**engineer** /ˌendʒɪ'nɪər/ **N** (= professional) ingénieur m ; (= tradesman) technicien m ; (= repairer) dépanneur m, réparateur m ; *(Merchant Navy, US Rail)* mécanicien m ✦ **civil engineer**

ingénieur des travaux publics ✦ **computer engineer** ingénieur informaticien ✦ **consulting engineer** ingénieur-conseil ✦ **maintenance engineer** technicien d'entretien ✦ **patent engineer** ingénieur-conseil en brevets industriels ✦ **product engineer** ingénieur-produit ✦ **production engineer** ingénieur de production ✦ **project engineer** ingénieur d'études ✦ **safety engineer** responsable de la sécurité ✦ **sales engineer** (ingénieur) technico-commercial ✦ **work-study engineer** ingénieur en organisation
**VT** *plan* machiner, manigancer; *project* construire, concevoir, élaborer ✦ **the ombudsman engineered a meeting between the interested parties** le médiateur a mis sur pied une rencontre entre les intéressés.

**engineering** /ˌendʒɪ'nɪərɪŋ/ **N** engineering m, ingénierie f ✦ **to study engineering** faire des études d'ingénieur ✦ **chemical engineering** génie chimique ✦ **civil engineering** travaux publics, génie civil ✦ **electrical engineering** électrotechnique, génie électrique ✦ **industrial engineering** organisation scientifique du travail ✦ **methods** *or* **process engineering** étude des méthodes ✦ **production / sales engineering** techniques de production / de vente

— *compounds/composés* —

✦ **engineering consultant** ingénieur-conseil
✦ **engineering department** bureau d'étude, département d'ingénierie
✦ **engineering factory** *or* **works** atelier de construction mécanique
✦ **engineering firm** (= consulting firm) bureau d'étude; (= factory) entreprise de mécanique
✦ **engineering process** procédé de fabrication
✦ **engineering shares** *(St Ex)* les constructions fpl mécaniques
✦ **engineering work** ouvrage d'art.

**England** /'ɪŋglənd/ **N** Angleterre f.

**English** /'ɪŋglɪʃ/ **ADJ** anglais
**N** **a** (= language) anglais m **b** **the English** les Anglais.

**Englishman** /'ɪŋglɪʃmən/ **N** Anglais m.

**Englishwoman** /'ɪŋglɪʃwʊmən/ **N** Anglaise f.

**engross** /ɪn'grəʊs/ **VT** **a** *attention* absorber, captiver ✦ **he was engrossed in his report** il était tout à son rapport, il était absorbé par son rapport **b** *(Jur)* grossoyer **c** *(US) market* accaparer.

**engrossment** /ɪn'grəʊsmənt/ **N** *(Jur)* grosse f.

**enhance** /ɪn'hɑːns/ **VT** *value* augmenter; *position, image* améliorer; *reputation* accroître, rehaus-

ser; *powers* accroître, étendre ◆ **these issues
are expected to show enhanced dividend yields**
on s'attend à ce que ces nouvelles actions
rapportent des dividendes plus élevés.

**enjoin** /ɪnˈdʒɔɪn/ **VT** a ◆ **to enjoin silence on sb**
imposer le silence à qn ◆ **to enjoin sb to do**
ordonner à qn de faire, intimer à qn l'ordre de
faire b *(Jur)* interdire, prohiber ◆ **to enjoin sb
from doing** enjoindre à qn de ne pas faire.

**enjoy** /ɪnˈdʒɔɪ/ **VT** a *activity* aimer, apprécier,
prendre plaisir à b *(= benefit from) income,
rights, advantage* jouir de, bénéficier de ◆ **to
enjoy a world-wide reputation** avoir une réputation mondiale, jouir d'une réputation mondiale.

**enjoyment** /ɪnˈdʒɔɪmənt/ **N** a plaisir m
b *[rights, income]* jouissance f ◆ **prevention of
enjoyment** *(Jur)* privation *or* trouble de jouissance.

**enlarge** /ɪnˈlɑːdʒ/ **VT** a *business* développer,
agrandir; *majority* accroître; *influence* étendre
◆ **enlarged edition** édition augmentée ◆ **enlarged copy** *[photo]* cliché agrandi, agrandissement b *(Jur)* étendre les délais légaux de,
proroger.

**enlargement** /ɪnˈlɑːdʒmənt/ **N** *(gen, Phot)* agrandissement m.

**enquire** /ɪnˈkwaɪəʳ/ **VI** → **inquire.**

**enquiry** /ɪnˈkwaɪrɪ/ **N** → **inquiry.**

**enrich** /ɪnˈrɪtʃ/ **VT** *soil* fertiliser, amender.

**enrichment** /ɪnˈrɪtʃmənt/ **N** *[soil]* fertilisation f,
amendement m ◆ **job enrichment** enrichissement des tâches.

**enrol** *(Brit),* **enroll** *(US)* /ɪnˈrəʊl/ **VT** *students* inscrire, immatriculer; *members* inscrire; *(Admin)*
enregistrer
**VI** s'inscrire, se faire inscrire *(in* à, *for* pour)

**enrolment** *(Brit),* **enrollment** *(US)*
/ɪnˈrəʊlmənt/ **N** inscription f ◆ **enrolment figures**
nombre d'inscrits, effectif(s).

**ensuing** /ɪnˈsjuːɪŋ/ **ADJ** *events* qui s'ensuit, qui en
découle; *year* suivant ◆ **ensuing account** *or*
**settlement** *(St Ex)* liquidation suivante.

**ensure** /ɪnˈʃʊəʳ/ **VT** assurer, garantir ◆ **I shall
ensure that this will be done** je ferai en sorte
que cela soit fait.

**entail** /ɪnˈteɪl/ **VT** a *expense, delay, risk* entraîner
◆ **it entailed diversifying our activities** cela a
nécessité *or* entraîné la diversification de nos

activités b *(Jur)* ◆ **to entail an estate** substituer un héritage ◆ **entailed estate** bien substitué
**N** *(Jur) (= action)* substitution f d'héritage;
*(= property)* bien m substitué.

**enter** /ˈentəʳ/ **VT** a *(= go or come into)* entrer dans,
pénétrer dans ◆ **to enter the labour market**
arriver sur le marché du travail b *profession*
entrer dans ◆ **to enter the legal profession** se
lancer dans *or* choisir la carrière juridique
c *(= write down) amount, name* inscrire *(in* dans)
◆ **to enter an item in the ledger** porter un
article *or* passer une écriture sur le livre de
compte ◆ **we entered this sum to your credit**
nous avons porté cette somme à votre crédit
◆ **entered trademark** marque déposée d *(Jur)*
◆ **to enter an action against sb** intenter un
procès à qn, engager des poursuites contre qn
◆ **to enter a protest** déposer une réclamation
écrite, protester par écrit ◆ **to enter an appeal**
interjeter appel ◆ **to enter a deed / judgment**
enregistrer un acte / jugement ◆ **to enter a
plea** faire valoir une exception ◆ **to enter a
writ** signifier une assignation e *(Jur = take
possession of)* ◆ **to enter an estate** *or* **a property**
prendre possession d'un bien, entrer en jouissance d'un bien f *(Customs)* ◆ **to enter goods**
déclarer des marchandises en douane ◆ **to
enter a ship inwards / outwards** faire la
déclaration d'entrée / de sortie g *(Comp) data*
entrer, saisir, introduire.

**enter into** **VT FUS** *negotiations, discussion* engager,
entamer; *contract* passer; *bargain* conclure
◆ **commitments entered into** engagements
contractés ◆ **to enter into partnership with sb**
s'associer à *or* avec qn ◆ **to enter into the
rights of a creditor** *(Jur)* demeurer subrogé aux
droits d'un créancier ◆ **to enter into a surety
bond** s'engager par cautionnement.

**enterprise** /ˈentəpraɪz/ **N** *(= company, undertaking)* entreprise f ◆ **(spirit of) enterprise** esprit
d'entreprise ◆ **free enterprise** libre entreprise
◆ **private enterprise** entreprise privée ◆ **state**
*or* **public enterprise** entreprise publique ◆ **parent enterprise** maison mère.

**enterprising** /ˈentəpraɪzɪŋ/ **ADJ** *person* entreprenant, plein d'initiative; *venture* audacieux.

**entertain** /ˌentəˈteɪn/ **VT** a *(= amuse)* amuser, di-
vertir, distraire b *guests* recevoir ◆ **to entertain sb to dinner** *(in restaurant)* offrir un dîner à
qn; *(at home)* recevoir qn à dîner c *(= consider)
proposal* accueillir favorablement ◆ **to entertain a claim** admettre une réclamation, faire
droit à une réclamation ◆ **to entertain proceedings** *(Jur)* donner audience à une affaire.

**entertainment** /ˌentəˈteɪmmənt/ N **a** (= amusement) distraction f, divertissement m, amusement m **b** (= performance) spectacle m

——— compounds/composés ———
- **entertainment allowance** or **expenses** frais mpl or indemnité de représentation
- **entertainment tax** taxe sur les spectacles
- **entertainment world (the)** le monde du spectacle.

**enter up** VT SEP amount inscrire; ledger tenir à jour.

**enthusiastic** /ɪnˌθuːzɪˈæstɪk/ ADJ person enthousiaste ◆ **he was very enthusiastic about our project** il a accueilli notre projet avec enthousiasme.

**entice** /ɪnˈtaɪs/ VT attirer, séduire ◆ **advertising entices consumers into buying** la publicité pousse or incite les consommateurs à acheter.

**enticement** /ɪnˈtaɪsmənt/ N (= act) séduction f ; (= attraction) attrait m.

**enticing** /ɪnˈtaɪsɪŋ/ ADJ prospects, offer attrayant, alléchant, séduisant.

**entire** /ɪnˈtaɪəʳ/ ADJ entier ◆ **entire contract** (Jur) contrat indivisible.

**entirety** /ɪnˈtaɪərətɪ/ N intégralité f, totalité f ◆ **in its entirety** intégralement.

**entitle** /ɪnˈtaɪtl/ VT **a** book intituler ◆ **to be entitled** s'intituler **b** (= give right to) autoriser, habiliter (to do à faire) ◆ **to be entitled to sth** avoir droit à qch ◆ **it entitles him to five weeks annual leave** ça lui donne droit à cinq semaines de congé annuel ◆ **to be entitled to do** (= qualified) avoir qualité pour faire, être habilité à faire; (= empowered by regulations) avoir le droit or être en droit de faire ◆ **this ticket entitles you to a seat** ce billet vous donne droit à une place assise ◆ **this report entitles us to conclude that...** ce rapport nous autorise à conclure que...

**entitlement** /ɪnˈtaɪtəlmənt/ N **a** habilitation f ◆ **entitlement programme** programme d'habilitation **b** droit m acquis ◆ **holiday entitlement** droit au congé annuel payé.

**entity** /ˈentɪtɪ/ N entité f ◆ **legal entity** personne morale, entité juridique ◆ **to have a separate entity** jouir d'une existence distincte (from de) ◆ **entity value of an asset** valeur d'un actif (pour l'entreprise) ◆ **accounting entity** unité comptable.

**entrance** /ˈentrəns/ N **a** (= way in) entrée f (to de) ◆ **entrance (hall)** entrée, vestibule ◆ **main**

entrance entrée principale ◆ **tradesmen entrance** entrée des fournisseurs **b** (to college, club) admission f (to à) ◆ **to gain entrance to a university** être admis à or dans une université

——— compounds/composés ———
- **entrance card** carte d'entrée or d'admission
- **entrance examination** examen d'entrée
- **entrance fee** droit d'inscription
- **entrance ticket** billet d'entrée.

**entrant** /ˈentrənt/ N (in competition) concurrent(e) m(f), participant(e) m(f) ; (in exam) candidat(e) m(f) (in à); (to profession) débutant(e) m(f) (to dans); (into a country) arrivant(e) m(f) ◆ **illegal entrants into the country** immigrés clandestins ◆ **the latest entrant in the micro-computer market** le dernier venu sur le marché des micro-ordinateurs.

**entrepôt** /ˈɒntrəpəʊ/ N entrepôt m ◆ **entrepôt port** port franc ◆ **entrepôt trade** commerce d'entrepôt.

**entrepreneur** /ˌɒntrəprəˈnɜːʳ/ N entrepreneur m.

**entrepreneurial** /ˌɒntrəprəˈnɜːrɪəl/ ADJ **a** d'entrepreneur, entrepreneurial ◆ **the entrepreneurial function** le rôle de l'entrepreneur **b** (= enterprising) animé de l'esprit d'entreprise ◆ **entrepreneurial system** libre entreprise.

**entrust** /ɪnˈtrʌst/ VT ◆ **to entrust sb with sth** confier qch à qn, charger qn de qch ◆ **to entrust sth to sb** confier qch à qn.

**entry** /ˈentrɪ/ N **a** (Acc : also **book entry**) écriture f (comptable), inscription f comptable ◆ **single / double entry bookkeeping** comptabilité en partie simple / double ◆ **entry of satisfaction on mortgage** radiation d'inscription hypothécaire ◆ **to make an entry against sb** débiter le compte de qn ◆ **to post an entry** passer or porter une écriture ◆ **closing entry** écriture de clôture ◆ **compound entry** article collectif or récapitulatif ◆ **contra entry** contre-passation, contre-passement ◆ **correcting entry** écriture de correction or d'extourne ◆ **credit / debit entry** inscription or écriture au crédit / au débit ◆ **post entry** écriture postérieure ◆ **reserve entry** écriture de contre-passation ◆ **transfer entry** écriture de virement **b** (= way in) entrée f ◆ **no entry** (on gate) défense d'entrer, entrée interdite; (in one-way street) sens interdit **c** (Customs : in ledger) écriture f ◆ **customs entry** déclaration en douane ◆ **to make an entry of goods** déclarer des marchandises à la douane ◆ **bill of entry** déclaration d'entrée en douane ✦ **current entry price** prix d'entrée courant ✦ **to pass a customs entry** faire une déclaration en douane ✦ **duty paid entry** déclaration d'acquittement des droits de douane ✦ **preliminary entry** déclaration préalable ✦ **warehousing entry** déclaration de mise en entrepôt **d** *(in competition)* concurrent(e) m(f) ; *(for exam)* candidat(e) m(f) **e** *(= admission)* adhésion f, admission f, entrée f ✦ **the entry of Spain into the Common Market** l'adhésion de l'Espagne au Marché commun, l'entrée de l'Espagne dans le Marché commun ✦ **to gain entry to** être admis à **f** *(Comp) [data]* introduction f, saisie f, entrée f

────── *compounds/composés* ──────

✦ **entry form** feuille *or* formulaire d'inscription
✦ **entry inwards** déclaration d'entrée en douane
✦ **entry line** *(Comp)* ligne d'affichage
✦ **entry outwards** déclaration de sortie de douane
✦ **entry permit** *or* **visa** visa d'entrée
✦ **entry price** prix d'entrée courant
✦ **entry under bond** acquit-à-caution.

**enumerate** /ɪ'njuːməreɪt/ **VT** énumérer.

**enumeration** /ɪˌnjuːmə'reɪʃən/ **N** énumération f.

**envelope** /'envələʊp/ **N** enveloppe f ✦ **to put a letter in an envelope** mettre une lettre sous enveloppe ✦ **in a sealed envelope** sous pli cacheté ✦ **in the same envelope** sous le même pli ✦ **self–seal envelope** enveloppe autocollante *or* auto-adhésive ✦ **manil(l)a envelope** enveloppe en papier kraft ✦ **padded envelope** enveloppe matelassée *or* rembourrée ✦ **return envelope** enveloppe-réponse ✦ **window envelope** enveloppe à fenêtre

────── *compounds/composés* ──────

✦ **envelope curve** courbe d'enveloppe
✦ **envelope folder** chemise à rabat.

**environment** /ɪn'vaɪərənmənt/ **N** *(gen)* milieu m *(Admin, Pol)* environnement m; *[machine]* cadre m d'utilisation ✦ **the business environment** l'environnement de l'entreprise, le monde des affaires ✦ **protection of the environment** protection de l'environnement ✦ **Environment Protection Agency** *(US)* agence pour la protection de l'environnement.

**environmental** /ɪnˌvaɪərən'mentl/ **ADJ** *changes* écologique, du milieu ✦ **environmental control** protection du milieu naturel *or* de l'environnement ✦ **environmental disturbance** perturbation du milieu naturel ✦ **environmental scanner** spécialiste de l'environnement

✦ **environmental scanning** repérage de l'environnement ✦ **environmental studies** l'écologie.

**environmentalist** /ɪnˌvaɪərən'mentəlɪst/ **N** environnementaliste mf, écologiste mf.

**envisage** /ɪn'vɪzɪdʒ/ **VT** *(= foresee)* prévoir; *(= imagine)* envisager ✦ **a new bout of inflation is envisaged** on prévoit une nouvelle poussée inflationniste ✦ **we envisage restructuring our firm** nous envisageons de réorganiser notre entreprise.

**envision** /ɪn'vɪʒən/ *(US)* **VT** envisager ✦ **our arrangements envision a greater interchange** nos projets prévoient une extension de nos échanges.

**envoy** /'envɔɪ/ **N** envoyé(e) m(f), représentant(e) m(f).

**EOC** /ˌiːəʊ'siː/ *(Brit)* **N** abbr of **Equal Opportunities Commission** → **equal.**

**EOE** /ˌiːəʊ'iː/ *(Brit)* **N** abbr of **European Options Exchange** → **European.**

**EONIA** /ˌiːəʊ'nɪə/ **N** (abbr **European Overnight Indexed Average**) EONIA m.

**epoch** /'iːpɒk/ **N** époque f, période f ✦ **epoch-making** qui fait date, mémorable.

**EPOS** /'iːpɒs/ **N** abbr of **electronic point of sale** → **electronic.**

**EPS** /ˌiːpiː'es/ **N** (abbr of **earnings per share**) BPA n.

**EPU** /ˌiːpiː'juː/ **N** (abbr of **European Payments Union**) UEP f.

**equal** /'iːkwəl/ **ADJ** égal ✦ **equal pay for equal work** à travail égal salaire égal ✦ **to talk to sb on equal terms** parler à qn d'égal à égal ✦ **to be on an equal footing with sb** être sur un pied d'égalité avec qn ✦ **to be equal to the task** être à la hauteur de la tâche ✦ **he is not equal to the job** il n'a pas la stature nécessaire pour occuper ce poste ✦ **equal employment opportunity** égalité des chances devant l'emploi ✦ **Equal Opportunities Commission** *(Brit)* commission sur l'égalité des chances
**n** égal(e) m(f), pair m
**vt** égaler *(in* en)

**equality** /ɪ'kwɒlɪtɪ/ **N** égalité f ✦ **equality of opportunity** égalité des chances.

**equalization, equalisation** /ˌiːkwəlaɪ'zeɪʃən/ **N** *(gen)* égalisation f ; *[account]* régularisation f ✦ **equalization fund** fonds de régularisation *or* de compensation ✦ **equalization tax** taxe de compensation ✦ **exchange equalization account** fonds de stabilisation des changes.

**equalize, equalise** /ˈiːkwəlaɪz/ VT *chances* égaliser; *wealth* niveler; *accounts* régulariser; *figures, wages* faire la péréquation de.

**equate** /ɪˈkweɪt/ VT *(= identify)* assimiler *(with* à); *(= compare)* mettre sur le même pied *(with* que); *(Math)* mettre en équation ◆ **to equate supply and demand** équilibrer l'offre et la demande ◆ **they tend to equate business with profit** affaires et bénéfices sont inséparables *or* vont de pair à leurs yeux.

**equation** /ɪˈkweɪʒən/ N *(Math)* équation f.

**Equatorial Guinea** /ˌekwəˈtɔːriəlˈɡɪnɪ/ N Guinée-Équatoriale f.

**equilibrium** /ˌiːkwɪˈlɪbrɪəm/ N équilibre m ◆ **equilibrium price** prix d'équilibre ◆ **general equilibrium** équilibre général ◆ **partial** *or* **particular equilibrium** équilibre partiel.

**equip** /ɪˈkwɪp/ VT *factory, worker* équiper, outiller; *office* aménager, installer, équiper ◆ **he is well equipped for the job** *(right qualifications)* il a les compétences *or* les qualités requises pour ce travail ◆ **to equip a place / an employee with sth** équiper *or* munir un endroit / un employé de qch.

**equipment** /ɪˈkwɪpmənt/ N *(= fitting out)* équipement m ; *(= machines, fittings)* équipement m, matériel m ◆ **business equipment** équipement productif *or* industriel ◆ **capital equipment** biens d'équipement *or* de production ◆ **electrical equipment** appareillage électrique ◆ **factory equipment** outillage ◆ **farm equipment** équipement *or* matériel agricole ◆ **laboratory equipment** matériel de laboratoire ◆ **equipment credit** crédit d'équipement.

**equitable** /ˈekwɪtəbl/ ADJ équitable.

**equity** /ˈekwɪtɪ/ N [a] *(= fairness)* équité f, impartialité f ; *(Jur)* équité f *(principes de justice primant sur la loi écrite)* ◆ **equity of taxation principle** principe de l'égalité devant l'impôt [b] *(investment in company)* part f, participation f financière ◆ **the equity of minority shareholders** la part des actionnaires minoritaires ◆ **to have an equity interest in a company** avoir une participation minoritaire dans une société [c] *(= owned capital)* capitaux mpl propres, fonds mpl propres, situation f nette ◆ **they have been trading on the equity** ils se sont engagés dans une politique de financement par l'endettement ◆ **return on equity** rendement *or* rentabilité des capitaux investis *or* des fonds propres, retour sur fonds propres ◆ **shareholders'** *or* **stockholders' equity** avoir des actionnaires, fonds *or* capitaux propres, valeur *or* situation nette ◆ **tax equity** masse

fiscale [d] *(St Ex)* ◆ **equities** *(Brit)* actions ordinaires; *(US)* actions ordinaires *or* privilégiées ◆ **industrial equities** valeurs industrielles [e] *(Jur)* droit m ◆ **equity of redemption** *droit de reprendre possession de sa propriété après purge d'une hypothèque*

—————— compounds/composés ——————

◆ **equity capital** capitaux mpl propres, fonds mpl propres, situation nette, capital-action
◆ **equity financing** financement par capitaux propres *or* par émission d'actions *or* par augmentation de capital
◆ **equity interest** participation
◆ **equity investments** placements mpl en action
◆ **equity issue** émission de capital
◆ **equity joint venture** joint venture avec création de société commune
◆ **equity-linked policy** police d'assurance-vie indexée sur le cours des valeurs boursières
◆ **equity market** marché des actions
◆ **equity method** *(US)* méthode de la mise en équivalence
◆ **equity security** titre de participation
◆ **equity share** *(Brit)* action ordinaire
◆ **equity turnover** ratio entre le chiffre d'affaires et la masse des actions ordinaires
◆ **equity value** *[company]* valeur nette *or* comptable; *[shares]* valeur nette réelle
◆ **equity warrant** bon de souscription d'actions.

**equivalence** /ɪˈkwɪvələns/ N équivalence f.

**equivalent** /ɪˈkwɪvələnt/ ADJ équivalent *(to* à) N équivalent m ◆ **man equivalent** unité-travailleur ◆ **price £5,000 (or the equivalent in other currencies)** prix 5 000 livres (ou la contre-valeur en d'autres devises).

**ERA** /ˌiːɑːˈreɪ/ N *(abbr of* **exchange rate agreement)** ERA m.

**eradicate** /ɪˈrædɪkeɪt/ VT *malpractices* supprimer, mettre fin à.

**erase** /ɪˈreɪz/ VT *marks (gen)* effacer, gratter; *(= rub out)* gommer; *(Comp)* effacer ◆ **earlier losses were erased** les pertes antérieures ont été gommées

—————— compounds/composés ——————

◆ **erase character** *(Comp)* caractère d'effacement.

**eraser** /ɪˈreɪzər/ N *(US)* gomme f ; *(Comp)* effaceur m.

**erasure** /ɪˈreɪʒər/ N rature f ; *(Comp)* effaçage m, effacement m ◆ **corrections and erasures**

**must be initialled** les corrections et les ratures devront être paraphées ◆ **screen erasure** effacement écran.

**ERDF** /ˌiːɑːdiːˈef/ N (abbr of **European Regional Development Fund**) FEDER m.

**erect** /ɪˈrekt/ VT *factory* bâtir, construire; *machinery* installer; *customs barriers* dresser.

**ergonomic** /ˌɜːgəʊˈnɒmɪk/ ADJ ergonomique.

**ergonomics** /ˌɜːgəʊˈnɒmɪks/ N ergonomie f.

**ergonomist** /ɜːˈgɒnəmɪst/ N ergonomiste mf.

**Eritrea** /ˌerɪˈtreɪə/ N Erythrée f.

**ERM** /ˌiːɑːˈrem/ N abbr of **Exchange Rate Mechanism** → **exchange.**

**erode** /ɪˈrəʊd/ VT *purchasing power, wage differentials* rogner, éroder.

**erosion** /ɪˈrəʊʒən/ N *(lit, fig)* érosion f, usure f ◆ **the erosion of the French franc through inflation** l'érosion *or* l'effritement du franc français du fait de l'inflation.

**err** /ɜːʳ/ VI se tromper ◆ **to err in one's judgment** faire une erreur de jugement *or* d'appréciation.

**errand** /ˈerənd/ N commission f, course f ◆ **to go on** *or* **run errands** faire des commissions *or* des courses ◆ **errand boy** coursier.

**erratic** /ɪˈrætɪk/ ADJ *results* irrégulier, inégal ◆ **the pace of ordering tends to be erratic** le rythme des commandes est plutôt irrégulier.

**erroneous** /ɪˈrəʊnɪəs/ ADJ erroné, faux.

**error** /ˈerəʳ/ N *(gen)* erreur f, faute f ; *(Stat)* écart m, variation f ◆ **to allow for a margin of error** prévoir une marge d'erreur ◆ **to make an error** faire une erreur ◆ **it would be an error to underestimate our competitors** ce serait une erreur *or* on aurait tort de sous-estimer nos concurrents ◆ **clerical error** erreur d'écriture ◆ **posting error** *(Acc)* erreur d'écriture ◆ **printing error** coquille ◆ **typing error** faute de frappe ◆ **error of judgment** erreur de jugement *or* d'appréciation ◆ **error of law** erreur de droit ◆ **error in calculation** erreur de calcul ◆ **errors and omissions excepted** sauf erreur ou omission

––––––––– *compounds/composés* –––––––––
◆ **error analysis** analyse d'erreurs
◆ **error-free** exempt d'erreur
◆ **error message** *(Comp)* message d'erreur
◆ **error-prone** sujet à l'erreur
◆ **error rate** taux d'erreurs.

**ersatz** /ˈeəzæts/ N ersatz m, succédané m.

**ESA** /ˌiːesˈeɪ/ N (abbr of **European Space Agency**) ASE f.

**escalate** /ˈeskəleɪt/ VI *[violence]* s'intensifier; *[prices]* monter en flèche
VT *prices* faire monter en flèche.

**escalation** /ˌeskəˈleɪʃən/ N *[conflict]* escalade f, intensification f ; *[prices]* montée f en flèche, flambée f.

**escalator** /ˈeskəleɪtəʳ/ N escalier m roulant ◆ **escalator clause** *(Comm, Pol)* clause d'échelle mobile, clause d'indexation *or* de révision.

**escape** /ɪsˈkeɪp/ VT **a** *(= avoid)* consequences, punishment éviter, échapper à **b** *(= forget, fail to notice)* ◆ **nothing escapes him** rien ne lui échappe ◆ **to escape notice** passer inaperçu
N *(lit)* fuite f, évasion f ; *(Comp)* échappement m

––––––––– *compounds/composés* –––––––––
◆ **escape character** *(Comp)* caractère d'échappement
◆ **escape clause** *(Jur)* clause résolutoire
◆ **escape period** délai de réflexion *or* de remise en question
◆ **escape sequence** *(Comp)* séquence d'échappement.

**escheat** /ɪsˈtʃiːt/ N *(Jur)* déshérence f
VI tomber en déshérence.

**escort** /ˈeskɔːt/ N *(= male companion)* cavalier m ; *(= female companion)* hôtesse f ◆ **escort agency** bureau d'hôtesses
VT escorter, accompagner.

**escrow** /ˈeskrəʊ/ N *(Jur)* bien m *or* document m détenu par un tiers en garantie ◆ **in escrow** en dépôt fiduciaire

––––––––– *compounds/composés* –––––––––
◆ **escrow account** compte bloqué
◆ **escrow agent** dépositaire légal(e)
◆ **escrow agreement** contrat de mise en main tierce, contrat de dépôt.

**escudo** /esˈkuːdəʊ/ N escudo m.

**ESF** /ˌiːesˈef/ N (abbr of **European Social Fund**) FSE m.

**ESOP** N (abbr of **Employee Stock** *(US)* or **Share** *(Brit)* **Ownership Plan**) PEE m.

**espionage** /ˈespɪənɑːʒ/ N espionnage m ◆ **industrial espionage** espionnage industriel.

**ESRO** /ˈezrəʊ/ N (abbr of **European Space Research Organization**) OERS f.

**essential** /ɪˈsenʃəl/ **ADJ** equipment, action indispensable (to à); role, question essentiel, capital, fondamental; commodities de première nécessité, de base

◻ qualité f (or marchandise f) indispensable
◆ **the essentials** l'essentiel.

**EST** /ˌiːesˈtiː/ (US) **N** abbr of **Eastern Standard Time** → **eastern.**

**est.** abbr of **established.**

**establish** /ɪsˈtæblɪʃ/ **VT** ◻a business fonder, créer, établir; factory monter, implanter; company constituer; relations établir, nouer; post créer; authority établir, asseoir, affirmer; list établir ◆ **to establish oneself in business** s'établir dans les affaires ◻b fact, one's rights établir; innocence, truth établir, démontrer.

**established** /ɪsˈtæblɪʃt/ **ADJ** brand, product réputé, bien établi ◆ **they have a well established market position** ils sont solidement implantés sur le marché, ils ont une position solide sur le marché.

**establishment** /ɪsˈtæblɪʃmənt/ **N** ◻a [business] création f, fondation f, établissement m; [laws] institution f, instauration f ◻b (= institution) établissement m ◆ **business or commercial establishment** établissement commercial, firme ◻c (Admin = staff) effectif m ◆ **to be on the establishment** faire partie du personnel ◻d **the Establishment** (Brit) la classe dirigeante, l'establishment.

**estate** /ɪsˈteɪt/ **N** ◻a (Jur) (= possessions) bien(s) m(pl), fortune f; [deceased person] succession f ◆ **to liquidate the estate** liquider la succession ◆ **the deceased estate** la masse successorale ◆ **burdened / clear estate** bien grevé d'hypothèques / libre d'hypothèques ◆ **freehold estate** bien en pleine propriété ◆ **bankrupt's estate** masse or actif de la faillite ◆ **estate (held) in severalty** bien détenu individuellement ◆ **estate in reversion** bien grevé de réversion ◆ **joint estate** communauté de biens ◆ **leasehold estate** bien pris à bail ◆ **life estate** bien en viager ◆ **personal estate** biens meubles or mobiliers ◆ **real estate** biens fonciers or immeubles or immobiliers ◆ **real-estate agency** (US) agence immobilière ◆ **real-estate agent** (US) or **broker** agent immobilier, marchand de biens or de fonds ◻b (= land) propriété f, domaine m ◆ **housing estate** (Brit) (= publicly-owned property) cité; (= private development) lotissement ◆ **industrial** or **trading estate** zone industrielle

──── compounds/composés ────

◆ **estate administration** curatelle
◆ **estate agency** (Brit) agence immobilière
◆ **estate agent** (Brit) agent immobilier, marchand de biens or de fonds
◆ **estate capital** masse successorale
◆ **estate car** (Brit) break m
◆ **estate distribution** partage successoral
◆ **estate duty** droits mpl de succession
◆ **estate executor** exécuteur testamentaire
◆ **estate income** revenus mpl immobiliers
◆ **estate manager** régisseur, intendant
◆ **estate revenue** revenu d'une succession
◆ **estate tax** (US) impôt sur les successions.

**estimate** /ˈestɪmɪt/ ◻ (= judgment) jugement m, évaluation f, appréciation f; (= calculation) évaluation f, estimation f; (Comm) devis m; (= forecast) prévision f ◆ **estimate on demand** devis sur demande ◆ **preliminary** or **rough estimate** devis estimatif ◆ **to draw up / put in an estimate** établir / présenter un devis ◆ **give me a rough estimate of what your project will cost** donnez-moi une estimation approximative or un état approximatif du coût de votre projet ◆ **these figures are only a rough estimate** ces chiffres sont très approximatifs ◆ **at the highest estimate it will cost $500** cela coûtera au maximum or au pire 500 dollars ◆ **at the lowest estimate it will cost $100** cela coûtera au minimum or au bas mot 100 dollars ◆ **the estimates** (Admin, Pol) le budget, les crédits or les prévisions budgétaires

◼ estimer, juger (that que); cost, price estimer, évaluer (at à); distance, speed estimer, apprécier ◆ **estimated amount** montant prévu ◆ **estimated charges** imputations estimatives ◆ **estimated cost** coût estimatif or prévisionnel ◆ **estimated revenues** revenus escomptés or prévisionnels ◆ **estimated time of arrival / departure** horaire d'arrivée / de départ prévu ◆ **estimated useful life** durée d'utilisation prévue or probable ◆ **it is only an estimated figure** il ne s'agit que d'une estimation ◆ **losses are estimated at...** les pertes sont évaluées or estimées à..., on évalue or estime les pertes à... ◆ **an estimated 15.3 million people were out of work** on estimait à 15,3 millions le nombre des chômeurs.

**estimation** /ˌestɪˈmeɪʃən/ **N** ◻a (= opinion) jugement m, opinion f ◆ **in my estimation** selon moi, à mon avis ◻b (= calculation) évaluation f, calcul m ◆ **estimation sampling** échantillonnage par estimation.

**estimator** /ˈestɪmeɪtər/ **N** responsable mf de l'évaluation du prix de revient.

**Estonia** /eˈstəʊnɪə/ N Estonie f.

**Estonian** /eˈstəʊnɪən/ ADJ estonien
▪ N **a** (= *language*) estonien m **b** (= *inhabitant*)
Estonien(ne) m(f).

**estoppel** /ɪˈstɒpəl/ N (*Jur*) fin f de non-recevoir,
exception f.

**ETA** /ˌiːtiːˈeɪ/ N   abbr of **estimated time of arrival**
→ **estimate**.

**etc** /ɪtˈsetərə/ (abbr of **et caetera**) etc.

**ETD** /ˌiːtiːˈdiː/ N   abbr of **estimated time of departure**
→ **estimate**.

**ethical** /ˈeθɪkəl/ ADJ moral, éthique ◆ **ethical advertising** publicité conforme à la déontologie
*or* à la morale ◆ **ethical goods** produits pharmaceutiques.

**ethics** /ˈeθɪks/ N   morale f, éthique f ◆ **professional ethics** déontologie.

**Ethiopia** /ˌiːθɪˈəʊpɪə/ N Éthiopie f.

**Ethiopian** /ˌiːθɪˈəʊpɪən/ ADJ éthiopien
▪ N (= *inhabitant*) Éthiopien(ne) m(f).

**etiquette** /ˈetɪket/ N étiquette f, convenances
fpl, bon usage m ◆ **breach of professional
etiquette** faute professionnelle.

**ETU** /ˌiːtiːˈjuː/ (*Brit*) N (abbr of **Electrical Trades Union**)
*syndicat des électriciens*.

**EU** /ˈiːˈjuː/ N (abbr of **European Union**) UE f.

**EUA** /ˌiːjuːˈeɪ/ N (abbr of **European Unit of Account**)
UCE f.

**euphoria** /juˈfɔːrɪə/ N euphorie f ◆ **market euphoria** l'euphorie des marchés.

**Euratom** /jʊəˈrætəm/ N (abbr of **European Atomic
Energy Community**) Euratom m.

**Euribor** /jʊəˈrɪbɔːr/ N (abbr of **European Interbank
Offered Rate**) TIBEUR m.

**euro** /ˈjʊərəʊ/ N euro m.

**euro...** /ˈjʊərəʊ/ PREF euro.. ◆ **euro-issuings** euro-
émissions.

**Eurobond** /ˈjʊərəʊˌbɒnd/ N euro-obligation f.

**eurocent** /ˈjʊərəʊˌsent/ N cent m, centime m.

**Eurocheque** /ˈjʊərəʊˌtʃek/ N eurochèque m.

**Eurocrat** /ˈjʊərəʊˌkræt/ N eurocrate m.

**Eurocredit** /ˈjʊərəʊˌkredɪt/ N crédit m en eurodevises.

**Eurocurrencies** /ˈjʊərəʊˌkʌrənsɪz/ NPL eurodevises fpl.

**Eurodollar** /ˈjʊərəʊˌdɒləʳ/ N eurodollar m.

**Euroland** /ˈjʊərəʊˌlænd/ N Euroland m.

**Euromarket** /ˈjʊərəʊˌmɑːkɪt/ N Communauté f
économique européenne.

**Europe** /ˈjʊərəp/ N Europe f.

**European** /ˌjʊərəˈpiːən/ ADJ européen ◆ **the Single
European Market** le marché unique européen
◆ **European Atomic Energy Community** Com-
munauté européenne de l'énergie atomique
◆ **European Bank for Reconstruction and De-
velopment** Banque européenne pour la re-
construction et le développement ◆ **European
Central Bank** Banque centrale européenne
◆ **European Coal and Steel Community** pool
charbon acier, Communauté européenne du
charbon et de l'acier ◆ **European Commission**
Commission des communautés européennes
◆ **European commissioner** commissaire européen ◆ **European Council** Conseil européen
◆ **European Court of Justice** Cour de justice
européenne ◆ **European Development Fund**
Fonds de développement européen ◆ **European
Economic Area** Espace économiqe européen
◆ **European Economic Community** Communauté économique européenne ◆ **European
Free Trade Association** Association européenne de libre-échange ◆ **European Investment Bank** Banque européenne d'investissement ◆ **European Monetary Agreement** accord
monétaire européen ◆ **European Monetary Cooperation Fund** Fonds européen de coopération monétaire ◆ **European Monetary Institute**
Institut monétaire européen ◆ **European Monetary System** système monétaire européen
◆ **European Nuclear Energy Authority** Agence
européenne pour l'énergie nucléaire ◆ **European Options Exchange** marché conditionnel
de l'eurofranc ◆ **European Parliament** Parlement européen ◆ **European Payments Union**
Union européenne des paiements ◆ **European
Regional Development Fund** Fonds européen
de développement régional ◆ **European snake**
serpent monétaire européen ◆ **European Social
Fund** Fonds social européen ◆ **European Space
Agency** Agence spatiale européenne ◆ **European Space Research Organization** Organisation européenne de la recherche spatiale ◆ **European Union** Union européenne ◆ **European
Unit of Account** unité de compte européenne
▪ N (= *inhabitant*) Européen(ne) m(f).

**Europeanization** /ˌjʊərəˌpiənaɪˈzeɪʃən/ N européanisation f.

**Europeanize** /ˌjʊərəˈpiəˌnaɪz/ VT européaniser.

**Eurozone** /ˈjʊərəʊˌzəʊn/ N ◆ **the Eurozone** la zone
euro, l'eurozone.

**evade** /ɪ'veɪd/ **VT** *problem* éluder, esquiver, éviter; *obligations* esquiver, se dérober à, se soustraire à; *question* éluder; *law* tourner, contourner ✦ **to evade one's creditors** esquiver ses créanciers ✦ **to evade taxation** / **customs duty** frauder le fisc / la douane.

**evader** /ɪ'veɪdər/ **N** ✦ **tax evader** fraudeur (fiscal).

**evaluate** /ɪ'væljʊeɪt/ **VT** *damages, property* évaluer (*at* à) déterminer la valeur de; *evidence, proposal* évaluer; *achievement* porter un jugement sur la valeur de.

**evaluation** /ɪ,væljʊ'eɪʃən/ **N** évaluation f ✦ **job evaluation** évaluation des tâches ✦ **evaluation of balance sheet items** analyse de bilan ✦ **performance evaluation** évaluation des performances.

**evasion** /ɪ'veɪʒən/ **N** fuite f, dérobade f (*of* devant) ✦ **tax** *or* **fiscal evasion** évasion *or* fraude fiscale.

**evasive** /ɪ'veɪzɪv/ **ADJ** évasif.

**even** /'iːvən/ **ADJ** **a** (*= flat*) surface uni, plat **b** (*= regular*) *progress* régulier **c** (*= equal*) *values, quantities* égal ✦ **the odds are about even** les chances sont à peu près égales **d** *number* pair ✦ **even parity** parité (paire) ✦ **even-numbered** en nombre pair.

**even out** /'iːvn/ **VI** [*prices*] s'égaliser **VT SEP** *prices* égaliser; *taxation* répartir plus équitablement (*among* entre) ✦ **evened out position** (*Bank*) position fermée.

**even up VT SEP** égaliser.

**evening** /'iːvnɪŋ/ **N** soir m ✦ **evening class** cours du soir ✦ **evening trade** (*St Ex*) marché après Bourse.

**evenly** /'iːvənlɪ/ **ADV** *distribute, divide* également, équitablement.

**event** /ɪ'vent/ **N** **a** (*= happening*) événement m ✦ **current events** l'actualité **b** cas m ✦ **in the event of default** en cas de défaillance.

**eventually** /ɪ'ventʃʊəlɪ/ **ADV** finalement, à la longue, à la fin.

**eventuate** /ɪ'ventʃʊeɪt/ (*US*) **VI** se concrétiser, se matérialiser ✦ **this project will soon eventuate** ce projet sera bientôt mis à exécution.

**evergreen** /'evəgriːn/ (*US*) **N** ✦ **evergreen (credit)** crédit m permanent non confirmé.

**evict** /ɪ'vɪkt/ **VT** expulser (*from* de)

**eviction** /ɪ'vɪkʃən/ **N** expulsion f ✦ **eviction order** arrêté d'expulsion.

**evidence** /'evɪdəns/ **N** **a** (*Jur*) (*= data*) preuve(s) f(pl) ; (*= testimony*) témoignage m, déposition f ✦ **written evidence** preuve écrite, pièce justificative ✦ **all evidence available** toutes les pièces justificatives ✦ **...and other supporting evidence** ...et autres preuves à l'appui ✦ **evidence of debt** *or* **of indebtedness** titre de créance ✦ **evidence for the prosecution** témoin à charge ✦ **to collect evidence** recueillir des témoignages ✦ **to give evidence** témoigner ✦ **to give evidence for** / **against sb** témoigner *or* déposer en faveur de / contre qn ✦ **circumstancial** / **conclusive evidence** preuve indirecte / concluante ✦ **documentary evidence** documents, preuve documentaire *or* par écrit ✦ **inadmissible evidence** témoignage irrecevable ✦ **prima facie evidence** début de preuve **b** (*gen = indication*) signe m ✦ **to show evidence of** témoigner de, attester **VT** témoigner de, manifester ✦ **evidenced by...** constaté *or* attesté par...

**evidentiary** /evɪ'denʃərɪ/ **ADJ** probant ✦ **evidentiary effect** force probante.

**evolution** /,iːvə'luːʃən/ **N** évolution f.

**evolutionary** /,iːvə'luːʃnərɪ/ **ADJ** *system, equipment* évolutif.

**evolve** /ɪ'vɒlv/ **VT** *system, plan* élaborer, développer **VI** [*system, plan*] se développer.

**ex** /eks/ **PREP** ex ✦ **ex ante demand** / **quantity** demande / quantité prévue ✦ **ex ante rate** taux ex ante ✦ **ex allotment, ex bonus** (*Fin*) ex-répartition ✦ **ex capitalization, ex bonus** ex-capitalisation ✦ **ex right** ex-droit ✦ **this share goes ex coupon on August 1st** le coupon de cette action se détache le 1er août ✦ **his number is ex directory** (*Brit Telec*) son numéro ne figure pas sur l'annuaire, il est sur la liste rouge ✦ **ex dividend** ex-dividende, coupon détaché ✦ **ex docks** franco à quai ✦ **price ex factory** *or* **ex works** prix départ usine ✦ **ex gratia payment** (*Ins*) versement d'une indemnité non prévue au contrat ✦ **ex officio** d'office ✦ **ex officio member** membre de droit ✦ **ex post control** contrôle après coup ✦ **ex post rate** taux ex post ✦ **ex-president** ancien président ✦ **ex quay** franco à quai ✦ **ex rights** (*St Ex*) droits détachés ✦ **ex scrip** ex-répartition ✦ **ex ship** *or* **steamer** transbordé ✦ **ex store, ex warehouse** départ entrepôt *or* magasin ✦ **ex wharf** à prendre à quai.

**exact** /ɪg'zækt/ **VT** *payment* exiger (*from* de)

**exacting** /ɪg'zæktɪŋ/ **ADJ** *person* exigeant; *work* astreignant.

**exaggerated** /ɪgˈzædʒəreɪtɪd/ **ADJ** *(Ins)* claim su-révalué.

**exam** /ɪgˈzæm/ **N** examen m.

**examination** /ɪgˌzæmɪˈneɪʃən/ **N a** *(Univ)* exa-men m **b** *(= inspection)* (gen) examen m, ins-pection f ; *[premises]* visite f, inspection f ; *[question]* étude f, considération f ; *[accounts]* vérification f ◆ **on examination** après examen ◆ **under examination** à l'étude ◆ **close exami-nation** examen approfondi *or* minutieux ◆ **cus-toms' examination** fouille douanière ◆ **expert's examination** expertise ◆ **medical examination** examen médical, visite médicale **c** *(Jur) [sus-pect]* interrogatoire m ; *[witness]* audition f ; *[case, document]* examen m, instruction f.

**examine** /ɪgˈzæmɪn/ **VT a** *problem, question* exa-miner, étudier; *accounts* vérifier; *passport* contrôler; *documents* compulser, étudier, exa-miner; *machine* inspecter ◆ **examined and en-dorsed** lu et approuvé **b** *candidate (gen)* exa-miner *(in* en*)*; *(at interview)* interroger *(on* sur*)* **c** *(Jur)* witness interroger, procéder à l'audi-tion de; *suspect* interroger, faire subir un inter-rogatoire à; *case* instruire; *evidence* examiner ◆ **examining magistrate** *(Brit)* ≈ juge d'instruc-tion.

**exceed** /ɪkˈsiːd/ **VT** *(in value, amount)* dépasser, excéder *(in* en, *by* de*)*; *powers* outrepasser, excéder; *instructions* outrepasser.

**except** /ɪkˈsept/ **VT** excepter ◆ **excepted perils** *(Ins)* risques exclus ◆ **errors and omissions excepted** sauf erreur ou omission.

**exception** /ɪkˈsepʃən/ **N** exception f ◆ **with the exception of** à l'exception de, exception faite de ◆ **to make an exception** faire une exception *(to sth* à qch, *for sb / sth* pour qn / qch, en faveur de qn / qch*)* **management by exception** gestion par exception

┌─── *compounds/composés* ───
◆ **exception rate** tarif préférentiel
◆ **exception report** état des anomalies *or* des écarts.
└────

**excess** /ɪkˈses/ **N a** *(gen)* excès m ◆ **the excess of imports over exports** l'excédent des importa-tions sur les exportations **b** *(Brit Ins :* also **excess clause)** franchise f
**ADJ** *profit, weight* excédentaire ◆ **in excess of** qui dépasse, dépassant, supérieur à ◆ **to apply for excess shares** souscrire des actions à titre réductible

┌─── *compounds/composés* ───
◆ **excess baggage** excédent de bagages
◆ **excess capacity** capacité excédentaire *or* inu-tilisée, surcapacité
◆ **excess charge** surcharge, supplément
◆ **excess condemnation** *(Jur)* expropriation d'utilité publique à caractère excessif *or* d'am-pleur injustifiée
◆ **excess demand** excès de la demande, de-mande excédentaire ◆ **excess demand inflation** inflation par la demande
◆ **excess employment** suremploi
◆ **excess fare** supplément
◆ **excess insurance** assurance complémentaire
◆ **excess inventory** surstockage, stock excéden-taire
◆ **excess loan** crédit dépassant le plafond auto-risé
◆ **excess loss cover** réassurance en excédent de sinistre
◆ **excess profit(s) tax** impôt sur les bénéfices ex-ceptionnels, impôt sur les superbénéfices
◆ **excess reserves** *(Fin)* réserves fpl excédentai-res
◆ **excess supply** excès de l'offre, surproduction.
└────

**excessive** /ɪkˈsesɪv/ **ADJ** *(gen)* excessif.

**exch.** abbr of **exchange.**

**exchange** /ɪksˈtʃeɪndʒ/ **VT** échanger ◆ **to ex-change one thing for another** échanger une chose contre une autre
**N a** *[ideas, information]* échange m ◆ **in ex-change** en échange *(for* de*)* en retour *(for* de*)* **b** *(= marketplace)* marché m ◆ **commodities exchange** *(US)* Bourse de marchandises *or* de commerce ◆ **labour** *or* **employment exchange** Agence nationale pour l'emploi ◆ **royal ex-change** *(Brit)* Bourse de commerce ◆ **(stock) exchange** Bourse (des valeurs) ◆ **on the stock exchange** à la Bourse, en Bourse ◆ **to gamble on the stock exchange** jouer en Bourse **c** *(Fin)* change m ◆ **the dollar exchange** le change du dollar ◆ **at the current rate of exchange** au cours du jour, au taux de change en vigueur ◆ **to peg the exchange** stabiliser le cours du change ◆ **exchange at par** change au pair ◆ **exchange for forward / spot delivery, for-ward / spot exchange dealings** opérations de change à terme / au comptant ◆ **first / second / third of exchange** première / seconde / troi-sième de change ◆ **bill of exchange** effet de commerce, traite ◆ **foreign bill of exchange** traite sur l'étranger **d** *(Bank :* also **exchange charges)** frais mpl de recouvrement *or* d'en-caissement ◆ **(e) (foreign) exchange** *(= cur-rency)* monnaie étrangère, devise (étrangère); *(= action)* change m **e** *(*also **telephone exchange)** central m (téléphonique)

_____ *compounds/composés* _____

- **exchange adjustment** différence de change, écart de conversion
- **exchange broker** *or* **dealer** cambiste
- **exchange control** *(Fin)* contrôle des changes
  - **exchange control board** office des changes
  - **exchange control regulations** réglementation des changes
- **exchange cover** réserves fpl *or* couverture en devises  ◆ **exchange department** service du change
- **exchange economy** économie d'échanges
- **Exchange Equalization Fund** fonds de stabilisation des changes
- **exchange gain** gain de change
- **exchange law** droit cambial
- **exchange list** bulletin officiel de la Bourse
- **exchange loss** perte de change
- **exchange market** marché des changes
- **exchange office** bureau de change
- **exchange rate** taux de change, cours du change  ◆ **Exchange Rate Agreement** accord sur les taux de change  ◆ **exchange rate mechanism** mécanisme du taux de change  ◆ **European Exchange Rate Mechanism** ≈ système monétaire européen, ≈ SME  ◆ **exchange rate risk** risque de change
- **exchange restrictions** réglementation des changes
- **exchange risk** risque de change
- **exchange slip** bordereau de change
- **exchange traded** négocié *or* coté en Bourse
- **exchange value** valeur d'échange.

**Exchequer** /ɪks'tʃekər/ *(Brit)* N ministère m des Finances, Trésor m public  ◆ **the Chancellor of the Exchequer** le Chancelier de l'Échiquier, le ministre des Finances britannique

_____ *compounds/composés* _____

- **exchequer bill** bon du Trésor
- **exchequer bond** obligation du Trésor.

**excisable** /ek'saɪzəbl/ ADJ imposable.

**excise** /'eksaɪz/ N a (= *tax*) taxe f (intérieure) *(sur les marchandises importées)*, accise f *(on* sur)  ◆ **the harmonization of excise duties** *or* **taxes on petroleum** l'harmonisation des droits d'accise sur le pétrole b **the Board of Customs and Excise** *(Brit)* ≈ l'administration des impôts indirects

_____ *compounds/composés* _____

- **excise bond** *(Customs)* acquit-à-caution
- **excise duty** impôt indirect
- **excise officer** *(Brit)* ≈ employé des contributions indirectes
- **excise tax** taxe, droit d'accise

VT frapper d'un impôt indirect *or* d'une taxe *or* d'un droit d'accise.

**exciseman** /'eksaɪzmən/ *(Brit)* N ≈ employé m des contributions indirectes.

**excl.** a abbr of **excluding** b abbr of **exclusive of.**

**exclude** /ɪks'kluːd/ VT *(from group)* exclure *(from* de); *(from list)* écarter *(from* de); *possibility* exclure, écarter  ◆ **excluding** à l'exclusion de.

**exclusion** /ɪks'kluːʒən/ N exclusion f *(from* de)  ◆ **to the exclusion of** à l'exclusion de

_____ *compounds/composés* _____

- **exclusion clause** clause d'exclusion, exclusion de garantie.

**exclusive** /ɪks'kluːsɪv/ ADJ a *rights, design* exclusif  ◆ **to have / buy exclusive rights for** avoir / acheter l'exclusivité de  ◆ **exclusive agency agreement** contrat d'exclusivité  ◆ **exclusive agent** agent *or* concessionnaire *or* dépositaire exclusif  ◆ **exclusive distribution** distribution exclusive  ◆ **exclusive jurisdiction** *court* compétence exclusive  ◆ **exclusive story** reportage exclusif b (= *not including*)  ◆ **from 15th to 20th June exclusive** du 15 (jusqu')au 20 juin exclusivement  ◆ **exclusive of** non compris, sans compter  ◆ **the price is exclusive of transport charges** le prix ne comprend pas les frais de transport  ◆ **exclusive of post and packing** frais d'emballage et d'envoi en sus *or* non compris  ◆ **exclusive of tax** hors taxes.

**exclusivity** /ˌɪkskluː'sɪvɪtɪ/ N exclusivité f.

**excuse** /ɪks'kjuːz/ VT a (= *pardon*) excuser b (= *exempt*) exempter *(sb from sth* qn de qch) dispenser *(sb from sth* qn de qch, *sb from doing* qn de faire) excuser  ◆ **he was excused from the afternoon session** on l'a dispensé d'assister à la séance de l'après-midi N excuse f.

**exec** * /'eksɪk/ N (abbr of **executive**) cadre m.

**execute** /'eksɪkjuːt/ VT a (= *carry out*) *order* exécuter; *plan* mettre à exécution, exécuter, réaliser; *duties* exercer, remplir, accomplir; *task* accomplir, s'acquitter de, mener à bien  ◆ **your order** *or* **trade was not executed** *(St Ex)* votre ordre n'a pas été exécuté b *(Jur) will* exécuter; *document* valider; *contract* valider, exécuter.

**execution** /ˌeksɪ'kjuːʃən/ N [*plan*] exécution f; [*contract*] validation f; *(St Ex)* [*order*] exécution f  ◆ **to put into execution** mettre à exécution  ◆ **execution costs** *(St Ex)* frais de courtage  ◆ **execution for debt** poursuite pour dettes  ◆ **stay of execution** sursis à exécution

—— compounds/composés ——
◆ **execution creditor** créancier avec droit de saisie.

**executive** /ɪgˈzekjʊtɪv/ **ADJ** powers, committee exécutif; position de cadre ◆ **senior executive position** poste de direction
**N** **a** (= power) ◆ **the executive** l'exécutif **b** (Admin, Ind) (= person) cadre m, responsable mf ; (= committee, board) bureau m, organe m de direction, instances fpl dirigeantes ◆ **to be on the executive** faire partie de la direction ◆ **the trade union executive** le bureau du syndicat ◆ **executives and supervisors** cadres et maîtrise ◆ **chief executive officer** président-directeur général, PDG ◆ **corporate** or **business executives** (US) responsables or cadres d'entreprise ◆ **financial executives** cadres or responsables financiers ◆ **junior / middle executive** cadre subalterne / moyen ◆ **non-executive director** administrateur ◆ **sales executive** cadre commercial ◆ **senior** or **top executive** cadre supérieur or dirigeant

—— compounds/composés ——
◆ **executive board** conseil de direction
◆ **executive capacity** capacité d'exécution
◆ **executive car** voiture de direction
◆ **executive committee** conseil or comité de direction
◆ **executive director** directeur exécutif
◆ **executive fallout** * (US) cadres mpl licenciés
◆ **executive officer** haut responsable; (Bank) fondé de pouvoir
◆ **executive order** (US) décret-loi
◆ **executive program** (Comp) superviseur
◆ **executive retirement** (US) retraite des cadres
◆ **executive search** recherche de cadres par approche directe
◆ **executive secretary** secrétaire de direction
◆ **executive trainee** cadre stagiaire
◆ **Executive Vice-President** (US) vice-président (assurant des fonctions de directeur général), directeur général adjoint.

**executor** /ɪgˈzekjʊtəʳ/ **N** (Jur) exécuteur m testamentaire.

**executory** /ɪgˈzekjʊtəri/ **ADJ** ◆ **executory sale** vente forcée ◆ **executory contract** contrat certain.

**executrix** /ɪgˈzekjʊtrɪks/ **N** (Jur) exécutrice f testamentaire.

**exemplary** /ɪgˈzempləri/ **ADJ** ◆ **exemplary damages** dommages-intérêts élevés pour préjudice moral.

**exempt** /ɪgˈzempt/ **ADJ** exempt, dispensé, exonéré (from de) ◆ **tax-exempt** exonéré d'impôt, défiscalisé ◆ **exempt period** période d'exonération
**VT** exempter (from sth de qch) dispenser (from doing de faire)

**exemption** /ɪgˈzempʃən/ **N** exemption f, exonération f ◆ **tax exemption** exonération fiscale ◆ **full exemption** dégrèvement total **COMP** ◆ **exemption clause** clause d'exonération.

**exercise** /ˈeksəsaɪz/ **N** **a** [right, power] exercice m ◆ **exercise of an option** (St Ex) levée or exercice d'une option ◆ **the exercise price will be $8 for the remainder of this two year period** le prix d'exercice or de levée d'option sera de 8 dollars jusqu'à la fin de cette période de deux ans ◆ **option exercise window** période d'exercice de l'option **b** (= operation) opération f ◆ **promotional exercise** campagne or opération promotionnelle
**VT** authority exercer; rights exercer, faire valoir, user de; restraint faire preuve de; (St Ex) option exercer.

**exert** /ɪgˈzɜːt/ **VT** exercer.

**exhaust** /ɪgˈzɔːst/ **VT** **a** (= use up) energy épuiser ◆ **until funds are exhausted** jusqu'à épuisement des fonds **b** (= tire) épuiser, exténuer.

**exhaustion** /ɪgˈzɔːstʃən/ **N** épuisement m ◆ **exhaustion gap** (St Ex) blanc d'arrêt.

**exhaustive** /ɪgˈzɔːstɪv/ **ADJ** exhaustif.

**exhaustiveness** /ɪgˈzɔːstɪvnɪs/ **N** exhaustivité f.

**exhibit** /ɪgˈzɪbɪt/ **VT** merchandise exposer, étaler; models exposer; skill faire preuve de, déployer; losses, profits faire apparaître
**N** (= item in exhibition) objet m exposé; (Jur) pièce f à conviction; (Admin) pièce f versée au dossier; (Fin) état m.

**exhibition** /ˌeksɪˈbɪʃən/ **N** **a** (= show) exposition f, Salon m, foire f ◆ **Ideal Home Exhibition** (Brit) Salon des Arts ménagers ◆ **touring exhibition** exposition itinérante **b** [articles for sale] étalage m

—— compounds/composés ——
◆ **exhibition centre** or **hall** hall d'exposition, pavillon (de) foire
◆ **exhibition room** salle d'exposition
◆ **exhibition stand** or **booth** stand d'exposition.

**exhibitor** /ɪgˈzɪbɪtəʳ/ **N** exposant(e) m(f).

**exist** /ɪɡ'zɪst/ **VI** exister ◆ **existing share** action ancienne.

**exit** /'eksɪt/ **N** sortie f ◆ **emergency exit** issue or sortie de secours

---
*compounds/composés*
◆ **exit barrier** barrière à la sortie
◆ **exit price** prix de sortie courant
◆ **exit visa** visa de sortie.
---

**exonerate** /ɪɡ'zɒnəreɪt/ **VT** (Jur) disculper (from de) innocenter, mettre hors de cause; (from obligation) dispenser (from de) ◆ **exonerating evidence** témoignage à décharge.

**exorbitant** /ɪɡ'zɔːbɪtənt/ **ADJ** price, claims exorbitant

**expand** /ɪks'pænd/ **VT** business, ideas développer; production accroître, augmenter; influence, experience étendre ◆ **to expand trade** développer les échanges commerciaux
**VI** se développer, s'accroître, s'étendre ◆ **the market is expanding** le marché est en plein essor ◆ **we are expanding throughout Europe** nous nous implantons dans toute l'Europe ◆ **rapidly expanding sector** secteur en pleine expansion or en plein essor.

**expandable** /ɪks'pændəbl/ **ADJ** system, programme évolutif, extensible.

**expansion** /ɪks'pænʃən/ **N** [trade] développement m, essor m ; [production] accroissement m, augmentation f; [economy] expansion f ◆ **expansion of bank lending** expansion du crédit bancaire ◆ **currency expansion** expansion monétaire

---
*compounds/composés*
◆ **expansion capacity** capacité de développement
◆ **expansion path** chemin d'expansion
◆ **expansion rate** taux d'expansion.
---

**expansionary** /ɪks'pænʃənəri/ **ADJ** ◆ **expansionary budget** budget expansionniste or orienté vers l'expansion.

**expansionism** /ɪks'pænʃənɪzəm/ **N** expansionnisme m.

**expansionist** /ɪks'pænʃənɪst/ **ADJ** expansionniste.

**expansive** /ɪks'pænsɪv/ **ADJ** budget tourné or orienté vers l'expansion ◆ **export markets are less expansive than before** les marchés extérieurs ne sont plus aussi extensibles.

**expatriate** /eks'pætrɪeɪt/ **VT** expatrier

**ADJ** résidant à l'étranger ◆ **expatriate investor** investisseur résidant à l'étranger
**N** expatrié(e) m(f) ◆ **British expatriates** les ressortissants britanniques établis à l'étranger, les Britanniques résidant à l'étranger.

**expect** /ɪks'pekt/ **VT** attendre, s'attendre à, prévoir ◆ **expected return** bénéfices escomptés ◆ **expected yield** rendement escompté or prévu.

**expectancy** /ɪks'pektənsi/ **N** espérance f ◆ **life expectancy** espérance de vie ◆ **expectancy-value theory** théorie de la motivation.

**expectation** /ˌekspek'teɪʃən/ **N** prévision f ; (= anticipation) attente f, espérance f ◆ **in expectation of** en prévision de ◆ **inflationary expectations** anticipations inflationnistes ◆ **contrary to all expectation** contre toute attente ◆ **to come up to sb's expectations** répondre à l'attente or aux espérances de qn ◆ **consumer expectations** attente du consommateur ◆ **job expectations** perspectives de carrière ◆ **sales expectations** prévisions de vente.

**expediency** /ɪks'piːdɪənsi/ **N** (= convenience) convenance f ◆ **on grounds of expediency** pour des raisons d'opportunité.

**expedient** /ɪks'piːdɪənt/ **ADJ** (= convenient) indiqué, opportun.

**expedite** /'ekspɪdaɪt/ **VT** (= speed up) accélérer, hâter ◆ **kindly expedite matters** veuillez activer l'affaire ◆ **we shall do all we can to expedite your order** nous ferons notre possible pour accélérer votre commande.

**expend** /ɪks'pend/ **VT** effort consacrer; money dépenser (on sth pour qch, on doing à faire)

**expendable** /ɪks'pendəbl/ **ADJ** (= not reusable) equipment non réutilisable ◆ **expendable fund** fonds utilisable sans restriction.

**expenditure** /ɪks'pendɪtʃəʳ/ **N** **a** (= money spent) dépense(s) f(pl) ◆ **capital expenditure** dépenses d'équipement ◆ **consumer expenditure** dépenses de consommation ◆ **government expenditure** dépenses publiques or de l'État ◆ **initial capital expenditure** frais de premier établissement ◆ **non-variable expenditures** frais fixes ◆ **operating expenditures** dépenses or frais d'exploitation ◆ **public expenditure** dépenses publiques or de l'État ◆ **revenue expenditure** charges d'exploitation, frais de fonctionnement or d'exploitation ◆ **welfare expenditure** dépenses sociales **b** [money, time, energy] dépense f ; [resources] consommation f ◆ **the**

**expenditure of public funds on this project** l'utilisation des fonds publics pour ce projet

---
*compounds/composés*
---
♦ **expenditure multiplier** multiplicateur de dépenses.

---

**expense** /ɪks'pens/ **N** **a** (= *spending*) dépense f, frais mpl, charge f ♦ **to go to great expense to do sth** se lancer dans de grosses dépenses pour faire qch ♦ **to charge an expense to** imputer une dépense à **b** (gen *pl* = *money paid out*) frais mpl ♦ **return of expenses, statement of expenses** état de frais ♦ **all expenses paid** tous frais payés ♦ **to balance one's expenses** équilibrer son budget ♦ **to defray one's expenses** couvrir ses frais ♦ **no expenses** exempt de frais; *(on bill)* (retour) sans frais *or* sans protêt ♦ **expenses deducted** frais déduits *or* défalqués ♦ **allowable expenses** frais déductibles ♦ **entertainment expenses** frais de représentation ♦ **incidental expenses** faux frais, frais accessoires ♦ **initial expenses** frais de premier établissement ♦ **legal expenses** frais de justice ♦ **maintenance expenses** frais d'entretien ♦ **management expenses** frais de gestion *or* d'administration ♦ **operational** *or* **working expenses** dépenses d'exploitation ♦ **overhead** *or* **running** *or* **standing expenses** frais généraux ♦ **travelling expenses** frais de déplacement **c** *(Acc : on income statement)* charge f, frais mpl ♦ **taxes are an expense for the company** les impôts sont une charge pour l'entreprise ♦ **wages are an operating expense** les salaires sont une charge d'exploitation ♦ **revenue and expenses** produits et charges ♦ **depreciation expense** dotation aux amortissements ♦ **income tax expense** charge fiscale ♦ **interest expense** intérêts débiteurs, charges financières ♦ **rent expense** charges locatives

---
*compounds/composés*
---
♦ **expense account** note de frais ♦ **this will go on his expense account** cela passera en frais de représentation *or* sur sa note de frais
♦ **expense budget** budget de dépenses
♦ **expense centre** centre de coût
♦ **expense item** dépense, poste de dépense

---

**VT** *(Acc)* imputer à l'exercice, passer par pertes et profits.

**expensive** /ɪks'pensɪv/ **ADJ** cher.

**experience** /ɪks'pɪərɪəns/ **N** (= *knowledge, skill*) expérience f ♦ **business experience** expérience professionnelle ♦ **have you any previous experience?** avez-vous déjà fait ce genre de travail?

---
*compounds/composés*
---
♦ **experience curve** courbe d'expérience
♦ **experience gain** *(Fin)* excédent actuariel
♦ **experience loss** *(Fin)* déficit actuariel

---

**VT** *losses* essuyer; *difficulties* rencontrer, éprouver.

**experienced** /ɪks'pɪərɪənst/ **ADJ** *accountant, secretary* confirmé, expérimenté, qui a du métier; *politician* expérimenté, chevronné ♦ **he is experienced in business** il a de l'expérience en affaires.

**experiment** /ɪks'perɪmənt/ **N** *(in laboratory)* expérience f ; *(fig)* essai m, tentative f
**VI** *(in laboratory)* faire une expérience ♦ **to experiment with a new model** tester *or* essayer un nouveau modèle.

**expert** /'ekspɜːt/ **N** expert m, spécialiste mf ♦ **expert's report** (rapport d') expertise ♦ **management expert** expert en gestion ♦ **business experts** spécialistes de l'entreprise
**ADJ** d'expert ♦ **to take expert advice** demander l'avis d'un expert ♦ **expert knowledge** avis autorisé ♦ **expert system** *(Comp)* système expert ♦ **expert valuation** expertise ♦ **expert witness** *(in court)* expert cité comme témoin.

**expertise** /ˌekspɜː'tiːz/ **N** compétence f (*in* en) maîtrise f (*in* de) expérience f technique.

**expiration** /ˌekspaɪə'reɪʃən/ **N** expiration f, fin f, échéance f ♦ **date of expiration of the lease** date d'expiration du bail.

**expire** /ɪks'paɪər/ **VI** *[lease, passport, licence, rights]* expirer; *[period]* arriver à terme, prendre fin, se terminer ♦ **expired bill / cost** effet / coût périmé ♦ **expired policy** police échue.

**expiry** /ɪks'paɪərɪ/ **N** *[limit, rights]* expiration f ♦ **expiry date** date d'expiration *or* de péremption ♦ **on expiry** à l'échéance.

**explicit** /ɪks'plɪsɪt/ **ADJ** ♦ **explicit denial / order** démenti / ordre formel.

**explode** /ɪks'pləʊd/ **VI** *(gen)* exploser ♦ **exploding market** marché qui éclate.

**exploit** /'eksplɔɪt/ **VT** exploiter.

**exploitation** /ˌeksplɔɪ'teɪʃən/ **N** exploitation f.

**exploration** /ˌeksplɔː'reɪʃən/ **N** exploration f ♦ **exploration well** forage d'exploration.

**exploratory** /ɪksˈplɒrətərɪ/ ADJ *talks* préliminaire, exploratoire.

**explore** /ɪksˈplɔːʳ/ VT explorer.

**explosion** /ɪksˈpləʊʒən/ N explosion f ✦ **population explosion** explosion démographique.

**exponent** /ɪksˈpəʊnənt/ N *[theory]* tenant m, adepte mf.

**exponential** /ˌekspəʊˈnenʃəl/ ADJ exponentiel.

**export** /ɪksˈpɔːt/ VT exporter (*to* vers) ✦ **oil-exporting countries** pays exportateurs de pétrole N a exportation f ✦ **for export only** réservé à l'exportation ✦ **export-led growth** croissance entraînée par les exportations b (*= object, commodity*) (article m d')exportation f ✦ **invisible / visible exports** exportations invisibles / visibles

———— compounds/composés ————

- ✦ **export agent** commissionnaire exportateur
- ✦ **export bonus** *or* **bounty** prime à l'exportation
- ✦ **export credit** crédit à l'exportation
- ✦ **Export Credits Guarantee Department** (*Brit*) *service du gouvernement britannique qui garantit les exportations à crédit* ≈ COFACE
- ✦ **export drive** campagne de promotion à l'exportation
- ✦ **export duty** *or* **tax** droit de sortie
- ✦ **export earnings** gains bénéfices mpl à l'exportation
- ✦ **export financing** financement des exportations
- ✦ **export house** maison d'exportation
- ✦ **export-import company** société d'import-export
- ✦ **export licence** licence d'exportation
- ✦ **export market** marché extérieur *or* à l'exportation
- ✦ **export orders** commandes fpl de l'étranger
- ✦ **export packing** emballage maritime
- ✦ **export permit** autorisation d'exporter
- ✦ **export quotas** contingents mpl d'exportation
- ✦ **export refund** restitution à l'exportation
- ✦ **export reject** article *or* marchandise impropre à l'exportation
- ✦ **export sector** secteur exportateur
- ✦ **export subsidies** subventions fpl à l'exportation
- ✦ **export surplus** excédent d'exportation
- ✦ **export trade** commerce d'exportation
- ✦ **export turnover** chiffre d'affaires à l'exportation

**exportation** /ˌekspɔːˈteɪʃən/ N exportation f, sortie f ✦ **exportation voucher** volet de sortie.

**exporter** /ɪksˈpɔːtəʳ/ N exportateur(-trice) m(f).

**expose** /ɪksˈpəʊz/ VT (*= display*) exposer; (*= reveal*) dévoiler, révéler; (*= unmask*) démasquer.

**exposed** /ɪksˈpəʊzd/ ADJ ✦ **the company is in a highly exposed position** l'entreprise est dans une position très exposée ✦ **exposed net asset position** position nette débitrice ✦ **exposed net liability position** position nette créditrice ✦ **exposed sector** secteur exposé.

**exposure** /ɪksˈpəʊʒəʳ/ N a exposition (*to* à) ✦ **this product has had good exposure in the press** ce produit a eu une bonne couverture publicitaire dans la presse ✦ **the consumer's exposure to an advertising message** le nombre de fois où le consommateur reçoit un message publicitaire ✦ **exposure frequency** (*Pub*) fréquence d'exposition b *[dishonesty]* révélation f, dénonciation f c (*Fin*) risque m, exposition f ✦ **exposure to risk** l'exposition au risque ✦ **to hedge one's foreign exposure** se couvrir contre le risque de change ✦ **heavy exposure of banks to international lending** risques élevés encourus par les banques en matière de prêts internationaux ✦ **exchange position exposure** position *or* risque de change ✦ **currency exposure management** gestion des positions de change ✦ **transaction / translation exposure** risque de transaction / conversion.

**express** /ɪksˈpres/ VT a *appreciation, opinion* exprimer b *letter* expédier en exprès

———— compounds/composés ————

- ✦ **express agency** (*US*) agence de messageries
- ✦ **express agreement** convention expresse
- ✦ **express counter** caisse rapide
- ✦ **express delivery** livraison rapide
- ✦ **express mail service** courrier exprès, ≈ Chronoposte (R)
- ✦ **express term** clause explicite *or* expresse.

**expressage** /ɪksˈpresɪdʒ/ (*US*) N (*= service*) transport m par service rapide; (*= fee*) frais mpl de port *or* d'envoi.

**expressman** /ɪksˈpresmən/ (*US*) N employé m de messageries.

**expressway** /ɪksˈpresweɪ/ (*US*) N voie f express.

**expropriate** /eksˈprəʊprɪeɪt/ VT *person, land* exproprier.

**expropriation** /eksˌprəʊprɪˈeɪʃən/ N expropriation f.

**ext.** abbr of **extension.**

**extend** /ɪksˈtend/ VT a (*= enlarge, lengthen*) *time limit* prolonger; *powers, business* étendre, accroître ✦ **to extend a time limit for payment** proroger l'échéance d'un paiement, accorder des délais de paiement ✦ **to grant extended**

credit accorder un crédit de longue durée ✦ **to extend maturity** proroger l'échéance ✦ **to extend trading** *(St Ex)* prolonger la séance ✦ **extended coverage** *(Ins)* extension de la couverture ✦ **extended programme** programme intensifié **b** *(= offer) help* apporter ✦ **to extend a loan** accorder un prêt

**VI** *[meeting, visit]* se prolonger, continuer *(over* pendant, *for* durant, *till* jusqu'à, *beyond* au-delà de) ✦ **our sales network extends all over Europe** notre réseau de vente s'étend à toute l'Europe.

**extendible** /ɪks'tendɪbl/ ADJ ✦ **extendible bond** obligation à échéance reportable.

**extension** /ɪks'tenʃən/ N **a** *[time limit]* prolongation f ; *[powers]* extension f, accroissement m ✦ **extension for returns** prorogation de délais pour les déclarations ✦ **extension of patent** prolongation de la durée d'un brevet ✦ **line extension** *(Mktg)* extension de la gamme ✦ **to get an extension of time** obtenir un délai **b** *(= telephone) [private house]* appareil m supplémentaire; *[office]* poste m ✦ **can you put me through to extension 27** pouvez-vous me passer le poste 27 **c** *[house]* annexe f

───── compounds/composés ─────
- ✦ **extension leave** congé supplémentaire
- ✦ **extension line** ligne supplémentaire.

**extensive** /ɪks'tensɪv/ ADJ *estate* vaste; *research* approfondi; *investment, concession, business* considérable, important ✦ **the position involves extensive travel** le poste nécessite des déplacements fréquents.

**extent** /ɪks'tent/ N **a** *(gen)* importance f ; *[damage, loss]* ampleur f, étendue f ✦ **extent of cover** *(Ins)* étendue de la garantie, risques couverts **b** *(= degree)* degré m ✦ **to a certain extent** jusqu'à un certain point or degré, dans une certaine mesure ✦ **to a large extent** en grande partie, dans une large mesure ✦ **to the extent of the payment** jusqu'à concurrence du paiement.

**extenuating** /ɪks'tenjʊeɪtɪŋ/ ADJ ✦ **extenuating circumstances** circonstances atténuantes.

**external** /eks'tɜːnl/ ADJ *debt, financing, trade* extérieur; *market* étranger, extérieur ✦ **external account** compte de non-résident ✦ **external assets** avoirs à l'étranger ✦ **external audit** audit or surveillance externe ✦ **external auditor** vérificateur indépendant ✦ **external bonds** obligations émises à l'étranger ✦ **external service provider** prestataire extérieur.

**extinction** /ɪks'tɪŋkʃən/ N *[debt]* amortissement m ✦ **extinction of an action** *(Jur)* péremption d'instance.

**extinguish** /ɪks'tɪŋgwɪʃ/ VT *debt* amortir.

**extort** /ɪks'tɔːt/ VT extorquer *(from* à)

**extortion** /ɪks'tɔːʃən/ N extorsion f.

**extra** /'ekstrə/ ADJ **a** *(= additional)* supplémentaire ✦ **there will be no extra charge** il n'y aura pas de supplément **b** *(= spare)* de trop, en trop ✦ **these copies are extra** ces exemplaires sont en trop or en supplément

───── compounds/composés ─────
- ✦ **extra dating** *[invoice]* report d'échéance
- ✦ **extra dividend** dividende supplémentaire
- ✦ **extra expense insurance** assurance complémentaire pour dépenses imprévues
- ✦ **extra freight** surfret
- ✦ **extra interest** intérêts mpl moratoires or de retard
- ✦ **extra pay** sursalaire
- ✦ **extra postage** surtaxe
- ✦ **extra premium** surprime

**N** *(= perk)* à-côté m.

**extract** /ɪks'trækt/ **VT** *oil, minerals* extraire *(from* de); *agreement* arracher *(from* à); *information, money* tirer *(from* de)
**N** extrait m.

**extractive** /ɪks'træktɪv/ ADJ ✦ **extractive industries** industries minières or extractives.

**extractor** /ɪks'træktər/ N producteur m de matières premières.

**extradite** /'ekstrədaɪt/ VT extrader.

**extradition** /ˌekstrə'dɪʃən/ N extradition f.

**Extranet** /'ekstrənet/ N Extranet m.

**extraordinary** /ɪks'trɔːdnrɪ/ ADJ *(gen)* extraordinaire; *gains, losses* exceptionnel ✦ **extraordinary (general) meeting** assemblée (générale) extraordinaire ✦ **extraordinary items** *(Tax)* éléments exceptionnels; *(revenue)* profits exceptionnels; *(expenses)* charges exceptionnelles.

**extrapolate** /eks'træpəleɪt/ VT extrapoler.

**extraterritorial** /'ekstrə,terɪ'tɔːrɪəl/ ADJ extraterritorial ✦ **extraterritorial enforcement** application extraterritoriale.

**extraterritoriality** /'ekstrə,terɪ'tɔːrɪəlɪtɪ/ N extraterritorialité f.

**extravagant** /ɪks'trævəgənt/ ADJ **a** *(= wasteful) person* dépensier, prodigue, gaspilleur

**b** *(= exaggerated) ideas* extravagant; *claims* exagéré; *price* exorbitant, prohibitif, inabordable.

**eye** /aɪ/ N œil m ◆ **in the eyes of the law** aux yeux *or* au regard de la loi ◆ **with an eye to opening up new markets** en vue d'ouvrir de nouveaux marchés, en prévision de l'ouverture de nouveaux marchés

---
*compounds/composés*
---

- ◆ **eye appeal** *(Pub)* attraction visuelle
- ◆ **eye-camera** *(Pub) caméra enregistrant les mouvements de l'œil face à une annonce*
- ◆ **eye-catching** accrocheur qui attire l'œil
- ◆ **eye contact** contact visuel
- ◆ **eye witness** témoin oculaire.

**F** (abbr of **franc**) F.

**fabric** /ˈfæbrɪk/ **N** (= *cloth*) tissu m, étoffe f ; (= *structure*) structure f ◆ **social / industrial fabric** tissu social / industriel.

**fabricate** /ˈfæbrɪkeɪt/ **VT** *goods* fabriquer.

**face** /feɪs/ **N** [*person*] visage m ; [*document*] recto m ; [*coin*] face f ◆ **to lose / save face** perdre / sauver la face ◆ **on the face of it** à première vue, au premier abord

―――――― compounds/composés ――――――

- ◆ **face amount** (*Ins*) capital assuré; [*notes, bonds*] valeur nominale
- ◆ **face page** [*textbook, contract*] page de titre
- ◆ **face-to-face interview** (*gen*) entretien en tête-en-tête; (*TV*) face-à-face télévisé
- ◆ **face value** [*coin*] valeur nominale; [*stamp*] valeur faciale ◆ **to take sth at face value** prendre qch pour argent comptant

**VT** **a** *person, building* faire face à ◆ **the problem facing us** le problème auquel nous devons faire face *or* devant lequel nous nous trouvons ◆ **the chart facing page 20** le diagramme en regard de la page 20 ◆ **our company will be faced with having to pay damages for breach of contract** notre société se verra contrainte de payer des dommages-intérêts pour rupture de contrat **b** (= *meet confidently*) *problem* faire face à, affronter ◆ **to face the facts** regarder les choses en face, se rendre à l'évidence

**VI** **to face south** [*building*] être orienté au sud.

**facilitate** /fəˈsɪlɪteɪt/ **VT** faciliter.

**facility** /fəˈsɪlɪtɪ/ **N** **a** (= *possibility*) possibilité f, facilité f ◆ **credit facilities** facilités de paiement *or* de crédit ◆ **overdraft facilities** facilité de caisse, autorisation de découvert ◆ **they have negotiated a $2m loan facility** ils ont négocié un emprunt de 2 millions de dollars **b** (= *service*) service m ◆ **is there a photocopying facility?** peut-on faire des photocopies?, y a-t-il un service de photocopie? ◆ **industrial facilities** équipements industriels ◆ **harbour facilities** installations portuaires, infrastructure portuaire ◆ **production facilities** moyens de production ◆ **storage facilities** entrepôt(s) ◆ **transport facilities** moyens de transport ◆ **we have no facilities for this kind of handling** nous ne sommes pas équipés *or* nous n'avons pas l'infrastructure nécessaire pour ce type de manutention **c** (= *device*) système m, mécanisme m ◆ **there is a data-storage facility** (*Comp*) on peut mettre les données en mémoire, il y a une fonction de mise en mémoire des données.

**facing** /ˈfeɪsɪŋ/ **N** (*Comm*) (espace m) linéaire m, surface f de présentation; (*Constr*) revêtement m.

**facsimile** /fækˈsɪmɪlɪ/ **N** **a** (= *book*) fac-similé m **b** (*Telec*) télécopie f ◆ **facsimile (copy)** télécopie, fax ◆ **facsimile machine** télécopieur.

**fact** /fækt/ **N** (*gen*) fait m ; (*Jur*) fait m, action f ◆ **to stick to the facts** s'en tenir aux faits ◆ **fact-finding committee / mission** commission / mission d'enquête ◆ **accessory before the fact / after the fact** (*Jur*) complice par instigation / par assistance.

**factor** /ˈfæktər/ **N** **a** (*gen, Econ*) facteur m (*Bio, Math*) élément m ◆ **determining factor** facteur décisif *or* déterminant ◆ **load factor** coefficient de chargement *or* de remplissage ◆ **production factors** facteurs de production ◆ **random factors** (*Stat*) facteurs aléatoires ◆ **safety factor** coefficient de sécurité ◆ **at factor costs**

au coût des facteurs ♦ **to be a factor in** entrer en ligne de compte dans **b** (*Brit* = *agent*) agent m ; *(for the sale of goods or services)* commissionnaire m ♦ **corn factor** commissionnaire en grains ♦ **factor's lien** privilège du commissionnaire **c** *(Fin)* (= *person*) factor m ; (= *firm*) société f de factoring

— compounds/composés —
♦ **factor analysis** *(Stat)* analyse factorielle

**VT** **a** *(Math)* décomposer en facteurs **b** (= *integrate*) intégrer ♦ **the sum had been factored into the prices as inflation adjustments** ces sommes avaient été intégrées aux prix pour tenir compte de l'inflation
**VI** *(Fin) se charger du recouvrement de créances pour le compte d'une entreprise.*

**factorage** /ˈfæktərɪdʒ/ N **a** *(Comm)* commission f **b** *(Fin)* commission f d'affacturage *or* de factoring.

**factoring** /ˈfæktərɪŋ/ N affacturage m, factoring m

— compounds/composés —
♦ **factoring charges** commission d'affacturage
♦ **factoring company** société de factoring.

**factory** /ˈfæktərɪ/ N *(gen)* usine f ; *(small-scale)* fabrique f ♦ **shoe factory** usine *or* fabrique de chaussures ♦ **car factory** usine automobile ♦ **arms factory** manufacture d'armes ♦ **ex factory price** prix départ usine

— compounds/composés —
♦ **Factory Acts** législation industrielle
♦ **factory costs** coûts mpl de production
♦ **factory expenses** *or* **overheads** frais mpl généraux de fabrication *or* de production
♦ **factory farming** agriculture industrielle
♦ **factory floor** les ateliers mpl
♦ **factory-gate price** prix sortie d'usine
♦ **factory hand** *or* **worker** ouvrier(-ière) d'usine
♦ **factory inspector** *(Brit)* inspecteur du travail
♦ **factory inspectorate** *(Brit)* inspection du travail
♦ **factory outlet** magasin d'usine, magasin de vente directe
♦ **factory price** prix usine, prix de fabrique
♦ **factory ship** navire-usine
♦ **factory supplies** matières fpl indirectes, fournitures fpl consommables
♦ **factory unit** unité de fabrication.

**factual** /ˈfæktjʊəl/ ADJ *report, description* basé sur les faits, circonstancié ♦ **factual error** erreur

sur les faits ♦ **factual evidence** *(gen)* preuve avec faits à l'appui; *(Jur)* témoignage circonstancié.

**faculty** /ˈfækəltɪ/ N **a** (= *aptitude*) aptitude f, facilité f **b** *(Univ)* faculté f ; (= *teaching staff*) corps m professoral

— compounds/composés —
♦ **faculty tax** *(US)* impôt sur le train de vie, impôt proportionnel aux signes extérieurs de richesse

**fade** /feɪd/ VI *[colour]* passer, perdre son éclat, se ternir; *[material]* passer, se décolorer ♦ **guaranteed not to fade** garanti bon *or* grand teint.

**fail** /feɪl/ VI **a** (= *be unsuccessful*) *[candidate]* échouer (*in an exam* à un examen); *[plans, attempts]* échouer, ne pas réussir; *[negotiations]* ne pas aboutir, échouer; *[bank, business]* faire faillite ♦ **to fail in a lawsuit** perdre un procès **b** *[engine]* tomber en panne **c** (= *run short*) *[gas, electricity]* faire défaut, manquer ♦ **crops failed because of the drought** la sécheresse a causé la perte des récoltes
**VT** *examination* échouer à ♦ **to fail to do** manquer *or* négliger *or* omettre de faire ♦ **to fail to appear** *[witness in court]* faire défaut ♦ **he failed to appear at our meeting** il ne s'est pas montré à notre réunion ♦ **the foreman failed to report the incident** le contremaître n'a pas fait état de l'incident *or* a omis de mentionner l'incident.

**failing** /ˈfeɪlɪŋ/ N défaut m
**PREP** à défaut de ♦ **failing this** à défaut ♦ **failing your advice to the contrary** sauf avis contraire de votre part.

**failure** /ˈfeɪljər/ N **a** (= *lack of success*) échec m (*in an exam* à un examen); *[bank, company]* faillite f ; *[negotiations]* échec m ♦ **business failure** faillite, dépôt de bilan ♦ **a large number of business failures** un grand nombre de faillites *or* de défaillances d'entreprises **b** *[engine]* panne f ♦ **failure of water supply** manque d'eau ♦ **crop failure** perte de récolte ♦ **power failure** panne d'électricité *or* de courant **c** (= *neglect of duty*) manquement m, défaut m ♦ **failure in payment** défaut de paiement, non-paiement ♦ **failure of consideration** défaut de provision ♦ **failure to accept** défaut d'acceptation ♦ **failure to appear** *[witness in court]* défaut de comparution, non-comparution ♦ **failure to comply with a regulation** non-observation *or* non-respect d'un règlement ♦ **failure to deliver** défaut de livraison, non-livraison

◆ **failure to make a return** défaut de déclaration, non-déclaration ◆ **failure to pay** défaut de paiement, non-paiement.

**fair** /fɛəʳ/ **ADJ a** *person, decision* juste, équitable; *deal, trial* équitable, honnête; *wages* mérité; *profit* justifié; *price* raisonnable ◆ **fair average quality** *(Commodity Exchange)* qualité loyale et marchande ◆ **fair business practices** *(Brit)* or **practises** *(US)* pratiques commerciales loyales *or* en conformité avec le principe de libre concurrence ◆ **fair competition** concurrence loyale ◆ **fair employment practices** *(Brit)* or **practises** *(US)* pratiques d'embauche non discriminatoires ◆ **fair market value** juste valeur marchande ◆ **fair presentation** *(Acc)* présentation fidèle ◆ **fair rental value** juste valeur locative ◆ **fair report** compte rendu impartial ◆ **fair sample** *(Comm)* échantillon représentatif ◆ **fair trade** *transactions commerciales fondées sur des accords de réciprocité* ◆ **fair-trade agreement** *(US)* *accord entre distributeur et producteur sur un prix minimum de vente au détail* ◆ **fair-trade price** *(US)* prix imposé ◆ **fair trading** pratique commerciale loyale ◆ **Office of Fair Trading** *(Brit)* ≈ Direction de la concurrence et des prix ◆ **fair wear and tear** usure normale **b** *(= quite large)* *sum* considérable; *number* respectable ◆ **we do a fair amount of business with this firm** nous traitons pas mal d'affaires avec cette maison **c** *(= average)* *work, achievements* passable, assez bon ◆ **good fair quality** bonne qualité courante **d** *(Jur)* ◆ **fair copy** copie propre *or* au net
**N** *(gen, Comm)* foire; *(for charity)* fête f, kermesse f ◆ **book fair** Salon *or* foire du livre ◆ **trade fair** *(open to public)* foire commerciale, foire-exposition; *(for professionals only)* Salon professionnel ◆ **world fair** exposition universelle.

**fairness** /ˈfɛənɪs/ **N** *(= justice)* justice f; *[decision, judgment]* équité f, impartialité f; *[tax]* équité f ◆ **in all fairness** en toute justice, en toute impartialité.

**faith** /feɪθ/ **N** *(= trust, belief)* foi f, confiance f *(in* en*)* ◆ **good faith** bonne foi ◆ **holder / purchaser in good faith** *(Fin, Jur)* porteur / acquéreur de bonne foi ◆ **to act in bad faith** agir de mauvaise foi ◆ **we have faith in our sales team** nous faisons confiance à notre équipe de vente, nous avons confiance en notre équipe de vente.

**faithful** /ˈfeɪθfʊl/ **ADJ a** *person* fidèle *(to* à*)* **b** *(= accurate)* *account, report, translation* fidèle, exact; *copy* conforme.

**faithfully** /ˈfeɪθfəlɪ/ **ADV** *follow* fidèlement; *translate* exactement, fidèlement ◆ **Yours faithfully**

*(Brit : letter-ending)* veuillez agréer mes *(or* nos*)* salutations distinguées, recevez l'expression de mes *(or* nos*)* sentiments les meilleurs.

**fake** /feɪk/ **N** *[object]* contrefaçon f, imitation f; *[work of art]* faux m
**ADJ** *document* maquillé, falsifié, faux; *picture, furniture* faux
**VT** *document* faire un faux de; *(= alter)* maquiller, falsifier, truquer; *work of art* faire un faux de, contrefaire; *photograph, elections, trial* truquer *(Rad, TV)* *interview* truquer, monter d'avance ◆ **faked balance sheet** bilan truqué.

**fall** /fɔːl/ **N a** *[price, demand, production]* baisse f; *(sudden)* chute f; *[currency]* baisse f, dépréciation f, moins-value f *(in* de*)* ◆ **fall in the bank rate** baisse du taux d'escompte officiel ◆ **fall in foreign exchange reserves** diminution *or* baisse des réserves en devises ◆ **fall in supplies** *(Econ)* contraction de l'offre **fall in value** perte de valeur, dévalorisation ◆ **to buy on a fall** *(St Ex)* acheter à la baisse ◆ **to go for a fall** *(St Ex)* spéculer *or* jouer à la baisse, jouer la baisse ◆ **there has been a fall in the price of oil shares** les pétrolières sont en recul *or* en repli **b** *(US = autumn)* automne m
**VI a** *[person, object]* tomber; *[building]* s'écrouler, s'effondrer; *[price]* baisser; *(suddenly)* s'effondrer; *[government]* tomber, être renversé ◆ **car sales have fallen further** les ventes de voitures ont encore régressé *or* diminué ◆ **the dollar is falling** le dollar est en repli *or* en baisse ◆ **the bankruptcy rate has fallen** le rythme des faillites s'est ralenti ◆ **oil shares are falling** les valeurs pétrolières accusent un recul *or* sont en repli **b** *(phrases)* ◆ **our difficulties fall into 3 categories** nos problèmes se divisent en 3 catégories *or* sont de 3 ordres ◆ **it falls to the personnel manager to hire workers** il incombe au directeur du personnel d'embaucher des ouvriers ◆ **this case falls within article 3 of the Treaty of Rome** ce cas relève de l'article 3 du traité de Rome ◆ **the results fall short of government forecasts** les résultats n'ont pas atteint les prévisions du gouvernement *or* n'ont pas répondu aux attentes gouvernementales ◆ **the bottom has fallen out of the market** le marché s'est effondré ◆ **to fall due** *[rent, bill]* venir à échéance ◆ **to fall foul of the law** se mettre dans l'illégalité ◆ **the two ships fell foul of each other** les deux navires sont entrés en collision ◆ **to fall heir to sth** hériter de qch ◆ **we fell into line with the board** nous nous sommes rangés *or* conformés à l'avis du conseil d'administration ◆ **we fell into line with our competitors** nous nous

sommes alignés sur la concurrence ♦ **to fall vacant** [job] se trouver vacant; [accommodation] se trouver libre

───── compounds/composés ─────
♦ **fall guy** * (= scapegoat) bouc émissaire; (= easy victim) dupe, pigeon*, dindon* (de la farce)
♦ **fall-out-of-bed** * (US St Ex) chute verticale des cours.

**fall apart** vi [plan, deal] tomber à l'eau.

**fall away** vi [numbers] diminuer.

**fall back** vi (= retreat) reculer ♦ **several blue-chip companies fell back** plusieurs grosses entreprises ont perdu or cédé du terrain ♦ **the yen fell back to its lowest level** le yen est redescendu or retombé à son cours le plus bas ♦ **gold shares fell back a point** les mines d'or ont reculé or se sont repliées d'un point.

**fallback** /ˈfɔːlbæk/ N recul m, repli m ♦ **as a fallback they will start building their own dealer network** ils vont mettre sur pied un réseau de distribution pour avoir une position de repli

───── compounds/composés ─────
♦ **fallback pay** (US) salaire minimum garanti.

**fall back on** vt fus avoir recours à ♦ **we shall have to fall back on the alternative solution** il nous faudra nous rabattre sur or recourir à la solution de rechange.

**fall behind** vi rester en arrière, être à la traîne ♦ **to fall behind with** or **in one's work / orders** prendre du retard dans son travail / ses commandes ♦ **our export performances are falling behind** les résultats de notre commerce extérieur sont en régression ♦ **our industrialists might fall behind in this sector** nos industriels pourraient se laisser distancer dans ce secteur.

**fall down** vi a [plans, buildings] s'effondrer, s'écrouler b (= fail) [person, company] échouer, se planter*.

**fallibility** /ˌfælɪˈbɪlɪtɪ/ N faillibilité f.

**fallible** /ˈfæləbl/ ADJ faillible.

**fall in with** vt fus a (= agree to) proposal accepter, suivre ♦ **the manager fell in with my suggestion** le directeur s'est rangé à or a suivi ma suggestion b (= fit with) aller dans le sens de, cadrer avec ♦ **this decision fell in nicely with our plans** cette décision a parfaitement cadré avec nos projets.

**falling** /ˈfɔːlɪŋ/ ADJ ♦ **falling prices** (gen) prix en baisse; (St Ex) cours en repli or en recul or en baisse ♦ **falling trend** (St Ex) tendance baissière ♦ **to buy on a falling market** acheter à la baisse.

**fall off** vi [sales, production] baisser, diminuer; [curve on graph] décroître; [enthusiasm, interest] tomber ♦ **employment has been falling off** la situation de l'emploi s'est dégradée.

**fall-off** /ˈfɔːlɒf/ N (= drop) baisse f, diminution f; (sharp) chute f; (gradual) effritement m; (= weakness) fléchissement m (in de) ♦ **there are some signs of a fall-off in exports** les exportations donnent des signes de faiblesse or de ralentissement ♦ **fall-off in business activity** tassement or contraction des affaires ♦ **fall-off in demand** baisse de la demande.

**fallout** /ˈfɔːlaʊt/ N (also **radioactive fallout**) retombées fpl (radioactives) (fig = outcome) retombées fpl, répercussions fpl.

**fallow** /ˈfæləʊ/ ADJ land en jachère, en friche.

**fall through** vi [plans, negotiations] échouer.

**false** /fɔːls/ ADJ a (= mistaken) idea, information faux ♦ **false start** faux départ b (= deceitful) statement trompeur, faux; advertisement mensonger ♦ **false accusation** fausse accusation ♦ **false balance sheet** bilan truqué ♦ **false entry** faux en écriture ♦ **false pretences** présentations or allégations mensongères ♦ **to obtain sth on** or **under false pretences** obtenir qch par des moyens frauduleux ♦ **false representation** déclaration mensongère, fausse déclaration ♦ **false weight** poids inexact (en général insuffisant) ♦ **false witness** faux témoin c (= counterfeit) coin faux.

**falsification** /ˌfɔːlsɪfɪˈkeɪʃən/ N [accounts] falsification f.

**falsify** /ˈfɔːlsɪfaɪ/ vt report, statement falsifier, truquer, fausser; evidence maquiller ♦ **to falsify the accounts** falsifier les comptes, faire un faux en écriture.

**falter** /ˈfɔːltər/ vi [economy] chanceler, fléchir.

**faltering** /ˈfɔːltərɪŋ/ ADJ productivity défaillant, chancelant ♦ **after a faltering start some progress was made** après des débuts hésitants des progrès ont été enregistrés.

**familiar** /fəˈmɪljər/ ADJ a (= well-known) sight familier; complaint habituel b **to be familiar with sth** bien connaître qch, être au fait de qch ♦ **our rep is familiar with the local customs** notre représentant connaît bien les coutumes locales.

**family** /'fæmɪlɪ/ N famille f ✦ **family of funds** famille de fonds de placement

> ─── compounds/composés ───
> ✦ **family business** affaire de famille, entreprise familiale
> ✦ **family circumstances** situation de famille
> ✦ **family expenditure survey** (Brit) étude gouvernementale annuelle sur les dépenses des familles
> ✦ **family income** revenu familial
> ✦ **family-size(d) packet** paquet familial
> ✦ **family trust** trust familial, ≈ SARL de famille.

**famine** /'fæmɪn/ N famine f ✦ **liquidity famine** (Fin) pénurie de moyens de paiement.

**fancy** /'fænsɪ/ ADJ a *pattern* (de) fantaisie b *(pej = overrated)* fantaisiste ✦ **a fancy price** un prix exorbitant c *(US = extra good) goods* de qualité supérieure, surchoix ✦ **fancy fruits** fruits surchoix *or* de premier choix

> ─── compounds/composés ───
> ✦ **fancy goods** nouveautés fpl, articles mpl de fantaisie
> ✦ **fancy shop** (US) magasin de luxe.

**FAO** /ˌefeɪˈəʊ/ N (abbr of **Food and Agricultural Organization**) FAO f.

**FAQ** /ˌefeɪˈkjuː/ a abbr of **fair average quality** → **fair** b abbr of **free alongside quay** → **free** c (abbr of **frequently asked questions**) FAQ f

**far** /fɑːr/ ADJ lointain, éloigné ✦ **it is far and away the easiest solution** c'est de loin la solution la plus simple

> ─── compounds/composés ───
> ✦ **Far East (the)** l'Extrême-Orient
> ✦ **far-flung** *business empire* vaste, très étendu
> ✦ **far-reaching** *decision* d'une portée considérable, d'une grande portée
> ✦ **far-sighted** *person* clairvoyant; *decision* judicieux.

**fare** /feər/ N a *(= charge) (on train, bus)* prix m du billet *or* du ticket; *(on boat, plane)* prix m du billet; *(in taxi)* prix m de la course ✦ **full fare** place entière, plein tarif ✦ **high / low season fare** tarif haute / basse saison ✦ **half-fare ticket** billet à demi-tarif ✦ **off-peak fare** tarif réduit *(aux heures creuses)* ✦ **single** (Brit) or **one-way** (US) **fare** prix d'un aller simple ✦ **return** (Brit) or **round-trip** (US) **fare** prix d'un aller et retour ✦ **fares are going up** les tarifs des transports vont augmenter ✦ **agreement on fares** accord tarifaire b *(= passenger) (gen)* voyageur(-euse) m(f) ; *[taxi]* client(e) m(f)

> ─── compounds/composés ───
> ✦ **fare pricing** fixation des tarifs
> ✦ **fare war** guerre des tarifs.

**farm** /fɑːm/ N *(gen)* ferme f ✦ **dairy farm** ferme laitière ✦ **fish farm** centre de pisciculture, élevage piscicole ✦ **poultry farm** élevage de volailles, établissement avicole ✦ **trout / mink farm** élevage de truites / de visons ✦ **stud farm** haras

> ─── compounds/composés ───
> ✦ **farm credit** crédit agricole
> ✦ **farm equipment** équipement *or* matériel agricole
> ✦ **farm gate price** prix à la production *or* au producteur
> ✦ **farm income** revenu agricole
> ✦ **farm labourer** ouvrier agricole
> ✦ **farm loan** prêt aux agriculteurs
> ✦ **farm policy** politique agricole
> ✦ **farm prices** prix mpl agricoles
> ✦ **farm produce** produits mpl agricoles *or* de la ferme
> ✦ **farm products** produits mpl agricoles manufacturés
> ✦ **farm subsidies** subventions fpl aux agriculteurs
> ✦ **farm surplus** excédent(s) agricole(s)
> ✦ **farm worker** ouvrier(-ière) agricole

vt cultiver

vi être cultivateur, être fermier.

**farmer** /'fɑːmər/ N fermier m, cultivateur m, agriculteur m, exploitant m agricole ✦ **stock farmer** éleveur de bétail ✦ **tenant farmer** fermier (à bail).

**farmhand** /'fɑːmhænd/ N ouvrier(-ière) m(f) agricole.

**farming** /'fɑːmɪŋ/ N agriculture f ✦ **dairy farming** élevage laitier ✦ **factory farming** agriculture industrielle ✦ **fish farming** pisciculture ✦ **large-scale farming** exploitation à grande échelle ✦ **mixed farming** polyculture ✦ **poultry farming** aviculture, élevage de volailles ✦ **single-crop farming** monoculture ✦ **stock farming** élevage de bétail ✦ **subsistence farming** agriculture de subsistance (non exportatrice)

> ─── compounds/composés ───
> ✦ **farming business** entreprise *or* exploitation agricole
> ✦ **farming communities** collectivités fpl rurales
> ✦ **farming lease** bail à ferme
> ✦ **farming methods** méthodes fpl d'exploitation.

**farmland** /'fɑːmlænd/ N terres fpl cultivées or arables.

**farm out** VT SEP *piece of work* sous-traiter, céder en sous-traitance, externaliser.

**farmstead** /'fɑːmsted/ N ferme f.

**farther** /'fɑːðəʳ/ ADJ ✦ farther in *option* à échéance proche ✦ farther out *option* à échéance lointaine.

**FAS** /ˌefeɪ'es/ abbr of **free alongside ship** or **steamer** FLB.

**fashion** /'fæʃən/ ◼ *(in clothes, furnishings)* mode f, vogue f ✦ in fashion à la mode, en vogue ✦ out of fashion démodé, passé de mode ✦ it's the latest fashion c'est la dernière mode, c'est le dernier cri ✦ to set the fashion for lancer la mode de ✦ to bring sth into fashion mettre qch à la mode ✦ to come into fashion devenir à la mode ✦ to go out of fashion se démoder, passer de mode
◼ *model* fabriquer; *dress* confectionner

────── *compounds/composés* ──────
✦ **fashion designer** styliste, couturier
✦ **fashion editor** rédacteur(-trice) de mode
✦ **fashion goods** articles mpl de mode
✦ **fashion house** maison de couture
✦ **fashion magazine** revue or magazine de mode
✦ **fashion model** *(= person)* mannequin
✦ **fashion parade** présentation de collections, défilé de mode
✦ **fashion shares** *(St Ex)* titres mpl en vogue
✦ **fashion show** présentation de collections, défilé de mode

**fashionable** /'fæʃnəbl/ ADJ *dress* à la mode; *district, shop, hotel* chic; *writer, artist, subject* à la mode, en vogue.

**fast** /fɑːst/ ADJ ◼ *(= speedy)* rapide ✦ the fast lane *(Aut, fig)* la voie rapide ✦ to be a fast thinker avoir l'esprit rapide ✦ to make a fast buck * gagner rapidement de l'argent ✦ fast food restauration rapide, fast-food ✦ fast forward *(on tape recorder)* avance rapide ✦ fast mover article à rotation rapide ✦ to be on the fast track être promis à une promotion rapide ✦ fast tracker *personne promise à gravir rapidement les échelons* ✦ fast-tracking personnel avancement rapide ◼ *clock* to be fast avancer ✦ my watch is 5 minutes fast ma montre avance de 5 minutes ◼ *colour* bon teint, grand teint

ADV ◼ *(= quickly)* vite, rapidement ✦ how fast can you type? à quelle vitesse tapez-vous (à la machine)? ✦ fast-moving articles articles à forte rotation ✦ fast-selling item article de

vente or d'écoulement rapide or facile
◼ *(= securely)* solidement ✦ the lock held fast la serrure a tenu bon.

**fasten** /'fɑːsn/ VT *(lit)* attacher, fixer ✦ to fasten the responsibility for sth on sb attribuer la responsabilité de qch à qn.

**fastening** /'fɑːsnɪŋ/ N attache f, fixation f.

**fatal** /'feɪtl/ ADJ *blow* mortel, fatal; *mistake* fatal; *consequences* désastreux, catastrophique; *influence* néfaste, pernicieux.

**fatality** /fə'tælɪtɪ/ N *(= accident)* accident m mortel; *(= person killed)* mort(e) m(f).

**fatigue** /fə'tiːg/ N *(gen)* fatigue f ✦ metal fatigue fatigue des métaux.

**fault** /fɔːlt/ ◼ a *[person, scheme]* défaut m ; *(in machine)* défaut m, anomalie f ; *(= mistake)* erreur f, faute f ✦ latent fault *(Jur)* vice caché ✦ a fault has been found in the safety device une anomalie or une faille a été constatée dans le système de sécurité ✦ to find fault with sth trouver à redire à qch ✦ to find fault with sb critiquer qn ✦ my memory was at fault ma mémoire m'a fait défaut ✦ to be at fault être en faute b *(= blame, responsibility)* faute f ✦ the party at fault l'auteur de l'accident, la partie responsable
◼ to fault sth / sb trouver des défauts à qch / chez qn ✦ you can't fault him on ne peut pas le prendre en défaut.

**faultless** /'fɔːltlɪs/ ADJ *behaviour* irréprochable; *work* impeccable, irréprochable.

**faulty** /'fɔːltɪ/ ADJ *work* défectueux, mal fait; *machine* défectueux; *style* incorrect; *reasoning* erroné ✦ faulty drafting *document* vice de forme *(dans la rédaction d'un document)* ✦ faulty packing emballage défectueux.

**favour** *(Brit)*, **favor** *(US)* /'feɪvəʳ/ ◼ a *(= good deed)* service m, faveur f, grâce f ✦ to do sb a favour rendre (un) service à qn ✦ to ask a favour of sb demander un service à qn, solliciter une faveur de qn b *(= approval)* faveur f, approbation f ✦ I'm in favour with the boss at present en ce moment je suis bien vu du patron ✦ to win sb's favour, find favour with sb *[person]* s'attirer les bonnes grâces de qn; *[proposal]* gagner l'approbation de qn c *(= advantage)* faveur f, avantage m ✦ the court decided in our favour le tribunal nous a donné gain de cause ✦ cheque in favour of sb chèque payable à l'ordre de qn ✦ balance in your favour à votre crédit, solde en votre faveur ✦ the exchange rate is in our favour le taux de change joue en notre faveur, le change nous est favorable ✦ **that's a point in his favour** c'est quelque chose à mettre à son actif, c'est un bon point pour lui **d** *(US : in letter)* ✦ **your favour of the 10th inst** votre honorée du 10 courant, votre lettre du 10 de ce mois **▥** *(= approve) scheme, suggestion* être partisan de, approuver; *(= prefer) person, applicant* préférer.

**favourable** *(Brit)*, **favorable** *(US)* /ˈfeɪvərəbl/ **ADJ** favorable *(to* à) ✦ **favourable balance** *[bank account]* solde créditeur ✦ **favourable balance of trade** balance commerciale excédentaire ✦ **favourable exchange** cours avantageux ✦ **favourable variance** *(Acc)* écart avantageux ✦ **on favourable terms** à des conditions avantageuses ✦ **our claim did not meet with a favourable reception** notre réclamation n'a pas rencontré un accueil favorable ✦ **I'm favourable to the proposal** j'approuve la proposition.

**favoured** *(Brit)*, **favored** *(US)* /ˈfeɪvəd/ **ADJ** favorisé ✦ **most favoured nation clause** clause de la nation la plus favorisée.

**fax** /fæks/ **▥** télécopie f, fax m ✦ **sent by fax** envoyé par télécopie *or* par fax ✦ **fax machine** télécopieur **▥** envoyer par télécopie *or* par fax.

**FCA** (abbr of **free carrier**) FCT

**f / cap., fcp., f' cap.** abbr of **foolscap.**

**f.co.** abbr of **fair copy** → **fair.**

**f / d., F.D.** abbr of **free delivery** → **free.**

**FDA** /ˌefdiːˈeɪ/ *(US)* **N** abbr of **Food and Drug Administration** → **food.**

**feasibility** /ˌfiːzəˈbɪlɪtɪ/ **N** *[plan]* possibilité f (de réalisation), faisabilité f ✦ **feasibility study** *or* **survey** étude de faisabilité.

**feasible** /ˈfiːzəbl/ **ADJ** *plan, suggestion* faisable, réalisable.

**featherbed** /ˈfeðəˌbed/ **VT** *(Ind)* (éviter les licenciements en maintenant les emplois non productifs) ✦ **France featherbeds its agriculture** la France subventionne ses agriculteurs.

**featherbedding** /ˈfeðəbedɪŋ/ **N** *(Ind)* maintien m d'emplois non productifs *(pour éviter les licenciements).*

**feature** /ˈfiːtʃəʳ/ **▣** **a** *[building, machine]* particularité f, caractéristique f ✦ **the main feature of our programme** le point essentiel de notre programme **b** *(Comm)* spécialité f **c** *(Press = column)* chronique f

─── *compounds/composés* ───
✦ **feature film** grand film

**▣** **a** *(= give prominence to) person, event* mettre en vedette; *name, news* mettre en avant ✦ **the news was featured on the front page** la nouvelle faisait la une *or* était en première page **b** *(= depict)* représenter **▥** **a** *(Cine)* figurer, jouer *(in* dans) **b** marquer, constituer un fait saillant.

**February** /ˈfebrʊərɪ/ **N** février m → **September.**

**Fed** /fed/ **N** abbr of **Federal Reserve Board** → **federal.**

**federal** /ˈfedərəl/ *(US)* **ADJ** fédéral ✦ **federal funds** *(US) (same-day money)* argent au jour le jour; *(government funds)* fonds publics ✦ **Federal Republic of Germany** République fédérale d'Allemagne ✦ **the Federal Reserve** *(US)* la Réserve fédérale ✦ **Federal Reserve Bank** *(US)* banque de la Réserve fédérale ✦ **Federal Reserve Board** *(US)* Conseil de la Réserve fédérale *(organisme qui joue le rôle de banque centrale)* ✦ **the Federal Reserve System** (le système de) la Réserve fédérale américaine ✦ **Federal Trade Commission** *(US)* ≈ Direction de la concurrence et des prix *(commission fédérale chargée de veiller au respect de la libre concurrence).*

**federalism** /ˈfedərəlɪzəm/ **N** fédéralisme m.

**federate** /ˈfedəreɪt/ **VT** fédérer **▥** se fédérer

**federation** /ˌfedəˈreɪʃən/ **N** fédération f ✦ **employers' federation** syndicat patronal, organisation patronale.

**Fed** /fed/ **N** abbr of **Federal Reserve** ✦ **the Fed** la Fed.

**Feds** /fedz/ *(US)* **NPL** abbr of **federal funds** → **federal.**

**fee** /fiː/ **N** *[architect, doctor, lawyer]* honoraires mpl ; *[director]* honoraires mpl, jetons mpl de présence; *[unit trust, savings plan]* droits mpl ✦ **for a small fee** moyennant une légère redevance *or* une somme modique ✦ **in fee simple** *(Jur)* en toute propriété ✦ **admission** *or* **entrance fee** droit d'entrée ✦ **cancellation fee** frais d'annulation ✦ **collection fee** droit d'encaissement ✦ **exchange fee** frais de Bourse ✦ **front-end fees** frais de commercialisation ✦ **landing fees** *(Aviat)* taxes d'atterrissage ✦ **medical fees** honoraires médicaux ✦ **membership fee** montant de la cotisation, droit d'adhésion ✦ **patent fees** droits (d'enregistrement) de brevet ✦ **registration fee** *(Post)* tarif d'un envoi recommandé *(Admin, St Ex)* droits d'enregistrement; *[exam, competition]* droits *or* frais d'inscription ◆ **retaining fee** (gen) acompte ; (Brit : to lawyer) provision ◆ **subscription fee** prix de l'abonnement ◆ **take-off fees** (Aviat) taxes de décollage ◆ **transfer fees** droits de mutation ◆ **union fees** cotisations syndicales.

**feed** /fiːd/ **VT** person, animal donner à manger à, nourrir; inflation entretenir, alimenter ◆ **to feed a program into a machine** introduire un programme dans une machine ◆ **to feed data into a computer** alimenter un ordinateur en données
**N** (Comp) (= operation) alimentation f ; (= device) chargeur m ◆ **continuous feed** alimentation en continu ◆ **sheet feed** chargeur feuille à feuille.

**feedback** /ˈfiːdbæk/ **N** feedback m, information f en retour.

**feeder** /ˈfiːdəʳ/ **N** [machine] chargeur m

```
─ compounds/composés ─
◆ feeder cable câble d'alimentation
◆ feeder plane avion de petite taille (en exploita-
  tion sur les lignes secondaires)
◆ feeder road route secondaire.
```

**feed in** **VT SEP** tape, wire introduire (to dans)

**feedplant** /ˈfiːdplɑːnt/ **N** usine f qui fournit les matières premières.

**feedstock** /ˈfiːdstɒk/ **N** matières fpl premières de base (au stade de la production).

**feedstuffs** /ˈfiːdstʌfz/ **NPL** aliments mpl pour bétail.

**feel** /fiːl/ **N** (= sense of touch) toucher m ; (= sensation) sensation f ◆ **I don't like the feel of it** (fig) ça ne me dit rien de bon or rien qui vaille ◆ **he wants to get the feel of the company** il veut se faire une idée générale de la société
**VT** **a** (= touch) palper, tâter ◆ **to feel one's way** (fig) tâter le terrain, avancer à tâtons **b** blow sentir; sympathy, grief éprouver, ressentir ◆ **the effects of the dollar fall will be felt later** les effets de la chute du dollar se feront sentir plus tard **c** (= think) avoir l'impression, considérer, estimer (that que) ◆ **if you feel strongly about it** si cela vous tient à cœur, si cela vous semble important
**VI** se sentir, être ◆ **we do not feel able to recommend him** nous ne nous sentons pas en mesure de le recommander.

**feeler** /ˈfiːləʳ/ **N** ◆ **to throw out a feeler** (fig) lancer un ballon d'essai.

**felonious** /fɪˈləʊnɪəs/ **ADJ** (Jur) criminel.

**felony** /ˈfelənɪ/ **N** (Jur) crime m, forfait m.

**female** /ˈfiːmeɪl/ **ADJ** féminin ◆ **female workers** main-d'œuvre féminine.

**fence-straddler** /ˈfens.strædləʳ/ **N** opportuniste mf.

**fend off** /fend/ **VT SEP** question écarter, éluder; takeover bid repousser.

**ferment** /fəˈment/ **N** agitation f, effervescence f ◆ **the stock market was in a ferment** la Bourse était agitée or en effervescence.

**ferroconcrete** /ˈferəʊˈkɒnkriːt/ **N** béton m armé.

**ferrous** /ˈferəs/ **ADJ** ferreux.

**fertilize, fertilise** /ˈfɜːtɪlaɪz/ **VT** land, soil fertiliser, amender.

**fertilizer, fertiliser** /ˈfɜːtɪlaɪzəʳ/ **N** engrais m ◆ **organic / chemical fertilizer** engrais naturel / chimique.

**fetch** /fetʃ/ **VT** (= sell for) money rapporter ◆ **silk is fetching a high price** la soie se vend cher or atteint un joli prix ◆ **this picture will fetch about $5,000** ce tableau ira chercher dans les 5 000 dollars.

**feud** /fjuːd/ **N** querelle f, dissension f, rivalité f (between entre)

**feu duty** /ˈfjuːˌdjuːtɪ/ **N** (Brit Jur) loyer m de la terre.

**feverish** /ˈfiːvərɪʃ/ **ADJ** market fiévreux, fébrile.

**FGA** /ˌefdʒiːˈeɪ/ (abbr of **free of general average**) FAC.

**fiat** /ˈfaɪæt/ **N** décret m, ordonnance f ◆ **fiat money** monnaie fiduciaire.

**fibre** (Brit), **fiber** (US) /ˈfaɪbəʳ/ **N** fibre f ◆ **man-made fibre** fibre synthétique

```
─ compounds/composés ─
◆ fibre-glass fibre de verre
◆ fibre optics (= technique) la fibre optique ◆ fi-
  bre-optic cable câble en fibres optiques.
```

**fictitious** /fɪkˈtɪʃəs/ **ADJ** contract, assets fictif ◆ **fictitious bill** traite de complaisance, traite en l'air ◆ **fictitious payee** bénéficiaire fictif.

**fiddle** * /ˈfɪdl/ (Brit) **N** (= cheating) truc m *, combine f * ◆ **it's a tax fiddle** c'est une combine pour ne pas payer d'impôts, c'est de la fraude fiscale ◆ **he's on the fiddle** il traficote*
**VI** traficoter*
**VT** accounts, expenses, claims truquer ◆ **to fiddle one's tax return** truquer sa déclaration d'impôts.

**figure**

**fidelity** /fɪ'delɪtɪ/ **N** fidélité f ✦ **fidelity insurance** *or* **bond** *(US)* assurance détournement et vol.

**fiduciary** /fɪ'djuːʃɪərɪ/ **ADJ** *loan, account* fiduciaire ✦ **fiduciary accounting** comptabilité fiduciaire ✦ **fiduciary bond** caution fiduciaire ✦ **fiduciary money** monnaie fiduciaire ✦ **fiduciary services** services fiduciaires
**N** fiduciaire m, mandataire m ✦ **in a fiduciary capacity** à titre fiduciaire.

**field** /fiːld/ **N** **a** *(Agr)* champ m ; *(Min)* gisement m ✦ **coalfield** bassin houiller ✦ **goldfield** terrain aurifère ✦ **oilfield** gisement *or* champ pétrolifère ✦ **work in the field** *(Mktg)* enquête sur place *or* sur le terrain ✦ **to be first in the field with a product** être le premier à lancer un produit, être le premier à occuper le terrain avec un produit ✦ **to hold the field** tenir bon, se maintenir sur ses positions ✦ **our calculations and reports from the field indicate that stocks are low** nos calculs et les études sur le terrain indiquent que les stocks sont bas **b** (= *sphere of activity*) domaine m ✦ **financial field** domaine financier ✦ **fields of taxation** domaines d'imposition ✦ **it's outside my field** ce n'est pas de ma compétence *or* de mon ressort *or* dans mes cordes **c** *(Comp)* zone f **d** *(in competition)* concurrents mpl ✦ **there are three candidates in the field** il y a trois candidatures en présence ✦ **to lead the field** mener le peloton
**VT** **to field a candidate** *(Pol)* présenter un candidat (à des élections)

────── *compounds/composés* ──────
- **field audit** audit sur place
- **field hand** *(Agr)* ouvrier(-ière) agricole
- **field investigator** enquêteur(-trice) sur le terrain
- **field man** * *(US = representative)* représentant
- **field operator** homme de terrain
- **field organization** antenne sur le terrain, filiale
- **field research** recherche *or* étude sur le terrain
- **field sales manager** directeur(-trice) des ventes
- **field staff** personnel de terrain
- **field study** *or* **survey** enquête sur place *or* sur le terrain, étude sur le terrain
- **field trial** essai sur le terrain.

**fieldtest** /ˈfiːldtest/ **VT** tester sur le terrain
**N** essai m sur le terrain.

**fieldwork** /ˈfiːldwɜːk/ **N** *(Mktg)* enquête f *or* recherches fpl sur le terrain; *(Comm)* démarchage m auprès de la clientèle; *(Acc)* vérification f sur place ✦ **fieldwork standards** *(US Acc)* normes de vérification.

**fieldworker** /ˈfiːldwɜːkəʳ/ **N** enquêteur(-trice) m(f) sur le terrain.

**fierce** /fɪəs/ **ADJ** *competition* serré, acharné; *opponent, advocate* farouche, acharné; *attack* violent, virulent.

**fieri facias** /ˈfaɪəraɪˈfeɪʃɪəs/ **N** *(Jur)* ordre m de saisie.

**FIFO** /ˈfaɪfəʊ/ *(abbr of* **first in first out***)* PEPS.

**fifteen** /fɪfˈtiːn/ **ADJ, N** quinze m ✦ **about fifteen, fifteen or so** une quinzaine → **six**.

**fifteenth** /fɪfˈtiːnθ/ **ADJ, N** quinzième mf ✦ **in the fifteenth place** quinzièmement → **sixth**.

**fifth** /fɪfθ/ **ADJ, N** cinquième mf ✦ **in the fifth place** cinquièmement → **sixth**.

**fifthly** /ˈfɪfθlɪ/ **ADV** cinquièmement.

**fiftieth** /ˈfɪftɪɪθ/ **ADJ, N** cinquantième mf ✦ **in the fiftieth place** cinquantièmement → **sixth**.

**fifty** /ˈfɪftɪ/ **ADJ, N** cinquante m ✦ **he has a fifty-fifty chance of win** il a cinquante pour cent de chances *or* une chance sur deux de gagner → **sixty**.

**fight** /faɪt/ **N** *(against inflation, unemployment)* lutte f *(against* contre) ✦ **the candidate put up a good fight** le candidat s'est bien défendu
**VI** *[person]* lutter *(for* pour, *against* contre); *(= quarrel)* se disputer *(with* avec)
**VT** *inflation, unemployment* lutter contre, combattre ✦ **to fight a case** *(Jur)* défendre *or* plaider une cause ✦ **to fight a losing battle against sth** se battre en pure perte contre qch, livrer une bataille perdue d'avance contre qch.

**fight back** **VI** rendre les coups, se défendre, contre-attaquer.

**figure** /ˈfɪgəʳ/ **N** **a** chiffre m ✦ **3-figure number** nombre *or* numéro à 3 chiffres ✦ **budget figures** statistiques budgétaires ✦ **sales figure** chiffre d'affaires, chiffre de ventes ✦ **unemployment figures** chiffres du chômage, nombre de chômeurs ✦ **in round figures** en chiffres ronds ✦ **I can't give you the exact figures** je ne peux pas vous donner les chiffres exacts ✦ **there's a mistake in the figures** il y a une erreur dans les chiffres ✦ **he earns well into** *or* **over five figures** *(Brit)* il gagne bien plus de 10 000 mille livres par an ✦ **we cannot grant them credit beyond this figure** nous ne pouvons pas leur accorder un crédit au-delà de ce montant ✦ **the export figures for the first quarter look good** les chiffres à l'exportation pour le premier trimestre semblent favorables

**b** (= *diagram*) figure f ; (= *drawing*) figure f, image f **c** (= *well-known person*) figure f, personnage m, personnalité f

**VT** **a** (= *draw*) représenter *or* illustrer par un schéma, mettre sous forme de schéma **b** (*US* \*) penser, supposer ◆ **I figure it like this** je vois la chose comme ceci

**VI** **a** (= *appear*) figurer ◆ **his phone number does not figure on this list** son numéro de téléphone ne figure pas sur cette liste **b** (*US* \*) s'expliquer ◆ **that figures** ça cadre, ça se tient.

**figurehead** /ˈfɪɡəhed/ N prête-nom m.

**figure out** VT SEP *problem* arriver à comprendre, résoudre; *amount* arriver à calculer.

**file** /faɪl/ **N** (= *folder*) dossier m, chemise f ; (*with hinges*) classeur m ; (= *card index*) (*Comp*) fichier m ; (*cabinet*) classeur m ; (*papers*) dossier m ◆ **active / dead file** dossier des affaires en cours / des affaires classées ◆ **backup file** (*Comp*) fichier de sauvegarde ◆ **box file** classeur ◆ **card file** fichier ◆ **miscellaneous** *or* **sundries file** dossier « divers » ◆ **master file** fichier principal *or* maître ◆ **to keep a file on sb / sth** avoir un dossier sur qn / qch ◆ **I'll look it up in my files** je vais le chercher dans mes archives *or* dans mes dossiers ◆ **there's something in** *or* **on the file about him** le dossier contient des renseignements sur lui ◆ **to close the file on a question** classer une affaire ◆ **data on file** données fichées ◆ **files and records section** les archives ◆ **your file** (= *reference number*) votre référence, votre dossier

---
*compounds/composés*
---
- **file card** fiche de classeur
- **file clerk** (*US*) documentaliste
- **file consolidation** fusion de fichiers
- **file copy** exemplaire d'archives
- **file jacket** couverture de dossier
- **file maintenance** tenue des fichiers
- **file management** (*Comp*) gestion de fichiers
- **file number** cote
---

**VT** **a** (= *put away*) (*gen*) classer, ranger; (= *put into file*) joindre au dossier; [*finished business*] archiver, classer **b** (= *submit to court*) ◆ **to file a claim** déposer *or* faire enregistrer une requête *or* demande ◆ **to file a claim for damages** intenter un procès en dommages-intérêts ◆ **to file an application for a patent** déposer une demande de brevet ◆ **to file a petition for bankruptcy, file for bankruptcy, file for chapter eleven** (*US*) déposer son bilan, se déclarer en faillite, demander à être mis en redressement judiciaire ◆ **to file a (tax) return** produire une déclaration de revenus ◆ **to file a (law)suit against sb**

intenter un procès à qn, engager des poursuites contre qn ◆ **to file for a job** présenter un dossier de demande d'emploi.

**file away** VT SEP classer, archiver.

**filing** /ˈfaɪlɪŋ/ N [*documents*] classement m ; [*finished business*] archivage m ; [*claim*] enregistrement m, dépôt m ◆ **alphabetical filing** classement par ordre alphabétique ◆ **flat filing** classement horizontal ◆ **numerical filing** classement numérique ◆ **subject filing** classement par matières ◆ **lateral suspension filing** classement par dossiers suspendus

---
*compounds/composés*
---
- **filing basket** corbeille de rangement
- **filing cabinet** classeur
- **filing clerk** documentaliste
- **filing drawer** tiroir classeur
- **filing system** méthode de classement
- **filing tray** corbeille de rangement.
---

**Filipino** /ˌfɪlɪˈpiːnəʊ/ N (= *inhabitant*) Philippin(e) m(f).

**fill** /fɪl/ VT *post* remplir ◆ **to fill a vacancy** [*employer*] pourvoir un poste, nommer qn à un poste; [*employee*] prendre un poste vacant ◆ **the position is already filled** le poste est déjà pris ◆ **to fill an order** exécuter une commande ◆ **to fill the gap** (*gen, Comm*) combler le trou ◆ **this new product fills a need** ce nouveau produit répond à un besoin.

**filler** /ˈfɪlə<sup>r</sup>/ N (*Press*) article m bouche-trou ◆ **filler files** dossiers temporaires.

**fill in** **VI** **to fill in for sb** remplacer qn (temporairement)
**VT SEP** *form, questionnaire* remplir; *account, report* mettre au point, compléter ◆ **fill in the blanks** remplissez les blancs ◆ **to fill in the date** inscrire la date ◆ **to fill sb in on sth** \* mettre qn au courant de qch.

**fill-in** /ˈfɪlɪn/ N remplaçant(e) m(f).

**fillip** /ˈfɪlɪp/ N (*fig* = *boost*) coup m de fouet ◆ **the devaluation of the franc has given a fillip to exports** la dévaluation du franc a donné un coup de fouet à nos exportations *or* a été un stimulant pour l'export.

**fill out, fill up** VT SEP *form, questionnaire* remplir.

**film** /fɪlm/ **N** (*Phot*) pellicule f ; (*Cine*) film m **VT** filmer

**findings**

---

compounds/composés ⎯⎯⎯

- **film festival** festival du cinéma
- **film library** cinémathèque
- **film maker** cinéaste
- **film rights** droits mpl d'adaptation cinématographique
- **film script** scénario, script
- **film strip** film fixe
- **film test** bout d'essai.

---

**filmsetter** /ˈfɪlmsetəʳ/ **N** *(Typ)* photocomposeuse f.

**filmsetting** /ˈfɪlmsetɪŋ/ **N** *(Typ)* photocomposition f.

**filter** /ˈfɪltəʳ/ **VT** filtrer.

**final** /ˈfaɪnl/ **ADJ** **a** *(= last)* dernier ♦ **to put the final touches to a report** mettre la dernière main à un rapport ♦ **final balance** balance de clôture ♦ **final date** date limite ♦ **final demand** *or* **notice** *or* **warning** dernier avertissement, dernier rappel (de règlement) ♦ **final dividend** solde de dividende ♦ **final instalment** *(Brit) or* **installment** *(US)* versement libératoire ♦ **final mortgage payment** solde d'hypothèque ♦ **final product** produit fini **b** *(= conclusive) decision* définitif; *answer* décisif, définitif; *judgement* sans appel ♦ **final sale** vente ferme ♦ **this final invoice replaces our earlier provisional invoice** cette facture définitive remplace celle établie antérieurement à titre provisoire **c** *(Mar)* ♦ **final port** port de destination ▨ **late night final** *(Press)* dernière édition du soir ♦ **to recommend a final of** *(Fin)* proposer un dividende final de.

**finalize, finalise** /ˈfaɪnəlaɪz/ **VT** *report* rédiger la version définitive de; *plans* mettre au point les derniers détails de; *preparations* mettre la dernière main à; *date* fixer de façon définitive; *contract* conclure.

**finance** /faɪˈnæns/ **N** finance f ♦ **high finance** la haute finance ♦ **public finance** finances publiques ♦ **the world of finance** le monde de la finance ♦ **the country's finances** les finances *or* la situation financière du pays ▨ **VT** *project, company (= supply money for)* financer, commanditer; *(= obtain money for)* trouver *or* se procurer des fonds pour ♦ **to finance the costs of the undertaking** fournir les fonds nécessaires au projet, financer le projet

**financial** /faɪˈnænʃəl/ **ADJ** financier ♦ **the financial pages** *daily newspaper* la rubrique financière, les pages financières ♦ **they are in financial difficulties** ils ont des problèmes financiers *or* des difficultés financières ▪ Voir encadré page suivante.

**financially** /faɪˈnænʃəlɪ/ **ADV** financièrement ♦ **financially sound** en bonne santé financière.

**financier** /faɪˈnænsɪəʳ/ **N** financier m.

**financing** /faɪˈnænsɪŋ/ **N** financement m ♦ **financing through retained earnings, internal financing** autofinancement ♦ **corporate financing** financement des sociétés ♦ **deficit financing** financement par le déficit budgétaire ♦ **external financing** financement externe ♦ **seed financing** capital d'amorçage ♦ **start-up financing** financement de départ, capital de démarrage

---

compounds/composés ⎯⎯⎯

- **financing adjustment** ajustement multiplicateur
- **financing capacity** capacité de financement
- **financing expenses** charges fpl financières
- **financing package** montage financier
- **financing plan** plan de financement.

---

**find** /faɪnd/ **VI** **a** trouver ♦ **to find fault with sth** trouver à redire à qch ♦ **to find fault with sb** critiquer qn ♦ **the new model found a ready sale** le nouveau modèle s'est vendu facilement **b** *(Jur)* ♦ **to find sb guilty** déclarer qn coupable ♦ **the court found that** le tribunal a conclu que **c** *(= supply)* fournir; *(= obtain)* obtenir, trouver ♦ **wages £200 all found** *(Brit)* salaire de 200 livres logé (et) nourri ♦ **wages $200 and found** *(US)* salaire de 200 dollars logé (et) nourri ▨ **to find for / against the accused** se prononcer en faveur de / contre l'accusé ▨ trouvaille f, découverte f.

**finder** /ˈfaɪndəʳ/ **N** *(Jur)* inventeur(-trice) m(f) ♦ **finder fees** honoraires de recherche.

**findings** /ˈfaɪndɪŋz/ **NPL** *[committee]* conclusions-fpl, constatations fpl ; *[market survey]* conclusions fpl, résultats mpl ; *(Jur)* conclusions fpl, verdict m.

---

compounds/composés ⎯⎯⎯

- **Finance Act** loi de finances
- **Finance Bill** *(Brit Pol)* projet de loi de finances
- **finance bill** effet financier
- **finance charges** frais mpl financiers *or* de crédit
- **finance company** compagnie financière, société de financement *or* de crédit
- **finance contract** contrat de financement *or* de crédit
- **finance director** directeur financier
- **finance house** *(Brit)* établissement de crédit, société de financement
- **finance syndicate** syndicat de finance *or* financier.

—————— compounds/composés ——————

FINANCIAL

- **financial accounting** comptabilité générale or financière
- **financial accounting standards** normes fpl comptables
- **financial accounts** comptes mpl financiers
- **financial adviser** or **consultant** conseiller fiscal (lors d'un rachat de société)
- **financial aid** aide financière
- **financial analysis** analyse financière
- **financial analyst** analyste financier
- **financial assets** actifs mpl financiers
- **financial assistance** appui financier, aide financière
- **financial balance** tableau économique d'ensemble
- **financial charges** frais mpl financiers
- **financial circles** milieux mpl financiers
- **financial crisis** crise monétaire
- **financial contribution** apport financier
- **financial disclosure** présentation or publication financière
- **financial executives** cadres mpl or responsables financiers
- **financial futures market** marché à terme des instruments financiers, MATIF
- **financial health** santé financière
- **financial institution** établissement or organisme financier
- **financial intermediary** intermédiaire financier
- **financial investment** investissement financier (en actions, obligations)
- **financial leverage** effet de levier financier
- **financial management** gestion financière
- **financial market** marché financier, place financière

- **financial news** informations fpl financières
- **financial officer** (Bank) chef des services financiers
- **financial package** montage financier, tour de table
- **financial paper** (US) papier commercial
- **financial period** période comptable
- **financial position** situation financière ◆ **statement of financial position** bilan
- **financial reconstruction** assainissement financier
- **financial reporting** reporting financier
- **financial requirements** besoins mpl de trésorerie or de financement
- **financial resources** ressources fpl financières
- **financial risk** risque financier
- **Financial Services Authority** (Brit) ≈ Autorité des marchés financiers
- **financial standing** [person, company] situation financière, solvabilité
- **financial statement** bilan, état financier, situation de trésorerie
- **financial stringency** resserrement monétaire, raréfaction des capitaux
- **financial summary** état financier récapitulatif
- **financial support** aide financière, soutien or appui financier
- **Financial Times Industrial Ordinary Share Index** (Brit) indice des valeurs industrielles publié par le Financial Times
- **Financial Times Stock Exchange Index** indice des valeurs publié par le FTSE
- **financial year** exercice financier or comptable.

**find out** vt SEP (= discover) découvrir (that que); answer trouver ◆ **please find out the cause of the delay** veuillez établir la cause de ce retard.

**fine** /faɪn/ N (gen) amende f ; (Aut) contravention f ◆ **liable to a fine** passible d'amende
◾ VT (gen) condamner à une amende, frapper d'une amende; (Aut) infliger or mettre une contravention à ◆ **he was fined £10** il a eu une amende de 10 livres, il a eu 10 livres d'amende
◾ ADJ (= high quality) cloth fin; metal pur; workmanship délicat ◆ **he went through the document with a fine-tooth comb** il a passé les documents au peigne fin or au crible ◆ **fine print** (Typ) petits caractères ◆ **don't forget to read the fine print in your contract** n'oubliez pas de lire la partie du contrat écrite en petits caractères ◆ **fine trade bill** traite de premier ordre, papier de haut commerce ◆ **fine rate of interest** taux d'intérêt privilégié accordé par les banques à leurs bons clients ◆ **prices are cut very fine** (St Ex) les cours sont au plus bas.

**fine down** vi se réduire ◆ **our profits are fining down** nos bénéfices fondent à vue d'œil.

**fineness** /ˈfaɪnnɪs/ N (gen) qualité f supérieure; [metal] titre m.

**fine-tune** /ˈfaɪntjuːn/ VT economy ajuster, mettre au point, régler avec précision.

**finish** /ˈfɪnɪʃ/ N [manufactured articles] finition f
◾ VT work, report, supplies finir, terminer ◆ **to put the finishing touches to sth** mettre la dernière main or la touche finale à qch
◾ VI [meeting, negotiations] finir, s'achever, se terminer; [contract] se terminer, prendre fin, arriver à son terme; (St Ex) clôturer, terminer ◆ **our shares finished at $70** nos actions cotaient 70 dollars en clôture or en fin de séance.

**finished** /ˈfɪnɪʃt/ ADJ ◆ **finished goods** or **products** produits finis.

**finite** /ˈfaɪnaɪt/ ADJ fini, limité.

**fink** */fɪŋk/ (US) N briseur m de grève.

**Finland** /ˈfɪnlənd/ N Finlande f.

**Finn** /fɪn/ N (= inhabitant) Finlandais(e) m(f).

**Finnish** /'fɪnɪʃ/ **ADJ** **a** *inhabitant* finlandais
◆ **Finnish mark** mark finlandais **b** *culture* finnois
**N** (= *language*) finnois m.

**FIO** /ˌefaɪˈəʊ/ abbr of **free in and out** → **free**.

**fire** /faɪəʳ/ **N** *(gen)* feu m ; *[house]* incendie m
◆ **fire and theft** vol et incendie ◆ **to insure o.s. against fire** s'assurer contre l'incendie ◆ **to come under fire** *[plan, suggestion]* faire l'objet de vives critiques

——————— *compounds/composés* ———————

- **fire door** porte coupe-feu
- **fire drill** exercice d'évacuation *(en cas d'incendie)*
- **fire escape** (= *staircase*) escalier de secours
- **fire exit** sortie de secours
- **fire fighting** *(lit)* lutte contre le feu; *(fig)* solution des problèmes au jour le jour
- **fire hazard** or **risk** risque d'incendie
- **fire insurance** assurance (contre l') incendie
- **fire loss adjuster** *(Ins)* expert en sinistre incendie
- **fire office** *(Ins)* compagnie d'assurance contre l'incendie
- **fire policy** police incendie
- **fire prevention** mesures fpl de sécurité contre l'incendie
- **fire regulations** consignes fpl en cas d'incendie
- **fire sale** soldes mpl après incendie

**VT** *(* = dismiss)* renvoyer, flanquer à la porte*, vider*, licencier.

**fireproof** /'faɪəpruːf/ **VT** ignifuger
**ADJ** *material* ignifuge.

**firewall** /'faɪəwɔːl/ **N** *(Comp)* mur m pare-feu, barrière f de sécurité.

**firm** /fɜːm/ **N** *(Comm) (gen)* compagnie f, firme f, maison f or établissement m de commerce, entreprise f, société f ; *[lawyers]* cabinet m, étude f ◆ **consultancy firm** cabinet or société de conseil ◆ **multiple firm** maison or établissement à succursales multiples
**ADJ** **a** *(Comm, Fin) market* ferme ◆ **to stand firm** *person* tenir bon, rester ferme; *share prices* se maintenir, résister, rester ferme ◆ **firm deal** marché ferme **b** (= *definite*) *date* ferme, sûr; *sale, rates* ferme ◆ **firm bid** cours d'achat ferme ◆ **firm offer** offre ferme ◆ **firm seller** vendeur ferme ◆ **firm underwriting** engagement or souscription de prise ferme ◆ **articles in firm demand** articles constamment demandés ◆ **to buy / sell firm** *(St Ex)* acheter / vendre ferme ◆ **our shares closed firm** nos actions ont bien résisté en clôture ◆ **our shares remain firm** nos actions se maintiennent.

**firmness** /'fɜːmnɪs/ **N** *[market, shares]* fermeté f, raffermissement m, bonne tenue f ; *[person]* détermination f, résolution f.

**firm up** /'fɜːm/ **VI** *[prices]* se raffermir
**VT SEP** **to firm up a contract** valider un contrat, signer définitivement un contrat.

**firmware** /'fɜːmwɛə/ **N** microprogramme m.

**first** /fɜːst/ **ADJ** premier ◆ **first (flash) estimate** première estimation ◆ **first-generation computer** ordinateur de la première génération ◆ **his project didn't even get to first base** * son projet n'a rien donné or n'a même pas connu un début de réalisation ◆ **first teller** *(US Bank)* caissier payeur ◆ **first of exchange** *(Fin)* première de change
**N** premier(-ière) m(f)

——————— *compounds/composés* ———————

- **first-class** (= *best quality*) *(gen)* de premier choix, de première qualité; *seat, ticket* de première classe ◆ **first-class mail** *(Brit)* courrier (à tarif) normal
- **first-half profits** bénéfices mpl du premier semestre
- **first in first out** premier entré premier sorti
- **first-line management** maîtrise
- **first mortgage** hypothèque de premier rang ◆ **first mortgage bond** *(US)* obligation hypothécaire de premier rang, obligation de première hypothèque
- **first name** prénom
- **first preference share** action privilégiée de premier rang
- **first-rate** excellent de premier ordre
- **first-year interests** intérêts mpl intercalaires.

**firstly** /'fɜːstlɪ/ **ADV** premièrement, en premier lieu.

**fiscal** /'fɪskəl/ **ADJ** *(gen)* fiscal ◆ **fiscal agent** agent financier ◆ **fiscal authorization bill** loi de finances ◆ **fiscal band** tranche fiscale ◆ **fiscal charges** frais fiscaux ◆ **fiscal law** droit fiscal ◆ **fiscal period** période budgétaire, exercice comptable ◆ **fiscal policy** politique budgétaire ◆ **fiscal projection** prévision financière ◆ **fiscal year** année budgétaire *(débutant le 1ᵉʳ avril en Grande Bretagne et le 1ᵉʳ octobre aux États-Unis)*, exercice comptable ◆ **fiscal 2004** l'exercice 2004.

**fiscalist** /'fɪskəlɪst/ **N** fiscaliste mf.

**fish** /fɪʃ/ **N** poisson m ◆ **fish farm** centre de pisciculture, élevage piscicole ◆ **fish farming** pisciculture
**VTI** pêcher.

**fishery** /'fɪʃərɪ/ **N** pêcherie f.

**fishing** /'fɪʃɪŋ/ **N** pêche f

───── compounds/composés ─────

- **fishing fleet** flottille de pêche
- **fishing grounds** lieux mpl de pêche
- **fishing industry (the)** l'industrie de la pêche
- **fishing port** port de pêche.

**fishy** \* /ˈfɪʃɪ/ **ADJ** (= suspicious) business suspect, douteux, louche.

**fit** /fɪt/ **ADJ** person (= suitable) capable; (= worthy) digne (for de) ◆ **to be fit for a job** (= qualified) avoir la compétence nécessaire or les qualités requises pour faire un travail; (= physically able) être physiquement apte à exécuter un travail **VT** a [clothes] aller à ◆ **this coat fits you well** ce manteau vous va bien or est bien à votre taille ◆ **the folders do not fit our filing cabinet** les chemises ne vont pas dans notre classeur b description répondre à ◆ **his account does not fit the facts** son explication ne colle pas or ne concorde pas avec les faits c (= adapt, equip) ajuster, monter ◆ **car fitted with a radio** voiture équipée d'une radio ◆ **his training fitted him for the position** sa formation le rendait à même de remplir ces fonctions **VI** a [facts] s'accorder, cadrer ◆ **it doesn't fit with what he said to me** ceci ne correspond pas or ne cadre pas avec ce qu'il m'a dit b [clothes] aller; [key, part] entrer, aller ◆ **the jacket does not fit** la veste ne va pas.

**f.i.t.** /ˌefaɪˈtiː/ abbr of **free of income tax** → **free.**

**fitfully** /ˈfɪtfəlɪ/ **ADV** work par à-coups, d'une manière intermittente.

**fit in** **VI** (gen) concorder (with avec) ◆ **he left the firm because he didn't fit in** il a quitté l'entreprise parce qu'il ne pouvait pas s'intégrer **VT SEP** faire entrer, caser\* ◆ **I can't possibly fit you in, I'm booked up** je ne peux absolument pas vous caser, mon carnet de rendez-vous est plein.

**fitment** /ˈfɪtmənt/ **N** élément m encastré.

**fitness** /ˈfɪtnɪs/ **N** a (= health) santé f, forme f physique b (= suitability) [person] aptitudes fpl, compétence f (for pour)

**fit out** **VT SEP** expedition, person équiper; ship armer.

**fitter** /ˈfɪtər/ **N** (Tech) ajusteur m, monteur m.

**fitting** /ˈfɪtɪŋ/ **N** a [dress] essayage m b (Tech) (= action) installation f, montage m ◆ **fittings** installations, équipement ◆ **fittings and fixtures** installations et agencement

───── compounds/composés ─────

- **fitting room** salon d'essayage.

**five** /faɪv/ **ADJ, N** cinq m → **six**

───── compounds/composés ─────

- **five-and-ten(-cent) store, five-and-dime (store)** (US) bazar
- **five spot** \* (US) billet de cinq dollars
- **five-star hotel** palace, cinq-étoiles
- **five-year plan** (national) plan quinquennal; [company] plan à cinq ans.

**fivefold** /ˈfaɪvfəʊld/ **ADJ** quintuple **ADV** au quintuple.

**fiver** \* /ˈfaɪvər/ **N** (Brit) billet m de cinq livres; (US) billet m de cinq dollars.

**fix** /fɪks/ **VT** a (= fasten firmly) fixer ◆ **to fix the blame on sb** mettre la responsabilité sur le dos de qn b (= decide) time, price fixer, arrêter; limit fixer, établir ◆ **on the date fixed** à la date fixée or convenue ◆ **nothing has been fixed yet** rien n'a encore été décidé, il n'y a encore rien d'arrêté ◆ **to fix the budget** établir le budget ◆ **let's fix a meeting for tomorrow** fixons une réunion pour demain c (= deal with) arranger ◆ **don't worry, I'll fix it all** ne vous en faites pas, je vais tout arranger d (\* = bribe) jury acheter, soudoyer; election truquer, fausser ◆ **to fix prices** s'entendre sur les prix (de manière illicite) **N** a (\* = difficulty) ennui m, embarras m, embêtement m ◆ **to be in / get into a fix** être / se mettre dans le pétrin or dans les embêtements b (St Ex) cours m fixé.

**fixed** /fɪkst/ **ADJ** a idea fixe; determination inébranlable ◆ **of no fixed abode** person sans domicile fixe b (Comm, Ind) fixe ◆ **fixed charges** or **costs** or **expenses** frais or charges or coûts fixes (d'exploitation) ◆ **fixed duty** taxe fixe ◆ **fixed price** prix fixe ◆ **fixed salary** salaire fixe or régulier ◆ **fixed working hours** horaire de travail fixe c (Fin) annuity, income, investment fixe ◆ **fixed assets** or **capital** immobilisations, actif immobilisé, capitaux fixes ◆ **fixed date** échéance fixe ◆ **fixed-income fund** fonds à revenu fixe ◆ **fixed (term) deposit** dépôt à terme fixe ◆ **fixed-interest securities** valeurs à taux fixe ◆ **fixed interval sampling** échantillonnage systématique ◆ **fixed overheads** frais généraux fixes ◆ **fixed-price contract** contrat forfaitaire, contrat à prix ferme ◆ **fixed yield securities** valeurs à rendement fixe.

**fixing** /ˈfɪksɪŋ/ N [price, duties] fixation f, détermination f ✦ **(gold) fixing** (St Ex) fixation du cours de l'or, fixing ✦ **interbank fixing** (Foreign Exchange) taux de change or fixing interbancaire ✦ **fixing rates** cours de fixing ✦ **price fixing** (gen) fixation des prix; (by government) contrôle des prix; (Jur) entente illégale or illicite sur les prix.

**fixture** /ˈfɪkstʃəʳ/ N (gen pl: in building) installation f; (Jur) immeuble m par destination ✦ **the house was sold with fixtures and fittings** on a vendu la maison avec toutes les installations or tous les équipements ✦ **inventory of fixtures** état des lieux.

**fix up** ⓥ s'arranger (to do pour faire)
ⓥ ⓢⓔⓟ combiner, arranger ✦ **I'll try to fix sth up** je tâcherai d'arranger qch ✦ **to fix sb up with a job** trouver du travail à qn.

**fizzle out** /ˈfɪzl/ ⓥ [economic recovery] avorter, rater, faire long feu.

**fl.** abbr of **fluid.**

**flag** /flæg/ Ⓝ (gen) drapeau m ; (Naut) pavillon m ; (Comp) drapeau m, marque f ; (Technical analysis) figure f en drapeaux ✦ **flag of convenience** pavillon de complaisance
ⓥ [exports, economy] se ralentir, faiblir, fléchir; [worker, enthusiasm] se relâcher, faiblir ✦ **production has flagged in the third quarter** la production s'est ralentie or a faibli or a fléchi au troisième trimestre, il y a eu un fléchissement de la production au troisième trimestre ✦ **prices flag** (St Ex) les cours mollissent or s'effritent ✦ **flagging demand** demande en baisse
ⓥ (Comp) étiqueter.

**flagship** /ˈflæɡʃɪp/ N (lit) vaisseau m amiral; (fig) fleuron m ✦ **flagship brand** marque phare, marque de prestige.

**flare up** /ˈflɛəʳ/ ⓥ [labour unrest] éclater; [inflation] s'intensifier.

**flare-up** /ˈflɛərˌʌp/ N [prices] flambée f soudaine; [inflation] accroissement m soudain; [unemployment] recrudescence f (in de).

**flash** /flæʃ/ Ⓝ [jewels] éclat m ✦ **the economic recovery was just a flash in the pan** la reprise économique a été un feu de paille ✦ **flash of inspiration** éclair de génie ✦ **news flash** flash (d'information)
ⓥ [economic indicators] clignoter ✦ **to flash round** [news] se répandre comme une traînée de poudre
ⓥ **the indicators are flashing warning signals** les clignotants sont au rouge

---
*compounds/composés*
- ✦ **flash estimate** estimation rapide
- ✦ **flash pack** emballage promotionnel
- ✦ **flash point** (fig) point de rupture ✦ **the situation had nearly reached flash point** la situation était sur le point d'exploser or était devenue explosive.
---

**flat** /flæt/ ⒶⒹⒿ ⓐ surface plat ⓑ market mou, terne, inactif, stagnant, morose, calme ✦ **sales are flat** les ventes sont languissantes, les ventes stagnent ✦ **oil stocks remained flat** les pétrolières sont restées peu animées ⓒ refusal, denial net, catégorique ✦ **our proposal met with a flat denial** notre proposition s'est heurtée à un refus catégorique or une fin de non-recevoir ⓓ (Comm) ✦ **flat rate** [tax] taux forfaitaire; [charge, price] taux fixe, tarif uniforme ✦ **flat rate bonus** prime non hiérarchisée ✦ **flat rate of pay** taux uniforme de salaire ✦ **flat rate duty of 30%** droit uniforme de 30% ✦ **flat rate subscription** abonnement à forfait ✦ **you'll be paid at a flat rate** vous recevrez une rémunération forfaitaire ✦ **flat rate tax** impôt forfaitaire ⓔ (US St Ex) ✦ **flat quotation** cotation sans intérêt couru ✦ **flat income bond** obligation à taux variable négociée sans les intérêts courus ⓕ (= not shiny) colour mat ⓖ (US = penniless) ✦ **to be flat** * être fauché*, n'avoir plus un rond* or un radis*
ⒶⒹⓋ he turned it down flat il l'a carrément refusé, il a refusé tout net ✦ **to be working flat out** travailler d'arrache-pied
Ⓝ (Brit) appartement m ✦ **show flat** appartement-témoin.

**flatly** /ˈflætlɪ/ ⒶⒹⓋ deny, oppose, refuse catégoriquement, absolument.

**flatten out** /ˈflætn/ ⓥ [trend] se niveler, se stabiliser; [graph] se niveler, s'aplatir ✦ **the unemployment curve is flattening out** la courbe du chômage se stabilise.

**flaunt** /flɔːnt/ ⓥⓣ wealth étaler; (US) regulations faire fi de.

**flaw** /flɔː/ N (in jewel, character, argument) défaut m, imperfection f ; (Jur) (in contract, procedure) vice m de forme.

**flawed** /flɔːd/ ⒶⒹⒿ imparfait, défectueux.

**flawless** /ˈflɔːlɪs/ ⒶⒹⒿ parfait, sans défaut ✦ **he spoke flawless Russian** il parlait le russe à la perfection.

**fledgling** /ˈfledʒlɪŋ/ Ⓝ (fig = novice) blanc-bec m
ⒶⒹⒿ débutant m ✦ **a fledgling commercial field** un secteur commercial qui ne fait que démarrer or qui n'en est qu'à ses balbutiements.

**fleece** * /fliːs/ **VT** *(= rob)* voler; *(= swindle)* escroquer, filouter* ; *(= overcharge)* estamper*, tondre*.

**fleet** /fliːt/ **N** *(Mar)* flotte f ♦ **fleet of vehicles** parc de voitures, parc automobile ♦ **merchant fleet** marine marchande, flotte commerciale.

**flexibility** /ˌfleksɪˈbɪlɪtɪ/ **N** flexibilité f, élasticité f, souplesse f.

**flexible** /ˈfleksəbl/ **ADJ** *person, regulations, object* flexible, souple ♦ **flexible budget** budget variable *or* flexible ♦ **flexible exchange rate** taux de change flexible ♦ **flexible working hours** horaire de travail souple *or* élastique.

**flexitime, flextime** /ˈflekstaɪm/ **N** horaire m variable *or* à la carte *or* libre.

**flier** /ˈflaɪəʳ/ **N** **a** *(= speculative transaction)* (folle) aventure f, spéculation f hasardeuse **b** *(= handbill, publicity insert)* prospectus m.

**flight** /flaɪt/ **N** **a** *(Aviat)* vol m ♦ **flight number 742 from / to New York** le vol 742 en provenance / à destination de New York ♦ **nonstop flight** vol sans escale **b** *(= group)* ♦ **in the top flight of economists** parmi les économistes les plus marquants ♦ **a company in the top flight** une société de pointe ♦ **top-flight engineer** ingénieur de haute volée *or* de haut niveau **c** *[capital]* fuite f ♦ **there has been a flight into that currency** les capitaux se sont massivement convertis dans cette monnaie ♦ **the flights of savings** la fuite *or* la délocalisation de l'épargne

— compounds/composés —

♦ **flight attendant** *(= man)* steward; *(= woman)* hôtesse de l'air
♦ **flight capital** capitaux mpl partis à l'étranger
♦ **flight to quality** *(St Ex)* fuite *or* vol vers la qualité.

**flipboard** /ˈflɪpbɔːd/ **N** chevalet m, tableau m à feuilles mobiles.

**flipchart** /ˈflɪptʃɑːt/ **N** chevalet m, tableau m à feuilles mobiles.

**flip-flop** /ˈflɪpˌflɒp/ **N** *(Comp)* bascule f
**VI** *(US)* basculer ♦ **earnings flip-flopped from a $1.4 billion loss to a $587 million profit** le chiffre d'affaires est passé d'un solde négatif de 1,4 milliard de dollars à un excédent de 587 millions.

**float** /fləʊt/ **N** **a** *(Bank)* float m, impact m des jours de valeur, chèques et effets mpl en cours de recouvrement ♦ **float time** jours de valeur **b** (also **cash float**) fonds m de caisse **c** *(St Ex)* *[shares]* flottant m, (total m des) actions fpl d'une entreprise en circulation **d** *(Foreign Exchange)* *[exchange rate]* flottation f **e** *(Ind)* ♦ **upstream / downstream float** marge amont / aval

**VI** *[currency]* flotter ♦ **currencies floating jointly** monnaies qui suivent un flottement concerté **VT** *currency* laisser flotter; *company* fonder, créer, constituer ♦ **the company is going to float 25% of its capital** l'entreprise va introduire en Bourse 25% de son capital ♦ **to float a share issue** émettre des actions ♦ **to float a loan** lancer *or* émettre un emprunt.

**floatation** /ˌfləʊˈteɪʃən/ **N** → **flotation.**

**floater** /ˈfləʊtəʳ/ **N** **a** *(Ins)* police f flottante **b** **floaters** *(St Ex)* instruments financiers à taux variables *or* flottants; *(= currencies)* monnaies flottantes ♦ **perpetual floaters** obligations à taux variable sans échéance fixe.

**floating** /ˈfləʊtɪŋ/ **ADJ** *population* instable; *exchange* flottant ♦ **floating assets** capitaux mobiles *or* flottants *or* circulants ♦ **floating currency** devise flottante ♦ **floating debt** dette flottante ♦ **floating decimal (point)** virgule flottante ♦ **floating dock** dock flottant ♦ **floating policy** *(Ins)* police flottante ♦ **floating rate** taux flottant *or* variable ♦ **floating rate note** effet à taux flottant ♦ **floating rig** plate-forme flottante ♦ **floating cargo** cargaison flottante *or* sous voile *or* en mer.

**flood** /flʌd/ **N** inondation f ; *[letters]* déluge m **VI** *[river]* déborder, être en crue **VT** *fields, market* inonder; *(fig)* *[goods, suppliers]* inonder, submerger.

**floor** /flɔːʳ/ **N** **a** plancher m ♦ **the factory floor** les ateliers ♦ **the shop floor** *(buildings)* les ateliers, l'usine; *(workers)* les ouvriers (d'usine) ♦ **to take the floor** *(in meeting, debate)* prendre la parole ♦ **shop-floor workers** ouvriers d'usine **b** *(St Ex)* enceinte f de la Bourse, parquet m ♦ **on / off the floor** en / hors Bourse ♦ **the trading floor** le parquet **c** *(= storey)* étage m ♦ **first floor** *(Brit)* premier étage; *(US)* rez-de-chaussée ♦ **ground floor** *(Brit)* rez-de-chaussée **d** *(fig = lower level)* limite f inférieure, minimum m, plancher m, seuil m ♦ **a floor**

— compounds/composés —

♦ **floor broker** courtier
♦ **floor inventory** stocks mpl courants
♦ **floor manager** *(US)* chef de rayon
♦ **floor price** prix *or* cours plancher
♦ **floor trader** boursier, professionnel de la Bourse, opérateur; *(Foreign Exchange)* cambiste.

below which our stocks should not fall un seuil au-dessous duquel nos actions ne devraient pas tomber ◆ **the stock market has fallen through the floor** la Bourse s'est écroulée

**floorwalker** /'flɔ:ˌwɔːkəʳ/ **N** *(US)* *(in department store)* chef m de rayon, surveillant(e) m(f).

**flop** /flɒp/ **VI** *[scheme]* être un fiasco; *[share offer]* être un échec, être boudé par les investisseurs **N** *[scheme]* fiasco m, bide m *.

**floppy disk** /'flɒpɪˌdɪsk/ **N** disque m souple, disquette f.

**florin†** /'flɒrɪn/ **N** florin m.

**flotation** /fləʊ'teɪʃən/ **N** *[company]* introduction f en Bourse; *[loan]* émission f, lancement m ; *[currency]* flottement m ◆ **the flotation of 25% of the company's capital** l'introduction en Bourse de 25% du capital de l'entreprise ◆ **flotation costs** *[loan]* frais d'émission.

**flotsam** /'flɒtsəm/ **N** épave f (flottante) ◆ **flotsam and jetsam** choses de flot et de mer.

**flourish** /'flʌrɪʃ/ **VI** *[business]* prospérer, prendre de l'extension, être florissant.

**flow** /fləʊ/ **N** *[enquiries, replies]* flot m, afflux m, volume m ; *(Fin)* flux m ◆ **flow of orders** afflux de commandes ◆ **flow of capital** mouvement *or* flux de capitaux ◆ **flow of funds** flux financiers ◆ **flow-of-funds table** tableau des opérations financières ◆ **flow of money** circulation monétaire, flux monétaire ◆ **flow of work** circuit des opérations ◆ **orders are coming in at a fast flow** les commandes affluent ◆ **a fast flow of customers at the check-out counter** un débit rapide de clients à la caisse ◆ **the smooth flow of operations** la bonne marche du travail, le déroulement régulier des opérations ◆ **cash flow** marge brute d'autofinancement, cash-flow ◆ **to have cash flow problems** avoir des difficultés de trésorerie ◆ **discounted cash flow** valeur actualisée nette ◆ **materials flow** flux de matières

─── *compounds/composés* ───
◆ **flow chart** *(gen)* diagramme de circulation, flow chart; *(Comp)* organigramme ◆ **to flow chart** exprimer par organigramme
◆ **flow production** production à la chaîne
◆ **flow-through method** *(US)* méthode d'imputation à l'exercice.

**flow in** **VI** affluer, arriver à flots ◆ **the money keeps flowing in** l'argent rentre à flots, l'argent afflue.

**fluctuate** /'flʌktjʊeɪt/ **VI** *[prices]* varier, fluctuer, osciller.

**fluctuation** /ˌflʌktjʊ'eɪʃən/ **N** fluctuation f, variation f, oscillation f ◆ **cyclical fluctuations** variations conjoncturelles *or* cycliques ◆ **seasonal fluctuations** variations saisonnières ◆ **fluctuation margins** marges de fluctuation ◆ **oil shares underwent violent fluctuations** les pétrolières ont subi de fortes variations de cours.

**fluid** /'fluːɪd/ **ADJ** *(gen)* fluide, liquide; *situation* fluide ◆ **fluid assets** *(US)* liquidités, disponibilités ◆ **fluid capital** fonds de roulement ◆ **fluid market** marché changeant ◆ **fluid ounce** *(Brit)* ≈ 28,4 ml *(US)* ≈ 29,56 ml.

**fluidity** /fluː'ɪdɪtɪ/ **N** fluidité f ◆ **fluidity of labour** mobilité *or* fluidité de la main-d'œuvre.

**flurry** /'flʌrɪ/ **N** *(St Ex)* agitation f, accès m de fièvre ◆ **the news produced a flurry of activity on the stock exchange** la nouvelle a provoqué une poussée de fièvre à la Bourse.

**flush** /flʌʃ/ **ADJ** **a** au même niveau *(with* que) au ras *(with* de) **b** **to be flush with money** * être plein aux as* **c** afflux m, abondance f soudaine ◆ **a flush of orders** un afflux de commandes.

**flutter** /'flʌtəʳ/ **N** *(= nervousness)* agitation f ◆ **in a flutter** en émoi ◆ **to have a flutter** * *(Brit gamble)* *(gen)* parier *or* risquer de petites sommes *(on* sur) *(on the stock exchange)* boursicoter.

**flux** /flʌks/ **N** fluctuation f, flux m ◆ **the situation is in a constant state of flux** la situation est fluctuante.

**fly** /flaɪ/ **VI** *[air passenger]* aller *or* voyager en avion
**VT** *goods* transporter par avion; *flag* arborer ◆ **to fly the French flag** battre pavillon français ◆ **to fly a kite** *(fig)* lancer un ballon d'essai; *(Fin)* faire une traite en l'air.

**fly-by-night** /'flaɪbaɪˌnaɪt/ **ADJ** *firm* véreux.

**flying** /'flaɪɪŋ/ **ADJ** *(gen)* volant ◆ **to get off to a flying start** *scheme, plan* prendre un bon départ ◆ **flying visit** visite éclair.

**flyleaf** /'flaɪliːf/ **N** page f de garde.

**FO** abbr of **firm offer** → **firm.**

**fo.** abbr of **folio.**

**FOB** /efəʊ'biː/ (abbr of **free on board**) FAB.

**FOC** /efəʊ'siː/ abbr of **free of charge** → **free.**

**focal** /'fəʊkəl/ **ADJ** focal ◆ **the focal point of the discussion** le point central de la discussion.

**focus** /'fəʊkəs/ **N** *[interest]* centre m ; *[unrest]* foyer m, siège m

**VT** *camera* mettre au point; *attention, efforts* concentrer (*on* sur); *discussion* centrer (*on* sur) ◆ **most of the discussion was focused on costs** la discussion a surtout porté sur les coûts ◆ **focused interview** entretien en profondeur.

**foil** /fɔɪl/ **VT** *plans, attempts* déjouer, contrecarrer.

**fol.** abbr of **folio.**

**fold** /fəʊld/ **VT** *cloth, paper* plier
   **VI** *(* = fail) [newspaper]* disparaître, cesser de paraître; *[business]* fermer, faire faillite.

**folder** /ˈfəʊldəʳ/ **N**  **a** *(= file)* chemise f ; *(with hinges)* classeur m ; *(for drawings)* carton m ; *(papers)* dossier m  **b** *(= circular)* dépliant m, brochure f.

**folio** /ˈfəʊlɪəʊ/ **N** *(= sheet)* folio m, feuillet m ; *(= book)* (volume m) in-folio m.

**follow** /ˈfɒləʊ/ **VT**  **a** *person, road* suivre ◆ **he followed his father into the business** il est entré dans l'affaire sur les traces de son père  **b** *fashion, instructions* suivre, se conformer à ◆ **to follow sb's advice** suivre les conseils de qn ◆ **to follow suit** faire de même, suivre le mouvement  **c** *profession* exercer, pratiquer; *career* poursuivre  **d** *(= understand)* argument comprendre; *speech* suivre
   **VI**  **a** *(= come after)* suivre ◆ **to follow in sb's footsteps** marcher sur les traces de qn  **b** *(= result)* s'ensuivre, résulter, découler (*from* de)  **c** *(= understand)* suivre, comprendre

*compounds/composés*

◆ **follow-through** *(to project, survey)* suite, continuation (*to* de)
◆ **follow-up** *(to event, programme)* suite (*to* de); *(to customers, orders)* suivi; *(letter, circular)* rappel; *(to defaulters)* relance ◆ **for follow-up** pour suite à donner ◆ **follow-up letter** lettre de rappel *or* de relance ◆ **follow-up survey** étude complémentaire.

**follower** /ˈfɒləʊəʳ/ **N** partisan m, disciple m.

**following** /ˈfɒləʊɪŋ/ **ADJ** suivant ◆ **the following day** le jour suivant, le lendemain ◆ **on the following terms** aux conditions suivantes ◆ **following account** (St Ex) liquidation suivante.

**follow up** **VT SEP** *advantage, success* exploiter, tirer parti de; *offer* donner suite à; *order, claim* suivre ◆ **we must follow this business up** il faudra suivre cette affaire ◆ **to be followed up** affaire à suivre ◆ **matters to be followed up** points sur lesquels il convient de revenir ◆ **he is responsible for following up claims** (Ins) il est responsable du suivi des sinistres.

**food** /fuːd/ **N**  **a** *(gen)* nourriture f ; *(Econ)* denrées fpl alimentaires ◆ **it gave me food for thought** cela m'a donné à penser *or* à réfléchir  **b** **foods** aliments ◆ **canned** *or* **tinned foods** conserves, aliments en boîte ◆ **frozen foods** aliments surgelés ◆ **health foods** aliments naturels *or* diététiques *or* biologiques ◆ **Food and Agricultural Organization** Organisation pour l'alimentation et l'agriculture ◆ **Food and Drug Administration** *(US) office du contrôle pharmaceutique et alimentaire*

*compounds/composés*

◆ **food counter** *or* **department** rayon (d') alimentation
◆ **food poisoning** intoxication alimentaire
◆ **food prices** prix mpl des denrées alimentaires
◆ **food (processing) industry** industrie agroalimentaire
◆ **food products** produits mpl *or* denrées alimentaires
◆ **food rationing** rationnement alimentaire
◆ **food subsidy** subvention sur les denrées alimentaires
◆ **food shares** *(St Ex)* valeurs fpl de l'agro-alimentaire
◆ **food supplies** vivres mpl
◆ **food value** valeur nutritive.

**foodgrains** /ˈfuːdɡreɪnz/ **NPL** céréales fpl.

**foodstuffs** /ˈfuːdstʌfs/ **NPL** denrées fpl alimentaires.

**foolproof** /ˈfuːlpruːf/ **ADJ** *method* infaillible, à toute épreuve; *piece of machinery* indétraquable, indéréglable.

**foolscap** /ˈfuːlskæp/ **N** papier m grand format, ≈ papier m ministre ◆ **foolscap envelope** enveloppe grand format, grande enveloppe.

**foot** /fʊt/ **N**  **a** *[person, horse]* pied m ◆ **cattle on foot** bétail sur pied ◆ **to set sb on his feet again** *(financially)* remettre qn en selle ◆ **he put his foot down** il a fait acte d'autorité ◆ **he didn't put a foot wrong** il n'a pas commis la moindre erreur *or* maladresse ◆ **to get one's** *or* **a foot in the door** commencer à s'implanter  **b** *[page]* bas m  **c** *(= measure)* pied m, ≈ 30,48 cm
   **VT** **to foot the bill** * payer la note, casquer*

*compounds/composés*

◆ **foot-and-mouth disease** fièvre aphteuse
◆ **foot passenger** *[ferry boat]* passager sans véhicule.

**footage** /ˈfʊtɪdʒ/ **N** *(gen, Cine) (= length)* ≈ métrage m *(= material on film)* séquences fpl.

**foreclose**

**foothold** /'fʊthəʊld/ N prise f (pour le pied) ◆ **to gain** or **get** or **win a foothold in a market** [*product*] prendre pied or pénétrer or commencer à s'implanter sur un marché.

**footing** /'fʊtɪŋ/ N  **a** (= *position*) position f ◆ **on an equal footing** sur un pied d'égalité ◆ **to put sth on an official footing** officialiser qch, rendre qch officiel ◆ **to put sth on a regular footing** régulariser qch ◆ **to gain a footing** commencer à s'implanter (*in* dans) **b** (*US*) (= *addition*) addition f ; (= *total*) total m.

**footnote** /'fʊtnəʊt/ N (*lit : in book*) note f en bas de page; (*fig*) post-scriptum m.

**Footsie** /'fʊtsɪ/ N (*Brit*) (abbr of **Financial Times Stock Exchange Index**) Footsie m, indice m du Financial Times, indice m FT.

**foot up** (*US*) VT *account* additionner.

**footwear** /'fʊtweəʳ/ N  chaussure(s) f(pl) ◆ **he works in the footwear department** il travaille au rayon chaussures ◆ **the footwear industry** l'industrie de la chaussure.

**FOQ** /ˌefəʊ'kjuː/ abbr of **free on quay** → **free.**

**FOR** /ˌefəʊ'ɑːʳ/ abbr of **free on rail** → **free.**

**for** /fɔːʳ/ PREP pour ◆ **for your information** à titre indicatif.

**foray** /'fɒreɪ/ N incursion f, raid m, razzia f (*into* dans)

**forbearance** /fɔː'beərəns/ N tolérance f ◆ **forbearance of a right** (*Jur*) renonciation à l'exercice d'un droit.

**forbid** /fə'bɪd/ VT interdire, défendre ◆ **smoking is strictly forbidden** il est formellement interdit de fumer.

**force** /fɔːs/ N  **a** (= *strength*) (*gen*) force f, violence f ; [*argument*] force f, poids m ◆ **rates in force** tarifs en vigueur ◆ **to resort to force** avoir recours à la force ◆ **his argument lacked force** son argument manquait de poids or n'était pas très convaincant ◆ **to come into force** [*law, prices*] entrer en vigueur or en application ◆ **to obtain legal force** acquérir force de loi ◆ **to put into force** mettre en vigueur ◆ **the new regulation is now in force** la nouvelle réglementation est actuellement en vigueur or est maintenant appliquée ◆ **this ruling now has the force of law** ce jugement a désormais force de loi **b** (= *power*) force f ◆ **there are several forces at work** plusieurs influences se font sentir or s'exercent ◆ **market forces** tendances or forces du marché **c** (= *group of workers*) force f ◆ **labour force** (= *number employed*) effectifs, personnel;

(= *manpower*) main-d'œuvre; (*Econ*) population active ◆ **our sales force** notre force de vente **d** (*Jur, Econ*) **force majeure** force majeure ▪ VT **a** (= *constrain*) contraindre, forcer, obliger (*sb to do* qn à faire) ◆ **to force the issue** brusquer les choses **b** (= *impose*) *conditions* imposer (*on sb* à qn) **c** **to force one's way into a discussion** s'imposer or imposer sa présence dans une discussion ◆ **to force a resolution through the board** forcer le conseil d'administration à adopter une résolution ◆ **to force sb's hand** forcer la main à qn **d** (= *extort*) *answer* arracher, extorquer (*from* à)

**forced** /fɔːst/ ADJ *sale, loan* forcé ◆ **forced value** valeur de liquidation ◆ **forced currency** cours forcé ◆ **forced savings** épargne forcée ◆ **forced labour** travaux forcés ◆ **forced landing** atterrissage forcé.

**force down** VT SEP *prices* faire baisser (en exerçant des pressions) ◆ **the government wants to force prices down** le gouvernement veut faire baisser les prix autoritairement.

**forceful** /'fɔːsfʊl/ ADJ *person* énergique; *argument* de poids; *influence* puissant.

**force out** VT SEP faire sortir (de force) ◆ **small farmers will be forced out of the market** les petits exploitants seront éliminés du marché.

**force up** VT SEP *prices* faire monter (*en exerçant des pressions*) ◆ **interest rates are being forced up by inter-bank competition** la concurrence entre banques pousse les taux d'intérêts à la hausse.

**forcible** /'fɔːsəbl/ ADJ *argument* vigoureux, énergique ◆ **forcible entry** (*by police*) perquisition; (*by thief*) effraction.

**fore** /fɔːʳ/ N (*Mar*) avant m ◆ **to come to the fore** [*person*] se mettre en évidence, se faire remarquer.

**forecast** /'fɔːkɑːst/ VT prévoir ◆ **forecast demand** demande prévisionnelle ▪ N prévision f ◆ **cash forecasts** prévisions de trésorerie or de caisse ◆ **earnings forecasts** résultats prévisionnels ◆ **financial forecasts** prévisions financières ◆ **range forecasts** fourchette de prévisions ◆ **sales forecast** prévisions de vente ◆ **forecast operating budget** budget d'exploitation prévisionnel.

**forecaster** /'fɔːkɑːstəʳ/ N prévisionniste mf.

**forecasting** /'fɔːkɑːstɪŋ/ N prévision f.

**foreclose** /fɔː'kləʊz/ VT (*Jur*) saisir ◆ **to foreclose (on) a mortgage** saisir un bien hypothéqué ▪ VI [*bank*] (*on mortgage*) saisir le bien hypothéqué.

**foreclosure** /fɔːˈkləʊʒəʳ/ N *(Jur) (gen)* forclusion f ; *[mortgage]* saisie f (immobilière) ◆ **farmers are threatened with the foreclosure of their mortgages** les agriculteurs risquent la saisie de leurs biens ◆ **foreclosure sale** vente sur saisie.

**foredate** /fɔːˈdeɪt/ VT antidater.

**forefront** /ˈfɔːfrʌnt/ N ◆ **in the forefront of** au premier rang *or* premier plan de.

**forego** /fɔːˈgəʊ/ VT renoncer à, se priver de, s'abstenir de.

**foreground** /ˈfɔːgraʊnd/ N premier plan m.

**foreign** /ˈfɒrən/ ADJ  **a** *(gen) language, visitor* étranger; *politics* étranger, extérieur; *trade* extérieur ◆ **foreign accounts** *or* **assets** *(held abroad)* comptes *or* avoirs à l'étranger; *(held by non-residents)* comptes *or* avoirs étrangers ◆ **foreign agent** représentant à l'étranger ◆ **foreign aid** aide étrangère *or* extérieure ◆ **foreign bank** banque étrangère ◆ **foreign bill of exchange** traite sur l'étranger ◆ **foreign correspondent** *(Press)* correspondant *or* envoyé permanent à l'étranger; *(Bank)* correspondant ◆ **foreign crowd** *(US St Ex)* courtiers spécialisés en obligations étrangères ◆ **foreign currency** devises étrangères ◆ **foreign currency translation** conversion de devises ◆ **foreign domicile bill** *(Brit)* traite sur l'étranger ◆ **foreign goods** marchandises en provenance de l'étranger ◆ **foreign income** revenus réalisés à l'étranger ◆ **foreign direct investments** investissements étrangers directs ◆ **foreign loan** emprunt extérieur ◆ **foreign money order** mandat international ◆ **foreign national** ressortissant étranger ◆ **foreign operation** établissement à l'étranger ◆ **foreign policy** politique extérieure ◆ **foreign positions of commercial banks** avoirs en devises des banques commerciales ◆ **foreign trade** commerce extérieur  **b** **foreign exchange** *(= currency)* devise; *(= action)* change ◆ **foreign exchange allowance** allocation en devises ◆ **foreign exchange broker** courtier en devises, cambiste ◆ **foreign exchange control** contrôle *or* réglementation des changes ◆ **foreign exchange cushion** matelas de devises ◆ **foreign exchange dealer** cambiste ◆ **foreign exchange dealings** opérations de change ◆ **foreign exchange department** service du change ◆ **foreign exchange gain** gain de change, profit sur change ◆ **foreign exchange holdings** avoirs en devises ◆ **foreign exchange loss** perte de change ◆ **foreign exchange market** marché des changes ◆ **foreign exchange position** position de change ◆ **foreign exchange rates** taux de change, cours du change ◆ **foreign exchange**

**risk** risque de change ◆ **foreign exchange transactions** opérations de change  **c** *(Brit Pol)* **Foreign Office** / **Secretary** ≈ ministère / ministre des Affaires étrangères.

**foreigner** /ˈfɒrənəʳ/ N étranger(-ère) m(f).

**foreign-owned** /ˈfɒrənaʊnd/ ADJ sous contrôle étranger.

**foreman** /ˈfɔːmən/ N *(Ind)* contremaître m, chef m d'équipe ◆ **works** *or* **site foreman** *(Brit)* chef de chantier.

**forename** /ˈfɔːneɪm/ N prénom m.

**forensic** /fəˈrensɪk/ ADJ *(Jur)* légal, judiciaire ◆ **forensic medicine** médecine légiste.

**foresee** /fɔːˈsiː/ VT prévoir, présager.

**foreseeable** /fɔːˈsiːəbl/ ADJ prévisible ◆ **in the foreseeable future** dans un avenir prévisible.

**foreshadow** /fɔːˈʃædəʊ/ VT *[event]* présager, laisser prévoir.

**foreshore** /ˈfɔːʃɔːʳ/ N *(gen)* plage f ; *(Jur)* laisse f de mer.

**foresight** /ˈfɔːsaɪt/ N prévoyance f.

**forestall** /fɔːˈstɔːl/ VT  **a** *competition* devancer; *objection* anticiper, prévenir, devancer  **b** **to forestall goods** acheter la totalité des marchandises *(avant leur mise sur le marché)*.

**forestry** /ˈfɒrɪstrɪ/ N sylviculture f ◆ **the Forestry Commission** *(Brit)* ≈ les Eaux et Forêts.

**forewarn** /fɔːˈwɔːn/ VT prévenir à l'avance, avertir.

**forewoman** /ˈfɔːwʊmən/ N contremaîtresse f.

**foreword** /ˈfɔːwɜːd/ N avant-propos m, avis m *or* avertissement m au lecteur.

**forex** /ˈfɒreks/ N devises fpl ◆ **forex dealer** cambiste ◆ **forex reserves** réserves de change, réserves en devises ◆ **forex markets** marchés des changes.

**forfeit** /ˈfɔːfɪt/ N *(for non-performance of contract)* dédit m ◆ **to relinquish the forfeit** *(St Ex)* abandonner la prime

―――――― *compounds/composés* ――――――

◆ **forfeit clause** clause de dédit
◆ **forfeit payment** pénalité de non-exécution

VT perdre par confiscation ◆ **to forfeit an insurance** laisser périmer une assurance ◆ **to forfeit a patent** se voir retirer un brevet ◆ **to forfeit one's rights** perdre ses droits, être déchu de ses droits ◆ **to forfeit one's deposit** perdre *or* abandonner sa caution.

**forfeitable** /'fɔːfɪtəbl/ ADJ confiscable.

**forfeited** /'fɔːfɪtɪd/ ADJ *share* périmé ✦ **forfeited security** cautionnement perdu.

**forfeiture** /'fɔːfɪtʃəʳ/ N [*property*] *(gen)* perte f (par confiscation) (*of* de); *(Jur)* déchéance f (*of* de); [*right*] renonciation f (*of* à) ✦ **action for forfeiture of patent** action en déchéance de brevet ✦ **non-forfeiture clause** (*Ins*) clause de prolongation automatique.

**forge** /fɔːdʒ/ VT a (= *counterfeit*) *signature, banknote* contrefaire; *document* faire un faux (*of* de); (= *alter*) maquiller, falsifier ✦ **forged cheque** chèque falsifié b *metal* forger VI **to forge ahead** prendre de l'avance, aller de l'avant ✦ **they are forging ahead with their restructuring programme** ils poursuivent *or* continuent leur plan de restructuration.

**forger** /'fɔːdʒəʳ/ N *(gen)* faussaire mf ; *(Jur)* contrefacteur m.

**forgery** /'fɔːdʒərɪ/ N a [*banknote, signature*] contrefaçon f ; [*document*] falsification f ✦ **to prosecute sb for forgery** poursuivre qn pour faux (et usage de faux) ✦ **to commit forgery** se rendre coupable d'un faux b (= *document forged*) faux m, contrefaçon f ✦ **the signature was a forgery** la signature était une contrefaçon *or* un faux.

**forgivable** /fə'gɪvəbl/ ADJ ✦ **forgivable loan** prêt à remboursement conditionnel, prêt-subvention.

**forgive** /fə'gɪv/ VT *person, mistake* pardonner ✦ **to forgive sb (for) sth** pardonner qch à qn ✦ **to forgive (sb) a debt** faire grâce (à qn) d'une dette, faire remise (à qn) d'une dette.

**forgiveness** /fə'gɪvnɪs/ N pardon m ✦ **forgiveness of a debt** remise de dette, renonciation à une créance ✦ **forgiveness of a tax** remise gracieuse d'impôt.

**forint** /'fɒrɪnt/ N forint m.

**fork-lift** /'fɔːklɪft/ N (also **fork-lift truck**) chariot m élévateur.

**fork out** * /'fɔːk/ VI casquer*, cracher au bassinet*
VT SEP *money* allonger*, abouler*, cracher*.

**form** /fɔːm/ N a (= *document*) formulaire m, formule f ✦ **printed form** imprimé, formulaire ✦ **to fill up** *or* **in** *or* **out a form** remplir un formulaire ✦ **form of receipt** formulaire de quittance ✦ **form of tender** modèle de soumission ✦ **account opening form** formulaire d'ouverture de compte ✦ **application form** (*for job*) dossier de candidature; (*for shares*) bulletin de souscription ✦ **blank form** formulaire, imprimé (à remplir) ✦ **business form** formulaire commercial ✦ **claim form** formulaire de déclaration de sinistre ✦ **inquiry form** bulletin de demande de renseignements ✦ **order form** bon de commande ✦ **tax form** feuille d'impôts, formulaire de déclaration d'impôts b (*phrases*) ✦ **what form should my application take?** comment dois-je formuler ma demande? ✦ **in the forms prescribed** dans les formes prescrites ✦ **in due form** en bonne et due forme ✦ **as a matter of form** pour la forme ✦ **forms of politeness** formules de politesse ✦ **to be on / off form** (= *fit / unfit*) être / ne pas être en forme c (*US*) police f d'assurance
VT a (= *create*) *company* former, fonder, créer ✦ **to form a committee** instituer *or* former une commission ✦ **to form a subsidiary** créer une filiale ✦ **to form a partnership** s'associer b (= *make up*) composer, former, constituer ✦ **the directors who form the board** les directeurs qui composent *or* constituent le conseil d'administration.

**formal** /'fɔːməl/ ADJ *welcome* cérémonieux; *occasion* officiel, protocolaire; *announcement* officiel; *authorization, acceptance* dans les règles, en bonne et due forme ✦ **a formal dinner** un dîner officiel ✦ **formal agreement** accord en bonne et due forme ✦ **formal communication** communication hiérarchique, transmission de l'information par voie hiérarchique ✦ **formal denial** démenti formel ✦ **formal instructions** instructions formelles *or* explicites ✦ **formal notice** préavis en règle, mise en demeure ✦ **formal order** commande dans les règles ✦ **formal receipt** reçu *or* quittance en bonne et due forme.

**formality** /fɔː'mælɪtɪ/ N formalité f ✦ **it's a mere formality** ce n'est qu'une simple formalité ✦ **customs / legal formalities** formalités douanières / légales.

**formalize, formalise** /'fɔːməlaɪz/ VT *programme* préciser, définir, établir en détails; *agreement* officialiser, formaliser.

**formally** /'fɔːməlɪ/ ADV (= *ceremoniously*) *welcome* cérémonieusement; (= *officially*) *agree* officiellement.

**format** /'fɔːmæt/ N [*document*] format m ✦ **stores not fitting the new format will be closed** les magasins qui ne s'insèrent pas dans les nouvelles structures seront fermés
VT (*Comp*) formater.

**formation** /fɔː'meɪʃən/ N [*company*] fondation f, constitution f ; [*plan*] élaboration f, mise f en forme; [*committee*] formation f, constitution f

♦ **capital formation** formation de capital
♦ **formation expenses** [*company*] frais de premier établissement.

**formatting** /ˈfɔːmætɪŋ/ **N**   mise f en page; (*Comp*) formatage m.

**former** /ˈfɔːməʳ/ **ADJ**   ancien, précédent ♦ **the former president** l'ancien président, l'ex-président.

**formula** /ˈfɔːmjʊlə/ **N** formule f.

**formulate** /ˈfɔːmjʊleɪt/ **VT** *plan, claim, problem* formuler.

**formulation** /ˌfɔːmjʊˈleɪʃən/ **N** formulation f, expression f.

**forthcoming** /fɔːˈθkʌmɪŋ/ **ADJ** *book* à paraître, qui va paraître; *film* qui va sortir; *season* prochain, futur, à venir ♦ **if funds are forthcoming** (= *available*) si on met de l'argent à notre (*or* leur *etc.*) disposition.

**fortieth** /ˈfɔːtɪɪθ/ **ADJ, N** quarantième mf ♦ **in the fortieth place** quarantièmement → **sixth.**

**fortify** /ˈfɔːtɪfaɪ/ **VT** raffermir, consolider, renforcer.

**fortnight** /ˈfɔːtnaɪt/ (*Brit*) **N** quinzaine f, quinze jours mpl ♦ **a fortnight tomorrow** demain en quinze ♦ **adjourned for a fortnight** remis à quinzaine.

**fortnightly** /ˈfɔːtnaɪtlɪ/ (*Brit*) **ADJ** bimensuel **ADV** tous les quinze jours.

**fortuitous** /fɔːˈtjuːɪtəs/ **ADJ** fortuit, imprévu, accidentel.

**fortuity** /fɔːˈtjuːɪtɪ/ **N** (*Mar Ins*) accident m.

**fortunate** /ˈfɔːtʃənɪt/ **ADJ** *person* heureux, chanceux; *circumstances, meeting, event* heureux, favorable, propice.

**fortunately** /ˈfɔːtʃənɪtlɪ/ **ADV** heureusement, par bonheur.

**fortune** /ˈfɔːtʃən/ **N**   **a** (= *chance*) hasard m (= *luck* : also **good fortune**) chance f **b** (= *riches*) fortune f, richesse f ♦ **to come into a fortune** faire un gros héritage.

**forty** /ˈfɔːtɪ/ **ADJ, N** quarante m → **sixty.**

**forward** /ˈfɔːwəd/ **ADV** (also **forwards**) en avant ♦ **carriage forward** (en) port dû ♦ **from that date forward** à partir de cette date ♦ **to buy / sell forward** acheter / vendre à terme ♦ **to date forward** postdater ♦ **prices moved forward** (*on stock market*) les cours ont progressé

— compounds/composés —
♦ **forward buying** achat à terme
♦ **forward contract** contrat à terme
♦ **forward cover** couverture à terme
♦ **forward deals** opérations fpl à terme
♦ **forward delivery** livraison à terme
♦ **forward exchange** devise à terme
♦ **forward exchange market** marché des changes à terme
♦ **forward exchange rates** taux mpl (de) change à terme, cours du change à terme
♦ **forward margin** marge à terme
♦ **forward market** marché à terme, marché à règlement mensuel
♦ **forward planning** planification à long terme
♦ **forward price** cours du livrable, cours à terme
♦ **forward quotation** cotation à terme
♦ **forward rates** cours mpl à terme
♦ **forward sales** ventes fpl à terme *or* à livrer
♦ **forward securities** valeurs fpl à terme
♦ **forward transaction** opération à terme

**VT** (= *dispatch*) *goods* expédier, envoyer; (= *send on*) *letter, parcel* faire suivre, réexpédier ♦ **please forward** faire suivre SVP, prière de faire suivre ♦ **to forward goods to Leeds** acheminer des marchandises vers *or* sur Leeds.

**forwarder** /ˈfɔːwədəʳ/ **N** (= *sender of a parcel*) expéditeur m ; (= *carrier*) (*gen*) agent m expéditeur, transporteur m ; [*goods in transit*] transitaire m ♦ **forwarder's B / L** connaissement de transitaire ♦ **forwarder's receipt** récépissé du transporteur.

**forwarding** /ˈfɔːwədɪŋ/

— compounds/composés —
♦ **forwarding address** adresse de réexpédition
♦ **forwarding agent** [*goods in transit*] transitaire; (*Mar*) chargeur
♦ **forwarding agency** bureau m *or* société de transitaires
♦ **forwarding charges** frais mpl d'expédition
♦ **forwarding country** pays expéditeur
♦ **forwarding instructions** indications fpl relatives à l'expédition, instructions fpl d'expédition
♦ **forwarding station** gare expéditrice *or* d'expédition *or* de départ
♦ **forwarding time** durée d'acheminement.

**forward-looking** /ˈfɔːwədˌlʊkɪŋ/ **ADJ** *person, project* tourné vers l'avenir.

**FOS** /ˌefəʊˈes/ abbr of **free on ship** → **free.**

**foster** /ˈfɒstəʳ/ **VT** (= *encourage*) *development* favoriser, encourager, stimuler.

**FOT** /ˌefəʊˈtiː/ **a** abbr of **free on truck** → **free b** abbr of **free of tax** → **free.**

**fraudulent**

**foul** /faʊl/ **ADJ** *(= unfair)* déloyal, malhonnête ♦ **to fall foul of sb** se mettre qn à dos, s'attirer le mécontentement de qn ♦ **to fall foul of the law** se mettre dans l'illégalité ♦ **foul bill of lading** connaissement avec réserve.

**found** /faʊnd/ **VT** *business* fonder, constituer, établir; *belief, opinion* fonder, baser, appuyer *(on* sur*)*

**foundation** /faʊnˈdeɪʃən/ **N** **a** *(= creation) [town, institution]* fondation f, création f, établissement m **b** *(= town, institution)* fondation f **c** *(fig = basis) [career, social structure]* assises-fpl, base f; *[idea, theory]* base f, fondement m.

**founder** /ˈfaʊndəʳ/ **N** fondateur(-trice) m(f) ♦ **founder member** membre fondateur ♦ **founder's shares** parts de fondateur **VI** *[ship]* sombrer, chavirer, couler; *[plans]* s'effondrer, s'écrouler.

**four** /fɔːʳ/ **ADJ, N** quatre m → **six**

---
*compounds/composés*
♦ **four-star petrol** *(Brit)* super, supercarburant
♦ **four-wheel drive** propulsion à quatre roues motrices.
---

**fourfold** /ˈfɔːfəʊld/ **ADJ** quadruple **ADV** au quadruple.

**fourteen** /ˈfɔːˈtiːn/ **ADJ, N** quatorze m → **six**.

**fourteenth** /ˈfɔːˈtiːnθ/ **ADJ, N** quatorzième mf ♦ **in the fourteenth place** quatorzièmement → **sixth**.

**fourth** /fɔːθ/ **ADJ, N** quatrième mf ♦ **the fourth estate** le quatrième pouvoir ♦ **the Fourth World** le quart-monde ♦ **in the fourth place** quatrièmement → **sixth**.

**fourthly** /ˈfɔːθlɪ/ **ADV** quatrièmement, en quatrième lieu.

**FOW** /ˌefəʊˈdʌbljuː/ abbr of **free on wagon** → **free**.

**FP** /efˈpiː/ **N** abbr of **fire policy** → **fire**.

**FPA** /ˌefpiːˈeɪ/ (abbr of **free of particular average**) FAP.

**FPAD** abbr of **freight payable at destination** → **freight**.

**f.pd** abbr of **fully paid** → **fully**.

**FR** /efˈɑːʳ/ **N** abbr of **freight release** → **freight**.

**Fr** (abbr of **franc**) F.

**fraction** /ˈfrækʃən/ **N** fraction f; *(Fin)* rompu m (d'action).

**fractional** /ˈfrækʃənl/ **ADJ** *(fig)* infime, tout petit ♦ **fractional certificate** *(St Ex)* certificat de rompus ♦ **fractional note** *(US)* petite coupure.

**fragile** /ˈfrædʒaɪl/ **ADJ** fragile ♦ **fragile, this way up** *(on parcel)* haut, bas, fragile.

**fragment** /ˈfrægmənt/ **VT** fragmenter ♦ **fragmented market** marché fragmenté, marché non homogène.

**fragrance** /ˈfreɪɡrəns/ **N** parfum m ♦ **the fragrance industry** l'industrie du parfum.

**frame** /freɪm/ **N** *[picture]* cadre m; *(Stat)* base f de sondage ♦ **frame of mind** humeur, disposition d'esprit ♦ **frame of reference** système *or* cadre de référence.

**framework** /ˈfreɪmwɜːk/ **N** *[society]* structure f, cadre m ♦ **within the OECD framework** dans le cadre de l'OCDE ♦ **framework accord / law** accord / loi cadre.

**franc** /fræŋk/ **N** franc m ♦ **franc area†** zone franc ♦ **Swiss / CFA franc** franc suisse / CFA.

**France** /frɑːns/ **N** France f.

**franchise** /ˈfræntʃaɪz/ **N** **a** *(Comm, Mar Ins)* franchise f ♦ **franchise agreement** accord de franchise ♦ **franchise tax** *(US)* patente ♦ **to hold the franchise for** avoir la franchise pour **b** *(Pol)* droit m de vote **VT** franchiser.

**franchisee** /ˌfræntʃaɪˈziː/ **N** franchisé(e) m(f).

**franchiser** /ˈfræntʃaɪzəʳ/ **N** franchiseur m.

**franchising** /ˈfræntʃaɪzɪŋ/ **N** franchisage m, franchise m.

**franchisor** /ˈfræntʃaɪzəʳ/ **N** franchiseur m.

**franco** /ˈfræŋkəʊ/ **ADV** franco ♦ **franco domicile / frontier / quay / wagon** franco domicile / frontière / à quai / wagon.

**frank** /fræŋk/ **VT** *letter* affranchir ♦ **franking machine** machine à affranchir.

**fraud** /frɔːd/ **N** **a** *(= criminal deception)* escroquerie f; *(Jur)* fraude f ♦ **to obtain sth by fraud** obtenir qch frauduleusement ♦ **fraud relating to goods** tromperie sur la marchandise ♦ **tax fraud** fraude fiscale ♦ **computer fraud** fraude informatique **b** *(= person)* fraudeur(-euse) m(f).

**fraudulence** /ˈfrɔːdjʊləns/ **N** caractère m frauduleux.

**fraudulent** /ˈfrɔːdjʊlənt/ **ADJ** frauduleux ♦ **fraudulent bankruptcy** banqueroute *or* faillite frauduleuse ♦ **fraudulent conversion** *(Jur)* malversation, détournement de fonds

♦ **fraudulent entry** *(Acc)* fausse écriture
♦ **fraudulent misrepresentation** fraude civile
♦ **fraudulent operation** transaction frauduleuse *or* entachée de fraude ♦ **fraudulent clause** clause dolosive.

**FRB** abbr of **Federal Reserve Board** → **federal**

**freak variation** /ˈfriːkvɛərɪˈeɪʃən/ **N** *(Stat)* écart m aléatoire.

**free** /friː/ **ADJ** **a** *(= costing nothing)* gratuit ♦ **admission free** *(to exhibitions)* entrée gratuite *or* libre; *(Customs)* admission en franchise ♦ **free allowance of luggage** franchise de bagages ♦ **they'll send it free on request** ils l'enverront gratuitement *or* franco sur demande ♦ **free carrier** franco transporteur ♦ **free customer's warehouse** franco entrepôt du destinataire ♦ **free delivery** livraison gratuite, franco de port ♦ **free in and out** frais de chargement et de déchargement en sus du fret **b** *(= unrestricted)* libre ♦ **to be free from responsibility** être dégagé de toute responsabilité ♦ **to get free of sb** se débarrasser de qn ♦ **to give sb a free hand** donner carte blanche à qn ♦ **to have a free hand to do sth** avoir carte blanche pour faire qch ♦ **free balance** *(Fin) seuil minimum des avoirs en compte courant en dessous duquel il faut payer des frais de gestion* ♦ **free entry** *(Customs)* droit de passer librement les frontières ♦ **free gold market** marché libre de l'or ♦ **free pay** part du salaire non imposable ♦ **free of tax** *or* **duty** exonéré, hors taxe ♦ **free of income tax** exonéré d'impôt sur le revenu ♦ **free labour** main-d'œuvre non syndiquée ♦ **free movement of labour** libre circulation de la main-d'œuvre ♦ **to give free rein to** donner libre cours à **c** *(Comm, Mar Ins : phrases)* ♦ **free of average** franc d'avarie ♦ **free of general average** franc d'avarie grosse *or* commune ♦ **free of particular average** franc d'avarie particulière ♦ **free of charge** *goods, entrance* gratuit; *carry, admit* gratuitement ♦ **free alongside quay** franco à quai ♦ **free alongside ship** *or* **steamer** franco le long du bord *or* du bateau ♦ **free carrier** franco transporteur ♦ **free on board** franco (à) bord ♦ **free on quay** *or* **wharf** franco à quai ♦ **free on rail** *or* **train** *or* **wagon** franco wagon ♦ **free on ship** franco à bord ♦ **free on truck** franco wagon ♦ **free overboard** franco à bord ♦ **free overside** franco allégé ♦ **error-free** exempt d'erreur ♦ **trouble-free** *machine* qui ne tombe pas en panne, fiable **d** *(= not occupied) room, hour, person* libre ♦ **I couldn't get free earlier** je n'ai pas pu me libérer plus tôt ♦ **free capital** disponibilités

―― compounds/composés ――

♦ **free enterprise** libre entreprise
♦ **free-for-all** mêlée générale, foire d'empoigne
♦ **free gift** prime, cadeau
♦ **free list** *(Customs)* liste des exemptions
♦ **free loan** prêt sans intérêt
♦ **free-marketeer** partisan de l'économie libérale *or* de l'économie de marché
♦ **free offer** prime, cadeau
♦ **free port** port franc
♦ **free sample** échantillon gratuit
♦ **free trade** libre-échange ♦ **free-trade area** *or* **association** zone de libre-échange ♦ **free trade policy** politique de libre-échange ♦ **free trader** libre-échangiste mf
♦ **free trial** essai gratuit
♦ **free zone** zone franche

**VT** *(gen)* libérer; *(from tax)* exempter, exonérer *(from* de); *capital* mobiliser, débloquer ♦ **parts of the reserves were freed** une partie des réserves a été remise dans le circuit *or* a été débloquée.

**freebie** * /ˈfriːbɪ/ **N** cadeau m ♦ **freebie loan** prêt sans intérêt.

**freedom** /ˈfriːdəm/ **N** liberté f ♦ **freedom of action** liberté d'action *or* d'agir ♦ **freedom of association** liberté d'association ♦ **freedom of establishment** liberté d'établissement ♦ **freedom of information** / **of the press** liberté d'information / de la presse ♦ **fifth freedom** cinquième liberté.

**Freefone** ® /ˈfriːfəʊn/ *(Brit)* **N** service m d'appel gratuit ♦ **Freefone number** ≈ numéro vert **VT** **Freefone 334 6687 for further details** ≈ appel gratuit au 334 6687 *or* téléphonez à notre numéro vert 334 6687 pour de plus amples détails.

**freehold** /ˈfriːhəʊld/ *(Brit)* **N** propriété f foncière *(libre de toute obligation)* **ADV** en toute propriété.

**freeholder** /ˈfriːhəʊldəʳ/ *(Brit)* **N** propriétaire m foncier à perpétuité.

**freelance** /ˈfriːlɑːns/ **N** *(Press)* collaborateur (-trice) m(f) indépendant(e) *or* extérieur(e) **ADJ** *designer, player* indépendant **VT** *[journalist]* travailler en indépendant.

**freelancer** /ˈfriːlænsəʳ/ **N** *(Press)* collaborateur (-trice) m(f) indépendant(e) *or* extérieur(e).

**freely** /ˈfriːlɪ/ **ADV** librement, largement ♦ **to circulate freely** circuler sans entrave *or* librement.

**Freenet** /ˈfriːnɛt/ **N** Internet m gratuit.

**Freephone** /ˈfriːfəʊn/ **N, VT** → **Freefone**.

**Freepost** /'fri:pəʊst/ (Brit) N port m payé.

**Freetown** /'fri:taʊn/ N Freetown.

**free up** * /fri:ʌp/ VT SEP débloquer, dégager ✦ it frees up cash for long-term commitments cela dégage des liquidités pour des engagements à long terme.

**freeze** /fri:z/ VI [lakes] geler; (fig) se figer ▮ food (gen) congeler; (industrially) surgeler; assets, credits geler, bloquer; prices, wages bloquer ✦ frozen account compte gelé or bloqué ▮ [prices, wages] blocage m ; [credits] gel m ✦ freeze-frame (TV) arrêt sur image ✦ credit freeze policy politique d'austérité monétaire.

**freeze out** VT SEP competitor étrangler, étouffer.

**freezer** /'fri:zər/ N congélateur m ✦ freezer foods surgelés ✦ freezer trawler chalutier frigorifique.

**freight** /freɪt/ ▮ a [goods] fret m, chargement m, cargaison f ; (= transport) transport m ; (= charge) fret m ✦ to send sth by freight faire transporter qch par petite vitesse or en régime ordinaire ✦ air freight (= transport) transport aérien; (= goods) fret aérien ✦ to take in freight prendre du fret ✦ freight and insurance paid to fret payé assurance comprise jusqu'à ✦ freight payable at destination fret payable à destination ✦ charter(ed) freight charges d'affrètement ✦ data freight reçu de chargement ✦ dead freight faux fret, fret sur le vide; (= penalty) dédit pour défaut de chargement ✦ distance freight fret à longue distance ✦ home or return freight fret de retour ✦ lump-sum freight fret forfaitaire ✦ ocean freight fret au long cours ✦ through freight fret à forfait ✦ voyage freight fret au voyage b (Brit = transportation) (by water) (inland) transport m fluvial; (at sea) transport m maritime or par (voie) de mer ▮ boat, ship affréter; goods transporter

**freightage** /'freɪtɪdʒ/ N (= charge) fret m ; (= goods) fret m, cargaison f.

**freighter** /'freɪtər/ N a (= carrier) transporteur m ; (= customer) affréteur m b (= ship) cargo m, navire m de charge; (= plane) avion-cargo m, avion m de fret c (US) wagon m de marchandises.

**freighting** /'freɪtɪŋ/ N affrètement m ✦ freighting on weight affrètement au poids ✦ berth freighting affrètement en cueillette.

**freightliner** /'freɪtˌlaɪnər/ N train m de wagons porte-conteneurs.

**French** /frentʃ/ ADJ français ▮ a (= language) français m b the French les Français.

**Frenchman** /'frentʃmən/ N Français m.

**Frenchwoman** /'frentʃwʊmən/ N Française f.

**frenzied** /'frenzɪd/ ADJ activity frénétique.

**frequency** /'fri:kwənsɪ/ N fréquence f, périodicité f ✦ frequency distribution (Stat) distribution des fréquences.

**fresh** /freʃ/ ADJ food (= not frozen) frais, non congelé, non surgelé; (= not tinned) frais; (= additional) supplies nouveau.

**fretful** /'fretfʊl/ ADJ person, market agité.

**friction** /'frɪkʃən/ N désaccord m, frottement m, friction f.

**frictional** /'frɪkʃənəl/ ADJ unemployment frictionnel.

**Friday** /'fraɪdɪ/ N vendredi m → Saturday.

**friendly** /'frendlɪ/ ADJ amical ✦ friendly society (Brit) société de prévoyance, société mutualiste, mutuelle ✦ friendly agreement accord à l'amiable ✦ friendly arbitrator compositeur amiable ✦ friendly takeover bid OPA amicale.

―――――――――― compounds/composés ――――――――――
✦ **freight account** compte rendu de fret
✦ **freight agent** (US) transitaire, agent maritime
✦ **freight all kinds** fret pour tous genres (de marchandises)
✦ **freight car** (US) wagon de marchandises
✦ **freight charges** frais mpl de transport
✦ **freight collect** (US) fret payable à destination, port dû
✦ **freight commission** commission sur fret
✦ **freight contracting** affrètement
✦ **freight forward** (Brit) fret payable à destination
✦ **freight forwarder** expéditeur, transporteur
✦ **freight insurance** assurance sur le fret
✦ **freight inwards** fret à l'arrivée
✦ **freight note** note de fret
✦ **freight plane** avion-cargo
✦ **freight prepaid** fret payé à l'expédition
✦ **freight rate** taux de fret
✦ **freight rebate** rabais du fret, ristourne sur fret
✦ **freight release** reçu attestant du paiement du fret
✦ **freight shed** hangar à marchandises
✦ **freight station** (US) gare de marchandises
✦ **freight ton** tonneau d'affrètement (1,44m³ en France, 40 pieds cubiques en Grande-Bretagne)
✦ **freight train** (US) train de marchandises
✦ **freight unit** unité payante
✦ **freight yard** dépôt de marchandises

**frighten away, frighten off** /'fraɪtn/ **VT SEP** *investors* faire fuir.

**frill** /frɪl/ **N** fioriture f ◆ **no-frills companies** sociétés où les services sont réduits au minimum.

**fringe** /frɪndʒ/

───── compounds/composés ─────

◆ **fringe area** *(TV)* zone limitrophe de réception
◆ **fringe benefits** *(gen)* avantages mpl divers; *(company car, luncheon vouchers)* avantages mpl en nature.

**fritter away** /'frɪtər/ **VI** *(gen, St Ex)* s'effriter.

**front** /frʌnt/ **N** *(= forepart) (gen)* devant m, avant m ; *[building]* façade f ◆ **to put on a bold front** faire bonne contenance ◆ **on the employment front** sur le front de l'emploi ◆ **we must present a common front** nous devons faire front commun ◆ **it's merely a front organization** cette organisation n'est qu'une façade

**VI** **to front on to** *[building]* donner sur ◆ **to front for sb** remplacer *or* représenter qn

───── compounds/composés ─────

◆ **front-end** ◆ **front-end commission** charge, front-end fees *[insurance policy, unit trust]* frais de commercialisation ◆ **front-end financing** financement initial ◆ **front-end loading** *[unit trust, life assurance contract]* (système de) droits mpl d'entrée dégressifs ◆ **front-end payment** versement *or* paiement initial
◆ **front office** *(St Ex)* salle des marchés
◆ **front page (the)** *[newspaper]* la une, la première page ◆ **to be front page news** être à la une
◆ **front-rank** de premier plan
◆ **front-wheel drive** traction avant.

**frontage** /'frʌntɪdʒ/ **N** *[shop]* devanture f, façade f ; *[house]* façade f.

**frontal** /'frʌntl/ **ADJ** *attack* de front, de face.

**front-loaded** /'frʌntləudɪd/ *(Brit)* **ADJ** avec droits d'entrée.

**frontman** /'frʌntmæn/ **N** *(TV)* présentateur m.

**frozen** /'frəuzn/ **ADJ** *(lit, fig)* gelé; *account* bloqué ◆ **frozen assets** actifs gelés *or* bloqués ◆ **frozen credits** crédits gelés *or* bloqués.

**frt.** abbr of **freight**.

**frt.fwd.** abbr of **freight forward** → **freight**.

**frt.ppd.** abbr of **freight prepaid** → **freight**.

**fruit** /fruːt/ **N** fruit m

───── compounds/composés ─────

◆ **fruit farm** exploitation fruitière
◆ **fruit farmer** producteur de fruits
◆ **fruit farming** arboriculture fruitière, fruiticulture.

**fruitful** /'fruːtful/ **ADJ** fructueux.

**fruition** /fruːˈɪʃən/ **N** **a** *[aims, plans, ideas]* réalisation f, accomplissement m ◆ **to bring to fruition** réaliser, concrétiser ◆ **to come to fruition** se réaliser, porter ses fruits **b** *(Jur)* jouissance f.

**fruitless** /'fruːtlɪs/ **ADJ** stérile, vain.

**frustrate** /frʌsˈtreɪt/ **VT** *plans* faire échouer, contrecarrer.

**frustration** /frʌsˈtreɪʃən/ **N** *(gen)* frustration f ◆ **frustration of contract** *(Jur)* résolution de contrat.

**FSA** /ˌefesˈeɪ/ **N** abbr of **Financial Services Authority** *(Brit)* ≈ AMF f.

**ft.** abbr of **foot**.

**FT Index** /efˈtiːɪdeks/ *(Brit)* **N** (abbr of **Financial Times Index**) indice m FT.

**FTC** /ˌeftiːˈsiː/ **N** abbr of **Federal Trade Commission** → **federal**.

**FTSE** /ˌeftsiːˈiː/ (abbr of **Financial Times Stock Exchange**) FTSE m ◆ **the FTSE 100** le FTSE 100, l'indice FTSE 100.

**fudge** /fʌdʒ/ **N** *(stop press news)* dernières nouvelles fpl

**VT** *question, issue* esquiver, éluder; *account* falsifier.

**fuel** /fjʊəl/ **N** *(gen)* combustible m ; *(Aut)* carburant m ◆ **the jobless figures gave the unions fuel for further attacks on the government** les chiffres du chômage sont venus alimenter les attaques des syndicats contre le gouvernement

**VT** *furnace* alimenter; *ships* ravitailler en carburant *or* en combustible; *(fig) inflation* alimenter, attiser, nourrir, entretenir

**VI** *[ship, aircraft]* se ravitailler en combustible *or* en carburant ◆ **fuelling stop** escale technique.

**fulcrum** /'fʌlkrəm/ **N** point m d'appui.

**fulfil** *(Brit)*, **fulfill** *(US)* /fulˈfɪl/ **VT** *task* accomplir, réaliser, s'acquitter de; *order* exécuter, traiter; *condition, obligation* remplir; *requirement* satisfaire à.

**fulfilment** *(Brit)*, **fulfillment** *(US)* /fulˈfɪlmənt/ **N** *[plan]* réalisation f, exécution f ; *[order]* exécution f, traitement m.

**full** /fʊl/ **ADJ** *container* plein, rempli (*of* de); *room, hall* comble, plein; *hotel, train* complet ✦ **full credit** dégrèvement total ✦ **full employment** plein emploi ✦ **full fare** place entière, plein tarif ✦ **full liability** responsabilité pleine et entière ✦ **full member** membre à part entière ✦ **full name** nom et prénom(s) ✦ **to pay full price** payer le plein tarif ✦ **the full particulars** tous les détails ✦ **full repayment** remboursement intégral ✦ **full session** séance plénière ✦ **full weight** poids juste ✦ **we must ask for fuller information** nous devons demander de plus amples renseignements *or* un complément d'information ✦ **until fuller information is available** jusqu'à plus ample informé ✦ **to recover the full amount of the sum owed** récupérer l'intégralité de la somme due ✦ **at full capacity** à pleine capacité, à plein rendement ✦ **I have a full day ahead of me** j'ai une journée chargée devant moi

**◨** **in full** intégralement, in extenso ✦ **to write one's name in full** écrire son nom en toutes lettres ✦ **text in full** texte intégral ✦ **he paid in full** il a tout payé

─── *compounds/composés* ───

- ✦ **full costing, full cost pricing** méthode du prix de revient complet
- ✦ **full coverage** *(Ins)* couverture totale
- ✦ **full disclosure** (= *statement*) exposé complet et véridique; *(Acc)* état comptable complet ✦ **full disclosure principle** principe de la transparence des comptes
- ✦ **full-fledged** *(US) architect, engineer* diplômé; *company* qui a atteint l'âge adulte ✦ **a full-fledged rally** *(St Ex)* une vraie reprise
- ✦ **full-line strategy** *(Mktg)* stratégie de ligne complète
- ✦ **full pay** plein salaire ✦ **full-pay leave** congé avec plein salaire
- ✦ **full-scale** *drawing* grandeur nature; *(fig) operation* de grande envergure ✦ **full-scale strike** grève générale ✦ **the factory starts full-scale operations next month** l'usine va commencer à tourner à plein régime le mois prochain
- ✦ **full-service bank** banque commerciale *(offrant tous les services à sa clientèle)*
- ✦ **full-size** *model* grandeur nature
- ✦ **full-time** *job, employment* à temps plein ✦ **to work full time** travailler à temps plein *or* à plein temps.

**fully** /ˈfʊlɪ/ **ADV** entièrement, complètement, pleinement ✦ **fully paid** payé intégralement ✦ **fully-paid shares** actions entièrement libérées ✦ **fully paid-up capital** capital entièrement versé ✦ **fully registered bonds** obligations nominatives ✦ **fully secured creditor** créancier hypothécaire ✦ **fully serviced lot** terrain entièrement viabilisé ✦ **fully subscribed capital** capital entièrement souscrit ✦ **fully**

**vested benefits** droits pleinement acquis ✦ **fully-fledged** *(Brit) architect* diplômé; *company* qui a atteint l'âge adulte.

**function** /ˈfʌŋkʃən/ **◨** **a** *[tool]* fonction f ; *[person]* fonction f, charge f ✦ **in his function as judge** en sa qualité de juge ✦ **to discharge one's functions** s'acquitter de ses fonctions ✦ **to resign one's functions** se démettre de ses fonctions ✦ **the financial function** la fonction financière ✦ **the production function** la fonction de production **b** (= *reception*) réception f ✦ **official function** cérémonie officielle

**◰** *[machine]* fonctionner, marcher ✦ **to function as** *[person]* faire fonction de, jouer le rôle de, servir de

─── *compounds/composés* ───

- ✦ **function key** *(Comp)* touche de fonction
- ✦ **function suite** *[hotel]* salon de réception.

**functional** /ˈfʌŋkʃnəl/ **ADJ** fonctionnel ✦ **functional accounting** comptabilité sectorielle *or* par centres d'activité ✦ **functional cost** coût fonctionnel ✦ **functional currency** *(US)* monnaie d'exploitation ✦ **functional job analysis** analyse fonctionnelle de poste ✦ **functional layout** implantation fonctionnelle ✦ **functional organization** organisation fonctionnelle *or* par secteurs d'activité.

**fund** /fʌnd/ **◨** **a** caisse f, fonds m ✦ **to start a fund** lancer *or* ouvrir une souscription ✦ **International Monetary Fund** Fonds monétaire international ✦ **benevolent fund** caisse de secours mutuel ✦ **contingency fund** caisse *or* fonds de prévoyance ✦ **depreciation fund** provision pour amortissement ✦ **emergency** *or* **relief fund** fonds de secours ✦ **endowment fund** fonds de dotation ✦ **exchange equalization fund** fonds d'égalisation des changes ✦ **guarantee fund** fonds de garantie ✦ **investment fund** *(open-end)* société d'investissement à capital variable, SICAV; *(closed-end)* fonds commun de placement ✦ **mutual fund** *(US : open-end)* société d'investissement à capital variable, SICAV *(Brit : closed-end)* fonds commun de placement ✦ **pension fund** fonds *or* caisse de retraite ✦ **redemption** *or* **sinking fund** fonds d'amortissement ✦ **renewal fund** fonds de renouvellement ✦ **reserve fund** fonds de prévoyance *or* de réserve ✦ **retirement** *or* **superannuation fund** caisse de retraite ✦ **slush fund** * caisse noire ✦ **unemployment fund** caisse de chômage ✦ **union fund** caisse syndicale **b** **funds** fonds ✦ **foreign funds** capitaux *or* fonds étrangers ✦ **public funds** fonds publics ✦ **to be in funds** être en fonds ✦ **to be out**

**of funds** être à court de capitaux ◆ **to make a call for funds** faire un appel de fonds *or* de capital ◆ **no funds** *(Bank)* sans provision ◆ **not sufficient funds** *(Bank)* défaut de provision, sans couverture suffisante ◆ **The Funds** *(Brit)* les fonds d'État ◆ **funds-flow analysis** analyse du flux des capitaux ◆ **funds-flow statement** tableau des ressources et emplois ◆ **funds from operations** marge brute d'autofinancement ◆ **go-go funds** *(US)* fonds communs de placement spéculatifs ◆ **load / no-load funds** parts de SICAV avec / sans droits d'entrée ◆ **misappropriation of funds** détournement de fonds ◆ **offer of funds** offre de fonds ◆ **patrimonial funds** masses patrimoniales

───── *compounds/composés* ─────
◆ **fund collection** collecte de fonds
◆ **fund family** famille de fonds
◆ **fund of funds** *(St Ex)* fonds de fonds
◆ **fund management** gestion de fonds *or* de portefeuille
◆ **fund manager** gestionnaire de fonds *or* de portefeuille
◆ **fund raising** mobilisation *or* collecte de fonds
◆ **fund-raising campaign** campagne de souscription

**VT** *debt* consolider; *project* financer, assurer le financement de; *firm* doter en capital; *account* alimenter ◆ **to fund money** acheter des bons du Trésor, placer de l'argent dans les fonds publics *or* en fonds d'État.

**fundamental** /ˌfʌndəˈmentl/ **ADJ** fondamental ◆ **fundamental analysis** analyse fondamentale **fundamentals** **NPL** *(gen)* principes mpl essentiels *or* de base; *(St Ex)* fondamentaux mpl.

**funded** /ˈfʌndɪd/ **ADJ** ◆ **funded capital** capitaux investis à long terme ◆ **funded debt** dette à long terme; *(public accounting)* dette consolidée ◆ **funded pension plan** régime de retraite par capitalisation ◆ **funded property** biens en rentes.

**funder** /ˈfʌndəʳ/ **N** investisseur m.

**fundholder** /ˈfʌndhəʊldəʳ/ **N** *(gen)* rentier (-ière) m(f) ; *[public funds]* détenteur (-trice) m(f) de fonds publics.

**funding** /ˈfʌndɪŋ/ **N** *[business]* capitalisation f, provisionnement m, financement m ; *[debt]* consolidation f

───── *compounds/composés* ─────
◆ **funding instrument** *(Jur)* convention de gestion financière
◆ **funding loan** emprunt de consolidation.

**fungibility** /ˌfʌndʒɪˈbɪlɪtɪ/ **N** *(Econ)* fongibilité f.

**fungible** /ˈfʌndʒɪbl/ **ADJ** fongible **fungibles** **NPL** biens mpl fongibles.

**funnel** /ˈfʌnl/ **VT** *(fig)* canaliser, diriger, orienter.

**furlough** /ˈfɜːləʊ/ *(Brit)* **N** *(= temporary unemployment)* mise f en chômage temporaire *or* technique ◆ **on furlough** *executives* en chômage **VT** *executives* mettre en chômage temporaire *or* technique.

**furnish** /ˈfɜːnɪʃ/ **VT** **a** *office* meubler *(with* de) **b** *(= supply) information* fournir, procurer, donner ◆ **to furnish sb with sth** pourvoir *or* munir qn de qch ◆ **to furnish security** offrir *or* fournir des garanties.

**furnishings** /ˈfɜːnɪʃɪŋz/ **NPL** articles mpl d'ameublement.

**furniture** /ˈfɜːnɪtʃəʳ/ **N** meubles mpl, mobilier m, ameublement m ◆ **a piece of furniture** un meuble

───── *compounds/composés* ─────
◆ **furniture depot** garde-meubles
◆ **furniture remover** déménageur
◆ **furniture shop** magasin d'ameublement *or* de meubles.

**further** /ˈfɜːðəʳ/ **ADJ** **a** *(= additional)* supplémentaire ◆ **further education** enseignement postscolaire, formation continue *or* permanente *or* pour adultes ◆ **college of further education** centre d'enseignement postscolaire ◆ **further orders** *(Comm)* nouvelles commandes; *(instructions)* instructions complémentaires, nouvelles instructions ◆ **further training** perfectionnement ◆ **for further particulars** pour de plus amples renseignements ◆ **to ask for further credit** demander un crédit supplémentaire ◆ **without further delay** sans plus attendre, sans plus tarder ◆ **upon further consideration** après plus ample réflexion, à la réflexion ◆ **awaiting further information** en attendant de plus amples renseignements **b** *(phrases)* ◆ **I got no further with him** je ne suis arrivé à rien de plus avec lui
**ADV** plus loin, plus avant ◆ **until you hear further** jusqu'à nouvel avis ◆ **further to your letter** suite à votre lettre, en réponse à votre lettre ◆ **further to your telephone call** suite à notre conversation téléphonique, suite à votre appel
**VT** *one's interests, a cause* servir, favoriser, promouvoir ◆ **to further cooperation between North and South** pour développer la coopération Nord-Sud ◆ **to further sales** promouvoir les ventes.

**furtherance** /ˈfɜːðərəns/ **N** ✦ **in furtherance of this goal** pour servir cet objectif, pour faciliter la réalisation de cet objectif.

**fuse** /fjuːz/ **VT** *(= join together)* fusionner, unifier
**VI** *(= join together)* s'unifier, fusionner ✦ **our companies decided to fuse to meet competition** nos sociétés ont décidé de fusionner pour faire face à la concurrence
**N** **a** *(Elec)* fusible m, plomb m **b** *[bomb]* amorce f, détonateur m.

**fusion** /ˈfjuːʒən/ **N** fusion f, fusionnement m.

**future** /ˈfjuːtʃər/ **N** avenir m ✦ **foreseeable future** avenir prévisible ✦ **in (the) future** à l'avenir ✦ **in the near future** dans un proche avenir ✦ **what the future holds (in store) for us** ce que l'avenir nous réserve ✦ **there's no future in this branch** ce secteur n'a aucun avenir
**ADJ** *events* futur, à venir; *delivery, contract* à terme ✦ **future dollars** dollars à terme ✦ **please note our new business address for your future orders** veuillez noter notre nouvelle adresse commerciale pour vos prochaines *or* nouvelles commandes ✦ **at some future date** à une date

ultérieure ✦ **to buy / sell for future delivery** acheter / vendre à terme ✦ **future value** valeur capitalisée.

**futures** /ˈfjuːtʃərz/ **NPL** *(St Ex)* opérations fpl à terme; *(Commodity Exchange)* livraisons fpl à terme ✦ **coffee futures** café (acheté) à terme ✦ **financial futures** instruments financiers à terme ✦ **financial futures market** marché à terme des instruments financiers, MATIF

---
*compounds/composés*

- **futures commission broker** *or* **merchant** *maison de commission spécialisée dans les opérations sur les instruments financiers à terme*
- **futures contract** contrat à terme
- **futures market** marché à terme *(céréales)*
- **futures position** cours à terme
- **futures sales** vente à découvert.

---

**FX** abbr of **foreign exchange** ✦ FX **markets** marchés des changes ✦ FX **options** options sur devises.

**FY** abbr of **financial year** → **financial.**

**FYI** /ˌefwaɪˈaɪ/ abbr of **for your information** → **for.**

# G

**G** /dʒiː/ N *(Econ)* ◆ G-7 / 8 G-7 / 8.

**g.** abbr of **gram**.

**G / A, GA** abbr of **general average** → **general**.

**GAB** abbr of **General Arrangements to Borrow** → **general**.

**Gabon** /gə'bɒn/ N Gabon m.

**Gabonese** /gæbə'niːz/ ADJ gabonais ◆ N (= *inhabitant*) Gabonais(e) m(f).

**gadget** /'gædʒɪt/ N (= *device*) mécanisme m, dispositif m ; (= *novelty*) gadget m.

**gadgetry** /'gædʒɪtrɪ/ N gadgets mpl ◆ **our office is full of electronic gadgetry** notre bureau est rempli de gadgets électroniques.

**gage** /geɪdʒ/ N (= *pledge*) gage m, garantie f ; *(Jur)* nantissement m ; (= *article pledged*) gage m.

**gain** /geɪn/ ◆ N ◆ a (= *profit*) gain m, bénéfice m, profit m ◆ **we made large gains last year** nous avons réalisé des bénéfices importants l'année dernière ◆ **gains and losses are inevitable in business** les gains et les pertes sont inévitables en affaires ◆ **unusual gains and losses** *(on income statement)* gains et pertes exceptionnels ◆ **gain and loss account** compte de profits et pertes ◆ **ill-gotten gains** profits illicites ◆ b (*in value of an asset*) plus-value f ◆ **capital gain** plus-value (en capital) ◆ **capital gains tax** impôt sur les plus-values (en capital) ◆ **gains on the disposal of assets** plus-value des cessions d'éléments d'actif ◆ **to make a capital gain** réaliser *or* dégager une plus-value ◆ **holding gain** plus-value ◆ c (= *increase*) *(gen)* augmentation f ; *[wealth]* accroissement m (*in* de) ◆ **productivity gains** gains de productivité ◆ **the**

show has made considerable gains in the ratings le taux d'écoute de l'émission a enregistré une progression importante ◆ **we have made substantial gains in this market** nous avons réalisé des progrès considérables sur ce marché ◆ d *(St Ex)* hausse f, avance f ◆ **oil shares have shown a gain of 2 points** les pétrolières ont enregistré une hausse *or* une avance de 2 points

◆ **VT** ◆ a *money, advantage, time* gagner; *respect* conquérir, gagner; *experience* acquérir ◆ **to gain ground** gagner du terrain ◆ **we gained a lot by improving our accounting system** nous avons gagné beaucoup en améliorant notre système de comptabilité ◆ **they gained control of the company** ils ont pris le contrôle de la société ◆ b *(St Ex)* ◆ **our shares have gained 4 points** nos actions ont gagné 4 points, nos actions ont enregistré une hausse *or* une avance de 4 points ◆ c (= *win*) *battle* gagner ◆ **to gain the upper hand** prendre le dessus.

**gainer** /'geɪnəʳ/ N (= *person*) gagnant(e) m(f) ; *(St Ex)* valeur f en hausse ◆ **gainers outpaced losers** *(St Ex)* les hausses l'ont emporté sur les baisses.

**gainful** /'geɪnfʊl/ ADJ *occupation* profitable, lucratif, rémunérateur; *business* rentable.

**gainfully** /'geɪnfʊlɪ/ ADV ◆ **to be gainfully employed** exercer une activité rémunérée, avoir un emploi rémunéré.

**gal.** abbr of **gallon**.

**galley** /'gælɪ/ N *(Typ)* galée f ◆ **galley proof** (épreuve en) placard.

**gallon** /'gælən/ N gallon m ; (Brit) ≈ 4,546 litres, (US) ≈ 3,785 litres ✦ **imperial gallon** gallon impérial ≈ 4,546 litres ✦ **miles per gallon** ≈ litres au cent.

**galloping** /'gæləpɪŋ/ ADJ ✦ **galloping inflation** inflation galopante.

**Gallup poll** ® /'gæləp,pəʊl/ N sondage m Gallup (R).

**Gambia** /'gæmbɪə/ N Gambie f.

**Gambian** /'gæmbɪən/ [ADJ] gambien [N] (= inhabitant) Gambien(ne) m(f).

**gambit** /'gæmbɪt/ N ✦ **what's our opening gambit?** comment allons-nous attaquer or entamer les négociations?.

**gamble** /'gæmbl/ [N] entreprise f risquée, pari m risqué ✦ **it's a gamble** c'est un risque ✦ **I like to have a gamble on the stock exchange** j'aime jouer à la Bourse ✦ **the gamble paid off** le pari s'est avéré payant
[VI] [a] (lit) jouer (on sur, with avec) ✦ **to gamble on the stock exchange** jouer à la Bourse, boursicoter, spéculer [b] (fig) ✦ **to gamble on** compter sur, miser sur, parier sur ✦ **we were gambling on the dollar falling** nous avons compté or nous avons misé sur la chute du dollar ✦ **bulls gamble on a rise in prices** (St Ex) les spéculateurs à la hausse jouent la montée des cours.

**gambler** /'gæmblə/ N (gen) joueur(-euse) m(f) ✦ **gambler on the stock exchange** spéculateur, agioteur, boursicoteur ✦ **he's too much of a gambler in business** il prend trop de risques en affaires.

**gambling** /'gæmblɪŋ/ N jeu m ✦ **he loves gambling on the stock exchange** il adore jouer à la Bourse, il adore spéculer en Bourse

─── compounds/composés ───
✦ **gambling debts** dettes fpl de jeu
✦ **gambling losses** pertes fpl au jeu.

**game** /geɪm/ N [a] jeu m ✦ **games theory** théorie des jeux ✦ **business game** jeu d'entreprise ✦ **computer game** ludiciel ✦ **video game** jeu vidéo ✦ **zero sum game** jeu à somme nulle ✦ **game of chance** jeu de hasard ✦ **you must learn to play the game** vous devez apprendre à jouer le jeu [b] (fig) (= plan) plan m, projet m ; (= trick) (petit) jeu m, manège m, combinaison f (* = occupation) travail m, boulot m * [c] [football, cricket] match m ; [tennis, billiards, chess] partie f.

**gamesmanship** /'geɪmzmənʃɪp/ N art m de gagner (par des astuces).

**gaming** /'geɪmɪŋ/ N jeu m

─── compounds/composés ───
✦ **gaming debt** dette de jeu
✦ **gaming laws** réglementation des jeux de hasard.

**gamma** /'gæmə/ N gamma m.

**gamut** /'gæmət/ N gamme f ✦ **to run the gamut of** passer par toute la gamme de ✦ **the whole gamut of tax incentives** toute la gamme or tout l'éventail des avantages fiscaux.

**gang** /gæŋ/ N [workmen] équipe f ; [criminals] bande f, gang m ; [friends] bande f ; [tools] série f, jeu m.

**ganger** /'gæŋə/ N (Brit Ind) chef m d'équipe.

**gangland** /'gæŋlænd/ N le milieu ✦ **gangland law** la loi du milieu.

**gangster** /'gæŋstə/ N gangster m.

**gang together** */gæŋ/ VI se mettre à plusieurs (to do pour faire)

**GAO** /dʒiːeɪˈəʊ/ (US) N abbr of **General Accounting Office** → **general**.

**gaol** /dʒeɪl/ (Brit) N prison f ✦ **to go to gaol** aller en prison.

**gap** /gæp/ N (gen) trou m, vide m ; (in text) blanc m ; (in education) lacune f, manque m ; (in time) intervalle m ; (in a chart) gap m ; (in conversation) creux m ; (between two opinions, statistics) écart m (between entre) ✦ **to fill a gap** combler une lacune ✦ **generation gap** fossé or conflit des générations ✦ **gap in coverage** (Ins) couverture insuffisante ✦ **inflation(ary) gap** écart d'inflation or inflationniste ✦ **trade gap** déficit commercial or de la balance commerciale ✦ **to fill a gap in the market** combler un créneau (sur le marché) ✦ **the technological gap between Europe and America** l'écart or le gap technologique entre l'Europe et l'Amérique, le retard technologique de l'Europe par rapport à l'Amérique ✦ **the dollar gap** la pénurie de dollars, le déficit de la balance dollar ✦ **the gap between home demand and productive capacity** le décalage entre la demande intérieure et le potentiel de production

─── compounds/composés ───
✦ **gap financing** crédit relais.

**gapping** /'gæpɪŋ/ N (St Ex) prise f de position.

**garage** /'gærɑːʒ/ **N** garage m (Brit = service station) station-service f ◆ **garage sale** (US) vide-grenier
**VT** vehicle garer, mettre au garage.

**garbage** /'gɑːbɪdʒ/ **N** (lit) ordures fpl, détritus mpl ; (Comp) informations fpl erronées or parasites ◆ **that's garbage** * (= rubbishy ideas) ce sont des bêtises, c'est de la foutaise* ; (= wrong information) cela ne vaut rien ◆ **their new product is garbage** * leur nouveau produit ne vaut pas un clou*, leur nouveau produit est nul* ◆ **garbage in, garbage out** (Comp) erreurs à l'entrée, erreurs à la sortie.

**garden** /'gɑːdn/ **N** jardin m

───── compounds/composés ─────
◆ **garden centre** Jardinerie (R)
◆ **garden city** (Brit) cité-jardin
◆ **garden produce** produits mpl maraîchers.

**gardener** /'gɑːdnər/ **N** jardinier m.

**garment** /'gɑːmənt/ **N** vêtement m, habit m

───── compounds/composés ─────
◆ **garment district (the)** (in New York) le quartier de la confection
◆ **garment industry (the)** la confection, l'habillement.

**garnishee** /ˌgɑːnɪˈʃiː/ **N** (Jur) tiers m saisi ◆ **garnishee order** ordonnance de saisie-arrêt.

**garnisher** /'gɑːnɪʃər/ **N** (Jur) créancier m saisissant.

**garnishment** /'gɑːnɪʃmənt/ **N** (Jur) ordonnance f de saisie-arrêt.

**gas** /gæs/ **N** **a** (gen) gaz m ◆ **natural gas** gaz naturel ◆ **town gas** gaz de ville **b** (US = gasoline) essence f ◆ **regular / unleaded gas** essence ordinaire / sans plomb

───── compounds/composés ─────
◆ **gas industry** industrie du gaz or gazière
◆ **gas station** (US) station-service
◆ **gas (utility) company** entreprise productrice de gaz.

**gasoline** /'gæsəuliːn/ (US) **N** essence f.

**gasworks** /'gæswɜːks/ **N** usine f à gaz.

**gate** /geɪt/ **N** **a** [town] porte f ; [field] barrière f ; [garden, park] porte f, portail m ; [sports ground] entrée f ; [airport] porte f d'embarquement ◆ **to give sb the gate** * (US = dismiss) virer* or sa(c)quer* qn **b** (Sport) (= attendance) entrées fpl, spectateurs mpl ; (= money taken) recette f, entrées fpl ◆ **we have had a record gate** nous avons eu un nombre record d'entrées or des entrées record

───── compounds/composés ─────
◆ **gate hiring** embauche à l'entrée de l'usine
◆ **gate money** (Sport) recette(s), (montant des) entrées fpl
◆ **gate pass** (Ind) autorisation de sortie (de marchandises).

**gatefold** /'geɪtfəuld/ **N** (US Pub) encart m à volets.

**gateway** /'geɪtweɪ/ **N** porte f (d'entrée), entrée f ◆ **the gateway to success / fame / fortune** les portes du succès / de la gloire / de la fortune ◆ **international gateway** (Aviat) aéroport d'entrée obligatoire pour les vols internationaux ◆ **European carriers are clamouring for more gateways** les compagnies européennes réclament à grands cris l'accès à d'autres points d'entrée.

**gather** /'gæðər/ **VT** **a** people rassembler, grouper, réunir; objects rassembler, ramasser; information recueillir, collecter; taxes percevoir **b** **to gather speed** [vehicle, campaign] prendre de la vitesse ◆ **to gather strength** [campaign] gagner en puissance **c** (= infer) ◆ **I gather from your report that** je déduis or je conclus de votre rapport que ◆ **I gathered from John that** d'après ce que John m'a dit j'ai compris que ◆ **as far as we can gather** à ce que nous comprenons
**VI** [people] s'assembler, se rassembler, se réunir; [crowd] se former, se masser.

**gather in** **VT SEP** money faire rentrer, amasser; taxes percevoir; debts recouvrer.

**gathering** /'gæðərɪŋ/ **N** (= group) [people] assemblée f, réunion f, rassemblement m ; [objects] accumulation f, amoncellement m ; [data] collecte f.

**gather up** **VT SEP** papers, objects ramasser.

**GATS** /gæts/ **N** (abbr of **General Agreement on Trade in Services**) AGCS m.

**GATT** /gæt/ **N** (abbr of **General Agreement on Tariffs and Trade**) GATT m.

**gauge** /geɪdʒ/ **N** (= standard measure) calibre m ; (Rail) écartement m ; (= instrument) jauge f, indicateur m ; (fig) mesure f ◆ **oil gauge** indicateur or jauge de niveau d'huile ◆ **pressure gauge** manomètre ◆ **tyre gauge** indicateur de pression des pneus ◆ **narrow- / standard- / broad-gauge railway** voie ferrée étroite / à écartement normal / à grand écartement ◆ **the**

stock market provides an important gauge of companies' earning capacity la Bourse fournit des indications importantes sur la capacité bénéficiaire des entreprises

**VT**  **a** *(= measure) speed, width* mesurer; *oil* jauger ♦ **to gauge the trends of the market** mesurer l'évolution du marché ♦ **to gauge the right time to do sth** calculer le bon moment pour faire qch **b** *tools, machine* standardiser, étalonner.

**Gaussian** /ˈgaʊsɪən/ **ADJ** ♦ **Gaussian distribution** *or* **curve** courbe de Gauss.

**gavel** /ˈgævl/ **N** *[auctioneer]* marteau m.

**gavel off** /ˈgævl/ **VT SEP** *[auctioneer]* adjuger.

**gazump** /gəˈzʌmp/ **VT** *(Brit)* ♦ **to gazump sb** *annuler une promesse de vente faite à qn pour accepter une offre plus avantageuse.*

**gazumper** /gəˈzʌmpər/ **N** *(Brit) vendeur d'un bien immobilier qui annule la promesse de vente pour accepter une offre plus avantageuse.*

**gazunder** /gəˈzʌndər/ *(Brit)* **VI** *revenir sur une promesse d'achat immobilier pour tenter de faire baisser le prix*

**VT** *to be gazundered devoir baisser le prix de vente d'un bien immobilier à la dernière minute*

**N** *rupture d'une promesse d'achat immobilier pour tenter de faire baisser le prix.*

**gazunderer** /gəˈzʌndərər/ **N** *(Brit) acheteur d'un bien immobilier qui revient sur sa promesse d'achat pour tenter de faire baisser le prix.*

**GDI** /dʒiːdiːˈaɪ/ **N** (abbr of **gross domestic income**) RIB m.

**GDP** /dʒiːdiːˈpiː/ **N** (abbr of **gross domestic product**) PIB m.

**gear** /gɪər/ **N** **a** *(= equipment)* équipement m, matériel m, attirail m ; *(= belongings)* effets mpl (personnels), affaires fpl *(\* = clothing)* vêtements mpl, fringues fpl \* **b** *(= apparatus)* *(gen)* mécanisme m, dispositif m ; *(Tech)* engrenage m ♦ **in gear** engrené, en prise ♦ **out of gear** désengrené **c** *(Aut) (= mechanism)* embrayage m ♦ **to change** *or* **shift gear** changer de vitesse ♦ **first gear** *(Aut)* première ♦ **top gear** quatrième *(or* cinquième*)* (vitesse) ♦ **reverse gear** marche arrière ♦ **to be in first gear** être en première ♦ **the American economy is in top gear** l'économie américaine a atteint sa vitesse maximum

**VT** adapter *(to à)* ♦ **the factory is geared to small-scale production** l'usine est adaptée à une production à petite échelle *or* conçue en fonction d'une production à petite échelle

♦ **our advertising is geared to the teenage market** notre publicité est orientée vers le marché des jeunes ♦ **wages are geared to inflation** les salaires sont indexés sur l'inflation.

**gearbox** /ˈgɪərbɒks/ **N** boîte f de vitesses.

**geared** /gɪəd/ **ADJ** ♦ **high- / low-geared company** *(Brit Fin)* société à ratio d'endettement élevé / faible.

**gearing** /ˈgɪərɪŋ/ **N** *(Brit Fin)* (ratio m d') endettement m *(rapport actions ordinaires / capitaux à intérêt et à dividende fixes)* ♦ **higher gearing has allowed the company to increase its profitability** une augmentation du ratio d'endettement a permis à l'entreprise d'augmenter son taux de rentabilité ♦ **gearing adjustment** redressement financier.

**gear up** \* **VT SEP** préparer ♦ **we are geared up for the new season** nous sommes prêts *or* parés pour la nouvelle saison ♦ **to be geared up to face a challenge** être mobilisé pour relever un défi ♦ **they are gearing up the production line** ils sont en train de préparer la chaîne de production

**VI** *(Brit Fin) [company]* s'endetter, augmenter le taux d'endettement.

**gemm** /dʒem/ **N** abbr of **gilt-edged market maker** → **gilt-edged.**

**gen** \* /dʒen/ **N** *(Brit = information)* renseignements mpl ♦ **to give sb the gen on sth** mettre qn au courant de qch, rencarder\* *or* renseigner qn sur qch.

**general** /ˈdʒenərəl/ **ADJ** *(= non-specific)* général; *(= not detailed) inquiry, strategy, view* d'ensemble, général ♦ **let me give you a general outline of the project** permettez-moi de vous donner les grandes lignes du projet *or* un aperçu (d'ensemble) du projet ♦ **general business** *(in meeting)* questions diverses ♦ **general damages** *(Ins, Jur)* dommages et intérêts ♦ **general debt** dette générale ♦ **general equilibrium** équilibre général ♦ **general knowledge** connaissances générales ■ Voir encadré ci-contre.

**generalist** /ˈdʒenərəlɪst/ **N** *(US St Ex) titre dont le cours est supérieur à 100 dollars.*

**generalize, generalise** /ˈdʒenərəlaɪz/ **VTI** généraliser.

**generally** /ˈdʒenərəli/ **ADV** généralement ♦ **generally accepted accounting principles** principes comptables généralement admis ♦ **generally accepted auditing standards** normes de vérification généralement admises.

———————— *compounds/composés* ————————

### GENERAL

+ **general acceptance** *(Fin)* acceptation sans réserve
+ **general account** *(Bank)* compte du grand livre
+ **general accounting** comptabilité générale
+ **General Accounting Office** *(US)* ≈ Cour des comptes
+ **general agencies** *(US)* services mpl des administrations publiques
+ **general agent** agent général
+ **General Agreement on Tariffs and Trade** accord général sur les tarifs douaniers et le commerce
+ **General Agreement on Trade in Services** Accord général sur le commerce des services
+ **General Arrangements to Borrow** accords mpl stand-by
+ **general audit** audit général, contrôle général de comptabilité
+ **general auditing standards** normes fpl générales de surveillance or d'audit (des comptes)
+ **general average** *(Mar Ins)* avarie commune or grosse + **general average bond** compromis d'avarie commune
+ **general average deposit** cautionnement pour avarie commune
+ **general bill of lading** connaissement collectif
+ **general cargo** cargaison mixte
+ **general contractor** maître d'œuvre
+ **general creditor** créancier non privilégié or non garanti or ordinaire
+ **general delivery** *(US)* poste restante
+ **general endorsement** *[bill of exchange]* endossement général
+ **general fund** fonds d'administration générale

+ **general holiday** fête publique, jour férié
+ **general insurance** assurances fpl IARD *(incendies, accidents, risques divers)*
+ **general journal** *(Acc)* journal général or centralisateur
+ **general ledger** *(Acc)* grand livre (des comptes)
+ **general legacy** legs universel or à titre universel
+ **general lien** *[creditors]* privilège général
+ **general management** direction générale + **he's in general management** il est à la direction générale
+ **general manager** directeur général + **he's general manager of Jones Ltd** il est directeur général de Jones Ltd
+ **general meeting** assemblée générale + **ordinary / extraordinary general meeting** assemblée générale ordinaire / extraordinaire
+ **general obligation bond** *(US)* emprunt d'une collectivité locale
+ **general partner** associé(e) *(d'une société en nom collectif)*, associé(e) gérant(e) or commandité(e)
+ **General Post Office** *(Brit)* Postes et Télécommunications; *(= building)* poste centrale
+ **general public (the)** le grand public
+ **general-purpose** *tool* universel; *(Comp) terminal* banalisé; *(Comp) storage* banal + **general-purpose financial statements** états financiers à usage général or à vocation générale
+ **general reserves** réserves fpl générales or légales
+ **general storage** *(Comp)* mémoire banale
+ **general store** bazar
+ **general strike** grève générale
+ **general warrant** mandat général.

**generate** /'dʒenəreɪt/ **vt** *power, heat* produire; *profits* générer + **to generate new employment** créer des emplois nouveaux.

**generating** /'dʒenəreɪtɪŋ/

———————— *compounds/composés* ————————

+ **generating program** *(Comp)* programme générateur
+ **generating set** or **unit** groupe électrogène
+ **generating station** centrale électrique.

**generation** /ˌdʒenə'reɪʃən/ **N** **a** génération f
+ **the younger generation** la jeune génération
+ **the now generation** la génération branchée
+ **a fifth-generation computer** un ordinateur de la cinquième génération **b** *(= creation)* *[power, heat]* production f; *[profits]* génération f.

**generator** /'dʒenəreɪtər/ **N** **a** *(= apparatus)* *[electricity]* génératrice f; *[steam]* générateur m, groupe m électrogène; *[lighting]* dynamo f (d'éclairage) **b** *(Comp)* (programme m) générateur m.

**generic** /dʒɪ'nerɪk/ **adj** *product, strategy* générique.

**generous** /'dʒenərəs/ **adj** généreux.

**gen-saki** * /dʒen'sɑːkɪ/ **N** marché monétaire japonais à court terme.

**gent** * /dʒent/ **N** abbr of **gentleman** + **gents' outfitters** magasin d'habillement or de confection pour hommes + **gents' shoes** chaussures (pour) hommes.

**gentleman** /'dʒentlmən/ **N** *(gen)* monsieur m ; *(= man of breeding)* gentleman m + **gentleman's agreement** gentleman's agreement + **Gentlemen** *(US : term of address at beginning of business letter)* Messieurs + **Ladies and Gentlemen** *(beginning a speech)* Mesdames, Messieurs.

**genuine** /'dʒenjʊɪn/ **adj** **a** *(= authentic)* *wool, gold* véritable; *manuscript, antique* authentique; *coin* de bon aloi; *goods, product* garanti d'origine + **a genuine mink coat** un vrai or authentique manteau de vison + **I'll only buy the genuine article** *furniture* je n'achète que de l'authentique; *jewellery, wine* je n'achète que du vrai **b** *(Acc)* + **genuine assets** actif réel + **genuine and valid check** *(US)* chèque sincère et authentique **c** *(= sincere) belief* sincère; *person* franc, sincère ◆ **genuine buyer** acheteur sérieux.

**geographic(al)** /dʒɪəˈgræfɪk(əl)/ **ADJ** géographique ◆ **geographical concentration** concentration géographique.

**geography** /dʒɪˈɒgrəfɪ/ **N** géographie f.

**geometric(al)** /dʒɪəʊˈmetrɪk(əl)/ **ADJ** géométrique.

**geonomics** /dʒɪəʊˈnɒmɪks/ **N** géographie f économique.

**Georgetown** /ˈdʒɔːdʒˌtaʊn/ **N** Georgetown.

**Georgia** /ˈdʒɔːdʒɪə/ **N** Géorgie f.

**Georgian** /ˈdʒɔːdʒɪən/ **ADJ** géorgien
**N a** *(= language)* géorgien m **b** *(= inhabitant)* Géorgien(ne) m(f).

**German** /ˈdʒɜːmən/ **ADJ** allemand
**N a** *(= language)* allemand m **b** *(= inhabitant)* Allemand(e) m(f).

**Germany** /ˈdʒɜːmənɪ/ **N** Allemagne f ◆ **Federal Republic of Germany** République fédérale d'Allemagne.

**gerrymander** /ˈdʒerɪmændəʳ/ **VT** *election* truquer; *business* truquer, tripatouiller*.

**gerrymandering** /ˈdʒerɪmændərɪŋ/ **N** *[election, business]* truquage m, tripotage(s) m(pl).

**get** /get/ **VT a** *(= obtain) thing, permission* obtenir *(from* de); *result* obtenir, atteindre; *commodity* (se) procurer, trouver; *power, wealth* acquérir, accéder à; *idea, reputation* se faire ◆ **to get sth cheap** avoir qch (à) bon marché ◆ **to get sth for sb** trouver qch pour qn, procurer qch à qn ◆ **we got the components from a new supplier** nous avons obtenu *or* trouvé les composants chez un nouveau fournisseur **b** *(= receive) letter, delivery, answer* avoir; *salary* recevoir, gagner, toucher ◆ **I get $20 an hour** je reçois *or* je gagne *or* je touche 20 dollars de l'heure ◆ **we get 9% interest** nous percevons un intérêt *or* des intérêts de 9% ◆ **did you get our catalogue?** est-ce que vous avez reçu *or* eu notre catalogue? **c** *(= fetch) person* aller chercher, faire venir; *object* chercher, apporter **d** *(Comp)* lire
**VI a** *(= go, arrive)* aller, se rendre *(to* à, *from* de) ◆ **the talks are not getting anywhere** les pourparlers n'avancent pas **b** *(phrases)* ◆ **to get paid** se faire payer ◆ **to get used to sth / to doing** s'habituer à qch / à faire ◆ **to get to know sb** parvenir *or* apprendre à connaître qn ◆ **we got to appreciate their service** on a fini par apprécier leurs services

───── *compounds/composés* ─────

◆ **get-rich-quick scheme** * système pour faire fortune rapidement
◆ **get-together** (petite) réunion
◆ **get-up-and-go** *allant, dynamisme.

**get about** **VI** *[news, rumours]* se répandre, circuler ◆ **it has got about that** le bruit court que.

**get across** **VI** *(= communicate) [speaker]* se faire comprendre; *[message]* passer
**VT SEP** *(= communicate) ideas, intentions* communiquer *(to* à)

**get along** **VI a** *(= manage)* se débrouiller*
**b** *(= progress)* avancer, faire du chemin ◆ **we are getting along with the drafting of the report** nous avançons dans la rédaction du rapport.

**get back** **VI** *(= return) (to place)* rentrer, retourner; *(to work)* se remettre *(to* à)
**VT SEP** *(= recover) possessions* recouvrer ◆ **to get one's money back** se faire rembourser, récupérer son argent.

**get by** **VI** *(= manage)* se débrouiller*, s'en sortir*, s'en tirer*.

**get down to** **VT FUS** ◆ **to get down to doing** se mettre à faire ◆ **to get down to work** se mettre au travail ◆ **let's get down to business** venons-en au fait, parlons sérieusement.

**get on** **VI a** *(= make progress)* avancer, progresser ◆ **how are you getting on in your new job?** comment ça marche dans ton nouvel emploi? **b** *(= succeed)* réussir ◆ **to get on in business** réussir dans les affaires.

**get out** **VI a** sortir *(of* de); *(from vehicle)* descendre *(of* de) ◆ **we can't get out of this agreement** nous ne pouvons pas nous dégager de cet accord **b** *[news]* se répandre; *[secret]* s'éventer.

**get round** **VT FUS** *obstacle* contourner; *difficulty* tourner.

**Ghana** /ˈgɑːnə/ **N** Ghana m.

**Ghanaian** /gɑːˈneɪən/ **ADJ** ghanéen
**N** *(= inhabitant)* Ghanéen(ne) m(f).

**ghosting** /ˈgəʊstɪŋ/ **N a** *(Mktg)* emballage m à fenêtre **b** *(TV, Comp)* dédoublement m de l'image.

**Gibraltar** /dʒɪˈbrɔːltəʳ/ **N** Gibraltar m.

**Giffen** /ˈgɪfən/ **ADJ** ◆ **Giffen effect** paradoxe de Giffen ◆ **Giffen goods** biens Giffen.

**gift** /gɪft/ **N a** *(= present)* cadeau m, présent m ; *(Comm)* prime f, cadeau m ◆ **free gift inside**

ce paquet contient un cadeau **b** *(Jur)* don m, donation f ◆ **gifts inter vivos** *(Jur, Tax)* donations entre vifs ◆ **deed of gift** acte de donation ◆ **an outright gift** un don pur et simple **c** (= *talent*) don m (*for* de, pour)

---
*compounds/composés*
---
◆ **gift certificate** *(US)* bon d'achat
◆ **gift promotion** promotion-cadeau
◆ **gift shop** boutique de nouveautés
◆ **gift tax** *(US Tax)* impôt sur les donations
◆ **gift token, gift voucher** chèque-cadeau.

**giftwrap** /'gɪftræp/ **VT** ◆ **to giftwrap a purchase** faire un paquet-cadeau ◆ **could you giftwrap it for me?** pouvez-vous me faire un paquet-cadeau?.

**giftwrapping** /'gɪftræpɪŋ/ **N** (= *paper*) papier-cadeau m, emballage-cadeau m ; (= *service*) emballage m des cadeaux.

**gigabit** /'dʒɪgəbɪt/ **N** milliard m de bits.

**gigabyte** /'dʒɪgə,baɪt/ **N** gigaoctet m.

**gilt-edged** /'gɪlt,edʒd/ *(Brit)* **ADJ** ◆ **gilt-edged bill of exchange** lettre de change de premier ordre *or* de premier choix ◆ **gilt-edged market maker** teneur de marché ◆ **gilt-edged securities** (= *government-issued stock*) fonds *or* titres d'État; (= *securities of the highest class*) valeurs de premier ordre, valeurs de tout repos *or* de père de famille.

**gilts** /gɪlts/ **NPL** ≈ gilt-edged securities.

**gimmick** /'gɪmɪk/ **N** truc m, astuce f, trouvaille f ; (= *device*) gadget m ◆ **advertising gimmick** astuce *or* truc *or* trouvaille publicitaire ◆ **sales gimmick** astuce promotionnelle.

**gimmicky** /'gɪmɪkɪ/ **ADJ** ◆ **it's a bit gimmicky** *(pej)* ça fait un peu gadget.

**Ginnie Mae** /'dʒɪnɪ'meɪ/ *(US)* **N** abbr of **Government National Mortgage Association** (= *security*) créance f hypothécaire.

**giro** /'dʒaɪrəʊ/ **N** ◆ **bank giro system** système de virement bancaire ◆ **to pay by bank giro** payer par virement bancaire ◆ **giro transfer** *(bank)* virement bancaire; *(post office)* virement postal ◆ **National Giro** *(Brit)* (centre des) comptes chèques postaux ◆ **giro account** *(Brit)* compte chèque postal, compte courant postal.

**gist** /dʒɪst/ **N** [*report, conversation*] fond m, essentiel m ◆ **to get the gist of sth** comprendre l'essentiel de qch.

**give** /gɪv/ **VT** **a** *(gen)* donner ◆ **to give a month's notice** donner un mois de préavis ◆ **he gave me the message / letter** il m'a remis *or* donné le

message / la lettre ◆ **to give an account of sth** rendre compte de qch ◆ **to give damages** accorder des dommages-intérêts ◆ **to give evidence** témoigner ◆ **to give a decision** *[judge]* rendre un arrêt ◆ **please give full particulars** veuillez (nous) fournir tous les renseignements ◆ **we gave them an order for office supplies** nous leur avons passé une commande de fournitures de bureau ◆ **give-and-take** concessions mutuelles **b** *(Telec)* ◆ **give me London 868.24.24** passez-moi le 868.24.24 à Londres **c** *(Fin = yield)* ◆ **this investment gives 9%** ce placement rapporte 9% **d** *(St Ex)* ◆ **to give for the call** acheter dont, acheter la prime à livrer ◆ **to give the deposit** donner le dépôt ◆ **to give the forward** donner le terme ◆ **to give for the put** acheter ou, acheter un put *or* une option de vente ◆ **to give the rate (on stock)** se faire reporter ◆ **to give the spot** donner le comptant.

**give away** **VT SEP** *money* donner, distribuer; *goods* donner (gratuitement *or* gracieusement), distribuer, faire cadeau de; *prizes* distribuer.

**giveaway** /'gɪvəweɪ/ **N** *(Comm) (gen)* cadeau m publicitaire; (= *promotional material*) matériel m promotionnel *(distribué gratuitement)* ◆ **it's a giveaway!** c'est donné!
**ADJ** *price* dérisoire, imbattable ◆ **giveaway magazines** magazines distribués gratuitement, magazines gratuits.

**give back** **VT SEP** *object* rendre; *property* restituer (*to* à)

**giveback** /'gɪv,bæk/ **N** *(US Ind)* concession f *(accordée par un syndicat en acceptant une réduction de salaire).*

**give in** **VI** se rendre, renoncer, abandonner, s'avouer vaincu ◆ **to give in to sb** céder à qn
**VT SEP** *document, parcel* remettre; *accounts* rendre.

**given** /'gɪvn/ **ADJ** ◆ **at a given time** à une heure déterminée, à un moment donné ◆ **of a given size** d'une taille donnée *or* bien déterminée ◆ **under the given conditions** dans les conditions requises.

**give on** **VT FUS** *(St Ex)* *securities* faire reporter ◆ **to give on stock** faire reporter des titres ◆ **you had better give on your position for next settling day** vous feriez mieux de faire reporter votre position à la liquidation suivante ◆ **to give on stock to another broker** faire reporter des actions par un autre courtier.

**give out** **VI** *[supplies]* s'épuiser, manquer; *[machine]* tomber en panne
**VT SEP** **a** (= *distribute*) *goods, food* distribuer ◆ **to give out an order** *[broker]* sous-traiter un ordre

vers un spécialiste extérieur, faire exécuter un ordre par un spécialiste extérieur **b** (= announce) news, results annoncer; list faire connaître.

**give-out** /'gɪvˌaʊt/ **ADJ** ◆ **give-out order** (St Ex) commande sous-traitée.

**giver** /'gɪvəʳ/ **N** **a** [gift] donateur(-trice) m(f) **b** (St Ex) preneur(-euse) m(f) d'option, optionnaire mf ◆ **giver for a call** acheteur d'un dont ◆ **giver for a call of more** preneur de faculté de lever double or d'option du double à l'achat ◆ **giver for a put** vendeur d'un ou or d'une prime indirecte ◆ **giver for a put and call** preneur de stellage ◆ **giver for a put of more** preneur de faculté de livrer double or d'option du double à la vente ◆ **giver of option money** acheteur de primes ◆ **giver of the rate** payeur de la prime ◆ **giver on stock** reporté ◆ **giver to the option** optionnaire ◆ **there are no givers on these securities** personne ne veut se reporter sur ces titres.

**give up** **VI** abandonner, renoncer ◆ **we have given up on him** * nous ne comptons plus sur lui ◆ **we have given up on this project** nous avons renoncé à or nous avons abandonné ce projet
**VT SEP** **a** (= renounce) interests, friends abandonner, délaisser; habit, idea, responsibility renoncer à, abandonner; job quitter; business se retirer de, abandonner ◆ **to give up doing** cesser de faire, renoncer à faire **b** (St Ex) points céder ◆ **oils have given up 3 points** les pétrolières ont cédé 3 points ◆ **VCT at $61 gave up $1** VCT à 61 dollars a abandonné 1 dollar.

**gizmo** * /'gɪzməʊ/ (US) **N** gadget m.

**glamour** /'glæməʳ/ (Brit), **glamor** (US) **N** prestige m, éclat m ◆ **glamour stocks** valeurs en vogue, valeurs vedettes, vedettes de la cote.

**glitch** /glɪtʃ/ **N** **a** (Comp) signal m transitoire **b** (= failure, problem) panne f, incident m.

**global** /'gləʊbl/ **ADJ** global ◆ **the global village** le village planétaire.

**globalization** /ˌgləʊbəlaɪˈzeɪʃən/ **N** mondialisation f.

**gloom** /gluːm/ **N** [stock market] pessimisme m.

**gloomy** /'gluːmɪ/ **ADJ** situation, forecast, prospects sombre.

**glossy** /'glɒsɪ/ **ADJ** material luisant, lustré; photograph glacé ◆ **glossy magazine** magazine de luxe (sur papier couché) ◆ **glossy paper** (Typ) papier couché; (Phot) papier brillant or glacé.

**glut** /glʌt/ **VT** rassasier, gaver, gorger ◆ **to glut the market** inonder or saturer or encombrer le marché (with de)
**N** [goods] surplus m, surabondance f, excès m, pléthore f ◆ **a glut on the market** un engorgement or encombrement du marché ◆ **glut of capacity** capacité excédentaire.

**GM** /dʒiːˈem/ **N** (abbr of **general manager**) DG m.

**GMT** /ˌdʒiːemˈtiː/ (abbr of **Greenwich Mean Time**) GMT, TU.

**gnome** /nəʊm/ **N** ◆ **the Gnomes of Zurich** les banquiers suisses.

**GNP** /ˌdʒiːenˈpiː/ **N** (abbr of **gross national product**) PNB m.

**go** /gəʊ/ **VI** **a** (= travel, move) aller ◆ **to go to Paris** aller à Paris **b** (= depart) (gen) partir; (be sold) se vendre, partir ◆ **our new line is going fast** notre nouvelle ligne se vend bien or part rapidement **c** (= work) [machine] marcher, fonctionner ◆ **they kept the factory going** ils ont maintenu l'usine en activité ◆ **the economy is going strong** l'économie marche très fort **d** (St Ex) ◆ **to go a bear** jouer or spéculer à la baisse ◆ **to go a bull** jouer or spéculer à la hausse ◆ **to go short** vendre à découvert **e** (phrases) ◆ **to go bankrupt** faire faillite, déposer son bilan ◆ **to go broke** *, **go bust** *, **go to the wall** faire faillite ◆ **to go downhill** être sur une mauvaise pente ◆ **to go out of business** fermer boutique, se retirer des affaires ◆ **to go private** racheter ses propres actions, se retirer de la Bourse ◆ **to go public** s'introduire en Bourse ◆ **to go slow** tourner au ralenti ◆ **prices have gone through the floor** les prix se sont effondrés ◆ **to go under** sombrer, couler ◆ **the bill has gone unpaid** la facture n'a pas été payée or est restée impayée ◆ **going, going, gone!** (auction) une fois, deux fois, trois fois, adjugé!
**N** (= energy) dynamisme, entrain, allant, énergie ◆ **to make a go of sth** (= succeed) réussir qch

—— compounds/composés ——

◆ **go-between** intermédiaire
◆ **go-down** (Far East) comptoir colonial
◆ **go-getter** * fonceur(-euse), jeune loup*
◆ **go-go** (investment, fund) à haut rendement et à haut risque, hautement spéculatif; (= person) fonceur; (= company) aventuriste
◆ **go-slow** (= strike) grève perlée ◆ **go-slow policy** politique d'attente.

**go-ahead** /'gəʊəˌhed/ **ADJ** person entreprenant, dynamique, qui va de l'avant; business, attitude dynamique

**◫** **to give sb the go-ahead** donner le feu vert à qn (*for sth / to do* pour qch / pour faire)

**goal** /ɡəʊl/ **N** but m, objectif m ✦ **my goal is to improve staff relations this year** cette année mon but *or* mon objectif est d'améliorer les relations entre les membres du personnel ✦ **our production goals are high** nos objectifs de production sont élevés ✦ **sales goal** objectif de vente

────── *compounds/composés* ──────

✦ **goal congruence** harmonisation des objectifs *(à l'intérieur d'une organisation)*, convergence des efforts
✦ **goal programming** programmation des objectifs
✦ **goal setting** fixation d'objectifs.

**go down** **VI** **a** *(= fall)* *[prices, inflation]* baisser, être en baisse ✦ **to go down in value** perdre de la valeur **b** *(= fail)* faire faillite, couler.

**gofer** * /ˈɡəʊfəʳ/ *(US)* **N** coursier m, grouillot m *.

**going** /ˈɡəʊɪŋ/ **ADJ** *price* courant, actuel ✦ **the going rate of interest** le taux d'intérêt actuel *or* courant *or* en vigueur ✦ **it's a going concern** *or* **business** c'est une affaire prospère, c'est une affaire qui marche ✦ **the going-concern principle / concept** *(Acc)* le principe / la convention de la continuité de l'exploitation ✦ **going(-concern) value** *(Acc)* valeur d'exploitation *or* d'utilité.

**go into** **VT FUS** *(= investigate)* examiner, étudier.

**gold** /ɡəʊld/ **N** **a** or m ✦ **$2 M in gold** 2 millions de dollars en or ✦ **paper / metal gold** or papier / métal **b** *(St Ex)* ✦ **golds** valeurs aurifères, mines d'or

**golden** /ˈɡəʊldən/ **ADJ** *colour* doré ✦ **golden handshake** prime *or* enveloppe *or* indemnité de départ ✦ **golden hello** prime d'engagement *(pour attirer un cadre)* ✦ **golden opportunity** occasion en or ✦ **golden parachute** *(US)* parachute en or, indemnité de départ *(dans le cadre d'une OPA)* ✦ **golden rule** règle d'or ✦ **golden share** action privilégiée.

**goldfield** /ˈɡəʊldfiːld/ **N** région f *or* terrain m aurifère.

**golf** /ɡɒlf/ **N** *(= sport)* golf m

────── *compounds/composés* ──────

✦ **golf-ball** balle de golf ✦ **golf-ball typewriter** machine à écrire à boule *or* à sphère
✦ **golf-ball printer** imprimante à sphère.

**gondola** /ˈɡɒndələ/ **N** *(gen, Mktg)* gondole f ✦ **gondola head** tête de gondole.

**good** /ɡʊd/ **ADJ** **a** ✦ **we delivered the order in good time** nous avons livré la commande dans les temps ✦ **to act in good faith** agir de bonne foi ✦ **good-faith check** *(US)* chèque accompagnant une offre d'achat d'obligations ✦ **it's a good buy** c'est une bonne affaire ✦ **our good name is at stake** notre réputation est en jeu ✦ **good delivery stock** *(St Ex)* valeur de bonne livraison ✦ **for good consideration** à titre onéreux ✦ **good leasehold title** droit au bail bien établi ✦ **good merchantable condition** qualité loyale et marchande ✦ **a good risk** *(Ins)* un bon risque ✦ **good tender** soumission conforme ✦ **good title** *(Jur)* titre de propriété irréfragable **b** **to make good** *deficit* combler; *losses* compenser; *damage, injustice* réparer **c** *(Fin)* ✦ **is his credit good?** peut-on lui faire crédit ? ✦ **he is** *or*

────── *compounds/composés* ──────

GOLD

✦ **gold and silver reserve** encaisse métallique
✦ **gold block countries** pays mpl du bloc d'or
✦ **gold bond** *(St Ex)* obligation or
✦ **gold bullion standard** étalon de lingots-or
✦ **gold card** carte de crédit *(réservée aux personnes à hauts revenus)*, carte Premier (R)
✦ **gold clause** clause or
✦ **gold coin** pièce d'or ✦ **gold coin and bullion** encaisse or
✦ **gold content** teneur en or
✦ **gold cover** *(Econ)* couverture or
✦ **gold currency** monnaie or; *(= coins)* pièces fpl d'or
✦ **gold exchange standard** étalon de change or, étalon-or de change
✦ **gold fix** fixing (de l'or)
✦ **gold market** marché de l'or

✦ **gold mine** mine d'or ✦ **gold mine stocks** valeurs aurifères, mines d'or
✦ **gold-pegged** aligné *or* indexé sur l'or
✦ **gold points** points mpl d'or, gold points mpl ; **import / export gold point, incoming / outgoing gold point** point d'entrée / de sortie de l'or, gold point d'entrée / de sortie ✦ **to reach the gold point** atteindre le point de l'or *or* le gold point
✦ **gold pool (the)** le pool d'or
✦ **gold premium** prime sur l'or
✦ **gold ratio** *rapport de l'encaisse-or à la monnaie en circulation*
✦ **gold reserves** réserves en or
✦ **gold rush** ruée vers l'or
✦ **gold specie** numéraire or ✦ **gold specie standard** étalon de numéraire or, étalon-or espèces
✦ **gold standard** étalon-or ✦ **to come off** *or* **leave the gold standard** abandonner l'étalon-or.

**his credit is good for £1,000** on peut lui faire crédit jusqu'à 1 000 livres ◆ **what** *or* **how much is he good for?** de combien (d'argent) dispose-t-il?, combien peut-il mettre? ◆ **he's good for $1,000** il nous prêtera bien 1 000 dollars ◆ **good for $100** *(on note)* bon pour 100 dollars **d** *(St Ex)* order valable ◆ **good-this-week / -month order** ordre valable cette semaine / ce mois ◆ **good-through-week / -month order** ordre valable jusqu'à la fin de la semaine / du mois, ordre GTW / GTM ◆ **good-till-cancelled order** ordre valable jusqu'à révocation **n** (= *advantage, profit*) bien m, avantage m, profit m ◆ **the common good** l'intérêt commun ◆ **the public good** le bien public ◆ **we were £250 to the good** nous avons fait 250 livres de bénéfice.

**goods** /gʊdz/ **NPL** **a** *(Jur)* biens mpl, meubles mpl, effets mpl personnels ◆ **all his goods and chattels** tous ses biens personnels **b** *(Econ)* biens mpl ◆ **consumer goods** biens de (grande) consommation ◆ **durable goods** biens durables ◆ **goods and services** biens et services **c** *(Comm)* *(gen)* produits mpl, marchandise(s) f(pl) ; (= *freight*) marchandise(s) f(pl) ◆ **bonded goods, goods in bond** *(Customs)* marchandises en entrepôt sous douane ◆ **capital goods** biens d'équipement ◆ **crude goods** produits bruts ◆ **dry goods** (= *foodstuffs*) marchandises sèches; (= *cloth and clothing*) mercerie, tissus ◆ **dutiable goods** marchandises passibles de droits de douane ◆ **duty-free goods** marchandises exemptes de droits, marchandises détaxées *or* hors taxes ◆ **fancy goods** nouveautés, articles de fantaisie ◆ **farm goods** produits agricoles ◆ **finished / semi-finished goods** produits finis / semi-finis ◆ **future goods** marchandises livrables à terme ◆ **hard goods** biens d'équipement ◆ **investment goods** biens d'équipement *or* d'investissement ◆ **luxury goods** articles de luxe ◆ **manufactured goods** produits manufacturés ◆ **measurement goods** *(Mar)* marchandises de cubage *(dont le tarif se calcule à la tonne d'encombrement)* ◆ **perishable goods** denrées périssables ◆ **returnable goods** marchandises consignées *or* en consignation ◆ **slow / speed goods** *(Rail)* marchandises en petite / grande vitesse ◆ **soft goods** (= *textiles*) tissus, textiles *(US* = *perishables)* biens de consommation non durables ◆ **sports goods** articles de sport ◆ **staple goods** produits de base ◆ **textile goods** matières textiles ◆ **uncustomed** *or* **uncleared goods** marchandises non acquittées ◆ **unsaleable goods** marchandises invendables ◆ **unsold goods** invendus ◆ **wet goods** (= *foodstuffs*) marchandises liquides ◆ **cost of goods available for sale** coût des marchandises destinées à la vente **d** *(Mar Ins)* marchandises fpl, facultés fpl ◆ **goods afloat** marchandises flottantes

---
*compounds/composés*
---

- ◆ **goods account** compte de marchandises
- ◆ **goods agent** entrepreneur de messageries, transitaire
- ◆ **goods bought** *(Acc)* achats mpl (de marchandises) ◆ **goods-bought ledger** grand livre des fournisseurs, livre des achats
- ◆ **goods department** service des marchandises
- ◆ **goods depot** *(Rail)* dépôt *or* entrepôt de marchandises
- ◆ **goods-in-progress** *(Brit)*, **goods-in-process** *(US)* en-cours mpl
- ◆ **goods-in-transit insurance** assurance transit
- ◆ **goods on demurrage** marchandises fpl en souffrance
- ◆ **goods platform** quai de chargement
- ◆ **goods rate** tarif marchandises
- ◆ **goods service** to send by fast / slow goods service expédier *or* envoyer en grande / petite vitesse
- ◆ **goods siding** voie de garage *(pour wagons de marchandises)*
- ◆ **goods sold** *(Acc)* ventes fpl ; **goods sold ledger** grand livre des clients, livre des ventes ◆ **cost of goods sold** *(Acc)* achats; *(for retail or wholesale company)* coût d'achat des marchandises vendues dans l'exercice; *(for manufacturing company)* coût de production des marchandises vendues dans l'exercice
- ◆ **goods station** gare de marchandises
- ◆ **goods train** train de marchandises
- ◆ **goods traffic** trafic des marchandises
- ◆ **goods wagon** *(Brit)* wagon de marchandises
- ◆ **goods yard** dépôt *or* cour des marchandises.

**goodwill** /ˌgʊdˈwɪl/ **N** **a** (= *friendship*) bonne volonté f, bon vouloir m, bienveillance f ◆ **goodwill mission** mission de conciliation *or* de médiation **b** (= *willingness*) zèle m ◆ **to work with goodwill** travailler de bon cœur *or* avec zèle **c** *[business]* (= *intangible assets*) survaloir m, goodwill m ; (= *customer connections*) clientèle f ◆ **the goodwill goes with the business** la clientèle est vendue avec le fonds de commerce.

**go over** VT FUS (= *check*) examiner, vérifier ◆ **they went over the first quarter's results** ils ont examiné *or* vérifié les résultats du premier trimestre.

**go under** VI *[company]* couler, faire faillite, sombrer.

**go up** VI (= *rise*) *[prices, inflation, rate]* monter, être en hausse, augmenter.

**gourde** /gʊəd/ **N** *(Fin)* gourde f.

**govern** /'gʌvən/ **VT** *country* gouverner; *province, city* administrer; *events* déterminer, régir; *speed* déterminer
**VI** *(Pol)* gouverner.

**governance** /'gʌvənəns/ **N** gestion f ◆ **corporate governance** gestion *or* gouvernement d'entreprise.

**governing** /'gʌvənɪŋ/ **ADJ** *(Pol)* gouvernant; *belief, opinion* dominant ◆ **governing body** conseil de direction ◆ **governing principle** idée directrice *or* dominante ◆ **governing committee** *(US St Ex)* conseil d'administration ◆ **self-governing** autonome.

**government** /'gʌvənmənt/ **N** **a** *(= act)* gouvernement m, gestion f, direction f, administration f **b** *(Pol)* *(= governing body)* gouvernement m, cabinet m ; *(= system)* régime m, gouvernement m ◆ **the government** *(= the State)* l'État ◆ **government intervention in the economy** l'intervention de l'État dans l'économie ◆ **central government** gouvernement central ◆ **federal government** *(US)* gouvernement fédéral ◆ **local government** *(Brit)* administration locale ◆ **local government elections** *(Brit)* élections municipales ◆ **municipal government** conseil municipal ◆ **self-government** autonomie **c** *(US = stocks)* ◆ **governments** fonds *or* titres d'État

**governmental** /ˌgʌvən'mentl/ **ADJ** gouvernemental ◆ **governmental accounting** comptabilité publique.

**governor** /'gʌvənəʳ/ **N** *[state, bank]* gouverneur m.

**governorship** /'gʌvənəʃɪp/ **N** fonctions fpl de gouverneur ◆ **he has just retired from the governorship of the Bank of England** il vient de quitter ses fonctions de gouverneur de la Banque d'Angleterre.

**govt** (abbr of **government**) gvt.

**gp.** abbr of **group.**

**GPO** /dʒiːpiː'əʊ/ *(Brit)* **N** abbr of **General Post Office** → **general.**

**gr.** **a** abbr of **grain** **b** abbr of **gross.**

**grab** /græb/ **VT** saisir, prendre, s'emparer de
**N** **the job is up for grabs** * le poste est à saisir *or* à prendre.

**grace** /greɪs/ **N** *(= respite)* grâce f, répit m ◆ **days of grace** *(Comm, Jur)* jours *or* délai *or* terme de grâce ◆ **grace period** *[contract]* délai de grâce; *[credit]* période de franchise *or* de grâce, différé d'amortissement.

**grade** /greɪd/ **N** *(= category)* catégorie f ; *(= quality)* qualité f ; *(= size) [eggs]* calibre m ; *(= level)* niveau m ◆ **the lowest / highest grade of skilled worker** la catégorie la plus basse / élevée des ouvriers qualifiés ◆ **pay grade** échelon salarial ◆ **grade creep** * *(US)* glissement vers le haut d'un échelon salarial ◆ **grade-A eggs** œufs de calibre *or* de catégorie A ◆ **top-grade / low-grade product** produit de toute première qualité / de qualité inférieure *or* de second choix ◆ **high-grade meat** viande de premier choix *or* de première catégorie ◆ **international-grade equities** actions traitées sur le marché international ◆ **to make the grade**

*compounds/composés*

**GOVERNMENT**

◆ **government accounting** comptabilité publique
◆ **government agency** agence gouvernementale
◆ **government annuity** rente d'État
◆ **government assistance** aides fpl de l'État
◆ **government bonds** *(St Ex)* bons mpl du Trésor
◆ **government broker** *(Brit St Ex)* spécialiste en valeurs de Trésor
◆ **government check** *(US)* chèque tiré sur le Trésor des États-Unis
◆ **government department** département *or* service ministériel
◆ **government depository** *(US)* banque habilitée à recevoir les dépôts du gouvernement fédéral
◆ **government deposits** *(US)* dépôts mpl réglementaires du gouvernement fédéral
◆ **government expenditure** dépenses fpl publiques *or* de l'État
◆ **government grant** aide *or* subvention du gouvernement *or* de l'État

◆ **government guarantees** garanties fpl de bonne fin *(accordées par les pouvoirs publics)*
◆ **government investment** investissements mpl de l'État
◆ **government monopoly** monopole d'État
◆ **government loan** emprunt d'État
◆ **government obligations** *(US)* bons mpl du Trésor
◆ **government official** fonctionnaire *or* représentant du gouvernement
◆ **government paper** *(Fin)* effet public
◆ **government procurements** approvisionnements mpl *or* achats de l'État
◆ **government revenue** revenus mpl publics *or* de l'État
◆ **government securities** fonds mpl *or* titres d'État ◆ **government securities dealer** *(US)* spécialiste en valeurs de Trésor
◆ **government stock(s)** fonds mpl *or* titres d'État.

*[employee]* réussir ♦ **these debentures are no longer deemed to be of investment grade** ces obligations ne sont plus considérés comme des investissements valables **VT** *(= classify) (gen)* classer; *(progressively)* graduer; *(by size) eggs* calibrer.

**graded** /ˈgreɪdɪd/ **ADJ** *charges, rates, tax (decreasing)* dégressif; *(increasing)* progressif ♦ **graded by quality** classé par qualité ♦ **graded by size** *eggs* calibré, classé par catégorie.

**grade down** **VT SEP** classer dans une catégorie inférieure.

**grade up** **VT SEP** classer dans une catégorie supérieure.

**gradient** /ˈgreɪdɪənt/ **N** *(esp Brit)* pente f, inclinaison f *(Math, Phys)* gradient m.

**grading** /ˈgreɪdɪŋ/ **N** classification f ; *(by size)* calibrage m ♦ **labour grading** classification des emplois.

**gradual** /ˈgrædjʊəl/ **ADJ** *improvement, change* graduel, progressif.

**gradually** /ˈgrædjʊəlɪ/ **ADV** graduellement

**graduate** /ˈgrædjʊeɪt/ **VT** *instrument, container* graduer *(in* en*)* ♦ **to graduate payments** payer par fractionnements progressifs *or* dégressifs **VI** *(Univ)* ≈ obtenir sa licence *(or* son diplôme*)* *(US Scol)* ≈ obtenir son baccalauréat ♦ **he graduated from high school last year** *(US)* il a terminé ses études au lycée l'année dernière ♦ **he graduated from college in June** il a obtenu sa licence *or* son diplôme en juin **N** *(Univ)* ≈ diplômé(e) m(f) ♦ **he is a graduate of Cambridge University** il est diplômé de l'université de Cambridge **ADJ** **graduate school of business** *(US)* ≈ école supérieure de commerce ♦ **graduate student** étudiant de troisième cycle ♦ **graduate training scheme** programme de formation professionnelle pour les diplômés.

**graduated** /ˈgrædjʊeɪtɪd/ **ADJ** *container, tube* gradué; *payment* échelonné; *tax, rate (decreasing)* dégressif; *(increasing)* progressif ♦ **graduated interest** intérêts échelonnés ♦ **graduated-interest debenture** obligation à taux progressif ♦ **graduated payment mortgage** *(US)* prêt hypothécaire à remboursements progressifs ♦ **graduated pension scheme** ≈ régime de retraite proportionnelle ♦ **in graduated stages** par paliers, progressivement, graduellement ♦ **graduated securities** *(US) valeurs transférées d'une Bourse à une autre.*

**graft** /grɑːft/ **N** *(= bribery)* corruption f *(Brit = hard work)* dur travail m.

**grain** /greɪn/ **N** **a** *(= commodity)* grain(s) m(pl), céréale(s) f(pl) ; *(US)* blé m ♦ **bread grain** céréales panifiables **b** *(= single grain) [rice, cereal, sand, salt]* grain m **c** *[leather, photo]* grain m ; *[wood, meat]* fibre f ; *[cloth]* fil m ; *[stone]* veine f **d** *(= weight)* grain m, ≈ 0,065 gramme

———————— *compounds/composés* ————————

- **grain alcohol** alcool de grain
- **grain bill** *(Fin)* effet, traite
- **grain broker** courtier en grains
- **grain capacity** *[ship]* capacité en céréales
- **grain carrier** *(= ship)* navire céréalier
- **grain crop** récolte de céréales
- **grain exchange** Bourse aux grains
- **grain feed** céréales fpl fourragères
- **grain pit** *(in grain exchange)* corbeille de la Bourse aux grains
- **grain trade** commerce des céréales.

**gram, gramme** /græm/ **N** *(= weight)* gramme m.

**granary** /ˈgrænərɪ/ **N** grenier m (à blé *etc.*), entrepôt m de grain.

**grand** /grænd/ **N** *(US : *)* mille dollars mpl

———————— *compounds/composés* ————————

- **grand jury** *(US)* jury d'accusation
- **grand larceny** *(US)* vol qualifié
- **grand strategy** *(Mktg)* stratégie d'ensemble à long terme
- **grand total** total général *or* global, somme totale *or* globale.

**grandfather clause** /ˈgrænfɑːðəˌklɔːz/ *(US)* **N** clause f des droits acquis.

**grange** /greɪndʒ/ **N** *(US = farm)* ferme f ♦ **the Grange** la fédération agricole, le syndicat des agriculteurs.

**granger** /ˈgreɪndʒəʳ/ *(US)* **N** fermier m.

**granny bond** \* /ˈgrænɪˌbɒnd/ *(Brit)* **N** bon m du Trésor indexé.

**grant** /grɑːnt/ **VT** **a** *permission, interview* accorder, octroyer; *request* accéder à, faire droit à ; *rebate* accorder; *money, subsidy, compensation* accorder, allouer; *loan, overdraft* consentir; *patent* délivrer ♦ **to grant sb permission to do** accorder à qn l'autorisation de faire ♦ **to grant sb credit** accorder un crédit à qn ♦ **they granted us another month to pay** ils nous ont accordé un mois de plus pour payer **b** *(= admit) point, idea* admettre, accorder, concéder ♦ **we take it for granted that you will have banker's references** nous tenons pour acquis que vous aurez des références bancaires **c** *(Jur)* faire cession de **N** **a** *[favour, loan, discount]* octroi m ; *[land]* concession f ; *(Jur) [property]* don m, cession f ; *[money, subsidy]* allocation f ; *[patent]* délivrance f **b** *(= sum granted)* subvention f, allocation f ✦ **government research grant** subvention gouvernementale *or* de l'État pour la recherche ✦ **investment grant** *(Brit)* subvention d'investissement, aide à l'investissement ✦ **rate–support grant** *(Brit Admin)* subvention de l'État aux autorités locales

─────── *compounds/composés* ───────
✦ **grant-aided** subventionné par l'État
✦ **grant-in-aid** subvention de l'État.

**grantee** /ˌɡrɑːnˈtiː/ **N** *(Jur) (gen)* bénéficiaire mf ; *[patent]* impétrant m.

**grantor** /ˈɡrɑːntɔr/ **N** *(Jur) [property, land]* donateur(-trice) m(f), cédant(e) m(f) ; *[annuity]* constituant(e) m(f).

**grapevine** /ˈɡreɪpvaɪn/ **N** ✦ **to hear** *or* **learn sth on the grapevine** apprendre qch de manière indirecte.

**graph** /ɡrɑːf/ **N** *(= chart)* graphique m ; *(= curve)* courbe f ✦ **bar graph** graphique en barres *or* en tuyaux d'orgue ✦ **line graph** graphique linéaire ✦ **pie graph** graphique à secteurs, camembert ✦ **profit graph** courbe des bénéfices *or* de rentabilité ✦ **sales graph** courbe des ventes

─────── *compounds/composés* ───────
✦ **graph paper** papier millimétré
✦ **graph plotter** traceur de courbes, table traçante.

**graphic** /ˈɡræfɪk/ **ADJ** graphique ✦ **graphic data processing** infographie, traitement de l'information graphique ✦ **graphic data terminal** terminal graphique ✦ **graphic design** graphisme ✦ **graphic designer** graphiste ✦ **graphic display** visualisation graphique ✦ **graphic display unit** unité d'affichage graphique.

**graphics** /ˈɡræfɪks/ **N** **a** *(in the singular)* art m graphique **b** *(in the plural) (= sketches)* dessins mpl, représentations fpl graphiques **c** *(Comp)* traitement m graphique ✦ **computer graphics** infographie, informatique graphique

─────── *compounds/composés* ───────
✦ **graphics display** affichage graphique
✦ **graphics plotter** traceur graphique
✦ **graphics software** logiciel graphique.

**graphite** /ˈɡræfaɪt/ **N** graphite m.

**grapple** /ˈɡræpl/ **VI** ✦ **to grapple with a problem** être aux prises avec un problème ✦ **the gov-**

ernment is grappling with unemployment le gouvernement lutte énergiquement contre le chômage.

**grasp** /ɡrɑːsp/ **VT a** *(= seize) object* saisir, empoigner ; *power, opportunity* saisir, se saisir de **b** *(= understand)* saisir, comprendre **N a** *(= handclasp)* poigne f **b** *(= hold)* prise f, étreinte f ✦ **this goal is within our grasp** cet objectif est à notre portée **c** *(= understanding)* compréhension f ✦ **she has an excellent grasp of accounting** elle maîtrise bien la comptabilité, elle comprend parfaitement la comptabilité.

**grass roots** /ˈɡrɑːsruːts/ **N** ✦ **the grass roots** *(Pol)* la base ✦ **a grass–roots movement** un mouvement populaire, un mouvement parti de la base.

**grateful** /ˈɡreɪtfʊl/ **ADJ** reconnaissant *(to, towards* à, envers, *for* de) ✦ **I should be grateful if you would kindly confirm your order in writing** je vous serais reconnaissant de bien vouloir confirmer votre commande par écrit.

**gratification** /ˌɡrætɪfɪˈkeɪʃən/ **N a** *[person, desires]* satisfaction f **b** *(= reward, tip)* gratification f ✦ **illegal gratification** gratification illégale.

**gratify** /ˈɡrætɪfaɪ/ **VT** *person* faire plaisir à ; *desires* satisfaire (à).

**gratis** /ˈɡrætɪs/ **ADV, ADJ** gratis.

**gratitude** /ˈɡrætɪtjuːd/ **N** reconnaissance f, gratitude f *(towards* envers, *for* de)

**gratuitous** /ɡrəˈtjuːɪtəs/ **ADJ a** *(= uncalled for) attack* injustifié, sans motif **b** *(= given free) (gen)* gratuit ; *help* gratuit, bénévole ✦ **gratuitous loan** prêt à titre gratuit.

**gratuity** /ɡrəˈtjuːɪtɪ/ **N** *(= tip)* pourboire m, gratification f ; *(to a retiring employee)* prime f *or* enveloppe f de départ.

**gravamen** /ɡrəˈveɪmen/ **N** *(Jur) [charge]* fond m, fondement m.

**gravel** /ˈɡrævəl/ *(Brit)* **VI** ✦ **prices have gravelled** les prix ont atteint leur plancher.

**graveyard market** /ˈɡreɪvjɑːdˌmɑːkɪt/ **N** *(St Ex)* marché d'où l'on ne peut plus se retirer.

**graving dock** /ˈɡreɪvɪŋdɒk/ **N** bassin m de radoub.

**gray** /ɡreɪ/ *(US)* **ADJ** → **grey.**

**grazier** /ˈɡreɪzɪər/ **N** éleveur m (de bétail).

**Great Britain** /ˈɡreɪtˈbrɪtən/ **N** Grande-Bretagne f.

**Greece** /griːs/ N Grèce f.

**greed** /griːd/ N [*money*] cupidité f.

**greedy** /'griːdɪ/ ADJ *(gen)* gourmand (*for* de); *(for money, power)* avide (*for* de)

**Greek** /griːk/ ADJ grec (*f* grecque)
■ **a** (= *language*) grec m **b** (= *inhabitant*) Grec (Grecque) m(f).

**green** /griːn/ ADJ **a** (= *colour*) vert ◆ **the green revolution** la révolution verte **b** (= *unripe*) vert, pas mûr **c** (= *inexperienced*) inexpérimenté, novice **d** *(Econ)* **lights are on green** les indicateurs sont au vert

---
*compounds/composés*
- **green belt** *(Brit : round town)* ceinture verte
- **green card** *(Aut Ins)* carte verte *(US Admin)* carte de séjour
- **green clause** *(Fin)* clause verte *(dans des lettres de crédit)*
- **green currency** *(EU)* monnaie verte
- **green light** *(Aut)* feu vert ◆ **to give sb the green light** donner le feu vert à qn ◆ **to get the green light from sb** obtenir *or* recevoir le feu vert de qn
- **green paper** *(Brit Pol)* avant-projet de loi
- **green pound** *(EU)* livre verte
- **green stock** *(St Ex)* valeur verte.
---

**greenback** * /'griːnbæk/ *(US)* N dollar m *(en billet)*.

**greenfield** /'griːnfiːld/ N (= *new company*) société f à capital-risque ◆ **greenfield site** zone industrielle nouvelle.

**Greenland** /'griːnlənd/ ADJ groenlandais
■ Groenland m.

**Greenlander** /'griːnləndəʳ/ N (= *inhabitant*) Groenlandais(e) m(f).

**greenmail** /'griːnmeɪl/ *(US)* N chantage m financier *(pour revendre au prix fort à une société les actions qui ont été achetées lors d'un raid)*.

**Greenwich** /'grɪnɪdʒ/ N ◆ **Greenwich Mean Time** heure du méridien de Greenwich, heure GMT ◆ **Greenwich Time Zone** fuseau horaire de Greenwich.

**greet** /griːt/ VT person (= *say hello to*) saluer; (= *welcome*) accueillir; news accueillir.

**greeting** /'griːtɪŋ/ N salut m, salutation f; (= *welcome*) accueil m ◆ **greetings** compliments, salutations ◆ **Xmas greetings** souhaits *or* vœux de Noël ◆ **my wife sends you her greetings** ma femme vous envoie son bon souvenir.

**grey** *(Brit)*, **gray** *(US)* /greɪ/ ADJ gris ◆ **a grey area** *(fig)* une zone sombre *or* d'incertitude ◆ **grey knight** chevalier gris ◆ **grey market** *(St Ex)* marché gris.

**grid** /grɪd/ N [*map*] grille f ◆ **the national grid** *(Brit Elec)* le réseau électrique (national) ◆ **price grid** tarif, grille de prix ◆ **analytical grid** grille d'analyse ◆ **managerial grid** grille de gestion.

**grievance** /'griːvəns/ N (= *ground for complaint*) grief m, sujet m de plainte; (= *complaint*) doléance f ; (= *injustice*) injustice f, tort m ; *(Ind)* (= *industrial dispute*) conflit m, différend m ◆ **to have a grievance against sb** avoir un grief contre qn

---
*compounds/composés*
- **grievance committee** *(Ind)* commission d'arbitrage
- **grievance procedure** *(Ind)* procédure de règlement de conflits, procédure d'arbitrage *or* de conciliation.
---

**grievor** /'griːvəʳ/ N plaignant(e) m(f).

**grill** /grɪl/ VT (* = *interrogate*) *applicant* cuisiner*.

**grim** /grɪm/ ADJ *outlook, prospect* sombre, sinistre, lugubre.

**grind** /graɪnd/ ■ (* = *dull hard work*) boulot m * pénible ◆ **back to the grind!** au boulot!*
Ⅶ *coffee* moudre; (= *crush*) écraser, broyer
Ⅶ **to grind to a halt** *or* **to a standstill** [*business, activity*] s'arrêter brutalement.

**grip** /grɪp/ ■ (= *handclasp*) poigne f ; (= *hold*) prise f, étreinte f ; (= *handle*) poignée f ; *(suitcase)* valise f ◆ **to get to grips with a problem** s'attaquer à un problème
Ⅶ saisir.

**grocer** /'grəʊsəʳ/ N épicier m ◆ **at the grocer's (shop)** à l'épicerie, chez l'épicier.

**groceries** /'grəʊsərɪz/ NPL provisions fpl, produits mpl d'épicerie.

**gross** /grəʊs/ ADJ **a** *error* gros; *injustice* flagrant; *abuse* choquant ◆ **gross miscarriage of justice** déni de justice flagrant ◆ **gross negligence** faute lourde *or* grave **b** *(Comm, Econ, Fin)* (= *before deductions*) brut ■ Voir encadré ci-contre.

■ **a** ◆ **in gross** (= *wholesale*) en gros, en bloc; *(fig)* l'un dans l'autre, somme toute **b** (= *twelve dozen*) grosse f, douze douzaines fpl **c** *(Comm, Acc)* revenus mpl bruts, chiffre m d'affaires (brut) ◆ **our gross was $2 m last year** notre chiffre d'affaires (brut) était *or* nos revenus bruts étaient de 2 millions de dollars l'année dernière

*compounds/composés*

GROSS

- ✦ **gross amount** montant brut
- ✦ **gross assets** actif brut
- ✦ **gross average** *(Ins)* avarie grosse *or* commune
- ✦ **gross book value** *(Acc)* valeur comptable brute
- ✦ **gross cash flow** marge brute d'autofinancement
- ✦ **gross charge** charge globale
- ✦ **gross cost** prix de revient brut
- ✦ **gross displacement** *(Mar)* déplacement global
- ✦ **gross domestic income** revenu intérieur brut
- ✦ **gross domestic product** produit intérieur brut
- ✦ **gross earnings** revenus mpl bruts
- ✦ **gross equivalent** *(Fin)* équivalent brut
- ✦ **gross fixed capital formation** formation brute de capital fixe
- ✦ **gross freight** fret brut
- ✦ **gross income** revenus mpl bruts
- ✦ **gross interest** intérêts mpl bruts
- ✦ **gross loss** perte brute
- ✦ **gross margin** *(gen)* marge brute; *[retail or wholesale company]* marge commerciale
- ✦ **gross national debt** dette nationale brute
- ✦ **gross national expenditure** dépense(s) nationale(s) brute(s)
- ✦ **gross national product** revenu national brut ✦ **gross national product at market prices / at factor values** produit national brut au prix de marché / au coût des facteurs

- ✦ **gross operating income** marge brute d'exploitation
- ✦ **gross output** production brute
- ✦ **gross proceeds** produit brut
- ✦ **gross profit** *(gen)* bénéfice brut, marge brute, excédent brut d'exploitation
- ✦ **gross profit on sales** *[retail or wholesale company]* marge commerciale ✦ **gross profit ratio** ratio de la marge brute
- ✦ **gross rate** taux brut
- ✦ **gross receipts** *or* **revenues** recettes fpl brutes, revenus mpl bruts, chiffre d'affaires brut
- ✦ **gross register ton** *(Mar)* tonneau de jauge brute
- ✦ **gross register tonnage** *(Mar)* tonnage de jauge brute
- ✦ **gross return** rendement brut
- ✦ **gross sales** chiffre d'affaires brut
- ✦ **gross savings** épargne brute
- ✦ **gross spread** *(Fin)* marge brute
- ✦ **gross ton** *(Mar)* tonne forte *or* longue, ≈ 1016,06 kg
- ✦ **gross tonnage** *(Mar)* tonnage brut, jauge brute
- ✦ **gross value** *(Brit Tax)* *[property]* valeur imposable
- ✦ **gross volume** *(Fin, Acc)* chiffre d'affaires brut
- ✦ **gross weight** poids brut
- ✦ **gross yield** rendement brut

**VT** *[company, person]* faire *or* obtenir une recette brute de, enregistrer *or* réaliser un chiffre d'affaires de ✦ **they grossed £20 million** cela leur a rapporté brut 20 millions de livres, ils ont réalisé un chiffre de 20 millions de livres.

**grossed-up** /'grəʊsdʌp/ **ADJ** *interest* ramené au montant brut, majoré.

**gross up** **VT SEP** *interest, dividend, amount* calculer le montant brut *or* la valeur brute de ✦ **I must gross up my interest income for last year** je dois calculer la valeur brute des intérêts que j'ai reçus l'an dernier.

**gro.t.** **N** abbr of **gross tonnage** → **gross.**

**ground** /graʊnd/ **N** **a** *(lit)* terre f, sol m ✦ **to run a business into the ground** *(fig)* laisser péricliter une entreprise ✦ **we expect to get the project off the ground soon** nous pensons démarrer *or* faire décoller le projet bientôt **b** *(= position)* terrain m ✦ **to hold** *or* **stand one's ground** tenir bon *or* ferme, ne pas lâcher pied ✦ **to change** *or* **shift one's ground** changer son fusil d'épaule ✦ **to gain / lose** *or* **give ground** gagner / perdre du terrain ✦ **to find common ground** trouver un terrain d'entente **c** *(= reason)* ✦ **grounds** motifs, raisons ✦ **on personal / medical / legal grounds** pour (des)

raisons personnelles / médicales / légales ✦ **on the ground(s) of** pour raison de, à cause de ✦ **on grounds of expediency** pour des raisons d'opportunité ✦ **grounds for complaint** grief, matière à réclamation ✦ **grounds for dismissal** motifs de renvoi ✦ **grounds for a judgment** considérants d'un jugement ✦ **the merger received government opposition on antitrust grounds** le gouvernement n'a pas autorisé cette fusion au nom de la réglementation antitrust **d** *(US Elec)* masse f, terre f

**VT** **a** *pilot* interdire de vol; *aircraft* retenir *or* clouer au sol ✦ **the airline has grounded all its older planes** la compagnie a retenu tous ses

*compounds/composés*

- ✦ **ground control** *(Aviat)* contrôle au sol
- ✦ **ground crew** *(Aviat)* équipe au sol
- ✦ **ground floor** *(Brit)* rez-de-chaussée ✦ **I was** *or* **got in on the ground floor** *(fig)* j'y suis *or* j'y participe depuis le début ✦ **ground-floor offer** occasion à saisir
- ✦ **ground lease** *(Jur)* bail à ferme
- ✦ **ground plan** *(Archit)* plan, projection horizontale; *(fig)* plan de base
- ✦ **ground rent** loyer foncier
- ✦ **ground staff** personnel au sol, rampants* mpl
- ✦ **ground transportation** moyens mpl de transport, navette *(entre l'aéroport et le centre-ville)*.

vieux avions au sol **b** *ship* échouer **c** *(fig) plans, hopes* fonder (*on* sur) ♦ **well-grounded rumour** rumeur fondée
**VI** *[ship]* s'échouer ♦ **prices have grounded** (*St Ex*) les cours ont atteint leur plancher

**groundage** /ˈɡraʊndɪdʒ/ N (*= anchorage fees*) droits mpl de mouillage (*gen = harbour dues*) droits mpl de port.

**grounded** /ˈɡraʊndɪd/ ADJ *pilot* interdit de vol; *plane* retenu *or* cloué au sol; *ship* échoué.

**groundless** /ˈɡraʊndlɪs/ ADJ sans fondement, infondé.

**groundwork** /ˈɡraʊndwɜːk/ N *[undertaking]* base f, préparation f ♦ **we have done all the groundwork** nous avons fait tous les travaux préparatoires *or* tout le travail de préparation ♦ **to lay the groundwork of** jeter les bases de.

**group** /ɡruːp/ **N** (*gen*) groupe m ; *[banks, farmers]* groupement m ♦ **interbank group** groupe *or* consortium *or* syndicat bancaire ♦ **age group** groupe *or* classe *or* tranche d'âge ♦ **pressure group** groupe de pression ♦ **task group** groupe de travail ♦ **group of companies** (*St Ex*) groupe de sociétés ♦ **The Group of Seven** (*Pol*) le groupe des Sept
**VT** (also **group together**) grouper
**VI** (also **group together**) se grouper, former un groupe

――― *compounds/composés* ―――

♦ **group accounts** états mpl financiers collectifs *or* consolidés
♦ **group banking** ♦ **group banking has become more and more frequent** les consortiums bancaires *or* les syndicats de banques sont devenus de plus en plus fréquents
♦ **group decision** décision collective
♦ **group depreciation** amortissement par classes homogènes
♦ **group discussion** discussion de groupe
♦ **group dynamics** dynamique de groupe
♦ **group incentive** prime collective, encouragement accordé à un groupe (*or* à une équipe)
♦ **group insurance** assurance collective *or* de groupe
♦ **group interview** interview collective
♦ **group leader** animateur(-trice) de groupe
♦ **group results** résultats mpl part du groupe
♦ **group sale** (*US St Ex*) vente au prorata des titres détenus par tous les membres d'un syndicat
♦ **group training** action collective de formation
♦ **group work** travail en groupe *or* de groupe.

**groupage** /ˈɡruːpɪdʒ/ N (*Mar*) groupage m ♦ **groupage rate** tarif groupage ♦ **groupage shipment** expédition groupée.

**grouper** /ˈɡruːpəʳ/ N (*Comm*) groupeur m.

**grouping** /ˈɡruːpɪŋ/ N **a** (*= bringing together*) *[people, objects]* rassemblement m, groupement m ♦ **ability grouping** regroupement en fonction des aptitudes **b** *[goods for shipment]* groupage m **c** *[companies, farms, banks]* (re-)groupement m.

**grow** /ɡrəʊ/ **VI a** *[number, amount]* augmenter, grandir, croître; *[revenues, profits, investment]* augmenter, progresser; *[group]* s'agrandir **b** *[plant]* pousser, croître; *[person]* grandir **VT** *crops* cultiver.

**grower** /ˈɡrəʊəʳ/ N ♦ **fruit / potato** *etc.* **grower** producteur de fruits / de pommes de terre, *etc.* ♦ **the growers are unhappy** les producteurs sont mécontents.

**growing** /ˈɡrəʊɪŋ/ ADJ *number, amount* grandissant, croissant; *economy* en expansion ♦ **a fast- / slow-growing market** un marché à croissance rapide / lente, un marché qui se développe rapidement / lentement.

**growth** /ɡrəʊθ/ N **a** *[person, plant]* croissance f **b** *[numbers, amount]* accroissement m, augmentation f ; *[profits, income]* augmentation f, progression f ; *[investment, economy, industry]* croissance f (*in, of* de) ♦ **the annual growth in earnings per share** l'augmentation *or* la progression annuelle des bénéfices nets par action

――― *compounds/composés* ―――

♦ **growth area** secteur de croissance ♦ **financial services are a growth area** les services financiers sont en expansion
♦ **growth curve** courbe de croissance
♦ **growth fund** (*US St Ex*) fonds de placement constitué de valeurs de croissance
♦ **growth indicator / index** indicateur / index de croissance
♦ **growth industry** industrie en expansion *or* en croissance rapide *or* à fort potentiel de croissance
♦ **growth market** marché qui se développe, marché porteur *or* en expansion
♦ **growth path** sentier de croissance
♦ **growth rate** taux de croissance ♦ **attainable growth rate** taux de croissance réalisable
♦ **growth sector** secteur porteur *or* de croissance
♦ **growth share** *or* **stock** valeur de croissance.

**g.r.t.** /dʒiːɑːˈtiː/ N abbr of **gross register tonnage** → **gross.**

**grubstake** * /ˈɡrʌbsteɪk/ (*US*) **N to put up a grubstake for sb** fournir les fonds nécessaires à qn (*pour le lancement d'une entreprise ou d'un projet*)
**VT** *company* financer (*pendant la phase de lancement*).

**GTC** abbr of **good-till-cancelled** *order* → **good**.

**Guadeloupe** /ˌgwɑːdəˈluːp/ N Guadeloupe f.

**Guadelupian** /ˌgwɑːdəˈluːpiən/ ᴀᴅᴊ guadeloupéen ɴ (= *inhabitant*) Guadeloupéen(ne) m(f).

**guarani** /ˈgwɑːrənɪ/ N guarani m.

**guarantee** /ˌgærənˈtiː/ ɴ ᴀ (*Comm*) (= *promise, assurance*) garantie f ♦ **the paintwork carries a three-year guarantee, there's a three-year guarantee on the paintwork** la peinture a une garantie de trois ans, la peinture est garantie trois ans ♦ **under guarantee** sous garantie ♦ **money-back guarantee with all items** garantie de remboursement sur tous les articles ♦ **there's no guarantee that he will come** il n'est pas garanti qu'il viendra ♦ **to secure all guarantees** s'assurer *or* prendre toutes les garanties nécessaires ʙ (*Jur*) (= *pledge*) garantie f, caution f, cautionnement m ; [*bill of exchange*] aval m ♦ **guarantee of the meeting of a bill** garantie de bonne fin ♦ **guarantee of acceptance** garantie de l'acceptation ♦ **guarantees (US)** garanties fédérales (*de certains emprunts contractés par des administrations locales*) ♦ **to give sth as a guarantee** donner qch en caution ♦ **what guarantee can you offer?** quelle caution pouvez-vous donner? ♦ **acceptance guarantee** garantie de l'acceptation ♦ **bank guarantee** garantie *or* caution bancaire ♦ **contract guarantee** garantie contractuelle ♦ **exchange guarantee** garantie de change ♦ **joint guarantee** caution conjointe *or* solidaire ♦ **performance guarantee** garantie de bonne fin *or* de bonne exécution ♦ **return of guarantee** restitution de la garantie ♦ **tender guarantee** garantie d'appel d'offres ♦ **guarantee of solvency** garantie de solvabilité ♦ **guarantee of signature (US St Ex)** garantie de signature ᴄ (*Jur*) (*party guaranteed by the guarantor*) garanti(e) m(f), créancier(-ière) m(f) garanti(e) ♦ **guarantee given for an individual in lieu of bail** acte de soumission ♦ **to go guarantee for sb** [*person*] se porter garant de qn

─── *compounds/composés* ───
- ♦ **guarantee association** caisse de garantie
- ♦ **guarantee bond** caution, cautionnement
- ♦ **guarantee commission** (*Fin*) ducroire
- ♦ **guarantee company** société de garantie
- ♦ **guarantee deed** acte de cautionnement
- ♦ **guarantee deposit** dépôt de garantie, caution, cautionnement
- ♦ **guarantee facility** caution bancaire
- ♦ **guarantee fund** fonds de garantie
- ♦ **guarantee insurance** assurance de cautionnement

ᴠᴛ ᴀ *products, service* garantir ♦ **we guarantee the work for 6 months** nous garantissons le travail pendant 6 mois ♦ **to guarantee a loan** se porter garant *or* caution d'un emprunt ♦ **I guarantee that he will do it** je garantis *or* certifie qu'il le fera ʙ (*Fin*) *bill of exchange, endorsement* avaliser.

**guaranteed** /ˌgærənˈtiːd/

─── *compounds/composés* ───
- ♦ **guaranteed bill** effet avalisé *or* signé par aval
- ♦ **guaranteed bond** obligation garantie
- ♦ **guaranteed debenture** obligation garantie
- ♦ **guaranteed deposits** (*US Bank*) dépôts mpl (bancaires) garantis
- ♦ **guaranteed division** (*US St Ex*) dividende périodique garanti
- ♦ **guaranteed facility** (*Fin*) crédit garanti
- ♦ **guaranteed income bond** (*Ins*) bon à revenu garanti
- ♦ **guaranteed income contract** (*US Ind*) contrat à revenu garanti
- ♦ **guaranteed insurability** (*Ins*) garantie
- ♦ **guaranteed interest** intérêts mpl garantis
- ♦ **guaranteed issue** (*St Ex*) émission garantie
- ♦ **guaranteed letter of credit** lettre de crédit garantie
- ♦ **guaranteed liability** dette garantie
- ♦ **guaranteed mortgage** (*US*) prêt hypothécaire garanti (par l'État)
- ♦ **guaranteed price** prix garanti, prix de soutien
- ♦ **guaranteed stock** actions fpl garanties
- ♦ **guaranteed (minimum) wage** salaire (minimum) garanti.

**guarantor** /ˌgærənˈtɔːʳ/ N ᴀ (*for debtor, debt*) garant m, caution f ♦ **to stand as guarantor for sb** se porter garant *or* caution de qn ♦ **I am his guarantor for the loan** je lui sers de garant *or* de caution pour l'emprunt ʙ [*bill of exchange*] donneur m d'aval, avaliseur m, avaliste m, garant m.

**guaranty** /ˈgærəntɪ/ N (*Jur*) garantie f, caution f ; [*bill of exchange*] aval m

─── *compounds/composés* ───
- ♦ **guaranty bond** (bon de) cautionnement
- ♦ **guaranty company** société de cautionnement
- ♦ **guaranty fund** (*US Bank*) fonds de garantie *or* de réserve
- ♦ **guaranty savings bank** (*US*) caisse d'épargne
- ♦ **guaranty stock** (*US Fin*) actions fpl garanties.

**guard** /gɑːd/ ɴ ᴀ garde f, surveillance f ♦ **the factory is under guard** l'usine est sous surveillance, l'usine est surveillée *or* protégée ♦ **to put a guard on sb / sth** faire surveiller qn / qch ʙ (= *squad of men*) garde f ; (= *one man*)

garde m ; (Brit Rail) chef m de train ◆ **security guard** (gen) garde; (Fin) convoyeur de fonds
**Ⅵ** person, place défendre, protéger (from, against contre)

**guard against** VT FUS se protéger or se prémunir contre.

**guardian** /'gɑːdɪən/ N [minor] tuteur(-trice) m(f) ; [incompetent adult] curateur(-trice) m(f).

**guardianship** /'gɑːdɪənʃɪp/ N (Jur) [minor] tutelle f ; [incompetent adult] curatelle f ◆ **to be / place under guardianship** être / mettre en tutelle (or en curatelle).

**Guatemala** /ˌgwɑːtɪ'mɑːlə/ N Guatemala m.

**Guatemala City** /ˌgwɑːtɪ'mɑːlə'sɪtɪ/ N Guatemala.

**Guatemalan** /ˌgwɑːtɪ'mɑːlən/ ADJ guatémaltèque
**Ⅴ** (= inhabitant) Guatémaltèque mf.

**guerrilla** /gə'rɪlə/

─── compounds/composés ───
◆ **guerrilla financing** (US) financement indépendant
◆ **guerrilla strike** (Ind) grève sauvage.

**guess** /ges/ **Ⅵ** supposition f, conjecture f
**Ⅵ** deviner; (= surmise) supposer, conjecturer; (= estimate) estimer, évaluer (US = think) croire, penser
**Ⅵ** deviner.

**guesstimate** * /'gestɪmeɪt/ N estimation f à vue de nez* or au pifomètre*.

**guesswork** /'geswɜːk/ N ◆ **based on guesswork** fondé sur des hypothèses or des conjectures, purement hypothétique ◆ **he did it by guesswork** il l'a fait au pif*.

**guest** /gest/ N (at home) invité(e) m(f), hôte mf ; (at table) convive mf ; (in hotel) client(e) m(f) ; (in boarding house) pensionnaire mf

─── compounds/composés ───
◆ **guest house** pension de famille
◆ **guest list** liste des invités
◆ **guest speaker** orateur(-trice) invité(e) (par une organisation).

**guestworker** /'gestwɜːkəʳ/ N travailleur (-euse) m(f) immigré(e).

**Guiana** /gaɪ'ænə/ N Guyane f.

**guidance** /'gaɪdəns/ N **ɑ** (= management) direction f, conduite f ; (= advice) conseils mpl ◆ **vocational guidance** orientation professionnelle ◆ **the company has prospered under his guidance** l'entreprise a prospéré sous sa direc-

tion or sa conduite ◆ **I am sending you our price list for your guidance** je vous adresse nos tarifs à titre d'indication **b** [rocket] guidage m ◆ **guidance system** système de guidage.

**guide** /gaɪd/ **Ⅵ** **a** (= person) guide m ; (fig) guide m, indication f ◆ **paper guide** (Comp) guide papier **b** (= book of instructions) guide m, manuel m ◆ **guide to insurance** manuel d'assurance

─── compounds/composés ───
◆ **guide book** guide
◆ **guide price** [meat] cours directeur

**Ⅵ** guider ◆ **she guided us through the factory** elle nous a fait visiter l'usine, elle nous a guidés or pilotés à travers l'usine ◆ **guided tour** visite guidée.

**guidelines** /'gaɪdlaɪnz/ NPL (= suggestions) directives fpl, principes mpl directeurs ◆ **we have drawn up (a set of) guidelines for recruiting new staff** nous avons établi des directives pour le recrutement de nouveaux employés ◆ **financial / tax guidelines** directives financières / fiscales.

**guiding** /'gaɪdɪŋ/ ADJ ◆ **guiding price** prix indicatif ◆ **guiding principle** principe directeur ◆ **he still keeps a guiding hand on the business** il continue à piloter l'entreprise.

**guild** /gɪld/ N guilde f, corporation f.

**guilder** (†) /'gɪldəʳ/ N florin m.

**guillotine** /ˌgɪlə'tiːn/ **Ⅵ** (for paper cutting) massicot m ◆ **guillotine clause** (US) clause qui permet d'exiger le remboursement anticipé du prêt si les conditions ne sont pas remplies
**Ⅵ** paper massicoter.

**guilt** /gɪlt/ N culpabilité f.

**guilty** /'gɪltɪ/ ADJ coupable ◆ **guilty person or party** coupable ◆ **to plead guilty / not guilty** plaider coupable / non coupable.

**Guinea** /'gɪnɪ/ N Guinée.

**guinea** /'gɪnɪ/ N (Brit = money) guinée f, ≈ 105 pence.

**Guinea-Bissau** /'gɪnɪbɪ'saʊ/ N Guinée-Bissau f.

**Guinean** /'gɪnɪən/ ADJ guinéen
**Ⅴ** (= inhabitant) Guinéen(ne) m(f).

**gum** /gʌm/ **Ⅵ** (= glue) gomme f, colle f ; (= rubber) caoutchouc m
**Ⅵ** coller ◆ **gummed envelope / label** enveloppe / étiquette collante or gommée.

**gum up** * VT SEP plan, job, system bousiller*.

**gunslinger** /ˈgʌnslɪŋəʳ/ **N** *(US St Ex)* spécula-teur(-trice) m(f).

**guru** /ˈguruː/ **N** *(lit, fig)* gourou m ♦ **a new economy guru** un gourou de la nouvelle économie.

**gut** /gʌt/ **N** *(lit)* boyau m, intestin m ♦ **he's got guts** * *(= courage)* il a du cran* ♦ **a gut feeling** une intuition profonde *or* viscérale ♦ **law and order is a gut issue** la sécurité est un problème *or* une question qui suscite des réactions viscérales.

**gutter-press** /ˈgʌtəpres/ **N** presse f de bas étage *or* à scandales.

**guttersnipe** /ˈgʌtəsnaɪp/ **N** *(US St Ex)* courtier m marron.

**Guyana** /gaɪˈænə/ **N** Guyane f.

**Guyanese** /ˌgaɪəˈniːz/ **ADJ** guyanais
**N** *(= inhabitant)* Guyanais(e) m(f).

**gyp** * /dʒɪp/ *(US)* **N** *(= swindler)* escroc m ; *(= swindle)* escroquerie f
**VT** *(= swindle)* rouler*, escroquer.

**gyrate** /ˌdʒaɪəˈreɪt/ **VI** *[prices]* fluctuer.

**habilitate** /həˈbɪlɪteɪt/ *(US)* **vt** ◆ **to habilitate a factory** avancer les fonds pour l'exploitation d'une usine.

**habilitator** /həˈbɪlɪteɪtər/ *(US)* **N** bailleur m de fonds *(pour l'exploitation d'une mine, d'une usine).*

**habit** /ˈhæbɪt/ **N** habitude f ◆ **habit survey** enquête sur les habitudes ◆ **buying habits** habitudes d'achat.

**hack** * /hæk/ **N** *(Comp)* piratage m informatique.

**hacker** * /ˈhækər/ **N** *(= computer enthusiast)* passionné(e) m(f) *or* mordu(e)* m(f) *or* fana* d'informatique; *(= computer pirate)* pirate m (informatique).

**haggle** /ˈhægl/ **VI** marchander ◆ **to haggle about** *or* **over the price** marchander, discuter sur le prix.

**haggling** /ˈhæglɪŋ/ **N** marchandage m.

**Haiti** /ˈheɪtɪ/ **N** Haïti f.

**Haitian** /ˈheɪʃən/ **ADJ** haïtien
**N** *(= inhabitant)* Haïtien(ne) m(f).

**half** /hɑːf/ **N** moitié f ◆ **reduced** *or* **cut by half** réduit de moitié ◆ **half the cargo** la moitié de la cargaison
**ADJ** demi ◆ **to be on half-pay** être en demi-salaire *or* en demi-traitement ◆ **at half-price** à moitié prix ◆ **to pay half-price** payer moitié prix ◆ **on half-time** à mi-temps ◆ **to work half-time** travailler à mi-temps ◆ **a half-time job** un poste à mi-temps, un mi-temps*
**ADV** à moitié, à demi

───── *compounds/composés* ─────
- ◆ **half-adder** *(Comp)* demi-additionneur
- ◆ **half commission** *(St Ex)* remise f
- ◆ **half-day** demi-journée
- ◆ **half-dollar** *(US)* demi-dollar, pièce de cinquante cents
- ◆ **half-dozen, half-a-dozen** demi-douzaine
- ◆ **half-fare** demi-tarif, demi-place
- ◆ **half-monthly** bi-mensuel
- ◆ **half-rate** demi-tarif
- ◆ **half-year** semestre
- ◆ **half-yearly** *dividend* semestriel; *pay* tous les six mois, semestriellement ◆ **half-yearly rent** semestre loyer semestriel.

**halfway** /ˈhɑːfˈweɪ/ **ADV** à mi-chemin ◆ **he agreed to meet them halfway** *(fig)* il a accepté de faire la moitié du chemin.

**hall** /hɔːl/ **N** *(= room)* salle f ◆ **exhibition hall** hall d'exposition, pavillon (de) foire ◆ **lecture hall** salle de conférence ◆ **hall test** *(Mktg)* test conduit dans les lieux publics.

**hallmark** /ˈhɔːlmɑːk/ **N** *(lit)* poinçon m ◆ **their name is the hallmark of excellence in laboratory equipment** leur nom est synonyme de perfection *or* est le symbole de la perfection dans l'équipement de laboratoire.

**halo effect** /ˈheɪləʊˈfekt/ **N** effet m de halo.

**halt** /hɔːlt/ **N** halte f, arrêt m ◆ **dead halt** arrêt immédiat ◆ **halt instruction** instruction d'arrêt
**VT** *inflation* arrêter, enrayer, donner un coup de frein à ◆ **to halt the outflow of capital** donner un coup de frein à la fuite des capitaux, enrayer la fuite des capitaux
**VI** s'arrêter.

**halve** /hɑːv/ **VT** *expense* réduire *or* diminuer de moitié.

**Hamilton** /ˈhæməltən/ **N** Hamilton.

**hammer** /ˈhæməʳ/ **VT** **a** *(St Ex) stockbroker (financially)* déclarer en cessation de paiements; *(for misdemeanour)* exclure ♦ **to hammer a point home** *(fig)* insister sur un point pour bien le faire comprendre ♦ **to hammer an agreement into shape** mettre au point un accord **b** *(St Ex)* ♦ **to hammer the market** faire baisser les cours *(en vendant à découvert)*.

**hammer out** **VT SEP** *(fig) agreement* élaborer (avec peine) ♦ **precise details of the takeover are still being hammered out** on discute encore pied à pied sur des points précis de cette OPA.

**hamper** /ˈhæmpəʳ/ **VT** gêner, entraver ♦ **to hamper economic growth** faire obstacle à la croissance économique.

**hand** /hænd/ **N** **a** main f ♦ **to vote by a show of hands** voter à main levée ♦ **he's making money hand over fist** il fait des affaires d'or *or* de bonnes affaires ♦ **to change hands** changer de mains *or* de propriétaire ♦ **to get one's hands on a company** mettre la main sur une société ♦ **to give a free hand to sb** donner carte blanche à qn ♦ **the situation calls for a diplomatic hand** la situation exige du doigté ♦ **to have the upper hand** avoir l'avantage ♦ **at hand** à portée de la main, sous la main, disponible ♦ **to deliver by hand** remettre en main(s) propre(s) ♦ **stock in hand** stock disponible en magasin ♦ **cash in hand** encaisse ♦ **units on hand** unités en stock ♦ **the matter in hand** l'affaire en question *or* qui vous préoccupe ♦ **to have the situation well in hand** avoir la situation bien en main ♦ **work in hand** travail en cours *or* en chantier ♦ **goods left on our hands** marchandises invendues, marchandises laissées pour compte ♦ **to come to hand** arriver à destination ♦ **I have not got the letter to hand** je n'ai pas la lettre sous la main **b** *(= worker)* travailleur(-euse) m(f), ouvrier (-ière) m(f) ♦ **hands** *(Ind)* main-d'œuvre; *(Mar)* équipage ♦ **to take on hands** embaucher ♦ **to be lost with all hands** *[ship]* périr *or* sombrer corps et biens **c** *(= signature)* ♦ **to set one's hand to a deed** apposer sa signature sur un acte ♦ **note of hand** *(Fin)* reconnaissance de dette

*compounds/composés*
♦ **hand luggage** bagages mpl à main
♦ **hands-off** *policy* de non-intervention
♦ **hands-on** *experience* directe *or* pratique *or* sur le tas ♦ **to get hands-on experience at the keyboard** acquérir l'expérience pratique du clavier
♦ **hand-sorted** trié à la main
♦ **hand-woven** tissé à la main

**VT** *(= give)* passer, donner *(to* à); *(= hold out)* tendre *(to* à)

**handbill** /ˈhændbɪl/ **N** prospectus m.

**handbook** /ˈhændbʊk/ **N** *(gen)* manuel m; *[tourist]* guide m.

**handheld** /ˈhændheld/ **ADJ** *device* manuel; *cursor* à déplacement manuel.

**handicap** /ˈhændɪkæp/ **N** handicap m, désavantage m.

**handicraft** /ˈhændɪkrɑːft/ **N** *(travail* m d') artisanat m ♦ **exhibition of handicrafts** exposition artisanale ♦ **local handicrafts** artisanat local.

**hand in** **VT SEP** *report, application form* remettre *(to* à) ♦ **parcels should be handed in at the counter** les paquets doivent être déposés au guichet ♦ **to hand in one's resignation** remettre sa démission, démissionner.

**handiwork** /ˈhændɪwɜːk/ **N** ouvrage m ♦ **it's nice handiwork** c'est du beau travail.

**handle** /ˈhændl/ **VT** **a** *objects* manier; *documents* traiter **b** *(Ind) goods, stocks* manutentionner ♦ **this machine can handle 20 units an hour** cette machine peut traiter 20 unités à l'heure ♦ **handle with care** *(label on parcel)* fragile **c** *(= deal with) customer* s'occuper de, prendre en charge; *problem* s'occuper de, traiter; *task* se charger de; *product* être responsable de, gérer; *order* traiter, exécuter; *account, budget* gérer, suivre ♦ **she handles large sums of money** elle gère de grosses sommes ♦ **the situation was badly handled** la situation a été mal gérée ♦ **he's good at handling the staff** il s'y prend bien avec le personnel ♦ **we don't handle that type of business** nous ne traitons pas ce type d'affaires ♦ **who's going to handle the paperwork?** qui va s'occuper *or* se charger de remplir les papiers? **d** *(= deal in) commodity, product* avoir, faire ♦ **we don't handle this item** nous ne faisons pas *or* nous n'avons pas cet article.

**handler** /ˈhændləʳ/ **N** **a** *[stock]* manutentionnaire mf **b** *(Comp)* programme m de traitement, gestionnaire m de fichier(s) ♦ **document handler** lecteur de documents ♦ **file handler** programme de gestion de fichier(s).

**handling** /ˈhændlɪŋ/ **N** **a** *[objects]* maniement m; *[documents]* traitement m **b** *(Ind) [goods, stock]* manutention f **c** *[order]* traitement m; *[account, budget]* gestion f, suivi m; *(Comp) [data]* traitement m, manipulation f ♦ **their handling of the problem** leur façon de traiter le problème ♦ **his handling of the business** sa façon de gérer l'affaire, sa gestion *or* sa conduite de l'affaire ✦ **her handling of the negotiations** sa conduite des négociations ✦ **data / order handling** traitement des données / des commandes ✦ **electronic message handling** messagerie électronique ✦ **statistical handling** exploitation des données statistiques

---
*compounds/composés*

✦ **handling capacity** capacité de traitement
✦ **handling charges** frais de manutention
✦ **handling commission** *(Bank)* commission de transfert
✦ **handling sheet** fiche de manutention.

---

**handmade** /ˈhændmeɪd/ **ADJ** fait (à la) main.

**hand on** **VT SEP** transmettre (*to* à)

**hand out** **VT SEP** *leaflets* distribuer (*to* à)

**handout** /ˈhændaʊt/ **N** **a** (= *leaflet*) *(gen)* prospectus m ; *(Press)* communiqué m **b** (= *subsidy*) aide f, subvention f.

**hand over** **VI** to hand over to sb passer le relais à qn
**VT SEP** *document, bill* remettre; *powers* transmettre; *property, business* céder ✦ **hand-over date** date de mise à disposition.

**handpick** /ˈhændpɪk/ **VT** trier sur le volet ✦ **we handpicked the team to develop the product** l'équipe chargée du développement du produit a été triée sur le volet.

**hand round** **VT SEP** *papers* faire circuler.

**handshake** /ˈhændʃeɪk/ **N** ✦ **golden handshake** prime *or* enveloppe *or* indemnité de départ.

**handwriting** /ˈhændraɪtɪŋ/ **N** écriture f ✦ **application in own handwriting to...** demande manuscrite à adresser à...

**handwritten** /ˈhændrɪtn/ **ADJ** manuscrit.

**handyman** /ˈhændɪmæn/ **N** homme m à tout faire.

**handy-pack** /ˈhændɪpæk/ **N** emballage m à poignée.

**hang on** /hæŋ/ **VI** **a** (= *wait*) attendre ✦ **hang on!** attendez!; *(on phone)* ne quittez pas! **b** (= *hold out*) tenir bon, résister **c** **to hang on to sth** * ne pas lâcher qch
**VT FUS** (= *depend on*) dépendre de ✦ **everything hangs on the unions' attitude** tout dépend de l' attitude des syndicats.

**hang out** **VI** (* = *resist*) tenir bon, résister.

**Hang Seng** /ˈhæŋˈseŋ/ **N** Hang Seng m ✦ **the Hang Seng index** le Hang Seng, l'indice Hang Seng.

**hang together** * **VI** **a** *[people]* se serrer les coudes* ✦ **management and workers should hang together** la direction et les travailleurs devraient se serrer les coudes* **b** *[report]* être cohérent, se tenir, tenir debout ✦ **it all hangs together** tout se tient.

**hang up** **VI** *(Telec)* raccrocher.

**Hanoi** /ˈhænɔɪ/ **N** Hanoi.

**happy** /ˈhæpɪ/ **ADJ** ✦ **happy medium** juste milieu.

**Harare** /həˈrɑːrɪ/ **N** Harare.

**harbour** *(Brit)*, **harbor** *(US)* /ˈhɑːbər/ **N** port m ✦ **home harbour** port d'attache ✦ **outer harbour** avant-port

---
*compounds/composés*

✦ **harbour authorities (the)** les autorités fpl portuaires
✦ **harbour development** aménagement portuaire
✦ **harbour dues** droits mpl de port *or* de mouillage
✦ **harbour facilities** installations fpl portuaires, infrastructure portuaire
✦ **harbour fees** droits mpl de port
✦ **harbour master** capitaine *or* officier de port *or* du port
✦ **harbour station** gare maritime
✦ **harbour works** installations fpl portuaires.

---

**hard** /hɑːd/ **ADJ** *(St Ex) market, stock, rate* soutenu, ferme; *problem* ardu, dur, difficile; *blow* dur, rude, sévère; *task* dur, pénible ✦ **hard advertising** publicité agressive ✦ **hard cash** espèces ✦ **to pay in hard cash** payer en espèces ✦ **hard costs** coûts essentiels ✦ **hard copy** *(Comp)* sortie sur support papier *or* sur imprimante ✦ **hard core** *supporters* noyau dur; *(in government)* inconditionnels ✦ **hard currency** devise forte ✦ **oil and sugar are hard currency earners** le pétrole et le sucre rapportent des devises fortes ✦ **hard disk** *(Comp)* disque dur ✦ **the hard disk model** le modèle avec disque dur ✦ **hard ecu** écu dur ✦ **hard estimate** estimation sûre ✦ **hard evidence** preuve(s) concrète(s) ✦ **the hard facts** la réalité brutale ✦ **the management has taken a hard line on pay and productivity** la direction a adopté une ligne dure sur les salaires et la productivité ✦ **hard loan** prêt à des conditions rigoureuses ✦ **hard news** *or* **information** information sérieuse ✦ **hard price** *(St Ex)* cours tendu *or* soutenu *or* ferme ✦ **most quotations closed a fraction harder** la plupart des cours se sont raffermis à la clôture ✦ **hard sell** promotion (de vente) agressive ✦ **to drive a hard bargain** être dur en affaires ✦ **to learn sth the**

**hard way** apprendre *or* être formé à la dure ✦ **hard-wearing** résistant, qui fait de l'usage **ADV** **hard hit sector** secteur durement touché ✦ **to do some hard thinking** réfléchir sérieusement ✦ **to be hard pressed for time / money** être à court de temps / d'argent ✦ **the industry will be hard pressed to prevent consumers from buying foreign goods** l'industrie aura beaucoup de difficultés à empêcher les consommateurs d'acheter des produits étrangers.

**hardball** /'hɑːdbɔːl/ *(US)* **N** base-ball m ✦ **to play hardball** * *(fig)* employer une tactique brutale.

**harden** /'hɑːdn/ **VT** *credit* restreindre **VI** *(St Ex)* se raffermir.

**hardening** /'hɑːdnɪŋ/ **N** *(gen)* durcissement m ; *[currency, prices]* raffermissement m.

**hardgoods** /'hɑːdgʊdz/ **NPL** biens mpl d'investissement ✦ **consumer hardgoods** biens de consommation durables.

**hardsell** /'hɑːdsel/ **VT** vendre selon des méthodes agressives.

**hardselling** /'hɑːdselɪŋ/ **N** promotion f (de vente) agressive.

**hardship clause** /'hɑːdʃɪp,klɔːz/ *(Jur)* clause f de sauvegarde.

**hardware** /'hɑːdweəʳ/ **N** **a** *(Comm = goods)* quincaillerie f **b** *(Comp)* matériel m, hardware m

─── *compounds/composés* ───
- **hardware configuration** configuration machine
- **hardware failure** incident *or* panne machine
- **hardware specialist** *(Comp)* technicien(ne) du matériel *or* du hardware.

**harm** /hɑːm/ **N** tort m, dommage m ✦ **to do a lot of harm to** faire *or* causer beaucoup de tort à **VT** *economy* faire du tort à, nuire à; *crops* endommager.

**harmonize, harmonise** /'hɑːmənaɪz/ **VT** harmoniser.

**harness** /'hɑːnɪs/ **VT** *energy* exploiter; *inflation* juguler.

**harsh** /hɑːʃ/ **ADJ** *competition* dur, âpre, sévère; *measures* strict, sévère.

**harvest** /'hɑːvɪst/ **N** *[corn]* moisson f ; *[fruit]* récolte f ; *[grapes]* vendange f.

**hash total** /'hæʃtəʊtl/ **N** *(Comp)* total m de contrôle.

**hasty** /'heɪstɪ/ **ADJ** *decision* hâtif, précipité, irréfléchi.

**hat** /hæt/ **N** chapeau m ✦ **keep it under your hat** gardez ça pour vous ✦ **to wear two hats** * avoir deux casquettes ✦ **hat money** *(Mar)* chapeau du capitaine, primage ✦ **top-hat benefits** indemnités pour frais de représentation ✦ **top-hat insurance scheme** régime de retraite des cadres.

**haul** /hɔːl/ **N** **a** **long / short haul** trajet *or* transport sur longue / courte distance ✦ **long-haul / short-haul aircraft** avion long-courrier / moyen-courrier **b** *(= catch)* prise f, coup m de filet ✦ **to make a good haul** réaliser un gain important **VT** *goods (by truck)* camionner.

**haulage** /'hɔːlɪdʒ/ **N** *(gen)* transport m routier, camionnage m, roulage m ; *(= costs)* camionnage m, frais mpl de roulage *or* de routage *or* de transport

─── *compounds/composés* ───
- **haulage company** entreprise de transports routiers, entreprise de camionnage
- **haulage contractor** entrepreneur de transports routiers, transporteur.

**haulier** /'hɔːlɪəʳ/ *(Brit)*, **hauler** *(US)* **N** *(= firm)* entreprise f de transports routiers, entreprise f de camionnage; *(= person)* entrepreneur m de transports routiers, transporteur m, routier m, camionneur m.

**Havana** /həˈvænə/ **N** La Havane.

**have** /hæv/ **N** ✦ **the haves and the have-nots** les riches et les pauvres, les nantis et les démunis.

**haven** /'heɪvn/ **N** *(fig)* havre m, abri m, refuge m ✦ **tax haven** paradis fiscal.

**have out** /hæv/ **VT SEP** ✦ **to have it out with sb** s'expliquer une bonne fois pour toutes avec qn ✦ **the management decided to have it out with the unions** la direction a décidé d'engager l'épreuve de force avec les syndicats.

**havoc** /'hævək/ **N** ✦ **to play havoc with** faire des ravages dans.

**hawk** /hɔːk/ **N** *(Pol)* faucon m ✦ **hawks and doves** faucons et colombes **VI** *(= peddle)* colporter.

**hawker** /'hɔːkəʳ/ **N** *(street)* colporteur m, marchand m ambulant; *(door-to-door)* démarcheur m.

**hawking** /'hɔːkɪŋ/ **N** *(gen)* colportage m ; *(door-to-door)* démarchage m ✦ **share hawking** colportage illégal de titres.

**health**

**hazard** /ˈhæzəd/ N (*Ind*) (= *risk*) risque m, danger m ◆ **natural hazards** risques naturels ◆ **occupational** *or* **industrial hazards** risques professionnels ◆ **it's an occupational hazard** ce sont les risques du métier.

**hazardous** /ˈhæzədəs/ ADJ (= *perilous*) *enterprise* hasardeux, risqué, périlleux; *goods, substances* dangereux ◆ **hazardous-waste disposal** élimination des déchets toxiques.

**HDI** /eitʃdiːai/ (abbrev of **human development index**) IDH.

**head** /hed/ ■ a tête f ◆ **per head** par personne, par tête ◆ **read-write head** (*Comp*) tête de lecture-écriture ◆ **erase head** tête d'effacement ◆ **he stands head and shoulders above the other candidates** il surpasse de loin les autres candidats ◆ **he shouldn't have gone over my head to the director** il n'aurait pas dû parler au directeur sans me consulter b (= *leader*) chef m ◆ **head of department** (*in company*) chef de service; (*in stores*) chef de rayon ◆ **head of family** chef de famille ◆ **the head of the government** le chef du gouvernement ◆ **the heads of state** les chefs d'État ◆ **at the head of** [*organization, company*] à la tête de c (= *title*) titre m; (= *heading*) rubrique f ◆ **heads of an agreement** principes fondamentaux d'un accord ◆ **under separate heads** sous des rubriques différentes

```
────────── compounds/composés ──────────
◆ head accountant chef comptable
◆ head cashier caissier principal
◆ head clerk (in office) premier commis, chef de
  bureau; (Jur) premier clerc, principal
◆ head foreman chef d'atelier
◆ head lessee locataire principal(e)
◆ head office siège social, agence centrale
◆ head partner associé principal
◆ head and shoulders (pattern) (St Ex) figure
  tête-épaules
```

■ *department* diriger, être à la tête de; *delegation* conduire ◆ **our country heads the interest rate league** notre pays vient en tête de peloton pour les taux d'intérêt ◆ **to head a project** être chef de projet
■ **to be heading** *or* **headed for** se diriger vers ◆ **the country is heading** *or* **headed for recovery** le pays a pris le chemin de la reprise ◆ **we are heading** *or* **headed for bankruptcy** nous allons droit à la faillite.

**headcount** /ˈhedkaʊnt/ N comptage m *or* vérification f du nombre de personnes présentes ◆ **high productivity means low headcounts** une forte productivité implique de faibles effectifs *or* un personnel peu nombreux.

**headed** /ˈhedɪd/ ADJ *notepaper* à en-tête.

**header-block** /ˈhedəblɒk/ N (*Comp*) en-tête m.

**headhunt** * /ˈhedhʌnt/ VT *new talent* rechercher, recruter (*pour le compte des entreprises*).

**headhunter** * /ˈhedhʌntəʳ/ N chasseur m de têtes.

**heading** /ˈhedɪŋ/ N (= *title*) (*at top of page*) titre m; (= *subject title*) rubrique f; (*on letter*) en-tête m ◆ **under this heading** sous ce titre *or* cette rubrique ◆ **this comes** *or* **falls under the heading (of)** ceci se classe sous la rubrique (de), ceci vient au chapitre (de).

**headline** /ˈhedlaɪn/ ■ [*newspaper*] manchette f, (gros) titre m; (*Rad, TV*) titre m ◆ **when news of the merger hit the headlines** lorsque la nouvelle de la fusion a fait les gros titres des journaux
■ mettre en manchette.

**headphones** /ˈhedfəʊnz/ NPL (*Rad*) casque m.

**headquarter** /ˈhedkwɔːtəʳ/ (*US*) VT *company* installer le siège de ◆ **the company is headquartered in Chicago** la société est basée* *or* a son siège à Chicago.

**headquarters** /ˈhedkwɔːtəz/ NPL [*company*] siège m (social).

**headway** /ˈhedweɪ/ N ◆ **to make headway** avancer, faire des progrès, progresser ◆ **the franc is making headway against the pound** le franc progresse légèrement par rapport à la livre.

**health** /helθ/ N (*lit, fig*) santé f ◆ **clean bill of health** [*ship*] patente de santé; [*organization*] rapport *or* bilan favorable ◆ **industrial health** hygiène du travail ◆ **the World Health Organization** l'Organisation mondiale de la santé

```
────────── compounds/composés ──────────
◆ health benefits prestations fpl maladie
◆ health care industry (the) le secteur de la
  santé, les industries fpl de santé
◆ health centre centre médico-social
◆ health club club de remise en forme
◆ health farm centre de remise en forme, établis-
  sement de cure
◆ health foods aliments mpl naturels or diététi-
  ques or biologiques ◆ health food shop or store
  magasin de produits naturels or diététiques or
  biologiques
◆ health hazard risque or danger pour la santé
◆ health insurance assurance (contre la) mala-
  die
◆ health officer inspecteur(-trice) des services de
  santé
◆ health record dossier médical, fiche de santé
  ◆ he has a very good health record c'est un em-
  ployé qui n'est jamais absent
◆ health risk risque pour la santé.
```

**healthy** /'helθɪ/ ADJ *economy, finances* sain.

**hear** /hɪər/ VT *(gen, Jur)* entendre ♦ **the case will be heard on May 6th** *(Jur)* l'affaire passera le 6 mai, l'audience aura lieu le 6 mai.

**hearsay** /'hɪəseɪ/ N ♦ **it's only hearsay** ce ne sont que des rumeurs.

**heat** /hiːt/ N chaleur f ♦ **to turn the heat on sb** * faire pression sur qn ♦ **to take the heat off sb** * permettre à qn de souffler ♦ **farm problems take the heat off other controversial issues** les problèmes agricoles font oublier d'autres questions controversées.

**heat up** /hiːt/ VI *[competition]* devenir plus vif.

**heavily** /'hevɪlɪ/ ADV *tax* lourdement ♦ **heavily travelled line** ligne à fort trafic *or* à forte densité de trafic.

**heavy** /'hevɪ/ ADJ *object* lourd; *expenses, fine* lourd, fort; *sales* massif; *investments, loss* important, considérable, lourd; *traffic* dense; *task* pénible, lourd; *day* chargé; *stock market* lourd; *industry* lourd ♦ **heavy advertising** publicité intensive ♦ **heavy duties** lourdes taxes ♦ **heavy-duty** *equipment, carpeting* à usage industriel ♦ **heavy goods vehicle** poids lourd ♦ **there was heavy trading on Wall Street yesterday** le volume des transactions a atteint un niveau élevé *or* a été très étoffé à Wall Street hier ♦ **heavy user** gros utilisateur ♦ **heavy viewer** *(Mktg)* téléspectateur assidu.

**heavyweight** /'hevɪweɪt/ N poids m lourd ♦ **the market heavyweights** les poids lourds de la cote.

**hectic** /'hektɪk/ ADJ *period* très bousculé, très agité, trépidant, mouvementé; *market* agité, fiévreux.

**hecto-** PREF hecto-.

**hedge** /hedʒ/ N *(Fin, St Ex)* (opération f de) couverture f ♦ **a hedge against inflation** une assurance *or* une couverture contre l'inflation, un moyen de se prémunir contre l'inflation

————————— *compounds/composés* —————————
- ♦ **hedge clause** *(US)* clause de sauvegarde
- ♦ **hedge funds** *(US)* fonds spéculatifs
- ♦ **hedge ratio** ratio de couverture

VT *(St Ex, Fin) risk* couvrir
VI *(St Ex, Fin)* se couvrir.

**hedger** /'hedʒər/ N *(St Ex, Fin)* opérateur m en couverture, arbitragiste m *(en couverture de risques)*.

**hedging** /'hedʒɪŋ/ N *(St Ex)* (opération f de) couverture f à terme, arbitrage m en couverture de risques; *(Fin)* compensations fpl des risques de change ♦ **hedging for the settlement** arbitrage à terme.

**hefty** * /'heftɪ/ ADJ *debt, price* gros, considérable.

**heighten** /'haɪtn/ VT augmenter, intensifier
VI *[fear, pressure, tension]* augmenter, s'intensifier, monter.

**heir** /ɛər/ N héritier m, légataire m *(to* de) ♦ **heir at law, rightful heir** *(Jur)* héritier légitime *or* naturel ♦ **sole heir** légataire universel ♦ **joint heirs** cohéritiers ♦ **to fall heir to sth** hériter de qch.

**heiress** /'ɛəres/ N héritière f, légataire f *(to* de)

**helicopter** /'helɪkɒptər/ N hélicoptère m.

**helipad** /'helɪˌpæd/ N plate-forme f pour hélicoptères.

**heliport** /'helɪpɔːt/ N héliport m.

**hello** /həˈləʊ/ EXCL ♦ **golden hello** * prime d'engagement *(pour attirer un cadre)*.

**help** /help/ N *(gen)* aide f, secours m, assistance f; *(Comp)* aide f ♦ **state help** aide de l'État
VT aider.

**helpful** /'helpfʊl/ ADJ *person* serviable, obligeant; *advice* efficace, utile ♦ **you've been helpful** votre aide m'a été très utile ♦ **you'll find this booklet most helpful** cette brochure vous sera utile.

**Helsinki** /'helsɪŋkɪ/ N Helsinki.

**henceforth** /ˌhensˈfɔːθ/, **henceforward** /ˌhensˈfɔːwəd/ ADV désormais, dorénavant, à l'avenir.

**hereafter** /ˌhɪərˈɑːftər/ ADV ci-dessous, ci-après.

**here-again** /'hɪərəˌgen/ *(US)* N ♦ **figures show the company is not a has-been but a here-again** les chiffres montrent que cette société a opéré un retour.

**hereby** /ˌhɪəˈbaɪ/ ADV *(in letter)* par la présente; *(in deeds)* par le présent acte ♦ **I hereby testify that** je soussigné certifie que ♦ **notice is hereby given** il est fait connaître par les présentes.

**hereditaments** /ˌherɪˈdɪtəmənts/ NPL *(Jur)* biens meubles ou immeubles transmissibles par héritage ♦ **corporeal / incorporeal hereditaments** biens corporels / incorporels ♦ **industrial hereditaments** installations industrielles.

**herein** /ˌhɪərˈɪn/ ADV ci-inclus.

**hereinafter** /ˌhɪərɪn'ɑːftəʳ/ **ADV** *(Jur)* ci-après, dans la suite des présentes.

**hereof** /hɪər'ɒv/ **ADV** ✦ **the provisions hereof** les dispositions des présentes.

**hereto** /ˌhɪə'tuː/ **ADV** à ceci, à cela ✦ **the parties hereto** les parties aux présentes ✦ **the table hereto attached** le tableau joint au présent document.

**heretofore** /ˌhɪətʊ'fɔːʳ/ **ADV** jusqu'ici, jusque-là.

**hereunder** /hɪərʌndəʳ/ **ADV** ci-dessous.

**herewith** /hɪə'wɪð/ **ADV** ci-joint ✦ **I am sending you herewith** je vous envoie ci-joint *or* sous ce pli ✦ **I enclose herewith a copy of...** veuillez trouver ci-joint (une) copie de...

**heritage** /'herɪtɪdʒ/ **N** héritage m, patrimoine m.

**hex** /heks/ **N** ✦ **hex code** *(Comp)* code hexadécimal.

**heyday** /'heɪdeɪ/ **N** apogée m ✦ **the domestic market has shrunk 60% since its heyday in 1980** le marché intérieur s'est rétréci de 60% depuis sa période faste de 1980.

**HGV** /ˌeɪtʃdʒiː'viː/ **N** abbr of **heavy goods vehicle** → **heavy.**

**hiccough, hiccup** /'hɪkʌp/ **N** *(= minor setback)* ratés mpl, à-coup m *(in* dans) ✦ **the fall in the dollar caused a hiccup in the dealings on the Stock Exchange** la chute du dollar a provoqué des ratés dans les opérations boursières.

**hidden** /'hɪdn/ **ADJ** *(gen)* caché ✦ **hidden assets** actif sous-évalué *or* caché ✦ **hidden damage** *(Mar)* dommage caché ✦ **hidden decision** décision cachée ✦ **hidden defect** défaut *or* vice caché ✦ **hidden hand** influence occulte ✦ **hidden reserve** réserve occulte ✦ **hidden tax** impôt déguisé.

**hide** /haɪd/ **VT** cacher *(from sb* à qn)

**hierarchic(al)** /ˌhaɪə'rɑːkɪk(əl)/ **ADJ** hiérarchique.

**hierarchy** /'haɪərɑːkɪ/ **N** hiérarchie f ✦ **data hierarchy** hiérarchie des données ✦ **hierarchy of effects** *(Mktg)* hiérarchie des effets ✦ **hierarchy of needs** *(Mktg)* hiérarchie des besoins ✦ **hierarchy of objectives** hiérarchie des objectifs.

**hi-fi** /'haɪfaɪ/ **N** hi-fi f inv.

**high** /haɪ/ **ADJ** *wage* élevé, haut, gros; *price* élevé; *number* élevé, considérable ✦ **to pay a high price for sth** payer qch cher ✦ **to fetch a high price** se vendre cher *or* à un bon prix ✦ **high duty goods** marchandises fortement taxées ✦ **the high end of our product line** nos produits haut de gamme ✦ **high wage settlements were blamed for the rise in inflation** on a attribué la poussée inflationniste à de trop fortes augmentations de salaire

**ADV** **to run high** *[prices]* rester élevé

*compounds/composés*

HIGH

✦ **high-class** *hotel* de catégorie supérieure
✦ **high commissioner** haut-commissaire
✦ **high executive** cadre supérieur
✦ **high finance** la haute finance
✦ **high flier** personne ambitieuse
✦ **high gear** vitesse supérieure ✦ **to go into high gear** passer la vitesse supérieure
✦ **high-grade** *bond* de premier ordre; *goods* de première qualité, de premier choix; *petrol* à haut degré d'octane; *ore* à forte teneur
✦ **high-income** *groups, country* à revenu(s) élevé(s) ✦ **high-income taxpayers** gros contribuables
✦ **high-level** *meeting, discussions* à un très haut niveau ✦ **high-level (computer) language** langage (informatique) de haut niveau ✦ **high-level decision** décision prise à un niveau supérieur *or* élevé ✦ **high-level nuclear waste** déchets nucléaires à forte radioactivité ✦ **high-level official** haut fonctionnaire *or* responsable
✦ **high-low** *(St Ex)* cours mpl extrêmes (d'une séance)
✦ **high-performance** *vehicle* performant, à hautes performances
✦ **high-powered** *person* énergique

✦ **high-pressure** **high-pressure salesman** vendeur de choc* *or* dynamique ✦ **high-pressure salesmanship** technique de la vente à l'arraché
✦ **high-ranking** de haut rang
✦ **high-rise (building)** tour, gratte-ciel
✦ **high season** haute saison
✦ **high society** haute société
✦ **high speed** grande vitesse ✦ **a high-speed printer** une imprimante à grande vitesse *or* ultra-rapide
✦ **high street** *(Brit)* *(= street)* grand-rue, rue principale *or* commerçante; *(= trade)* commerce ✦ **high-street banks** les grandes banques de dépôt ✦ **high-street prices** les prix du commerce ✦ **high-street shops** les boutiques *or* les magasins *(que l'on trouve habituellement au centre-ville)*
✦ **high-tech** * *industry, sector* de pointe
✦ **high technology** technologie avancée *or* de pointe
✦ **high-up** *person, post* de haut rang, très haut placé ✦ **he's one of the high-ups in that company** * il fait partie des huiles* *or* des pontes* de cette société
✦ **high-yield bond** obligation à haut rendement *or* à rendement élevé.

◼ *(= high point) (St Ex)* niveau m record ◆ **to reach a new high** *[share price]* atteindre un nouveau record **the Dow Jones has reached an all-time high** l'indice Dow Jones est monté à son plus haut niveau *or* n'a jamais été aussi haut ◆ **this year's highs and lows** *(St Ex)* les cours extrêmes de cette année

**higher** /'haɪər/ **ADJ** ◆ **higher bid** *(gen)* offre supérieure; *(at auction)* surenchère ◆ **higher-order language** *(Comp)* langage de haut niveau ◆ **higher executive** cadre supérieur.

**higher-up** * /ˌhaɪər'ʌp/ **N** supérieur m hiérarchique.

**highlight** /'haɪlaɪt/ ◼ clou m *, temps m fort ◆ **the highlight of the visit** le point culminant *or* le clou* de la visite
◼ souligner, mettre en lumière *or* en relief *or* en valeur.

**highlighting** /'haɪlaɪtɪŋ/ **N** mise f en valeur.

**hike** * /haɪk/ ◼ *(= rise)* hausse f, augmentation f *(in* de)
◼ *(= increase)* augmenter.

**hi-lo** /'haɪ'ləʊ/ abbr of **high-low** → **high.**

**hilt** /hɪlt/ **N** ◆ **to be in debt up to the hilt** être endetté jusqu'au cou ◆ **to mortgage sth up the hilt** hypothéquer qch au maximum.

**hinge on** /hɪndʒ/ **VT FUS** dépendre de ◆ **the success of the enterprise hinges on our marketing policy** le succès de notre entreprise dépend de *or* repose sur notre politique de marketing.

**hint** /hɪnt/ **N** conseil m, tuyau m * ◆ **maintenance hints** conseils d'entretien.

**hinterland** /'hɪntələænd/ **N** arrière-pays m inv.

**hire** /'haɪər/ ◼ **a** *(= act of hiring)* location f ◆ **for hire** *(gen)* à louer; *(on taxi)* libre ◆ **car hire service** *(Brit)* (service de) location de voiture **b** *(= money) [worker]* paye f ; *[car, hall]* prix m de (la) location ◆ **hire of money** loyer de l'argent **c** *(= employee)* embauche f ◆ **retiring employees are replaced by new hires** les employés qui partent à la retraite sont remplacés par de nouvelles embauches

*— compounds/composés —*
◆ **hire car** *(Brit)* voiture de location
◆ **hire charges** frais mpl de location, prix de (la) location
◆ **hire contract** contrat de location
◆ **hire purchase** *(Brit)* système d'achat à crédit *or* à tempérament ◆ **hire purchase finance houses** organismes de crédit à la consommation ◆ **on hire purchase** à crédit, à tempérament ◆ **hire purchase agreement** contrat de crédit à la consommation

◼ **a** *person* engager, embaucher ◆ **hired man** (ouvrier *or* travailleur) journalier, ouvrier à la journée **b** *(Brit) car* louer.

**hire away** **VT SEP** *workers* débaucher (de chez un autre employeur).

**hire out** **VT SEP** louer, donner en location.

**histogram** /'hɪstəgræm/ **N** histogramme m.

**historical** /hɪs'tɒrɪkəl/ **ADJ** *rise* historique, record ◆ **historical cost** coût historique *or* d'origine *or* d'acquisition ◆ **historical product data** *(Mktg)* informations sur l'évolution du produit ◆ **historical rate** cours historique *or* d'origine.

**history** /'hɪstərɪ/ **N** *(gen)* histoire f ; *(Comp)* historique m ◆ **work history** expérience professionnelle ◆ **previous history** antécédents ◆ **salary history** évolution du salaire ◆ **transaction history** historique des opérations.

**hit** /hɪt/ ◼ *(= success)* succès m, beau coup m ; *(Comp)* correspondance f ◆ **to score a hit** remporter un grand succès, mettre dans le mille ◆ **this product is a hit** ce produit est un succès

*— compounds/composés —*
◆ **hit-and-run strike** grève éclair
◆ **hit list** liste noire
◆ **hit-or-miss** *method* empirique

◼ *(= reach) target* atteindre; *consumer, sales* affecter, toucher ◆ **this sector was hard hit by the strike** ce secteur a été durement touché *or* affecté par la grève ◆ **hardest hit will be sugar producers** les producteurs de sucre seront les plus durement touchés ◆ **the price flare-up will hit those on low income first** la flambée des prix va d'abord frapper les bas revenus ◆ **to hit the headlines** * *[news]* faire les gros titres des journaux, être à la une des journaux ◆ **to hit the market** *[product]* arriver sur le marché ◆ **to hit the bricks** * *(US = strike)* se mettre en grève.

**hitch** /hɪtʃ/ **N** *(fig = obstacle)* anicroche f, contretemps m, os m * ◆ **without a hitch** sans accroc *or* anicroche.

**hive off** * /haɪv/ ◼ se séparer *(from* de) essaimer
**VT SEP** essaimer ◆ **this subsidiary will be hived off** cette filiale sera essaimée *or* deviendra indépendante ◆ **the intention is to hive off all state-owned companies to the private sector** le but est de rendre indépendantes toutes les sociétés nationales pour qu'elles aillent dans le secteur privé.

**HO** /eɪtʃ'əʊ/ **N** abbr of **head office** → **head.**

**hoard** /hɔːd/ ◼ trésor m, magot m * ◆ **they beefed up their cash hoard** * ils ont renforcé leurs réserves en liquide
◼ *(gen)* accumuler, amasser, entasser, stocker; *(Fin)* thésauriser.

**hoarder** /'hɔːdə$^r$/ **N** *(Fin)* thésauriseur m.

**hoarding** /'hɔːdɪŋ/ **N** *(Brit Pub)* panneau m d'affichage *or* publicitaire.

**hock** /hɒk/ **N** ◆ **in hock** *object* au clou*, au mont-de-piété; *person* endetté.

**hoist** /hɔɪst/ **N** appareil m de levage.

**hold** /həʊld/ **■** **a** *(lit)* prise f ; *(fig)* prise f, influence f *(on, over sb* sur qn) ◆ **we are trying to get hold of him** nous essayons de le contacter *or* de le joindre ◆ **to get a hold on the market** s'emparer du marché ◆ **to put sth on hold** mettre qch en attente ◆ **the benefits of restructuring are already taking hold** les avantages de la restructuration se font déjà sentir **b** *(Mar)* cale f ; *(Aviat)* soute f à bagages

─────── *compounds/composés* ───────
◆ **hold area** *(Comp)* zone d'attente
◆ **hold queue** *(Comp)* file de travaux en attente

**VT** **a** *(lit)* tenir; *attention, interest* retenir ◆ **to hold one's ground** tenir bon ◆ **hold the line!** ne quittez pas!, restez en ligne! ◆ **the line's engaged, will you hold?** la ligne est occupée, je vous mets en attente? ◆ **this product is still holding its own** ce produit n'a pas perdu de terrain **b** *meeting* tenir ◆ **they are holding the interviews in Paris** les entretiens ont lieu à Paris ◆ **to hold an inquiry** procéder à une enquête ◆ **the meeting won't be held next week** la réunion n'aura pas lieu la semaine prochaine **c** *(= contain)* contenir ◆ **this conference room holds 200 people** cette salle de conférence peut accueillir 200 personnes **d** *(= consider)* considérer, estimer, juger ◆ **to hold sb responsible for sth** tenir qn responsable de qch ◆ **we hold him as a suitable applicant** nous le considérons comme un candidat valable ◆ **the law holds that** la loi stipule que ◆ **to hold oneself liable for** se porter garant de **e** *card, permit, degree* avoir, posséder; *job* occuper, tenir, avoir; *shares* détenir ◆ **to hold as security** détenir en garantie ◆ **my lawyer holds these documents** mon avocat détient ces documents ◆ **to hold on a lease** tenir à bail ◆ **property held indivisum** *(Jur)* biens indivis ◆ **hold for arrival** *(US) mail* ne pas faire suivre **VI** *[promise, argument]* être toujours valable, demeurer vrai.

**hold back** **VI** hésiter ◆ **investors are holding back** les investisseurs ne se précipitent pas *or* hésitent
**VT SEP** *inflation, prices* contenir, maîtriser.

**hold down** **VT SEP** **a** *(= keep down) unemployment* contenir ◆ **to hold prices down** tenir les prix **b** *(* = keep) job* garder, conserver.

**holder** /'həʊldə$^r$/ **N** *[passport, credit card, account, post]* titulaire mf, possesseur m ; *[stock, permit]* détenteur(-trice) m(f) ◆ **debenture holder** obligataire ◆ **joint holder** codétenteur ◆ **licence holder** détenteur d'une licence ◆ **policy holder** assuré ◆ **third holder** tiers détenteur ◆ **holder in due course, holder for value** porteur de bonne foi ◆ **holder of record** détenteur à la date de clôture des registres ◆ **holder on trust** *(Jur)* dépositaire.

**holding** /'həʊldɪŋ/ **N** *(= ownership) [stock]* possession f, détention f ◆ **holdings** *(gen)* avoirs; *(= lands)* avoirs fonciers; *(= stocks)* intérêts, participations ◆ **core holding** investissement de base ◆ **cross holdings** participations croisées ◆ **foreign exchange holdings** avoirs en devises ◆ **gold holdings** encaisse or ◆ **majority / minority holding** participation majoritaire / minoritaire ◆ **to have holdings in 3 or 4 companies** avoir des participations dans 3 ou 4 entreprises

─────── *compounds/composés* ───────
◆ **holding company** société holding
◆ **holding gain** plus-value
◆ **holding loss** moins-value
◆ **holding period** durée *or* période d'investissement.

**hold off** **VI** ◆ **to hold off doing sth** remettre *or* repousser qch à plus tard.

**hold on** **VI** *(= wait)* attendre ◆ **hold on!** *(Telec)* ne quittez pas!.

**hold out** **VI** tenir bon ◆ **they are holding out for the shorter working week** ils maintiennent leur revendication sur la diminution de la durée hebdomadaire de travail.

**hold over** **VT SEP** *(= delay) meeting* reporter, remettre; *payment* différer ◆ **the regular Tuesday meeting will be held over till next week** la réunion habituelle du mardi sera reportée à la semaine prochaine ◆ **bills held over** effets en suspens.

**holdover effect** /'həʊld'əʊvəɪˌfekt/ **N** effet m de rémanence.

**hold up** **VT SEP** *(= delay) delivery, answer* retarder ◆ **the consignment was held up in customs** l'envoi était bloqué en douane

**VI** (= remain steady) [share prices, earnings levels] tenir bon, tenir le coup, bien résister ◆ **the firm held up well during the slump** l'entreprise a bien résisté pendant la crise.

**holdup** /'həʊldʌp/ (Brit) N (gen) retard m (in dans); (in traffic) embouteillage m, bouchon m.

**holiday** /'hɒlədɪ/ N (= vacation) vacances fpl ; (= day off) (jour m de) congé m ◆ **on holiday** en vacances, en congé ◆ **holidays with pay** congés payés ◆ **bank holiday** jour férié ◆ **staggering of holidays** étalement des congés or des vacances ◆ **statutory** or **legal holiday** jour férié, jour de fête légale ◆ **tax holiday** période d'exonération fiscale

——— compounds/composés ———
- **holiday-maker** (Brit) (gen) vacancier(-ière)
- **holiday resort** lieu de vacances
- **holiday season** période de(s) vacances.

**hologram** /'hɒlə,græm/ N hologramme m.

**holograph** /'hɒləgrɑːf/ N document m (h)olographe.

**home** /həʊm/ N maison f, foyer m ◆ **your report struck home** (fig) votre rapport a frappé juste or a fait mouche

**homeowner** /'həʊməʊnəʳ/ N propriétaire mf (de sa résidence principale) ◆ **homeowner's policy** (Ins) assurance habitation.

**homeownership** /'həʊməʊnəʳʃɪp/ N accession f à la propriété.

**homestead** /'həʊm,sted/ (US) N (gen) propriété f ; (= farm) ferme f, exploitation f agricole.

**homeward** /'həʊmwəd/ ADJ freight de retour ◆ **homeward journey** (voyage de) retour ◆ **homeward bill of lading** (Mar) connaissement d'entrée ◆ **homeward charter market** marché des affrètements en retour.

**homewards** /'həʊmwədz/ ADV ◆ **cargo** or **freight homewards** cargaison de retour.

**honcho** * /'hɒntʃəʊ/ (US) N patron m, boss m *.

**Honduran** /hɒn'djʊərən/ ADJ hondurien ◆ N (= inhabitant) Hondurien(ne) m(f).

**Honduras** /hɒn'djʊərəs/ N Honduras m.

**honest** /'ɒnɪst/ ADJ honnête ◆ **to act as honest broker in a deal** agir en tant que médiateur dans une affaire.

**Hong Kong** /hɒŋ'kɒŋ/ N Hong-Kong.

**honorarium** /,ɒnə'reərɪəm/ N honoraires mpl.

——— compounds/composés ———

HOME

- **home address** (on form) domicile (permanent); (opposite of business address) adresse personnelle
- **home banking** banque à domicile
- **home bill** (Fin) traite sur l'intérieur
- **home buying** accession à la propriété
- **home center** (US) grande surface de biens d'équipement de la maison
- **home computer** ordinateur familial or domestique
- **home consumption** (Econ) consommation intérieure
- **home country** (EU) pays de résidence
- **home delivery** livraison à domicile
- **home development company** société de promotion immobilière
- **home flight** vol retour
- **home freight** fret de retour
- **home-grown** vegetables du pays
- **home industry** it's run as a home industry c'est fondé sur le travail à domicile
- **home key** (Comp) touche début (d'écran)
- **home loan** prêt immobilier
- **home-made** fait maison, de fabrication artisanale
- **home manufactures** produits mpl indigènes
- **home market** marché intérieur
- **home news** (Pol) nouvelles fpl de l'intérieur
- **Home Office** (Brit Pol) ≈ ministère de l'Intérieur
- **home page** (Comp) page d'accueil
- **home policy** politique intérieure
- **home port** (Mar) port d'attache
- **home products** produits mpl nationaux or du pays
- **home rule** autonomie interne
- **home run** [ship, truck] voyage de retour
- **home sales** ventes fpl sur le marché intérieur
- **Home Secretary** (Brit Pol) ≈ ministre de l'Intérieur
- **home service** service de vente à domicile ◆ **home service agent** démarcheur à domicile
- **home shopping** téléachats mpl
- **home trade** commerce intérieur ◆ **home trade bill** effet sur l'intérieur
- **home use entry** (Customs) sortie de l'entrepôt des douanes pour consommation intérieure ◆ **to enter goods for home use** déclarer des marchandises pour consommation intérieure
- **home waters** (Mar) (= territorial waters) eaux fpl territoriales; (= near home port) eaux fpl voisines du port
- **home worker** travailleur(-euse) à domicile.

**honorary** /'ɒnərərɪ/ **ADJ** *member* honoraire; *titles* honorifique ♦ **honorary membership** honorariat ♦ **honorary president** président d'honneur ♦ **in an honorary capacity** à titre bénévole.

**honour** *(Brit)*, **honor** *(US)* /'ɒnəʳ/ **N** honneur m ♦ **acceptor for honour** *(Fin)* avaliste, donneur d'aval ♦ **acceptance for honour** *(Fin)* acceptation sans protêt ♦ **act of honour** acte d'intervention ♦ **honor system** *(US)* système d'auto-surveillance
**VT** *cheque, bill, signature* honorer.

**hoopla** /'huːplɑː/ **N** *(Pub)* battage m publicitaire.

**hopper** /'hɒpəʳ/ **N** *(Comp)* magasin m d'alimentation.

**horizon** /hə'raɪzn/ **N** horizon m ♦ **on the horizon** à l'horizon.

**horizontal** /,hɒrɪ'zɒntl/ **ADJ** horizontal ♦ **horizontal analysis** *(Fin)* analyse horizontale ♦ **horizontal business combination** concentration horizontale ♦ **horizontal diversification** diversification horizontale ♦ **horizontal expansion** développement horizontal, croissance horizontale ♦ **horizontal increase in salaries** augmentation uniforme des salaires ♦ **horizontal integration** *(Ind)* intégration horizontale ♦ **horizontal merger** fusion horizontale ♦ **horizontal mobility** mobilité horizontale ♦ **horizontal specialization** spécialisation horizontale.

**horse** /hɔːs/ **N** ♦ **horse trading** marchandage acharné *or* âpre, discussions de marchands de tapis ♦ **horse trader** négociateur acharné, personne dure en affaires, marchand de tapis.

**host** /həʊst/ **N** *(= person)* hôte m ; *(= computer)* (ordinateur m) hôte m ♦ **host city / country** ville / pays d'accueil
**VT** *(TV) show* animer; *convention, meeting* accueillir; *website* héberger.

**hosting** /'həʊstɪŋ/ **N** *[website]* hébergement m.

**hot** /hɒt/ **ADJ** *(lit)* chaud ♦ **to be in hot demand** être très demandé, avoir la faveur du public ♦ **if demand is hot the value of the shares can shoot up** si la demande est très forte la valeur de ces actions peut monter en flèche ♦ **hot idea** idée originale ♦ **hot issue** *(Fin)* émission de valeurs vedettes ♦ **hot line** ligne ouverte vingt-quatre heures sur vingt-quatre ♦ **hot money** capitaux spéculatifs *or* fébriles ♦ **hot potato** * sujet brûlant ♦ **hot release** toute dernière nouveauté ♦ **to put a candidate in the hot seat** mettre un candidat sur la sellette ♦ **hot seller** article vedette, article qui se vend comme des petits pains ♦ **hot shot** gros bonnet ♦ **hot spot** point névralgique.

**hotel** /həʊ'tel/ **N** hôtel m ♦ **he runs a four-star hotel in the south of France** il dirige un hôtel quatre étoiles dans le sud de la France ♦ **airport hotel** hôtel d'aéroport ♦ **convention hotel** hôtel de congrès

—————— *compounds/composés* ——————
♦ **hotel accommodation** chambre d'hôtel
♦ **hotel chain** chaîne hôtelière
♦ **hotel industry (the)** l'industrie hôtelière
♦ **hotel management** gestion hôtelière
♦ **hotel manager** gérant(e) *or* directeur(-trice) d'hôtel
♦ **hotel receptionist** réceptionniste d'hôtel
♦ **hotel staff** personnel hôtelier
♦ **hotel trade (the)** l'industrie hôtelière.

**hotelier** /həʊ'telɪəʳ/ **N** hôtelier(-ière) m(f).

**hot up** /hɒt/ **VI** *[competition]* s'intensifier.

**hour** /'aʊəʳ/ **N** heure f ♦ **to pay sb by the hour** payer qn à l'heure ♦ **he is paid £20 an hour** il est payé 20 livres de l'heure ♦ **he works long hours** il fait de longues journées de travail ♦ **after hours** *[shop]* après l'heure de fermeture; *[office]* après les heures de bureau; *(St Ex)* après la clôture officielle ♦ **business hours** *(gen)* heures ouvrables; *[shop]* heures d'ouverture; *[office]* heures de bureau ♦ **busy hours** *(US)* heures d'affluence ♦ **man-hour** heure de travail, heure-homme ♦ **to work fixed hours** avoir des heures de travail régulières ♦ **office hours** heures de bureau ♦ **off-peak hours** heures creuses ♦ **peak hours** heures de pointe ♦ **rush hours** heures de pointe *or* d'affluence ♦ **output per hour** rendement horaire ♦ **service hours** *(Comp)* heures d'utilisation ♦ **to work unsocial hours** travailler en dehors des heures normales de travail.

**hourly** /'aʊəlɪ/ **ADJ** **hourly rate** taux horaire ♦ **hourly workers** ouvriers payés à l'heure *or* sur une base horaire
**ADV** **hourly paid** *or* **rated workers** ouvriers payés à l'heure *or* sur une base horaire.

**house** /haʊs/ **N** *(gen)* maison f ♦ **the House** *(St Ex)* la Bourse ♦ **members of the House** agents de change ♦ **clearing house** chambre de compensation ♦ **financial house** établissement de crédit ♦ **in-house training** formation dans l'entreprise *or* interne *or* sur le lieu de travail ♦ **mail-order house** maison de vente par correspondance ♦ **packing house** *(US)* conserverie ♦ **publishing house** maison d'édition ♦ **systems house** *(Comp)* société de service et de conseil en informatique

―――― compounds/composés ――――

- **house agent** (Brit) agent immobilier
- **house bill** (Fin) lettre de change creuse, effet or papier creux
- **house brand** marque du distributeur or de maison
- **house cheque** chèque interne
- **house duty** (US) taxe d'habitation
- **house flag** (Mar) pavillon (d'une compagnie maritime)
- **house journal** or **magazine** or **organ** journal d'entreprise
- **House price** (St Ex) cours en Bourse
- **house property** immeubles mpl, biens mpl immobiliers
- **house sale** vente immobilière
- **house starts** nombre de mises en chantier de logements neufs
- **house style** stylisme or graphisme maison
  - what is the house style for this sort of brochure? quel est le style maison pour ce genre de brochure?
- **house telephone** téléphone intérieur
- **house-to-house** selling, canvassing à domicile.

**housebuilder** /ˈhaʊsbɪldər/ N entrepreneur m de maçonnerie.

**housebuilding** /ˈhaʊsbɪldɪŋ/ N le bâtiment, la construction.

**household** /ˈhaʊshəʊld/ N (Admin, Econ) ménage m ◆ **head of household** chef de famille ◆ **households with more than three wage-earners** des ménages or des familles or des foyers qui disposent de plus de trois salaires ◆ **give details of your household** indiquez le nom des personnes qui résident chez vous or sous votre toit ◆ **double-income / one-earner household** ménage à deux revenus / à revenu unique

―――― compounds/composés ――――

- **household expenditure** dépenses fpl des ménages
- **household goods** (Comm) appareils mpl ménagers; (Econ) biens mpl d'équipement ménager
- **household survey** enquête sur les ménages.

**householder** /ˈhaʊsˌhəʊldər/ N (gen) occupant(e) m(f) ; (= owner) propriétaire mf ; (= lessee) locataire mf ; (= head of household) chef m de famille.

**housewife** /ˈhaʊswaɪf/ N (gen) ménagère f, maîtresse f de maison; (contrasted with career woman) femme f au foyer.

**housing** /ˈhaʊzɪŋ/ N logement m ▪ Voir encadré colonne suivante.

**hover** /ˈhɒvər/ VI ◆ **to hover around** [prices] osciller autour de ◆ **the unemployment rate is hovering around 8% of the working popula-**

―――― compounds/composés ――――

- **housing accommodation** logement
- **housing allowance** allocation logement
- **housing development** (US) lotissement
- **housing estate** (Brit) (= publicly-owned property) cité; (= private development) lotissement
- **housing industry (the)** le bâtiment
- **housing project** (US) ≈ cité
- **housing scheme** (Brit) ≈ cité
- **housing shortage** crise du logement
- **housing starts** nombre de mises en chantier de logements neufs ◆ **the number of new housing starts** le nombre de mises en chantier or de nouveaux logements mis en chantier
- **housing subsidies** aides fpl au logement.

**tion** le taux de chômage tourne autour de 8% de la population active ◆ **the interest rates are hovering between 9-10%** les taux d'intérêts oscillent entre 9 et 10%.

**HP** /eɪtʃˈpiː/ (Brit) N abbr of **hire purchase** → **hire**.

**HQ** /eɪtʃˈkjuː/ N (abbr of **headquarters**) QG m.

**HRM** /ˌeɪtʃɑːˈrem/ (abbr of **human resource management**) GRH.

**hryvna** /ˈhɪʌvnə/, **hryvnya** /ˈhrʌvnjə/ N hryvnia f.

**hub** /hʌb/ N (fig) pivot m, point m central ◆ **hub airport** aéroport plaque tournante.

**huckster** * /ˈhʌkstər/ (US) N (= salesman) vendeur m de choc*.

**hucksterism** * /ˈhʌkstərɪzm/ (US) N techniques fpl de vente agressives or à l'arraché.

**hucksterize** * /ˈhʌkstəraɪz/ (US) VT vendre à l'arraché.

**huge** /hjuːdʒ/ ADJ debt, order énorme, considérable; success énorme, gigantesque, fou; showroom immense, vaste.

**hull** /hʌl/ N [ship, plane] coque f

―――― compounds/composés ――――

- **hull insurance** assurance sur corps
- **hull port risk** risque de port sur corps
- **hull underwriter** assureur sur corps.

**human** /ˈhjuːmən/ ADJ humain ◆ **human relations** relations humaines ◆ **human resource management** gestion des ressources humaines ◆ **human resource accounting** comptabilité des ressources humaines ◆ **human rights** droits de l'homme.

**hunch** * /hʌntʃ/ N (= intuition) intuition f ◆ **you should follow your hunch** il faut suivre son intuition.

**hundred** /'hʌndrɪd/ **ADJ** cent ◆ **a** *or* **one hundred dollars** cent dollars ◆ **a** *or* **one hundred demonstrators** une centaine de manifestants **N** cent m ◆ **hundreds of thousands are in the same position** des centaines de milliers de personnes sont dans le même cas.

**hundredfold** /'hʌndrɪdfəʊld/ **ADJ** centuple **ADV** au centuple.

**hundredth** /'hʌndrɪdθ/ **ADJ, N** centième mf → **sixth.**

**hundredweight** /'hʌndrɪdweɪt/ **N** *(Brit, Can* ≈ *50,7 kg; US* ≈ *45,3 kg)* ≈ demi-quintal m.

**Hungarian** /hʌŋ'gɛərɪən/ **ADJ** hongrois **N a** *(= language)* hongrois m **b** *(= inhabitant)* Hongrois(e) m(f).

**Hungary** /'hʌŋgərɪ/ **N** Hongrie f.

**hunt** /hʌnt/ **VT** chasser, rechercher **N** chasse f, recherche f.

**hunter** /'hʌntəʳ/ **N** chasseur m ◆ **job hunter** demandeur d'emploi.

**hunting** /'hʌntɪŋ/ **N** chasse f *(for* à) recherche f *(for* de) ◆ **job hunting** recherche d'emploi.

**hurdle** /'hɜːdl/ **N** *(fig)* obstacle m ◆ **hurdle rate** *(Fin)* taux étalon, taux de rendement minimal, taux d'actualisation minimal *(pour choisir les investissements).*

**hurt** /hɜːt/ **VT** *activity, reputation* nuire à, faire *or* causer du tort à ◆ **the strong dollar hurts US exports** un dollar fort nuit aux exportations américaines *or* est préjudiciable aux exportations américaines.

**hush money** * /'hʌʃmʌnɪ/ **N** pot-de-vin m *(pour acheter le silence de qn)* ◆ **to pay sb hush money** acheter le silence de qn.

**hustler** * /'hʌsləʳ/ **N** *(= go-getter)* type m * dynamique, débrouillard(e) m(f) * ; *(= swindler)* arnaqueur(-euse) m(f).

**h / w** abbr of **herewith.**

**hybrid** /'haɪbrɪd/ **ADJ, N** *(gen, St Ex)* hybride m ◆ **hybrid security** titre hybride.

**hydraulic** /haɪ'drɒlɪk/ **ADJ** hydraulique **hydraulics** **N SG** hydraulique.

**hydroelectric** /ˌhaɪdrəʊɪ'lektrɪk/ **ADJ** hydro-électrique ◆ **hydroelectric power** énergie hydro-électrique.

**hygiene** /'haɪdʒiːn/ **N** hygiène f ◆ **industrial hygiene** hygiène du travail.

**hype** * /haɪp/ **N** *(= publicity drive)* campagne f publicitaire agressive *or* tapageuse, battage publicitaire; *(= book)* livre m lancé à grand renfort de publicité ◆ **there has been too much media hype about robots** les média(s) ont fait beaucoup trop de battage au sujet des robots **VT a** *(= publicize)* book, product, film lancer à grand renfort de publicité, faire du battage pour **b** *(also* **hype up)** *(= increase)* numbers, attendance augmenter; *(= exaggerate)* exagérer ◆ **to hype the economy** stimuler l'économie **c** *(US = cheat)* person tromper, rouler.

**hyperinflation** /'haɪpərɪn'fleɪʃən/ **N** hyperinflation f.

**hypermarket** /'haɪpəmɑːkɪt/ *(Brit)* **N** hypermarché m.

**hypothecate** /haɪ'pɒθɪkeɪt/ **VT** hypothéquer, gager, nantir ◆ **hypothecated account** compte gagé.

**hypothecation** /ˌhaɪpɒθɪ'keɪʃən/ **N** fait m d'hypothéquer, engagement m, nantissement m.

**hypothecator** /haɪ'pɒθɪkeɪtəʳ/ **N** gageur m.

**hypothesis** /haɪ'pɒθɪsɪs/ **N** hypothèse f ◆ **hypothesis testing** *(Mktg)* vérification des hypothèses ◆ **working hypothesis** hypothèse de travail.

**hypothetic(al)** /ˌhaɪpəʊ'θetɪk(əl)/ **ADJ** hypothétique.

**hysteresis** /ˌhɪstə'riːsɪs/ **N** *[costs]* hystérésis f.

**i** abbr of **interest.**

**IAEA** /ˌaɪeriːˈeɪ/ **N** (abbr of **International Atomic Energy Agency**) AIEA f.

**IAP** /ˌaɪeɪˈpiː/ **N** (abbr of **Internet Access Provider**) FAI m.

**ib(id)** /ˈɪb(ɪd)/ (abbr of **ibidem**) ibid.

**i.b.** abbr of **in bond → in.**

**IBA** /ˌaɪbiːˈeɪ/ (*Brit*) **N** (abbr of **Independent Broadcasting Authority**) *organisme de contrôle des chaînes de télévision privée.*

**IBRD** /ˌaɪbiːɑːˈdiː/ **N** (abbr of **International Bank for Reconstruction and Development**) BIRD f.

**ICAO** /ˌaɪsiːeɪˈəʊ/ **N** (abbr of **International Civil Aviation Organization**) OACI f.

**ICC** /ˌaɪsiːˈsiː/ **N** (abbr of **International Chamber of Commerce**) CCI f.

**Iceland** /ˈaɪslənd/ **N** Islande f.

**Icelander** /ˈaɪsləndəʳ/ **N** Islandais(e) m(f).

**Icelandic** /aɪsˈlændɪk/ **ADJ** islandais **N** (= *language*) islandais m.

**ICJ** /ˌaɪsiːˈdʒeɪ/ **N** abbr of **International Court of Justice → international.**

**ID** /aɪˈdiː/ **N** abbr of **identification** ◆ can I see your **ID?** vous avez vos papiers d'identité?.

**IDA** /ˌaɪdiːˈeɪ/ **N** (abbr of **International Development Association**) ADI f.

**idea** /aɪˈdɪə/ **N** idée f ◆ **ideas box** boîte à idées ◆ **ideas man** concepteur.

**ideal** /aɪˈdɪəl/ **ADJ** idéal ◆ **ideal efficiency** rendement optimal ◆ **Ideal Home Exhibition** (*Brit*) Salon des Arts ménagers ◆ **ideal capacity** capacité maximale *or* théorique.

**identifiable** /aɪˈdentɪfaɪəbl/ **ADJ** identifiable ◆ **identifiable assets** éléments d'actif sectoriels.

**identification** /aɪˌdentɪfɪˈkeɪʃən/ **N** identification f.

**identifier** /aɪˈdentɪfaɪəʳ/ **N** identificateur m.

**identify** /aɪˈdentɪfaɪ/ **VT** identifier.

**identity** /aɪˈdentɪtɪ/ **N** identité f ◆ **payable upon proof of identity** payable sur présentation d'une pièce d'identité ◆ **to prove one's identity** établir son identité

――― *compounds/composés* ―――
◆ **identity card** carte d'identité
◆ **identity certificate** acte d'état civil
◆ **identity papers** pièces fpl *or* papiers d'identité.

**idle** /ˈaɪdl/ **ADJ** **a** *person* (= *doing nothing*) désœuvré, inactif; (= *unemployed*) en chômage; (= *lazy*) paresseux ◆ **to make workers idle** licencier des ouvriers, mettre des ouvriers en chômage ◆ **idle time** *workers* temps chômé **b** (*Ind*) *machine, factory* arrêté, au repos ◆ **the machinery is idle 50% of the time** les machines ne tournent qu'à 50% ◆ **the whole factory is idle** l'usine tout entière est arrêtée *or* est à l'arrêt ◆ **the shipyards are lying** *or* **standing idle** les chantiers navals chôment ◆ **idle capacity** capacité inutilisée ◆ **idle shipping** navires désarmés ◆ **idle time** *machine* temps mort, arrêt machine **c** (*Fin*) *capital* improductif, dor-

mant, oisif ✦ **idle balances** soldes non mouvementés ✦ **to let one's money lie idle** laisser
dormir son argent **d** *(St Ex) market* morose,
inactif
**VT** **a** *workers* mettre en chômage, licencier
**b** *ship* désarmer **c** *machine* arrêter, mettre au
repos
**VI** *[engine]* tourner au ralenti.

**i.e.** /ˌaɪˈiː/ (abbr of **id est, that is to say**) c.-à-d.

**if** /ɪf/ **CONJ** si ✦ **if cashed** sauf rentrée ✦ **if unsold**
sauf vendu.

**IFTU** /ˈaɪeftiːjuː/ **N** (abbr of **International Federation
of Trade Unions**) FSI f.

**ignore** /ɪgˈnɔːʳ/ **VT** (= *take no notice of*) *fact, remark*
ne pas tenir compte de, ne tenir aucun compte
de; *invitation, letter* ne pas répondre à; *rule* ne
pas respecter ✦ **to ignore a claim** *(Jur)* rejeter
une réclamation.

**illegal** /ɪˈliːgəl/ **ADJ** *(gen)* illégal; *(Comp) character*
invalide, interdit.

**illegality** /ˌɪliːˈgælɪtɪ/ **N** illégalité f.

**illegible** /ɪˈledʒəbl/ **ADJ** illisible.

**illicit** /ɪˈlɪsɪt/ **ADJ** illicite.

**illiquid** /ɪˈlɪkwɪd/ **ADJ** *(Fin) company, person* à court
de liquidités ✦ **illiquid assets** actif immobilisé.

**illiquidity** /ɪlɪˈkwɪdɪtɪ/ **N** non-liquidité f.

**ill-qualified** /ˌɪlˈkwɒlɪfaɪd/ **ADJ** peu qualifié.

**illusory** /ɪˈluːzərɪ/ **ADJ** ✦ **illusory profit** profit
fictif.

**illustrate** /ˈɪləstreɪt/ **VT** illustrer.

**illustration** /ˌɪləsˈtreɪʃən/ **N** illustration f ✦ **by
way of illustration** à titre d'exemple *or* d'illustration.

**ILO** /ˌaɪelˈəʊ/ **N** **a** (abbr of **International Labour Office**) BIT m **b** (abbr of **International Labour Organization**) OIT f.

**image** /ˈɪmɪdʒ/ **N** image f ✦ **brand image** *[product]*
image de marque ✦ **our company's image**
l'image de marque de notre société ✦ **corporate image** image de marque (de l'entreprise)
✦ **line image** image de gamme ✦ **public image**
*[company]* image de marque ✦ **video image**
image vidéo

―――― *compounds/composés* ――――

- ✦ **image advertising** *(Pub)* publicité institutionnelle
- ✦ **image file** *(Comp)* fichier vidéo
- ✦ **image processing** *(Comp)* traitement des
  images.

**imaginal storage** /ɪˈmædʒɪnəlˈstɔːrɪdʒ/ **N** *(Comp)*
mémoire f d'images.

**imbalance** /ɪmˈbæləns/ **N** déséquilibre m.

**IMCO** /ˌaɪemsiːˈəʊ/ **N** (abbr of **Inter-Governmental
Maritime Consultative Organization**) OMCI f.

**IMF** /ˌaɪemˈef/ **N** (abbr of **International Monetary
Fund**) FMI m.

**imitation** /ˌɪmɪˈteɪʃən/ **N** imitation f ✦ **beware of
imitations** méfiez-vous des imitations *or*
contrefaçons.

**imitative** /ˈɪmɪtətɪv/ **ADJ** ✦ **imitative pricing** alignement sur les prix du marché.

**immediate** /ɪˈmiːdɪət/ **ADJ** immédiat ✦ **for immediate action** urgent ✦ **for immediate delivery** à
livrer d'urgence, urgent ✦ **available for immediate delivery** livrable de suite *or* immédiatement ✦ **immediate (payment) annuity** *(Ins)*
rente immédiate ✦ **immediate possession** *house*
jouissance immédiate ✦ **immediate access**
*(Comp)* accès immédiat.

**immigrant** /ˈɪmɪgrənt/ **ADJ, N** *(newly arrived)* immi-
grant(e) m(f) ; *(well-established)* immigré(e) m(f)
✦ **immigrant labour** *or* **workers** main-d'œuvre
immigrée *or* étrangère, travailleurs immigrés
*or* étrangers ✦ **immigrant remittances** envois
de fonds des travailleurs immigrés *(vers leur
pays d'origine)*.

**immigrate** /ˈɪmɪgreɪt/ **VI** immigrer.

**immigration** /ˌɪmɪˈgreɪʃən/ **N** immigration f
✦ **immigration authorities** service de l'immigration ✦ **immigration officer** fonctionnaire
du service de l'immigration ✦ **report to the
immigration officer** présentez-vous au bureau
de l'immigration.

**immobilize, immobilise** /ɪˈməʊbɪlaɪz/ **VT** *capital* immobiliser.

**immovable** /ɪˈmuːvəbl/ **ADJ** *object* fixe; *(Jur) property* immobilier, immeuble ✦ **seizure of immovable property** saisie immobilière ✦ **immovable
estate** biens immeubles.

**immovables** /ɪˈmuːvəblz/ **NPL** *(Jur)* immeubles mpl, biens mpl immeubles.

**immunity** /ɪˈmjuːnɪtɪ/ **N** immunité f ✦ **to claim
immunity from tax** demander à être exonéré
d'impôt.

**IMO** /ˌaɪemˈəʊ/ **N** abbr of **international money order**
→ **international**.

**impact** /ˈɪmpækt/ **N** **a** *(lit)* impact m *(on* sur)
choc m *(on, against* sur); *(fig =* effect) impact m, effet m, incidence f *(on* sur) ✦ **it has
had a negative impact on our sales** ça a eu un

impact négatif *or* une incidence négative sur nos ventes ◆ **the impact of these new regulations on the management of the firm** les répercussions *or* l'incidence de ces nouveaux règlements sur la gestion de l'entreprise ◆ **the new auditor made quite an impact on me** le nouveau commissaire aux comptes m'a fait une forte impression **b** *(Tax)* incidence f

———— *compounds/composés* ————
◆ **impact effect** *(Econ)* effet d'impact
◆ **impact study** *(Mktg)* étude d'impact.

**impact on** /'ɪmpækt/ **VT FUS** avoir un impact sur, influer sur.

**impair** /ɪm'pɛəʳ/ **VT** *negotiations* nuire à; *strength, financial health* affaiblir, diminuer ◆ **impaired capital** capital insuffisant.

**impairment** /ɪm'pɛəmənt/ **N** affaiblissement m ◆ **impairment of the law** dérogation à la loi ◆ **impairment of capital** insuffisance de capital.

**impartible** /ɪm'pɑːtɪbl/ **ADJ** *(Jur)* indivisible.

**impeach** /ɪm'piːtʃ/ **VT** *(Jur = accuse) public official* mettre en accusation; *(US)* entamer la procédure de destitution *or* d'impeachment de.

**impeachment** /ɪm'piːtʃmənt/ **N** *(Jur) [public official]* mise f en accusation; *(US)* procédure f de destitution *or* d'impeachment.

**imperfect** /ɪm'pɜːfɪkt/ **ADJ** *(gen)* imparfait; *car, machine, system* défectueux ◆ **imperfect competition** *(Econ)* concurrence imparfaite ◆ **imperfect market** *(Econ)* marché imparfait.

**imperial** /ɪm'pɪərɪəl/ **ADJ** **a** *(gen)* impérial ◆ **imperial preference** préférence douanière *(à l'intérieur de l'Empire britannique)* **b** *(Brit) weight, measure* légal ◆ **imperial bushel** *(= dry measure: 2 219.36 cu in)* ≈ 36,37 litres ◆ **imperial gallon** gallon impérial *(≈ 4,546 litres)* ◆ **imperial ton** *(= 2 240 lb)* ≈ 1 016,05 kilogrammes.

**imperilled** /ɪm'perɪld/ **ADJ** *(Ins) property* exposé au risque; *ship* en péril.

**imperishable** /ɪm'perɪʃəbl/ **ADJ** *goods* impérissable.

**impersonal** /ɪm'pɜːsnl/ **ADJ** *(gen)* impersonnel ◆ **impersonal account** compte de choses, compte impersonnel ◆ **impersonal ledger** grand livre (général) ◆ **impersonal payee** bénéficiaire impersonnel *or* général.

**impetus** /'ɪmpɪtəs/ **N** impulsion f, élan m ◆ **the drop in interest rates has provided an impetus**

**for further development** la baisse des taux d'intérêt a apporté l'impulsion *or* l'incitation nécessaire à une expansion accrue.

**impinge** /ɪm'pɪndʒ/ **VI** ◆ **to impinge on sb's rights** empiéter sur les droits de qn.

**implement** /'ɪmplɪmənt/ **N** outil m, instrument m ◆ **implements** matériel, équipement ◆ **farm implements** matériel agricole **VT** *contract* exécuter; *decision, strategy* mettre en œuvre, exécuter.

**implementation** /ˌɪmplɪmen'teɪʃən/ **N** mise f en œuvre, exécution f ◆ **strategy implementation** mise en œuvre de la stratégie ◆ **implementation schedule** calendrier d'exécution.

**implicit** /ɪm'plɪsɪt/ **ADJ** implicite ◆ **implicit cost** coût implicite *or* supplétif ◆ **implicit rent** loyer implicite.

**implied** /ɪm'plaɪd/ **ADJ** *conditions, contract, warranty* tacite.

**import** /'ɪmpɔːt/ **N** *(Comm = action)* importation f ◆ **imports** *(= products)* importations, marchandises *or* articles d'importation ◆ **imports from France** importations en provenance de France ◆ **visible / invisible imports** importations visibles / invisibles ◆ **protected imports** importations protégées

———— *compounds/composés* ————
◆ **import (commission) agent** agent en douane
◆ **import ban** embargo à l'importation
◆ **import broker** courtier en commerce d'importation
◆ **import duty** droit d'entrée, taxe à l'importation
◆ **import-export** import-export ◆ **import-export agent / company** agent / entreprise *or* société *or* maison d'import-export
◆ **import-export trade** (commerce *or* négoce) import-export
◆ **import gold point** gold-point d'entrée, point d'entrée de l'or
◆ **import levy** *(EU : on farm products)* taxe à l'importation
◆ **import licence** licence d'importation
◆ **import list** liste des importations *(Customs = rate list)* tarif douanier
◆ **import merchant** négociant importateur
◆ **import permit** licence *or* autorisation d'importation
◆ **import quota** contingent d'importation, quota à l'importation
◆ **import substitution** substitution d'importation
◆ **import surcharge** surtaxe à l'importation
◆ **import surplus** excédent d'importation
◆ **import trade** (commerce d')importation

**ⅵ** importer (*from* de, *into* en) ◆ **propensity to import** (Econ) propension à importer.

**importation** /ˌɪmpɔːˈteɪʃən/ **N** importation f.

**imported** /ɪmˈpɔːtɪd/ **ADJ** importé.

**importer** /ɪmˈpɔːtəʳ/ **N** importateur m.

**importing** /ɪmˈpɔːtɪŋ/ **ADJ** importateur (f -trice) ◆ **steel-importing countries** les pays importateurs d'acier.

**impose** /ɪmˈpəʊz/ **VT** task, condition imposer (*on* à); sanctions infliger (*on* à) ◆ **to impose a fine on sb** infliger une amende à qn, frapper qn d'une amende ◆ **to impose a tax on sth** imposer qch, taxer qch, mettre un impôt or une taxe sur qch.

**imposition** /ˌɪmpəˈzɪʃən/ **N** **a** [tax, condition, sanction] imposition f **b** (= tax) impôt m, taxe f.

**impost** /ˈɪmpəʊst/ **N** (Customs) taxe f douanière, droit m de douane.

**impound** /ɪmˈpaʊnd/ **VT** (gen, Jur) confisquer, saisir; car mettre en fourrière.

**impoverish** /ɪmˈpɒvərɪʃ/ **VT** appauvrir.

**impoverished** /ɪmˈpɒvərɪʃt/ **ADJ** pauvre, appauvri, sans le sou.

**impression** /ɪmˈpreʃən/ **N** (gen = effect) impression f (Brit : publishing) tirage m, édition f ◆ **impressions** (Pub) audience (exposée à un message).

**imprest** /ɪmˈprest/ **N** (Acc) avance f de fonds ◆ **imprest account** compte d'avances ◆ **imprest fund** fonds de caisse, petite caisse ◆ **imprest system** système de gestion de la petite caisse par avance de fonds.

**imprint** /ɪmˈprɪnt/ **ⅵ** imprimer, marquer (*on* sur) **ⁿ** marque f, empreinte f ◆ **publisher's imprint** nom de l'éditeur.

**improper** /ɪmˈprɒpəʳ/ **ADJ** behaviour irrégulier, déplacé ◆ **improper use of funds** utilisation frauduleuse de fonds, détournement de fonds ◆ **improper use of a tool** mauvaise utilisation d'un outil ◆ **improper character** (Comp) caractère invalide.

**improve** /ɪmˈpruːv/ **ⅵ** perfectionner, améliorer **ⁿ** s'améliorer ◆ **business is improving** les affaires reprennent ◆ **prices improved after a slow start** (St Ex) les cours sont remontés or se sont repris après un début de séance peu animé.

**improved** /ɪmˈpruːvd/ **ADJ** version of machine, system perfectionné; version of product amélioré; offer supérieur.

**improvement** /ɪmˈpruːvmənt/ **N** (gen) amélioration f ; [system, machine] perfectionnement m ◆ **there has been no improvement on their previous offer** il n'y a pas de progrès par rapport à leur précédente proposition ◆ **home improvement loan** prêt à l'amélioration de l'habitat.

**improve on** **VT FUS** faire mieux que, apporter des améliorations à ◆ **to improve on sb's offer** enchérir sur qn, faire une offre supérieure à celle de qn ◆ **we cannot improve on this offer** nous ne pouvons pas aller plus loin (que cette offre).

**impugn** /ɪmˈpjuːn/ **VT** (Jur) contract attaquer.

**impulse** /ˈɪmpʌls/ **ⁿ** impulsion f ◆ **to buy sth on impulse** acheter qch par impulsion

—— compounds/composés ——
◆ **impulse buyer** acheteur spontané
◆ **impulse buying** achat spontané or d'impulsion or impulsif
◆ **impulse goods** or **items marchandises** **FPL** qu'on achète par impulsion
◆ **impulse purchase** achat spontané or impulsif or d'impulsion
◆ **impulse traffic** trafic d'impulsion.

**impulsive** /ɪmˈpʌlsɪv/ **ADJ** purchase impulsif, spontané.

**imputed** /ɪmˈpjuːtɪd/ **ADJ** imputé ◆ **imputed cost** coût supplétif, charge supplétive ◆ **imputed earnings** gains or bénéfices théoriques ◆ **imputed interest** intérêts théoriques or implicites ◆ **imputed rent** loyer imputé or implicite ◆ **imputed value** valeur imputée or implicite.

**in** /ɪn/ **PREP** (gen: place) dans ◆ **I'll be in London next week** je serai à Londres la semaine prochaine ◆ **goods in bond** marchandises en entrepôt sous douane ◆ **in July** en juillet ◆ **in the afternoon** l'après-midi ◆ **he said it in public** il l'a dit en public ◆ **he's in computers** il est dans les ordinateurs
**ADV** **is Mr Rafferty in?** M. Rafferty est-il là?

—— compounds/composés ——
◆ **in-bond price** (Customs) prix en entrepôt
◆ **in-company** dans l'entreprise, sur le lieu de travail
◆ **in-fighting** conflits mpl or querelles internes
◆ **in fine** (loan) in fine
◆ **in-service training** formation continue or en cours d'emploi ◆ **to have in-service training in the use of computers** faire un stage d'informatique
◆ **in-the-money** (St Ex) option dans la monnaie, en dedans.

**ADJ** **in door** porte d'entrée ♦ **in-tray** *mail* corbeille *or* casier d'arrivée ♦ **in book** *(Acc)* livre du dedans, registre des chèques à rembourser ♦ **in clearing** *(Bank)* chèques et effets à rembourser *(en provenance de la chambre de compensation)*

**in.** abbr of **inch.**

**inability** /ˌɪnəˈbɪlɪtɪ/ **N** incapacité f (*to do* de faire)

**inaccuracy** /ɪnˈækjʊrəsɪ/ **N** *[calculation, information, statement]* inexactitude f ; *[person]* imprécision f, manque m de précision.

**inaccurate** /ɪnˈækjʊrɪt/ **ADJ** *information, calculation* inexact, erroné, faux ; *person* manquant de précision.

**inactive** /ɪnˈæktɪv/ **ADJ** inactif ; *(St Ex) market* calme, terne, peu animé ♦ **inactive money** argent dormant *or* oisif ♦ **inactive stock** *or* **inventory** *(US)* stock dormant.

**inadequate** /ɪnˈædɪkwɪt/ **ADJ** insuffisant.

**inadmissible** /ˌɪnədˈmɪsəbl/ **ADJ** *attitude, behaviour* inadmissible ; *offer, suggestion* inacceptable ; *(Jur) evidence* irrecevable, non recevable.

**inadvisable** /ˌɪnədˈvaɪzəbl/ **ADJ** *action, scheme* inopportun, déconseillé ♦ **it is inadvisable to delay payment** il est déconseillé de retarder *or* différer le paiement.

**inapplicable** /ɪnˈæplɪkəbl/ **ADJ** inapplicable.

**inaugurate** /ɪˈnɔːgjʊreɪt/ **VT** *method, system* inaugurer ; *president* investir, installer dans ses fonctions.

**inauguration** /ɪˌnɔːgjʊˈreɪʃən/ **N** *[method]* inauguration f ; *[person]* investiture f, installation f.

**inbound** /ˈɪnbaʊnd/ **ADJ** ♦ **inbound flight / voyage** vol / voyage retour *or* à l'arrivée ♦ **inbound passengers** les passagers au retour *or* à l'arrivée.

**Inc.** abbr of **incorporated** ♦ **Thomas and Baxter Inc.** Thomas et Baxter SARL.

**inc.** **a** abbr of **increase** **b** abbr of **incorporated.**

**incapacitate** /ˌɪnkəˈpæsɪteɪt/ **VT** *(gen)* rendre incapable ; *(Jur)* frapper d'incapacité ♦ **to incapacitate sb for work** mettre qn dans l'incapacité de travailler.

**incapacitation** /ˌɪnkəpæsɪˈteɪʃən/ **N** incapacité f ♦ **incapacitation for work** incapacité au travail.

**incapacity** /ˌɪnkəˈpæsɪtɪ/ **N** incapacité f (*to do* à faire) incompétence f (*to do* pour faire) ♦ **legal incapacity** incapacité légale.

**incentive** /ɪnˈsentɪv/ **N** *(gen* = encouragement) encouragement m, stimulant m, mesure f incitative, motivation f ; (= extra pay) prime f ; *(Econ)* incitation f ♦ **there is no incentive in my job** mon travail ne me motive pas *or* ne me stimule pas ♦ **the budget gives more incentive for firms to take on extra workers** le budget incite les entreprises à embaucher de la main-d'œuvre supplémentaire ♦ **fiscal** *or* **tax incentives** incitations fiscales ♦ **export incentives** *(for individuals)* primes à l'exportation; (= government measures) incitations à l'exportation, mesures incitatives à l'exportation ♦ **investment incentives** incitations à l'investissement, subventions d'investissement ♦ **negative incentives** mesures de dissuasion ♦ **production incentive** prime de rendement ♦ **sales incentive** *(for salesman)* incitation à la vente, prime d'encouragement; *(for buyers)* conditions incitatives d'achat, offre promotionnelle ♦ **wage incentive** stimulant salarial

―――― compounds/composés ――――
- **incentive bonus** *(Ind)* *(gen)* prime; *(for manual workers)* prime de rendement
- **incentive discount** *(Comm)* *(granted by supplier to customer)* remise promotionnelle
- **incentive fare** tarif promotionnel
- **incentive marketing** techniques fpl de stimulation des vendeurs
- **incentive measures** mesures fpl incitatives
- **incentive pay** *(Ind)* salaire au rendement, salaire à prime; (= bonus) prime de rendement
- **incentive scheme** *or* **plan** système de primes au rendement *(intéressement, commission, primes)*
- **incentive wage** salaire à prime.

**inch** /ɪntʃ/ **N** pouce m (≈ 2,54 cm)
**VI** **the government inched cautiously towards reform** le gouvernement s'est avancé très prudemment sur la voie des réformes.

**inchoate** /ˈɪnkəʊeɪt/ **ADJ** ♦ **inchoate instrument** *(Fin)* instrument incomplet.

**inch up** **VI** *[prices, costs]* augmenter petit à petit.

**incidence** /ˈɪnsɪdəns/ **N** **a** (= frequency) *[crime, disease, bankruptcies]* fréquence f ♦ **the high / low incidence of sth** le taux élevé / faible de qch **b** (= effect) incidence f (*on* sur)

**incident** /ˈɪnsɪdənt/ **ADJ** ♦ **incident to** lié à, qui tient à, attaché à ♦ **the drawbacks incident to unemployment** les inconvénients liés au chômage *or* qui tiennent au chômage.

**incidental** /ˌɪnsɪˈdentl/ **ADJ** accessoire ♦ **incidental expenses** faux frais, frais accessoires ♦ **the risks incidental to a change of policy** les

risques que comporte un changement de politique *or* qui accompagnent un changement de
politique
**incidentals** ⓃⓅⓁ faux frais mpl, frais mpl accessoires.

**incipient** /ɪnˈsɪpɪənt/ **ADJ** naissant, débutant ◆ **incipient inflation** début d'inflation ◆ **incipient
recovery** ébauche de reprise.

**incl.** **ADJ** abbr of **included** abbr of **including** (abbr of
**inclusive**) incl.

**inclose** /ɪnˈkləʊz/ **VT** → **enclose**.

**inclosure** /ɪnˈkləʊʒəʳ/ **N** → **enclosure**.

**include** /ɪnˈkluːd/ **VT** comprendre, compter, inclure, comporter ◆ **the price does not include
packing charges** le prix ne comprend pas les
frais d'emballage ◆ **service is not included** le
service n'est pas compris.

**including** /ɪnˈkluːdɪŋ/ **PREP** y compris ◆ **the bill is
for $60, including labour** la facture est de 60
dollars, main-d'œuvre comprise *or* y compris
la main-d'œuvre ◆ **including the service
charge** service compris ◆ **not including tax**
taxe non comprise ◆ **up to and including next
Saturday** jusqu'à samedi prochain inclus ◆ **up
to and including page 10** jusqu'à la page 10
incluse *or* comprise.

**inclusive** /ɪnˈkluːsɪv/ **ADJ** inclus, compris ◆ **from
10th to 24th March inclusive** du 10 au 24
mars inclus(ivement) ◆ **inclusive of tax, tax-
inclusive** toutes taxes comprises, taxe comprise ◆ **our prices are inclusive of handling
charges** nos prix comprennent les frais de port
*or* s'entendent frais de port compris ◆ **inclusive**

**charge** tarif forfaitaire *or* tout compris ◆ **inclusive price** *or* **terms** prix nets *or* tout compris
◆ **inclusive sum** somme globale.

**income** /ˈɪnkʌm/ **N** ⒜ *[person, nation]* revenu m
◆ **my total** *or* **gross income is £30,000 per
annum** mon revenu annuel brut est de 30 000
livres ◆ **to live beyond / within one's income**
vivre au-dessus / dans la limite de ses moyens
◆ **to return one's income** *(US)* faire sa déclaration de revenus ◆ **you must declare all income**
vous devez déclarer tous vos revenus ◆ **accrued
income** revenu accumulé *or* à percevoir ◆ **additional income** revenu additionnel ◆ **annual
income** revenu(s) annuel(s) ◆ **discretionary income** revenu discrétionnaire ◆ **disposable** *or*
**spendable income** revenu(s) disponible(s)
◆ **earned income** revenus salariaux ◆ **fixed income** revenu fixe ◆ **gross income** revenu brut
◆ **life income** rente viagère, revenu viager
◆ **money income** revenu nominal ◆ **net income**
*[individual]* revenu net ◆ **notional income** revenu fictif ◆ **per capita income** revenu par
habitant *or* par tête ◆ **personal income** revenus
des particuliers *or* des personnes physiques
◆ **personal income tax** impôt sur le revenu des
personnes physiques ◆ **private income** revenus
personnels ◆ **real income** revenu réel ◆ **regular
income** revenu(s) régulier(s) ◆ **taxable / tax-
free income** revenu imposable / non imposable
◆ **transfer income** revenu de transfert ◆ **transitory income** revenu transitoire ◆ **unearned income** *(on tax return)* revenus du capital, revenus non salariaux; *(on balance sheet)* produit
comptabilisé d'avance ⒝ *[company]* (= *profit,
earnings*) bénéfice m, résultat m bénéficiaire
◆ **net income** bénéfice net ◆ **pre-tax income**
bénéfice avant impôts ◆ **operating income,**

─────── *compounds/composés* ───────

**INCOME**

◆ **income account** compte de produits
◆ **income and expenditure account** compte de
produits et charges
◆ **income bond** *(Brit St Ex)* bon du Trésor *(dont les
intérêts sont payés mensuellement)*
◆ **income bracket** tranche de revenu
◆ **income debenture** *(St Ex)* obligation de rendement
◆ **income distribution** répartition *or* distribution
des revenus
◆ **income effect** effet de revenu
◆ **income group** tranche de revenu
◆ **income in kind** avantages mpl en nature
◆ **income maintenance** maintien *or* préservation
du revenu
◆ **income policy** politique des revenus

◆ **income recognition** constatation *or* comptabilisation des bénéfices
◆ **income reporting** publication des résultats
◆ **income statement** *(US Fin* = *profit and loss account)* compte de résultat; *(EU)* compte de pertes et
profits
◆ **income stock(s)** *(St Ex)* valeurs fpl de placement
◆ **income summary account** bénéfice à répartir
◆ **income support** ≈ revenu minimum d'insertion
◆ **income tax** impôt sur le revenu ◆ **income tax allocation** répartition *or* ventilation des impôts ◆ **income tax bracket** tranche d'imposition ◆ **income
tax expense** charge fiscale ◆ **income tax return** déclaration d'impôts *or* des revenus, feuille d'impôts
◆ **income tax schedules** *(Brit)* barèmes d'imposition
◆ **corporate** *or* **corporation income tax** impôt
sur les sociétés.

**income from operations** bénéfices d'exploitation ◆ **trading income** revenus commerciaux `c` (= *revenue*) (*from sale, from operations*) revenu(s) m(pl), produit(s) m(pl) ; (*from investment*) revenu(s) m(pl), produits mpl (financiers) ◆ **loan income** revenus des prêts ◆ **income from disposal of equipment** produits des ventes de matériel ◆ **income from sale of assets** produits des cessions d'éléments d'actifs ◆ **deferred income** produit(s) constaté(s) d'avance ◆ **dividend income** revenu(s) des dividendes ◆ **interest income** [*private person*] revenus des placements; (*Tax*) produits des placements à revenu fixe; (*Acc*) produits financiers ◆ **investment income** [*person*] revenu(s) m(pl) des placements *or* des investissements; (*Tax*) revenus mpl des valeurs mobilières; (*Acc*) [*company*] (*gen*) produits mpl financiers; (*from investment in stock*) produits mpl de participations, revenus mpl des titres de participation ◆ **rental income** revenu(s) des loyers (*Acc : on income statement*) revenus des immeubles

**incoming** /'ɪn,kʌmɪŋ/ **ADJ** *plane* qui arrive; *tenant* nouveau; *chairman* nouveau, entrant; *telephone call* de l'extérieur ◆ **incoming goods** marchandises à la réception *or* à l'arrivée ◆ **incoming invoice** facture d'achat, facture reçue ◆ **incoming mail** courrier à l'arrivée ◆ **incoming orders** commandes reçues.

**incomings** /'ɪnkʌmɪŋz/ **NPL** (*Acc*) recettes fpl, rentrées fpl.

**incompetence** /ɪn'kɒmpɪtəns],/ **incompetency** /ɪn'kɒmpɪtənsɪ/ **N** (*gen, Jur*) incompétence f.

**incompetent** /ɪn'kɒmpɪtənt/ **ADJ** (*gen, Jur*) incompétent.

**inconvenience** /ˌɪnkən'viːnɪəns/ **N** (= *drawback*) inconvénient m, désagrément m ; (= *bother*) dérangement m ◆ **please excuse any inconvenience we may have caused you** veuillez excuser le dérangement *or* la gêne que nous avons pu vous causer, veuillez nous excuser de ce contretemps ◆ **we have been put to considerable inconvenience through your delays** vos retards nous ont posé beaucoup de problèmes *or* nous ont beaucoup gênés ◆ **vt** (*gen*) déranger, incommoder.

**inconvenient** /ˌɪnkən'viːnɪənt/ **ADJ** *time, place* inopportun, mal choisi; *office, equipment, system* incommode, peu pratique; *visitor* gênant, importun ◆ **if it is not inconvenient for** *or* **to you** si cela ne vous dérange pas.

**inconvertibility** /'ɪnkən,vɜːtɪ'bɪlɪtɪ/ **N** non-convertibilité f.

**inconvertible** /ˌɪnkən'vɜːtəbl/ **ADJ** *assets, currency* inconvertible.

**incorporate** /ɪn'kɔːpəreɪt/ **vt** incorporer (*into* dans) ◆ **to incorporate a company** (*Jur : form and register*) constituer une société ◆ **to incorporate two companies** (= *merge*) fusionner deux sociétés
**vi** `a` (= *merge*) ◆ **to incorporate with another company** fusionner avec une autre société ◆ **the two firms incorporated** les deux entreprises se sont constituées en une seule société *or* ont fusionné `b` (= *form and register*) [*company*] se constituer en société commerciale.

**incorporated** /ɪn'kɔːpəreɪtɪd/ **ADJ** `a` (*gen* = *included, contained*) incorporé `b` (*Comm, Jur, St Ex*) ◆ **incorporated company** société constituée *or* enregistrée ◆ **to become incorporated** acquérir la personnalité morale *or* civile, se constituer en société ◆ **Smith Incorporated** (*US*) Smith société à responsabilité limitée.

**incorporation** /ɪn,kɔːpə'reɪʃən/ **N** `a` (*gen*) incorporation f (*into* dans, à) ◆ **incorporation of reserves** (*Fin*) incorporation des réserves `b` (*Jur*) constitution f en société ◆ **Certificate of Incorporation** (*Brit : issued by the Registrar of Companies*) contrat de société ◆ **the company's Articles of Incorporation** (*US*) les statuts de la société ◆ **Incorporation Charter** (*US*) acte constitutif, contrat de société ◆ **to apply for a certificate** (*Brit*) *or* **charter** (*US*) **of incorporation** demander la personnalité civile, demander à être constitué en société.

**incorporeal** /ˌɪnkɔː'pɔːrɪəl/ **ADJ** *assets, property* incorporel.

**incorrect** /ˌɪnkə'rekt/ **ADJ** incorrect, inexact, erroné ◆ **incorrect invoice** facture inexacte *or* erronée.

**incoterms** /'ɪnkəʊtɜːmz/ **NPL** incoterms mpl.

**increase** /ɪn'kriːs/ **vi** [*taxes, prices, inflation*] augmenter; [*demand, supply*] augmenter, croître, s'accroître; [*assets*] s'accroître; [*trade*] se développer, augmenter; [*company*] s'agrandir, se développer ◆ **our turnover is increasing** notre chiffre d'affaires augmente *or* progresse *or* est en progression ◆ **interest rates have increased to 12%** les taux d'intérêt sont montés jusqu'à 12% ◆ **business is increasing in this sector** les affaires se développent *or* sont en progression dans ce secteur ◆ **wages have increased by 5%** les salaires ont augmenté de 5% ◆ **costs have increased threefold** les coûts ont triplé
**vt** *charges, prices, taxes* augmenter, majorer, relever; *output, volume* augmenter, accroître; *business, activity* développer ◆ **to increase prices**

by 10% augmenter *or* relever *or* majorer les prix de 10% ♦ **to increase the price to £15** porter le prix à 15 livres

**N** *(gen)* augmentation f ; *[price, taxes]* augmentation f, relèvement m, majoration f, hausse f ; *[demand, supply]* croissance f, accroissement m ; *[business]* développement m, croissance f ; *[unemployment, absenteeism, delinquency]* accroissement m, progression f *(in, of* de) ♦ **pay increase** augmentation de salaire ♦ **increase in value** *(gen)* augmentation de valeur; *(Fin)* plus-value ♦ **rate of increase** taux d'accroissement ♦ **increase in purchasing power** augmentation *or* progression du pouvoir d'achat.

**increasing** /ɪnˈkriːsɪŋ/ **ADJ** croissant ♦ **law of increasing costs** loi des rendements décroissants ♦ **law of increasing returns** loi des rendements croissants.

**increment** /ˈɪnkrɪmənt/ **N** *(gen = increase on scale, index)* accroissement m, augmentation f, progression f ; *[salary]* augmentation f *(Math, Comp)* incrément m, pas m ♦ **unearned increment** *(on property, land)* plus-value ♦ **the annual increment to the labour force** l'apport annuel de main-d'œuvre.

**incremental** /ˌɪnkrɪˈmentl/ **ADJ** ♦ **incremental analysis** analyse marginale ♦ **incremental cost** coût marginal *or* différentiel ♦ **incremental plotter** traceur incrémentiel ♦ **incremental value** *(on index, scale)* valeur indiciaire, valeur de l'augmentation.

**incrementation** /ˌɪnkrɪmənˈteɪʃən/ **N** augmentation f.

**incubator** /ˈɪnkjʊbeɪtər/ **N** incubateur m ♦ **start-up incubator** incubateur d'entreprises.

**incumbent** /ɪnˈkʌmbənt/ **N** *(Admin, Pol)* titulaire mf.

**incur** /ɪnˈkɜːr/ **VT** *risk* courir; *debts* contracter; *loss* subir, éprouver; *expenses* encourir, engager; *blame* s'attirer, encourir; *responsibility* assumer ♦ **incur no expenses, incur no charges** sans frais ♦ **incurred expenses** dépenses encourues *or* engagées, frais encourus *or* engagés.

**indebted** /ɪnˈdetɪd/ **ADJ** *(= owing money)* endetté ♦ **to be heavily indebted** être très endetté, avoir de grosses dettes ♦ **we are indebted to the bank for $15,000** nous avons un endettement de 15 000 dollars envers la banque.

**indebtedness** /ɪnˈdetɪdnɪs/ **N** endettement m ♦ **the amount of our indebtedness to the bank is $15,000** le montant de notre dette *or* de notre endettement envers la banque s'élève à 15 000 dollars ♦ **the Bankers' Clearing House**

helps bankers to settle their mutual indebtedness la Chambre de compensation permet aux banquiers de régler leurs dettes et créances réciproques ♦ **consumer indebtedness** endettement des consommateurs ♦ **proof of indebtedness** titre de créance.

**indefinite** /ɪnˈdefɪnɪt/ **ADJ** *number, period* indéterminé ♦ **indefinite leave of absence** congé à durée indéterminée.

**indemnification** /ɪnˌdemnɪfɪˈkeɪʃən/ **N** *(= compensation)* indemnisation f *(for, against* de); *(= sum paid)* indemnité f, dédommagement m ♦ **by way of indemnification** à titre d'indemnité.

**indemnificatory** **ADJ** indemnitaire.

**indemnify** /ɪnˈdemnɪfaɪ/ **VT** **a** *(= compensate)* indemniser, dédommager, rembourser *(sb for sth* qn de qch) **b** *(= safeguard)* garantir, assurer *(sb against or for sth* qn contre qch)

**indemnity** /ɪnˈdemnɪtɪ/ **N** **a** *(= compensation)* indemnité f, dédommagement m, compensation f ; *(Ins)* indemnité f de sinistre ♦ **to award an indemnity** allouer une indemnité ♦ **to be paid an indemnity** être indemnisé ♦ **cash indemnity** indemnité de caisse **b** *(= safeguard)* garantie f, assurance f ♦ **letter of indemnity, indemnity bond** *(Bank)* caution, cautionnement, (lettre de) garantie.

**indent** /ˈɪndent/ **N** **a** *(Brit = export order)* (bon m de) commande f ♦ **closed** *or* **specific indent** commande fermée ♦ **open indent** commande ouverte ♦ **indent house** *(US)* maison *or* société d'exportation, exportateur **b** *(= purchase order)* ordre m d'achat **c** → **indenture**

**N** to indent on sb for sth *(Brit)* passer commande de qch à qn, commander qch à qn

**VT** *foreign goods* commander; *(Typ)* mettre en retrait.

**indenter** /ɪnˈdentər/ **N** *(Comm)* client m qui passe une commande.

**indenture** /ɪnˈdentʃər/ **N** **a** *(Jur : also* **indenture deed***)* contrat m ♦ **to be bound by an indenture** être lié par un contrat *or* un engagement ♦ **bond indenture** *(St Ex)* contrat bilatéral d'émission **b** *(Jur)* *[apprentice]* contrat m d'apprentissage

**VT** *(Jur)* lier par contrat; *apprentice* mettre en apprentissage *(to* chez)

**independent** /ˌɪndɪˈpendənt/ **ADJ** indépendant ♦ **man of independent means** rentier ♦ **independent broker** courtier indépendant ♦ **independent importer** négociant importateur ♦ **independent retailer** détaillant indépendant ♦ **independent station** station *or* chaîne indépendante *(non affiliée à l'un des grands ré-*

*seaux)* ✦ **Independent Broadcasting Authority** *(Brit) organisme de contrôle des chaînes de télévision privée.*

**index** /'ɪndeks/ pl, indices *or* indexes **N** **a** *(= list)* index m ; *(in library)* catalogue m ; *(in files)* répertoire m ✦ **card index** fichier **b** *(= number)* indice m ✦ **bond index** *(St Ex)* indice des obligations ✦ **commodities index** indice des produits de base et des matières premières ✦ **cost of living index** indice du coût de la vie ✦ **Dow Jones Index** *(US)* indice (des valeurs industrielles) Dow Jones ✦ **Financial Times Industrial Ordinary Share Index** *(Brit) indice des valeurs industrielles publié par le Financial Times* ✦ **growth index** indice de croissance ✦ **price index** indice des prix ✦ **retail price index** *(Brit),* **Consumer Price Index** *(US)* indice des prix de détail, indice des prix à la consommation ✦ **share index** indice des valeurs boursières *or* mobilières ✦ **quantity** *or* **volume index** indice de volume ✦ **renewal index** indice d'échéance ✦ **seasonal index** coefficient saisonnier ✦ **value index** indice de (la) valeur ✦ **weighted index** indice pondéré ✦ **wholesale price index** indice des prix de gros **c** *(= sign)* indice m, signe m (révélateur), indication f ✦ **chain indices** *(Stat)* indices (en) chaîne **d** *(= pointer)* aiguille f, index m

————— *compounds/composés* —————

- ✦ **index arbitrage** *(St Ex)* arbitrage sur indice
- ✦ **index board** *(US)* tableau indicateur
- ✦ **index book** répertoire
- ✦ **index card** fiche
- ✦ **index clause** clause index
- ✦ **index correction** *(Stat)* correction du zéro
- ✦ **index figure** indice
- ✦ **index file** fichier
- ✦ **index fund** fonds de placement basé sur l'indice des valeurs mobilières, fonds indiciel
- ✦ **Index of Industrial Production** *(Brit)* indice de la production industrielle
- ✦ **index of lagging indicators** indice des indicateurs retardés d'activité
- ✦ **index of leading indicators** indice des indicateurs précurseurs *or* avancés d'activité, indice des indicateurs de tendance
- ✦ **index linkage** *or* **linking** *(Econ)* indexation
- ✦ **index-linked** *assurance, allowance* indexé
- ✦ **index number** (nombre ) indice
- ✦ **index options** *(St Ex)* options fpl sur indice
- ✦ **index point** point d'indice ✦ **the shares have gained a half index point** les actions ont progressé d'un demi-point d'indice
- ✦ **index warrant** warrant sur indice

**VT** *wages, prices, reference* indexer; *word* faire figurer dans l'index ✦ **indexed bond** obligation indexée.

**indexation** /ˌɪndek'seɪʃən/ **N** indexation f.

**indexing** /'ɪndeksɪŋ/ **N** indexation f ; *(St Ex) gestion de portefeuille à partir de l'indice des valeurs mobilières.*

**India** /'ɪndɪə/ **N** Inde f.

**Indian** /'ɪndɪən/ **ADJ** indien **N** *(= inhabitant)* Indien(ne) m(f).

**indicator** /'ɪndɪkeɪtər/ **N** **a** *(gen, Econ)* indicateur m ✦ **the indicators are flashing warning signals** les clignotants sont au rouge ✦ **key indicators** tableau de bord ✦ **lagging indicators** *(US)* indicateurs retardés d'activité ✦ **leading indicator** indicateur de tendance **b** *(= index)* indice m ✦ **retail price indicator** indice des prix de détail ✦ **all-items indicator** *(St Ex)* indice général des cours.

**indices** /'ɪndɪsiːz/ **NPL** → index.

**indict** /ɪn'daɪt/ **VT** mettre en examen *or* en accusation.

**indictable** /ɪn'daɪtəbl/ **ADJ** passible de poursuites.

**indictment** /ɪn'daɪtmənt/ **N** mise f en examen *or* en accusation.

**indifference** /ɪn'dɪfrəns/ **N** indifférence f ✦ **indifference analysis** *(Econ)* analyse par courbe d'indifférence ✦ **indifference curve** *(Econ)* courbe d'indifférence.

**indigenous** /ɪn'dɪdʒɪnəs/ **ADJ** *customs, language* indigène, autochtone ✦ **indigenous production** *region* production locale; *country* production nationale *or* intérieure.

**indirect** /ˌɪndɪ'rekt/ **ADJ** *tax, production* indirect ✦ **indirect arbitrage** *(St Ex)* arbitrage indirect ✦ **indirect charges** *or* **costs** frais indirects, charges indirectes ✦ **indirect damages** dommages indirects ✦ **indirect exchange** *(Ins)* échange indirect ✦ **indirect labour** coût fixe de main-d'œuvre, charges indirectes de main-d'œuvre, main-d'œuvre indirecte ✦ **indirect manufacturing costs** frais généraux de production ✦ **indirect materials** *(Ind, Acc)* matières indirectes *or* consommables ✦ **indirect parity** parités croisées ✦ **indirect selling** vente indirecte ✦ **indirect taxation** fiscalité indirecte.

**individual** /ˌɪndɪ'vɪdjʊəl/ **N** individu m ✦ **a private individual** un simple particulier **ADJ** individuel, particulier ✦ **individual income tax** impôt sur le revenu des personnes physiques ✦ **individual consumer** consommateur individuel ✦ **individual firm** entreprise individuelle ✦ **individual proprietorship** *(Jur)* société unipersonnelle ✦ **individual shareholder** actionnaire individuel ♦ **each individual product** chaque produit (considéré individuellement).

**Indonesia** /ˌɪndəʊˈniːzɪə/ N Indonésie f.

**Indonesian** /ˌɪndəʊˈniːzɪən/ ADJ indonésien N (= inhabitant) Indonésien(ne) m(f).

**indorse** /ɪnˈdɔːs/ VT → **endorse**.

**indorsement** /ɪnˈdɔːsmənt/ N → **endorsement**.

**indorser** /ɪnˈdɔːsər/ N → **endorser**.

**induce** /ɪnˈdjuːs/ VT (= bring about) produire, provoquer, amener; (= persuade) persuader (sb to do qn de faire) inciter (sb to do qn à faire) ♦ **good advertising induces people to buy** la bonne publicité incite les gens à acheter.

**induced** /ɪnˈdjuːsd/ ADJ consumption, demand, investment induit.

**inducement** /ɪnˈdjuːsmənt/ N a (= incentive) encouragement m, incitation f (to do à faire); (pej = bribe) pot-de-vin m ♦ **fiscal / monetary inducement** incitation fiscale / monétaire ♦ **financial inducements** encouragements financiers ♦ **as an added inducement we can offer...** comme avantage supplémentaire nous pouvons vous offrir... b (Jur) [contract] origine f, cause f première.

**induction** /ɪnˈdʌkʃən/ N [new staff members] insertion f, intégration f; [president] installation f ♦ **induction course** or **training** stage préparatoire d'intégration, stage d'accueil et d'orientation.

**indulge** /ɪnˈdʌldʒ/ VT (Comm, Fin) accorder des délais de paiement à.

**indulgence** /ɪnˈdʌldʒəns/ N (Comm, Fin) délai m de paiement.

**industrial** /ɪnˈdʌstrɪəl/ ADJ a sector, region, complex industriel ♦ **the Industrial Revolution** la révolution industrielle ♦ **industrial bond** bon industriel ♦ **industrial buying** achat de biens industriels ♦ **industrial country** pays industrialisé ♦ **industrial designer** dessinateur industriel ♦ **industrial drawing** dessin industriel ♦ **industrial espionage** or **spying** espionnage industriel ♦ **industrial estate** (Brit) or **park** (US) zone industrielle ♦ **industrial exhibition** foire industrielle, Salon de l'industrie ♦ **industrial goods** biens industriels ♦ **industrial hereditaments** (Jur) installations industrielles ♦ **industrial marketing** marketing industriel ♦ **industrial property** propriété industrielle ♦ **industrial selling** vente de produits industriels ♦ **industrial shares** (valeurs) industrielles ♦ **industrial worker** travailleur de l'industrie b (concerning conditions of work) ♦ **industrial accident** or **in-**

jury accident du travail ♦ **industrial action** action revendicative, grève ♦ **to take industrial action** faire grève, se mettre en grève ♦ **industrial disablement** invalidité ♦ **industrial disease** maladie professionnelle ♦ **industrial dispute** conflit social, conflit du travail ♦ **industrial health** or **hygiene** hygiène du travail ♦ **industrial medicine** médecine du travail ♦ **industrial problems** problèmes sociaux ♦ **industrial relations** relations sociales, relations patronat-syndicats ♦ **industrial safety** prévention des accidents du travail ♦ **industrial training** formation professionnelle ♦ **industrial court** or **tribunal** conseil de prud'hommes ♦ **industrial unrest** troubles sociaux, malaise social

**industrials** NPL (St Ex) industrielles fpl, valeurs fpl industrielles.

**industrialism** /ɪnˈdʌstrɪəlɪzəm/ N industrialisme m.

**industrialist** /ɪnˈdʌstrɪəlɪst/ N industriel m.

**industrialization, industrialisation** /ɪnˌdʌstrɪəlaɪˈzeɪʃən/ N industrialisation f.

**industrialize, industrialise** /ɪnˈdʌstrɪəlaɪz/ VT industrialiser.

**industry** /ˈɪndəstrɪ/ N (gen) industrie f; (= industrial segment) branche f d'activité, secteur m (d'activité) ♦ **the aircraft industry** l'industrie aéronautique, l'aéronautique ♦ **the car** (Brit) or **automobile** (US) **industry** l'industrie automobile, l'automobile ♦ **the food-processing industry** l'agro-alimentaire ♦ **the insurance industry** les assurances, le secteur des assurances ♦ **the steel industry** l'industrie sidérurgique, la sidérurgie ♦ **the textile industry** l'industrie textile, le textile ♦ **light / heavy industry** industrie légère / lourde ♦ **capital-intensive industry** industrie capitalistique, industrie à forte intensité de capitaux ♦ **cottage** or **home industry** industrie artisanale ♦ **extractive industry** industrie minière or extractive ♦ **labour-intensive industry** industrie travaillistique, industrie à fort coefficient de main-d'œuvre ♦ **manufacturing industry** industrie manufacturière or de transformation ♦ **primary / secondary / tertiary industry** (= sector) secteur primaire / secondaire / tertiaire ♦ **process(ing) industry** industrie de transformation ♦ **service industry** (= sector) (secteur) tertiaire; (= individual industry) industrie de service.

**ineffective** /ˌɪnɪˈfektɪv/ ADJ action, measure inefficace, sans effet; person incapable, incompétent ♦ **ineffective time** (Comp) temps d'inutilisation.

**inefficiency** /ˌɪnɪˈfɪʃənsɪ/ N *[person]* incompétence f, incapacité f, manque m d'efficacité; *[action, measure, machine]* inefficacité f.

**inelastic** /ˌɪnɪˈlæstɪk/ ADJ *demand, supply* inélastique.

**inelasticity** /ˌɪnɪlæsˈtɪsɪtɪ/ N *[demand, supply]* inélasticité f.

**ineligible** /ɪnˈelɪdʒəbl/ ADJ **a** *candidate* inéligible **b** ineligible for qui ne remplit pas les conditions requises pour ◆ **ineligible for social security benefits** n'ayant pas droit aux prestations de la Sécurité sociale ◆ **he is ineligible to vote** il n'a pas le droit de voter **c** *(Fin) bill, paper* non bancable.

**inertia** /ɪˈnɜːʃə/ N inertie f ◆ **inertia selling** vente forcée par correspondance.

**inexpensive** /ˌɪnɪksˈpensɪv/ ADJ bon marché, peu coûteux, pas cher.

**inexpensively** /ˌɪnɪksˈpensɪvlɪ/ ADV *buy* à bon marché; *equip* à peu de frais, à bon compte; *live* à peu de frais.

**inexperience** /ˌɪnɪksˈpɪərɪəns/ N inexpérience f, manque m d'expérience.

**inexperienced** /ˌɪnɪksˈpɪərɪənst/ ADJ inexpérimenté.

**infancy** /ˈɪnfənsɪ/ N ◆ **this industry is still in its infancy** cette industrie est encore dans l'enfance.

**infant** /ˈɪnfənt/ N (jeune) enfant mf, mineur(e) m(f) ◆ **infant industry** industrie naissante ◆ **infant mortality** mortalité infantile.

**infected** /ɪnˈfektɪd/ ADJ contaminé, infecté ◆ **infected ship** navire en quarantaine ◆ **infected with fraud** *(Jur)* entaché de fraude.

**inferior** /ɪnˈfɪərɪəʳ/ ADJ *position* inférieur (*to* à); *goods, products* de qualité inférieure.

**infirm** /ɪnˈfɜːm/ VT *(Jur)* invalider, infirmer.

**inflammable** /ɪnˈflæməbl/ ADJ inflammable **inflammables** NPL produits mpl inflammables.

**inflate** /ɪnˈfleɪt/ VT *tyre, bill* gonfler; *prices* faire monter; *economy* relancer ◆ **to inflate the currency** recourir or avoir recours à l'inflation.

**inflated** /ɪnˈfleɪtɪd/ ADJ *prices* gonflé ◆ **the country is suffering from an inflated currency** le pays souffre d'une inflation monétaire.

**inflation** /ɪnˈfleɪʃən/ N *(gen, Econ)* inflation f; *[prices]* hausse f, inflation f ◆ **cost inflation, cost-push inflation, cost-induced inflation** inflation par les coûts ◆ **creeping** or **crawling inflation** inflation rampante ◆ **demand inflation, demand-pull inflation** inflation par la demande ◆ **galloping** or **runaway inflation** inflation galopante ◆ **hyper-inflation** hyper-inflation ◆ **imported inflation** inflation importée ◆ **monetary inflation** inflation monétaire ◆ **price inflation** inflation par les prix ◆ **rampant inflation** inflation généralisée ◆ **repressed** or **suppressed** or **pent-up inflation** inflation contenue ◆ **spiralling inflation** inflation galopante ◆ **wage inflation** inflation des salaires

───── *compounds/composés* ─────
◆ **inflation accounting** comptabilité d'inflation
◆ **inflation differential** différentiel or écart d'inflation.

**inflationary** /ɪnˈfleɪʃnərɪ/ ADJ inflationniste ◆ **inflationary gap** écart d'inflation ◆ **inflationary spiral** spirale inflationniste ◆ **inflationary tendency** tendance inflationniste or à l'inflation.

**inflationism** /ɪnˈfleɪʃənɪzəm/ N inflationnisme m, inflation f fiduciaire.

**inflationist** /ɪnˈfleɪʃənɪst/ N partisan m de l'inflation.

**inflow** /ˈɪnfləʊ/ N *[goods]* afflux m ◆ **inflow of money** *(into country)* entrée(s) de devises; *(into company)* rentrée(s) d'argent.

**influence** /ˈɪnfluəns/ N influence f
VT *person, decision, strategy* influencer; *prices, costs, stock market* influer sur, exercer une influence sur.

**influencer** /ˈɪnfluənsəʳ/ N *(Mktg)* prescripteur m.

**influential** /ˌɪnfluˈenʃəl/ ADJ ◆ **to be influential** avoir de l'influence.

**influx** /ˈɪnflʌks/ N *[people, imported goods]* afflux m, flot m, arrivée f massive; *[complaints]* avalanche f; *[capital]* afflux m.

**info** /ˈɪnfəʊ/ N abbr of **information** ◆ **for info** pour information ◆ **info centre** *(Comp)* infocentre.

**inform** /ɪnˈfɔːm/ VT *(= let know)* informer, avertir, aviser (*of* de); *(= give information)* renseigner (*about* sur) ◆ **to inform sb of sth** informer qn de qch, faire savoir qch à qn ◆ **to keep sb informed** tenir qn au courant ◆ **we are pleased / we regret to inform you that...** nous avons le plaisir / le regret de vous informer or de vous faire savoir que...

**informal** /ɪnˈfɔːməl/ ADJ *person, manners* simple; *meeting, visit* sans cérémonie, informel; *agreement, announcement* officieux ◆ **informal interview** entretien non directif.

**informality** /ˌɪnfɔːˈmælɪtɪ/ N [person, manner] simplicité f ; [meeting, visit] absence f de cérémonie; [agreement, announcement] caractère m officieux.

**informant** /ɪnˈfɔːmənt/ N (gen) informateur (-trice) m(f) ; (Mktg) personne f interrogée.

**informatics** /ɪnfɔːˈmætɪks/ N informatique f.

**information** /ˌɪnfəˈmeɪʃən/ N renseignements mpl, informations fpl ✦ **a piece of information** un renseignement, une information ✦ **we need more information** il nous faut plus d'informations ✦ **to give sb information about** or **on** renseigner qn sur ✦ **for further information please write to our sales manager** pour de plus amples renseignements or pour tous renseignements complémentaires écrivez à notre directeur des ventes ✦ **to Mr Jenkins for information** à M. Jenkins pour information ✦ **for information only** à titre indicatif ✦ **I am enclosing our catalogue for your information** à titre d'information je joins notre catalogue ✦ **to gather information** (gen) réunir les informations or les données; (Comp) collecter les données ✦ **management information system** informatique de gestion ✦ **source of information** source d'information ✦ **inside information** informations privilégiées ✦ **upward / downward / sideways information** information ascendante / descendante / latérale

**informational** /ɪnfɔːˈmeɪʃənəl/ ADJ informationnel ✦ **informational asymmetry** (Acc) asymétrie informationnelle.

**informative** /ɪnˈfɔːmətɪv/ ADJ letter, meeting instructif; (Mktg) informatif ✦ **informative advertising** publicité informative ✦ **informative labelling** (Mktg) étiquetage informatif.

**infrastructure** /ˈɪnfrəˌstrʌktʃəʳ/ N infrastructure f ✦ **infrastructure expenditure / investment** dépenses / investissement d'infrastructure.

**infringe** /ɪnˈfrɪndʒ/ VT law, rule enfreindre, transgresser, contrevenir à, violer; treaty, agreement violer; obligation contrevenir à; copyright enfreindre ✦ **to infringe a patent** commettre une contrefaçon de brevet ✦ **to infringe a patented product** contrefaire un produit breveté.

**infringement** /ɪnˈfrɪndʒmənt/ N [law, rule] infraction f (of à), transgression f, contravention f (of à), violation f ✦ **infringement of a patent** contrefaçon ✦ **infringement of secrecy** violation du secret ✦ **infringement suit** (Jur) action en contrefaçon.

**infuse** /ɪnˈfjuːz/ VT credit injecter.

**infusion** /ɪnˈfjuːʒən/ N [credit] injection f.

**ingot** /ˈɪŋgət/ N lingot m ✦ **ingot gold / steel** or / acier en lingots.

**ingress** /ˈɪngres/ N (Jur) entrée f ✦ **to have free ingress** avoir le droit d'entrée.

**inherent** /ɪnˈhɪərənt/ ADJ (gen) inhérent; (Jur) propre (in, to à) ✦ **inherent defect** or **vice** vice propre.

---

─── compounds/composés ───

### INFORMATION

- **information bureau** bureau de renseignements
  - ✦ **tourist information bureau** (in town) syndicat d'initiative
- **information centre** bureau de renseignements; (Mktg) centre d'informations; (Comp) infocentre
- **information content** contenu informationnel
- **information copy** (Admin) copie pour information
- **information desk please ask at the information desk** veuillez demander à l'accueil or aux renseignements
- **information economics** économie de l'information
- **information engineer** ingénieur informaticien
- **information flow** (= organization) flux de l'information; (= volume) flux d'informations
- **information gathering** collecte de données
- **information handling** traitement de l'information
- **information intermediaries** (Fin, St Ex) intermédiaires mpl de l'information (financière)

- **information management** gestion de l'information
- **information office** bureau de renseignements
- **information overload** surcharge d'informations
- **information processing** traitement de l'information, informatique ✦ **information processing system** système informatique
- **information retrieval** (gen, Comp) collecte de données; (in library) recherche documentaire ✦ **information retrieval service** (Comp) centre serveur ✦ **information retrieval system** système de recherche documentaire or de collecte de données
- **information storage** (Comp) stockage de l'information
- **information system** (Comp) système informatique ✦ **management information system** informatique de gestion, système de gestion informatisé
- **information science** or **technology** informatique
- **information theory** théorie de l'information.

**inherit** /ɪnˈherɪt/ **VT** hériter (de) ◆ **to inherit a company** hériter (d')une entreprise ◆ **to inherit a company from sb** hériter une entreprise de qn ◆ **inherited audience** *(Pub)* audience héritée de l'émission précédente.

**inheritance** /ɪnˈherɪtəns/ **N** héritage m ◆ **inheritance tax** *(Brit)* droits de mutation *or* de succession.

**inhibition** /ˌɪnhɪˈbɪʃən/ **N** *(gen)* inhibition f ; *(Jur)* interdiction f ◆ **to place an inhibition on a sale** mettre une interdiction sur une vente, interdire une vente.

**in-home** /ˈɪnhəʊm/ **ADJ** ◆ **in-home selling** vente par les consommateurs ◆ **in-home media** média(s) qui pénètrent chez le consommateur.

**in-house** /ˈɪnhaʊs/ **ADJ** *(= within company)* interne ◆ **in-house agency** agence interne ◆ **in-house software** logiciel propre *or* interne, logiciel maison ◆ **in-house training** formation interne *or* dans l'entreprise *or* sur le lieu de travail ◆ **it was done in-house** cela a été traité en interne.

**initial** /ɪˈnɪʃəl/ **ADJ** *capital, sale, investment* initial ◆ **initial bid** *(at auction)* première offre *or* enchère ◆ **initial cost** *(gen)* coût initial ; *product* prix de revient ◆ **initial expenditure** *or* **outlay** *(in starting up a business)* frais d'établissement ◆ **initial inventory** stock initial ◆ **initial margin** couverture initiale ◆ **initial public offering** *(St Ex)* introduction sur le marché ◆ **initial value** valeur initiale *or* de départ

**VT** *correction, clause in contract* parafer, parapher, émarger ; *(= approve) purchase order, slip* viser

**N** *(= letter)* initiale f ◆ **to put one's initials on sth** apposer son paraphe *or* son visa sur qch, mettre ses initiales sur qch.

**initialization, initialisation** /ɪˌnɪʃəlaɪˈzeɪʃən/ **N** *(Comp)* initialisation f.

**initialize, initialise** /ɪˈnɪʃəˌlaɪz/ **VT** *(Comp)* initialiser.

**initiate** /ɪˈnɪʃɪeɪt/ **VT** **a** *negotiations* entamer, engager, amorcer ; *operation* déclencher, lancer ; *scheme* lancer, inaugurer ; *(St Ex) transaction* initier ; *enterprise* se lancer dans ; *(Comp) program* lancer ◆ **to initiate proceedings against sb** entamer des poursuites contre qn **b** *person* initier *(into* à)

**initiative** /ɪˈnɪʃətɪv/ **N** initiative f ◆ **to take the initiative** prendre l'initiative *(in doing sth* de faire qch) **private initiative** initiative privée.

**initiator** /ɪˈnɪʃɪˌeɪtər/ **N** *[scheme]* créateur(-trice) m(f), instigateur(-trice) m(f) ◆ **the initiator of the idea** celui qui a lancé l'idée.

**inject** /ɪnˈdʒekt/ **VT** injecter ◆ **to inject new capital into a company** injecter *or* apporter de l'argent frais dans une entreprise.

**injection** /ɪnˈdʒekʃən/ **N** injection f ◆ **an injection of new capital** une injection *or* un apport de capital frais.

**injunction** /ɪnˈdʒʌŋkʃən/ **N** *(gen)* ordre m ; *(Jur)* injonction f, sommation f ; *(= court order)* mise f en demeure *(to do* de faire, *against doing* de ne pas faire) ◆ **to obtain a court injunction** obtenir une mise en demeure *(against* contre)

**injure** /ˈɪndʒər/ **VT** **a** *(physically)* blesser **b** *(= wrong) person* faire du tort à, nuire à, porter préjudice à, léser ; *reputation, sb's interests, chances* compromettre ; *cargo, goods* endommager, avarier.

**injured** /ˈɪndʒəd/ **ADJ** *(Med)* blessé ; *(in accident)* accidenté ; *goods, cargo* endommagé, avarié ◆ **the injured party** *(Jur)* la partie lésée.

**injury** /ˈɪndʒərɪ/ **N** **a** *(physical)* blessure f ◆ **bodily injury** dommages corporels ◆ **industrial injury** accident du travail ◆ **there were fewer injuries in the factory last year** il y a eu moins de blessés par accident dans l'entreprise l'année dernière **b** *(= wrong) (to person)* tort m, préjudice m ; *(to reputation)* atteinte f *(to* à) **c** *(Comm, Mar)* avarie f, dégâts mpl.

**ink** /ɪŋk/ **N** encre f ◆ **ink jet printer** imprimante à jet d'encre.

**inland** /ˈɪnlænd/ **ADJ** **a** *(= not coastal) sea, town* intérieur ; *navigation, port* intérieur, fluvial ; *freight* terrestre ◆ **inland marine insurance** assurance fluviale ◆ **inland waterways** voies fluviales *or* navigables ◆ **inland waterways bill of lading** connaissement fluvial ◆ **inland waterways consignment note** récépissé fluvial **b** *(Brit = domestic)* intérieur ◆ **inland duties** taxes intérieures ◆ **inland money order** mandat sur l'intérieur ◆ **inland parcel** colis postal de régime intérieur ◆ **inland (postal) rate** tarif intérieur ◆ **inland trade** commerce intérieur ◆ **inland bill of exchange / invoice** traite / facture sur l'intérieur **c** *(Brit Tax)* ◆ **The Inland Revenue** le fisc.

**inline** /ˈɪnlaɪn/ **ADJ** *(Comp) processing* séquentiel, direct, immédiat.

**inner** /ˈɪnər/ **ADJ** intérieur, interne ◆ **inner reserves** *(Fin)* réserves latentes *or* occultes ◆ **inner-city development** aménagement du centre ville.

**innominate** /ɪˈnɒmɪneɪt/ **ADJ** *(Jur)* innommé.

**innovate** /ˈɪnəʊveɪt/ **VTI** innover.

**innovation** /ˌɪnəʊˈveɪʃən/ **N** innovation f ◆ **innovation theory** théorie de l'innovation.

**innovative** /ɪˈnəʊvətɪv/, **innovatory** /ɪˈnəʊvətərɪ/ **ADJ** innovateur, novateur.

**innovator** /ˈɪnəʊveɪtər/ **N** innovateur(-trice) m(f), innovateur(-trice) m(f).

**inofficious** /ˌɪnəˈfɪʃəs/ **ADJ** ◆ **inofficious clause** (Jur) clause inopérante.

**inoperative** /ɪnˈɒpərətɪv/ **ADJ** inopérant ◆ **inoperative clause** (Jur) clause inopérante.

**in-pack** /ˈɪnpæk/ **ADJ** ◆ **in-pack premium** (Pub) cadeau placé à l'intérieur d'un emballage.

**in-plant** /ˈɪnplɑːnt/ **ADJ** interne ◆ **in-plant training** formation interne or sur le lieu de travail.

**in-process** /ˌɪnˈprəʊses/ **ADJ** ◆ **in-process inventory control** gestion des en-cours.

**input** /ˈɪnpʊt/ **N** **a** (gen, Comp) entrée f, introduction f ◆ **the input of raw materials into the factory has increased** la consommation de matières premières par l'usine a augmenté ◆ **we need a regular input of new ideas** nous avons besoin d'un flux constant de nouvelles idées ◆ **his input was crucial to the success of the meeting** sa contribution a été déterminante dans le succès de la réunion ◆ **water input** arrivée d'eau **b** (Econ) ◆ **inputs** facteurs de production, (facteurs) intrants **c** (Ind) ◆ **inputs** (= materials, parts) consommations intermédiaires (Comp = data) données en entrée or à traiter, input **d** (Elec) [machine] consommation f ◆ **input** (on device) alimentation

*compounds/composés*
- **input costs** (Ind) coûts mpl en entrée
- **input data** (Comp) données fpl en entrée, input fpl
- **input device** (Comp) unité d'entrée, périphérique d'entrée
- **input file** (Comp) fichier d'entrée
- **input message** (Comp) message d'entrée
- **input tax** (Ind) taxe payée par le fabricant sur ses consommations intermédiaires
- **input unit** (Comp) unité d'entrée

**VT** (Comp) entrer, introduire.

**input-output** /ˈɪnpʊtˈaʊtpʊt/ **N** (Comp) entrée-sortie f ; (Ind) consommations fpl et production f, intrant-extrant m

*compounds/composés*
- **input-output analysis** analyse intrants-extrants
- **input-output control** (Comp) contrôle des entrées-sorties
- **input-output device** (Comp) unité or périphérique d'entrée-sortie
- **input-output table** (Econ) tableau d'entrées-sorties.

**inquire** /ɪnˈkwaɪər/ **VI** se renseigner (about sur) s'informer, s'enquérir (about de) ◆ **I am writing to inquire about your range of summer goods** je vous écris pour avoir des renseignements sur votre gamme d'été ◆ **inquire within** (on notice) pour tout renseignement s'adresser ici ◆ **inquire at the information desk** s'adresser aux renseignements.

**inquire into** **VT** **FUS** problem, subject examiner, étudier; (Jur) enquêter sur, faire une enquête sur.

**inquirer** /ɪnˈkwaɪərər/ **N** personne f qui demande des renseignements.

**inquiry** /ɪnˈkwaɪərɪ/ **N** **a** (= request for information) demande f de renseignements or d'informations ◆ **to make inquiries about** se renseigner sur, demander des renseignements sur ◆ **with reference to your inquiry of April 2** en réponse à votre demande du 2 avril ◆ **we have had numerous inquiries about our products** nous avons reçu de nombreuses demandes de renseignements sur nos produits ◆ **all inquiries to...** pour tous renseignements s'adresser à... ◆ **Inquiries** (sign) Renseignements ◆ **letter of inquiry** lettre de demande de renseignements ◆ **inquiry test** (Pub) mesure du nombre de demandes d'information en retour à la suite d'une campagne publicitaire ◆ **cost per inquiry** (Pub) coût par demande d'information en retour **b** (Admin, Jur) enquête f, investigation f ◆ **to hold an inquiry into** enquêter or faire une enquête sur ◆ **committee of inquiry** commission d'enquête ◆ **public inquiry** enquête publique **c** (Comp) interrogation f ◆ **remote inquiry** interrogation à distance **d** (Comm) ◆ **status inquiry** enquête sur la situation financière or sur la solvabilité

*compounds/composés*
- **inquiry agency** agence se chargeant d'enquêter sur la solvabilité des personnes ou des entreprises
- **inquiry desk** (bureau de) renseignements mpl
- **inquiry form** formulaire de demande de renseignements
- **inquiry office** bureau de renseignements
- **inquiry station** or **terminal** (Comp) terminal or poste d'interrogation.

**inroad** /ˈɪnrəʊd/ **N** ◆ **to make inroads upon** or **into sb's rights** empiéter sur; market pénétrer; savings entamer ◆ **this model failed to make deep inroads into the German market** ce modèle n'a pas réussi à pénétrer profondément le marché allemand.

**inscribed** /ɪnˈskraɪbd/ **ADJ** ◆ **inscribed government stock** actions inscrites (au grand livre de la Dette publique).

**instalment**

**inscription** /ɪnˈskrɪpʃən/ **N** inscription f ◆ **inscription in the Trade Register** inscription au registre du commerce.

**insert** /ɪnˈsɜːt/ **VT** (gen) insérer (in, into dans, between entre) ◆ **to insert an ad in a paper** insérer or passer or mettre une annonce dans un journal
**N** (= page) encart m ; (= advertisement, word) insertion f ; (Tech) pièce f insérée, ajout m ◆ **insert mode** (Comp) mode insertion.

**insertion** /ɪnˈsɜːʃən/ **N** insertion f ◆ **our rate is $150 per insertion** (Pub) notre tarif est de 150 dollars par insertion

───── compounds/composés ─────
◆ **insertion order** (Pub) demande d'insérer or d'insertion
◆ **insertion rate** (Pub) tarif des insertions.

**inset** /ˈɪnset/ **N** (Typ) (= leaflet, pages) encart m ; (= single page) feuillet m intercalaire ◆ **inset ad** encart publicitaire
**VT** (Typ) page, leaflet encarter, insérer, intercaler; (Pub) illustration insérer en cartouche.

**inside** /ɪnˈsaɪd/ **ADJ** ◆ **inside information** informations privilégiées ◆ **inside front / back cover** deuxième / troisième de couverture.

**insider** /ɪnˈsaɪdər/ **N** (St Ex) initié(e) m(f) ◆ **insider dealing, insider trading** délit d'initié.

**insolvency** /ɪnˈsɒlvənsɪ/ **N** (gen) insolvabilité f ; (= bankruptcy) faillite f ◆ **to be in a state of insolvency** [person] être insolvable; [company] être en état de faillite or de cessation de paiements.

**insolvent** /ɪnˈsɒlvənt/ **ADJ** insolvable ◆ **to declare o.s. insolvent** person se déclarer insolvable; company se déclarer en faillite, déposer son bilan ◆ **to be insolvent** person être insolvable; company être en état de faillite or de cessation de paiements.

**inspect** /ɪnˈspekt/ **VT** (gen) inspecter; ticket contrôler; machinery, products inspecter, contrôler; accounts examiner, vérifier; (Customs) luggage, goods visiter.

**inspection** /ɪnˈspekʃən/ **N** (gen) inspection f ; [ticket] contrôle m ; [machinery, products] inspection f, contrôle m ; [accounts] examen m, vérification f ; (Customs) [goods, luggage] visite f ◆ **to buy goods on inspection** acheter des marchandises après examen ◆ **to make a tour of inspection in a factory** faire une visite d'inspection dans une usine ◆ **upon close inspection of the project we have decided**

against it à la suite d'un examen approfondi du projet nous avons décidé de nous y opposer ◆ **tax inspection** contrôle fiscal

───── compounds/composés ─────
◆ **inspection copy** [book] spécimen
◆ **inspection order** (Customs) bon d'ouverture
◆ **inspection register** (Customs) registre de visite.

**inspector** /ɪnˈspektər/ **N** (in factory) inspecteur m ; (on bus, train) contrôleur m ◆ **inspector of taxes, tax inspector** (Brit) contrôleur or inspecteur des impôts ◆ **factory inspector** inspecteur du travail ◆ **insurance inspector** inspecteur d'une compagnie d'assurances.

**inspectorship** /ɪnˈspektəʃɪp/ **N** ◆ **deed of inspectorship** (Jur) convention pour la nomination d'un syndic entre les créanciers et le failli.

**inst.** abbr of **instant**.

**instal(l)** /ɪnˈstɔːl/ **VT** system, procedure, factory installer, implanter.

**installation** /ˌɪnstəˈleɪʃən/ **N** installation f ◆ **port installations** installations portuaires ◆ **installation allowance** indemnité or prime d'installation.

**installed** /ɪnˈstɔːld/

───── compounds/composés ─────
◆ **installed base** (Comp) parc de machines
◆ **installed capacity** capacité installée
◆ **installed value** valeur des installations.

**instalment** (Brit), **installment** (US) /ɪnˈstɔːlmənt/ **N** **a** (Comm) acompte m, versement m partiel or périodique; (monthly) mensualité f, versement m mensuel; (St Ex) versement m ◆ **to pay an instalment** faire un versement partiel, verser un acompte or des arrhes ◆ **to pay in** or **by instalments** payer en plusieurs versements or par versements échelonnés ◆ **to pay in** or **by monthly instalments** payer par mensualités ◆ **to pay off in 24 monthly instalments of £60** rembourser en 24 mensualités de 60 livres ◆ **instalment on account** acompte provisionnel ◆ **annual instalment** annuité f, versement annuel ◆ **final instalment** versement libératoire ◆ **fixed instalment** versement fixe ◆ **shipment by instalments** expédition partielle **b** [loan, credit] tranche f ◆ **to launch a loan in instalments** émettre un emprunt par tranches

───── compounds/composés ─────

- **installment agreement** *(US)* contrat de vente à tempérament *or* à crédit
- **installment buying** *(US)* achat à tempérament
- **installment contract** *(US)* contrat de vente à tempérament *or* à crédit
- **installment credit** *(US)* crédit à tempérament
- **installment loan** *(US)* prêt remboursable par versements échelonnés
- **installment method** *(US)* méthode comptable qui consiste à n'affecter à l'exercice que les versements effectués
- **installment note** *(US)* billet à ordre destiné aux achats à crédit
- **installment payment** *(US)* (= *plan*) paiement à tempérament *or* par versements échelonnés; (= *one payment*) acompte, versement partiel ◆ **installment payments** versements périodiques *or* échelonnés
- **installment plan** *(US)* contrat de vente à tempérament *or* à crédit ◆ **to buy on the installment plan** acheter à tempérament *or* à crédit
- **installment sale** *or* **selling** *(US)* vente à tempérament *or* à crédit
- **installment system** *(US)* système de vente à tempérament *or* à crédit
- **installment trading** *(US)* la vente à tempérament *or* à crédit
- **installment transaction** *(US)* marché à tempérament, transaction à crédit

**instance** /'ɪnstəns/ **N** (= *example*) exemple m, cas m ; (= *occasion*) circonstance f, occasion f ◆ **for instance** par exemple ◆ **in the first instance** en premier lieu ◆ **in the present instance** dans le cas actuel *or* présent ◆ **at the instance of** sur *or* à la demande de, sur l'instance de.

**instant** /'ɪnstənt/ **ADJ** (*gen*) immédiat, instantané; (*business correspondence*) courant ◆ **your letter of the 3rd instant** votre lettre du 3 courant ◆ **on the 6th instant** le 6 courant.

**institute** /'ɪnstɪtjuːt/ **VT** **a** (= *establish*) instituer, établir ◆ **newly instituted** *post* récemment créé; *organization* de fondation récente **b** (*Jur*) *inquiry* ouvrir ◆ **to institute proceedings against sb** entamer des poursuites contre qn, intenter un procès à qn **c** (*Jur*) ◆ **to institute sb as heir** instituer qn son héritier **N** institut m ◆ **Institute Clause** (*Brit Mar Ins*) clause Institute.

**institution** /ˌɪnstɪˈtjuːʃən/ **N** (= *organization*) établissement m, organisme m ◆ **financial institution** établissement *or* organisme financier ◆ **credit institution** organisme *or* établissement *or* institution de crédit ◆ **investment institution** société de placement.

**institutional** /ˌɪnstɪˈtjuːʃənl/ **ADJ** (*gen, St Ex*) institutionnel ◆ **institutional economics** économie

des acheteurs institutionnels ◆ **institutional investors** *(St Ex)* investisseurs institutionnels, zinzins* ◆ **institutional monopoly** monopole institutionnel ◆ **institutional advertising** publicité institutionnelle.

**institutionalize, institutionalise** /ˌɪnstɪˈtjuːʃnəlaɪz/ **VT** *procedure, system* institutionnaliser.

**in-store** /'ɪnstɔːr/ **ADJ** ◆ **in-store merchandising** merchandising interne *or* en magasin ◆ **in-store promotion** publicité sur le lieu de vente, PLV.

**instruct** /ɪnˈstrʌkt/ **VT** **a** (= *teach*) *person* instruire ◆ **to instruct sb in sth** apprendre qch à qn, enseigner qch à qn ◆ **to instruct sb in how to do sth** enseigner *or* apprendre à qn comment faire qch **b** (= *order, direct*) *person* donner des instructions *or* des ordres à ◆ **to instruct sb to do sth** charger qn de faire qch, ordonner à qn de faire qch ◆ **to instruct the jury** *[judge]* donner des instructions au jury.

**instruction** /ɪnˈstrʌkʃən/ **N** **a** (= *teaching*) instruction f, enseignement m ◆ **to give instruction to sb in the use of sth** apprendre à qn à se servir de qch **b** **instructions** (*gen*) directives, instructions; (= *formal orders*) consignes ◆ **to carry out instructions** exécuter des ordres ◆ **to comply with the customer's instructions** se conformer aux directives *or* aux instructions du client ◆ **we are awaiting your instructions** nous attendons vos instructions *or* vos consignes ◆ **forwarding** *or* **shipping instructions** instructions relatives à l'expédition, consignes d'expédition **c** **instructions** (*on use of sth*) mode d'emploi, conseils d'utilisation; (*Pharm*) mode d'emploi, indications; (*Tech*) indications techniques ◆ **instruction book** *or* **manual** guide *or* manuel d'utilisation ◆ **safety instructions** (= *notice*) notice de sécurité; (= *advice*) consignes de sécurité **d** (*Comp*) instruction f ◆ **instruction word** / **format** mot / format d'instruction.

**instructor** /ɪnˈstrʌktər/ **N** (*Tech, Comp*) instructeur m.

**instrument** /'ɪnstrʊmənt/ **N** **a** (= *tool*) instrument m **b** (*Fin*) instrument m ; (= *bill, cheque, draft*) effet m ◆ **negotiable instrument** instrument *or* effet négociable **c** (*Jur* = *document*) instrument m, acte m juridique ◆ **instrument of transfer** acte de transmission ◆ **instrument of incorporation** statuts m.

**instrumental** /ˌɪnstrʊˈmentl/ **ADJ** ◆ **instrumental capital** capital productif.

**insurability** /ɪnˌʃʊərəˈbɪlɪtɪ/ **N** assurabilité f.

**insurable** /ɪnˈʃʊərəbl/ **ADJ** *risk, value* assurable.

**insurance** /ɪnˈʃʊərəns/ N assurance f ◆ **to take out (an) insurance against** souscrire or contracter une assurance contre, s'assurer contre ◆ **he received $200 insurance for the damage to the car** il a reçu 200 dollars de remboursement pour les dommages survenus à sa voiture ◆ **to be covered by insurance** être couvert par une assurance ◆ **she pays £50 a year in insurance** elle paie 50 livres d'assurance par an ◆ **he works in insurance** il travaille dans les assurances ◆ **insurance subject to safe arrival** (Mar) assurance sur bonne arrivée ◆ **insurance made lost or not lost** (Mar) assurance sur bonnes ou mauvaises nouvelles ◆ **additional insurance** assurance complémentaire ◆ **agreed-value insurance** assurance valeur agréée ◆ **all-risks** or **comprehensive insurance** assurance tous risques ◆ **annuity insurance** assurance-vie avec option rente viagère ◆ **car** (Brit) or **automobile** (US) **insurance** assurance automobile ◆ **bad debts insurance** assurance contre créances douteuses ◆ **blanket** (Brit) or **packet** (US) or **block insurance** assurance globale or à couverture globale ◆ **business interruption insurance** assurance (pour) pertes d'exploitation ◆ **cargo insurance** assurance sur facultés ◆ **casualty insurance** assurance risques divers ◆ **property and liability insurance** (US) assurance risques divers ◆ **contributory insurance scheme** (caisse) mutuelle ◆ **credit insurance** assurance crédit ◆ **declaration insurance** police d'assurance ouverte or d'abonnement or à primes révisables ◆ **employer's liability insurance** assurance responsabilité civile or RC de l'employeur ◆ **endowment insurance** assurance à capital différé ◆ **fire insurance** assurance contre l'incendie, assurance-incendie ◆ **floating** or **open insurance** assurance flottante ◆ **group insurance** assurance collective or de groupe ◆ **health insurance** assurance (contre la) maladie ◆ **house insurance** assurance-habitation ◆ **hull insurance** assurance sur corps ◆ **liability insurance** assurance responsabilité civile ◆ **life insurance** assurance sur la vie, assurance-vie ◆ **life insurance company** compagnie or société d'assurance-vie ◆ **mutual** (Brit) or **participating** (US) **insurance** assurance mutuelle ◆ **National Insurance** (Brit) Assurances sociales ◆ **National Insurance benefits** (Brit) prestations de la Sécurité sociale ◆ **no fault insurance** (US) assurance sans faute ◆ **package insurance** (US) assurance multirisque ◆ **paid-up insurance** contrat d'assurance entièrement libéré ◆ **professional liability insurance** assurance responsabilité professionnelle ◆ **rent insurance** assurance contre la

perte des loyers ◆ **self-insurance** propre assurance, auto-assurance ◆ **self-insurance reserve** fonds or réserve or provision de propre assureur ◆ **social insurance** assurances sociales ◆ **suretyship insurance** assurance sur la fidélité du personnel ◆ **term (life) insurance** assurance terme fixe ◆ **third party (liability) insurance** assurance au tiers ◆ **unemployment insurance** assurance chômage ◆ **water damage insurance** assurance (contre les) dégâts des eaux ◆ **weather** or **pluvious insurance** assurance contre les intempéries ◆ **whole life insurance** assurance décès, assurance vie entière ◆ **workmen's compensation insurance** (US) assurance contre les accidents du travail

─── compounds/composés ───

◆ **insurance adjuster** inspecteur régleur, expert en sinistres
◆ **insurance agent** agent d'assurances
◆ **insurance benefit** indemnité de sinistre
◆ **insurance broker** courtier d'assurances
◆ **insurance certificate** (gen) certificat d'assurance; [automobile] attestation d'assurance (automobile)
◆ **insurance charges** frais d'assurance
◆ **insurance claim** (déclaration de) sinistre
◆ **insurance company** compagnie or société d'assurances
◆ **insurance consultant** assureur-conseil
◆ **insurance cover(age)** couverture, garantie
◆ **insurance deductible** franchise
◆ **insurance fee** droit d'assurance
◆ **insurance loss** (to person) préjudice; (to property) sinistre, préjudice
◆ **insurance note** arrêté provisoire d'assurance
◆ **insurance policy** police d'assurance
◆ **insurance premium** prime (d'assurance), cotisation
◆ **insurance scheme** régime d'assurance
◆ **insurance stamps** (Brit) vignette or timbre de contribution à la Sécurité sociale
◆ **insurance surveyor** expert d'assurance
◆ **insurance taker** souscripteur, preneur d'assurance
◆ **insurance underwriter** (gen) assureur; (= policy writer) rédacteur de production; (= underwriting company) réassureur.

**insurant** /ɪnˈʃʊərənt/ N assuré m, souscripteur m, preneur m d'assurance.

**insure** /ɪnˈʃʊər/ VT **a** vehicle, premises (faire) assurer ◆ **to insure one's life** se faire assurer sur la vie, prendre une assurance-vie ◆ **to insure (o.s.) against a risk** s'assurer contre un risque ◆ **we have insured the machine for $10,000** nous avons assuré la machine pour 10 000 dollars **b** (= protect o.s.) se garantir de, se protéger de, se prémunir contre, parer à ◆ **we**

wish to insure (ourselves) against late delivery nous voulons parer au risque d'un retard de livraison, nous voulons nous garantir de *or* nous protéger d'un retard (éventuel) de livraison **c** *(= guarantee) success* garantir ✦ the letter of credit will insure that you are paid on time la lettre de crédit garantit que vous serez payé à temps, grâce à la lettre de crédit vous êtes assuré d'être payé à temps **d** *(Post) letter* charger.

**insured** /ɪnˈʃʊəd/ **ADJ** **a** *person, property* assuré ✦ **insured peril** risque assuré **b** *(Post)* chargé ✦ **insured for 10 euros** valeur déclarée 10 euros **n** **the insured** l'assuré.

**insurer** /ɪnˈʃʊərəʳ/ **N** assureur m.

**int.** abbr of **interest**.

**intake** /ˈɪnteɪk/ **N** *[water]* prise f, adduction f ; *[gas]* admission f ✦ **there has been a big intake of new graduates into our company** il y a eu un fort recrutement de jeunes diplômés dans notre société ✦ **this year's intake** *(Univ)* la promotion nouvelle.

**intangible** /ɪnˈtændʒəbl/ **ADJ** intangible ✦ **intangible assets** *(on balance sheet)* immobilisations incorporelles, actif(s) incorporel(s) ✦ **intangible factors** impondérables ✦ **intangible property** *(Jur)* biens incorporels.

**integral** /ˈɪntɪɡrəl/ **ADJ** *(Math)* intégral ✦ **to be an integral part of sth** faire partie intégrante de qch ✦ **integral payment** paiement intégral **n** *(Math)* intégrale f.

**integrate** /ˈɪntɪɡreɪt/ **VT** intégrer ✦ **we have integrated all our overseas activities** nous avons intégré toutes nos activités à l'étranger.

**integrated** /ˈɪntɪɡreɪtɪd/ **ADJ** intégré ✦ **integrated circuit** circuit intégré ✦ **integrated data processing** traitement intégré des données *or* de l'information ✦ **horizontally / vertically integrated company** société intégrée horizontalement / verticalement.

**integration** /ˌɪntɪˈɡreɪʃən/ **N** *(gen, Econ)* intégration f ✦ **horizontal / vertical / forward / backward integration** intégration horizontale / verticale / en aval / en amont.

**integrator** /ˈɪntɪɡreɪtəʳ/ **N** intégrateur m ✦ **systems integrator** *(Comp)* ensemblier.

**integrity** /ɪnˈtegrɪtɪ/ **N** **a** *(= moral quality)* intégrité f, honnêteté f, probité f ✦ **a person of integrity** une personne intègre ✦ **business integrity** intégrité *or* probité dans les affaires **b** *(= totality)* intégralité f, totalité f ✦ **in its integrity** dans son intégralité, dans sa totalité.

**intellectual** /ˌɪntɪˈlektjʊəl/ **ADJ** intellectuel ✦ **intellectual property** propriété intellectuelle.

**intelligence** /ɪnˈtelɪdʒəns/ **N** **a** intelligence f ✦ **intelligence quotient** quotient intellectuel ✦ **intelligence test** test d'aptitude intellectuelle ✦ **artificial intelligence** intelligence artificielle **b** *(= information)* renseignement(s) m(pl), informations f(pl) ✦ **business** *or* **competitive** *or* **economic intelligence** intelligence économique.

**intelligent** /ɪnˈtelɪdʒənt/ **ADJ** intelligent ✦ **intelligent credit card** carte à mémoire ✦ **intelligent terminal** terminal intelligent.

**intend** /ɪnˈtend/ **VT** avoir l'intention, se proposer, projeter *(to do, doing* de faire) ✦ **this plan is intended to improve efficiency** ce projet est destiné à améliorer l'efficacité.

**intended** /ɪnˈtendɪd/ **ADJ** *audience, target* visé.

**intensification** /ɪnˌtensɪfɪˈkeɪʃən/ **N** intensification f.

**intensify** /ɪnˈtensɪfaɪ/ **VT** intensifier **VI** s'intensifier.

**intensity** /ɪnˈtensɪtɪ/ **N** intensité f ✦ **capital intensity** intensité capitalistique ✦ **labour intensity** intensité travaillistique.

**intensive** /ɪnˈtensɪv/ **ADJ** intensif ✦ **capital-intensive industry** industrie à forte intensité de capitaux, industrie capitalistique ✦ **labour-intensive industry** industrie à fort coefficient de main-d'œuvre, industrie travaillistique ✦ **technology-intensive** à fort coefficient de technologie ✦ **intensive distribution** *(Mktg)* distribution intensive.

**intent** /ɪnˈtent/ **N** intention f, but m, dessein m ✦ **with intent to do** dans l'intention *or* dans le but *or* dans le dessein de faire ✦ **letter of intent** lettre *or* déclaration d'intention.

**intention** /ɪnˈtenʃən/ **N** intention f, but m, dessein m ✦ **with the intention of doing** dans l'intention *or* dans le but *or* dans le dessein de faire ✦ **purchasing intention** intention d'achat.

**intentional** /ɪnˈtenʃənl/ **ADJ** intentionnel, voulu, délibéré.

**interact** /ˌɪntərˈækt/ **VI** *[factors]* interagir; *[people]* correspondre, communiquer *(with* avec) ✦ **she interacts well with other people** elle a un bon contact ✦ **to interact with a computer** dialoguer avec un ordinateur.

**interaction** /ˌɪntərˈækʃən/ **N** interaction f.

**interactive** /ˌɪntərˈæktɪv/ **ADJ** *course, computer* interactif.

**interbank** /'ɪntəˌbæŋk/ ADJ *transactions* interbancaire, de banque à banque, entre banques ◆ **interbank exchange rates** taux interbancaires ◆ **interbank fixing** taux de change *or* fixing interbancaire ◆ **interbank market** marché interbancaire ◆ **interbank fixed rate** taux interbancaire moyen ◆ **interbank offered rate** taux interbancaire offert ◆ **interbank overnight market** marché monétaire au jour le jour entre banques ◆ **interbank overnight rate** taux du marché monétaire au jour le jour entre banques.

**interbranch** /'ɪntəˌbrɑːntʃ/ ADJ *transactions, decisions* entre succursales.

**intercept** /ˌɪntə'sept/ VT intercepter.

**interchange** /'ɪntəˌtʃeɪndʒ/ N (= *exchange*) échange m ; (= *alternation*) alternance f ◆ **an interchange of letters / ideas** un échange de lettres / d'idées.

**interchangeable** /ˌɪntə'tʃeɪndʒəbl/ ADJ *goods* fongible, interchangeable.

**interchannel** /ˌɪntə'tʃænəl/ ADJ (Comp) intercanal.

**inter-city** /ˌɪntə'sɪtɪ/ ADJ *highway* interurbain; *train* rapide
N (= *train*) rapide m.

**intercom** /'ɪntəkɒm/ N interphone m ◆ **to call sb on** *or* **over the intercom** appeler qn à *or* par l'interphone.

**intercompany** /ˌɪntə'kɒmpənɪ/ ADJ *transactions* interentreprises, intersociétés ◆ **intercompany comparison** analyse comparative interentreprises ◆ **intercompany holding** participation croisée ◆ **intercompany profits** bénéfices intersociétés.

**interconnect** /ˌɪntəkə'nekt/ VT (Comp, Elec) interconnecter
N (Comp, Elec) interconnexion f.

**interconnection** /ˌɪntəkə'nekʃən/ N interconnexion f.

**intercorporate** /ˌɪntə'kɔːpərɪt/ (US) ADJ *investment* interentreprises, intersociétés.

**interdepartmental** /'ɪntəˌdiːpɑːt'mentl/ ADJ (= *within company or organization*) *meeting, project* interdépartemental, entre plusieurs services.

**interdependence** /ˌɪntədɪ'pendəns/ N interdépendance f.

**interdependent** /ˌɪntədɪ'pendənt/ ADJ interdépendant.

**interest** /'ɪntrɪst/ N **a** (Fin = *cost of borrowed money*) intérêt(s) m(pl) ◆ **to lend (out)** / **put out at interest** prêter / placer à intérêt ◆ **at an interest of 8%** à un taux d'intérêt de 8%, avec un intérêt de 8% ◆ **to bear** *or* **yield** *or* **carry interest (at 10%)** rapporter un intérêt (de 10%), porter des intérêts (à 10%) ◆ **to borrow at interest** emprunter à intérêt ◆ **to charge 5% interest** prélever *or* prendre un intérêt de 5% ◆ **to pay interest** payer des intérêts ◆ **interest on an investment** / **a loan** intérêts d'un placement / d'un prêt ◆ **loan with interest** prêt à intérêt ◆ **to capitalize interest** capitaliser les intérêts ◆ **interest accrues from 1st January** les intérêts courent à partir du 1er janvier ◆ **interest is compounded monthly** les intérêts sont calculés chaque mois ◆ **crediting of interest takes place every six months** les intérêts sont crédités tous les six mois ◆ **accrual of interest** accumulation des intérêts ◆ **accrued interest** (St Ex) intérêts courus; (Fin) intérêts cumulés; (Acc) intérêts à recevoir ◆ **back interest** arriérés d'intérêts ◆ **default interest** intérêts moratoires ◆ **deferred interest** intérêts différés ◆ **net** *or* **pure interest** intérêt net ◆ **ordinary** *or* **simple** / **compound interest** intérêts simples / composés ◆ **penal interest** intérêts de retard ◆ **variable interest** intérêts variables ◆ **a variable-interest mortgage** une hypothèque à taux (d'intérêt) variable **b** (= *benefit*) intérêt m ◆ **it is in your (best) interest to accept their offer** c'est dans votre intérêt d'accepter leur offre, vous avez intérêt à accepter leur offre ◆ **to act in the public interest** agir dans l'intérêt du public ◆ **I have a vested interest in the success of this venture** je suis personnellement intéressé dans la réussite de ce projet **c** (Fin = *legal share*) intérêts mpl, participation f ◆ **they have (taken) a 35% interest in this company** ils ont (pris) une participation de 35% dans cette société ◆ **to take a majority** *or* **controlling** / **minority interest in** prendre une participation majoritaire / minoritaire dans ◆ **my interest in the business is £20,000** ma commandite *or* ma participation s'élève *or* mes intérêts dans l'affaire s'élèvent à 20 000 livres ◆ **he has sold his interest in the company** il a vendu la participation *or* les intérêts qu'il avait dans la société ◆ **legitimate** / **private interests** intérêts légitimes / privés **d** (*people, group*) ◆ **the coal** / **oil interest(s)** les (gros) intérêts houillers / pétroliers ◆ **the landed interests** les propriétaires terriens **e** (Ins) (= *thing insured*) intérêt m, risque m ◆ **insurable interest** risque *or* intérêt assurable **f** (= *concern*) intérêt m ◆ **to take an interest in sb** / **sth**

s'intéresser à qn / qch ♦ **this idea is of great interest to us** cette idée nous intéresse beaucoup ▪ Voir encadré ci-dessous.

**vt** intéresser ♦ **we are interested in seeing your new catalogue** nous serions intéressés par votre nouveau catalogue.

**interested** /'ɪntrɪstɪd/ **ADJ** (= *involved*) *person* intéressé ♦ **interested party** (*gen*) partie intéressée; (*Jur*) ayant droit ♦ **those interested should contact Miss Jones** ceux qui sont intéressés sont priés de se mettre en contact avec Mlle Jones.

**interface** /'ɪntəfeɪs/ **N** (*Comp, Tech, fig*) interface f ♦ **at the interface of two systems** à l'interface de deux systèmes ♦ **standard interface** (*Comp*) interface normalisée
**vt** (*Comp*) être relié *or* connecté (*with* à) être à l'interface (*with* de); [*people*] assurer l'interface (*with* avec)

**interfere** /ˌɪntə'fɪəʳ/ **vi** s'immiscer, s'ingérer (*in* dans) ♦ **to interfere with the management of the company** s'immiscer *or* s'ingérer dans la direction de l'entreprise.

**interference** /ˌɪntə'fɪərəns/ **N** (*gen*) ingérence f (*in* dans); (*Comp, Elec, Rad*) parasites mpl ♦ **state interference in the economy** ingérence de l'État dans l'économie ♦ **unwarrantable interference** (*Jur*) immixtion.

**interfile** /ˌɪntə'faɪl/ **N** (*Comp*) interfichier m

**vt** (*Comp*) interclasser.

**interfund** /'ɪntəfʌnd/ **ADJ** interfonds.

**interim** /'ɪntərɪm/ **ADJ** **a** *report, arrangement* provisoire, temporaire; *job* temporaire; *holder of office or post* par intérim ♦ **interim certificate** *or* **bond** (*St Ex*) certificat provisoire ♦ **interim financing** préfinancement **b** (*Acc*) *report* (*gen*) périodique; (*quarterly*) trimestriel; (*every six months*) semestriel ♦ **interim invoice** (*US*) facture pro forma ♦ **interim period** période à l'intérieur de l'exercice ♦ **interim audit** audit intérimaire ♦ **interim budget** collectif budgétaire ♦ **interim dividend** (*St Ex*) acompte sur dividende, dividende intérimaire ♦ **interim interest** intérêts intercalaires *or* intérimaires ♦ **interim reporting** reporting périodique ♦ **interim results** (*quaterly*) résultats trimestriels; (*every six months*) résultats semestriels.

**interlock** /ˌɪntə'lɒk/ **vt** (*Tech*) enclencher; (*Comp*) verrouiller, bloquer
**vi** s'imbriquer, s'entrecroiser ♦ **interlocking directorates** directions croisées ♦ **interlocking director** administrateur de liaison.

**interlocutory** /ˌɪntə'lɒkjʊtərɪ/ **ADJ** (*Jur*) *judgment* interlocutoire.

**intermedia** /ˌɪntə'miːdɪə/ **ADJ** *comparison* entre média(s).

**intermediary** /ˌɪntə'miːdɪərɪ/ **ADJ, N** intermédiaire mf.

─────── *compounds/composés* ───────

### INTEREST

- ♦ **interest account** compte d'intérêts
- ♦ **interest-bearing** *account, loan, security* productif (d'intérêts) ♦ **interest-bearing capital** capital qui rapporte
- ♦ **interest bond** obligation émise en paiement des intérêts dus sur un prêt
- ♦ **interest on capital** intérêts mpl du capital
- ♦ **interest charge** (*on a loan*) intérêts mpl ; (*on income statement*) charge financière
- ♦ **interest coupon** (*St Ex*) [*bond*] coupon d'intérêt
- ♦ **interest cover** *or* **coverage** taux de couverture des frais financiers
- ♦ **interest of default** intérêts mpl moratoires
- ♦ **interest due** intérêts mpl échus *or* exigibles
- ♦ **interest earned** intérêts mpl créditeurs
- ♦ **interest-earning** *investment, loan, capital* productif (d'intérêts) ♦ **interest-earning assets** actif générateur d'intérêts
- ♦ **interest expense** (*Acc*) charges fpl financières, intérêts mpl débiteurs
- ♦ **interest fine** intérêts mpl de retard
- ♦ **interest-free** *loan, overdraft* sans intérêt, à zéro pour cent ♦ **interest-free credit** crédit gratuit

- ♦ **interest group** association
- ♦ **interest in arrears** arrérages mpl (d'intérêts)
- ♦ **interest income** (*of individual*) revenus mpl des placements; (*Tax*) produits mpl des placements à revenu fixe; (*Acc*) produits mpl financiers
- ♦ **interest payable** (*Acc*) intérêts mpl exigibles
- ♦ **interest rate** taux d'intérêt ♦ **interest rate differential** (*Econ*) différentiel d'intérêts *or* de taux d'intérêt ♦ **interest-rate futures** contrats à terme d'instruments financiers *or* de taux d'intérêt ♦ **interest-rate risk** risque de taux ♦ **nominal interest rate** taux d'intérêt nominal
- ♦ **interest receivable** (*Acc*) intérêts mpl à recevoir
- ♦ **interest revenue** (*Acc*) produits mpl financiers; (*of individual*) revenus mpl des placements
- ♦ **interest spread** (*between borrowing and lending rates*) marge d'intérêts
- ♦ **interest tables** tables fpl d'intérêts
- ♦ **interest warrant** (*St Ex*) mandat d'intérêts, coupon d'intérêts
- ♦ **interest yield** [*investment, security*] rapport, rendement

**intermediate** /ˌɪntə'miːdɪət/ **ADJ** *consumption, goods* intermédiaire ✦ **intermediate credit** crédit à moyen terme ✦ **intermediate stages** phases intermédiaires ✦ **intermediate stop** *ship, plane* escale ✦ **intermediate storage** pré-archivage.

**intermediation** /ˌɪntəmiːdɪ'eɪʃən/ **N** *(Fin, St Ex)* intermédiation f.

**intermodal** /ˌɪntə'məʊdəl/ **ADJ** ✦ **intermodal transport** transport intermodal.

**internal** /ɪn'tɜːnl/ **ADJ** **a** *(gen)* intérieur, interne; *audit, memory, recruitment* interne ✦ **internal memo** note de service ✦ **internal trade / debt** commerce / dette intérieur(e) ✦ **internal financing** autofinancement, financement interne ✦ **internal growth rate** taux de croissance interne ✦ **internal rate of return** taux de rendement interne *or* effectif ✦ **internal transaction** opération comptable **b** *(US Tax)* ✦ **internal revenue** recettes fiscales, revenus fiscaux ✦ **The Internal Revenue Service** le fisc.

**international** /ˌɪntə'næʃnəl/ **ADJ** international ✦ **International Atomic Energy Agency** Agence internationale de l'énergie atomique ✦ **International Bank for Reconstruction and Development** Banque internationale pour la reconstruction et le développement ✦ **International Bureau of Weights and Measures** Bureau international des poids et mesures ✦ **International Chamber of Commerce** Chambre de commerce internationale ✦ **International Civil Aviation Authority** Organisation de l'aviation civile internationale ✦ **International Court of Justice** Cour internationale de justice ✦ **International Development Association** Association internationale de développement ✦ **International Labour Office** Bureau international du travail ✦ **International Labour Organization** Organisation internationale du travail ✦ **international law** droit international ✦ **international money order** mandat international ✦ **international postal reply coupon** coupon-réponse international ✦ **International Monetary Fund** Fonds monétaire international ✦ **International Price Index** indice international des prix ✦ **international subscriber dialling** téléphone automatique international ✦ **International System of Units** système international d'unités ✦ **international trade** commerce international.

**internationalization, internationalisation** /ɪntəˌnæʃnəlaɪ'zeɪʃən/ **N** internationalisation f.

**internationalize, internationalise** /ˌɪntə'næʃnəlaɪz/ **VT** internationaliser.

**Internet** /'ɪntə.net/ **N** ✦ **the Internet** (l')Internet ✦ **Internet Access Provider, Internet Service Provider** fournisseur d'accès à Internet ✦ **on the Internet** sur (l')Internet.

**interpret** /ɪn'tɜːprɪt/ **VT** interpréter **VI** servir d'interprète.

**interpretation** /ɪnˌtɜːprɪ'teɪʃən/ **N** **a** *[data, facts]* interprétation f ✦ **interpretation clause** *(Jur)* clause interprétative ✦ **open to several interpretations** susceptible d'interprétations diverses **b** *(from one language to another)* traduction f.

**interpreter** /ɪn'tɜːprɪtər/ **N** interprète mf ; *(Comp)* (= *machine*) traductrice f ; *(Comp)* (= *program*) programme m d'interprétation.

**interpurchase** /ˌɪntəpɜːtʃɪs/ **ADJ** *time* entre deux achats.

**interrelate** /ˌɪntərɪ'leɪt/ **VT** mettre en corrélation.

**interrelation** /ˌɪntərɪ'leɪʃən/ **N** corrélation f (*between* entre)

**interrogate** /ɪn'terəgeɪt/ **VT** interroger; *(Comp)* interroger, consulter.

**interrogation** /ɪnˌterə'geɪʃən/ **N** *[data, person]* interrogation f.

**interrupt** /ˌɪntə'rʌpt/ **VT** *speech, traffic, circuit* interrompre, couper; *meeting* suspendre, interrompre **N** *(Comp)* interruption f (de programme).

**interruption** /ˌɪntə'rʌpʃən/ **N** interruption f ✦ **business interruption insurance** assurance (pour) pertes d'exploitation.

**intersection** /ˌɪntə'sekʃən/ **N** intersection f.

**interspace** /'ɪntəspeɪs/ **VT** espacer.

**interstate** /ˌɪntə'steɪt/ *(US)* **ADJ** *highway, banking, commerce* entre États.

**interval** /'ɪntəvəl/ **N** intervalle m.

**intervene** /ˌɪntə'viːn/ **VI** *[person, government]* intervenir (*in* dans); *[event]* survenir, arriver, intervenir ✦ **to intervene in a market** *(St Ex)* intervenir sur un marché.

**intervener** /ˌɪntə'viːnər/ **N** *(Jur)* intervenant(e) m(f).

**intervention** /ˌɪntə'venʃən/ **N** intervention f ✦ **intervention on protest** *(Jur)* intervention à protêt ✦ **to pay by intervention** *(Econ)* payer par intervention ✦ **to buy beef into intervention** *(EU)* acheter du bœuf à l'intervention ✦ **intervention price / stocks** *(EU Econ)* prix /

stocks d'intervention ✦ **state intervention in the economy** intervention(s) de l'État dans l'économie.

**interventionist** /ˌɪntə'venʃənɪst/ **N, ADJ** interventionniste mf.

**interview** /'ɪntəvjuː/ **N** **a** (gen) entretien m, entrevue f ; (for a job) entretien m (d'embauche); (sales) entretien m (de vente) ✦ **to arrange an interview with sb** prendre rendez-vous pour un entretien avec qn ✦ **I had an interview with my boss** j'ai été convoqué par or j'ai eu un entretien avec mon patron ✦ **telephone interview** entretien téléphonique **b** (Press, Rad, TV) interview f
**VT** candidate for a job faire passer un entretien à, avoir un entretien avec; (Press) interviewer ✦ **he was interviewed on television about the takeover** on l'a interviewé à la télévision sur le rachat de l'entreprise ✦ **we shall be interviewing throughout next week** nous faisons passer des entretiens toute la semaine prochaine
**VI** passer un entretien ✦ **she interviewed for the job last week** elle a passé un entretien d'embauche la semaine dernière.

**interviewee** /ˌɪntəvjuːˈiː/ **N** (for job) candidat(e) m(f) ; (market research) personne f interrogée.

**interviewer** /'ɪntəvjuːəʳ/ **N** (Press, Rad, TV) interviewer m ; (in market research, poll) enquêteur (-trice) m(f) ; (in job interview) personne f qui fait passer un entretien.

**inter vivos** /'ɪntəˈviːvɒs/ **PREP** ✦ **gifts inter vivos** (Jur) donations entre vifs.

**intestacy** /ɪnˈtestəsɪ/ **N** (Jur) succession f ab intestat.

**intestate** /ɪnˈtestɪt/ **ADJ** (Jur) intestat ✦ **to die intestate** mourir intestat ✦ **intestate estate** or **succession** succession ab intestat.

**Intranet** /'ɪntrənet/ **N** Intranet m.

**intra vires** /'ɪntrəˈvaɪriːz/ **PREP** (Jur) statutaire.

**intrinsic** /ɪnˈtrɪnsɪk/ **ADJ** defect, value intrinsèque.

**introduce** /ˌɪntrəˈdjuːs/ **VT** **a** new method, system introduire; subject, question aborder, présenter; shares introduire (en Bourse); product lancer, introduire; seminar, programme présenter ✦ **introducing syndicate** (St Ex) syndicat d'introduction **b** person présenter ✦ **I introduced him to the head buyer** je l'ai présenté au chef des achats ✦ **to introduce o.s.** se présenter (to sb à qn)

**introduction** /ˌɪntrəˈdʌkʃən/ **N** **a** [new method, system] introduction f (into dans); [product] lancement m, introduction f ; [shares, company] introduction f (en Bourse); [seminar, programme] présentation f (to sb à qn) ✦ **introduction stage** (Mktg) phase d'introduction **b** (= first part) [book, article, report] introduction f **c** [person] présentation f (of sb to sb de qn à qn) ✦ **to give sb a letter of introduction to sb** donner à qn une lettre de recommandation auprès de qn.

**introductory** /ˌɪntrəˈdʌktərɪ/ **ADJ** stage, period préliminaire, préalable; speech, text de présentation; (Mktg) campaign, price de lancement ✦ **introductory course** (Univ) cours or programme d'initiation; (Ind) cours or stage d'initiation ✦ **introductory gift** cadeau de bienvenue ✦ **introductory offer** offre promotionnelle or de lancement, offre de bienvenue ✦ **introductory remarks** préambule, remarques préliminaires or préalables ✦ **introductory stage** (Mktg) phase de lancement.

**intrust** /ɪnˈtrʌst/ **VT** → **entrust.**

**inundate** /'ɪnʌndeɪt/ **VT** inonder, submerger (with de) ✦ **to be inundated with work** être submergé de travail, être débordé.

**inv.** abbr of **invoice.**

**invade** /ɪnˈveɪd/ **VT** (gen) envahir ✦ **to invade sb's rights** empiéter sur les droits de qn.

**invalid** /'ɪnvalɪd/ **ADJ** (Jur) contract, will, document sans valeur juridique; (= out of date) ticket, passport périmé; statement sans valeur; (Comp) code, address invalide ✦ **to become invalid** ticket être périmé, ne plus être valable ✦ **contracts ruled invalid in court** contrats invalidés par le tribunal.

**invalidate** /ɪnˈvælɪdeɪt/ **VT** (gen) invalider, annuler; (Jur) judgment casser, infirmer; will rendre nul et sans effet; contract vicier, annuler, rendre nul; statute abroger.

**invalidation** /ˌɪnvælɪˈdeɪʃən/ **N** (gen) invalidation f, annulation f ; [judgment] infirmation f ; [statute] abrogation f.

**invalidity** /ˌɪnvəˈlɪdɪtɪ/ **N** **a** [person] invalidité f ✦ **invalidity pension** pension d'invalidité **b** (Jur) [contract] nullité f.

**invent** /ɪnˈvent/ **VT** inventer.

**invention** /ɪnˈvenʃən/ **N** invention f.

**inventor** /ɪnˈventəʳ/ **N** inventeur m.

**inventoriable** /'ɪnvəntɔːrɪəbl/ **ADJ** costs incorporable.

**inventory** /'ɪnvəntrɪ/ **N** **a** (= list of things) inventaire m ✦ **inventory of fixtures** état des lieux ✦ **inventory with valuation** inventaire avec prisée ✦ **continuous** or **perpetual inventory (system)** inventaire (comptable) permanent ✦ **periodic inventory (system)** inventaire périodique or tournant **b** (= stock) stock ✦ **to build up / rebuild inventories** constituer / reconstituer les stocks ◆ **to carry excessive inventories** être en surstockage, avoir des stocks excessifs ◆ **to run down inventories** réduire les stocks, déstocker ◆ **to write down inventories** réduire la valeur comptable des stocks ◆ **units in inventory, inventory at hand** unités en stock, existants ◆ **the latest goods in the inventory** les marchandises les plus récentes en stock ◆ **the inventory of supplies** les stocks d'approvisionnement ◆ **beginning / closing inventory** stock initial / final, stock à l'ouverture / la clôture de l'exercice ◆ **finished goods / goods in process inventories** stocks de produits finis / semi-finis ◆ **physical inventory** inventaire des existants ◆ **working inventory** stock outil

─────── compounds/composés ───────

◆ **inventory account** compte de stock
◆ **inventory book** *(Acc)* livre d'inventaires
◆ **inventory build-up** (re)constitution des stocks
◆ **inventory card** fiche de stock
◆ **inventory change** variation des stocks
◆ **inventory computation** calcul de la valeur des stocks
◆ **inventory control** contrôle *or* gestion des stocks
◆ **inventory cost** *(= total cost of an item)* coût d'une unité en stock; *(= particular expense)* coût de possession des stocks
◆ **inventory decumulation** contraction *or* diminution des stocks
◆ **inventory disinvestment** déstockage
◆ **inventory file** fichier de stock
◆ **inventory flow** mouvements mpl de stock, entrées fpl et sorties de stock
◆ **inventory investment** investissement dans les stocks, actif sous forme de stocks
◆ **inventory item** unité en stock
◆ **inventory management** gestion de stocks
◆ **inventory overage** excédent de stock, stock excédentaire, écart positif sur stock
◆ **inventory profit** profit sur stock, bénéfice fictif sur stock
◆ **inventory shortage** rupture de stock
◆ **inventory shrinkage** écart sur stock, freinte de stock
◆ **inventory status report** état des stocks
◆ **inventory turnover** (taux de) rotation des stocks
◆ **inventory valuation** valorisation des stocks
◆ **inventory value** valeur affectée aux stocks

**VT** inventorier, faire l'inventaire de, dresser un inventaire de.

**inverse** /ɪn'vɜːs/ **ADJ** inverse ◆ **in inverse order** en sens inverse ◆ **in inverse ratio (to)** en raison inverse (de)
**N** inverse m, contraire m.

**invert** /ɪn'vɜːt/ **VT** *order, words* intervertir.

**inverted** /ɪn'vɜːtɪd/ **ADJ** *order, words* interverti ◆ **inverted yield curve** *(Fin)* hiérarchie des taux d'intérêt inversée ◆ **inverted market** *(St Ex)* marché à terme en report.

**invest** /ɪn'vest/ **VT** **a** *(Fin)* investir (*in* dans) ◆ **to invest money in the stock exchange** investir *or* placer de l'argent en Bourse, faire un placement en Bourse ◆ **capital invested** capital investi *or* permanent, mise de fonds **b** *(= endow)* revêtir, investir *(sb with sth* qn de qch) ◆ **he was invested with the power of proxy** *(Jur)* il a reçu pouvoir de procuration **VI** investir ◆ **to invest in shares / bonds / property** investir *or* placer son argent en valeurs / en obligations / dans l'immobilier ◆ **business is investing again** les entreprises se remettent à investir ◆ **I'm going to invest on the stock exchange** je vais placer de l'argent *or* faire un placement en Bourse, je vais investir en Bourse ◆ **the company will invest in new equipment** la société investira dans de nouveaux équipements.

**investee** /ˌɪnves'tiː/ **N** *entreprise dans laquelle on investit.*

**investible** /ɪn'vestɪbl/ **ADJ** *funds, capital* disponible pour être placé *or* investi.

**investigate** /ɪn'vestɪɡeɪt/ **VT** *question, possibilities, problem* examiner, étudier; *motive, reason* scruter, sonder; *crime* enquêter sur, faire une enquête sur ◆ **investigating committee** commission d'enquête.

**investigation** /ɪnˌvestɪ'ɡeɪʃən/ **N** *[facts, problem]* examen m, étude f ; *[crime, accident]* enquête f *(of* sur) ◆ **to make investigations into sth** enquêter sur qch, faire des recherches sur qch.

**investigative** /ɪn'vestɪˌɡeɪtɪv/ **ADJ** *work* d'investigation, de recherche.

**investment** /ɪn'vestmənt/ **N** *(gen)* investissement m ; *(to produce dividend or interest income)* placement m, investissement m ◆ **investments** *(Acc = assets side of balance sheet)* immobilisations financières; *(= stocks of other companies on balance sheet)* titres de participation, participations ◆ **investment in X company** titres de participation dans la société X ◆ **investments in subsidiaries** participations dans des filiales ◆ **he has a large investment in this business** il a une grosse somme investie dans cette affaire ◆ **our company has a large investment in its French subsidiary** notre entreprise a investi une somme importante dans sa filiale française ◆ **he lives on income from investments** il vit de ses rentes, il vit des revenus de ses placements ◆ **capital investment** investisse-

*compounds/composés*

### INVESTMENT

- **investment account** compte d'investissement
- **investment allowance** réduction fiscale sur les investissements
- **investment analysis** analyse de placements
- **investment bank** banque d'affaires *or* d'investissement
- **investment bill** effet
- **investment broker** courtier de placement
- **investment certificate** certificat d'investissement
- **investment company** société d'investissement *or* de placement *or* de portefeuille
- **investment gain** *(Acc)* plus-value d'immobilisation financière *or* d'investissement
- **investment goods** biens mpl d'équipement *or* d'investissement
- **investment-grade stock** valeurs fpl de premier ordre
- **investment grant** *(Brit)* subvention d'investissement, aide à l'investissement
- **investment incentives** incitations à l'investissement, subventions d'investissement

- **investment income** *[person]* revenu(s) des placements *or* des investissements; *(Tax)* revenus mpl des valeurs mobilières; *(Acc) [company] (gen)* produits mpl financiers; *(from investment in stock)* produits mpl de participations, revenus mpl des titres de participation
- **investment loss** *(Acc)* moins-value d'immobilisation financière *or* d'investissement
- **investment market** marché des capitaux
- **investment management** gestion de portefeuille
- **investment securities** *or* **shares** *or* **stock** valeurs fpl de placement
- **investment strategy** stratégie d'investissement
- **investment tax credit** *(US)* crédit d'impôt sur les investissements
- **investment trust** *(= company)* société d'investissement; *(= funds)* fonds (commun) de placement ◆ **closed-end investment trust** fonds commun de placement ◆ **open-end investment trust** société d'investissement à capital variable, SICAV.

---

ment de capitaux ◆ **fixed investment** *[company]* immobilisations; *[country]* investissements d'infrastructure ◆ **foreign investment** *(incoming)* investissements étrangers; *(outgoing)* investissements à l'étranger ◆ **gross investment** *[country]* formation brute de capital fixe; *[company]* investissement brut, montant brut des immobilisations ◆ **initial investment (cost)** frais d'établissement ◆ **institutional investment** *(St Ex)* investisseurs institutionnels ◆ **trustee** *(Brit)* or **legal** *(US)* **investments** placements *or* investissements autorisés en cas de fidéicommis ◆ **private / public investment** investissement privé / public, investissements du secteur privé / public ◆ **real** *or* **community investment** investissements collectifs ◆ **return on investment** retour sur investissement ◆ **long-term / short-term investment** investissement à long terme / à court terme

**investor** /ɪnˈvestər/ N *(gen)* investisseur m ; *(in savings)* épargnant m ; *(in shares)* actionnaire mf ◆ **investor group** groupe d'investisseurs ◆ **institutional investors** investisseurs institutionnels, zinzins* ◆ **individual investor** investisseur privé ◆ **private** *or* **small investors** petits épargnants, petits actionnaires, petits porteurs.

**invisible** /ɪnˈvɪzəbl/ ADJ *exports, imports, income* invisible ◆ **invisible balance** balance des invisibles ◆ **invisible earnings** gains invisibles
**invisibles** NPL invisibles mpl ◆ **invisibles account** compte des invisibles.

**invitation** /ˌɪnvɪˈteɪʃən/ N invitation f (*to* à, *to do sth* à faire qch) ◆ **to make sb an invitation** faire une invitation à qn ◆ **invitation to tender, invitation for tenders** appel d'offres, invitation à soumissionner.

**invite** /ɪnˈvaɪt/ VT **a** (= *ask*) *person* inviter (*to do* à faire) **b** *suggestions* demander, solliciter; *bids, offers* solliciter ◆ **we invite subscriptions to our share issue** nous invitons le public à souscrire à notre émission d'actions ◆ **applications are invited** *or* **we invite applications for the position of chief accountant** nous faisons un appel de candidatures pour le poste de chef comptable.

**invoice** /ˈɪnvɔɪs/ N facture f ◆ **to make out an invoice** établir une facture ◆ **to receipt an invoice** acquitter une facture ◆ **as per invoice** suivant facture ◆ **payment on invoice** paiement à réception de la facture ◆ **consular invoice** facture consulaire ◆ **franco invoice** facture franco (*établie dans la langue du pays vers lequel on exporte*) ◆ **inland invoice** facture intérieure ◆ **pro forma** *or* **interim** *(US)* **invoice** facture pro forma ◆ **shipping invoice** facture d'expédition

*compounds/composés*

- **invoice amount** montant de la facture
- **invoice clerk** facturier(-ière)
- **invoice price** prix de facture
- **invoice value** valeur de la facture

---

VT *customer, goods* facturer.

**invoicing** /'ɪnvɔɪsɪŋ/ N facturation f.

**involuntary** /ɪn'vɒləntərɪ/ ADJ involontaire ◆ involuntary investment or saving investissement or immobilisation involontaire (par accroissement des stocks).

**involve** /ɪn'vɒlv/ VT work, effort nécessiter; expense, trouble entraîner, impliquer ◆ how much money does it involve or is involved? combien d'argent est-ce que cela nécessite? ◆ the investment involved is colossal l'investissement que cela nécessite or implique or entraîne est énorme ◆ the job involves taking orders by telephone le poste implique la prise de commandes par téléphone.

**involvement** /ɪn'vɒlvmənt/ N **a** (= participation) rôle m (in dans) participation f (in à) **b** (= difficulty) problème m, difficulté f ◆ financial involvements difficultés financières, problèmes or embarras financiers.

**inward** /'ɪnwəd/ ADJ movement vers l'intérieur ◆ inward bill of lading connaissement d'entrée ◆ inward bound vessel navire en retour ◆ inward cash transfer remise d'espèces de l'étranger ◆ inward cargo chargement de retour ◆ inward charges droits de port d'entrée ◆ inward investment investissements étrangers ◆ inward mail courrier à l'arrivée ◆ inward manifest (Mar) manifeste d'entrée ◆ inward payment paiement reçu, encaissement ◆ inward transportation (Acc) frais de transport sur achats.

**inwards** /'ɪnwədz/ ADV vers l'intérieur ◆ carriage inwards (Acc) frais de port or de livraison (sur approvisionnements) ◆ freight inwards fret à l'arrivée ◆ invoice inwards facture reçue or à l'arrivée.

**IOU** /ˌaɪəʊ'juː/ N (abbr of I owe you) reconnaissance f de dette ◆ I signed an IOU for £100 j'ai signé une reconnaissance de dettes de 100 livres.

**IPO** /ˌaɪpiː'əʊ/ N abbr of initial public offering → initial.

**IR** (Brit) abbr of Inland Revenue → inland.

**Iran** /ɪ'rɑːn/ N Iran m.

**Iranian** /ɪ'reɪnɪən/ ADJ iranien
**N** **a** (= language) iranien m **b** (= inhabitant) Iranien(ne) m(f).

**Iraq** /ɪ'rɑːk/ N Iraq m, Irak m.

**Iraqi** /ɪ'rɑːkɪ/ ADJ iraqien, irakien
**N** **a** (= language) iraqien m, irakien m **b** (= inhabitant) Iraqien(ne) m(f), Irakien(ne) m(f).

**Ireland** /'aɪələnd/ NF Irlande f.

**Irish** /'aɪərɪʃ/ ADJ irlandais
**N** **a** (= language) irlandais m **b** the Irish les Irlandais.

**Irishman** /'aɪərɪʃmən/ N Irlandais m.

**Irish Republic** /'aɪərɪʃrɪ'pʌblɪk/ N (république f d')Irlande f.

**Irishwoman** /'aɪərɪʃwʊmən/ N Irlandaise f.

**iron** /'aɪən/ N fer m ◆ iron and steel industry industrie sidérurgique ◆ iron ore minerai de fer ◆ corrugated iron tôle ondulée ◆ scrap iron ferraille.

**iron out** /'aɪən/ VT SEP difficulties aplanir.

**ironworks** /'aɪənwɜːks/ N usine f sidérurgique.

**IRR** /ˌaɪɑː'ɑː/ N (abbr of internal rate of return) TRI m.

**irrebuttable** /ˌɪrɪ'bʌtəbl/ ADJ (Jur) irréfragable ◆ irrebuttable presumption présomption irréfragable.

**irrecoverable** /ˌɪrɪ'kʌvərəbl/ ADJ object irrécupérable; (Fin) debt irrécouvrable.

**irredeemable** /ˌɪrɪ'diːməbl/ ADJ **a** (Fin) bond, debenture irremboursable; loan non remboursable; currency, money inconvertible **b** error irréparable
**irredeemables** **NPL** (St Ex) valeurs fpl irremboursables.

**irreducible** /ˌɪrɪ'djuːsəbl/ ADJ irréductible ◆ we are at an irreducible low point for inventories il est impossible de laisser nos stocks tomber plus bas.

**irrefutable** /ˌɪrɪ'fjuːtəbl/ ADJ argument irréfutable; (Jur) testimony irrécusable.

**irregular** /ɪ'regjʊləʳ/ ADJ irrégulier
**irregulars** **NPL** (US) articles mpl de deuxième catégorie.

**irregularity** /ɪˌregjʊ'lærɪtɪ/ N (gen) irrégularité f (Jur, Admin : in procedure) vice m de forme.

**irrelevant** /ɪ'reləvənt/ ADJ question, remark hors de propos; information, data non pertinent.

**irreparable** /ɪ'repərəbl/ ADJ error, loss, damage irréparable.

**irreplaceable** /ˌɪrɪ'pleɪsəbl/ ADJ irremplaçable.

**irrespective** /ˌɪrɪ'spektɪv/ ADJ ◆ irrespective of sans tenir compte de.

**irresponsible** /ˌɪrɪ'spɒnsəbl/ ADJ (Jur) irresponsable ◆ financially irresponsible insolvable.

**irreversible** /ˌɪrɪ'vɜːsəbl/ ADJ operation, strategy irréversible; decision, judgment irrévocable.

**irrevocable** /ɪˈrevəkəbl/ ADJ irrévocable ✦ **irrevocable letter of credit** lettre de crédit irrévocable.

**IRS** /ˌaɪɑːˈres/ N abbr of **Internal Revenue Service** → **internal.**

**ISBN** /ˌaɪesbiːˈen/ N (abbr of **International Standard Book Number**) ISBN m.

**ISD** /ˌaɪesˈdiː/ N abbr of **international subscriber dialling** → **international.**

**Islamabad** /ɪzˈlɑːməˌbɑːd/ N Islamabad.

**island** /ˈaɪlənd/ N (gen) île f ; (in supermarket) îlot m, gondole f ✦ **island site** or **position** (Pub) position isolée, emplacement isolé ✦ **work island** poche d'emplois.

**isolationism** /ˌaɪsəʊˈleɪʃənɪzm/ N isolationnisme m.

**isolationist** /ˌaɪsəʊˈleɪʃənɪst/ N, ADJ isolationniste.

**ISP** /ˌaɪesˈpiː/ N (abbr of **Internet Service Provider**) FAI m.

**Israel** /ˈɪzreɪl/ N Israël m.

**Israeli** /ɪzˈreɪlɪ/ ADJ israélien
N (= inhabitant) Israélien(ne) m(f).

**iss.** abbr of **issue.**

**ISSN** /ˌaɪesesˈen/ N (abbr of **International Standard Serial Number**) ISSN m.

**issuance** /ˈɪʃʊəns/ (US) N [document, patent] délivrance f, émission f ; [securities] émission f.

**issue** /ˈɪʃuː/ N a (= matter, question) question f, problème m, sujet m b [shares, loan] émission f ; [book] publication f, parution f, sortie f ; [magazine] livraison f ; [document] délivrance f ; [stamp, banknote] émission f, mise f en circulation; [warrant, writ] lancement m ✦ **issue above par / at par / below par** (St Ex) émission au-dessus du pair / au pair / au-dessous du pair ✦ **issue by tender** émission dans le public ✦ **to subscribe to an issue** souscrire à une émission ✦ **to underwrite an issue** garantir une émission ✦ **block issue** émission par séries or par blocs de titres ✦ **bonus** or **capitalization** or **scrip issue** émission or attribution d'actions gratuites ✦ **current issue** émission en cours ✦ **new issue** nouvelle émission ✦ **public issue** émission dans le public ✦ **rights issue** émission de droits de souscription or d'attribution c (= copy) [magazine] numéro m ✦ **current issue** dernier numéro

— compounds/composés —

✦ **issue broker** (St Ex) courtier d'émission or de placement
✦ **issue card** (Ind) carte de sortie de stock
✦ **issue department** (Bank) service des émissions
✦ **issue house** (Bank, St Ex) banque de placement
✦ **issue market** marché des émissions
✦ **issue premium** prime d'émission
✦ **issue price** prix or cours d'émission
✦ **issue voucher** (Ind) bon de sortie de stock

VT banknotes, stamps, bills of exchange émettre, mettre en circulation; shares, debentures, cheques, loan émettre; book publier, faire paraître; order donner; document délivrer; warrant lancer ✦ **to issue a letter of credit** émettre or fournir une lettre de crédit ✦ **to issue a draft on sb** tirer une traite sur qn, fournir une traite sur qn ✦ **issued to bearer** émis au porteur ✦ **issued capital / stock** capital / titres émis.

**issuer** /ˈɪʃʊəʳ/ N (Fin, St Ex) émetteur m, société f émettrice.

**issuing** /ˈɪʃʊɪŋ/ ADJ firm, syndicate émetteur ✦ **issuing company** société émettrice ✦ **issuing house** banque de placement or d'émission.

**IT** /ˈaɪˈtiː/ N a abbr of **information technology** → **information** b abbr of **income tax** → **income.**

**ital.** abbr of **italic.**

**Italian** /ɪˈtæljən/ ADJ italien
N a (= language) italien m b (= inhabitant) Italien(ne) m(f).

**italic** /ɪˈtælɪk/ ADJ print italique
**italics** NPL italique f ✦ **in italics** en italique.

**Italy** /ˈɪtəlɪ/ N Italie f.

**item** /ˈaɪtəm/ N a (in meeting, report) question f, point m ✦ **the items on the agenda** les questions à l'ordre du jour ✦ **the first item of the contract** le premier article du contrat ✦ **an item in a classification** un élément dans une classification ✦ **news item** information, nouvelle ✦ **the main item in the news** le titre principal des informations ✦ **an item of information** une information, un élément d'information b (= article for sale) article m ✦ **the following items are on order** les articles suivants ont été commandés ✦ **we have 50 units of this item in stock** nous avons 50 unités de cet article en stock ✦ **the first three items in the catalogue** les trois premiers articles dans le catalogue ✦ **stock items** éléments du stock, existants c (Acc) (= single entry) écriture f, article m, poste m ; (= heading in balance sheet, budget) poste m ✦ **balance sheet item** poste du bilan ✦ **budget(ary) item**

poste du budget *or* budgétaire ✦ **cash item** article de caisse ✦ **credit / debit item** *(= heading)* poste créditeur / débiteur; *(= entry)* article au débit / au crédit ✦ **extraordinary items** *(on income statement)* éléments exceptionnels; *(= revenue)* produits exceptionnels; *(= expenses)* charges exceptionnelles ✦ **the following items of expenditure are tax deductible** les dépenses suivantes *or* les chefs de dépenses suivants *or* les éléments suivants de dépenses sont déductibles des impôts ✦ **item depreciation** amortissement à l'unité.

**itemization, itemisation** /ˌaɪtəmaɪˈzeɪʃən/ **N** *(Comm)* détail m ✦ **itemization of a bill** détail d'une facture ✦ **itemization of goods ordered** liste détaillée des marchandises commandées.

**itemize, itemise** /ˈaɪtəmaɪz/ **VT** *invoice, list* détailler, spécifier ✦ **itemized deduction** *(US Tax)* déduction des frais réels.

**iterate** /ˈɪtəreɪt/ **VT** *(Comp)* itérer, répéter.

**iteration** /ˌɪtəˈreɪʃən/ **N** *(Comp)* itération f, répétition f.

**iterative** /ˈɪtərətɪv/ **ADJ** *(Comp)* itératif.

**itinerary** /aɪˈtɪnərərɪ/ **N** itinéraire m.

**i.v.** abbr of **invoice value** → **invoice**.

**Ivory Coast** /ˈaɪvərɪˌkəʊst/ **N** ✦ **the Ivory Coast** la Côte-d'Ivoire.

# J

**J / A** abbr of **joint account** → **joint.**

**jacket** /'dʒækɪt/ N *[book]* couverture f, jaquette f.

**jackpot** /'dʒækpɒt/ N gros lot m ♦ **to hit the jackpot** *(lit, fig)* gagner le gros lot.

**jack up** /dʒæk/ VT *prices* majorer, augmenter.

**Jakarta** /dʒə'kɑːtə/ N Jakarta.

**jam** /dʒæm/ VT (gen) bloquer, coincer; *(Telec) line* encombrer ♦ **jammed schedule** programme qui n'avance pas *or* qui se trouve bloqué ◼ VI se bloquer, se coincer ◼ N bourrage m ♦ **we're in a jam** * nous sommes coincés* *or* dans le pétrin* ♦ **log jam** blocage ♦ **traffic jam** embouteillage.

**Jamaica** /dʒə'meɪkə/ N Jamaïque f.

**Jamaican** /dʒə'meɪkən/ ADJ jamaïquain ◼ (= *inhabitant*) Jamaïquain(e) m(f).

**January** /'dʒænjʊərɪ/ N janvier m → **September.**

**Japan** /dʒə'pæn/ N Japon m.

**Japanese** /ˌdʒæpə'niːz/ ADJ japonais ♦ **the Japanese embassy** l'ambassade du Japon ◼ N **a** (= *language*) japonais m **b** (= *inhabitant*) Japonais(e) m(f).

**jargon** /'dʒɑːgən/ N jargon m ♦ **advertising jargon** jargon publicitaire.

**J curve** /'dʒeɪkɜːv/ N (*Econ*) courbe f en J.

**jelly fish** /'dʒelɪfɪʃ/ N ♦ **jelly fish policy** politique de demi-mesures.

**jeopardize, jeopardise** /'dʒepədaɪz/ VT mettre en difficulté *or* en danger ♦ **to jeopardize one's situation** compromettre sa situation.

**jeopardy** /'dʒepədɪ/ N danger m, péril m.

**jerky** /'dʒɜːkɪ/ ADJ heurté, saccadé ♦ **jerky movements** *stock market* variations brusques, soubresauts, fluctuations en dents de scie.

**jerquer** /'dʒɜːkəʳ/ N vérificateur m des douanes.

**Jerusalem** /dʒə'ruːsələm/ N Jérusalem.

**jet** /dʒet/ N avion m à réaction ♦ **jet lag** (fatigue due au) décalage horaire ♦ **to be jet-lagged** souffrir du décalage horaire.

**jetsam** /'dʒetsəm/ N *objets jetés à la mer échoués sur la côte* ♦ **flotsam and jetsam** choses de flot et de mer.

**jettison** /'dʒetɪsn/ VT (*Mar*) jeter par-dessus bord, se délester de; (*Aviat*) *fuel, cargo* larguer; (*fig*) *employee* se séparer de; *project* abandonner ◼ N jet m à la mer ♦ **jettison and washing overboard** *jet à la mer et enlèvement par les lames* ♦ **jettison of deck cargo** jet de pontée.

**jet up** * /'dʒet/ (*US*) VI travailler de façon efficace et rapide.

**jeweller** (*Brit*), **jeweler** (*US*) /'dʒuːələʳ/ N bijoutier(-ière) m(f), joaillier(-ière) m(f) ♦ **jeweller's (shop)** bijouterie, joaillerie.

**jibe** * /'dʒaɪb/ (*US*) VI concorder ♦ **our figures don't jibe** nos chiffres ne collent pas.

**jiffy bag** ® /'dʒɪfɪbæg/ N enveloppe f rembourrée.

**jingle** /'dʒɪŋgl/ N ♦ **advertising jingle** refrain publicitaire, jingle, sonal.

**jittery** * /'dʒɪtərɪ/ ADJ *market, operators* nerveux, agité ♦ **investors grow jittery** les investisseurs paniquent ♦ **the market is in a jittery phase** le marché passe par une phase de nervosité.

**Jnr** abbr of **junior.**

**job** /dʒɒb/ **N** **a** (gen) travail m, tâche f ; (Ind) (= piece of work) travail m ; (= task) tâche f ; (= special order) commande f spéciale, produit m unique; (= batch) lot m ♦ **he has made a good job of it** il a fait du bon travail or du bon boulot* ♦ **we lost a lot of money on that job** nous avons perdu beaucoup d'argent sur ce projet ♦ **she's got a difficult job on her hands** elle a une tâche difficile sur les bras ♦ **he's working on a foreign job** il travaille sur une commande de l'étranger ♦ **community jobs** travaux d'intérêt collectif **b** (= situation) métier m, emploi m, travail m, poste m ♦ **job with a future** métier d'avenir ♦ **to be out of a job** être au or en chômage ♦ **to look for a job** chercher du travail or un emploi ♦ **to lose one's job** perdre son emploi or sa place ♦ **7,000 jobs lost** 7 000 suppressions d'emplois ♦ **he has a**
**very good job** il a une belle situation ♦ **off-the-job training** stages de formation à l'extérieur de l'entreprise ♦ **on-the-job training** formation sur le tas or dans l'entreprise ♦ **he knows his job** il connaît son affaire or son métier ♦ **that's not my job** ce n'est pas mon travail or métier ♦ **dead-end job** métier sans avenir ♦ **factory jobs** emplois industriels ♦ **sideline job** travail d'appoint

**VI** **a** (= do piecework) travailler à la tâche; (= do casual work) faire des petits travaux **b** (St Ex) (= speculate) spéculer; (= deal in securities) négocier

**VT** (also **job out**) work sous-traiter, donner en sous-traitance.

**jobber** /'dʒɒbəʳ/ N **a** (St Ex) (Brit) jobber m *intermédiaire qui traite directement avec l'agent de change* (US : often pej) agent m de change

───── compounds/composés ─────

JOB

- **job action** (US Ind) action revendicative
- **job advertisement** offre d'emploi
- **job analysis** (Ind) analyse des tâches, analyse statique or par poste de travail
- **job application** demande d'emploi, candidature
  - **unsuccessful job applications** demandes d'emploi non satisfaites
- **job assignment** répartition or affectation des tâches
- **job card** (specifying work to be done) bon or fiche de travail or de travaux, ordre de fabrication
- **job centre** (Brit) ≈ Agence nationale pour l'emploi
- **job classification** classification des tâches
- **job control language** (Comp) langage de contrôle de travaux
- **job convention** forum de l'emploi, foire à l'emploi
- **job cost sheet** fiche de prix de revient
- **job-creating investment** investissement créateur d'emplois
- **job creation** création d'emplois nouveaux ♦ **job creation scheme** plan de création d'emplois
- **job definition** définition de fonctions
- **job description** définition or profil du poste
- **job enrichment** enrichissement des tâches
- **job estimate** estimation du prix de revient d'une commande
- **job evaluation** évaluation des tâches
- **job freeze** gel de l'emploi
- **job grading** évaluation des tâches
- **job hopping** * changement fréquent d'emplois
- **job hunter** demandeur d'emploi
- **job incumbent** titulaire d'un poste
- **job interviews** entretiens mpl d'embauche
- **job legislation** législation du travail
- **job lot** lot d'articles divers ♦ **to sell / buy sth as a job lot** vendre / acheter un lot de qch ♦ **job lot production** (made to order) production or fabrication-sur commande or à la demande, production en

atelier or par projet; (in batches) production or fabrication par lots or en petites séries
- **job market** marché de l'emploi
- **job offers** offres fpl d'emploi
- **job opportunities** (for an individual seeking a job) débouchés mpl, perspectives fpl ; (= positions vacant) possibilités fpl d'emploi, offres fpl d'emploi
- **job order** (Ind) bon de travail or de travaux, ordre d'exécution or de fabrication
- **job performance** rendement au travail
- **job placement** affectation à un poste
- **job preservation** sauvegarde de l'emploi
- **job queue** (Comp, Ind) file d'attente des travaux
- **job rotation** rotation des postes
- **job safety** sécurité au travail
- **job satisfaction** satisfaction professionnelle
- **job scheduler** programmateur de travaux
- **job scheduling** organisation or programmation du travail
- **job security** sécurité de l'emploi
- **job-seeker** demandeur(-euse) d'emploi
- **job sequence** (Ind) séquence de travail
- **job shop** atelier polyvalent, atelier travaillant sur commande
- **job specifications, job spec** * profil de poste ♦ **to draw up a job spec** * **for the new post** dresser le profil du nouveau poste
- **job site** chantier
- **job specialization** spécialisation des tâches
- **job ticket** bon de travail
- **job title** intitulé du poste
- **job training** formation professionnelle ♦ **customized job training** formation professionnelle sur mesure
- **job turnover** mouvement du personnel
- **job wage** salaire à la tâche or à forfait
- **job work** (= piecework) travail à la pièce; (= contract work) travail à forfait

♦ **jobber's turn** marge du jobber **b** *(Commodity Exchange)* ♦ **(commodity) jobber** grossiste **c** *(= pieceworker)* ouvrier(-ière) m(f) à la tâche.

**jobbery** /'dʒɒbərɪ/ **N** tripotage m * ♦ **stock jobbery** spéculation boursière.

**jobbing** /'dʒɒbɪŋ/ **ADJ** *workman* à la tâche *or* à façon *or* à la pièce
**N** **a** *(St Ex)* opérations fpl boursières ♦ **jobbing in contangos** arbitrage en report **b** *(Commodity Exchange)* vente f en gros **c** *(Ind :* also **jobbing production)** *(making to order)* production f *or* fabrication f sur commande *or* à la demande; *(in batches)* fabrication par lots *or* en petites séries.

**jobless** /'dʒɒblɪs/ **ADJ** sans travail, sans emploi, au *or* en chômage
**NPL** the jobless les chômeurs, les sans-emploi ♦ **the jobless figures** les statistiques *or* les chiffres du chômage ♦ **jobless rate** taux de chômage.

**joblessness** /'dʒɒblɪsnɪs/ **N** chômage m.

**jobmaker** /'dʒɒbmeɪkər/ **N** créateur m d'emplois.

**jockey** /'dʒɒkɪ/ **VI** ♦ **to jockey for office** manœuvrer pour obtenir un poste.

**jog along** /'dʒɒg/ **VI** avancer tant bien que mal ♦ **our economy can no longer just jog along** notre économie ne peut plus se contenter de son train-train habituel.

**join** /dʒɔɪn/ **VT** **a** *(= become member of)* club, EU devenir membre de ♦ **to join a firm** entrer *or* commencer à travailler dans une entreprise **b** *(= append)* joindre, annexer *(to* à) ♦ **the documents joined to the minutes of the meeting** les documents annexés au procès-verbal **c** *person* rejoindre, retrouver ♦ **I'll join you in 5 minutes** je vous rejoins *or* retrouve dans 5 minutes ♦ **will you join us?** voulez-vous vous joindre à nous?, voulez-vous être des nôtres?
**VI** **a** *[two companies]* (also **join together)** s'associer, s'unir *(with* à) **b** *[new members]* devenir membre, adhérer.

**joint** /dʒɔɪnt/ **ADJ** commun, conjugué, réuni ♦ **joint account** *(Bank)* compte joint ♦ **joint action** *(Jur)* action collective ♦ **joint auditors** co-réviseurs, co-commissaires ♦ **joint author** coauteur ♦ **joint beneficiaries** cobénéficiaires ♦ **joint board** commission paritaire ♦ **joint cargo** groupage ♦ **joint-cargo service** service de groupage (des expéditions) ♦ **joint committee** commission paritaire *or* mixte ♦ **joint communiqué** communiqué commun ♦ **joint consultations** consultations bilatérales ♦ **joint**

**contract** contrat collectif ♦ **joint creditor** cocréancier ♦ **joint debtor** codébiteur ♦ **joint efforts** efforts conjugués ♦ **joint director** codirecteur ♦ **joint estate** communauté de biens ♦ **joint financing** financement conjoint ♦ **joint float** *(EU)* flottement concerté ♦ **joint guarantee** caution conjointe *or* solidaire ♦ **joint insurance** assurance conjointe ♦ **joint heir** cohéritier ♦ **joint holder** codétenteur ♦ **joint industrial council** commission paritaire *or* mixte ♦ **joint liability** responsabilité conjointe ♦ **joint management** cogestion, codirection ♦ **joint manager** codirecteur, cogérant ♦ **joint ordering** groupage de commandes ♦ **joint owner** copropriétaire ♦ **joint ownership** copropriété ♦ **the property is in joint ownership** le bien est en copropriété ♦ **joint partner** coassocié ♦ **joint partnership** coassociation ♦ **joint policy** police conjointe ♦ **joint products** produits liés ♦ **joint-product offer** vente jumelée ♦ **joint representation** démarche collective ♦ **joint returns** déclaration conjointe ♦ **joint and several guarantee** caution solidaire ♦ **joint and several liability** responsabilité conjointe et solidaire ♦ **joint shares** actions indivises ♦ **joint stock** capital social ♦ **joint-stock bank** *(Brit)* banque de dépôt ♦ **joint-stock company** société par actions ♦ **joint statement** déclaration commune ♦ **to issue a joint statement** publier une déclaration commune ♦ **joint study committee** commission paritaire ♦ **joint surety** caution solidaire; *(= person)* garant solidaire ♦ **joint and survivor annuity** rente réversible *(sur le conjoint survivant)* ♦ **joint tenancy** *(Jur)* indivision ♦ **joint venture** *(= operation)* joint venture, co-entreprise, opération conjointe; *(= company)* joint venture, société en participation.

**jointly** /'dʒɔɪntlɪ/ **ADV** en commun, conjointement ♦ **to be jointly liable** *or* **responsible for** être conjointement responsable de ♦ **jointly and severally** conjointement et solidairement ♦ **to render sb jointly liable** rendre qn solidairement responsable.

**joker** /'dʒəʊkər/ **N** *(* : Jur) clause permettant d'interpréter d'une façon différente un règlement.

**jolt up** * /'dʒəʊlt/ **VT SEP** *prices* augmenter brusquement
**VI** *[prices]* faire un bond.

**Jordan** /'dʒɔːdn/ **N** Jordanie f.

**Jordanian** /dʒɔː'deɪnɪən/ **ADJ** jordanien
**N** *(= inhabitant)* Jordanien(ne) m(f).

**jot down** /'dʒɒt/ **VT SEP** noter, prendre note de ◆ **to jot down a few points** prendre note de *or* noter quelques points.

**jottings** /'dʒɒtɪŋz/ **NPL** notes fpl.

**journal** /'dʒɜːnl/ **N** **a** (= *periodical*) revue f, bulletin m **b** (*Mar*) livre m de bord; (*Jur*) compte rendu m **c** (*Acc*) (*gen*) journal m, livre journal m ; (= *book of prime entry*) journal m originaire ◆ **journal entry** écriture *or* article de journal ◆ **bought** *or* **purchases journal** livre *or* journal des achats ◆ **general journal** journal général, journal centralisateur ◆ **sales journal** livre *or* journal des ventes ◆ **subsidiary journal** journal auxiliaire *or* originaire.

**journalese** /'dʒɜːnə'liːz/ **N** (*pej*) jargon m journalistique.

**journalism** /'dʒɜːnəlɪzəm/ **N** journalisme m.

**journalist** /'dʒɜːnəlɪst/ **N** journaliste mf.

**journalization, journalisation** /,dʒɜːnəlaɪ'zeɪʃən/ **N** (*Acc*) journalisation f.

**journalize, journalise** /'dʒɜːnəlaɪz/ **VT** (*Acc*) *transaction* journaliser.

**journey** /'dʒɜːnɪ/ **N** (*gen*) voyage m ; (*short*) trajet m ◆ **empty / loaded journey** voyage à vide / en charge ◆ **the journey from home to office** le trajet de la maison au bureau **COMP** ◆ **journey planning** organisation des déplacements.

**judge** /dʒʌdʒ/ **N** juge m

**VT** juger

**VI** juger ◆ **judging by** *or* **from** à en juger par *or* d'après.

**judg(e)ment** /'dʒʌdʒmənt/ **N** **a** (*Jur*) jugement m, décision f judiciaire ◆ **to attack a judgment** se pourvoir contre un jugement ◆ **to rescind a judgment** annuler un jugement **b** (*fig* = *opinion*) jugement m, opinion f, avis m ◆ **I'm not going to pass judgment on him** je n'ai pas l'intention de juger sa conduite **c** (= *good sense*) jugement m, discernement m ◆ **our manager is a man of judgment** notre directeur est un homme de bon sens

——————— *compounds/composés* ———————
◆ **judgment creditor** créancier autorisé
◆ **judgment debt** dette reconnue judiciairement
◆ **judgment debtor** débiteur condamné
◆ **judgment samples** échantillon discrétionnaire
◆ **judgment sampling** échantillonnage discrétionnaire.

**judicial** /dʒuː'dɪʃəl/ **ADJ** *power, enquiry* judiciaire ◆ **judicial investigation** information judiciaire ◆ **judicial sale** vente forcée *or* judiciaire ◆ **judicial trustee** administrateur judiciaire.

**juggernaut** /'dʒʌgənɔːt/ **N** (= *truck*) mastodonte m.

**juggle** /'dʒʌgl/ **VTI** ◆ **to juggle (with)** *facts, figures, budget* jongler avec.

**July** /dʒuː'laɪ/ **N** juillet m → **September**.

**jumble** /'dʒʌmbl/ **VT** *facts, details* embrouiller **N** (= *muddle*) [*objects*] mélange m, fouillis m ; [*ideas*] confusion f, enchevêtrement m

——————— *compounds/composés* ———————
◆ **jumble basket** panier présentant en vrac divers articles
◆ **jumble display** présentation en vrac
◆ **jumble sale** vente de charité.

**jumbo** /'dʒʌmbəʊ/

——————— *compounds/composés* ———————
◆ **jumbo jet** (*Aviat*) jumbo-jet, avion géant, avion gros porteur
◆ **jumbo loan** prêt géant *or* jumbo
◆ **jumbo pack** (*gen*) paquet géant; [*bottles, cans*] emballage géant.

**jump** /dʒʌmp/ **N** **a** [*exports*] bond m ◆ **to go up with a jump** faire un bond ◆ **the jump in prices** la montée en flèche *or* la flambée des prix **b** (*Comp*) saut m, rupture f de séquence **VI** **a** (= *leap*) (*gen*) sauter, bondir; [*prices*] monter en flèche, faire un bond ◆ **our shares jumped 12%** nos actions ont grimpé de 12% ◆ **he expects you to jump when he gives an order** * il veut qu'on exécute ses ordres immédiatement *or* à la minute **b** **to jump at** *chance, suggestion, offer* sauter sur ◆ **to jump to conclusions** tirer des conclusions hâtives **VT** **to jump the gun** agir prématurément ◆ **to jump a bill** (*US*) ne pas payer une facture.

**jumpiness** /'dʒʌmpɪnɪs/ **N** [*stock market*] nervosité f, instabilité f.

**jumping-off** /,dʒʌmpɪŋ'ɒf/ **ADJ** ◆ **they used the agreement as a jumping-off place for further negotiations** (*fig*) ils se sont servis de l'accord comme d'un tremplin pour de nouvelles négociations.

**jumpy** * /'dʒʌmpɪ/ **ADJ** *stock market* instable, nerveux ◆ **Wall Streeters are somewhat jumpy** les opérateurs de Wall Street montrent des signes de nervosité.

**Jun.** abbr of **junior**.

**juncture** /'dʒʌŋktʃəʳ/ **N** conjoncture f ♦ **at this juncture** en ce moment.

**June** /dʒuːn/ **N** juin m → **September**.

**junior** /'dʒuːnɪəʳ/ **ADJ** (= younger) (plus) jeune, cadet; (= subordinate) employee, job subalterne ♦ **he is junior to me in the company** (hierarchy) il occupe une position inférieure à la mienne dans la société; (length of service) il a moins d'ancienneté que moi dans la société
**N** **he is my junior** (= younger) c'est mon cadet; (= subordinate) c'est mon subordonné

———— compounds/composés ————
♦ **junior bond** obligation de rang inférieur or de second rang
♦ **junior clerk** garçon de bureau
♦ **junior creditor** créancier de second rang
♦ **junior debt** obligations fpl de rang inférieur or de second rang
♦ **junior equity** actions fpl ordinaires, titres mpl de second rang
♦ **junior executive** cadre moyen
♦ **junior mortgage** hypothèque de second rang, seconde hypothèque
♦ **junior partner** associé(e) minoritaire
♦ **junior position** poste de débutant
♦ **junior security** titre de second rang
♦ **junior shares** or **stocks** actions fpl ordinaires.

**junk** /dʒʌŋk/ **N** (= discarded objects) bric-à-brac m inv, vieilleries fpl ; (* = bad quality goods) camelote f ; (* = worthless objects) pacotille f

———— compounds/composés ————
♦ **junk bond** (US) obligation hautement spéculative (à taux d'intérêt très élevé et à haut risque utilisée dans les OPA agressives), junk bond
♦ **junk food** nourriture peu diététique
♦ **junk mail** imprimés mpl publicitaires

**VT** (* = throw away) balancer*.

**junket** /'dʒʌŋkɪt/ (US) **N** voyage m aux frais de la princesse*
**VI** voyager aux frais de la princesse*.

**Junr** abbr of **Junior**.

**juridical** /dʒʊə'rɪdɪkəl/ **ADJ** juridique ♦ **juridical person** personne morale ♦ **juridical position** situation juridique.

**jurisdiction** /ˌdʒʊərɪs'dɪkʃən/ **N** juridiction f ♦ **it comes within our jurisdiction** (fig) cela relève de notre compétence or de nos attributions, c'est de notre ressort ♦ **this court entertains jurisdiction** ce tribunal est compétent.

**jurisdictional** /ˌdʒʊərɪs'dɪkʃənl/ **ADJ** ♦ **jurisdictional dispute** (US) conflit d'attributions syndicales ♦ **jurisdictional strike** (US) grève provoquée par un conflit d'attributions syndicales.

**jurisprudence** /ˌdʒʊərɪs'pruːdəns/ **N** jurisprudence f.

**jurist** /'dʒʊərɪst/ **N** juriste mf, légiste m.

**juror** /'dʒʊərəʳ/ **N** juré m.

**jury** /'dʒʊərɪ/ **N** jury m.

**just** /dʒʌst/ **ADJ** (lit, fig) juste ♦ **just compensation** indemnisation pour cause d'expropriation ♦ **just title** titre en bonne et due forme.

**justice** /'dʒʌstɪs/ **N** (gen) justice f ; [cause] bien-fondé m ♦ **to dispute the justice of a claim** contester le bien-fondé d'une réclamation.

**justifiable** /ˌdʒʌstɪ'faɪəbl/ **ADJ** (gen) justifiable, légitime; refusal motivé.

**justification** /ˌdʒʌstɪfɪ'keɪʃən/ **N** (gen) justification f (for de) ♦ **left / right justification** (Typ, Comp) justification à gauche / droite.

**justify** /'dʒʌstɪfaɪ/ **VT** **a** behaviour, action justifier, légitimer; decision prouver le bien-fondé de ♦ **justified price** prix justifié ♦ **to be justified in doing** être en droit de faire, avoir de bonnes raisons pour faire **b** (Typ, Comp) text, page justifier ♦ **to left / right justify** justifier à gauche / droite.

# K

**K** N a abbr of **kilo** ✦ **he earns 30K** * *(dollars)* il gagne 30 000 dollars; *(euros)* il gagne 30 K€ b abbr of **kilogramme** c abbr of **kilometre.**

**Kabul** /kəˈbʊl/ N Kaboul.

**Kabuto Cho** /kəˌbuːˈtəʊtʃəʊ/ N Kabuto Cho m.

**Kampala** /kæmˈpɑːlə/ N Kampala.

**Kampuchea†** /ˌkæmpʊˈtʃɪə/ N Kampuchéa m.

**Kampuchean†** /ˌkæmpʊˈtʃɪən/ ADJ kampuchéen N *(= inhabitant)* Kampuchéen(ne) m(f).

**Katmandu** /kætmænˈduː/ N Katmandou.

**Kazakh** /kəˈzɑːk/ ADJ kazakh N *(= inhabitant)* Kazakh mf.

**Kazakhstan** /ˌkɑːzɑːkˈstæn/ N Kazakhstan m.

**Kb** /ˈkeɪbaɪt/ N **(abbr of kilobyte)** Ko.

**KDC** abbr of **knocked-down condition** → **knock down.**

**keel** /kiːl/ N quille f ✦ **to keep sth on an even keel** préserver l'équilibre de qch ✦ **to put the company back on an even keel** remettre l'entreprise sur les rails or d'aplomb or à flot.

**keelage** /ˈkiːlɪdʒ/ N *(Mar)* frais mpl de port, droits mpl de mouillage.

**keelboat** /ˈkiːlbəʊt/ *(US)* N chaland m.

**keen** /kiːn/ ADJ price compétitif, bas; competition vif, acharné ✦ **please quote your keenest price** veuillez nous indiquer votre meilleur prix.

**keep** /kiːp/ VT a *(= retain)* garder, conserver ✦ **keep the receipt** gardez or conservez le reçu ✦ **to keep a record of sth** garder une trace écrite de qch ✦ **to keep sb posted** tenir qn au courant ✦ **we keep track of all payments** nous suivons tous les paiements ✦ **we keep two copies of all correspondence** nous conservons deux exemplaires or copies de chaque lettre b *(= maintain)* tenir, garder, maintenir ✦ **to keep in good repair** entretenir ✦ **keep flat** ne pas plier ✦ **keep upright** tenir debout, ne pas renverser ✦ **keep dry** conserver or garder à l'abri de l'humidité ✦ **to keep the records up to date** maintenir les dossiers or les archives à jour ✦ **we must keep profits coming in** nous devons continuer à faire des bénéfices ✦ **we are trying to keep the factory running** nous essayons de continuer à faire tourner l'usine en activité ✦ **to keep pace with new developments** suivre le rythme des nouveaux développements c shop, restaurant, hotel tenir; *(= rear)* animals élever, faire l'élevage de d *(= stock)* avoir (en stock), vendre ✦ **do you keep office stationery?** avez-vous or vendez-vous des articles de bureau? ✦ **we don't keep children's sizes** nous n'avons or ne faisons pas les tailles (pour) enfants ✦ **we no longer keep this article** nous ne suivons plus cet article e accounts tenir ✦ **to keep the books** tenir les livres or les écritures, s'occuper de la comptabilité f *(= respect)* promise tenir; law, regulation observer, respecter; delivery date respecter ✦ **to keep an appointment** se rendre à un rendez-vous ✦ **he did not keep his appointment** il n'est pas venu à son rendez-vous

VI [merchandise, food] se conserver, se garder ✦ **this cheese is popular with the housewife because it keeps well in the fridge** ce fromage plaît aux ménagères car il se conserve bien au réfrigérateur

N *(= cost of food and board)* ✦ **to earn one's keep** gagner sa vie ✦ **I receive £25 a week and my keep** je reçois 25 livres par semaine nourri logé.

**keep back** VT SEP **a** (= *withhold*) ✦ they keep back £20 from my salary on me retient 20 livres sur mon salaire **b** (= *conceal*) *information* cacher, ne pas révéler.

**keep down** VT SEP *spending* restreindre, limiter ✦ to keep prices down maintenir les prix bas ✦ tighter monetary controls have kept inflation down des contrôles monétaires plus sévères ont permis de maintenir l'inflation à un faible taux.

**keep to** VT FUS ✦ we keep to our former decision nous nous en tenons à notre décision antérieure ✦ to keep to a promise tenir une promesse ✦ to keep to the budget rester dans les limites du budget.

**keep up** VI **a** (= *stay abreast of*) ✦ to keep up with the competition se maintenir à la hauteur de la concurrence, suivre la concurrence ✦ to keep up with inflation suivre l'inflation **b** (= *remain sound*) ✦ prices are keeping up les prix se maintiennent ✦ business is keeping up les affaires marchent
VT SEP **a** (= *continue, preserve*) ✦ we keep up business relations with this firm nous continuons à entretenir des relations d'affaires or nous restons en relations d'affaires avec cette entreprise ✦ to keep up a subscription garder un abonnement ✦ to keep up one's English entretenir son anglais **b** to keep prices up maintenir des prix élevés.

**keg** /keg/ N petit tonneau m.

**Kenya** /'kenjə/ N Kenya m.

**Kenyan** /'kenjən/ ADJ kényan
N (= *inhabitant*) Kényan(e) m(f).

**kerb** /kɜːb/ N ✦ on the kerb (*St Ex*) (*unofficially*) après la clôture; (*for unlisted securities*) en coulisse

---- compounds/composés ----
✦ **kerb broker** courtier en valeurs mobilières; (*for unlisted securities*) coulissier
✦ **kerb market** (= *unlisted market*) marché après Bourse; (*for securities not quoted on stock exchange*) marché en coulisse.
----

**kerbstone** /'kɜːbstəʊn/

---- compounds/composés ----
✦ **kerbstone broker** (*St Ex*) coulissier, courtier en valeurs mobilières
✦ **kerbstone market** marché après Bourse.
----

**key** /kiː/ N [*lock*] clé f, clef f ; [*computer, typewriter*] touche f ; [*mystery*] clé f (*to* de)

ADJ **key factor / industry / post** facteur / industrie / poste clé ✦ **key currency** monnaie clé ✦ **key man** homme clé ✦ **key prospects** excellentes perspectives ✦ **key point** point essentiel

---- compounds/composés ----
✦ **key-actuated** or **-driven** (*Comp*) commandé par touche or par clavier
✦ **key code** [*telex*] indicatif
✦ **key money** (*for house or apartment*) pas de porte, reprise
✦ **key telephone** téléphone à touches
----

VT **a** (*Comp*) *information, data* saisir **b** (*Acc*) ✦ to key an entry numéroter or coder une entrée.

**keyboard** /'kiːbɔːd/ N (*gen, Comp*) clavier m

---- compounds/composés ----
✦ **keyboard entry** introduction or saisie par clavier
✦ **keyboard operator** opérateur(-trice), claviste
----

VT *data* saisir.

**keyboarder** /'kiːbɔːdəʳ/ N opérateur(-trice) m(f), claviste mf.

**keyboarding** /'kiːbɔːdɪŋ/ N saisie f sur clavier ✦ **keyboarding skills essential** (*advert*) bonne expérience de la saisie sur clavier indispensable.

**keyed** /kiːd/ ADJ ✦ **keyed advertisement** annonce codée or à clé ✦ **keyed advertising** publicité codée (*dont le coupon-réponse est codé pour identifier le support*).

**keyed on** ADJ axé sur.

**key in** VT SEP (*Comp*) *data* introduire, saisir.

**keylock** /'kiːlɒk/ N (*Comp*) verrou m de sécurité.

**keyman** /'kiːmæn/ (*US*) N télégraphiste m.

**keynote speech** /'kiːnəʊtˌspiːtʃ/ (*US*) N discours-programme m.

**keypad** /'kiːpæd/ N (*Comp*) bloc m de touches; (*with numbers*) clavier m numérique.

**keypunch** /'kiːpʌntʃ/ N (*Comp*) perforatrice f à clavier
VT *card* perforer; (= *enter*) *data* saisir au clavier.

**keypuncher** /'kiːpʌntʃəʳ/ N (*Comp*) perforatrice f.

**keystroke** /'kiːstrəʊk/ N (*Comp, Typ*) frappe f ✦ **keystroke rate** cadence de frappe
VT frapper, introduire au clavier.

**keyword** /ˈkiːwɜːd/ N *(Comp)* mot-clé m ✦ **keyword search** recherche par mot-clé.

**kg.** abbr of **kilogramme.**

**Khartoum** /kɑːˈtuːm/ N Khartoum.

**kick** /kɪk/ VT ✦ **to kick sb upstairs** * catapulter *or* bombarder* qn à un poste supérieur *(pour s'en débarrasser).*

**kickback** * /ˈkɪkbæk/ N *(= bribe)* pourcentage m.

**kick out** * VT SEP flanquer* dehors, vider*, virer*.

**Kiev** /ˈkiːef/ N Kiev.

**Kigali** /kɪɡɑːlɪ/ N Kigali.

**kill** /kɪl/ VT *(lit)* tuer ✦ **to kill a project** * enterrer un projet.

**killing** /ˈkɪlɪŋ/ N ✦ **to make a killing** * récolter beaucoup d'argent.

**kilo** /ˈkiːləʊ/ N kilo m.

**kilobyte** /ˈkɪləʊˌbaɪt/ N *(Comp)* kilo-octet m.

**kilogramme** *(Brit)*, **kilogram** *(US)* /ˈkɪləʊɡræm/ N kilogramme m.

**kilometre** *(Brit)*, **kilometer** *(US)* /ˈkɪləʊˌmiːtəʳ, kɪˈlɒmətəʳ/ N kilomètre m ✦ **passenger-kilometre** kilomètre-voyageur.

**kilometric** /ˌkɪləʊˈmetrɪk/ ADJ kilométrique.

**kilowatt** /ˈkɪləʊwɒt/ N kilowatt m ✦ **kilowatt-hour** kilowatt-heure.

**kina** /ˈkiːnə/ N kina m.

**kind** /kaɪnd/ **N** **a** *(= sort, type)* genre m, espèce f, sorte f ; *(= make of car)* marque f ✦ **what kind of a person is he?** quel type *or* quel genre de personne est-ce ? **b** *(goods as opposed to money)* ✦ **payment in kind** paiement en nature ✦ **to pay in kind** payer en nature
**ADJ** **would you be kind enough to** *or* **would you be so kind as to send us samples of your goods?** nous vous serions obligés *or* reconnaissants de bien vouloir nous adresser des échantillons de vos marchandises ✦ **it was kind of you to receive our sales representative last week** je vous remercie d'avoir reçu *or* c'était très aimable à vous de recevoir notre représentant la semaine dernière.

**kindly** /ˈkaɪndlɪ/ ADV ✦ **(will you) kindly send me your catalogue?** voulez-vous avoir la bonté *or* l'obligeance de m'envoyer votre catalogue?.

**kindness** /ˈkaɪndnɪs/ N bonté f, amabilité f, gentillesse f ✦ **thank you for your kindness during my recent visit** merci de votre accueil pendant ma dernière visite.

**Kingston** /ˈkɪŋstən/ N Kingston.

**Kinshasa** /kɪnˈʃɑːzə/ N Kinshasa.

**kiosk** /ˈkiːɒsk/ N *(newspapers)* kiosque m ; *(Brit Telec)* cabine f téléphonique.

**kip** /kɪp/ N kip m.

**Kirghiz** /kɪəˈɡɪz/ ADJ, NMF → **Kyrgyz.**

**Kirghizstan** /ˌkɪəɡɪzˈstæn/ N → **Kyrgyzstan.**

**Kishinev** /kɪʃiˈnjɔf/ N Chisinau.

**kit** /kɪt/ N **a** *(= equipment)* matériel m, équipement m **b** **tool** *or* **repair kit** trousse à outils ✦ **first-aid kit** trousse d'urgence *or* de premier secours ✦ **Internet starter kit** kit de connexion à Internet **c** *(= parts for assembly)* *(gen)* kit m, prêt-à-monter m ; *(Ind)* kit m ✦ **shelving in kit form** étagères en kit *or* à monter.

**kite** /kaɪt/ **N** *(* Fin *= cheque)* chèque m sans provision; *(= bill)* effet m bidon*, traite f en l'air* ✦ **to fly a kite** *(fig)* lancer un ballon d'essai

---
*compounds/composés*
- **kite-flier** * tireur à découvert
- **kite mark** *(Brit)* label de qualité *(symbole indiquant qu'un produit est conforme aux normes du British Standards Institute)*

---

**VI** *(Fin)* tirer à découvert, faire des chèques sans provision.

**kitty** /ˈkɪtɪ/ N caisse f, cagnotte f.

**km** abbr of **kilometre.**

**knight** /naɪt/ N chevalier m ✦ **black / grey / white knight** *(St Ex)* chevalier noir / gris / blanc.

**knock** /nɒk/ VT *(gen)* frapper ; *(* = denigrate) *(gen)* dire du mal de, critiquer; *(Pub)* faire de la contre-publicité à ✦ **knocking copy** * publicité comparative.

**knock down** VT SEP **a** *price* baisser, abaisser ✦ **we knocked the price down by 50p / by 10%** nous avons baissé *or* abaissé le prix de 50 pence / de 10%, nous avons fait une remise de 50 pence / de 10% sur le prix **b** *(at auction)* adjuger ✦ **to knock down sth to sb** adjuger qch à qn ✦ **the chair was knocked down for $50** la chaise a été adjugée pour 50 dollars ✦ **to knock down to the highest bidder** adjuger au plus offrant **c** *(= take to pieces)* démonter ✦ **knocked-down condition** *(on machinery)* démonté, à monter.

**knockdown** /ˈnɒkdaʊn/ ADJ **a** ✦ **knockdown price** *(gen, Comm)* prix réduit *or* imbattable **b** *table, machine* démonté ✦ **knockdown sets**

for assembly are shipped from Japan des ensembles démontés sont livrés *or* expédiés du Japon.

**knock-for-knock agreement** N *(Ins)* accord *entre compagnies d'assurances dans lequel chacune rembourse ses propres clients.*

**knock off** \* *(Brit)* **VI** *(= stop work)* cesser le travail ✦ **we knock off at 3 today** on termine à 3 heures aujourd'hui
**VT SEP** *(= reduce price)* ✦ **we knocked off £15** nous avons fait une remise *or* un rabais de 15 livres.

**knock-on effect** N réaction f en chaîne.

**knock out** VT SEP ✦ **we have knocked our competitors out of the market** nous avons éliminé nos concurrents du marché.

**knockout** \* /'nɒkaʊt/ **ADJ** knockout price prix défiant toute concurrence ✦ **knockout agreement** *(at auction)* entente illicite entre enchérisseurs ✦ **knockout competition** compétition avec épreuves éliminatoires
**N** the campaign was a knockout la campagne a remporté un succès retentissant.

**knot** /nɒt/ N *(gen, Mar)* nœud m.

**know-how** /'nəʊhaʊ/ N savoir-faire m ✦ **they have acquired considerable technical knowhow** ils ont acquis beaucoup de savoir-faire sur le plan technique.

**knowledge** /'nɒlɪdʒ/ N *(= awareness, understanding)* connaissance f ; *(= facts learnt)* connaissances fpl ✦ **a working knowledge of English is**

---
*compounds/composés*
- **knowledge base** base de connaissances
- **knowledge-based system** système expert
- **knowledge engineer** cogniticien
- **knowledge engineering** génie cognitif
- **knowledge industry** industrie de matière grise
- **knowledge worker** travailleur dans une industrie de matière grise.
---

**required** de bonnes connaissances en anglais sont requises ✦ **to the best of our knowledge** à notre connaissance ✦ **I had no knowledge of his intentions** je n'avais pas connaissance de ses intentions

**knowledgeable** /'nɒlɪdʒəbl/ **ADJ** bien informé *(about* sur)

**Korea** /kə'rɪə/ N Corée f.

**Korean** /kə'rɪən/ **ADJ** coréen
**N** **a** *(= language)* coréen m **b** *(= inhabitant)* Coréen(ne) m(f).

**koruna** /kɒ'ruːnə/ N *(= currency of the Czech Republic)* couronne f tchèque; *(= currency of Slovakia)* couronne f slovaque.

**krona** /'krəʊnə/ N **a** PL, **kronur** *(= currency of Iceland)* couronne f islandaise **b** PL, **kronor** *(= currency of Sweden)* couronne f suédoise.

**krone** /'krəʊnə/ PL, **kroner** N *(= currency of Denmark)* couronne f danoise; *(= currency of Norway)* couronne f norvégienne.

**kroon** /kruːn/ PL, **krooni** NM couronne f estonienne.

**Krugerrand** /'kruːgəˌrænd/ N krugerrand m.

**Kuala Lumpur** /ˌkwɑːləˈlʊmpʊə/ N Kuala Lumpur.

**kuna** /'kuːnə/ N kuna m.

**Kuwait** /kʊ'weɪt/ N Koweït m.

**Kuwait city** /kʊ'weɪt'sɪtɪ/ N Koweït.

**Kuwaiti** /kʊ'weɪtɪ/ **ADJ** koweïtien
**N** *(= inhabitant)* Koweïtien(ne) m(f).

**kW** (abbr of **kilowatt**) kW.

**kwanza** /'kwænzə/ N kwanza m.

**kwacha** /'kwɑːtʃɑː/ N kwacha m.

**kWh** (abbr of **kilowatt-hour**) kWh.

**kyat** /kɪ'ɑːt/ N kyat m.

**Kyrgyz** /kɪə'gɪz/ **ADJ** kirghiz
**N** *(= inhabitant)* Kirghiz mf.

**Kyrgyzstan** /ˌkɪəgɪz'stæn/ N Kirghizistan m, Kirghizstan m

# L

**lab** * /læb/ **N** (abbr of **laboratory**) labo m.

**label** /ˈleɪbl/ **N** *(indicating price)* étiquette f ; *(= brand guarantee)* label m ; *(Comp)* label m, étiquette f ◆ **address label** étiquette-adresse ◆ **adhesive label** étiquette adhésive or autocollante ◆ **beginning-of-file / end-of-file label** *(Comp)* label de début de fichier / de fin de fichier ◆ **guarantee label** label or étiquette de garantie ◆ **header label** label de bande ◆ **own-label products** marques propres, marques de distributeur, produits vendus sous la marque du distributeur ◆ **price label** étiquette (de prix) ◆ **quality label** label de qualité ◆ **retailer's private** or **own label** marque de distributeur, marque propre ◆ **stick-on label** étiquette autocollante ◆ **tie-on label** étiquette à œillet **VT** *parcel, bottle* coller une étiquette or des étiquettes sur; *goods for sale* étiqueter ◆ **every consignment must be clearly labelled** tout envoi doit être étiqueté avec précision ◆ **labelled file** *(Comp)* fichier avec labels ◆ **labelled tape** bande avec labels.

**labelling** /ˈleɪblɪŋ/ **N** *[goods]* étiquetage m.

**labor** /ˈleɪbər/ *(US)* **N** → **labour.**

**laboratory** /ləˈbɒrətərɪ, ˈlæbrətərɪ/ **N** laboratoire m.

**laborer** /ˈleɪbərər/ *(US)* **N** → **labourer.**

**laboring** /ˈleɪbərɪŋ/ *(US)* **ADJ** → **labouring.**

**labour** *(Brit),* **labor** *(US)* /ˈleɪbər/ **N** **a** *(= work, task)* travail m ◆ **the division of labour** la division du travail ◆ **unfair labour practices** emploi illicite de la main-d'œuvre **b** *(= workers)* main-d'œuvre f, ouvriers mpl, travailleurs mpl ◆ **fluidity of labour** fluidité or mobilité de la main-d'œuvre ◆ **capital and labour** le capital et le travail ◆ **International Labour Organization** Organisation internationale du travail ◆ **casual labour** main-d'œuvre temporaire or occasionnelle ◆ **direct / indirect labour** main-d'œuvre directe / indirecte ◆ **female labour** main-d'œuvre féminine ◆ **foreign labour** main-d'œuvre étrangère ◆ **low labour industries** industries à faible coefficient de main-d'œuvre ◆ **manual labour** travail manuel ◆ **non-union labour** main-d'œuvre non syndiquée ◆ **organized labour** les syndicats, le mouvement syndical ◆ **semi-skilled labour** ≈ ouvriers spécialisés ◆ **skilled labour** main-d'œuvre qualifiée ◆ **unit labour costs** coûts salariaux unitaires ◆ **unskilled labour** main-d'œuvre non qualifiée, manœuvres **c** *(Brit Pol)* ◆ **Labour** les travaillistes

─────── compounds/composés ───────

◆ **Labor Administration** *(US)* ministère du Travail
◆ **labour agreement** accord sur les salaires, convention collective
◆ **labour code** Code du travail
◆ **labour contract** *(= agreement)* accord sur les salaires; *(= document)* contrat de travail
◆ **labour costs** coûts mpl de la main-d'œuvre, coûts mpl salariaux
◆ **labor court** *(US)* conseil de prud'hommes
◆ **Labour Day** *(Brit)* **Labor Day** *(US)* la fête du travail *(en Grande-Bretagne le 1er mai, aux États-Unis le premier lundi de septembre)*
◆ **labour demand** demande de main-d'œuvre
◆ **labour dispute** conflit social
◆ **labour exchange** *(Brit)* Agence nationale pour l'emploi
◆ **labour flare-up** flambée sociale
◆ **labour flux** flux de main-d'œuvre
◆ **labour force** *(= number employed)* effectifs, personnel; *(= manpower)* main-d'œuvre; *(Econ)* population active

◆ **Labour government** *(Brit)* gouvernement travailliste
◆ **labour-intensive** qui fait appel à une main-d'œuvre abondante ◆ **labour-intensive industries** industries à fort coefficient de main-d'œuvre, industries travaillistiques
◆ **labour laws** *or* **legislation** législation du travail
◆ **labour leaders** dirigeants mpl syndicaux
◆ **labour management** gestion des effectifs ◆ **labour-management relations** rapports patrons-ouvriers
◆ **labour market** marché du travail
◆ **labour mobility** mobilité de la main-d'œuvre
◆ **labour monopoly** monopole de l'emploi
◆ **labour organization** organisation ouvrière, syndicat
◆ **Labour Party (the)** *(Brit)* le parti travailliste
◆ **labour piracy** débauchage de la main-d'œuvre
◆ **labour policy** politique de l'emploi
◆ **labour pool** réserve de main-d'œuvre
◆ **labour question** question sociale
◆ **labour rate variance** écart sur taux de main-d'œuvre
◆ **labour relations** relations fpl sociales
◆ **labour-saving** *(= facilitating work)* qui allège le travail; *(= demanding fewer workers)* qui fait économiser de la main-d'œuvre
◆ **labour shortage** pénurie de main-d'œuvre
◆ **labour supply** offre de main-d'œuvre
◆ **labour troubles** troubles mpl sociaux
◆ **labour turnover** taux de rotation du personnel
◆ **labor union** *(US)* syndicat
◆ **labour unrest** malaise social.

**labourer** *(Brit)*, **laborer** *(US)* /ˈleɪbərəʳ/ N ouvrier m, travailleur m ; *(on farm)* ouvrier m agricole; *(on building sites)* manœuvre m ◆ **day labourer** journalier.

**labouring** *(Brit)*, **laboring** *(US)* /ˈleɪbərɪŋ/ ADJ ◆ **the labouring class** la classe ouvrière.

**laches** /ˈlætʃiz/ N *(Jur)* négligence f, retard m *(à faire valoir un droit)*.

**lack** /læk/ N *[capital, personnel]* manque m ◆ **lack of raw materials** pénurie de matières premières
**VT** manquer de ◆ **this candidate lacks experience** ce candidat manque d'expérience, l'expérience fait défaut à ce candidat
**VI** *[money]* manquer, faire défaut.

**ladder** /ˈlædəʳ/ N échelle f ◆ **to be at the top of the social ladder** être au sommet de l'échelle sociale ◆ **to climb the promotion ladder** gravir les échelons de la hiérarchie.

**laden** /ˈleɪdn/ ADJ chargé *(with* de) ◆ **fully laden truck / ship** camion / navire en pleine charge
◆ **laden in bulk** chargé en vrac ◆ **laden draught** tirant d'eau en charge.

**lading** /ˈleɪdɪŋ/ N ◆ **lading port** port de chargement *or* d'embarquement *or* d'expédition ◆ **bill of lading** *(Mar, Aviat)* connaissement.

**lady** /ˈleɪdɪ/ N dame f ◆ **ladies and gentlemen** mesdames et messieurs ◆ **ladies' room** toilettes (pour dames) ◆ **Ladies** *(sign)* Dames.

**lag** /læg/ N *(= delay)* retard m ; *(between two events)* décalage m *(between* entre) ◆ **leads and lags** termaillage, jeu des termes de paiement ◆ **jet lag** décalage horaire ◆ **the time lag between the ordering and the receiving of goods** le délai entre la commande et la réception des marchandises ◆ **wage lag** décalage des salaires par rapport aux prix
**VT** *payments* retarder.

**lag behind** VI rester en arrière, traîner ◆ **we lag behind in advanced technology** nous sommes en retard *or* à la traîne dans les technologies de pointe ◆ **wages are lagging behind the cost of living** les salaires ne suivent pas l'augmentation du coût de la vie.

**laggard** /ˈlægəd/ N traînard(e) m(f), retardataire mf ; *(St Ex)* valeur f en retard *or* à la traîne ◆ **leaders and laggards** *(St Ex)* valeurs vedettes et titres à la traîne.

**lagging** /ˈlægɪŋ/ ADJ ◆ **lagging factor** frein, facteur de ralentissement ◆ **lagging indicators** *(US)* indicateurs retardés d'activité.

**laid-up** /ˈleɪdʌp/ ADJ *ship, vehicle* mis en réserve.

**lake** /leɪk/ N ◆ **the EU wine lake** les excédents de vin de l'Union européenne.

**lame duck** * /ˌleɪmˈdʌk/ N *(= company)* canard m boiteux.

**LAN** /læn/ N abbr of **local area network** → **local.**

**land** /lænd/ N terre f, terrain m ◆ **building land** terrain à bâtir ◆ **reclaimed land** terrain gagné; *(sur l'eau)* **waste land** terrain vague

*—— compounds/composés ——*

◆ **land agent** *(= steward)* régisseur, intendant; *(= estate agent)* agent immobilier; *(Mar Ins)* agent terrestre
◆ **land bank** banque agricole
◆ **land carriage** transport par terre, transport terrestre
◆ **land certificate** titre de propriété
◆ **land holder** propriétaire foncier
◆ **land improvement** viabilisation ◆ **land improvement expenses** frais de viabilisation *or* d'aménagement d'un terrain
◆ **land laws** lois fpl agraires
◆ **land office** administration des domaines
◆ **land office business** * *(US)* affaire qui roule*

♦ **land patent** *(US)* titre (constitutif) de propriété foncière
♦ **land reform** réforme agraire
♦ **land register** (registre du) cadastre
♦ **land registrar** responsable du cadastre
♦ **land registry** bureau du cadastre
♦ **land rent** revenu foncier
♦ **land tax** impôt foncier
♦ **land use** *(local)* occupation des sols; *(national)* aménagement du territoire
♦ **land value tax** impôt sur la valeur cadastrale

**vt** *(from ship) cargo* décharger; *passengers* débarquer *(\* = obtain) contract, job* décrocher\* ♦ **we are landed with some unsaleable items** \* *(Brit)* il nous reste sur les bras des articles invendables **vi** **a** *[aircraft]* atterrir, se poser **b** *(from boat)* débarquer.

**landed** /ˈlændɪd/ **ADJ** ♦ **landed cost** prix à quai ♦ **landed terms** conditions franco déchargement ♦ **landed price of imports** prix à quai des marchandises importées.

**landing** /ˈlændɪŋ/ **N** **a** *[aircraft]* atterrissage m **b** *(from ship)* débarquement m *(from* de)

——————— *compounds/composés* ———————
♦ **landing card** carte de débarquement
♦ **landing certificate** certificat de déchargement
♦ **landing charges** frais mpl de débarquement
♦ **landing craft** navire *or* péniche de débarquement
♦ **landing order** ordre de débarquement
♦ **landing permit** permis de débarquement
♦ **landing platform** quai de débarquement
♦ **landing stage** embarcadère flottant, appontement
♦ **landing storage delivery** mise à terre.

**landlocked** /ˈlændlɒkt/ **ADJ** enclavé, sans débouché sur la mer.

**landlord** /ˈlændlɔːd/ **N** propriétaire m.

**landmark** /ˈlændmɑːk/ **N** point m de repère, jalon m ♦ **to be a landmark in** faire date dans, être un événement clé dans ♦ **landmark decision / event** décision / événement qui fait date.

**landowner** /ˈlændəʊnəʳ/ **N** propriétaire m foncier *or* terrien.

**landscape** /ˈlændˌskeɪp/ **N** *(gen, Comp)* paysage m ♦ **to print in landscape mode** imprimer en format paysage.

**land up** **vi** atterrir, échouer ♦ **his report landed up on my desk** son rapport a fini par échouer sur mon bureau.

**lane** /leɪn/ **N** **a** *(= part of road)* voie f ; *(= line of traffic)* file f ♦ **keep in lane** *(sign)* changement de file interdit ♦ **to take the left-hand lane** emprunter la voie de gauche **b** **shipping lane** route maritime, couloir de navigation ♦ **air lane** couloir aérien **c** *(= small road)* allée f, chemin m ♦ **Ad lane** *(US)* Madison Avenue *(rue des publicitaires)*.

**language** /ˈlæŋgwɪdʒ/ **N** **a** *(gen, Comp)* langage m ♦ **the formal language of legal documents** le langage officiel des textes légaux ♦ **programming language** langage de programmation ♦ **machine language** langage machine **b** *(= nation's tongue)* langue f ♦ **foreign languages** langues étrangères.

**languid** /ˈlæŋgwɪd/ **ADJ** *stock market* languissant.

**Laos** /laʊs/ **N** Laos m.

**Laotian** /ˈlaʊʃɪən/ **ADJ** laotien **N** **a** *(= language)* laotien m **b** *(= inhabitant)* Laotien(ne) m(f).

**La Paz** /læˈpæz/ **N** La Paz.

**lapel microphone** /leɪplˌmaɪkrəfəʊn/ **N** micro-cravate m.

**lapse** /læps/ **N** **a** *(= fault)* faute f *or* erreur f légère, bévue f ♦ **lapse of memory** trou de mémoire ♦ **safety lapses** défaillances dans le système de sécurité **b** **lapse of time** laps de temps ♦ **after a lapse of 6 weeks** au bout de 6 semaines **c** *[right, privilege]* caducité f, déchéance f ♦ **lapse of a patent** déchéance d'un brevet **d** *(Ins)* *(= expired contract)* contrat m périmé; *(cancelled on account of non-payment)* fin m de couverture, déchéance f **vi** *[act, law]* devenir caduc, tomber en désuétude, cesser d'être en vigueur; *[insurance policy, contract]* expirer, venir à expiration *or* à terme *or* à échéance ♦ **lapsed option** option expirée ♦ **this regulation has lapsed** ce règlement a cessé d'être en vigueur *or* est devenu caduc ♦ **our subscription lapsed last month** notre abonnement a pris fin *or* est venu à expiration le mois dernier ♦ **your insurance has lapsed** vous n'êtes plus couvert par l'assurance ♦ **lapsing appropriations** *(Admin)* annulation de crédits.

**laptop** /ˈlæptɒp/ **ADJ** *computer* portable **N** portable m.

**larceny** /ˈlɑːsənɪ/ **N** vol m.

**large** /lɑːdʒ/ **ADJ** **a** *(in size) company, sum, amount* grand, gros, important; *population* nombreux, élevé, fort ♦ **large retailers** la grande distribution ♦ **large** *(on garment label)* grande taille **b** *(= extensive)* ♦ **on a large scale** sur une grande échelle ◆ **large-scale industry** grande industrie ◆ **large-scale production** production à grande échelle **◼** the country at large le pays dans son ensemble ◆ **the public at large** le grand public.

**largely** /ˈlɑːdʒlɪ/ **ADV** en grande partie, surtout ◆ **the rise was largely due to institutional buyings** la hausse est due en grande partie aux achats institutionnels ◆ **our trainees are largely business school students** nos stagiaires sont pour la plupart des étudiants d'écoles de commerce.

**lari** /ˈlɑːrɪ/ **N** lari m.

**laser** /ˈleɪzəʳ/ **N** laser m

─────── compounds/composés ───────

- **laser beam** rayon laser
- **laser disk** disque laser
- **laser printer** imprimante laser
- **laser scanner** lecteur laser.

**lash down** /læʃ/ **VT SEP** cargo amarrer, arrimer.

**lashing** /ˈlæʃɪŋ/ **N** (Mar = rope) brêlage m.

**lash out** * **◼** the government is lashing out on welfare le gouvernement les allonge* or ne lésine pas or dépense sans compter en matière d'aide sociale
**VT SEP** money lâcher*, allonger*.

**last** /lɑːst/ **ADJ** **a** (in series) dernier ◆ **last name** (US) nom de famille ◆ **the last three points** les trois derniers points ◆ **last in first out** dernier entré, premier sorti ◆ **last hired, first fired** dernier embauché, premier licencié ◆ **layoff on a last-in first-out basis** licenciement sélectif des derniers embauchés ◆ **last survivor** (Ins) dernier vivant ◆ **the last Tuesday of the month** le dernier mardi du mois **b** (= most recent) ◆ **last week** la semaine dernière or passée ◆ **the day before last** avant-hier ◆ **this time last year** l'an dernier à pareille époque or à cette époque-ci **c** (= final) chance dernier ◆ **the company is on its last legs** * la société est au bord de la faillite ◆ **the computer is on its last legs** * l'ordinateur va rendre l'âme or va nous lâcher* ◆ **last trading day** dernier jour de transaction ◆ **last-minute decision** décision de dernière minute
**◼** dernier(-ière) m(f)

─────── compounds/composés ───────

- **last-ditch** effort désespéré, ultime
- **last-ditcher** jusqu'au-boutiste

**◼** **a** (= continue) [strike, inflation bout] durer **b** (= hold out) tenir, résister ◆ **he didn't last**

long in this department il n'a pas tenu longtemps or il n'a pas fait long feu dans ce service **c** (= remain usable) [equipment] durer ◆ **made to last** fait pour durer.

**lastage** /ˈlɑːstɪdʒ/ **N** (Mar) emplacement m pour la cargaison.

**late** /leɪt/ **ADJ** **a** (= not on time) en retard ◆ **to be late with payments** être en retard dans ses paiements ◆ **late charge** pénalité de retard ◆ **late filing (of a tax return)** (US) production tardive d'une déclaration ◆ **late filer** (US) contribuable retardataire ◆ **late filing penalty** (US) majoration pour retard ◆ **late payment** retard de paiement **b** (= far on in day, season) delivery, edition dernier ◆ **at a later stage in the bargaining** à une étape plus avancée de la négociation ◆ **late-night opening** or **late closing Friday** nocturne le vendredi ◆ **in late June** vers la fin (du mois de) juin ◆ **in the late 70s** vers la fin des années 70 ◆ **the applicant is in his late forties** le candidat approche de la cinquantaine ◆ **applicants should be in their late twenties** les candidats devront avoir de 25 à 30 ans ◆ **this matter will be taken up at a later meeting / date** nous évoquerons le problème au cours d'une réunion / date ultérieure ◆ **not later than** au plus tard le ◆ **latest date** date limite, délai de rigueur ◆ **latest closing** (St Ex) cours de clôture ◆ **I must leave at 5 at the latest** je dois partir à 5 heures au plus tard or dernier délai **c** the latest (= most recent) le plus récent, le dernier ◆ **the latest fashion** la dernière mode ◆ **the latest news** (Press) les dernières nouvelles (Rad, TV) les dernières informations or nouvelles ◆ **the latest government proposal** la dernière proposition du gouvernement **d** (= former) ancien ◆ **the late President** l'ancien président, l'ex-président ◆ **Smith and Co, late Johnson and Sons** Smith et Cie, anciennement Johnson et Fils **e** (= dead) ◆ **the late Mr X** feu M. X ◆ **our late partner** notre défunt or regretté associé
**ADV** **a** (= not on time) en retard ◆ **he arrived 20 minutes late** il est arrivé 20 minutes en retard **b** (= far into day) tard ◆ **not later than Tuesday** mardi dernier délai or au plus tard ◆ **of late** récemment, dernièrement.

**lateness** /ˈleɪtnɪs/ **N** (= unpunctuality) retard m.

**latent** /ˈleɪtənt/ **ADJ** latent ◆ **latent defect** (Jur) vice caché ◆ **latent defect clause** (Jur) clause de vice caché.

**lateral** /ˈlætərəl/ **ADJ** latéral ◆ **lateral integration** (Econ) intégration latérale or horizontale ◆ **lateral thinking** pensée latérale.

**Latin America** /ˈlætɪnəˈmerɪkə/ N Amérique f latine.

**Latin-American** /ˈlætɪnəˈmerɪkən/ ADJ latino-américain

N (= *inhabitant*) Latino-Américain(e) m(f).

**lats** /læts/, PL **lati** /ˈlætiː/ N lari m.

**Latvia** /ˈlætvɪə/ N Lettonie f.

**Latvian** /ˈlætvɪən/ ADJ letton

N **a** (= *language*) letton m **b** (= *inhabitant*) Letton(ne) m(f).

**launch** /lɔːntʃ/ N [*company, product*] lancement m
♦ **a new product launch must be carefully organized** le lancement d'un nouveau produit doit être bien organisé

VT *satellite, campaign, loan, company, product* lancer; *scheme, plan* mettre en action ♦ **to launch a bond issue** émettre des obligations, faire une émission d'obligations ♦ **to launch a new model** lancer un nouveau modèle, mettre sur le marché un nouveau modèle ♦ **to launch a new service** créer or mettre en route un nouveau service

VI se lancer (*into, on* dans)

**launching** /ˈlɔːntʃɪŋ/ N [*company, ship, product*] lancement m.

**launch out** VI ♦ **to launch out on new markets / into new products** se lancer sur de nouveaux marchés / dans de nouveaux produits.

**launder** /ˈlɔːndər/ VT *illegal earnings* blanchir.

**launderette** /ˌlɔːndəˈret/ N laverie f automatique.

**laundering** /ˈlɔːndərɪŋ/ N [*illegal earnings*] blanchiment m.

**lavish** /ˈlævɪʃ/ ADJ *expenditure* considérable.

**law** /lɔː/ N **a** (*gen*) loi f ♦ **framework law, skeleton law** loi-cadre ♦ **labour laws** législation du travail ♦ **navigation laws** Code maritime ♦ **to restore law and order** rétablir l'ordre public ♦ **by law** conformément à la loi ♦ **under US law** selon la législation américaine ♦ **to abide by the law, keep the law** respecter or observer la loi ♦ **to keep within the law** rester dans (les limites de) la légalité ♦ **to break the law** être en infraction, enfreindre la loi ♦ **to enforce the law** faire respecter la loi ♦ **to repeal a law** abroger une loi ♦ **the law as it stands** la législation en vigueur ♦ **as the law now stands** dans l'état actuel de la législation **b** (*operation of the law*) justice f ♦ **action at law** action en justice ♦ **dispute at law** litige ♦ **court of law** tribunal ♦ **to go to law** aller en justice or devant les tribunaux ♦ **to take a case to law**

porter une affaire devant les tribunaux ♦ **to take sb to law** poursuivre qn en justice **c** (= *system, science, profession*) droit m ♦ **law of nations** droit international ♦ **law of contract** droit contractuel ♦ **law of statute** droit écrit ♦ **adjective law** règles de procédure ♦ **administrative law** droit administratif ♦ **air law** droit aérien ♦ **bank law** droit bancaire ♦ **case law** jurisprudence ♦ **civil law** (= *system*) code civil; (= *study*) droit civil ♦ **common law** droit coutumier ♦ **commercial law** droit commercial ♦ **company law** droit des sociétés ♦ **constitutional law** droit constitutionnel ♦ **corporation law** droit des sociétés ♦ **criminal law** droit criminel or pénal ♦ **exchange law** droit cambial ♦ **fiscal law** droit fiscal ♦ **ground law** droit foncier ♦ **international law** droit international ♦ **maritime law** droit maritime ♦ **mercantile law, law merchant** droit commercial ♦ **navigation law** droit maritime ♦ **private law** droit privé ♦ **public law** droit public ♦ **Roman law** droit romain ♦ **substantive law** droit positif ♦ **tax law** droit fiscal ♦ **work laws** législation du travail ♦ **to study** or **read law** faire son droit **d** (*Econ = principle, rule*) loi f ♦ **law of diminishing returns** loi des rendements décroissants ♦ **law of supply and demand** loi de l'offre et de la demande

————— compounds/composés —————
♦ **law-abiding** respectueux des lois, qui observe la loi
♦ **law adviser** conseiller juridique
♦ **law case** affaire contentieuse
♦ **law costs** frais mpl de justice
♦ **law court** tribunal ♦ **law courts** palais de justice
♦ **law day** [*mortgage*] date d'échéance
♦ **law department** service du contentieux
♦ **law enforcement officials** or **authorities** fonctionnaires mpl chargés de faire respecter la loi
♦ **law firm** or **office** cabinet juridique, cabinet d'avocats-conseils
♦ **law practice** (clientèle d'un) cabinet juridique, étude
♦ **law school** (*US*) faculté de droit.

**lawful** /ˈlɔːfʊl/ ADJ *action* légal, licite, permis; *contract* valide, en bonne et due forme ♦ **lawful currency** monnaie ayant cours légal ♦ **lawful interest** / **claim** intérêt / demande légitime ♦ **lawful trade** commerce licite.

**lawsuit** /ˈlɔːsuːt/ N procès m ♦ **to bring a lawsuit against sb** intenter un procès à qn ♦ **to file a lawsuit** engager des poursuites judiciaires.

**lawyer** /ˈlɔːjər/ N (*gen*) juriste mf ; (*providing legal advice*) conseiller m juridique; (= *solicitor*) (*for sales, contracts*) notaire m ; (*in court*) avocat(e) m(f) ♦ **tax lawyer** fiscaliste.

**lax** /læks/ **ADJ** *discipline* relâché; *person* négligent.

**lay** /leɪ/ **VT** **a** *plans* préparer, élaborer ♦ **I could not lay my hands on your report** je n'ai pas pu mettre la main sur votre rapport ♦ **to lay sth at sb's door** tenir qn pour responsable de qch ♦ **to lay oneself open to criticism** s'exposer à la critique ♦ **to lay the embargo on** mettre l'embargo sur ♦ **to lay the fondations of** *(fig)* poser les bases de, jeter les fondations de **b** *(= impose)* ♦ **to lay a tax on sth** mettre *or* imposer une taxe sur qch, frapper qch d'une taxe ♦ **to lay the emphasis on** insister sur, mettre l'accent sur **c** *(Jur) charge* porter; *complaint* porter, déposer *(against* contre, *with* auprès de)* ♦ **to lay claim to** prétendre à, revendiquer ♦ **to lay a matter before the court** saisir le tribunal d'une affaire, porter une affaire devant les tribunaux.

**lay aside** *(Brit)*, **lay away** *(US)* **VT SEP** *money, goods for customer* mettre de côté.

**lay-day** /ˈleɪdeɪ/ **N** *(Mar)* jour m de planche, estarie f.

**lay down** **VT SEP** **a** *(= deposit) object* poser, déposer ♦ **laid-down cost** coût installé; *(in shop)* coût d'achat rendu **b** *(= establish) rule* établir, fixer; *condition* fixer, poser, imposer; *price* imposer, fixer ♦ **it is laid down in the regulations that...** il est précisé *or* stipulé dans le règlement que... ♦ **the unions eventually laid down their conditions** les syndicats ont fini par imposer leurs conditions **c** *wine* mettre en cave.

**lay in** **VT SEP** *reserves* emmagasiner, amasser, stocker ♦ **to lay in a stock** faire rentrer un stock.

**layman** /ˈleɪmən/ **N** profane m, non-initié m.

**lay off** **VT SEP** *workers (= make redundant)* licencier, débaucher; *(temporarily)* mettre au chômage technique ♦ **to lay off a risk** *(Ins)* effectuer une réassurance.

**layoff** /ˈleɪɒf/ **N** *(permanent)* licenciement m; *(temporary)* mise f au chômage technique ♦ **there have been 40 layoffs** 40 personnes ont été licenciées *(or* mises au chômage technique).

**lay on** **VT SEP** **a** *tax* mettre, imposer **b** *(Brit = install) water, gas* installer, mettre; *(= provide) facilities* fournir ♦ **I'll have a car laid on for you** une voiture sera mise à votre disposition.

**lay out** **VT SEP** **a** *(= plan) office, agency* aménager, concevoir le plan de; *(Typ) book* faire la mise en page de **b** *(= display) goods for sale* disposer, étaler **c** *(= spend) money* dépenser *(on* pour)

**layout** /ˈleɪaʊt/ **N** *[office]* disposition f, agencement m; *[factory]* implantation f; *[report]* plan m d'ensemble; *[advertisement, newspaper article]* mise f en page; *[keyboard]* disposition f ♦ **functional layout** implantation fonctionnelle ♦ **group layout** aménagement cellulaire ♦ **line layout** aménagement *or* implantation linéaire.

**laytime** /ˈleɪtaɪm/ **N** *(Mar)* délai m de planche *or* d'estarie.

**lay up** **VT SEP** **a** *reserves* amasser, entasser, emmagasiner **b** *ship* désarmer.

**lb** abbr of **libra, pound** → **pound.**

**LBO** /ˌelbiːˈəʊ/ **N** abbr of **leveraged buy-out** → **leverage.**

**LC, L / C, l / c** **N** (abbr of **letter of credit**) l / cr.

**LCD** /ˌelsiːˈdiː/ **N** abbr of **liquid crystal display** → **liquid.**

**LDCs** /ˌeldiːˈsiːz/ **N** (abbr of **less developed countries**) PMA mpl.

**lead** /liːd/ **N** **a** *(= front position)* tête f; *(= distance or time ahead)* avance f ♦ **to be in the lead** mener, être en tête ♦ **to go into the lead** prendre la tête ♦ **to take the lead in doing sth** être le premier à faire qch ♦ **technological lead** avance technologique **b** *(= example)* initiative f, exemple m ♦ **other firms followed our lead** d'autres entreprises ont suivi notre initiative **c** **leads and lags** termaillage, jeu des termes de paiement

*─── compounds/composés ───*

- **lead bank** banque chef de file
- **lead-manage** ♦ **to lead-manage an issue** agir en tant que chef de file pour une émission
- **lead-in** *(gen)* entrée en matière, introduction; *(Pub)* accroche publicitaire
- **lead story** *(Press)* article qui fait la une
- **lead time** *[stock]* délai de réapprovisionnement; *[plan]* délai de réalisation *or* de suite *or* d'exécution, temps de latence; *[new product]* délai de démarrage *or* de mise en production

**VT** **a** *(= be leader of) government, union* être à la tête de, diriger ♦ **to lead the way** montrer le chemin **b** *(= be ahead of)* être *or* venir en tête de ♦ **Japan leads the world in robotics** le Japon tient le premier rang *or* est leader dans le monde pour la robotique **c** *(= induce)* amener, porter, pousser ♦ **the public was led to believe...** le public a été amené à croire... **d** *(Fin) payments* accélérer

**VI** **a** *(= be ahead)* être en tête **b** *(Jur)* ♦ **to lead for the defence** être l'avocat principal de la défense **c** *(result)* conduire, aboutir *(to* à) entraîner, avoir pour résultat ◆ **it led to a change in policy** cela a entraîné un changement de politique ◆ **the government's decision led to some confusion on the market** la décision du gouvernement a occasionné un certain désordre sur le marché.

**lead** /led/ **a** (= metal) plomb m ◆ **lead-free** sans plomb ◆ **customs lead** plomb de la douane **b** (Typ) interligne m, blanc m.

**leader** /'liːdər/ **N** **a** (gen, Pol) chef m, dirigeant(e) m(f), leader m ; [riot, strike] meneur(-euse) m(f) ◆ **market leader** entreprise leader, leader du marché ◆ **they are the market leaders in office furniture** ils sont leaders or numéro un sur le marché du mobilier de bureau ◆ **she's a real leader** c'est un vrai leader ◆ **project leader** chef de projet **b** (Press) (Brit) éditorial m ; (US) article m qui fait la une **c** (Comm) produit m or article m d'appel bon marché ◆ **loss leader** article or produit d'appel ◆ **leader merchandising** or **pricing** vente à perte or à prix sacrifié **d** [film, tape] amorce f **e** (St Ex) ◆ **leaders** valeurs vedettes, vedettes de la cote.

**leadership** /'liːdəʃɪp/ **N** (= position) direction f, tête f, leadership m ; (= action) direction f ; (= quality) leadership m, qualités fpl de chef, sens m du commandement ◆ **leadership qualities** qualités de leadership ◆ **he has leadership potential** il a un potentiel de leader or de leadership ◆ **the leadership and the rank and file** les cadres et la main-d'œuvre ◆ **training for leadership** perfectionnement des cadres.

**leading** /'liːdɪŋ/ **ADJ** **a** (= principal) person de tout premier plan, qui a le rôle principal ◆ **he played a leading part in the negotiations** il a joué un rôle déterminant dans les négociations ◆ **leading article** (Pub) article-réclame; (Press) éditorial ◆ **leading creditor** créancier principal ◆ **leading-edge technology** technologie de pointe ◆ **a leading electronic company** une entreprise leader sur le marché de l'électronique ◆ **leading indicator** (Econ) indicateur de tendance ◆ **leading industries** industries de pointe ◆ **leading line** (Comm) articles en réclame ◆ **leading partner** associé principal ◆ **leading share** (St Ex) valeur vedette ◆ **leading underwriter** (Fin) (banque) chef de file; (Ins) apériteur **b** (Jur) ◆ **leading question** question tendancieuse.

**leaf** /liːf/ **N** **a** [tree] feuille f ◆ **leaf-raking jobs** * (US) petits boulots* **b** [book] page f, feuillet m ◆ **counterfoil and leaf** [cheque] talon et volant.

**leaflet** /'liːflɪt/ **N** (gen) prospectus m ; (Pub) imprimé m publicitaire, prospectus m ◆ **instruction leaflet** notice explicative.

**league** /liːg/ **N** (= association) ligue f.

**leak** /liːk/ **N** [pipe, roof] fuite f ; [boat] voie f d'eau; [information] fuite f ; (= loophole) échappatoire f **VI** [pipe] fuir; [news] filtrer, se répandre, transpirer **VT** liquid répandre; information divulguer, révéler ◆ **the project has been leaked to the press** des fuites ont informé la presse de ce projet.

**leak out** VI [gas] fuir, s'échapper; [secret, news] s'ébruiter, transpirer, être divulgué ◆ **it finally leaked out that** il a fini par se savoir que.

**lean** /liːn/ **VI** (lit, fig = bend) pencher (towards vers) ◆ **to lean on sb** * (= put pressure on) faire pression sur qn, forcer la main à qn **ADJ** (= thin) maigre ◆ **lean crops** maigres récoltes ◆ **lean inventories** stocks dégarnis ◆ **lean years** années de vaches maigres or déficitaires.

**leaning** /'liːnɪŋ/ **N** tendance f (towards à) penchant m (towards pour)

**leap** /liːp/ **N** bond m, pas m ◆ **by leaps and bounds** à pas de géant ◆ **a great leap forward** un grand bond en avant **COMP** ◆ **leap year** année bissextile **VI** [prices] bondir, faire un bond ◆ **to leap at an opportunity** sauter sur une occasion.

**leapfrog** /'liːpfrɒg/ **VI** ◆ **prices are leapfrogging** les prix font l'objet d'une surenchère.

**leap up** VI [prices] faire un bond.

**learn** /lɜːn/ **VT** lesson, facts, results apprendre ◆ **I've learnt my lesson** (fig) ça m'a servi de leçon.

**learning** /'lɜːnɪŋ/ **N** apprentissage m, enseignement m ◆ **learning curve** courbe d'apprentissage ◆ **computer-assisted learning** enseignement assisté par ordinateur.

**lease** /liːs/ **N** bail m ◆ **99-year lease** (on building) bail de 99 ans ◆ **to let / take on lease** louer / prendre à bail ◆ **cancellation of a lease** résiliation d'un bail ◆ **commercial** or **regular lease** bail commercial ◆ **derivative lease** sous-location ◆ **head lease** bail principal ◆ **parole lease** bail verbal ◆ **repairing lease** bail avec clause d'entretien des locaux ◆ **sub-lease, under-lease** sous-location ◆ **long / short lease** bail à long / court terme **VT** **a** [tenant] louer à bail **b** (also **lease out**) [owner] louer à bail

```
─────────── compounds/composés ───────────
 ◆ lease agreement contrat de bail
 ◆ lease-back cession-bail
 ◆ lease-lend (Brit)
 ◆ lend-lease (US) prêt-bail
 ◆ lease-option agreement bail avec option
   d'achat
 ◆ lease renewal renouvellement de bail
 ◆ lease term durée de bail.
```

**leasehold** /ˈliːzhəʊld/ **N** *(= contract)* bail m ;
*(= property)* propriété f louée à bail
**ADJ** *property* loué à bail ◆ **leasehold improvements** améliorations locatives ◆ **leasehold
mortgage** hypothèque sur droit à bail.

**leaseholder** /ˈliːzhəʊldəʳ/ **N** preneur(-euse) m(f)
à bail.

**leasing** /ˈliːsɪŋ/ **N** leasing m, crédit-bail m ◆ **a
leasing agreement** un accord *or* un contrat de
crédit-bail.

**least** /liːst/ **ADJ** moindre ◆ **least-cost routing**
acheminement le plus économique.

**leather** /ˈleðəʳ/ **N** cuir m ◆ **leather goods** articles
en cuir, maroquinerie.

**leave** /liːv/ **N** **a** *(= consent)* permission f, autorisation f **b** *(= holiday)* congé m ◆ **to be on leave**
être en congé ◆ **on leave of absence** en congé
spécial ◆ **annual leave** congé annuel ◆ **extended leave of absence** congé longue durée
◆ **holiday leave** congé, vacances ◆ **maternity
leave** congé de maternité ◆ **paid** *or* **privilege
leave** congé payé ◆ **sick leave** congé (de)
maladie **c** *(= departure)* congé m ◆ **to take
leave of sb** prendre congé de qn
**VT** **a** *town* quitter, partir de; *job, company* quitter ◆ **we left London at 3 p.m.** nous avons
quitté Londres à 15 heures **b** *message* laisser
◆ **to be left till called for** *[parcel]* *(at station,
office)* en consigne; *(at post office)* poste restante ◆ **to leave an offer on the table** faire une
proposition **c** *(in will)* money laisser; *property*
laisser, léguer *(to à)* **d** *(phrases)* ◆ **I'll leave it to
you to decide** je vous laisse le soin de décider
◆ **leave it to me** laissez-moi faire, je m'en
charge ◆ **let's leave it at that** tenons-nous-en
là
**VI** **a** *(= go away)* *[person, train]* partir, s'en aller
**b** *(= resign)* *[person]* partir, démissionner, s'en
aller.

**leave behind** **VT SEP** *competitors* distancer.

**leave out** **VT SEP** *(accidentally)* oublier, omettre;
*(on purpose)* exclure.

**Lebanese** /ˌlebəˈniːz/ **ADJ** libanais
**N** *(= inhabitant)* Libanais(e) m(f).

**Lebanon** /ˈlebənən/ **N** ◆ **(the) Lebanon** le Liban.

**lecture** /ˈlektʃəʳ/ **N** conférence f ◆ **to deliver** *or*
**give a lecture on** faire une conférence sur
◆ **lecture room** salle de conférence
**VI** faire une conférence *(to à, on sur)* ◆ **to
lecture in management** être professeur de
gestion.

**led.** /ˈledʒəʳ/ **N** abbr of **ledger** *(Acc)* grand livre m,
registre m ◆ **bought** *or* **purchases ledger** grand
livre des achats ◆ **customers'** *or* **sales ledger**
grand livre des ventes ◆ **general** *or* **impersonal**
*or* **nominal ledger** grand livre général ◆ **share
ledger** registre des actionnaires

```
─────────── compounds/composés ───────────
 ◆ ledger account compte du grand livre
 ◆ ledger postings reports mpl sur grand livre.
```

**left** /left/ **ADJ** *(opp of right)* gauche
**ADV** *turn, look* à gauche
**N** *(gen)* gauche f ◆ **the Left** *(Pol)* la gauche ◆ **it's
on the left at the end of the corridor** c'est à
gauche au fond du couloir

```
─────────── compounds/composés ───────────
 ◆ left-justified justifié à gauche
 ◆ left luggage (Brit) bagages mpl en consigne
   ◆ left-luggage office (Brit) consigne ◆ left-lug-
   gage locker (Brit) casier de consigne automatique
 ◆ left-overs restes mpl
 ◆ left-wing de gauche
 ◆ left-winger homme (or femme) de gauche.
```

**leftover** /ˈleftˌəʊvəʳ/ **ADJ** restant ◆ **leftover stock**
invendus, restes
**leftovers** **NPL** restes mpl.

**legacy** /ˈlegəsɪ/ **N** *(Jur)* legs m ; *(fig)* legs m, héritage m ◆ **to come into a legacy** faire un
héritage **COMP** **legacy duty** *(Brit)* *or* **tax** *(US)*
impôt sur les successions, droits mpl de succession.

**legal** /ˈliːgəl/ **ADJ** **a** *(= lawful)* *act, decision, monopoly* légal; *right* légal, légitime ◆ **to acquire
legal status** acquérir un statut légal, acquérir
la personnalité juridique ◆ **to be legal tender**
*money* avoir cours légal **b** *(= concerning the
law)* judiciaire, juridique ◆ **to take legal action**
avoir recours à la justice ◆ **by legal process** par
voie de droit ◆ **to take legal advice** consulter
un avocat ◆ **to go into the legal profession**
faire une carrière de juriste

―――― *compounds/composés* ――――

- **legal adviser** conseiller juridique, avocat-conseil
- **legal aid** assistance *or* aide judiciaire
- **legal capacity** capacité légale
- **legal charges** frais mpl de procédure, frais mpl judiciaires
- **legal claim** créance fondée en droit
- **legal department** *(complaints)* service du contentieux; *(legal problems)* service juridique
- **legal document** acte authentique, document juridique
- **legal entity** personne morale, entité juridique
- **legal expert** avocat-conseil, conseiller juridique
- **legal fees** *(for establishing documents)* frais mpl d'actes; *(for legal advice)* frais mpl juridiques, honoraires mpl d'avocat
- **legal holiday** jour férié, jour de fête légale
- **legal instrument** texte juridique
- **legal investments** *(US)* investissements mpl autorisés *or* légaux *(des caisses d'épargne, compagnies d'assurances)*
- **legal liens** liens mpl juridiques
- **legal list** *(US)* liste des investissements autorisés *or* légaux *(pour les caisses d'épargne, compagnies d'assurances)*
- **legal notice** avis au public
- **legal officer** conseiller juridique
- **legal person** ≈ personne morale
- **legal personality** personnalité juridique
- **legal practitioner** homme de loi
- **legal process** procédure
- **legal remedy** recours à la justice
- **legal representative** mandataire
- **legal reserve** réserve légale
- **legal residence** domicile légal
- **legal security** caution judiciaire
- **legal settlement** *(bankruptcy)* concordat, règlement judiciaire
- **legal suit** procès
- **legal titles** titres mpl de propriété
- **legal year** année civile.

**legality** /lɪ'gælɪtɪ/ N légalité f.

**legalization, legalisation** /ˌliːgəlaɪ'zeɪʃən/ N légalisation f.

**legalize, legalise** /'liːgəlaɪz/ VT document légaliser.

**legally** /'liːgəlɪ/ ADV *(= within the law)* légalement; *(= in legal terms)* juridiquement ◆ **legally binding agreement** accord qui oblige en droit.

**legatee** /ˌlegə'tiː/ N légataire mf ◆ **residuary** / **sole legatee** légataire universel / unique ◆ **specific legatee** légataire particulier.

**legator** /ˌlegə'tɔːʳ/ N testateur(-trice) m(f).

**legislate** /'ledʒɪsleɪt/ VT déterminer par la loi ◆ VI légiférer.

**legislation** /ˌledʒɪs'leɪʃən/ N **a** *(= law making)* élaboration f des lois **b** *(= law)* loi f ; *(= body of laws)* législation f ◆ **to bring in** *or* **introduce legislation** faire des lois, légiférer ◆ **the government is considering legislation against...** le gouvernement envisage la mise sur pied d'une loi contre...

**legislative** /'ledʒɪslətɪv/ ADJ *power* législatif.

**legislator** /'ledʒɪsleɪtəʳ/ N législateur m.

**legislature** /'ledʒɪslətʃəʳ/ N corps m législatif, assemblée f législative.

**legitimacy** /lɪ'dʒɪtɪməsɪ/ N légitimité f.

**legitimate** /lɪ'dʒɪtɪmɪt/ ADJ légitime.

**legitimize, legitimise** /lɪ'dʒɪtɪmaɪz/ VT légitimer.

**leisure** /'leʒəʳ, 'liːʒəʳ/ N loisir m

―――― *compounds/composés* ――――

- **leisure industries** industries fpl de loisirs
- **leisure property** *(Brit)*, **leasure real estate** *(US)* immobilier de loisirs
- **leisure society** société de loisirs.

**lek** /lɛk/ N lek m.

**lempira** /lem'pɪərə/ N lempira m.

**lend** /lend/ VT **a** *money* prêter *(to sb* à qn) ◆ **to lend money at 12%** prêter de l'argent à 12% ◆ **to lend against security** *or* **on stock** prêter sur titres ◆ **to lend at interest** prêter à intérêt **b** *(fig) support* prêter, accorder *(to* à) ◆ **to lend one's name to** prêter son nom à.

**lendable** /'lendəbl/ ADJ *funds* prêtable.

**lender** /'lendəʳ/ N prêteur(-euse) m(f) ; *(= institution)* organisme m prêteur ◆ **lender of last resort** prêteur en dernier ressort ◆ **money lender** *(for individuals)* prêteur sur gages; *(for companies)* bailleur de fonds.

**lending** /'lendɪŋ/ N prêt m ◆ **minimum lending rate** taux de base bancaire, taux de crédit préférentiel ◆ **bank lending has risen sharply** le volume des prêts bancaires est monté en flèche

―――― *compounds/composés* ――――

- **lending facilities** facilités fpl de crédit
- **lending institution** institution *or* établissement de crédit, organisme prêteur
- **lending limit** plafond du crédit
- **lending officer** responsable du prêt
- **lending operations** opérations fpl de crédit.

**lend-lease** /'lendliːs/ *(US)* N prêt-bail m.

**length** /leŋθ/ N **a** *[object]* longueur f ◆ **overall length** longueur totale, longueur hors-tout ◆ **what length do you want?** *[wire rope]* quelle longueur vous faut-il?; *[cloth]* quel métrage vous faut-il? **b** *[speech, film]* durée, longueur; *[book, report]* longueur ◆ **length of a loan** durée d'un prêt ◆ **length of service** ancienneté ◆ **he would go to any lengths to get that contract** il ne reculerait devant rien pour obtenir ce contrat **c** *(competition)* longueur f ◆ **to go into a 2-length lead** prendre 2 longueurs d'avance.

**lengthen** /'leŋθən/ VT *visit, product life* prolonger; *working hours* allonger ◆ VI *[list]* s'allonger; *[visit, negotiations]* se prolonger; *[order book]* enfler.

**leniency** /'liːniənsɪ/ N *(gen, Jur)* indulgence f.

**lenient** /'liːnɪənt/ ADJ *(gen, Jur)* indulgent (*to* envers, pour)

**leone** /liː'əʊnɪ/ N leone m.

**less** /les/ ADV, PRON moins ◆ **less frequent** moins fréquent ◆ **less developed countries** pays moins développés.

**lessee** /le'siː/ N preneur m à bail, locataire mf à bail.

**lessen** /'lesn/ VT *(gen)* diminuer; *cost* réduire; *effect* atténuer, amortir; *tension* diminuer, relâcher ◆ VI *(gen)* diminuer, s'amoindrir; *[tension]* se relâcher, s'atténuer ◆ **the pressure on sterling has lessened** la pression sur le sterling s'est relâchée *or* s'est atténuée.

**lessor** /le'sɔːʳ/ N bailleur (bailleresse) m(f).

**let** /let/ VT *(= hire out) house* louer, mettre en location ◆ **to let by the month** louer au mois ◆ **to let** *(on poster)* à louer ◆ N location f.

**let off** VT SEP *(= not punish)* faire grâce à ◆ **I'll let you off this time** je ferme les yeux pour cette fois.

**Lett** /let/ ADJ letton ◆ N **a** *(= language)* letton m **b** *(= inhabitant)* Letton(ne) m(f).

**letter** /'letəʳ/ N lettre f ◆ **circular letter** circulaire ◆ **covering letter** lettre explicative ◆ **follow-up letter** lettre de relance *or* de rappel ◆ **registered letter** lettre recommandée ◆ **letter of acceptance** *(St Ex)* avis d'attribution d'actions ◆ **letter of acknowledgement** accusé de réception ◆ **letter of advice** lettre d'avis ◆ **letter of allotment** *(St Ex)* avis d'attribution d'actions ◆ **letter of application** *[candidate]* lettre de candidature; *[investor]* lettre *or* bulletin de souscription ◆ **letter of appointment** lettre d'engagement ◆ **letter of attorney** procuration ◆ **letter of credit** lettre de crédit ◆ **letter of exchange** traite, lettre de change ◆ **letter of hypothecation** lettre d'affectation en nantissement ◆ **letter of indemnity** (lettre de) garantie, caution, cautionnement ◆ **letter of intent** lettre *or* déclaration d'intention ◆ **letter of introduction** lettre de recommandation *or* d'introduction ◆ **letter of regret** *(St Ex)* (lettre d') avis de retour de souscription ◆ **letter of reminder** lettre de rappel ◆ **letter of representation** lettre de déclaration de responsabilité ◆ **letter of subrogation** *(Brit)* or **subordination** *(US)* lettre d'antériorité de créance

──── *compounds/composés* ────
- **letter-quality printer** imprimante qualité courrier
- **letter scale** pèse-lettre
- **letter sorter** machine à trier les lettres
- **letters patent** brevet d'invention
- **letters stock** *(US)* actions fpl bloquées
- **letters testamentary** nomination d'un exécuteur testamentaire.

**letterhead** /'letəhed/ N en-tête m.

**letting** /'letɪŋ/ N *(= action)* location f ◆ **income from lettings** revenus locatifs ◆ ADJ *value* locatif ◆ **letting agency** agence de location.

**Lettish** /'letɪʃ/ ADJ letton ◆ N *(= language)* letton m.

**let up** VI *[inflation, wage increases]* ralentir, diminuer.

**let-up** /'letʌp/ N *(= decrease)* diminution f; *(= stop)* arrêt m; *(= respite)* répit m ◆ **there was no let-up in the wage-price spiral** la spirale inflationniste n'a pas connu de répit.

**leu** /'leɪuː/, PL **lei** /leɪ/ N *(= currency)* leu m.

**lev** /lef/, PL **leva** /'lɛvə/ N *(= currency)* lev m.

**level** /'levl/ N *(gen)* niveau m; *[rank]* niveau m, échelon m ◆ **at the international level** à l'échelon international ◆ **ability level** niveau de qualification ◆ **level of living** *(US)* niveau de vie ◆ **critical level** seuil critique ◆ **the low level of real income** la modicité du revenu réel ◆ **high-level language** *(Comp)* langage évolué ◆ **top-level engineers** ingénieurs de haut ni-

veau ✦ **top-level talks** discussions au sommet *or* au plus haut niveau ✦ **the decision was taken at cabinet level** la décision a été prise au niveau ministériel ✦ **is he on the level?** est-il réglo* ?
**ADJ** **a** *(= flat)* surface plat, uni **b** *(= equal)* à égalité *(with* avec) ✦ **to be level with the assistant manager** *(same rank, salary)* être au même échelon que le directeur adjoint ✦ **to be level in seniority with** avoir la même ancienneté que ✦ **level payment mortgage** crédit hypothécaire remboursable par mensualités fixes **c** *(= steady) tones, voice* calme, assuré; *judgment* raisonné ✦ **the need for a level-headed examination of the problem** la nécessité d'examiner le problème avec calme
**VT** *(= make level) site, ground* niveler, aplanir; *quantities* répartir également
**VI** *(\* US)* ✦ **I'll level with you** je vais jouer franc jeu avec vous.

**level down** VT *standards* niveler par le bas.

**level off** VI *[prices, unemployment, results]* se stabiliser ✦ **unemployment has levelled off** le chômage s'est stabilisé *or* marque une pause ✦ **the oil market has levelled off after a severe drop** les cours du pétrole se sont stabilisés *or* ont trouvé un niveau de résistance après une forte baisse.

**lever** /'liːvəʳ/ N levier m.

**leverage** /'liːvərɪdʒ/ **N** *(lit)* force f de levier; *(fig)* influence f *(on or with sb* sur qn); *(Fin)* effet m de levier *or* d'endettement
**VT** *(Fin) company* augmenter le ratio d'endettement ✦ **highly leveraged company** société fortement endettée ✦ **highly leveraged loan** emprunt à fort effet de levier

─── *compounds/composés* ───
✦ **leverage factor** facteur d'augmentation *or* d'accroissement
✦ **leveraged buy-out** rachat d'entreprise financé par l'endettement
✦ **leveraged management buy-out** rachat *or* reprise d'une société par ses cadres
✦ **leverage ratios** ratios mpl d'endettement
✦ **leverage stock** fonds mpl propres avec endettement.

**lever up** VT SEP ✦ **to lever up the bank rate** relever le taux d'escompte officiel.

**levy** /'levɪ/ **N** *(gen, Fin)* *(= act)* taxation f, imposition f, perception f; *(= tax)* impôt m, taxe f ✦ **import levy** *(EU : on farm products)* taxe à l'importation; *(amount)* taxe ✦ **writ of levy** *(US Jur)* mandat de saisie-exécution

**VT** **a** *(= impose) tax* prélever, lever, percevoir *(on sth* sur qch); *fine* infliger *(on sb* à qn) ✦ **to levy a duty on imported goods** imposer des marchandises à l'entrée, percevoir un droit d'entrée sur des marchandises ✦ **to levy a distress** *(US Jur)* faire une saisie-exécution *(on* sur) **b** *(= collect) taxes* percevoir.

**liability** /ˌlaɪə'bɪlɪtɪ/ N **a** responsabilité f ✦ **to disclaim all liability** décliner toute responsabilité ✦ **liability of any debtor to his creditor** l'obligation de tout débiteur envers son créancier ✦ **absolute liability** obligation inconditionnelle ✦ **collective / joint / contractual liability** responsabilité collective / conjointe / contractuelle ✦ **employer's liability** responsabilité de l'employeur ✦ **employer's liability insurance** assurance responsabilité civile *or* RC de l'employeur ✦ **joint and several liability** responsabilité conjointe et solidaire ✦ **legal liability** responsabilité civile générale ✦ **limited liability** responsabilité limitée ✦ **limited liability company** société à responsabilité limitée ✦ **third-party liability** responsabilité au tiers ✦ **tax liability** *(= obligation)* assujettissement à l'impôt; *(= sum due)* montant de l'imposition, impôts dus **b** *(= debt)* dette f **c** **liabilities** *(= commitments)* obligations, engagements; *(= debts)* dettes; *(on balance sheet)* passif ✦ **assets and liabilities** actif et passif ✦ **contingent liabilities** passif éventuel ✦ **current liabilities** passif exigible à court terme, dettes à court terme ✦ **external liabilities** passif externe ✦ **fixed** *or* **deferred** *or* **long-term** *or* **non-current liabilities** passif exigible à long terme

─── *compounds/composés* ───
✦ **liability insurance** assurance responsabilité civile
✦ **liability ledger** registre des créances
✦ **liability limit** *(Ins)* plafond de la garantie responsabilité civile
✦ **liability management** *(Bank)* gestion des encours
✦ **liability reserve** provision pour dettes.

**liable** /'laɪəbl/ ADJ **a** ✦ **liable to** possible de ✦ **liable to** *or* **for tax** *person, profits* possible de l'impôt, imposable, assujetti à l'impôt; *goods* taxable, soumis à une taxe *or* à des droits ✦ **liable to stamp duty** assujetti au droit de timbre ✦ **those specifications are liable to alterations without notice** ce cahier des charges peut être modifié sans préavis ✦ **your absence is liable to be misinterpreted** votre absence risque *or* est susceptible d'être mal interprétée **b** *(Jur = responsible)* (civilement) responsable *(for* de) ✦ **you can be held liable**

**for the damage caused** vous pouvez être tenu responsable des dégâts causés ♦ **to be liable for sb's debts** répondre des dettes de qn.

**liaise** /'liːeɪz/ *(Brit)* **VI** ♦ **to liaise with the other departments** assurer la liaison avec les autres services.

**liaison** /liːˈeɪzɒn/ **N** liaison f ♦ **to work in liaison with** travailler en liaison avec.

**libel** /'laɪbəl/ **N** *(= act)* diffamation f (par écrit); *(= document)* libelle m, pamphlet m, écrit m diffamatoire ♦ **to sue sb for libel, bring an action for libel against sb** intenter un procès en diffamation à qn

―――― *compounds/composés* ――――
♦ **libel laws** lois fpl contre la diffamation
♦ **libel proceedings, libel suit** procès en diffamation

**VT** diffamer (par écrit).

**libellous** *(Brit)*, **libelous** /'laɪbələs/ *(US)* **ADJ** diffamatoire.

**liberalization, liberalisation** /ˌlɪbərəlɪˈzeɪʃən/ **N** libéralisation.

**liberalize, liberalise** /'lɪbərəlaɪz/ **VT** *trade relations* libéraliser.

**liberation** /ˌlɪbəˈreɪʃən/ **N** libération f.

**Liberia** /laɪˈbɪərɪə/ **N** Liberia m.

**Liberian** /laɪˈbɪərɪən/ **ADJ** libérien **N** *(= inhabitant)* Libérien(ne) m(f).

**LIBOR** /ˌelaɪbiːˈəʊˈɑːr/ **N** (abbr of **London Interbank Offered Rate**) *taux interbancaire londonien du marché des eurodevises.*

**library** /'laɪbrərɪ/ **N** bibliothèque f ♦ **library manager** *(Comp)* gestionnaire de bibliothèque.

**Libreville** /'liːbrəvɪl/ **N** Libreville.

**Libya** /'lɪbɪə/ **N** Libye f.

**Libyan** /'lɪbɪən/ **ADJ** libyen **N** *(= inhabitant)* Libyen(ne) m(f).

**licence** *(Brit)* /'laɪsəns/, **license** *(US)* **N** *(= permit)* *(gen)* autorisation, permis; *(Comm)* licence ♦ **building licence** permis de construire ♦ **driving licence** permis de conduire ♦ **export / import licence** licence d'exportation / d'importation ♦ **manufacturing licence** licence de fabrication ♦ **to manufacture sth under licence** fabriquer qch sous licence

―――― *compounds/composés* ――――
♦ **licence fees** droits mpl d'exploitation de licence, redevance; *(TV)* redevance
♦ **licence holder** détenteur d'une licence
♦ **licence number** *(Aut)* [*licence*] numéro de permis de conduire; [*car*] numéro minéralogique *or* d'immatriculation
♦ **licence plate** plaque minéralogique *or* d'immatriculation

**VT** **a** *(= give licence to)* accorder *or* délivrer une licence à ♦ **the shop is licensed to sell...** le magasin détient une licence de vente de... **b** *(= permit)* autoriser *(sb to do* qn à faire)

**licensee** /ˌlaɪsənˈsiː/ **N** licencié(e) m(f), détenteur(-trice) m(f) d'une licence.

**licenser** /'laɪsənsər/ **N** → **licensor.**

**licensing** /'laɪsənsɪŋ/ **N** octroi m d'une licence *or* d'une autorisation ♦ **licensing fee** droit de licence ♦ **licensing requirements** conditions d'obtention d'une licence.

**licensor** /'laɪsənsər/ **N** bailleur m de licence, concédant m.

**lie** /laɪ/ **VI** **a** *(= be found)* [*objects*] se trouver, être; [*remedy, problem*] être, résider, se trouver ♦ **our money is lying idle in the bank** notre argent dort à la banque ♦ **further problems lie ahead** d'autres problèmes nous attendent ♦ **the real solution lies in an overall restructuring of the department** la véritable solution réside *or* se trouve dans une complète restructuration du service ♦ **the onus of the proof lies with him** *(Jur)* c'est à lui de faire la preuve **b** *(Jur)* [*evidence, appeal*] être recevable ♦ **the action lies** l'action est recevable **c** [*person*] *(= tell untruths)* mentir

**N** *(= untruth)* mensonge m ♦ **to give the lie to** *claim, rumour* démentir, contredire.

**Liechtenstein** /'lɪktən,staɪn/ **N** Liechtenstein m.

**lien** /lɪən/ **N** *(Jur)* *(on goods)* droit m de rétention; *(on property)* privilège m, hypothèque f mobilière ♦ **to have a lien on the estate of a debtor** avoir un privilège sur les biens d'un débiteur ♦ **general lien** privilège général ♦ **carrier's lien** privilège du transporteur ♦ **involuntary lien, lien in invitum** privilège involontaire ♦ **maritime lien** privilège maritime ♦ **possessory lien** droit de rétention ♦ **vendor's lien** privilège du vendeur ♦ **no-lien affidavit** attestation de non-gage.

**lienee** /ˌlɪəˈniː/ **N** débiteur m gagiste.

**lienor** /'lɪənər/ **N** créancier m gagiste.

**lieu** /luː/ **N** ♦ **in lieu of** au lieu de, à la place de.

**life** /laɪf/ N a (= existence) vie f ◆ exports are the lifeblood of our economy les exportations constituent le nerf or le ressort de notre économie ◆ working life [product] durée de vie; [person] années d'activité, vie active b (= validity) [contract, licence, product] durée f ◆ life of a loan durée d'un prêt or d'un emprunt ◆ composite life [product] vie utile ◆ service life [equipment] durée de vie or d'utilisation ◆ shelf life [product] durée de vie ◆ useful life (Mktg) durée normale d'utilisation, vie utile

―――――― compounds/composés ――――――
- **life annuitant** rentier viager
- **life annuity** rente viagère
- **life assurance** or **insurance** assurance-vie
- **life assured** or **insured (the)** l'assuré(e)
- **life beneficiary** (US) usufruitier(-ière)
- **life cycle** [product, plant] cycle de vie
- **life endowment, life estate** biens mpl en viager
- **life expectancy** [person] espérance de vie; [product] durée de vie ◆ **life expectancy tables** tables de mortalité
- **life income** (Jur) rente viagère, revenu viager
- **life interest** (Jur) (= right of usage for life) usufruit; (= pension) rente viagère
- **life office** compagnie d'assurance-vie
- **life style** style de vie
- **life tenancy** usufruit
- **life tenant** usufruitier

**lifeless** /'laɪflɪs/ ADJ stock market inanimé, peu actif, mou, terne.

**LIFFE** /ˌelaɪefefˈiː/ N (abbr of **London International Financial Futures Exchange**) marché des options sur devises de Londres ≈ MATIF m.

**LIFO** /'laɪfəʊ/ (abbr of **last in first out**) DEPS.

**lift** /lɪft/ N a (Brit) (= elevator) ascenseur m ; (for goods) monte-charge m b (= transport) ◆ can I give you a lift? est-ce que je peux vous déposer quelque part? ◆ I can give you a lift to the station je peux vous emmener à la gare VT a (= raise) lever, soulever b (= increase) augmenter ◆ to lift productivity augmenter or accroître la productivité c (= remove) restrictions supprimer, abolir; ban, blockade, embargo lever ◆ to lift sanctions lever des sanctions ◆ to lift the seizure lever la saisie d (Jur) documents lever, honorer ◆ to lift a bill honorer un effet ◆ to lift a mortgage (US) purger une hypothèque.

**liftboy** /'lɪftbɔɪ/ (Brit) N garçon m d'ascenseur.

**liftoff** /'lɪftɒf/ N [space rocket, new enterprise] décollage m ◆ lift-on, lift-off (Ind, Mar) manutention verticale, levage.

**light** /laɪt/ N a (gen) lumière f ; (Aut) feu m ◆ to give sb the green light donner le feu vert à qn ◆ neon lights enseignes au néon b (fig) lumière f ◆ to bring to light mettre en lumière, révéler ◆ new defects have come to light on a découvert de nouveaux défauts, de nouveaux défauts ont été mis au jour ◆ to shed or throw (a) new light on a subject éclairer un sujet d'un jour nouveau ADJ a (opp of dark) clair b (= not heavy) léger ◆ trading was light at 8 million shares a day le volume des transactions restait faible à 8 millions d'actions par jour

―――――― compounds/composés ――――――
- **light dues** droits mpl de phare
- **light gun** crayon lumineux
- **light pen** photostyle, crayon optique
- **light vessel** navire marchand à vide.

**lighten** /'laɪtn/ VT (= make less heavy) cargo, burden alléger; tax alléger, réduire.

**lighter** /'laɪtəʳ/ N (Mar) péniche f, chaland m, gabar(r)e f, allège f.

**lighterage** /'laɪtərɪdʒ/ N (= transport) acconage m ; (= fee) droit m d'acconage, frais mpl d'allège or de chalandage m.

**lightning** /'laɪtnɪŋ/ N éclair m ADJ attack foudroyant ◆ **lightning strike** grève surprise or sans préavis.

**like** /laɪk/ VT a person, activity, food aimer b (= want) vouloir ◆ would you like a drink? voulez-vous boire quelque chose? N (= similar thing) chose f pareille or semblable.

**likely** /'laɪklɪ/ ADJ a outcome, consequences probable; explanation plausible, vraisemblable ◆ the most likely applicants les candidats qui ont le plus de chance d'être retenus b (= liable) ◆ to be likely to do avoir des chances de faire, risquer de faire ◆ this decision is likely to make quite a stir ce projet risque de faire du bruit.

**lilangeni** /ˌlɪlaːŋˌgeɪnɪ/, PL **emalangeni** /'ɛmaːlaːŋˌgeɪnɪ/ N lilangeni m.

**Lilongwe** /lɪˈlɒŋwɪ/ N Lilongwe.

**Lima** /'liːmə/ N Lima.

**limb** /lɪm/ N [tree] grosse branche ◆ to be out on a limb (fig) (= isolated) être isolé; (= vulnerable) être dans une situation difficile.

**limit** /'lɪmɪt/ N [territory, experience] limite f ; (= restriction on amount) limitation f, restriction f ; (= authorized maximum) limite f ◆ **age limit** limite d'âge ◆ **credit limit** limite or plafond de crédit ◆ **time limit** délai ◆ **limit**

order *(St Ex)* ordre limite *or* à cours limité ◆ **limit price** cours limite *or* plafond ◆ **weight limit** limitation de poids ◆ **off-limits area** zone d'accès interdit; *(sign)* accès interdit ◆ **there is no limit on the amount you can import** la quantité que l'on peut importer n'est pas limitée ◆ **they will set voluntary limits to their exports** ils limiteront volontairement leurs exportations

**vt** limiter *(to* à) ◆ **our promotion campaign is limited to EU countries** notre campagne promotionnelle se limite aux pays de l'UE.

**limitation** /ˌlɪmɪ'teɪʃən/ **N** **a** *(= restriction)* limitation f, restriction f **b** *(Jur)* prescription f ◆ **term of limitation, limitation period** délai de prescription ◆ **time limitation** péremption ◆ **this is barred by limitation** il y a prescription ◆ **statutes of limitations of actions** *(US)* lois fixant les délais de prescription.

**limitative** /'lɪmɪtətɪv/ **ADJ** limitatif, restrictif.

**limited** /'lɪmɪtɪd/ **ADJ** **a** *(= restricted) choice, means, resources* restreint, limité; *risk* limité **b** *(Comm, Jur)* ◆ **Smith and Sons Limited** Smith et fils SA ◆ **private limited company** *(Brit)* société à responsabilité limitée ◆ **public limited company** société anonyme

―――― *compounds/composés* ――――

◆ **limited check** *(Jur)* contrôle partiel
◆ **limited liability** responsabilité limitée
◆ **limited (liability) company** *(Brit)* société à responsabilité limitée
◆ **limited market** *(St Ex)* marché étroit *or* restreint
◆ **limited order** *(St Ex)* ordre de vente (*or* d'achat) limité
◆ **limited owner** usufruitier(-ière)
◆ **limited partner** associé(e) commanditaire
◆ **limited partnership** société en commandite simple
◆ **limited policy** *(Ins)* assurance limitée
◆ **limited stop-loss order** *(St Ex)* ordre à plage de déclenchement.

**limitedness** /'lɪmɪtɪdnɪs/ **N** *(St Ex)* étroitesse f.

**limiter** /'lɪmɪtər/ **N** *(Comp)* borne f, drapeau m.

**limiting** /'lɪmɪtɪŋ/ **ADJ** limitatif ◆ **limiting clause** *contract* clause *or* condition restrictive.

**linage** /'laɪnɪdʒ/ **N** → **lineage.**

**line** /laɪn/ **N** **a** *(= mark)* ligne f, trait m ; *(= boundary)* frontière f ◆ **the bottom line** *(Acc)* le résultat *or* le bénéfice net *(fig = the main concern)* l'essentiel **b** *(Telec)* ligne f ◆ **the lines are out of order** les lignes sont en dérangement ◆ **the line's gone dead** *(cut off)* on nous a

coupés; *(no dialling tone)* il n'y a plus de tonalité ◆ **can you get me a line to Paris?** pouvez-vous m'avoir Paris (au téléphone)? ◆ **the line is engaged** *(Brit) or* **busy** *(US)* la ligne est occupée ◆ **Mr Smith is on the line** vous avez M. Smith en ligne ◆ **hold the line** ne quittez pas **c** *[print, writing]* ligne f ◆ **to write a line** *(Mar Ins)* souscrire une part d'un risque ◆ **accommodation line** *(Ins)* risque accepté à titre commercial **d** *(= row) [parked cars]* rangée f ; *[cars in traffic]* file f ; *[people] (side by side)* rang m, rangée f ; *(behind one another)* file f, colonne f ◆ **to wait in line** *(US)* faire la queue ◆ **we must fall into line with our competitors** nous devons nous aligner sur nos concurrents ◆ **to bring into line** réaligner ◆ **the dollar was way out of line** le dollar n'était plus dans l'alignement ◆ **new production capacity will come on line next year** de nouvelles unités de production seront mises en exploitation l'an prochain ◆ **on-line** *computer* connecté; *access, broker* en ligne ◆ **off-line** *computer* non connecté, autonome; *processing* en différé ◆ **on-line / off-line processing** traitement en temps réel / en différé **e** *(= direction)* ligne f, direction f ◆ **to take a hard / soft line** adopter une ligne de conduite dure / souple ◆ **line of attack** plan d'action **f** *(Rail)* ligne f ; *(= track)* voie f ◆ **shipping line** compagnie de navigation ◆ **heavily-travelled lines** lignes à fort trafic **g** *(= business)* ◆ **what's his line of business?** dans quelle branche est-il?, quelle est sa partie *or* sa profession? ◆ **it's not (in) my line** ce n'est pas mon rayon, ce n'est pas dans mes cordes **h** *(Comm)* *(= series of goods)* série f d'articles, gamme f de produits ◆ **broken lines** fins de série ◆ **leading line** articles en réclame ◆ **product line** ligne *or* gamme de produits **i** *(Bank)* ◆ **line of stock** ligne de titres ◆ **credit line, line of credit** ligne *or* autorisation de crédit **j** *(Mktg, Admin)* ◆ **line of authority** ligne

―――― *compounds/composés* ――――

◆ **line assistant** attaché(e) opérationnel(le)
◆ **line extension** extension de la gamme
◆ **line feed** *(Comp)* saut de ligne
◆ **line image** image de gamme
◆ **line layout** *(Ind)* aménagement *or* implantation linéaire des postes de travail
◆ **line management** organisation f hiérarchique, hiérarchie f
◆ **line manager** supérieur(e) m(f) hiérarchique *or* direct(e)
◆ **line organization** organisation hiérarchique *or* verticale
◆ **line printer** imprimante ligne à ligne
◆ **line production** *(US)* production à la chaîne *or* en chaîne
◆ **line service** service d'exploitation.

*or* structure hiérarchique ◆ **line of command** chaîne de commandement ◆ **staff and line** les fonctionnels et les opérationnels ◆ **line and staff organization** structure hiérarchique et structure fonctionnelle, services fonctionnels et structure fonctionnelle, services fonctionnels et services hiérarchiques *or* opérationnels ◆ **down the line personnel** personnel subalterne ◆ **first line manager** agent de maîtrise ◆ **first line management** maîtrise ◆ **first line supervisor** agent de maîtrise, responsable au premier palier d'exécution **k** *(Ind)* ◆ **assembly line** chaîne de montage ◆ **production line** chaîne de fabrication

**lineage** /ˈlɪnɪdʒ/ **N** *(Pub)* tarif m à la ligne.

**linear** /ˈlɪnɪəʳ/ **ADJ** *(gen, Econ, Comp)* linéaire.

**liner** /ˈlaɪnəʳ/ **N** *(Mar)* paquebot m, bateau m de ligne

— compounds/composés —
◆ **liner terms** conditions fpl du trafic maritime régulier
◆ **liner trade** trafic maritime régulier.

**line-up** /ˈlaɪnʌp/ **N** gamme f, éventail m ◆ **an impressive line-up of products** un éventail impressionnant de produits, une gamme *or* une ligne de produits impressionnante ◆ **the line-up of oil countries** le front des pays producteurs de pétrole.

**link** /lɪŋk/ **N** *[chain]* maillon m, chaînon m ; *[telephones]* liaison f ; *(= connection)* lien m, liaison f, relation f ◆ **we have links with major companies around the world** nous avons des liens avec des entreprises leaders dans le monde entier ◆ **data link** liaison de transmission des données ◆ **formal trade links** relations commerciales officielles
**VT** *(= connect)* relier; *(fig)* lier; *(Elec)* relier, connecter ◆ **index-linked** indexé.

**linkage** /ˈlɪŋkɪdʒ/ **N** *(= tie)* lien m, relation f, liaison f.

**link up** **VI** *(Comm)* *[firms, organizations]* s'associer **VT SEP** relier, connecter.

**link-up** /ˈlɪŋkʌp/ **N** *(gen)* lien m, rapport m *(Rad, TV)* *(= connection)* liaison f ; *(= programme)* (émission f en) duplex m.

**lip service** /ˈlɪpsɜːvɪs/ **N** ◆ **this country only pays lip service to the limitation of its exports** ce pays n'accepte de limiter ses exportations qu'en paroles.

**liquid** /ˈlɪkwɪd/ **ADJ** *(gen)* liquide; *(Fin)* liquide, disponible ◆ **to keep liquid** *(St Ex)* rester liquide ◆ **liquid assets** *or* **funds** liquidités, disponibi-

lités, actif disponible ◆ **liquid crystal display** affichage à cristaux liquides ◆ **liquid debt** dette liquide ◆ **liquid investments** titres de placement liquides, placements facilement négociables ◆ **liquid savings** épargne liquide ◆ **liquid securities** valeurs liquides.

**liquidate** /ˈlɪkwɪdeɪt/ **VT** *company* liquider, mettre en liquidation; *debt* amortir, liquider; *property* liquider, réaliser ◆ **liquidated debt** dette soldée *or* amortie ◆ **liquidating dividend** dividende de liquidation ◆ **part of the bank's portfolio was liquidated** la banque a réalisé une partie de son portefeuille.

**liquidation** /ˌlɪkwɪˈdeɪʃən/ **N** *[company]* liquidation f; *[debt]* remboursement m, amortissement m ; *[estate]* réalisation f, liquidation f ◆ **liquidation of inventories** réalisation *or* liquidation des stocks ◆ **compulsory / voluntary liquidation** *[company]* liquidation forcée *or* judiciaire / volontaire ◆ **to go into liquidation** déposer son bilan ◆ **to put a company into liquidation** mettre une société en liquidation

— compounds/composés —
◆ **liquidation balance sheet** bilan d'ouverture de liquidation
◆ **liquidation price** prix de liquidation
◆ **liquidation value** valeur liquidative *or* de liquidation.

**liquidator** /ˈlɪkwɪˌdeɪtəʳ/ **N** liquidateur m ◆ **liquidator in bankruptcy** syndic de faillite.

**liquidity** /lɪˈkwɪdɪtɪ/ **N** liquidité f ◆ **liquidities** liquidités, actifs liquides

— compounds/composés —
◆ **liquidity credit** crédit de trésorerie
◆ **liquidity preference** préférence pour la liquidité
◆ **liquidity ratio** ratio *or* coefficient de liquidité *or* de trésorerie
◆ **liquidity squeeze** compression *or* contraction des liquidités.

**lira** /ˈlɪərə/, **PL lire** *or* **liras N** lire.

**Lisbon** /ˈlɪzbən/ **N** Lisbonne.

**list** /lɪst/ **N** *(gen)* liste f ; *(Comp)* liste f, listage m ◆ **to make out a list** dresser *or* établir une liste ◆ **to strike off the list** rayer de la liste ◆ **list of bills for collection** bordereau d'effets à l'encaissement ◆ **black list** liste noire ◆ **free list** *(Customs)* liste des exemptions ◆ **mailing list** fichier *or* liste d'adresses ◆ **price list** tarif, catalogue de prix ◆ **stock-exchange list** bulletin de la Bourse

─── compounds/composés ───

- **list broker** courtier en fichiers or listes d'adresses
- **list file** (Comp) fichier de listage
- **list price** prix (de) catalogue, prix public

**VT** (= make list of) faire or dresser la liste de; (= write down) inscrire; (= enumerate) énumérer; (Comp) lister; (St Ex) coter ✦ **this item is no longer listed** cet article ne figure plus au catalogue ✦ **the shares are listed at 75 dollars** les actions sont cotées à 75 dollars ✦ **listed securities** valeurs inscrites or admises à la cote officielle, valeurs cotées en Bourse ✦ **listed company** société cotée en Bourse ✦ **Listed Traded Options Market** (Brit) marché des options négociables de Londres.

**listing** /ˈlɪstɪŋ/ N (St Ex) inscription f à la cote officielle, cotation f ✦ **listing requirements** conditions d'introduction en Bourse.

**listless** /ˈlɪstlɪs/ ADJ stock market terne.

**list out** VT SEP (Comp) lister, sortir sur imprimante.

**litas** /ˈliːtɑːs/, PL **litai** /ˈliːteɪ/ N lari m.

**liter** /ˈliːtəʳ/ (US) N → litre.

**literature** /ˈlɪtərɪtʃəʳ/ N (= documents) documentation f ✦ **we have extensive literature on this subject** nous avons une documentation abondante à ce sujet ✦ **sales literature** documentation publicitaire.

**Lithuania** /ˌlɪθjʊˈeɪnɪə/ N Lituanie f.

**Lithuanian** /ˌlɪθjʊˈeɪnɪən/ **ADJ** lituanien
**N** **a** (= language) lituanien m **b** (= inhabitant) Lituanien(ne) m(f).

**litigant** /ˈlɪtɪɡənt/ N (Jur) plaideur m, partie f d'un procès.

**litigate** /ˈlɪtɪɡeɪt/ **VI** plaider, être en procès
**VT** contester.

**litigation** /ˌlɪtɪˈɡeɪʃən/ N litige m, procès m.

**litre** (Brit), **liter** (US) /ˈliːtəʳ/ N litre m.

**live** /lɪv/ **ADJ** **a** person vivant, en vie; (fig) dynamique ✦ **a live problem** un problème brûlant or d'actualité ✦ **live claim** (Fin) créance valide ✦ **live weight** (transport) charge utile; (cattle market) poids sur pied **b** (Rad, TV) programme, broadcast (transmis or diffusé) en direct
**ADV** (Rad, TV) en direct ✦ **live from Paris** en direct de Paris
**VI** **a** (= be alive) vivre **b** (= conduct o.s.) vivre ✦ **to live by journalism** gagner sa vie comme journaliste ✦ **to live off** or **on one's private income** vivre de ses rentes **c** (= reside) résider, habiter.

**livelihood** /ˈlaɪvlɪhʊd/ N (= means of living) moyens mpl d'existence ✦ **to earn one's livelihood** gagner sa vie.

**liveliness** /ˈlaɪvlɪnɪs/ N [stock market] animation f, activité f.

**lively** /ˈlaɪvlɪ/ **ADJ** stock market animé, actif, soutenu; publicity campaign percutant, vigoureux.

**livestock** /ˈlaɪvstɒk/ N bétail m, cheptel m ✦ **livestock farmer** éleveur de bétail.

**living** /ˈlɪvɪŋ/ N vie f ✦ **cost of living** coût de la vie ✦ **standard of living** (Brit), **level of living** (US) niveau de vie ✦ **to earn a living as a translator** gagner sa vie comme traducteur ✦ **to work for a living** travailler pour vivre

─── compounds/composés ───

- **living conditions** conditions fpl de vie
- **living space** espace vital
- **living standard(s)** (Brit) niveau de vie
- **living wage** minimum vital.

**LMBO** /ˌelembiːˈəʊ/ N (abbr of **leveraged management buy-out**) ≈ RES m.

**LME** /ˌelemˈiː/ N (abbr of **London Metal Exchange**) Bourse des métaux de Londres.

**load** /ləʊd/ **N** [person, computers] charge f ; [lorry] chargement m, charge f ; [ship] cargaison f; (= pressure) poids m, pression f ✦ **axle load** charge par essieu ✦ **breaking load** charge de rupture ✦ **car load** (Rail) wagon complet ✦ **less than car-load** wagon incomplet ✦ **constant load** charge constante, poids mort ✦ **dead load** poids mort, poids à vide, charge constante ✦ **deck load** chargement en pontée ✦ **full load** chargement complet ✦ **pay load** [vehicle] charge utile; [aeroplane] emport, poids utile; [ship] charge payante ✦ **work load** charge de travail, plan de charge

─── compounds/composés ───

- **load draught** tirant d'eau en charge
- **load factor** coefficient de chargement or de remplissage
- **load line** (Mar) ligne de flottaison en charge
- **load program** (Comp) chargeur, programme de chargement
- **load shedding** (Elec) délestage de courant

**VT** **a** lorry, ship, person charger (with de); (Comp) program charger ✦ **he is loaded with**

**degrees** il est bardé de diplômes **b** *[ship]* ◆ **to load grain** charger du grain **c** *insurance premium* majorer

**vi** *[lorry]* prendre un chargement; *[ship]* embarquer une cargaison.

**loadable** /'ləʊdəbl/ **ADJ** *(Comp)* chargeable.

**loaded** /'ləʊdɪd/ **ADJ** **a** *lorry, ship* chargé ◆ **loaded journey** *(Mar)* parcours en charge ◆ **loaded net weight** *(Mar)* poids net embarqué **b** *insurance premium* majoré **c** * *person* très riche, plein aux as* **d** **loaded question** question piège.

**loader** /'ləʊdəʳ/ **N** *(Comp)* chargeur m, programme m de chargement.

**loading** /'ləʊdɪŋ/ **N** **a** chargement m ◆ **loading for contingencies** chargement de sécurité ◆ **bulk loading** chargement en vrac **b** *[insurance premium]* majoration f

**ADJ** **a** *(Mar)* en charge, en cours de chargement **b** *(Commodity Exchange)* sous charge **c** *statement* insidieux

─── *compounds/composés* ───

- ◆ **loading bay** aire *or* baie *or* quai de chargement
- ◆ **loading charges** *(on ship)* frais mpl de chargement; *(Fin)* frais mpl financiers
- ◆ **loading day** jour de chargement
- ◆ **loading gauge** gabarit de chargement
- ◆ **loading participation in profits** chargement de participation
- ◆ **loading port** port d'embarquement *or* de chargement
- ◆ **loading ramp** rampe de chargement
- ◆ **loading space** espace de chargement.

**load up** **vi** *[ship]* recevoir une cargaison, charger; *[lorry]* prendre un chargement ◆ **to load up on assets** charger l'actif d'un bilan

**vt sep** charger *(with* de*)*

**loan** /ləʊn/ **N** **a** *(gen)* prêt m ; *[money]* *(lent)* prêt m ; *(advanced)* avance f ; *(borrowed)* emprunt m ◆ **to apply for a loan** demander *or* solliciter un prêt ◆ **to float** *or* **issue a loan** *[companies]* émettre *or* lancer un emprunt ◆ **to grant a loan** accorder *or* consentir un prêt ◆ **to raise** *or* **take up** faire *or* contracter un emprunt ◆ **to repay a loan** rembourser un emprunt ◆ **to sink a loan** amortir un emprunt ◆ **to subscribe to a loan** souscrire à un emprunt ◆ **I have a flat on loan from the company** la société me prête un appartement ◆ **the loan was largely oversubscribed** l'emprunt a été largement couvert ◆ **bad loan** créance douteuse ◆ **our trainee is on loan to another department** nous avons détaché notre stagiaire à un autre service **b** *(= kinds of loan)* ◆ **bank loan** prêt bancaire ◆ **bargain basement loan** prêt à un taux défiant

toute concurrence ◆ **bottomry loan** *(Mar Ins)* prêt à la grosse aventure ◆ **bridging loan** prêt *or* crédit-relais ◆ **consolidated loan** emprunt consolidé ◆ **consolidation loan** emprunt de consolidation ◆ **consumption loan** prêt à la consommation ◆ **conversion loan** emprunt de conversion ◆ **debenture loan** emprunt obligataire ◆ **foreign / internal loan** emprunt extérieur / intérieur ◆ **government loan** emprunt d'État ◆ **home improvement loan** prêt à l'amélioration de l'habitat ◆ **indexed loan** emprunt indexé ◆ **irredeemable loan** emprunt non remboursable ◆ **loan at call** emprunt remboursable sur demande ◆ **loan at interest** prêt portant intérêt ◆ **loan at notice** emprunt à terme ◆ **loan on collateral** prêt sur nantissement, prêt gagé ◆ **loan on overdraft** prêt à découvert ◆ **loan on respondentia** *(Mar Ins)* emprunt à la grosse sur facultés ◆ **loan on stock** prêt sur titres ◆ **loan on trust** prêt d'honneur ◆ **mortgage loan** prêt hypothécaire ◆ **personal loan** emprunt *or* prêt personnel ◆ **problem loan** prêt à problèmes, prêt à risque(s) ◆ **public loan** emprunt public ◆ **secured loan** prêt garanti ◆ **soft** *or* **subsidized loan** prêt à taux bonifié ◆ **unsecured loan** prêt non garanti

**vt** prêter *(sth to sb* qch à qn*)*

─── *compounds/composés* ───

- ◆ **loan account** compte de prêt
- ◆ **loan agreement** contrat de prêt, accord d'emprunt
- ◆ **loan application** demande de prêt *or* de crédit
- ◆ **loan bank** caisse de prêt, établissement *or* organisme de crédit
- ◆ **loan capital** capital d'emprunt
- ◆ **loan certificate** titre de prêt
- ◆ **loan ceiling** plafond de crédit
- ◆ **loan charges** frais mpl financiers, frais mpl de constitution de dossier de prêt
- ◆ **loan company** société de crédit
- ◆ **loan department** service du crédit
- ◆ **loan exposure** risques mpl encourus dans le domaine du crédit
- ◆ **loan holder** créancier hypothécaire
- ◆ **loan loss** perte sur prêts ◆ **loan loss reserves** provisions pour pertes sur prêts
- ◆ **loan market** marché du crédit *or* de l'argent
- ◆ **loan office** établissement *or* organisme de crédit
- ◆ **loan plan** contrat de prêt
- ◆ **loan portfolio** portefeuille de prêts
- ◆ **loan shark** usurier
- ◆ **loan sharking** usure *(pratique de taux usuraires en matière de prêt)*
- ◆ **loan stock** capitaux mpl empruntés
- ◆ **loan store** officine de prêt
- ◆ **loan syndicate** syndicat de prêt
- ◆ **loan syndication** syndicalisation du crédit
- ◆ **loan value** valeur du prêt.

**lobby** /'lɒbɪ/ **N** (= *pressure group*) groupe m de pression, lobby m ◆ **the steel lobby** le groupe de pression *or* le lobby de la sidérurgie
**VI** *(Pol)* intervenir auprès des milieux officiels (*for* pour)
**VT** *person* faire pression sur ◆ **to lobby a bill through** faire passer un projet de loi grâce à des manœuvres de couloir.

**lobbying** /'lɒbɪɪŋ/ **N** pressions fpl.

**lobbyist** /'lɒbɪɪst/ **N** membre m d'un groupe de pression, commis m d'influence.

**local** /'ləʊkəl/ **ADJ** (*gen*) local; *wine, speciality* du pays, local ◆ **local area network** réseau local ◆ **local authority** *(Brit)* préfecture ◆ **local bill** *(Fin)* effet sur place ◆ **local call** *(Telec)* communication urbaine ◆ **local government** *(Brit)* administration locale ◆ **local rates** *(Brit)* *or* **taxes** *(US)* impôts locaux ◆ **6 o'clock local time** 6 heures heure locale.

**localization** /ˌləʊkəlaɪˈzeɪʃən/ **N** localisation f.

**localize** /'ləʊkəlaɪz/ **VT** localiser.

**locality** /ləʊˈkælɪtɪ/ **N** (= *district*) région f.

**locals** /'ləʊkəls/ **N** (*US*) spéculateurs privés professionnels (*à la Bourse de Chicago*).

**locate** /ləʊˈkeɪt/ **VT** **a** (= *find*) *place, person, cause* repérer, trouver, localiser **b** (= *situate*) *plant* situer, implanter ◆ **they decided to locate the new plant in Bristol** ils ont décidé d'implanter *or* de construire la nouvelle usine à Bristol ◆ **the head office is located in Paris** le siège est *or* se trouve à Paris
**VI** s'installer, s'implanter.

**location** /ləʊˈkeɪʃən/ **N** **a** (= *position*) emplacement m, situation f, implantation f, site m ◆ **location of the head office** adresse du siège ◆ **work location** lieu de travail **b** *(Cine)* extérieur(s) m(pl) ◆ **on location** en extérieur.

**locational** /ləʊˈkeɪʃənəl/ (*US*) **ADJ** qui a trait à la situation *or* à la conjoncture ◆ **locational requirements** besoins conjoncturels.

**lock** /lɒk/ **VT** (= *fasten*) *door* fermer à clé ◆ **behind locked doors** à huis clos.

**lockaway** /'lɒkəweɪ/ **N** *(Fin)* titre m à long terme.

**lock in** **VT SEP** *customers* rendre captif.

**lock out** **VT SEP** *(Ind)* *workers* fermer l'usine à, lock-outer; *competitors* éliminer, barrer la route à ◆ **we're locked out of the market** le marché nous est fermé.

**lockout** /'lɒkaʊt/ **N** lock-out m, grève f patronale.

**lock up** **VT SEP** *(Fin)* *capital, funds* immobiliser, bloquer (*in* dans).

**loco price** /'ləʊkəʊˌpraɪs/ **N** prix m sur place.

**lodge** /lɒdʒ/ **VT** *money* déposer; *statement, report* présenter (*with sb* à qn) ◆ **to lodge a complaint against** *(Jur)* porter plainte contre ◆ **to lodge an appeal** *(Jur)* faire *or* interjeter appel ◆ **to lodge securities with a bank** confier des titres à une banque
**N** (*US Ind*) section f syndicale.

**log** /lɒg/ **VT** (= *record*) enregistrer, consigner, inscrire, noter
**N** (*also* **logbook**) (*gen*) registre m ; *(Mar)* livre m *or* journal m de bord; [*road transport*] carnet m de route; *(Aviat)* carnet m de vol.

**log in, log on** **VI** (*gen* = *start work*) pointer, signer le registre en arrivant; *(Comp)* se connecter, ouvrir une session, entrer dans le système ◆ **to log onto the Internet** se connecter à Internet.

**logistics** /lɒˈdʒɪstɪks/ **N** logistique f.

**log jam** /'lɒgdʒæm/ **N** blocage m.

**logo** /'ləʊgəʊ/ **N** logo m ◆ **the company's logo** le logo de la société.

**log off, log out** **VI** (*gen* = *finish work*) pointer, signer le registre en partant; *(Comp)* terminer une session, sortir du système.

**Lombard rate** /'lɒmbədreɪt/ **N** taux m Lombard.

**Lombard Street** /'lɒmbədstriːt/ **N** le quartier général des banques à Londres.

**Lomé** /lɒme/ **N** Lomé ◆ **Lomé Convention (the)** les accords de Lomé.

**London** /'lʌndən/ **N** Londres ◆ **London International Financial Futures Exchange** marché des options sur devises de Londres ≈ MATIF ◆ **London Metal Exchange** Bourse des métaux de Londres.

**lone** /ləʊn/ **ADJ** *person* solitaire ◆ **to play a lone hand** *(fig)* jouer sa carte personnelle.

**lonely** /'ləʊnlɪ/ **ADJ** ◆ **lonely pay** hausse de salaire (*obtenue à la suite de réductions d'horaire dues à des progrès techniques*).

**loner** * /'ləʊnəʳ/ **N** solitaire mf.

**long** /lɒŋ/ **ADJ** (*gen, St Ex*) long ◆ **long shot** *(Cine)* plan d'ensemble ◆ **it's a long shot** *(fig)* c'est très risqué, c'est un coup à tenter ◆ **to take the long view** voir à long terme ◆ **in the long run** *or* **term** à long terme
**ADV** longtemps ◆ **to borrow long** emprunter à long terme ◆ **I shan't be long** je me dépêche
**N** **a** (= *speculator*) spéculateur m à la hausse **b** **longs** *(Brit* = *long-dated government stocks)*

titres à long terme ✦ **longs showed gains of about 35 basis points** les titres à long terme ont progressé d'environ 35 points de base

───── *compounds/composés* ─────

✦ **long call** *(St Ex)* position longue sur une option d'achat
✦ **long-dated** *(Fin)* à longue échéance ✦ **long-dated bills** effets à longue échéance, papiers longs ✦ **long-dated investment** placement à long terme *or* à longue échéance
✦ **long-distance** à longue distance ✦ **long-distance call** *(Telec)* communication interurbaine *or* longue distance ✦ **long-distance flight** (vol) long-courrier
✦ **long draft** *(gen)* traite sur l'étranger; *(US)* traite sur un autre état
✦ **long-gilt contract** contrat notionnel
✦ **long-haul** transport à longue distance ✦ **long-haul airline** ligne long-courrier
✦ **long-lived assets** actifs mpl à long terme
✦ **long position** *(St Ex)* position acheteur, position longue
✦ **long-range** *planning, forecast* à long terme; *plane* à long rayon d'action
✦ **long rate** taux long; *(Ins)* taux préférentiel de prime *(pour une police de longue durée)*
✦ **long service employees** employés mpl qui ont beaucoup d'ancienneté, employés mpl aux longs états de service
✦ **long-standing** *custom, policy* établi depuis longtemps, qui existe depuis longtemps ✦ **company of long standing** entreprise fondée depuis longtemps
✦ **long-term** à long terme ✦ **long-term assets / liabilities / loan / contract / debt** actif / passif / emprunt / contrat / dettes à long terme *or* à plus d'un an ✦ **long-term disability policy** *(Ins)* assurance incapacité longue durée ✦ **long-term investment** *(gen)* placement à long terme; *(in another company)* participation ✦ **long-term receivables** créances à long terme
✦ **long ton** tonne forte *or* longue (≈ 1 016,06 kg).

**longshoreman** /'lɒŋʃɔːmən/ N *(US Mar)* débardeur m, docker m.

**look** /lʊk/ ■ *(= appearance)* aspect m, air m, allure f ✦ **I don't like the look of it** cela ne me dit rien qui vaille
■ a *(= see)* regarder b *[building]* donner, regarder ✦ **the office looks on to the public garden** le bureau donne sur le square c *(= seem)* sembler, paraître, avoir l'air ✦ **how does it look to you?** qu'en pensez-vous? ✦ **it looks fine** ça m'a l'air très bien ✦ **it looks good on paper** cela a l'air très bien sur le papier *or* en théorie.

**look-alike** /'lʊkə,laɪk/ ADJ *product* d'imitation
■ imitation f, copie f conforme (ou presque).

**look around** VT FUS *factory, shops* faire le tour de.

**look for** VT FUS chercher, rechercher ✦ **the looked-for result** le résultat attendu *or* escompté *or* recherché.

**look forward to** VT FUS *event, holiday* attendre avec impatience ✦ **I am looking forward to meeting you** j'attends avec plaisir le moment de vous rencontrer.

**look into** VT FUS *(= examine)* examiner, étudier; *(= investigate)* se renseigner sur.

**look out for** VT FUS être à l'affût de ✦ **to be on the look out for bargain** être à l'affût de bonnes affaires.

**look through** VT FUS a *(= examine)* documents examiner; *(= read quickly)* parcourir ✦ **to look through one's mail** dépouiller son courrier b *(= reread)* notes revoir, relire.

**look up** ■ *(= improve)* *[prospects]* s'améliorer; *[business]* reprendre, repartir ✦ **the franc is looking up** le franc est en hausse *or* repart *or* remonte *or* se redresse
VT SEP *name, word* chercher
VT FUS *reference book* consulter.

**loophole** /'luːphəʊl/ N *(in law, regulations)* point m faible, faille f, lacune f (*in* dans) ✦ **tax loophole** faille dans la législation fiscale ✦ **the new legislation does not leave any loophole** il n'y a aucune faille dans la nouvelle législation ✦ **to close the loopholes** colmater les failles, ne laisser aucune échappatoire.

**loose** /luːs/ ADJ a *rope, wrapping* desserré ✦ **to tie up loose ends** *(fig)* régler les détails en suspens b *(Comm)* *(= not packed)* ✦ **loose goods** marchandises en vrac ✦ **loose cheese** fromage au poids ✦ **loose cash** *or* **change** menue *or* petite monnaie c *discipline* relâché, peu rigoureux; *translation* approximatif; *thinking* confus, vague ✦ **a loose interpretation of the law** une interprétation peu rigoureuse de la loi d *funds* disponible, liquide, non affecté e *(= detached or detachable)* *sheet* mobile, volant ✦ **loose card** fiche mobile.

**loose-leaf** /'luːsliːf/ ADJ *ledger* à feuilles mobiles.

**loosen** /'luːsn/ VT desserrer ✦ **to loosen the purse strings** desserrer les cordons de la bourse
■ *(St Ex : also* **loosen up***)* se desserrer, se relâcher, s'assouplir, se détendre ✦ **the money market is loosening** le marché financier connaît une détente, on note un desserrement du marché financier.

**lop off** /lɒp/ VT SEP amputer, tailler ✦ **the deal means that they are lopping off 20% of their exports** l'accord signifie qu'ils amputent leurs exportations de 20%.

**lopsided** /'lɒpsaɪdɪd/ **ADJ** *(fig) agreement* boiteux, déséquilibré ✦ **our balance of payments with this country is lopsided** notre balance des paiements avec ce pays est déséquilibrée *or* bancale ✦ **lopsided development** développement déséquilibré.

**lorry** /'lɒrɪ/ *(Brit)* **N** camion m ✦ **lorry driver** *(gen)* camionneur; *(long-distance)* routier.

**lose** /luːz/ **VT** *job, money, customer* perdre; *(= mislay) key, document* égarer, perdre; *opportunity* manquer, perdre ✦ **I lost $500 on that deal** j'ai perdu 500 dollars dans cette affaire ✦ **the ship was lost with all hands** le navire a été perdu corps et biens ✦ **you've lost me there** * *(after explanation)* je ne vous suis plus, j'ai perdu le fil ✦ **to lose ground** perdre du terrain ✦ **to lose one's shirt** perdre sa chemise ✦ **he's lost his licence** il s'est fait retirer son permis de conduire ✦ **that lost us the market** cela nous a coûté le marché *or* nous a fait perdre le marché

**VI** perdre ✦ **we lost to our competitors** nous nous sommes fait battre par nos concurrents, nous avons perdu face à la concurrence ✦ **he lost on the deal** il a été perdant dans cette affaire.

**lose out** **VI** être perdant ✦ **we lost out on the company merger** nous avons été perdants dans cette fusion.

**loser** /'luːzə'/ **N** perdant(e) m(f).

**losing** /'luːzɪŋ/ **ADJ** *business, concern* non rentable, qui marche mal ✦ **to be on a losing streak** * être en période de déveine*, connaître des pertes successives.

**loss** /lɒs/ **N** **a** perte f ✦ **loss of pay / custom / market / momentum** perte de salaire / de clientèle / de marché / de vitesse ✦ **loss of profit, loss of potential income** manque à gagner ✦ **loss of trade** perte d'exploitation ✦ **dead loss** perte sèche ✦ **to cut one's losses** faire la part du feu, sauver les meubles ✦ **to make up one's losses** compenser ses pertes ✦ **to recoup one's losses** se rattraper de ses pertes, récupérer l'argent perdu ✦ **to sell at a loss** *[salesman]* vendre à perte; *[goods]* se vendre à perte ✦ **to suffer** *or* **sustain** *or* **incur heavy losses** subir de grosses *or* de fortes pertes ✦ **to take one's losses** *(St Ex)* prendre ses pertes ✦ **to embark on loss-making operations** se lancer dans des opérations à perte ✦ **loss in value** perte de valeur, dépréciation ✦ **loss on exchange, exchange loss** *(Fin)* perte de change ✦ **b** *(= deficit)* déficit m ✦ **to show a loss** accuser

*or* faire apparaître un déficit ✦ **a loss-ridden firm** une entreprise accablée de pertes ✦ **net / gross loss** perte nette / brute **c** *(Ins)* sinistre m, perte f, dommage m, préjudice m ✦ **fire losses** sinistre *or* dégâts incendie ✦ **actual total loss** perte totale absolue ✦ **consequential loss** perte d'exploitation ✦ **constructive total loss** perte censée totale ✦ **general average loss** *(Mar Ins)* perte d'avarie commune ✦ **loss of claim** perte du droit à l'indemnité ✦ **loss in transit** freinte *or* déchet de route ✦ **no known loss** sous réserve de sinistre connu ✦ **notice of loss** déclaration de sinistre ✦ **partial loss** sinistre partiel, perte partielle ✦ **to make good a loss** dédommager ✦ **our insurer made a claim for the amount of the loss** notre assureur a demandé réparation des dommages subis **d** *(Jur) [right]* déchéance f, perte f ✦ **loss of use** privation de jouissance **e** *(= decline in asset value)* moins-value f

—————— *compounds/composés* ——————

- **loss carry-back** report de perte en amont
- **loss carry-forward** report de déficit sur exercice à venir
- **loss carry-over** report de déficit
- **loss control** *(Ins)* prévention
- **losses assessment** évaluation des dommages
- **loss leader** article *or* produit d'appel
- **loss payee clause** clause de délégation d'assurance
- **loss ratio** ratio sinistres-pertes.

**loss-lead** /'lɒsliːd/ **VI** ✦ **the Germans are ready to loss-lead in the early stages** les Allemands sont prêts à vendre à prix sacrifiés dans les phases de démarrage.

**lossmaker** /'lɒsmeɪkə'/ **N** article m générateur de pertes.

**loss-making** /'lɒsmeɪkɪŋ/ **ADJ** *business* déficitaire.

**lost** /lɒst/ **ADJ** *(gen)* perdu ✦ **lost days** *(Ind)* journées de travail perdues.

**lot** /lɒt/ **N** **a** *(= plot of land)* parcelle f, lotissement m ✦ **building lot** lotissement ✦ **parking lot** *(US)* parking, parc de stationnement **b** *(= package) [goods]* lot m ; *(St Ex) [shares]* paquet m ✦ **lot 10 was sold for £50** *(at auction)* le lot numéro 10 a été emporté à 50 livres sterling **c** *(= random selection)* tirage m au sort, sort m ✦ **bonds redeemable by lot** obligations remboursables par tirage au sort ✦ **to draw lots for sth** tirer qch au sort **d** *(= large amount)* ✦ **a lot of** beaucoup de ✦ **a lot of money, lots of money** beaucoup d'argent, un argent fou*.

**loti** /'ləʊtɪ/, **PL maloti** /mə'ləʊtɪ/ **N** loti m.

**lottery** /'lɒtərɪ/ **N** loterie f

———— compounds/composés ————
- **lottery bond** obligation à lots
- **lottery loan** emprunt à lots.

**loudspeaker** /'laʊdspiːkəʳ/ **N** (gen) haut-parleur m ; [stereo] baffle m ◆ **loudspeaker advertising** publicité par haut-parleur.

**lounge** /laʊndʒ/ **N** [house, hotel] salon m ◆ **departure lounge** (Aviat) salle d'embarquement ◆ **lounge suit** complet(-veston); (on invitation) tenue de ville.

**low** /ləʊ/ **ADJ** ceiling, level bas, peu élevé; wage, rate, standard bas, faible; price bas, modéré, modique; quality inférieur ◆ **people of low income** les économiquement faibles, les bas revenus ◆ **inventories are getting low** les stocks baissent or diminuent or s'épuisent ◆ **the low end of the range** le bas de gamme ◆ **low labour industries** industries à faible coefficient de main-d'œuvre ◆ **low-margin industries** industries à faible marge ◆ **low rent housing** habitation à loyer modéré ◆ **at a low price** à bon marché, à bas prix ◆ **to keep a low profile** adopter un profil bas, essayer de ne pas trop se faire remarquer ◆ **our lowest price** notre dernier prix, notre prix le plus bas ◆ **lowest price** (St Ex) cours le plus bas ◆ **low watermark** laisse de basse mer ◆ **sales had reached low watermark** les ventes n'avaient jamais été aussi faibles or aussi mauvaises
**ADV** **to buy low** (St Ex) acheter quand le cours est bas
**N** (= low point) (St Ex) niveau m bas, point m bas; (on curve) creux m ◆ **the dollar has sunk to a new low** le dollar est descendu à un niveau encore jamais atteint, le dollar a atteint son niveau le plus bas ◆ **the Dow Jones has reached an all-time low** l'indice Dow Jones est descendu à son plus bas niveau or n'a jamais été aussi bas

———— compounds/composés ————
- **low-cost** (à) bon marché, à bas coût ◆ **low-cost loan** prêt bonifié, prêt à taux préférentiel
- **low-coupon gilts** titres mpl d'État à faible taux d'intérêt
- **low gear** to get back into low gear (Econ) ralentir l'allure ◆ **low-geared capital** capital à faible effet de levier
- **low-grade** de qualité or de catégorie inférieure
- **low-key** modéré, discret ◆ **to keep sth low-key** faire qch avec discrétion or de façon discrète ◆ **low-key ad campaign** campagne publicitaire discrète

- **low-loader** (Aut) semi-remorque à plate-forme surbaissée; (Rail) wagon (de marchandises) à plate-forme surbaissée
- **low-paid** job mal payé, qui paie mal; worker mal payé ◆ **the low-paid** les petits salaires
- **low-priced** à bas prix, (à) bon marché
- **low-profile** modéré, discret ◆ **low-profile policy** politique des petits pas
- **low season** basse saison.

**lower** /'ləʊəʳ/ **ADJ** inférieur ◆ **lower case** (Typ) bas de casse ◆ **lower middle class** petite bourgeoisie ◆ **lower middle-class attitudes** comportement de petit bourgeois ◆ **the lower income groups** les économiquement faibles, les bas revenus ◆ **lower management** agents de maîtrise, maîtrise
**VT** pressure, price, tariffs baisser, diminuer, abaisser, réduire ◆ **to lower one's sights** modérer ses prétentions, rabattre de ses prétentions
**VI** [pressure, price] baisser, diminuer.

**lowering** /'ləʊərɪŋ/ **N** [price, pressure] baisse f, diminution f ◆ **lowering of economic activity** baisse or ralentissement de l'activité économique.

**loyal** /'lɔɪəl/ **ADJ** customer fidèle ◆ **we must keep our customers loyal** nous devons fidéliser nos clients.

**loyalty** /'lɔɪəltɪ/ **N** loyauté f, fidélité f ◆ **brand loyalty** fidélité à une marque.

**LQ** abbr of **letter-quality** → **letter.**

**LSD** /eles'diː/ **N** abbr of **landing storage delivery** → **landing.**

**Ltd** (Brit) abbr of **Limited** → **limited.**

**LTOM** (Brit) abbr of **Listed Traded Options Market** → **list.**

**Luanda** /lʊ'ændə/ **N** Luanda.

**lubricant** /'luːbrɪkənt/ **N** lubrifiant m.

**lucrative** /'luːkrətɪv/ **ADJ** lucratif.

**luggage** /'lʌgɪdʒ/ (Brit) **N** bagages mpl ◆ **excess luggage** excédent de bagages ◆ **hand luggage** bagages à main ◆ **free luggage allowance** franchise de bagages ◆ **luggage in advance** bagages non accompagnés ◆ **luggage registration office** bureau d'enregistrement des bagages.

**lull** /lʌl/ **N** [inflation] accalmie f, pause f, arrêt m (in dans) ◆ **the summer lull** la trêve estivale
**VT** fear apaiser, calmer.

**lumber** /ˈlʌmbəʳ/ **vt** ◆ **to lumber sb with sth** coller qch à qn* ◆ **I got lumbered with the trainee for the whole week** j'ai dû me coltiner le stagiaire toute la semaine*.

**lump** /lʌmp/ **N** *(gen)* morceau m ; *(large)* bloc m, masse f ◆ **in the lump** en bloc, en gros, globalement

─────── compounds/composés ───────
◆ **lump sum** somme globale *or* forfaitaire
◆ **lump-sum contract** contrat au forfait ◆ **lump-sum freight** fret forfaitaire ◆ **lump-sum purchase** achat à prix forfaitaire ◆ **lump-sum settlement** *or* **payment** règlement global *or* forfaitaire.

**lunch** /lʌntʃ/ **N** déjeuner m ◆ **business lunch** déjeuner d'affaires ◆ **I'm meeting him for lunch** je déjeune avec lui ◆ **I have a lunch appointment** je rencontre quelqu'un au déjeuner, j'ai rendez-vous avec quelqu'un pour déjeuner.

**luncheon** /ˈlʌntʃən/ **N** déjeuner m ◆ **luncheon voucher** *(Brit)* ticket-restaurant, ticket-repas, chèque-déjeuner.

**lunge** /lʌndʒ/ **VI** *[prices]* augmenter brutalement.

**Luxembourg** /ˈlʌksəmbɜːg/ **N** Luxembourg m.

**luxury** /ˈlʌkʃərɪ/ **N** luxe m

─────── compounds/composés ───────
◆ **luxury goods** articles mpl de luxe
◆ **luxury tax** impôt sur les produits de luxe
◆ **luxury trade** commerce de luxe.

**LV** *(Brit)* abbr of **luncheon voucher** → **luncheon**.

# M

**M** /em/ N ◆ **M factors** (*merchandises, markets, motives, messages, media and money*) principaux facteurs mpl économiques *(marchandises, marchés, motivations, messages, médias et argent).*

**MA** /,em'eɪ/ N abbr of **Master of Arts** → **master.**

**Maastricht** /'maːstrɪxt/ N Maastricht ◆ **the Maastricht treaty** le traité de Maastricht.

**Macao** /məˈkaʊ/ N Macao.

**Macedonia** /,mæsɪ'dəʊnɪə/ N Macédonie f.

**machine** /məˈʃiːn/  *(Tech)* machine f ◆ **adding** *or* **calculating machine** machine à calculer ◆ **accounting machine** machine comptable ◆ **cash dispensing machine** distributeur de billets ◆ **duplication machine** machine à polycopier, duplicateur ◆ **franking machine** machine à affranchir ◆ **punched-card machine** machine à cartes perforées ◆ **slot machine, vending machine** distributeur (automatique) ◆ **tabulating machine** tabulatrice ◆ **telephone answering machine** répondeur téléphonique **b** *(fig)* machine f, appareil m, organisation f ◆ **the military machine** l'appareil militaire ◆ **the Democratic machine** *(US)* les rouages *or* structures du parti démocrate **VT** *(Tech)* usiner

────── compounds/composés ──────
- **machine-based** automatisé, mécanisé
- **machine code** code machine
- **machine downtime** temps d'immobilisation d'une machine *(pour cause de panne)*
- **machine failure** panne machine
- **machine hour** heure machine
- **machine idle time** temps d'immobilisation d'une machine *(par manque de personnel ou de matériel)*
- **machine language** langage machine ◆ **machine language code** code machine
- **machine load** plan de charge d'une machine
- **machine-made** fait *or* fabriqué à la machine
- **machine operator** opérateur(-trice) (sur machine)
- **machine-processable** exploitable sur machine
- **machine-produced report** état mécanographique
- **machine-readable** exploitable sur machine
- **machine run** passage en machine
- **machine shop** atelier d'usinage
- **machine tool** machine-outil ◆ **computer-controlled machine tool** machine-outil commandée par ordinateur
- **digitally-controlled** *or* **programmed machine tool** machine-outil à commande numérique
- **machine translation** traduction automatique.

**machinery** /məˈʃiːnərɪ/ N *(= machines collectively)* machinerie f, machines fpl, ensemble m des installations; *(= parts of machine)* mécanisme m, rouages mpl *(fig = structures)* rouages mpl, appareil m ◆ **the administrative machinery** la machine administrative ◆ **the machinery of business** les rouages de l'économie ◆ **the machinery of the state** les rouages *or* l'appareil de l'État.

**machinist** /məˈʃiːnɪst/ N opérateur(-trice) m(f) (sur machine).

**macro** /'mækrəʊ/ PREF macro ◆ **macro-distribution** macrodistribution ◆ **macro-marketing** macromarketing.

**macroeconomic** /,mækrəʊiːkə'nɒmɪk/ ADJ macroéconomique.

**macroeconomics** /ˌmækrəʊiːkəˈnɒmɪks/ **N** macroéconomie f.

**Madagascan** /ˌmædəˈgæskən/ **ADJ** malgache **N** (= *inhabitant*) Malgache mf.

**Madagascar** /ˌmædəˈgæskəʳ/ **N** Madagascar f.

**madam** /ˈmædəm/ **N** madame f ; (*unmarried*) mademoiselle f ◆ **Dear Madam** (*in letter*) Madame ◆ **Madam Chairman** *or* **Chairperson** Madame la Présidente.

**made** /meɪd/ **ADJ** fait, fabriqué, réalisé ◆ **made in triplicate** fait en triple exemplaire ◆ **made in France** fabriqué en France ◆ **custom-made, tailor-made** *clothes* (fait) sur mesure; *insurance policy* personnalisé ◆ **foreign-made** de fabrication étrangère ◆ **hand-made** fait à la main ◆ **home-made** de fabrication artisanale, fait maison ◆ **made-to-measure** fait sur mesure ◆ **made-to-order** fait sur commande ◆ **made-up** inventé, fabriqué de toutes pièces, faux ◆ **well- / poorly-made** bien / mal fait, de bonne / mauvaise fabrication ◆ **ready-made** *ideas, curtains* tout fait; *clothes* prêt-à-porter, de confection.

**Madrid** /məˈdrɪd/ **N** Madrid.

**magazine** /ˌmægəˈziːn/ **N** **a** (*Press*) revue f, magazine m ◆ **fashion magazine** revue *or* magazine de mode ◆ **trade magazine** revue professionnelle, magazine *or* journal professionnel **b** (*Tech : gen*) magasin m ◆ **output magazine** (*Comp*) case de réception.

**magistracy** /ˈmædʒɪstrəsɪ/ **N** ◆ **the magistracy** la magistrature.

**magistrate** /ˈmædʒɪstreɪt/ **N** magistrat m, juge m ◆ **magistrates' court** (*Brit*) tribunal d'instance ◆ **examining magistrate** (*Brit*) ≈ juge d'instruction.

**magnate** /ˈmægneɪt/ **N** magnat m, roi m ◆ **industrial / financial / newspaper / oil magnate** magnat de l'industrie / de la finance / de la presse / du pétrole.

**magnet** /ˈmægnɪt/ **N** aimant m.

**magnetic** /mægˈnetɪk/ **ADJ** magnétique ◆ **magnetic board** tableau magnétique ◆ **magnetic card** carte magnétique ◆ **magnetic stripe** *or* **strip card** badge (magnétique) d'identification ◆ **magnetic disk** disque magnétique ◆ **magnetic storage** mémoire magnétique ◆ **magnetic tape** bande magnétique ◆ **magnetic wand** crayon-lecteur magnétique.

**magnify** /ˈmægnɪfaɪ/ **VT** *image* grossir; (*fig*) *incident* exagérer, grossir.

**magnitude** /ˈmægnɪtjuːd/ **N** [*firm, problem, loss*] ampleur f, importance f.

**maiden** /ˈmeɪdn/

─────── compounds/composés ───────

◆ **maiden flight** premier vol, vol inaugural
◆ **maiden name** nom de jeune fille
◆ **maiden voyage** premier voyage, voyage inaugural.

**mail** /meɪl/ **N** (*gen*) poste f ; (= *letters*) courrier m ◆ **by mail** par la poste ◆ **by airmail** par avion ◆ **by next mail** par prochain courrier ◆ **to advise by mail** notifier par courrier ◆ **to sort out the mail** dépouiller le courrier ◆ **in-the-mail price** (*Comm*) prix franco ◆ **we put it in the mail yesterday** nous l'avons posté *or* mis à la poste hier ◆ **direct mail** mailing, publipostage ◆ **direct-mail advertising** publipostage, publicité par mailing ◆ **direct-mail shot** mailing ◆ **direct-mail selling** vente par correspondance *or* par publipostage ◆ **first-class / second-class mail** (*Brit*) courrier normal / lent ◆ **incoming** *or* **inward mail** courrier à l'arrivée *or* reçu ◆ **outgoing** *or* **outward mail** courrier au départ *or* envoyé ◆ **registered mail** courrier recommandé ◆ **surface mail** courrier de surface

─────── compounds/composés ───────

◆ **mail carrier** (*US*) facteur
◆ **mail merge** (*Comp*) publipostage
◆ **mail service** service des postes
◆ **mail train** train postal
◆ **mail van** (*Brit*) (*Aut*) fourgon postal; (*Rail*) wagon *or* fourgon postal

**VT** envoyer *or* expédier par la poste, poster, mettre à la poste.

**mailbag** /ˈmeɪlbæg/ **N** sac m postal.

**mailbox** /ˈmeɪlbɒks/ (*US*) **N** boîte f aux lettres.

**mailcar** /ˈmeɪlkɑːʳ/ (*US*) **N** wagon m *or* fourgon m postal.

**mailcoach** /ˈmeɪlkəʊtʃ/ (*Brit*) **N** wagon m *or* fourgon m postal.

**mailgram** /ˈmeɪlgræm/ (*US*) **N** message m électronique.

**mailing** /ˈmeɪlɪŋ/ **N** (= *sending by mail*) envoi m par la poste; (= *mass mailing*) publipostage m, mailing m

─────── compounds/composés ───────

◆ **mailing address** adresse postale
◆ **mailing card** carte(-réponse)

+ **mailing clerk** employé(e) chargé(e) du courrier
+ **mailing list** fichier or liste d'adresses + **please add our name to your mailing list** veuillez nous faire parvenir régulièrement votre documentation.

**mailman** /'meɪlmæn/ (US) N facteur m.

**mail order** /'meɪlɔːdə'/ N vente f par correspondance

――― compounds/composés ―――
+ **mail-order business** (= activity) vente par correspondance VPC; (= firm) maison de vente par correspondance
+ **mail-order department** service des ventes par correspondance
+ **mail-order catalogue** catalogue de vente par correspondance.

**mailsack** /'meɪlsæk/ N sac m postal.

**mailshot** /'meɪlʃɒt/ N mailing m, publipostage m
+ **to do a mailshot** faire un mailing.

**main** /meɪn/ ADJ idea, target principal, premier, essentiel; entrance, branch, shop principal
+ **Saudi Arabia is our main oil supplier** l'Arabie Saoudite est notre principal fournisseur de pétrole + **the main objective of the meeting** l'objet principal de la réunion + **energy conservation is the main issue** les économies d'énergie constituent le problème essentiel or fondamental + **the main point of this report is** le point central de ce rapport est + **main contractor** maître d'œuvre + **main file** (Comp) fichier maître or principal + **main line** (Rail) grande ligne + **main line flow chart** (Comp) organigramme général + **main office** (Admin = head office) siège social + **main road** (Brit) route à grande circulation + **main storage** (Comp) mémoire centrale + **main street** (US) grand-rue, rue principale.

**mainframe** /'meɪnfreɪm/ N + **mainframe (computer)** unité centrale, gros ordinateur, gros système.

**mains** /meɪns/ NPL [water, gas] canalisation f or conduite f principale; [electricity] fil m d'alimentation + **to turn off the electricity / gas / water at the main(s)** couper le courant / le gaz / l'eau au compteur

――― compounds/composés ―――
+ **mains failure** panne de secteur
+ **mains supply (the)** le réseau.

**mainspring** /'meɪnsprɪŋ/ N (fig) mobile m or motif m principal + **exports are the mainspring**

of the country's economy les exportations sont le nerf or le moteur de l'économie du pays.

**mainstay** /'meɪnsteɪ/ N (fig) soutien m principal, point m d'appui + **oil exports are the mainstay of the country's economy** les exportations de pétrole sont le pilier de l'économie du pays.

**maintain** /meɪn'teɪn/ VT a (= continue) order maintenir; silence, advantage garder, conserver; relation, correspondence entretenir + **to maintain a reserve** (Fin) alimenter un fonds de réserve b (= support) wife, child subvenir aux besoins de c road, building, car, machine entretenir, assurer l'entretien or la maintenance de VI se maintenir + **the dividend maintains at 5%** (St Ex) le dividende est maintenu à 5%.

**maintenance** /'meɪntɪnəns/ N a [order] maintien m; [family] entretien m; [road, building, car, machine] entretien m, maintenance f + **corrective or emergency maintenance** entretien de dépannage + **road maintenance** entretien des routes + **planned maintenance** entretien systématique + **remote maintenance** télémaintenance + **scheduled maintenance** entretien périodique + **retention on wages for the maintenance of staff provident funds** retenues sur (les) salaires pour l'alimentation de la caisse de prévoyance du personnel b [programs, production procedures] mise f à jour + **file maintenance** tenue des fichiers + **inventory maintenance** gestion des stocks + **resale price maintenance** prix de vente imposé

――― compounds/composés ―――
+ **maintenance agreement** or **contract** contrat de maintenance or d'entretien
+ **maintenance charges** or **costs** frais mpl d'entretien
+ **maintenance crew** équipe d'entretien
+ **maintenance department** service entretien
+ **maintenance engineer** technicien d'entretien
+ **maintenance fee** frais mpl de gestion
+ **maintenance note** feuille or fiche de maintenance
+ **maintenance programme** programme de maintenance
+ **maintenance programmer** programmeur de maintenance
+ **maintenance routine** planning d'entretien
+ **maintenance staff** personnel de maintenance or d'entretien.

**major** /'meɪdʒə'/ ADJ majeur + **of major importance** d'une importance capitale + **of major interest** d'intérêt majeur + **major casualty** (Ins) sinistre majeur + **major changes** changements profonds ◆ **a major crisis** une crise majeure *or* d'envergure ◆ **the major industries** les industries principales ◆ **major cycle** *(Comp)* cycle majeur ◆ **major player** *or* **operator** *(Econ)* acteur majeur ◆ **major road** *(Brit)* route principale *or* à priorité ◆ **he is one of the major shareholders** il est l'un des principaux actionnaires Ⓜ **a** *(US Univ)* matière f principale, spécialisation f, dominante f **b** *(Jur = person)* personne f majeure **c** *(= company)* major f ◆ **one of the majors in the oil sector** l'une des majors dans le secteur pétrolier ◆ **the bank majors** les plus grosses banques mondiales

Ⓥ **to major in economics** *(US Univ)* se spécialiser en économie.

**majority** /mə'dʒɒrɪtɪ/ N **a** *(= greater part)* majorité f ◆ **overall** *or* **absolute / relative majority** majorité absolue / relative ◆ **narrow majority** faible majorité ◆ **elected by a majority of 8** élu avec une majorité de 8 voix ◆ **a two-thirds majority** une majorité des deux tiers ◆ **in the majority of cases** dans la majorité *or* la plupart des cas ◆ **to be in a majority** être majoritaire ◆ **to secure a majority** emporter la majorité **b** *(in age)* majorité f ◆ **to reach one's majority** atteindre sa majorité

---
*compounds/composés*

- **majority decision** décision prise à la majorité
- **majority holding** *or* **interest** participation majoritaire
- **majority owner** actionnaire majoritaire
- **majority rules** règles fpl majoritaires
- **majority shareholder** *(Brit)* *or* **stockholder** *(US)* actionnaire majoritaire
- **majority stake** participation majoritaire
- **majority verdict** *(Jur)* verdict rendu à la majorité.

---

**make** /meɪk/ Ⓥ **a** *(= create, produce)* *(gen)* faire; *tools, objects* faire, fabriquer ◆ **to make an appointment** fixer *or* prendre un rendez-vous *(with sb* avec qn) **to make sb an offer for sth** faire une proposition *or* une offre à qn pour qch ◆ **to make a bargain** *or* **a deal** passer un marché, conclure une affaire ◆ **to make a loan** accorder *or* faire un prêt ◆ **to make a bill** souscrire un effet ◆ **to make a remittance** faire un virement ◆ **to make a statement** faire une déclaration ◆ **to make an entry** *(Acc)* passer une écriture **b** *(= cause to be)* rendre, faire ◆ **to make a market** *(St Ex)* assurer la fluidité du marché ◆ **did I make myself clearly understood?** me suis-je fait clairement comprendre? ◆ **make yourself comfortable** mettez-vous à l'aise ◆ **this makes him responsible for all**

aspects of marketing cela fait de lui le responsable de l'ensemble du marketing ◆ **he made her his secretary** il en a fait sa secrétaire ◆ **I make it a rule to meet my colleagues once a week** je me fais une règle de rencontrer mes collègues une fois par semaine ◆ **let's make it 4 o'clock** disons 4 heures ◆ **can you make it by Monday?** pouvez-vous y arriver d'ici lundi? **c** *(= earn)* *money* *[person]* (se) faire gagner; *[business deal]* rapporter; *profits* faire réaliser ◆ **he makes $100 a week** il se fait 100 dollars par semaine ◆ **the deal made us $1,000** cette affaire nous a rapporté *or* nous a fait gagner 1 000 dollars ◆ **they'll make a lot out of it** cela va leur rapporter gros ◆ **to make a quick killing** * réussir un beau coup* ◆ **the company didn't make any profit** la société n'a réalisé aucun bénéfice ◆ **the prices made yesterday** *(St Ex)* les cours pratiqués *or* réalisés hier **d** *(= equal, represent)* ◆ **how much does that make altogether?** combien cela fait-il en tout? ◆ **to make a quorum** *[committee]* atteindre le quorum **e** *(= oblige)* ◆ **to make sb do sth** obliger qn à faire qch **f** *(= estimate, understand)* ◆ **what time do you make it?** quelle heure avez-vous? ◆ **what do you make of our new accountant?** qu'est-ce que tu penses de notre nouveau comptable? ◆ **I can't make anything of this report** je ne comprends rien à ce rapport ◆ **I make it 25 kilometres to Paris from here** je pense qu'il y a 25 kilomètres d'ici à Paris **g** ◆ **to make good** *deficit* combler; *deficiency* compenser; *damage* réparer ◆ **to make good a loss to sb** dédommager qn d'une perte **h** *(= secure success of)* ◆ **this business has made him** cette affaire a fait sa fortune *or* son succès

Ⓝ *(= brand)* marque f ; *(= manufacture)* fabrication f ◆ **standard make** marque courante ◆ **what make is your car?** quelle est la marque de votre voiture? ◆ **engines of our own make** moteurs fabriqués par nos soins

---
*compounds/composés*

- **make-do** expédient, pis-aller, moyen de fortune
- **make-up pay** rattrapage de salaire
- **make-up prices** *(St Ex)* cours mpl de compensation
- **make-up time** *(Comp)* temps de reprise
- **make-work job** emploi non productif *(visant à résorber le chômage)*.

---

**make out** Ⓥ * *(= get on)* se débrouiller; *(= do well)* réussir ◆ **we're making out fine** nous nous débrouillons très bien ◆ **the firm is making out all right** l'entreprise réussit

Ⓥ SEP **a** *(= draw up, write out)* *(gen)* faire, rédiger, établir; *list* dresser ◆ **to make out a bill** *(Comm)* établir une facture; *(Fin)* créer un effet ◆ **to**

**make out a statement** *(Fin)* établir un relevé (de compte) ♦ **it is easy to make out a case for protectionism** il est facile de trouver des arguments en faveur du protectionnisme ♦ **cheques should be made out to the company** les chèques devront être établis *or* libellés à l'ordre de la société ♦ **to make out a document in triplicate** établir un document en triple exemplaire **b** *(= decipher)* handwriting déchiffrer; *(= understand)* ideas, motives comprendre **c** *(= claim)* prétendre ♦ **he made himself out to be an expert** il se faisait passer pour expert, il prétendait être expert.

**make over** VT SEP *(= transfer)* money, land transférer *(to* à) ♦ **to make over an estate to sb** faire don d'un bien à qn.

**maker** /'meɪkə'/ N fabricant m, constructeur m ; *(Fin)* souscripteur m, tireur m, signataire m ♦ **maker's price** prix d'usine ♦ **decision maker** décideur.

**makeshift** /'meɪkʃɪft/ N expédient m, pis-aller m, moyen m de fortune ♦ **a makeshift solution** une solution de fortune.

**make up** VT SEP **a** *(= put together)* accounts établir, arrêter; *garment* confectionner; *list* faire, dresser ♦ **customers' accounts are made up monthly** les relevés de compte des clients sont établis chaque mois **b** *(= counterbalance)* loss, deficit combler, compenser; *sum of money, quantity* compléter ♦ **we'll make it up to $500** nous compléterons les 500 dollars ♦ **to make up a transaction** *(St Ex)* compenser une opération ♦ **to make up back payments** solder l'arriéré ♦ **they were behind on the contract but they've made up the time they'd lost** ils étaient en retard sur le contrat mais ils ont rattrapé le temps perdu **c** *(= settle)* dispute mettre un terme à, régler **d** *(= form)* former, composer; *(= represent)* représenter ♦ **the natives make up three quarters of the population** les autochtones représentent *or* constituent les trois quarts de la population ♦ **who makes up the board of management?** qui fait partie du conseil de direction? ♦ **to be made up of** être constitué *or* composé de.

**make up for** VT FUS compenser ♦ **we managed to make up for last year's losses** nous avons réussi à rattraper les pertes de l'année dernière ♦ **to make up for lost time** récupérer *or* rattraper *or* regagner le temps perdu ♦ **this makes up for the mistakes made at the outset** ceci compense les erreurs commises au départ.

**makeweight** /'meɪkweɪt/ N complément m de poids.

**making** /'meɪkɪŋ/ N *(= producing)* (gen) fabrication f; *[dress]* façon f, confection f ; *[machines]* fabrication f, construction f ♦ **in the making** en cours de fabrication *or* de réalisation ♦ **his problems are of his own making** ses problèmes sont de sa faute ♦ **they brought out a book on the making of the film** ils ont sorti un livre sur la réalisation du film ♦ **he has the makings of a good manager** il a l'étoffe d'un bon directeur ♦ **decision-making** prise de décision ♦ **decision-making authority** pouvoir de décision ♦ **the decision-making process** le processus de (prise de) décision.

**making-up** /ˌmeɪkɪŋ'ʌp/

——————————— compounds/composés ———————————
♦ **making-up day** *(St Ex)* jour de compensation
♦ **making-up price** cours de compensation.

**Malabo** /məˈlɑːbəʊ/ N Malabo.

**maladjusted** /ˌmælə'dʒʌstɪd/ ADJ *(Tech)* mal ajusté, mal réglé.

**maladjustment** /ˌmælə'dʒʌstmənt/ N *(Tech)* dérèglement m, mauvais ajustement m ; *(Econ)* *[balance of payments]* déséquilibre m.

**maladministration** /'mælədˌmɪnɪs'treɪʃən/ N mauvaise gestion f, gestion f défectueuse.

**mala fide holder** /ˌmælə'faɪdɪˌhəʊldə'/ N *(Jur)* détenteur(-trice) m(f) de mauvaise foi.

**Malagasy** /'mælə'gɑːzɪ/ ADJ malgache **N a** *(= language)* malgache m **b** *(= inhabitant)* Malgache mf.

**Malawi** /mə'lɑːwɪ/ N Malawi m.

**Malaysia** /mə'leɪzɪə/ N Malaysia f.

**male** /meɪl/ ADJ (gen) mâle ♦ **male clerk** employé ♦ **male worker** ouvrier.

**malfeasance** /mæl'fiːzəns/ N malversation f.

**malfunction** /ˌmæl'fʌŋkʃən/ N mauvais fonctionnement m, fonctionnement m défectueux VI fonctionner mal *or* anormalement.

**Mali** /'mɑːlɪ/ N Mali m.

**malice** /'mælɪs/ N ♦ **with malice aforethought** *(Jur)* avec préméditation, avec intention criminelle *or* délictueuse.

**malicious** /mə'lɪʃəs/ ADJ ♦ **malicious damage** *(Jur)* dommage causé avec intention de nuire ♦ **malicious destruction** sabotage ♦ **malicious intent** *(Jur)* intention de nuire.

**maliciously** /mə'lɪʃəslɪ/ ADV *(Jur)* avec préméditation, avec intention criminelle *or* délictueuse.

**malign** /məˈlaɪn/ **VT** *person* calomnier, diffamer.

**malinger** /məˈlɪŋgər/ **VI** se faire passer pour malade.

**malingerer** /məˈlɪŋgərər/ **N** simulateur(-trice) m(f), tire-au-flanc mf.

**mall** /mɔːl/ **N** (= *avenue*) allée f ◆ **shopping mall** (US) galerie marchande, centre commercial.

**malpractice** /ˌmælˈpræktɪs/ **N** faute f professionnelle ◆ **malpractice insurance** assurance responsabilité professionnelle.

**Malta** /ˈmɔːltə/ **N** Malte f.

**Maltese** /ˌmɔːlˈtiːz/ **ADJ** maltais
**N** **a** (= *language*) maltais m **b** (= *inhabitant*) Maltais(e) m(f).

**malthusian** /mælˈθjuːzɪən/ **ADJ** malthusien.

**malversation** /mælvɜːˈzeɪʃən/ **N** malversation f.

**mammoth** /ˈmæməθ/ **ADJ** (= *enormous*) colossal, énorme, géant, gigantesque ◆ **mammoth sales** soldes gigantesques ◆ **mammoth rebate** rabais énorme ◆ **mammoth size pack** paquet supergéant.

**man** /mæn/ **N** (gen) homme m ; (in factory) ouvrier m ; (in office, shop) employé m ◆ **men's department** rayon hommes ◆ **the man in the street** l'homme de la rue, Monsieur Tout-le-Monde ◆ **they're pro-marketeers to a man** ils sont tous sans exception partisans du Marché commun ◆ **the employers and the men** les patrons et les ouvriers ◆ **they've used a local man for the job** ils ont recruté quelqu'un sur place pour faire le travail ◆ **he's the man for the job** c'est l'homme qu'il faut (pour ce travail) ◆ **he's the man of the moment** *or* **of the hour** c'est le héros du jour

───── *compounds/composés* ─────

◆ **man-catcher** * (= *employment agency*) bureau d'embauche *or* de recrutement *or* de placement
◆ **man-day** (*Ind*) jour *or* journée de travail
◆ **man Friday** homme à tout faire, factotum
◆ **man-hour** heure de travail, heure-homme
◆ **man-made** *fibre* synthétique; *dam* artificiel
◆ **man-month** mois-homme
◆ **man-year** année-homme

**VT** équiper *or* fournir en hommes *or* en personnel; *ship* armer ◆ **to man a stand** affecter du personnel à un stand ◆ **the telephone is manned twenty-four hours a day** il y a une permanence téléphonique vingt-quatre heures sur vingt-quatre.

**manage** /ˈmænɪdʒ/ **VT** **a** (= *direct*) *business, estate, hotel* gérer, diriger; *farm* exploiter; *project* diriger; *team* diriger, manager ◆ **managed economy** économie dirigée *or* planifiée ◆ **managed costs / prices** coûts / prix contrôlés ◆ **managed trade** commerce planifié **b** (= *succeed*) ◆ **to manage to do** réussir *or* parvenir à faire, trouver moyen de faire ◆ **he managed to clinch the deal** il est arrivé *or* parvenu à conclure l'affaire **c** (= *be able to pay, come*) ◆ **can you manage 8 o'clock?** 8 heures, ça vous va? ◆ **I can manage $50** je peux mettre 50 dollars **d** (= *handle*) *person* savoir s'y prendre avec ◆ **you managed the situation very well** vous vous êtes très bien tiré de la situation **VI** (= *succeed*) réussir; (*financially*) se débrouiller ◆ **I can't manage** je n'y arrive pas ◆ **you'll have to manage on $30 a week** tu devras te débrouiller avec 30 dollars par semaine.

**manageable** /ˈmænɪdʒəbl/ **ADJ** *business* gérable; *undertaking* faisable.

**management** /ˈmænɪdʒmənt/ **N** **a** [*estate*] gestion f ; [*firm*] gestion f, direction f, administration f ; [*farm*] exploitation f ; (*on behalf of the owner*) [*property, office building, business*] gérance f ◆ **management by exception** gestion par exception ◆ **management by objectives** direction par objectifs ◆ **under new management** (*sign*) changement de direction, changement de propriétaire ◆ **business management** gestion d'entreprise ◆ **demand management** (*Econ*) gestion de la demande ◆ **file management** (*Comp*) gestion de fichiers ◆ **fund management** gestion de fonds *or* de portefeuille ◆ **human management** management *or* gestion des ressources humaines ◆ **inventory management** gestion de stocks ◆ **joint management** cogestion, codirection ◆ **line management** organisation f hiérarchique, hiérarchie ◆ **man management** gestion des hommes ◆ **manpower management** gestion des effectifs *or* de l'emploi ◆ **money management** gestion financière ◆ **office management** organisation des bureaux ◆ **personnel management** direction *or* gestion du personnel ◆ **portfolio management** gestion *or* gérance de portefeuille ◆ **production management** gestion de la production ◆ **project management** conduite *or* gestion de projet ◆ **property management** gérance d'immeubles ◆ **sales management** direction commerciale ◆ **staff management** direction *or* gestion du personnel **b** (= *the people in charge*) [*business*] direction f ; [*hotel, shop*] direction f, administration f ◆ **general management** direction générale ◆ **the management regrets any inconvenience caused by the strike** (*sign*) la direction s'excuse de *or* regrette tous les désagréments dus à la grève ◆ **management and workers** la direction et les ouvriers ◆ **first-**

_____ compounds/composés _____

### MANANGEMENT

- **management accounting** comptabilité de gestion
- **management agreement** (Bank) contrat de gestion
- **management audit** contrôle de gestion, audit opérationnel
- **management bank** banque chef de file
- **management buy-out** rachat d'une entreprise par ses salariés, RES
- **management charges** (Fin) frais mpl de gestion
- **management chart** organigramme
- **management committee** comité de direction
- **management company** société de gestion
- **management consultant** conseiller or conseil en gestion d'entreprise
- **management control** contrôle de gestion
- **management fee** (Fin) frais mpl de gestion
- **management functions** tâches fpl du gestionnaire
- **management game** jeu d'entreprise
- **management information system** informatique de gestion
- **management planning** gestion prévisionnelle
- **management shares** or **stock** (= directors' shares) titres possédés par les directeurs d'une société (= voting shares) titres permettant la mainmise sur une société grâce à leurs droits de vote privilégiés
- **management team** équipe directionnelle or de direction
- **management techniques** techniques fpl de gestion
- **management theory** théorie de la gestion d'entreprise or du management
- **management tools** outils de gestion
- **management training** formation des cadres.

**line management** maîtrise ◆ **higher / lower management** cadres supérieurs / subalternes ◆ **middle management** cadres moyens or intermédiaires ◆ **supervisory management** maîtrise ◆ **top management** cadres supérieurs, hauts dirigeants ◆ **upper management** cadres supérieurs [c] (= techniques) gestion f, management m

**manager** /'mænɪdʒəʳ/ N (= person in charge of a company, business, hotel, shop) directeur m, administrateur m ; (on behalf of the owner) gérant m ; (= executive) cadre m, manager m ; [farm] exploitant m ; (= department head) chef m de service; [estate, theatre] régisseur m ; (= administrative) gestionnaire mf ◆ **he is a bad manager** il n'a pas le sens de l'organisation, c'est un mauvais gestionnaire ◆ **receiver and manager** (Jur) syndic de faillite, administrateur provisoire ◆ **he is more of a manager than an administrator** il est plus manager que gestionnaire ◆ **account manager** responsable du budget ◆ **acting manager** directeur intérimaire or par intérim ◆ **advertising manager** chef or directeur de la publicité ◆ **area** or **district** or **regional manager** directeur régional ◆ **assistant** or **deputy manager** directeur adjoint, sous-directeur ◆ **branch manager** [store, company] gérant or directeur de succursale; [bank] directeur d'agence ◆ **business manager** dirigeant d'entreprise ◆ **data manager** (Comp) gestionnaire de données ◆ **department manager** [big store] chef de rayon; [company] chef de service ◆ **engineering manager** directeur technique ◆ **export manager** directeur export ◆ **file manager** (Comp) gestionnaire de fichiers ◆ **first-line manager** agent de maîtrise ◆ **general manager** directeur

général ◆ **joint manager** codirecteur, cogérant ◆ **lead manager** (Bank) chef de file ◆ **line manager** supérieur(e) m(f) hiérarchique or direct(e) ◆ **marketing manager** directeur du marketing ◆ **middle manager** cadre moyen ◆ **money manager** gestionnaire or gérant de fonds ◆ **office manager** chef de bureau ◆ **personnel** or **staff manager** chef du personnel ◆ **product manager** chef de produit ◆ **production manager** (gen) directeur or responsable de la production; (Pub) chef de fabrication ◆ **project manager** chef de projet ◆ **property manager** gérant d'immeubles ◆ **sales manager** directeur or chef des ventes ◆ **senior manager** cadre supérieur ◆ **works manager** directeur d'usine.

**manageress** /ˌmænɪdʒəˈres/ N [big store, hotel, cinema] directrice f, gérante f.

**managerial** /ˌmænəˈdʒɪərɪəl/ ADJ directorial, de gestion, managérial ◆ **managerial accounting** comptabilité de gestion ◆ **managerial control** contrôle de gestion ◆ **managerial position** poste de direction ◆ **managerial roles** fonctions de direction, rôles du cadre or du manager ◆ **managerial skills** compétences du manager ◆ **managerial structure** hiérarchie ◆ **the managerial class** or **staff** les cadres, le personnel d'encadrement ◆ **at managerial level** au niveau de la direction ◆ **from a managerial standpoint** sur le plan managérial.

**managership** /'mænɪdʒəʃɪp/ N direction f, gérance f.

**managing** /'mænɪdʒɪŋ/

_____ compounds/composés _____

- **managing agent** gérant(e) m(f)
- **managing bank** banque chef de file
- **managing board** comité de direction

◆ **managing committee** comité directeur
◆ **managing director** *(Brit)* président-directeur général, PDG
◆ **managing owner** *(Mar)* armateur général
◆ **managing partner** associé gérant
◆ **managing underwriter** apériteur.

**Managua** /məˈnægwə/ **N** Managua.

**manat** /mæˈnæt/ **N** manat m.

**mandate** /ˈmændeɪt/ **N** *(= authority)* mandat m ◆ **mandate form** *(Bank)* lettre de signatures autorisées
**VT** autoriser.

**mandator** /ˈmændeɪtər/ **N** mandant(e) m(f).

**mandatory** /ˈmændətərɪ/ **ADJ** *payment, retirement* obligatoire; *functions, powers* de mandataire ◆ **mandatory injunction** *(Jur)* commandement, injonction ◆ **mandatory instructions** mandat impératif ◆ **mandatory provisions** *(Jur)* dispositions impératives ◆ **mandatory sanctions** sanctions obligatoires ◆ **mandatory writ** *(Jur)* acte obligatoire ◆ **it is mandatory upon him to do so** il a l'obligation formelle de le faire
**N** mandataire mf.

**maneuver** /məˈnuːvər/ **N, VTI** → **manoeuvre.**

**maneuverable** /məˈnuːvərəbl/ **ADJ** → **manoeuvrable.**

**manifest** /ˈmænɪfest/ **N** **a** *(Mar)* manifeste m ◆ **inward / outward manifest** manifeste d'entrée / de sortie **b** *(Aviat)* état m de chargement.

**manifestation** /ˌmænɪfesˈteɪʃən/ **N** manifestation f.

**manifesto** /ˌmænɪˈfestəʊ/ **N** *(Pol)* manifeste m.

**Manila** /məˈnɪlə/ **N** Manille.

**manil(l)a** /məˈnɪlə/ **N** ◆ **manil(l)a envelope** enveloppe en papier kraft ◆ **manil(l)a papier** papier kraft.

**manipulate** /məˈnɪpjʊleɪt/ **VT** **a** *tool, person* manipuler, manœuvrer ◆ **to manipulate the market** *(St Ex)* agir sur le marché, travailler le marché **b** *(pej) facts, figures, accounts* falsifier, truquer, trafiquer.

**manipulation** /məˌnɪpjʊˈleɪʃən/ **N** *(gen)* manipulation f, manœuvre f; *[accounts, figures]* falsification f, truquage m ◆ **market manipulation** *(St Ex)* tripotage(s) en Bourse, manipulations *or* manœuvres boursières.

**manipulator** /məˈnɪpjʊleɪtər/ **N** *(pej)* tripoteur m ; *(St Ex)* agioteur m ◆ **price manipulator** manipulateur de cours.

**manner** /ˈmænər/ **N** manière f, façon f.

**manning** /ˈmænɪŋ/ **N** *(Mar)* armement m ; *(Ind)* effectifs mpl ◆ **the manning of an activity** l'allocation des effectifs *or* de la main-d'œuvre à une activité

— compounds/composés —
◆ **manning cut** réduction des effectifs
◆ **manning levels** niveau des effectifs ◆ **to keep up manning levels** maintenir le niveau des effectifs.

**manoeuvrable** *(Brit)*, **maneuverable** *(US)* /məˈnuːvrəbl/ *adj* manœuvrable, maniable.

**manoeuvre** *(Brit)*, **maneuver** *(US)* /məˈnuːvər/
**N** *(gen)* manœuvre f
**VTI** *(gen)* manœuvrer ◆ **to manoeuvre sb into doing sth** manœuvrer qn pour qu'il fasse qch ◆ **they manoeuvred their project through the board** ils ont réussi à faire passer leur projet au conseil d'administration.

**manpower** /ˈmænˌpaʊər/ **N** *(gen, Ind)* main-d'œuvre f ◆ **they need an increase in manpower** ils ont besoin d'accroître leur main-d'œuvre ◆ **manpower planning** planning de la main-d'œuvre ◆ **Manpower Services Commission** *(Brit)* ≈ Agence nationale pour l'emploi ◆ **manpower shortage** pénurie de main-d'œuvre.

**manual** /ˈmænjʊəl/ **ADJ** *labour, skill, controls* manuel ◆ **manual exchange** *(Comp)* central manuel ◆ **manual labour** main-d'œuvre ◆ **manual operation** opération manuelle ◆ **manual worker** travailleur manuel
**N** *(= book)* manuel m ◆ **instruction manual** manuel d'utilisation ◆ **service manual** manuel *or* notice d'entretien.

**manually** /ˈmænjʊəlɪ/ **ADV** manuellement.

**manufacture** /ˌmænjʊˈfæktʃər/ **N** *(= activity) (gen)* fabrication f ; *[clothes]* confection f ◆ **articles of foreign manufacture** articles fabriqués à l'étranger, articles de fabrication étrangère ◆ **manufactures** *(= products)* produits manufacturés
**VT** *(gen)* fabriquer; *clothes* confectionner ◆ **manufactured goods** produits manufacturés.

**manufacturer** /ˌmænjʊˈfæktʃərər/ **N** *(= person)* fabricant m, industriel m ; *(= company)* fabricant m ◆ **car manufacturer** fabricant *or* constructeur automobile ◆ **manufacturer's agent** *or* **representative** agent *or* concessionnaire exclusif ◆ **manufacturers' recommended price** prix public conseillé.

**manufacturing** /ˌmænjʊˈfæktʃərɪŋ/ **N** fabrication f

—— compounds/composés ——

• **manufacturing base** base industrielle
• **manufacturing capacity** potentiel *or* capacité de production
• **manufacturing centre** centre industriel
• **manufacturing costs** coûts mpl de fabrication
• **manufacturing employment** emploi dans le secteur industriel
• **manufacturing facility** unité de production
• **manufacturing industries** industries fpl manufacturières *or* de transformation
• **manufacturing licence** licence de fabrication
• **manufacturing plant** usine
• **manufacturing process** procédé de fabrication
• **manufacturing town** ville industrielle.

**manuscript** /ˈmænjʊskrɪpt/ **N** manuscrit m.

**map** /mæp/ **N** *(gen)* carte f ; *[city, underground]* plan m ◆ **the winter Olympics will put our town on the map** *(fig)* les Jeux olympiques d'hiver mettront notre ville en vedette *or* feront connaître notre ville ◆ **storage map** *(Comp)* topogramme de mémoire.

**map out** /mæp/ **VT SEP** *plans* dresser, élaborer; *timetable* organiser, établir ◆ **to map out a policy** définir *or* établir les grandes lignes d'une politique.

**mapping** /ˈmæpɪŋ/ **N** *(Comp)* mappage m.

**Maputo** /məˈpuːtəʊ/ **N** Maputo.

**March** /mɑːtʃ/ **N** mars m → **September.**

**margin** /ˈmɑːdʒɪn/ **N** *(gen)* marge f *(St Ex, Fin)* marge f ; *(Commodity and Financial Futures Markets)* (dépôt m de) couverture f, provision f, acompte m ◆ **credit margin** marge de crédit ◆ **forward margin** marge à terme ◆ **gross / net margin** marge brute / nette ◆ **initial margin** *(Commodity Exchange)* couverture initiale ◆ **operating margin** marge d'exploitation ◆ **low-margin industries** industries à faible marge ◆ **profit margin** marge bénéficiaire ◆ **safety margin** marge de sécurité ◆ **in the margin** en marge ◆ **stiff margin requirements are aimed at preventing the excessive use of credit** les conditions rigoureuses de couverture visent à empêcher l'usage abusif du crédit ◆ **to allow a margin for error** prévoir une marge d'erreur ◆ **he was elected by a wide / narrow margin** il a été élu à une forte / faible majorité ◆ **the margin between the rates of interest is shrinking** l'écart entre les taux d'intérêts diminue ◆ **to deposit a margin in cash** laisser en dépôt une provision en espèces

—— compounds/composés ——

• **margin account** *(US)* compte de marge
• **margin call** appel de marge
• **margin dealing** transaction *or* opération sur provision
• **margin ratio** taux de couverture
• **margin requirement** couverture obligatoire
• **margin transaction** opération contre un dépôt de couverture

**VI** *(St Ex)* fournir une couverture pour un ordre.

**marginal** /ˈmɑːdʒɪnl/ **ADJ** *comments, analysis, profit, business* marginal ◆ **a marginal case** un cas limite ◆ **marginal cost** coût marginal ◆ **marginal efficiency of capital** efficacité marginale du capital ◆ **marginal borrower** emprunteur marginal *(qui n'emprunte pas en cas de dépassement d'un taux d'intérêt déterminé)* ◆ **marginal buyer** acheteur occasionnel ◆ **marginal cost pricing** méthode des coûts marginaux ◆ **marginal land** *(Agr)* terre de faible rendement (compte tenu du coût d'exploitation) ◆ **marginal lender** prêteur marginal *(qui n'investit pas en cas d'abaissement du taux d'intérêt)* ◆ **marginal productivity wage theory** théorie des salaires fondée sur la productivité marginale du travail ◆ **marginal propensity to invest / save / consume** propension marginale à investir / épargner / consommer ◆ **marginal relief** *(Tax)* décote ◆ **marginal tax rate** taux marginal d'imposition ◆ **marginal utility** utilité marginale ◆ **marginal utility theory** marginalisme.

**marine** /məˈriːn/ **ADJ** *products* de la mer; *stores, forces, insurance* marine maritime ◆ **marine court** tribunal maritime ◆ **marine engineer** ingénieur des constructions navales ◆ **marine engineering** génie maritime ◆ **marine insurance broker** courtier maritime ◆ **marine loss** perte maritime ◆ **marine registry** inscription maritime ◆ **marine risk** fortune de mer, risque couru en mer ◆ **marine surveyor** expert maritime *(de la Lloyd's)* ◆ **marine syndicate** syndicat d'assureurs maritimes ◆ **marine underwriter** assureur maritime

**N** marine f ◆ **mercantile** *or* **merchant marine** marine marchande.

**marital** /ˈmærɪtl/ **ADJ** *problems* matrimonial ◆ **marital status** *(Admin)* situation de famille, état civil.

**maritime** /ˈmærɪtaɪm/ **ADJ** *trade, law* maritime ◆ **maritime lien** privilège maritime ◆ **maritime loan** prêt à la grosse aventure ◆ **maritime peril** fortune de mer ◆ **maritime trade** commerce maritime.

# mark

**mark** /mɑːk/ **N** **a** *(gen = written symbol, signature on paper)* marque f, signe m ; *(= label)* marque f, étiquette f ◆ **as a mark of our disapproval** pour marquer notre désapprobation ◆ **as a mark of our gratitude** en témoignage de notre gratitude ◆ **certification mark** marque de garantie ◆ **printer's mark** marque de l'imprimeur **b** *(Sport = target)* but m, cible f ◆ **to miss the mark, be wide of the mark** *(fig)* être loin de la vérité, être loin du compte ◆ **it's not up to the mark** *[piece of work]* ça laisse beaucoup à désirer ◆ **unemployment overstepped the 3 million mark** le chômage a dépassé *or* franchi la barre des 3 millions **c** *(St Ex)* opération f *or* transaction f boursière, cote f ◆ **to lodge objections to marks** mettre des oppositions à la cote **d** *(= currency)* mark m COMP ◆ **mark reader** *or* **scanner** *(Comp)* lecteur de marques

**VT** **a** *(= make a mark on)* marquer, mettre une marque à *or* sur; *(Fin)* estampiller, viser ◆ **marked cheque** chèque certifié ◆ **marked shares** actions estampillées **b** *(= indicate)* price marquer, indiquer ◆ **to mark stocks** *(St Ex)* coter des valeurs ◆ **to mark time** *[talks]* marquer le pas, faire du sur place, piétiner.

**marka** /'mɑːkə/ **N** *(= currency of Bosnia-Herzegovina)* mark m convertible.

**mark down** VT SEP **a** *(= write down)* inscrire, noter **b** *(= reduce)* price baisser, minorer; goods baisser le prix de, démarquer ◆ **all these suits have been marked down for the sales** tous ces costumes ont été démarqués pour les soldes ◆ **these shares are marked down** ces actions s'inscrivent en baisse.

**markdown** /'mɑːkdaʊn/ **N** rabais m, réduction f, remise f, démarque f ◆ **to get a markdown of $10 on a sticker price** obtenir un rabais de 10 dollars sur le prix affiché.

**marked** /mɑːkt/ **ADJ** difference, recovery, deterioration marqué, prononcé, sensible ◆ **the difficulties are becoming more marked** les difficultés s'accentuent.

**marker** /'mɑːkəʳ/ **N** **a** *(US)* billet m à ordre, reconnaissance f de dette **b** *(= pen)* marqueur m.

**market** /'mɑːkɪt/ **N** **a** *(trade, place, St Ex)* marché m ◆ **black market** marché noir ◆ **to sell sth on the black market** vendre qch au marché noir ◆ **cattle market** marché *or* foire aux bestiaux ◆ **commodity market** Bourse des marchandises *or* de commerce ◆ **the tin market** le marché de l'étain ◆ **the wholesale / retail market** le marché de gros / de détail ◆ **the world market** le marché mondial ◆ **the free market** le marché libre ◆ **a free-market economy** une économie libérale *or* de marché ◆ **dull market** marché terne *or* lourd ◆ **buoyant** *or* **brisk market** marché actif *or* animé ◆ **bear / bull market** *(St Ex)* marché orienté à la baisse / à la hausse ◆ **bond market** marché obligataire ◆ **capital market** marché des capitaux, marché financier ◆ **cash market** marché au comptant ◆ **corporate market** marché des entreprises ◆ **credit** *or* **lending market** marché du crédit ◆ **curb market** *(US)* marché après Bourse ◆ **double-tier gold market** double marché de l'or ◆ **falling market** marché en recul *or* en baisse ◆ **financial market** marché financier, place financière ◆ **firm / flat market** marché ferme / étal ◆ **foreign exchange market** marché des changes ◆ **forward exchange market** marché des changes à terme ◆ **forward market** marché à règlement mensuel *or* à terme ◆ **fourth market** *(US)* quatrième marché *(où les transactions sur des valeurs non admises à la cote se déroulent en privé)* ◆ **freight market** marché des frets ◆ **futures market** marché à terme ◆ **grey** *(Brit)* *or* **gray** *(US)* *or* **shadow market** marché parallèle, marché gris ◆ **home market** marché intérieur ◆ **investment market** marché des capitaux ◆ **labour market** marché du travail ◆ **money market** marché monétaire ◆ **mortgage market** marché hypothécaire ◆ **open market** *(gen)* marché libre; *(money market)* marché monétaire libre, open market ◆ **outside market** marché en coulisse ◆ **real estate market** marché immobilier ◆ **securities market** marché des valeurs mobilières, Bourse des valeurs ◆ **sellers' market** marché vendeur ◆ **settlement market** marché à terme ◆ **spot market** marché au comptant *or* du disponible ◆ **the Rotterdam spot market** le marché libre de Rotterdam ◆ **stock market** *(St Ex)* Bourse des valeurs, place boursière, marché des valeurs; *(= cattle market)* marché aux bestiaux ◆ **the New York Stock Market** la Bourse de New York ◆ **unlisted (securities) market, offboard** *or* **unofficial** *or* **over-the-counter market** marché hors-cote ◆ **terminal market** marché à terme ◆ **third market** *(US)* troisième marché ≈ marché en coulisse **b** *(St Ex phrases)* ◆ **the market is all bulls** le marché est orienté à la hausse ◆ **the market is all takers** la place s'est dégagée ◆ **the market is rising / falling** les cours sont en hausse / en baisse, le marché est orienté à la hausse / à la baisse ◆ **the bottom has fallen out of the market** le marché s'est effondré ✦ **to play the market** spéculer ✦ **to bear the market** jouer *or* spéculer à la baisse ✦ **the company intends to go to the market** la société pense s'introduire en Bourse ✦ **market-determined interest rates** taux d'intérêts dictés par le marché **c** *(Comm = outlet for goods)* marché m, débouché m ✦ **domestic** *or* **home / foreign market** marché intérieur / extérieur ✦ **overseas market** marché extérieur *or* d'outre-mer ✦ **perfect / imperfect market** marché à concurrence parfaite / imparfaite ✦ **labour** *or* **employment market** marché du travail ✦ **property market** marché immobilier ✦ **resale market** marché secondaire ✦ **test market** marché test *or* témoin **d** *(Comm : phrases)* ✦ **to find a ready market for sth** trouver facilement un marché *or* des débouchés pour qch ✦ **this model does not appeal to the German market** ce modèle ne plaît pas à la clientèle allemande ✦ **we are looking to expand our markets in the Far East** nous espérons développer nos débouchés en Extrême-Orient ✦ **to be in the market for sth** être acheteur de qch ✦ **to put sth on the market** mettre qch en vente *or* dans le commerce *or* sur le marché ✦ **a gap** *or* **an opening in the market** un créneau ✦ **it fills a gap in the market** ça répond à un besoin du marché ✦ **to flood** *or* **swamp the market** inonder le marché ✦ **it's a buyer's / seller's market** le marché est favorable à l'acheteur / au vendeur, c'est un marché acheteur / vendeur ✦ **to bang the**

─────── *compounds/composés* ───────

MARKET

✦ **market advance** avance boursière
✦ **market analysis** analyse du marché
✦ **market analyst** analyste de marché
✦ **market appraisal** évaluation du marché
✦ **market audit** audit du marché, contrôle des activités commerciales
✦ **market capitalization** capitalisation boursière
✦ **market channels** canaux mpl de distribution
✦ **market close** clôture du marché
✦ **market consensus** consensus de place
✦ **market coverage** couverture du marché
✦ **market day** *(St Ex)* jour de Bourse
✦ **market demand** demande du marché ✦ **the market demand for this product is 8 million items per year** on évalue la demande annuelle pour ce produit à 8 millions d'articles
✦ **market economy** économie de marché
✦ **market fit** adaptation au marché *or* à la clientèle ✦ **a good market fit** une bonne adaptation au marché
✦ **market fluctuations** fluctuations fpl du marché
✦ **market forces** tendances fpl *or* forces du marché
✦ **market forecast** prévisions fpl du marché *or* relatives au marché
✦ **market intelligence** information commerciale
✦ **market leader** *(= firm)* entreprise leader, leader du marché ✦ **they are the market leaders in kitchen appliances** ils sont numéro un dans le domaine des appareils ménagers
✦ **market maker** faiseur de marché
✦ **market off** baisse générale des cours
✦ **market operations** opérations fpl boursières *or* de Bourse
✦ **market operator** acteur de marché
✦ **market opportunities** possibilités fpl offertes par un marché, potentiel d'un marché ✦ **there are excellent market opportunities in Third World countries** les pays du Tiers-Monde offrent d'excellents débouchés économiques
✦ **market order** *(St Ex)* ordre au mieux *or* au prix du marché *or* à tout prix

✦ **market outline** positionnement d'un produit par rapport à l'ensemble du marché
✦ **market penetration** pénétration du marché
✦ **market player** acteur de marché
✦ **market position** position de place
✦ **market price** prix du marché
✦ **market profile** profil du marché
✦ **market rate of discount** taux d'escompte hors banque
✦ **market report** bulletin de la Bourse
✦ **market research** étude de marché ✦ **market research agency** agence spécialisée dans les études de marché
✦ **market researcher** spécialiste en études de marché
✦ **market rigger** *(St Ex)* contrepartiste occulte, agioteur
✦ **market rigging** *(St Ex)* contrepartie occulte, agiotage
✦ **market segmentation** segmentation du marché
✦ **market share** part de marché ✦ **we want to increase our market share** nous voulons accroître notre part de marché
✦ **market simulation** simulation de marché
✦ **market skimming** écrémage du marché
✦ **market supply** offre du marché
✦ **market survey** étude de marché
✦ **market thrust** percée commerciale du marché
✦ **market transactions** transactions *or* opérations boursières
✦ **market trend** tendance *or* physionomie du marché
✦ **market valuation** évaluation boursière
✦ **market value** valeur marchande ✦ **market value clause** *(Ins)* valeur du marché ✦ **a car's market value drops sharply after 2 years** la valeur marchande d'une voiture chute considérablement après 2 ans ✦ **the market value of computer games is of the order of \$400 million** on évalue le marché des ludiciels à environ 400 millions de dollars

**market** casser les cours ♦ **to bear the market** chercher à faire baisser les cours ♦ **to capture / corner a market** conquérir / accaparer un marché ♦ **the Common Market** le Marché commun ♦ **to join the Common Market** entrer dans le Marché commun ♦ **down-market** *product* (de) bas de gamme ♦ **to move down market** développer une politique bas de gamme ♦ **up-market** *product* de haut de gamme ♦ **to move up market** développer une politique haut de gamme ♦ **the Internal / Single Market** le marché interne / unique ♦ **to overload the market** encombrer le marché ♦ **to peg the market** stabiliser le marché ♦ **to supply the market** fournir le marché, pourvoir aux besoins du marché ♦ **to throw on the market** jeter sur le marché ♦ **on sale on the open market** en vente libre
**VT** *(= sell)* commercialiser; *(= launch)* lancer *or* mettre sur le marché; *(= find outlet for)* trouver un débouché pour ♦ **it is marketed world-wide** c'est commercialisé dans le monde entier.

**marketability** /ˌmɑːkɪtəˈbɪlɪtɪ/ **N** possibilité f de commercialisation.

**marketable** /ˈmɑːkɪtəbl/ **ADJ** *(gen)* vendable; *shares, debt* négociable ♦ **marketable parcel** *(St Ex)* quotité ♦ **marketable securities** titres liquides *or* facilement négociables en Bourse ♦ **marketable value** valeur marchande *or* vénale.

**marketer** /ˈmɑːkətəʳ/ **N** distributeur m, négociant m.

**marketing** /ˈmɑːkɪtɪŋ/ **N** *(= activity)* marketing m, marchéage m, mercatique f; *[product, goods]* commercialisation f, marketing m; *(= department)* département m marketing, service m du marketing ♦ **creative marketing** créativité commerciale, marketing créatif ♦ **direct marketing** marketing direct ♦ **industrial marketing** marketing industriel

**marketplace** /ˈmɑːkɪtpleɪs/ **N** marché m ♦ **they are not in touch with the marketplace** ils sont coupés du marché.

**marking** /ˈmɑːkɪŋ/ **N** *(Ind)* estampille f; *(St Ex)* cotation f ♦ **markings** *(Comm)* marques sur emballage d'expédition.

**markka** /ˈmɑːkɑː/ **N** mark m finlandais.

**mark out** VT SEP *(= single out)* désigner ♦ **to mark sb out for promotion** désigner qn pour une promotion.

**mark up** VT SEP **a** *(= indicate)* price marquer, afficher, indiquer; *article* indiquer *or* marquer le prix de **b** *(= increase)* price augmenter, majorer; *goods* majorer le prix de ♦ **these shares are marked up** ces actions s'inscrivent en hausse *or* en reprise.

**mark-up** /ˈmɑːkʌp/ **N** **a** *[price]* majoration f **b** marge bénéficiaire.

**marriage** /ˈmærɪdʒ/ **N** mariage m ♦ **marriage contract** *or* **settlement** ≈ contrat de mariage.

**mart** /mɑːt/ **N** *(= shopping centre)* centre m commercial; *(= market)* marché m ♦ **money mart** marché monétaire ♦ **trade mart** expomarché.

**Martinique** /ˌmɑːtɪˈniːk/ **N** Martinique f.

**mass** /mæs/ **N** **a** *(= bulk)* masse f ♦ **mass to be made good** *(Fin)* masse créancière ♦ **contributory mass** masse passive ♦ **critical mass** masse critique **b** *(= people)* ♦ **the masses** la masse, le peuple, les masses (populaires) ■ Voir encadré page ci-contre.

**massage** /ˈmæsɑːʒ/ **VT** *figures* manipuler ♦ **to massage the unemployment figures** synthétiser les chiffres *or* les données du chômage.

---
*compounds/composés*
---

♦ **marketing agreement** accord de commercialisation
♦ **marketing area** secteur de distribution
♦ **marketing audit** contrôle des activités de marketing
♦ **marketing board** office de régularisation des ventes
♦ **marketing communication** communication en marketing
♦ **marketing consultant** conseil en marketing
♦ **marketing controller** contrôleur (du) marketing
♦ **marketing cost analysis** analyse des coûts de commercialisation
♦ **marketing costs** frais mpl *or* coûts de commercialisation
♦ **marketing department** service du marketing, département marketing
♦ **marketing director** *or* **manager** directeur *or* responsable du marketing
♦ **marketing information system** système d'information marketing
♦ **marketing intelligence** information commerciale
♦ **marketing mix** marketing mix, plan de marchéage
♦ **marketing model** modèle marketing
♦ **marketing plan** plan marketing
♦ **marketing policy** politique de commercialisation
♦ **marketing research** recherche en marketing
♦ **marketing research firm** cabinet de conseil en marketing
♦ **marketing strategy** stratégie marketing.

─────── *compounds/composés* ───────

- **mass advertising** publicité de masse
- **mass dismissal** licenciement collectif
- **mass mailing** mailing, publipostage ◆ **to do a mass mailing** faire un mailing
- **mass marketing** commercialisation de masse
- **mass media** mass(-)media mpl, médias mpl ; **the mass media give companies access to 90% of households** les médias permettent aux entreprises de toucher 90% des foyers
- **mass meeting** rassemblement monstre *or* de masse
- **mass memory** *(Comp)* mémoire de masse
- **mass-produce** fabriquer en série ◆ **mass-produced goods** articles de série
- **mass production** production *or* fabrication en série
- **mass transit system** *(US)* transports mpl en commun
- **mass unemployment** chômage généralisé.

**master** /ˈmɑːstər/ **N** *[household, institution]* maître m ; *[ship]* capitaine m ; *[shipping line]* commandant m ; *[fishing boat]* patron m ◆ **Master of Arts / Science** *(Univ)* ≈ titulaire d'une maîtrise ès lettres / sciences ◆ **Master of Business Administration** ≈ titulaire d'une maîtrise de gestion ◆ **a master's degree** ≈ une maîtrise

─────── *compounds/composés* ───────

- **master agreement** accord-cadre
- **master budget** budget principal *or* général
- **master builder** entrepreneur de bâtiments
- **master card** carte maîtresse
- **master copy** original
- **master disk** disque d'exploitation
- **master file** fichier principal *or* maître
- **master instruction tape** *(Comp)* bande d'exploitation
- **master key** passe-partout, passe
- **master lease** bail d'origine
- **master plan** stratégie d'ensemble
- **master porter** entrepreneur de chargement et de déchargement
- **master program** programme principal
- **master stroke** coup de maître
- **master tariff** *(Customs)* tarif principal

**VT** *difficulty* venir à bout de, surmonter; *subject, skill, craft* posséder, maîtriser.

**mastermind** /ˈmɑːstəmaɪnd/ **VT** *operation* diriger, organiser.

**masterpiece** /ˈmɑːstəpiːs/ **N** chef-d'œuvre m.

**match** /mætʃ/ **N** **a** *[clothes, colours]* ◆ **to be a good match** aller bien ensemble, s'assortir bien **b** *(= equal)* égal(e) m(f) ◆ **he is no match for Smith** il ne fait pas le poids devant Smith, il n'est pas de taille à lutter avec Smith

**c** *(= adequacy)* adéquation f ◆ **a poor match between our resources and our objectives** un manque d'adéquation entre nos ressources et nos objectifs

**VT** **a** *(= be equal to) person* égaler, rivaliser avec, être l'égal de ◆ **the results more than matched our expectations** les résultats ont dépassé toutes nos espérances **b** *(= provide similar conditions)* s'aligner sur ◆ **we shall match their prices / credit terms** nous nous alignerons sur leurs prix / leurs conditions de crédit ◆ **we can match their offer** nous pouvons soutenir leur offre, nous pouvons faire une proposition équivalente.

**matching** /ˈmætʃɪŋ/ **N** the matching of supply and demand l'équilibrage *or* l'adéquation de l'offre et de la demande ◆ **matching of maturities** accord des échéances **ADJ** *wallpaper, fabric* assorti ◆ **matching funds** montants compensatoires.

**match up to** **VT FUS** *person* égaler, rivaliser avec, être l'égal de.

**mate** /meɪt/ **N** **a** *(at work)* camarade mf *or* collègue mf (de travail); *(= assistant)* aide mf ◆ **running mate** *(US Pol)* colistier **b** *(Merchant Navy)* second m ◆ **mate's receipt** reçu de bord.

**material** /məˈtɪərɪəl/ **ADJ** *needs, damage* matériel; *(Jur) fact* tangible ◆ **a material change in our strategy** une modification essentielle de notre stratégie ◆ **material cost** coût matériel ◆ **material success** la réussite sur le plan matériel ◆ **material witness** témoin matériel *or* direct **N** **a** *(= substance)* matière f ; *(= cloth)* tissu m, étoffe f ◆ **building materials** matériaux de construction ◆ **raw materials** matières premières ◆ **intermediate** *or* **semi-processed materials** biens intermédiaires **b** *(fig)* matériel m, matière f, matériaux mpl ◆ **to gather material for a report** rassembler la matière *or* la documentation pour un rapport ◆ **display material** *(Pub)* matériel promotionnel *(sur le lieu de vente)*, matériel de publicité sur le lieu de vente *or* de PLV ◆ **publicity material** matériel publicitaire, matériel promotionnel

─────── *compounds/composés* ───────

- **materials accounting** comptabilité matières
- **materials flow** flux de matières
- **materials handling** manutention
- **materials requisition form** bordereau de demande en magasin, bon de sortie de magasin.

**materialize, materialise** /məˈtɪərɪəlaɪz/ **VI** *[plan]* se matérialiser, se réaliser; *[offer, loan]* se concrétiser, se matérialiser ◆ **the forecasted upsurge in unemployment did not materialize**

la nouvelle vague de chômage annoncée ne s'est pas concrétisée *or* ne s'est pas produite.

**maternity** /mə'tɜːnɪtɪ/ **N** maternité f ◆ **maternity allowance** *or* **benefit** allocation de maternité ◆ **maternity leave** congé de maternité.

**mathematical** /ˌmæθə'mætɪkəl/ **ADJ** mathématique ◆ **mathematical economics** économie mathématique.

**matrix** /'meɪtrɪks/ **N** matrice f

——— *compounds/composés* ———
◆ **matrix analysis** analyse matricielle
◆ **matrix memory** mémoire matricielle
◆ **matrix organization** organisation matricielle
◆ **matrix printer** imprimante matricielle.

**matter** /'mætə'/ **N** **a** (= *concern*) affaire f, question f, sujet m, matière f ◆ **it's a serious / urgent matter** c'est une affaire sérieuse / urgente ◆ **matters arising** (*on agenda*) questions en suspens ◆ **legal matters** questions *or* problèmes juridiques ◆ **money matters** affaires *or* questions d'argent ◆ **the matter in hand** l'affaire en question *or* qui vous préoccupe ◆ **the matter is closed** c'est une affaire classée ◆ **it's a matter of opinion** c'est une question d'opinion ◆ **let's see how matters stand** voyons où nous en sommes *or* où en sont les choses **b** (*phrases*) ◆ **no matter what he said** peu importe ce qu'il a dit ◆ **there's nothing the matter with this proposal** il n'y a rien à redire à cette proposition ◆ **what's the matter with him?** qu'est-ce qu'il a? ◆ **what's the matter with the machine?** qu'est-ce qui ne va pas dans la machine? **c** (= *content*) [*book*] fond m, contenu m, matière f ◆ **printed matter** imprimé(s) **VI** importer (*to* à)

**mature** /mə'tjʊə'/ **ADJ** (*Fin*) *bill* échu; *plan* mûr **VI** (*Fin*) [*bill*] venir à échéance, échoir; [*person*] mûrir; [*wine*] se faire.

**maturity** /mə'tjʊərɪtɪ/ **N** (*Fin*) [*bill*] échéance f; [*person*] maturité f ◆ **maturity at five days' sight** échéance à cinq jours de vue ◆ **at / before maturity** à / avant l'échéance ◆ **to come to maturity** venir *or* arriver à échéance ◆ **to discount a bill before maturity** escompter un effet avant l'échéance

——— *compounds/composés* ———
◆ **maturity date** [*bill*] date d'échéance *or* d'exigibilité
◆ **maturity value** valeur à l'échéance.

**Mauritania** /ˌmɔːrɪ'teɪnɪə/ **N** Mauritanie f.

**Mauritanian** /ˌmɔːrɪ'teɪnɪən/ **ADJ** mauritanien **N** (= *inhabitant*) Mauritanien(ne) m(f).

**Mauritian** /mə'rɪʃən/ **ADJ** mauritien **N** (= *inhabitant*) Mauritien(ne) m(f).

**Mauritius** /mə'rɪʃəs/ **N** île f Maurice.

**max.** (abbr of **maximum**) max.

**maximization, maximisation** /ˌmæksɪmaɪ'zeɪʃən/ **N** maximisation f, maximalisation f ◆ **profit maximization** maximisation des bénéfices.

**maximize, maximise** /'mæksɪmaɪz/ **VT** *profit, output* maximiser, porter au maximum.

**maximum** /'mæksɪməm/ **N** maximum m ◆ **up to a maximum of $100** jusqu'à concurrence de 100 dollars **ADJ** maximum, maximal ◆ **to pay maximum prices** payer des prix maximum *or* maxima ◆ **maximum load** charge limite ◆ **maximum rate** taux plafond ◆ **maximum efficiency** rendement maximum *or* maximal ◆ **maximum price fluctuation** écart maximal de cours autorisé.

**May** /meɪ/ **N** mai m → **September.**

**MB** (abbr of **megabyte**) Mo.

**MBA** /ˌembiː'eɪ/ **N** abbr of **Master of Business Administration** → **master.**

**MBO** /ˌembiː'əʊ/ **N** **a** (abbr of **management by objectives**) DPO f **b** (abbr of **management buy-out**) RES m.

**MCA** /ˌemsiː'eɪ/ **N** (abbr of **monetary compensatory amounts**) MCM mpl.

**MD** /em'diː/ **N** **a** (abbr of **managing director**) DG m **b** abbr of **memorandum of deposit** → **memorandum.**

**mdse** **N** abbr of **merchandise.**

**mean** /miːn/ **VT** **a** (= *signify*) vouloir dire, signifier; (= *imply*) vouloir dire ◆ **this means we must alter our plans** cela signifie que nous devons changer nos projets ◆ **this contract means a lot to us** ce contrat représente beaucoup pour nous ◆ **the name means nothing to me** ce nom ne me dit rien ◆ **your project will mean a lot of expense** votre projet entraînera beaucoup de dépenses **b** (= *intend*) avoir l'intention (*to do* de faire) compter, vouloir (*to do* faire) ◆ **we mean business** nous parlons sérieusement ◆ **they mean well** leurs intentions sont sincères

**N** (= *middle term*) milieu m, moyen terme m; (*Math*) moyenne f ◆ **arithmetic / geometric**

**mean** moyenne arithmétique / géométrique ♦ **the golden** *or* **happy mean** le juste milieu ᴀᴅᴊ *price* moyen ♦ **mean due date** *(Fin)* échéance moyenne ♦ **mean cost** coût moyen ♦ **mean deviation** *(Stat)* écart type ♦ **mean tare** tare commune ♦ **mean value** valeur moyenne.

**meaning** /'miːnɪŋ/ ɴ sens m ♦ **within the meaning assigned by section 3** *(Jur)* au sens de l'article 3.

**meaningful** /'miːnɪŋfʊl/ ᴀᴅᴊ *look* éloquent, significatif ♦ **we have had meaningful discussions** nous avons eu des discussions importantes.

**meaningless** /'miːnɪŋlɪs/ ᴀᴅᴊ sans signification, dénué de sens.

**means** /miːnz/ ɴ *or* ɴᴘʟ a *(= method)* *[payment, production, transport]* moyen m ♦ **there's no means of dodging the regulation** il n'y a pas moyen de contourner le règlement ♦ **means of action** moyen d'action ♦ **lawful means** moyens légaux *or* licites b *(= wealth)* moyens mpl, ressources fpl ♦ **to live beyond one's means** vivre au-dessus de ses moyens ♦ **means of subsistence** moyens d'existence *or* de subsistance ♦ **financial means** moyens financiers ♦ **private means** ressources personnelles, fortune personnelle ♦ **we have insufficient means to achieve our objective** nous n'avons pas les moyens suffisants pour atteindre notre objectif ᴄᴏᴍᴘ ♦ **means test** *enquête financière sur les ressources de quelqu'un.*

**measurable** /'meʒərəbl/ ᴀᴅᴊ mesurable.

**measure** /'meʒəʳ/ N a *(unit, container)* mesure f ♦ **dry measure** mesure de capacité pour matières sèches ♦ **square measures** mesures de superficie ♦ **to give good** *or* **full measure** faire bonne mesure *or* bon poids ♦ **to give short measure** voler *or* rogner sur la quantité *or* sur le poids ♦ **made to measure** fait sur mesure b *(= step, move)* mesure f ♦ **a set of measures** une série de mesures ♦ **deflationary measures** mesures déflationnistes ♦ **drastic / strong / stringent measures** mesures draconiennes / énergiques / rigoureuses ♦ **emergency / austerity measures** mesures d'urgence / d'austérité ♦ **precautionary / safety measures** mesures de précaution / de sécurité ♦ **retaliatory measures** mesures de rétorsion c *(Mar)* cubage m, jaugeage m ♦ **measure goods** marchandises de cubage *or* d'encombrement ᴠᴛ mesurer.

**measurement** /'meʒəmənt/ N a *(= dimensions)* *(gen)* mesure f, dimension f ; *(Mar)* *[freight]* cubage m ; *[ship]* jaugeage m ♦ **to pay by**

**measurement for cargo** payer la cargaison au cubage ♦ **certificate of measurement** *(Mar)* certificat de jaugeage *(donnant la capacité cubique des cales)* b *(= act of measuring)* mesure f, mesurage m ♦ **performance / productivity measurement** mesure de la performance / productivité

───── *compounds/composés* ─────

♦ **measurement goods** *(Mar)* marchandises fpl de cubage *(dont le tarif se calcule à la tonne d'encombrement)*

♦ **measurement ton** *(Mar)* tonne d'encombrement *or* de mer.

**measure up** ᴠɪ ♦ **he doesn't measure up** *[person]* il ne fait pas le poids.

**measure up to** ᴠᴛ ꜰᴜꜱ *task* être au niveau de, être à la hauteur de ♦ **this new machine measures up to our expectations** cette nouvelle machine correspond à notre attente.

**measuring** /'meʒərɪŋ/ N *(= act of measuring)* mesure f, mesurage m ♦ **measuring chain** chaîne d'arpenteur ♦ **measuring tape** mètre à ruban.

**meat** /miːt/ N viande f ♦ **the meat-packing industry** l'industrie de la conserve de la viande.

**mechanic** /mɪ'kænɪk/ N mécanicien m ♦ **mechanic's lien** privilège du constructeur.

**mechanical** /mɪ'kænɪkəl/ ᴀᴅᴊ *power, process* mécanique ; *(fig)* *action, reply* machinal, automatique, mécanique ♦ **mechanical engineer** ingénieur mécanicien ♦ **mechanical engineering** *(= science)* mécanique ; *(Ind)* construction mécanique, génie mécanique.

**mechanics** /mɪ'kænɪks/ N a *(= science : with sing vb)* mécanique f b *(= technical aspect : with pl vb)* mécanisme m, processus m, technique f.

**mechanism** /'mekənɪzəm/ N mécanisme m.

**mechanization, mechanisation** /ˌmekənaɪˈzeɪʃən/ N mécanisation f.

**mechanize, mechanise** /'mekənaɪz/ ᴠᴛ *production* mécaniser ♦ **mechanized data** données exploitables sur machine ♦ **mechanized industry** industrie mécanisée.

**media** /'miːdɪə/ ɴᴘʟ ♦ **the media** les médias mpl ; **the media were waiting in the conference room** les journalistes et les photographes attendaient dans la salle de conférence ♦ **advertising media** médias publicitaires ♦ **mass media** mass(-)media, médias

*compounds/composés*

- **media analysis** analyse des médias
- **media buying** achat de médias
- **media coverage** couverture média
- **media director** *(Pub)* responsable des supports publicitaires
- **media man** *(Press, TV, Radio)* journaliste, reporter; *(Pub)* agent publicitaire
- **media planning** (établissement du) plan média
- **media planner** responsable du plan média, chargé d'études média(s), médiaplanneur.

**median** /'miːdɪən/ **ADJ** médian ◆ **median income** revenu moyen
**N** médiane f.

**mediate** /'miːdɪeɪt/ **VI** intervenir comme médiateur, servir d'intermédiaire (*between* entre)
**VT** *settlement* obtenir par médiation; *dispute* intervenir comme médiateur dans.

**mediation** /ˌmiːdɪ'eɪʃən/ **N** médiation f, intervention f, bons offices mpl ◆ **through the mediation of** par l'entremise de.

**mediator** /'miːdɪeɪtəʳ/ **N** médiateur(-trice) m(f).

**Medicaid** /'medɪkeɪd/ *(US)* **N** assistance f médicale pour les indigents.

**medical** /'medɪkəl/ **ADJ** *examination, certificate, expenses* médical ◆ **medical insurance** assurance maladie ◆ **private medical insurance** assurance maladie privée ◆ **medical officer** médecin du travail ◆ **medical record** fiche médicale, dossier médical.

**Medicare** /'medɪkeəʳ/ *(US)* **N** assistance f médicale pour les personnes âgées.

**medium** /'miːdɪəm/ **N** **a** *(fig)* *(= means, agency)* moyen m, intermédiaire m, voie f; *(Pub)* média m, médium m ◆ **television is an essential medium** la télévision est un média essentiel ◆ **advertising medium** support publicitaire ◆ **through the medium of the press** par voie de presse ◆ **medium of exchange** *(Fin)* moyen d'échange **b** *(Comp)* support m ◆ **data medium** support de données ◆ **working medium** support d'exploitation **c** *(= mean)* milieu m ◆ **the happy medium** le juste milieu **d** *(Fin)* ◆ **mediums** valeurs à moyen terme
**ADJ** moyen ◆ **small and medium-size(d) firms** petites et moyennes entreprises ◆ **medium-dated securities** valeurs à moyen terme ◆ **medium-range planning** planification à moyen terme ◆ **medium-priced** d'un prix moyen ◆ **medium-term financing** financement à moyen terme.

**meet** /miːt/ **VT** **a** *person* retrouver, rejoindre; *(go to meet)* (aller) chercher, (aller) attendre ◆ **I am meeting the Japanese negotiator at the airport** j'irai attendre le négociateur japonais à l'aéroport ◆ **you will be met at the airport** on vous attendra à l'aéroport ◆ **I'll meet you halfway** *(fig)* faisons un compromis, coupons la poire en deux* ◆ **we arranged to meet him at 4 o'clock** nous avons pris rendez-vous avec lui pour 4 heures **b** *(= get to know)* faire la connaissance de ◆ **(I'm) pleased to meet you** enchanté (de faire votre connaissance) **c** *(= satisfy)* *obligations, debts* faire face à; *demand, need* satisfaire à, répondre à, faire face à; *deficit* combler; *(Comm)* *orders* satisfaire, assurer ◆ **I always meet my commitments** je fais toujours honneur à mes engagements, je tiens toujours mes engagements ◆ **to meet a challenge** relever un défi ◆ **to meet a bill** honorer une traite ◆ **to meet a claim** satisfaire une revendication ◆ **to meet the deadline** respecter *or* tenir les délais
**VI** *[people]* se retrouver, se rencontrer; *[committee]* se réunir.

**meeting** /'miːtɪŋ/ **N** **a** *(= assembly)* *(gen)* réunion f; *(Pol)* meeting m ◆ **to address the meeting** prendre la parole ◆ **to adjourn a meeting** ajourner une séance ◆ **to arrange a meeting** organiser une réunion ◆ **to call a meeting** convoquer une réunion ◆ **to call a meeting of shareholders** convoquer une assemblée des actionnaires ◆ **to hold a meeting** tenir une réunion ◆ **to open / close the meeting** ouvrir / lever la séance ◆ **to recess a meeting** *(US)* suspendre une séance ◆ **to put a resolution to the meeting** mettre une résolution aux voix ◆ **to set up a meeting** organiser une réunion ◆ **general meeting** assemblée générale ◆ **ordinary / extraordinary general meeting** assemblée générale ordinaire / extraordinaire ◆ **annual general meeting** assemblée générale annuelle ◆ **board meeting** réunion du conseil d'administration ◆ **business meeting** réunion d'affaires ◆ **he's in a meeting** il est en conférence *or* en réunion ◆ **meeting of creditors** assemblée de créanciers **b** *(between individuals)* rencontre f, entrevue f, rendez-vous m, entretien m ◆ **the chairman had a meeting with the department managers** le président a eu un entretien avec les chefs de service ◆ **a chance meeting** une rencontre inattendue.

**meet with** **VT FUS** *difficulties, obstacles* rencontrer, se heurter à; *refusal, losses* essuyer, subir.

**megabuck** * /'megəbʌk/ *(US)* **N** ◆ **one megabuck** un million de dollars.

**megabyte** /'megə,baɪt/ N mégaoctet m.

**megamerger** /'megə,mɜːdʒər/ N mégafusion f.

**meltdown** /'meltdaʊn/ N (St Ex) séisme m.

**melting pot** /'meltɪŋ,pɒt/ N creuset m ♦ **it's still all in the melting pot** tout est encore au stade des discussions ♦ **the whole thing is back in the melting pot** tout est remis en question.

**member** /'membər/ N [political party, club] membre m, adhérent(e) m(f) ♦ **a member of the audience** un membre de l'assistance ♦ **Member of Parliament** (Brit) ≈ député ♦ **Member of the European Parliament** député du Parlement européen, eurodéputé ♦ **Member of Congress** (US) membre du Congrès ♦ **full / honorary / ordinary member** membre titulaire / honoraire / ordinaire ♦ **union member** membre d'un syndicat, syndiqué ♦ **one of our members of staff** un de nos employés ♦ **staff members** membres du personnel

—————— compounds/composés ——————
- **member bank** (US Fin) banque adhérant au Federal Reserve System
- **member corporation** (St Ex) société anonyme d'agents de change membres de la Bourse des valeurs
- **member country** pays membre
- **member firm** (St Ex) société d'agents de change membres de la Bourse des valeurs
- **member state** (EU) État membre.

**membership** /'membəʃɪp/ N **a** (= joining) adhésion f ; (= belonging) appartenance f (of à) ♦ **Spain's membership of the Common Market** l'appartenance de l'Espagne au Marché commun ♦ **honorary membership** honorariat ♦ **union membership** appartenance à un syndicat ♦ **to apply for membership** faire une demande d'adhésion ♦ **to renew one's membership** renouveler sa carte de membre or sa cotisation **b** (= number of members) nombre m d'adhérents, effectif(s) m(pl) ♦ **this club has a membership of over 200** ce club a plus de 200 adhérents ♦ **union membership is declining** le nombre de syndiqués est en baisse **c** (St Ex) charge f, office m ♦ **stockbroker's membership** charge d'agent de change

—————— compounds/composés ——————
- **membership card** carte de membre
- **membership dues** or **fees** cotisation, droits mpl d'inscription
- **membership qualifications** conditions fpl d'éligibilité.

**memo** /'meməʊ/ N (abbr of **memorandum**) mémo m, note f (de service) ♦ **I sent a memo to all our department heads** j'ai envoyé une note or un mémo à tous nos chefs de service ♦ **memo pad** bloc-notes.

**memorandum** /,memə'rændəm/ N **a** (= note) (gen) mémorandum m, note f ; (Comm) note f, bref rapport m, circulaire f ♦ **he sent a memorandum round about the change in staff** il a fait passer or circuler une note sur les changements dans le personnel ♦ **memorandum of deposit** (Acc) certificat de dépôt de titres (en garantie d'un emprunt) **b** (Jur) ♦ **memorandum of association** [company] (Brit) acte constitutif de société ♦ **memorandum and articles** statuts ♦ **memorandum of agreement** convention, protocole d'accord ♦ **memorandum of intent** déclaration d'intention ♦ **memorandum of satisfaction** avis de liquidation (totale ou partielle) d'une dette envoyée au registre des hypothèques ♦ **memorandum of understanding** communiqué commun, protocole d'accord

—————— compounds/composés ——————
- **memorandum book** calepin, carnet, agenda
- **memorandum buying** (US) vente à condition
- **memorandum sale** vente en dépôt.

**memory** /'memərɪ/ N (gen, Comp) mémoire f ♦ **add-on memory** mémoire additionnelle or supplémentaire ♦ **back-up memory** mémoire auxiliaire ♦ **non-volatile memory** mémoire rémanente or permanente ♦ **random access memory** mémoire vive or volatile ♦ **read-only memory** mémoire morte ♦ **working memory** mémoire de manœuvre

—————— compounds/composés ——————
- **memory bank** bloc or banc de mémoire
- **memory capacity** capacité de mémoire
- **memory dump** vidage de mémoire
- **memory layout** topogramme de mémoire
- **memory printout** vidage de mémoire sur imprimante
- **memory register** registre mémoire
- **memory size** capacité de mémoire.

**menial** /'miːnɪəl/ ADJ task inférieur; position subalterne.

**menswear** /'menswɛər/ N (= clothing) habillement m masculin; (= department) rayon m hommes.

**mental** /'mentl/ ADJ (gen) mental ♦ **mental aptitude test** test d'intelligence ♦ **mental strain** or **stress** (= tension) tension nerveuse; (= overwork) surmenage.

**mention** /'menʃən/ VT mentionner, faire mention de, signaler ♦ **I'll mention it to the foreman**

j'en toucherai un mot au contremaître, je le signalerai au contremaître ◆ **just mention my name** dites que c'est de ma part ◆ **as mentioned opposite** comme mentionné ci-contre ◼ mention f ◆ **no mention was made of** il n'a pas été fait mention de.

**menu** /'menjuː/ N *(gen, Comp)* menu m ◆ **menu-driven** piloté par menu.

**MEP** /ˌemiː'piː/ N abbr of **Member of the European Parliament** → **member.**

**mercantile** /'mɜːkəntaɪl/ ADJ ⓐ *navy, vessel* marchand; *affairs, agent, law* commercial; *nation* commerçant; *establishment* de commerce ◆ **mercantile agency** agence commerciale ◆ **mercantile bills** papiers de commerce ◆ **mercantile discount** escompte en dedans ◆ **mercantile exchange** Bourse des marchandises ◆ **mercantile marine** marine marchande ◆ **mercantile rate of return** taux de rendement commerciaux ⓑ *(Econ)* mercantile.

**mercantilism** /'mɜːkəntɪlɪzəm/ N mercantilisme m.

**merchandise** /'mɜːtʃəndaɪz/ ◼ marchandise(s) f(pl)

─── *compounds/composés* ───
- **merchandise broker** courtier en marchandises
- **merchandise charge** coûts mpl indirects
- **merchandise manager** directeur commercial, responsable merchandising
- **merchandise rack** gondole

◼ commercer, faire du commerce
◼ promouvoir la vente de, marchandiser.

**merchandizer** /'mɜːtʃəndaɪzəʳ/ N merchandiser m, marchandiseur m, spécialiste mf des techniques marchandes.

**merchandizing** /'mɜːtʃəndaɪzɪŋ/ N merchandising m, marchéage m, marchandisage m COMP ◆ **merchandising manager** directeur commercial, responsable merchandising.

**merchant** /'mɜːtʃənt/ N *(= trader, dealer)* négociant m ; *(= shopkeeper)* commerçant m ◆ **export / import merchant** commissionnaire exportateur / importateur ◆ **wine merchant** *(= retailer)* marchand de vins; *(= importer)* négociant en vins

─── *compounds/composés* ───
- **merchant bank** banque d'affaires
- **merchant law** droit commercial
- **merchant marine** *(US)*
- **merchant navy** *(Brit)* marine marchande
- **merchant retailer** détaillant
- **merchant service** marine marchande
- **merchant ship** navire marchand *or* de commerce
- **merchant shipping** navires mpl marchands
- **merchant skipper** commissionnaire exportateur
- **merchant vessel** navire marchand *or* de commerce
- **merchant wholesaler** grossiste

**merchantable** /'mɜːtʃəntəbl/ ADJ commercialisable, vendable ◆ **good merchantable quality** bonne qualité marchande.

**merchantman** /'mɜːtʃəntmən/ N navire m marchand *or* de commerce.

**merge** /mɜːdʒ/ VTI *(Comm, Comp, Fin)* fusionner *(with* avec*)*

**merger** /'mɜːdʒəʳ/ N *(Comm, Fin)* fusion f ◆ **conglomerate merger** conglomérat ◆ **downstairs merger** *fusion dans laquelle une filiale absorbe la société mère* ◆ **horizontal / vertical merger** concentration horizontale / verticale ◆ **industrial merger** concentration industrielle COMP ◆ **merger company** société née d'une fusion.

**merit** /'merɪt/ ◼ mérite m, valeur f ◆ **the great merit of this scheme** le grand mérite de ce projet ◆ **to decide a case on its merits** décider d'un cas en toute objectivité ◆ **to discuss the merits of a proposal** discuter le pour et le contre d'une proposition

─── *compounds/composés* ───
- **merit bonus** prime de rendement
- **merit increase** prime d'encouragement
- **merit list** tableau d'honneur
- **merit payment** prime de rendement
- **merit rating** notation du personnel
- **merit system** système de promotion interne

◼ mériter ◆ **this merits fuller consideration** ceci mérite plus ample examen.

**mess** /mes/ N *(= muddle)* gâchis m ◆ **the company got in a real mess last year** la société s'est mise dans un vrai pétrin l'année dernière ◆ **he was called in to sort out the mess** on a fait appel à lui pour rétablir la situation.

**message** /'mesɪdʒ/ N ⓐ *(gen)* message m ◆ **telephone message** message téléphonique ◆ **to**

**bring** *or* **get one's message across** *(fig)* se faire comprendre ✦ **I'll give him the message** je lui transmettrai le message ✦ **advertising message** message publicitaire **b** *(Comp)* ✦ **dedicated message** message privilégié ✦ **end of message** fin de message ✦ **input / output message** message d'entrée / de sortie

───── *compounds/composés* ─────
- ✦ **message feedback** retour d'information
- ✦ **message handling** traitement de messages
- ✦ **message queue** file d'attente de messages
- ✦ **message routing** acheminement de messages
- ✦ **message switching** commutation des messages.

**messenger** /ˈmesɪndʒəʳ/ **N** messager(-ère) m(f) ; *(in office)* commissionnaire m, coursier m ; *(in hotel)* chasseur m ✦ **messenger boy** garçon de courses.

**Messrs** /ˈmesəz/ **N** abbr of **messieurs** ✦ **MM. Messrs Johnson and Co** MM. Johnson et Cie.

**metal** /ˈmetl/ **N** métal m ✦ **nonferrous metals** métaux non ferreux.

**metallic** /mɪˈtælɪk/ **ADJ** *currency, reserve* métallique.

**metalling** /ˈmetəlɪŋ/ **N** *(Mar Ins)* clause f de doublage.

**metallurgist** /meˈtælədʒɪst/ **N** métallurgiste m.

**metallurgy** /meˈtælədʒɪ/ **N** métallurgie f.

**metalworker** /ˈmetlˌwɜːkəʳ/ **M** ouvrier(-ière) m(f) métallurgiste.

**meter** /ˈmiːtəʳ/ **N** **a** compteur m ✦ **meter rate** taux de fluctuation selon la consommation ✦ **electricity / water meter** compteur d'électricité / d'eau ✦ **postage meter** *(US)* machine à affranchir ✦ **parking meter** parcmètre **b** *(US)* mètre.

**metered mail** /ˈmiːtədˌmeɪl/ *(US)* **N** courrier m affranchi à la machine.

**metes and bounds** /ˌmiːtsəndˈbaundz/ **NPL** *(Jur)* limites fpl d'une propriété.

**method** /ˈmeθəd/ **N** méthode f ✦ **annuity method** *(Acc)* méthode d'amortissement par annuité ✦ **backward method** *(Acc)* méthode indirecte ✦ **balance method** *(Acc)* méthode hambourgeoise ✦ **critical path method** méthode du chemin critique ✦ **product method** *(Acc)* méthode des nombres ✦ **production method** procédé *or* méthode de fabrication ✦ **sampling method** méthode d'échantillonnage ✦ **straight**

**line method** *(Acc)* méthode d'amortissement linéaire ✦ **method of payment** mode *or* modalités de paiement

───── *compounds/composés* ─────
- ✦ **method analysis** analyse scientifique du travail
- ✦ **method study** analyse du flux de production
- ✦ **method of taxation** mode de taxation.

**methodical** /mɪˈθɒdɪkəl/ **ADJ** méthodique.

**methodology** /ˌmeθəˈdɒlədʒɪ/ **N** méthodologie f.

**metical** /ˈmetɪkəl/ **N** metical m.

**metre** *(Brit)*, **meter** *(US)* /ˈmiːtəʳ/ **N** mètre m ✦ **cubic metre** mètre cube ✦ **square metre** mètre carré.

**metric** /ˈmetrɪk/ **ADJ** métrique ✦ **to go metric** adopter le système métrique ✦ **metric ton** tonne métrique.

**metrication** /ˌmetrɪˈkeɪʃən/ **N** conversion f au système métrique, adoption f du système métrique.

**metropolis** /mɪˈtrɒpəlɪs/ **N** métropole f.

**Mexican** /ˈmeksɪkən/ **ADJ** mexicain **n** *(= inhabitant)* Mexicain(e) m(f).

**Mexico** /ˈmeksɪkəu/ **N** Mexique m.

**Mexico City** /ˈmeksɪkəuˈsɪtɪ/ **N** Mexico.

**mezzanine** /ˈmezəniːn/ **N** ✦ **mezzanine financing** financement mezzanine *or* intermédiaire *or* hybride *or* strapontin.

**mfrs** **NPL** abbr of **manufacturers.**

**mg** abbr of **milligram(me).**

**micro** /ˈmaɪkrəu/ **PREF** micro **n** micro-ordinateur m, micro m.

**microchip** /ˈmaɪkrəuˌtʃɪp/ **N** puce f, microplaquette f.

**microcircuit** /ˈmaɪkrəuˌsɜːkɪt/ **N** microcircuit m.

**microcomputer** /ˈmaɪkrəukəmˈpjuːtəʳ/ **N** micro-ordinateur m.

**microcomputing** /ˈmaɪkrəukəmˈpjuːtɪŋ/ **N** micro-informatique f.

**microeconomic** /ˈmaɪkrəuˌiːkəˈnɒmɪk/ **ADJ** micro-économique, microéconomique.

**microeconomics** /ˈmaɪkrəuˌiːkəˈnɒmɪks/ **N** micro-économie f, microéconomie f.

**microelectronic** /ˈmaɪkrəuɪlekˈtrɒnɪk/ **ADJ** micro-électronique, microélectronique.

**microelectronics** /ˈmaɪkrəʊɪlekˈtrɒnɪks/ N micro-électronique f, microélectronique f.

**microfiche** /ˈmaɪkrəʊˌfiːʃ/ N microfiche f

───── compounds/composés ─────

- **microfiche file** fichier sur microfiches
- **microfiche reader** microlecteur
- **microfiche viewer** visionneuse de microfiches.

**microfilm** /ˈmaɪkrəʊˌfɪlm/ N microfilm m.

**microphone** /ˈmaɪkrəʊˌfəʊn/ N microphone m.

**microprocessing** /ˌmaɪkrəʊˈprəʊsesɪŋ/ N micro-informatique f.

**microprocessor** /ˌmaɪkrəʊˈprəʊsesəʳ/ N microprocesseur m.

**microprogram** /ˈmaɪkrəʊˌprəʊgræm/ N microprogramme m.

**microprogramming** /ˈmaɪkrəʊˌprəʊgræmɪŋ/ N microprogrammation f.

**microwave** /ˈmaɪkrəʊˌweɪv/ N micro-onde f ◆ **microwave oven** four à micro-ondes.

**mid** /mɪd/ ADJ du milieu ◆ **in mid-June** (à la) mi-juin, au milieu du mois de juin ◆ **mid-bracket income** revenus moyens ◆ **mid-morning coffee break** pause café du matin ◆ **the shop is closed from mid-July to mid-August** le magasin est fermé de la mi-juillet à la mi-août ◆ **mid-month account** (St Ex) liquidation de quinzaine.

**middle** /ˈmɪdl/ ◨ADJ period du milieu, intermédiaire ◨ milieu m

───── compounds/composés ─────

- **middle-aged** d'un certain âge
- **middle-class** bourgeois ◆ **the middle class** (gen) les classes moyennes; (wealth and property-owning) la bourgeoisie
- **the lower middle class** la petite bourgeoisie
- **Middle East (the)** le Moyen-Orient
- **middle-income group** contribuables à revenu moyen
- **middle management** cadres mpl moyens or intermédiaires
- **middle manager** cadre moyen
- **middle-of-the-road** politics, approach modéré; solution moyen
- **middle-sized** de taille moyenne.

**middleman** /ˈmɪdlmæn/ N intermédiaire m.

**migrant** /ˈmaɪgrənt/ ADJ ◆ **migrant worker** (Ind) travailleur migrant; (= foreign) travailleur étranger or immigré; (Agr) (travailleur) saisonnier.

**mild** /maɪld/ ADJ effect modéré ◆ **a mild recession** une récession modérée or de faible amplitude.

**mile** /maɪl/ N mille m, mile (≈ 1609 mètres) m ◆ **(nautical) mile** mille (marin or nautique) ≈ 1852 mètres ◆ **the car goes from 0 to 60 miles per hour in 10 seconds** ≈ la voiture monte à 100 km / h en 10 secondes ◆ **31 miles per gallon** (Brit) ≈ 9,1 litres aux 100 kilomètres (US) ≈ 7,6 litres aux 100 kilomètres.

**mileage** /ˈmaɪlɪdʒ/ N ≈ kilométrage m ◆ **what mileage do you get?** combien consommez-vous (de carburant) aux cent (km)?

───── compounds/composés ─────

- **mileage allowance** ≈ indemnité kilométrique
- **mileage rate** ≈ tarif au kilomètre.

**milestone** /ˈmaɪlstəʊn/ N ≈ borne f kilométrique (fig : in life) jalon m, événement m marquant, repère m.

**milk** /mɪlk/ ◨ lait m ◆ **milk products** produits laitiers
◨ they are milking the company for profits * ils pompent* tous les bénéfices de la société.

**mill** /mɪl/ N ◨ (gen) moulin m ; (= factory) usine f, fabrique f ◆ **flour mill** minoterie ◆ **paper mill** (usine de) papeterie ◆ **spinning mill** filature ◆ **steel mill** aciérie ◆ **water mill** moulin à eau ◆ **weaving mill** atelier or usine de tissage ◨ (Fin) millième de dollar

───── compounds/composés ─────

- **mill girl** ouvrière des tissages or des filatures
- **mill worker** ouvrier(-ière) des tissages or des filatures
- **mill supply house** grossiste en fournitures industrielles.

**miller** /ˈmɪləʳ/ N (flour) meunier m ; (Ind) minotier m.

**milli** PREF milli.

**milliard** /ˈmɪlɪɑːd/ (Brit) N milliard m.

**milligram(me)** /ˈmɪlɪgræm/ N milligramme m.

**millilitre** (Brit), **milliliter** (US) /ˈmɪlɪˌliːtəʳ/ N millilitre m.

**millimetre** (Brit), **millimeter** (US) /ˈmɪlɪˌmiːtəʳ/ N millimètre m.

**millinery** /ˈmɪlɪnərɪ/ N articles mpl de mode.

**million** /ˈmɪljən/ N million m ◆ **ten million dollars** dix millions de dollars ◆ **a $2 million takeover bid** une offre publique d'achat de 2 millions de dollars.

**millionaire** /ˌmɪljə'nɛəʳ/ N millionnaire m, ≈ milliardaire m.

**millionth** /'mɪljənθ/ ADJ millionième
■ millionième mf.

**min.** abbr of **minimum** (abbr of **minute**) min.

**mind** /maɪnd/ N esprit m ✦ **to my mind** à mon avis ✦ **who do you have in mind for the job?** qui avez-vous en vue pour ce poste? ✦ **I shall certainly keep your offer in mind** je garde votre proposition présente à l'esprit.

**mine** /maɪn/ ■ mine f ✦ **coal mine** houillère, mine de charbon ✦ **the mines** (St Ex) les (valeurs) minières
■ coal, ore extraire.

**minefield** /'maɪnfiːld/ N champ m de mines ✦ **it's a legal minefield** c'est un sac d'embrouilles juridiques*.

**miner** /'maɪnəʳ/ N mineur m.

**mineral** /'mɪnərəl/ ADJ minéral ✦ **mineral water** (Brit) eau minérale ✦ **mineral concession** concession minière
■ minéral m, minerai m.

**mini** PREF mini.

**miniaturization, miniaturisation** /ˌmɪnɪtʃəraɪ'zeɪʃən/ N miniaturisation f.

**miniaturize, miniaturise** /'mɪnɪtʃəraɪz/ VT miniaturiser.

**minicomputer** /'mɪnɪkəm'pjuːtəʳ/ N mini-ordinateur m.

**minimal** /'mɪnɪml/ ADJ minimal.

**minimize, minimise** /'mɪnɪmaɪz/ VT minimiser, atténuer.

**minimum** /'mɪnɪməm/ ■ minimum m ✦ **to reduce overheads to a minimum** réduire les frais généraux au minimum
ADJ premium, tariff minimum ✦ **index-linked minimum wage** salaire minimum interprofessionnel de croissance, SMIC ✦ **minimum guaranteed wage** salaire minimum garanti ✦ **minimum lending rate** taux de base bancaire, taux de crédit préférentiel ✦ **minimum living wage** minimum vital.

**mining** /'maɪnɪŋ/ N exploitation f minière

```
──────── compounds/composés ────────
  ✦ mining company société minière
  ✦ mining engineer ingénieur des mines
  ✦ mining industry industrie minière
  ✦ mining shares (St Ex) valeurs fpl minières.
```

**minister** /'mɪnɪstəʳ/ N (Pol) ministre m ✦ **Minister of Agriculture / Defence / Employment / Energy / Trade and Industry / Transport** (Brit) ministre de l'Agriculture / de la Défense nationale / de l'Emploi / de l'Énergie / du Commerce / des Transports ✦ **Foreign Minister, Minister of Foreign Affairs** ministre des Affaires étrangères.

**ministry** /'mɪnɪstrɪ/ N (Pol) ministère m ✦ **Ministry of Defence** (Brit) ministère de la Défense nationale ✦ **Ministry of Transport** (Brit) ministère des Transports.

**minor** /'maɪnəʳ/ ■ a (Jur) mineur(e) m(f) b (US Univ) matière f secondaire
ADJ (gen) mineur ✦ **minor expenses** petites dépenses ✦ **minor offence** délit mineur ✦ **he played a minor part in the negotiations** il a joué un rôle accessoire or secondaire dans les négociations.

**minority** /maɪ'nɒrɪtɪ/ N minorité f ✦ **to be in the minority** être en minorité

```
──────── compounds/composés ────────
  ✦ minority holding participation minoritaire
  ✦ minority interest intérêt or participation mi-
    noritaire ✦ to hold a minority interest in a firm
    détenir un intérêt minoritaire dans une société
  ✦ minority investment participation minori-
    taire
  ✦ minority rights droits mpl des minorités
  ✦ minority shareholder (Brit) or stockholder
    (US) actionnaire minoritaire
  ✦ minority stake participation minoritaire.
```

**Minsk** /mɪnsk/ N Minsk.

**mint** /mɪnt/ ■ (hôtel m de la) Monnaie f ✦ **mint par of exchange** (Fin) pair métallique
■ coins battre; gold monnayer ✦ **he mints money** * (fig) il ramasse l'argent à la pelle*, il fait des affaires d'or.

**mintage** /'mɪntɪdʒ/ N a (= action of minting) monnayage m, frappe f b (= fee paid) droit m de monnayage or de frappe.

**minus** /'maɪnəs/ PREP moins ✦ **86 minus 63 leaves** or makes 23 86 moins 63 égale 23
■ (= sign) moins m ; (= amount) quantité f négative; (Mktg) facteur m or élément m négatif.

**minute** /'mɪnɪt/ ■ a (of time) minute f b (= official record) compte rendu m, procès-verbal m ; (Comm) note f, circulaire f ✦ **the minutes of the meeting** le compte rendu de la réunion ✦ **the minutes of the proceedings** le procès-verbal des délibérations ✦ **who will take the minutes?** qui sera le rapporteur de la réunion? ♦ **to approve** *or* **pass the minutes of the last meeting** approuver le procès-verbal de la dernière réunion ♦ **to draw up the minutes** dresser le procès-verbal ♦ **minute book** *(Admin)* registre des délibérations

**vt** *fact, detail* prendre note de; *meeting* rédiger le compte rendu de; *proceedings* dresser le procès-verbal de ♦ **would you minute that please?** pourriez-vous prendre note de cela, s'il vous plaît?.

**MIPS** /ˌemaɪpiːˈes/ **N** (abbr of **millions of instructions per second**) MIPS mpl.

**MIRAS** /ˈmaɪræs/ **N** abbr of **mortgage interest relief at source** → **mortgage.**

**mire** /ˈmaɪəʳ/ *(US)* **vi** s'embourber ♦ **the industrial sector is mired in a slump** le secteur industriel est embourbé *or* enlisé dans une crise.

**MIS** /ˌemaɪˈes/ **N** **a** abbr of **management information system** → **management** **b** abbr of **marketing information system** → **marketing.**

**misalignment** /ˌmɪsəˈlaɪnmənt/ **N** mauvais alignement m ♦ **the dollar misalignment** le mauvais alignement du dollar.

**misapplication** /ˌmɪsæplɪˈkeɪʃən/ **N** *(Fin)* détournement m.

**misapply** /ˈmɪsəˈplaɪ/ **vt** *law* mal appliquer; *money, funds* détourner.

**misapprehension** /ˌmɪsˌæprɪˈhenʃən/ **N** malentendu m, erreur f d'interprétation ♦ **to be under a misapprehension** se faire une idée fausse.

**misappropriate** /ˈmɪsəˈprəʊprɪeɪt/ **vt** *money, funds* détourner.

**misappropriation** /ˌmɪsəˌprəʊprɪˈeɪʃən/ **N** détournement m.

**miscalculate** /ˈmɪsˈkælkjʊleɪt/ **vt** mal calculer.

**miscalculation** /ˌmɪsˌkælkjʊˈleɪʃən/ **N** erreur f de calcul.

**miscarriage** /ˈmɪsˈkærɪdʒ/ **N** *[plan]* insuccès m, échec m ; *[goods]* perte f, égarement m ♦ **miscarriage of justice** erreur judiciaire.

**miscarry** /ˌmɪsˈkærɪ/ **vi** *[plan]* échouer, avorter, mal tourner; *[goods]* s'égarer, ne pas arriver à destination.

**miscellaneous** /ˌmɪsɪˈleɪnɪəs/ **ADJ** varié, divers ♦ **miscellaneous expenses** frais divers ♦ **miscellaneous shares** divers, valeurs diverses.

**miscoding** /ˌmɪsˈkəʊdɪŋ/ **N** *(Comp)* erreur f de programmation.

**misconception** /ˌmɪskənˈsepʃən/ **N** *(= wrong idea)* idée f fausse.

**misconduct** /ˌmɪsˈkɒndʌkt/ **N** **a** *(= bad behaviour)* manquement m à des obligations professionnelles **b** *(= bad management)* mauvaise administration f *or* gestion f.

**misconstrue** /ˌmɪskənˈstruː/ **vt** *words* mal interpréter.

**miscount** /ˈmɪsˈkaʊnt/ **N** *(gen)* erreur f de comptage; *(Pol)* erreur f de dépouillement
**vi** mal compter.

**misdate** /ˌmɪsˈdeɪt/ **vt** dater de façon erronée.

**misdating** /ˌmɪsˈdeɪtɪŋ/ **N** erreur f de date.

**misdeed** /ˈmɪsˈdiːd/ **N** méfait m, délit m.

**misdelivery** /ˌmɪsdɪˈlɪvərɪ/ **N** erreur f de livraison.

**misdemeanour** *(Brit)*, **misdemeanor** *(US)* /ˌmɪsdɪˈmiːnəʳ/ **N** *(gen)* écart m de conduite; *(Jur)* infraction f.

**misdescription** /ˌmɪsdɪsˈkrɪpʃən/ **N** *(Jur)* appellation f frauduleuse.

**misdirect** /ˈmɪsdɪˈrekt/ **vt** *letter, parcel* mal adresser, mal acheminer; *(fig) person* mal aiguiller, mal renseigner; *operation* mener de travers; *(Jur)* mal instruire.

**misdirection** /ˈmɪsdɪˈrekʃən/ **N** erreur f d'adresse.

**misfeasance** /ˌmɪsˈfiːzəns/ **N** *(Jur)* utilisation abusive de la loi.

**misfile** /ˈmɪsˈfaɪl/ **vt** mal classer.

**misfire** /ˈmɪsˈfaɪəʳ/ **vi** *[project, plan]* rater, foirer*.

**misgivings** /mɪsˈgɪvɪŋs/ **NPL** craintes fpl, doutes mpl.

**mishandle** /ˈmɪsˈhændl/ **vt** **a** *object* manier *or* manipuler sans précaution; *(Comp)* effectuer une fausse manœuvre dans *or* sur **b** *(= mismanage) person* mal s'y prendre avec; *problem* aborder de travers, mal traiter ♦ **he mishandled the deal** il n'a pas su s'y prendre dans la transaction.

**mishandling** /ˌmɪsˈhændlɪŋ/ **N** *[object]* erreur f de manutention ♦ **his mishandling of the problem** sa mauvaise approche du problème.

**mishap** /ˈmɪshæp/ **N** aléa m, incident m, accident m, mésaventure f ♦ **slight mishap** léger contretemps ♦ **it went off without mishap** tout s'est passé sans incident.

**misinform** /ˌmɪsɪnˈfɔːm/ **vt** mal renseigner.

**misinterpret** /ˌmɪsɪnˈtɜːprɪt/ **vt** mal interpréter.

**misinterpretation** /'mɪsɪnˌtɜːprɪ'teɪʃən/ N interprétation f erronée.

**misinvoicing** /'mɪs'ɪnvɔɪsɪŋ/ N établissement m de fausses factures or de factures erronées.

**misjudge** /'mɪs'dʒʌdʒ/ VT amount, time mal évaluer.

**mislead** /ˌmɪs'liːd/ VT (accidentally) induire en erreur, tromper; (deliberately) tromper, égarer, fourvoyer.

**misleading** /ˌmɪs'liːdɪŋ/ ADJ trompeur, fallacieux ◆ misleading advertising publicité mensongère.

**mismanage** /'mɪs'mænɪdʒ/ VT mal gérer, mal administrer.

**mismanagement** /'mɪs'mænɪdʒmənt/ N mauvaise gestion f or administration f.

**mismatch** /mɪs'mætʃ/ N inadéquation f (between entre) ◆ the production mismatch reflects manufacturing bottlenecks l'inadaptation de la production est le reflet d'un engorgement au niveau de la production
VT conditions, prices mal ajuster.

**misplace** /'mɪs'pleɪs/ VT a word, trust mal placer b (= lose) égarer.

**misprice** /'mɪs'praɪs/ VT faire une erreur sur le prix de ◆ mispriced security valeur qui n'est pas à son prix.

**mispricing** /mɪs'praɪsɪŋ/ N mauvaise évaluation f du prix, erreur f sur le prix.

**misprint** /'mɪsprɪnt/ N faute f d'impression, erreur f typographique, coquille f
VT imprimer incorrectement.

**misquote** /'mɪs'kwəʊt/ VT citer de travers ◆ to misquote sb déformer les propos de qn.

**misread** /'mɪs'riːd/ VT word mal lire ◆ we misread the situation (fig) nous avons mal interprété la situation.

**misrepresent** /'mɪsˌreprɪ'zent/ VT facts dénaturer, déformer, faire une présentation tendancieuse de; person présenter sous un faux jour.

**misrepresentation** /'mɪsˌreprɪzen'teɪʃən/ N [facts] présentation f déformée or inexacte; (Jur) fausse déclaration f, allégation f mensongère.

**misroute** /'mɪs'ruːt/ VT mal acheminer.

**miss** /mɪs/ VT a (= fail to hit) target, objective manquer, rater, louper* b (= fail to catch) opportunity, appointment manquer, rater, louper* ◆ to miss the boat * or the bus * (fig) louper le coche* ◆ I'm sorry I missed you when I was in

London je suis désolé de vous avoir manqué quand j'étais à Londres c (= not understand) ne pas comprendre, ne pas saisir ◆ he missed the whole point il n'a rien compris d (= long for) person regretter l'absence de ◆ we'll miss you vous nous manquerez.

**missing** /'mɪsɪŋ/ ADJ person disparu; object manquant, égaré, perdu.

**mission** /'mɪʃən/ N mission f ◆ fact-finding mission mission d'enquête ◆ field mission mission sur le terrain ◆ trade mission mission commerciale.

**missionary** /'mɪʃənrɪ/ ADJ ◆ missionary salesman (US) prospecteur ◆ missionary work (US) travail de prospection.

**miss out** VT SEP name, word sauter.

**miss out on** VT FUS opportunity, bargain laisser passer, ne pas saisir, louper* ◆ they missed out on about DM60 million a day in sales ils ont loupé environ 60 millions de DM de ventes par jour ◆ make sure you don't miss out on anything attention à ne pas te faire avoir*.

**mistake** /mɪs'teɪk/ N erreur f, faute f ; (= misunderstanding) méprise f ◆ my mistake! je suis fautif!, c'est (de) ma faute! ◆ by mistake par erreur ◆ to make a mistake about the dates se tromper de dates ◆ we made the mistake of showing him the plans nous avons commis l'erreur de lui montrer les plans
VT meaning, word mal comprendre, mal interpréter; intentions se méprendre sur; time se tromper de, confondre.

**mistaken** /mɪs'teɪkən/ ADJ idea erroné, faux; conclusion erroné, mal fondé ◆ to be mistaken se tromper (about sur) if I'm not mistaken si je ne me trompe (pas).

**mistime** /'mɪs'taɪm/ VT remarks, intervention mal calculer ◆ we mistimed our sales promotion nous n'avons pas su choisir le bon moment pour notre promotion des ventes.

**mistiming** /ˌmɪs'taɪmɪŋ/ N ◆ the campaign failed because of mistiming la campagne a échoué à cause d'un mauvais timing.

**mistranslate** /'mɪstrænz'leɪt/ VT mal traduire.

**mistrial** /ˌmɪs'traɪəl/ N (Jur) procès m entaché d'un vice de procédure.

**mistype** /'mɪs'taɪp/ VT word, text faire une faute (or des fautes) de frappe dans.

**misunderstand** /'mɪsʌndə'stænd/ VT mal comprendre, comprendre de travers.

**misunderstanding** /ˈmɪsʌndəˈstændɪŋ/ N *(= mistake)* erreur f, méprise f, malentendu m ; *(= disagreement)* malentendu m, mésentente f.

**misuse** /ˈmɪsˈjuːs/ N *[power, authority]* abus m ; *[money, resources]* mauvais emploi m, mauvais usage m ◆ **misuse of funds** détournement de fonds
VT *power, authority* abuser de; *money, resources* mal employer; *funds* détourner.

**mitigate** /ˈmɪtɪgeɪt/ VT *effect* atténuer ◆ **mitigating circumstances** circonstances atténuantes.

**mix** /mɪks/ N mélange m ◆ **marketing mix** marketing mix, plan de marchéage ◆ **product mix** mix or ensemble or éventail de produits.

**mixed** /mɪkst/ ADJ mélangé, composite, mixte ◆ **mixed AGM / EGM** assemblée générale mixte ◆ **mixed cargo** cargaison mixte ◆ **mixed corporation** *(US)* société d'économie mixte ◆ **mixed costs** coûts semi-variables ◆ **mixed economy** économie mixte ◆ **mixed farming** polyculture ◆ **mixed policy** *(Ins)* police d'assurance mixte ◆ **mixed property** biens meubles et immeubles ◆ **the proposal met with a mixed reception** la proposition a reçu un accueil mitigé.

**mix up** /mɪks/ VT SEP confondre, mélanger.

**mix-up** /ˈmɪksʌp/ N confusion f.

**Mk** N abbr of **mark**.

**ml** abbr of **millilitre**.

**MLR** /ˈemˌelˈɑːr/ N abbr of **minimum lending rate** → **minimum**.

**mm** abbr of **millimetre**.

**MMC** /ˌememˈsiː/ N abbr of **Monopolies and Mergers Commission** → **monopoly**.

**MOB** /ˌeməʊˈbiː/ N abbr of **mail-order business** → **mail-order**.

**mobile** /ˈməʊbaɪl/ ADJ *(gen)* mobile; *telephone* portable, mobile ◆ **mobile studio** car de reportage ◆ **mobile telephony** téléphonie mobile ◆ **upwardly mobile executives** cadres susceptibles d'obtenir de l'avancement
NM *(= telephone)* portable m.

**mobility** /məʊˈbɪlɪtɪ/ N mobilité f.

**mobilization, mobilisation** /ˌməʊbɪlaɪˈzeɪʃən/ N mobilisation f.

**mobilize, mobilise** /ˈməʊbɪlaɪz/ VT mobiliser.

**mock** /mɒk/ ADJ faux ◆ **mock auction** fausse vente aux enchères, vente aux enchères bidon* ◆ **mock leather** imitation cuir, similicuir.

**mock-up** /ˈmɒkʌp/ N maquette f.

**MOD** /ˌeməʊˈdiː/ *(Brit)* N abbr of **Ministry of Defence** → **ministry**.

**mode** /məʊd/ N ⓐ *(= fashion)* mode f ⓑ *(= method)* *[payment]* mode m ⓒ *(Comp)* mode m ◆ **in interactive mode** en mode conversationnel.

**model** /ˈmɒdl/ N ⓐ *(= small-scale representation)* copie f en réduction, modèle m ; *(Tech)* maquette f ◆ **scale model** maquette, modèle réduit ⓑ *(fashion)* mannequin m ⓒ *(Comm)* modèle m ◆ **demonstration model** modèle de démonstration ◆ **our latest model** notre tout dernier modèle ◆ **the four-door model** *[car]* la version quatre-portes ⓓ *(Econ)* modèle m ◆ **econometric models** modèles économétriques or prévisionnels ◆ **accounting model** modèle comptable ◆ **model factory** usine modèle, usine-pilote.

**modem** /ˈməʊdem/ N modem m.

**moderate** /ˈmɒdərɪt/ ADJ *price, performance, claims* modéré ◆ **moderate income** revenu modeste ◆ **to make moderate demands on** ne pas trop exiger de
N modéré(e) m(f)
VT modérer
VI *[inflation]* diminuer, (se) ralentir.

**moderation** /ˌmɒdəˈreɪʃən/ N modération f, mesure f.

**moderator** /ˈmɒdəreɪtər/ N directeur m de débats.

**modern** /ˈmɒdən/ ADJ moderne ◆ **modern languages** langues vivantes.

**modernity** /mɒˈdɜːnɪtɪ/ N modernisme m.

**modernization, modernisation** /ˌmɒdənaɪˈzeɪʃən/ N modernisation f ◆ **modernization programme** programme de modernisation.

**modernize, modernise** /ˈmɒdənaɪz/ VT moderniser
VI se moderniser.

**modest** /ˈmɒdɪst/ ADJ *increase* modéré, modeste.

**modicum** /ˈmɒdɪkəm/ N ◆ **a modicum of** un minimum de.

**modification** /ˌmɒdɪfɪˈkeɪʃən/ N modification f *(to, in* à*)* ◆ **to make modifications to a design** apporter des modifications à un projet.

**modify** /ˈmɒdɪfaɪ/ VT ⓐ *(= change)* *plans, agreement* modifier, apporter des modifications à; *structure* modifier, transformer ⓑ *(= make less strong)* *demand* modérer; *statement* atténuer, modérer les termes de.

**modifying** /ˈmɒdɪfaɪɪŋ/ ADJ *clause* modificatif.

**modular** /'mɒdjʊləʳ/ ADJ modulaire.

**modulation** /ˌmɒdjʊ'leɪʃən/ N modulation f
♦ **frequency modulation** modulation de fréquence.

**module** /'mɒdjuːl/ N module m.

**Mogadiscio** /ˌmɒgə'dɪʃɪəʊ/ N Mogadiscio.

**mogul** /'məʊgəl/ N (fig) grand manitou m.

**moiety** /'mɔɪtɪ/ N (Jur) moitié f.

**mold** /məʊld/ (US) N, VT → **mould.**

**Moldova** /mɒl'dəʊvə/ N Moldavie f.

**momandpop** /ˌmɒmənd'pɒp/ ADJ familial.

**moment** /'məʊmənt/ N moment m ♦ **we must
choose the right moment to announce** nous
devons choisir le bon moment pour annoncer.

**momentum** /məʊ'mentəm/ N (fig) élan m, vitesse f acquise ♦ **to gain** or **gather momentum** prendre de la vitesse, s'accélérer.

**Monacan** /mɒ'nɑːkən/ ADJ monégasque
N (= inhabitant) Monégasque mf.

**Monaco** /'mɒnəkəʊ/ N Monaco m.

**Monday** /'mʌndɪ/ N lundi m → **Saturday.**

**Monegasque** /mɒnə'gæsk/ ADJ monégasque
N (= inhabitant) Monégasque mf.

**monetarism** /'mʌnɪtərɪzəm/ N monétarisme m.

**monetarist** /'mʌnɪtərɪst/ N, ADJ monétariste mf.

**monetary** /'mʌnɪtərɪ/ ADJ system, economy, agreement monétaire ♦ **European Monetary System**
système monétaire européen ♦ **International
Monetary Fund** Fonds monétaire international
♦ **monetary compensatory amounts** montants
compensatoires monétaires ♦ **monetary control** contrôle monétaire ♦ **monetary flow** flux
monétaire ♦ **monetary policy** politique monétaire ♦ **monetary school** école monétaire or
monétariste ♦ **monetary standard** étalon monétaire ♦ **monetary unit** unité monétaire
♦ **monetary value** valeur vénale.

**monetization, monetisation** /ˌmʌnɪtaɪ
'zeɪʃən/ N monétisation f.

**monetize, monetise** /'mʌnɪtaɪz/ VT monétiser.

**money** /'mʌnɪ/ N a (gen) argent m ; (Fin) monnaie f ♦ **for money** (St Ex) au comptant ♦ **at /
in / out of the money** (St Ex) à / dans / en
dehors de la monnaie b (phrases) ♦ **to be
rolling in money** * rouler sur l'or* ♦ **to be short
of money** être à court d'argent ♦ **to deposit
money with the bank** déposer de l'argent en
banque ♦ **to get one's money's worth** en avoir
pour son argent ♦ **to get one's money back** se

faire rembourser, récupérer son argent ♦ **to
make money** [person] gagner de l'argent; [busi-
ness] rapporter, être lucratif ♦ **how did he make
his money?** comment a-t-il fait fortune? ♦ **to
mint money** frapper de la monnaie; (fig) [per-
son] gagner beaucoup d'argent; [company]
rapporter beaucoup d'argent ♦ **to pay good
money** payer un bon prix ♦ **to pay money into
an account** verser de l'argent à un compte ♦ **to
earn good money** bien gagner sa vie ♦ **to raise
money** trouver des capitaux, se procurer de
l'argent, lever des fonds ♦ **who put up the
money for this deal?** qui a fourni les fonds
pour cette affaire? ♦ **to refund money** rembourser (de l'argent) ♦ **to remit a sum of
money** remettre une somme d'argent ♦ **to
waste money** gaspiller de l'argent ♦ **to withdraw money from the bank** retirer de l'argent
de la banque ♦ **the money you have coming in**
vos rentrées d'argent ♦ **money at call** argent
remboursable sur demande, dépôt à vue
♦ **there's money in it** ça rapporte c **active
money** monnaie circulante or en circulation
♦ **allotment** or **application money** (St Ex) versement de souscription ♦ **caution money** caution, cautionnement ♦ **cheap money policy**
politique de l'argent or du crédit à bon marché
♦ **commodity money** monnaie marchandise
♦ **confetti money, funny money** * monnaie de
singe* ♦ **counterfeit money** fausse monnaie
♦ **credit** or **fiat** or **fiduciary** or **token money**
monnaie fiduciaire ♦ **current money** monnaie
qui a cours ♦ **danger money** prime de risque
♦ **he was paid danger money** il a touché une
prime de risque ♦ **dead** or **idle** or **inactive
money** argent qui dort, capital inactif ♦ **dear
money** argent cher ♦ **dear-money policy** politique de l'argent cher, encadrement du crédit
♦ **deposit money** monnaie scripturale ♦ **dispatch money** (Mar Ins) prime de rapidité
♦ **divisional** or **fractional money** monnaie divisionnaire ♦ **earnest money** arrhes ♦ **easy
money policy** politique de l'argent facile or
abondant ♦ **it's easy money** c'est de l'argent
facile à gagner ♦ **hat money** (Mar) primage,
chapeau du capitaine ♦ **hot money** capitaux
spéculatifs or fébriles ♦ **he was paid hush
money** on a acheté son silence ♦ **lawful money**
argent ayant cours légal ♦ **lot money** frais de
vente aux enchères ♦ **option money** (St Ex)
acompte préférentiel ♦ **paper money** papier-
monnaie, monnaie fiduciaire ♦ **period money**
argent à terme ♦ **plastic money** monnaie électronique ♦ **promotion money** frais de fondation d'une société, frais de premier établissement ♦ **public money** fonds publics, deniers
publics ♦ **ready money** argent comptant or

liquide ✦ **reserve money** monnaie de réserve ✦ **retention money** dépôt de garantie ✦ **scarce money** argent rare ✦ **seatless money** monnaie apatride ✦ **seed** or **start-up money** capital de lancement or de départ ✦ **short money** argent prêté à court terme ✦ **slush money** pot-de-vin ✦ **they were accused of taking slush money** on les a accusés de toucher des pots-de-vin ✦ **soft money** papier-monnaie ✦ **standard money** monnaie étalon ✦ **tight money** argent rare or cher ✦ **tight-money policy** politique de resserrement du crédit or d'encadrement du crédit ✦ **world money** monnaie internationale

―――――― compounds/composés ――――――

✦ **money assets** avoirs mpl monétaires
✦ **money-back guarantee** garantie satisfait ou remboursé
✦ **money bill** loi de finances
✦ **money-broker** (US) courtier de change; (Brit) courtier spécialisé en prêts à court terme pour des transactions sur des titres d'État
✦ **money expert** expert en matières financières
✦ **money illusion** (Econ) illusion monétaire
✦ **money lender** prêteur sur gages
✦ **money lending** prêt à intérêt
✦ **money-losing company** société qui perd de l'argent, société non rentable
✦ **money management strategy** stratégie de placement
✦ **money manager** gérant or gestionnaire de fonds
✦ **money market** marché monétaire ✦ **money market mutual funds** fonds commun de placement en instruments du marché monétaire
✦ **money matters** affaires fpl or questions d'argent
✦ **money order** mandat ✦ **to pay by money order** payer par mandat ✦ **overseas money order** mandat international
✦ **money rate** taux du loyer de l'argent
✦ **money-spinner** (Brit) activité qui rapporte, activité lucrative
✦ **money supply** masse monétaire ✦ **restrictions on the money supply** réduction de la masse monétaire
✦ **money token** jeton
✦ **money trader** cambiste
✦ **money value** valeur vénale
✦ **money wages** salaires mpl nominaux

**moneychanger** /ˈmʌnɪtʃeɪndʒəʳ/ N (= person) changeur m ; (= machine) changeur m de pièces de monnaie.

**moneymaker** /ˈmʌnɪmeɪkəʳ/ N (= business) affaire f lucrative; (= person) personne f qui sait faire de l'argent.

**moneymaking** /ˈmʌnɪmeɪkɪŋ/ **N** acquisition f d'argent
**ADJ** lucratif, qui rapporte.

**moneys** /ˈmʌnɪz/ NPL (Jur) (also **monies**) sommes-fpl d'argent, fonds mpl, capitaux mpl ✦ **monies paid in** versements encaissés ✦ **monies paid out** versements effectués ✦ **monies received** recettes, rentrées ✦ **public monies** deniers publics ✦ **monies owing to us** nos créances.

**Mongol** /ˈmɒŋɡəl/ ADJ mongol.

**Mongolia** /mɒŋˈɡəʊlɪə/ N Mongolie f.

**Mongolian** /mɒŋˈɡəʊlɪən/ **ADJ** mongol
**N** **a** (= language) mongol m **b** (= inhabitant) Mongol(e) m(f).

**monies** /ˈmʌnɪs/ NPL → **moneys**.

**monition** /məʊˈnɪʃən/ N (Jur) citation f à comparaître.

**monitor** /ˈmɒnɪtəʳ/ **N** moniteur m ✦ **hardware / software monitor** moniteur matériel / logiciel ✦ **video monitor** écran de contrôle vidéo
**VT** prices surveiller; sales, profit margins suivre, assurer le suivi de; system, machine contrôler; progress suivre de près ✦ **to monitor the situation** surveiller l'évolution des choses.

**monitoring** /ˈmɒnɪtərɪŋ/ N [sales, margins, activity] suivi m ; [system, machine] contrôle m, surveillance f ; [prices] surveillance f.

**monoculture** /ˈmɒnəʊkʌltʃəʳ/ N (Agr) monoculture f.

**monometallism** /ˌmɒnəʊˈmetəlɪzəm/ N monométallisme m.

**monopolist** /məˈnɒpəlɪst/ N monopoliste m, monopoleur m.

**monopolistic** /mənɒpəˈlɪstɪk/ ADJ monopolistique.

**monopolization, monopolisation** /mənɒpəlaɪˈzeɪʃən/ N monopolisation f.

**monopolize, monopolise** /məˈnɒpəlaɪz/ VT monopoliser.

**monopoly** /məˈnɒpəlɪ/ N monopole m ✦ **the Monopolies and Mergers Commission** (Brit) la commission d'enquête sur les monopoles, ≈ la Commission de la concurrence ✦ **bilateral monopoly** monopole bilatéral ✦ **buyer's monopoly** monopsone ✦ **seller's monopoly** oligopole ✦ **state** or **government monopoly** monopole d'État ✦ **to have a monopoly of** or **on sth** avoir le monopole de qch.

**monopsony** /məˈnɒpsənɪ/ N monopsone m.

**monorail** /ˈmɒnəʊreɪl/ N monorail m.

**Monrovia** /mɒnˈrəʊvɪə/ N Monrovia.

**Montevideo** /mɒntɪvɪˈdeɪəʊ/ N Montevideo.

**month** /mʌnθ/ N mois m ✦ **calendar month** mois du calendrier ✦ **a three-month period** une période de trois mois ✦ **two months' supplies** des provisions pour deux mois ✦ **bill at three months** effet or papier à trois mois ✦ **at the end of the current month** fin courant.

**monthly** /'mʌnθlɪ/ ADJ mensuel ✦ **monthly instalment** mensualité, règlement or remboursement mensuel ✦ **monthly salary** salaire mensuel ✦ **monthly statement** relevé mensuel, situation de fin de mois ✦ **monthly magazine** mensuel, revue mensuelle
◆ ADV mensuellement, chaque mois
◆ N (Press) mensuel n.

**moonlight** * /'muːnlaɪt/ VI travailler au noir.

**moonlighter** * /'muːnlaɪtəʳ/ N travailleur m au noir.

**moonlighting** * /'muːnlaɪtɪŋ/ N travail m au noir.

**moonshiner** * /'muːnʃaɪnəʳ/ N → **moonlighter**.

**moor** /mʊəʳ/ VT ship amarrer
◆ VI [ship] mouiller.

**moorage** /'mʊərɪdʒ/, **mooring** /'mʊərɪŋ/ N (= place) mouillage m ; (= fee) droits mpl d'amarrage or de mouillage, droits mpl de corps mort.

**mop up** /mɒp/ VT SEP deficit éponger, absorber; profits rafler.

**moral** /'mɒrəl/ ADJ (gen) moral ✦ **the Moral Majority** (US) les néo-conservateurs.

**morale** /mɒ'rɑːl/ N moral m ✦ **morale is high among the staff** le moral est au beau fixe parmi le personnel.

**moratorium** /ˌmɒrə'tɔːrɪəm/ N moratoire m ✦ **to announce** or **declare a moratorium** décréter un moratoire.

**more** /mɔːʳ/ ADJ, PRON plus (de), davantage (de)
✦ **he needs more help** il a besoin de plus d'aide
✦ **let me know more about it** donnez-moi plus de détails ✦ **we'll have to take on more workers** nous devrons recruter plus or davantage d'ouvriers.

**Morocco** /mə'rɒkəʊ/ N Maroc m.

**mortality** /mɔː'tælɪtɪ/ N mortalité f ✦ **infant mortality** mortalité infantile ✦ **mortality table** (Ins) table de mortalité.

**mortgage** /'mɔːgɪdʒ/ N (gen) hypothèque f ; (in house-buying) prêt m hypothécaire ✦ **burdened** or **encumbered with mortgage** grevé d'hypothèque ✦ **to borrow / lend on mortgage** emprunter / prêter sur hypothèque ✦ **to pay off** or

**clear a mortgage** purger une hypothèque; (in house-buying) rembourser un emprunt or un prêt ✦ **to raise a mortgage** prendre une hypothèque ✦ **to register a mortgage on a property** inscrire une hypothèque sur un bien ✦ **to secure a debt by mortgage** garantir une créance par une hypothèque ✦ **credit on mortgage** crédit hypothécaire ✦ **mortgage-backed security** valeur garantie par hypothèque ✦ **blanket mortgage** hypothèque générale ✦ **equitable mortgage** hypothèque pour sûreté d'un crédit ✦ **first mortgage** hypothèque de premier rang ✦ **first mortgage debenture** obligation hypothécaire de premier rang ✦ **general mortgage** hypothèque générale ✦ **legal mortgage** hypothèque légale ✦ **maritime mortgage** hypothèque sur un navire ✦ **prior mortgage** hypothèque de premier rang ✦ **recorder** or **registrar of mortgages** conservateur des hypothèques ✦ **redemption of mortgage** purge or extinction d'hypothèque ✦ **release of mortgage** mainlevée d'hypothèque ✦ **second mortgage** hypothèque de deuxième rang ✦ **underlying mortgage** hypothèque de priorité

—————— compounds/composés ——————
✦ **mortgage backed** garanti par hypothèque
✦ **mortgage bond** titre hypothécaire
✦ **mortgage charge** affectation hypothécaire
✦ **mortgage creditor** créancier hypothécaire
✦ **mortgage debt** créance hypothécaire
✦ **mortgage debtor** débiteur hypothécaire
✦ **mortgage deed** contrat d'hypothèque, acte hypothécaire
✦ **mortgage foreclosure** saisie d'hypothèque
✦ **mortgage interest relief at source** (Brit) déduction fiscale à la source sur les intérêts d'emprunts immobiliers
✦ **mortgage loan** prêt hypothécaire
✦ **mortgage registrar** conservateur des hypothèques
✦ **mortgage registration** inscription hypothécaire
✦ **mortgage registry** bureau des hypothèques
✦ **mortgage repayment** remboursement d'un prêt hypothécaire
✦ **mortgage security** garantie hypothécaire

◆ VT house, land, securities hypothéquer; goods engager, mettre en gage, hypothéquer ✦ **mortgaged estate** bien hypothéqué.

**mortgageable** /'mɔːgədʒɪbl/ ADJ hypothécable.

**mortgagee** /ˌmɔːgə'dʒiː/ N créancier m hypothécaire.

**mortgager, mortgagor** /'mɔːgədʒəʳ/ N débiteur m hypothécaire.

**Moscow** /'mɒskəʊ/ N Moscou.

**most-favoured** *(Brit)*, **most-favored** *(US)* /'məʊst'feɪvəd/ **ADJ** ◆ **most-favoured nation clause** clause de la nation la plus favorisée.

**MOT** /emaʊ'tiː/ *(Brit)* **N** a abbr of **Ministry of Transport** → ministry b (abbr of **Ministry of Transport Test**) *test de contrôle pour les véhicules ayant plus de 3 ans d'âge.*

**mothball** * /'mɒθbɔːl/ **VT** *productive capacities* mettre en réserve.

**motion** /'məʊʃən/ **N** a mouvement m, marche f ◆ **to set in motion** *process* mettre en route, mettre en branle ◆ **time and motion consultant** organisateur-conseil b *(at meeting)* motion f, résolution f, proposition f ◆ **to carry / reject a motion** adopter / repousser une résolution *or* une motion ◆ **to move** *or* **table a motion** déposer une motion ◆ **to second the motion** soutenir la motion c *(Jur)* demande f, requête f

――― compounds/composés ―――
- **motion picture** *(US)* film
- **motion-picture advertising** *(US)* publicité cinématographique
- **motion-picture industry (the)** *(US)* l'industrie cinématographique
- **motion study** *(Ind)* étude des cadences, analyse du mouvement.

**motivate** /'məʊtɪveɪt/ **VT** *decision* motiver; *person* inciter (*to do* à faire) motiver.

**motivation** /ˌməʊtɪ'veɪʃən/ **N** motivation f ◆ **motivation research** étude de motivation ◆ **he seems to lack motivation** il ne semble pas assez motivé.

**motivational** /ˌməʊtɪ'veɪʃənəl/ **ADJ** ◆ **motivational analysis** analyse de motivations.

**motivator** /'məʊtɪveɪtə'/ **N** mobile m, motivation f.

**motive** /'məʊtɪv/ **N** motif m, intention f, raison f; *(Jur)* mobile m ◆ **the profit motive** la recherche du profit
**ADJ** moteur ◆ **the motive force** l'élément moteur, le moteur, le ressort.

**motor** /'məʊtə'/ **N** a (= engine) moteur m b *(St Ex)* ◆ **motors** valeurs automobiles

――― compounds/composés ―――
- **motor industry (the)** *(Brit)* l'industrie automobile
- **motor insurance** assurance automobile
- **Motor Show (the)** *(Brit)* ≈ le Salon de l'auto
- **motor trade (the)** *(Brit)* (le secteur de) l'automobile.

**motorcar** /'məʊtəkɑː'/ *(Brit)* **N** automobile f ◆ **motorcar credit** crédit auto.

**motorist** /'məʊtərɪst/ *(Brit)* **N** automobiliste mf.

**motorway** /'məʊtəweɪ/ *(Brit)* **N** autoroute f.

**mould** *(Brit)*, **mold** *(US)* /məʊld/ **N** *(gen)* moule m ◆ **cast in the same mould** coulé dans le même moule
**VT** *metals* mouler, fondre ◆ **to mould public opinion** former *or* façonner l'opinion publique.

**mount** /maʊnt/ **VT** *advertising campaign, demonstration* organiser, monter.

**mountain** /'maʊntɪn/ **N** *(lit, fig)* montagne ◆ **butter / meat mountain** *(EU)* montagne de beurre / de viande, excédent *or* surplus de beurre / de viande.

**mouse** /maʊs/ **N** *(gen, Comp)* souris f.

**movable, moveable** /'muːvəbl/ **ADJ** mobile; *(Jur)* meuble, mobilier ◆ **movable property** *or* **estate** biens meubles *or* mobiliers.

**movables, moveables** /'muːvəblz/ **NPL** *(Jur)* biens mpl meubles *or* mobiliers.

**move** /muːv/ **VT** a *motion* proposer, déposer ◆ **the minority moved an amendment** la minorité a proposé un amendement b *(Comm)* *stock* vendre, écouler c (= change position of) déplacer, bouger ◆ **he's asked to be moved to a new department** il a demandé à être affecté à un autre service ◆ **to be moved to another job** être muté dans un autre emploi
**VI** a *(gen)* bouger; *(St Ex)* osciller ◆ **in recent years the group has moved into financial services** ces dernières années le groupe s'est diversifié dans les services financiers ◆ **the terms of trade moved against the developed countries** les termes de l'échange ont tourné au désavantage des pays industrialisés ◆ **he's good at getting things moving** il sait faire bouger *or* évoluer les choses b (= sell) se vendre c (= progress) *[plans, talks]* progresser, avancer; *[securities]* se redresser d (= take steps) agir ◆ **the committee won't move until** la commission ne fera rien tant que ◆ **we shall have to move fast if we want to get the order** nous devons agir vite si nous voulons emporter la commande e (= change house) déménager ◆ **to move to larger premises** emménager dans des locaux plus grands
**N** a *(gen)* mouvement m b (= change of house) déménagement m ; (= change of job) changement m d'emploi c (= step) démarche f ◆ **to make the first move** faire le premier pas

♦ **there was a move to turn down the compa-ny's offer** une tendance s'est dessinée pour repousser l'offre de la société.

**moveable** /'muːvəbl/ **ADJ** → **movable**.

**moveables** /'muːvəblz/ **NPL** → **movables**.

**move down** **VI** *[interest rates, prices]* baisser, diminuer.

**move in on** * **VT FUS** *(fig = try for control of)* essayer d'accaparer.

**movement** /'muːvmənt/ **N** **a** *[person, population, goods, capital]* mouvement m ; *(St Ex) (= activity)* activité f ; *(= price changes)* mouvement m, fluctuation f ♦ **upward / downward movement** mouvement à la hausse / à la baisse ♦ **there is some movement towards** on s'oriente vers, on va vers ♦ **movement of labour** circulation de la main-d'œuvre ♦ **cyclical movements** mouvements conjoncturels *or* cycliques ♦ **free capital movements** libre circulation des capitaux ♦ **shipping movement** mouvement maritime *or* des navires ♦ **wage movements** mouvements des salaires **b** *(Pol)* mouvement m.

**mover** /'muːvəʳ/ **N** **a** *(Pol)* auteur m d'une mo-tion **b** *(US)* déménageur m **c** **prime mover** élément moteur ♦ **he was the prime mover in the takeover bid** il a été l'instigateur de l'offre publique d'achat ♦ **first mover** pionnier m.

**move up** **VI** **a** *[employee]* avoir de l'avance-ment, être promu **b** *[securities]* se redresser ♦ **the dollar moved up at the close** le dollar s'est redressé *or* s'est relevé en fin de séance **c** *[profits, rates]* progresser, augmenter **VT** *(= promote)* employee donner de l'avance-ment à, promouvoir.

**moving** /'muːvɪŋ/ **ADJ** ♦ **moving average** moyenne mobile ♦ **50-day moving average** moyenne mobile à 50 jours.

**Mozambican** /məʊzəm'biːkən/ **ADJ** mozambicain **N** *(= inhabitant)* Mozambicain(e) m(f).

**Mozambique** /məʊzəm'biːk/ **N** Mozambique m.

**MPC** /ˌempiː'siː/ **N** abbr of **marginal propensity to consume** → **marginal**.

**mpg** /ˌempiː'dʒiː/ *(abbr of* **miles per gallon**) ≈ l / km.

**mph** /ˌempiː'aɪtʃ/ *(abbr of* **miles per hour**) ≈ km / h.

**MPI** /ˌempiː'aɪ/ **N** abbr of **marginal propensity to invest** → **marginal**.

**MPS** /ˌempiː'es/ **N** abbr of **marginal propensity to save** → **marginal**.

**Mr** /'mɪstəʳ/ *(abbr of* **Mister**) M.

**MRP** /ˌemɑː'piː/ **N** abbr of **manufacturers' recom-mended price** → **manufacturer**.

**Mrs** /'mɪsɪz/ *(abbr of* **Mistress**) Mme.

**Ms** /mɪz/ *(abbr of* **Miss, Mistress**) ≈ Mme.

**MSC** /ˌemes'siː/ *(Brit)* **N** abbr of **Manpower Services Commission** → **manpower**.

**MSc** /ˌemes'siː/ **N** abbr of **Master of Science** → **master**.

**multi** /'mʌltɪ/ **PREF** multi ♦ **multimillion pound deal** affaire portant sur plusieurs millions de livres ♦ **multipurpose** polyvalent, à usages multiples ♦ **multiuser system** configuration multiposte.

**multibrand** /ˌmʌltɪ'brænd/ **N** multimarque f.

**multilateral** /ˌmʌltɪ'lætərəl/ **ADJ** *agreement, trade* multilatéral.

**multimedia** /ˌmʌltɪ'miːdɪə/ **ADJ** multimédia.

**multinational** /ˌmʌltɪ'næʃnl/ **N** *(also* **multina-tional company** *or* **corporation***)* multinationale f, société f multinationale.

**multipack** /'mʌltɪpæk/ **N** emballage m multi-pack.

**multiple** /'mʌltɪpl/ **N** *(gen)* multiple m ; *(St Ex)* action f multiple; *(Comm)* magasin à succur-sales multiples **ADJ** multiple ♦ **multiple-entry visa** ≈ visa per-manent ♦ **multiple ownership** multipropriété ♦ **multiple-risk insurance** assurance multirisque ♦ **multiple share** *(St Ex)* action multiple ♦ **multiple store** *or* **shop** magasin à succursales multiples ♦ **multiple system** méthode du coef-ficient multiplicateur ♦ **multiple taxation** im-position multiple ♦ **multiple-vote share** action à vote plural.

**multiplex** /'mʌltɪpleks/ **ADJ, N** multiplex m **VT** communiquer en multiplex.

**multiplication** /ˌmʌltɪplɪ'keɪʃən/ **N** multiplica-tion f.

**multiplier** /'mʌltɪplaɪəʳ/ **N** multiplicateur m ♦ **multiplier effect** effet multiplicateur ♦ **em-ployment** *etc.* **multiplier** multiplicateur de l'emploi *etc.*

**multiply** /'mʌltɪplaɪ/ **VT** multiplier *(by* par) **VI** se multiplier.

**multiprocessing** /ˌmʌltɪ'prəʊsesɪŋ/ **N** multitrai-tement m.

**multiprogramming** /ˌmʌltɪ'prəʊgræmɪŋ/ **N** multiprogrammation f.

**multirisk** /'mʌltɪ'rɪsk/ **ADJ** *(Ins)* multirisque.

**multitasking** /'mʌltɪ'tɑːskɪŋ/ **N** *(Comp)* traitement m multitâche.

**municipal** /mjuː'nɪsɪpəl/ **ADJ** municipal ♦ **municipal bonds** obligations municipales ♦ **municipal bond offering** emprunt municipal ♦ **municipal notes** *(US)* emprunts des collectivités locales ♦ **municipal ordinance** arrêté municipal.

**municipality** /mjuː,nɪsɪ'pælɪtɪ/ **N** municipalité f.

**munifund** /'mjuːnɪfʌnd/ *(US)* **N** *(open-end)* société d'investissement à capital variable, SICAV; *(closed-end)* fonds commun de placement.

**muniments** /'mjuːnɪmənts/ **NPL** *(Jur)* titres mpl de propriété.

**Muscat** /'mʌskət/ **N** Mascate, Masqat.

**muster** /'mʌstər/ **VT** *(= call together)* rassembler; *(= collect)* sum réunir, rassembler.

**muted** /'mjuːtɪd/ **ADJ** *criticism, protest* voilé.

**mutual** /'mjuːtjʊəl/ **ADJ**  **a** *(= reciprocal)* mutuel ♦ **mutual assent** *(Jur)* accord des parties ♦ **mutual benefit society** société de secours mutuel ♦ **mutual claims** créances réciproques ♦ **mutual contract** contrat synallagmatique ♦ **mutual fund** *(US : open-end)* société d'investissement à capital variable, SICAV *(Brit : closed-end)* fonds commun de placement ♦ **mutual indebtedness** créances et dettes réciproques ♦ **mutual insurance** assurance mutuelle ♦ **mutual savings bank** caisse de crédit mutuel ♦ **by mutual consent** *(general agreement)* d'un commun accord; *(private agreement)* de gré à gré, à l'amiable  **b** *(= shared)* ♦ **our mutual friend** notre ami commun.

**mutually** /'mjuːtjʊəlɪ/ **ADV** mutuellement ♦ **they are mutually exclusive** ils s'excluent l'un l'autre ♦ **it is mutually agreed between both parties** il est convenu d'un commun accord entre les parties.

**Myanmar** /'maɪænmɑː, 'mjænmɑː/ **N** Myanmar m.

# N

**N / A** **a** abbr of **not applicable** → **not** **b** abbr of **not available** → **not** **c** abbr of **no account** → **no** **d** abbr of **no advice** → **no.**

**N.A.** /enˈeɪ/ N abbr of **new account** → **new.**

**NAFTA** /ˈnæftə/ N (abbr of **North American Free Trade Agreement**) ALENA f.

**nail** /neɪl/ N ◆ **to pay on the nail** payer rubis sur l'ongle.

**naira** /ˈnaɪrə/ N naira m.

**Nairobi** /naɪˈrəʊbɪ/ N Nairobi.

**naked** /ˈneɪkɪd/ ADJ (gen) nu ; (St Ex) option, position non couvert

---
*compounds/composés*
- **naked contract** contrat sans garantie
- **naked debenture** obligation non garantie
- **naked possession** (Jur) possession de fait
- **naked reserve** (US) réserves fpl réelles (des banques de la Réserve fédérale).
---

**nakfa** /ˈnækfə/ N nakfa m.

**NALGO** /ˈnælgəʊ/ (Brit) N (abbr of **National and Local Government Officers' Association**) syndicat britannique.

**name** /neɪm/ **N** **a** (gen) nom m ; [firm] raison f sociale ; [account] intitulé m ◆ **name of the payee** nom du bénéficiaire ◆ **assumed name** nom d'emprunt ◆ **business name** raison sociale, nom commercial ◆ **cable name** adresse télégraphique ◆ **corporate name** raison sociale ◆ **brand name** (nom de) marque, marque de fabrique ◆ **file name** (Comp) nom de fichier ◆ **first name** prénom ◆ **full name** nom et prénom(s) ◆ **last name** (US) nom de famille ◆ **maiden name** nom de jeune fille ◆ **registered**

trade name marque déposée, nom déposé ◆ **the shares are in my name** les actions sont à mon nom ◆ **what name shall I say?** (on phone) c'est de la part de qui? ; (announcing arrival) qui dois-je annoncer? ◆ **please fill in your name and address** prière d'inscrire vos nom (prénom) et adresse ◆ **to put one's name down for a job** poser sa candidature à un poste ◆ **the firm trades under the name of...** la société a pour dénomination... ◆ **to put** or **set one's name to a document** signer un document, apposer sa signature au bas d'un document **b** (St Ex) nomenclature f ◆ **name of securities** nomenclature des titres **c** (= reputation) renommée f, réputation f, renom m ◆ **this company has a good name** cette société jouit d'une bonne réputation ◆ **a big name in the business world** un nom bien connu dans le monde des affaires

---
*compounds/composés*
- **name awareness** notoriété de la marque
- **name badge** badge d'identification
- **name brand** marque réputée
- **Name Day** (St Ex) deuxième jour de la liquidation (où le nom de l'acheteur est communiqué au vendeur), ≈ jour de la réponse des primes
- **name slug** (US) logotype
- **name-ticket** (St Ex) fiche
---

**VI** (gen) nommer ; (Comp) file baptiser, donner un nom à ; (= fix) date, price fixer ◆ **name your price** fixez votre prix ◆ **on the named day** le jour dit ◆ **the named insured** l'assuré nommément désigné ◆ **the person named** l'accrédité ◆ **policy to a named person** police nominative ◆ **named departure point** point de départ convenu ◆ **named port of destination / of shipment** port de destination / d'embarquement convenu ◆ **named vessel** navire désigné ◆ **he has been**

**named as the leader of the working party** il a été désigné pour diriger la commission d'enquête ♦ **they have been named as witnesses** ils ont été cités comme témoins.

**nameplate** /'neɪmpleɪt/ N (on door) plaque f ; (on manufactured goods) plaque f du constructeur or du fabricant.

**Namibia** /nɑːˈmɪbɪə/ N Namibie f.

**Namibian** /nɑːˈmɪbɪən/ ADJ namibien
◘ (= inhabitant) Namibien(ne) m(f).

**narration** /nəˈreɪʃən/ N (Acc) commentaire m (justifiant une écriture).

**narrative** /'nærətɪv/ N (Comp) commentaire. m.

**narrow** /'nærəʊ/ ADJ limits restreint, étroit; (fig) mind, person borné; majority faible, étroit ♦ **narrow margin** marge faible ♦ **narrow market** marché étroit
◘ réduire, restreindre ♦ **to narrow the gap** réduire l'écart (between entre) **to narrow the product range** restreindre la gamme.

**NASA** /'næsə/ (US) N (abbr of **National Aeronautics and Space Administration**) NASA f.

**Nasdaq** /'næzdæk/ N (abbr of **National Association of Securities Dealers Automated Quotation**) Nasdaq m.

**Nassau** /'næsɔː/ N Nassau.

**natality** /nəˈtælɪtɪ/ (US) N natalité f ♦ **natality tables** tables de natalité.

**nation** /'neɪʃən/ N nation f ♦ **most-favoured-nation clause** clause de la nation la plus favorisée ♦ **creditor / debtor nation** nation créditrice / débitrice ♦ **the United Nations** les Nations unies.

**national** /'næʃənl/ ADJ (= of one nation) national; (= nationwide) national, à l'échelon national, dans l'ensemble du pays ♦ **national accounting** comptabilité nationale ♦ **National Aeronautics and Space Administration** (US) Agence nationale de l'aéronautique et de l'espace ♦ **national bank** (US) banque fédérale ♦ **National Bureau of Economic Research** (US) bureau national des recherches économiques ♦ **to launch a national campaign** lancer une campagne à l'échelon national ♦ **national debt** dette publique ♦ **national dividend** or **income** revenu national ♦ **National Economic Development Council** (Brit) Conseil supérieur du plan ♦ **National Enterprise Board** (Brit) ≈ Institut de développement ♦ **national expenditure** dépenses de l'État ♦ **National Health Service** (Brit) ≈ Sécurité sociale ♦ **National Insurance** (Brit) Assurances sociales ♦ **National Insurance ben-**

**efits** (Brit) prestations de la Sécurité sociale ♦ **National Savings** (Brit) épargne nationale ♦ **National Savings Bank** (Brit) ≈ caisse d'épargne ♦ **National Savings certificate** (Brit) bon d'épargne ♦ **national status** nationalité ♦ **(gross / net) national product** produit national (brut / net)
◘ (= person) ressortissant(e) m(f) ♦ **foreign nationals** ressortissants étrangers ♦ **non-EU nationals should not apply** ressortissants étrangers à l'UE s'abstenir.

**nationalism** /'næʃnəlɪzəm/ N nationalisme m.

**nationality** /ˌnæʃəˈnælɪtɪ/ N nationalité f ♦ **dual nationality** double nationalité.

**nationalization, nationalisation** /ˌnæʃənəlaɪˈzeɪʃən/ N nationalisation f.

**nationalize, nationalise** /'næʃənəlaɪz/ VT nationaliser ♦ **nationalized industry** industrie nationalisée ♦ **nationalized sector** secteur nationalisé.

**nationwide** /'neɪʃənwaɪd/ ADJ strike à l'échelle du pays, à l'échelon national
ADV distribute à travers tout le pays, sur l'ensemble du territoire.

**native** /'neɪtɪv/ ADJ a country, town natal; language maternel b (= indigenous) product, resources local, du pays, de la région ♦ **native industry** industrie locale ♦ **native labour** main-d'œuvre indigène or locale
◘ (= person) autochtone mf ; (esp of colony) indigène mf ♦ **he is a native of Caen** il est originaire or natif de Caen ♦ **she speaks Italian like a native** elle parle italien comme si c'était sa langue maternelle.

**NATO** /'neɪtəʊ/ N (abbr of **North Atlantic Treaty Organization**) OTAN f.

**natural** /'nætʃrəl/ ADJ (= normal) naturel, normal ♦ **natural break** (in television programme) interruption normale ♦ **natural business year** année normale d'exportation ♦ **natural-function generator** (Comp) générateur de fonctions analytiques ♦ **natural gas** gaz naturel ♦ **natural heir** héritier naturel ♦ **natural increase** accroissement naturel ♦ **natural language** (Comp) langage naturel ♦ **natural monopoly** monopole naturel ♦ **natural person** personne physique ♦ **natural rate of increase** taux d'accroissement naturel ♦ **natural resources** ressources naturelles ♦ **natural rights** droits fondamentaux or naturels ♦ **natural wastage** staff départs naturels.

**naturalization, naturalisation** /ˌnætʃrəlaɪˈzeɪʃən/ N naturalisation f.

**naturalize, naturalise** /ˈnætʃrəlaɪz/ VT naturaliser ◆ **he was naturalized French** il s'est fait naturaliser français.

**nature** /ˈneɪtʃəʳ/ N **a** nature f ◆ **nature conservancy** or **conservation** protection de la nature **b** (= *type, sort*) espèce f, genre m, sorte f, nature f ◆ **nature of business** genre d'affaires ◆ **nature of contents** nature or désignation du contenu ◆ **information of a private nature** renseignement de caractère privé.

**naught** /nɔːt/ N zéro m.

**nautical** /ˈnɔːtɪkəl/ ADJ nautique, naval, marin ◆ **nautical mile** mille marin or nautique ≈ 1 852 m ◆ **nautical assessor** expert en assurances maritimes.

**NAV** /ˌenˈeɪˈviː/ N abbr of **net asset value** → **net.**

**naval** /ˈneɪvəl/ ADJ *strength* naval; *affairs* de la marine ◆ **naval architect** ingénieur des constructions navales ◆ **naval architecture** construction navale ◆ **naval dockyard** arsenal maritime ◆ **naval engineering** génie maritime ◆ **naval law** droit maritime ◆ **naval power** puissance maritime.

**navigable** /ˈnævɪgəbl/ ADJ navigable.

**navigate** /ˈnævɪgeɪt/ VT naviguer sur.

**navigation** /ˌnævɪˈgeɪʃən/ N navigation f ◆ **coastal navigation** navigation de cabotage ◆ **inland navigation** navigation fluviale ◆ **tramp navigation** tramping, cueillette

――――― *compounds/composés* ―――――
◆ **navigation company** compagnie de navigation or de transports maritimes
◆ **navigation dues** droits mpl de navigation
◆ **navigation law** droit maritime
◆ **navigation laws** Code maritime.

**navigator** /ˈnævɪgeɪtəʳ/ N *(Aut, Aviat, Mar)* navigateur m.

**navy** /ˈneɪvɪ/ N marine f, forces fpl navales ◆ **the Navy** la marine (de guerre) ◆ **the merchant navy** *(Brit)* la marine marchande ◆ **the Royal Navy** *(Brit)* la marine (de guerre) britannique.

**NB** /ˌenˈbiː/ (abbr of **nota bene**) N.B.

**NBFI** /ˌenbiːefˈaɪ/ N abbr of **non-bank financial institution** → **non.**

**NBV** /ˌenbiːˈviː/ N abbr of **net book value** → **net.**

**NCB** /ˌensiːˈbiː/ N **a** *(Brit)* (abbr of **National Coal Board**) charbonnages de Grande-Bretagne **b** abbr of **no-claim(s) bonus** → **no.**

**NCV** abbr of **no commercial value** → **no.**

**n.d.** abbr of **not dated** → **not.**

**Ndjamena** /ˌəndʒɑːˈmeɪnə/ N N'Djamena.

**NDP** /ˌendiːˈpiː/ N abbr of **net domestic product** → **net.**

**n / e, n.e.** abbr of **not exceeding** → **not.**

**N / E** /ˌenˈiː/ N abbr of **new edition** → **new.**

**near** /nɪəʳ/ ADJ **a** (= *close in space, value*) proche, voisin ◆ **to the nearest pound** à une livre près ◆ **the Near East** le Proche-Orient **b** (= *close in time*) proche, prochain, rapproché ◆ **in the near future** dans un proche avenir, dans un avenir proche **c** *(fig)* relative proche; *result* serré ◆ **near cash** quasi-espèces ◆ **near-cash ratio** coefficient de trésorerie ◆ **near gold** similor ◆ **near letter-quality printer** imprimante qualité semi-courrier ◆ **near money** quasi-monnaie ◆ **near order** *(St Ex)* ordre environ ◆ **near position** *(Commodity Market)* position rapprochée ◆ **near silk** soie artificielle.

**nearby** /ˈnɪəbaɪ/ ADJ *(gen)* proche; *(Fin) contract* rapproché.

**neat** /niːt/ ADJ **a** (= *clean and tidy*) soigné, propre ◆ **he is a neat worker** il est soigneux dans son travail, il travaille proprement **b** *style, solution* élégant ◆ **to make a neat job of sth** * réussir qch, faire du bon boulot* **c** *(Brit* = *undiluted) spirits* pur, sans eau, sec.

**NEB** /ˌeniːˈbiː/ *(Brit)* N abbr of **National Enterprise Board** → **national.**

**necessary** /ˈnesɪsərɪ/ ADJ **a** (= *essential*) nécessaire (*to, for* à) ◆ **if necessary** si besoin est, s'il le faut, en cas de besoin ◆ **this candidate has all the necessary qualifications** ce candidat a toutes les capacités or qualités requises **b** (= *unavoidable*) *result* inévitable ◆ **the showdown was necessary** l'épreuve de force était inévitable or devait fatalement avoir lieu.

**necessitate** /nɪˈsesɪteɪt/ VT nécessiter, rendre nécessaire.

**necessity** /nɪˈsesɪtɪ/ N (= *need*) nécessité f ; (= *necessary object*) chose f nécessaire ◆ **case of absolute necessity** cas de force majeure ◆ **flag of necessity** pavillon de complaisance ◆ **port of necessity** port de relâche ◆ **the bare necessities of life** le strict minimum or nécessaire.

**neck** /nek/ N ✦ **to be up to one's neck in work** * avoir du travail par-dessus la tête ✦ **to stick one's neck out** * se mouiller*, prendre des risques.

**NEDC** /ˌeniːdiːˈsiː/ (Brit) N abbr of **National Economic Development Council** → **national.**

**need** /niːd/ N a (= necessity, obligation) besoin m ✦ **if need be** si besoin est, s'il le faut, le cas échéant ✦ **if the need arises** si le besoin s'en fait sentir b (= lack) besoin m ; (= poverty) besoin m, indigence f, dénuement m, gêne f ✦ **we are in** or **have great need of food and drugs** nous avons grand besoin de vivres et de médicaments c (= thing needed) besoin m ✦ **we can supply your energy needs** nous pouvons subvenir à vos besoins en énergie ✦ **needs assessment** évaluation des besoins ✦ **need arousal** éveil du besoin

VT **to need sth** [person, thing] avoir besoin de qch ✦ **the project needs rethinking** il faut repenser or revoir le projet ✦ **our trainee needs to have everything explained to him** il faut tout expliquer à notre stagiaire ✦ **you will hardly need to be reminded that...** vous n'avez certainement pas besoin qu'on vous rappelle que... ✦ **you will be given access to information on a need-to-know basis** vous n'aurez accès qu'aux informations limitées à vos besoins.

**needle printer** /ˈniːdlˌprɪntəʳ/ N imprimante f à aiguilles.

**needless** /ˈniːdlɪs/ ADJ expense inutile, superflu; remark déplacé.

**needy** /ˈniːdɪ/ ADJ indigent, nécessiteux, dans le besoin ✦ **the needy** les nécessiteux, les indigents.

**negate** /nɪˈɡeɪt/ VT (gen, Comp) annuler.

**negative** /ˈneɡətɪv/ ADJ négatif ✦ **negative cash flow** trésorerie négative ✦ **negative easement** servitude passive ✦ **negative elasticity** (Econ) élasticité négative ✦ **negative feedback** (gen, Comp) contre-réaction ✦ **negative file** (Bank) fichier de personnes interdites de chéquier or de crédit ✦ **negative income tax** impôt négatif ✦ **negative investment** désinvestissement

N a (US) réponse f négative ✦ **to answer in the negative** répondre négativement or par la négative, faire une réponse négative b (Phot) négatif m, cliché m

VT a (US = veto) project, amendment, proposal rejeter, repousser b (US = contradict) statement contredire, réfuter c (US = nullify) effect neutraliser.

**neglect** /nɪˈɡlekt/ N [person] manque m d'égards or d'attention (of envers); [duty] manque-

ment m (of à); [work] désintérêt m (of pour) ✦ **in a state of neglect** à l'abandon, mal entretenu ✦ **neglect clause** (Ins) clause de négligence

VT person négliger, délaisser; engine, premises ne prendre aucun soin de, laisser à l'abandon, ne pas s'occuper de; rule ne faire aucun cas de, ne tenir aucun compte de; duty manquer à, faillir à, négliger; work négliger, délaisser, se désintéresser de; opportunity laisser échapper, négliger; promise manquer à, ne pas tenir; advice négliger, ne faire aucun cas de, ne tenir aucun compte de.

**neglected** /nɪˈɡlektɪd/ ADJ délaissé, laissé à l'abandon ✦ **neglected stocks** titres délaissés or négligés.

**negligence** /ˈneɡlɪdʒəns/ N négligence f, manque m de soins or de précautions ✦ **through negligence** par négligence ✦ **action for negligence** demande de dommages-intérêts ✦ **contributory negligence** (Jur) imprudence de la part du sinistré ✦ **criminal negligence** faute grave ✦ **gross negligence** faute lourde or grave ✦ **ordinary** or **slight negligence** faute légère COMP ✦ **negligence clause** clause dite de négligence.

**negligent** /ˈneɡlɪdʒənt/ ADJ négligent ✦ **negligent collision** (Mar Ins) abordage fautif.

**negligible** /ˈneɡlɪdʒəbl/ ADJ négligeable.

**negotiability** /nɪˌɡəʊʃɪəˈbɪlɪtɪ/ N négociabilité f.

**negotiable** /nɪˈɡəʊʃɪəbl/ ADJ (gen) négociable ✦ **negotiable bill** effet négociable ✦ **negotiable instrument** or **paper** instrument or effet négociable ✦ **negotiable debt instrument** titre de créance négociable ✦ **negotiable order of withdrawal account** (US) compte courant rémunéré, dépôt à vue rémunéré ✦ **negotiable stocks** or **securities** valeurs négociables ✦ **negotiable warehouse receipt** certificat d'entrepôt négociable.

**negotiate** /nɪˈɡəʊʃɪeɪt/ VT sale, loan négocier; bill, cheque négocier, faire escompter

VT négocier, traiter (with sb for sth avec qn pour obtenir qch) ✦ **they are negotiating with the management for more pay** ils négocient or ils sont en pourparlers avec la direction pour obtenir une augmentation de salaire ✦ **salary to be negotiated** salaire à débattre ✦ **negotiated price** prix négocié ✦ **negotiating session** séance de négociations.

**negotiation** /nɪˌɡəʊʃɪˈeɪʃən/ N négociation f, pourparlers mpl ✦ **under negotiation** en cours de négociation ✦ **joint negotiation** *(between employers and workers)* négociation paritaire ✦ **wage negotiations** négociations salariales ✦ **trade negotiations** négociations commerciales ✦ **negotiation of a bill / of a loan** négociation d'un effet / d'un emprunt ✦ **settlement by negotiation** règlement de gré à gré ✦ **to break off negotiations** rompre les négociations *or* les pourparlers ✦ **to enter into** *or* **begin** *or* **start negotiations** entamer des pourparlers ✦ **to resume negotiations** reprendre les négociations.

**negotiator** /nɪˈgəʊʃieɪtəʳ/ **N** négociateur(-trice) m(f).

**neighbour** *(Brit)*, **neighbor** *(US)* /ˈneɪbəʳ/ **N** voisin(e) m(f) ✦ **beggar-my-neighbour policy** politique visant à l'affaiblissement *or* l'appauvrissement du voisin.

**neighbourhood** *(Brit)*, **neighborhood** *(US)* /ˈneɪbəhʊd/ **N** *(lit)* voisinage m ✦ **something in the neighbourhood of $500** *(fig)* dans les 500 dollars, environ 500 dollars ✦ **neighborhood store** *(US)* magasin de proximité.

**neon sign** /ˈniːɒnsaɪn/ **N** enseigne f au néon.

**Nepal** /nɪˈpɔːl/ **N** Népal m.

**Nepalese** /ˌnepɔːˈliːz/, **Nepali** **ADJ** népalais **N** **a** *(= language)* népalais m **b** *(= inhabitant)* Népalais(e) m(f).

**nervous** /ˈnɜːvəs/ **ADJ** *market* agité, instable.

**nest** /nest/ **VI** *(Comp)* emboîter, imbriquer **N** nid m ✦ **nest egg** * *(= savings)* pécule, magot*.

**nesting** /ˈnestɪŋ/

─────── compounds/composés ───────
✦ **nesting loop** *(Comp)* boucle imbriquée
✦ **nesting subroutines** *(Comp)* sous-programmes mpl emboîtés.

**net** /net/ **N** **a** *(gen)* filet m ✦ **to be caught in the net** *(fig)* être pris au piège *or* dans les mailles du filet **b** *(Comp)* ✦ **Net** net the **Net economy** la net économie ✦ **Net surfer** internaute **VT** **a** *(also* **nett***)* *profit* ramasser; *[business deal]* rapporter *or* produire net; *[person]* gagner *or* toucher *or* encaisser net ✦ **the property developer netted a full profit of £2 million** cela a rapporté au promoteur un bénéfice net de 2 millions de livres *or* 2 millions de livres net **b** *(Comp)* relier par un réseau *or* en réseau **ADJ** *(also* **nett***)* *price, income* net ✦ **net amount** montant net ✦ **net assets** actif net ✦ **net asset value** *mutual fund* valeur liquidative ✦ **net at-**

tributable profit résultat net, part du groupe ✦ **net book value** valeur comptable nette ✦ **net cash** comptant net, net à payer ✦ **net change** *(St Ex)* écart net, variation nette ✦ **net charter** affrètement en coque nue ✦ **net cost** prix de revient net ✦ **net current assets** actif net d'exploitation ✦ **net domestic product** produit intérieur net ✦ **net earnings** bénéfice net d'exploitation ✦ **net interest** intérêt net ✦ **net loss** perte sèche ✦ **net margin** marge nette ✦ **net national product** produit national net ✦ **net premium** prime nette ✦ **net present value** valeur actuelle nette ✦ **net proceeds** produit net ✦ **net profit** bénéfice net ✦ **net realizable value** *(Pub)* valeur nette réalisable ✦ **net reach** *(Pub)* couverture nette ✦ **net receipts** bénéfices nets, recettes nettes ✦ **net register tonnage** tonnage de jauge net ✦ **net rental** loyer net ✦ **net result** résultat net ✦ **net return** rentabilité nette ✦ **net revenue** bénéfice *or* produit *or* résultat net ✦ **net sales** chiffre d'affaires net, ventes nettes ✦ **net saving** épargne nette ✦ **net surplus** excédent net ✦ **net of tax(es)** net d'impôts ✦ **net ton** tonne courte ≈ 907,20 kg ✦ **net wage** salaire net ✦ **net weight** poids net ✦ **net worth** situation *or* valeur nette ✦ **net yield** *or* **return** rendement net ✦ **terms strictly net** prix net.

**netback** /ˈnetˌbæk/ **N** netback *(système de calcul du pétrole fixé rétroactivement en fonction des prix de revente des produits raffinés)* ✦ **netback deals** opérations *or* transactions netback.

**Netherlands** /ˈneðələndz/ **ADJ** néerlandais **NPL** **the Netherlands** les Pays-Bas.

**netiquette** /ˈnetɪket/ **N** *(Comp)* netiquette f.

**nett** /net/ **ADJ**, **VT** → **net**.

**netting** /ˈnetɪŋ/ **N** *(Fin)* compensation f interne *or* intra-groupe.

**netting-down** /ˌnetɪŋˈdaʊn/ **N** calcul du revenu *(ou du prix)* net à partir du revenu *(ou du prix)* brut.

**network** /ˈnetwɜːk/ **N** réseau m ✦ **banking network** réseau d'information bancaire ✦ **local area network** *(Telec)* réseau local ✦ **computer network** réseau informatique *or* d'ordinateurs ✦ **distribution network** réseau de distribution ✦ **rail network** réseau ferré *or* ferroviaire *or* de chemin de fer ✦ **road network** réseau *or* système routier ✦ **telex network** réseau télex ✦ **TV network** chaîne *or* réseau de télévision ✦ **network of contacts** réseau de contacts ✦ **the networks** *(TV)* les chaînes

─── *compounds/composés* ───

+ **network analysis** analyse du chemin critique
+ **network architecture** *(Comp)* architecture de réseau
+ **network campaign** *(TV)* campagne sur l'ensemble du réseau
+ **network management** *(Comp)* gestion de réseau
+ **network manager** *(Comp)* gestionnaire de réseau
+ **network planning method** *(Comp)* méthode de planification de réseau
+ **network show** *(TV)* émission diffusée sur l'ensemble du réseau
+ **network terminal** *(Comp)* terminal de réseau

**VT** *(Comp)* (inter)connecter, connecter en réseau; *(TV) programme* diffuser sur l'ensemble du réseau + **networked microcomputers** des microordinateurs en réseau.

**networking** /'net,wɜːkɪŋ/ **N** *(Comp)* connection f en réseau; *(fig)* maillage m de réseaux + **networking software** logiciel de gestion de réseau.

**neutral** /'njuːtrəl/ **ADJ** *(gen)* neutre + **the neutral powers** *(Pol)* les puissances neutres + **neutral policy** politique neutraliste + **neutral zone** *(Comp)* zone neutre.

**neutralism** /'njuːtrəlɪzəm/ **N** neutralisme m.

**neutrality** /njuːˈtrælɪtɪ/ **N** neutralité f.

**neutralize, neutralise** /'njuːtrəlaɪz/ **VT** neutraliser.

**never** /'nevər/ **ADV** jamais + **to buy sth on the never-never** * *(Brit)* acheter qch à crédit *or* à tempérament.

**never-outs** /'nevəˈrauts/ **NPL** *(Comm)* articles mpl toujours en stock.

**new** /njuː/ **ADJ** **a** *(= not previously known)* nouveau; *(= brand-new)* neuf + **as new** à l'état (de) neuf + **new for old** *(Ins)* valeur du vieux au neuf + **the New Deal** *(US Pol)* le New Deal, la Nouvelle Donne + **new account** nouveau compte, nouveau client + **new business** *(= customers)* nouveaux clients; *(= trade)* nouvelles activités + **new economy** nouvelle économie + **new edition** nouvelle édition + **new impression** *book* nouvelle impression + **new issue market** marché des nouvelles émissions + **new media** nouveaux médias + **new recruit** nouvelle recrue + **new shares** actions nouvelles + **new technologies** nouvelles technologies + **to break new ground** innover, ouvrir la voie, faire œuvre de pionnier + **to open up new vistas / outlets** ouvrir de nouvelles perspectives / de nouveaux débouchés + **a new product** *(= un-*

*used)* un produit neuf; *(= just launched)* un produit nouveau + **new product development / launch** développement / lancement de nouveaux produits + **he is new to this kind of job** ce genre de travail est nouveau pour lui + **the accountant is new here** le comptable vient d'arriver *or* est nouveau dans la maison **b** *(= fresh)* frais + **new capital** capitaux frais + **new money** argent frais.

**New Caledonia** /,njuːkælɪˈdəʊnɪə/ **N** Nouvelle-Calédonie f.

**New Caledonian** /,njuːkælɪˈdəʊnɪən/ **ADJ** néo-calédonien **N** *(= inhabitant)* Néo-Calédonien(ne) m(f).

**New Delhi** /,njuːˈdelɪ/ **N** New Delhi.

**newly** /'njuːlɪ/ **ADV** nouvellement, récemment, fraîchement + **the newly elected chairman** le président nouvellement élu + **newly industrialized countries** nouveaux pays industrialisés.

**news** /njuːz/ **N** *(gen)* nouvelle(s) f(pl) *(Press, Rad, TV)* informations fpl ; *(Cine)* actualités fpl + **a piece of news** une nouvelle + **is there any news?** y a-t-il du nouveau? + **I've got news for you!** j'ai du nouveau à vous apprendre! + **to break the news** annoncer la nouvelle + **to be in the news** défrayer la chronique + **shipping news** mouvement des navires + **want of news** *(Mar)* défaut de nouvelles + **financial news** informations financières + **news in brief** nouvelles brèves

─── *compounds/composés* ───

+ **news agency** agence de presse
+ **news analyst** commentateur
+ **news conference** conférence de presse
+ **news coverage** reportage, couverture (de presse)
+ **news editor** rédacteur(-trice)
+ **news film** film d'actualités
+ **news flash** flash d'information
+ **news headlines** titres mpl (de l'actualité)
+ **news item** information, nouvelle
+ **news magazine** magazine d'information
+ **news pictures** reportage photographique
+ **news release** communiqué de presse
+ **news sheet** feuille d'informations
+ **news space** espace rédactionnel
+ **news stand** kiosque (à journaux)
+ **news vendor** vendeur(-euse) de journaux.

**newsagent** /'njuːz,eɪdʒənt/ *(Brit)* **N** marchand(e) m(f) *or* dépositaire mf de journaux.

**newscast** /'njuːz,cɑːst/ **N** *(Rad)* (bulletin m d') informations fpl ; *(TV)* actualités fpl télévisées, journal m télévisé.

**newscaster** /'nju:z,cɑ:stə<sup>r</sup>/ N *(gen)* speaker(ine) m(f) ; *(TV)* présentateur(-trice) m(f) du journal télévisé.

**newsdealer** /'nju:zdi:lə<sup>r</sup>/ *(US)* N marchand(e) m(f) *or* dépositaire mf de journaux.

**newshound** */'nju:zhaʊnd/* N reporter m.

**newsletter** /'nju:z,letə<sup>r</sup>/ N bulletin m, circulaire f.

**newsman** /'nju:z,mæn/ N journaliste m.

**newspaper** /'nju:s,peɪpə<sup>r</sup>/ N journal m ◆ **daily newspaper** quotidien ◆ **weekly newspaper** hebdomadaire

---
*compounds/composés*

- **newspaper advertising** publicité-presse
- **newspaper ad** annonce dans la presse
- **newspaper circulation** tirage d'un journal
- **newspaper clippings** coupures fpl de presse
- **newspaper office** (bureaux mpl de la) rédaction.
---

**newspaperman** /'nju:zpeɪpə,mæn/ N journaliste m.

**newsprint** /'nju:zprɪnt/ N papier m (de) journal.

**newsreader** /'nju:z,ri:də<sup>r</sup>/ N *(Rad, TV)* speaker(ine) m(f).

**newsreel** /'nju:zri:l/ N actualités fpl filmées.

**newsroom** /'nju:z,ru:m/ N salle f de rédaction.

**newsworthy** /'nju:zwɜ:ðɪ/ ADJ *event, story* intéressant.

**New Zealand** /,nju:'zi:lənd/ ADJ néo-zélandais N Nouvelle-Zélande f.

**New Zealander** /,nju:'zi:lændə<sup>r</sup>/ N *(= inhabitant)* Néo-Zélandais(e) m(f).

**next** /nekst/ ADJ **a** *(= adjacent) place* voisin, (d') à côté ◆ **apply at the next window** s'adresser au guichet suivant *or* au guichet d'à côté **b** *time (in future)* prochain; *(in past)* suivant ◆ **the meeting is put off till next week** la réunion est repoussée à la semaine prochaine ◆ **the expert came back the next week** l'expert est revenu la semaine suivante ◆ **this time next week** aujourd'hui en huit ◆ **the year after next** dans deux ans ◆ **by next mail** *or* **next post** par le prochain courrier ◆ **next account** *(St Ex)* liquidation prochaine ◆ **next (month)** *(Commodity Exchange)* (mois) prochain ◆ **next settlement** liquidation prochaine **c** *(in series, list)* ◆ **who's next?** à qui le tour?, c'est à qui? ◆ **you're next** c'est votre tour, c'est à vous ◆ **the next size (up)** la taille au-dessus ◆ **the next size down** la taille au-dessous ◆ **to proceed with** *or* **to the**

**next business** *(in meeting)* passer à la question suivante (de l'ordre du jour) **d** *(Acc)* ◆ **next in, next out** prochain entré, premier sorti.

**next of kin** /,nekstəv'kɪn/ N plus proche parent m ◆ **the company will inform the next of kin** la compagnie préviendra la famille *or* les proches.

**next-to-reading matter** /,neksttʊ'ri:dɪŋmætə<sup>r</sup>/ N *(Pub)* après texte, à côté texte.

**NFP** abbr of **no funds provided** → **no.**

**NFU** /,enef'ju:/ *(Brit)* N (abbr of **National Farmers' Union**) syndicat des agriculteurs.

**NGO** /,endʒi:'əʊ/ N (abbr of **non-governmental organization**) ONG f.

**ngultrum** /ŋ'gu:ltrəm/ N ngultrum m.

**NHS** /,eneɪtʃ'es/ *(Brit)* N abbr of **National Health Service** ≈ Sécurité f sociale, sécu f *, SS.

**NI** abbr of **National Insurance** → **national.**

**Niamey** /njɑ:meɪ/ N Niamey.

**nibble** /'nɪbl/ VTI grignoter ◆ **they are nibbling away at our market** ils grignotent notre marché.

**NIC** /,enaɪ'si:/ N (abbr of **newly industrialized countries**) NPI mpl.

**Nicaragua** /,nɪkə'rægjʊə/ N Nicaragua m.

**Nicaraguan** /,nɪkə'rægjʊən/ ADJ nicaraguayen N *(= inhabitant)* Nicaraguayen(ne) m(f).

**nicety** /'naɪsɪtɪ/ N *(= precision)* exactitude f, justesse f, précision f ; *(= subtlety)* subtilité f, finesse f ◆ **legal nicety** subtilité juridique.

**niche** /ni:ʃ/ N *(also* **market niche***)* niche f, créneau m ◆ **niche player** entreprise qui se positionne sur un créneau spécialisé.

**nickel** /'nɪkl/ N *(US = coin)* pièce f de cinq cents.

**Nicosia** /,nɪkə'si:ə/ N Nicosie.

**Niger** /'naɪdʒə<sup>r</sup>/ N Niger m.

**Nigeria** /naɪ'dʒɪərɪə/ N Nigeria m.

**Nigerian** /naɪ'dʒɪərɪən/ ADJ nigérian N *(= inhabitant)* Nigérian(e) m(f).

**night** /naɪt/ N nuit f ◆ **7 o'clock at night** 7 heures du soir, 19 heures ◆ **to spend the night in a hotel** passer la nuit à l'hôtel

---
*compounds/composés*

- **night charge** tarif de nuit
- **night differential** prime de nuit
- **night porter** gardien de nuit
- **night safe** coffre de nuit
---

◆ **night shift** (= *workers*) équipe de nuit; (= *work*) poste de nuit ◆ **to be on night shift** être de nuit, faire partie de l'équipe de nuit
◆ **night watchman** veilleur *or* gardien de nuit
◆ **night work** travail de nuit.

**Nikkei** /'nɪkeɪ/ **N** Nikkei m ◆ **the Nikkei (index)** l'indice Nikkei, le Nikkei.

**nil** /nɪl/ **N** (*gen*) rien m ; (*in form-filling, accounts*) néant m ◆ **the balance is nil** le solde est nul ◆ **business is almost nil** (*St Ex*) les affaires sont presque nulles, les transactions avoisinent le zéro ◆ **nil profit** bénéfice nul.

**nine** /naɪn/ **ADJ, N** neuf m → **six.**

**nineteen** /naɪn'tiːn/ **ADJ, N** dix-neuf m → **six.**

**nineteenth** /naɪn'tiːnθ/ **ADJ, N** dix-neuvième mf ◆ **in the nineteenth place** dix-neuvièmement → **sixth.**

**ninetieth** /'naɪntɪɪθ/ **ADJ, N** quatre-vingt-dixième mf → **sixth.**

**ninety** /'naɪntɪ/ **ADJ, N** quatre-vingt-dix m ◆ **ninety-nine-year lease** bail emphytéotique → **sixty.**

**ninth** /naɪnθ/ **ADJ, N** neuvième mf ◆ **in the ninth place** neuvièmement → **sixth.**

**ninthly** /'naɪnθlɪ/ **ADV** neuvièmement.

**nitty-gritty** * /'nɪtɪgrɪtɪ/ **N** ◆ **let's get down to the nitty-gritty** venons-en à l'essentiel.

**nixie mail** * /'nɪksɪmeɪl/ (*US*) **N** *courrier difficile à faire parvenir en raison d'une adresse illisible or incomplète.*

**NLQ** abbr of **near letter-quality** → **near.**

**NNP** /ˌenen'piː/ **N** (abbr of **net national product**) PNN m.

**no** /nəʊ/ PARTICLE non ◆ **the answer is no** la réponse est non ◆ **he won't take no for an answer** pas question de lui dire non
**N** non m ◆ **the noes have it** les non l'emportent, les voix contre l'emportent
**ADJ** pas de, aucun ◆ **I'll do it in no time** je le ferai en un rien de temps ◆ **it's no easy matter** ce n'est pas chose facile ◆ **no account** *or* **effects** *or* **funds** sans provision ◆ **no funds provided** sans provision ◆ **no admittance** entrée interdite ◆ **no advice** *or* **orders** défaut d'avis ◆ **no agents wanted** intermédiaires s'abstenir ◆ **no change given** prière de faire l'appoint ◆ **no commercial value** sans valeur marchande ◆ **no dealings** (*St Ex*) pas traité ◆ **no dealings in coppers** pas de transactions

sur les cuprifères ◆ **no occupation** sans profession ◆ **no quotation** (*St Ex*) non coté ◆ **no thoroughfare** passage interdit

──── *compounds/composés* ────
◆ **no-bill** (*Jur*) (ordonnance de) non-lieu
◆ **no-brand articles** produits mpl libres
◆ **no change** (*Jur*) statu quo
◆ **no-claim(s) bonus** (*Ins*) bonus *or* bonification pour non-sinistre
◆ **no-fault insurance** assurance sans faute
◆ **no-frills** * *version, model* simple, simplifié, de base
◆ **no-lien affidavit** attestation de non-gage
◆ **no-limit order** (*St Ex*) ordre d'achat (*or* de vente) sans fixation de cours
◆ **no-load** (*Fin*) *mutual fund* sans droits d'entrée *or* d'arrivée
◆ **no-lockout agreement** accord interdisant le recours au lock-out
◆ **no-name goods** produits mpl sans marque
◆ **no-par value** (*St Ex*) valeur non pair
◆ **no-raiding pact** (*US*) accord de non-concurrence entre syndicats
◆ **no sale** non-vente ◆ **no sale final** *accord ne rendant la vente définitive que si le client est satisfait*
◆ **no-strike clause** clause interdisant la grève (*pendant la durée d'un contrat*)
◆ **no-toll number** numéro d'appel gratuit, numéro vert.

**No., no.** (abbr of **number**) Nᵒ.

**node processor** /'nəʊdprə'sesər/ **N** (*Comp*) processeur m nodal.

**noise** /nɔɪz/ **N** (*gen*) bruit m (*Rad, TV*) parasites mpl ; (*Telec*) friture f * ; (*Comp*) bruit m ◆ **background noise** bruit de fond ◆ **noise killer** dispositif antiparasite ◆ **noise-abatement campaign** campagne antibruit.

**nominal** /'nɒmɪnl/ **ADJ** **a** (*in name only*) *ruler* de nom (seulement); *agreement, power* nominal **b** (*for form only*) *salary, fee, amount* symbolique, insignifiant ◆ **for a nominal extra** pour un supplément modique ■ Voir encadré page ci-contre.

**nominate** /'nɒmɪneɪt/ **VT** **a** (= *appoint*) nommer, désigner ◆ **he was nominated chairman** il a été nommé président ◆ **nominated and elected members of a committee** membres désignés et élus d'un comité ◆ **nominated ship** navire désigné **b** (= *propose*) proposer, présenter ◆ **he was nominated for the presidency** il a été proposé comme candidat à la présidence ◆ **they nominated Mr X for election to the board** ils ont proposé M. X comme candidat au conseil d'administration **c** (*St Ex*) nommer comme mandataire.

**nomination** /ˌnɒmɪ'neɪʃən/ **N** **a** (= *appointment*) nomination f (*to* à) **b** (= *proposal of candidate*) *(gen)* proposition f de candidat ◆ **nominations must be received by** toutes propositions de candidats doivent nous être transmises avant.

**nominee** /ˌnɒmɪˈniː/ **N** *(for post)* personne f désignée *or* nommée; *(for election)* candidat(e) m(f) agréé(e); *(for pension, benefits)* bénéficiaire mf en titre, titulaire mf ; *(St Ex)* intermédiaire mf, mandataire mf, prête-nom m ◆ **nominee company** société prête-nom.

**non** /nɒn/ **PREF** non- ◆ **non-acceptance** non-acceptation ◆ **non-accrual** *or* **non-accruing loan** emprunt douteux *or* à risques ◆ **non affiliated** non-affilié ◆ **non-aligned** non aligné ◆ **non-appearance** *[witness]* non-comparution ◆ **non-apportionable** non distribuable ◆ **non-apportionable annuity** rente non réversible en cas de décès ◆ **non-assessable** non imposable ◆ **non-assessment** non-imposition ◆ **non assignable** inaliénable ◆ **non-attendance** absence ◆ **non-availability** non-disponibilité ◆ **non-available** non disponible ◆ **non-bank financial institution** institution financière non bancaire ◆ **non-breakable** incassable ◆ **non-callable bond** obligation non remboursable et non convertible ◆ **non-cash item** poste hors caisse ◆ **non-cash payments** paiements autres qu'en espèces ◆ **non-claim** défaut de porter plainte dans les délais ◆ **non-completion** *[work]* non-achèvement; *[contract]* non-exécution ◆ **non-compliance with an order** refus d'obtempérer, refus d'obéir à une injonction

───── compounds/composés ─────

◆ **nominal accounts** *(Acc)* comptes mpl d'exploitation générale, comptes mpl de gestion *or* de résultat
◆ **nominal assets** actif fictif
◆ **nominal capital** capital nominatif *or* social
◆ **nominal damages** *(Jur)* ≈ franc symbolique
◆ **nominal interest rate** taux d'intérêt nominal
◆ **nominal ledger** *(Acc)* grand livre général
◆ **nominal list of shareholders** liste nominative des actionnaires
◆ **nominal market** marché quasi nul *or* insignifiant
◆ **nominal partner** prête-nom, associé(e) fictif(-ive)
◆ **nominal price** prix théorique *or* nominal *or* fictif
◆ **nominal rate** taux nominal *or* contractuel
◆ **nominal rent** loyer insignifiant *or* symbolique
◆ **nominal roll** état nominatif
◆ **nominal speed** *(Comp)* vitesse nominale
◆ **nominal transfer** *(Fin)* transfert gratuit
◆ **nominal value** *(= face value)* valeur nominale; *(= symbolic value)* valeur symbolique
◆ **nominal wages** salaire nominal
◆ **nominal yield** rendement nominal.

◆ **non-compliance with the law** non-respect de la loi, infraction à la loi ◆ **non-conformity** non-conformité ◆ **non-consumer** non consommateur ◆ **non-contributory pension scheme** régime de retraite entièrement financé par l'employeur ◆ **non-controllable costs** coûts incontrôlables ◆ **non-cumulative** non cumulatif ◆ **non-cumulative shares** actions non cumulatives ◆ **non-current accounts** comptes à long terme ◆ **non-current assets** valeurs immobilisées ◆ **non-current liabilities** passif non exigible, passif à long terme ◆ **non-delivery** *[goods]* non-livraison, défaut de livraison, non-réception; *[letter]* non remise ◆ **non-destructive** *(Comp)* non destructif, sans effacement ◆ **non-destructive readout** lecture non destructive *or* sans effacement ◆ **non-directive questionnaire** questionnaire non directif ◆ **non-disclosure agreement** accord de non-divulgation ◆ **non-discriminatory** non discriminatoire ◆ **non-diversifiable risk** risque non diversifiable ◆ **non-duplicated coverage** *(Pub)* couverture non dupliquée *or* nette ◆ **non-durable goods, non-durables** biens de consommation non durables ◆ **non-enforceable** non exécutoire ◆ **non-executive director** administrateur ◆ **non-existence** non-existence, absence ◆ **non-feasance** *(Jur)* délit d'abstention, non-accomplissement d'une obligation légale ◆ **non-ferrous** non ferreux ◆ **non-financial institutions** institutions non financières ◆ **non-forfeiture** *(Jur)* non-résiliation, non-déchéance; *(Ins)* prolongation, reconduction ◆ **non-forfeiture clause** clause de prolongation automatique ◆ **non-fulfilment** *[contract]* non-exécution, inexécution ◆ **non-fungible goods** biens non fongibles ◆ **non-governmental organization** organisation non gouvernementale ◆ **non-interest-bearing note** effet non porteur d'intérêts ◆ **non-interference** non-intervention ◆ **non-intervention** non-intervention, laisser-faire ◆ **non-insurable risk** risque non assurable ◆ **non-ledger asset** actif non comptabilisé ◆ **non-liability** non-responsabilité ◆ **non-liability clause** clause de non-responsabilité ◆ **non-listed stock** valeurs non cotées ◆ **non-manufacturing sector** secteur non manufacturier ◆ **non-marketable securities** valeurs non négociables ◆ **non-member** *[club]* personne étrangère ◆ **non-member bank** *(US)* banque non membre du système de réserve fédérale ◆ **non-member country** *[EU]* pays non membre *or* non adhérent ◆ **open to non-members** ouvert au public ◆ **non-negotiable bill** effet non négociable ◆ **non-participating share** action non participative ◆ **non-payment** non-paiement ◆ **non-performance** non-exécution, inexécution ◆ **non-performing** loans emprunts à problèmes ◆ **non-price competition** *pratique concurrentielle ne portant pas sur les prix* ◆ **non-productive** non productif, improductif ◆ **non-professional** amateur, non professionnel ◆ **non-professional behaviour** comportement non conforme aux règles de la profession ◆ **non-profit-making** sans but lucratif, à but non lucratif ◆ **non-profit marketing** marketing des organisations sans but lucratif ◆ **non-public information** informations confidentielles, informations non diffusées dans le public ◆ **non-quoted** non coté ◆ **non-recoverable** irrécouvrable ◆ **non-recurring expenses** dépenses exceptionnelles ◆ **non-resident** non-résident ◆ **non-returnable** *container, packing* non consigné, non repris, perdu ◆ **non-routine decisions** décisions exceptionnelles ◆ **non-sale** non-vente ◆ **non-scheduled** non planifié ◆ **non-shipment** non-embarquement ◆ **this project is a non-starter** * il est hors de question de se lancer dans un tel projet ◆ **non-stop** sans arrêt, continu ◆ **non-stop flight** vol sans escale ◆ **non-striker** non gréviste ◆ **non-tax revenue** recettes non fiscales ◆ **non-taxable** non imposable ◆ **non-traceable costs** coûts non localisables ◆ **non-trading** sans caractère commercial ◆ **non-transferable debentures** obligations nominatives ◆ **non-union worker** ouvrier non syndiqué ◆ **non-variable** fixe ◆ **non-variable expenses** frais fixes ◆ **non-vested pension** retraite non réversible ◆ **non-volatile memory** *(Comp)* mémoire rémanente *or* permanente ◆ **non-voting share** *or* **stock** titre participatif, action sans droit de vote ◆ **non-warranty clause** clause de non-garantie ◆ **non-wasting assets** actif indéfectible.

**none** /nʌn/ **N** *(in form-filling)* néant m.

**nonsuit** /'nɒnsuːt/ **N** *(gen)* ordonnance f de non-lieu; *(on the part of the plaintiff)* cessation f de poursuites, retrait m de plainte ◆ **to direct a nonsuit** rendre une ordonnance de non-lieu **VT** débouter ◆ **to be nonsuited** être débouté (de sa demande).

**norm** /nɔːm/ **N** norme f ◆ **according to the norm** conforme à la norme.

**normal** /'nɔːməl/ **ADJ** *situation, performance* normal ◆ **the factory has resumed normal working hours** les horaires normaux de travail ont été rétablis dans l'usine ◆ **normal curve** courbe normale, courbe de Gauss ◆ **normal trading unit** *(St Ex)* quotité.

**normality** *(Brit)* /nɔː'mælɪtɪ/, **normalcy** *(US)* /'nɔːməlsɪ/ **N** normalité f.

**normalization, normalisation** /ˌnɔːməlaɪ'zeɪʃən/ **N** normalisation f.

**normalize, normalise** /'nɔːməlaɪz/ **VT** normaliser, régulariser.

**normative** /'nɔːmətɪv/ **ADJ** normatif ◆ **normative economics** économie normative.

**north** /nɔːθ/ **N** nord m

───── *compounds/composés* ─────

◆ **North Atlantic Treaty Organization** Organisation du Traité de l'Atlantique Nord
◆ **North Sea gas** gaz (naturel) de la mer du Nord
◆ **North Sea oil** pétrole de la mer du Nord.

**North Africa** /ˌnɔːθ'æfrɪkə/ **N** Afrique f du Nord.

**North African** /ˌnɔːθ'æfrɪkən/ **ADJ** nord-africain **N** *(= inhabitant)* Nord-Africain(e) m(f).

**North America** /ˌnɔːθə'merɪkə/ **N** Amérique f du Nord.

**North American** /ˌnɔːθə'merɪkən/ **ADJ** nord-américain ◆ **North American Free Trade Agreement** Accord de libre-échange nord-américain **N** *(= inhabitant)* Nord-Américain(e) m(f).

**Northern Ireland** /ˌnɔːðən'aɪələnd/ **N** Irlande f du Nord.

**North Korea** /ˌnɔːθkə'rɪə/ **N** Corée f du Nord.

**North Korean** /ˌnɔːθkə'rɪən/ **ADJ** nord-coréen **N** *(= inhabitant)* Nord-Coréen(ne) m(f).

**North Yemen** /ˌnɔːθ'jemən/ **N** Yémen m du Nord.

**Norway** /'nɔːweɪ/ **N** Norvège f.

**Norwegian** /nɔː'wiːdʒən/ **ADJ** norvégien **N a** *(= language)* norvégien m **b** *(= inhabitant)* Norvégien(ne) m(f).

**nosedive** /'nəʊzdaɪv/ **N** *[stocks, prices]* chute f libre, baisse f rapide, plongeon m **VI** *[stocks, prices]* faire un plongeon, baisser rapidement, être en chute libre.

**nostro account** /'nɒstrəʊəˌkaʊnt/ **N** *(Bank)* compte m nostro.

**not** /nɒt/ **ADV** ◆ **I was told not to come** on m'a dit de ne pas venir ◆ **thank you very much – not at all** merci beaucoup - je vous en prie ◆ **why not?** pourquoi pas? ◆ **not sufficient funds, not provided for** *(Bank)* défaut de provision, sans couverture suffisante ◆ **not applicable** s'applique pas ◆ **not available** indisponible ◆ **not dated** non daté ◆ **not exceeding** ne dépassant pas ◆ **not-for-profit** *(US)* à but non lucratif ◆ **not rated** *(by a securities rating service)* non évalué, sans rating.

**notarial** /nəʊˈtɛərɪəl/ **ADJ** *seal* notarial; *deed* notarié ✦ **notarial protest certificate** protêt par acte authentique.

**notarize, notarise** /ˈnəʊtəraɪz/ **VT** certifier conforme, légaliser.

**notary** /ˈnəʊtərɪ/ **N** (also **notary public**) notaire m ✦ **deed drawn up before a notary** acte dressé par-devant notaire ✦ **notary's office** étude.

**notation** /nəʊˈteɪʃən/ **N** numérotation f, notation f.

**notch** /nɒtʃ/ **N** cran m ✦ **to rise a notch** *[price, salary]* augmenter d'un cran.

**notch down** **VI** baisser.

**notch up** **VT SEP** *score, point* marquer.

**note** /nəʊt/ **N** **a** *(= brief record of facts)* note f *(Fin, Acc) (gen)* bordereau m, bon m ; *(= promise to pay)* billet m, effet m ✦ **note of expenses** note de frais ✦ **note of hand** reconnaissance (de dette) ✦ **to take** *or* **make a note of sth** prendre qch en note, prendre note de qch ✦ **notes to the accounts** annexes aux états financiers ✦ **advice note** lettre d'avis ✦ **bought note** *(St Ex)* bordereau d'achat ✦ **circular note** lettre de crédit circulaire ✦ **commission note** bon de commission ✦ **consignment note** feuille *or* bordereau d'expédition ✦ **contract note** *(St Ex)* bordereau d'achat (*or* de vente) ✦ **cover note** *(Ins)* lettre de couverture, police provisoire ✦ **credit note** bordereau *or* avis de crédit ✦ **customhouse note** bordereau de douane ✦ **debit note** *(to customer)* note *or* avis *or* bordereau de débit; *(Ins)* avis *or* relevé de prime ✦ **delivery note** bon de livraison ✦ **discount note** bordereau d'escompte ✦ **dispatch note** bulletin *or* bordereau *or* feuille d'expédition ✦ **open note** *(US Fin)* emprunt à découvert ✦ **promissory note** billet à ordre ✦ **shipping note** note de chargement, permis d'embarquement ✦ **Treasury note** bon du Trésor ✦ **note payable / receivable** effet à payer / à recevoir **b** *(= informal letter)* mot m **c** (also **banknote**) billet m de banque **d** *(US Bank)* contrat m de prêt **COMP** ✦ **note issue** émission fiduciaire

**VT** **a** *(Admin, Jur)* noter, prendre (bonne) note de, constater ✦ **which fact is duly noted** *(Jur)* dont acte ✦ **noting a bill** *constat de refus de paiement d'un effet dressé par un notaire* ✦ **we have noted your observations** nous avons pris acte *or* note de vos observations **b** *(= notice)* remarquer, constater, relever.

**notebook** /ˈnəʊtbʊk/ **N** *(gen)* carnet m, calepin m, agenda m ; *[stenographer]* bloc-notes m.

**notecase** /ˈnəʊtkeɪs/ **N** portefeuille m.

**note down** **VT SEP** noter, inscrire ✦ **to note down an appointment in one's diary** noter *or* inscrire un rendez-vous dans son agenda.

**notepad** /ˈnəʊtpæd/ **N** *(gen, Comp)* bloc-notes m.

**noteworthy** /ˈnəʊtwɜːðɪ/ **ADJ** notable, remarquable.

**notice** /ˈnəʊtɪs/ **N** **a** *(= warning)* avis m, notification f, avertissement m ✦ **advance notice** préavis ✦ **copyright notice** (indication *or* mention du) copyright ✦ **final notice** dernier avertissement ✦ **formal** *or* **peremptory notice** *(Jur)* mise en demeure ✦ **sold notice** déclaration de vente ✦ **notice of abandonment** *(Mar Ins)* avis de délaissement ✦ **notice of assessment** *(Tax)* avertissement ✦ **notice of dishonour** protêt ✦ **notice of dismissal** lettre de licenciement ✦ **notice of injury** *(Ins)* déclaration d'accident corporel ✦ **notice of loss** *or* **damage** *(Ins)* déclaration de sinistre ✦ **notice of receipt** avis de réception ✦ **notice of withdrawal** avis de retrait ✦ **notice to pay** avis d'avoir à payer ✦ **notice to quit** *(to tenant) (gen)* congé; *(Jur)* signification d'éviction, intimation de quitter les lieux ✦ **to give notice to quit** *(to a tenant)* donner congé à, signifier son congé à; *(to a landlord)* donner un préavis de départ à ✦ **to be under notice to quit** avoir reçu son congé ✦ **what notice do you require?** quel préavis demandez-vous? ✦ **you have to give three months' notice** il faut donner congé trois mois d'avance *or* avec trois mois de préavis ✦ **notice to perform** *[contract]* sommation d'exécution ✦ **term of notice** délai de préavis ✦ **at short notice** *(gen, Admin)* dans un bref délai; *(Fin)* à court terme ✦ **at 5 days' notice** *(gen)* dans un délai de 5 jours; *(Bank)* à 5 jours de préavis ✦ **until further notice** jusqu'à nouvel ordre *or* nouvel avis ✦ **without (previous** *or* **prior) notice** *(gen)* sans préavis, sans avis préalable; *(in contract, agreement)* sans dénonciation préalable ✦ **to give notice of sth** annoncer qch ✦ **to give sb notice of sth** *(gen)* avertir *or* prévenir qn de qch *(Admin : formally)* donner acte à qn de qch ✦ **to require two months' notice** exiger *or* demander un préavis de deux mois ✦ **to receive notice to do sth** *(Jur)* être mis en demeure de faire qch ✦ **withdrawals may be made upon giving written notice of one month** des retraits peuvent être effectués après notification écrite d'un préavis d'un mois **b** *(= end of work contract) (by employer)* congé m ; *(by employee)* démission f ✦ **period of notice** (délai de) préavis ✦ **to give sb notice of dismissal** *(gen)* licencier qn, renvoyer qn; *(domestic help)* donner son congé à qn, congédier qn ✦ **to hand**

in one's notice donner sa démission ◆ you must give three months' notice il faut donner un préavis de trois mois ◆ to get one's notice recevoir son avis de licenciement c (= announcement) (gen) avis m, annonce f; (in newspaper) entrefilet m; (= poster) affiche f; (= sign) pancarte f, écriteau m ◆ to put a notice in the paper mettre or faire insérer un entrefilet or une annonce dans le journal ◆ the notice of the meeting was posted up at the factory gates l'affiche annonçant la réunion a été placardée à l'entrée de l'usine d (= review) [book, conference, film] compte rendu m, critique f e (phrases) ◆ to take notice of tenir compte de ◆ to take no notice of ne tenir aucun compte de ◆ to bring to sb's notice porter à la connaissance de qn, faire remarquer à qn, signaler à qn ◆ it escaped my notice that... je n'ai pas remarqué que...

─── compounds/composés ───
◆ **notice board** panneau d'affichage
◆ **notice day** (US Commodity Exchange) jour réservé à l'émission des filières
◆ **notice period** (délai de) préavis

▣ s'apercevoir de, remarquer, observer ◆ without my noticing it sans que je m'en aperçoive, sans m'en rendre compte ◆ I've noticed a lot of inaccuracies in his report j'ai relevé bon nombre d'inexactitudes dans son rapport.

**noticeable** /'nəʊtɪsəbl/ ADJ sensible, net ◆ a noticeable rise / drop in wages une hausse / baisse sensible des salaires.

**notifiable** /'nəʊtɪfaɪəbl/ ADJ à déclarer or à signaler obligatoirement.

**notification** /ˌnəʊtɪfɪ'keɪʃən/ N avis m, annonce f, notification f.

**notify** /'nəʊtɪfaɪ/ VT ◆ to notify sth to sb signaler or notifier or communiquer or faire savoir qch à qn ◆ to notify sb of sth aviser or avertir qn de qch ◆ any change in family status must be immediately notified tout changement dans la situation de famille doit être signalé or notifié immédiatement ◆ to notify the parties (Jur) faire des intimations aux parties ◆ to notify sb of a decision (Jur) signifier un arrêt à qn ◆ the public are hereby notified that... le public est informé par les présentes que..., il est porté à la connaissance du public par les présentes que...

**noting score** /'nəʊtɪŋˌskɔːʳ/ N (Pub) taux m or score m de mémorisation or d'observation.

**notional** /'nəʊʃənl/ N (Fin) price, rent fictif; (St Ex) contract notionnel.

**notwithstanding** /ˌnɒtwɪθ'stændɪŋ/ PREP malgré, en dépit de ◆ notwithstanding the provisions of par dérogation aux clauses de.

**Nouakchott** /'nwakʃɔt/ N Nouakchott.

**nought** /nɔːt/ N zéro m ◆ nought state (Comp) état zéro.

**Nouméa** /ˌnuːˈmeɪə/ N Nouméa.

**novation** /ˌnəʊ'veɪʃən/ N (Jur) novation f.

**novelty** /'nɒvəltɪ/ N [idea, thing, design] nouveauté f, caractère m inédit (Comm = article) (article m de) nouveauté f, fantaisie f.

**November** /nəʊ'vembəʳ/ N novembre m → September.

**now** /naʊ/ ADV maintenant.

**NOW** /ˌenəʊ'dʌbljuː/ abbr of **negotiable order of withdrawal** → **negotiable**.

**noxious** /'nɒkʃəs/ ADJ nocif, nuisible, malsain ◆ noxious fumes émanations toxiques ◆ noxious influence influence nocive or malsaine.

**NP** /en'piː/ N abbr of **notary public** → **notary**.

**n / p** abbr of **net proceeds** → **net**.

**n.p.f.** abbr of **not provided for** → **not**.

**NPV** /ˌenpiː'viː/ N (abbr of **net present value**) VAN f.

**nr** abbr of **near**.

**NR** abbr of **not rated** → **not**.

**NRT** /ˌenɑː'tiː/ N abbr of **net register tonnage** → **net**.

**NSB** /ˌenes'biː/ N abbr of **National Savings Bank** → **national**.

**NSF, N / S / F** abbr of **not sufficient funds** → **not**.

**nt.** abbr of **net**.

**nt. wt.** abbr of **net weight** → **net**.

**nuclear** /'njuːklɪəʳ/ ADJ a energy, weapon nucléaire ◆ nuclear deterrent force de dissuasion nucléaire ◆ nuclear physicist physicien atomiste ◆ nuclear plant, nuclear power station centrale nucléaire ◆ nuclear waste déchets nucléaires b (Soc) ◆ nuclear family famille nucléaire.

**nucleus** /'njuːklɪəs/ N [problem] cœur m, fond m.

**nudge up** /nʌdʒ/ VT SEP prices augmenter or relever légèrement, donner un coup de pouce à.

**nugatory** /'njuːgətərɪ/ ADJ (Jur) nul, non valable.

**nugget** /'nʌgɪt/ N pépite f ◆ gold nugget pépite d'or.

**nuisance** /'njuːsns/ **N** (gen = annoying event) ennui m ; (Jur) infraction f simple, dommage m simple ◆ **for causing a public nuisance** pour dommage simple à autrui.

**NUJ** /ˌenjuːˈdʒeɪ/ (US) **N** (abbr of **National Union of Journalists**) syndicat des journalistes.

**null** /nʌl/ **ADJ** a (Jur) act, decree nul ; legacy caduc ◆ **null and void** contract nul et non avenu ◆ **to render null and void** annuler, infirmer, invalider b (Comp) nul, vide ◆ **null character** caractère nul ◆ **null string** chaîne vide.

**nullification** /ˌnʌlɪfɪˈkeɪʃən/ **N** (gen) infirmation f, annulation f invalidation f ; [agreement] répudiation f.

**nullify** /'nʌlɪfaɪ/ **VT** contract annuler, invalider, infirmer ; legacy rendre caduc or sans effet.

**nullity** /'nʌlɪtɪ/ **N** (Jur) [act, decree] nullité f, invalidité f ; [legacy] caducité f.

**NUM** /ˌenjuːˈem/ (Brit) **N** (abbr of **National Union of Mineworkers**) syndicat des mineurs.

**number** /'nʌmbəʳ/ **N** a (Math) nombre m, chiffre m ◆ **even / odd number** nombre pair / impair ◆ **in round numbers** en chiffres ronds ◆ **index number** nombre indice ◆ **number-cruncher** * (= computer) gros ordinateur; (= person) comptable ◆ **number-crunching** * calcul b [house, page] numéro m ◆ **account number** numéro de compte ◆ **code number** numéro de code ◆ **dialling number** (Comp) numéro de sélection ◆ **operation number** numéro d'instruction ◆ **opposite number** (= person) homologue ◆ **order number** (Comm) numéro de commande ◆ **reference number** numéro de référence ◆ **registration number** [car] numéro minéralogique or d'immatriculation; (Admin) numéro d'immatriculation ◆ **sequence number** (Comp) numéro d'ordre ◆ **serial number** numéro de série ◆ **telephone number** numéro de téléphone ◆ **wrong number** (Telec) faux numéro

**VT** (= give a number to) numéroter; (= amount to) compter, s'élever à ◆ **the task force numbered 20 people** l'équipe d'experts comptait 20 personnes ◆ **numbered (bank) account** compte (bancaire) numéroté.

**numeracy** /'njuːmərəsɪ/ **N** capacités fpl en calcul.

**numeraire** /'njuːmərɛəʳ/ **N** numéraire m.

**numerate** /'njuːmərɪt/ **ADJ** rompu aux techniques de calcul.

**numeration** /ˌnjuːməˈreɪʃən/ **N** numération f.

**numeric** /njuːˈmerɪk/ **ADJ** numérique ◆ **numeric-alphabetic** alphanumérique ◆ **numeric character** caractère numérique.

**numerical** /njuːˈmerɪkəl/ **ADJ** numérique ◆ **numerical analysis** analyse numérique ◆ **numerical control** contrôle numérique ◆ **numerical filing** classement numérique.

**numerically** /njuːˈmerɪkəlɪ/ **ADV** numériquement ◆ **numerically controlled** à commande numérique.

**NUPE** /'njuːpɪ/ (Brit) **N** (abbr of **National Union of Public Employees**) confédération de fonctionnaires britanniques.

**NUR** /ˌenjuːˈɑːʳ/ (Brit) **N** (abbr of **National Union of Railwaymen**) syndicat des chemins de fer.

**nurse** /nɜːs/ **VT** (lit, fig) soigner ◆ **to nurse a business** veiller au redressement d'une entreprise en difficulté ◆ **to nurse stocks** ne pas tirer sur ses stocks dans l'espoir d'une hausse.

**nursery** /'nɜːsərɪ/ **N** (fig : for talent) pépinière f, vivier m.

**nut** /nʌt/ **N** ◆ **a hard nut to crack** (fig) un problème difficile à résoudre ◆ **the nuts and bolts of managing a business** les aspects pratiques de la gestion d'une entreprise.

**NY** abbr of **New York**.

**NYSE** /'enwaɪesˈiː/ **N** (abbr of **New York Stock Exchange**) l'une des deux Bourses de New York, également appelée Wall Street.

# o

**o / a** (abbr of **on account of**) en raison de.

**O and M** /ˌəʊənd'em/ **N** abbr of **organization and methods → organization.**

**OAP** /ˌəʊeɪ'piː/ **N** abbr of **old age pensioner → old.**

**OAS** /ˌəʊeɪ'es/ **N** (abbr of **Organization of American States**) OEA f.

**oath** /əʊθ/ **N** (Jur) serment m ♦ **to declare on oath** déclarer sous serment ♦ **to give evidence on** or **under oath** témoigner sous serment.

**OBE** /ˌəʊbiː'iː/ **N** (abbr of **Officer of the Order of the British Empire**) officier de l'Ordre de l'Empire britannique (titre honorifique).

**obedience** /ə'biːdɪəns/ **N** obéissance f ♦ **in obedience to your orders / the law** conformément à vos ordres / la loi.

**obey** /ə'beɪ/ **VT** person, order obéir à; law, instructions se conformer à.

**object** /'ɒbdʒɪkt/ **N** (= aim) but m, objet m, objectif m ♦ **the object of this meeting is to...** cette réunion a pour but or objet de... ♦ **with the sole object of** à seule fin de ♦ **the objects of a company** l'objet d'une société ♦ **salary no object** salaire indifférent ♦ **expense is no object** le coût importe peu
**VI** élever une objection (to contre) ♦ **I object most strongly** je proteste énergiquement ♦ **if you don't object** si vous n'y voyez pas d'inconvénient ♦ **they objected to him on the grounds that he had insufficient experience** on lui a objecté qu'il n'avait pas assez d'expérience ♦ **to object to a proposal** trouver à redire à une proposition.

**objection** /əb'dʒekʃən/ **N** objection f ♦ **I have no objection** je n'ai pas d'objection, je n'y vois aucun inconvénient ♦ **to make** or **raise an objection** soulever or formuler une objection ♦ **objection overruled** (Jur) objection rejetée ♦ **objection sustained** objection admise.

**objective** /əb'dʒektɪv/ **ADJ** objectif ♦ **objective indicators** indicateurs objectifs
**N** objectif m, but m ♦ **to reach** or **attain an objective** atteindre or réaliser un objectif ♦ **long-term objective** objectif à long terme ♦ **management by objectives** direction par objectifs ♦ **market-oriented / product-oriented objectives** objectifs ciblés sur le marché / sur le produit ♦ **quantitative / qualitative objectives** objectifs quantitatifs / qualitatifs ♦ **impact / strategic / tactical objectives** objectifs d'impact / stratégiques / tactiques ♦ **our objective is to reach 20% market share** notre but or notre objectif est d'atteindre une part de marché de 20%.

**obligate** /'ɒblɪgeɪt/ **VT** obliger ♦ **to obligate sb to do** (Jur) imposer à qn l'obligation de faire, astreindre qn à faire.

**obligation** /ˌɒblɪ'geɪʃən/ **N** obligation f ♦ **to be under an obligation to do** être tenu de faire, être dans l'obligation de faire ♦ **you are under no obligation** cela ne vous engage à rien ♦ **without obligation** (on advert) sans engagement de votre part ♦ **no obligation to buy** (on advert) sans obligation d'achat; (in shop) entrée libre ♦ **contractual obligation** engagement contractuel ♦ **imperfect / perfect obligation** (Jur) obligation morale / légale ♦ **implied obligation** obligation implicite ♦ **joint and several obligation** obligation solidaire ♦ **to meet** or **fulfil one's obligations** tenir ses engagements, faire honneur à ses engagements or obligations ♦ **to release from an obligation** libérer d'une obligation, délier d'un engagement ◆ **to withdraw from one's obligations** se soustraire à ses engagements *or* obligations.

**obligatory** /ɒˈblɪɡətərɪ/ **ADJ** obligatoire ◆ **writ** *or* **writing obligatory** engagement par acte notarié ◆ **your attendance at the meeting is obligatory** il est impératif que vous assistiez à la réunion.

**oblige** /əˈblaɪdʒ/ **VT** **a** *(= force)* obliger, contraindre *(sb to do* qn à faire*)* ◆ **to be obliged to** être tenu de, être obligé de, être contraint à **b** *(= do a favour to)* rendre service à, obliger, faire une faveur à ◆ **to be obliged to sb for sth** être reconnaissant *or* savoir gré à qn de qch ◆ **an answer by return of post will oblige** prière de bien vouloir répondre *or* nous vous serions reconnaissants de bien vouloir répondre par retour du courrier ◆ **we should be much obliged** nous vous saurions infiniment gré ◆ **we cannot oblige you in this matter** nous ne pouvons vous être agréables *or* vous rendre service en cette circonstance.

**obligee** /ˌɒblɪˈdʒiː/ **N** *(Jur)* obligataire m, créancier m.

**obligor** /ˌɒblɪˈɡɔːr/ **N** *(Jur)* obligé m.

**observance** /əbˈzɜːvəns/ **N** *[rule]* observation f, respect m ◆ **non-observance of conditions** non-respect *or* inobservation des conditions.

**observation** /ˌɒbzəˈveɪʃən/ **N** observation f, remarque f.

**observatory** /əbˈzɜːvətrɪ/ **N** observatoire m.

**observe** /əbˈzɜːv/ **VT** *rule* observer, se conformer à, respecter ◆ **failure to observe the law** non-respect *or* inobservation de la loi.

**observer** /əbˈzɜːvər/ **N** observateur(-trice) m(f).

**obsolescence** /ˌɒbsəˈlesns/ **N** vieillissement m, obsolescence f ◆ **planned** *or* **built-in obsolescence** vieillissement programmé

—— *compounds/composés* ——
◆ **obsolescence clause** *(Ins)* clause de vétusté
◆ **obsolescence replacement** investissement de modernisation.

**obsolescent** /ˌɒbsəˈlesnt/ **ADJ** obsolescent.

**obsolete** /ˈɒbsəliːt/ **ADJ** *methods* dépassé, périmé, vieilli ◆ **to become obsolete** être dépassé *or* périmé, se périmer ◆ **obsolete stocks** stocks périmés
**VT** *(US)* rendre désuet *or* périmé.

**obstruct** /əbˈstrʌkt/ **VT** *(= block) traffic, plan* entraver, gêner, bloquer.

**obtain** /əbˈteɪn/ **VT** *goods, information, job* obtenir, se procurer
**VI** avoir cours, prévaloir, être en vigueur ◆ **this method does not obtain on the Paris Bourse** ce système n'est pas en vigueur à la Bourse de Paris ◆ **the prices that obtained today** les cours qui ont prévalu aujourd'hui ◆ **according to the practice now obtaining** selon l'usage actuellement en vigueur.

**obtainable** /əbˈteɪnəbl/ **ADJ** qu'on peut se procurer, disponible.

**obtainment** /əbˈteɪnmənt/ **N** obtention f.

**OBU** /ˌəʊbiːˈjuː/ **N** abbr of **offshore banking unit** → **offshore.**

**obviate** /ˈɒbvɪeɪt/ **VT** *difficulty* obvier à, parer à; *danger, objection* prévenir.

**obvious** /ˈɒbvɪəs/ **ADJ** évident, manifeste ◆ **to state the obvious** enfoncer une porte ouverte.

**O / C** abbr of **overcharge.**

**OCAS** /ˌəʊsiːeɪˈes/ **N** (abbr of **Organization of Central American States**) ODEAC f.

**Oc.b / l** abbr of **ocean bill of lading** → **ocean.**

**occasion** /əˈkeɪʒən/ **N** **a** *(= circumstance)* occasion f, circonstance f ◆ **should the occasion arise** si l'occasion se présente, le cas échéant ◆ **should the occasion so demand** si les circonstances l'exigent **b** *(= reason)* motif m ◆ **I have no occasion for complaint** je n'ai aucune raison de me plaindre, je n'ai aucun motif de plainte ◆ **there is no occasion to be afraid of our competitors** il n'y a pas lieu de redouter la concurrence.

**occasional** /əˈkeɪʒənl/ **ADJ** occasionnel ◆ **occasional worker** travailleur occasionnel.

**occupancy** /ˈɒkjʊpənsɪ/ **N** occupation f ◆ **industrial occupancy** location à usage industriel ◆ **immediate occupancy** possession *or* jouissance immédiate

—— *compounds/composés* ——
◆ **occupancy costs** frais mpl de location
◆ **occupancy ratio** *or* **rate** taux d'occupation.

**occupant** /ˈɒkjʊpənt/ **N** *[building, land]* occupant(e) m(f) ; *[post]* titulaire mf ; *(Jur)* premier occupant m.

**occupation** /ˌɒkjʊˈpeɪʃən/ **N** **a** *[building] (gen)* occupation f ; *(Jur)* prise f de possession *(à titre de premier occupant)* ◆ **fit / unfit for occupation** habitable / inhabitable **b** *(= job)* métier m, profession f, travail m ◆ **his occupation is that of accountant, he is an accountant**

**by occupation** il est comptable de son métier *or* de son état ✦ **to be in a reserved occupation** avoir une affectation spéciale ✦ **what is his occupation?** quel métier exerce-t-il?, quel est son métier *or* sa profession?, quel genre de travail fait-il? ✦ **secondary / service occupations** emplois du secteur industriel / tertiaire.

**occupational** /ˌɒkjʊˈpeɪʃənl/ **ADJ** professionnel ✦ **occupational disease** maladie professionnelle ✦ **occupational distribution** *(Stat)* répartition par profession ✦ **occupational hazard** risque professionnel ✦ **occupational injury** accident du travail ✦ **occupational medicine** médecine du travail ✦ **occupational pension** *retraite ne relevant pas du régime général de la Sécurité sociale* ✦ **occupational tax** patente.

**occupier** /ˈɒkjʊpaɪəʳ/ **N** occupant(e) m(f).

**occupy** /ˈɒkjʊpaɪ/ **VT** *house* occuper, habiter; *time* occuper; *post* occuper, remplir ✦ **Mr Smith will occupy the post of personnel manager** M. Smith occupera le poste de *or* remplira les fonctions de directeur du personnel ✦ **our new documentation centre occupies less space than the old one** notre nouveau centre de documentation prend *or* occupe moins de place que l'ancien.

**ocean** /ˈəʊʃən/ **N** océan m

---
*compounds/composés*

✦ **ocean bill of lading** connaissement maritime
✦ **ocean freight** fret au long cours
✦ **ocean-going ship** long-courrier, navire au long cours
✦ **ocean liner** paquebot.

---

**Oceania** /ˌəʊʃɪˈɑːnɪə/ **N** Océanie f.

**October** /ɒkˈtəʊbəʳ/ **N** octobre m → **September**.

**o / d** **a** abbr of **on demand** **b** abbr of **overdraft.**

**odd** /ɒd/ **ADJ** *number* impair ✦ **odd lot** *(St Ex)* lot de titres ne formant pas une quotité; *(= unmatched articles)* articles dépareillés, soldes, fins de série ✦ **odd lots** *(St Ex)* (titres formant) rompus ✦ **£40-odd** 40 et quelques livres ✦ **this is an odd size that we don't stock** c'est une taille peu courante que nous ne suivons pas ✦ **he is the odd man out** not having done a degree ne pas avoir de diplômes fait de lui l'exception dans le groupe ✦ **odd jobs** menus travaux ✦ **odd-job man** homme à tout faire.

**oddment** /ˈɒdmənt/ **N** *(Comm)* article m en solde, article m dépareillé ✦ **oddments** fins de série, soldes.

**odds** /ɒdz/ **NPL** **a** *(Betting)* cote f ; *(fig)* chances fpl, probabilités fpl *(for* pour, *against* contre)

✦ **the odds are in favour of a successful contract** il y a de fortes chances que ce contrat soit conclu ✦ **the odds are too great** les risques (d'échec) sont trop grands, les chances de réussite sont trop minces **b** **odds and ends** *(= objects)* restes; *(= details)* derniers détails à régler.

**OECD** /ˈəʊˌiːsiːˈdiː/ **N** (abbr of **Organization for Economic Cooperation and Development**) OCDE f.

**OEEC** /ˌəʊiːˈsiː/ **N** (abbr of **Organization for European Economic Cooperation**) OECE f.

**OEM** /ˈəʊiːˈɛm/ **N** (abbr of **Original Equipment Manufacturer**) OEM m ✦ **OEM supplier** *(gen, Aut)* équipementier; *(Comp)* fabricant de matériel informatique d'origine ✦ **OEM sale** vente d'OEM, vente de matériel informatique d'origine.

**off** /ɒf/ **ADJ, ADV** **a** *(= cancelled)* ✦ **the deal is off** l'accord ne s'est pas fait ✦ **the strike is off** *(= cancelled)* la grève est annulée, la grève n'aura pas lieu; *(= ended)* la grève est terminée **b** *(= absent)* ✦ **he is off on Wednesdays** il n'est pas là le mercredi ✦ **to be off** être absent ✦ **to be off sick** être absent pour cause de maladie ✦ **to give the staff a day off** donner un jour de congé à son personnel ✦ **to manage to take two days off** réussir à se libérer pour deux jours, réussir à prendre deux jours de congé **c** *(= discount)* ✦ **to allow 3% off for cash payment** consentir une réduction *or* une remise *or* un rabais de 3% pour paiement comptant ✦ **10p off** remise *or* réduction de 10 pence **d** **to be off** *[stock market prices]* être en baisse ✦ **business is off** les affaires marchent moins bien ✦ **off year** année de ralentissement de l'activité, mauvaise année

**PREP** **to take sth off the price** consentir une réduction *or* une remise sur le prix, rabattre qch sur le prix ✦ **to buy sth off the shelf** acheter qch tout fait ✦ **to pay sb off the books** \* rémunérer qn au noir, payer qn sans le déclarer ✦ **this is off the record** je vous dis cela à titre confidentiel

**offence** *(Brit)*, **offense** *(US)* /əˈfens/ **N** *(Jur)* délit m, infraction f, atteinte f *(against* à) ✦ **indictable / non indictable offence** infraction majeure / mineure ✦ **second offence** récidive ✦ **no offence meant but...** soit dit sans vous offenser... ✦ **it is an offence to do that** c'est interdit par la loi, c'est illégal.

**offender** /əˈfendəʳ/ **N** *(= lawbreaker)* délinquant(e) m(f) ; *(against traffic regulations)* contrevenant(e) m(f) ✦ **second offender** récidiviste.

---

OFF

◆ **off balance sheet** hors bilan ◆ **off-balance-sheet items** engagements *or* opérations hors bilan
◆ **off-board market** marché hors-cote
◆ **off-budget** *(US)* hors budget
◆ **off-card rate** *(Pub)* tarif publicitaire réduit
◆ **off-floor market** *or* **trading** marché en coulisse, troisième marché
◆ **off-label store** *(US)* magasin de dégriffés
◆ **off-licence** *(Brit)* (= *permit*) *licence permettant ex-clusivement la vente de boissons alcoolisées à em-porter* (= *shop*) magasin de vins et spiritueux
◆ **off-line** *computer* non connecté, autonome; *processing* en différé
◆ **off-list price** prix réduit, remise
◆ **off-market block** *(St Ex)* bloc hors marché
◆ **off peak** aux heures creuses, en dehors des pério-des de pointe ◆ **off-peak charges** tarif réduit aux

heures creuses ◆ **off-peak day** jour creux ◆ **off-peak hours** heures creuses ◆ **off-peak season** basse saison, morte-saison ◆ **off-peak ticket** billet à tarif réduit valable aux heures creuses
◆ **off-price distribution** distribution discount *or* à prix réduits
◆ **off-price center** *(US)* centre *or* magasin (de) dis-count
◆ **off-prime** *(US)* inférieur au taux de base
◆ **off-season** basse saison, morte-saison
◆ **off-the-job training** stages mpl de formation à l'extérieur de l'entreprise
◆ **off the peg, off the rack** *(US)* *(buy)* en prêt-à-porter ◆ **off-the-peg** *or* **off-the-rack suit** costume de confection *or* prêt-à-porter
◆ **off-the-shelf goods** marchandises disponibles dans le commerce.

---

**offensive** /ə'fensɪv/ N offensive f ◆ **sales offen-sive** offensive commerciale ◆ **to take the of-fensive** prendre l'offensive, passer à l'attaque (*against* contre)

**offer** /'ɒfəʳ/ N a offre f, proposition f ◆ **bargain offer** offre spéciale *or* promotionnelle, ré-clame ◆ **firm offer** offre ferme ◆ **introductory offer** offre promotionnelle *or* de lancement ◆ **special offer** offre spéciale *or* promotion-nelle, promotion ◆ **it's on special offer** c'est à un prix promotionnel ◆ **verbal offer** offre ver-bale ◆ **on offer** *goods* en promotion, en réclame ◆ **to make an offer** faire une offre *or* une proposition ◆ **it's my best offer** c'est mon dernier mot ◆ **we made a better offer / a tentative offer** nous avons fait une offre plus intéressante / une première proposition ◆ **to take advantage of an offer** profiter d'une offre ◆ **this offer is firm till...** cette offre est valable jusqu'à... ◆ **to be on offer at** être offert à ◆ **these premises are under offer** ces locaux ont fait l'objet d'une proposition d'achat ◆ **open to offers** ouvert à toutes propositions ◆ **£1,000 or nearest offer** *(in advert)* 1 000 livres à débattre ◆ **job offers** offres d'emploi ◆ **tender offer** *(for contract)* soumission, offre b *(St Ex)* cours vendeur *or* offert ◆ **offer for sale** offre (publique) de vente ◆ **tender offer** offre publique d'achat
COMP ◆ **offer price** *(St Ex)* cours vendeur, cours offert; *[unit trust]* cours d'émission

VT offrir, proposer ◆ **he was offered the job** on lui a offert *or* proposé le poste ◆ **to offer goods for sale** mettre des marchandises en vente ◆ **prices offered, offered prices** *(St Ex)* cours vendeurs, cours offerts.

**offeree** /ɒfə'riː/ N destinataire mf d'une offre.

**offerer** /'ɒfərəʳ/ N auteur m d'une offre.

**offering** /'ɒfərɪŋ/ N *(St Ex)* mise f sur le marché ◆ **initial public offering** introduction sur le marché ◆ **secondary offering** revente de titres par un gros détenteur (institutionnel) ◆ **offer-ing date** date de mise sur le marché ◆ **offering price** prix d'émission.

**offeror** /'ɒfərəʳ/ N auteur m d'une offre.

**office** /'ɒfɪs/ N a *(= room, premises)* bureau m ◆ **our New York office** notre bureau *or* notre siège de New York ◆ **branch office** succursale, agence ◆ **head office, main office** siège social, agence centrale ◆ **lawyer's office** étude de notaire ◆ **registered office** siège social ◆ **tax office** centre *or* hôtel des impôts ◆ **the manag-er's office** le bureau du directeur ◆ **for office use only** cadre réservé à l'administration ◆ **fire office** *(Ins)* compagnie d'assurance contre l'in-cendie ◆ **registration office** bureau de l'enre-gistrement ◆ **3,000 m² of office space to let** 3 000 m² de bureaux à louer ◆ **we do not have enough office space in this building** nos bureaux sont à l'étroit dans cet immeuble ◆ **Trading Standards Office** *(US)* ≈ Direction de la concurrence et des prix b *(= function)* char-ge f, fonction f, poste m ◆ **to take office** *[chairman]* entrer en fonction ◆ **to hold public office** avoir des fonctions officielles ◆ **to resign from / leave office** démissionner de / quitter ses fonctions c *(Brit Pol)* ◆ **Foreign Office** ≈ ministère des Affaires étrangères ◆ **Home Of-fice** ≈ ministère de l'Intérieur

**officer** /'ɒfɪsəʳ/ N *(= official)* *[company, organiza-tion]* responsable mf, dirigeant(e) m(f) ◆ **careers officer** conseiller(-ière) m(f) d'orientation pro-fessionnelle ◆ **customs officer** douanier ◆ **tax**

—— compounds/composés ——

### OFFICE

♦ **office automation** bureautique ♦ **office automation expert** bureauticien
♦ **office block** immeuble de bureaux
♦ **office boy** garçon de bureau
♦ **office building** bâtiment administratif
♦ **office computer** ordinateur de bureau
♦ **office equipment** équipement *or* matériel de bureau
♦ **Office of Fair Trading** *(Brit)* ≈ Direction générale de la concurrence, de la consommation et de la répression des fraudes
♦ **office hours** heures de bureau
♦ **office job** travail de bureau
♦ **Office of Management and Budget** *(US)*

agence fédérale chargée de la préparation et du suivi du budget
♦ **office manager** chef de bureau
♦ **office premises** bureaux mpl, locaux mpl à usage professionnel
♦ **office property** *(Brit)*, **office real estate** *(US)* immobilier de bureaux
♦ **office requisites** fournitures fpl de bureau
♦ **office space** bureaux mpl, surface à usage professionnel
♦ **office staff** personnel de bureau
♦ **office supplies** fournitures fpl de bureau
♦ **office work** travail de bureau
♦ **office worker** employé(e) de bureau.

**officer** agent des contributions directes *or* du fisc ♦ **chief accounting officer** chef comptable ♦ **chief executive officer** président-directeur général, PDG ♦ **chief operating officer** directeur général, DG ♦ **divisional officer** chef de département ♦ **executive officer** haut responsable; *[bank]* fondé de pouvoir ♦ **immigration officer** fonctionnaire du service de l'immigration ♦ **investment officer** responsable des investissements ♦ **loan** *or* **lending officer** responsable du service des prêts à la clientèle ♦ **public relations officer** responsable des relations publiques.

**official** /ə'fɪʃəl/ **N** responsable mf ♦ **government official** fonctionnaire *or* représentant du gouvernement ♦ **an official of the Ministry** un représentant du ministère ♦ **union official** dirigeant *or* responsable syndical ♦ **trade officials** les responsables du ministère du Commerce ♦ **official paid** *(Post)* ≈ franchise postale
**ADJ** *documents, news* officiel ♦ **for official use only** *(on form)* réservé à l'administration ♦ **official assignee** *or* **receiver (in bankruptcy)** syndic de faillite, administrateur judiciaire ♦ **official buying-in** *(St Ex)* rachat officiel ♦ **official list (of securities)** cote officielle ♦ **official market** marché officiel ♦ **official quotation** cours officiel ♦ **official rate of exchange** taux de change officiel ♦ **official strike** grève avec préavis, grève légale ♦ **the strike has been made official** la grève a été entérinée ♦ **official support** *currency* soutien officiel.

**officialdom** /ə'fɪʃəldəm/ **N** ♦ **the workings of officialdom** les rouages de l'administration *or* de la bureaucratie.

**officialese** /ə,fɪʃə'liːz/ **N** jargon m administratif.

**officiate** /ə'fɪʃɪeɪt/ **VI** ♦ **to officiate at a ceremony** présider une cérémonie ♦ **to officiate as** exercer les fonctions de.

**off-load** /'ɒf,ləʊd/ **VT** *(gen)* décharger; *work, responsibilities* se décharger de (*onto* sur)

**off-loading** /'ɒfləʊdɪŋ/ **N** déchargement m.

**offset** /'ɒfset/ **N** **a** compensation f, dédommagement m ♦ **as an offset to my losses** en compensation de mes pertes, pour compenser mes pertes ♦ **tax offset** *(gen)* abattement fiscal, déduction fiscale *(US St Ex)* crédit d'impôt **b** *(Typ)* offset m **c** *(= countertrade)* compensation f
**VT** **a** *(= compensate for)* compenser, contrebalancer ♦ **loans can be offset against corporation tax** les emprunts peuvent venir en déduction de l'impôt sur les sociétés ♦ **export losses will be offset by a lower oil bill** nos pertes à l'exportation seront compensées par une facture pétrolière moins lourde ♦ **offsetting position** *(St Ex)* opération de sens inverse **b** *(Typ)* imprimer en offset.

**offshoot** /'ɒfʃuːt/ **N** *(= by-product)* dérivé m ; *(= part of a larger organization)* branche f, ramification f ♦ **this new project is an offshoot of the original plan** ce nouveau projet est un dérivé du plan initial.

**offshore** /'ɒfʃɔːʳ/ **ADV** au large, en mer ♦ **industries that have slipped offshore** les industries qui se sont délocalisées
**ADJ** *(Mar)* de haute mer *(Fin, Ind)* délocalisé, offshore ♦ **offshore drilling platform, offshore rig** plate-forme de forage en mer ♦ **offshore oil** pétrole offshore ♦ **offshore bank** *(Fin)* banque hors-lieu *or* offshore ♦ **offshore banking** opérations bancaires offshore ♦ **offshore banking unit** filiale bancaire délocalisée, filiale OBU ♦ **offshore funds** fonds investis à l'étranger, fonds offshore ♦ **offshore financial management** *(Fin)* gestion privée non résidents ♦ **offshore production** production offshore *or* délocalisée ♦ **offshore manufacturing facility** unité

de fabrication offshore or délocalisée ✦ **offshore orders** (Comm) commandes d'outre-mer ✦ **offshore fishing** pêche en haute mer.

**OFT** /ˌəʊefˈtiː/ N (abbr of **Office of Fair Trading**) DGCCRF.

**OGM** /ˌəʊdʒiːˈem/ N (abbr of **ordinary general meeting**) AGO f.

**OHMS** /ˌəʊeɪtʃemˈes/ (Brit) (abbr of **On His** (or **Her**) **Majesty's Service**) franchise postale (courrier émanant d'un organisme officiel).

**oil** /ɔɪl/ N **a** (Ind) pétrole m ✦ **crude oil** pétrole brut ✦ **diesel oil** gas-oil, gazole ✦ **fuel oil** mazout ✦ **non-oil countries** pays non producteurs de pétrole ✦ **oil-producing countries** pays producteurs de pétrole ✦ **oils** (St Ex) valeurs pétrolières, pétrolières ✦ **to strike oil** (lit) trouver du pétrole; (fig) trouver le filon **b** (Aut, Cooking) huile

───── compounds/composés ─────

✦ **oil company** compagnie pétrolière
✦ **oil deposits** gisements mpl de pétrole
✦ **oil drill** trépan
✦ **oil glut** engorgement du marché pétrolier
✦ **oil market** marché pétrolier
✦ **oil pipeline** oléoduc
✦ **oil pollution** pollution due aux hydrocarbures
✦ **oil price** cours or prix du pétrole
✦ **oil products** produits mpl pétroliers
✦ **oil refinery** raffinerie de pétrole
✦ **oil rig** installation de forage
✦ **oil shale** schiste bitumineux
✦ **oil shares** valeurs fpl pétrolières, pétrolières fpl, pétroles fpl
✦ **oil sheik** émir du pétrole
✦ **oil shortage** pénurie de pétrole
✦ **oil slick** nappe de pétrole; (major disaster) marée noire
✦ **oil spill** marée noire
✦ **oil tanker** (= ship) pétrolier, tanker; (= truck) camion-citerne; (Rail) wagon-citerne; (= aircraft) avion-ravitailleur
✦ **oil terminal** terminal pétrolier
✦ **oil trading** commerce or négoce du pétrole
✦ **oil well** puits de pétrole.

**oilfield** /ˈɔɪlfiːld/ N gisement m de pétrole, gisement m pétrolifère.

**old** /əʊld/ ADJ vieux ✦ **old age insurance** assurance vieillesse ✦ **old age insurance scheme** régime de retraite ✦ **old age pension fund** caisse de retraite vieillesse ✦ **old age pensioner** retraité ✦ **old economy** ancienne économie ✦ **old share** action ancienne ✦ **new-for-old cover is available for items less than two years old** une couverture valeur à neuf est possible pour des articles de moins de deux ans d'âge ✦ **old-established firm** entreprise ancienne or établie depuis longtemps ✦ **old-fashioned** démodé.

**oligopolistic** /ˌɒlɪɡəʊpəˈlɪstɪk/ ADJ oligopolistique.

**oligopoly** /ˌɒlɪˈɡɒpəlɪ/ N oligopole m.

**oligopsony** /ˌɒlɪˈɡɒpsənɪ/ N oligopsonie f.

**Oman** /əʊˈmɑːn/ N Oman m ✦ **the Sultanate of Oman** le sultanat d'Oman.

**Omani** /əʊˈmɑːnɪ/ ADJ omanais **N** (= inhabitant) Omanais(e) m(f).

**ombudsman** /ˈɒmbʊdzmən/ N (Brit Admin) médiateur m.

**omission** /əʊˈmɪʃən/ N omission f, oubli m ✦ **errors and omissions excepted** sauf erreur ou omission.

**omit** /əʊˈmɪt/ VT word omettre ✦ **to omit to do** oublier or négliger de faire.

**omnibus** /ˈɒmnɪbəs/ ADJ clause de portée générale.

**OMO** /ˌəʊemˈəʊ/ N abbr of **overseas money order** → **overseas.**

**on** /ɒn/ ADV, PREP ✦ **the photocopier is on** la photocopieuse est branchée or est en marche ✦ **the meeting is on in the boardroom** la réunion est en cours dans la salle de conférence ✦ **to send sb's letters on** faire suivre le courrier de qn ✦ **payable on demand** or **on presentation** payable à vue or sur présentation ✦ **interest on capital** intérêts du capital ✦ **I've been on to him on the phone** je l'ai eu au téléphone ✦ **I am here on business** je suis ici pour affaires ✦ **to work on a project** travailler à or sur un projet ✦ **on application** sur demande ✦ **goods on approval** marchandises à l'essai ✦ **on behalf of** au nom de ✦ **on account of** en raison de ✦ **on consignment** en consignation, en dépôt ✦ **payable on delivery** payable à la livraison ✦ **on receipt of** à réception or au reçu de ✦ **on examination** après examen ✦ **on hand** disponible ✦ **on trial** à l'essai ✦ **goods on display** (gen) marchandises exposées or présentées; (in a shop window) marchandises en vitrine ✦ **on order** en commande ✦ **it's on order** c'est commandé, c'est en commande ✦ **on request** sur demande ✦ **the new facility will come on stream next year** les nouvelles installations seront opérationnelles or seront en mesure de fonctionner l'an prochain ✦ **tax on alcohol** taxe sur les alcools ✦ **the manager is on £50,000 a year** le directeur touche or gagne 50 000 livres par an ✦ **he's on a new project** il travaille à un nouveau projet ✦ **to serve on a committee** faire partie or être membre d'un comité ✦ **oil prices are down on last year** les cours du pétrole sont en baisse par rapport à l'année dernière or sur l'année dernière ◆ **copper on £96.50 to £5,730** cuivre en hausse de 96,50 livres à 5 730 livres

———— compounds/composés ————

◆ **on-board bill of lading** connaissement embarqué
◆ **on-call transactions** (Commodity Exchange) transactions fpl en prix à fixer
◆ **on-costs** frais mpl généraux
◆ **on-the-job training** formation sur le tas or dans l'entreprise
◆ **on-lend** reprêter ◆ **to on-lend money** prêter de l'argent que l'on a soi-même emprunté
◆ **on-line** computer connecté ◆ **to have sth on line** avoir qch en accès direct or en ligne ◆ **on-line access** accès direct or en ligne ◆ **on-line banking** banque en ligne, télétraitement des opérations bancaires ◆ **on-line broker** courtier en ligne ◆ **on-line operation** exploitation en ligne ◆ **on-line storage** mémoire en ligne ◆ **on-line data service** serveur télématique, centre serveur ◆ **on-line mode** mode connecté ◆ **on-line processing** traitement en direct
◆ **on-pack** offer, coupon imprimé sur l'emballage
◆ **on-site** on-site maintenance maintenance sur place ◆ **on-site training** formation sur le lieu de travail or dans l'entreprise
◆ **on-target earnings** salaire de base plus primes d'objectifs.

**one** /wʌn/ **N** (numeral) un(e) m(f) ◆ **price of one** prix l'unité or à la pièce ◆ **these items are sold in ones** ces articles se vendent à la pièce ◆ **in ones and in denominations of** (Fin) en unités et en coupures de ◆ **to issue shares in ones** émettre des actions en unités ◆ **the shareholders will receive shares in the new holding company on a one-for-one basis** les actionnaires recevront des titres dans le nouveau holding sur la base d'une action nouvelle pour une ancienne ◆ **one-on-one meeting** réunion en tête-à-tête

**ADJ** **a** (numerical) un, une ◆ **one** or **two people** une ou deux personnes **b** (indefinite) un, une ◆ **one day** un jour **c** (= sole) seul, unique → **six**

———— compounds/composés ————

◆ **one-earner household** foyer à salaire unique
◆ **one-man company** société unipersonnelle
◆ **one-off** contract, deal unique, qui ne se renouvellera pas; product, object, building unique; event exceptionnel
◆ **one-price store** bazar, magasin à prix unique
◆ **one-sided** contract inéquitable; decision unilatéral
◆ **one-stop shopping** achats groupés dans un seul point de vente
◆ **one-way** traffic à sens unique; transaction, agreement unilatéral ◆ **one-way bottles** bouteilles non consignées ◆ **one-way package** emballage perdu ◆ **one-way ticket** aller simple.

**onerous** /'ɒnərəs/ **ADJ** (gen) lourd, pénible; contract inéquitable.

**ongoing** /'ɒngəʊɪŋ/ **ADJ** activity en cours ◆ **it's an ongoing concern** c'est une préoccupation constante.

**o.n.o** abbr of **or nearest offer** → **offer.**

**onshore** /'ɒn'ʃɔːʳ/ **ADJ** ◆ **the huge onshore gas resources of the Netherlands** les énormes ressources internes or intérieures en gaz des Pays-Bas ◆ **onshore terminal** terminal intérieur ◆ **onshore financial management** (Fin) gestion privée domestique.

**onslaught** /'ɒnslɔːt/ **N** attaque f, assaut m (on sur)

**onus** /'əʊnəs/ **N** responsabilité f ◆ **the onus of proof is upon the claimant** la charge de la preuve pèse sur le demandeur ◆ **they tried to put the onus onto our forwarding agent** ils ont essayé de faire endosser la responsabilité à notre transporteur.

**o / o** abbr of **on order** → **on.**

**OP** abbr of **out of print** → **out.**

**opaque** /əʊ'peɪk/ **ADJ** (Econ, Fin) opaque.

**opaqueness** /əʊ'peɪknɪs/ **N** (Econ, Fin) opacité f.

**OPEC** /'əʊpek/ **N** (abbr of **Organization of Petroleum Exporting Countries**) OPEP f.

**open** /'əʊpən/ **ADJ** **a** shop, envelope ouvert ◆ **open account** (in store) compte ouvert; (Bank) compte courant ◆ **open bids** (US) marchés publics ◆ **open cheque** chèque non barré ◆ **open contract** (Commodity Exchange) position ouverte ◆ **open credit** crédit à découvert, crédit en blanc, crédit libre ◆ **open house** (Ind) opération portes ouvertes ◆ **open market** (gen) marché libre; (= money market) marché monétaire (libre) ◆ **open-market operations** opérations sur le marché monétaire ◆ **open-market discount rate** taux d'escompte hors banque ◆ **open-market rate** taux du marché libre ◆ **open-market securities** titres du marché libre ◆ **open note** (US Fin) emprunt à découvert ◆ **open order** (St Ex) ordre valable jusqu'à révocation ◆ **open outcry** (St Ex) criée ◆ **open-outcry auction market** enchères à la criée ◆ **open policy** (Mar Ins) police flottante or d'abonnement; (without specifications) police ouverte ◆ **open-shelf filing** classement en rayonnages ◆ **open shop** (Ind) atelier ouvert aux non-syndiqués ◆ **open ticket** billet open ◆ **open all the year round** ouvert toute l'année ◆ **our offices are open from 9 to 12 on**

Saturdays nos bureaux sont ouverts de 9 à 12 le samedi ◆ **open-door policy** (Pol, Econ) politique de la porte ouverte **b** (= not closed to new ideas) ◆ **I'm open to persuasion** je suis ouvert à toute suggestion ◆ **this decision was open to criticism** cette décision prêtait le flanc à la critique ◆ **open to any reasonable offer** (in advert) étudierais toutes propositions raisonnables ◆ **to leave the door open** laisser la porte ouverte **c** (= not filled) ◆ **this job is still open** cet emploi est toujours vacant ◆ **to keep a job open** ne pas pourvoir à un emploi **d** (= undecided) ◆ **the experts left the matter open** les experts n'ont pas tranché la question or ne se sont prononcés ni dans un sens ni dans l'autre ◆ **let's leave the date open** n'arrêtons or ne fixons pas de date

**vt a** shop, parcel, letter ouvrir ◆ **to open the mail** dépouiller le courrier ◆ **open here** (on envelope) côté à ouvrir **b** (= begin) meeting, debate ouvrir ◆ **to open negotiations** ouvrir or engager or entamer des négociations ◆ **to open an account with a bank** ouvrir un compte bancaire ◆ **to open a line of credit** ouvrir une ligne de crédit ◆ **to open a loan** faire un emprunt ◆ **to open bankruptcy proceedings** ouvrir la faillite, entamer la procédure de faillite

**vi a** [bank, shop] ouvrir ◆ **the bank opens at 9** la banque ouvre à 9 heures **b** (= begin) commencer, s'ouvrir (with par) ◆ **the management representative opened with a warning to the shop stewards** le représentant de la direction commença par un avertissement aux délégués syndicaux ◆ **industrials opened firm** (St Ex) les valeurs industrielles ont ouvert ferme.

**open-end** /ˈəʊpənˌend/ (US) **ADJ** ouvert, variable, modifiable ◆ **open-end contract** contrat modifiable ◆ **open-end investment trust, open-end fund** société d'investissement à capital variable, SICAV ◆ **open-end question** question ouverte ◆ **open-end questionnaire** (Mktg) questionnaire ouvert or non directif.

**open-ended** /ˈəʊpənˌendɪd/ **ADJ** ouvert, variable, modifiable ◆ **open-ended contract** contrat modifiable ◆ **open-ended mortgage** hypothèque sans date limite ◆ **open-ended question** question ouverte ◆ **open-ended questionnaire** (Mktg) questionnaire ouvert or non directif ◆ **open-ended system** système ouvert or extensible.

**opening** /ˈəʊpnɪŋ/ **n a** (= start) [meeting, negotiations] ouverture f, début m, commencement m ◆ **credit opening** ouverture de crédit ◆ **the opening of an account** l'ouverture d'un compte **b** (= outlet, opportunity) débouché m,

possibilité f, créneau m ◆ **new openings for business** nouvelles possibilités de développement offertes aux entreprises, nouveaux créneaux offerts aux entreprises ◆ **there are interesting openings for skilled staff** il existe des débouchés intéressants pour le personnel qualifié ◆ **job openings** possibilités or offres d'emploi **c** [exhibition] inauguration f, ouverture f **d** [shop] ouverture f ◆ **late opening Friday** nocturne le vendredi

**ADJ** **opening balances** soldes initiaux ◆ **opening balance sheet** bilan d'entrée or d'ouverture ◆ **opening bid** enchère initiale, première enchère or offre ◆ **opening capital** capital initial ◆ **opening entry** (Acc) écriture d'ouverture ◆ **opening hours** heures d'ouverture ◆ **opening price** (St Ex) (= first price of the day) cours d'ouverture, premier cours; (in case of new issue) cours d'introduction ◆ **opening stock** stock en début d'exercice, stock d'ouverture, stock initial ◆ **opening stocks** (Commodity Market) stocks de report, stocks reportés.

**open-plan** /ˌəʊpənˈplæn/ **ADJ** offices à cloisons mobiles, paysager.

**open up** **vt sep** market, business, negotiations ouvrir ◆ **we intend opening up new facilities in Spain** nous avons l'intention d'ouvrir une nouvelle usine en Espagne ◆ **China's new leaders want to open up their country to trade** les nouveaux dirigeants de la Chine veulent ouvrir leur pays au commerce ◆ **to open up a new market for one's products** établir de nouveaux débouchés pour ses produits ◆ **computerization opens up new vistas** le passage à l'informatique ouvre de nouvelles perspectives.

**operate** /ˈɒpəreɪt/ **vt a** computer, telephone faire marcher, faire fonctionner ◆ **to operate a crane** manœuvrer une grue ◆ **battery-operated** (notice on electrical appliance) fonctionne sur pile ◆ **computer-operated** commandé par ordinateur ◆ **operated by remote-control** télécommandé ◆ **the new safety regulations will operate considerable changes** les nouveaux règlements de sécurité vont entraîner des changements considérables **b** business faire marcher, diriger; mines exploiter ◆ **to operate a factory** diriger une usine ◆ **some banks are ready to operate speculative accounts for their customers** certaines banques sont prêtes à gérer des comptes spéculatifs pour leurs clients

**vi a** [machine] marcher, fonctionner; (fig) jouer ◆ **several factors operated to bring about this turnround** plusieurs facteurs ont joué pour entraîner ce revirement ◆ **the dollar exchange rate operates against us** le taux de change du dollar joue contre nous **b** *[regulations]* entrer en vigueur, prendre effet ◆ **the rise in postal charges will operate from July 1st** la hausse des tarifs postaux entrera en vigueur le 1$^{er}$ juillet **c** *(St Ex)* faire des opérations de Bourse, spéculer ◆ **to operate for a fall / rise** spéculer à la baisse / à la hausse ◆ **to operate against one's client** faire de la contrepartie ◆ **to operate in a market** intervenir sur un marché.

**operating** /ˈɒpəreɪtɪŋ/ **ADJ** *assets, capital* d'exploitation ◆ **chief operating officer** directeur général, DG ◆ **operating budget** budget de fonctionnement ◆ **operating costs** frais *or* charges d'exploitation *or* de fonctionnement ◆ **operating cycle** cycle d'exploitation ◆ **operating deficit** déficit *or* pertes d'exploitation ◆ **operating earnings** *or* **income** *or* **revenues** bénéfices d'exploitation ◆ **operating expenses** dépenses d'exploitation ◆ **operating instructions** consignes d'exploitation ◆ **operating losses** pertes d'exploitation ◆ **operating margin** marge d'exploitation ◆ **operating profit** résultat opérationnel ◆ **operating ratio** coefficient d'exploitation ◆ **operating statement** compte d'exploitation **operating surplus** excédent net d'exploitation ◆ **operating system** *(Comp)* système d'exploitation ◆ **operating target** objectif d'exploitation.

**operation** /ˌɒpəˈreɪʃən/ **N** **a** *[machine]* marche f, fonctionnement m ; *[business]* gestion f ; *[mine, oilfield]* exploitation f ◆ **line operation** production ◆ **in full operation** *machine* fonctionnant à plein rendement; *business, factory* en pleine activité, tournant à plein rendement; *mine* en pleine exploitation ◆ **to be in operation** *[machine]* être en service, fonctionner; *[business]* fonctionner, tourner; *[mine]* être en exploitation; *[law]* être en application *or* en vigueur ◆ **to come into operation** *[factory]* entrer en service, démarrer; *[business]* démarrer **b** *(Comm, Fin = transaction)* opération f ◆ **bank operations** opérations bancaires ◆ **credit operations** opérations à terme ◆ **stock exchange operations** opérations de Bourse ◆ **continuing / discontinued operations** activi-

— *compounds/composés* —

◆ **operations breakdown** *(= analysis)* décomposition des tâches
◆ **operations management** management des opérations
◆ **operations manager** chef d'exploitation
◆ **operations manual** manuel de procédures
◆ **operations research** recherche opérationnelle
◆ **operation sheet** fiche d'instruction
◆ **operations staff** personnel d'exploitation.

tés poursuivies / abandonnées ◆ **company's operations** activités d'une entreprise **c** *(Comp) (single)* opération f ; *(continuous)* exploitation f, fonctionnement m

**operational** /ˌɒpəˈreɪʃənl/ **ADJ** opérationnel, en état de marche *or* de fonctionnement ◆ **operational budget** budget d'exploitation ◆ **operational costs** frais d'exploitation, coûts opérationnels ◆ **operational environment** *(Comp)* cadre d'utilisation *or* d'exploitation ◆ **operational manager** chef d'exploitation ◆ **operational objective** objectif opérationnel ◆ **operational planning** planification des opérations *or* opérationnelle ◆ **operational requirements** conditions de fonctionnement ◆ **operational research** recherche opérationnelle ◆ **operational use time** temps d'utilisation effectué ◆ **our new facilities are now fully operational** nos nouvelles installations sont maintenant pleinement opérationnelles.

**operative** /ˈɒpərətɪv/ **ADJ** *measure, system* en vigueur ◆ **to become operative** entrer en vigueur ◆ **the price rise has become operative since October 1st** la hausse des tarifs est effective depuis le 1$^{er}$ octobre ◆ **these rules are no longer operative** ces règles ne s'appliquent plus **N** *(gen)* agent m d'exécution, ouvrier(-ière) m(f) ; *(= machine operator)* opérateur(-trice) m(f) ◆ **operatives** les agents d'exécution, le personnel d'exécution.

**operator** /ˈɒpəreɪtəʳ/ **N** opérateur(-trice) m(f) ; *[telephone]* *(= employee)* standardiste mf ; *(= company)* opérateur m ; *[business]* dirigeant(e) m(f), directeur(-trice) m(f) ; *(Econ)* acteur m ; *(St Ex)* opérateur m ◆ **operator for a fall** spéculateur à la baisse ◆ **economic operator** acteur économique ◆ **telephone operator** opérateur téléphonique ◆ **tour operator** voyagiste, tour-opérateur.

**opinion** /əˈpɪnjən/ **N** opinion f, avis m ◆ **public opinion** l'opinion publique ◆ **financial opinion varies as to the wisdom of this decision** la sagesse de cette décision ne fait pas l'unanimité dans les milieux financiers ◆ **no opinion** *(= category in opinion poll)* sans opinion, ne se prononcent pas ◆ **to take counsel's opinion** *(Jur)* consulter un avocat ◆ **the Commission can deliver a reasoned opinion** *(EU)* la Commission peut émettre un avis raisonné

— *compounds/composés* —

◆ **opinion leader** *(Mktg)* leader d'opinion
◆ **opinion poll** sondage d'opinion.

**opinionaire** /ə'pɪnjənɛəʳ/ **N** questionnaire m pour sondage d'opinion.

**opponent** /ə'pəʊnənt/ **N** adversaire mf, opposant(e) m(f) (*of* de).

**opportunist** /ˌɒpə'tju:nɪst/ **ADJ, N** opportuniste mf.

**opportunity** /ˌɒpə'tju:nɪtɪ/ **N** occasion f ♦ **to take the opportunity of doing** *or* **to do** profiter de l'occasion pour faire ♦ **to neglect the opportunity** laisser passer l'occasion ♦ **at the earliest opportunity** à la première occasion ♦ **equality of opportunity** égalité des chances ♦ **buying opportunity** opportunité d'achat ♦ **it offers excellent investment opportunities** cela offre d'excellentes possibilités *or* opportunités d'investissement ♦ **threats and opportunities** menaces et opportunités ♦ **job opportunities** (*for an individual seeking a job*) débouchés, perspectives; (*= positions vacant*) possibilités d'emploi, offres d'emploi ♦ **market opportunities** possibilités offertes par un marché, potentiel d'un marché ♦ **opportunities for advancement** possibilités de promotion

———— *compounds/composés* ————
♦ **opportunity cost** (*Econ*) coût de substitution *or* d'opportunité
♦ **opportunities-to-see** (*Mktg*) nombre d'expositions
♦ **opportunity value** valeur de réalisation.

**oppose** /ə'pəʊz/ **VT** *person, suggestion, motion* s'opposer à, combattre; *plan* s'opposer à, contrecarrer, contrarier ♦ **to oppose an action** (*Jur*) mettre opposition à un acte.

**opposing** /ə'pəʊzɪŋ/ **ADJ** (*gen*) opposant; (*Jur*) adverse ♦ **the opposing votes** les voix contre.

**opposite** /'ɒpəzɪt/ **ADJ** opposé, contraire ♦ **the opposite point of view** le point de vue opposé ♦ **his opposite number** son homologue
**ADV** ci-contre ♦ **see chart opposite** voir graphique ci-contre
**N** opposé m, contraire m, inverse m.

**opposition** /ˌɒpə'zɪʃən/ **N** opposition f (*to* à).

**opt** /ɒpt/ **VI** ♦ **to opt to do sth** choisir de faire qch ♦ **to opt for sth** opter pour qch.

**optical** /'ɒptɪkəl/ **ADJ** optique ♦ **optical character recognition** reconnaissance optique des caractères ♦ **optical scanner** lecteur optique.

**optimal** /'ɒptɪml/ **ADJ** optimal, optimum.

**optimism** /'ɒptɪmɪzəm/ **N** optimisme m.

**optimist** /'ɒptɪmɪst/ **N** optimiste mf.

**optimistic** /ˌɒptɪ'mɪstɪk/ **ADJ** optimiste.

**optimization, optimisation** /ˌɒptɪmaɪ'zeɪʃən/ **N** optimisation f, optimalisation f.

**optimize, optimise** /'ɒptɪmaɪz/ **VT** optimiser, optimaliser.

**optimum** /'ɒptɪməm/ **ADJ** optimum, optimal ♦ **optimum conditions** conditions optimums *or* optima *or* optimales.

**opt in** **VI** choisir de participer (*in* à).

**option** /'ɒpʃən/ **N** (*= choice*) (*gen*) choix m, option f; (*St Ex*) (*sur le marché à options*) option f; (*sur le marché à primes*) prime f ♦ **I have no option but to agree to your terms** je n'ai pas d'autre choix que d'accepter vos conditions ♦ **at the option of the purchaser** au gré de l'acheteur ♦ **our client left his options open** notre client n'a pas voulu s'engager définitivement ♦ **to declare an option** donner la réponse *or* répondre à une prime ♦ **to take up an option** lever une option (*or* une prime) **buyer's option** prime pour lever ♦ **buyer's option to double, call of more option** option du double à l'achat, faculté de lever double ♦ **call option** option d'achat ♦ **issues with currency options** émissions assorties d'options de change ♦ **default option** (*Comp*) option par défaut ♦ **in-the-money / out-of-the-money / at-the-money option** option en dedans / en dehors / à parité ♦ **one-day option** prime au lendemain ♦ **put option** option de vente, put ♦ **put of more option, seller's option to double** option du double pour livrer ♦ **seller's option** prime pour livrer ♦ **stock option** option d'achat d'actions,

———— *compounds/composés* ————
♦ **option bargains** *or* **dealings** opérations fpl sur le marché à options
♦ **option buyer** acheteur de l'option (*sur le marché à options*), acheteur de prime (*sur le marché à primes*)
♦ **option day** jour de la réponse des primes
♦ **option holder** détenteur de l'option
♦ **option premium** prix de l'option
♦ **option price** prix de l'option (*sur le marché à options*), prix de la prime (*sur le marché à primes*)
♦ **option rate** taux de la prime
♦ **option seller** vendeur de l'option (*sur le marché à options*), vendeur de la prime (*sur le marché à primes*)
♦ **options market** marché conditionnel ♦ **(traded) options market** marché à options
♦ **option striking** *or* **exercise price** prix d'exercice de l'option
♦ **option taker** optant.

droit préférentiel de souscription ◆ **two-way** or **double** or **put-and-call option** option du double, double option ◆ **traded options** options négociables ◆ **option-dated forward exchange contract** contrat de change à terme avec option de date

**optional** /'ɒpʃənl/ **ADJ** ◆ **optional dividend** dividende payable en espèces ou en titres ◆ **optional extras** options, accessoires en option ◆ **optional features** options.

**opt out** vi choisir de ne pas participer ◆ **it's not too late to opt out** il n'est pas encore trop tard pour vous retirer.

**OR** /əʊ'ɑ:ʳ/ **N** a (abbr of **operational research**) RO f b abbr of **official receiver** → **official** c abbr of **owner's risk** → **owner**.

**order** /'ɔːdəʳ/ **N** a (= command) (gen) ordre m, commandement m (Pol, Jur) ordonnance f, arrêt m, arrêté m ◆ **orders sent out by our head office** instructions émanant de notre siège social ◆ **order not to pay** (bank instruction) opposition à un chèque ◆ **on the orders of** sur l'ordre de ◆ **compulsory purchase order** (Brit) (ordre d') expropriation b (Comm) commande f ◆ **to deliver an order** livrer une commande ◆ **your order is now to hand** votre commande est arrivée ◆ **you can come and collect your order** vous pouvez passer prendre votre commande ◆ **back orders** commandes en attente or en souffrance or en retard ◆ **cable order** commande télégraphique ◆ **cash with order** payable à la commande ◆ **foreign orders** commandes de l'étranger ◆ **hard** or **firm order** commande ferme ◆ **outstanding orders** commandes en attente or en carnet or à traiter ◆ **phone order** commande par téléphone ◆ **purchase order control** gestion des achats ◆ **repeat order** commande renouvelée ◆ **rush order** commande urgente ◆ **trial order** commande d'essai ◆ **unfilled orders** commandes non satisfaites or non exécutées or en attente ◆ **to book an order** noter une commande ◆ **to cancel an order** annuler une commande ◆ **to complete** or **execute** or **fill an order** exécuter une commande ◆ **to place an order** passer (une) commande (with sb à qn) **to process an order** traiter une commande ◆ **to put goods on order** commander des marchandises, faire une commande de marchandises ◆ **it's on order** c'est en commande ◆ **made to order** fait sur commande, fabriqué à la demande ◆ **true to order** conforme à la commande ◆ **we make goods to order only** nous ne fabriquons que sur commande ◆ **he gave us an order for 5,000 snail-forks** il nous a passé une commande de

5 000 fourchettes à escargots c (= form) bon m ◆ **delivery order** bon de livraison ◆ **issue order** bon de sortie (de magasin) ◆ **purchase order** bon de commande d (Fin : also **money order**) mandat m ◆ **postal order** mandat poste ◆ **pay to the order of** payer à l'ordre de ◆ **to our own order** à l'ordre de moi-même ◆ **(banker's) standing order** ordre de virement permanent ◆ **order bill, bill to order** billet à ordre ◆ **order cheque, cheque to order** chèque à ordre ◆ **collection order** ordre de recette e (St Ex) ordre m (de Bourse) ◆ **order at best** ordre au mieux ◆ **order at opening / closing price** ordre au premier / dernier cours ◆ **order at current price** ordre au cours ◆ **order for the account** or **for the settlement** ordre à terme ◆ **buying / selling order** ordre d'achat / de vente ◆ **stop order** ordre stop ◆ **stop-loss order** ordre à seuil de déclenchement ◆ **good-till-cancelled order, open order** ordre valable jusqu'à révocation ◆ **good-through-week / good-through-month order** ordre valable jusqu'à la fin de la semaine / du mois, ordre GTW / GTM ◆ **good-this-week / -month order** ordre valable cette semaine / ce mois ◆ **limit(ed) order** ordre (à cours) limité ◆ **market order** ordre au mieux ◆ **near order** ordre environ ◆ **open / close only order** ordre à l'ouverture / à la clôture ◆ **scale up / down order** ordre scale up / scale down f (= sequence) ordre m ◆ **in order of priority** par ordre de priorité ◆ **to put into order** mettre en ordre, classer ◆ **in ascending / descending order** en ordre croissant / décroissant ◆ **order of precedence** ordre de priorité g (phrases) ◆ **in order** en ordre ◆ **out of order** machine en panne

---
*compounds/composés*

- **order book** (Ind) carnet de commandes; (St Ex) carnet d'ordres
- **order entry** enregistrement or saisie des commandes
- **order follow-up** suivi des commandes
- **order form** bon de commande
- **order handling** or **processing** traitement des commandes
- **order matching** (St Ex) confrontation des ordres
- **order number** numéro de commande
- **order picking** sortie de stock, consolidation d'une commande (pour l'expédition à partir d'une liste), prélèvement en magasin
- **order point** seuil or point de réapprovisionnement
- **order quantity** quantité à commander ◆ **optimum order quantity** quantité économique de réapprovisionnement
- **order taking** prise de commande
- **order turnaround** (St Ex) gestion des ordres

♦ **the line is out of order** la ligne est en dérangement ♦ **accounts kept in order** comptes en règle ♦ **the chairman ruled the question out of order** le président a déclaré que la question n'était pas à l'ordre du jour ♦ **breach of order** *(Jur)* infraction au règlement ♦ **to issue an order** *(Jur)* prendre un arrêté ♦ **point of order** point d'ordre ♦ **order of business** ordre du jour ♦ **his income is in** *(Brit) or* **on** *(US)* **the order of €20,000 a year** ses revenus sont de l'ordre de 20 000 euros par an

**vt** **a** *(= command) (gen)* ordonner *(sb to do* à qn de faire*)* ♦ **to be ordered to pay the costs** *(Jur)* être condamné aux dépens **b** *(Comm)* commander *(sth from sb* qch à qn*)* ♦ **to order 5 tons of wheat** commander 5 tonnes de blé, passer (une) commande de 5 tonnes de blé ♦ **to order a taxi** demander un taxi, faire venir un taxi **c** *(= arrange)* organiser ♦ **we must order our affairs better** nous devons mieux nous organiser.

**ordering** /ˈɔːdərɪŋ/ **N** *(Comm)* passation f de commandes.

**ordinance** /ˈɔːdɪnəns/ **N** ordonnance f, arrêté m ♦ **municipal ordinance** *(US)* arrêté municipal.

**ordinary** /ˈɔːdnrɪ/ **ADJ** *(gen)* ordinaire, courant; *shares, creditors* ordinaire ♦ **ordinary average** *(Ins)* avaries particulières *or* simples ♦ **ordinary general meeting** assemblée générale ordinaire ♦ **ordinary interest** intérêts simples.

**ore** /ɔːʳ/ **N** minerai m.

**organization, organisation** /ˌɔːɡənaɪˈzeɪʃən/ **N** *(gen)* organisation f ; *(= statutory body)* organisme m, organisation f ; *(= executives)* cadres mpl ♦ **trade organization** organisation professionnelle, organisme professionnel ♦ **organization and methods** méthodes et organisation, organisation scientifique du travail ♦ **line organization** *(in management)* organisation hiérarchique *or* verticale ♦ **staff organization** organisation horizontale *or* fonctionnelle ♦ **Organization of American States** Organisation des États américains ♦ **Organization of Central American States** Organisation des États d'Amérique centrale ♦ **Organization for European Economic Cooperation** Organisation européenne de coopération économique ♦ **Organization for Economic Cooperation and Development** Organisation de coopération et de développement économiques ♦ **Organization of Petroleum Exporting Countries** Organisation des pays exportateurs de pétrole **COMP** ♦ **organization chart** organigramme.

**organizational, organisational** /ˌɔːɡənaɪˈzeɪʃənəl/ **ADJ** d'organisation, organisationnel

♦ **organizational change** modification de structure ♦ **organizational grades** échelons supérieurs ♦ **organizational structure** structure organisationnelle *or* formelle ♦ **organizational unit** division administrative.

**organize, organise** /ˈɔːɡənaɪz/ **VT** organiser ♦ **to organize workers** *(into trade unions)* syndiquer les ouvriers ♦ **organizing committee** comité organisateur ♦ **right to organize** liberté syndicale.

**organized, organised** /ˈɔːɡənaɪzd/ **ADJ** *(gen)* organisé ♦ **organized labour** *(Brit) or* **labor** *(US)* les syndicats, le mouvement syndical ♦ **organized markets** marchés organisés.

**organizer, organiser** /ˈɔːɡənaɪzəʳ/ **N** *(= person)* organisateur m ; *(= diary)* organiseur m ♦ **electronic organizer** organiseur, agenda électronique ♦ **union organizer** syndicaliste *(chargé du recrutement)*.

**orient** /ˈɔːrɪent/, **orientate** /ˈɔːrɪənteɪt/ **VT** orienter *(towards* vers, sur*)*

**orientation** /ˌɔːrɪənˈteɪʃən/ **N** orientation f ♦ **a new orientation in your career** une nouvelle orientation dans votre carrière ♦ **investment orientation** orientation des placements.

**oriented** /ˈɔːrɪəntɪd/ **ADJ** orienté ♦ **business-oriented career** carrière commerciale ♦ **export-oriented firm** entreprise tournée vers l'exportation ♦ **research-oriented** orienté vers la recherche ♦ **user-oriented** conçu en pensant à l'utilisateur.

**origin** /ˈɒrɪdʒɪn/ **N** origine f ♦ **country of origin** pays d'origine ♦ **goods of foreign origin** marchandises de provenance étrangère ♦ **certificate of origin** *(Customs)* certificat d'origine.

**original** /əˈrɪdʒɪnl/ **ADJ** **a** *(= first)* d'origine, originel ♦ **original address** adresse d'origine ♦ **original capital** capital d'origine *or* initial ♦ **original cost** coût initial *or* d'acquisition ♦ **original document** original ♦ **original equipment manufacturer** *(gen, Aut)* équipementier; *(Comp)* fabricant de matériel informatique d'origine ♦ **original invoice** facture d'origine ♦ **original packing** emballage d'origine ♦ **original value** valeur initiale ♦ **the company launched its takeover with an original bid of $10 a share** l'entreprise a lancé son OPA avec une première offre de 10 dollars par action **b** *(= new, of a new type)* original ♦ **original device** procédé original *or* inédit

**N** original m ♦ **original of an invoice** original d'une facture ♦ **to copy from the original** copier sur l'original.

**originate** /ə'rɪdʒɪneɪt/ **VI** to originate from [goods] provenir de; [idea, suggestion] émaner de
**VT** project être à l'origine de; message émettre ✦ **originating bank** banque d'origine ✦ **originating office** bureau d'origine ✦ **originating terminal** terminal émetteur.

**origination fee** /ə,rɪdʒɪ'neɪʃən'fiː/ **N** frais mpl de constitution de dossier.

**originator** /ə'rɪdʒɪneɪtəʳ/ **N** (gen) initiateur (-trice) m(f), créateur(-trice) m(f) ; [project] inventeur(-trice) m(f).

**Oslo** /'ɒsləʊ/ **N** Oslo.

**OTC** /,əʊtiː'siː/ (abbr of **over-the-counter**) HC ✦ OTC market marché HC, marché hors cote.

**OTE** /,əʊtiː'iː/ **N** abbr of **on-target earnings** → **on**.

**OTS** abbr of **opportunities-to-see** → **opportunity**.

**Ottawa** /'ɒtəwə/ **N** Ottawa.

**Ouagadougou** /,wɑːgə'duːguː/ **N** Ouagadougou.

**ouguiya** /uː'giːjə/ **N** ouguiya m.

**ounce** /aʊns/ **N** once f (≈ 28,349 grammes dans le système avoirdupois et 31,103 grammes dans le système troy) ✦ **fluid ounce** (Brit) ≈ 28,4 ml (US) ≈ 29,56 ml.

**our ref** (abbr of **our reference**) N / réf.

**oust** /aʊst/ **VT** évincer, chasser ✦ **they ousted him from the chairmanship** ils l'ont évincé de la présidence.

**out** /aʊt/ **ADV** **a** (= away) dehors, à l'extérieur ✦ **the secretary is out** la secrétaire est sortie ✦ **the miners are out (on strike)** les mineurs sont en grève or ont débrayé **b** (= published) ✦ **the commission report is out** le rapport de la commission vient de paraître or de sortir ✦ **the group's results are due out by the end of the month** les résultats du groupe seront publiés d'ici la fin du mois **c** (= incorrect) ✦ **to be out in one's calculations** se tromper dans ses calculs or ses comptes ✦ **you are 10 pounds out** or **you are out by 10 pounds in your accounts** il y a une erreur or vous avez fait une erreur de 10 livres dans vos comptes, vous vous êtes trompé de 10 livres dans vos comptes ✦ **you are not far out** vous n'êtes pas loin du compte, vous n'êtes pas tombé loin **d** (indicating purpose) ✦ **he was out to get that contract** il était résolu à obtenir le contrat ✦ **they are out for new orders** ils sont en quête or à la recherche de nouvelles commandes
**PREP** **a** (= outside) ✦ **out-of-court settlement** règlement à l'amiable ✦ **out of season** en basse saison ✦ **out-of-date** information périmé ✦ **out**

of business hours en dehors des heures ouvrables ✦ **out-of-pocket expenses** débours, menues dépenses **b** (= from) ✦ **5 workers out of 10 have been laid off** 5 ouvriers sur 10 ont été licenciés **c** (= without) sans ✦ **too many people are now out of work** trop de gens sont actuellement sans travail or au chômage ✦ **out of stock** item épuisé ✦ **we are currently out of stock** nous sommes en rupture de stock en ce moment ✦ **out of print** book épuisé **d** (St Ex) ✦ **out-of-favour stock** titre boudé par les investisseurs ✦ **out-of-the-money option** option en dehors (de la monnaie)
**ADJ** **out book** (Acc) registre des chèques à recouvrer ✦ **the out door** la porte de sortie ✦ **out clearing** (Bank) chèques et effets mis en compensation ✦ **the out tray** la corbeille pour le courrier à expédier, la corbeille or le bac départ.

**outage** /'aʊtɪdʒ/ **N** (= breakdown) panne f ; (= loss) perte f.

**outbid** /aʊt'bɪd/ **VT** enchérir sur
**VI** surenchérir, faire une surenchère.

**outbidding** /aʊt'bɪdɪŋ/ **N** (Fin) surenchères fpl.

**outbound** /'aʊtbaʊnd/ **ADJ** flight en partance ✦ **outbound mail** courrier au départ.

**outbreak** /'aʊtbreɪk/ **N** [hostilities] début m, déclenchement m ✦ **an outbreak of inflation** une poussée inflationniste or de l'inflation.

**outcome** /'aʊtkʌm/ **N** [meeting, discussions] résultat m, aboutissement m, issue f ; [policy, decision] conséquence f, effet m ✦ **the outcome of the inquiry was inconclusive** le résultat de l'enquête n'a pas permis de se prononcer ✦ **performance outcome** résultat, réalisation.

**outcry** /'aʊtkraɪ/ **N** ✦ **the employers raised an outcry about the shorter working week** les patrons ont crié au scandale au sujet de la réduction de la semaine de travail ✦ **open outcry** (St Ex) criée.

**outdated** /aʊt'deɪtɪd/ **ADJ** démodé, dépassé.

**outdistance** /aʊt'dɪstəns/ **VT** competitors distancer.

**outdoor** /'aʊtdɔːʳ/ **ADJ** de plein air ✦ **outdoor staff** personnel de terrain ✦ **outdoor advertising** affichage publicitaire extérieur.

**outfit** /'aʊtfɪt/ **N** **a** (= clothes) tenue f **b** (* = company) société f, firme f, boîte f * ; (= organization) organisation f, équipe f ✦ **marketing outfit** société de marketing ✦ **he works for some small outfit in Swindon** il travaille pour une petite boîte de Swindon.

**outfitter** /'aʊtfɪtə$^r$/ **N** (also **gentleman's outfitter**) tailleur m pour hommes.

**outflow** /'aʊtfləʊ/ **N** [currency] sortie f.

**outgoing** /'aʊtgəʊɪŋ/ **ADJ** boat, plane en partance ✦ **outgoing chairman** président sortant ✦ **outgoing invoice** facture or bordereau de vente ✦ **outgoing mail** courrier au départ or à expédier ✦ **outgoing shift** (Ind) équipe relevée.

**outgoings** /'aʊtgəʊɪŋz/ **NPL** (= expenditure) dépenses fpl, débours mpl, sorties fpl d'argent.

**outlaw** /'aʊtlɔː/ **VT** proscrire, interdire, bannir **ADJ** **outlaw strike** grève illégale.

**outlay** /'aʊtleɪ/ **N** (= expenses) frais mpl, dépenses fpl, débours mpl ✦ **first outlay** coût de premier établissement, mise de fonds initiale ✦ **capital** or **investment outlay** dépenses d'investissement ✦ **to get back one's outlay** rentrer dans ses fonds or dans son argent.

**outlet** /'aʊtlet/ **N** (Comm) débouché m, marché m ✦ **export outlets** débouchés à l'exportation ✦ **retail** or **sales outlet** point de vente ✦ **factory outlet centres** magasins d'usine ✦ **they have outlets in 14 European countries** ils sont implantés dans 14 pays européens.

**outline** /'aʊtlaɪn/ **N** (fig = summary) esquisse f ✦ **the outlines of a project** les grandes lignes d'un projet ✦ **to give a quick outline of sth** donner un aperçu rapide de qch ✦ **an outline of possible changes** un tableau rapide des modifications possibles
**VT** plan, theory donner les grandes lignes de, exposer à grands traits ✦ **he outlined the situation** il a exposé la situation dans ses grandes lignes ✦ **this leaflet outlines the main features of cover** ce dépliant donne une vue d'ensemble des garanties.

**outlook** /'aʊtlʊk/ **N** (fig = prospect) perspective f ✦ **the economic outlook for the second half of the year is excellent** les perspectives économiques pour le second semestre de l'année sont excellentes.

**outmanoeuvre** (Brit), **outmaneuver** (US) /ˌaʊtmə'nuːvə$^r$/ **VT** ✦ **domestic car manufacturers are outmanoeuvred by foreign competitors** les constructeurs automobiles du pays sont surclassés par leurs concurrents étrangers

**outmarket** /aʊt'mɑːkɪt/ **VT** competitor évincer ✦ **to outmarket another company** battre une autre entreprise sur le marché.

**outmatch** /aʊt'mætʃ/ **VT** competitor être plus fort que ✦ **they were outmatched by their main competitor** leur principal concurrent a été plus fort qu'eux or a gagné la partie.

**outmoded** /aʊt'məʊdɪd/ **ADJ** démodé, dépassé.

**outpace** /aʊt'peɪs/ **VT** devancer, distancer, dépasser.

**outperform** /ˌaʊtpə'fɔːm/ **VT** person, machine être plus performant que; product donner de meilleurs résultats que ✦ **the car outperforms its competitors on every score** cette voiture l'emporte sur ses concurrentes sur tous les plans ✦ **to outperform the market** avoir de meilleures performances or un meilleur comportement que l'ensemble du marché ✦ **to outperform the index** surperformer l'indice.

**outplacement** /'aʊtpleɪsmənt/ **N** reclassement m (de cadres demandeurs d'emploi), outplacement m, reconversion f externe, transplacement m.

**outport** /'aʊtpɔːt/ **N** avant-port m.

**output** /'aʊtpʊt/ **N** (= production) (gen) production f, rendement m ; (Comp) sortie f ✦ **data output** sortie de données ✦ **daily output per worker** production journalière or rendement journalier par ouvrier ✦ **output per hour** rendement horaire ✦ **peak output** rendement maximum ✦ **fall in output** diminution or baisse de la production ✦ **input–output** entrée-sortie

---
*compounds/composés*
- ✦ **output bonus** prime de rendement
- ✦ **output data** données fpl de or en sortie
- ✦ **output file** fichier de sortie
- ✦ **output tax** taxe sur la valeur ajoutée
---

**VT** data sortir.

**outrageous** /aʊt'reɪdʒəs/ **ADJ** price exorbitant.

**outright** /aʊt'raɪt/ **ADV** **to buy sth outright** (= buy and pay immediately) acheter qch comptant; (= buy all of sth) acheter qch en bloc
**ADJ** sale (= paying immediately) (au) comptant; (= selling all of sth) en bloc; refusal, denial catégorique ✦ **an outright loss** une perte sèche ✦ **the outright acquisition of one company by another** l'acquisition pure et simple d'une entreprise par une autre ✦ **outright purchase** achat (au) comptant.

**outsell** /ˈaʊtˈsel/ **VT** *[store, enterprise]* vendre davantage *or* plus rapidement que; *[product]* se vendre davantage que, se vendre mieux que.

**outset** /ˈaʊtset/ **N** début m, commencement m ◆ **from the outset of his career** dès le début de sa carrière ◆ **make sure that your sum insured at outset is right** assurez-vous que le montant garanti au départ soit celui qui convient.

**outside** /ˈaʊtˈsaɪd/ **ADJ** *(lit, fig)* extérieur ◆ **outside broadcasting unit** *(Rad, TV)* unité de reportage ◆ **outside broker** *or* **dealer** *(St Ex)* coulissier ◆ **outside contractor** prestataire extérieur ◆ **outside market** *(St Ex)* marché en coulisse ◆ **an outside figure of $500** une somme maximum de 500 dollars ◆ **to get an outside opinion** consulter une personne extérieure à l'entreprise, demander l'avis d'une personne indépendante.

**outsider** /ˈaʊtˈsaɪdəʳ/ **N** **a** personne f extérieure *or* indépendante ◆ **to appoint an outsider to a post** nommer à un poste quelqu'un de l'extérieur **b** *(St Ex)* remisier m **c** *(Mar)* transporteur m hors conférence.

**outsize** /ˈaʊtsaɪz/ **ADJ** *clothes* de grande taille ◆ **outsize shop** magasin pour personnes fortes, magasin spécial pour grandes tailles **N** (vêtement m de) grande taille f.

**outsource** /ˈaʊtsɔːs/ **VT** externaliser, sous-traiter.

**outsourcing** /ˈaʊtsɔːsɪŋ/ **N** *(Ind)* externalisation m ◆ **the outsourcing of components** l'externalisation *or* la sous-traitance de la fabrication de composants.

**outstanding** /aʊtˈstændɪŋ/ **ADJ** **a** *(= exceptional)* *(gen)* exceptionnel; *person* remarquable; *event, feature* marquant, frappant **b** *(= unfinished)* *(gen)* non encore réglé; *account, debt* impayé; *interest* à échoir ◆ **there are still some outstanding matters** *or* **some matters outstanding** il reste encore des questions à régler, il y a encore des problèmes en suspens *or* en attente ◆ **to pay the outstanding amount by the end of the month** payer le restant de la somme *or* le solde pour la fin du mois ◆ **outstanding claims** créances à recouvrer ◆ **outstanding notes** billets en circulation ◆ **outstanding orders** commandes en attente *or* en carnet *or* à traiter ◆ **outstanding shares** actions en circulation.

**outstrip** /aʊtˈstrɪp/ **VT** devancer, distancer, dépasser ◆ **demand outstrips supply** la demande dépasse l'offre.

**outturn** /ˈaʊttɜːn/ **N** *(US = production)* *[factory]* production f ; *[worker]* rendement m.

**outvote** /aʊtˈvəʊt/ **VT** ◆ **to outvote sb** mettre qn en minorité, l'emporter au nombre de voix sur qn ◆ **we were outvoted** nous n'avons pas obtenu la majorité.

**outward** /ˈaʊtwəd/ **ADV** ship outward bound navire en partance
**ADJ** *ship, freight* en partance ◆ **outward bill of lading** connaissement de sortie ◆ **outward cargo** cargaison *or* chargement d'aller ◆ **outward collection of a foreign bill** *(Brit Fin)* recouvrement d'une créance sur l'étranger ◆ **outward entry** déclaration de sortie ◆ **outward manifest** manifeste de sortie ◆ **outward mission** mission à l'étranger.

**outwork** /ˈaʊtwɜːk/ **N** travail m (fait) à domicile.

**outworker** /ˈaʊtwɜːkəʳ/ **N** travailleur(-euse) m(f) à domicile, ouvrier(-ière) m(f) à domicile.

**over** /ˈəʊvəʳ/ **ADV** over to you! à vous! ◆ **he went over to our competitors** il est passé à la concurrence *or* chez nos concurrents ◆ **they are known the world over** ils sont connus dans le monde entier ◆ **the meeting was over by 3 o'clock** la réunion s'est terminée avant 3 heures
**PREP** over the winter au cours de l'hiver, pendant l'hiver ◆ **their orders were spread over several months** leurs commandes se sont échelonnées sur plusieurs mois ◆ **over the last few months** au cours des derniers mois ◆ **over the phone** au téléphone ◆ **a drop of 25% over last year's figures** une baisse de 25% par rapport aux chiffres de l'an dernier ◆ **the computer was down for over 6 hours** l'ordinateur est resté en panne plus de 6 heures
**N** *(US)* excédent m ◆ **over in the cash** excédents dans l'encaisse ◆ **shorts and overs** déficits et excédents ◆ **we agree to deliver 5% overs** nous acceptons de vous livrer 5% d'articles en plus.

**overage** /ˈəʊvərɪdʒ/ *(US)* **N** excédent m, surplus m ◆ **stock overage** excédent de stock, stock excédentaire.

**overall** /ˌəʊvərˈɔːl/ **ADJ** *length* hors tout, total; *view* global, d'ensemble; *sum* complet, total ◆ **overall expenditure** dépenses globales ◆ **overall plan** plan d'ensemble ◆ **the overall amount** le montant total ◆ **overall measurements** mesures hors tout, encombrement total.

**overassess** /ˌəʊvərəˈses/ **VT** *taxpayer* surimposer.

**overassessment** /ˌəʊvərəˈsesmənt/ **N** *(Tax)* surimposition f.

**overbid** /ˌəʊvəˈbɪd/ **N** surenchère f
**VT** enchérir sur
**VI** surenchérir.

**overbook** /ˌəʊvəˈbʊk/ **VI** *[hotel, airline]* accepter des réservations en surnombre, faire du surbooking
**VT** **to overbook a flight** faire du surbooking sur un vol.

**overbooking** /ˌəʊvəˈbʊkɪŋ/ **N** surréservation f, surbooking m.

**overbought** /ˌəʊvəˈbɔːt/ **ADJ** *market* suracheté.

**overburden** /ˌəʊvəˈbɜːdn/ **VT** surcharger, accabler, écraser (*with* de)

**overbuy** /ˌəʊvəˈbaɪ/ **VT** ◆ **to overbuy sth** acheter plus de qch qu'on ne peut en écouler.

**overcapacity** /ˌəʊvəkəˈpæsɪtɪ/ **N** surcapacité f.

**overcapitalization, overcapitalisation** /ˌəʊvəˌkæpɪtəlaɪˈzeɪʃən/ **N** surcapitalisation f.

**overcapitalize, overcapitalise** /ˌəʊvəˈkæpɪtəlaɪz/ **VT** surcapitaliser.

**overcharge** /ˌəʊvəˈtʃɑːdʒ/ **N** **a** (= *supplement*) supplément m, majoration f ◆ **overcharge of an account** majoration d'un compte **b** (= *charge taken in excess*) trop-perçu m
**VT** (= *charge too much*) faire trop payer ◆ **they overcharged us (by) £25** ils nous ont fait payer 25 livres de trop, ils nous ont compté 25 livres de trop
**VI** (= *sell at too high a price*) prendre *or* vendre trop cher pratiquer des prix excessifs.

**overcommit** /ˌəʊvəkəˈmɪt/ **VT** ◆ **to be overcommitted** (*financially*) avoir des charges financières excessives; (*too much work*) avoir une charge de travail trop importante.

**overconsumption** /ˌəʊvəkənˈsʌmpʃən/ **N** surconsommation f.

**overdebit** /ˌəʊvəˈdebɪt/ **VT** débiter en trop.

**overdevelopment** /ˌəʊvədɪˈveləpmənt/ **N** (*Econ*) surdéveloppement m.

**overdraft** /ˈəʊvədrɑːft/ **N** découvert m ◆ **I've got an overdraft of $500** j'ai un découvert de 500 dollars ◆ **loan on overdraft** prêt à découvert ◆ **unsecured overdraft** découvert en blanc *or* sur notoriété ◆ **to allow an overdraft** consentir un découvert
**COMP** ◆ **overdraft facilities** autorisation de découvert facilité de caisse ◆ **to grant a company overdraft facilities** accorder des facilités de caisse à une entreprise.

**overdraw** /ˌəʊvəˈdrɔː/ **VT** *account* mettre à découvert ◆ **overdrawn account** compte à découvert

*or* désapprovisionné ◆ **to be overdrawn by £20** avoir un découvert de 20 livres ◆ **to go overdrawn** se mettre à découvert.

**overdue** /ˌəʊvəˈdjuː/ **ADJ** *account* impayé, arriéré; *payment* en retard ◆ **interest on overdue payments** intérêts moratoires ◆ **the interest is overdue** les intérêts n'ont pas été versés à la date prévue.

**overemployment** /ˌəʊvərɪmˈplɔɪmənt/ **N** suremploi m.

**overestimate** /ˌəʊvərˈestɪmeɪt/ **VT** *price, costs* surestimer, surévaluer.

**overexposure** /ˌəʊvərɪksˈpəʊʒəʳ/ **N** (*Fin*) surexposition f.

**overextend** /ˌəʊvərɪkˈstend/ **VT** ◆ **to be overextended** avoir des charges financières excessives.

**overflow** /ˈəʊvəfləʊ/ **N** débordement m ◆ **the overflow staff** le personnel en surnombre.

**overhaul** /ˈəʊvəhɔːl/ **N** *[machine]* révision f générale; *[plan]* refonte f
**VT** *machine* réviser complètement, faire une révision générale de; *plan* refondre.

**overhead** /ˈəʊvəhed/ **ADJ** **a** *wires* aérien ◆ **overhead projector** rétroprojecteur ◆ **overhead transparency** transparent **b** (*Comm*) ◆ **overhead charges** *or* **costs** *or* **expenses** frais généraux
**N** (*US*) frais mpl généraux, charges fpl de structure
**overheads** **NPL** (*Brit*) frais mpl généraux, charges fpl de structure.

**overheated** /ˌəʊvəˈhiːtɪd/ **ADJ** *economy* en surchauffe.

**overheating** /ˌəʊvəˈhiːtɪŋ/ **N** *[economy]* surchauffe f.

**overindustrialization, overindustrialisation** /ˌəʊvərɪnˌdʌstrɪəlaɪˈzeɪʃən/ **N** surindustrialisation f.

**overinsurance** /ˌəʊvərɪnˈʃʊərəns/ **N** sur-assurance f.

**overinsure** /ˌəʊvərɪnˈʃʊəʳ/ **VT** sur-assurer, assurer au-dessus de sa valeur.

**overinvestment** /ˌəʊvərɪnˈvestmənt/ **N** surinvestissement m.

**overissue** /ˌəʊvərˈɪʃjuː/ **N** sur-émission f.

**overkill** /ˈəʊvəkɪl/ **N** ◆ **advertising overkill** excès de publicité.

**overland** /ˈəʊvəlænd/ **ADJ** *route, journey* par voie de terre
**ADV** par voie de terre.

**overlap** /ˈəʊvəlæp/ **N** chevauchement m, empiètement m
**VT** empiéter sur ✦ **this entry overlaps the former one** cette écriture fait double emploi avec la précédente
**VI** se chevaucher, empiéter l'un sur l'autre ✦ **their duties overlap** leurs fonctions se recoupent *or* se chevauchent ✦ **overlapping benefits** cumul de prestations.

**overleaf** /ˈəʊvəliːf/ **ADV** ✦ **see overleaf** voir au verso *or* au dos.

**overload** /ˈəʊvələʊd/ **N** surcharge f, surcroît m de charge ✦ **work overload** surcharge de travail
**VT** surcharger ✦ **overloaded market** marché alourdi *or* surchargé.

**overlook** /ˌəʊvəˈlʊk/ **VT** **a** (= *miss*) *fact, detail* oublier, négliger, laisser passer **b** (= *ignore*) *mistake* fermer les yeux sur, laisser passer volontairement ✦ **we'll overlook it this time** nous fermerons les yeux pour cette fois **c** (= *supervise*) surveiller, superviser ✦ **the overseer overlooks the work** le contremaître supervise le travail.

**overman** /əʊvəˈmæn/ **VT** affecter trop de personnel à, suréquiper en personnel ✦ **our company is overmanned** notre société a trop de personnel *or* a des effectifs pléthoriques, il y a du personnel en surnombre dans notre société.

**overmanning** /əʊvəˈmænɪŋ/ **N** gonflement m abusif des effectifs, excédent m de personnel, sureffectifs mpl ✦ **there is still heavy overmanning in this industry** il y a toujours d'importants sureffectifs dans cette industrie ✦ **overmanning is estimated to be 1,200** les sureffectifs sont évalués *or* le personnel en surnombre est évalué à 1 200 personnes.

**overnight** /ˈəʊvənaɪt/ **ADV** **the situation changed overnight** *(fig)* du jour au lendemain la situation s'était modifiée
**ADJ** **overnight loan** prêt au jour le jour ✦ **overnight money market** marché de l'argent au jour le jour ✦ **there has been an overnight switch in their attitude** leur attitude a brusquement changé.

**overpay** /əʊvəˈpeɪ/ **VT** surpayer, trop payer ✦ **to be overpaid** être payé au-dessus du taux normal.

**overpayment** /əʊvəˈpeɪmənt/ **N** **a** *[wages]* surpaye f, rémunération f excessive **b** *[tax]* trop-perçu m ✦ **refund of overpayment** remboursement du trop-perçu ✦ **tax refunds as a result of overpayments** restitutions d'impôts en cas de trop-perçu *or* de perception indue.

**overpopulation** /əʊvəpɒpjʊˈleɪʃən/ **N** surpopulation f *(in* dans) surpeuplement m *(of* de)

**overprice** /əʊvəˈpraɪs/ **VT** *goods* vendre trop cher, demander un prix excessif pour.

**overpriced** /əʊvəˈpraɪst/ **ADJ** trop cher.

**overproduce** /əʊvəprəˈdjuːs/ **VT** surproduire.

**overproduction** /əʊvəprəˈdʌkʃən/ **N** surproduction f.

**overrate** /əʊvəˈreɪt/ **VT** **a** *talents, method* surestimer, surévaluer ✦ **he is overrated as an organizer** on surestime ses talents d'organisateur **b** *(Tax)* surtaxer.

**override** /ˌəʊvəˈraɪd/ **VT** *order, instructions* outrepasser; *decision* annuler, casser; *opinion, objection, claims* passer outre à, ne pas tenir compte de ✦ **to override one's commission** outrepasser ses pouvoirs ✦ **the new order overrides the former** le nouvel arrêté annule le précédent.

**overrider** /ˈəʊvəraɪdər/ **N** supercommission f.

**overriding clause** **N** *(Jur)* clause f dérogatoire.

**overrule** /ˌəʊvəˈruːl/ **VT** *judgment, decision* annuler, casser; *claim* rejeter.

**overrun** /ˌəʊvəˈrʌn/ **N** *[estimate]* dépassement m ✦ **production overrun** excédent de production ✦ **cost overrun** surcoût, dépassement budgétaire
**VI** *(in time)* dépasser la durée prévue ✦ **the presentation overran by about 15 minutes** la présentation a duré 15 minutes de plus que prévu ✦ **to overrun costs** dépasser le budget prévu, dépenser plus que prévu.

**oversaving** /ˈəʊvəseɪvɪŋ/ **N** *(Fin)* surépargne f.

**overseas** /ˈəʊvəsiːz/ **ADJ** *market* d'outre-mer, étranger ✦ **overseas debt** dette extérieure ✦ **overseas money order** mandat international ✦ **overseas trade** commerce extérieur.

**oversee** /əʊvəˈsiː/ **VT** surveiller, contrôler, superviser.

**overseer** /ˈəʊvəsiːər/ **N** contremaître m, chef m d'équipe.

**oversell** /əʊvəˈsel/ **VT** **a** ✦ **to oversell sth** *(gen)* vendre plus de qch qu'on ne peut livrer; *(St Ex)* survendre qch ✦ **the market is oversold** le marché est en situation de survente *or* est survendu **b** (= *exaggerate*) *services* vanter exagérément, faire trop valoir ♦ **to oversell o.s.** se mettre trop en avant, trop se faire valoir.

**overselling** /ˌəʊvəˈselɪŋ/ **N** survente f.

**overshoot** /ˌəʊvəˈʃuːt/ **VT** dépasser ♦ **don't overshoot the mark** n'allez pas plus loin que prévu.

**oversight** /ˈəʊvəsaɪt/ **N** (= *omission*) omission f, oubli m ♦ **it was due to an oversight from our forwarding department** c'était une erreur de notre service expédition.

**oversold** /ˌəʊvəˈsəʊld/ **ADJ** *market* survendu.

**overspend** /ˌəʊvəˈspend/ **VT** *allowance, budget* dépenser au-delà *or* au-dessus de ♦ **to overspend one's income** dépenser plus que ses revenus **VI** dépenser trop ♦ **to overspend by £100** dépenser 100 livres de trop.

**overspill** /ˈəʊvəspɪl/ **N** **a** [*population*] excédent m de population ♦ **an overspill town** une ville satellite **b** (*Tech*) retombée f technologique.

**overstaff** /ˌəʊvəˈstɑːf/ **VT** affecter trop de personnel à, suréquiper en personnel ♦ **to be overstaffed** être en sureffectifs ♦ **the office is overstaffed** il y a un excédent de personnel *or* il y a des effectifs pléthoriques dans ce bureau, le personnel de bureau est en surnombre.

**overstaffing** /ˌəʊvəˈstɑːfɪŋ/ **N** gonflement m abusif des effectifs, excédent m de personnel, sureffectifs mpl ♦ **they've got problems of overstaffing** ils ont des problèmes de sureffectifs.

**overstep** /ˌəʊvəˈstep/ **VT** *limits* dépasser ♦ **unemployment overstepped the million mark** la barre du million de chômeurs est dépassée.

**overstock** /ˌəʊvəˈstɒk/ **VT** *market* encombrer; *store* approvisionner à l'excès, surapprovisionner; *supplies* surstocker.

**overstocking** /ˌəʊvəˈstɒkɪŋ/ **N** surstockage m.

**overstocks** /ˈəʊvəstɒks/ (*US*) **NPL** surplus m, surstock m.

**oversubscribed** /ˌəʊvəsəbˈskraɪbd/ **ADJ** *share issue* sursouscrit.

**oversubscription** /ˌəʊvəsəbˈskrɪpʃən/ **N** sursouscription f.

**oversupply** /ˌəʊvəsəˈplaɪ/ **N** surapprovisionnement m **VT** surapprovisionner.

**overt** /əʊˈvɜːt/ **ADJ** ♦ **goods sold in market overt** marchandises vendues sur le marché public.

**overtax** /ˌəʊvəˈtæks/ **VT** (*Fin*) surimposer, surtaxer.

**over-the-counter** /ˌəʊvəðəˈkaʊntər/ **ADJ** **a** (*St Ex*) *securities* hors-cote ♦ **over-the-counter market** marché hors-cote **b** (*Comm*) *sales* au comptant.

**overtime** /ˈəʊvətaɪm/ **N** heures fpl supplémentaires ♦ **I'm on overtime, I'm working overtime** je fais des heures supplémentaires ♦ **to be paid overtime** être payé en heures supplémentaires

─────── *compounds/composés* ───────
- ♦ **overtime ban** refus *or* grève des heures supplémentaires
- ♦ **overtime pay** heures fpl supplémentaires
- ♦ **overtime work** heures fpl supplémentaires.

**overtrade** /ˌəʊvəˈtreɪd/ **VI** mal maîtriser son activité commerciale.

**overtrading** /ˌəʊvəˈtreɪdɪŋ/ **N** mauvaise maîtrise f de son activité commerciale.

**overtyping** /ˈəʊvətaɪpɪŋ/ **N** surfrappe f.

**overvaluation** /ˌəʊvəvæljʊˈeɪʃən/ **N** surévaluation f.

**overvalue** /ˌəʊvəˈvælju/ **VT** surévaluer.

**overview** /ˈəʊvəvju/ **N** vue f d'ensemble.

**overweight** /ˌəʊvəˈweɪt/ **N** excédent m de poids, surpoids m
**ADJ** **this parcel is overweight by 2 kilos** *or* **is 2 kilos overweight** ce colis pèse 2 kilos de trop ♦ **your luggage is overweight** vous avez un excédent de bagages ♦ **to be overweight in a market** (*St Ex*) être surexposé sur un marché.

**overwork** /ˌəʊvəˈwɜːk/ **N** surmenage m, travail m excessif
**VI** se surmener, trop travailler.

**owe** /əʊ/ **VT** *money* devoir ♦ **he owes me money** il me doit de l'argent ♦ **an I-owe-you** une reconnaissance de dette.

**owing** /ˈəʊɪŋ/ **ADJ** ♦ **the amount owing on the car** ce qui reste dû *or* ce qui reste à payer sur le prix de la voiture ♦ **a lot of money is still owing to me** on me doit encore beaucoup d'argent ♦ **rent owing** loyer échu.

**own** /əʊn/ **VT** posséder, être propriétaire de ♦ **company 50% owned by the family** société détenue à 50% par la famille ♦ **wholly-owned subsidiary** filiale à 100% ♦ **privately-owned company** société privée ♦ **state-owned** *or* **publicly-owned company** société nationale, société qui appartient à l'État

**ADJ** own brand or label marque de distributeur ◆ **this department store sells own-brand goods** ce grand magasin vend des produits sous sa propre marque.

**owner** /'əʊnəʳ/ N propriétaire mf ◆ **sent at owner's risk** expédié aux risques et périls du propriétaire ◆ **bare owner** nu-propriétaire ◆ **beneficial owner** usufruitier ◆ **joint owner** copropriétaire ◆ **rightful owner** possesseur légitime ◆ **sole owner** propriétaire unique ◆ **owners' equity** fonds propres, situation nette

―――――― compounds/composés ――――――

◆ **owner-charterer** (Mar) armateur-affréteur
◆ **owner-occupier** [house] propriétaire occupant
◆ **owner-manager** propriétaire-gérant.

**ownership** /'əʊnəʃɪp/ N propriété f, possession f ◆ **under new ownership** (sign on shop) changement de propriétaire ◆ **bare ownership** nue-propriété ◆ **beneficial ownership** usufruit ◆ **joint ownership** copropriété ◆ **multiple ownership** multipropriété ◆ **in private ownership** privé ◆ **to come under** or **into public ownership** être nationalisé ◆ **to bring under** or **into public ownership** nationaliser ◆ **proof** or **right of ownership** titre de propriété ◆ **to have ownership of the controlling interest in a business** avoir une participation majoritaire dans une société, contrôler le capital d'une société ◆ **to have an ownership interest in a company** avoir une participation (minoritaire) dans une société.

**OZ** abbr of **ounce.**

# P

**p** a abbr of **pence** b (abbr of **page**) p.

**PA** /piːˈeɪ/ N a abbr of **personal assistant → personal** b abbr of **public address system → public.**

**p.a.** a (abbr of **per annum**) par an b abbr of **particular average → particular.**

**pa'anga** /pɑːˈɑːŋgə/ N pa'anga m.

**PABX** /piːeɪbiːˈeks/ (Brit) N abbr of **private automatic branch exchange → private.**

**pace** /peɪs/ N (= speed) pas m, allure f ◆ **to put sb through his paces** tester qn ◆ **to keep pace with sb** faire jeu égal avec qn.

**pacesetter** /ˈpeɪssetəʳ/ N leader m.

**pacesetting** /ˈpeɪssetɪŋ/ ADJ ◆ **a pacesetting company** une entreprise leader.

**Pacific** /pəˈsɪfɪk/ ADJ pacifique ◆ **Pacific Standard Time** (in North America) heure du Pacifique N Pacifique m.

**pack** /pæk/ N (gen) paquet m ; [wool, cotton] balle f ; [beer] pack m ◆ **blister pack, bubble pack** emballage transparent, emballage-bulle VT a goods (in box) empaqueter, emballer; wool mettre en balles ◆ **packed shipment** envoi à couvert b (= fill) crate, container remplir (with de) c (= crush together) objects tasser; (Comp) data compacter; people entasser (into dans) ◆ **to pack sth tight** emballer qch bien serré ◆ **to pack sth down** tasser qch ◆ **tightly packed** bien emballé d (= fill tightly) room, vehicle remplir, bourrer ◆ **the shop was packed** le magasin était bondé.

**package** /ˈpækɪdʒ/ N a (for shipment of goods) colis m, paquet m ; (for retail distribution) paquet m, emballage m ◆ **consular packages** (Mar) plis consulaires b (= group) [measures] ensemble m ; (= contract) contrat m global; (= purchase) achat m forfaitaire ◆ **a package of financial services** un ensemble de services financiers ◆ **financial assistance package** train de mesures d'aide financière ◆ **financial package** (gen) offre financière ; (Fin, St Ex) montage financier ◆ **remuneration package** salaire et avantages complémentaires ◆ **severance package** indemnités de départ c (Comp) progiciel m ◆ **software package** progiciel ◆ **accounting / business package** progiciel comptable / de gestion

---
### compounds/composés

- **package deal** (= agreement) accord global; (= proposal) offre globale
- **package holiday** voyage organisé
- **package policy** (Ins) police multirisque
- **package selling** vente à forfait
- **package store** (US) magasin de vins et spiritueux
- **package test** (Mktg) test de conditionnement
- **package tour** voyage organisé

---

VT a (= pack for shipment) emballer, empaqueter b (Mktg : for merchandising display) conditionner ◆ **packaged goods** produits conditionnés ◆ **to package financial services** présenter un ensemble de services financiers.

**packaging** /ˈpækɪdʒɪŋ/ N (gen) emballage m ; (for merchandising display) conditionnement m.

**packer** /ˈpækəʳ/ N (= person) emballeur(-euse) m(f) ; (= device) emballeuse f ◆ **packers** (= firm) emballeur, conditionneur.

**packet** /ˈpækɪt/ N a (= parcel) paquet m, colis m ; [cigarettes, envelopes] paquet m ; (= paper bag) sac m, poche f ◆ **weekly pay packet**

*(Brit)* paie hebdomadaire **b** *(Comp)* paquet m ◆ **packet switching** commutation de paquets.

**packetize, packetise** /'pækɪtaɪz/ **vt** *(Comp)* mettre en paquets.

**packing** /'pækɪŋ/ **n** **a** *[goods]* emballage m, empaquetage m ◆ **packing extra** emballage en sus **b** *(= materials used for packing)* matériel m d'emballage **c** *(US = food processing)* mise m en conserve ◆ **meat packing** conserverie de viande

*compounds/composés*
- ◆ **packing case** caisse d'emballage
- ◆ **packing charges** frais mpl d'emballage
- ◆ **packing crate** caisse à claire-voie
- ◆ **packing density** *(Comp)* densité d'enregistrement
- ◆ **packing instructions** notice d'emballage
- ◆ **packing plant** *(US)* abattoir.

**pad** /pæd/ **n** **a** *(for protection)* rembourrage m, coussinet m, bourrelet m ; *(Tech)* tampon m (amortisseur) **b** *(= block of paper)* bloc m ◆ **writing pad** bloc de papier à lettres, bloc-notes ◆ **scratch pad** bloc-notes **c** *(= keyboard)* bloc m ◆ **numerical pad** clavier *or* bloc numérique ◆ **30-pad keyboard** clavier à 30 touches **vt** *crate* rembourrer ◆ **padded envelope** enveloppe matelassée *or* rembourrée.

**padding** /'pædɪŋ/ **n** *(= action)* rembourrage m, bourrage m ; *(= material)* bourre f.

**page** /peɪdʒ/ **n** page f

*compounds/composés*
- ◆ **page break** *(Comp)* changement de page *or* de feuillet
- ◆ **page frame** *(Comp)* cadre de page
- ◆ **page heading** en-tête (de page)
- ◆ **page printer** *(Comp)* imprimante page par page
- ◆ **page rate** *(Pub)* tarif à la page *(pour des annonces)*
- ◆ **page setting** mise en page
- ◆ **page skip** *(Comp)* saut de page *or* de feuillet

**vt** **a** *document* paginer; *printed sheets* mettre en pages **b** *to page sb* biper qn, (faire) appeler qn ◆ **paging Mr Martin** on appelle M. Martin.

**pager** /'peɪdʒəʳ/ **n** bip(-bip) m.

**paginate** /'pædʒɪneɪt/ **vt** paginer.

**pagination** /,pædʒɪ'neɪʃən/ **n** pagination f.

**paging** /'peɪdʒɪŋ/ **n** **a** pagination f **b** télé-appel m ◆ **electronic paging device** appareil de télé-appel, bip-bip.

**paid** /peɪd/ **adj** *worker* salarié; *work* rémunéré; *bill, invoice* payé ◆ **paid cash book** *(Acc)* main courante de dépenses *or* de sorties ◆ **paid on charges** *(Rail)* débours, déboursés ◆ **paid with thanks** *(on receipt)* payé ◆ **paid in advance** payé d'avance ◆ **paid holidays** congés payés ◆ **paid cheque** chèque encaissé ◆ **carriage paid** (en) port payé ◆ **duty-paid goods** marchandises acquittées *or* dédouanées ◆ **postage paid** port payé ◆ **tax paid** après impôt.

**paid-in** /,peɪd'ɪn/ **adj** *moneys* encaissé ◆ **paid-in capital** capital versé.

**paid-out** /,peɪd'aʊt/ **adj** payé.

**paid-up** /,peɪd'ʌp/ **adj** ◆ **paid-up capital** capital versé ◆ **authorized capital of which 40% is paid-up** capital autorisé libéré de 40% ◆ **fully / partly paid-up shares** actions entièrement / non entièrement libérées ◆ **paid-up member** membre qui a payé sa cotisation.

**Pakistan** /,pɑːkɪs'tɑːn/ **n** Pakistan m.

**Pakistani** /,pɑːkɪs'tɑːnɪ/ **adj** pakistanais **n** *(= inhabitant)* Pakistanais(e) m(f).

**pallet** /'pælɪt/ **n** palette f ◆ **pallet load** chargement sur palette.

**palletization, palletisation** /,pælɪtaɪ'zeɪʃən/ **n** palettisation f.

**palletize, palletise** /'pælɪtaɪz/ **vt** palettiser.

**palmtop** /'pɑːmtɒp/ **n** ◆ **palmtop (computer)** ordinateur de poche.

**pamphlet** /'pæmflɪt/ **n** brochure f.

**Panama** /'pænəmɑː/ **n** Panama m.

**Panama City** /'pænə,mɑː'sɪtɪ/ **n** Panama.

**Panamanian** /,pænə'meɪnɪən/ **adj** panaméen **n** *(= inhabitant)* Panaméen(ne) m(f).

**p & h** /,piːənd'eɪtʃ/ **n** abbr of **postage and handling** → **postage.**

**P and L** (abbr of **profit and loss**) P et P.

**p & p** /,piːənd'piː/ **n** abbr of **postage and packing** → **postage.**

**panel** /'pænl/ **n** **a** *[door, wall]* panneau m **b** *(Tech)* ◆ **instrument panel** tableau de bord ◆ **control panel** *[aircraft]* tableau de bord *(TV, Comp)* pupitre de commande **c** *(= discussion group)* panel m ◆ **panel of experts** groupe d'experts *or* de spécialistes ◆ **panel discussion** réunion-débat ◆ **on our panel today** parmi nos invités aujourd'hui **d** *(Mktg)* ◆ **consumer panel** groupe-témoin, panel de consommateurs **e** *(Comp)* masque m ◆ **data entry panel** masque de saisie.

**panellist** *(Brit)*, **panelist** *(US)* /'pænəlɪst/ **N** *(Rad, TV)* invité(e) m(f).

**panic** /'pænɪk/ **N** panique f

---
*compounds/composés*
- **panic buying** achats mpl précipités *or* de précaution
- **panic button** *(Comp)* touche d'aide ◆ **to push the panic button** *(fig)* paniquer\*, s'affoler, donner l'alarme
---

**VI** paniquer, s'affoler.

**paper** /'peɪpəʳ/ **N** **a** *(gen)* papier m ◆ **blotting paper** papier buvard ◆ **carbon paper** papier carbone ◆ **a wrapping paper** papier d'emballage ◆ **a piece of paper** une feuille de papier ◆ **to put sth on paper** noter qch, mettre qch par écrit ◆ **the new model still exists only on paper** le nouveau modèle n'existe que sur le papier **b** *(Fin)* papier m, effet m ◆ **accommodation paper** papier de complaisance ◆ **bankable / non-bankable paper** papier bancable / non bancable ◆ **bearer paper** papier au porteur ◆ **commercial paper** *(gen)* papier commercial; *(= short-term loan instrument)* billet de trésorerie ◆ **commodity paper** *(US)* traite sur marchandises ◆ **long / short paper** papier long / court ◆ **mercantile** *or* **trade paper** papier commercial, effet de commerce **c** *(= official documents)* ◆ **papers** papiers, documents ◆ **ship's papers** papiers *or* documents de bord ◆ **can I see your papers?** montrez-moi vos papiers **d** *(= study, report)* article m ◆ **to present a paper** faire une communication *(on* sur) **e** *(also* **newspaper)**

---
*compounds/composés*
- **paper bag** sac en papier
- **paper clip** trombone; *(= bulldog clip)* pince (à dessin)
- **paper credit** *(Fin)* traite
- **paper currency** papier-monnaie, monnaie fiduciaire
- **paper feed** *(Comp)* alimentation du papier
- **paper industry (the)** l'industrie du papier
- **paper loss** *(Fin)* perte comptable
- **paper mill** (usine de) papeterie
- **paper money** papier-monnaie, monnaie fiduciaire
- **paper profit** *(Fin)* plus-value non matérialisée
- **paper punch** perforatrice
- **paper security** *(Fin)* papier-valeur
- **paper skip** *(Comp)* saut de papier
- **paper standard** *(Econ)* étalon papier
- **paper tape** *(Comp)* bande perforée ◆ **paper tape punch** *(Comp)* perforatrice de bande ◆ **paper tape reader** *(Comp)* lecteur de bande perforée
- **paper throw** *(Comp)* saut de papier
- **paper title** *(Jur, Fin)* titre.
---

journal m ; *(= review)* revue professionnelle, magazine *or* journal professionnel ◆ **weekly paper** hebdomadaire

**paperback** /'peɪpəbæk/ **N** livre m de poche.

**paperless** /'peɪpəlɪs/ **ADJ** *office* sans papier ◆ **paperless trading** *(St Ex)* transactions électroniques.

**paperwork** /'peɪpəwɜːk/ **N** **a** *(gen)* tâches fpl administratives **b** *(= documents) (Admin)* documents mpl ; *(Acc)* pièces fpl comptables, écritures fpl ◆ **we shall do the necessary paperwork** nous préparons tous les documents nécessaires **c** *(pej)* paperasserie f.

**Papua New Guinea** /'pæpjʊənjuːˌgɪnɪ/ **N** Papouasie-Nouvelle-Guinée f.

**par** /pɑːʳ/ **N** égalité f, pair m, parité f ◆ **par (rate) of exchange** pair du change ◆ **par of a stock** pair d'un titre ◆ **value at par** valeur au pair, parité ◆ **commercial par** pair commercial ◆ **above / below par** au-dessus / au-dessous du pair ◆ **at par** au pair ◆ **issue at par** *[stock]* émission au pair ◆ **mint par (of exchange)** pair intrinsèque *or* métallique ◆ **nominal par** pair nominal

---
*compounds/composés*
- **par value** *or* **price** valeur au pair ◆ **table of par values** table des parités ◆ **par value / no par value stocks** *(US)* actions avec / sans valeur nominale.
---

**paragraph** /'pærəgrɑːf/ **N** paragraphe m ◆ **to begin a new paragraph** aller à la ligne.

**Paraguay** /'pærəgwaɪ/ **N** Paraguay m.

**Paraguayan** /ˌpærə'gwaɪən/ **ADJ** paraguayen **N** *(= inhabitant)* Paraguayen(ne) m(f).

**parallel** /'pærəlel/ **ADJ** **a** *(Econ)* parallèle ◆ **parallel imports** importations parallèles ◆ **parallel standard** standard bimétallique ◆ **parallel trading** *(EU)* commerce parallèle **b** *(Comp)* parallèle ◆ **parallel access / processing** accès / traitement en parallèle ◆ **parallel in parallel out** entrée et sortie parallèles ◆ **parallel port / printer** port / imprimante parallèle.

**Paramaribo** /ˌpærə'mærɪˌbəʊ/ **N** Paramaribo.

**parameter** /pə'ræmɪtəʳ/ **N** paramètre m.

**parcel** /'pɑːsl/ **N** **a** *(= package)* colis m, paquet m ◆ **hung-up parcel** *(US)* colis en souffrance ◆ **cash on delivery parcel** colis contre remboursement **b** *(= portion)* *[land]* parcelle f ; *[goods]* lot m ; *(St Ex)* *[shares]* lot m, paquet m ◆ **shipment parcel** envoi groupé

```
──── compounds/composés ────
• parcels cartage factage
• parcel (delivery) service service de message-
  ries or de livraison de colis à domicile
• parcel office bureau de messageries
• parcel post service de colis postaux or de mes-
  sageries • to send sth by parcel post envoyer qch
  par colis postal
• parcel train train de messageries.
```

**parcel out** /ˈpɑːsl/ VT SEP (gen) distribuer; *land* lotir.

**pare down** /pɛəʳ/ VT SEP *expenses, costs* réduire, rogner; *staff* réduire, dégraisser.

**parent** /ˈpɛərənt/ N (gen) père m (or mère f) • parent company maison or société mère.

**Pareto's Law** /pəˈreɪtəʊ/ N loi f de Pareto.

**pari passu** /ˈpærɪˈpæsuː/ ADV de pair.

**Paris** /ˈpærɪs/ N Paris.

**parity** /ˈpærɪtɪ/ N parité f • parity of exchange parité de change • parity ratio rapport de parité • parity table table des parités • parity value valeur au pair • exchange at parity change au pair or à la parité • exchange rate parities parités des taux de change • fixed parity parité fixe • purchasing power parity parité du pouvoir d'achat.

**park** /pɑːk/ N parc m • business park parc d'activités • industrial park (US) zone industrielle • science park parc scientifique • theme park parc à thème
VT *car* garer, stationner
VI se garer, stationner.

**parking** /ˈpɑːkɪŋ/ N stationnement m • no parking stationnement interdit

```
──── compounds/composés ────
• parking lot (US) parking, parc de stationne-
  ment
• parking ticket procès-verbal, p.-v., papillon*.
```

**Parliament** (Brit) /ˈpɑːləmənt/ N parlement m.

**parole** /pəˈrəʊl/ N (Jur) liberté f conditionnelle • to release sb on parole mettre qn en liberté conditionnelle
VT mettre en liberté conditionnelle.

**parsimony** /ˈpɑːsɪmənɪ/ N • the law of parsimony (Econ) la loi du moindre effort.

**part** /pɑːt/ N **a** (= *piece of machine*) pièce f • component part composant • replacement or spare part pièce de rechange, pièce détachée **b** (= *section, division*) partie f • the major part of la majeure partie de • to pay in part payer partiellement **c** (= *place*) endroit m, coin m * • in this part of the factory à cet endroit de l'usine, dans ce coin* de l'usine **d** (*phrases*) • for my part pour ma part, quant à moi • to take sb's part prendre le parti de qn • an error on the part of the chairman une erreur de la part du président • to play a part in sth participer à qch, jouer un rôle dans qch
ADJ *delivery* partiel • part cargo charter affrètement partiel • part exchange reprise (en compte) • to take sth in part exchange reprendre qch en compte • part owner (gen) copropriétaire; (Mar) coarmateur • part ownership copropriété • part paid *stocks* non (entièrement) libéré • part payment règlement partiel, acompte • I am enclosing $700 in part payment of our order ci-joint 700 dollars en règlement partiel de notre commande or à titre d'acompte sur notre commande • part performance *contract* exécution partielle • part shipment expédition partielle • part-time *worker, job* à temps partiel • I am doing part-time work je travaille à temps partiel • to put sb on part-time (work) mettre qn en chômage partiel • part truck load (Rail) wagon incomplet

```
──── compounds/composés ────
• parts commonality (Ind) banalisation or stan-
  dardisation des pièces
• parts list (Ind) nomenclature
• parts store magasin de pièces détachées.
```

**partial** /ˈpɑːʃəl/ ADJ (= *in part*) partiel, incomplet • partial acceptance of a bill acceptation partielle d'un effet • partial equilibrium (Econ) équilibre partiel • partial loss (Ins) perte partielle, sinistre partiel • partial audit vérification partielle • partial withdrawal (Fin) retrait partiel • to take partial profit (St Ex) prendre une partie de ses bénéfices.

**partially** /ˈpɑːʃəlɪ/ ADV partiellement.

**partible** /ˈpɑːtəbl/ ADJ (Jur) partageable, divisible.

**participant** /pɑːˈtɪsɪpənt/ N participant(e) m(f).

**participate** /pɑːˈtɪsɪpeɪt/ VI participer (*in* à) prendre part (*in* à)

**participating** /pɑːˈtɪsɪpeɪtɪŋ/ ADJ (gen) participant • participating policy (Ins) police d'assurance avec participation aux bénéfices • participating preference share action préférentielle avec droit à une quote-part supplémentaire des bénéfices • participating bond obligation avec participation aux bénéfices, obligation participante.

**pass**

**participation** /pɑːˌtɪsɪˈpeɪʃən/ N participation f (*in* à) ✦ **worker participation** participation des travailleurs à la gestion de l'entreprise, cogestion

— compounds/composés —

✦ **participation account** compte en participation
✦ **participation loan** crédit consortial or cartellaire
✦ **participation rate** taux de participation.

**participative** /pɑːˈtɪsɪpətɪv/, **participatory** /pɑːˈtɪsɪpətərɪ/ ADJ participatif ✦ **participative management** management participatif.

**particular** /pəˈtɪkjʊlər/ ADJ particulier, spécial ✦ **particular average** (*Mar Ins*) avarie particulière ✦ **particular equilibrium** (*Econ*) équilibre partiel ✦ **particular lien** (*Jur*) droit de rétention limité; (*opp of general lien*) privilège spécial ✦ **particular partnership** association en participation ✦ **particular power** (*Jur*) procuration spéciale.

**particulars** /pəˈtɪkjʊləz/ NPL **a** (= *details*) détails mpl ✦ **please send full particulars concerning your order** veuillez envoyer tous les détails or renseignements concernant votre commande ✦ **for further particulars write to** pour plus amples renseignements or pour plus de détails écrivez à ✦ **particulars of an account** détail d'un compte **b** (= *description*) description f; [*person*] signalement m ✦ **particulars of sale** description de la propriété à vendre, cahier des charges ✦ **personal particulars** (= *name, address*) coordonnées **c** (*Acc*) libellé m ✦ **particulars column** colonne de libellé.

**partition** /pɑːˈtɪʃən/ **N** (*gen*) division f; [*property*] partage m ✦ **partition of average** (*Ins*) répartition d'avaries
**VT** diviser, partager.

**partly** /ˈpɑːtlɪ/ ADV partiellement ✦ **partly paid-up shares** actions non entièrement libérées.

**partner** /ˈpɑːtnər/ **N** (*gen*) partenaire mf; [*business*] associé(e) m(f) ✦ **active** or **acting** or **general** or **ordinary** or **working partner** commandité ✦ **dormant** or **limited** or **silent** or **sleeping partner** commanditaire, bailleur de fonds ✦ **junior / senior partner** associé minoritaire / principal or majoritaire ✦ **managing partner** associé gérant ✦ **nominal partner** associé fictif, prête-nom
**VT** être l'associé de, s'associer à.

**partnership** /ˈpɑːtnəʃɪp/ N **a** (*Jur, Comm*) (*also* **general partnership**) (= *firm*) société f en nom collectif, société f de personnes ✦ **articles** or

**deed of partnership** acte d'association, contrat de société ✦ **industrial partnership** participation des salariés aux bénéfices ✦ **limited partnership** société en commandite simple ✦ **non-trading partnership** société non commerciale ✦ **particular partnership** association en participation ✦ **trading partnership** société de personnes (*créée à des fins commerciales*) ✦ **to be in partnership** être associé (*with* avec) **to dissolve a partnership** dissoudre une association ✦ **to go into partnership** s'associer (*with* avec) **in partnership with** en partenariat avec **b** (*gen*) association f ✦ **partnership between companies and universities** partenariat entre les entreprises et les universités ✦ **research partnership** partenariat pour la recherche

— compounds/composés —

✦ **partnership accounts** comptes mpl de société
✦ **partnership share** part d'associé, part sociale.

**party** /ˈpɑːtɪ/ N **a** (*Jur, Ins*) partie f ✦ **contracting / defaulting / adverse party** partie contractante / défaillante / adverse ✦ **the injured party** la partie lésée ✦ **party entitled, interested party** intéressé, ayant droit ✦ **party of the first / second** comparant d'une part / d'autre part ✦ **party named** (*Fin*) accrédité ✦ **third party** tierce personne, tiers ✦ **third-party claim** recours des tiers ✦ **third-party insurance** (*Aut*) assurance au tiers ✦ **third-party liability** responsabilité au tiers ✦ **third-party risk** risque au or aux tiers ✦ **payment on behalf of a third party** paiement par intervention ✦ **party to an estate** cohéritier ✦ **to be a party to a suit** être l'une des parties d'un procès ✦ **to become a party to a contract** être l'une des parties contractantes ✦ **the parties to the agreement** les parties à cet accord ✦ **the parties to a bill of exchange** les intéressés à une lettre de change **b** (= *group*) groupe m; [*workmen*] équipe f; (*Pol*) parti m ✦ **working party** (*gen*) groupe de travail; (*enquiry*) commission d'enquête **c** (*Telec*) correspondant m ✦ **the called party** le demandé ✦ **the calling party** le demandeur ✦ **your party is on the line** votre correspondant est en ligne **d** (= *social event*) réunion f, réception f ✦ **dinner party** dîner ✦ **cocktail party** cocktail

— compounds/composés —

✦ **party line** (*Pol*) politique or ligne du parti; (*Telec*) ligne à postes groupés.

**pass** /pɑːs/ **VT** **a** (= *get through*) ✦ **to pass customs** passer la douane ✦ **to pass inspection** [*goods*]

être jugé conforme, satisfaire au contrôle **b** *(Jur)* • **to pass judgement** rendre un jugement *(on* sur) **to pass sentence** prononcer une condamnation *(on sb* contre qn) **c** *(= accept) candidate* admettre; *(Pol) law* adopter; *(= approve)* autoriser, approuver • **to pass a dividend of 4%** approuver un dividende de 4% **d** *(= omit)* • **to pass a dividend** ne pas déclarer un dividende **e** *(Acc)* • **to pass an entry** passer une écriture • **to pass a transfer** faire un contre-passement • **to pass to the credit** porter au crédit • **to pass an item to current account** passer *or* porter un article en compte courant
**VI** *[person]* test être reçu *or* admis *(in* en); *[goods, machine] inspection* être jugé conforme, satisfaire au contrôle
**N** **a** *(= permit)* laissez-passer m ; *(Rail)* carte f d'abonnement; *(Mar)* lettre f de mer **b** *(Comp)* passage m en machine.

**passage** /'pæsɪdʒ/ **N** **a** *[law]* adoption f **b** *(Mar)* voyage m, traversée f • **we had a rough passage** nous avons fait une mauvaise traversée • **passage money** prix du voyage • **on passage** *ship* en voyage.

**passbook** /'pɑːsbʊk/ **N** *(Bank)* livret m de compte; *(Customs)* carnet m de passage en douane.

**passenger** /'pæsndʒəʳ/ **N** *(in train)* voyageur (-euse) m(f) ; *(in boat, plane, car)* passager (-ère) m(f)

```
─────── compounds/composés ───────
• passenger accommodation (on ship) cabine
• passenger coach (Brit), passenger car (US)
  (Rail) voiture or wagon de voyageurs
• passenger fare prix du billet au tarif voyageurs
• passenger list (Aviat, Mar) liste des passagers
• passenger lounge (in airport) salon d'attente
• passenger manifest (Aviat, Mar) liste or mani-
  feste des passagers
• passenger mile (Aviat) kilomètre-passager;
  (Rail) kilomètre-voyageur, voyageur kilométrique
• passenger reservation service service de ré-
  servation (de places)
• passenger ship paquebot
• passenger train train de voyageurs.
```

**passing** /'pɑːsɪŋ/ **ADJ** *(Comm)* de passage • **passing trade** clientèle de passage
**N** *[resolution, law]* adoption f.

**passive** /'pæsɪv/ **ADJ** passif • **passive balance of trade** balance commerciale déficitaire • **passive bond** obligation ne portant pas d'intérêts • **passive income** revenu de placement.

**pass off** **VT SEP** *goods, coins* refiler • **to pass o.s. off as** se faire passer pour.

**pass on** **VT SEP** *increase in costs* répercuter *(to* sur)

**pass-on** /'pɑːsɒn/ **ADJ** • **pass-on readership** *newspaper* lectorat effectif.

**pass over** **VT SEP** • **they passed him over for promotion** il n'a pas été retenu pour une promotion.

**passport** /'pɑːspɔːt/ **N** passeport m • **passport check** contrôle des passeports.

**password** /'pɑːswɜːd/ **N** mot m de passe • **password protection** *(Comp)* protection par mot de passe.

**past** /pɑːst/ **ADJ** *year* passé • **the past year's results** *(Acc)* les résultats de l'exercice écoulé • **my past experience as a salesman** mon expérience en tant que vendeur.

**past-due** /,pɑːstˈdjuː/ **ADJ** *bill, invoice* non réglé à l'échéance.

**paste up** /peɪst/ **VT SEP** *advertisement, poster* afficher.

**paste-up** /'peɪstʌp/ **N** montage m, collage m.

**pat.** abbr of **patent.**

**patch** /pætʃ/ **N** **a** *[land]* parcelle f ; *(Brit) [salesman]* territoire m, secteur m • **we've hit a bad patch** on est dans une mauvaise période, nous traversons une mauvaise période **b** *(Comp)* correction f de programme.

**patch up** /pætʃ/ **VT SEP** rafistoler* • **to patch up a compromise** arriver à un semblant de compromis.

**patchwork** /'pætʃwɜːk/ **N** patchwork m • **a patchwork agreement** un accord obtenu par des concessions réciproques.

**patchy** /'pætʃɪ/ **ADJ** *results, sales* inégal.

**patent** /'peɪtnt/ **ADJ** **a** *invention* breveté • **patent medecine** remède • **letters patent** brevet d'invention **b** **patent leather** cuir verni • **patent leather shoes** souliers vernis **c** *(= obvious) facts, lie* patent, manifeste, évident
**N** *(= licence)* brevet m *(d'invention); (= invention)* invention f brevetée • **to take out a patent** prendre un brevet, faire breveter une invention • **infringement of a patent** contrefaçon • **to apply for** *or* **file a patent** faire *or* déposer une demande de brevet • **to assign a patent to sb** transmettre un brevet à qn • **commissioner of patents** directeur du bureau des brevets • **conveyance of a patent** transmission de propriété d'un brevet • **patent pending** brevet en cours d'homologation

**vt** *invention* prendre un brevet pour, faire breveter

––––––– compounds/composés –––––––
- **patent agent** agent *or* conseil en brevets
- **Patent and Trademark Office** *(US)* bureau *or* registre des brevets d'invention, office de la propriété industrielle
- **patent application** demande de brevet
- **patent attorney** *(US)* agent *or* conseil en brevets
- **patent engineer** ingénieur-conseil en brevets industriels
- **patent fees** droits mpl (d'enregistrement) de brevet
- **patent goods** articles mpl brevetés
- **patent holder** titulaire d'un brevet
- **patent lawyer** *(US)* avocat conseil spécialisé en matière de brevet
- **Patent Office** *(Brit)* bureau *or* registre des brevets d'invention, office de la propriété industrielle
- **patent renewal fees** droits mpl annuels de maintien d'un brevet
- **patent rights** propriété industrielle (*on* sur)
- **Patent Rolls** *(Brit)* registre des brevets d'invention
- **patent royalties** royalties fpl dues par le concessionnaire d'un brevet
- **patent trading** échange de brevets.

**patentability** /ˌpeɪtəntə'bɪlɪtɪ/ **N** brevetabilité f.

**patentable** /'peɪtəntəbl/ **ADJ** brevetable.

**patentee** /ˌpeɪtən'tiː/ **N** titulaire mf d'un brevet.

**path** /pɑːθ/ **N** chemin m ◆ **critical path method** méthode du chemin critique ◆ **growth path** *(Econ)* sentier de croissance ◆ **in a sluggish growth path** sur un sentier de croissance ralentie.

**pathfinder prospectus** /'pɑːθfaɪndəʳprə'spektəs/ **N** *(St Ex)* prospectus m préliminaire.

**patron** /'peɪtrən/ **N a** *[shop, hotel]* client(e) m(f) ; *[theatre, café]* habitué(e) m(f) **b** *[artist]* protecteur(-trice) m(f), mécène m.

**patronage** /'pætrənɪdʒ/ **N a** *[artist]* parrainage m **b** *(Comm)* clientèle f.

**patronize, patronise** /'pætrənaɪz/ **vt** *shop* se fournir chez, être client de.

**patter** /'pætəʳ/ **N** *[salesman]* boniment m *, baratin m *, bagou(t) m * ◆ **to give a customer the sales patter** faire l'article *or* le baratin* à un client.

**pattern** /'pætən/ **N a** *(= design) (on material)* dessin m, motif m ◆ **floral pattern** motif floral *or* de fleurs **b** *(= shape, tendency) [behaviour]* schéma m, habitude f ; *[trade]* tendance f ; *[living]* mode m ◆ **buying** *or* **spending patterns** habitudes d'achat ◆ **consumer patterns** habitudes de consommation ◆ **it followed the usual pattern** cela s'est passé selon le schéma classique ◆ **we can find no pattern in these events** nous ne trouvons aucune logique dans ces événements **c** *(Comp)* configuration f ◆ **bit pattern** configuration *or* profil binaire **d** *(= sample)* échantillon m
**vt** modeler (*on* sur)

––––––– compounds/composés –––––––
- **pattern agreement** accord type
- **pattern book** *[material, wallpaper]* album *or* livre d'échantillons; *(sewing)* album *or* catalogue de mode
- **pattern card** carte d'échantillons
- **pattern maker** *(Metal)* modeleur
- **pattern recognition** *(Comp)* reconnaissance des formes.

**paucity** /'pɔːsɪtɪ/ **N** *[crops, oil]* pénurie f ; *[money, supplies]* manque m ; *[ideas]* indigence f.

**pawn** /pɔːn/ **N a** *(= security for loan)* gage m, nantissement m ◆ **to put sth in pawn** mettre qch en gage, gager qch ◆ **to get sth out of pawn** dégager qch ◆ **securities held in pawn** *(St Ex)* valeurs *or* titres en pension **b** *(Chess, fig)* pion m
**vt** *object* gager ◆ **pawned stock** *(St Ex)* valeurs *or* titres en pension.

**pawnbroker** /'pɔːnbrəukəʳ/ **N** prêteur (-euse) m(f) sur gages.

**pawnee** /pɔː'niː/ **N** *(Jur)* prêteur(-euse) m(f) sur gages.

**pawner** /'pɔːnəʳ/ **N** *(Jur)* emprunteur(-euse) m(f) sur gages.

**pawnshop** /'pɔːnʃɒp/ **N** bureau m de prêteur sur gages.

**pay** /peɪ/ **N** *(gen)* salaire m, paie f, paye f, traitement m ◆ **back pay** rappel de salaire *or* de traitement ◆ **basic pay** salaire de base ◆ **equal pay** égalité des salaires ◆ **half pay** demi-salaire ◆ **to be on half pay** être payé à mi-temps ◆ **overtime pay** heures supplémentaires ◆ **I get £20 a week in overtime pay** je touche 20 livre par semaine en heures supplémentaires ◆ **re dundancy pay** indemnité de licencieme ◆ **severance pay** indemnité de licencieme ◆ **strike pay** allocation aux grévistes *(ver par un syndicat)* ◆ **take-home pay** salaire ◆ **unemployment pay** allocation *or* indem de chômage ◆ **the pay is excellent** c'est bien payé ✦ **holidays with pay** congés payés ✦ **to draw one's pay** toucher son salaire ✦ **to stop sb's pay** bloquer le salaire de qn

─── compounds/composés ───
- **pay bargaining** négociation de convention collective
- **pay boost** augmentation de salaire
- **pay cheque** *(Brit)*, **pay check** *(US)* (chèque de règlement de) salaire ✦ **my monthly pay cheque comes to £2,000** mon salaire mensuel est de 2 000 livres
- **pay day** *(Ind)* jour de (la) paie; *(St Ex)* jour de la liquidation
- **pay desk** caisse
- **pay differential** écart *or* différentiel de salaires
- **pay dirt** *(US Min)* (gisement d')alluvions fpl exploitables ✦ **to hit pay dirt** * trouver un bon filon*
- **pay freeze** blocage des salaires
- **pay grade** échelon salarial
- **pay increase** augmentation de salaire
- **pay load** → **payload**
- **pay office** caisse
- **pay packet** paie, paye
- **pay-phone** *(Brit)* téléphone public
- **pay policy** politique salariale
- **pay rate** taux de rémunération
- **pay rise** augmentation de salaire
- **pay scale** échelle des salaires
- **pay schedule** barème des salaires
- **pay sheet** *or* **slip** feuille de paie *or* de salaire, fiche de paie
- **pay station** *(US)* téléphone public
- **pay talks** négociations fpl salariales
- **pay TV** télévision à péage

**VT** **a** *person* payer (*to do, for doing* à faire, pour faire); *bill, invoice* payer, régler; *tax, money, instalments* payer; *deposit* verser; *debt* s'acquitter de, régler; *loan* rembourser; *duty* acquitter, payer; *balance* régler ✦ **to pay cash** payer comptant ✦ **I paid £20 on account** j'ai versé un acompte de 20 livres, j'ai versé 20 livres d'arrhes ✦ **we paid her $30 for the translation** on lui a payé la traduction 30 dollars ✦ **we pay good wages** nous payons bien ✦ **I get paid on a monthly basis** *or* **by the month** je suis mensualisé, on me paie tous les mois ✦ **to be paid by the hour** être payé à l'heure ✦ **to pay money into an account** verser *or* déposer de l'argent sur un compte ✦ **to pay a cheque into an account** mettre un chèque sur un compte ✦ **the business is paying its way** l'affaire devient rentable ✦ **pay bearer** payez au porteur ✦ **pay self** payez à l'ordre de moi-même ✦ **to pay (the) costs** *[court case]* être condamné aux dépens **b** *(Fin) interest* rapporter; *dividend* distribuer **c** *(= be profitable to)* rapporter à ✦ **it would pay us to find a good lawyer** on aurait avantage à trouver un bon conseiller juridique

**d** **to pay sb a visit** rendre visite à qn ✦ **to pay attention to** faire *or* prêter attention à ✦ **to pay a call on partly paid shares** faire un versement sur des titres non libérés

**VI** payer ✦ **to pay for a service** payer un service ✦ **to pay in cash** payer en (argent) liquide *or* en espèces ✦ **to pay by cheque** payer par chèque ✦ **to pay in full** payer intégralement ✦ **to pay in advance** payer d'avance *or* par anticipation ✦ **pay as you earn** *(Brit)*, **pay as you go** *(US) tax* système de prélèvement ou de retenue des impôts à la source ✦ **it pays to advertise** la publicité paie ✦ **this operation will pay for itself in two years** cette opération sera rentabilisée dans deux ans ✦ **to pay through the nose for sth** payer le prix fort pour qch ✦ **order / failure to pay** ordre / défaut de paiement.

**payable** /ˈpeɪəbl/ **ADJ** **a** *(= due for payment)* payable, exigible ✦ **payable in advance** payable d'avance ✦ **payable to bearer** (payable) au porteur ✦ **payable on demand** *or* **on presentation**, **payable at sight** payable à vue *or* sur présentation ✦ **payable in francs** payable *or* libellé en francs ✦ **payable on March 24** *dividend* avec jouissance au 24 mars, date de jouissance le 24 mars ✦ **accounts payable** comptes fournisseurs ✦ **bills payable** effets à payer ✦ **bills payable book** échéancier ✦ **to make a cheque payable to sb** faire un chèque (libellé) à l'ordre de qn **b** *(= profitable)* rentable, payant.

**payables** /ˈpeɪəblz/ **NPL** *(= accounts)* comptes mpl fournisseurs; *(= bills)* effets mpl à payer.

**pay back VT SEP** *loan, person* rembourser ✦ **we expect our investment to pay back 10% a year** nous attendons un retour de 10% par an sur notre investissement.

**payback** /ˈpeɪbæk/ **N** *[investment]* retour m; *[debt]* remboursement m ✦ **the obsession with quick paybacks** l'obsession du retour rapide sur investissement

─── compounds/composés ───
- **payback period** délai de recouvrement, période d'amortissement
- **payback provisions** dispositions fpl relatives au remboursement.

**pay down VT FUS** *debt* rembourser, réduire.

**PAYE** /ˌpiːeɪwaɪˈiː/ *(Brit)* **N** abbr of **pay as you earn** → **pay.**

**payee** /peɪˈiː/ **N** *[cheque]* bénéficiaire mf; *[postal order]* destinataire mf, bénéficiaire mf.

**payer** /'peɪə<sup>r</sup>/ N *[cheque]* tireur(-euse) m(f) ♦ **slow payer** mauvais payeur ♦ **payer of contango** *(St Ex)* reporté.

**pay in** VT SEP *money* verser; *cheque* verser, remettre, déposer, donner à l'encaissement *(to à)*

**pay-in** /'peɪˌɪn/

──────────── compounds/composés ────────────
♦ **pay-in book** carnet de versement
♦ **pay-in slip** bordereau de versement.

**paying** /'peɪɪŋ/ ADJ payant ♦ **paying agent** domiciliataire ♦ **paying banker** banquier ♦ **paying concern** entreprise rentable ♦ **paying office** caisse.

**payload** /'peɪləʊd/ N *[vehicle]* charge f utile; *[aeroplane]* poids m utile, emport m ; *[ship]* charge f payante.

**paymaster** /'peɪmɑːstə<sup>r</sup>/ N *(gen)* intendant m, caissier m, payeur m ; *(Mar)* commissaire m ♦ **Paymaster General** *(Brit)* ≈ trésorier-payeur.

**payment** /'peɪmənt/ N *[invoice]* paiement m, règlement m ; *[sum of money, tax]* paiement m ; *[debt]* liquidation f, acquittement m ; *[loan]* remboursement m, amortissement m ; *[shares]* libération f ; *[duty]* acquittement m ; *(for services rendered)* rémunération f, paiement m ; *(= salary, wages)* salaire m, paie f, paye f ; *(= bank transaction)* versement m ♦ **on payment of $30** moyennant (paiement de) 30 dollars, contre paiement de 30 dollars ♦ **please find enclosed our cheque in payment of your invoice** veuillez trouver ci-joint notre chèque en règlement de votre facture ♦ **to make a payment** effectuer *or* faire un paiement ♦ **to stop payment of a cheque** faire opposition à un chèque ♦ **to present a cheque for payment** présenter un chèque à l'encaissement ♦ **receipts and payments** recettes et dépenses ♦ **cash receipts and payments** entrées et sorties de caisse, encaissements et décaissements ♦ **payment countermanded** opposition au paiement ♦ **payment received** pour acquit ♦ **payment by instalments** paiement à tempérament *or* par traites ♦ **payment by result** salaire au rendement ♦ **payment for honour** paiement par intervention ♦ **payment in advance** paiement anticipé ♦ **payment in kind** paiement en nature ♦ **payment of calls** *(gen)* versement d'appels de fonds; *(St Ex)* libération d'actions ♦ **payment of interest** service d'intérêt ♦ **payment on account** acompte, provision, arrhes ♦ **payment on delivery** paiement à la livraison ♦ **payment on invoice** paiement à réception de la facture ♦ **advance payment** *(= down payment)*

acompte, arrhes, avance; *(= full payment)* paiement anticipé *or* par anticipation ♦ **balance of payments** balance des paiements ♦ **cash payment** paiement en espèces *or* en liquide ♦ **deferred payment** *[instalment contract]* paiement par versements périodiques; *(= credit facilities)* paiement différé ♦ **down payment** premier acompte ♦ **front-end payment** versement *or* paiement initial ♦ **instalment payment** traite ♦ **inward payment** encaissement, paiement reçu ♦ **outward payment** décaissement ♦ **overdue payment** arriéré ♦ **part payment** règlement partiel, acompte ♦ **in part payment of** à titre d'acompte sur ♦ **spread out payment** paiements fractionnés *or* échelonnés ♦ **term of payment** délai de paiement ♦ **terms of payment** conditions de paiement ♦ **transfer payments** opérations de transfert

──────────── compounds/composés ────────────
♦ **payment date** date de paiement
♦ **payment instrument** instrument de paiement
♦ **payment terms** conditions fpl de paiement
♦ **easy payment terms** facilités de paiement.

**pay off** VI rapporter, être rentable *or* payant ♦ **our strategy has finally paid off** notre stratégie s'est enfin révélée payante
▐VT SEP▐ **a** *debt* régler, payer, s'acquitter de; *loan* amortir, rembourser; *invoice* régler, payer; *mortgage* purger; *creditors* désintéresser, rembourser; *outstanding account* régler, solder **b** *employee* renvoyer, licencier, congédier; *ship's crew* débarquer; *ship* désarmer **c** *interest* rapporter ♦ **our decision to enter the American market has paid off fat dividends** notre décision de nous lancer sur le marché américain a rapporté de gros dividendes.

**payoff** /'peɪɒf/ N *[investment]* rentabilité f, rapport m, rendement m ♦ **payoff table** matrice des gains.

**payola** * /peɪ'əʊlə/ *(US)* N pot-de-vin m.

**pay out** VT SEP **a** *money* *(gen)* débourser, dépenser; *[cashier]* payer **b** *rope* laisser filer.

**pay-out reel** N *(Comp)* bobine f émettrice *or* débitrice.

**payroll** /'peɪrəʊl/ N *(= list)* registre m du personnel *or* des salaires; *(= all the employees)* effectifs mpl, ensemble m du personnel; *(= total pay)* masse f salariale; *(= wages paid)* paie f, paye f ♦ **the company has 150 people on the payroll** l'entreprise a 150 salariés ♦ **the monthly payroll of the company is $100,000** la masse des salaires de l'entreprise s'élève à 100 000 dollars par mois ♦ **to be on a firm's**

**payroll** être employé par une entreprise, faire partie du personnel d'une entreprise ♦ **to cut the payroll** diminuer les effectifs ♦ **payroll tax** taxe sur la masse salariale, charges sociales *(aux États-Unis)*.

**pay up** Ⅵ payer

ⅤⅠ ⓢⓔⓟ *amount* payer; *debts* régler, s'acquitter de; *(St Ex) shares* libérer.

**PBX** /ˌpiːbiːˈeks/ *(Brit)* N abbr of **private branch exchange** → **private.**

**PC** /piːˈsiː/ N (abbr of **personal computer**) PC m.

**p.c.** (abbr of **per cent**) pour cent.

**pcl** abbr of **parcel.**

**pd** abbr of **paid.**

**p.d.** (abbr of **per diem**) par jour.

**PDA** /ˌpiːdiːˈeɪ/ N abbr of **personal digital assistant** → **personal.**

**p / e** /piːˈiː/ (abbr of **price / earnings ratio**) PER m.

**peak** /piːk/ Ⓝ *(on graph)* sommet m, pic m ; *[career]* sommet m, apogée f ; *(= highest level) [demand, unemployment, inflation]* maximum m, niveau m record, pic m ♦ **business was at its peak in 1973** les affaires ont atteint leur point culminant *or* leur niveau record en 1973 ♦ **the tourist trade reaches its peak in summer** le tourisme est à son maximum en été

―――――― *compounds/composés* ――――――

♦ **peak attendance** affluence maximum *or* maximale
♦ **peak demand** *(gen)* demande maximum *or* maximale; *(Elec)* (période de) consommation de pointe
♦ **peak hours** heures fpl de pointe
♦ **peak load** *(gen)* charge maximum; *(Elec)* pointe de consommation
♦ **peak period** *(= rush hour)* période de pointe; *(= holidays)* haute saison
♦ **peak production** production maximum *or* maximale
♦ **peak season** *(= holidays)* haute saison
♦ **peak speed** vitesse de pointe
♦ **peak viewing time** *(TV)* heure de plus grande écoute
♦ **peak year** année record

Ⅵ *[inflation, sales curve, demand]* atteindre un maximum *or* son point culminant, battre un record.

**peasant** /ˈpezənt/ N *(gen, Hist)* paysan(ne) m(f) ; *(Econ = small farmer)* agriculteur(-trice) m(f).

**pecking order** *(Brit)* /ˈpekɪŋɔːdər/, **peck order** *(US)* /ˈpekɔːdər/ N ordre m hiérarchique.

**peculate** /ˈpekjʊleɪt/ Ⅵ détourner des fonds (publics).

**peculation** /ˌpekjʊˈleɪʃən/ N détournement m de fonds (publics), péculat m.

**peculator** /ˈpekjʊleɪtər/ N prévaricateur m.

**peculiarity** /pɪˌkjuːlɪˈærɪtɪ/ N trait m distinctif, particularité f.

**pecuniary** /pɪˈkjuːnɪərə/ ADJ pécuniaire, financier ♦ **for pecuniary gain** dans un but lucratif ♦ **pecuniary difficulties** ennuis d'argent, embarras pécuniaires ♦ **pecuniary loss insurance** assurance sur pertes de bénéfices.

**peddle** /ˈpedl/ ⅤⅠ *goods* colporter; *ideas* propager; *drugs* faire le trafic de.

**pedestrian** /pɪˈdestrɪən/ N piéton m ♦ **pedestrian precinct** zone piétonnière *or* piétonne.

**pedestrianize, pedestrianise** /pɪˈdestrɪənaɪz/ ⅤⅠ *area* transformer en zone piétonnière *or* piétonne.

**pedlar** /ˈpedlər/ *(US)*, **peddler** N *(door to door)* colporteur m ; *(in street)* camelot m.

**peer** /pɪər/ N pair m ♦ ♦ **peer-to-peer** de pair à pair.

**peg** /peg/ Ⓝ ⓐ *(for coat)* patère f ♦ **to buy a suit off the peg** acheter un costume prêt-à-porter *or* de confection ♦ **I bought this off the peg** c'est du prêt-à-porter ⓑ cheville f, fiche f ♦ **crawling peg system** *(Econ)* régime des parités à crémaillères

Ⅵ ⓐ *(= hold steady) prices, wages* stabiliser ♦ **pegged rates of exchange** taux de change de soutien ♦ **pegged price** prix indexé ♦ **pegging purchases** achats d'intervention ⓑ *(= link) rates of exchange* indexer *(to* à*)* ♦ **the Hong Kong dollar is pegged to the US dollar** le dollar de Hong-Kong est indexé sur le dollar US ♦ **everything is pegged to immediate earnings** tout est (en) fonction de la rentabilité immédiate.

**pegging** /ˈpegɪŋ/ N *[currency]* stabilisation f.

**Peking** /piːˈkɪŋ/ N Pékin.

**pen** /pen/ N stylo m ; *(= ball-point)* stylo m (à bille); *(= felt-tip)* (crayon m) feutre m ♦ **fountain pen** stylo à plume ♦ **light pen** photostyle, crayon optique ♦ **marker pen** marqueur ⓒⓞⓜⓟ ♦ **pen plotter** *(Comp)* traceur.

**per an.**

**penalize, penalise** /'penəlaɪz/ **vt** (= *punish*) pénaliser, sanctionner; (= *handicap*) pénaliser, handicaper, désavantager ✦ **they were penalized by their inability to speak Japanese** ils étaient handicapés par leur ignorance de la langue japonaise.

**penalty** /'penəltɪ/ **N** (= *punishment*) pénalité f, peine f, sanction f ; (= *fine*) amende f ✦ **penalty for non compliance** pénalité pour infraction *or* non-respect ✦ **on penalty of** sous peine de ✦ **penalty for breach of contract** dédit de rupture de contrat ✦ **penalty for late tax payment** (*US*) majoration de retard

─── *compounds/composés* ───
✦ **penalty bond** cautionnement, caution
✦ **penalty clause** clause de pénalité
✦ **penalty rate** taux de pénalisation.

**pence** /pens/ (*Brit*) **N** ✦ **one pence** un penny ✦ **I paid 50 pence for it** je l'ai payé 50 pence ✦ **a 10-pence coin** une pièce de 10 pence.

**pencil** /'pensl/ **N** crayon m.

**pencil in** /'pensl/ **vt sep** (= *note provisionally*) retenir, noter comme possibilité, marquer au crayon ✦ **will you pencil that date in for our next meeting?** pouvez-vous retenir cette date pour notre prochaine réunion?.

**pending** /'pendɪŋ/ **ADJ** *business, task* en attente, en souffrance; (*Jur*) *case* en instance, pendant ✦ **the pending tray** la corbeille *or* le casier des affaires en souffrance *or* en cours ✦ **patent pending** brevet en cours d'homologation.

**penetrate** /'penɪtreɪt/ **vt** pénétrer.

**penetration** /ˌpenɪ'treɪʃən/ **N** pénétration f ✦ **penetration rate** taux de pénétration ✦ **market penetration** pénétration du marché ✦ **capacity of penetration** pénétrabilité.

**penniless** /'penɪlɪs/ **ADJ** sans le sou, sans ressources.

**penny** /'penɪ/ **N** (*Brit*) penny m, (* *US*) pièce f d'un cent ✦ **he was left without a penny** il s'est retrouvé sans le sou ✦ **it costs a pretty penny** * cela coûte cher ✦ **to buy in penny numbers** acheter par petits lots *or* en petites quantités **COMP** ✦ **penny stock** action à cours peu élevé (*valant moins d'un dollar*), pennystock.

**pension** /'penʃən/ **N** (= *state payment*) pension f ✦ **life pension** rente viagère ✦ **disablement pension** pension d'invalidité ✦ **retirement pension** (pension de) retraite ✦ **supplementary pension** retraite complémentaire ✦ **to retire on a pension** prendre sa retraite

─── *compounds/composés* ───
✦ **pension calculation** liquidation de retraite
✦ **pension fund** caisse de retraite, fonds de pension
✦ **pension scheme** régime de retraite ✦ **contributory pension scheme** système de retraite par répartition ✦ **non-contributory pension scheme** régime de retraite entièrement financé par l'employeur ✦ **graduated pension scheme** régime de retraite proportionnelle.

**pensionable** /'penʃnəbl/ **ADJ** *service* qui donne droit à une pension; *person* qui a droit à une pension ✦ **pensionable age** âge de la retraite.

**pensioner** /'penʃənər/ **N** (*gen*) pensionné(e) m(f) (*Brit : also* **old age pensioner**) retraité(e) m(f).

**pension off** /'penʃən/ **vt sep** mettre à la retraite.

**pent-up** /'pentʌp/ **ADJ** ✦ **pent-up demand** demande accumulée ✦ **pent-up energy** force contenue.

**penurious** /pɪ'njʊərɪəs/ **ADJ** (= *indigent*) indigent, misérable; (= *stingy*) parcimonieux.

**penury** /'penjʊrɪ/ **N** **a** (= *extreme poverty*) misère f, indigence f **b** (= *lack of resources*) pénurie f.

**PEP** /ˌpiːiː'piː/ **N** (*Brit*) (abbr of **personal equity plan**) ≈ PEA m.

**peppercorn rent** /'pepəkɔːnˌrent/ (*Brit*) **N** loyer m insignifiant *or* symbolique.

**pep talk** * /'peptɔːk/ **N** discours m *or* laïus m * d'encouragement.

**pep up** /pep/ **vi** [*business*] reprendre.

**PER** /ˌpiːiː'ɑːr/ **N** (abbr of **price / earnings ratio**) PER m.

**per** /pɜːr/ **PREP** **a** par ✦ **per annum** par an ✦ **per capita** par personne ✦ **per capita income** revenu par habitant *or* par tête ✦ **per cent** pour cent ✦ **ten per cent increase** augmentation de dix pour cent ✦ **per diem** par jour ✦ **per head** par tête, par personne ✦ **90 km per hour** 90 (km) à l'heure ✦ **she is paid €50 per hour** elle est payée 50 euros (de) l'heure ✦ **per mile** par mille ✦ **per pro(curationem)** par procuration ✦ **per week / year** par semaine / an **b** (= *according to*) ✦ **as per contra** comme ci-contre ✦ **as per invoice** suivant facture ✦ **as per statement** suivant relevé **c** (= *by means of*) ✦ **per post** par la poste.

**per an.** (abbr of **per annum**) par an.

**percent** /pə'sent/ **ADV** pour cent.

**percentage** /pə'sentɪdʒ/ **N** pourcentage m ✦ **the figure is expressed as a percentage** le chiffre donné est un pourcentage ✦ **to get a percentage on sales** recevoir un pourcentage sur les ventes ✦ **director's percentage of profit** tantième des administrateurs

___ compounds/composés ___
- ✦ **percentage analysis** analyse procentuelle *or* indiciaire
- ✦ **percentage distribution** ventilation en pourcentage.

**percentile** /pə'sentaɪl/ **N** *(gen)* percentile m ; *(Stat)* centile m ✦ **percentile ranking** classement par pourcentage.

**perception** /pə'sepʃən/ **N** perception f, recouvrement m.

**peremptory** /pə'remptərɪ/ **ADJ** *(gen, Jur)* péremptoire ✦ **peremptory call** *or* **notice** mise en demeure ✦ **peremptory call to do sth** mise en demeure de faire qch ✦ **peremptory writ** mandat de comparution, citation à comparaître.

**perfect** /'pɜːfɪkt/ **ADJ** parfait ✦ **perfect entry** *(Customs)* déclaration définitive ✦ **perfect market / monopoly** *(Econ)* marché / monopole parfait **VT** technique mettre au point, perfectionner.

**perforate** /'pɜːfəreɪt/ **VT** *paper, metal* perforer, percer; *ticket* poinçonner, perforer ✦ **perforated line** pointillé ✦ **perforated tape** *(Comp)* bande perforée.

**perform** /pə'fɔːm/ **VT** **a** *task* accomplir, exécuter; *duty* remplir, accomplir, s'acquitter de; *function* remplir **b** *(Theat) play* jouer, représenter, donner ✦ **to perform a part** jouer *or* tenir un rôle ✦ **performing rights** droits d'auteur **VI** **a** *(gen)* donner une *or* des représentation(s), se produire; *[actor]* jouer; *[singer]* chanter; *[dancer]* danser **b** *[machine, vehicle]* fonctionner, marcher **c** *[person] (in job)* réussir ✦ **he is not performing well** il ne réussit pas bien, il n'est pas performant ✦ **an under-performing manager** un cadre peu performant.

**performance** /pə'fɔːməns/ **N** **a** *[play]* représentation f ; *[film]* séance f ; *[concert]* séance f, audition f **b** *[actor, dancer]* interprétation f ; *(Mktg) [product]* comportement m **c** *[machine]* fonctionnement m, performances fpl ; *[vehicle]* performances fpl **d** *[task]* exécution f, accomplissement m ✦ **in the performance of one's duties** dans l'exercice de ses fonctions **e** *(Jur) [contract]* exécution f ✦ **part performance** exécution partielle ✦ **decree of specific performance** *[contract]* ordonnance d'exécution intégrale ✦ **non performance of a contract** inexécution d'un contrat **f** *(= results) [job]* rendement m, réalisation f, performances fpl ; *[economy]* comportement m ✦ **to measure sb's performance** mesurer le rendement de qn ✦ **export performance** résultats à l'exportation ✦ **job performance** *[manager]* réalisations; *[worker]* rendement au travail ✦ **earnings performance of a stock** rentabilité *or* rendement d'une valeur

___ compounds/composés ___
- ✦ **performance appraisal** évaluation des résultats *or* des performances
- ✦ **performance bond** garantie de bonne fin
- ✦ **performance-cost ratio** rapport performances-coûts
- ✦ **performance guarantee** *(Ins)* garantie de bonne fin *or* de bonne exécution
- ✦ **performance measurement** mesure de la performance
- ✦ **performance monitoring** contrôle des performances
- ✦ **performance outcome** résultat, réalisation
- ✦ **performance-related bonus** prime de rendement
- ✦ **performance rights** droits mpl d'auteur
- ✦ **performance standards** normes mpl de fonctionnement (*or* de productivité).

**perhaps** /pə'hæps, præps/ **ADV** peut-être.

**peril** /'perɪl/ **N** *(gen, Ins)* risque m, péril m ✦ **perils of the sea** fortunes de mer, risque(s) de mer ✦ **excepted perils** risques exclus ✦ **imminent peril** péril imminent ✦ **insured peril** risque assuré.

**period** /'pɪərɪəd/ **N** **a** période f, époque f ✦ **during the whole period of the negotiations** pendant toute la durée *or* la période des négociations ✦ **it must be delivered within a 2-month period** il doit être livré dans un délai de deux mois ✦ **trial period** période d'essai ✦ **fixed period deposit** *(Bank)* dépôt à terme fixe ✦ **period of grace** délai de grâce ✦ **average period of execution** durée moyenne d'exécution ✦ **cooling-off period** délai de réflexion ✦ **period of notice** (délai de) préavis **b** *(Acc : also **accounting period**)* exercice m ✦ **period under review** exercice écoulé

___ compounds/composés ___
- ✦ **period cost** *(Acc)* coût fixe
- ✦ **period bill** effet à terme.

**periodic** /,pɪərɪ'ɒdɪk/ **ADJ** périodique.

**periodical** /,pɪərɪ'ɒdɪkəl/ **ADJ, N** périodique m.

**peripheral** /pəˈrɪfərəl/ **ADJ** *(gen, Comp)* périphérique ◆ **peripheral computer** ordinateur satellite ◆ **peripheral device** *or* **unit** unité périphérique ▥ périphérique m.

**perishable** /ˈperɪʃəbl/ **ADJ** périssable ◆ **perishable goods** denrées périssables
**perishables** ▥ denrées fpl périssables.

**perjury** /ˈpɜːdʒərɪ/ **N** *(Jur)* faux témoignage m ◆ **to commit perjury** faire un faux témoignage.

**perk** /pɜːk/ *(Brit)* à-côté m, avantage m accessoire, petit bénéfice m ◆ **the perks that come with the job** les avantages en nature liés à ce poste.

**perk up** /pɜːk/ **VI** *[business]* reprendre.

**permanency** /ˈpɜːmənənsɪ/ **N** permanence f, stabilité f ; *(= job)* emploi m permanent, poste m fixe ◆ **permanency of employment** stabilité d'emploi.

**permanent** /ˈpɜːmənənt/ **ADJ** *employment* permanent ◆ **permanent accounts** comptes de bilan ◆ **permanent appointment** titularisation ◆ **permanent address** adresse habituelle ◆ **permanent assets** actif *or* capital immobilisé, immobilisations ◆ **permanent residence** résidence habituelle ◆ **permanent way** *(Brit Rail)* voie ferrée ◆ **to be on the permanent staff** faire partie du personnel statutaire *or* permanent.

**permanently** /ˈpɜːmənəntlɪ/ **ADJ** en permanence.

**per mil.** (abbr of **per mile**) par mille.

**permissible** /pəˈmɪsɪbl/ **ADJ** permis, acceptable ◆ **permissible error** erreur acceptable *or* tolérable.

**permission** /pəˈmɪʃən/ **N** permission f ; *(official)* autorisation f ◆ **permission to deal** *(Brit St Ex)* autorisation de conclure une opération ◆ **planning permission** *(Brit)* permis de construire.

**permissive** /pəˈmɪsɪv/ **a** *(= optional)* facultatif **b** *(= tolerant) person* tolérant, laxiste; *(pej)* trop tolérant; *morals, laws* laxiste, permissif ◆ **the permissive society** la société permissive *or* de tolérance.

**permit** /ˈpɜːmɪt/ **N** *(gen)* autorisation f écrite; *(for specific activity)* permis m ; *(Customs)* passavant m ◆ **building permit** permis de construire ◆ **entry permit** visa d'entrée ◆ **export permit** autorisation d'exporter ◆ **landing / transhipment permit** permis de débarquement / transbordement ◆ **work permit** carte *or* permis de travail
▥ permettre (*sb to do* à qn de faire) autoriser (*sb to do* qn à faire) ◆ **smoking not permitted** défense de fumer, il est interdit de fumer.

**perpetual** /pəˈpetjʊəl/ **ADJ** *(gen)* perpétuel ◆ **perpetual annuity** rente perpétuelle ◆ **perpetual bond** *or* **debenture** obligation non remboursable ◆ **perpetual floater** *(St Ex)* obligation à taux flottant sans échéance fixe ◆ **perpetual inventory** inventaire permanent ◆ **perpetual lease** bail à vie.

**perpetuate** /pəˈpetjʊeɪt/ **VT** perpétuer, continuer.

**perpetuity** /ˌpɜːpɪˈtjuːɪtɪ/ **N** perpétuité f ◆ **in perpetuity** à perpétuité.

**per pro., per proc.** (abbr of **per procurationem**) p.p.

**perquisite** /ˈpɜːkwɪzɪt/ **N** *(= benefit in kind)* à-côté m, avantage m en nature; *(= money)* à-côté m, gratification f.

**per se** **ADV** en soi, en tant que tel.

**person** /ˈpɜːsn/ **N** *(gen)* personne f, individu m ◆ **artificial** *or* **fictitious person** *(Jur)* personne morale ◆ **legal person** ≈ personne physique ◆ **natural person** *(Jur)* personne physique ◆ **in person** en personne ◆ **a private person** un particulier ◆ **third person** tierce personne, tiers ◆ **the person named** *(Fin)* l'accrédité ◆ **the persons concerned** les intéressés, les personnes concernées ◆ **person-to-person call** *(Telec)* communication avec préavis.

**personal** /ˈpɜːsnl/ **ADJ** *credit, loan* personnel ◆ **personal accident insurance** assurance individuelle contre les accidents ◆ **personal account** *(Bank)* compte personnel *or* particulier ◆ **personal accounts** *(Acc)* comptes de personnes ◆ **personal allowance** *(Tax)* abattement personnel ◆ **personal assets** biens personnels ◆ **personal assistant** secrétaire particulier, assistant ◆ **personal call** *(Telec)* *(person-to-person)* appel *or* communication avec préavis; *(private)* communication privée ◆ **personal code** code confidentiel *or* personnel, identifiant ◆ **personal computer** ordinateur personnel *or* individuel ◆ **personal computing** informatique individuelle ◆ **personal digital assistant** *(Comp)* assistant personnel ◆ **personal effects** effets personnels ◆ **personal equity plan** *(Brit)* ≈ plan d'épargne en actions ◆ **personal estate** *or* **property** biens personnels *or* meubles *or* mobiliers ◆ **personal exemptions** *(Tax)* exonérations personnelles ◆ **personal identification number** code confidentiel *or* personnel, identifiant ◆ **personal income** revenus des particuliers *or* des personnes physiques ◆ **personal income tax** impôt sur le revenu des personnes physiques ◆ **personal record** dossier personnel ◆ **personal saving** épargne des particuliers ◆ **a loan made on personal security** un prêt accordé sur garantie personnelle ◆ **personal selling** vente directe au consommateur ◆ **personal share** action nominative ◆ **personal work station** *(Comp)* configuration monoposte, station de travail.

**personality** /ˌpɜːsəˈnælɪtɪ/ N *(= character)* personnalité f ; *(= celebrity)* personnage m, personnalité f.

**personalization, personalisation** /ˌpɜːsənəlaɪˈzeɪʃən/ N personnalisation f.

**personalize, personalise** /ˈpɜːsənəlaɪz/ VT personnaliser.

**personalty** /ˈpɜːsnltɪ/ N *(Jur)* biens mpl mobiliers *or* meubles *or* personnels.

**personnel** /ˌpɜːsəˈnel/ N *(Ind, Comm)* personnel m ◆ **administrative personnel** personnel administratif

─── *compounds/composés* ───

◆ **personnel agency** bureau de placement, agence de recrutement
◆ **personnel department** service du personnel
◆ **personnel management** direction *or* gestion du personnel
◆ **personnel manager** *or* **officer** directeur (-trice) *or* chef du personnel
◆ **personnel rating** notation *or* évaluation du personnel.

**perspective** /pəˈspektɪv/ N perspective f ◆ **in perspective** en perspective ◆ **to put sth into perspective** relativiser qch.

**persuasive** /pəˈsweɪsɪv/ ADJ persuasif.

**PERT** /pɜːt/ N abbr of **Programme Evaluation and Review Techniques** → **programme.**

**pertain** /pɜːˈteɪn/ VI a *(= relate)* se rapporter, se rattacher *(to* à*)* ◆ **all documents pertaining to the case** tous documents se rapportant à *or* relatifs à l'affaire b *(Jur)* [land] appartenir *(to* à*)*

**Peru** /pəˈruː/ N Pérou m.

**Peruvian** /pəˈruːvɪən/ ADJ péruvien
N a *(= language)* péruvien m b *(= inhabitant)* Péruvien(ne) m(f).

**peseta** /pəˈsetə/ N peseta f.

**peso** /ˈpeɪsəʊ/ N peso m.

**pessimism** /ˈpesɪmɪzəm/ N pessimisme m.

**pessimist** /ˈpesɪmɪst/ N pessimiste mf.

**pessimistic** /ˌpesɪˈmɪstɪk/ ADJ pessimiste.

**peter out** /ˈpiːtər/ VI *[plans]* tomber à l'eau.

**petition** /pəˈtɪʃən/ N a *(= list of signatures)* pétition f *(for* en faveur de, *against* contre) b *(Jur)* requête f ◆ **petition for bankruptcy** dépôt de bilan, déclaration de faillite ◆ **to file a petition for bankruptcy** déposer son bilan, se déclarer en faillite
VT *(gen)* adresser une pétition à, pétitionner ◆ **to petition the court** *(Jur)* adresser *or* présenter une requête en justice.

**petitioner** /pəˈtɪʃnər/ N *(gen)* pétitionnaire mf ; *(Jur)* requérant(e) m(f).

**petitioning** /pəˈtɪʃnɪŋ/ ADJ ◆ **petitioning creditor** *(in bankruptcy proceedings)* créancier requérant.

**petrocurrency** /ˈpetrəʊˌkʌrənsɪ/ N pétrodevise f.

**petrodollar** /ˈpetrəʊˌdɒlər/ N pétrodollar m.

**petrol** /ˈpetrəl/ *(Brit)* N essence f ◆ **petrol station** station-service ◆ **2-star / lead-free petrol** essence ordinaire / sans plomb ◆ **4-star petrol** super, supercarburant.

**petroleum** /pɪˈtrəʊlɪəm/ N pétrole m ◆ **the petroleum industry** l'industrie pétrolière *or* du pétrole ◆ **crude petroleum** pétrole brut.

**petropolitics** /ˌpetrəʊpəˈlɪtɪks/ N *politique menée par les pays de l'OPEP.*

**petrosterling** /ˈpetrəʊˌstɜːlɪŋ/ N pétro-sterling m.

**petties** /ˈpetɪs/ NPL *(Acc)* menues dépenses fpl.

**petty** /ˈpetɪ/ ADJ *farmer, shopkeeper* petit ◆ **petty average** *(Mar Ins)* petite avarie ◆ **petty cash** petite caisse ◆ **petty cash book** livre de petite caisse ◆ **petty expenses** menues dépenses, menus debours ◆ **petty larceny** *(Jur)* larcin ◆ **petty offence** délit mineur ◆ **petty official** petit fonctionnaire ◆ **petty regulations** règlements tracassiers.

**pfd.** abbr of **preferred.**

**ph.** abbr of **phone.**

**pharmaceutical** /ˌfɑːməˈsjuːtɪkəl/ ADJ *industry* pharmaceutique.

**pharmacist** /ˈfɑːməsɪst/ N pharmacien (-ienne) m(f).

**pharmacy** /ˈfɑːməsɪ/ *(US)* N pharmacie f.

**phase** /feɪz/ N *(= stage in process)* phase f, stade m ; *(= period)* phase f, période f ◆ **our plan is in its final phase** notre plan en est au stade final *or* à la dernière phase ◆ **the next phase is to increase margins** la prochaine

étape consiste à augmenter les marges ✦ **to be out of phase** être déphasé ✦ **to be in phase with** être en phase avec
■ *innovations* introduire progressivement ✦ **to phase the implementation of a project** procéder par étapes à la mise en œuvre d'un projet.

**phased** /feɪzd/ **ADJ** progressif.

**phase in** **VT SEP** *new product, new technology* introduire progressivement; *new system* introduire *or* mettre en œuvre progressivement.

**phase-in** /'feɪzˌɪn/ **N** introduction f progressive.

**phase out** **VT SEP** *product* retirer graduellement (du marché); *technology, system, procedure* abandonner *or* supprimer progressivement; *jobs* supprimer graduellement.

**phase-out** /'feɪzˌaʊt/ **N** *[product, machines]* retrait m progressif; *[jobs, procedures]* suppression f progressive.

**Philippine** /'fɪlɪpiːn/ **ADJ** philippin
■ **the Philippines** les Philippines.

**Phnom Penh** /nɒmpen/ **N** Phnom Penh.

**phone** /fəʊn/ ■ téléphone m ✦ **Mr Smith is on the phone** M. Smith est au téléphone ✦ **to answer the phone** répondre au téléphone ✦ **to have sb on the phone** avoir qn au bout du fil ✦ **car phone** téléphone de voiture ✦ **card phone** *(Brit)* téléphone à carte ✦ **cordless phone** téléphone sans fil

―――――― *compounds/composés* ――――――
✦ **phone book** annuaire (téléphonique), Bottin
✦ **phone booth** *or* **box** cabine téléphonique
✦ **phone call** appel *or* communication téléphonique, coup de fil*
✦ **phone card** télécarte, carte de téléphone
✦ **phone-in** *(Rad)* émission avec participation des auditeurs ✦ **phone-in poll** sondage par téléphone
✦ **phone number** numéro de téléphone

■ *person* téléphoner à, passer un coup de fil* à; *news, information* téléphoner, communiquer par téléphone
■ téléphoner ✦ **she's phoning** elle est au téléphone.

**phoney** * /'fəʊnɪ/ **ADJ** faux ✦ **a phoney company** une société bidon*.

**photocopier** /'fəʊtəʊˌkɒpɪəʳ/ **N** photocopieur m, photocopieuse f.

**photocopy** /'fəʊtəʊˌkɒpɪ/ ■ photocopie f
■ photocopier.

**photolitho** /ˌfəʊtəʊ'laɪθəʊ/ **N** photolithographie f.

**photostat** /'fəʊtəʊˌstæt/ ■ photocopie f, reproduction f
■ photocopier, reproduire.

**physical** /'fɪzɪkəl/ **ADJ** *(gen)* physique; *object, world* matériel ✦ **physical assets** biens corporels ✦ **physical certainty** certitude matérielle ✦ **physical depreciation** dépréciation matérielle ✦ **physical examination** *or* **check-up** *(gen)* examen médical; *(for firm)* visite médicale ✦ **physical inventory** *or* **stocktaking** inventaire physique ✦ **to keep a physical record of sth** garder une trace matérielle de qch.

**PI** /ˌpiː'aɪ/ **N** abbr of **personal income** → **personal.**

**PIBOR** /'paɪbɔːʳ/ **N** (abbr of **Paris interbank offered rate**) PIBOR m.

**pick** /pɪk/ ■ **a** *(= choice)* choix m ✦ **to take one's pick** faire son choix ✦ **pick list** *(Ind)* liste à servir **b** *(= best)* meilleur(e) m(f) ✦ **the pick of the bunch** le meilleur de tous, le haut du panier
■ *(= choose)* choisir; *(= gather)* cueillir *(Comm = fetch from stock)* sortir.

**picket** /'pɪkɪt/ ■ piquet m ✦ **fire picket** piquet d'incendie ✦ **flying pickets** piquets de grève volants ✦ **strike picket** piquet de grève

―――――― *compounds/composés* ――――――
✦ **picket line** piquet de grève, cordon de grévistes
✦ **to cross a picket line** traverser un cordon de grévistes

■ **to picket a factory** mettre un piquet de grève devant une usine
■ *[strikers]* organiser un piquet de grève.

**picketing** /'pɪkɪtɪŋ/ **N** ✦ **picketing took place at the factory** des piquets de grève ont été mis en place à l'usine ✦ **secondary picketing** mise en place de piquets de grève de solidarité.

**picking** /'pɪkɪŋ/ **N** **a** *(= selection)* *[object]* choix m ; *[candidate]* choix m, sélection f ; *[fruit]* cueillette f *(Comm :* also **order picking)** sortie f de stock, consolidation f d'une commande *(pour l'expédition à partir d'une liste)*, prélèvement m en magasin ✦ **picking list** liste des articles à sortir du magasin *or* du dépôt, liste à servir **b** **there are rich pickings to be had in this business** on peut réaliser de beaux profits dans cette activité.

**pick out** **VT SEP** choisir.

**pick up** ■ *(= improve)* *[conditions]* s'améliorer; *[prices, wages]* remonter; *[economy, demand, stock market]* reprendre, repartir

**VT SEP** **a** *(= lift) (gen)* ramasser; *telephone* décrocher **b** *(= collect) (passer)* prendre ◆ **I'll pick you up at the airport** je viendrai vous chercher à l'aéroport ◆ **to pick up a fare** *[taxi]* prendre un client **c** *(= find)* trouver, dégoter* ◆ **we picked up some good ideas in Canada** on a glané quelques bonnes idées au Canada ◆ **they picked up a lot of orders at the trade fair** ils ont décroché beaucoup de commandes au Salon professionnel **d** *(St Ex) stock* acheter pour faire monter les cours de **e** *[boat, plane]* **to pick up speed** prendre de la vitesse ◆ **to pick up steam** *[economy, sales drive]* s'accélérer.

**pickup** /ˈpɪkʌp/ **N** **a** *(= recovery) [economy]* reprise f ◆ **the pickups failed to materialize** la reprise ne s'est pas produite **b** *(= collection)* ramassage m ; *(= loading)* chargement m ; *(by taxi)* prise f en charge ◆ **mail pickup** levée du courrier
COMP ◆ **pickup truck** camionnette pick-up.

**pictogram** /ˈpɪktə,ɡræm/ **N** pictogramme m.

**picture** /ˈpɪktʃər/ **N** *(gen, TV)* image f ; *(= painting)* tableau m ; *(Brit = film)* film m ◆ **to put sb in the picture** mettre qn au courant.

**pie** /paɪ/ **N** ◆ **pie chart** camembert, graphique à secteurs *or* circulaire.

**piece** /piːs/ **N** **a** *(= coin)* pièce f ◆ **ten pence piece** pièce de 10 pence **b** *(Comm, Ind = item)* pièce f ◆ **please supply 100 pieces as described** prière de nous fournir 100 pièces selon description ◆ **to sell sth by the piece** vendre qch à la pièce ◆ **sold by the piece** vendu à la pièce *or* au détail

─────── compounds/composés ───────
◆ **piece rate** salaire à la pièce ◆ **to be paid piece rates** être payé à la pièce.

**piecework** /ˈpiːswɜːk/ **N** travail m à la pièce *or* aux pièces *or* à la tâche ◆ **to be on piecework** travailler à la pièce *or* à la tâche.

**pieceworker** /ˈpiːswɜːkər/ **N** ouvrier(-ière) m(f) payé(e) à la pièce.

**pier** /pɪər/ **N** *(in seaport)* quai m ; *(for small boats)* embarcadère m ; *(in seaside resort)* jetée f
COMP ◆ **pier dues** droits mpl de quai.

**pierage** /ˈpɪərɪdʒ/ **N** droits mpl de quai.

**pigeonhole** /ˈpɪdʒɪn,həʊl/ *(Brit)* **N** *[letters] (in desk)* case f, casier m ; *(on wall)* casier m
**VT** *(= file)* classer, ranger; *(= shelve) project* enterrer temporairement.

**piggyback** /ˈpɪɡɪ,bæk/ **N** **a** *(Rail)* ferroutage m ◆ **piggyback service** service de ferroutage, service train-camion **b** *(Comm) (in export marketing)* portage m, piggyback m
**VT** **a** *(Rail) goods* ferrouter **b** *(Comp) accéder à un ordinateur en utilisant frauduleusement un mot de passe.*

**pig iron** /ˈpɪɡaɪən/ **N** fonte f brute.

**pignorative** /ˈpɪɡnɔrətɪv/ **ADJ** *(Jur)* pignoratif.

**PIK** /piːaɪˈkeɪ/ **N** abbr of **payment in kind** → **payment.**

**pile** /paɪl/ **N** *[objects]* tas m.

**pile up** /paɪl/ **VI** *[work, profits]* s'accumuler; *[objects in disorder]* s'entasser
**VT** amasser, accumuler.

**pile-up** /ˈpaɪlʌp/ **N** *[orders, inventory]* accumulation f ; *[cars]* carambolage m.

**pilfer** /ˈpɪlfər/ **VTI** chaparder.

**pilferage** /ˈpɪlfərɪdʒ/ **N** chapardage m.

**pilot** /ˈpaɪlət/ **N** pilote m

─────── compounds/composés ───────
◆ **pilot boat** bateau-pilote
◆ **pilot house** poste de pilotage
◆ **pilot light** lampe-témoin, indicateur; *(on boiler)* veilleuse
◆ **pilot plant** usine pilote
◆ **pilot project** projet pilote
◆ **pilot run** *(Ind)* essai de production, pré-série
◆ **pilot scheme** projet pilote
◆ **pilot study** étude préliminaire.

**pilotage** /ˈpaɪlətɪdʒ/ **N** pilotage m.

**PIN** /pɪn/ **N** abbr of **personal identification number** → **personal.**

**pin** /pɪn/ **N** **a** épingle f ◆ **drawing pin** *(Brit)* punaise **b** *(Comp) (on paper advance mechanism)* ergot m, picot m

─────── compounds/composés ───────
◆ **pin-feed** entraînement par ergots *or* par picots
◆ **pin money** argent de poche
◆ **pin-wheel** roue à picots *or* à ergots

**VT** *papers (together)* attacher avec une épingle.

**pinch** /pɪntʃ/ **VI** **to feel the pinch** *(financially)* être à court, être gêné financièrement ◆ **to feel a cost pinch** subir la pression des coûts
**VT** *(* = steal)* piquer*, chiper*, faucher*.

**pink slip** \*/'pɪŋk'slɪp/ *(US)* **N** lettre f de licenciement
**VT** licencier, balancer\*.

**pinpoint** /'pɪnpɔɪnt/ **VT** *place* localiser exactement; *difficulty* mettre le doigt sur, définir exactement.

**pint** /paɪnt/ **N** pinte f *(Brit = 0,56 l, US = 0,47 l).*

**pin up** **VT SEP** *notice* punaiser, afficher.

**pioneer** /ˌpaɪə'nɪər/ **VT** ✦ **to pioneer the study of** sth être l'un des premiers à étudier qch ✦ **they pioneered this technology** ils ont été les pionniers dans le développement de cette technologie ✦ **to pioneer new products** lancer de nouveaux produits

─── *compounds/composés* ───
✦ **pioneer product** innovation
✦ **pioneer research** recherche novatrice.

**pipeline** /'paɪpˌlaɪn/ **N** *(gen)* pipeline m ; *[oil]* oléoduc m ; *[gas]* gazoduc m ✦ **to be in the pipeline** *[order]* être en cours de traitement; *[new project]* être en cours de réalisation.

**piracy** /'paɪərəsɪ/ **N** *(gen)* piraterie f ; *[book idea, software]* piratage m ✦ **video piracy** piratage de films vidéo.

**pirate** /'paɪərɪt/ **N** pirate m ; *(Comm)* contrefacteur m, pirate m ✦ **pirate radio** radio pirate
**VT** *(gen)* pirater; *(Comm)* contrefaire ✦ **pirated edition** édition pirate *or* piratée.

**pit** /pɪt/ **N** **a** *(coal)* mine f, puits m de mine
**b** *(US St Ex)* corbeille f *or* parquet m de la Bourse ✦ **the wheat pit** la bourse du blé.

**pitch** /pɪtʃ/ **N** **a** *(Brit)* *[trader]* place f, emplacement m ✦ **(sales) pitch** \* baratin\* commercial
**b** *(Typ, Comp)* espacement m ✦ **character pitch** espacement des caractères ✦ **vertical pitch** espacement des lignes ✦ **row pitch** pas longitudinal.

**pithead** /'pɪthed/ **N** tête f de puits, carreau m de mine ✦ **pithead price** prix sur le carreau de mine.

**pivot** /'pɪvət/ **N** *(gen, Fin)* pivot m.

**pivotals** /'pɪvətəlz/ *(US)* **NPL** *(St Ex)* valeurs fpl essentielles, valeurs-clefs npl.

**pk., pkg.** **a** abbr of **package** **b** abbr of **packing.**

**PLA** /ˌpiːel'eɪ/ **N** (abbr of **Port of London Authority**) autorités fpl portuaires de Londres.

**placard** /'plækɑːd/ **N** affiche f, placard m.

**place** /pleɪs/ **N** **a** *(gen)* endroit m, lieu m ✦ **to take place** avoir lieu ✦ **place of residence** lieu

de résidence **b** *(= seat)* place f **c** *(= job, position)* place f, poste m, situation f **d** *(= rank)* place f, rang m
**VT** **a** *(= put)* placer, mettre ✦ **to place an ad in a paper** passer une annonce dans le journal ✦ **I shall place the matter in the hands of my lawyer** je mettrai l'affaire entre les mains de mon avocat ✦ **to place sth in safe custody** déposer qch en lieu sûr **b** *(Fin)* money placer ✦ **to place money at interest** placer de l'argent à intérêt ✦ **to place to reserve** *(Acc)* affecter aux réserves ✦ **to place a loan** placer *or* négocier un emprunt ✦ **to place money in sb's account** verser de l'argent au compte de qn **c** *(Comm)* order passer ✦ **we have placed an order for 100 diskettes with this firm** on a passé une commande de 100 disquettes à cette entreprise ✦ **to place a contract for supplies with a firm** passer un contrat d'achat de fournitures à une entreprise **d** *(Comm = sell off)* écouler, placer ✦ **we haven't been able to place our new products** nous ne sommes pas arrivés à placer *or* écouler *or* trouver des débouchés pour nos nouveaux produits ✦ **these goods are difficult to place** ces marchandises sont difficiles à placer ✦ **to place a book with a publisher** faire accepter un livre par un éditeur ✦ **to place on the market** lancer *or* mettre *or* introduire sur le marché **e** *(Ins)* ✦ **to place a risk** assurer un risque.

**placement** /'pleɪsmənt/ **N** **a** *(St Ex, Fin)* placement m ✦ **private placement** placement direct **b** *(= appointment)* nomination f, affectation f ; *(= finding a job for)* placement m ; *(Univ) (= training period)* stage m

─── *compounds/composés* ───
✦ **placement agency** *or* **office** bureau de placement
✦ **placement test** test d'orientation.

**placer** /'pleɪsər/ **N** *(Ins)* preneur m ; *(Fin)* placeur m.

**placing** /'pleɪsɪŋ/ **N** **a** *[goods]* écoulement m ; *[stock, loan]* placement m ✦ **placing of a new issue** placement d'une nouvelle émisssion ✦ **direct placing** auto-courtage ✦ **placings** *(St Ex)* introduction (progressive) en Bourse **b** *(Comm)* *[order]* placement m, passation f **c** *(Ins)* *(= contract)* contrat m d'assurance.

**plagiarism** /'pleɪdʒərɪzəm/ **N** plagiat m.

**plagiarist** /'pleɪdʒərɪst/ **N** plagiaire mf.

**plagiarize, plagiarise** /'pleɪdʒəraɪz/ **VT** plagier.

**plain** /pleɪn/ **ADJ** *colour, material* uni; *style, pattern* simple; *answer* franc, clair, direct ✦ **to be quite plain with you** pour être franc avec vous ✦ **to send sth under plain cover** envoyer qch sous emballage *or* pli discret.

**plaintiff** /'pleɪntɪf/ **N** *(Jur)* demandeur (-eresse) m(f), plaignant(e) m(f), partie f plaignante *or* requérante.

**plan** /plæn/ **N** **a** *[building, estate, factory]* plan m ✦ **seating plan** plan de table **b** *(= project, scheme)* projet m, plan m ✦ **plan of campaign** plan de campagne ✦ **to draw up a plan** faire un plan ✦ **to carry out a plan** réaliser un projet ✦ **to implement a plan** mettre un projet en œuvre ✦ **to make plans** faire des projets ✦ **to go according to plan** se passer selon les prévisions ✦ **economic plan** plan économique ✦ **our employee retirement plan** notre régime de retraite ✦ **business plan** business plan ✦ **contingency plan** plan d'urgence *or* de secours ✦ **development plan** plan de développement ✦ **five-year plan** *(national)* plan quinquennal; *[company]* plan à cinq ans ✦ **installment plan** *(US)* contrat de vente à tempérament *or* à crédit ✦ **to buy on the installment plan** acheter à tempérament *or* à crédit ✦ **investment / savings plan** plan d'investissement / d'épargne ✦ **marketing plan** plan marketing ✦ **pension plan** caisse de retraite ✦ **recovery plan** plan de redressement
**VT** **a** *house, factory layout* concevoir, faire les plans de; *trip, holiday, meeting* préparer; *deliveries, shipments* planifier, programmer; *strategy* élaborer; *campaign* élaborer, planifier **b** *(= intend)* projeter ✦ **we plan to cut production** nous projetons *or* nous avons l'intention de réduire la production
**VI** faire des projets ✦ **we didn't plan for it** nous n'avons pas prévu cela.

**plane** /pleɪn/ **N** **a** avion m ✦ **by plane** par avion **b** *(Math)* plan m ; *(fig)* niveau m ✦ **on the same plane** sur le même plan, au même niveau
**COMP** ✦ **plane ticket** billet d'avion.

**planned** /plænd/ **ADJ** planifié ✦ **planned economy** économie planifiée ✦ **planned obsolescence** vieillissement programmé.

**planner** /'plænər/ **N** *(Econ)* planificateur(-trice) m(f) ✦ **town planner** urbaniste.

**planning** /'plænɪŋ/ **N** *(gen)* planification f ; *(Comm, Ind)* planification f, planning m ; *(Fin, Acc)* gestion f prévisionnelle ✦ **corporate planning** planification d'entreprise ✦ **long-range** *or* **long term planning** planification *or* planning à long terme ✦ **product planning** planification des produits ✦ **production planning** program-mation de la production ✦ **regional planning** aménagement du territoire ✦ **town planning** urbanisme ✦ **planning, programming and budgeting system** rationalisation des choix budgétaires

—————— compounds/composés ——————
✦ **planning board** *(Econ)* service *or* bureau de planning ; *[local government]* service de l'urbanisme ; *(Ind, Comp)* tableau de charge
✦ **planning chart** *(Mktg)* tableau de bord
✦ **planning department** *(in company)* service *or* bureau de planning
✦ **planning model** modèle de planification
✦ **planning permission** *(Brit)* permis de construire
✦ **planning target** objectif du plan.

**plant** /plɑːnt/ **N** *(Ind)* *(= machinery, equipment)* matériel m ; *(= fixed installation)* installation f ; *(= machinery and buildings)* bâtiments mpl et matériel m ; *(= factory)* usine f, unité f de production; *(= heavy vehicles)* engins mpl, matériel m ✦ **chemical plant** usine chimique ✦ **heavy plant** gros matériel ✦ **heavy plant crossing** *(sign)* attention, sortie d'engins ✦ **power plant** centrale électrique ✦ **steel plant** aciérie

—————— compounds/composés ——————
✦ **plant committee** comité d'entreprise
✦ **plant fabricator** *(US)* installateur d'usine
✦ **plant factor** taux d'utilisation de la capacité de l'usine
✦ **plant hire company** entreprise de location de matériel
✦ **plant layout** schéma d'installation
✦ **plant location** implantation d'usine
✦ **plant management** gestion de l'usine *or* de la production
✦ **plant manager** directeur d'usine
✦ **plant superintendent** responsable d'unité de production
✦ **plant utilisation** exploitation *or* mise en valeur d'usine.

**plantation** /plæn'teɪʃən/ **N** plantation f.

**planter** /'plɑːntər/ **N** *[coffee, rubber]* planteur m.

**plantwide** /'plɑːntwaɪd/ **ADJ** qui concerne toute l'usine ✦ **a plantwide safety regulation** une consigne de sécurité applicable dans toute l'usine.

**plastic** /'plæstɪk/ **ADJ** plastique ✦ **plastic money** monnaie électronique
**N** plastique m ✦ **plastics** matières plastiques ✦ **plastic(s) industry** industrie plastique.

**plotting**

**plate** /pleɪt/ N **a** assiette f **b** *(metal)* plaque f
♦ **number** *(Brit)* or **license** *(US)* **plate** *(Aut)*
plaque minéralogique *or* d'immatriculation
♦ **armour plate** blindage

---
*compounds/composés*
♦ **plate glass** vitre à verre très épais, verre double
(or triple)
♦ **plate iron** tôle en feuilles *or* en plaques.

---

**plateau** /'plætəʊ/ **VI** atteindre un palier, se stabiliser
**N** palier m.

**platen** /'plætən/ N *[typewriter]* rouleau m, cylin-
dre m.

**platform** /'plætfɔːm/ N **a** *[bus, scales]* plate-
forme f ; *[meeting-hall]* estrade f, tribune f ;
*(Pol)* plate-forme f ♦ **drilling / production platform** plate-forme de forage / de production
**b** *(Rail)* quai m **c** *(Internet)* plate-forme f.

**play** /pleɪ/ **N** *(gen)* jeu m ; *(= looseness)* jeu m ;
*(Theat)* pièce f ♦ **the play of economic forces** le
jeu des forces économiques
**VTI** jouer ♦ **play small caps** jouez les petites
capitalisations.

**play down** VT minimiser.

**player** /ˌpleɪəʳ/ N *(Econ)* acteur m.

**PLC** /ˌpiːel'siː/ N **a** *(Brit)* abbr of **public limited company** → **public b** abbr of **product life cycle**
→ **product.**

**plea** /pliː/ N **a** *(Jur)* *(= statement)* argument m ;
*(= defence)* défense f ♦ **to enter a plea of guilty
/ not guilty** plaider coupable / non coupable
**b** *(= entreaty)* appel m, supplication f.

**plead** /pliːd/ VTI *(Jur)* plaider *(for* pour, en faveur
de, *against* contre) ♦ **to plead guilty / not guilty**
plaider coupable / non coupable ♦ **to plead
ignorance** alléguer *or* invoquer son ignorance.

**please** /pliːz/ VI plaire ♦ **please forward** *(formal
letter)* prière de faire suivre, faire suivre s'il
vous plaît ♦ **please send us your new catalogue**
veuillez nous envoyer votre nouveau catalogue ♦ **in replying please quote** référence à
rappeler ♦ **please ask John to see me in my
office** *(informal request)* merci de demander à
John de passer me voir dans mon bureau
♦ **please turn over** tournez SVP.

**pledge** /pledʒ/ **N** **a** *(= security)* *(gen)* gage m,
nantissement m ; *(pawnshop)* gage m ♦ **pledge
of movables** gage mobilier ♦ **pledge of real
property** gage immobilier ♦ **to give sth in
pledge** donner qch en gage ♦ **to hold in pledge**
détenir en gage *or* en nantissement ♦ **to secure**

**by pledge** nantir de gages ♦ **securities held in
pledge** titres détenus en gage ♦ **to redeem a
pledge** retirer un gage ♦ **unredeemed pledge**
gage non retiré **b** *(= promise)* promesse f, engagement m
COMP ♦ **pledge holder** créancier gagiste
**VT** *(= give as security)* *(gen)* gager, nantir ;
*(= pawn)* mettre en gage, gager ♦ **to pledge
securities** nantir des valeurs, déposer des valeurs en nantissement ♦ **pledged deposit** dépôt
de couverture.

**pledgee** /ple'dʒiː/ N prêteur(-euse) m(f) sur gages.

**pledger, pledgor** /'pledʒəʳ/ N emprun-
teur(-euse) m(f) sur gages.

**plenary** /'pliːnərɪ/ ADJ assembly, session plénier.

**plentiful** /'plentɪfʊl/ ADJ abondant ♦ **a plentiful
supply of** une abondance or une profusion de.

**plenty** /'plentɪ/ N ♦ **he's got plenty of money** il a
beaucoup d'argent ♦ **we have plenty of reserve
stock** nous avons bien assez de stocks en
réserve ♦ **that's plenty** ça suffit.

**plf., plff.** abbr of **plaintiff.**

**plight** /plaɪt/ N situation f critique ♦ **the plight
of the steel industry** la crise de la sidérurgie.

**Plimsoll line, Plimsoll mark** /'plɪmsəl/ N *(Mar)*
ligne f de flottaison en charge.

**plot** /plɒt/ **N** **a** *[land]* parcelle f ; *(for building)*
terrain m ♦ **building plot** (petit) terrain à bâtir
♦ **vacant plot** terrain vide **b** *(= conspiracy)*
complot m, conspiration f *(against* contre, *to
do* pour faire) **c** *[novel, play]* intrigue f
**VT** **a** itinerary, graph tracer **b** sb's downfall com-
ploter.

**plotter** /'plɒtəʳ/ N *(Comp)* table f traçante, traceur m ♦ **curve plotter** traceur de courbe ♦ **laser plotter** traceur à laser.

**plotting** /'plɒtɪŋ/ N **a** *(Tech)* *[curve, diagram]*
tracé m **b** *(Comp)* traçage m

---
*compounds/composés*
♦ **plotting board** table traçante
♦ **plotting pen** traceur.
---

**plough back** *(Brit)*, **plow back** *(US)* /plaʊ/
**VT SEP** *earnings, profits* réinvestir.

**ploughing back** *(Brit)*, **plowing back** *(US)*
/ˈplaʊɪŋ/ **N** *[profits]* réinvestissement m.

**ploy** /plɔɪ/ **N** stratagème m, truc m *, astuce f.

**plug** /plʌg/ **N** *(Elec, Comp)* fiche f, prise f (de
courant) ♦ **plug-compatible computer** ordinateur compatible **b** *(* = publicity)* coup m de
pouce (publicitaire) ♦ **to give sth / sb a plug**
donner un coup de pouce à qch / qn, faire de la
publicité pour qch / qn
**VT** **a** *(= close)* ♦ **to plug a loophole in the tax
laws** combler une lacune dans la législation
fiscale **b** *(* = publicize) (gen)* faire de la publicité pour; *(repeatedly)* matraquer*, faire du
battage pour.

**plug in** **VT** se brancher, se connecter
**VT** *apparatus* brancher; *(Comp)* brancher, enfi-
cher.

**plug-in** **ADJ** qui se branche sur le secteur,
connectable ♦ **plug-in compatibles** *(Comp)*
matériel compatible.

**plummet** /ˈplʌmɪt/ **VI** *[sales, prices]* chuter, dégringoler*, s'effondrer, descendre en flèche.

**plunder** /ˈplʌndər/ **N** *(= act)* pillage m ; *(= loot)*
butin m
**VT** piller.

**plunge** /plʌndʒ/ **N** chute f, dégringolade f * *(Fin
= rash speculation)* spéculation f hasardeuse
*(on sur)* ♦ **profits took a plunge** les bénéfices se
sont effondrés *or* ont dégringolé*
**VT** **a** *[sales, profits]* chuter, dégringoler*, descendre en flèche **b** *(= gamble)* jouer gros (jeu);
*(St Ex)* spéculer imprudemment.

**plunger** /ˈplʌndʒər/ **N** *(St Ex)* spéculateur m, ris-
que-tout m ; *(= gambler)* flambeur m.

**plus** /plʌs/ **PREP** plus ♦ **it costs $500 plus** cela
coûte au moins 500 dollars *or* plus de 500
dollars
**ADJ** positif ♦ **on the plus side of the account** à
l'actif du compte
**N** *(Math)* (signe m) plus m *(fig = extra advantage)* atout m, plus m, avantage m.

**PM** /piːˈem/ *(Brit)* **N** abbr of **Prime Minister** → **prime.**

**pm., Pm.** abbr of **premium.**

**p.m.** /ˈpiːˈem/ *(abbr of **post meridiem**)* de l'après-
midi ♦ **3 p.m.** 3 heures de l'après-midi ♦ **9 p.m.**
9 heures du soir.

**P / N, P.N** /piːˈen/ abbr of **promissory note** → **promissory.**

**Pnom Penh** /nɒmpen/ **N** Pnom Penh, Phnom
Penh.

**PO** /piːˈəʊ/ **N** **a** *(abbr of **Post Office**)* P.et T. fpl
**b** abbr of **postal order** → **postal.**

**poach** /pəʊtʃ/ **VT** *(Ind)* *employee* débaucher.

**poaching** /ˈpəʊtʃɪŋ/ **N** *(Ind)* *[employees]* débauchage m.

**POB** /piːˈəʊˈbiː/, **PO Box** /piːˈəʊˈbɒks/ **N** *(abbr of **Post
Office Box**)* B.P.f.

**pocket** /ˈpɒkɪt/ **N** *(lit, fig)* poche f ♦ **pocket of
unemployment** poche de chômage ♦ **the sale
put $500 in her pocket** la vente lui a rapporté
500 dollars ♦ **to be in pocket on a deal** faire un
bénéfice *or* avoir une marge bénéficiaire dans
une affaire ♦ **to be out of pocket on a deal** être
perdant *or* essuyer une perte *or* être de sa
poche dans une affaire ♦ **I am $50 in / out of
pocket** j'ai gagné / perdu 50 dollars ♦ **out-of-
pocket expenses** débours, menues dépenses

────── *compounds/composés* ──────
♦ **pocket agreement** *(Jur)* contre-lettre
♦ **pocket calculator** calculette*, calculatrice de
poche
♦ **pocket money** argent de poche.

**pocketbook** /ˈpɒkɪtˌbʊk/ **N** *(= wallet)* portefeuille m ; *(= notebook)* carnet m, calepin m.

**POD** abbr of **payment on delivery** → **payment.**

**point** /pɔɪnt/ **N** **a** *(Math, Fin)* point m ♦ **to rise** *or*
**gain 5 points** *(St Ex)* gagner 5 points, enregistrer une hausse de 5 points ♦ **to drop 5 points**
baisser *or* reculer de 5 points ♦ **decimal point**
virgule (décimale) ♦ **point system** système *or*
méthode d'évaluation par points **b** *(= position)*
point m ♦ **point of entry / departure** point
d'entrée / de départ ♦ **point of sale** *or* **purchase**
point de vente ♦ **point-of-sale advertising** publicité sur le lieu de vente ♦ **point-of-sale
terminal** terminal point de vente ♦ **break-even
point** point mort, point d'équilibre, seuil de
rentabilité ♦ **breaking point** point de rupture
♦ **export gold** *or* **bullion** *or* **specie point** point
de sortie de l'or, gold-point d'exportation *or* de
sortie ♦ **gold points** gold points, points d'or
♦ **import gold** *or* **bullion** *or* **specie point** point
d'entrée de l'or, gold-point d'importation *or*
d'entrée ♦ **saturation point** point de saturation
♦ **silver point** silver-point **c** *(= subject)* point m
♦ **point of law** point de droit ♦ **point of order**
point d'ordre ♦ **point of principle** question de
principe.

**pointer** /ˈpɔɪntər/ **N** *(gen)* indicateur m ; *(electronic)* curseur m.

**Poland** /ˈpəʊlənd/ **N** Pologne f.

**Pole** /pəʊl/ **N** (= inhabitant) Polonais(e) m(f).

**police** /pəˈliːs/ **N** police f

―――――― compounds/composés ――――――
- **police record** casier judiciaire
- **police station** poste or commissariat de police.

**policy** /ˈpɒlɪsɪ/ **N** **a** (gen, Pol) politique f ◆ **foreign / business / economic / social policy** politique étrangère / d'entreprise / économique / sociale ◆ **a business policy seminar** un séminaire de politique générale d'entreprise ◆ **cyclical policy** politique conjoncturelle ◆ **pricing policy** politique de prix ◆ **common agricultural policy** (EU) politique agricole commune ◆ **the government's policies** la politique du gouvernement **b** (Ins) police f ◆ **insurance policy** police d'assurance ◆ **to make out** or **draw up a policy** établir une police ◆ **to take out a policy** souscrire à une police d'assurance ◆ **to surrender a policy** racheter une police ◆ **surrender value of a policy** valeur de rachat d'une police ◆ **policy to bearer** police au porteur ◆ **policy to order** police à ordre ◆ **cargo policy** police sur facultés ◆ **floating policy** police flottante ◆ **hull policy** (Mar) police sur corps ◆ **joint policy** police conjointe ◆ **master policy** police générale ◆ **open policy** (Mar Ins) police flottante or d'abonnement; (without specifications) police ouverte ◆ **round policy** (Mar) police à l'aller et au retour ◆ **standard policy** (Ins) police (d'assurance) type ◆ **unvalued policy** police non évaluée ◆ **valued policy** (Mar) police évaluée ◆ **voyage policy** (Mar) police au voyage

―――――― compounds/composés ――――――
- **policy decision** décision qui relève de la politique de l'entreprise
- **policy holder** (Ins) assuré(e)
- **policy maker** (gen) décideur; (in government) responsable des orientations politiques
- **policy statement** déclaration de principe.

**Polish** /ˈpəʊlɪʃ/ **ADJ** polonais **N** (= language) polonais m.

**political** /pəˈlɪtɪkəl/ **ADJ** politique ◆ **political economy** économie politique.

**politics** /ˈpɒlɪtɪks/ **N** politique f ◆ **to be in politics** faire de la politique.

**poll** /pəʊl/ **N** **a** (Pol) (gen) vote m ; (at election) scrutin m ; (= list of voters) liste f électorale; (= voting place) bureau m de vote; (= votes cast) voix fpl, suffrages mpl ◆ **to take a poll on sth** procéder à un vote sur qch ◆ **the result of the poll** le résultat de l'élection or du scrutin ◆ **there was a 60% poll, there was a 60% turnout at the polls** 60% des inscrits ont voté, la participation a été de 60% ◆ **10% of the poll** 10% des suffrages **b** (= survey) sondage m ◆ **opinion poll** sondage d'opinion

―――――― compounds/composés ――――――
- **poll taker** (US) sondeur
- **poll tax** (Brit) ≈ impôts locaux

**VT a** votes obtenir **b** people sonder l'opinion de, interroger **c** computer appeler, interroger.

**pollee** /pəʊˈliː/ **N** personne f interrogée.

**poller** /ˈpəʊlə^r/ **N** sondeur m.

**polling** /ˈpəʊlɪŋ/

―――――― compounds/composés ――――――
- **polling booth** isoloir
- **polling day** jour des élections
- **polling station** bureau de vote.

**pollster** /ˈpəʊlstə^r/ **N** sondeur m.

**Polynesia** /ˌpɒlɪˈniːzɪə/ **N** Polynésie f.

**Polynesian** /ˌpɒlɪˈniːzɪən/ **ADJ** polynésien **N** (= inhabitant) Polynésien(ne) m(f).

**polytechnic** /ˌpɒlɪˈteknɪk/ (Brit) **N** ≈ Institut m universitaire de technologie, IUT m.

**pool** /puːl/ **N** **a** [money, cards] poule f, cagnotte f **b** (= things owned in common) fonds m commun; (= reserve) [ideas, talent] réservoir m ; [experts] équipe f ◆ **car pool** (transport) covoiturage ◆ **a pool of vehicles** un parc de véhicules ◆ **typing pool** pool or bureau de dactylos **c** (Ind) (= consortium) pool m ; (US) (= monopoly trust) trust m ; (St Ex) syndicat m de placement d'actions ◆ **the coal and steel pool** le pool du charbon et de l'acier **VT** mettre en commun.

**poor** /pʊə^r/ **ADJ** **a** (= not rich) pauvre **b** (= mediocre) médiocre ◆ **of poor quality** de mauvaise qualité, de qualité inférieure or médiocre.

**popular** /ˈpɒpjʊlə^r/ **ADJ** (gen) populaire; (= fashionable) à la mode, en vogue ◆ **this is a very popular line** ces articles se vendent bien ◆ **at popular prices** à la portée de toutes les bourses ◆ **by popular request** à la demande générale.

**popularity** /ˌpɒpjʊˈlærɪtɪ/ **N** popularité f (with auprès de, among parmi) ◆ **to grow / decline in popularity** être de plus en plus / de moins en moins populaire ◆ **this product is high in the**

**popularity ratings** ce produit jouit d'un coefficient de popularité très élevé ◆ **our new model has enjoyed great popularity** notre nouveau modèle a connu un grand succès.

**popularize, popularise** /'pɒpjʊləraɪz/ **VT** *fashion, art, product* rendre populaire; *ideas, technology* vulgariser.

**populate** /'pɒpjʊleɪt/ **VT** peupler ◆ **densely populated area** zone très peuplée *or* à forte densité de population.

**population** /ˌpɒpjʊ'leɪʃən/ **N** **a** population f ◆ **the working population** la population active ◆ **the population of the town is 200,000** la population de la ville est de 200 000 habitants, la ville a une population de 200 000 habitants ◆ **rise / fall in population** augmentation / baisse de la population **b** *(Comp)* [*machines, terminals*] parc m

───── *compounds/composés* ─────
◆ **population census** recensement de la population
◆ **population    statistics**    statistique démographique.

**port** /pɔːt/ **N** **a** *(= harbour, town)* port m ◆ **the ship put into port at Marseilles** le navire a relâché *or* est entré dans le port de Marseille ◆ **to leave port** [*ship*] appareiller, lever l'ancre ◆ **in port** au port ◆ **port of arrival** *or* **entry / destination** port d'arrivée / de destination ◆ **port of call** (port d')escale, port de relâche ◆ **port of clearance** port d'expédition ◆ **port of necessity** port de relâche ◆ **port of registry** port d'armement, port d'attache ◆ **port of sailing** port de départ *or* d'embarquement ◆ **port of shipment** port de charge ◆ **autonomous port** port autonome ◆ **coasting port** port de cabotage ◆ **discharge port, port of discharge** port de déchargement ◆ **fishing port** port de pêche ◆ **free port** port franc ◆ **home port** port d'attache ◆ **inland port** port intérieur ◆ **lading port** port d'embarquement *or* de chargement *or* d'expédition ◆ **naval port** port militaire ◆ **oil port** port pétrolier ◆ **river port**

───── *compounds/composés* ─────
◆ **port    authorities** autorités fpl portuaires ◆ **New York Port Authority** port autonome de New York
◆ **port bill of lading** connaissement dit « port B / L »
◆ **port charges** *or* **dues** droits mpl de port
◆ **port installations** installations fpl portuaires
◆ **port risks** *(Ins)* risques mpl de port
◆ **port trust** port autonome

port fluvial ◆ **safe port** port sûr ◆ **trading port** port de commerce **b** *(Comp = opening)* port m ◆ **dual-port** à double accès **c** *(Mar = lefthand side)* bâbord m
**VT** *(Comp)* porter.

**portable** /'pɔːtəbl/ **ADJ** **a** *(gen)* portatif **b** *(Comp) software* portable, transférable; *computer* portable
**N** *(Comp)* portable m.

**portage** /'pɔːtɪdʒ/ **N** *(= action)* factage m, port m, transport m ; *(= cost)* frais mpl de factage *or* de port *or* de transport ◆ **portage service** service de factage.

**portal** /'pɔːtl/ **N** *(Internet)* portail m.

**Port-au-Prince** /ˌpɔːtəʊ'prɪns/ **N** Port-au-Prince.

**porter** /'pɔːtəʳ/ **N** *(for luggage)* porteur m *(US Rail = attendant)* employé(e) m(f) des wagons-lits *(Brit = doorkeeper)* concierge mf, gardien(ne) m(f).

**porterage** /'pɔːtərɪdʒ/ **N** *(= action)* portage m, manutention f ; *(= cost)* frais mpl de portage.

**portfolio** /pɔːt'fəʊlɪəʊ/ **N** **a** *(= attaché case)* serviette f *(fig = ministry)* portefeuille f **b** *(Fin)* portefeuille m ◆ **investment portfolio** portefeuille d'investissements ◆ **securities in portfolio** valeurs en portefeuille

───── *compounds/composés* ─────
◆ **portfolio effect** effet de portefeuille
◆ **portfolio income** revenu des placements
◆ **portfolio insurance** assurance de portefeuille
◆ **portfolio investments** investissements mpl de portefeuille
◆ **portfolio management** gestion *or* gérance de portefeuille
◆ **portfolio manager** portefeuilliste, gérant *or* gestionnaire de portefeuille
◆ **portfolio switching** arbitrage de portefeuille
◆ **portfolio    trading**    transactions fpl de portefeuille.

**portion** /'pɔːʃən/ **N** *(= part)* (gen) portion f, partie f ; [*ticket*] partie f ; [*market*] segment m ; *(= percentage, fraction)* tranche f, portion f, partie f ◆ **per portion of £100** par tranche de 100 livres ◆ **portion of shares** tranche d'actions.

**portion out** /'pɔːʃən/ **VT SEP** répartir (*among, between* entre)

**Port-Louis** /pɔːt'luːɪs/ **N** Port-Louis.

**Port Moresby** /ˌpɔːt'mɔːzbɪ/ **N** Port Moresby.

**portrait** /'pɔːtrɪt/ **N** *(gen, Comp)* portrait m ◆ **in portrait mode** *(Comp)* en format portrait.

**Portugal** /'pɔːtjʊɡəl/ **N** Portugal m.

**Portuguese** /ˌpɔːtjʊ'ɡiːz/ **ADJ** portugais
**N** **a** (= language) portugais m **b** (= inhabitant)
Portugais(e) m(f).

**POS** /ˌpiːəʊ'es/ **N** (abbr of **point-of-sale advertising**)
PLV f.

**position** /pə'zɪʃən/ **N** **a** (= location) [person, object] position f, place f ; [house] emplacement m, situation f ; (in bank, post office) guichet m, poste m de travail ; (Pub) emplacement m ♦ **to be in a good position** être bien placé (to do sth pour faire qch) **position closed** (on sign) guichet fermé **b** (fig) (= situation) situation f ♦ **to be in a position to do** être en mesure de or à même de faire ♦ **competitive / financial position** situation situation concurrentielle / financière ♦ **the economic position** la situation or la conjoncture économique ♦ **order position** (Comm) situation or état des commandes ♦ **a dominant market position** une position dominante sur le marché ♦ **abuse of dominant position** abus de position dominante **c** (= job) situation f, poste m ♦ **he has a key position in the firm** il occupe un poste-clé dans l'entreprise **d** (St Ex) position f ♦ **bear position** position vendeur or à la baisse ♦ **bull position** position acheteur or à la hausse ♦ **long position** position acheteur, position longue ♦ **market position** position de place ♦ **short position** position vendeur (à la baisse) ♦ **to carry over a position** reporter une position ♦ **to close one's position** liquider or déboucler sa position **e** (Acc) position f ♦ **the position of an account** la position or l'état d'un compte ♦ **creditor / debtor position** position créditrice / débitrice ♦ **cash position** situation de caisse or de trésorerie **f** (Comp = work station) poste m

─── compounds/composés ───
- **position description** description de poste
- **position media** publicité par voie d'affichage, médias mpl fixes
- **position paper** déclaration de politique générale
- **position sheet** (Acc) état de situation

**VT** **a** (= put in place) (gen) mettre en place, placer ; factory, building situer, placer **b** (Mktg) product positionner ♦ **we are seeking to position ourselves further up market** nous cherchons à nous repositionner dans le haut de gamme.

**positioning** /pə'zɪʃənɪŋ/ **N** (Mktg) positionnement m.

**positive** /'pɒzɪtɪv/ **ADJ** (= not negative) positif ; (= affirmative) affirmatif ; (= certain) sûr, certain

♦ **positive confirmation** (Jur) confirmation expresse ♦ **positive easement** (Jur) servitude active ♦ **positive statement** déclaration formelle.

**possess** /pə'zes/ **VT** posséder.

**possession** /pə'zeʃən/ **N** **a** (= act, state) possession f ; (Jur) (= occupancy) jouissance f ♦ **in possession of** en possession de ♦ **to come into possession of** entrer en possession de ♦ **to take possession of** prendre possession de ♦ **to resume possession of sth** rentrer en possession de qch ♦ **actual possession** (Jur) possession de fait ♦ **prevention of possession** (Jur) trouble or privation de jouissance ♦ **with vacant** or **immediate possession** house avec jouissance immédiate ♦ **constructive possession** (Jur) possession établie par déduction **b** (object) possession f, bien m ♦ **all my possessions** tous mes biens ♦ **incorporeal possession** (Jur) bien incorporel.

**possessor** /pə'zesər/ **N** possesseur m ; (= owner) propriétaire mf ; (Fin) [bill] porteur m (of de)

**possessory** /pə'zesərɪ/ **ADJ** (Jur) possessoire ♦ **possessory action** action possessoire ♦ **possessory lien** droit de rétention ♦ **possessory title** titre de possession.

**post** /pəʊst/ **N** **a** (= job) poste m, situation f, emploi m, place f ♦ **he has taken over the post of purchasing manager** il a repris le poste de directeur des achats ♦ **the post is vacant** le poste est à pourvoir ♦ **to apply for a post** poser sa candidature à un poste **b** (Comm) ♦ **trading post** comptoir (commercial) **c** (esp Brit) (= mail) poste f ; (= letters) courrier m ; (Internet) post m ♦ **by post** par la poste ♦ **by return (of) post** par retour du courrier ♦ **first- / second-class post** tarif normal / réduit ♦ **the goods are in the post** la marchandise a été postée ♦ **to put sth in the post** mettre qch à la poste, poster qch ♦ **letter / parcel post** service du courrier / des colis postaux ♦ **by parcel post** par colis postal

─── compounds/composés ───
- **post and packing** frais de port et d'emballage
- **post book** (Acc) livre
- **post-free** franco, franco de port, en franchise
- **post-paid** port payé

**VT** **a** (= send by post) envoyer or expédier par la poste ; (Brit = put in mailbox) mettre à la poste, poster **b** (= put up) notice, rates afficher ; poster, bill coller, afficher ♦ **post no bills** (on sign) défense d'afficher **c** (Internet : on blog, wall) publier, poster **d** (Acc : also **post up**) transaction inscrire, enregistrer ♦ **to post an entry** or

**an item** passer une écriture (*to the ledger* dans le grand livre) porter un article (*to the ledger* au grand livre) **to post up the ledger** arrêter le grand livre, mettre le grand livre à jour ✦ **to post up an account** mettre un compte à jour ✦ **to post a deficit / gain** enregistrer un déficit / un gain **d** (= *station*) *manager, employee, civil servant* affecter, nommer (*to* à) **e** (*St Ex* = *make known*) enregistrer, afficher ✦ **to post gains** enregistrer des gains *or* une hausse ✦ **the shares rose after posting higher earnings** les actions sont en hausse à la suite de l'annonce d'une progression des bénéfices **PREP** post ✦ **post purchase** après-vente ✦ **post call analysis** (*Mktg*) *analyse à la suite d'une visite ou d'un entretien de vente.*

**postage** /'pəʊstɪdʒ/ **N** tarifs mpl postaux, (tarifs mpl d') affranchissement m, port m ✦ **the postage is £4** les frais de port sont de 4 livres ✦ **additional postage** surtaxe postale

─── compounds/composés ───

- ✦ **postage and handling** frais de port et manutention
- ✦ **postage and packing** frais de port et d'emballage
- ✦ **postage due** taxe postale
- ✦ **postage due stamp** timbre-taxe
- ✦ **postage paid** port payé
- ✦ **postage rates** tarifs mpl postaux
- ✦ **postage stamp** timbre-poste.

**postal** /'pəʊstəl/ **ADJ** *district, code, zone* postal ✦ **postal order** mandat(-poste) ✦ **postal services** services postaux ✦ **postal vote** vote par correspondance ✦ **postal worker** employé des postes.

**postbag** /'pəʊstbæg/ **N** **a** (*Brit* = *mailbag*) sac m postal **b** [*magazine*] courrier m.

**postbox** /'pəʊstbɒks/ **N** boîte f aux lettres.

**postcode** /'pəʊstkəʊd/ (*Brit*) **N** code m postal.

**postdate** /pəʊst'deɪt/ **VT** postdater.

**poster** /'pəʊstə'/ **N** (*Pub*) affiche f ; (*decorative*) poster m

─── compounds/composés ───

- ✦ **poster advertising** publicité par affichage
- ✦ **poster hoarding** panneau d'affichage
- ✦ **poster panel** (*in stations*) panneau d'affichage.

**poste restante** /pəʊst'restɑ̃:nt/ (*Brit*) **N**, **ADV** poste f restante.

**posting** /'pəʊstɪŋ/ **N** [*notice, poster*] affichage m ; (*Acc*) [*entry*] passation f

**ADJ** electronic posting board (*St Ex*) tableau d'affichage électronique ✦ **posting error** (*Acc*) erreur d'écriture ✦ **posting folio** (*Acc*) rencontre.

**postmark** /'pəʊstmɑːk/ **N** cachet m de la poste ✦ **date as postmark** date de la poste.

**postmaster** /'pəʊstmɑːstə'/ **N** receveur m des postes ✦ **Postmaster General** (*Brit*) ministre des Postes et Télécommunications.

**post office** /'pəʊst,ɒfɪs/ **N** (= *place*) bureau m de poste, poste f ; (= *organization*) administration f *or* service m des postes ✦ **the main post office** le bureau principal ✦ **sub-post office** bureau de poste auxiliaire ✦ **the Post Office** la Poste, les Postes et Télécommunications, les PTT, les P et T

─── compounds/composés ───

- ✦ **post office box** boîte postale ✦ **post office box no. 5** boîte postale 5
- ✦ **Post Office Department** (*US*) ministère des Postes et Télécommunications
- ✦ **post office savings bank** (*Brit*) caisse d'épargne de la poste.

**postpone** /pəʊst'pəʊn/ **VT** *meeting* remettre, reporter (*for* de, *until* à) ; *payment* différer.

**postponement** /pəʊst'pəʊnmənt/ **N** ajournement m, report m, renvoi m *or* remise f à plus tard ✦ **postponement of a case** (*Jur*) remise *or* renvoi *or* ajournement d'une affaire.

**postscript** /'pəʊsskrɪpt/ **N** [*letter*] post-scriptum m (*to* à) ✦ **to add a postcript** ajouter un post-scriptum.

**post-test** /'pəʊsttest/ **N** (*Mktg, Pub*) [*campaign*] évaluation f

**VT** (*Mktg, Pub*) *campaign* évaluer.

**potential** /pəʊ'tenʃəl/ **ADJ** *energy, resources* potentiel ; *sales, uses* possible, éventuel ✦ **potential market** marché potentiel ✦ **he is a potential director** c'est un directeur éventuel *or* potentiel ✦ **potential customer / user** client / utilisateur potentiel

**N** potentiel m ✦ **to have potential** être prometteur, avoir du potentiel ✦ **this product has great market potential** il y a un bon marché potentiel pour ce produit ✦ **this stock has good upside potential** cette valeur dispose d'un bon potentiel d'appréciation ✦ **sales potential** potentiel de ventes.

**pound** /paʊnd/ **N** **a** (= *weight*) livre f (≈ *453,6 grammes*) ✦ **sold by the pound** vendu à la livre ✦ **70 pence per pound** 70 pence la livre **b** (= *money*) livre f ✦ **pound sterling** livre sterling ◆ **Egyptian / Lebanese pound** livre égyptienne / libanaise ◆ **forward pound** livre à terme.

**poundage** /'paʊndɪdʒ/ N  **a** (= *tax*) commission f, taxe f (*selon le poids ou la valeur en livres*) **b** (= *weight*) poids m (*en livres*).

**pounding** /'paʊndɪŋ/ N ◆ **the dollar took a pounding on foreign exchange markets yesterday** le dollar a été malmené or mis à rude épreuve hier sur les marchés des changes.

**pour in** /pɔːʳ/ **vi** [*money*] rentrer à flots ◼ **vt sep** **they poured in capital** ils ont apporté d'énormes quantités de capital.

**pour out** vt sep ◆ **we are pouring out money on research** nous dépensons une fortune pour la recherche.

**poverty** /'pɒvətɪ/ N  pauvreté f ◆ **poverty line** seuil de pauvreté.

**power** /'paʊəʳ/ ◼ **N** **a** (= *ability, capacity*) pouvoir m, capacité f ◆ **bargaining power** pouvoir de négociation ◆ **they have considerable bargaining power** ils sont en position de force pour négocier ◆ **borrowing power** capacité or possibilités d'emprunt ◆ **the earning power of a company** la capacité bénéficiaire d'une entreprise ◆ **purchasing** or **spending power** pouvoir d'achat ◆ **productive powers** capacités de production **b** (= *strength*) puissance f ◆ **economic power** puissance économique ◆ **monopoly power** puissance monopolistique **c** (= *authority*) pouvoir m ◆ **executive power** pouvoir exécutif ◆ **a wide range of powers** des pouvoirs étendus ◆ **that is beyond** or **outside my powers** ceci n'est pas or ne relève pas de ma compétence ◆ **to have power over sb** avoir autorité sur qn ◆ **a power struggle** une lutte pour le pouvoir **d** (= *energy*) énergie f ◆ **electric / nuclear power** énergie électrique / nucléaire **e** (= *electric current*) courant m ◆ **power off / on** hors / sous tension **f** (*Jur*) ◆ **power of attorney** procuration ◆ **power of eminent domain** (*US*) droit d'expropriation ◆ **power of redemption** droit de rachat ◆ **power of sale** droit de vente ◆ **power to sign** procuration ◆ **blank power** procuration en blanc ◆ **general power** procuration générale ◆ **joint power** procuration collective ◆ **public power** droit conféré par l'État à ses fonctionnaires ◆ **special power** procuration spéciale **g** (*Math*) puissance f ◆ **to the power of 3** puissance 3 ◼ **vt** faire marcher, faire fonctionner, actionner ◆ **powered by nuclear energy** qui marche or fonctionne à l'énergie nucléaire.

─── compounds/composés ───
◆ **power consumption** consommation énergétique
◆ **power cord** cordon d'alimentation
◆ **power cut** coupure de courant or d'électricité
◆ **power failure** panne de courant or d'électricité
◆ **power outlet** prise de courant
◆ **power plug** prise de courant
◆ **power station** centrale électrique
◆ **power supply** alimentation électrique

**powerful** /'paʊəfʊl/ ADJ puissant.

**pp.** (abbr of **pages**) pp.

**PP** abbr of **parcel post** → **parcel**.

**p.p.** (abbr of **per procurationem**) p.p.

**ppd** abbr of **prepaid**.

**p.pro** (abbr of **per procurationem**) p.p.

**PR** /piːˈɑːʳ/ N  **a** (abbr of **public relations**) RP fpl **b** (abbr of **proportional representation**) RP f.

**pr.** (abbr of **price**) px.

**practicability** /ˌpræktɪkəˈbɪlɪtɪ/ N faisabilité f.

**practicable** /'præktɪkəbl/ ADJ plan, solution réalisable.

**practical** /'præktɪkəl/ ADJ pratique.

**practicality** /ˌpræktɪˈkælɪtɪ/ N [*person*] sens m or esprit m pratique; [*plan*] aspect m pratique ◆ **practicalities** détails pratiques.

**practice** /'præktɪs/ (*Brit*), **practise** (*US*) N **a** (= *habits, procedure*) pratique f ◆ **code of practice** code de bonne conduite, déontologie ◆ **accounting practices** pratiques comptables ◆ **illegal practices** manœuvres frauduleuses ◆ **management practices** procédures de gestion ◆ **restrictive (trade) practices** pratiques commerciales restrictives, entraves à la liberté du commerce, atteintes à la libre concurrence ◆ **sharp practice** pratique malhonnête or déloyale ◆ **trade practices** usages commerciaux **b** (*opp of theory*) pratique f ◆ **in practice** en pratique **c** [*law, medicine*] (= *profession*) exercice m ◆ **the practice of medicine** la pratique or l'exercice de la médecine **d** (= *clients*) clientèle f ◆ **law practice** (clientèle d'un) cabinet juridique, étude ◆ **an accounting practice** un cabinet comptable **e** (*Mktg*) ◆ **practice development** prospection de la clientèle.

**practise** (*Brit*), **practice** (*US*) /'præktɪs/ **vt** (*gen*) pratiquer ◆ **to practise medicine / law** exercer la médecine or la profession de médecin / la profession d'avocat.

**pragmatic** /præɡˈmætɪk/ ADJ pragmatique.

**pragmatist** /'prægmətɪst/ **N** pragmatiste mf.

**Prague** /prɑːg/ **N** Prague.

**prearrange** /'priːə'reɪndʒ/ **VT** arranger *or* organiser *or* fixer à l'avance *or* au préalable.

**prebilling** /'priː'bɪlɪŋ/ **N** préfacturation f.

**precarious** /prɪ'kɛərɪəs/ **ADJ** précaire.

**precatory trust** /'prekətərɪ'trʌst/ **N** *(Jur)* legs m précatif.

**precaution** /prɪ'kɔːʃən/ **N** précaution f *(against* contre) **•** **as a precaution** par précaution **•** **safety precautions** mesures de sécurité.

**precautionary** /prɪ'kɔːʃənərɪ/ **ADJ** de précaution **•** **precautionary saving** épargne de précaution **•** **as a precautionary measure** par mesure de précaution, par mesure préventive.

**precede** /prɪ'siːd/ **VT** précéder.

**precedence** /'presɪdəns/ **N** *(in rank)* préséance f ; *(in importance)* priorité f **•** **to have** *or* **to take precedence over sb** avoir la préséance sur qn **•** **sales must take precedence over other concerns** les ventes doivent avoir la priorité sur les autres préoccupations *or* primer sur les autres préoccupations
COMP **•** **precedence table** *(Comp)* table des priorités.

**precedent** /'presɪdənt/ **N** précédent m **•** **to set a precedent** *(Jur)* faire jurisprudence, créer un précédent.

**preceding** /prɪ'siːdɪŋ/ **ADJ** précédent.

**precept** /'priːsept/ **N** précepte m, principe m ; *(Jur)* mandat m (de comparution) *(Fin, Acc)* ordre m de paiement *(Brit Tax)* avis m d'imposition.

**precheck** /'priː'tʃek/ **VT** vérifier à l'avance, précontrôler.

**precinct** /'priːsɪŋkt/ **N** enceinte f **•** **pedestrian precinct, shopping precinct** zone piétonne *or* piétonnière.

**precious** /'preʃəs/ **ADJ** précieux.

**precise** /prɪ'saɪs/ **ADJ** *amount* précis, exact; *worker* méticuleux, minutieux.

**precisely** /prɪ'saɪslɪ/ **ADV** précisément.

**precision** /prɪ'sɪʒən/ **N** précision f, exactitude f

——— *compounds/composés* ———
**•** **precision engineering** mécanique de précision
**•** **precision tool** outil de précision.

**preclusive buying** /prɪ'kluːsɪv'baɪɪŋ/ **N** *fait d'acheter pour exclure les autres acheteurs éventuels.*

**precoded** /'priː'kəʊdɪd/ **ADJ** préprogrammé, précodé.

**precondition** /'priːkən'dɪʃən/ **N** condition f préalable *or* requise *or* nécessaire.

**predate** /'priː'deɪt/ **VT** **a** *(= write earlier date on)* cheque, document antidater **b** *(= precede in time)* event précéder, être antérieur à.

**predator** /'predətəʳ/ **N** prédateur m.

**predatory** /'predətərɪ/ **ADJ** **•** **predatory competition** concurrence sauvage *or* déloyale **•** **predatory pricing** politique *or* pratique de prix sauvage *(destinée à casser le marché).*

**predecessor** /'priːdɪsesəʳ/ **N** prédécesseur m.

**predictive** /prɪ'dɪktɪv/ **ADJ** **•** **predictive test** test qui mesure par anticipation **•** **predictive value** valeur de prévision.

**predictor** /prɪ'dɪktəʳ/ **N** indicateur m prévisionnel.

**pre-empt** /priː'empt/ **VT** **a** *(= acquire)* land acquérir par droit de préemption **b** *(= exclude)* competitors éliminer, évincer, barrer la route à

——— *compounds/composés* ———
**•** **pre-empt spot** *(Pub)* option achetée à prix réduit sur une plage horaire dans le cas où aucun annonceur ne l'achète à plein tarif.

**pre-emption** /priː'empʃən/ **N** (droit m de) préemption f.

**pre-emptive** /priː(ː)'emptɪv/ **ADJ** move, strategy préemptif; *rights* de préemption.

**pre-emptor** /priː'emptəʳ/ *(US)* **N** acquéreur m *(en vertu d'un droit de préemption).*

**pref.** abbr of **preferential** abbr of **preferred.**

**prefabricate** /ˌpriː'fæbrɪkeɪt/ **VT** préfabriquer.

**preface** /'prefɪs/ **N** *(to book)* préface f, avant-propos m ; *(to speech)* introduction f, préambule m *(to à)*

**prefer** /prɪ'fɜːʳ/ **VT** **a** préférer *(to à)* **•** **I prefer taking the plane** je préfère *or* j'aime mieux prendre l'avion **•** **to prefer a creditor** *(Fin)* privilégier un créditeur **b** *(Jur)* **•** **to prefer charges against sb** porter plainte contre qn **•** **to prefer a petition** adresser une pétition.

**preference** /'prefərəns/ **N** *(= liking)* préférence f *(for pour)*; *(= priority)* priorité f *(over sur)* préférence f ; *(= special treatment)* régime m de faveur, traitement m préférentiel; *(Fin)* *(= right to preferential payment)* privilège m ◆ **goods entitled to preference** *(Customs)* marchandises ayant droit aux tarifs préférentiels *or* aux préférences douanières ◆ **Commonwealth preference** *(Brit)* préférences douanières accordées aux pays du Commonwealth ◆ **Community preference** *(EU)* préférence communautaire ◆ **consumer preference** préférence des consommateurs ◆ **liquidity preference** préférence pour la liquidité

───── *compounds/composés* ─────
◆ **preference bond** *(St Ex)* obligation privilégiée
◆ **preference capital** *(St Ex)* capital sous forme d'actions privilégiées
◆ **preference dividend** *(St Ex)* dividende prioritaire
◆ **preference rate** taux *or* tarif préférentiel
◆ **preference share** *(Brit)*, **preference stock** *(US)* action privilégiée *or* de préférence *or* de priorité *or* à dividende prioritaire ◆ **cumulative / non-cumulative preference shares** actions privilégiées cumulatives / non-cumulatives
◆ **preference shareholder** *(Brit)*, **preference stockholder** *(US)* actionnaire prioritaire *or* privilégié.

**preferential** /prefə'renʃəl/ **ADJ** *tariff, terms* préférentiel, de faveur; *trade, voting* préférentiel; *debt, payments* privilégié; *dividend* prioritaire, privilégié ◆ **preferential claim** *(Fin, Jur)* créance privilégiée *or* de premier rang ◆ **preferential creditor** créancier privilégié *or* de premier rang ◆ **preferential interest rates** taux (d'intérêt) bonifiés.

**preferment** /prɪ'fɜːmənt/ **N** promotion f, avancement m.

**preferred** /prɪ'fɜːd/ **ADJ** *debt, payments* privilégié; *dividend* prioritaire, privilégié ◆ **preferred creditor** créancier privilégié *or* de premier rang ◆ **preferred position** *(Pub)* emplacement *or* encart privilégié *(dans la presse écrite)* ◆ **preferred stock** *or* **share** action privilégiée *or* de priorité *or* à dividende prioritaire.

**prefinance** /'priːfaɪˈnæns/ **VT** préfinancer.

**prejudice** /'predʒʊdɪs/ **N** **a** *(= bias)* préjugé m, prévention f **b** *(esp Jur = detriment)* préjudice m ◆ **to the prejudice of** au détriment *or* préjudice de ◆ **without prejudice** *(gen)* sans préjudice *(to* de) *(Jur : on document)* sous toutes réserves
**VT** *person* prévenir *(against* contre, *in favour of* en faveur de); *claim* affecter.

**prejudicial** /ˌpredʒʊ'dɪʃəl/ **ADJ** préjudiciable, nuisible *(to* à) dommageable *(to* pour)

**preliminaries** /prɪ'lɪmɪnərɪz/ **NPL** préliminaires mpl.

**preliminary** /prɪ'lɪmɪnərɪ/ **ADJ** *stage, work* préparatoire, initial, préalable; *enquiry, remark* préliminaire, préalable ◆ **preliminary estimate** devis estimatif ◆ **preliminary expenses** frais d'établissement ◆ **preliminary investigation** *court case* instruction ◆ **preliminary report** pré-rapport ◆ **preliminary scheme** avant-projet.

**Premier** /'premjə/ **N** *(Pol)* Premier ministre m.

**premises** /'premɪsɪz/ **NPL** **a** locaux mpl, lieux mpl ◆ **business premises** locaux commerciaux ◆ **office premises** bureaux, locaux à usage professionnel ◆ **factory premises to let** usine à louer ◆ **on the premises** sur les lieux, sur place ◆ **off the premises** à l'extérieur ◆ **the goods will be delivered to the customer's premises** les marchandises seront livrées au domicile du client **b** *(Jur = conveyancing)* propriété f *(à laquelle se réfère un acte de vente)* ◆ **the premises of a deed** l'intitulé d'un acte.

**premium** /'priːmɪəm/ **N a** *(gen, Fin, Ins)* prime f ; *(Jur = sum paid on a lease)* reprise f ◆ **to be at a premium** être très recherché ◆ **there is a premium for 24-hour service** il y a un supplément pour le service 24 heures sur 24 ◆ **to issue shares at a premium** émettre des actions au-dessus du pair ◆ **to call for the premium** *(Fin)* lever la prime ◆ **to sell sth at a premium** vendre qch à prime ◆ **the shares are selling at a premium of up to 48 pence on the issue price of 50 pence** les actions se vendent avec une prime *or* une surcote atteignant jusqu'à 48 pence au-dessus du prix d'émission de 50 pence ◆ **the dollar is trading at a premium** le dollar se vend à prime ◆ **call premium** *(St Ex)* dont, prime d'achat ◆ **deferred premium** *(Ins)* prime échelonnée ◆ **deposit premium** *(Ins)* acompte sur la prime ◆ **exchange premium** prime, prix du change ◆ **extra premium** *(Ins)* surprime ◆ **forward premium** report ◆ **insurance premium** prime d'assurance, cotisation ◆ **issue** *or* **share premium** *(St Ex)* prime d'émission ◆ **overtime premium** prime

───── *compounds/composés* ─────
◆ **premium (savings) bond** *(Brit)* bon à lots, obligation à prime
◆ **premium bonus** *(Ind)* prime de rendement
◆ **premium grade gasoline** *(US)* supercarburant, super
◆ **premium income** *(Ins)* revenu des primes
◆ **premium loan** emprunt à prime
◆ **premium offer** *(Pub, Mktg)* offre spéciale
◆ **premium pay** *(Ind)* prime (de salaire)
◆ **premium salary package** salaire exceptionnel

♦ **issue** *or* **share premium** *(St Ex)* prime d'émission ♦ **overtime premium** prime d'heures supplémentaires ♦ **return premium** *(Ins)* remboursement de prime ♦ **risk premium** *(St Ex)* prime de risque

**prenuptial** /pri:ˈnʌpʃəl/ **ADJ** ♦ **prenuptial agreement** ≈ contrat de mariage.

**prepack(age)** /ˈpri:ˈpæk(ɪdʒ)/ **VT** *goods* préconditionner, préemballer.

**prepaid** /ˈpri:ˈpeɪd/ **ADJ** *(gen)* payé d'avance ♦ **reply prepaid** réponse payée ♦ **carriage prepaid** port payé ♦ **prepaid charge** *or* **expense** frais payés d'avance.

**preparation** /ˌprepəˈreɪʃən/ **N** préparation f ♦ **to be in preparation** être en préparation ♦ **preparations** préparatifs.

**preparatory** /prɪˈpærətərɪ/ **ADJ** *work* préparatoire; *measure* préliminaire, préalable.

**prepare** /prɪˈpɛəʳ/ **VT** *speech, work* préparer
**VI** **to prepare for** se préparer à, faire des préparatifs pour, prendre des dispositions pour.

**prepared** /prɪˈpɛəd/ **ADJ** *statement, answer* préparé à l'avance; *person, company* prêt.

**prepay** /ˈpri:ˈpeɪ/ **VT** payer *or* régler d'avance.

**prepayment** /ˈpri:ˈpeɪmənt/ **N** *(gen)* paiement m d'avance *or* par anticipation, règlement m anticipé; *(Post)* affranchissement m ♦ **prepayment instruction** prescription d'affranchissement ♦ **prepayment penalty** pénalité de remboursement anticipé.

**prerecord** /ˈpri:rɪˈkɔ:d/ **VT** enregistrer à l'avance, préenregistrer ♦ **prerecorded broadcast** émission en différé.

**prerelease** /ˈpri:rɪˈli:s/ **N** *[film]* avant-première f
**VT** **to prerelease a film** projeter un film en avant-première.

**prerequisite** /ˈpri:ˈrekwɪzɪt/ **N** condition f préalable, prérequis m
**ADJ** prérequis, nécessaire au préalable.

**Pres.** abbr of **President**.

**prescribe** /prɪsˈkraɪb/ **VT** prescrire *(sth to sb* qch à qn*)* ♦ **prescribed price** prix imposé ♦ **prescribed time** délai réglementaire *or* prescrit *or* de rigueur.

**prescriber** /prɪsˈkraɪbəʳ/ **N** prescripteur m.

**prescription** /prɪsˈkrɪpʃən/ **N** *(gen, Jur)* prescription f; *(Med)* ordonnance f ♦ **to be granted legal prescription** *(Jur)* bénéficier de la prescription.

**prescriptive** /prɪsˈkrɪptɪv/ **ADJ** ♦ **prescriptive right** droit de prescription.

**present** /ˈpreznt/ **ADJ** actuel, courant, présent ♦ **the present month** le mois courant, le mois en cours ♦ **present-day interest rates** les taux d'intérêts qui ont cours aujourd'hui, les taux d'intérêt actuels ♦ **at the present time** actuellement, à présent ♦ **present capital** capital appelé ♦ **present needs** besoins actuels ♦ **present value** *or* **worth** *bill of exchange, annuity* valeur actuelle ♦ **discounted present value** valeur actualisée ♦ **present value factor** facteur d'actualisation

**n** **a** *(= time)* présent m ♦ **at present** à présent, actuellement **b** *(= gift)* cadeau m
**VT** **a** **to present sb with sth present sth to sb** *(= give as gift)* offrir qch à qn, faire cadeau de qch à qn; *(= hand over)* prize, medal remettre qch à qn **b** *tickets, documents, apologies* présenter *(to* à*)* **c** *(= introduce)* présenter *(sb to sb* qn à qn*)* ♦ **I should like to present our new financial controller** permettez-moi de vous présenter notre nouveau contrôleur de gestion **d** *cheque* présenter ♦ **to present a bill for acceptance** présenter un effet à l'acceptation ♦ **to present a bill for collection / discount** présenter un effet à l'encaissement / à l'escompte **e** *(Jur)* case exposer; *complaint* déposer.

**presentation** /ˌprezənˈteɪʃən/ **N** **a** *(gen)* présentation f; *(= introduction)* [person] présentation f; *(= gift-giving ceremony)* remise f du cadeau *(or* de la médaille *etc.)*, ≈ vin m d'honneur *(Jur)* [case] exposition f; [complaint] déposition f ♦ **sales presentation** argumentaire (de vente) **b** *(Fin)* ♦ **payable on presentation** *bill, note* payable à vue *or* sur présentation ♦ **payable on presentation of the coupon** payable contre remise du coupon ♦ **presentation of a cheque** présentation d'un chèque à l'encaissement

*—— compounds/composés ——*

♦ **presentation copy** *[book]* spécimen (gratuit), exemplaire en service de presse.

**presenter** /prɪˈzentəʳ/ **N** *(Fin)* présentateur m *(Brit TV)* présentateur(-trice) m(f).

**presenting** /prɪˈzentɪŋ/ **ADJ** *(Fin)* bank présentateur.

**presentment** /prɪˈzentmənt/ **N** ♦ **presentment of a bill for acceptance** présentation d'un effet à l'acceptation.

**preservative** /prɪˈzɜːvətɪv/ **N** *[food]* agent m conservateur *or* de conservation, additif m.

**preserve** /prɪˈzɜːv/ **N** **a** (= *canned foods*) conserve f *(Brit = jam)* confiture f **b** *(hunting)* réserve f, chasse f gardée
**VT** conserver ✦ **preserved meat** viande en conserve ✦ **preserved foods** conserves.

**preset** /ˈpriːˈset/ **VT** prérégler, prépositionner (*to* sur)

**preside** /prɪˈzaɪd/ **VI** présider ✦ **to preside at** *or* **over a meeting** présider une réunion ✦ **presiding judge** président de tribunal.

**president** /ˈprezɪdənt/ **N** *(Pol)* président m ; *(US)* [*company*] président-directeur m général, PDG m ✦ **President of the Board of Trade** *(Brit)* ≈ ministre du Commerce ✦ **president-elect** président désigné, président-élu ✦ **vice-president** *(gen)* vice-président *(US = senior management rank)* directeur adjoint ✦ **vice-president manufacturing / marketing** *(US)* directeur de la production / du marketing.

**press** /pres/ **N** **a** *(Typ)* (= *machine*) presse f ; (= *place, publishing firm*) imprimerie f **b** (= *newspapers collectively*) ✦ **the press** la presse ✦ **to advertise in the press** faire de la publicité dans la presse *or* dans les journaux ✦ **it was reported in the press** la presse en a fait état ✦ **the national press** la grande presse, la presse nationale ✦ **the press was there in force for the launch** la presse s'était déplacée en force pour couvrir le lancement ✦ **to go to press** [*book*] être mis sous presse ✦ **to pass sth for press** donner le bon à tirer de qch ✦ **member of the press** journaliste, représentant de la presse ✦ **to get a good / bad press** avoir bonne / mauvaise presse

———— compounds/composés ————
- ✦ **press advertising** publicité-presse
- ✦ **press agency** agence de presse
- ✦ **press agent** agent de publicité
- ✦ **press baron** *or* **lord** magnat de la presse
- ✦ **press box** tribune de la presse
- ✦ **press button** bouton(-poussoir) ✦ **a press-button kitchen** une cuisine automatisée
- ✦ **press campaign** campagne de presse
- ✦ **press clipping** *or* **cutting** coupure de presse
- ✦ **press conference** conférence de presse
- ✦ **press copy** [*letter*] copie (destinée) à la presse
- ✦ **press coverage** couverture (de) presse
- ✦ **press kit** *or* **pack** dossier de presse
- ✦ **press photographer** photographe de presse, reporter photographe
- ✦ **press relations** relations fpl avec la presse
- ✦ **press release** communiqué de presse
- ✦ **press report** reportage
- ✦ **press review** revue de presse
- ✦ **press run** tirage

**VT** **a** *button, switch* appuyer sur, enfoncer, actionner **b** *(Ind) machine part, object* mouler, fabriquer; *record* presser **c** (= *put pressure on*) ✦ **to press sb for payment** presser qn de payer ✦ **to press a debtor** poursuivre *or* harceler un débiteur ✦ **to press a debt** réclamer le remboursement d'une dette ✦ **to press a point** insister ✦ **to be pressed for time / money** être à court de temps / d'argent, manquer de temps / d'argent ✦ **he was pressed into service** il a été mis à contribution, il a été obligé d'offrir ses services **d** *(Jur)* **to press charges** porter plainte
**VI** **to press for a rise** *(Brit)* **or raise** *(US)* réclamer une augmentation.

**pressing** /ˈpresɪŋ/ **ADJ** *business, payments, order* urgent; *invitation* insistant
**N** [*records*] pressage m.

**pressure** /ˈpreʃər/ **N** *(gen, Econ)* pression f ✦ **contractionary / inflationary pressure** pression récessionniste / inflationniste ✦ **tax pressure** pression fiscale ✦ **to put pressure on sb** faire pression sur qn (*to do* pour qu'il fasse) **they are under pressure** *(stress)* ils sont sous pression ✦ **they are under pressure to accept** on fait pression sur eux pour qu'ils acceptent ✦ **to be under financial pressure** avoir des difficultés financières ✦ **high-pressure selling** vente agressive ✦ **a high-pressure executive / environment** un cadre / milieu dynamique
**COMP** ✦ **pressure group** groupe de pression
**VT** **to pressure sb** faire pression sur qn (*to do* pour qu'il fasse) **to pressure sb into doing sth** forcer qn à *or* contraindre qn de faire qch.

**Prestel** ® /ˈpresˌtel/ *(Brit)* **N** ≈ Minitel ®.

**prestige** /presˈtiːʒ/ **N** prestige m
**ADJ** de prestige.

**prestigious** /presˈtɪdʒəs/ **ADJ** prestigieux.

**presumption** /prɪˈzʌmpʃən/ **N** *(gen, Jur)* présomption f.

**presumptive** /prɪˈzʌmptɪv/ **ADJ** *(Jur) heir* présomptif; *evidence* par présomption ✦ **the ship is a presumptive loss** il y a présomption de perte du navire ✦ **presumptive taxation** imposition forfaitaire *(sur évaluation administrative)* ✦ **presumptive assessment** évaluation forfaitaire.

**pretax, pre-tax** /ˈpriːˈtæks/ **ADJ** *income, earnings, profit* avant impôts.

**pretence** *(Brit)*, **pretense** *(US)* /prɪˈtens/ **N** (= *pretext*) prétexte m, excuse f ; (= *claim*) prétention f ◆ **on** *or* **under false pretences** par des moyens frauduleux; (= *by lying*) sous des prétextes fallacieux.

**pretext** /ˈpriːtekst/ **N** prétexte m (*to do* pour faire)

**Pretoria** /prɪˈtɔːrɪə/ **N** Pretoria.

**prevail** /prɪˈveɪl/ **VI** [*conditions*] prédominer, régner, avoir cours; [*fashion*] être en vogue ◆ **the depression which now prevails** la crise actuelle, la crise qui sévit actuellement.

**prevailing** /prɪˈveɪlɪŋ/ **ADJ** *trend, opinion* courant, répandu; *conditions, situation* actuel; *fashion, style* en vogue, actuel ◆ **prevailing prices** prix courants *or* couramment pratiqués *or* en vigueur ◆ **prevailing regulation** réglementation en vigueur ◆ **the prevailing party** *(Jur)* la partie gagnante ◆ **prevailing market rate** conditions générales du marché.

**prevention** /prɪˈvenʃən/ **N** *(gen)* prévention f ◆ **prevention of possession** *(Jur)* trouble *or* privation de jouissance ◆ **in case of prevention** en cas d'empêchement.

**preventive** /prɪˈventɪv/ **ADJ** préventif.

**preview** /ˈpriːvjuː/ **N** [*film*] avant-première f ; [*exhibition*] vernissage m.

**previous** /ˈpriːvɪəs/ **ADJ** *(gen)* précédent, antérieur *(Jur, Admin)* préalable ◆ **I have a previous engagement** je suis déjà pris ◆ **previous appointments** *or* **posts held** emplois précédents ◆ **please state previous experience** veuillez indiquer les emplois précédemment occupés ◆ **without previous notice** *or* **advice** sans préavis, sans avis préalable ◆ **previous balance** *account* solde précédent ◆ **the previous day** le jour précédent, la veille ◆ **previous consent** consentement *or* accord préalable ◆ **previous question** question préalable ◆ **he has no previous convictions** il a un casier judiciaire vierge ◆ **previous close** *(St Ex)* clôture précédente.

**price** /praɪs/ **N** **a** (= *cost*) prix m ◆ **actual price** prix réel ◆ **administered price** prix imposé ◆ **agreed price** prix convenu ◆ **all-in price** prix net *or* tout compris ◆ **asking price** *(Brit)*, **ask price** *(US)* prix vendeur *or* demandé ◆ **bargain price** prix promotionnel *or* soldé *or* réduit ◆ **goods sold at bargain prices** articles soldés *or* bradés ◆ **base** *or* **basis price** prix de référence, prix public ◆ **catalogue price** prix (de) catalogue, prix public ◆ **ceiling price** prix plafond ◆ **common** *or* **current price** prix courant ◆ **competitive price** prix concurrentiel ◆ **controlled**

**price** prix contrôlé *or* conventionné ◆ **cost price** *(manufacturing)* prix de revient; *(distribution)* prix coûtant ◆ **cut-price offer** offre à prix réduit ◆ **demand price** prix en fonction de la demande ◆ **discount price** prix réduit ◆ **equilibrium price** *(Econ)* prix d'équilibre ◆ **factor price** *(Econ)* prix des facteurs de production ◆ **factory price** prix usine, prix de fabrique ◆ **fallback price**, **floor price** prix plancher ◆ **fixed price** prix fixe ◆ **inclusive price** prix net *or* tout compris ◆ **high-street prices** *(Brit)* les prix du commerce ◆ **list price** prix (de) catalogue, prix public ◆ **manufacturer's list price** prix d'usine ◆ **loaded price** prix exorbitant ◆ **manufacturer's price** prix de fabrique ◆ **market price** prix du marché ◆ **pegged price** prix contrôlé ◆ **preferential price** prix de faveur ◆ **published price** [*book, magazine*] prix public *(fixé par l'éditeur)* ◆ **purchase price** prix d'achat ◆ **recommended (retail) price** prix (de détail) conseillé ◆ **reserve price** *(gen)* prix plancher; *(auction)* mise à prix ◆ **sale price** (= *reduced price*) prix de solde, prix soldé ◆ **set price** prix fixe ◆ **spot price** cours spot ◆ **standard price** prix normal *or* courant ◆ **target price** *(Mktg)* prix de référence, prix indicatif ◆ **wholesale / retail price** prix de gros / de détail **b** *(phrases)* ◆ **to go up** *or* **rise in price** augmenter (de prix) ◆ **to go down** *or* **fall in price** baisser (de prix) ◆ **what price did you pay for it?** à quel prix l'avez-vous acheté? ◆ **what price is it?** combien cela vaut-il? ◆ **to set a price for sth** fixer *or* établir le prix de qch ◆ **to raise** *or* **increase prices** augmenter *or* majorer les prix ◆ **to cut** *or* **lower** *or* **reduce prices** réduire *or* baisser les prix ◆ **to sell at a reduced price** vendre à prix réduit *or* au rabais ◆ **please quote a price for repairing the heating system** pourriez-vous faire *or* établir un devis pour la réparation du chauffage? ◆ **to keep prices down / up** maintenir des prix bas / élevés, contenir / soutenir les prix ◆ **to force prices down / up** faire monter / baisser les prix ◆ **I bought it (at) half-price** je l'ai acheté à moitié prix ◆ **to put a price on sth** évaluer qch **c** *(St Ex)* *(gen)* cours m ; (= *quotation*) cote f ◆ **price for cash** cours au comptant ◆ **price for the account** *or* **for settlement** cours à terme ◆ **prices are steady on the New York Stock Exchange** les cours se maintiennent à la Bourse de New York ◆ **quotation of prices** cotation des cours ◆ **price of call, call price** prix d'exercice ◆ **price of option** prix de l'option, cours de (la) prime ◆ **price of put** cours de la prime pour livrer, prix de l'option ◆ **price of put and call** cours de la double option ◆ **best price** meilleur cours ◆ **bid** *or* **buying**

**price** prix d'achat, cours acheteur ◆ **close / wide price** *marge faible / importante entre le cours acheteur et le cours vendeur* ◆ **closing price** *(St Ex)* cours de clôture *or* en clôture, dernier cours ◆ **forward price** cours du livrable, cours à terme ◆ **issue price** prix *or* cours d'émission ◆ **market price** *(gen)* prix du marché; *(St Ex)* cours de (la) Bourse ◆ **middle** *or* **mean price** cours moyen ◆ **offer(ed)** *or* **selling price** prix de vente, cours offert *or* vendeur ◆ **opening price** *(= first price of the day)* cours d'ouverture, premier cours; *(in case of new issue)* cours d'introduction ◆ **street price** *(US St Ex)* cours après Bourse *or* hors Bourse 🄳 *(Bank)* ◆ **the price of money** le loyer de l'argent ◆ **the high price of money** la cherté de l'argent 🄴 *(EU)* ◆ **guide price** *[meat]* cours directeur ◆ **intervention price** prix d'intervention ◆ **reserve price** prix plancher ◆ **sluice price** prix d'écluse ◆ **support price** prix de soutien ◆ **target price** prix cible ◆ **threshold price** prix de seuil 🆅🆃 *(= fix price of)* fixer *or* établir le prix de; *(= mark price on)* indiquer le prix de; *(= ask price*

*of)* demander le prix de, s'informer du prix de; *(= estimate value of)* évaluer ◆ **to price a stock** valoriser *or* évaluer un inventaire ◆ **it is priced at \$20** ça coûte 20 dollars, ça se vend 20 dollars ◆ **to price a product competitively** fixer un prix concurrentiel pour un produit.

**price down** VT SEP réduire le prix de, solder.

**price out** VT SEP ◆ **to price a product out of the market** perdre un marché pour un produit en pratiquant des prix trop élevés ◆ **we have been priced out of the market** on nous a chassés du marché en cassant les prix ◆ **they have priced themselves out of the market** ils ont perdu leur marché en pratiquant des prix trop élevés.

**price up** VT SEP augmenter (le prix de).

**pricing** /'praɪsɪŋ/ N *(= setting price for)* établissement m *or* détermination f *or* fixation f des prix; *(for service)* tarification f; *[stock]* évaluation f ◆ **pricing is always a problem** la politique de prix est toujours un problème ◆ **aggressive pricing** politique de prix agressive ◆ **asset pricing** évaluation des actifs ◆ **common pricing**

———————— compounds/composés ————————

PRICE

◆ **prices and incomes policy** *(Brit)* politique des prix et des revenus
◆ **price bid** *(St Ex)* cours demandé *or* acheteur
◆ **price book** tarif, catalogue des prix
◆ **price ceiling** plafond de prix
◆ **price change** variation *or* changement de prix
◆ **price competitiveness** compétitivité-prix
◆ **price control** contrôle des prix
◆ **price(s) current** barème des prix, tarif
◆ **price cut** rabais, réduction, baisse
◆ **price-cutting** réduction des prix
◆ **price determinant** *facteur à prendre en compte pour l'établissement d'un prix*
◆ **price differential** écart *or* différence *or* différentiel de prix, ciseaux mpl des prix
◆ **price discrimination** tarif discriminatoire
◆ **price-earnings ratio** *(St Ex)* rapport cours / bénéfices, taux *or* coefficient *or* multiple de capitalisation, PER
◆ **price effect** *(Econ)* effet de prix
◆ **price elasticity** *(Econ)* élasticité-prix
◆ **price fixing** *(gen)* fixation des prix; *(by government)* contrôle des prix; *(Jur)* entente illégale *or* illicite sur les prix
◆ **price floor** plancher de prix
◆ **price freeze** blocage des prix
◆ **price increase** augmentation de(s) prix
◆ **price index** indice des prix ◆ **consumer price index** *(US)* indice des prix de détail, indice des prix à la consommation
◆ **price inflation** inflation par les prix
◆ **price label** étiquette (de prix)

◆ **price leader** *(Econ, Mktg)* entreprise dominante *or* leader en matière de prix
◆ **price level** niveau de(s) prix ◆ **price level changes** fluctuations des prix
◆ **price limit** *[buyer]* prix maximum; *[seller]* prix minimum
◆ **price list** tarif, catalogue de prix
◆ **price maintenance** *(gen)* vente à prix imposé; *(manufacturer)* fixation des prix
◆ **price marker** porte-étiquettes
◆ **price moderation** modération des prix
◆ **price-performance ratio** rapport prix-performance
◆ **price policy** politique de prix
◆ **price-quality ratio** rapport qualité-prix
◆ **price quotation** *(St Ex)* cotation
◆ **price range** échelle *or* gamme *or* fourchette *or* éventail de(s) prix
◆ **price rigidity** rigidité des prix
◆ **price ring** cartel
◆ **price schedule** barème des prix, tarif
◆ **price sensitivity** élasticité-prix
◆ **price setting** fixation *or* établissement des prix
◆ **price spread** ciseaux mpl des prix
◆ **price sticker** étiquette (de prix)
◆ **price support** *(Econ)* soutien des cours *or* des prix
◆ **price tag** *(lit)* étiquette (de prix); *(fig)* prix
◆ **price terms** conditions fpl de prix
◆ **price ticket** étiquette (de prix)
◆ **price variance** écart sur prix
◆ **price war** guerre des prix

entente (illicite) en matière de prix ✦ **competitive pricing is essential** il est essentiel de fixer des prix compétitifs ✦ **marginal cost pricing** méthode des coûts marginaux ✦ **market pricing** fixation des prix par le jeu du marché

*——— compounds/composés ———*
- ✦ **pricing mix** mix des prix
- ✦ **pricing policy** or **strategy** politique de prix.

**primage** /'praɪmɪdʒ/ N (*Mar*) primage m, chapeau m du capitaine.

**primary** /'praɪmərɪ/ ADJ  **a** (= *first in order*) primaire, premier ✦ **primary cause** cause première ✦ **primary commodity** produit de base ✦ **primary distribution** (*St Ex*) première introduction ✦ **primary earnings per share** bénéfices premiers par action ✦ **primary file** (*Comp*) fichier principal ✦ **primary income** revenu primaire ✦ **primary industry** industrie du (secteur) primaire ✦ **primary market** marché primaire ✦ **primary offering** (*St Ex*) placement initial ✦ **primary product** produit de base ✦ **primary production** secteur primaire ✦ **primary sector** (*Econ*) secteur primaire ✦ **primary securities** (*St Ex*) valeurs de premier rang ✦ **primary storage** (*Comp*) mémoire centrale  **b** (= *first in importance*) *reason, cause* principal, primordial, fondamental; *concern, aim* principal, premier ✦ **of primary importance** d'une importance primordiale.

**prime** /praɪm/ ADJ  **a** (= *chief*) *cause, reason* principal, primordial, fondamental ✦ **a prime advantage** un avantage de premier ordre ✦ **of prime importance** d'une importance primordiale  **b** (= *excellent*) de première qualité, de premier ordre or choix ✦ **in prime condition** *car* en excellent état ✦ **a prime example of sth** un excellent exemple de qch ✦ **of prime quality** de première qualité

*——— compounds/composés ———*
- ✦ **prime bill** (*Fin*) papier or effet de haut commerce or de premier ordre
- ✦ **prime bond** (*Fin*) obligation de premier ordre
- ✦ **prime cost** coût initial, prix de revient initial
- ✦ **prime entry** (*Acc*) première écriture
- ✦ **prime factor** (*Math*) facteur or diviseur premier
- ✦ **prime lending rate** (*Bank*) taux de base
- ✦ **Prime Minister** Premier ministre
- ✦ **prime mover** (*fig*) élément moteur
- ✦ **prime paper** (*Fin*) papier or effet de premier ordre
- ✦ **prime rate** (*Bank*) taux de base ✦ **long term prime rate** taux de base à long terme
- ✦ **prime time** (*TV, Rad*) heure(s) d'écoute maximum

**VT**  **a** *gun, pump* amorcer  **b** (*fig*) *person* (= *inform*) mettre au fait, mettre au courant; (= *prepare*) préparer.

**principal** /'prɪnsɪpəl/ ADJ principal ✦ **principal debtor** / **shareholder** débiteur / actionnaire principal
**N**  **a** (*Jur*) (*gen*) personne f responsable; (= *lawyer's client*) commettant m, mandant m, donneur m d'ordre ✦ **on behalf of my principal** pour le compte de mon commettant or de mon client  **b** (*Fin*) principal m, capital m ✦ **principal and interest** principal or capital et intérêts ✦ **repayment of principal** amortissement de capital.

**principle** /'prɪnsəpl/ N principe n ✦ **in** / **on principle** en / par principe.

**print** /prɪnt/ **N** (= *letters*) caractères mpl ; (= *text*) texte m imprimé ✦ **in small** / **large print** en petits / gros caractères ✦ **you should always read the fine** or **small print** il faut toujours lire ce qui est écrit en petits caractères ✦ **in print, in printed form** sous forme imprimée ✦ **to be in print** [*book*] être disponible ✦ **to be out of print** [*book*] être épuisé

*——— compounds/composés ———*
- ✦ **print file** (*Comp*) fichier d'impression
- ✦ **print line** (*Comp*) ligne d'impression
- ✦ **print media** les médias mpl de la presse écrite
- ✦ **print run** tirage
- ✦ **print shop** imprimerie
- ✦ **print wheel** roue d'impression

**VT**  **a** (*Typ, Comp*) imprimer; (*Phot*) tirer ✦ **printed in England** imprimé en Angleterre ✦ **10,000 copies were printed** cela a été tiré or imprimé à 10 000 exemplaires, on en a tiré 10 000 exemplaires ✦ **print on screen** (*Comp*) afficher sur écran  **b** (= *write in block letters*) écrire en (lettres) majuscules or capitales d'imprimerie ✦ **please print** veuillez écrire en lettres majuscules.

**printed** /'prɪntɪd/ ADJ *document* imprimé ✦ **printed matter** imprimé(s) ✦ **printed writing paper** papier à en-tête ✦ **printed paper rate** *mail* tarif imprimés ✦ **the printed word** la chose imprimée ✦ **printed circuit** (*Elec*) circuit imprimé ✦ **printed form** formulaire, imprimé ✦ **in printed form** sous forme écrite.

**printer** /'prɪntər/ N  **a** (= *person*) imprimeur m ; (= *typographer*) typographe mf, imprimeur m ✦ **the book has gone to the printer** le livre est chez l'imprimeur ✦ **printer's error** faute d'impression, coquille  **b** (= *machine*) imprimante f ✦ **daisy-wheel** / **dot matrix** / **ink jet** / **laser** /

**line printer** imprimante à marguerite / matricielle / à jet d'encre / laser / ligne à ligne ◆ **letter-quality printer** imprimante qualité courrier ◆ **near letter-quality printer** imprimante qualité semi-courrier.

**printhead** /ˈprɪnthed/ N *(Typ, Comp)* tête f d'impression.

**printing** /ˈprɪntɪŋ/ N *[book, paper]* impression f ; *[photograph]* tirage m ; *(= technique)* l'imprimerie f ; *(= block writing)* écriture f en lettres d'imprimerie

—————— compounds/composés ——————
◆ **printing press** presse à imprimer
◆ **printing works** imprimerie.

**print out** VT SEP *(Comp)* imprimer, sortir sur imprimante.

**print-out** /ˈprɪntaʊt/ N *(Comp)* sortie f (sur) imprimante *or* papier, listage m, listing m.

**prior** /ˈpraɪəʳ/ ADJ *decision, analysis* précédent, antérieur, préalable ◆ **prior to** antérieur à ◆ **without prior notice** sans préavis, sans avertissement préalable ◆ **to have a prior claim to sth** avoir droit à qch par priorité ◆ **prior authorization** autorisation préalable ◆ **prior charge** *(Acc, St Ex)* charge prioritaire ◆ **prior contract** contrat antérieur ◆ **prior distribution** *(Stat)* distribution de probabilité a priori ◆ **prior lien** *(Jur)* droit prioritaire de rétention ◆ **prior period** *(Acc)* exercice antérieur *or* précédent ◆ **prior preferred stock** *(US)* actions prioritaires *or* privilégiées.

**priority** /praɪˈɒrɪtɪ/ N **a** priorité f ◆ **to have** *or* **take priority over** avoir la priorité sur ◆ **high / low priority** priorité majeure / mineure ◆ **to give sth top priority** accorder la priorité des priorités à qch ◆ **a file marked "top priority"** un dossier portant l'indication « urgence absolue » **b** *(Fin, Jur) [creditor]* privilège m

—————— compounds/composés ——————
◆ **priority action** action prioritaire
◆ **priority bond** obligation privilégiée
◆ **priority call** appel prioritaire
◆ **priority rights** droits mpl de priorité
◆ **priority share** *(St Ex)* action prioritaire.

**private** /ˈpraɪvɪt/ ADJ **a** *meeting, interview* privé, en privé; *road, property* privé; *house, car* particulier; *possessions* personnel ◆ **private attorney** fondé de pouvoir ◆ **private bank account** compte en banque personnel *or* particulier ◆ **in his** *(or* **their** *etc.)* **private capacity** à titre personnel ◆ **private carrier** transporteur privé

◆ **private citizen** particulier, personne privée ◆ **private consumption** consommation des ménages ◆ **private income** revenus personnels ◆ **private individual** simple particulier ◆ **private international law** droit international privé ◆ **private investors** investisseurs privés, petits épargnants, petits actionnaires, petits porteurs ◆ **private law** droit privé ◆ **in private life** dans la vie privée, dans le privé ◆ **private means** ressources personnelles, fortune personnelle ◆ **private secretary** secrétaire particulier *or* privé **b** *(= not publicly controlled) company, clinic* privé ◆ **private enterprise** entreprise privée ◆ **the private sector** le secteur privé ◆ **private investments** les investissements du secteur privé ◆ **private brand** *or* **label** marque de distributeur ◆ **private limited company** *(Brit)* société à responsabilité limitée ◆ **private placing** *(St Ex)* placement privé ◆ **sale by private treaty** *land* vente de gré à gré ◆ **private branch exchange** *(Telec)* commutateur privé **c** *(= confidential) business* confidentiel, personnel ◆ **they have reached a private agreement** ils se sont mis d'accord entre eux ◆ **private** *(on envelope)* confidentiel, personnel ◆ **private hearing** *(Admin, Jur)* audience à huis clos ◆ **for your private information** à titre confidentiel ◆ **under private seal** *(Jur)* sous seing privé ◆ **private offering** *(Fin)* émission à diffusion restreinte.

**privatization, privatisation** /ˌpraɪvɪˌtaɪˈzeɪʃən/ N privatisation f.

**privatize, privatise** /ˈpraɪvɪˌtaɪz/ VT privatiser.

**privilege** /ˈprɪvɪlɪdʒ/ N **a** privilège m ; *(Parl)* prérogative f **b** *(US St Ex)* option f.

**privileged** /ˈprɪvɪlɪdʒd/ ADJ *creditor, debt* privilégié.

**privity** /ˈprɪvɪtɪ/ N *(Jur)* rapport m contractuel *(entre patron et employé)*.

**prize** /praɪz/ N **a** *(gen)* prix m ; *(in lottery)* lot m **b** *(Fin)* lot m **c** *(Mar)* prise f

—————— compounds/composés ——————
◆ **prize bond** obligation à lots
◆ **prize court** *(Mar)* tribunal des prises.

**PRO** /ˌpiːɑːˈrəʊ/ N abbr of **public relations officer** → **public.**

**pro** /prəʊ/ **N** **a** **the pros and cons** le pour et le contre **b** (abbr of **professional**) pro m ◆ **he's a real pro** c'est un vrai professionnel, il n'a rien d'un amateur

PREF *(= in favour of)* ✦ **pro-communist** procommuniste ✦ **pro-American** proaméricain ✦ **this government is pro-business** ce gouvernement est favorable aux entreprises.

**probability** /ˌprɒbə'bɪlɪtɪ/ N probabilité f ✦ **in all probability** selon toute probabilité

───── compounds/composés ─────
- **probability sample** échantillon aléatoire
- **probability sampling** sondage (par échantillon) aléatoire
- **probability theory** théorie des probabilités.

**probable** /'prɒbəbl/ ADJ *(= likely)* probable; *(= credible)* vraisemblable.

**probate** /'prəʊbɪt/ ◼ *(Jur) [will]* homologation f, validation f ✦ **to value sth for probate** évaluer *or* expertiser qch pour l'homologation d'un testament ✦ **to grant / take out probate of a will** homologuer / faire homologuer un testament, valider / faire valider un testament

───── compounds/composés ─────
- **probate court** tribunal des successions
- **probate duty** droits mpl de succession

◼ *(US) will* homologuer, valider.

**probation** /prə'beɪʃən/ N ✦ **to be on probation** *[trainee]* être en période d'essai, être embauché à l'essai ✦ **period of probation** période d'essai.

**probationary** /prə'beɪʃnərɪ/ ADJ *period* d'essai ✦ **probationary employee** employé stagiaire engagé à l'essai.

**probative** /'prəʊbətɪv/, **probatory** /'prəʊbətərɪ/ ADJ *(Jur) (= serving to try)* probatoire; *(= serving to prove)* probant ✦ **probative evidence / force** pièce / force probante.

**probe** /prəʊb/ ◼ *(= enquiry)* enquête f, investigation f ; *(= poll)* sondage m
◼ *(fig = enquire into) person's past, motivations* sonder, explorer; *mystery* approfondir; *crime, causes* chercher à éclaircir.

**probing** /'prəʊbɪŋ/ ADJ *question, study* pénétrant; *interrogation* serré ✦ **probing techniques** techniques de sondage.

**probity** /'prəʊbɪtɪ/ N probité f.

**problem** /'prɒbləm/ N problème m ✦ **to solve a problem** résoudre un problème ✦ **problem solving** résolution de problèmes ✦ **personnel management is a problem area in the company** la gestion du personnel est une source de problèmes dans l'entreprise ✦ **a problem customer**

un client difficile ✦ **problem loan** prêt à problèmes, prêt à risque(s) ✦ **problem banks** banques en difficulté.

**problematic(al)** /ˌprɒblɪ'mætɪk(l)/ ADJ problématique.

**procedural** /prə'siːdjʊrəl/ ADJ *(Admin, Ins)* de procédure ✦ **this is a procedural issue** c'est une question de procédure ✦ **procedural agreement** protocole d'accord ✦ **procedural delays** retards de procédure.

**procedure** /prə'siːdʒəʳ/ N *(gen, Admin, Comp)* procédure f ✦ **order of procedure** règles de procédure ✦ **account-opening procedures** procédure d'ouverture de compte.

**proceed** /prə'siːd/ ◼ a *(= go on)* aller, avancer, se rendre; *(= continue)* continuer ✦ **before we proceed any further** *(in discussions)* avant d'aller plus loin ✦ **can we proceed to the next question?** peut-on passer à la question suivante? ✦ **we then proceeded to examine last year's results** nous avons ensuite abordé *or* entamé *or* commencé l'examen des résultats du dernier exercice ✦ **how shall we proceed?** comment devons-nous nous y prendre? ✦ **negotiations are now proceeding** les négociations sont en cours b **to proceed from** *(= come from)* *(lit)* venir de, provenir de; *(fig)* provenir de, découler de c *(Jur)* ✦ **to proceed against sb** engager des poursuites contre qn, intenter un procès à qn
◼ → **proceeds.**

**proceedings** /prə'siːdɪŋz/ NPL a *(= ceremony)* cérémonie f ; *(= meeting)* séance f, réunion f ✦ **the proceedings begin at 9.00 a.m.** la séance *or* la réunion commence à 9 heures b *(Jur = measures)* mesures fpl ✦ **to take** *or* **institute (legal) proceedings against sb** engager des poursuites (judiciaires) contre qn, intenter un procès contre qn ✦ **cost of proceedings** frais de procédure c *(= discussions)* débats mpl ; *(= records)* compte rendu m, rapport m ✦ **the proceedings of the annual conference** les actes *or* les annales du congrès annuel.

**proceeds** /'prəʊsiːdz/ NPL produit m ✦ **the proceeds of the sale of your house** le produit de la vente de votre maison ✦ **the proceeds of today's trading** les recettes des ventes de ce jour.

**process** /'prəʊses/ ◼ a *(= continuing action)* processus m ; *(= specific method)* procédé m, méthode f ✦ **buying process** processus d'achat ✦ **the process of industrial restructuring is well under way** le processus *or* l'opération de restructuration industrielle est bien entamé(e)

♦ **she's in the process of checking the accounts** elle est en train de vérifier les comptes ♦ **to be in process** *[discussions, work]* être en cours ♦ **recruitment process** processus de recrutement ♦ **the manufacturing process is very lengthy** le processus de fabrication demande beaucoup de temps ♦ **a new manufacturing process** un nouveau procédé *or* une nouvelle méthode de fabrication `b` *(Jur) (= action)* procès m ; *(= document)* acte m judiciaire; *(= summons)* assignation f en justice, citation f ♦ **to serve a process on sb** signifier une citation à qn, citer *or* assigner qn en justice ♦ **by due process of law** par voie légale, par procédure judiciaire `c` *(Ind) (continuous process manufacturing)* process m

```
─────── compounds/composés ───────
♦ process analysis analyse des processus or des
  méthodes
♦ process chart (Comp) organigramme
♦ process control (Ind) contrôle industriel, régu-
  lation de processus industriels ♦ process control
  software logiciel de gestion industrielle
♦ process costing calcul du prix de revient en fa-
  brication en continu
♦ process engineer (Ind) ingénieur process
♦ process engineering ingénierie de process,
  processus de fabrication en continu
♦ process industry industrie utilisant des procé-
  dés de fabrication en continu
♦ process server (Jur) huissier
```

**▣** *(Ind) raw materials* traiter, transformer *(into* en*)*; *food* traiter; *(Phot) film* développer; *(Comp) data* traiter; *programme* exécuter; *(Comm) order* exécuter; *(Admin) document, records* s'occuper de; *request for aid* prendre en charge ♦ **we have been unable to process your order** nous n'avons pas pu donner suite à *or* exécuter votre commande.

**processed** /ˈprəʊsesd/ **ADJ** ♦ **processed foods** produits alimentaires industriels *or* transformés.

**processing** /ˈprəʊsesɪŋ/ **N** *(Comp)* traitement m ; *[material]* transformation f ; *[film]* développement m ♦ **batch processing** traitement séquentiel *or* par lots ♦ **data processing** informatique ♦ **food processing industry** industrie

```
─────── compounds/composés ───────
♦ processing fee frais mpl de dossier
♦ processing industry industrie de transforma-
  tion
♦ processing plant usine de traitement
♦ processing unit (Comp) unité de traitement,
  unité centrale.
```

agro-alimentaire ♦ **order processing** *(Comm)* exécution *or* traitement des commandes ♦ **word processing** traitement de texte

**processor** /ˈprəʊsesəʳ/ **N** *(Comp) (gen)* processeur m ; *(in large computer)* unité f centrale ♦ **word processor** machine de traitement de texte.

**procuration** /ˌprɒkjʊˈreɪʃən/ **N** *(Jur) (= authority)* procuration f, mandat m ; *[loan]* négociation f, obtention f ♦ **procuration fee** frais de dossier, commission *(pour l'obtention d'un prêt).*

**procurator** /ˈprɒkjʊreɪtəʳ/ **N** fondé m de pouvoir.

**procuratory letter** /ˈprɒkjʊrətərɪˈletəʳ/ **N** pouvoir m, lettre f d'accréditation.

**procure** /prəˈkjʊəʳ/ **VT** *(gen)* se procurer, obtenir; *(Ind) raw materials* s'approvisionner en.

**procurement** /prəˈkjʊəmənt/ **N** *(gen)* obtention f *(Comm, Admin, Ind)* approvisionnement m ♦ **military** *or* **defence procurements** commandes de matériel militaire ♦ **public procurement** *(EU)* marchés publics

```
─────── compounds/composés ───────
♦ procurement contract marché public
♦ procurements cost coût de passation de com-
  mande
♦ procurement department service des achats
♦ procurement lead time délai d'approvision-
  nement
♦ procurement officer responsable des achats.
```

**produce** /prəˈdjuːs/ **▣** `a` *(= yield) milk, oil, crops* produire; *cars, instruments* fabriquer, produire; *(Fin) interest, profits* rapporter; *results* produire, donner; *dispute, drop in sales* causer, provoquer ♦ **the investment produces a yield of 12%** l'investissement rapporte 12% *or* a un rendement de 12% `b` *(= show) ticket* produire, présenter; *(Jur) witness* produire, faire comparaître; *proof, evidence* fournir, apporter
**▣** *[mine, factory]* produire; *[land, animals]* produire, rendre
**▣** produit(s) m(pl) agricole(s), denrées fpl alimentaires ♦ **farm produce** produits agricoles, produits de la ferme

```
─────── compounds/composés ───────
♦ produce broker courtier en produits agricoles
♦ produce exchange bourse de denrées alimen-
  taires or de produits agricoles.
```

**producer** /prəˈdjuːsəʳ/ **N** *(Agr)* producteur m ; *(Ind)* fabricant m ; *(Theat)* metteur m en scène;

*(Cine)* producteur m *(Rad, TV)* réalisateur m ◆ **producer's cooperative** coopérative de production ◆ **producer's surplus** *(Econ)* marge supplémentaire

─── compounds/composés ───

◆ **producer advertising** publicité du fabricant or du producteur
◆ **producer buyer** acheteur industriel
◆ **producer goods** *(Econ)* biens mpl d'équipement or de production
◆ **producer price index** index or indice des prix à la production.

**producing** /prə'djuːsɪŋ/ ADJ ◆ **coal- / meat- / oil-producing countries** pays producteurs de charbon / viande / pétrole.

**product** /'prɒdʌkt/ N *(gen)* produit m ; *(fig)* produit m, résultat m, fruit m ; *(Math)* produit m ◆ **appeal product** produit d'appel ◆ **by-product** sous-produit, produit dérivé ◆ **cash-cow product** produit vache à lait ◆ **consumer products** produits de grande consommation ◆ **convenience products** produits de commodité ◆ **end product** *(Comm, Ind)* produit final; *(fig)* résultat ◆ **finished product** produit fini ◆ **gross national / domestic product** produit national / intérieur brut ◆ **home products** produits nationaux or du pays ◆ **joint products** produits liés ◆ **leader product** produit locomotive or leader ◆ **primary product** produit de base ◆ **waste products** déchets de fabrication

**production** /prə'dʌkʃən/ N **a** *(= making)* production f ; *(in factory)* fabrication f, production f ; *(= goods produced)* production f ◆ **to put sth into production** mettre qch en production or fabrication ◆ **to take sth out of production** retirer qch de la fabrication ◆ **the new model has gone into production** on a lancé la fabrication du nouveau modèle ◆ **we have reached the production stage** nous sommes au stade de la production ◆ **the plant is in full production** l'usine tourne à plein (rendement) ◆ **batch production** fabrication or production par lots or en petites séries ◆ **mass production** production or fabrication en série ◆ **primary / secondary / tertiary production** secteur primaire / secondaire / tertiaire **b** *(= showing)* présentation f, production f ◆ **on production of this document** sur présentation de ce document **c** *(Theat)* mise f en scène; *(Cine)* production f *(Rad, TV)* réalisation f **d** *(Pub)* mise f en page, gestion f du processus d'impression ▪ Voir encadré page ci-contre

**productive** /prə'dʌktɪv/ ADJ **land** fertile; *discussion* fructueux; *work* fructueux, productif; *employment, labour, investment* productif ◆ **the productive life of an asset** la vie utile d'un bien ◆ **productive assets** investissements productifs d'intérêts ◆ **productive capital** capital productif (d'intérêts) ◆ **productive capacity** *factory* capacité de production ◆ **productive time**

─── compounds/composés ───

## PRODUCT

◆ **product acceptance** *(Mktg)* acceptation du produit
◆ **product ad(vertisement)** annonce-produit
◆ **product adaptation** adaptation du produit
◆ **product advertising** publicité-produit
◆ **product assortment** éventail or mix de produits
◆ **product benefits** avantages mpl du produit *(pour le consommateur)*
◆ **product classification** classification du produit
◆ **product design** conception du produit
◆ **product development** développement de (nouveaux) produits ◆ **product development cycle** cycle de développement d'un produit
◆ **product differentiation** différenciation de produits
◆ **product engineer** ingénieur-produit
◆ **product evaluation** évaluation or test de produit
◆ **product image** image du produit
◆ **product launch** lancement de produit
◆ **product liability** responsabilité produit ◆ **product liability insurance** assurance contre la responsabilité produit

◆ **product (life) cycle** cycle de vie d'un produit
◆ **product line** ligne or gamme de produits
◆ **product management** gestion de produits
◆ **product manager** or **executive** chef de produit
◆ **product-market strategy** stratégie produit-marché
◆ **product mix** mix or ensemble or éventail de produits
◆ **product performance** caractéristiques mpl du produit
◆ **product planning** planification des produits
◆ **product-plus** avantage concurrentiel d'un produit, plus-produit
◆ **product portfolio** portefeuille de produits
◆ **product profile** profil du produit
◆ **product range** gamme or éventail de produits
◆ **product safety** sécurité du produit
◆ **product testing** test de produit
◆ **product usage rate** taux d'utilisation d'un produit.

—— compounds/composés ——

### PRODUCTION

- **production bonus** prime de production
- **production capacity** capacité de production
- **production chart** graphique de la production
- **production control** gestion or contrôle de la production
- **production cost** coût de production
- **production engineering** organisation de la production
- **production facility** unité de production
- **production goods** biens mpl d'équipement
- **production line** chaîne de fabrication ◆ **he works on the production line** il travaille à la chaîne
- **production management** gestion de la production
- **production manager** (gen) directeur(-trice) de la production, responsable de la production; (Pub) chef de fabrication

- **production overheads** coûts mpl de production
- **production planning** programmation de la production
- **production plant** unité de production, usine
- **production platform** plate-forme de production
- **production rate** rythme or cadence de (la) production
- **production schedule** programme or plan de production
- **production standard** norme de production
- **production target** objectif de production
- **production unit** unité de production
- **production worker** ouvrier(-ière) (travaillant à la chaîne).

(Comp) temps d'exploitation or d'exécution, temps utile ◆ **productive expenditure** (Admin) dépenses d'infrastructure.

**productivity** /ˌprɒdʌkˈtɪvɪtɪ/ N productivité f ◆ **to increase productivity** augmenter le rendement or la productivité ◆ **labour productivity** la productivité du travail ◆ **capital productivity** le rendement or la productivité du capital

—— compounds/composés ——
- **productivity agreement** accord de productivité
- **productivity bonus** prime de rendement
- **productivity deal** accord or contrat de productivité
- **productivity drive** or **campaign** campagne de productivité
- **productivity gains** gains mpl de productivité.

**profession** /prəˈfeʃən/ N (law, medicine) profession f ; (= body of people) (membres mpl d'une) profession f ◆ **he is a lawyer by profession** il est avocat de son métier ◆ **to exercise a profession** exercer une profession.

**professional** /prəˈfeʃənl/ **ADJ** professionnel ◆ **to take professional advice** consulter un spécialiste ◆ **the professional classes** les professions libérales ◆ **professional people** les membres des professions libérales ◆ **professional standards** normes de compétence professionnelle ◆ **professional workers** (US Ind) ouvriers hautement qualifiés
**N** professionnel(le) m(f).

**professionalism** /prəˈfeʃnəlɪzəm/ N professionnalisme m.

**professionally** /prəˈfeʃnəlɪ/ **ADV** professionnellement, de manière professionnelle ◆ **I know**

him only **professionally** je le connais par mon travail, je n'ai que des rapports professionnels avec lui ◆ **she is professionally qualified** elle est diplômée.

**professor** /prəˈfesəʳ/ N professeur m (titulaire d'une chaire) ◆ **associate professor** (US) ≈ maître de conférences ◆ **assistant professor** (US) ≈ maître-assistant.

**proficiency** /prəˈfɪʃənsɪ/ N compétence f (in en) maîtrise f (in de) ◆ **he has reached a high level of proficiency in data processing** il a atteint une grande maîtrise de l'informatique

—— compounds/composés ——
- **proficiency level** niveau de compétence or de maîtrise
- **proficiency pay** prime de compétence.

**proficient** /prəˈfɪʃənt/ **ADJ** compétent (in en) ◆ **he is proficient in accounting** il est très compétent en comptabilité ◆ **proficient worker** travailleur efficace or compétent.

**profile** /ˈprəʊfaɪl/ N [company, product, consumer] profil m ◆ **job profile** profil or description de poste ◆ **model profile** profil-type.

**profit** /ˈprɒfɪt/ **N** **a** (Econ) profit m ◆ **profit allows capital to increase** le profit permet l'augmentation du capital **b** (= gain) bénéfice m, profit m ◆ **I sold it at a profit** je l'ai vendu en faisant du bénéfice ◆ **to show** or **yield a profit** rapporter un bénéfice ◆ **we made a profit of $250** nous avons fait or réalisé un bénéfice de 250 dollars ◆ **our profits have been rising slowly** nos bénéfices augmentent lentement ◆ **loss of profit** manque à gagner ◆ **pretax** or **before-tax** / **after-tax profit** bénéfice

avant / après impôts, bénéfice fiscal / net
♦ **book profit** bénéfice *or* profit comptable
♦ **capital profit** plus-value *(sur la réalisation d'actifs immobilisés)* ♦ **clear profit** bénéfice net ♦ **excess profit, super-profit** super-bénéfices, super-profits ♦ **gross profit** bénéfice brut, marge brute, excédent brut d'exploitation ♦ **gross profit on sales** marge commerciale ♦ **net profit** bénéfice net ♦ **operating profit** bénéfice *or* résultat d'exploitation ♦ **paper profit** plus-value non matérialisée ♦ **to take (one's) profits** *(St Ex)* prendre ses bénéfices ♦ **to take partial profits** *(St Ex)* prendre une partie de ses bénéfices ♦ **retained profits** bénéfices non distribués ♦ **trading profit** excédent brut d'exploitation ♦ **windfall profit** bénéfice exceptionnel ♦ **windfall profits tax** impôt sur les bénéfices exceptionnels ♦ **with profits policy** *(Ins)* police avec participation aux bénéfices **c** *(fig)* profit m, avantage m **d** *(Ins)* ♦ **profits** *excédent des revenus d'une société d'assurance-vie par rapport aux sommes versées*

---
*compounds/composés*

♦ **profit and loss account** *or* **statement** *(Acc)* compte de profits et pertes
♦ **profit balance** solde bénéficiaire
♦ **profit centre** centre de profit
♦ **profit graph** courbe des bénéfices *or* de rentabilité
♦ **profit-making** company rentable ♦ **profit-making / non-profit-making organization** association à but lucratif / à but non lucratif
♦ **profit margin** marge bénéficiaire
♦ **profit maximization** maximisation des bénéfices
♦ **profit motive (the)** la recherche du profit
♦ **profits policy** *(Ins)* police d'assurance contre le manque à gagner
♦ **profit-sharing** intéressement, participation aux bénéfices ♦ **profit-sharing scheme** plan d'intéressement des salariés aux bénéfices de l'entreprise
♦ **profit squeeze** contraction des marges bénéficiaires
♦ **profit taking** *(St Ex)* prise de bénéfices
♦ **profit warning** *(St Ex)* alerte *or* avertissement sur les résultats, profit warning

---

**VI** to profit by *or* from sth tirer avantage *or* profit de qch, profiter de qch.

**profitability** /ˌprɒfɪtəˈbɪlɪtɪ/ **N** rentabilité f, profitabilité f ♦ **profitability ratio** ratio de rentabilité.

**profitable** /ˈprɒfɪtəbl/ **ADJ** *business, company* rentable; *deal, sale, investment* rentable, payant; *(fig) scheme, agreement,* avantageux, rentable; *discussion* fructueux, profitable.

**profitably** /ˈprɒfɪtəblɪ/ **ADV** *sell* en faisant du bénéfice; *deal* avec profit.

**profiteer** /ˌprɒfɪˈtɪəʳ/ **N** *(pej)* profiteur m (pej), mercanti m (pej)
**VI** *(pej)* faire des bénéfices excessifs.

**profiteering** /ˌprɒfɪˈtɪərɪŋ/ **N** *(pej)* réalisation f de bénéfices excessifs.

**profitless** /ˈprɒfɪtlɪs/ **ADJ** sans profit ♦ **profitless point** *(US)* seuil de rentabilité.

**profligate** /ˈprɒflɪgɪt/ **ADJ** prodigue, dépensier.

**pro forma** /ˈprəʊˈfɔːmə/ **ADJ** pro forma ♦ **pro forma invoice** facture pro forma
**N** facture f pro forma.

**prognostication** /prɒgˌnɒstɪˈkeɪʃən/ **N** pronostic m.

**program** /ˈprəʊgræm/ **N, VT** → **programme.**

**programmable** /ˈprəʊgræməbl/ **ADJ** *(Comp)* programmable.

**programmatic** /ˌprəʊgrəˈmætɪk/ **ADJ** *(Comp)* par programme.

**programme** *(Brit),* **program** *(US)* /ˈprəʊgræm/
**N** **a** *(gen = schedule)* programme m ; *(Rad, TV)* émission f, programme m ; *(Rad = station)* poste m ; *(TV = station)* chaîne f ♦ **live programme** programme en direct ♦ **this is my programme for the week** voici mon emploi du temps *or* mon programme pour la semaine ♦ **investment / research / training programme** programme d'investissement / de recherche / de formation **b** *(Comp)* ♦ **program** programme ♦ **application program** programme d'application

---
*compounds/composés*

♦ **programme budgeting** rationalisation des choix budgétaires
♦ **Programme Evaluation and Review Techniques** méthode PERT, techniques fpl d'évaluation et de révision des programmes
♦ **program file** fichier de programmes
♦ **program flow chart** organigramme de programmation
♦ **program language** langage de programmation
♦ **program package** progiciel

---

**VT** **a** *(gen)* programmer ♦ **the product launch is programmed for March 7th** le lancement du produit est prévu pour le 7 mars **b** *(Comp)* ♦ **to program** programmer.

**programmer** /ˈprəʊgræməʳ/ **N** *(= person :* also **computer programmer)** programmeur (-euse) m(f).

**programming** /ˈprəʊɡræmɪŋ/ N programmation f ✦ **programming language** langage de programmation ✦ **linear programming** programmation linéaire.

**progress** /ˈprəʊɡres/ Ⓝ (gen) progrès m ; [work] avancement m ✦ **they are making good progress in their research** leur recherche progresse or avance bien ✦ **the meeting is in progress** la réunion est en cours ✦ **the work in progress** les travaux en cours ✦ **work in progress** (Acc Ind) les en-cours ✦ **the negotiations in progress** les négociations en cours

───── compounds/composés ─────
✦ **progress board** (Ind, Comp) tableau de planning
✦ **progress chart** graphique comparant le prévisionnel et le réalisé
✦ **progress chaser** responsable du suivi d'un projet
✦ **progress chasing** suivi (d'un projet)
✦ **progress control** (Ind) suivi de la production
✦ **progress payment** (Ind) paiement au prorata de l'avancement des travaux
✦ **progress report** compte rendu sur l'état d'avancement des travaux, compte rendu périodique ✦ **he made a progress report at the end of the first month** il a fait un point à la fin du premier mois

Ⓥ [research, project, work] progresser, avancer.

**progression** /prəˈɡreʃən/ N progression f.

**progressive** /prəˈɡresɪv/ ADJ progressif; idea, person, opinion progressiste ✦ **progressive tax** impôt progressif.

**prohibit** /prəˈhɪbɪt/ VT ⓐ (= forbid) interdire, défendre (sb from doing à qn de faire); (Admin, Jur) drugs, weapons prohiber ✦ **smoking prohibited** défense de fumer ✦ **prohibited goods** (Customs) marchandises prohibées ⓑ (= prevent) empêcher (sb from doing qn de faire)

**prohibition** /ˌprəʊɪˈbɪʃən/ N prohibition f, interdiction f, défense f (US : against alcohol) prohibition f ✦ **export / import prohibition** (Customs) prohibition de sortie / d'entrée.

**prohibitive** /prəˈhɪbɪtɪv/ ADJ price, tax, condition prohibitif.

**prohibitory** /prəˈhɪbɪtərɪ/ ADJ (Jur) prohibitif.

**project** /ˈprɒdʒekt/ N (= plan, scheme) projet m, plan m (to do, for doing pour faire); (= undertaking) opération f, entreprise f ; (= study) étude f (on de) ✦ **the project for the new factory** le projet de construction de la nouvelle usine ✦ **draft project** pré-projet ✦ **development project** projet de développement ✦ **housing project** (US) ≈ cité ✦ **pilot project** projet-pilote

───── compounds/composés ─────
✦ **project assessment** or **evaluation** évaluation or étude de projet
✦ **project control** suivi de projet
✦ **project engineer** ingénieur de projet or d'études
✦ **project engineering** ingénierie de projets
✦ **project file** fichier de projet
✦ **project leader** chef de projet
✦ **project management** gestion or conduite de projet
✦ **project manager** (Ind) chef de projet; (Constr) maître d'œuvre.

**projected** /prəˈdʒektɪd/ ADJ (= estimated) sales, costs, results prévu; (= planned) projeté ✦ **a projected new manufacturing unit** un projet de construction d'une unité de fabrication ✦ **projected new products** de nouveaux produits en projet.

**projection** /prəˈdʒekʃən/ N projection f ✦ **sales projection** prévision de ventes.

**proliferate** /prəˈlɪfəreɪt/ VI proliférer.

**proliferation** /prəˌlɪfəˈreɪʃən/ N prolifération f.

**prolong** /prəˈlɒŋ/ VT (gen) prolonger; (Fin) bill proroger.

**prolongation** /ˌprəʊlɒŋˈɡeɪʃən/ N (gen) prolongation f ; (Fin) [bill] prorogation f.

**promise** /ˈprɒmɪs/ Ⓝ promesse f ✦ **promise to pay** promesse de payer ✦ **promise to sell** promesse de vente

Ⓥ promettre (sth to sb qch à qn, sb to do à qn de faire)

**promising** /ˈprɒmɪsɪŋ/ ADJ prometteur, plein de promesses.

**promissory** /ˈprɒmɪsərɪ/ ADJ ✦ **promissory note** billet à ordre ✦ **joint promissory note** billet solidaire.

**promo** * /ˈprəʊməʊ/ N (Mktg) matériel m promotionnel (US Comm) promo* f.

**promote** /prəˈməʊt/ VT ⓐ person promouvoir (to à) ✦ **to be promoted** être promu, avoir de l'avancement ✦ **she was promoted (to) financial controller** elle a été promue contrôleur de gestion ⓑ (= encourage) sales promouvoir, stimuler; product promouvoir, faire de la publicité pour; plan, idea promouvoir; trade promouvoir, développer, favoriser ⓒ (St Ex) company lancer.

**promoter** /prəˈməʊtər/ N [sport] organisateur m ; [product, construction project] promoteur m ; [company] fondateur m ✦ **promoter's shares** (St Ex) parts de fondateur.

**promotion** /prəˈməʊʃən/ N ⓐ (= advancement in career) promotion f, avancement m ✦ **to get (a) promotion** obtenir de l'avancement, être promu ⓑ (= furthering) promotion f, développement m ; (= founding) [business] lancement m, établissement m ✦ **company promo-**

tion *(St Ex)* lancement d'entreprise **c** *(Mktg, Pub)* promotion f ✦ **sales promotion** promotion des ventes

—————— *compounds/composés* ——————

✦ **promotion cost** frais mpl de premier établissement
✦ **promotion list** *or* **roster** tableau d'avancement.

**promotional** /prə'məʊʃənəl/ **ADJ** *(Pub)* promotionnel, publicitaire ✦ **promotional budget** budget publicitaire ✦ **promotional pricing** prix promotionnel ✦ **promotional sales** ventes promotionnelles.

**prompt** /prɒmpt/ **ADJ** *(= speedy)* rapide, prompt; *(= on time)* ponctuel, à l'heure ✦ **prompt payment** paiement rapide *or* dans les délais ✦ **prompt cash** *(Acc)* comptant d'usage ✦ **net prompt cash** *(Acc)* comptant net sans escompte **N** **a** *(Comm)* *(= time allowed)* délai m de paiement; *(= contract)* contrat m *(dans lequel le délai de paiement est précisé)* **b** *(= reminder)* rappel m ; *(Comp)* message m de guidage

—————— *compounds/composés* ——————

✦ **prompt character** *(Comp)* caractère de sollicitation *or* d'incitation
✦ **Prompt Day** *(Commodity Exchange)* jour de la liquidation, jour de règlement
✦ **prompt message** *(Comp)* message de guidage
✦ **prompt note** rappel d'échéance, demande de paiement.

**promptly** /'prɒmptlɪ/ **ADV** *(= speedily)* rapidement, promptement, avec promptitude; *(= punctually)* ponctuellement ✦ **to pay promptly** payer dans les délais.

**prone** /prəʊn/ **ADJ** sujet (*to* à) ✦ **error prone** sujet à erreur.

**proof** /pruːf/ **N** **a** preuve f ✦ **proof of debt** titre de créance ✦ **proof of loss** *(Ins)* justificatifs *or* pièces justificatives de perte ✦ **proof of origin** justification d'origine ✦ **proof of ownership** *or* **title** titre de propriété ✦ **the burden of proof lies with the prosecution** la charge de la preuve incombe au ministère public **b** *[book, photograph]* épreuve f ✦ **to pass the proofs** donner le bon à tirer ✦ **to read** *or* **correct the proofs** corriger les épreuves ✦ **to be in proof** être au stade des épreuves

—————— *compounds/composés* ——————

✦ **proof sheets** épreuves fpl
✦ **proof stage** ✦ **at proof stage** au stade des épreuves.

**proofread** /'pruːfriːd/ **VT** *manuscript, book* corriger les épreuves de.

**proofreader** /'pruːfriːdər/ **N** correcteur (-trice) m(f) d'épreuves.

**proofreading** /'pruːfriːdɪŋ/ **N** correction f des épreuves.

**prop.** abbr of **proprietor.**

**propaganda** /ˌprɒpə'gændə/ **N** propagande f.

**propensity** /prə'pensɪtɪ/ **N** propension f ✦ **propensity to consume / to save / to invest** *(Econ)* propension à consommer / à épargner / à investir.

**proper** /'prɒpər/ **ADJ** *(= correct)* convenable, adéquat, correct; *(= authentic)* vrai, véritable, authentique ✦ **the proper way to do sth** la bonne façon de faire qch ✦ **to go through the proper channels** *(gen)* passer par la filière officielle; *(for request)* passer par la voie hiérarchique.

**properly** /'prɒpəlɪ/ **ADJ** convenablement, comme il faut, correctement.

**propertied** /'prɒpətɪd/ **ADJ** possédant ✦ **the propertied class** les possédants, les nantis.

**property** /'prɒpətɪ/ **N** **a** *(= possessions)* biens mpl, possessions fpl, propriété f ✦ **personal property** *(Jur)* biens personnels *or* mobiliers, propriété mobilière; *(gen)* effets personnels **b** *(= land, building)* propriété f ; *(= estate)* domaine m ✦ **he owns property in France** il a des biens en France ✦ **a fine property within commuting distance of London** une belle propriété dans les environs *or* dans la banlieue de Londres ✦ **property acquired** *(Jur)* acquêt ✦ **freehold property** *(Brit)* propriété foncière libre ✦ **funded property** *(Jur)* biens en rentes ✦ **industrial property** propriété industrielle

—————— *compounds/composés* ——————

✦ **property account** compte domaine
✦ **property accounts** comptes mpl d'exploitation
✦ **property company** société immobilière
✦ **property damage** *(Ins)* dommages mpl matériels
✦ **property developer** promoteur (immobilier)
✦ **property development** promotion immobilière
✦ **property loan** prêt immobilier
✦ **property market (the)** le marché immobilier
✦ **property register** (registre du) cadastre
✦ **property speculator** spéculateur immobilier
✦ **property tax** impôt foncier.

♦ **landed property** biens-fonds ♦ **leasehold property** propriété louée à bail ♦ **private property** propriété privée ♦ **real** *or* **immovable property** propriété immobilière, biens immeubles c *(= right of ownership)* (droit m de) propriété f ♦ **who has the property in the goods?** qui a le droit de propriété sur les marchandises?, qui a la propriété des marchandises? d *(= quality)* propriété

**proportion** /prə'pɔːʃən/ N a *(= ratio)* proportion f ♦ **the proportion of men to women** la proportion *or* le pourcentage des hommes par rapport aux femmes ♦ **commission is paid in proportion to sales** une commission est payée au prorata des ventes *or* en proportion des ventes b *(= size)* ♦ **proportions** proportions, dimensions c *(= share)* part f, partie f, pourcentage m ♦ **in equal proportions** à parts égales d *(Brit Bank)* ♦ **the proportion** *le ratio du passif de la Banque d'Angleterre à ses réserves en espèces et en numéraire.*

**proportional** /prə'pɔːʃənl/ ADJ proportionnel, proportionné *(to à)* ♦ **proportional representation** *(Pol)* représentation proportionnelle ♦ **proportional tax** taxe proportionnelle, impôt proportionnel.

**proposal** /prə'pəʊzl/ N a *(= offer)* proposition f, offre f b *(= plan)* projet m, plan m *(for sth de or pour qch, to do pour faire)* c *(US)* soumission f d *(Ins : also* **proposal form)** (formulaire m de) demande f d'assurance.

**propose** /prə'pəʊz/ VT *(= suggest)* proposer, suggérer *(that que)*; *course of action* proposer; *plan* proposer, présenter; *candidate* proposer ♦ **to propose a motion** présenter une motion ♦ **to propose a toast** porter un toast.

**proposer** /prə'pəʊzəʳ/ N a *(in meeting)* [*motion*] auteur m de la proposition *or* de la motion b *(Ins)* demandeur m.

**proposition** /ˌprɒpə'zɪʃən/ N a *(= offer)* proposition f b *(= affair)* affaire f ♦ **a good business proposition** une bonne affaire ♦ **it is not an economic** *or* **paying proposition** ce n'est pas rentable c *(= statement, suggestion)* proposition f.

**proprietary** /prə'praɪətərɪ/ ADJ a *(Comm)* de marque (déposée) ♦ **proprietary brand** *or* **name** marque déposée ♦ **proprietary goods / product** articles / produit de marque ♦ **proprietary software** logiciel propre à un constructeur b **proprietary company** *(= holding company)* société de holding; *(= land-owning company)* société foncière ♦ **proprietary rights** droits de propriété c [*proprietor*] *duties* propriétaire

d *(Ins)* ♦ **proprietary insurance** assurance souscrite par une société commerciale *(par opposition à une mutuelle).*

**proprietor** /prə'praɪətəʳ/ N propriétaire m ♦ **hotel proprietor** propriétaire d'hôtel, hôtelier ♦ **restaurant proprietor** propriétaire de restaurant, restaurateur.

**proprietorship** /prə'praɪətəʃɪp/ N *(Jur)* (droit m de) propriété f ; *(Fin)* fonds mpl propres ♦ **the proprietorship of a patent** la propriété d'un brevet ♦ **under his proprietorship the business prospered** quand il en était le propriétaire l'entreprise a prospéré ♦ **proprietorship register** *(Brit)* registre du cadastre ♦ **sole proprietorship** *(gen)* entière propriété; *[business]* entreprise individuelle *or* unipersonnelle.

**proprietress** /prə'praɪətrɪs/ N *[hotel, restaurant]* patronne f, propriétaire f.

**prop up** /prɒp/ VT SEP *currency, economy* soutenir; *company* renflouer ♦ **to prop up the pound** défendre *or* soutenir la livre.

**pro rata** /'prəʊ'rɑːtə/ ADV au prorata ♦ **the proceeds will be distributed to participants pro rata to their initial investment** les bénéfices seront distribués aux participants au prorata de leur investissement initial.

**prorate** /'prəʊreɪt/ *(US)* VT distribuer *or* répartir au prorata; *figures* calculer au prorata; *expense, cost* affecter au prorata.

**prorogation** /ˌprəʊrə'geɪʃən/ N prorogation f.

**prosecute** /'prɒsɪkjuːt/ VT *(Jur)* poursuivre (en justice).

**prosecution** /ˌprɒsɪ'kjuːʃən/ N *(Jur)* *(case)* accusation f ; *(act, proceedings)* poursuites fpl judiciaires ♦ **the prosecution** *(side)* les plaignants, la partie plaignante; *(in court)* l'accusation, le ministère public ♦ **you are liable to prosecution** vous pouvez être poursuivi, vous pouvez être *or* faire l'objet de poursuites ♦ **counsel for the prosecution** avocat de l'accusation ♦ **witness for the prosecution** témoin à charge ♦ **the case for the prosecution** l'accusation.

**prosecutor** /'prɒsɪkjuːtəʳ/ N *(gen)* plaignant m ♦ **the (public) prosecutor** le procureur (de la République), l'avocat général.

**prospect** /'prɒspekt/ N a *(= outlook)* perspective f ♦ **career prospects** perspectives de carrière ♦ **future prospects look good** les perspectives d'avenir sont bonnes ♦ **there is little prospect of an immediate improvement in sales** il y a peu de chances *or* d'espoir que les ventes progressent dans l'immédiat **b** *(= futu-re customer)* client m potentiel, prospect m **vi** prospecter ◆ **to prospect for oil** prospecter pour trouver du pétrole **vt** *market* prospecter.

**prospective** /prəs'pektɪv/ **ADJ** *yield* escompté; *result, legislation* futur, attendu; *supplier* éventuel ◆ **prospective customer** client éventuel, prospect.

**prospector** /prəs'pektər/ **N** prospecteur m.

**prospectus** /prəs'pektəs/ **N** *(gen, St Ex)* prospectus m ◆ **pathfinder prospectus** prospectus préliminaire ◆ **to issue a prospectus** lancer un prospectus.

**prosper** /'prɒspər/ **VI** prospérer.

**prosperity** /prɒs'perɪtɪ/ **N** prospérité f.

**prosperous** /'prɒspərəs/ **ADJ** prospère.

**protect** /prə'tekt/ **VT** *person, property, industry* protéger *(from* de, *against* contre); *interests, rights* sauvegarder ◆ **to protect a book** *(St Ex)* défendre une position ◆ **to protect a bill** *(Fin)* garantir la bonne fin d'un effet, faire provision pour un effet.

**protection** /prə'tekʃən/ **N** protection f *(against* contre)

**protectionism** /prə'tekʃənɪzəm/ **N** protectionnisme m.

**protectionist** /prə'tekʃənɪst/ **N, ADJ** protectionniste mf.

**protective** /prə'tektɪv/ **ADJ** *clothing, covering* de protection; *tariff, duty* protecteur ◆ **protective clause** *(Jur)* clause de sauvegarde.

**protest** /'prəʊtest/ **N** **a** *(gen)* protestation f *(against* contre, *about* à propos de) ◆ **to make a protest** protester, élever une protestation *(against* contre) **b** *(Jur)* ◆ **payment under protest** paiement sous réserve ◆ **to lodge a protest** déposer plainte **c** *(Fin, Jur : in case of dishonour of a bill)* protêt m ◆ **protest for non-acceptance** protêt faute de paiement ◆ **protest waived in case of dishonour** retour sans frais ◆ **certified protest** protêt authentique ◆ **single protest** protêt simplifié ◆ **to give notice of a protest** notifier un protêt ◆ **to make a protest** lever protêt, dresser un protêt **d** *(Mar Ins : also **ship's** or **captain's protest**)* déclaration f d'avaries **COMP** ◆ **protest charges** *(Jur)* frais mpl de protêt **VT** **a** *(gen)* protester *(that* que) **b** *(Fin, Jur)* bill of exchange protester, lever protêt de.

**protestable** /prə'testəbl/ **ADJ** *(Fin)* protestable.

**protester** /prə'testər/ **N** *(gen)* protestataire mf ; *[cheque, bill]* protestateur m.

**protocol** /'prəʊtəkɒl/ **N** protocole m.

**prototype** /'prəʊtəʊtaɪp/ **N** prototype m ◆ **prototype series** présérie.

**prove** /pruːv/ **VT** **a** *(= give proof of)* prouver **b** *(= test)* mettre à l'épreuve ◆ **to prove a will** *(Jur)* homologuer un testament ◆ **to prove o.s.** faire ses preuves **VI** s'avérer, se montrer, se révéler ◆ **the campaign proved very successful** la campagne s'est révélée très fructueuse.

**proved** /pruːvd/ **ADJ** *(Ins)* damage justifié.

**proven** /'pruːvn/ **ADJ** confirmé.

**provide** /prə'vaɪd/ **VT** **a** *(= supply)* fournir *(sb with sth, sth for sb* qch à qn) approvisionner *(sb with sth* qn de *or* en qch); *(= equip)* munir, pourvoir *(sb with sth* qn de qch) fournir *(sb with sth* qch à qn) ◆ **to provide o.s. with sth** se pourvoir *or* se munir de qch, se procurer qch ◆ **to provide cover against a risk** assurer (la couverture d')un risque ◆ **to provide a bill with acceptance** revêtir un effet de l'acceptation **b** *[contract, document]* stipuler, prévoir *(that* que) ◆ **unless otherwise provided** sauf conventions *or* stipulations contraires **VI** *(= make arrangements)* ◆ **to provide for sth** prévoir qch ◆ **to provide for depreciation / bad debts / income tax** faire provision pour moins-values / créances douteuses / impôts sur le revenu ◆ **to provide for a bill** faire provision pour un effet ◆ **to provide for future expansion** prévoir une expansion future ◆ **to provide against** se prémunir contre, prendre ses précautions contre ◆ **to provide against a risk** *(Ins)* s'assurer contre un risque.

**provided** /prə'vaɪdɪd/ **CONJ** ◆ **provided (that)** pourvu que, à condition de *or* que.

**provident** /'prɒvɪdənt/ **ADJ** *person* prévoyant ◆ **provident fund** *(Brit)* caisse de prévoyance.

**provider** /prə'vaɪdər/ **N** fournisseur m.

**province** /'prɒvɪns/ **N** *(= region)* province f ; *(fig)* domaine m, compétence f ◆ **that is not within my province** cela n'est pas de mon domaine *or* de ma compétence.

**provision** /prə'vɪʒən/ **N** **a** *[stock]* provision f ◆ **to lay in** *or* **get in a provision of sth** faire provision de qch ◆ **provisions** *(= food)* provisions **b** *(= supplying)* fourniture f, approvisionnement m ◆ **provision of capital** apport de capital **c** *(Fin = reserve)* provision f ◆ **to make provision for** faire provision pour ◆ **to set aside** *or* **write** *or* **take provision** passer des provisions ◆ **provision for contingency** provision pour risque ◆ **provision for depreciation** provision pour moins-values ◆ **provision for bad debts** provision pour créances douteuses **d** (= *stipulation*) *[contract, law]* disposition f, clause f ◆ **risk provisions** (*in contract*) imprévus ◆ **statutory provisions** dispositions légales ◆ **the provisions of section 50** les dispositions prévues au paragraphe 50 ◆ **the provisions of the treaty** les clauses du traité ◆ **to fall within the provisions of the law** tomber sous le coup de la loi ◆ **not withstanding any provision to the contrary** nonobstant toute stipulation contraire ◆ **there is no provision to the contrary** il n'y a pas de clause contraire.

**provisional** /prə'vɪʒənl/ ADJ *arrangement, solution, measures* provisoire; (*Jur*) provisionnel ◆ **provisional appointment** nomination à titre provisoire ◆ **provisional attachment** (*Jur*) saisie conservatoire ◆ **provisional duties** fonctions temporaires ◆ **provisional invoice** facture provisoire ◆ **provisional policy** (*Ins*) police provisoire.

**proviso** /prə'vaɪzəʊ/ N (= *condition*) (*gen*) stipulation f, condition f ; (*Jur*) clause f restrictive, condition f formelle ◆ **with the proviso that** à condition que ◆ **with the usual proviso** (*Jur*) sous les réserves d'usage.

**provisory** /prə'vaɪzərɪ/ ADJ *clause* qui énonce une condition formelle.

**prox.** abbr of **proximo**.

**proximate** /'prɒksɪmɪt/ ADJ proche, immédiat ◆ **proximate cause** (*Ins*) cause immédiate.

**proximo** /'prɒksɪməʊ/ ADV du mois prochain.

**proxy** /'prɒksɪ/ N (= *power*) procuration f, mandat m ; (= *person*) fondé m de pouvoir, mandataire mf ◆ **by proxy** par procuration ◆ **general proxy** procuration générale

— compounds/composés —
◆ **proxy contest** or **fight** (*St Ex*) bataille de procurations
◆ **proxy vote** vote par procuration.

**prudential** /pru(:)'denʃəl/ ADJ prudent, de prudence ◆ **prudential committee** (*US*) comité de gestion (*Fin, Bank*) **prudential rules** règles prudentielles.

**prune** /pruːn/ VT *expenses, costs* diminuer, réduire; *staff, payroll* réduire, dégraisser.

**pruning** /'pruːnɪŋ/ N *[costs]* réduction f, diminution f ; *[staff]* réduction f, dégraissage m.

**pry open** /praɪ/ VT SEP ◆ **to pry open a market** forcer l'entrée d'un marché.

**PS, ps.** /'piː'es/ (abbr of **postscript**) P.-S.

**PSBR** /ˌpiːesbiːˈɑːr/ (*Brit*) N abbr of **public sector borrowing requirements** → **public.**

**PST** /piːes'tiː/ N (abbr of **Pacific Standard Time**) heure f du Pacifique.

**PSTN** /ˌpiːestiː'en/ N abbr of **packet switching telephone network** → **packet.**

**PSV** /piːes'viː/ N abbr of **public service vehicle** → **public.**

**psychology** /saɪ'kɒlədʒɪ/ N psychologie f ◆ **industrial psychology** psychologie industrielle.

**PT** /piː'tiː/ N abbr of **purchase tax** → **purchase.**

**pt.** abbr of **pint**.

**Pte.** abbr of **private limited company** → **private.**

**PTO** (abbr of **please turn over**) TSVP.

**pub.** abbr of **publisher**.

**public** /'pʌblɪk/ ADJ (*gen*) public; *company* nationalisé, étatisé ◆ **to make sth public** rendre qch public, publier qch ◆ **to take a company public** introduire une société en Bourse ◆ **the company went public last year** la société s'est introduite en Bourse l'année dernière
N public m ◆ **in public** en public ◆ **the public at large, the general public** le grand public ▪ Voir encadré page suivante

**publication** /ˌpʌblɪ'keɪʃən/ N publication f ◆ **publication date** date de parution or de publication.

**publicist** /'pʌblɪsɪst/ N (*Jur*) spécialiste mf de droit public international; (*Press*) journaliste mf ; (*Pub*) (agent m) publicitaire m, agent m de publicité.

**publicity** /pʌb'lɪsɪtɪ/ N (*gen*) publicité f ; (= *advertisements*) publicité f, réclame(s) f(pl) ◆ **to give sth publicity** faire de la publicité pour qch ◆ **advance publicity** publicité d'amorçage

— compounds/composés —
◆ **publicity agency** agence publicitaire or de publicité
◆ **publicity campaign** campagne publicitaire or de publicité
◆ **publicity department** service de publicité
◆ **publicity expenses** dépenses fpl publicitaires
◆ **publicity man** publicitaire
◆ **publicity manager** chef de (la) publicité
◆ **publicity material** matériel publicitaire or promotionnel
◆ **publicity stunt** astuce or truc publicitaire.

---

*compounds/composés*

**PUBLIC**

- **public account** compte public
- **public accountant** *(US)* expert-comptable
- **public address-system** (système de) sonorisation
- **public affairs** affaires fpl publiques
- **public agency** agence gouvernementale
- **public attorney** *(US)* avocat
- **public authorities** pouvoirs mpl publics
- **public brand** marque de fabrique
- **public carrier** transporteur public
- **public company** société anonyme par actions
- **public corporation** régie d'État, société nationale
- **public debt** dette publique or de l'État
- **public domain** domaine public ◆ **to fall into the public domain** tomber dans le domaine public
- **public expenditure** dépenses fpl publiques or de l'État
- **public funds** fonds mpl publics
- **public holiday** fête légale
- **public image** image de marque
- **public interest** intérêt public or général
- **public issue** *(St Ex)* émission dans le public
- **public law** droit public
- **public liability** *(Jur)* responsabilité civile
- **public limited company** société anonyme
- **public money** fonds mpl publics, deniers mpl publics
- **public offering** offre publique de vente

- **public opinion** opinion publique ◆ **public opinion poll** sondage d'opinion (publique)
- **public ownership to come under** *or* **into public ownership** être nationalisé ◆ **to bring under** *or* **into public ownership** nationaliser
- **public prosecutor** procureur (de la République), avocat général
- **public records** archives fpl nationales
- **public relations** relations fpl publiques ◆ **public relations officer** responsable des relations publiques
- **public sale** vente aux enchères publiques
- **public sector** secteur public ◆ **public sector borrowing requirements** *(Brit)* besoins de financement du secteur public
- **public servant** fonctionnaire
- **public service** service public, la fonction publique ◆ **public service corporation** *(US)* service public non étatisé
- **public service vehicle** *(Brit)* véhicule de transport en commun
- **public tender** adjudication publique ◆ **by public tender** par adjudication
- **public transport** *or* **transportation** transports mpl en commun
- **public utility** *(company)* service public
- **public warehouse** magasins mpl généraux
- **public welfare** assistance publique
- **public workers** travailleurs mpl du secteur public
- **public works** travaux mpl publics.

---

**publicize, publicise** /ˈpʌblɪsaɪz/ **VT** *(= make public)* rendre public; *(= advertise)* faire de la publicité pour.

**publicly** /ˈpʌblɪklɪ/ **ADV** publiquement, en public ◆ **publicly-owned companies** entreprises du secteur public, entreprises nationalisées.

**publish** /ˈpʌblɪʃ/ **VT** book publier, éditer; *author* éditer; *news* faire connaître, rendre public ◆ **published monthly** paraît tous les mois ◆ **to be published** à paraître ◆ **published accounts / balance sheet** comptes / bilan public(s) ◆ **published price** *[book, magazine]* prix public *(fixé par l'éditeur)*.

**publisher** /ˈpʌblɪʃəʳ/ **N** éditeur m ◆ **newspaper publisher** directeur de journal.

**publishing** /ˈpʌblɪʃɪŋ/ **N** *(= industry, trade)* édition f ; *[book]* publication f ◆ **publishing house** maison d'édition.

**Puerto Rican** /ˌpwɜːtəʊˈriːkən/ **ADJ** portoricain **N** *(= inhabitant)* Portoricain(e) m(f).

**Puerto Rico** /ˌpwɜːtəʊˈriːkəʊ/ **N** Porto Rico f.

**puff** * /pʌf/ **N** *(= advertisement)* pub* f ; *(= written article)* papier m ◆ **to give sth a puff** faire de la pub pour qch.

**puff up** /pʌf/ **VT SEP** *balance sheet* gonfler.

**pula** /ˈpʊlə/ **N** pula m.

**pull** /pʊl/ **N** **a** *(fig = influence)* influence f ◆ **she has a lot of pull** elle a beaucoup d'influence, elle a le bras long* **b** *(Econ = pressure)* ◆ **cost pull** inflation par les coûts **c** *(Comm = attraction)* attraction f ◆ **our food products are a great customer pull** nos produits alimentaires exercent un pouvoir d'attraction considérable sur la clientèle **d** *(Mktg)* ◆ **pull strategy** stratégie pull.

**pull down** **VT SEP** **a** *stock, prices* faire baisser **b** *(* US *= earn)* *[person]* gagner; *[business]* rapporter **c** *(Comp)* *data, program* appeler.

**pull-down** /ˈpʊldaʊn/ **N** ◆ **this transaction will lead to a pull-down on cash** cette opération entraînera une réduction de la trésorerie.

**puller** * /ˈpʊləʳ/ *(US)* **N** publicité f qui paie.

**purchasing**

**pull in** * vt sep (= earn) [person] gagner; [business] rapporter.

**pull off** vt sep plan réaliser; deal, contract conclure, mener à bien.

**pull out** vi (= withdraw) se retirer ◆ **they are pulling out of the home computer sector** ils abandonnent le secteur or ils se retirent du secteur des ordinateurs familiaux.

**pull-out** /'pʊlaʊt/ N (in magazine) supplément m détachable
ADJ détachable.

**pump-priming** /'pʌm'praimiŋ/ N (= deficit financing) relance f ◆ **pump-priming credit** crédit de redémarrage ◆ **economic pump-priming** relance de l'économie.

**pump up** vt sep (fig = increase) gonfler ◆ **to pump up quarterly earnings** gonfler les bénéfices trimestriels.

**punch** /pʌntʃ/ N a (= tool) (for tickets) poinçonneuse f ; (for paper) perforateur m b (Comp) (= machine) perforateur m, perforatrice f ◆ **card punch** perforateur de cartes

─── compounds/composés ───
◆ **punch card** carte perforée or mécanographique
◆ **punch code** code de perforation
◆ **punch tape** bande perforée

VT a paper perforer; tickets (by hand) poinçonner; (automatically) composter ◆ **to punch the time clock** (Ind) pointer b (Comp) card, tape perforer; key appuyer sur ◆ **punched card / tape** carte / bande perforée.

**punch in** vt sep (Comp) data introduire
VI (Ind) pointer (en arrivant).

**punch out** vi (Ind) pointer (en sortant).

**punctual** /'pʌŋktjʊəl/ ADJ person ponctuel, à l'heure; payment ponctuel; train à l'heure.

**punctuality** /,pʌŋktjʊ'ælɪtɪ/ N (gen) ponctualité f ; [train] exactitude f.

**punctuation** /,pʌŋktjʊ'eɪʃən/ N ponctuation f.

**pundit** /'pʌndɪt/ N expert m, pontife m.

**punish** /'pʌnɪʃ/ vt (gen) punir; (St Ex) sanctionner ◆ **the share was badly punished by the market** le titre a été sévèrement sanctionné par le marché.

**punishable** /'pʌnɪʃəbl/ ADJ punissable ◆ **it's punishable by law** ça tombe sous le coup de la loi, c'est passible de sanctions pénales.

**punishment** /'pʌnɪʃmənt/ N (gen) punition f ; (Jur) peine f, châtiment m ; (Admin) sanction f ◆ **the punishment might look excessive** (St Ex) la sanction (du marché) peut paraître excessive.

**punitive** /'pjuːnɪtɪv/ ADJ punitif ◆ **punitive taxation** fiscalité dissuasive.

**punt** /pʌnt/ N livre f irlandaise.

**punter** /'pʌntəʳ/ (Brit) N parieur(-euse) m(f) ; (St Ex) boursicoteur(-euse) m(f).

**purchase** /'pɜːtʃɪs/ N achat m ◆ **to make a purchase** faire un achat ◆ **purchase for the settlement** (St Ex) achat à terme ◆ **cash purchase** achat (au) comptant ◆ **compulsory purchase** expropriation (pour cause d'utilité publique) ◆ **compulsory purchase order** (Brit) (ordre d') expropriation ◆ **hire purchase** (Brit) système d'achat à crédit or à tempérament ◆ **hire purchase agreement** contrat de crédit à la consommation ◆ **impulse purchase** achat spontané or impulsif or d'impulsion
VT acheter (sth from sb qch à qn, sth for sb qch pour or à qn)

─── compounds/composés ───
◆ **purchase account** compte (d')achats
◆ **purchase(s) (day) book** journal or livre des achats
◆ **purchase contract** (St Ex) bordereau d'achat
◆ **purchase decision** décision d'achat
◆ **purchase fund** (St Ex) fonds d'amortissement
◆ **purchase group** (US Fin) syndicat de garantie
◆ **purchase invoice** facture d'achat
◆ **purchases journal** livre or journal des achats
◆ **purchases ledger** grand livre des achats
◆ **purchase order** (sent to supplier) bon de commande ◆ **purchase order control** gestion des achats
◆ **purchase price** prix d'achat
◆ **purchase requisition** bon de commande
◆ **purchase returns** rendus mpl sur achats ◆ **purchase returns book** livre des rendus sur achat
◆ **purchase tax** taxe à l'achat.

**purchaser** /'pɜːtʃɪsəʳ/ N acheteur(-euse) m(f) ; (at auction) adjudicataire mf ◆ **purchasers' association** coopérative d'achats.

**purchasing** /'pɜːtʃɪsɪŋ/ N (gen = action) achat m ; (= function in company) achats mpl, approvisionnement m

─── *compounds/composés* ───

+ **purchasing agent** acheteur
+ **purchasing costs** frais mpl de passation de commande
+ **purchasing department** service des achats or de l'approvisionnement
+ **purchasing manager** chef des achats
+ **purchasing officer** responsable des achats
+ **purchasing power** pouvoir d'achat ◆ **purchasing power gain / loss** gain / perte de pouvoir d'achat
+ **purchasing power parity** parité du pouvoir d'achat.

**pure** /pjʊəʳ/ **ADJ** *(gen)* pur ◆ **pure competition** *(Econ)* concurrence pure ◆ **pure interest** *(Fin)* intérêt brut ◆ **pure play** *(St Ex)* pure play ◆ **pure player** *(St Ex)* pure player ◆ **pure premium** *(Ins)* prime nette.

**purpose** /ˈpɜːpəs/ **N** *(= intention)* but m, objet m ; *(= use)* usage m, utilité f ◆ **what is the purpose of his visit?** quel est le but or l'objet de sa visite? ◆ **the device has been designed for this purpose** l'appareil a été conçu à cet usage ◆ **my purpose in coming today** la raison pour laquelle je viens aujourd'hui ◆ **keep the receipt for tax purposes** gardez le reçu pour votre déclaration d'impôts ◆ **this document is for customs purposes** ce document est destiné aux formalités de douane ◆ **value for customs purposes** valeur en douane ◆ **value for tax purposes** valeur à déclarer ◆ **purpose-built** construit spécialement ◆ **general purpose computer** ordinateur universel.

**purse** /pɜːs/ **N** *(for coins)* porte-monnaie m, bourse f *(US = handbag)* sac m à main ◆ **the public purse** le Trésor public ◆ **to hold the purse strings** tenir les cordons de la bourse.

**purser** /ˈpɜːsəʳ/ **N** *(Mar)* commissaire m (du bord).

**pursuance** /pəˈsjuːəns/ **N** *(Admin)* exécution f ◆ **in pursuance of your instructions** conformément à vos instructions ◆ **in pursuance of your order** conformément à votre commande.

**pursuant** /pəˈsjuːənt/ **ADJ** *(Admin)* ◆ **pursuant to** *(= following)* suivant; *(= in accordance with)* conformément à ◆ **pursuant to article 25** en vertu de l'article 25.

**pursuit** /pəˈsjuːt/ **N** *(= chase)* poursuite f ; *(= occupation)* occupation f, activité f.

**purvey** /pəˈveɪ/ **VT** fournir *(sth to sb* qch à qn) approvisionner *(sth to sb* qn en qch)

**purveyance** /pəˈveɪəns/ **N** fourniture f, approvisionnement m.

**purveyor** /pəˈveɪəʳ/ **N** fournisseur m *(of sth* de qch, *of sth to sb* de qn en qch) ◆ **purveyors of fine foods since 1890** fournisseurs d'alimentation fine depuis 1890.

**purview** /ˈpɜːvjuː/ **N** *[act, bill]* articles mpl ; *[inquiry]* champ m, limites fpl ; *[committee]* compétence f ◆ **to come within the purview of the court** être de la compétence or du ressort du tribunal.

**push** /pʊʃ/ **N a** *(= campaign)* campagne f ◆ **they are making or having a strong sales push in the North** ils mènent une campagne vigoureuse de promotion des ventes dans le Nord ◆ **the unions are making a push for increased job security** les syndicats se sont mobilisés or font du forcing pour obtenir une plus grande sécurité de l'emploi **b** *(= drive)* dynamisme m ◆ **she's got lots of push** elle est très dynamique **c** *(Mktg)* ◆ **push strategy** stratégie push **VT a** *(= shove)* pousser; *(= press)* appuyer sur; *(= put pressure on)* pousser; *(= force)* forcer, obliger; *(= harass)* importuner, harceler ◆ **we pushed the proposal through the committee** nous avons réussi à imposer la proposition à la commission **b** *(= sell aggressively)* pousser la vente de ◆ **they are pushing winter sports goods this week** cette semaine ils font la promotion des articles de sports d'hiver ◆ **what are you pushing?** quels sont vos articles en réclame?, sur quoi faites-vous la promotion? ◆ **to push sales** pousser vigoureusement les ventes ◆ **to push shares** *(St Ex)* placer des valeurs douteuses **VI** pousser; *(on bell)* appuyer *(on* sur) ◆ **the unions are pushing for higher wages** les syndicats font pression pour obtenir des augmentations de salaire

─── *compounds/composés* ───

+ **push-button** presse-bouton
+ **push-button controls** commandes presse-boutons
+ **push-button telephone** téléphone à touches
+ **push-button factory** usine automatisée
+ **push money** *(US)* prime au vendeur *(payée par le fabricant)*.

**push through** **VT SEP** *deal, contract* conclure; *proposal, decision, changes* imposer.

**push up** **VT SEP** *prices, sales, taxes* augmenter.

**put** /pʊt/ **VT a** mettre ◆ **to put an ad in the paper** insérer or mettre or placer or passer une annonce dans le journal ◆ **to put money into a company** placer or investir de l'argent dans une entreprise ◆ **to put money into one's account** verser de l'argent à or sur son compte

♦ **to put products on the market** mettre *or* lancer des produits sur le marché ♦ **to put sth on sale** *(gen)* mettre qch en vente; *(at reduced price)* mettre qch en solde `b` *(St Ex) stock, security* (= *offer to sell*) se déclarer vendeur de; (= *exercise an option to sell*) livrer, fournir, vendre `c` (= *estimate*) estimer, évaluer ♦ **we put the cost of the operation at $10 million** nous estimons *or* nous évaluons *or* nous chiffrons le coût de l'opération à 10 millions de dollars `d` (= *submit*) *proposal, project* présenter, exposer, soumettre (*to* à) `m` *(St Ex)* (= *option*) option f de vente, ou m, put m; (= *premium*) prime f pour livrer ♦ **put warrant** put warrant ♦ **put of more** option du double à la vente, demande de plus ♦ **put and call** (option de) stellage, double option ♦ **put option** option de vente, ou, put ♦ **put price, price of put** cours *or* prix de l'option de vente ♦ **price of put and call** cours de la double option ♦ **taker for the put** acheteur d'un put ♦ **taker for a put and call** acheteur d'un stellage.

**put aside** VT SEP *goods, money* mettre de côté.

**put away** VT SEP *goods, money* mettre de côté; *objects* ranger.

**put back** VT SEP *objects* remettre en place; *progress* freiner, retarder; *date, appointment* remettre à plus tard, reporter, repousser, différer ♦ **It has been put back to Friday** cela a été remis *or* reporté à vendredi.

**put by** VT SEP *money* mettre de côté.

**put down** VT SEP `a` (= *pay*) *deposit* verser ♦ **you must put down £50 on the purchase** vous devez verser un acompte de 50 livres sur l'achat ♦ **to put money down** verser des arrhes *or* un acompte `b` (= *record*) ♦ **to put sth down in writing** mettre qch par écrit ♦ **she put it down on her account** elle l'a mis *or* porté sur *or* à son compte `c` (= *register*) ♦ **I put my name down on the waiting list** je me suis inscrit *or* je me suis fait inscrire sur la liste d'attente.

**put forward** VT SEP *proposal* avancer; *candidate, plan* proposer ♦ **to put o.s. forward** se proposer, se porter candidat (*for* pour)

**put in** VT SEP ♦ **to put in a claim** *(Jur)* déposer une réclamation; *(Ins)* faire une déclaration de sinistre ♦ **to put in a report** remettre un rapport ♦ **to put in a plea** *(Jur)* plaider ♦ **to put in a protest** élever *or* formuler une protestation ♦ **to put sb in for a job / promotion**

proposer qn pour un poste / pour de l'avancement ♦ **to put in an application** faire une demande (*for* de)

**put in for** VT FUS *job* poser sa candidature pour *or* à; *promotion, rise* faire une demande de.

**put off** VT SEP (= *postpone*) retarder, reporter, repousser, remettre à plus tard, différer ♦ **I shall have to put off writing my report** je serai obligé de remettre la rédaction de mon rapport à plus tard.

**put on** VT SEP *show* monter, organiser, mettre à l'affiche; *film* passer, donner, projeter; *shuttle service* mettre en service, mettre sur pied; *heating* allumer, ouvrir, mettre ♦ **could you put me on to the manager** *(Telec)* pouvez-vous me passer le directeur, je voudrais parler au directeur.

**put out** VT SEP `a` (= *produce*) produire `b` *(Ind)* (= *subcontract*) sous-traiter, donner en sous-traitance ♦ **to put out work** donner du travail en sous-traitance *or* à des sous-traitants `c` (= *invest*) placer, prêter avec intérêt `d` (= *issue*) *news* annoncer; *report* publier ♦ **to put out a statement** publier une déclaration.

**put through** VT SEP `a` *deal, contract* conclure; *decision* prendre; *proposal* faire accepter `b` *(Telec)* ♦ **I'll put you through to our accountant** je vous passe notre comptable ♦ **I'm putting you through** je vous mets en communication, ne quittez pas.

**put-through** /ˈpʊtˌθruː/ *(Brit)* N *transaction dans laquelle un bloc important d'actions se négocie en dehors de la Bourse.*

**put up** VT SEP `a` (= *increase*) *prices* augmenter `b` (= *offer*) *suggestion, idea* présenter, soumettre; (= *nominate*) proposer comme candidat (*for* à) ♦ **to put up a candidate** présenter un candidat `c` (= *provide*) *money* fournir ♦ **to put up money for a venture** financer un projet, mettre de l'argent dans une affaire ♦ **she put up £10,000** elle a investi *or* mis 10 000 livres `d` **to put sth up for sale / for auction** mettre qch en vente / aux enchères.

**Pyongyang** /ˈpjɒŋˈjæŋ/ N Pyongyang.

**pyramid** /ˈpɪrəmɪd/ N pyramide f ♦ **pyramid selling** vente pyramidale ♦ **age pyramid** pyramide des âges.

**pyramidal** /prˈræmɪdl/ ADJ *structure, organization* pyramidal.

**pyramiding** /prˈræmɪdɪŋ/ N *(St Ex, Fin) structure de holding en cascade.*

# Q

**QC** /ˌkjuːˈsiː/ *(Brit)* **N**  abbr of **Queen's Counsel** → **queen**.

**qos** abbr of **quality of service** → **quality**.

**QS** /ˌkjuːˈes/ *(Brit)* **N**  abbr of **quantity surveyor** → **quantity**.

**qto** abbr of **quarto**.

**quadripartite** /ˌkwɒdrɪˈpɑːtaɪt/ **ADJ** quadripartite ✦ **quadripartite agreement** accord quadripartite.

**quadruple** /ˈkwɒdrʊpl/ **ADJ, N** quadruple m
**VT** quadrupler ✦ **costs have quadrupled** les frais ont quadruplé *or* ont été multipliés par quatre.

**quadruplicate** /kwɒˈdruːplɪkɪt/ **N** ✦ **in quadruplicate** en quadruple exemplaire.

**qualification** /ˌkwɒlɪfɪˈkeɪʃən/ **N**  **a** *(= ability)* compétence f, aptitude f (*to do* pour faire) ✦ **formal** *or* **paper qualifications** *(= diplomas)* titres, diplômes ✦ **we can't question her qualification for the job** nous ne pouvons mettre en doute son aptitude à remplir ces fonctions ✦ **what are your qualifications?** *(experience)* quelle est votre formation?; *(degrees)* quels sont vos diplômes? ✦ **he lacks qualifications** il n'est pas assez diplômé, ses diplômes sont insuffisants **b** *(= restriction)* réserve f, restriction f, condition f ✦ **to accept a project with qualifications** accepter un projet avec des réserves *or* à certaines conditions ✦ **without qualifications** sans réserves *or* restrictions *or* conditions

────── *compounds/composés* ──────
- **qualification date** date d'habilitation
- **qualification period** *(Ins)* période d'admissibilité
- **qualification share** action statutaire
- **qualifications record** dossier professionnel

**qualified** /ˈkwɒlɪfaɪd/ **ADJ**  **a** *craftsman* qualifié; *engineer* diplômé, ayant les titres requis ✦ **we must find a qualified person to reorganize our export department** nous devons trouver une personne ayant la compétence voulue pour réorganiser notre service export ✦ **two applicants are qualified for this job** deux candidats remplissent les conditions requises pour ce poste *or* ont les titres exigés pour ce poste ✦ **I don't feel qualified to answer** je ne me sens pas qualifié pour répondre ✦ **qualified accountant** comptable diplômé **b** *(= restricted) approval* conditionnel ✦ **qualified agreement** accord conditionnel *or* sous réserve *or* sous condition ✦ **qualified majority** majorité restreinte *or* relative ✦ **qualified offer** offre conditionnelle.

**qualify** /ˈkwɒlɪfaɪ/ **VT**  **a** *(= make competent or eligible for a job)* qualifier; *(Jur)* habiliter, autoriser *(for* à) ✦ **to qualify sb to do** *job* donner à qn les compétences pour faire, donner qualité à qn pour faire; *(Jur)* habiliter qn à faire **b** *(= restrict) agreement* apporter des réserves à; *statement* nuancer
**VI** *(for job)* obtenir son diplôme *(Admin = be entitled to)* avoir droit *(for* à) ✦ **to qualify as an accountant / an engineer** obtenir le diplôme d'expert-comptable / d'ingénieur ✦ **to qualify for holiday pay** avoir droit à des congés payés.

**qualitative** /ˈkwɒlɪtətɪv/ **ADJ** qualitatif ✦ **qualitative analysis** analyse qualitative.

**quality** /'kwɒlɪtɪ/ N qualité f ◆ **of the highest** or **best quality** de première qualité, de qualité supérieure, de premier choix ◆ **of good** or **high quality** de bonne qualité ◆ **of poor** or **bad** or **low quality** de mauvaise qualité, de qualité inférieure ◆ **letter-quality printer** imprimante qualité courrier ◆ **near letter-quality printer** imprimante qualité semi-courrier ◆ **merchantable quality** qualité marchande ◆ **total quality** qualité totale ◆ **quality of working life** qualité des conditions de travail ◆ **quality subject to approval** qualité vue et agréée

> *compounds/composés*
> ◆ **quality circle** cercle de qualité
> ◆ **quality control** (*Ind*) contrôle de qualité ◆ **total quality control** contrôle général de la qualité
> ◆ **quality goods** marchandises fpl de qualité
> ◆ **quality index** indice de qualité
> ◆ **quality newspaper** journal sérieux or de qualité
> ◆ **quality-price ratio** rapport qualité-prix
> ◆ **quality of service** qualité du service
> ◆ **quality standards** critères mpl or normes de qualité.

**quango** /'kwæŋgəʊ/ N organisme m d'État autonome or indépendant.

**quantifiable** /ˌkwɒntɪ'faɪəbl/ ADJ quantifiable.

**quantification** /ˌkwɒntɪfɪ'keɪʃən/ N quantification f.

**quantify** /'kwɒntɪfaɪ/ VT quantifier, déterminer la quantité de, évaluer or mesurer avec précision.

**quantitative** /'kwɒntɪtətɪv/ ADJ quantitatif ◆ **quantitative analysis** analyse quantitative.

**quantity** /'kwɒntɪtɪ/ N quantité f ◆ **to buy sth in large quantities** acheter qch en grande quantité ◆ **discount for quantities** remise sur quantité, remise quantitative ◆ **the quantity permitted** la tolérance or la quantité autorisée

> *compounds/composés*
> ◆ **quantity discount** or **rebate** remise sur (la) quantité, remise quantitative
> ◆ **quantity surveying** (*Brit*) métré
> ◆ **quantity surveyor** (*Brit*) métreur vérificateur
> ◆ **quantity theory of money** théorie quantitative de la monnaie.

**quantum** /'kwɒntəm/ N quantum m.

**quarantine** /'kwɒrəntiːn/ N quarantaine f
**VT** mettre en quarantaine.

**quart** /kwɔːt/ N (*= measure*) quart m de gallon (*GB ≈ 1,136 litre; US ≈ 0,946 litre*).

**quarter** /'kwɔːtər/ N **a** (*= fourth part*) quart m ◆ **three quarters** trois quarts ◆ **a quarter cheaper** 25% or un quart moins cher or meilleur marché ◆ **I bought it for a quarter of the price** or **for a quarter the price** je l'ai acheté le or au quart du prix **b** (*time*) ◆ **a quarter to** (*Brit*) or **of** (*US*) **eight** huit heures moins le quart ◆ **a quarter of an hour** un quart d'heure **c** (*= fourth part of a year*) trimestre m ◆ **to pay by the quarter** payer tous les trois mois or par trimestre ◆ **every quarter the bank sends me a statement of account** la banque m'envoie un relevé de compte tous les trimestres or tous les trois mois ◆ **a quarter's rent** un terme, un trimestre de loyer ◆ **to pay on quarter day** payer le jour du terme ◆ **second-quarter results reveal a marked improvement over the first quarter** les résultats du second trimestre laissent apparaître une amélioration marquée par rapport au premier trimestre **d** (*US = coin*) quart m de dollar, vingt-cinq cents mpl **e** (*= measure of weight*) (*Brit*) 12,7006 kilogrammes (*US*) 9,331 kilogrammes **f** **business quarters** milieux d'affaires (*or* industriels or commerciaux)
**ADJ** d'un quart ◆ **quarter-page advertisement** publicité quart de page.

**quarterage** /'kwɔːtərɪdʒ/ N (*Fin*) versement m trimestriel.

**quarterly** /'kwɔːtəlɪ/ ADJ *payment, dividend* trimestriel
**ADV** *pay* tous les trois mois, trimestriellement, par trimestre
**N** (*= magazine*) publication f trimestrielle.

**quarto** /'kwɔːtəʊ/ ADJ *paper* in-quarto.

**quash** /kwɒʃ/ VT *decision, judgment* casser, infirmer, annuler, invalider; *proposal* rejeter, repousser.

**quasi-contract** /'kwɑːsɪˌkɒntrækt/ N quasi-contrat m.

**quasi-money** /'kwɑːsɪˌmʌnɪ/ N quasi-monnaie f.

**quay** /kiː/ N quai m ◆ **alongside (the) quay** à quai ◆ **quay-berth** place à quai ◆ **free on quay** rendu à quai ◆ **ex quay** franco à quai.

**quayage** /'kiːɪdʒ/ N droit m de quai.

**Quebec** /kwɪ'bek/ ADJ québécois
**N** (*= country*) Québec m

> *compounds/composés*
> ◆ **Quebec city** Québec
> ◆ **Quebec French** (*= language*) québécois.

**Quebecer** /'kwɪbekər/ N (*= inhabitant*) Québécois(e) m(f).

**Quebecker** /'kwɪbekər/ N (*= inhabitant*) Québécois(e) m(f).

**Québécois** /kebɛkwa/ *(Can)* **N** Québécois(e) m(f).

**queen** /kwiːn/ **N** reine f ♦ **Queen's Counsel** *(Brit)* avocat (de la Couronne).

**quell** /kwel/ **VT** *inflation* réduire.

**query** /'kwɪərɪ/ **N** question f, interrogation f ♦ **this raises a query about the feasibility of the scheme** cela jette un doute sur la possibilité de réaliser ce projet ♦ **if you have any other queries please ring one of these numbers** si vous avez besoin d'autres renseignements veuillez appeler les numéros suivants ♦ **VT** *statement* mettre en doute *or* en question ♦ **these figures were queried** ces chiffres ont été contestés.

**question** /'kwestʃən/ **N** *(gen)* question f ♦ **it's an open question (whether)** la question reste posée (de savoir si) ♦ **encoded question** *(Comp)* question codée ♦ **open-ended question** question ouverte ♦ **closed question** question fermée ♦ **there's some question of privatizing the postal services** il est question *or* on parle de privatiser les services postaux

— compounds/composés —

> ♦ **question mark** point d'interrogation ♦ **there is a question mark over their handling of this deal** on peut émettre des doutes sur la manière dont ils ont traité cette affaire

**VT** *person* interroger, poser des questions à, questionner (*about or on sth* sur qch); *account, statement* mettre en doute *or* en question; *claim* contester.

**questionable** /'kwestʃənəbl/ **ADJ** *(= uncertain)* contestable, douteux, discutable; *(= open to suspicion)* douteux, louche, suspect ♦ **it is questionable whether we shall make a profit on this deal** il est douteux que nous puissions tirer profit de cette transaction ♦ **questionable practices** pratiques douteuses.

**questionnaire** /ˌkwestʃə'nɛəʳ/ **N** questionnaire m.

**quetzal** /'ketsəl/ **N** quetzal m.

**queue** /kjuː/ **N** *(Brit = line of people)* queue f, file f d'attente ♦ **queue handler** *(Comp)* programme de gestion de files d'attente ♦ **to join the dole queue** être mis au chômage ♦ **VT** *(Comp)* mettre en file d'attente ♦ **VI** *(Brit)* *[people]* faire la queue.

**queuing** /'kjuːɪŋ/ **N** *(Comp)* mise f en file d'attente ♦ **queuing theory / problems** théorie / problèmes des files d'attente.

**quibble** /'kwɪbl/ **VI** chicaner, ergoter.

**quick** /kwɪk/ **ADJ** *decision, method, rally* rapide ♦ **quick assets** actif disponible ♦ **quick (assets) ratio** *(Fin)* ratio de liquidité immédiate ♦ **quick recovery** reprise rapide ♦ **quick returns** profits rapides ♦ **quick money** capital investi réalisable sur demande ♦ **quick access storage** *(Comp)* mémoire à accès rapide.

**quicken** /'kwɪkən/ **VT** accélérer, hâter ♦ **VI** s'accélérer, se faire plus rapide.

**quickie strike** /'kwɪkɪ'straɪk/ **N** grève f éclair.

**quid** * /kwɪd/ *(Brit)* **N** livre f (sterling).

**quiet** /'kwaɪət/ **ADJ** **a** *(= calm)* *(gen)* calme; *market* calme, inactif ♦ **business is quiet** les affaires sont calmes **b** *(= secret)* caché, secret ♦ **he kept the whole thing quiet** il a tenu l'affaire secrète, il n'a pas ébruité l'affaire ♦ **I'll have a quiet word with your manager** je vais dire deux mots en particulier à votre directeur.

**quieten** /'kwaɪətn/ **VT** *fears* calmer, apaiser, dissiper.

**quietus** /kwaɪ'iːtəs/ **N** **a** *(Fin)* quitus m ♦ **to obtain one's quietus** obtenir son quitus ♦ **to give quietus to sb** donner quitus à qn **b** *(= receipt)* quittance f.

**quit** /kwɪt/ **VI** *(= resign one's job)* démissionner; *(= give up)* renoncer ♦ **notice to quit** *(to tenant)* *(gen)* congé; *(Jur)* signification d'éviction, intimation de quitter les lieux ♦ **to give sb notice to quit** *(tenant)* donner congé à qn; *(employee)* signifier son licenciement à qn ♦ **quitting time** heure de sortie *or* de départ ♦ **N** *(US)* départ m ♦ **specific training creates a deterrent to quits** une formation spécifique est un moyen efficace de limiter les départs ♦ **quit rate** taux de départs.

**quitclaim** /'kwɪtkleɪm/ **N** renonciation f à un droit ♦ **VT** *[right]* renoncer à.

**Quito** /'kiːtəʊ/ **N** Quito.

**quittance** /'kwɪtəns/ **N** *(Fin)* quittance f.

**quorum** /'kwɔːrəm/ **N** quorum m ♦ **there was / was not a quorum** le quorum a été / n'a pas été atteint ♦ **what is the quorum?** quel est le quorum?.

**quota** /'kwəʊtə/ **N** **a** *(= share)* quote-part f, quotité f ♦ **taxable quota** quotité imposable **b** *(= maximum amount to be admitted)* *[imports]* quota m, contingent m ♦ **community quotas** contingents communautaires ♦ **import quotas** quotas d'importation ♦ **sales quota** quota de vente ♦ **unrestricted quota** contingent libre

─────── *compounds/composés* ───────

- **quota advantage** avantage contingentaire
- **quota cartel** *(EU)* entente de quotas
- **quota fixing** contingentement
- **quota policy** politique contingentaire *or* des quotas
- **quota sampling** sondage par quota
- **quota system** système de quotas, contingentement.

**quotable** /'kwəʊtəbl/ **ADJ** *(St Ex)* securities cotable.

**quotation** /kwəʊ'teɪʃən/ **N** **a** *(St Ex)* cotation f (*on* sur); *(list)* cote f ; *(price)* cours m ◆ **quotation board** tableau de cotation ◆ **actual quotation** cours effectif ◆ **closing quotations** cours de clôture, dernières cotations ◆ **consecutive quotation** cotation successive ◆ **forward quotation** cotation à terme ◆ **opening quotation** cours d'ouverture ◆ **spot quotation** cotation du disponible ◆ **securities admitted to quotation** valeurs admises à la cote officielle ◆ **application for quotation** demande d'admission à la cote officielle ◆ **admission to quotation** admission à la cote officielle **b** *(Comm =* estimate*)* devis m ◆ **we have pleasure in giving our quotations below** nous avons l'honneur de vous indiquer ci-après nos meilleurs prix

◆ **would you please send us a quotation for these products?** pourriez-vous nous indiquer vos prix pour ces produits? ◆ **would you please send us a quotation for this service?** pourriez-vous nous envoyer un devis pour ce service?.

**quote** /kwəʊt/ **VT** **a** *(Comm)* price indiquer, spécifier; *estimate* établir ◆ **this was the best price he could quote us** c'est le meilleur prix qu'il a pu nous consentir *or* faire **b** *reference number* rappeler ◆ **when ordering please quote this reference number** pour toute commande prière de rappeler ce numéro de référence **c** *(St Ex)* price coter (*at* à) ◆ **quoted securities** valeurs admises à la cote officielle ◆ **quoted company** société dont les actions sont inscrites à la cote officielle, société cotée en Bourse **VI** **to quote for** *(Comm)* établir un devis pour ◆ **would you kindly quote for this service?** pourriez-vous avoir l'amabilité de m'indiquer vos prix pour ce service? **N** *(* = estimate*)* devis.

**quotient** /'kwəʊʃənt/ **N** quotient m.

**qwerty, QWERTY** /'kwɜːtɪ/ **N** qwerty ◆ **qwerty keyboard** clavier qwerty.

**qy** abbr of **query.**

# R

**R** abbr of **returns.**

**Rabat** /rə'bɑːt/ N Rabat.

**rack** /ræk/ N  (= *container*) *(for documents, files)* classeur m ; *(in shops)* étagère f, rayon m, linéaire m ; *(= merchandising display)* présentoir m ; *(= bottle storage)* casier m, étagère f ; *(for letters, cards)* panier m **b** **to go to rack and ruin** *[business, economy]* aller à vau-l'eau COMP ◆ **rack rent** loyer exorbitant.

**racket** /'rækɪt/ N *(= organized crime)* racket m ; *(= dishonest scheme)* escroquerie f ◆ **they are on to quite a racket** ils ont trouvé la bonne combine*.

**racketeer** /ˌrækɪ'tɪər/ N racketter m, racketteur m.

**racketeering** /ˌrækɪ'tɪərɪŋ/ N racket m.

**racking** /'rækɪŋ/ N **a** (= *shelves*) rayonnage m, étagères fpl, linéaire m **b** *(Comp)* défilement m ligne par ligne sur l'écran.

**rackjobber** /'rækdʒɒbər/ N installateur m en rayons *(distributeur qui réapprovisionne directement le linéaire des libre-services)*, rackjobber m.

**rackjobbing** /'rækdʒɒbɪŋ/ N installation f en rayons *(réapprovisionnement direct du linéaire par un distributeur).*

**rack up** /ræk/ VT SEP **a** * *sales, profits* empocher, ramasser ◆ **these areas racked up most of the rebound in manufacturing** ces secteurs ont raflé presque tous les profits découlant de la reprise industrielle **b** *(Comp) screen display* faire remonter d'une ligne.

**radio** /'reɪdɪəʊ/ **N** *(gen)* radio f ; *(= set)* poste m (de radio) ◆ **on the radio** à la radio
**VT** *person* appeler *or* joindre par radio ; *message* envoyer *or* transmettre par radio

— compounds/composés —
◆ **radio advertising** publicité radiophonique
◆ **radio announcement** annonce radiophonique *or* à la radio
◆ **radio announcer** speaker(ine)
◆ **radio broadcast** émission de radio
◆ **radio commercial** spot *or* message publicitaire, page de publicité
◆ **radio link** liaison radio
◆ **radio programme** émission de radio, programme radiophonique
◆ **radio set** poste (de radio), radio
◆ **radio station** station de radio, poste émetteur
◆ **radio taxi** radio-taxi .

**radiotelephone** /ˌreɪdɪəʊ'telɪfəʊn/ N radiotéléphone m.

**raft risk** /'rɑːftrɪsk/ N *(Mar Ins)* risques mpl de drome.

**rag** /ræg/ N *(= cloth)* chiffon m ; *(*, pej = newspaper)* torchon* m (pej) ; feuille f de chou* (pej) ◆ **the rag trade** la confection.

**raid** /reɪd/ **N** **a** *(Fin)* tentative f de rachat, OPA f ◆ **to make a raid on** monter une OPA contre ◆ **dawn raid** tentative d'OPA surprise **b** *(St Ex)* chasse f (au découvert)
**VT** **a** *(Fin, pej) company* monter une OPA contre **b** *(St Ex)* chasser ◆ **to raid the bears** faire la chasse aux vendeurs à découvert.

**raider** /'reɪdər/ N *(Fin)* ◆ **(corporate) raider** prédateur m raider m.

**rail** /reɪl/ **N**  **a** (= track) rail m ; (= transport) rail m, chemin m de fer ◆ **to ship by rail** expédier par (le) train or par chemin de fer ◆ **British Rail** la société des chemins de fer britanniques ◆ **free on rail** franco wagon ◆ **price on rail** prix sur le wagon  **b** rails (St Ex : also **rail shares** or **stocks**) les chemins de fer, les ferroviaires  **c** (Mar) ◆ **at ship's rail** sous-palan

───── compounds/composés ─────

> ◆ **rail shipment** envoi or expédition par chemin de fer
> ◆ **rail strike** grève des chemins de fer or des cheminots
> ◆ **rail traffic** trafic ferroviaire
> ◆ **rail transport** transport ferroviaire or par chemin de fer or par rail.

**railhead** /ˈreɪlhed/ **N** tête f de ligne.

**railman** /ˈreɪlmən/ (US) **N** cheminot m, employé m des chemins de fer.

**railroad** /ˈreɪlrəʊd/ (US) **N** chemin m de fer ◆ **railroad bill of lading, railroad waybill** lettre de voiture ferroviaire
**VT** expédier par chemin de fer.

**railway** /ˈreɪlweɪ/ (Brit) **N** (= system) chemin m de fer ◆ **the railways** les chemins de fer ◆ **factory with railway facilities** usine raccordée au réseau ferroviaire

───── compounds/composés ─────

> ◆ **railway bill** lettre de voiture ferroviaire
> ◆ **railway carriage** voiture, wagon
> ◆ **railway line** ligne de chemin de fer
> ◆ **railway network** réseau ferroviaire
> ◆ **railway shares** or **stocks** (St Ex) les chemins de fer mpl, les ferroviaires mpl
> ◆ **railway station** gare
> ◆ **railway track** voie ferrée
> ◆ **railway yard** dépôt.

**railwayman** /ˈreɪlweɪmən/ (Brit) **N** cheminot m, employé m des chemins de fer.

**raise** /reɪz/ **N** (US = salary increase) augmentation f (de salaire)
**VT**  **a** (= increase) salary augmenter, relever; price majorer, augmenter; standard élever ◆ **to raise the stakes** or **the ante** faire monter les enchères ◆ **to raise the interest rates** relever les taux d'intérêt  **b** (= gather, find) taxes lever; money trouver, se procurer; funds réunir, rassembler, rechercher ◆ **to raise a loan** [government, firm] lancer or émettre un emprunt; [person] emprunter ◆ **to raise money on sth** emprunter de l'argent sur qch ◆ **to raise capital** réunir or mobiliser or trouver des capitaux

or des fonds ◆ **they raised £2 million in new capital** ils ont augmenté leur capital de 2 millions de livres ◆ **to raise a cheque** (US) (= make out) faire un chèque; (= falsify) augmenter frauduleusement le montant d'un chèque  **c** (Mar) ship relever, renflouer  **d** (= breed) cattle élever  **e** (US = prepare) document, paperwork rédiger, préparer, établir ◆ **after the necessary paperwork has been raised** après l'établissement des documents nécessaires  **f** (= bring up) question soulever; protest élever.

**raising** /ˈreɪzɪŋ/ **N**  **a** (= increase) [prices] augmentation f, hausse f, majoration f ; [interest rates] relèvement m, hausse f  **b** (= gathering) [taxes] levée f ; [funds] collecte f, recherche f ; [loan] lancement m.

**rake in** * /reɪk/ **VT SEP** money ramasser, empocher.

**rake-off** * /ˈreɪkɒf/ **N** (pej) pourcentage m, commission f, ristourne f, com f * ◆ **he gets a rake-off on each sale** il prélève son pourcentage or sa com* sur chaque vente.

**rally** /ˈrælɪ/ **N**  **a** (= gathering of people) (gen) rassemblement m ; (Pol) meeting m, rassemblement m  **b** [economy, market] redressement m, reprise f ; (St Ex) reprise f des cours, remontée f des cours
**VI**  **a** [people] se rallier ◆ **rallying point** point de ralliement  **b** [economy, market] se redresser, reprendre, se ressaisir ◆ **the market is rallying strongly** (St Ex) les cours reprennent vigoureusement ◆ **the dollar is rallying** le dollar regagne du terrain ◆ **our shares rallied from ... to ...** nos actions ont remonté de ...à ...

**RAM** /ræm/ **N** (abbr of **random access memory**) RAM f.

**rampage** /ræmˈpeɪdʒ/ **N** ◆ **to be on the rampage** être déchaîné ◆ **the bulls are on the rampage** (St Ex) les haussiers se déchaînent.

**rampant** /ˈræmpənt/ **ADJ** ◆ **rampant inflation** inflation généralisée ◆ **corruption is rampant** la corruption sévit partout.

**ramp up** /ræmp/ **VT SEP** production augmenter le volume de, accélérer
**VI** s'accélérer.

**rand** /rænd/ **N** rand m.

**R & D** /ˈɑːrəndˈdiː/ **N** abbr of **research and development** → **research.**

**random** /ˈrændəm/ **N** at random au hasard
**ADJ** fait au hasard, aléatoire ◆ **random sizes** tailles tout-venant

────── compounds/composés ──────

- **random access** *(Comp)* accès sélectif
- **random access memory** *(Comp)* mémoire vive *or* volatile
- **random check** contrôle par sélection aléatoire *or* par sondage
- **random error** *(Stat)* erreur aléatoire
- **random number** nombre aléatoire
- **random sample** échantillon prélevé au hasard, échantillon aléatoire.

**randomization, randomisation** /ˌrændəmaɪˈzeɪʃən/ N *(Stat)* procédé m de répartition aléatoire.

**randomize, randomise** /ˈrændəmaɪz/ VT *(Stat)* répartir *or* disperser de manière aléatoire.

**range** /reɪndʒ/ N a *[gun, missile]* portée f ; *[plane, ship]* rayon m d'action ◆ **to be out of range** être hors de portée ◆ **long-range forecast** prévision à long terme b *[salaries]* éventail m, échelle f ; *[prices]* gamme f, échelle f ; *[products]* gamme f ; *(= variety)* assortiment m, choix m, variété f ◆ **top-of-range product** article (de) haut de gamme ◆ **the top / the bottom end of the range** le haut / le bas de gamme ◆ **range search** *(Comp)* recherche entre limites ◆ **the outer range** la limite extrême ◆ **a range of colours** une palette de couleurs ◆ **a range of options** une panoplie d'options ◆ **range forecasts** fourchette de prévisions c *(= domain)* *[activity]* champ m, rayon m ; *[knowledge, responsibility]* étendue f d *(Agr)* prairie f, pâturage m ◆ **free-range chicken** poulet fermier VI *(= extend)* *[discussion, project, responsibility]* s'étendre *(from... to* de... à, *over* sur) ; *[results, figures]* aller *(from... to* de... à) varier *(from... to* entre... et) ◆ **interest rates range from 6% to 9.5%** les taux d'intérêt vont de 6% à 9,5% ◆ **manufacturing activities ranging over the whole field of consumer goods** des activités industrielles qui embrassent tout le domaine des biens de consommation ◆ **prices ranging from £20 to £30** des prix de l'ordre de 20 à 30 livres, des prix allant de 20 à 30 livres.

**Rangoon** /ræŋˈguːn/ N Rangoon.

**rank** /ræŋk/ N a *(= row)* rang m ; *(also* **taxi rank**) station f de taxi ◆ **at the head of the rank** en tête de file b *(Mil)* rang m ◆ **to break ranks** *(fig)* se désolidariser ◆ **the rank and file** *(workers)* la base, les ouvriers ◆ **to rise from the ranks** sortir du rang c *(= position)* classement m, place f, rang m ; *[mortgage]* rang m ◆ **top-rank product** produit de première catégorie ◆ **second-rank consultant** consultant de deuxième ordre *or* de seconde zone ◆ **rank**

order statistics méthodes statistiques par rang d *(= social standing)* condition f, classe f ◆ **a person of rank** une personne de haut rang VT ranger, classer ◆ **this product was ranked second by consumers** ce produit a été classé en deuxième position par les consommateurs ◆ **they ranked it as one of the best advertising campaigns of the year** ils l'ont classée parmi les meilleures campagnes publicitaires de l'année ◆ **to rank creditors** *(Jur)* colloquer des créanciers VI *[product, person]* se classer *(among* parmi, *before* avant, *after* après) ◆ **to rank before** *[stock]* primer ◆ **to rank after** *[stock]* être primé par ◆ **to rank above / below sb** être supérieur / inférieur à qn ◆ **this project ranks high among our priorities** ce projet occupe un rang élevé parmi nos priorités ◆ **to rank first / second** venir en première / deuxième position ◆ **to rank junior to** être subordonné à, avoir infériorité de rang par rapport à ◆ **to rank pari passu** *or* **equally with** avoir le même rang que ◆ **preference shares rank first in dividend rights** les actions préférentielles priment en matière de dividende ◆ **he ranks with the best financial experts in the country** il est l'égal des meilleurs experts financiers du pays.

**ranking** /ˈræŋkɪŋ/ N classement m, position f, rang m ◆ **what is the ranking of our product in consumer preference?** quel rang occupe notre produit dans la préférence des consommateurs ? ◆ **the ranking of a creditor** *(Jur)* la collocation d'un créancier ◆ **top-ranking official** *(Admin)* haut fonctionnaire, haut responsable, responsable de haut rang ; *(in company)* cadre supérieur, dirigeant.

**rash** /ræʃ/ N *(Med)* éruption f ◆ **there has been a rash of bank failures** il y a eu des faillites bancaires en série *or* en cascade ADJ *person* imprudent, qui agit à la légère ; *words, judgment* imprudent, irréfléchi.

**ratable** /ˈreɪtəbl/ ADJ → **rateable.**

**ratal** /ˈreɪtəl/ *(Brit)* N valeur f locative imposable.

**ratchet** /ˈrætʃɪt/ N cliquet m ◆ **ratchet effect** effet de cliquet.

**ratchet down** /ˈrætʃɪt/ VI être entraîné à la baisse.

**rate** /reɪt/ N a *(= charge for service)* tarif m, prix m ; *(= percentage, ratio)* taux m ; *(Fin)* taux m, cours m ◆ **he's paid at the rate of £10 an hour** il est payé au taux de *or* sur la base de *or* à raison de 10 livres de l'heure ◆ **the dollar rate** le cours du dollar ◆ **rate of contango** taux *or* cours du report ✦ **rate of discount** taux d'escompte ✦ **rate of increase** taux d'accroissement ✦ **rate of issue** taux d'émission ✦ **rate of option** *(St Ex)* taux de la prime ✦ **rate of pay** barème des salaires ✦ **rate of return** *(Fin)* (taux de) rendement; *(Comm)* taux d'invendus; *(Pub)* taux de réponse *or* de remontée ✦ **rate of taxation** taux d'imposition ✦ **backwardation rate** taux de report ✦ **bank rate** taux d'escompte *or* de l'escompte ✦ **basic rate** *[salary]* traitement de base; *[tax]* taux de base ✦ **buying rate** cours acheteur ✦ **capitalization rate** taux de capitalisation ✦ **central rate** *(EU)* cours pivot ✦ **coverage rate** taux de couverture ✦ **cross rates** taux croisés ✦ **decreasing rate** taux dégressif ✦ **demand rate** *(exchange)* cours *or* taux à vue ✦ **depreciation rate** taux d'amortissement ✦ **exchange rate** taux de change, cours du change ✦ **fixed rate** *[interest, exchange]* taux fixe ✦ **fixed-rate security** valeur à taux fixe ✦ **flat rate** *[tax]* taux forfaitaire; *[charge, price]* taux fixe, tarif uniforme; *[salary]* taux uniforme ✦ **floating rate** taux flottant ✦ **forward rate** taux de change à terme ✦ **full rate** plein tarif ✦ **growth rate** taux de croissance ✦ **hourly rate** *[pay]* taux horaire ✦ **inland rate** tarif intérieur ✦ **jobless rate** taux de chômage ✦ **Lombard rate** taux Lombard, taux des avances sur nantissement ✦ **mortgage rate** taux des prêts hypothécaires ✦ **night rate** tarif de nuit ✦ **penetration rate** taux de pénétration ✦ **prime rate** taux de base ✦ **response rate** *(Mktg)* taux de réponse *or* de remontée ✦ **selling rate** cours vendeur ✦ **spot rate** cours du disponible *or* du comptant ✦ **standard rate** taux standard *or* habituel ✦ **unemployment rate** taux de chômage ✦ **wage rate** taux de rémunération *or* de salaire ✦ **zero rate** taux zéro **b** *(= category)* ✦ **first-rate** de premier ordre, excellent ✦ **second-rate** de deuxième ordre, médiocre **c** *(= speed, rhythm)* *[movement]* vitesse f, allure f ; *[work]* cadence f, vitesse f ; *[machine output, liquid flow]* débit m ✦ **at a fast rate** rapidement, à vive allure ✦ **at a rate of five units per man-hour** à un rythme *or* à raison de cinq unités par heure-homme ✦ **rate of turnover** *[stock]* vitesse *or* ratio de rotation **d** *(Brit = municipal tax on property)* ✦ **rates** impôts locaux ✦ **rates and taxes** impôts et contributions ✦ **business rates** taxe professionnelle ✦ **water rates** *(Brit)* taxe sur la consommation d'eau

**VT** **a** *(= evaluate)* évaluer, classer, juger, noter; *(fig)* *(= consider)* considérer *(as* comme); *(Fin, St Ex)* **company** noter ✦ **this product was rated poor by retailers** ce produit a été jugé inférieur

---

——— compounds/composés ———

- ✦ **rate-capping** *(Brit)* plafonnement des impôts locaux *(par le gouvernement)*
- ✦ **rate card** *(Pub)* liste des tarifs
- ✦ **rate collector** *(Brit)* receveur municipal
- ✦ **rate scale** barème des tarifs
- ✦ **rate support grant** *(Brit Admin)* subvention de l'État aux autorités locales
- ✦ **rate variance** écart sur taux
- ✦ **rate war** guerre des tarifs *or* des prix

---

par les détaillants ✦ **how do you rate this company?** que pensez-vous de cette entreprise? ✦ **to rate a company triple A** noter une société AAA **b** *(= put price on)* tarifer, estimer le prix de, fixer la valeur de; *(Brit) property* calculer le montant *or* l'assiette des impôts locaux de ✦ **a property rated at £1,000** une propriété dont les impôts locaux s'élèvent à 1 000 livres ✦ **to rate sb up** *(Ins)* augmenter la prime de qn ✦ **zero-rated (for VAT)** non assujetti à la TVA **c** *(= deserve)* mériter

**VI** être classé, se classer, se ranger *(as* comme, *in, among* parmi)

**rateable** /ˈreɪtəbl/ *(Brit)* **ADJ** *property* imposable ✦ **rateable value** *house* valeur locative imposable; *land* évaluation cadastrale.

**ratepayer** /ˈreɪtpeɪəʳ/ *(Brit)* **N** contribuable mf (payant des impôts locaux).

**ratification** /ˌrætɪfɪˈkeɪʃən/ **N** ratification f ✦ **act of ratification and acknowledgement** acte récognitif et confirmatif ✦ **ratification payment** versement de régularisation.

**ratify** /ˈrætɪfaɪ/ **VT** ratifier.

**rating** /ˈreɪtɪŋ/ **N** **a** *(= assessment)* évaluation f, appréciation f ✦ **the rating of products in terms of safety criteria** l'évaluation des produits selon les critères de sécurité **b** *(= position)* classement m notation f ✦ **the product achieved a low rating in consumer tests** le produit a été mal classé dans les tests auprès des consommateurs ✦ **merit rating** *(US)* notation du personnel ✦ **popularity rating** cote de popularité ✦ **workforce rating** notation de la main-d'œuvre **c** *(Fin, St Ex)* *[company]* notation f, cote f, rating m ✦ **credit rating** degré de solvabilité, rating ✦ **market rating** *(St Ex)* estimation boursière, cours en Bourse **d** *(TV, Rad)* ✦ **ratings** taux *or* indice d'écoute ✦ **this show has done well in the ratings** cette émission a un excellent taux *or* indice d'écoute **e** *(= setting of charges)* tarification f **f** *(Brit = property taxes)* montant m des impôts locaux

---

──────── *compounds/composés* ────────

• **rating agency** agence de notation *or* de rating
• **rating authority** *(Brit)* commission des impôts locaux
• **rating scale** échelle d'évaluation *or* de notation
• **rating system** *(Brit)* calcul de l'assiette (des impôts locaux).

---

**ratio** /ˈreɪʃɪəʊ/ N *(gen)* proportion f, raison f, rapport m ; *(Math)* ratio m *(Fin, Acc)* ratio m, coefficient m, indice m ◆ **in the ratio of 4 to 1** dans la proportion *or* le rapport de 4 contre *or* à 1 ◆ **in inverse** *or* **indirect ratio to** en raison inverse de ◆ **ratio scale** échelle logarithmique ◆ **ratio analysis** analyse indiciaire ◆ **accounting ratio** ratio comptable ◆ **acid-test ratio** ratio de liquidité immédiate, ratio de trésorerie réduite ◆ **advances ratio** *(Bank)* ratio d'endettement ◆ **capital-output ratio** ratio d'intensité de capital ◆ **cash ratio** coefficient de trésorerie ◆ **Cooke ratio** ratio Cooke ◆ **cover ratio** taux de couverture ◆ **current ratio** ratio de liquidité générale ◆ **debt-equity ratio** ratio d'endettement ◆ **dividend-price ratio** rapport dividende-cours ◆ **liquidity ratio** ratio *or* coefficient de liquidité *or* de trésorerie ◆ **operating ratio** *[machine]* coefficient d'exploitation; *(Comp)* taux de disponibilité ◆ **price-earnings ratio** *(St Ex)* rapport cours-bénéfices, taux *or* coefficient de capitalisation, price-earning, PER ◆ **profit-volume ratio** ratio bénéfices sur ventes ◆ **quick ratio** ratio de liquidité immédiate ◆ **savings-to-income ratio** ratio épargne-revenus.

**ration** /ˈræʃən/ N ration f
▪ VT rationner.

**rationale** /ˌræʃəˈnɑːl/ N *(= reasoning)* raisonnement m ; *(= statement)* exposé m raisonné ◆ **what's the rationale behind your decision?** sur quoi votre décision est-elle fondée?.

**rationalization, rationalisation** /ˌræʃnəlaɪˈzeɪʃən/ N rationalisation f, organisation f rationnelle.

**rationalize, rationalise** /ˈræʃnəlaɪz/ VT ▪ a event, decision tenter de trouver une explication rationnelle à ▪ b *(= organise efficiently)* production, factory rationaliser.

**rationing** /ˈræʃnɪŋ/ N rationnement m.

**raw** /rɔː/ ADJ fabric écru; ore brut; trainee inexpérimenté ◆ **raw data** données brutes *or* non traitées ◆ **raw materials** matières premières ◆ **raw material variance** écart sur matières premières.

**rcd** abbr of **received**.

**RCR** /ˌɑːrsiːˈɑːr/ *(US)* N abbr of **registered commodity representative** → **representative**.

**rd** (abbr of **road**) R.

**r.d.** abbr of **running days** → **running**.

**R / D** abbr of **refer to drawer** → **refer**.

**re** /reɪ/ PREP *(Admin, Comm)* *(= referring to)* au sujet de, relativement à, concernant *(Jur :* also **in re**) en l'affaire de.

**reach** /riːtʃ/ ▪ N *(= accessibility)* portée f, atteinte f; *(Jur)* juridiction f ◆ **within reach** à portée ◆ **out of reach** hors de portée ◆ **the reach of an advertising medium** la couverture d'un support publicitaire ◆ **the reach of a supermarket** la zone de chalandise d'un supermarché
▪ VT ▪ a place arriver à, gagner; limit atteindre; goal atteindre, réaliser; agreement parvenir à, aboutir à, arriver à; decision prendre; conclusion arriver à ◆ **your letter has only just reached us** nous venons juste de recevoir votre lettre ◆ **your shipment has reached us in good condition** votre envoi nous est parvenu en bon état ◆ **you can reach me at my office after 9.00 a.m.** *(by telephone)* vous pouvez me joindre à mon bureau à partir de 9 heures ◆ **our bill reached $300** notre note s'est élevée à 300 dollars ◆ **to reach a total of** s'élever à, atteindre un total de ▪ b *(= get with the hands)* atteindre; *(= pass on)* passer ◆ **can you reach me the file?** pourriez-vous me passer le dossier?
▪ VI *[territory]* ◆ **to reach as far as** s'étendre à *or* jusqu'à.

**react** /riˈækt/ VI réagir *(against* contre, *on* sur, *to* à)

**reaction** /riˈækʃən/ N réaction f ◆ **reaction time** temps de réaction.

**read** /riːd/ ▪ VT ▪ a lire ◆ **read and confirmed** *or* **approved** lu et approuvé ◆ **they took the minutes as read** ils sont passés à l'ordre du jour (en considérant comme adopté le procès-verbal de la dernière séance) ◆ **read most** *(Pub)* taux de lecture ▪ b *[instruments, tables]* marquer, indiquer ◆ **column 2, line 4, reads 45** la colonne 2, ligne 4, indique 45
▪ VI ▪ a lire ▪ b **the contract reads as follows** le contrat est rédigé comme suit, voici les termes exacts du contrat

---

──────── *compounds/composés* ────────

• **read error** erreur de lecture
• **read head** tête de lecture
• **read only memory** mémoire morte
• **read-write head** tête de lecture-écriture

**readable** /'ri:dəbl/ **ADJ** lisible.

**reader** /'ri:dəʳ/ **N** **a** *(gen)* lecteur(-trice) m(f) **b** *(= textbook)* manuel m, livre m de classe.

**readership** /'ri:dəʃɪp/ **N** *[newspaper, magazine]* nombre m de lecteurs, lectorat m ♦ **the newsletter has a readership of 10,000** le bulletin d'information a 10 000 lecteurs ♦ **pass-on readership** lectorat effectif

─── compounds/composés ───
♦ **readership profile** profil *or* classification des lecteurs
♦ **readership survey** enquête auprès des lecteurs.

**readiness** /'redɪnɪs/ **N** **a** *(= preparedness)* ♦ **to keep sth in readiness** tenir qch prêt *(for à, pour)* **b** *(= willingness)* ♦ **we assure you of our readiness to guarantee delivery time** nous vous assurons que nous sommes prêts à garantir les délais de livraison, soyez sûr que nous respecterons les délais de livraison.

**reading** /'ri:dɪŋ/ **N** **a** lecture f ♦ **reading and noting** *(Pub)* taux de lecture et d'observation **b** *[proofs]* correction f **c** *[instrument]* relevé m ♦ **to take a reading** relever les indications (d'un compteur *etc.*).

**readjust** /ˌri:ə'dʒʌst/ **VT** *(gen)* rajuster, réadapter, réarranger; *salary* rajuster, réajuster; *(= correct)* rectifier; *instrument* régler **VI** se réadapter *(to à)*

**readjustment** /ˌri:ə'dʒʌstmənt/ **N** *(gen)* réadaptation f; *[salary]* rajustement m, réajustement m; *[instrument]* réglage m; *[company]* réajustement financier.

**readmission** /ˌri:əd'mɪʃən/ **N** réadmission f.

**read out** /ri:d/ **VT SEP** *(Comp)* sortir *or* afficher *or* transférer *or* lire (sur l'écran).

**read-out** /'ri:daʊt/ **N** affichage m *or* sortie f sur écran.

**readvertise** /ˌri:ˈædvɜ:taɪz/ **VT** refaire de la publicité pour **VI** repasser une publicité.

**readvertisement** /ˌri:əd'vɜ:tɪsmənt/ **N** nouveau passage m publicitaire.

**ready** /'redɪ/ **ADJ** **a** *(= prepared)* prêt ♦ **ready to hand** accessible ♦ **ready money, ready cash** argent liquide ♦ **to pay in ready cash** payer en espèces *or* en liquide **b** *(= willing)* prêt, disposé *(to à)* ♦ **we are ready to collaborate** nous sommes prêts *or* disposés à collaborer **c** *(= prompt, easy)* facile ♦ **ready sale** vente facile *or* rapide ♦ **to meet with ready acceptance** être bien accepté ♦ **there is a ready market for this product** ce produit s'écoulera facilement, il y a un marché *or* un débouché tout trouvé pour ce produit

─── compounds/composés ───
♦ **ready-made** *(gen)* tout fait; *clothes* prêt-à-porter, de confection ♦ **ready-made clothing** le prêt-à-porter, la confection
♦ **ready-reckoner** barème, table de calcul
♦ **ready-to-run** prêt à l'emploi
♦ **ready-to-serve** prêt à servir
♦ **ready-to-wear** prêt-à-porter.

**real** /rɪəl/ **ADJ** réel, véritable ♦ **a real-life situation** une situation réelle ♦ **a real-life experiment** une expérience en grandeur réelle

─── compounds/composés ───
♦ **real accounts** comptes mpl du grand livre
♦ **real assets** immobilisations fpl corporelles
♦ **real cost** coût réel
♦ **real damages** *(Ins)* total des dommages-intérêts autorisés par le tribunal
♦ **real estate** biens mpl fonciers *or* immeubles *or* immobiliers ♦ **he's in real estate** il travaille dans l'immobilier ♦ **the real-estate business** l'immobilier ♦ **real-estate agency** *or* **office** *(US)* agence immobilière ♦ **real-estate agent** *or* **broker** *(US)* agent immobilier, marchand de biens *or* de fonds ♦ **real-estate investment fund** société civile de placement immobilier, SCPI ♦ **real-estate investment trust** fonds de placement immobilier, SCPI ♦ **real-estate credit** *(US)* crédit immobilier *or* foncier ♦ **real-estate tax** *(US)* contribution immobilière, impôt foncier
♦ **real income** revenu réel
♦ **real investment** investissement collectif *(en écoles, hôpitaux etc)*
♦ **real property** propriété immobilière, biens mpl immeubles *or* immobiliers
♦ **real terms** termes mpl réels
♦ **real time** *(Comp)* temps réel ♦ **in real time** en temps réel ♦ **to operate in real time** intervenir en temps réel ♦ **real-time operation** fonctionnement m en temps réel
♦ **real value** valeur effective
♦ **real wage** salaire réel.

**real** /re'al/, **PL reals** /rəjʃ/ **N** real m.

**realign** /ri:ə'laɪn/ **VT** réaligner, réajuster.

**realignment** /ˌri:ə'laɪnmənt/ **N** réalignement m, réajustement m ♦ **a realignment in exchange rates** un réajustement des parités monétaires, un réalignement des monnaies.

**realizable** /ˌrɪə'laɪzəbl/ **ADJ** *assets, stocks* réalisable.

**realization, realisation** /ˌrɪəlaɪ'zeɪʃən/ **N** **a** *(= awareness)* prise f de conscience; *[plan,* objective] réalisation f  b  *(Fin)* [securities] conversion f (en espèces); [assets, property] réalisation f ; (= liquidation) réalisation f, liquidation f ◆ **realization account** compte de liquidation ◆ **realization principle** or **concept** principe de réalisation ◆ **realization value** valeur de liquidation or réalisation ◆ **statement of realization and liquidation** état de réalisation et de liquidation  c  [pledge] réalisation f.

**realize, realise** /ˈrɪəlaɪz/ **VT**  a  (= become aware of) se rendre compte de, prendre conscience de; (= be aware of) bien savoir; (= understand) comprendre  b  (= materialize) plan réaliser ◆ **realized profits** bénéfices réalisés or acquis ◆ **realized gains / losses** gains / pertes matérialisé(e)s  c  *(Fin)* (= convert into money) securities convertir en espèces; assets, property réaliser ◆ **to realize one's assets** réaliser sa fortune  d  *(Fin)* (= sell for a certain price) rapporter ◆ **the building realized £200,000** l'immeuble a rapporté 200 000 livres ◆ **how much did they realize on the building?** combien l'immeuble leur a-t-il rapporté?, combien ont-ils vendu l'immeuble?.

**reallocate** /ˌriːˈæləʊkeɪt/ **VT** funds, resources réaffecter; tasks réattribuer, redistribuer.

**reallocation** /ˌriːæləʊˈkeɪʃən/ **N** [funds] réaffectation f.

**reallowance** /ˌriːəlaʊəns/ **N** *(St Ex)* réattribution f.

**realtor** /ˈrɪəltɔːʳ/ *(US)* **N** agent m immobilier.

**realty** /ˈrɪəltɪ/ *(US)* **N** *(Jur)* biens mpl immobiliers or immeubles.

**ream** /riːm/ **N** [paper] rame f.

**reap** /riːp/ **VT** *(Agr)* moissonner, faucher; profit récolter, tirer.

**reapply** /ˌriːəˈplaɪ/ **VI** faire une nouvelle demande ◆ **to reapply for a job** reposer sa candidature à un emploi.

**reappoint** /ˌriːəˈpɔɪnt/ **VT** *(gen)* renommer (to à) réintégrer (to dans); (after dismissal) rétablir or réintégrer dans ses fonctions.

**reappointment** /ˌriːəˈpɔɪntmənt/ **N** réintégration f (to dans) renomination (to à)

**reapportion** /ˌriːəˈpɔːʃən/ **VT** redistribuer, réaffecter, répartir à nouveau.

**reapportionment** /ˌriːəˈpɔːʃənmənt/ **N** redistribution f, réaffectation f.

**reappraisal** /ˌriːəˈpreɪzəl/ **N** réévaluation f, réexamen m, révision f.

**reappraise** /ˌriːəˈpreɪz/ **VT** réévaluer, réexaminer, revoir.

**reasonable** /ˈriːznəbl/ **ADJ** person raisonnable; statement raisonnable, vraisemblable; price abordable, modéré, raisonnable; offer acceptable, raisonnable ◆ **reasonable doubt** *(Jur)* doute raisonnable ◆ **beyond reasonable doubt** *(Jur)* pour autant qu'on puisse l'affirmer.

**reasonableness** /ˈriːznəblnɪs/ **N** ◆ **test of reasonableness** test de vraisemblance.

**reasonably** /ˈriːznəblɪ/ **ADV** raisonnablement ◆ **reasonably priced** à or d'un prix raisonnable or abordable.

**reasoned** /ˈriːznd/ **ADJ** raisonné ◆ **reasoned refusal** refus motivé.

**reassess** /ˌriːəˈses/ **VT** situation réexaminer; policy réexaminer, revoir, réviser; property value réévaluer; (for taxation) person réviser la cote de or le taux d'imposition de; *(Jur)* damages réévaluer.

**reassessment** /ˌriːəˈsesmənt/ **N** [situation] réexamen m; [policy] révision f ; [damages] réévaluation f ◆ **income-tax reassessment** redressement fiscal.

**reassign** /ˌriːəˈsaɪn/ **VT** funds réaffecter.

**reassignment** /ˌriːəˈsaɪnmənt/ **N** [funds] réaffectation f.

**reassurance** /ˌriːəˈʃʊərəns/ **N** réassurance f.

**rebate** /ˈriːbeɪt/ **N** (= discount) rabais m, réduction f, ristourne f, remise f ; (= money back) remboursement m ◆ **rebate on bills not due** réescompte du portefeuille ◆ **loyalty rebate** ristourne de fidélité ◆ **tax rebate** dégrèvement fiscal.

**rebound** /rɪˈbaʊnd/ **N** [sales, economy] reprise f ◆ **technical rebound** *(St Ex)* reprise or rebond technique
**VI** [sales, economy] reprendre, repartir; [stocks] se reconstituer; *(St Ex)* [shares] rebondir.

**rebuild** /ˌriːˈbɪld/ **VT** *(gen)* reconstruire, rebâtir; stocks reconstituer.

**rebut** /rɪbʌt/ **VT** réfuter.

**rebuttal** /rɪˈbʌtl/ **N** réfutation f.

**rebuy** /ˌriːˈbaɪ/ **N** *(Mktg)* réachat m.

**recall** /rɪˈkɔːl/ **VI**  a  (= remember) se rappeler, se souvenir de  b  (= summon back) person, thing rappeler; worker réembaucher; *(Fin)* capital faire rentrer ◆ **the company recalled 5,000 cars**

**with defective steering** l'entreprise a rappelé 5 000 voitures à la direction défectueuse ▣ *(Jur)* annuler, révoquer
▣ **a** *[defective goods]* rappel m, retrait m ; *[workers]* réembauche f **b** *(= memory)* mémorisation f ◆ **he has total recall** il retient tout ◆ **recall test** test de mémorisation.

**recap** * /ˈriːkæp/ abbr of **recapitulate.**

**recapitalization, recapitalisation** /ˌriːkæpɪtəlaɪˈzeɪʃən/ **N** recapitalisation f, restructuration f financière *or* du capital.

**recapitalize, recapitalise** /ˌriːˈkæpɪtəlaɪz/ **VT** recapitaliser, restructurer le capital de, changer la structure financière de.

**recapitulate** /ˌriːkəˈpɪtjʊleɪt/ **VT** *argument* récapituler, faire le résumé de
▣ récapituler, faire un résumé.

**recapture** /ˌriːˈkæptʃər/ **VT** *market* reprendre, récupérer.

**recast** /riːˈkɑːst/ **VT** *project* refondre.

**recede** /rɪˈsiːd/ **VI** reculer, baisser ◆ **industrials have receded** *(St Ex)* les industrielles ont perdu *or* cédé du terrain ◆ **bonds receded further** les obligations ont accentué leur repli.

**receipt** /rɪˈsiːt/ ▣ **a** *(= fact of receiving)* réception f ◆ **on receipt of** à réception *or* au reçu de *or* dès réception de ◆ **within ten days of receipt** dans les dix jours suivant réception ◆ **we are in receipt of** nous avons bien reçu ◆ **to pay on receipt** payer à (la) réception ◆ **to acknowledge receipt of** accuser réception de **b** *(= document acknowledging payment)* reçu m, quittance f, récépissé m, acquit m *(for* de); *(= document acknowledging receipt)* accusé m de réception ◆ **receipt for a loan** reconnaissance de dette ◆ **receipt for payment** acquit de paiement, quittance, reçu ◆ **receipt for the balance, receipt in full discharge** reçu pour solde de tout compte ◆ **receipt on account** reçu à valoir ◆ **application receipt** *(St Ex)* récépissé de souscription ◆ **customs receipt** récépissé de douane ◆ **deposit receipt** récépissé de dépôt ◆ **dock receipt** reçu des docks ◆ **mate's receipt** *(Mar)* reçu de bord ◆ **rent receipt** quittance de loyer ◆ **sales receipt** ticket de caisse ◆ **warehouse receipt** récépissé d'entrepôt, warrant **c** *(= money received)* ◆ **receipts** recettes, encaissements, rentrées ◆ **cash receipts and payments** encaissements et décaissements, entrées et sorties de caisse ◆ **receipts and expenditures** recettes et dépenses ◆ **sundry receipts** recettes diverses ◆ **tax receipts** recettes fiscales

── compounds/composés ──
◆ **receipt book** livre *or* carnet de quittances, quittancier
◆ **receipt slip** quittance, récépissé
◆ **receipt stamp** *(paper)* timbre-quittance; *(rubber)* tampon

▣ *invoice, bill (gen)* acquitter, quittancer; *(by writing in the margin)* émarger ◆ **the receipt(ed) copy of the invoice** la copie émargée de la facture ◆ **the receipted copy of the dispatch note** l'exemplaire visé du bordereau d'expédition ◆ **duly receipted invoice** facture dûment acquittée.

**receivable** /rɪˈsiːvəbl/ **ADJ** ◆ **accounts receivable** comptes clients, créances ◆ **bills** *or* **notes receivable** effets à recevoir.

**receive** /rɪˈsiːv/ **VT** **a** *goods, letter* recevoir; *money, salary* recevoir, toucher; *stolen goods* recéler, receler ◆ **we have duly received your letter** votre lettre nous est bien parvenue, nous avons bien reçu votre lettre ◆ **received with thanks** pour acquit, payé, acquitté ◆ **received the sum of £30** reçu la somme de 30 livres **b** *(= welcome)* recevoir, accueillir ◆ **my suggestion was not well received** ma suggestion n'a pas été bien accueillie **c** *(Rad, TV)* capter, recevoir.

**received** /rɪˈsiːvd/

── compounds/composés ──
◆ **received cash-book** main f courante de recettes
◆ **received stamp** timbre m de quittance, timbre-quittance m
◆ **received for shipment bill of lading** connaissement m non embarqué.

**receiver** /rɪˈsiːvər/ **N** **a** *[lettre]* destinataire mf ; *[shipment]* destinataire mf, consignataire mf ; *(Jur)* réceptionnaire mf **b** *(Commodity Market)* arrêteur m, dernier acheteur m ◆ **receiver of contango** reporteur ◆ **receiver's office** recette f **c** *(Fin, Jur)* liquidateur ◆ **official receiver (in bankruptcy)** syndic de faillite, administrateur *or* liquidateur judiciaire ◆ **to be in the hands of a receiver** être en règlement judiciaire, être entre les mains d'un liquidateur ◆ **receiver for partnership** administrateur judiciaire (pour les sociétés de personnes) **d** *[telephone]* récepteur m, combiné m ◆ **to lift the receiver** décrocher ◆ **to replace the receiver** raccrocher **e** *(= radio)* poste m, récepteur m **f** *[stolen goods]* receleur m.

**receivership** /rɪˈsiːvəʃɪp/ **N** ◆ **to go into receivership** être mis en règlement judiciaire *or* en liquidation ◆ **to put into receivership** mettre en liquidation ◆ **the company is in receivership** la société est en liquidation.

**receiving** /rɪ'siːvɪŋ/ N **a** *(gen)* réception f ; *[visitors]* accueil m **b** *[stolen goods]* recel m

––––––––– compounds/composés –––––––––
◆ **receiving banker** banque dépositaire
◆ **receiving cashier** encaisseur
◆ **receiving clerk** *[goods]* réceptionnaire
◆ **receiving department** service (de la) réception, réception (de marchandises)
◆ **receiving dock** quai de réception
◆ **receiving note** *(Mar)* bon à embarquer
◆ **receiving office** bureau de réception
◆ **receiving order** *(Jur)* ordonnance de mise sous séquestre
◆ **receiving slip** bon or bordereau de réception
◆ **receiving station** *(Rail)* gare réceptrice, gare d'arrivée or de destination (de marchandises).

**reception** /rɪ'sepʃən/ N **a** *(= act of receiving)* réception f ; *(= welcome)* réception f, accueil m **b** *(= place)* réception f, accueil m ◆ **please leave your luggage at reception** veuillez laisser vos bagages à la réception **c** *(= ceremony)* réception f

––––––––– compounds/composés –––––––––
◆ **reception area** zone d'accueil, réception
◆ **reception centre** centre d'accueil
◆ **reception clerk** réceptionniste
◆ **reception desk** *[hotel]* réception; *[conference]* accueil .

**receptionist** /rɪ'sepʃənɪst/ N réceptionniste mf.

**receptive** /rɪ'septɪv/ ADJ réceptif *(to* à) ◆ **receptive to new technology** ouvert à l'innovation technologique.

**recession** /rɪ'seʃən/ N *(Econ)* récession f ◆ **inventory recession** recul or baisse des stocks.

**recessionary** /rɪ'seʃənərɪ/ ADJ *pressures, tendencies* récessionniste, récessif.

**recipient** /rɪ'sɪpɪənt/ N *[letter]* destinataire mf ; *[cheque]* bénéficiaire mf ; *[allowance]* allocataire mf ; *(Jur)* donataire mf ◆ **welfare recipient** allocataire de la Sécurité sociale.

**reciprocal** /rɪ'sɪprəkəl/ ADJ réciproque

––––––––– compounds/composés –––––––––
◆ **reciprocal accounts** comptes mpl réciproques
◆ **reciprocal contract** contrat bilatéral
◆ **reciprocal (share)holdings** participations-fpl croisées
◆ **reciprocal insurance** assurance mutuelle
◆ **reciprocal ratio** *(Math)* raison inverse

◆ **reciprocal trading** *(between two countries)* commerce réciproque.

**reciprocate** /rɪ'sɪprəkeɪt/ **VT** **a** *help, services* donner en retour ◆ **we should be happy to reciprocate your kindness** nous serions heureux de pouvoir vous rendre le même service **b** *(Acc)* ◆ **to reciprocate an entry** passer écriture conforme or une écriture en conformité **VI** agir de même, faire la même chose en retour, rendre le même service ◆ **our competitors cut prices and we reciprocated** nos concurrents ont baissé les prix et nous leur avons rendu la pareille.

**reciprocity** /ˌresɪ'prɒsɪtɪ/ N réciprocité f.

**reckon** /'rekən/ **VT** **a** *(= think)* penser, croire; *(= estimate)* estimer, juger; *(= suppose)* supposer, imaginer **b** *(= calculate)* time, numbers compter; *cost* calculer **VI** calculer, compter ◆ **reckoning from today** à compter d'aujourd'hui ◆ **we are reckoning on a lower rate of inflation next year** on compte sur un taux d'inflation moins élevé l'année prochaine ◆ **we must reckon with rising interest rates** nous devons compter avec la hausse des taux d'intérêt.

**reckoning** /'rekənɪŋ/ N **a** *(= evaluation)* compte m ; *(= calculation)* calcul m ◆ **you are out in your reckoning** vous vous êtes trompé dans vos calculs **b** *(= settlement of accounts)* règlement m de compte(s) **c** *(= account)* note f, addition f.

**reckon off** VT SEP décompter.

**reckon up** VT SEP *figures, bill* calculer, faire le total de.

**reclaim** /rɪ'kleɪm/ VT **a** *land (from sea)* assécher; *(from forest)* défricher **b** *(Tech) by-product* récupérer **c** *(Bank = demand back)* réclamer *(sth from sb* qch à qn)

**reclamation** /ˌreklə'meɪʃən/ N **a** *[land] (from sea)* assèchement m ; *(from forest)* défrichement m **b** *[by-product]* récupération f **c** *(Bank)* réclamation f.

**recode** /riː'kəʊd/ VT *(gen)* recoder; *(Comp)* reprogrammer, réécrire.

**recognition** /ˌrekəg'nɪʃən/ N *(gen)* reconnaissance f ◆ **brand recognition** identification de la marque ◆ **recognition test** test d'identification or de reconnaissance.

**recognizance, recognisance** /rɪ'kɒgnɪzəns/ N *(Jur)* caution f personnelle.

**recognize, recognise** /'rekəgnaɪz/ vt *person, fact* reconnaître; *(Acc) transaction* comptabiliser, constater.

**recognized, recognised** /'rekəgnaɪzd/ ADJ *(= accredited)* accrédité, attitré, agréé ◆ **recognized agent** représentant accrédité ◆ **recognized agency** agence agréée.

**recommend** /ˌrekə'mend/ vt **a** *employee* recommander ◆ **to recommend sb for a job** recommander qn pour un poste *or* un emploi **b** *(= advise)* recommander, conseiller *(sb to do* à qn de faire) ◆ **recommended (retail) price** prix (de détail) conseillé.

**recommendation** /ˌrekəmen'deɪʃən/ **a** recommandation f ◆ **I am writing on the recommendation of Mr Jones** je vous écris sur la recommandation de Monsieur Jones ◆ **letter of recommendation** lettre de recommandation **b** *[court, commission]* avis m, recommandation f **c** *(Fin)* ◆ **recommendation of a dividend** proposition de dividende.

**recompense** /'rekəmpens/ **N** **a** *(= reward)* récompense f **b** *(Jur : for damage)* dédommagement m, compensation f **VT** **a** *(= reward)* récompenser *(sb for sth* qn de qch) **b** *(Jur = repay) person* dédommager; *damage, loss* compenser, réparer.

**reconcile** /'rekənsaɪl/ vt *(gen)* concilier; *(Acc) account* apurer, ajuster ◆ **to reconcile two accounts** rapprocher deux comptes.

**reconciliation** /ˌrekənsɪlɪ'eɪʃən/ N *(Acc)* apurement m, concordance f, rapprochement m ◆ **reconciliation account** compte collectif ◆ **reconciliation of accounts** rapprochement de comptes ◆ **reconciliation statement** état de rapprochement.

**recondition** /ˌriːkən'dɪʃən/ vt remettre en état, rénover.

**reconduction** /ˌriːkən'dʌkʃən/ N reconduction f.

**reconstruction** /ˌriːkən'strʌkʃən/ N *[firm]* restructuration f ; *[finances]* reconstitution f ◆ **economic reconstruction** reconstruction économique.

**reconvey** /ˌriːkən'veɪ/ vt *(Jur)* rétrocéder.

**record** /rɪ'kɔːd/ **VT** **a** *(= put down in writing)* enregistrer, noter ◆ **to record a meeting** établir le procès-verbal d'une réunion ◆ **recorded delivery** *(Brit)* envoi recommandé **b** *[instrument]* enregistrer, indiquer **c** *disk, tape, video* enregistrer **d** *(Fin, Acc) transaction, payment* enregistrer, comptabiliser, inscrire **N** **a** *(= account, report)* rapport m, compte rendu m, récit m ; *[attendance]* registre m ; *[meet-*

*ing]* compte rendu m, procès-verbal m ; *(Jur)* enregistrement m ◆ **summary record** compte rendu analytique ◆ **verbation record** compte rendu in extenso ◆ **to keep a record of a transaction** enregistrer une transaction ◆ **to put sth on record** consigner qch par écrit ◆ **for the record** pour mémoire ◆ **to say sth off the record** dire qch à titre confidentiel ◆ **it's off the record** c'est officieux, cela reste confidentiel ◆ **we have no record of this payment having been made** nous n'avons aucune trace de ce paiement ◆ **they are on record as opposing this charge** ils ont déclaré officiellement leur opposition à ce changement **b** *(= official dossier)* dossier m ; *(= card)* fiche f ◆ **our production record has improved** nos performances à la production se sont améliorées ◆ **employment record** antécédents professionnels ◆ **police record** casier judiciaire ◆ **he's got a clean (police) record** il a un casier (judiciaire) vierge ◆ **service record** états de service ◆ **she's got a good track record as a personnel manager** elle a une excellente réputation en tant que directrice du personnel **c** *(= archives)* ◆ **records** *(Admin)* archives; *(Mktg)* documents, dossiers; *(Acc)* registres *or* livres *or* documents comptables ◆ **our records show that this invoice has not been paid** d'après nos comptes cette facture n'a pas été réglée ◆ **we cannot find your letter in our records** nous ne trouvons pas trace de votre lettre dans nos dossiers *or* archives ◆ **for your records** *(on letter)* à conserver ◆ **accounting records** documents comptables ◆ **business records** documents professionnels ◆ **production records** dossiers de production ◆ **public records** archives nationales **d** *(= best performance)* record m ◆ **all-time record** record absolu ◆ **inflation reached a new record** *or* **a record high** l'inflation a atteint son plus haut niveau, l'inflation a atteint un niveau record ◆ **record sales figures** chiffre d'affaires record **e** *(= disk)* disque m **f** *(Jur)* minute f **g** *(Comp = data base item)* enregistrement m

───── *compounds/composés* ─────

◆ **record breaker** personne *(or performance)* qui bat les records
◆ **record breaking** *sales* record qui bat les records
◆ **record card** fiche
◆ **record date** date de clôture des registres
◆ **record keeping** tenue d'archives
◆ **record keeper** *(Admin)* greffier, archiviste
◆ **record office** *(gen)* bureau des archives ; *(Admin, Jur)* greffe
◆ **record year** année record.

**recorder** /rɪ'kɔːdəʳ/ N **a** *[official facts]* archiviste mf ; *(= registrar)* greffier m **b** *(Brit Jur)* ≈

avocat m *(nommé à la fonction de juge) (US Jur)* ≈ juge m suppléant **c** *(= device)* appareil m enregistreur ♦ **tape recorder** magnétophone ♦ **video (tape) recorder** magnétoscope.

**recording** /rɪˈkɔːdɪŋ/ N **a** *(on disk, tape)* enregistrement m ; *[time]* chronométrage m ♦ **recording device** appareil enregistreur ♦ **recording session** séance d'enregistrement ♦ **recording tape** bande magnétique **b** *(in writing) [facts, words]* consignation f ; *[order]* enregistrement m, prise f en note.

**recount** /rɪˈkaʊnt/ **VT** **a** *(= relate)* raconter, relater **b** (also **re-count**) recompter **N** *[votes]* deuxième comptage m.

**recoup** /rɪˈkuːp/ **VT** **a** *losses, investments* récupérer ♦ **industrials recouped early losses** *(St Ex)* les industrielles ont annulé *or* effacé leurs pertes du début **b** *(= reimburse)* dédommager *(sb for sth* qn de qch) ♦ **to recoup o.s.** se dédommager, se rattraper **c** *(Jur)* déduire, défalquer, faire le décompte de **N** récupérer son argent, rentrer dans ses frais.

**recourse** /rɪˈkɔːs/ N recours *(to* à) ♦ **recourse action** recours judiciaire ♦ **to have recourse to** avoir recours à, recourir à ♦ **with / without recourse** avec / sans recours.

**recover** /rɪˈkʌvəʳ/ **VT** *sth lent* récupérer, reprendre *(from sb* à qn); *sth lost* retrouver; *(Ind) materials* récupérer; *goods, property* récupérer, rentrer en possession de, reprendre possession de; *debt* recouvrer; *(Comp) files* récupérer ♦ **to recover expenses** rentrer dans ses frais, se faire rembourser ♦ **to recover one's losses** réparer ses pertes ♦ **to recover damages and costs** obtenir des dommages-intérêts **VI** **a** *(from surprise, shock)* se remettre *(from* de); *[sales]* reprendre, remonter, repartir; *[company, economy]* reprendre, se redresser, se rétablir; *[stock market]* reprendre, se ranimer, se redresser; *[shares]* reprendre ♦ **prices are recovering** les cours sont en reprise ♦ **business is recovering** les affaires reprennent *or* repartent ♦ **sales are expected to recover to last year's level** on s'attend à ce que les ventes regagnent *or* retrouvent leur niveau de l'an dernier **b** *(Jur)* obtenir gain de cause ♦ **right to recover** droit de reprise.

**recoverable** /rɪˈkʌvərəbl/ ADJ *(gen, Comp)* récupérable; *debt* recouvrable; *losses, error* réparable.

**recovery** /rɪˈkʌvərɪ/ N **a** *(= getting back) [things, goods]* récupération f ; *[debt]* recouvrement m ; *[expenses]* remboursement m ; *[losses]* réparation f ; *[fees]* collecte f ; *(Jur)*

*[damages]* obtention f **b** *(= return to health) [situation, economy, business]* redressement m, rétablissement m ; *[sales, share prices]* remontée f, reprise f ♦ **recovery plan** plan de redressement ♦ **improved corporate profits have led to an investment recovery** l'amélioration des bénéfices des entreprises a conduit à une reprise des investissements ♦ **the financial recovery of the firm** le redressement *or* le rétablissement financier de l'entreprise ♦ **stock-market recovery** reprise boursière, remontée de la Bourse ♦ **business recovery** reprise des affaires *or* de l'activité ♦ **recovery share** *or* **stock** *(St Ex)* valeur de retournement.

**recreational** /ˌrekrɪˈeɪʃənəl/ ADJ ♦ **recreational facilities** équipements de sport et de loisir.

**recredit** /ˌriːˈkredɪt/ VT *(Acc)* extourner au crédit de, recréditer.

**recruit** /rɪˈkruːt/ **N** recrue f **VT** *staff* recruter, embaucher.

**recruiting** /rɪˈkruːtɪŋ/ N recrutement m ♦ **recruiting office** bureau de recrutement ♦ **recruiting officer** recruteur.

**recruitment** /rɪˈkruːtmənt/ N recrutement m, embauche f ♦ **recruitment drive** campagne de recrutement.

**rectify** /ˈrektɪfaɪ/ VT rectifier, corriger ♦ **to rectify an entry** *(Acc)* redresser *or* rectifier une écriture.

**recuperate** /rɪˈkuːpəreɪt/ **VT** *object* récupérer; *losses* réparer **VI** *(= get better)* se rétablir, se remettre, récupérer; *(St Ex) [prices]* se reprendre, se ressaisir.

**recur** /rɪˈkɜːʳ/ VI *(= happen again) [error, event]* se reproduire, se répéter; *[opportunity, problem]* se représenter ♦ **recurring costs** coûts variables.

**recurrence** /rɪˈkʌrəns/ N *[error, event, theme]* répétition f ; *[opportunity, problem]* réapparition f ♦ **we trust there will be no recurrence of these late deliveries** nous espérons que ces retards de livraisons ne se reproduiront pas.

**recurrent** /rɪˈkʌrənt/ ADJ répété ♦ **recurrent costs** coûts variables.

**recycle** /ˌriːˈsaɪkl/ VT recycler, récupérer.

**red.** abbr of **redeemable.**

**red** /red/ **ADJ** rouge

─── *compounds/composés* ───
♦ **red book (the)** *(US)* l'annuaire par professions
♦ **red clause** *[documentary credit]* clause rouge
♦ **red-handed** ♦ **to be caught red-handed** être pris en flagrant délit *or* la main dans le sac

♦ **red herring** fausse piste, diversion ♦ **red herring prospectus** *(US St Ex)* prospectus m provisoire
♦ **red tape** paperasserie ♦ **bureaucratic red tape** tracasseries *or* chinoiseries administratives

■ **to be in the red** *[individual, account]* être à découvert, être dans le rouge; *[company]* être dans le rouge, être en déficit.

**redeem** /rɪˈdiːm/ **VT** *(= buy back)* racheter; *(from pawn)* dégager; *debt, loan* rembourser, amortir; *bill* honorer; *mortgage* purger; *bond* rembourser.

**redeemable** /rɪˈdiːməbl/ **ADJ** *(gen)* rachetable; *share* rachetable, amortissable; *debt* amortissable; *debenture bond, bill* remboursable; *mortgage* remboursable, amortissable ♦ **redeemable goods** articles *or* biens laissés en gage ♦ **bonds redeemable at par** obligations remboursables au pair ♦ **redeemable preference share** action privilégiée amortissable.

**redeemed** /rɪˈdiːmd/ **ADJ** *bond* remboursé; *share* racheté, amorti.

**redemise** /ˌriːdɪˈmaɪz/ **N** *(Jur)* rétrocession f.

**redemption** /rɪˈdempʃən/ **N** **a** *(from pawn)* retrait m, dégagement m; *[mortgage]* purge f; *[loan, debt]* amortissement m, remboursement m; *[bond, debenture]* remboursement m ♦ **redemption before due date, accelerated** *or* **early redemption** remboursement anticipé ♦ **terms of redemption** *(= table of repayments)* plan *or* tableau d'amortissement; *(= conditions)* conditions de remboursement **b** *(Jur)* réméré m ♦ **sale with option of redemption**

─── *compounds/composés* ───

♦ **redemption bonds** obligations fpl remboursables
♦ **redemption clause** clause de réméré
♦ **redemption date** *[debenture, loan]* date de remboursement
♦ **redemption fund** caisse *or* fonds d'amortissement
♦ **redemption loan** emprunt d'amortissement
♦ **redemption premium** prime de remboursement
♦ **redemption price** *[bond]* prix de remboursement; *[share]* prix de rachat
♦ **redemption rate** *[loan, mortgage]* taux de remboursement *or* d'amortissement; *[reply coupons]* taux de renvoi
♦ **redemption reserve** réserve *or* provision pour amortissement
♦ **redemption table** tableau d'amortissement
♦ **redemption value** *[bond]* valeur de remboursement; *[share]* valeur de rachat
♦ **redemption yield** taux actuariel (brut).

vente avec possibilité de rachat, vente à réméré ♦ **equity of redemption** *droit de reprendre possession de sa propriété après purge d'une hypothèque* **c** *[bank notes]* rachat m

**redeploy** /ˌriːdɪˈplɔɪ/ **VT** *staff, workers* reconvertir, réaffecter, reclasser; *resources* redéployer, réaffecter, procéder à une nouvelle répartition de.

**redeployment** /ˌriːdɪˈplɔɪmənt/ **N** *[staff]* reconversion f, réaffectation f, reclassement m; *[resources]* redéploiement m, réaffectation f ♦ **asset redeployment programme** programme de restructuration des actifs.

**redhibition** /ˌredɪˈbɪʃən/ **N** *(Jur)* rédhibition f.

**redhibitory** /reˈdɪbɪtərɪ/ **ADJ** *(Jur)* rédhibitoire.

**redial** /riːˈdaɪəl/ **VT** *(Telec) number* recomposer, reformer.

**redialling** /riːˈdaɪəlɪŋ/ **N** *(Telec)* ♦ **automatic redialling** rappel automatique des derniers numéros composés.

**redirect** /ˌriːdaɪˈrekt/ **VT** *letter, parcel* faire suivre, réexpédier.

**rediscount** /ˌriːdɪsˈkaʊnt/ **VT** réescompter.

**rediscountable** /ˌriːdɪsˈkaʊntəbl/ **ADJ** réescomptable.

**rediscounter** /riːˈdɪskaʊntəʳ/ **N** réescompteur m.

**rediscover** /ˌriːdɪsˈkʌvəʳ/ **VT** *share, sector* redécouvrir.

**rediscovery** /ˌriːdɪsˈkʌvərɪ/ **N** *[share, sector]* redécouverte f.

**redistribute** /ˌriːdɪsˈtrɪbjuːt/ **VT** redistribuer.

**redistribution** /ˌriːdɪstrɪˈbjuːʃən/ **N** redistribution f.

**redlining** * /ˈredlaɪnɪŋ/ **N** *(US Bank) refus d'accorder des prêts hypothécaires dans certains secteurs.*

**redraft** /riːˈdrɑːft/ **N** **a** *(= draft)* retraite f, traite f par contre **b** *(= operation)* rechange m ♦ **redraft charges** frais de rechange **c** *[document]* nouvelle version f, seconde rédaction f **VT** *document* rédiger à nouveau.

**redress** /rɪˈdres/ **N** *(= compensation)* redressement m, réparation f ♦ **to seek redress for** demander réparation de ♦ **you have no redress** vous ne pouvez pas obtenir réparation, vous n'avez aucun recours **VT** *wrong, errors* redresser, réparer; *situation* redresser, rétablir ♦ **to redress the balance** redresser *or* rétablir l'équilibre.

**reduce** /rɪ'djuːs/ **VT** ▪ⓐ *(gen)* réduire, diminuer; *production* ralentir; *working hours, holidays* raccourcir; *format, photocopy* réduire; *prices, costs* baisser; *speed* ralentir; *workforce* comprimer; *taxes* alléger ♦ **to reduce expenses** comprimer *or* réduire les dépenses ♦ **to reduce the budget deficit from ... to ...** ramener le déficit budgétaire de ...à ... ♦ **reducing balance method, reducing instalment system** *(Acc)* (méthode de l') amortissement dégressif ▪ⓑ *(in sale) goods* mettre en solde, solder ♦ **all our summer clothes are reduced** tous nos vêtements d'été sont en solde, rabais sur tous les vêtements d'été.

**reduced** /rɪ'djuːst/ **ADJ** réduit ♦ **to sell / buy at a reduced price** vendre / acheter au rabais *or* en solde ♦ **reduced-price goods** soldes, articles soldés *or* à prix réduit ♦ **on a reduced scale** sur une échelle réduite ♦ **and reduced** *termes ajoutés après "Ltd" dans le nom d'une entreprise pour indiquer que le capital autorisé a été réduit* ♦ **reduced assessment** *(Tax)* dégrèvement.

**reduction** /rɪ'dʌkʃən/ **N** *(gen)* réduction f, diminution f ; *[production]* ralentissement m ; *[working hours]* raccourcissement m ; *[photocopy]* réduction f ; *[prices]* baisse f ; *[speed]* ralentissement; *[workforce]* compression f ♦ **tax reduction** allégement fiscal, réduction d'impôt ♦ **reduction for cash** escompte au comptant ♦ **to make a reduction on an article** faire une remise *or* une réduction sur un article ♦ **reduction in force** *(US)* compression de personnel, dégraissage ♦ **reduction in price** baisse *or* diminution de prix ♦ **reductions** *(on sign)* soldes ♦ **reduction in capital** *(St Ex)* réduction de capital ♦ **reduction in value of an asset** moins-value *or* dépréciation *or* perte de valeur d'un élément d'actif ♦ **300 job reductions** 300 suppressions d'emplois.

**redundancy** /rɪ'dʌndənsɪ/ **N** ▪ⓐ *(Ind)* licenciement m (économique), mise f au chômage ♦ **there will be 125,000 redundancies in the steel industry** il y aura 125 000 licenciements *or* suppressions d'emplois dans la sidérurgie ♦ **compulsory redundancy** licenciement sec ♦ **mass redundancy** licenciement collectif ♦ **voluntary redundancy** départ volontaire

—— *compounds/composés* ——
> ♦ **redundancy check** *(Comp)* contrôle par redondance
> ♦ **redundancy insurance** assurance chômage
> ♦ **redundancy payment** prime *or* indemnité de licenciement.

♦ **200 workers are under notice of redundancy** 200 ouvriers ont reçu un avis *or* une lettre de licenciement ▪ⓑ *(Comp)* redondance f

**redundant** /rɪ'dʌndənt/ **ADJ** ▪ⓐ *thing, detail* superflu; *style, word* redondant ▪ⓑ *(Ind) worker* en surnombre; *fired worker* au chômage, licencié ♦ **to be made redundant** être licencié *or* mis au chômage (pour raisons économiques) ♦ **to make redundant** licencier *or* mettre au chômage (pour raisons économiques) ▪ⓒ *(Comp)* redondant.

**reel** /riːl/ **N** *[thread, magnetic tape]* bobine f ♦ **reel rack** *(Comp)* râtelier à bobines.

**re-elect** /ˌriːɪ'lekt/ **VT** réélire.

**re-election** /ˌriːɪ'lekʃən/ **N** réélection f ♦ **the chairman is coming up for re-election next year** le président doit se présenter pour un nouveau mandat l'année prochaine.

**re-embark** /ˌriːəm'bɑːk/ **VTI** rembarquer.

**re-embarkation** /ˌriːəmbɑː'keɪʃən/ **N** rembarquement m.

**re-emerge** /ˌriːɪ'mɜːdʒ/ **VI** réapparaître.

**re-emergence** /ˌriːɪmɜːdʒəns/ **N** retour m, réapparition f.

**re-employ** /ˌriːɪm'plɔɪ/ **VT** *workers* reprendre, réembaucher, réemployer.

**re-employment** /ˌriːɪm'plɔɪmənt/ **N** *[workers]* réembauche f.

**re-enact** /ˌriːɪ'nækt/ **VT** *(Jur)* remettre en vigueur.

**re-endorse** /ˌriːɪn'dɔːs/ **VT** *(gen)* document réendosser; *(Acc)* bill contre-passer.

**re-endorsement** /ˌriːɪn'dɔːsmənt/ **N** *(gen)* réendossement m ; *(Acc)* contre-passation f.

**re-engage** /ˌriːɪn'geɪdʒ/ **VT** *worker* réembaucher, rengager, réemployer.

**re-engagement** /ˌriːɪn'geɪdʒmənt/ **N** *[workers]* réembauche f.

**re-entry** /ˌriː'entrɪ/ **N** *[person] (into country)* rentrée f ; *(Customs) [goods]* réimportation f ♦ **re-entry visa** visa de rentrée.

**re-establish** /ˌriːɪs'tæblɪʃ/ **VT** *practice, order* rétablir.

**re-establishment** /ˌriːɪs'tæblɪʃmənt/ **N** rétablissement m.

**re-examination** /ˌriːɪgzæmɪ'neɪʃən/ **N** réexamen m.

**re-examine** /ˌriːɪgˈzæmɪn/ **vt** *(gen)* réexaminer, examiner à nouveau; *(Customs) goods* inspecter à nouveau, procéder à une contre-visite de; *accounts* repasser.

**re-exchange** /ˌriːɪksˈtʃeɪndʒ/ **N** **a** *(draft)* retraite f, traite f par contre **b** *(= operation)* rechange m.

**re-expansion** /ˌriːɪksˈpænʃən/ **N** relance f, reprise f.

**re-export** /ˌriːˈekspɔːt/ **N** **a** *(= action)* réexportation f ◆ **goods for re-export** marchandises à réexporter *or* destinées à la réexportation ◆ **the re-export trade** le commerce intermédiaire, la réexportation **b** *(= goods)* produit m réexporté.

**re-exportation** /ˌriːekspɔːˈteɪʃən/ **N** réexportation f.

**re-exporter** /ˌriːɪksˈpɔːtər/ **N** réexportateur m.

**ref.** (abbr of **reference**) réf.

**refer** /rɪˈfɜːr/ **vt** **a** *problem, question* soumettre *(to* à) ◆ **to refer the matter to arbitration** soumettre la question à l'arbitrage ◆ **it was referred to him for decision** on lui a demandé de prendre une décision *or* de trancher ◆ **they referred me to the sales office** on m'a dit de m'adresser *or* on m'a renvoyé au bureau des ventes ◆ **I shall refer the matter to my department head** j'en référerai à mon chef de service **b** *(Bank)* ◆ **to refer a cheque to drawer** renvoyer un chèque au tireur, refuser d'honorer un chèque ◆ **refer to drawer** *(on cheque)* retour au tireur **vi** *(= allude)* parler, faire mention *(to* de) faire allusion *(to* à); *(= consult)* se reporter *(to sth* à qch) ◆ **who are you referring to?** de qui parlez-vous? ◆ **I am referring to your letter of 15 May** je me réfère à votre lettre du 15 mai ◆ **referring to your letter of 15 May** (comme) suite à votre lettre du 15 mai ◆ **kindly refer to our catalogue** veuillez vous reporter *or* vous référer à notre catalogue ◆ **to refer to one's notes** consulter ses notes ◆ **to refer to the articles** s'en rapporter *or* se référer aux statuts.

**refer back** **vt sep** *decision* remettre (à plus tard), ajourner ◆ **to refer sth back to sb** consulter qn sur *or* au sujet de qch.

**referee** /ˌrefəˈriː/ **N** **a** *(Sport)* arbitre m **b** *(Brit = person giving reference)* répondant(e) m(f), personne f se portant garant *(for sb* de qn) ◆ **please give the names of two referees** veuillez indiquer les noms de deux personnes qui peuvent fournir des lettres de recomman-

dation ◆ **to be referee for sb** fournir des références *or* une attestation à qn, écrire une lettre de recommandation pour qn **c** *(Bank = person named in bill of exchange)* ◆ **referee in case of need** recommandataire, donneur d'aval **d** *(Jur = arbitrator)* arbitre m, médiateur m ◆ **referee in bankruptcy** *(US)* administrateur séquestre, liquidateur judiciaire ◆ **official referee** *(Brit Jur)* juge rapporteur.

**reference** /ˈrefrəns/ **N** **a** *(= allusion)* mention f *(to* de) allusion f *(to* à) ◆ **in** *or* **with reference to your coming visit** en ce qui concerne *or* quant à votre prochaine visite ◆ **in** *or* **with reference to your order n° 5106** nous référant à votre commande n° 5106 ◆ **with reference to your letter** (comme) suite à votre lettre ◆ **the decision was made without reference to last year's poor results** la décision a été prise sans tenir compte des mauvais résultats de l'année dernière **b** *(= testimonial)* références fpl ◆ **banker's reference** références bancaires ◆ **you may quote us as a reference** vous pouvez vous recommander de nous ◆ **to take up sb's references** prendre des renseignements sur qn ◆ **trade references** références commerciales **c** *(= person giving reference)* répondant(e) m(f), personne f qui fournit des références ◆ **who are your references?** quelles sont les personnes que vous pouvez donner en référence? **d** *(in book, financial statement)* renvoi m, référence f; *(on bill, business letter)* référence f ◆ **your reference n° 12 CB / dj** votre référence n° 12 CB / dj ◆ **please quote reference** référence à rappeler **e** *(= scope)* [committee, tribunal] compétence f ◆ **outside the reference of** hors de la compétence de ◆ **terms of reference** [mandate] attributions ◆ **within these terms of reference we shall do our best to help** dans les limites de ces instructions nous ferons de notre mieux pour vous aider

——— *compounds/composés* ———
◆ **reference bank** banque de référence
◆ **reference book** ouvrage de référence
◆ **reference currency** monnaie de référence
◆ **reference group** groupe de référence
◆ **reference material** documentation
◆ **reference number** numéro de référence
◆ **reference point** point de référence
◆ **reference slip** fiche de rappel
◆ **reference volatility** volatilité de référence

**referendum** /ˌrefəˈrendəm/ **N** référendum m ◆ **to hold a referendum** organiser un référendum.

**referral** /rɪˈfɜːrəl/ **N** [question] soumission f ◆ **we shall take a decision after referral of the matter to our head office** nous prendrons une décision après avoir soumis l'affaire à notre siège *or* après en avoir référé à notre siège ◆ **they succeeded in having their referral to the Monopolies Commission laid aside** ils ont réussi à échapper au renvoi devant la commission des monopoles ◆ **cross referrals in an integrated financial service company** opérations conjointes dans une société de services financiers intégrés.

**refinance** /ˌriːfaɪˈnæns/ **VT** refinancer **N** refinancement m ◆ **refinance credit** crédit de refinancement.

**refinancing** /ˌriːfaɪˈnænsɪŋ/ **N** refinancement m.

**refine** /rɪˈfaɪn/ **VT** raffiner.

**refined** /rɪˈfaɪnd/ **ADJ** (gen Ind) raffiné.

**refinement** /rɪˈfaɪnmənt/ **N** [project] mise f au point.

**refiner** /rɪˈfaɪnəʳ/ **N** raffineur m.

**refinery** /rɪˈfaɪnərɪ/ **N** raffinerie f ◆ **oil refinery** raffinerie de pétrole.

**refining** /rɪˈfaɪnɪŋ/ **N** (Ind) raffinage.

**refit** /riːˈfɪt/ **VT** ship, machine réparer, remettre en état; factory rééquiper, renouveler l'équipement de **N** [ship, machine] remise f en état, réparation f; [factory] rééquipement m, renouvellement m de l'équipement.

**reflate** /riːˈfleɪt/ **VT** economy relancer.

**reflation** /riːˈfleɪʃən/ **N** [economy] relance f ◆ **demand reflation** relance par la demande.

**reflationary** /riːˈfleɪʃnərɪ/ **ADJ** measures de relance.

**refloat** /riːˈfləʊt/ **VT** ship, company renflouer, remettre à flot ◆ **to refloat a loan** lancer *or* émettre un nouvel emprunt.

**refocus** /ˌriːˈfəʊkəs/ **VT** recentrer **VI** se recentrer (on sur)

**refocussing** /ˌriːˈfəʊkəsɪŋ/ **N** recentrage m.

**reforestation** /ˌriːfɒrɪsˈteɪʃən/ **N** reboisement m.

**reform** /rɪˈfɔːm/ **VT** (gen) réformer; (Jur) amender, modifier ◆ **to reform the terms of an insurance contract** modifier les termes d'un contrat d'assurance.

**refresher** /rɪˈfreʃəʳ/ **N** (Brit Jur) complément m d'honoraires COMP ◆ **refresher course N** stage de recyclage.

**refrigerate** /rɪˈfrɪdʒəreɪt/ **VT** réfrigérer ◆ **refrigerated lorry / ship / warehouse** camion / navire / entrepôt frigorifique.

**refrigeration** /rɪˌfrɪdʒəˈreɪʃən/ **N** réfrigération f ◆ **the refrigeration industry** l'industrie du froid ◆ **refrigeration plant** installation frigorifique.

**refuel** /riːˈfjʊəl/ **VT** vehicle ravitailler (en carburant) ◆ **to refuel inflation** relancer l'inflation.

**refugee** /ˌrefjʊˈdʒiː/ **N** (= person) réfugié(e) m(f) ◆ **refugee capital** capitaux spéculatifs.

**refund** /rɪˈfʌnd/ **VT** **a** (= pay back) expenses, debt rembourser; (Fin) excess payments ristourner ◆ **if you are not satisfied, your money will be refunded** *or* **you will be refunded** si vous n'êtes pas satisfait, vous serez entièrement remboursé ◆ **we shall refund you your expenses** nous vous rembourserons vos frais *or* dépenses, vous serez défrayé **b** (= fund again) debt fonder de nouveau, refinancer; (= provide new funds for) refinancer, réalimenter **N** remboursement m, ristourne f ◆ **refund in full** remboursement intégral ◆ **tax refund** remboursement d'impôts.

**refundable** /rɪˈfʌndəbl/ **ADJ** remboursable.

**refunding** /rɪˈfʌndɪŋ/ **N** **a** (= paying back) remboursement m ◆ **refunding clause** clause de remboursement **b** (= refinancing) [debt] refinancement m.

**refurbish** /ˌriːˈfɜːbɪʃ/ **VT** office rénover, remettre à neuf; machine remettre en état; factory rénover, rééquiper.

**refurbishment** /ˌriːˈfɜːbɪʃmənt/ **N** rénovation f.

**refusal** /rɪˈfjuːzəl/ **N** refus m (to do de faire) ◆ **to give sb first refusal of a project** proposer un projet en priorité à qn ◆ **to have the first refusal** recevoir la première offre de qch, se voir proposer qch en priorité ◆ **to meet with a refusal** se heurter à *or* essuyer un refus ◆ **blanket refusal** refus global ◆ **flat refusal** refus net *or* catégorique, fin de non-recevoir.

**refuse** /rɪˈfjuːz/ **VT** offer décliner, refuser; suggestion, idea rejeter, repousser, refuser **VI** refuser **N** (= waste, rubbish) détritus mpl, ordures fpl ◆ **industrial refuse** déchets industriels ◆ **refuse bin** poubelle.

**refute** /rɪˈfjuːt/ **VT** theory, claim réfuter.

**reg., regd** abbr of **registered.**

**regain** /rɪˈgeɪn/ **VT** regagner, récupérer, recouvrer ◆ **to regain possession of sth** rentrer en possession de qch ◆ **the share is regaining some colour** le titre retrouve des couleurs ◆ **tin**

**regained $5 a ton** *(St Ex)* l'étain a regagné 5 dollars par tonne ◆ **production regained last year's level** la production a retrouvé son niveau de l'an dernier.

**regainable** /rɪ'geɪnəbl/ **ADJ** recouvrable, récupérable.

**regainment** /rɪ'geɪnmənt/ **N** *(Jur)* rentrée f en possession.

**regard** /rɪ'gɑːd/ **N a** *(= esteem)* respect m, estime f ◆ **to have a high regard for sb** avoir beaucoup d'estime pour qn **b** *(in messages)* ◆ **regards to your wife** meilleurs souvenirs *or* amitiés à votre femme ◆ **he sends his kind regards** il vous transmet *or* vous envoie ses amitiés *or* son meilleur souvenir ◆ **(with kind) regards** *(letter ending)* amicalement, cordialement

**VT a** *(= consider)* regarder, considérer *(as* comme) **b** *(= affect)* regarder, concerner ◆ **as regards** pour *or* en ce qui concerne, quant à, relativement à, concernant.

**regarding** /rɪ'gɑːdɪŋ/ **PREP** pour *or* en ce qui concerne, quant à, relativement à, concernant.

**region** /'riːdʒən/ **N** région f ◆ **the London region** la région de Londres ◆ **in the region of $10** environ 10 dollars, dans les 10 dollars.

**regional** /'riːdʒənl/ **ADJ** régional ◆ **regional development** développement régional ◆ **Regional Cooperation for Development** aide régionale au développement ◆ **regional stock exchanges** Bourses régionales.

**register** /'redʒɪstəʳ/ **N a** *(gen, Admin, Mar)* registre m ; *[members]* liste f ; *(Acc)* registre m, grand livre m ◆ **to record sth in a register** enregistrer qch, entrer qch dans *or* porter qch sur un registre ◆ **register of business names, register of companies** registre du commerce ◆ **register of charges** *(Jur)* registre ◆ **register of debenture holders** registre des détenteurs d'obligations ◆ **register of directors' shareholdings** *(Brit)* registre des actions détenues par les administrateurs ◆ **register of goods in bond** *(Customs)* sommier d'entrepôt ◆ **register of members** *(Brit Jur)* *[company]* registre *or* livre des actionnaires ◆ **register of ships** registre des immatriculations ◆ **corporate register** registre commercial ◆ **hotel register** registre de l'hôtel ◆ **land** *or* **property register** (registre du) cadastre ◆ **share register** registre des titres *or* des actionnaires ◆ **ship's register** livre de bord ◆ **trade register** registre du commerce ◆ **transfer register** registre des transferts **b** *(Tech = gauge)* compteur m, enregistreur m

**VT a** *(= record formally)* **fact, figure** inscrire sur un registre, enregistrer; **birth, death** déclarer; **vehicle** (faire) immatriculer; **trademark, patent** déposer, faire enregistrer; **company** enregistrer **b** *(= enter for a course, competition)* inscrire *(sb for* qn à) **c** *(Post)* **letter, parcel** recommander; *(Rail)* **luggage** faire enregistrer **d** *(Tech = show on instrument)* indiquer, marquer **e** *(Jur)* **pension scheme** agréer

**VI** *(for a course, convention, competition)* s'inscrire *(for* à); *(in a hotel)* descendre *(in* dans)

────── compounds/composés ──────

◆ **register book** *(gen)* registre des inscriptions; *(Mar)* registre des actes de nationalité
◆ **register office** registre de l'état civil
◆ **register ton** *(Mar)* tonneau de jauge ◆ **gross / net register ton** tonneau de jauge brut / net
◆ **register tonnage** *(Mar)* tonnage de jauge.

**registered** /'redʒɪstəd/ **ADJ a** **vehicle** immatriculé; **student** inscrit ◆ **registered unemployed** chômeurs recensés ◆ **registered tonnage** tonnage de jauge ◆ **in what hotel are you registered?** vous descendez dans quel hôtel? **b** *(Post)* **letter** recommandé; *(Rail)* **luggage** enregistré ◆ **registered delivery** *(US)* avec accusé de réception ◆ **registered mail** courrier recommandé ◆ **under registered cover** sous pli recommandé ◆ **to send sth by registered mail** *or* **post** envoyer qch en recommandé **c** *(St Ex)* **stock, bond** nominatif ◆ **registered capital** capital social ◆ **registered company** société inscrite au registre du commerce ◆ **registered office** siège social ◆ **registered shares** *or* **securities** actions nominatives, titres nominatifs *or* inscrits au nominatif ◆ **registered shareholder** actionnaire inscrit ◆ **registered trader** négociant inscrit *(à la Bourse de New York)* **d** **design, pattern** déposé ◆ **registered name** nom déposé ◆ **registered proprietorship** droit de propriété enregistré ◆ **registered trademark** marque déposée **e** **agent, representative** agréé ◆ **registered (commodity) representative** *(US)* démarcheur agréé (d'une maison de commission) **f** *(Jur)* ◆ **registered charge** affectation hypothécaire inscrite au registre du cadastre ◆ **registered proprietor** propriétaire inscrit au registre du cadastre ◆ **registered title** titre de propriété inscrit au registre du cadastre.

**registrar** /ˌredʒɪs'trɑːʳ/ **N** *(Jur)* greffier m ; *(Admin)* officier m de l'état civil; *(Fin) (in company)* agent m comptable ◆ **registrar of companies** *(Brit Jur = office)* enregistrement, registre du commerce *or* des sociétés; *(= person)* conservateur du registre du commerce *or* des sociétés ◆ **registrar of deeds** *(Jur)* receveur de l'enregistrement ◆ **Registrar General** *(Brit Admin)* conservateur des archives de l'état civil ◆ **registrar's office** *(Brit Admin)* bureau de l'état civil ◆ **registrar of transfers** *(Fin)* agent comptable des transferts; → **land.**

**registration** /ˌredʒɪs'treɪʃən/ N **a** *(gen)* enregistrement m, inscription f ; *(for a course, convention, competition)* inscription f *(for* à); *[trademark, design]* dépôt m *(Brit Post)* recommandation f ; *(Rail)* enregistrement m ; *[vehicle]* immatriculation f ◆ **land registration** inscription au cadastre ◆ **registration of business names** *(Brit)* enregistrement de la raison sociale, inscription au registre du commerce *or* des sociétés **b** *(Mar) (gen)* acte m de nationalité; *(en France)* acte m de francisation **c** *(Jur) [pension scheme]* agrément m

─────── *compounds/composés* ───────
◆ **registration deadline** date (limite) de clôture des inscriptions
◆ **registration dues** *(Admin)* droits mpl d'enregistrement
◆ **registration fee** *(Post)* tarif d'un envoi recommandé *(Admin, St Ex)* droits mpl d'enregistrement; *(exam, competition)* droits mpl *or* frais d'inscription
◆ **registration number** *[car]* numéro minéralogique *or* d'immatriculation; *(Admin)* numéro d'immatriculation
◆ **registration of mortgage** inscription hypothécaire
◆ **registration office** bureau de l'enregistrement
◆ **registration plate** plaque minéralogique *or* d'immatriculation.

**registry** /'redʒɪstrɪ/ N **a** *(= action)* enregistrement m, inscription f ; *(= office)* bureau m de l'enregistrement *(Brit Admin)* bureau m de l'état civil ◆ **registry of motor vehicles** *(US)* bureau des immatriculations ◆ **registry of ships, marine registry** inscription maritime ◆ **certificate of registry** *(Mar)* acte *or* certificat de nationalité ◆ **land registry** bureau du cadastre ◆ **mortgage registry** bureau des hypothèques ◆ **port of registry** port d'attache *or* d'armement **b** *(US Post)* recommandation f

─────── *compounds/composés* ───────
◆ **registry books** *(Acc)* livres mpl d'ordre
◆ **registry office** bureau de l'enregistrement; *(Brit)* bureau de l'état civil.

**regrade** /riː'greɪd/ VT reclasser.

**regrading** /riː'greɪdɪŋ/ N reclassement m.

**regress** /rɪ'gres/ VI *[sales, prices, inflation]* régresser, baisser, reculer; *(Math)* régresser; *[situation]* régresser, rétrograder.

**regression** /rɪ'greʃən/ N *[sales, prices, inflation]* régression f, baisse f, recul m ; *(Math)* régression f ◆ **regression analysis** analyse de régression.

**regressive** /rɪ'gresɪv/ ADJ régressif ◆ **regressive tax** impôt dégressif, taxe dégressive ◆ **regressive supply** offre régressive.

**regret** /rɪ'gret/ VT regretter ◆ **we regret to inform you that** nous avons le regret de vous informer que
**N** regret m ◆ **much to our regret** à notre grand regret ◆ **letter of regret** *(St Ex)* (lettre d') avis de retour de souscription.

**regretfully** /rɪ'gretfəlɪ/ ADV malheureusement, avec regret ◆ **we must regretfully inform you that** nous avons le regret de vous informer que, nous devons à notre grand regret vous informer que.

**regroup** /ˌriː'gruːp/ VT regrouper
**VI** se regrouper.

**regular** /'regjʊləʳ/ ADJ **a** *(= recurring)* régulier ◆ **we make regular deliveries to all parts of the country** nous assurons des livraisons régulières dans tout le pays ◆ **regular payments** paiements réguliers **b** *(= habitual)* habituel, normal, ordinaire ◆ **regular hours** heures normales ◆ **we stock regular sizes in all models** nous avons en stock les tailles courantes *or* standard pour tous nos modèles ◆ **our regular suppliers** nos fournisseurs habituels ◆ **regular customer** *(gen)* client fidèle *or* régulier *or* habituel; *(in bar, restaurant)* habitué
**N** *(= customer) (gen)* client(e) m(f) fidèle; *(in bar, restaurant)* habitué(e) m(f).

**regularization, regularisation** /ˌregjʊlərai'zeɪʃən/ N régularisation f.

**regularize, regularise** /'regjʊləraɪz/ VT régulariser.

**regulate** /'regjʊleɪt/ VT **a** *(= adjust) (gen)* régler; *expenditure* régler, calculer; *machine* régler, ajuster **b** *(= draw up rules for) (gen)* réglementer; *economy* réguler ◆ **the Federal Reserve Board regulates the banking industry** la Réserve fédérale réglemente le secteur bancaire **c** *(= fix, determine)* *price, cost* déterminer, contrôler, réglementer.

**regulated** /'regjʊleɪtɪd/ ADJ *price, industry, company* réglementé ◆ **a regulated economy** une économie dirigée.

**regulation** /ˌregjʊ'leɪʃən/ N **a** *(= rule)* règle f, règlement m ; *(Admin)* règlement m, arrêté m

◆ **safety regulation** règle *or* consigne de sécurité ◆ **regulations** (= *rules*) règlement; *(in company)* règlement intérieur ◆ **it is against regulations to smoke** il est contraire au règlement de fumer, le règlement interdit de fumer ◆ **to act in accordance with the regulations** agir conformément aux règlements ◆ **rules and regulations** statuts ◆ **customs regulations** règlements douaniers ◆ **statutory regulations** dispositions légales **b** (= *control*) régulation f ◆ **economic regulation** régulation économique ◆ **the regulation of supply and demand** la régulation de l'offre et de la demande **c** *(by government agency)* réglementation f ◆ **price regulation** réglementation des prix ◆ **the regulation of financial services** la réglementation des services financiers.

**regulator** /ˈregjʊleɪtəʳ/ **N** **a** (= *instrument*) régulateur m **b** *[industry, business activity]* personne f (*or* organisme m) qui réglemente ◆ **government regulators have liberalized the market** les garants de l'économie ont libéralisé le marché.

**regulatory** /ˌregjʊˈleɪtərɪ/ **ADJ** *agency, body* de réglementation, d'intervention ◆ **regulatory framework** cadre *or* contexte réglementaire ◆ **regulatory tax** (*on petrol etc*) *taxe destinée à réglementer la consommation d'un produit.*

**rehabilitate** /ˌriːəˈbɪlɪteɪt/ **VT** *reputation* réhabiliter; *company* redresser, renflouer, assainir; *district* rénover, assainir; *employee* réintégrer, rétablir dans ses fonctions; *disabled people (to work)* réadapter, réinsérer.

**rehabilitation** /ˌriːəˌbɪlɪˈteɪʃən/ **N** *[bankrupt person]* réhabilitation f ; *(Fin) [company]* redressement m, renflouement m, assainissement m ; *[employee]* réintégration f, rétablissement m ; *[cripple]* réadaptation f, réinsertion f ◆ **rehabilitation plan** *[housing]* programme de rénovation *or* d'assainissement ◆ **vocational rehabilitation** reclassement, réinsertion.

**rehire** /ˌriːˈhaɪəʳ/ **VT** réembaucher.

**reignite** /ˌriːɪgˈnaɪt/ **VT** *inflation* relancer, rallumer.

**reimburse** /ˌriːɪmˈbɜːs/ **VT** rembourser (*sb for sth* qch à qn, qn de qch) ◆ **to reimburse sb (for) his expenses** rembourser qn de ses dépenses, défrayer qn.

**reimbursement** /ˌriːɪmˈbɜːsmənt/ **N** remboursement m.

**reimport** /ˌriːɪmˈpɔːt/ **VT** réimporter
**N** réimportation f, produit m réimporté, marchandise f réimportée.

**reimportation** /ˌriːɪmpɔːˈteɪʃən/ **N** réimportation f.

**reimpose** /ˌriːɪmˈpəʊz/ **VT** *control* réimposer.

**reinflate** /ˌriːɪnˈfleɪt/ **VT** ranimer, relancer.

**reinforce** /ˌriːɪnˈfɔːs/ **VT** renforcer, intensifier.

**reinforcement** /ˌriːɪnˈfɔːsmənt/ **N** renforcement m, intensification f.

**reinfuse** /ˌriːɪnˈfjuːz/ **VT** *credit* réinjecter.

**reinfusion** /ˌriːɪnˈfjuːʒən/ **N** *[funds]* réinjection f.

**reinsert** /ˌriːɪnˈsɜːt/ **VT** réintroduire, réinsérer.

**reinstate** /ˌriːɪnˈsteɪt/ **VT** **a** *employee* réintégrer, rétablir dans ses fonctions ◆ **he was officially reinstated** il a été formellement rétabli dans ses fonctions ◆ **to reinstate a clause in a contract** réintégrer *or* rétablir une clause dans un contrat **b** *(Ins) destroyed goods* remettre en état, remplacer; *policy* réactiver, remettre en vigueur.

**reinstatement** /ˌriːɪnˈsteɪtmənt/ **N** *[employee]* réintégration f, rétablissement m ; *(Ins) [destroyed goods]* remise f en état, remplacement m.

**reinsurance** /ˈriːɪnˈʃʊərəns/ **N** réassurance f.

**reinsure** /ˌriːɪnˈʃʊəʳ/ **VT** réassurer.

**reinsurer** /ˌriːɪnˈʃʊərəʳ/ **N** réassureur m.

**reinvest** /ˌriːɪnˈvest/ **VT** *(Fin)* réinvestir ◆ **reinvested earnings** bénéfices non distribués.

**reinvestment** /ˌriːɪnˈvestmənt/ **N** réinvestissement m, nouveau placement m ◆ **reinvestment privilege** *possibilité d'investir les dividendes dans l'achat de nouveaux titres à un prix préférentiel.*

**reissue** /ˌriːˈɪʃjuː/ **VT** *article, book* rééditer; *film* ressortir, reprendre, redistribuer; *stocks, securities* réémettre, procéder à une nouvelle émission de; *bill of exchange* renouveler; *statement* répéter, réitérer ◆ **reissued debenture** obligation réémise *or* faisant l'objet d'une nouvelle émission
**N** *[book]* réédition f, nouvelle édition f ; *[film]* redistribution f, reprise f ; *[stocks, securities]* réémission f, nouvelle émission f ; *[bill of exchange]* renouvellement m.

**REIT** /riːt/ **N** (abbr of **real-estate investment trust**) SCPI f.

**reject** /rɪˈdʒekt/ **VT** defective product (by customer, shopkeeper) refuser; (by manufacturer) mettre au rebut, rejeter; offer, idea rejeter, écarter **N** pièce f or article m de rebut, pièce f or article m refusé(e) or rejeté(e) ♦ **export reject** article or marchandise impropre à l'exportation ♦ **reject bin** case or panier de rebut.

**rejection** /rɪˈdʒekʃən/ **N** [product] mise f au rebut; [proposal] rejet m ♦ **rejection rate** taux de rebut ♦ **rejection slip** (Publishing) lettre de refus.

**rekey** /ˌriːˈkiː/ **VT** (Comp) information ressaisir, retaper.

**rekindle** /ˌriːˈkɪndl/ **VT** inflation rallumer, relancer.

**relapse** /rɪˈlæps/ **VI** (St Ex) rétrograder, reculer ♦ **coppers relapsed a point** les cuprifères ont reculé d'un point or ont cédé un point ♦ **the share relapsed to €50** l'action est revenue or retombée à 50 euros.

**related** /rɪˈleɪtɪd/ **ADJ** associé ♦ **related company** société liée or apparentée, filiale ♦ **related parties** (individuals) personnes apparentées; (firms) entreprises apparentées ♦ **related sales** ventes induites ♦ **earnings-related pension** pension en fonction des gains ♦ **wood-related industries** les industries du bois.

**relation** /rɪˈleɪʃən/ **N** a (= family member) parent(e) m(f) ; (= acquaintance) relation f ♦ **business relation** relation d'affaires b (= relationship) relation f, rapport m ♦ **there is no relation between these two factors** il n'y a pas de relation or de rapport entre ces deux facteurs ♦ **in relation to** par rapport à, relativement à c (= links) ♦ **relations** relations, rapports ♦ **we have excellent relations with our suppliers** nous avons or entretenons d'excellents rapports avec nos fournisseurs ♦ **to enter into business relations with sb** entrer en relations d'affaires avec qn ♦ **to break off relations with sb** rompre les relations avec qn ♦ **foreign relations** relations extérieures ♦ **human relations** relations humaines ♦ **industrial relations** relations sociales or patronat-syndicats ♦ **labour-management relations** rapports patrons-ouvriers ♦ **public relations** relations publiques ♦ **public relations officer** responsable des relations publiques.

**relationship** /rɪˈleɪʃənʃɪp/ **N** rapport m, relation f ♦ **a business relationship** des relations d'affaires ♦ **a cause and effect relationship** une relation or un rapport de cause à effet ♦ **relationship by objective** (Ind) relations par objec-

tif ♦ **relationship manager** responsable des relations sociales ♦ **relationship banking** gestion bancaire personnalisée.

**relax** /rɪˈlæks/ **VT** restrictions, contracts assouplir, alléger; trade barriers assouplir.

**relaxation** /ˌriːlækˈseɪʃən/ **N** [restrictions] assouplissement m, allègement m ♦ **credit relaxation** assouplissement du crédit.

**relay** /ˈriːleɪ/ **VT** message, signal relayer, retransmettre **N** relais m ♦ **to work in relays** se relayer, travailler par relais.

**release** /rɪˈliːs/ **N** a (= freeing) libération f ♦ **release of goods against signature** libération or remise des marchandises contre signature ♦ **release for shipment** autorisation de sortie b (= bringing out) [products] mise f en vente, lancement m, sortie f, diffusion f ; [film] sortie f ; [book] parution f, sortie f ♦ **new release** [book, records] dernière nouveauté ♦ **press release** communiqué de presse ♦ **new release of a software package** nouvelle version d'un logiciel ♦ **for immediate release** pour diffusion immédiate c (= receipt) quittance f, acquit m, reçu m ; (= customs receipt) congé m, facture-congé f ♦ **to sign a release for goods delivered** signer un acquit or un reçu or une quittance à la réception des marchandises d (Jur) [land] cession f, transfert m ; [person] relaxe f e (= discharge from obligation or responsibility) décharge f ♦ **you must sign a release before taking it** vous devez signer une décharge avant de le prendre f (= mechanism) desserrage m (Typ, Comp) [margin] déblocage m g [mortgage] mainlevée f, purge f, extinction f

――――― compounds/composés ―――――

♦ **release date** date de sortie
♦ **release note** certificat de conformité

**VT** a (= set free) person libérer, relâcher (from de); (Jur) relaxer; (from obligation) décharger, libérer (from de) ♦ **to release sb on bail** libérer qn sous caution ♦ **to release sb from a debt** faire la remise d'une dette à qn ♦ **to release a debtor** libérer un débiteur b (= relinquish right to) claim abandonner, renoncer à ♦ **to release a debt** remettre une dette, accorder la remise d'une dette c funds débloquer, dégager; grip desserrer, relâcher d (= distribute) product sortir, lancer, mettre en vente; book, tape sortir, faire paraître; information diffuser, divulguer

**e** *(Typ, Comp) margin* débloquer; *key* relâcher **f** *(= lease again)* relouer **g** *(Ind : from stock) goods* autoriser la sortie de.

**releasee** /rɪliːˈsiː/ N *(Jur)* cessionnaire mf.

**releasor** /rɪˈliːsəʳ/ N *(Jur)* renonciateur m, cédant m.

**relet** /riːˈlet/ VT *property* relouer.

**relevance** /ˈreləvəns/ N pertinence f ♦ **relevance tree** arbre de pertinence.

**relevant** /ˈreləvənt/ ADJ pertinent ♦ **relevant documents** *(Jur)* pièces justificatives ♦ **all relevant information** tous renseignements utiles ♦ **the relevant authority** *(Admin)* l'autorité compétente.

**reliability** /rɪˌlaɪəˈbɪlɪtɪ/ N *[person]* sérieux m ; *[machine, product]* fiabilité f

───── *compounds/composés* ─────
- ♦ **reliability engineer** ingénieur fiabiliste
- ♦ **reliability engineering** méthodes fpl *or* techniques de recherche de fiabilité
- ♦ **reliability test** essai de fiabilité.

**reliable** /rɪˈlaɪəbl/ ADJ **a** *person, company* sérieux, fiable, digne de confiance; *information* sérieux, fiable, sûr; *guarantee* sérieux, solide ♦ **we have it from a reliable source** nous le tenons de source sûre **b** *product, machine* fiable, solide.

**reliance** /rɪˈlaɪəns/ N *(= dependence)* dépendance f *(on* de); besoin m *(on* de); *(= trust)* confiance f *(on* en) ♦ **to place reliance on sb / on sth** avoir confiance en qn / qch.

**relief** /rɪˈliːf/ N **a** *(from anxiety)* soulagement m **b** *(= assistance)* secours m, aide f, assistance f ♦ **unemployment relief** allocation (de) chômage **c** *(= exemption)* exemption f, exonération f, dégrèvement m, allègement m ♦ **tax relief** dégrèvement, réduction d'impôt, allègement fiscal **d** *(= replacement)* relève f

───── *compounds/composés* ─────
- ♦ **relief fund** caisse de secours
- ♦ **relief shift** équipe de relève
- ♦ **relief train** train supplémentaire.

**relieve** /rɪˈliːv/ VT **a** soulager ♦ **to relieve sb of a duty** décharger qn d'une obligation ♦ **to relieve sb of a post** relever qn de ses fonctions **b** *(= aid)* secourir, aider, venir en aide à ♦ **measures should be taken to relieve the market** des mesures devraient être prises pour assainir le marché *or* pour donner un ballon d'oxygène au marché **c** *(Ind = replace)* relever, relayer ♦ **the evening shift relieves them at 6.00 p.m.** le poste du soir les relaye *or* vient les relever à 18 heures **d** *(= exempt)* exempter, exonérer, dégrever ♦ **to relieve sb from liability** libérer qn de toute responsabilité.

**relinquish** /rɪˈlɪŋkwɪʃ/ VT *power, post* abandonner; *plan, right* renoncer à; *claim* renoncer à, se désister de; *goods, property* se dessaisir de ♦ **to relinquish an inheritance** renoncer à *or* répudier une succession ♦ **to relinquish one's claim** renoncer à son droit *(to do sth* de faire qch, *to sth* à qch)

**relinquishment** /rɪˈlɪŋkwɪʃmənt/ N *[post, goods]* abandon m *(of* de); *[claim]* renonciation f *(of* à) désistement m ; *[inheritance]* répudiation f *(of* de) renonciation f *(of* à)

**reload** /riːˈləʊd/ VT *(gen)* recharger; *(Mar)* transborder.

**reloading** /ˌriːˈləʊdɪŋ/ N *(gen)* rechargement m ; *(Mar)* transbordement m.

**relocate** /ˌriːləʊˈkeɪt/ **VT** **a** *company, subsidiary* délocaliser **b** *worker (in a new job)* reconvertir; *(in a new place)* transférer, muter **VI** *[worker] (in a new job)* se reconvertir; *(in a new place)* changer de lieu de travail; *[plant]* se délocaliser.

**relocation** /ˌriːləʊˈkeɪʃən/ N *[company]* réimplantation f, transfert m, déménagement m ; *[worker] (in a new job)* reconversion f ; *(in a new place)* transfert m, mutation f ♦ **relocation allowance** *(for employee)* prime de relogement, indemnité de réinstallation.

**rely** /rɪˈlaɪ/ VI ♦ **to rely upon sb / sth** compter sur qn / qch, se fier à qn / qch, tabler sur qn / qch ♦ **we are relying on your sending the new samples in time** nous comptons sur vous pour nous faire parvenir à temps les nouveaux échantillons.

**remain** /rɪˈmeɪn/ VI *(gen = stay)* rester ♦ **I remain yours faithfully** *(in formal letters)* je vous prie d'agréer *or* veuillez agréer l'expression de mes sentiments distingués.

**remainder** /rɪˈmeɪndəʳ/ **N** **a** *(Math)* reste m ; *(Acc)* reste m, solde m, reliquat m ; *[debt]* reliquat m **b** *(= part of thing remaining)* reste m, restant m ; *(= people remaining)* les autres mfpl ♦ **for the remainder of the week** pour le reste *or* le restant de la semaine **c** *(Jur)* usufruit m avec réversibilité, réversion f **d** *(Comm)* ♦ **remainders** *(products)* invendus soldés; *(clothes, shoes)* soldes, fins de série **VT** *(Comm) books* solder.

**remaining** /rɪˈmeɪnɪŋ/ **ADJ** *sum* qui reste, restant; *time* qui reste, non écoulé.

**remand** /rɪˈmɑːnd/ **VT** *(Jur)* renvoyer *(to* à*)* ◆ **to remand on bail** libérer sous caution ◆ **to remand in custody** mettre en détention préventive **N** *(Jur)* renvoi m ◆ **to be on remand** être en détention préventive *or* en prévention.

**remargining** /ˌriːˈmɑːdʒɪnɪŋ/ **N** *(Fin)* renantissement m.

**remarketing** /ˌriːˈmɑːkɪtɪŋ/ **N** marketing m de relance, remarketing m.

**remedial** /rɪˈmiːdɪəl/

---
*compounds/composés*

◆ **remedial course** cours m *or* stage m de rattrapage
◆ **remedial maintenance** maintenance f corrective
◆ **remedial measures** mesures fpl de redressement.

---

**remedy** /ˈremədɪ/ **N** **a** *(gen)* remède m *(for* contre, à*)*; *(Jur)* recours m ◆ **remedies of mortgages** action en garantie hypothécaire **b** *(Tech)* tolérance f ◆ **remedy for** *or* **of weight / fineness** tolérance de poids / de titre **VT** remédier à.

**reminder** /rɪˈmaɪndəʳ/ **N** rappel m ; *(Comm)* avertissement m, lettre f de rappel *or* de relance ◆ **as a reminder** pour mémoire ◆ **reminder of order** rappel de commande ◆ **reminder of account due** *or* **of due date** rappel d'échéance

---
*compounds/composés*

◆ **reminder advertising** publicité de rappel *or* de relance
◆ **reminder entry** *(Acc)* poste de mémoire.

---

**remint** /ˌriːˈmɪnt/ **VT** *coinage* refondre, refrapper.

**remission** /rɪˈmɪʃən/ **N** **a** *(= payment)* *[sum of money]* envoi m, versement m, remise f **b** *(= exemption)* *(gen)* remise f ; *(Tax)* exemption f, exonération f, dégrèvement ◆ **remission from a debt** remise d'une dette ◆ **remission of fees** exonération *or* dispense des droits à payer ◆ **remission of a tax** exonération d'impôt ◆ **remission of charges** *(Admin)* détaxe.

**remit** /rɪˈmɪt/ **VT** **a** *fee, debt, penalty* remettre, faire remise de ◆ **to remit the charges** *or* **duties on sth** détaxer qch **b** *(= postpone)* différer **c** *(= send) payment, money* envoyer, verser, remettre ◆ **to remit bills for collection** remettre des effets en recouvrement *or* à l'encaisse-

ment ◆ **to remit for discount** remettre à l'escompte ◆ **to remit by cheque** payer *or* régler par chèque ◆ **remitted earnings** bénéfices rapatriés **d** *(Jur) defendant* renvoyer (à une instance inférieure)
**N** *(= area of responsibility)* *[committee, person]* compétence f, autorité f ; *(= assigned responsibility)* mission f.

**remittable** /rɪˈmɪtəbl/ **ADJ** *(Jur)* déductible.

**remittal** /rɪˈmɪtl/ **N** *(Jur)* *[sentence, debt]* remise f.

**remittance** /rɪˈmɪtəns/ **N** **a** *(= sending)* remise f, envoi m, versement m ◆ **to make a remittance of funds** faire une remise *or* un envoi de fonds ◆ **remittances and drawings** remises et retraits ◆ **multinational remittances of profit from overseas subsidiaries have increased** les rapatriements de bénéfices en provenance des filiales étrangères ont augmenté **b** *[bills of exchange]* remise f ◆ **sight remittance** remise à vue ◆ **remittance of a bill for collection** remise d'un effet à l'encaissement *or* en recouvrement **c** *(= payment)* règlement m, paiement m ◆ **I am enclosing our remittance for your invoice n° 205** je vous adresse ci-joint notre règlement de votre facture n° 205

---
*compounds/composés*

◆ **remittance advice** avis de remise à l'encaissement *or* de versement
◆ **remittance man** émigré *(qui vit d'argent envoyé de son pays d'origine)*
◆ **remittance slip** bordereau de paiement.

---

**remittee** /remɪˈtiː/ **N** destinataire mf.

**remitter** /rɪˈmɪtəʳ/ **N** *[money]* envoyeur m, expéditeur m.

**remitting** /rɪˈmɪtɪŋ/ **ADJ** qui remet, remetteur ◆ **remitting bank** banque remetteuse.

**remnant** /ˈremnənt/ **N** *(= thing left over)* *(gen)* reste m, restant m ; *[cloth]* coupon m ◆ **remnants** *(Comm)* soldes, invendus, fins de série

---
*compounds/composés*

◆ **remnant day** jour de soldes
◆ **remnant sale** solde de coupons *or* d'invendus *or* de fins de série.

---

**remodel** /ˌriːˈmɒdl/ **VT** remanier, réorganiser, remodeler.

**remonetization, remonetisation** /ˌriːˌmʌnɪtaɪˈzeɪʃən/ **N** remonétisation f.

**remortgage** /ˌriːˈmɔːɡɪdʒ/ **VT** *property* réhypothéquer.

**remote** /rɪˈməʊt/ **ADJ** lointain, éloigné ✦ **remote access** *(Comp)* accès à distance, téléconsultation ✦ **remote (batch) processing** *(Comp)* télétraitement (par lots) ✦ **remote cause** cause lointaine ✦ **remote control** télécommande, commande à distance ✦ **remote-controlled** télécommandé ✦ **remote data entry** *(Comp)* télésaisie de données ✦ **remote display** *(Comp)* téléaffichage ✦ **remote job entry** *(Comp)* télésoumission ✦ **remote peripheral** *(Comp)* terminal de télégestion ✦ **remote possibility** éventualité ✦ **remote shopping** téléachats.

**removable** /rɪˈmuːvəbl/ **ADJ** *part* amovible, détachable, démontable; *machine* transportable; *(Admin) official* amovible, révocable.

**removal** /rɪˈmuːvəl/ **N**  **a** *(gen, Customs) [objects, goods]* enlèvement m ; *[furniture from house]* déménagement m ✦ **removal of goods under bond** *(Customs)* mutation d'entrepôt **b** *[official]* *(= relocation)* déplacement m ; *(= sacking)* renvoi m, révocation f

—— *compounds/composés* ——
- ✦ **removal allowance** indemnité de déménagement
- ✦ **removal expenses** frais mpl de déménagement
- ✦ **removal van** camion de déménagement.

**remove** /rɪˈmuːv/ **VT**  **a** *(gen, Customs)* enlever; *household effects* déménager ✦ **to remove controls on** lever *or* supprimer *or* éliminer les restrictions sur **b** *official (= relocate)* déplacer; *(= sack)* renvoyer, révoquer.

**remover** /rɪˈmuːvəʳ/ **N** *(= man)* déménageur m ; *(= company)* entreprise f de déménagement.

**remunerate** /rɪˈmjuːnəreɪt/ **VT** rémunérer.

**remuneration** /rɪˌmjuːnəˈreɪʃən/ **N** rémunération f *(for* de*)* ✦ **directors' remuneration** rémunération des administrateurs ✦ **remuneration package** salaire et avantages complémentaires.

**remunerative** /rɪˈmjuːnərətɪv/ **ADJ** rémunérateur, lucratif, profitable.

**render** /ˈrendəʳ/ **VT**  **a** *(gen)* rendre ✦ **to render an account of sth** rendre compte de qch ✦ **for services rendered** pour services rendus ✦ **services rendered** *(on invoice)* prestations de services **b** *(Acc) account* remettre, présenter ✦ **as per account rendered** suivant compte remis ✦ **to account rendered £55** rappel de compte *or* facture de rappel: 55 livres ✦ **we render monthly statements** nous remettons *or* présentons des factures mensuelles.

**rendez-vous** /ˈrɒndɪvuː/ **N** rendez-vous m  **VI** *(= to meet)* se retrouver ✦ **let's rendez-vous at the hotel at 8.00 a.m.** donnons-nous rendez-vous *or* retrouvons-nous à l'hôtel à 8 heures.

**reneg(u)e** /rɪˈniːg/ **VI** revenir *(on* sur*)* ✦ **they reneg(u)ed on their agreement** ils sont revenus sur leur accord.

**renegotiable** /ˌriːnɪˈgəʊʃəbl/ **ADJ** renégociable.

**renegotiate** /ˌriːnɪˈgəʊʃɪeɪt/ **VTI** renégocier.

**renegotiation** /ˌriːnɪgəʊʃɪˈeɪʃən/ **N** renégociation f.

**renew** /rɪˈnjuː/ **VT** *(gen)* renouveler; *credit, contract, lease* renouveler, reconduire, proroger; *bill* prolonger ✦ **to renew one's subscription** se réabonner, renouveler son abonnement ✦ **to renew negotiations** reprendre les négociations ✦ **renewed bill** effet prolongé.

**renewable** /rɪˈnjuːəbl/ **ADJ** *(gen)* renouvelable; *lease* reconductible ✦ **renewable by tacit agreement** renouvelable par tacite reconduction.

**renewal** /rɪˈnjuːəl/ **N** *(gen)* renouvellement m ; *[credit, contract, lease]* renouvellement m, reconduction f, prorogation f ; *[bill]* prolongation f ✦ **renewal of a subscription** réabonnement ✦ **renewal of coupons** *(Fin)* recouponnement ✦ **urban renewal** rénovation *or* réaménagement des zones urbaines

—— *compounds/composés* ——
- ✦ **renewal clause** clause de reconduction
- ✦ **renewal fee** frais mpl de réabonnement
- ✦ **renewal notice** *[contract]* avis de renouvellement
- ✦ **renewal premium** prime de renouvellement.

**renewed** /rɪˈnjuːd/ **ADJ** renouvelé, nouveau ✦ **renewed area** zone d'urbanisation prioritaire ✦ **renewed activity** regain d'activité ✦ **renewed economic expansion** reprise de l'expansion économique ✦ **a renewed outbreak of labour dispute** une recrudescence *or* une nouvelle vague de conflits du travail.

**renounce** /rɪˈnaʊns/ **VT** *right* renoncer à, abandonner; *treaty* dénoncer.

**renounceable** /rɪˈnaʊnsəbl/ **ADJ** ✦ **renounceable letter of acceptance** *(St Ex)* lettre d'adhésion dénonçable.

**renouncee** /rɪnaʊnˈsiː/ **N** *(St Ex)* abandonnataire mf.

**renouncement** /rɪ'naʊnsmənt/ N (gen) renoncement m ; (Jur) [estate] répudiation f (of de) renonciation f (of à) abandon m (of de)

**renovate** /'renəʊveɪt/ VT rénover, remettre à neuf, restaurer.

**renovation** /ˌrenəʊ'veɪʃən/ N rénovation f, remise f à neuf, restauration f.

**renown** /rɪ'naʊn/ N renommée f, renom m.

**renowned** /rɪ'naʊnd/ ADJ renommé (for pour)

**rent** /rent/ **N** **a** [house, office] loyer m ; [farm] fermage m ; [car, television] (prix m de) location f ♦ **for rent** (US) à louer ♦ **high / low rent** loyer élevé / peu élevé or modique ♦ **to be late or in arrears with one's rent** avoir des arriérés de loyer ♦ **back rent** arriéré(s) de loyer ♦ **chief rent** (Brit) servitude de rente grevant un bienfonds ♦ **contractual rent** loyer contractuel ♦ **differential rent** loyer différentiel ♦ **economic rent** (Real Estate) loyer déterminé par le marché locatif; (Econ) rente économique ♦ **ground rent** loyer foncier ♦ **nominal** or **peppercorn rent** loyer insignifiant or symbolique ♦ **quarter's** or **term's rent** terme, trimestre de loyer ♦ **rack rent** loyer m exorbitant ♦ **royalty rent** loyer au rendement **b** (Econ) rente f ♦ **economic rent** rente économique ♦ **land rent** revenu foncier ♦ **monopoly rent** rente de monopole ♦ **quasi-rent** quasi-rente ♦ **scarcity rent, situation rent** rente de situation

_____ compounds/composés _____
♦ **rent allowance** (Brit) indemnité or allocation (de) logement
♦ **rent charge** (Brit) redevance foncière (perpétuelle mais rachetable)
♦ **rent collector** encaisseur or receveur des loyers
♦ **rent control** (Brit) réglementation des loyers
♦ **rent-free** accommodation exempt de loyer, (à titre) gratuit; live sans payer de loyer
♦ **rent freeze** blocage or gel des loyers
♦ **rent income** revenus mpl locatifs
♦ **rent in perpetuity** rente perpétuelle
♦ **rent insurance** assurance contre la perte des loyers
♦ **rent rebate** (Brit) remboursement de loyer
♦ **rent receipt** quittance de loyer
♦ **rent restriction** (Brit) blocage or gel des loyers
♦ **rent roll** registre des loyers

**VT** **a** [tenant] (= hire) louer, prendre en location ♦ **we rent our office space** nous sommes locataires de nos bureaux **b** [owner] (= hire out) louer, mettre en location
**VI** se louer, être loué ♦ **these premises rent for £9,000 a year** ces locaux se louent 9 000 livres par an.

**rental** /'rentl/ **N** **a** (= amount paid) (on building, land) (montant m du) loyer m, prix m de location; (for car, television) prix m de location ♦ **land rental** rente foncière ♦ **yearly rental** loyer annuel redevance annuelle **b** (= income from rents) revenus mpl locatifs **c** (= property rented) (propriété f en) location f **d** (= act of renting) location f ♦ **car rental** location de voitures

_____ compounds/composés _____
♦ **rental car** voiture de location
♦ **rental equipment** matériel de location
♦ **rental expenses** charges fpl locatives
♦ **rental fee** tarif de location
♦ **rental income** revenus mpl locatifs; (Acc : on income statement) revenus des immeubles
♦ **rental library** (US) bibliothèque de prêt
♦ **rental value** valeur locative.

**renter** /'rentər/ N (= tenant) locataire mf ; (= owner) loueur(-euse) m(f).

**rentier** /rãntje/ N rentier(-ière) m(f).

**renting** /'rentɪŋ/ N location f.

**rent out** VT SEP louer, mettre en location.

**renumber** /ˌriː'nʌmbər/ VT renuméroter, numéroter de nouveau.

**renunciation** /rɪˌnʌnsɪ'eɪʃən/ N **a** (Jur) [estate] répudiation f (of de) renonciation f (of à) abandon m (of de) ♦ **registration of renunciation** enregistrement d'un acte de renonciation **b** (Brit St Ex) période f d'exonération de droits ♦ **renunciation date** dernier jour de transaction avant l'application d'un droit de timbre.

**reopen** /ˌriː'əʊpən/ **VT** shop, account rouvrir; discussion, negotiations rouvrir, relancer **VI** [shop] rouvrir; [negotiations] reprendre ♦ **we shall be reopening for business in September** nous rouvrirons or nous reprendrons nos activités en septembre.

**reorder** /riː'ɔːdər/ VT **a** goods commander de nouveau, repasser commande de, renouveler une commande pour ♦ **it's time to reorder the office supplies** c'est le moment de nous réapprovisionner en fournitures de bureau ♦ **we must reorder** il faut passer une commande de réapprovisionnement **b** (= reorganize) reclasser, réordonner, réorganiser

_____ compounds/composés _____
♦ **reorder form** formulaire de réapprovisionnement
♦ **reorder level** or **point** seuil de réapprovisionnement.

**reordering** /ˌriːˈɔːdərɪŋ/ N *[supplies, stock]* réapprovisionnement m ◆ **reordering of stock is done on a weekly basis** le réapprovisionnement du stock se fait chaque semaine.

**reorganization, reorganisation** /ˌriːˌɔːgənaɪˈzeɪʃən/ N *(gen)* réorganisation f ; *[company finances]* restructuration f, assainissement m ; *[company structure]* réorganisation f, restructuration f ◆ **reorganization bond** *(US)* obligation émise pour assainir la trésorerie d'une entreprise en difficulté.

**reorganize, reorganise** /ˌriːˈɔːgənaɪz/ VT *(gen)* réorganiser; *company finances* restructurer, assainir; *company structure* restructurer, réorganiser.

**reorient** /ˌriːˈɔːrɪent,/ **reorientate** /ˌriːˈɔːrɪənteɪt/ VT réorienter.

**reorientation** /ˌriːˌɔːrɪənˈteɪʃən/ N réorientation f.

**rep** /rep/ N (abbr of **representative**) représentant m, agent m commercial ◆ **sales rep** représentant (de commerce), voyageur de commerce, VRP.

**repack** /ˌriːˈpæk/ VT *goods* remballer, rempaqueter, réemballer.

**repackage** /ˌriːˈpækɪdʒ/ VT *product* reconditionner; *parcel* remballer, réemballer ◆ **to repackage a deal** renégocier une affaire.

**repackaging** /ˌriːˈpækɪdʒɪŋ/ N *[product]* reconditionnement m ; *[deal]* renégociation f.

**repacking** /ˌriːˈpækɪŋ/ N *[goods for delivery]* remballage m, rempaquetage m.

**repaid** /rɪˈpeɪd/ ADJ remboursé.

**repair** /rɪˈpeər/ **VT** réparer
**N** réparation f ◆ **to keep in good repair** entretenir ◆ **to be in good / bad repair** être en bon / mauvais état ◆ **(damaged) beyond repair** irréparable ◆ **closed for repairs** fermé pour cause de travaux ◆ **the repairs on this machine will be expensive** la remise en état *or* la réparation de cette machine coûtera cher ◆ **tenant's repairs** réparations locatives, réparations à la charge du locataire ◆ **owner's repairs** réparations à la charge du propriétaire ◆ **to be under repair** *[road, building]* être en travaux; *[car, radio set]* être en réparation

—— compounds/composés ——
◆ **repair kit** trousse à outils
◆ **repair man** réparateur, dépanneur
◆ **repair shop** atelier de réparation.

**repairer** /rɪˈpeərər/ N réparateur m, dépanneur m.

**repairing** /rɪˈpeərɪŋ/ N réparation f, remise f en état ◆ **repairing lease** bail obligeant le locataire à prendre en charge les réparations d'entretien.

**reparation** /ˌrepəˈreɪʃən/ N *(Jur)* réparation f ◆ **reparation for (a) loss** dédommagement d'une perte ◆ **reparation for damage** indemnisation d'un dommage ◆ **reparation for (an) injury** réparation d'un préjudice physique ◆ **to obtain reparation for** obtenir réparation pour.

**repatriate** /riːˈpætrɪeɪt/ VT *person, funds, profits* rapatrier.

**repatriation** /riːˌpætrɪˈeɪʃən/ N *[person, funds, profits]* rapatriement m.

**repay** /riːˈpeɪ/ VT *(= pay back) money* rendre, rembourser; *creditor* rembourser; *debt* rembourser, s'acquitter de ◆ **to repay sb's expenses** défrayer qn, rembourser *or* indemniser qn de ses frais ◆ **to repay capital** rembourser le capital ◆ **to repay a debt in full** amortir une dette.

**repayability** /riːˌpeɪəˈbɪlɪtɪ/ N *(Fin)* exigibilité f.

**repayable** /riːˈpeɪəbl/ ADJ remboursable ◆ **repayable in 5 monthly instalments** remboursable en 5 mensualités ◆ **repayable on demand** remboursable sur demande ◆ **debt repayable by annual instalments** dette annuitaire ◆ **repayable at par** remboursable au pair.

**repayment** /riːˈpeɪmənt/ N *[loan]* remboursement m ◆ **repayment over 10 years** remboursement échelonné sur 10 ans ◆ **tender of repayment** offre de remboursement ◆ **bond due for repayment** obligation amortie ◆ **repayment mortgage** hypothèque immobilière.

**repeal** /rɪˈpiːl/ **VT** *law* abroger, annuler; *sentence* annuler
**N** *[law]* abrogation f, annulation f ; *[sentence]* annulation f.

**repeat** /rɪˈpiːt/ **VT** *(gen)* répéter; *(Comm) order* renouveler, répéter
**N** *(TV) (= broadcast)* retransmission f ; *(= advertisement)* annonce f répétée; *(in newspaper, review)* réinsertion f

—— compounds/composés ——
◆ **repeat ad** *or* **advertisement** annonce répétée; *(in newspaper)* réinsertion
◆ **repeat business** commande renouvelée ◆ **this order is repeat business** il s'agit d'une commande renouvelée
◆ **repeat buyer** acheteur régulier
◆ **repeat buying** *or* **purchasing** achats mpl répétés *or* réguliers, réachats mpl

* **repeat demand** demande répétée *or* renouvelée
* **repeat order** commande renouvelée
* **repeat purchase** achat répété *or* renouvelé, réachat
* **repeat sales** ventes fpl répétées *or* de renouvellement.

**repeated** /rɪ'piːtɪd/ **ADJ** *complaints, criticism* répété ◆ **despite our repeated requests** malgré nos demandes réitérées *or* répétées.

**repeater loan** /rɪ'piːtəˠləʊn/ **N** crédit-relais m, prêt-relais m.

**repercussion** /ˌriːpə'kʌʃən/ **N** répercussion f.

**repetition** /ˌrepɪ'tɪʃən/ **N** *(gen)* répétition f ; *(Comp)* répétition, itération f.

**repetitive** /rɪ'petɪtɪv/ **ADJ** *work, writing* monotone, répétitif, plein de redites; *(Comp) operation* itératif, répétitif.

**rephrase** /riː'freɪz/ **VT** reformuler.

**replace** /rɪ'pleɪs/ **VT**  **a** *(= take the place of)* remplacer *(sb / sth by* qn */* qch par) **b** *(= put back) (gen)* replacer, remettre (à sa place), ranger ◆ **to replace the receiver** raccrocher.

**replaceable** /rɪ'pleɪsəbl/ **ADJ** remplaçable.

**replacement** /rɪ'pleɪsmənt/ **N** *(= putting back)* remise f en place, rangement m ; *(= substituting)* remplacement m, substitution f ; *(= thing or person substituted)* remplaçant(e) m(f) ; *(= product)* produit m de remplacement ◆ **replacement of stolen goods** remplacement d'objets volés

——— *compounds/composés* ———
* **replacement accounting** comptabilité au prix de remplacement
* **replacement charts** tableaux mpl de remplacement *(pour les postes qui se libèrent)*
* **replacement cost** coût *or* valeur de remplacement ◆ **replacement cost insurance** assurance valeur à neuf
* **replacement costing** comptabilité au prix de remplacement
* **replacement engine** moteur de rechange
* **replacement market** marché de remplacement
* **replacement part** pièce de rechange
* **replacement time** temps de réapprovisionnement
* **replacement value** valeur de remplacement.

**replay** /'riːpleɪ/ **N** *(gen)* répétition f ; *(Sport)* match m rejoué ◆ **there will be a replay** le match sera rejoué ◆ **action replay** *(on TV)* reprise d'images ◆ **instant replay of an event** retour immédiat sur un événement ◆ **we don't** want a replay of last year's poor results nous ne voulons pas voir se répéter les mauvais résultats de l'année dernière.

**repledge** /riː'pledʒ/ **VT** *possession* remettre en gage, réhypothéquer; *commitment* réaffirmer.

**replenish** /rɪ'plenɪʃ/ **VT** réapprovisionner ◆ **to replenish one's stocks** *or* **supplies** se réapprovisionner *(of sth* en qch) **to replenish the shelves** réapprovisionner *or* regarnir les rayons *or* le linéaire.

**replevin** /rɪ'plevɪn/ **N** *(Jur)* mainlevée f de saisie ◆ **replevin bond** cautionnement de mainlevée.

**replevy** /rɪ'plevɪ/ **VT** *(Jur)* obtenir la mainlevée de.

**reply** /rɪ'plaɪ/  **N** réponse f ◆ **in reply to your letter** en réponse à votre lettre ◆ **sorry (there's) no reply** *(on telephone)* ça ne répond pas ◆ **right of reply** droit de réponse ◆ **reply paid** *(Post)* réponse payée

——— *compounds/composés* ———
* **reply coupon** coupon-réponse, bulletin-réponse
* **reply envelope** enveloppe-réponse

 **VI** répondre ◆ **to reply by return (of post)** répondre par retour (du courrier).

**repo** * /'riːpəʊ/ **N** *(US Fin)* abbr of **repurchase agreement** → **repurchase.**

**report** /rɪ'pɔːt/  **N**  **a** *(= written account) (gen)* rapport m ; *[meeting, discussion, debate]* compte rendu m, procès-verbal m *(Press, TV)* reportage m ; *(Comp)* état m, édition f ◆ **to draft** *or* **draw up a report** rédiger un rapport ◆ **to submit** *or* **present a report** remettre *or* soumettre *or* présenter un rapport ◆ **accident report** constat d'accident ◆ **annual report** rapport annuel, rapport d'activité ◆ **auditor's report** rapport du commissaire aux comptes ◆ **chairman's / director's report** rapport du président / du directeur ◆ **damage report** *(gen)* rapport d'expertise; *(Mar)* rapport d'avaries ◆ **law report** recueil de jurisprudence ◆ **progress report** compte rendu sur l'état d'avancement des travaux, compte rendu périodique ◆ **situation report** rapport de situation ◆ **survey report** *(gen Ins)* rapport d'expertise; *(Mar Ins)* procès-verbal d'avaries ◆ **weather report** bulletin météorologique **b** *(= financial statement)* compte m, état m ◆ **the report form of the balance sheet** la disposition *or* la présentation verticale du bilan ◆ **accounting reports** états financiers ◆ **earnings report** *(Acc)* compte de résultats *or* d'exploitation ◆ **market report** *(St Ex)* bulletin de la Bourse ♦ **treasurer's report** rapport financier `c` *(Customs)* déclaration f de gros

---
*compounds/composés*
- **report file** *(Comp)* fichier des états or d'édition
- **report generation** *(Comp)* génération de programmes d'édition
- **report terminal** *(Comp)* terminal d'édition
- **report writer** *(Comp)* utilitaire d'édition or d'états
---

`VT` `a` *(= give account of)* rapporter, rendre compte de ♦ **to report one's findings / conclusions** rendre compte des résultats / conclusions de son travail ♦ **to report progress** *(orally)* faire un exposé de l'état d'avancement (des travaux); *(in writing)* dresser un état d'avancement (des travaux) `b` *(= announce)* annoncer, déclarer, faire état de; *(= point out)* signaler, annoncer, constater ♦ **she reported a drop in sales** elle a signalé or annoncé une baisse des ventes ♦ **it was reported that costs were rising** on a constaté une augmentation des coûts ♦ **he was reported to be in London** on a dit qu'il était à Londres ♦ **the company is reported to be the target of a takeover bid** l'entreprise serait la cible d'une OPA `c` *(Press, TV) event, story* faire un reportage sur `d` *(= declare officially) accident, anomaly* déclarer, signaler ♦ **all breakdowns should be reported to the foreman** toute panne doit être signalée au chef d'atelier ♦ **to report the exact circumstances of an incident** faire un constat des circonstances exactes d'un incident ♦ **the master must report his vessel to the customs authorities within 24 hours** le capitaine doit déclarer son navire aux autorités douanières dans les 24 heures `e` *(Acc) earnings, losses, profits* enregistrer, déclarer, annoncer, faire état de ♦ **the company reported a drop of 16% in sales** l'entreprise a enregistré une baisse de 16% de son chiffre d'affaires `f` *(Ins) loss, damage* déclarer ♦ **to report as attaching interest** *(Mar Ins)* déclarer en aliment

`VI` `a` *(= go under orders)* se présenter ♦ **report to the head office on Monday** veuillez vous présenter or vous rendre au siège lundi `b` *(= give a report)* faire un rapport *(on* sur); *(Press, TV)* faire un reportage *(on* sur) ♦ **I shall report on my trip to the USA at the next meeting** je ferai un rapport sur or je rendrai compte de mon voyage aux USA lors de la prochaine réunion `c` *(= be responsible to)* ♦ **I report to the marketing director** je dépends hiérarchiquement du directeur du marketing, je rends compte au directeur du marketing.

**report back** `VI` `a` *(= return)* être de retour, rentrer; *(= call back in)* rappeler ♦ **please report back before 12.00 a.m.** veuillez rappeler avant midi ♦ **all field salesmen should report back to the office once a month** tous les représentants doivent revenir or se présenter or se rendre au bureau une fois par mois `b` *(= give report)* faire or présenter son rapport ♦ **they are going to report back with their recommendations next week** ils vont présenter leurs recommandations la semaine prochaine ♦ **reporting-back session** séance de synthèse.

**reporter** /rɪˈpɔːtəʳ/ N `a` *(Press)* journaliste mf *(Radio, TV)* reporter `b` *(in meeting, committee)* rapporteur m ; *(Jur)* sténographe mf.

**reporting** /rɪˈpɔːtɪŋ/ N `a` *[fact, event]* compte rendu m ; *(by reporter)* reportage m ; *[loss, damage, accident]* déclaration f, constat m ; *[earnings, profits]* déclaration f, enregistrement m `b` *(Acc) [statements, lists]* publication f or établissement m d'états financiers, reporting m ; *(Comp)* sortie f (d'un état), édition f (d'un état) ♦ **reporting of quarterly results** publication trimestrielle or état trimestriel des résultats ♦ **financial reporting** reporting (financier) ♦ **interim reporting** reporting périodique

---
*compounds/composés*
- **reporting standards** normes fpl de présentation de l'information
- **reporting system** système d'information comptable or financière.
---

**reposition** /ˌriːpəˈzɪʃən/ VT *(Mktg)* repositionner.

**repositioning** /ˌriːpəˈzɪʃənɪŋ/ N *(Mktg)* repositionnement m.

**repository** /rɪˈpɒzɪtərɪ/ N dépôt m, entrepôt m ♦ **furniture repository** garde-meuble.

**repossess** /ˌriːpəˈzes/ VT *(gen)* reprendre possession de, rentrer en possession de; *unpaid goods* saisir, faire saisir ♦ **right to repossess** droit de retour ♦ **to take court action to repossess sth** intenter une action en recouvrement de qch.

**repossession** /ˌriːpəˈzeʃən/ N *(gen)* rentrée f en possession, reprise f de possession; *[unpaid goods]* saisie f.

**represent** /ˌreprɪˈzent/ VT *(= stand for, act for)* représenter; *(= explain)* expliquer, faire comprendre, représenter *(Jur = declare)* déclarer ♦ **we must represent to them the risks involved** nous devons leur faire part or leur faire prendre conscience des risques que cela entraîne.

**re-present** /ˌriːprɪˈzent/ **VT** (= present again) représenter, présenter à nouveau ◆ **to re-present a bill** (Fin) représenter un effet.

**representation** /ˌreprɪzenˈteɪʃən/ **N** (gen, Fin, Pol) représentation f (Jur = declaration) déclaration f ◆ **letter of representation** lettre de déclaration de responsabilité ◆ **worker representation** représentation du personnel ◆ **false representation** (Jur) fausse déclaration, déclaration mensongère.

**representative** /ˌreprɪˈzentətɪv/ **ADJ** représentatif ◆ **a representative cross section** une fraction représentative, un échantillon représentatif ◆ **representative money** monnaie scripturale ◆ **representative sample** échantillon type or représentatif ◆ **in a representative capacity** pour le compte d'autrui

**A** **a** (also **sales representative**) représentant m (de commerce), voyageur m de commerce, VRP m ◆ **registered commodity representative** (US) démarcheur agréé (pour le compte de maisons de commission) ◆ **foreign** or **overseas representative** agent or représentant à l'étranger ◆ **legal representative** mandataire ◆ **sole representative** représentant exclusif ◆ **trade representative** représentant de commerce **b** (official) délégué(e) m(f) ◆ **Representative** (US Pol) représentant, membre du Congrès (américain) ≈ député ◆ **the House of Representatives** (US Pol) la Chambre des représentants ◆ **union representative** délégué syndical.

**repress** /rɪˈpres/ **VT** (gen) réprimer; inflation contenir, maîtriser.

**re-press** /riːˈpres/ **VT** record represser.

**repressed** /rɪˈprest/ **ADJ** inflation contenu, maîtrisé.

**repressive** /rɪˈpresɪv/ **ADJ** répressif ◆ **repressive tax** impôt dissuasif ◆ **repressive measures** (Pol) mesures de répression.

**reprieve** /rɪˈpriːv/ **N** [sentence] commutation f ; (= delay) sursis m ; (fig) répit m ◆ **to grant / obtain a reprieve** accorder / obtenir un sursis **VT** (= delay) surseoir à l'exécution de, accorder un sursis à; (fig) accorder un répit à.

**reprint** /ˌriːˈprɪnt/ **VT** réimprimer **N** réimpression f, nouveau tirage m, retirage m.

**reprises** **NPL** (Brit Jur) sommes à déduire d'un revenu foncier.

**reprocess** /ˌriːˈprəʊses/ **VT** materials retraiter, recycler; (Comp) retraiter.

**reprocessing** /ˌriːˈprəʊsesɪŋ/ **N** [materials] retraitement m, recyclage m ; (Comp) retraitement m.

**reproduce** /ˌriːprəˈdjuːs/ **VT** reproduire.

**reproduction** /ˌriːprəˈdʌkʃən/ **N** (gen) reproduction f ◆ **reproduction rate** taux de reproduction ◆ **reproduction cost / value** coût / valeur de reconstruction or de reconstitution (avec moins-value pour amortissement).

**reprogramme** /ˌriːˈprəʊgræm/ **VT** reprogrammer.

**reprographics** /ˌreprəˈgræfɪks/, **reprography** /rɪˈprɒgrəfɪ/ **N** reprographie f.

**rept** abbr of **report**.

**republic** /rɪˈpʌblɪk/ **N** république f ◆ **the French Republic** la République française ◆ **banana republic** république bananière.

**republican** /rɪˈpʌblɪkən/ **ADJ** républicain.

**republish** /ˌriːˈpʌblɪʃ/ **VT** book rééditer; (Jur) will renouveler.

**repudiate** /rɪˈpjuːdɪeɪt/ **VT** person désavouer; accusation, agreement rejeter, repousser; debt, obligation refuser d'honorer.

**repudiation** /rɪˌpjuːdɪˈeɪʃən/ **N** [person] désaveu m ; [accusation, agreement] rejet m ; [debt] refus m d'honorer.

**repudiatory** /rəˈpjuːdɪətərɪ/ **ADJ** ◆ **his conduct was repudiatory of the contract** sa conduite entraînait la résiliation du contrat.

**repurchase** /ˌriːˈpɜːtʃɪs/ **N** rachat m ◆ **sale with option of repurchase** vente à réméré ◆ **repurchase agreement** (US Fin) contrat de vente à réméré ◆ **repurchase rate** (Bank) taux des prises en pension
**VT** racheter.

**reputable** /ˈrepjʊtəbl/ **ADJ** person honorable, honorablement connu; firm de bonne réputation or renommée.

**reputation** /ˌrepjʊˈteɪʃən/ **N** réputation f ◆ **to have a good / bad reputation** avoir une bonne / mauvaise réputation.

**repute** /rɪˈpjuːt/ **N** réputation f, renommée f.

**reputed** /rɪˈpjuːtɪd/ **ADJ** réputé ◆ **reputed owner** propriétaire présumé.

**request** /rɪˈkwest/ **N** demande f (for de) ◆ **at sb's request** sur or à la demande de qn ◆ **available on request** disponible sur demande ◆ **to make a request to sb for sth** demander qch à qn ◆ **to grant a request** accéder à une demande ◆ **in compliance with your request** conformément à votre demande ◆ **in great request** très demandé ✦ **request note** *(Customs)* autorisation de déchargement de denrées périssables avant la visite des douanes

**VT** demander ✦ **to request sth from sb** demander qch à qn ✦ **to request sb to do** demander à qn de faire, prier qn de faire ✦ **as requested by you** suivant *or* conformément à vos instructions.

**require** /rɪˈkwaɪəʳ/ **VT** **a** *(= need)* *[person]* avoir besoin de; *[thing, action]* demander, nécessiter, exiger ✦ **how many copies do you require?** de combien d'exemplaires avez-vous besoin?, combien d'exemplaires vous faut-il? **b** *(= order)* exiger ✦ **to require sb to do** exiger de qn qu'il fasse ✦ **to require sth of sb** exiger qch de qn.

**required** /rɪˈkwaɪəd/ **ADJ** exigé, demandé, requis ✦ **to fulfill** *or* **meet the required conditions** satisfaire aux conditions requises ✦ **in the required time** dans les délais prescrits ✦ **required reserves** *(Bank)* réserves obligatoires *or* légales ✦ **required return** *(Ind)* rentabilité minimale exigible.

**requirement** /rɪˈkwaɪəmənt/ **N** **a** *(= need)* besoin m ; *(= demand)* exigence f ; *(= condition)* condition f (requise) ✦ **to fit** *or* **meet requirements** remplir les conditions, satisfaire aux exigences ✦ **what are your requirements?** de quoi avez-vous besoin?, quels sont vos besoins? ✦ **our requirements are for the following items** nous avons besoin des articles suivants ✦ **this product does not meet our requirements** ce produit ne correspond pas à nos exigences ✦ **English is an essential requirement for this job** l'anglais est indispensable pour faire ce travail ✦ **schedule of requirements** *(for parts, goods)* liste d'articles requis ✦ **cash requirements** besoins de trésorerie ✦ **borrowing requirements** besoins de financement ✦ **legal requirements** obligations légales ✦ **reserve requirements** *(Bank) (amount)* réserves obligatoires *or* légales; *(obligation)* obligation de couverture ✦ **safety requirements** conditions de sécurité **b** *(US)* ✦ **requirements** cahier m des charges.

**requisite** /ˈrekwɪzɪt/ **N** chose requise *or* nécessaire *(for* pour) ✦ **here is a list of our requisites** voici la liste de ce dont nous avons besoin ✦ **office requisites** fournitures de bureau ✦ **toilet requisites** articles *or* objets de toilette **ADJ** requis, nécessaire, exigé ✦ **we do not have the requisite funding for this project** nous n'avons pas le financement nécessaire pour ce projet.

**requisition** /ˌrekwɪˈzɪʃən/ **N** *(gen = demand)* demande f ; *(Jur) [property]* réquisition f ✦ **materials requisition** bon de sortie de magasin ✦ **purchase requisition** bon de commande ✦ **requisition number** numéro de référence *(d'un bon de sortie)* ✦ **reserve requisition control** contrôle des sorties de magasin
**VT** réquisitionner.

**requisitioning** /ˌrekwɪˈzɪʃənɪŋ/ **N** *[property]* réquisition f ; *(= demand in writing)* demande f.

**reregulate** /ˌriːˈregjʊleɪt/ **VT** re-réglementer.

**reroute** /ˌriːˈruːt/ **VT** **a** *train, lorry* modifier *or* changer l'itinéraire de ✦ **we are rerouting our regular delivery service to pass through Guildford** nous modifions l'itinéraire de notre service régulier de livraison de manière à desservir Guildford **b** *goods* réacheminer *(through* par, *to* à)

**rerun** /ˈriːrʌn/ **N** *[film, computer program]* reprise f ✦ **rerun routine** *(Comp)* programme de reprise **VT** *film, tape* repasser; *(Comp) program* réexécuter, repasser en machine.

**resale** /ˈriːˈseɪl/ **N** revente f ✦ **goods for resale** articles *or* marchandises destiné(e)s à la revente

─── *compounds/composés* ───

✦ **resale price** prix de revente ✦ **resale price maintenance** prix de vente imposé
✦ **resale value** valeur de revente *or* à la revente

**rescale** /ˈriːˈskeɪl/ **VT** *(= scale down)* ramener à une moindre échelle, réduire les proportions de ✦ **we are rescaling our production activities** nous réduisons nos activités de production.

**reschedule** /ˌriːˈʃedjuːl, riːˈskedjuːl/ **VT** *meeting* reprogrammer, changer la date de; *production schedule* reprogrammer, établir un nouveau calendrier pour; *debt* rééchelonner.

**rescheduling** /ˌriːˈʃedjuːlɪŋ, riːˈskedjuːlɪŋ/ **N** *[meeting, delivery, production schedule]* reprogrammation f ; *[debt]* rééchelonnement m.

**rescind** /rɪˈsɪnd/ **VT** *judgment* casser, annuler, rescinder; *law* abroger; *contract* résilier; *decision, agreement* annuler.

**rescriptions** /rɪsˈkrɪpʃəns/ **NPL** *(St Ex)* bons mpl du Trésor, emprunts mpl des collectivités publiques.

**rescue** /ˈreskjuː/ **N** *(= help)* secours m ; *(= saving)* sauvetage m ✦ **rescue plan** plan de sauvetage ✦ **a financial rescue operation** *or* **package** une opération de sauvetage financier ✦ **to come to the rescue of sb** venir en aide à qn

**VT** (= *save*) sauver (*from* de)

**rescuer** /ˈreskjʊəʳ/ **N** sauveteur m.

**research** /rɪˈsɜːtʃ/ **N** **a** (= *activity*) recherche f ◆ **to do research** faire de la recherche *or* des recherches ◆ **a piece of research** une recherche, un travail de recherche ◆ **to carry out research into** *or* **on sth** faire des recherches sur qch ◆ **research and development** recherche et développement ◆ **research and development department** (*Ind*) bureau *or* service des études et méthodes, service recherche et développement ◆ **applied** *or* **industrial research** recherche appliquée ◆ **pure** *or* **basic** *or* **fundamental research** recherche fondamentale **b** (= *enquiry, survey*) étude f, enquête f ◆ **research into buying habits has revealed that** une étude *or* une enquête sur les habitudes d'achat a révélé que ◆ **advertising research** étude *or* enquête publicitaire ◆ **consumer research** étude de consommation ◆ **field research** recherche *or* étude sur le terrain ◆ **market research** étude de marché ◆ **marketing research** recherche en marketing ◆ **media research** analyse des médias ◆ **motivation(al) research** étude de motivation ◆ **operations** *or* **operational research** recherche opérationnelle ◆ **product research** étude de produits

―――― compounds/composés ――――

◆ **research assistant** assistant(e) de recherche
◆ **research department** (*Ind*) bureau d'études
◆ **research establishment** centre de recherche
◆ **research institute** institut de recherche
◆ **research lab** *or* **laboratory** laboratoire de recherche
◆ **research student** étudiant(e) qui fait de la recherche, étudiant-chercheur
◆ **research unit** unité service de recherche
◆ **research work** travaux mpl de recherche, recherches fpl
◆ **research worker** chercheur(-euse)

**VI** faire des recherches (*into, on* sur)
**VT** new product faire des recherches sur, étudier ◆ **they are researching a new technology** ils font des recherches pour développer une nouvelle technologie, ils étudient une nouvelle technologie ◆ **the project has been inadequately researched** le projet n'a pas été assez étudié *or* préparé.

**researcher** /rɪˈsɜːtʃəʳ/ **N** chercheur(-euse) m(f).

**resell** /ˌriːˈsel/ **VT** revendre.

**reseller** /ˌriːˈseləʳ/ **N** revendeur m ◆ **reseller market** marché de la revente, marché secondaire ◆ **reseller's brand** marque de distributeur.

**reserialize, reserialise** /ˌriːˈsɪərɪəlaɪz/ **VT** renuméroter.

**reservation** /ˌrezəˈveɪʃən/ **N** **a** (= *qualification*) réserve f, restriction f ◆ **with reservations** sous réserve ◆ **I recommend her without reservation** je la recommande sans réserve ◆ **to enter a reservation in respect of a contract** apporter une réserve à un contrat ◆ **reservation of opinion** restriction **b** (= *booking*) réservation f ◆ **to make a reservation** (*in hotel*) réserver *or* retenir une chambre; (*in train*) retenir une place, faire une réservation ◆ **to have a reservation** (*in hotel*) avoir une chambre réservée; (*in train*) avoir une réservation *or* une place réservée; (*in restaurant*) avoir une table réservée

―――― compounds/composés ――――

◆ **reservation clerk** employé(e) des réservations
◆ **reservation counter** *or* **desk** service des réservations, service réservation
◆ **reservation window** guichet des réservations.

**reserve** /rɪˈzɜːv/ **VT** (*gen*) réserver ◆ **to reserve the right to do** se réserver le droit de faire ◆ **to reserve judgment** (*Jur*) renvoyer le jugement **N** **a** (= *stock*) réserve f, provision f, stock m ◆ **we have a large reserve of spare parts** nous avons une réserve importante *or* un stock important de pièces détachées ◆ **to lay in reserves of** faire des provisions de ◆ **to hold reserves** détenir des réserves ◆ **to build up reserves** constituer des réserves ◆ **to draw on one's reserves** prélever sur *or* puiser dans ses réserves ◆ **to keep sth in reserve** garder qch en réserve **b** (= *restriction*) réserve f ◆ **with the reserve of approval** sous réserve d'approbation ◆ **without reserve** sans réserve, sans restriction ◆ **under usual reserve** avec les réserves d'usage ◆ **coupons credited under the usual reserves** (*St Ex*) coupons crédités sauf bonne fin **c** (*Fin*) réserve f, provision f ◆ **reserve for bad debts / depreciation / inventory maintenance** provision pour créances douteuses / dépréciation / reconstitution de stocks ◆ **reserve for taxation** provision pour impôts, réserve fiscale ◆ **bank reserves** réserves bancaires ◆ **capital reserves** réserves et provisions ◆ **undistributable reserve** réserve légale *or* non distribuable ◆ **capital redemption reserve fund** réserve de remboursement d'obligations ◆ **cash reserve** réserve de caisse ◆ **contingency reserve** fonds de réserve ◆ **currency reserve** réserve en devises ◆ **extraordinary reserve** réserve extraordinaire ◆ **floating cash reserve** volant de trésorerie ◆ **foreign exchange reserves** réserves en devises ◆ **general reserves** réserves générales *or* légales ◆ **gold reserves**

réserves en or ✦ **hidden** or **inner reserve** fonds occultes, caisse noire ✦ **legal reserve** *(balance sheet)* réserve légale ✦ **liability reserve** provision pour dettes ✦ **revenue reserve** réserve fiscale ✦ **statutory reserve** réserve statutaire ✦ **visible reserve** réserve visible ▫ **the Reserve** *(Brit)* les réserves en numéraire et en billets de banque détenues par la Banque d'Angleterre ✦ **the Federal Reserve** *(US)* la Réserve fédérale ✦ **Federal Reserve Bank** *(US)* banque de la Réserve fédérale ✦ **Federal Reserve Board** *(US)* Conseil de la Réserve fédérale *(organisme qui joue le rôle de banque centrale)* ✦ **the Federal Reserve System** (le système de) la Réserve fédérale américaine

———— *compounds/composés* ————

- **reserve account** compte de réserve or de provisions
- **reserve assets** réserves fpl obligatoires ✦ **reserve-assets ratio** *(Brit)* rapport passif-réserves
- **reserve authorities** institut d'émission
- **reserve currency** monnaie de réserve
- **reserve deposit** dépôt de couverture
- **reserve fund** *(Fin)* fonds de prévoyance or de réserve
- **reserve price** *(gen)* prix plancher; *(auction)* mise à prix
- **reserve ratio** taux de couverture
- **reserve requirement(s)** *(Bank) (= amount)* réserves fpl obligatoires or légales; *(= obligation)* obligation de couverture
- **reserve stock** stock de réserve, stock de régularisation ✦ **we have a reserve stock of spare parts** nous avons une provision de pièces de rechange
- **reserve stock control** contrôle des stocks en magasin.

**reserved** /rɪˈzɜːvd/ **ADJ** réservé ✦ **all rights reserved** tous droits réservés ✦ **reserved market** marché réservé ✦ **reserved power** *(Jur)* droit réservé.

**reset** /riːˈset/ **VT** *(= readjust) machine* régler à nouveau; *clock* remettre à l'heure; *(Comp)* réinitialiser
▫ *(Comp)* réinitialisation f ✦ **automatic reset** réinitialisation automatique ✦ **counter reset** remise à zéro du compteur.

**resettle** /riːˈsetl/ **VT** *subsidiary* réimplanter, transférer; *worker, staff* reclasser, réaffecter, reconvertir.

**resettlement** /ˌriːˈsetlmənt/ **N** *[subsidiary]* réimplantation f, transfert m ; *[worker, staff]* reclassement m, réaffectation f, reconversion f ✦ **resettlement allowance** indemnité de reconversion.

**reshape** /riːˈʃeɪp/ **VT** *policy* remodeler; *organization* restructurer.

**reship** /ˌriːˈʃɪp/ **VT** *(= transship)* réembarquer, rembarquer, transborder; *(= send again) goods* réexpédier.

**reshipment** /ˌriːˈʃɪpmənt/ **N** *(= transshipment)* réembarquement m, rembarquement m, transbordement m ; *(= sending again)* réexpédition f.

**reshuffle** /ˌriːˈʃʌfl/ **VT** *government, board of directors* remanier
▫ remaniement m ✦ **cabinet reshuffle** remaniement ministériel ✦ **management reshuffle** remaniement de l'équipe dirigeante.

**reside** /rɪˈzaɪd/ **VI** résider.

**residence** /ˈrezɪdəns/ **N** résidence f ✦ **residence permit** permis de séjour ✦ **residence for tax purposes** résidence fiscale ✦ **legal residence** domicile légal ✦ **to take up legal residence in Paris** se faire domicilier à Paris ✦ **to be in residence** être en résidence.

**resident** /ˈrezɪdənt/ ▫ *(gen)* habitant(e) m(f) ; *[foreign country]* résident(e) m(f) ✦ **permanent resident** résident permanent
▫ **ADJ** résidant ✦ **resident alien** *(US)* immigrant muni d'une autorisation de séjour.

**residential** /ˌrezɪˈdenʃəl/ **ADJ** *area, building* (à usage) d'habitation ✦ **residential position** poste qui oblige à habiter sur place ✦ **residential (training) course** stage à temps complet (où les participants habitent sur les lieux de formation) ✦ **these buildings have been designed for residential occupancy** ces immeubles ont été conçus pour un usage d'habitation or sont destinés à l'habitation.

**residual** /rɪˈzɪdjʊəl/ ▫ **ADJ** restant, résiduel ✦ **residual amount** quantité or somme restante ✦ **residual error** erreur résiduelle ✦ **residual income** revenu résiduel ✦ **residual lender** dernier prêteur ✦ **residual unemployment** chômage résiduel ✦ **residual value** valeur résiduelle
▫ **N** a *(Math)* reste m *(Chem, Phys)* résidu m b **residuals** droits versés aux acteurs et à l'auteur à l'occasion d'une rediffusion d'un programme télévisé ou d'un film.

**residuary** /rɪˈzɪdjʊərɪ/ **ADJ** résiduel ✦ **residuary legacy** legs universel ✦ **residuary legatee** légataire universel ✦ **residuary estate** propriété résiduelle, montant net de la succession ✦ **residuary devisee** légataire de biens immobiliers à titre universel.

**residue** /ˈrezɪdjuː/ **N** *(gen)* reste m ; *(Jur) [estate]* reliquat m.

**residuum** /rɪˈzɪdjʊəm/ **N** *(Jur) [estate]* reliquat m.

**resign** /rɪˈzaɪn/ **VT** **a** (= abandon) céder, abandonner, renoncer à ◆ **she resigned her claims to the estate** elle a renoncé à or abandonné ses droits à la succession, elle a répudié la succession ◆ **she resigned the management of the business to her son** elle a cédé la direction de l'affaire à son fils **b** post se démettre de, démissionner de ◆ **he resigned his ministry** il a démissionné or il s'est démis de son ministère **VI** [employee] démissionner, donner sa démission, se démettre de ses fonctions.

**resignation** /ˌrezɪɡˈneɪʃən/ **N** **a** (from post) démission f ◆ **to hand in** or **tender one's resignation** remettre or présenter or donner sa démission **b** [claim, right] abandon m (of de) renonciation f (of à) répudiation f (of de)

**resilience** /rɪˈzɪliəns/ **N** (gen = resistance) résistance f ; [market] élasticité f, ressort m.

**resilient** /rɪˈzɪliənt/ **ADJ** (gen = resistant) résistant; market élastique.

**resist** /rɪˈzɪst/ **VT** résister ◆ **to resist a motion** s'opposer à une motion.

**resistance** /rɪˈzɪstəns/ **N** résistance f ◆ **the line of least resistance** la ligne de moindre résistance ◆ **consumer resistance** résistance des consommateurs ◆ **short / medium / long-term resistance** (St Ex) résistance à court / moyen / long terme ◆ **resistance lever** or **point** (St Ex) point or seuil de résistance.

**resite** /riːˈsaɪt/ **VT** factory réimplanter, transférer ◆ **resite programme** programme de transfert d'implantation.

**res judicata** /ˈreɪsdʒuːdɪˈkɑːtə/ **N** (Jur) chose f jugée.

**resolution** /ˌrezəˈluːʃən/ **N** **a** (= decision) résolution f ◆ **draft resolution** résolution provisoire, projet de résolution ◆ **to make / adopt / reject a resolution** prendre / adopter / rejeter une résolution ◆ **to put a resolution to the meeting** mettre une résolution aux voix **b** (= resoluteness) fermeté f, résolution f **c** (= solving) [problem] solution f **d** (Brit Jur) ◆ **resolution to wind up** liquidation volontaire.

**resolutive** /rɪˈzɒljʊtɪv/ **ADJ** (Jur) clause in a contract résolutoire.

**resolutory** /ˌrezəˈluːtərɪ/ **ADJ** (Jur) condition of a contract résolutoire.

**resolve** /rɪˈzɒlv/ **VT** problem résoudre **VI** (= decide) résoudre, décider (to do de faire) se résoudre, se décider (to do à faire) ◆ **it has been resolved that** il a été résolu que ◆ **to resolve that** décider que

**VI** **a** (= decision) résolution f, décision f ◆ **to make a resolve to do** prendre la résolution de faire **b** (= resoluteness) résolution f, fermeté f.

**resort** /rɪˈzɔːt/ **VI** **a** (= recourse) recours m ◆ **as a last resort, in the last resort** en dernier ressort **b** (= place) lieu m de villégiature ◆ **resort hotel** (US) hôtel de vacances ◆ **holiday resort** lieu de vacances ◆ **mountain resort** station de montagne ◆ **seaside resort** station balnéaire ◆ **ski resort** station de ski **VI** recourir (to sth / sb à qch / qn) avoir recours (to sth / sb à qch / qn) ◆ **to resort to legal action** avoir recours à la justice or aux tribunaux.

**resounding** /rɪˈzaʊndɪŋ/ **ADJ** success retentissant.

**resource** /rɪˈsɔːs/ **N** (gen) ressource f ◆ **resources** (US Fin) actif disponible, liquidités ◆ **financial / natural / human / mineral resources** ressources financières / naturelles / humaines / en minerais ◆ **human-resource management** gestion des ressources humaines ◆ **to allocate resources to sth** affecter des ressources à qch

——— compounds/composés ———

◆ **resource allocation** allocation or affectation or répartition des ressources
◆ **resource industry** industrie extractive
◆ **resource inputs** (Ind) consommations fpl intermédiaires
◆ **resource person** spécialiste, expert.

**respect** /rɪsˈpekt/ **N** (= consideration) respect m, considération f, égard m ; (= connexion) domaine m ◆ **in this respect** dans ce domaine, à ce propos, à cet égard ◆ **with respect to** en or pour ce qui concerne, quant à, relativement à ◆ **in other respects** à d'autres égards **VI** respecter, observer.

**respectable** /rɪsˈpektəbl/ **ADJ** person, amount respectable ◆ **respectable bill** (Fin) effet réescomptable.

**respite** /ˈrespaɪt/ **N** (from work) répit m ; (Jur) sursis m ◆ **without respite** sans répit ◆ **to grant a respite for payment** accorder un délai de paiement.

**respond** /rɪsˈpɒnd/ **VI** (gen) répondre (to à); (US Jur) être responsable ◆ **to respond in damages** être tenu à des dommages-intérêts ◆ **to respond to criticism** réagir à la critique.

**respondent** /rɪsˈpɒndənt/ **N** **a** (Jur) défenseur m **b** (in poll, survey) personne f interrogée.

**respondentia** /ˌrespən'denʃə/ N *(Mar)* emprunt m sur le chargement, grosse f sur facultés ◆ **respondentia bond / loan** contrat / prêt à la grosse sur facultés.

**response** /rɪs'pɒns/ N *(= reaction)* réponse f, réaction f ; *(= answer to letter)* réponse f ◆ **in response to your letter** en réponse à votre lettre ◆ **we have had no response to our complaint** nous n'avons pas eu de réaction or de réponse concernant notre réclamation ◆ **we had a huge response to our recent direct mail shot** nous avons eu un fort taux de remontée or de réponse à la suite de notre récent mailing ◆ **response to change** adaptation au changement ◆ **response rate** *(Mktg)* taux m de réponse or de remontée ◆ **response time** délai or temps de réponse or de réaction.

**responsibility** /rɪsˌpɒnsə'bɪlɪtɪ/ N responsabilité f *(for de)* ◆ **linear responsibility** responsabilité hiérarchique ◆ **without responsibility on our part** sans engagement de notre part ◆ **to take responsibility for sth** prendre la responsabilité de qch ◆ **to lay** or **put** or **place the responsibility for sth on sb** tenir qn pour responsable de qch ◆ **to take on** or **assume responsibility for** accepter or assumer la responsabilité de ◆ **the management can take no responsibility for lost property** la direction décline toute responsabilité or n'est pas responsable en cas de perte ou de vol

—— compounds/composés ——
◆ **responsibility accounting** or **costing** comptabilité par centres de responsabilités
◆ **responsibility payment** prime de fonction.

**responsible** /rɪs'pɒnsəbl/ ADJ a responsable *(for de, to envers)* ◆ **I am responsible to the chief accountant** je dépends (hiérarchiquement) du chef comptable ◆ **I am responsible to the chief accountant for all invoice payments** je suis responsable envers le chef comptable du règlement de toutes les factures b *(= competent) person* compétent, sérieux, digne de confiance ◆ **responsible quarters** les milieux autorisés c *job, duty* à responsabilité, qui comporte des responsabilités.

**responsive** /rɪs'pɒnsɪv/ ADJ qui réagit bien or rapidement *(to à)* ◆ **gilts were responsive to demand** *(St Ex)* les titres d'État ont réagi favorablement à la demande.

**rest** /rest/ N a *(= remainder) [money]* reste m, restant m ◆ **the rest of the group** *[people]* les autres membres or le reste du groupe ◆ **the rest of you please stay here** les autres sont priés de rester b *(Brit Bank)* ◆ **Rest** réserve f

c *(Acc) (= interest payments)* arrêté m de compte ◆ **quarterly rests** arrêtés trimestriels ◆ **interest is paid at 9% with half-yearly rests** les intérêts à 9% sont calculés à intervalles de six mois d *(= relaxation)* repos m

—— compounds/composés ——
◆ **rest account** compte de réserve
◆ **rest room** *(US)* toilettes fpl

VI a *(= remain)* rester, demeurer ◆ **rest assured that** soyez certain que ◆ **the matter must not rest there** l'affaire ne doit pas en rester là ◆ **it rests with him to find a solution** il lui appartient or incombe de trouver une solution, c'est à lui de trouver une solution b *(= lean) [case, argument]* reposer *(on sur)* c *(= relax)* se reposer
VT *(Jur)* ◆ **to rest one's case** conclure son plaidoyer ◆ **to rest a case on facts** s'appuyer sur des faits, fonder un dossier sur des faits.

**restack** /riː'stæk/ VT remettre en tas.

**restart** /riː'stɑːt/ VI redémarrer, relancer VI *[business]* reprendre, redémarrer; *[engine]* redémarrer, se remettre en marche N reprise f, relance f, redémarrage m ◆ **restart programme** programme de redémarrage.

**restate** /riː'steɪt/ VT *argument* répéter; *problem* reformuler; *theory, case* exposer de nouveau; *accounts* redresser.

**restaurant** /'restərɔːŋ/ N restaurant m ◆ **restaurant car** wagon-restaurant m.

**restitution** /ˌrestɪ'tjuːʃən/ N a *(= giving back)* restitution f ◆ **to make restitution of sth** restituer qch b *(= reparation)* réparation f, compensation f, indemnité f c *(EEC Fin)* ◆ **export restitution** *(Agr)* subvention f à l'exportation.

**restive** /'restɪv/ ADJ agité ◆ **unions are becoming restive** les syndicats s'agitent or bougent.

**restock** /riː'stɒk/ VT *shop* réassortir, réapprovisionner; *shelves* réapprovisionner, regarnir VI se réapprovisionner, renouveler les stocks.

**restoration** /ˌrestə'reɪʃən/ N a *(Jur) [property]* restitution f ◆ **restoration of goods taken in distraint** mainlevée de saisie b *[power supply]* rétablissement m ; *[computer file]* restauration f, reconstitution f c *[economic stability]* rétablissement m.

**restore** /rɪs'tɔːr/ VT a *(= give back)* rendre, restituer *(to à)*; *(Jur) rights* rétablir ◆ **to restore sth to its former condition** remettre qch en état b *(= repair)* restaurer ◆ **to restore the public finances** restaurer les finances publiques ◆ **to**

**restore the balance sheet** rééquilibrer le bilan, assainir la situation financière `c` (= *reinstate*) réintégrer `d` *(Comp) counter* remettre à zéro; *file* reconstituer, restaurer; *power supply* rétablir.

**restrain** /rɪsˈtreɪn/ **VT** *(gen) growth* freiner, ralentir ◆ **to restrain wages and prices** contenir les salaires et les prix ◆ **to restrain competition** entraver la concurrence.

**restraint** /rɪsˈtreɪnt/ **N** (= *moderation*) retenue f, mesure f ; (= *restriction*) limitation f, restriction f ◆ **credit restraints** restrictions de crédit, encadrement du crédit, resserrement du crédit ◆ **money restraint** restrictions monétaires ◆ **wage restraint** limitation des salaires ◆ **wage restraint policy** politique de modération salariale *or* de limitation des salaires, politique restrictive en matière de salaires ◆ **the government is imposing price restraint** le gouvernement freine les prix ◆ **restraint of trade** atteinte *or* entraves à la liberté du commerce ◆ **the Japanese have reached a voluntary (export) restraint agreement with the USA** les Japonais ont conclu un accord de limitation volontaire de leurs exportations vers les États-Unis.

**restrict** /rɪsˈtrɪkt/ **VT** restreindre, limiter (*to* à) ◆ **to restrict the use of sth** limiter l'utilisation de qch.

**restricted** /rɪsˈtrɪktɪd/ **ADJ** *number, group, use* restreint, limité; (= *confidential*) confidentiel; *train service* réduit ◆ **restricted file** *(Comp)* fichier à accès limité ◆ **restricted area** *(Aut)* zone à vitesse limitée; *(Factory)* zone interdite sans autorisation ◆ **dealings were restricted** *(St Ex)* les transactions ont été limitées ◆ **restricted market** *(Comm)* marché étroit *or* restreint; *(St Ex)* marché peu actif ◆ **restricted ownership** droit de propriété limité.

**restriction** /rɪsˈtrɪkʃən/ **N** restriction f, limitation f ◆ **to place restrictions on** apporter des restrictions à ◆ **restrictions on free trade** restrictions à la libre circulation des marchandises ◆ **restriction of expenditure** réduction des dépenses ◆ **credit restrictions** restrictions de crédit, encadrement *or* resserrement du crédit ◆ **exchange restrictions** réglementation des changes ◆ **import restrictions** restrictions *or* limitations des importations, contingentement des importations.

**restrictive** /rɪsˈtrɪktɪv/ **ADJ** *clause, endorsement* restrictif ◆ **restrictive license** licence de vente restreinte ◆ **restrictive practices** *(Ind)* pratiques restrictives; *(Jur)* ententes ◆ **restrictive (trade) practices** *(Comm)* pratiques commerciales res-

trictives, entraves à la liberté du commerce, atteintes à la libre concurrence ◆ **Restrictive Trade Practices Laws** lois antitrust ◆ **Restrictive Practices Court** *(Brit)* tribunal chargé de l'application de la législation antitrust.

**restructure** /ˌriːˈstrʌktʃəʳ/ **VT** restructurer, reconfigurer.

**restructuring** /ˌriːˈstrʌktʃərɪŋ/ **N** restructuration f, reconfiguration f.

**resubmit** /ˌriːsəbˈmɪt/ **VT** *project* soumettre à nouveau; *goods* représenter.

**result** /rɪˈzʌlt/ **N** `a` (= *outcome*) résultat m, conséquence f ◆ **as a result** en conséquence ◆ **with the result that** de sorte que ◆ **as a result of her efforts** grâce à ses efforts `b` **results** (= *achievements*) [*company*] performances fpl, résultats mpl ; **their results have been wonderful this year** leurs performances ont été étonnantes cette année ◆ **payment by results** salaire au rendement ◆ **to yield results** [*action*] donner des résultats ◆ **to get results** [*person*] obtenir de bons résultats ◆ **we need managers who get results** nous avons besoin de cadres performants `c` **results** *(Fin)* résultat m ; **trading results** résultat d'exploitation ◆ **net result** résultat net
`vi` provenir, résulter (*from* de)

**resulting** /rɪˈsʌltɪŋ/ **ADJ** qui provient, qui est le résultat (*from* de) ◆ **the collapse of their market and the resulting bankruptcy** l'effondrement de leur marché et la faillite qui en a découlé *or* résulté.

**resume** /rɪˈzjuːm/ **VT** *dealings* reprendre, recommencer; *relations* reprendre, renouer ◆ **to resume possession of** reprendre possession de ◆ **to resume work** reprendre le travail, se remettre au travail ◆ **to resume one's position as** reprendre ses fonctions de ◆ **to resume official trade relations** renouer des relations commerciales officielles
`vi` [*work, negotiations*] reprendre, recommencer.

**résumé** /ˈreɪzjuːmeɪ/ **N** (*gen = summary*) résumé m (*US = curriculum vitæ*) curriculum vitae m.

**resumption** /rɪˈzʌmpʃən/ **N** [*work, dealings, business*] reprise f ◆ **right of resumption** *(Jur)* droit de reprise.

**resupply** /ˌriːsəˈplaɪ/ **VT** réapprovisionner (*sb with sth* qn en qch)
`n` réapprovisionnement m.

**resurgence** /rɪˈsɜːdʒəns/ **N** renouveau m, reprise f, réveil m (*in* de) ◆ **a resurgence in prices** une nouvelle flambée des prix.

**ret.** abbr of **return**.

**retail** /'riːteɪl/ **N** (vente f au) détail m ◆ **the retail food business** le commerce de l'alimentation au détail ◆ **to sell goods at** or **by retail** vendre des marchandises au détail

---------- compounds/composés ----------

◆ **retail audit** (Mktg) audit or analyse des points de vente
◆ **retail bank** banque de dépôt ◆ **retail banks** banques de réseau
◆ **retail banking** activités fpl des banques de réseau
◆ **retail business** commerce de détail
◆ **retail commodity** produit de détail
◆ **retail cooperative** coopérative de détaillants
◆ **retail dealer** détaillant(e)
◆ **retail distributive society** coopérative de consommation
◆ **retail house** maison de courtage pour clientèle de particuliers
◆ **retail investor** investisseur individuel
◆ **retail margin** marge de détail
◆ **retail network** réseau de détaillants
◆ **retail outlet** magasin de détail, point de vente
◆ **retail price** prix (de vente) au détail, prix de détail ◆ **retail price maintenance** prix imposé ◆ **retail price index** indice des prix de détail
◆ **retail sale** vente au détail
◆ **retail selling** la vente au détail
◆ **retail shareholder** actionnaire individuel
◆ **retail shop** (Brit), **retail store** (US) magasin de vente au détail
◆ **retail terminal** terminal point de vente
◆ **retail trade** (traders) détaillants mpl ; (profession) le commerce de détail, le détail

**VT** vendre au détail, détailler ◆ **they retail a wide range of consumer goods** ils se détaillants d'une gamme étendue de biens de consommation
**VI** se vendre (au détail), se détailler ◆ **this 1 lb package retails at** or **for $5** ce paquet d'une livre se vend (à) 5 dollars ◆ **these items retail at 10 p each** ces articles se détaillent à 10 pence la pièce
**ADV** sell au détail.

**retailer** /'riːteɪlər/ **N** détaillant(e) m(f), distributeur m au détail ◆ **retailers' cooperative** coopérative de détaillants.

**retailing** /'riːteɪlɪŋ/ **N** vente f au détail, commerce m de détail.

**retain** /rɪ'teɪn/ **VT** **a** (= keep) garder, conserver; (= hold) retenir, maintenir ◆ **to retain seniority** conserver son ancienneté ◆ **retained earnings** or **profit** bénéfices non distribués **b** (= remember) facts garder en mémoire **c** (= engage) lawyer retenir, engager ◆ **to retain**

sb's **services** s'attacher les services de qn ◆ **retaining fee** (gen) acompte (Brit : to lawyer) provision f.

**retainer** /rɪ'teɪnər/ **N** (= fee) acompte m, avance f sur honoraires (Brit : to lawyer) provision f ◆ **to be on a retainer** être sous contrat.

**retaliate** /rɪ'tælɪeɪt/ **VI** contre-attaquer ◆ **to retaliate against** engager des représailles contre.

**retaliation** /rɪˌtælɪ'eɪʃən/ **N** représailles fpl ◆ **in retaliation** en représailles, par mesure de rétorsion.

**retaliatory** /rɪ'tælɪətərɪ/ **ADJ** ◆ **retaliatory measures** mesures de rétorsion ◆ **retaliatory duties** (Customs) droits de douane imposés en représailles.

**retention** /rɪ'tenʃən/ **N** **a** conservation f, maintien m ◆ **retention of title (clause)** (clause de) réserve de propriété **b** [money] retenue f ◆ **retention on wages** retenue sur salaire ◆ **tax retention** impôts retenus ◆ **retention of profits** mise en réserve de bénéfices non distribués **c** (in memory) mémorisation f

---------- compounds/composés ----------

◆ **retention date** date de péremption or d'expiration
◆ **retention money** dépôt de garantie
◆ **retention period** période de conservation.

**retest** /riː'test/ **N** contre-essai m **VT** retester, tester à nouveau.

**rethink** /riː'θɪŋk/ **N** reconsidération f, réexamen m ◆ **it's time tour operators and insurers had a rethink** il est temps que les organisateurs de voyages et les assureurs repensent or reconsidèrent le problème
**VT** repenser, revoir, reconsidérer.

**reticence** /'retɪsəns/ **N** [investors] réticence f.

**reticent** /'retɪsənt/ **ADJ** investors réticent.

**retiral** /rɪ'taɪrəl/ **N** (= retirement) retraite f ; (= resignation) démission f ; [bond, bill] remboursement m ; [documents] levée f.

**retire** /rɪ'taɪər/ **VT** **a** worker mettre à la retraite; machine retirer du service, réformer **b** (Fin) bill retirer, rembourser; bond, stock, debt rembourser **c** (Fin) notes, coins retirer de la circulation
**VI** **a** (at end of one's working life) prendre sa retraite, partir en retraite; (at end of term of office) [director] se retirer, quitter or abandonner ses fonctions ◆ **to retire from business** se retirer des affaires ◆ **to retire on a pension** prendre sa retraite **b** (= withdraw) se retirer, partir.

**retired** /rɪˈtaɪəd/ **ADJ** *employee* en *or* à la retraite, retraité ♦ **retired pay** pension de retraite.

**retiree** /rɪtaɪˈriː/ *(US)* **N** retraité(e) m(f).

**retirement** /rɪˈtaɪəmənt/ **a** *(Fin)* *[bill]* retrait, remboursement; *[debt issue, preferred stock]* remboursement m ♦ **indebtedness retirement** remboursement des dettes **b** *(at end of working life)* retraite f ♦ **to go into retirement** partir en retraite, prendre sa retraite ♦ **retirement at age 65** retraite à 65 ans ♦ **to come out of retirement** reprendre ses activités *or* du service *or* une occupation ♦ **retirements should reduce the workforce to 150** les départs en retraite devraient ramener les effectifs à 150 personnes ♦ **compulsory** *or* **mandatory retirement** mise à la retraite d'office ♦ **delayed retirement** report de départ en retraite ♦ **early retirement** retraite anticipée, préretraite ♦ **executive retirement scheme** retraite des cadres ♦ **optional retirement** retraite sur demande, départ volontaire à la retraite

—————— compounds/composés ——————
┌─────────────────────────────────────────┐
│ ♦ **retirement age** âge de la retraite ♦ **to reach re-** │
│ **tirement age** atteindre l'âge de la retraite │
│ ♦ **retirement annuity** pension de retraite, rente │
│ ♦ **retirement clause** *(Fin)* clause de retrait │
│ ♦ **retirement fund** caisse de retraite │
│ ♦ **retirement pay** *or* **pension** retraite, pension │
│ (de retraite) │
│ ♦ **retirement plan** régime de retraite │
│ ♦ **retirement savings plan** plan │
│ épargne-retraite. │
└─────────────────────────────────────────┘

**retiring** /rɪˈtaɪərɪŋ/ **ADJ** **a** *(= outgoing)* sortant ♦ **retiring director** administrateur sortant **b** **retiring age** âge de la retraite ♦ **retiring allowance** indemnité f de départ à la retraite.

**retool** /riːˈtuːl/ **VT** *factory, production line* rééquiper **VI** *[company]* se rééquiper.

**retracement** /rɪˈtreɪsmənt/ **N** renversement m de tendance.

**retract** /rɪˈtrækt/ **VT** *offer, statement* rétracter, retirer, revenir sur **VI** se rétracter.

**retractable bond** /rɪˈtræktəblˈbɒnd/ **N** obligation f encaissable par anticipation.

**retraction** /rɪˈtrækʃən/ **N** *[offer, statement]* rétractation f.

**retrain** /riːˈtreɪn/ **VT** *worker* recycler, reconvertir, donner une nouvelle formation à **VI** se recycler, se former de nouveau, se reconvertir.

**retraining** /ˌriːˈtreɪnɪŋ/ **N** recyclage m ♦ **retraining course** stage de recyclage *or* de reconversion.

**retreat** /rɪˈtriːt/ **VI** *(St Ex)* reculer, se replier, être en recul *or* en repli **N** *[currency]* recul m, repli m ♦ **the dollar went into retreat** le dollar a cédé du terrain *or* s'est replié.

**retrench** /rɪˈtrentʃ/ **VT** restreindre, réduire, comprimer **VI** faire des économies ♦ **after last year's results we must retrench** à la suite des résultats de l'année dernière il faut que nous réduisions nos dépenses.

**retrenchment** /rɪˈtrentʃmənt/ **N** *[expenses, activity]* réduction f, compression f ♦ **retrenchment policy** politique d'économies *or* d'austérité *or* de réduction des dépenses.

**retrial** /ˌriːˈtraɪəl/ **N** nouveau procès m.

**retrievable** /rɪˈtriːvəbl/ **ADJ** *object* récupérable; *money* recouvrable; *error, loss* réparable; *(Comp)* *data* accessible, récupérable.

**retrieval** /rɪˈtriːvəl/ **N** **a** *[object]* récupération f ; *[money]* recouvrement m ; *[error, loss]* réparation f ♦ **beyond** *or* **past retrieval** irrécupérable **b** *[data]* extraction f, restitution f, recherche f ♦ **information retrieval** *(gen, Comp)* collecte de données; *(in library)* recherche documentaire ♦ **information retrieval service** centre serveur ♦ **information retrieval system** système de recherche documentaire *or* de collecte de données ♦ **retrieval time** temps d'accès à l'information.

**retrieve** /rɪˈtriːv/ **VT** **a** *(= recover)* *object* récupérer *(from* de*)*; *money* recouvrer; *information* retrouver *(from* dans*)* extraire *(from* de*)*; *reputation, position* rétablir; *error* réparer; *situation* redresser, rattraper ♦ **to retrieve a letter from the file** sortir *or* extraire une lettre du dossier **b** *(Comp)* *data* extraire, rappeler, récupérer.

**retroactive** /ˌretrəʊˈæktɪv/ **ADJ** rétroactif ♦ **retroactive salary increase** rappel de salaire, augmentation rétroactive de salaire ♦ **a general price freeze retroactive to last Monday** un blocage général des prix avec effet rétroactif à dater de lundi.

**retroactively** /ˌretrəʊˈæktɪvlɪ/ **ADV** rétroactivement.

**retroactiveness** /ˌretrəʊˈæktɪvnɪs/, **retroactivity** /ˌretrəʊækˈtɪvɪtɪ/ **N** rétroactivité f.

**retrocede** /ˌretrəʊˈsiːd/ **VT** rétrocéder.

**retrocession** /ˌretrəʊˈseʃən/ **N** rétrocession f.

**retrofit** /'retrəʊfɪt/ **VT** *(Tech) machine system* réajuster, modifier.

**retrograde** /'retrəʊɡreɪd/ **ADJ** *measure* rétrograde.

**retrogress** /ˌretrəʊ'ɡres/ **VI** régresser.

**retrogression** /ˌretrəʊ'ɡreʃən/ **N** régression f.

**retrogressive** /ˌretrəʊ'ɡresɪv/ **ADJ** régressif.

**retrospective** /ˌretrəʊ'spektɪv/ **ADJ** *pay rise, effect* rétroactif.

**retry** /riː'traɪ/ **VT** **a** (= *try again*) réessayer; *(Comp) operation* essayer de relancer **b** *(Jur) accused* rejuger, juger de nouveau.

**return** /rɪ'tɜːn/ **VT** **a** (= *give back*) rendre; (= *bring back*) rapporter; (= *put back*) remettre (en place); *thing lost, stolen, borrowed* restituer; (= *send back*) *reply card, goods* renvoyer; *visit* rendre ♦ **returned empty** vide en retour ♦ **to return sb's (phone) call** rappeler qn ♦ **sale goods may not be returned** les articles soldés ne sont pas repris ♦ **a lot of paper is expected to be returned** *(St Ex)* on s'attend à un important retour de papier **b** *money, loan* rembourser ♦ **if you are not satisfied your money will be returned** si vous n'êtes pas satisfait, vous serez remboursé ♦ **I returned the $20 to her** je lui ai remboursé *or* rendu les 20 dollars ♦ **to return the duties on sth** *(Customs)* détaxer qch **c** *(Tax) income, sum* déclarer ♦ **the amount to return** le montant à déclarer ♦ **to return one's income at £58,000** déclarer 58 000 livres de revenu **d** *(Fin = yield)* rapporter ♦ **the operation has returned $20,000** l'opération a rapporté 20 000 dollars **e** *(Fin = report) earnings, loss* enregistrer, annoncer ♦ **they returned net profits of $365,000** ils ont enregistré un résultat net de 365 000 dollars **f** (= *refuse*) *cheque* refuser, retourner; *bill [bank]* contre-passer **g** *(Jur) verdict* rendre ♦ **to return a verdict of guilty / not guilty on sb** déclarer *or* reconnaître qn coupable / non coupable **h** *(Pol) candidate* élire
**VI** (= *come back*) revenir; (= *go back*) retourner
**N** **a** (= *coming back*) retour m ♦ **on my return** dès mon retour ♦ **return to sender** retour à l'envoyeur ♦ **by return of post** par retour du courrier ♦ **please answer by return telex** veuillez répondre par retour de télex ♦ **the return to work after the strike** la reprise du travail après la grève **b** (= *giving back*) retour m ; (= *sending back*) renvoi m ; (= *putting back*) remise f en place; *[thing lost, stolen, borrowed]* restitution f ♦ **on sale or return** vendu avec possibilité de retour, en dépôt (avec reprise des invendus) ♦ **no deposit or**

**return** ni retour ni consigne ♦ **return of paper** *(St Ex)* retour de papier **c** (= *paying back) [loan]* remboursement m ♦ **return of capital** amortissement *or* remboursement du capital ♦ **return on allotment** *(St Ex)* remboursement après attribution ♦ **return of charges** *or* **duties** *(Customs)* détaxe ♦ **to make a return of £10** faire une remise de 10 livres ♦ **return of guarantee** restitution de la garantie **d** **returns** (= *returned goods*) rendus, invendus, marchandises de retour ♦ **returns inwards / outwards book** livre des rendus sur ventes / sur achats ♦ **returns to vendor** retours au vendeur **e** (= *statement) (Acc)* relevé m, état m ; *(Tax)* déclaration f ♦ **bank return** situation de la banque ♦ **expenses return** état *or* relevé de frais ♦ **income tax return** déclaration d'impôts *or* des revenus, feuille d'impôts ♦ **delinquent (tax) return** *(US)* déclaration d'impôts tardive *or* remise hors délais ♦ **joint (tax) return** déclaration d'impôts conjointe ♦ **monthly return** état mensuel ♦ **nil return** état néant ♦ **quarterly return** rapport *or* état trimestriel ♦ **weekly bank return** situation *or* bilan hebdomadaire de la banque ♦ **to draw up a return of account** faire un relevé de compte ♦ **to file one's tax return** envoyer sa déclaration d'impôts **f** **returns** (= *statistics*) statistiques ♦ **census returns** résultats du recensement ♦ **election returns** résultats des élections ♦ **official returns** statistiques officielles ♦ **the population returns** le recensement ♦ **sales returns** statistiques sur les ventes **g** (= *gain, yield*) revenu m, rapport m, produit m, rendement m ♦ **rate of return** taux de rendement ♦ **gross return** rendement brut ♦ **return on assets** rentabilité des actifs, rendement de l'actif ♦ **return on book value** retour sur valeur comptable ♦ **return on capital employed** rentabilité *or* rendement des capitaux investis, rémunération des capitaux ♦ **return on equity** rendement *or* rentabilité des capitaux investis *or* des fonds propres, retour sur fonds propres ♦ **return on investment** retour sur investissements ♦ **return on real estate** revenus immobiliers ♦ **return on sales** taux de marge brute, marge commerciale ♦ **these bonds bring in a good return** ces obligations ont un bon rendement *or* sont d'un bon rapport ♦ **law of diminishing returns** loi des rendements décroissants ♦ **a return of 10% per annum** un rendement de 10% par an **h** **returns** (= *receipts*) rentrées d'argent, recettes ♦ **daily returns** *(gen)* recettes journalières ♦ **gross returns** recettes brutes ♦ **they are looking for quick returns** ils recherchent des profits rapides **i** *(Transport)* retour m ♦ **empty / loaded**

**return** retour à vide / en charge ✦ **return ticket** *(Brit)* (billet d') aller et retour ✦ **return journey** *(Brit)* (voyage de) retour m ; **(cheap) day return** aller et retour valable pour la journée ⓘ *(Bank)* ✦ **return of an unpaid bill to a drawer** contre-passation *or* contre-passement d'un effet impayé au tireur

────── compounds/composés ──────

✦ **return address** adresse de l'expéditeur
✦ **return article** article retourné *or* rendu, retour
✦ **return call** *(Telec)* rappel
✦ **return card** carte-réponse
✦ **return cargo** *(Mar)* chargement de retour
✦ **return envelope** enveloppe-réponse
✦ **return fare** *(Brit)* tarif *or* prix aller et retour
✦ **return flight** vol de retour
✦ **return freight** fret *or* cargaison de retour
✦ **return item** *(Fin)* impayé
✦ **return key** *(Typ, Comp)* touche de retour (chariot)
✦ **return load** *(Transport)* chargement de retour
✦ **return (of) premium** *(Ins)* remboursement de prime
✦ **return ticket** *(Brit)* billet aller et retour
✦ **return-to-work** mouvement de reprise du travail.

**returnable** /rɪ'tɜːnəbl/ **ADJ** *bottle* consigné
**returnables** **NPL** emballages mpl repris *or* consignés.

**returned** /rɪ'tɜːnd/ **ADJ** ✦ **returned books** invendus ✦ **returned goods** marchandises de retour, retours, invendus ✦ **Returned Letter Office** *(Brit)* service des rebuts.

**retype** /riː'taɪp/ **VT** refrapper, retaper, redactylographier.

**Réunion** /riː'juːnjən/ **N** ✦ **Réunion (Island)** (l'île f de) la Réunion.

**reusable** /riː'juːzəbl/ **ADJ** réutilisable.

**rev.** abbr of **revenue**.

**rev. a / c** abbr of **revenue accounts** → **revenue**.

**revalidate** /riː'vælɪdeɪt/ **VT** proroger.

**revalorization, revalorisation** /ˌriːvæləraɪ'zeɪʃən/ **N** revalorisation.

**revalorize, revalorise** /riː'væləraɪz/ **VT** revaloriser.

**revaluation** /ˌriːˌvæljʊ'eɪʃən/ **N** *[currency]* réévaluation f ✦ **revaluation of assets** réévaluation d'actifs ✦ **revaluation reserve** réserve (spéciale) de réévaluation.

**revalue** /ˌriː'væljuː/ **VT** réévaluer ✦ **revalued net assets** actif net réévalué.

**revamp** * /riː'væmp/ **VT** *office, machine* rénover, transformer, retaper* ; *company, system* réorganiser, moderniser.

**revenue** /'revənjuː/ **N** *[state]* revenu m ; *[individual]* *(gen)* revenu m ; *(from invested wealth)* rentes fpl ; *[company]* résultat m, recettes fpl, produit(s) m(pl) (d'exploitation); *(= turnover)* chiffre m d'affaires; *(from estate, investment)* rapport m ✦ **revenue from sales** produit des ventes ✦ **statement of revenue and expenditure** état des recettes et dépenses ✦ **revenue received in advance** produit comptabilisé d'avance ✦ **second quarter revenues will be down** le chiffre d'affaires du deuxième trimestre sera moins élevé, les recettes du deuxième trimestre seront moins élevées ✦ **increased revenues from their subsidiaries restored the balance sheet** la progression des revenus des filiales a permis de redresser le bilan ✦ **advertising revenues** recettes publicitaires ✦ **current revenues** recettes courantes ✦ **the Inland Revenue** *(Brit)*, **the Internal Revenue Service** *(US)* le fisc ✦ **interest revenue** produits financiers ✦ **operating revenues** résultat, recettes, produits d'exploitation ✦ **sales revenue(s)** *[shop]* chiffre d'affaires, recettes de vente; *[company]* chiffre d'affaires, produit des ventes ✦ **tax revenue(s)** recettes fiscales

────── compounds/composés ──────

✦ **revenue accounts** comptes mpl de produits
✦ **revenue allotment** affectation de recettes
✦ **revenue anticipation note** *(US)* obligation émise par des collectivités publiques dans l'attente de rentrées fiscales
✦ **revenue assets** *(Fin)* capitaux mpl mobiles *or* circulants, actif circulant
✦ **revenue authorities (the)** le fisc
✦ **revenue curve** courbe de recettes
✦ **revenue department** *(US)* administration fiscale
✦ **revenue-earning** qui rapporte ✦ **revenue-earning capital** capitaux investis en vue d'un rapport, placements à rentabilité immédiate
✦ **revenue expenditure** charges d'exploitation, frais de fonctionnement *or* d'exploitation
✦ **revenue item** article de recettes
✦ **revenue note** *(US)* obligation émise par une collectivité publique pour financer un projet
✦ **revenue office** perception
✦ **revenue officer** inspecteur des impôts
✦ **revenue receipts** rentrées fpl *or* recettes fiscales
✦ **revenue recognition** constatation des produits
✦ **revenue source** source de revenus
✦ **revenue stamp** timbre fiscal.

**reversal** /rɪ'vɜːsəl/ **N** *[situation, trend]* renversement m, retournement m ; *[opinion]* revirement m ; *[judgement]* (arrêt m d') annulation f, réforme f ; *(St Ex)* stratégie f d'arbitrage ◆ **reversal of entries** *(Acc)* renversement d'écritures.

**reverse** /rɪˈvɜːs/ **VT** **a** *(= turn around) situation* renverser, retourner; *order, result* inverser ◆ **to reverse a trend** renverser une tendance ◆ **reversed takeover** contre-OPA **b** *(Jur = annul) decision, verdict* annuler, réformer; *sentence* révoquer, casser **c** *(Acc) entry* contre-passer, annuler ◆ **to reverse a suspense entry** annuler une écriture d'ordre **d** **to reverse engineer sth** démonter qch *(pour trouver comment cela a été construit)*
**VI** *(= move backwards)* faire marche arrière
**N** **a** *(= opposite)* contraire m, opposé m, inverse m ◆ **in reverse** dans l'ordre inverse **b** *(= other side) [sheet of paper]* verso m **c** *(= setback)* revers m, échec m
**ADJ** *order* inverse, contraire; *direction* contraire, opposé ◆ **reverse arbitrage** opération d'arbitrage inverse ◆ **reverse entry** *(Acc)* écriture inverse ◆ **reverse printing** *(Comp)* impression de droite à gauche ◆ **reverse repurchase** *(US Fin)* mise en pension inverse ◆ **reverse side** *sheet of paper* dos, verso ◆ **reverse video** vidéo inverse ◆ **reverse engineering** démontage *(pour trouver comment un appareil a été construit)* ◆ **reverse takeover** contre-OPA ◆ **reverse (stock) split** *(St Ex)* réduction du nombre des actions en circulation, regroupement d'actions.

**reversibility** /rɪˌvɜːsɪˈbɪlɪtɪ/ **N** *(Jur)* réversibilité f.

**reversion** /rɪˈvɜːʃən/ **N** *(Jur)* réversion f ◆ **annuity in reversion** rente réversible ◆ **estate in reversion** bien grevé de réversion ◆ **right of reversion** droit de réversion.

**reversionary** /rɪˈvɜːʃnərɪ/ **ADJ** *(Jur)* de réversion, réversible ◆ **reversionary annuity** rente réversible ◆ **reversionary bonus** prime réversible ◆ **reversionary interest** intérêt réversible.

**reversioner** /rɪˈvɜːʃnəʳ/ **N** bénéficiaire mf d'une rente réversible.

**revert** /rɪˈvɜːt/ **VI** *(= return)* revenir *(to* à) ◆ **to revert to the question** pour en revenir à la question.

**review** /rɪˈvjuː/ **N** **a** *[situation]* réexamen m ; *[salary]* révision f ; *[book]* critique f ◆ **judicial review** révision judiciaire ◆ **the contract comes up for review next month** le contrat sera révisé *or* réexaminé le mois prochain ◆ **this policy is under review** cette politique est en cours de révision ◆ **to make a review of the situation** faire le point sur *or* le bilan de la

situation ◆ **annual salary review** révision annuelle des salaires ◆ **design review** *(Ind)* revue de projet ◆ **continuous review system** système d'inventaire permanent ◆ **the year under review** l'exercice considéré **b** *(= magazine)* revue f, magazine m, périodique m ◆ **market review** bulletin financier
**VT** **a** *(= re-examine) situation* réexaminer, réétudier, faire le point sur; *policy* réexaminer, reconsidérer; *salary* réviser **b** *(= give account of) book, article* faire la critique de, faire un compte rendu de; *situation* faire un compte rendu de.

**reviewal** /rɪˈvjuːəl/ **N** *(Jur)* révision f.

**revise** /rɪˈvaɪz/ **VT** **a** *(= change) opinion* réviser, modifier; *objective* réviser, modifier, actualiser; *(= correct) proof* corriger, revoir; *text, table account* rectifier, réviser, corriger; *(= bring up to date)* actualiser ◆ **revised edition** édition revue et corrigée ◆ **revised figures** chiffres corrigés ◆ **revised estimate** prévision budgétaire rectifiée *or* actualisée ◆ **the revised version of our catalogue** la version actualisée de notre catalogue **b** *price, salary, tariff* réviser ◆ **to revise downward / upward** réviser en baisse / en hausse *or* à la baisse / à la hausse.

**revision** /rɪˈvɪʒən/ **N** révision f.

**revitalize, revitalise** /riːˈvaɪtəlaɪz/ **VT** *economy, trade* redonner de la vitalité *or* un coup de fouet à.

**revival** /rɪˈvaɪvəl/ **N** *[economy]* reprise f, relance f ; *(Jur)* remise f en vigueur.

**revive** /rɪˈvaɪv/ **VT** *business activity* relancer, ranimer, réactiver; *(Jur)* remettre en vigueur
**VI** *[business, trade]* reprendre, se rétablir, repartir, se redresser.

**revocable** /rɪvəʊkəbl/ **ADJ** révocable ◆ **revocable letter of credit** lettre de crédit révocable.

**revocation** /ˌrevəˈkeɪʃən/ **N** *[order, will, promise]* révocation f ; *[law]* abrogation f ; *[licence]* retrait m ; *[decision, contract]* annulation f ; *[patent]* révocation, annulation f.

**revoke** /rɪˈvəʊk/ **VT** *law* rapporter, abroger; *order, instruction, patent, will* révoquer; *decision* revenir sur, annuler; *licence* retirer ◆ **this section was revoked by** cet article a été abrogé par.

**revolutionize, revolutionise** /ˌrevəˈluːʃənaɪz/ **VT** révolutionner.

**revolve** /rɪˈvɒlv/ **VI** tourner ◆ **everything revolves around our sales policy** tout dépend de notre politique de vente.

**revolving** /rɪ'vɒlvɪŋ/ **ADJ** tournant ◆ **revolving credit** crédit revolving *or* (par acceptation) renouvelable ◆ **revolving fund** fonds renouvelable.

**reward** /rɪ'wɔːd/ **N** récompense ◆ **as a reward for** en récompense de **VT** *(gen)* récompenser *(for* de); *(with money)* récompenser, rémunérer.

**rewarding** /rɪ'wɔːdɪŋ/ **ADJ** *(financially)* rémunérateur; *(= morally satisfying)* qui en vaut la peine, gratifiant ◆ **a rewarding job** un travail gratifiant *or* valorisant *or* riche en satisfactions.

**rewind** /riː'waɪnd/ **VT** *tape, cassette* rembobiner.

**reword** /riː'wɜːd/ **VT** *sentence* réécrire, remanier.

**rework** /riː'wɜːk/ **VT** *project, system* retravailler.

**rewrite** /riː'raɪt/ **VT** réécrire, remanier.

**Reykjavik** /'reɪkjəviːk/ **N** Reykjavik.

**rial** /'raɪəl/ **N** rial m.

**ribbon** /'rɪbən/ **N** *[typewriter]* ruban m.

**rich** /rɪtʃ/ **ADJ** riche ◆ **to get rich** s'enrichir ◆ **to make sb rich** enrichir qn ◆ **rich people** les riches **N** **a** ◆ **the rich** *(= people)* les riches **b** **riches** *(= wealth)* richesses.

**rid** /rɪd/ **VT** débarrasser *(sb of sth* qn de qch) ◆ **to get rid of, rid o.s. of** se débarrasser de ◆ **to get rid of old stock** écouler les vieux stocks.

**ridden** /'rɪdn/ **ADJ** ◆ **debt / tax ridden** criblé *or* accablé de dettes / d'impôts.

**ride merchandise** /'raɪd'mɜːtʃəndaɪz/ *(US)* **N** marchandise f à l'essai.

**ride out** /raɪd/ **VT SEP** *difficult period* se sortir de, se tirer de ◆ **the company won't have any difficulty in riding out the slump** la société n'aura aucune difficulté à surmonter la crise *or* à se sortir de la crise.

**rider** /'raɪdər/ **N** *(to document)* annexe f, acte m *or* article m additionnel, clause f additionnelle; *(to contract, policy)* avenant m *(Fin : to bill of exchange)* allonge f.

**riel** /'riːəl/ **N** riel m.

**RIF** /rɪf/ abbr of **reduction in force.**

**rift** /rɪft/ **N** *(disagreement)* désaccord m ◆ **there was a serious rift in the union leadership** il y a eu une grave scission à la tête du syndicat.

**rig** /rɪg/ **N** **a** *(also* **oil rig**) *(on land)* derrick m ; *(on sea)* plate-forme f (pétrolière) **b** *(St Ex)* coup m de Bourse

**VT** *competition* truquer ◆ **to rig the market** manipuler *or* travailler le marché, provoquer une hausse *or* une baisse factice du marché ◆ **to rig prices** truquer les prix.

**Riga** /'riːgə/ **N** Riga.

**rigger** /'rɪgər/ **N** *(St Ex)* agioteur m, manipulateur m.

**rigging** /'rɪgɪŋ/ **N** *(St Ex)* agiotage m, tripotage m *, manipulation f.

**right** /raɪt/ **ADJ** **a** *(= fair)* équitable, juste; *(= morally good)* bien; *(= correct)* juste, exact, correct; *(= suitable)* approprié, convenable ◆ **to be right** *person* avoir raison; *fact* être correct *or* exact ◆ **the right file** le bon dossier ◆ **you've got the right idea** vous avez bien compris **b** *(opp of left)* droit

**ADV** **a** *(opp of left)* à droite ◆ **turn first right** prenez la première rue à droite ◆ **right justified** *page* justifié à droite ◆ **he owes money right, left and centre** il doit de l'argent à tout le monde **b** *(= correctly)* bien, juste, correctement

**N** **a** *(= entitlement)* droit m ◆ **all rights reserved** tous droits réservés ◆ **pre-emptive** *or* **preemption right** droit de préemption ◆ **to vindicate one's right** faire valoir son bon droit ◆ **right of action** *(Jur)* droit de poursuite ◆ **right of appeal** *(Jur)* droit d'appel ◆ **right of establishment** droit d'établissement ◆ **right of entry** droit d'entrée ◆ **right of possession** droit de propriété ◆ **right of recourse** droit de recours ◆ **right of redemption** *[mortgage]* droit de rachat ◆ **right to repossess** *(Jur)* droit de retour ◆ **right of reversion** *(Jur)* droit de réversion ◆ **right to strike** droit de grève ◆ **right of way** *(across property)* droit de passage; *[vehicle on road]* priorité ◆ **right to work** droit au travail ◆ **right-to-work laws** *(US)* lois garantissant le droit au travail ◆ **civil rights** droits civiques ◆ **cum rights** *(Jur)* avec droit ◆ **exclusive** *or* **sole rights** droits exclusifs ◆ **human rights** droits de l'homme ◆ **incorporeal rights** *(Jur)* droits incorporels ◆ **manufacturing rights** droits de fabrication ◆ **patent rights** propriété industrielle ◆ **property rights** droits de propriété ◆ **publishing rights** droits de publication *or* d'édition **b** *(St Ex)* ◆ **rights** droits ◆ **subscription** *or* **application rights** *(St Ex)* droits de souscription ◆ **ex-rights** *(St Ex)* droit détaché **c** *(opp of left)* droite f

— compounds/composés —
◆ **right certificate** *(Fin)* certification de droit de souscription
◆ **rights issue** *(St Ex)* émission de droits de souscription *or* d'attribution

• **rights letter** *(St Ex)* avis d'émission de droits de souscription *or* d'attribution

• **rights market** *(St Ex)* marché des droits de souscription *or* d'attribution

• **rights offer** *or* **offering** émission de droits de souscription *or* d'attribution.

**rightful** /'raɪtful/ **ADJ** *heir, owner* légitime; *claim* légitime, justifié • **rightful claimant** ayant droit.

**rigid** /'rɪdʒɪd/ **ADJ** *material* raide, rigide; *specification* strict.

**rigidity** /rɪ'dʒɪdɪtɪ/ **N** raideur f, rigidité f.

**rig out** **VT SEP** équiper (*with* de)

**rig up** **VT** *sep* installer en vitesse, improviser.

**ring** /rɪŋ/ **N** **a** *(gen)* anneau m ; *(= circle)* cercle m, rond m **b** *(= group) [dealers]* groupe m, cartel m ; *(Pol)* coterie f, clique f *(US pej = commodity markets)* filière f tournante **c** *(* = phone call)* coup m de fil • **give me a ring** passez-moi un coup de fil, appelez-moi

───── *compounds/composés* ─────

• **ring road** *(Brit)* périphérique, boulevard de ceinture

• **ring trading** *(St Ex)* le parquet, le marché officiel

**VI** **a** *[bell, telephone]* sonner **b** *(= telephone)* téléphoner, appeler • **to ring into a network** se brancher sur un réseau

**VT** **a** *bell* sonner **b** *(= telephone)* appeler, téléphoner à, passer un coup de fil à.

**ring back** **VI, VT SEP** *(= telephone again)* rappeler.

**ringgit** /'rɪŋgɪt/ **N** ringgit m.

**ring in** **VI** **a** *(= report)* transmettre un reportage *or* un rapport par téléphone **b** *(US = clock in)* pointer en arrivant.

**ring off** **VI** *(Telec)* raccrocher.

**ring out** **VI** *(US = clock off)* pointer en partant.

**ring up** **VT SEP** *(= telephone)* appeler, téléphoner à, donner un coup de fil à

**VT FUS** *sales (on cash register)* enregistrer • **state-run companies have been ringing up huge losses** les sociétés du secteur public ont enregistré de lourdes pertes.

**ringing tone** /'rɪŋɪŋtəʊn/ *(Brit)* **N** sonnerie f.

**ripe** /raɪp/ **ADJ** mûr.

**ripen** /'raɪpən/ **VI** mûrir.

**rip off** /rɪp/ **VT SEP** **a** *(= tear off)* arracher, déchirer **b** *(* = steal, cheat) goods, person* voler

**N** it's a rip-off * c'est du vol.

**rip out** **VT** *sep* arracher.

**ripple** /'rɪpl/ **N** ondulation f • **ripple effect** effet en cascade, réaction en chaîne.

**rip up** **VT** *sep* déchirer (en petits morceaux).

**rise** /raɪz/ **VI** **a** *(gen = go up) [cost, inflation]* augmenter, monter • **costs are rising** les coûts sont en hausse *or* augmentent *or* montent • **inflation has risen to 9%** l'inflation est montée à 9% *or* a augmenté jusqu'à 9% *or* a progressé jusqu'à 9% • **costs have risen (by) 10%** les coûts sont montés *or* ont augmenté de 10% • **sales have risen again to last year's record level** les ventes ont atteint le niveau record de l'année dernière **b** *(= end) [meeting]* être levé • **the meeting rose at 6 p.m.** la séance a été levée à 18 heures

**N** **a** *[sales, earnings, prices]* hausse f, progression f, augmentation f (*in* de); *[bank rate]* relèvement m • **a rise in foreign exchange reserves** un accroissement des réserves en devises • **to get a pay rise** obtenir une augmentation (de salaire) • **the recent rise in salaries has reduced our competitiveness** la hausse récente des salaires a réduit notre compétitivité • **the rise in unemployment** la montée du chômage • **to operate** *or* **play for a rise** *(St Ex)* jouer à la hausse **b** *(= emergence)* montée f, ascension f • **the rise of new technologies** l'essor des nouvelles technologies • **his rise to fame** son ascension vers la célébrité.

**rising** /'raɪzɪŋ/ **ADJ** *prices* en hausse, en augmentation; *demand, needs* croissant, grandissant.

**risk** /rɪsk/ **N** **a** *(= hazard)* risque m • **a calculated risk** un risque calculé • **at your own risk** à vos risques et périls • **goods sent at sender's risk** envois faits aux risques de l'expéditeur • **to take** *or* **run the risk of doing** courir le risque de faire • **at risk** en danger, menacé • **the risks of doing business** les aléas des affaires • **market risk** risque de marché **b** *(Ins)* risque m • **to assess a risk** évaluer *or* apprécier un risque • **to cover a risk** couvrir *or* garantir un risque • **to insure o.s. against a risk** s'assurer *or* se garantir contre un risque • **to underwrite a risk** garantir *or* assurer un risque • **to spread the risks** répartir les risques • **risks and perils at sea** fortunes de mer • **at owner's risk** aux risques du propriétaire • **to assess buyer / country risk** évaluer le risque acheteur / pays • **all-risks insurance** assurance tous risques • **good / bad risk** bon / mauvais risque • **the company is a good risk** l'entreprise est un bon risque • **buyer's / seller's risk** risque du client /

du fournisseur ✦ **carrier's risk** risque du transporteur ✦ **consignor's risk** risque de l'expéditeur ✦ **collision / craft / raft risk** *(Mar)* risque de collision / d'allège / de drome ✦ **exchange risk** *(Fin)* risque de change ✦ **fire risk** risque d'incendie ✦ **insurable / uninsurable risk** risque assurable / non assurable ✦ **split risk** risque divisé ✦ **tenant's risk** risque locatif ✦ **theft risk** risque de vol ✦ **third-party risk** risque au *or* aux tiers ✦ **unexpired risks** risques en cours

— compounds/composés —

- ✦ **risk analysis** analyse *or* étude des risques
- ✦ **risk arbitrage** *(US)* arbitrage de risques
- ✦ **risk assessment** *(Ins)* appréciation *or* évaluation des risques
- ✦ **risk capital** capital risque, capital-risque
- ✦ **risk coefficient** *(Ins)* coefficient de risque
- ✦ **risk exposure** exposition au risque
- ✦ **risk factor** facteur risque
- ✦ **risk free** sans risque
- ✦ **risk manager** *(Ins)* gestionnaire des risques
- ✦ **risk management** gestion des risques
- ✦ **risk premium** *(Ins, St Ex)* prime de risque
- ✦ **risk profile** profil de risque
- ✦ **risk reduction** réduction des risques
- ✦ **risk retention** rétention des risques
- ✦ **risk-return** *or* **risk-reward ratio** rapport risque-bénéfice

**VT** risquer ✦ **you risk losing all your money** vous risquez de perdre tout votre argent.

**risky** /ˈrɪskɪ/ **ADJ** hasardeux, risqué ✦ **it's risky** c'est risqué, c'est plein d'aléas.

**rival** /ˈraɪvəl/ **N** rival(e) m(f), concurrent(e) m(f) **ADJ** *firm, shop* concurrent, rival (*to* de) qui fait concurrence (*to* à) ✦ **rival products** produits concurrents ✦ **rival demand** demande concurrente **VT** *(gen)* rivaliser avec, concurrencer; *(= equal)* égaler ✦ **they rival us in design but not in quality** ils sont compétitifs en ce qui concerne le design mais pas pour la qualité.

**river** /ˈrɪvəʳ/ **N** fleuve m, rivière f ✦ **river bill of lading** connaissement fluvial ✦ **river charges** taxes fluviales.

**Riyadh** /rɪˈjɑːd/ **N** Riyad.

**riyal** /rɪˈjɑːl/ **N** riyal m.

**RLO** /ɑːrelˈəʊ/ *(Brit)* **N** abbr of **Returned Letter Office** → **returned.**

**rly** abbr of **railway.**

**rm** abbr of **ream.**

**road** /rəʊd/ **N** **a** *(= highway)* route f ; *(= street)* rue f ✦ **to be on the road** être en voyage

d'affaires *or* en déplacement ✦ **he's on the road for James Ltd** il est représentant pour James Ltd ✦ **the number of cars on the road** *(in country)* le parc automobile ✦ **on-the-road price** *[car]* prix clés en main **b** *(Mar)* rade f

— compounds/composés —

- ✦ **road bridge** pont routier
- ✦ **road construction** construction de routes
- ✦ **road haulage** transports mpl routiers
- ✦ **road map** carte routière
- ✦ **road safety** sécurité routière
- ✦ **road show** *(Mktg)* tournée de présentation
- ✦ **road sign** panneau de signalisation, poteau indicateur
- ✦ **road test** essai sur route
- ✦ **road traffic** circulation routière
- ✦ **road transport** transports mpl routiers.

**roadhouse** /ˈrəʊdhaʊs/ **N** hostellerie f, relais m routier.

**roadstead** /ˈrəʊdsted/ **N** *(Mar)* rade f.

**roadworthy** /ˈrəʊdwɜːðɪ/ **ADJ** en état de marche.

**roaring** /ˈrɔːrɪŋ/ **ADJ** *success* retentissant ✦ **to do a roaring trade in sth** vendre qch comme des petits pains, faire un gros commerce de qch.

**rob** /rɒb/ **VT** *person* voler, dévaliser; *shop, bank* dévaliser, cambrioler ✦ **to rob the till** voler de l'argent dans la caisse.

**robber** /ˈrɒbəʳ/ **N** voleur m, cambrioleur m ✦ **bank robber** cambrioleur (de banque).

**robbery** /ˈrɒbərɪ/ **N** vol m, cambriolage m ✦ **bank robbery** cambriolage (de banque) ✦ **£20! it's (daylight) robbery!** 20 livres! c'est du vol! ✦ **armed robbery** vol à main armée.

**robot** /ˈrəʊbɒt/ **N** robot m ✦ **robot salesman** distributeur automatique.

**robotics** /rəʊˈbɒtɪks/ **N** la robotique f.

**robotization, robotisation** /ˌrəʊbɒtaɪˈzeɪʃən/ **N** robotisation f.

**robotize, robotise** /ˈrəʊbɒtaɪz/ **VT** robotiser.

**ROCE** /ˌɑːrəʊsiːˈiː/ **N** (abbr of **return on capital employed**) RCI m.

**rock** /rɒk/ **N** *(lit)* rocher m, roche f ✦ **our business is on the rocks** *(fig)* notre entreprise est en faillite ✦ **they went on the rocks last year** ils ont fait faillite l'année dernière.

**rock-bottom** /ˈrɒkbɒtəm/ **N** niveau m le plus bas ✦ **share prices hit rock-bottom last month** les cours de la Bourse ont atteint leur niveau le plus bas le mois dernier ♦ **prices are at rock-bottom** les prix sont au plus bas ♦ **rock-bottom price** *(in bargaining)* dernier prix.

**rocker switch** /ˈrɒkəʳswɪtʃ/ **N** *(Comp)* interrupteur m à bascule.

**rocket** /ˈrɒkɪt/ **VI** *[prices]* monter en flèche ♦ **to rocket to success** *[company]* avoir un succès fulgurant.

**rocky** /ˈrɒkɪ/ **ADJ** *financial situation* branlant, chancelant.

**ROE** /ˌɑːrəʊˈiː/ **N** abbr of **return on equity** → **return.**

**roger** /ˈrɒdʒəʳ/ **N** *(Telec)* compris ♦ **roger and out** compris, terminé.

**ROI** /ˌɑːrəʊˈaɪ/ **N** (abbr of **return on investment)** RSI m.

**role** /rəʊl/ **N** rôle m ♦ **a role-play** un jeu de rôle ♦ **role-playing** jeu de rôle ♦ **role conflict** conflit de rôles.

**roll** /rəʊl/ **N** **a** *[paper, cloth]* rouleau m ; *[banknotes]* liasse f **b** *(= list, register)* liste f, registre m, tableau m ; *(for court, ship's crew)* rôle m ♦ **roll call** appel (nominal) ♦ **to call the roll** faire l'appel ♦ **to strike sb off the rolls** rayer qn des listes **c** **the company is on a roll** *(* US = prospering)* l'entreprise prospère *or* a le vent en poupe ♦ **VII** rouler ♦ **to be rolling in money** rouler sur l'or.

**roll back** **VT** *sep prices* (faire) baisser; *(Comp) screen, text* faire défiler en arrière.

**rollback** /ˈrəʊlbæk/ **N** *[prices]* réduction f, baisse f.

**roll down** **VT SEP** *(gen)* descendre; *(Comp) screen* faire défiler vers le bas ♦ **N** *(St Ex)* report m de position, roll down m.

**roll forward** **N** *(St Ex)* report m de position, roll forward m.

**roll in** **VI** *[letter, suggestions]* affluer ; * *[person]* s'amener*, se pointer* ♦ **the money is rolling in** l'argent afflue.

**rolling** /ˈrəʊlɪŋ/

--- compounds/composés ---

♦ **rolling hedge** *(St Ex)* couverture f glissante
♦ **rolling mill** laminerie f, usine f de laminage
♦ **rolling rate** *(St Ex)* taux m variable
♦ **rolling-rate note** obligation à taux variable
♦ **rolling stock** *(Rail)* matériel m roulant
♦ **rolling targets** *(US Econ)* objectifs mpl économiques révisables.

**roll key** /ˈrəʊlkiː/ **N** *(Comp)* touche f de défilement.

**roll off** **VT** *sep truck, container* décharger ♦ **VI** *(Ind)* sortir ♦ **our products are rolling off the production line** nos produits sortent de la chaîne de montage.

**roll on** **VT** *sep* charger.

**roll-on** **N** *(also* **roll-on ferry)** ferry m roll-on.

**roll-on / roll-off** **N** fret m intégré, manutention f, roll-on-roll-off m, ro-ro m ♦ **ADJ** roll-on-roll-off ♦ **roll-on / roll-off port** port roll-on-roll-off ♦ **roll-on / roll-off ship** navire *or* cargo transroutier ♦ **roll-on / roll-off container** conteneur roll-on-roll-off.

**roll out** **VT SEP** *(Ind)* sortir, produire ♦ **the factory is rolling out new cars** l'usine sort beaucoup de voitures neuves ♦ **N** *(St Ex)* report m de position, roll out m.

**rollout** /ˈrəʊlaʊt/ **N** *[product]* introduction f, lancement m ♦ **the nationwide rollout of a new product** le lancement national d'un nouveau produit.

**roll over** **VT SEP** *credit* renouveler; *loan* renouveler, reconduire; *interest rates* renégocier.

**rollover** **ADJ** ♦ **rollover credit** crédit roll-over *or* renouvelable ♦ **credit limit available on a rollover basis** maximum de crédit consenti pour la prolongation d'un premier contrat ♦ **interest on a rollover basis** intérêt renégociable, intérêt à taux variable ♦ **rollover loan** prêt à taux variable ♦ **rollover mortgage** *(US)* prêt hypothécaire à court terme à taux d'intérêt renégociable.

**roll up** **VT SEP** **a** *map, paper* rouler **b** *(Comp) text on screen* faire remonter, faire défiler vers le haut **c** *(Fin = delay claim on)* ♦ **14 international banks said they were prepared to roll up any interest due for a period of 12 months from today** 14 banques internationales se sont déclarées prêtes à suspendre pour 12 mois à compter d'aujourd'hui les intérêts dûs ♦ **N** *(St Ex)* report m de position, roll-up m.

**ROM** /rɒm/ **N** *(Comp)* (abbr of **read only memory)** ROM f.

**Romania** /rəʊˈmeɪnɪə/ **N** Roumanie f.

**Romanian** /rəʊˈmeɪnɪən/ **ADJ** roumain ♦ **N** **a** *(= language)* roumain m **b** *(= inhabitant)* Roumain(e) m(f).

**Rome** /rəʊm/ **N** Rome.

**roof** /ruːf/ N *(lit)* toit m, plafond m ✦ **to put a roof on spending** plafonner les dépenses, fixer un plafond aux dépenses.

**room** /rʊm/ N **a** *(gen)* pièce f ; *(large)* salle f ; *[hotel]* chambre f ✦ **I need a room for two nights** il me faut une chambre pour deux nuits ✦ **auction room** salle des ventes ✦ **double / single room** chambre pour deux personnes / pour une personne **b** *(= space)* place f ✦ **there's room for ten people** il y a de la place pour dix ✦ **there's room for improvement** on peut faire mieux, cela laisse à désirer

---
——————— compounds/composés ———————
✦ **room clerk** *(US)* réceptionniste
✦ **room service** *[hotel]* service des chambres
✦ **room temperature** température ambiante.

---

**root for** * /ruːt/ VT *(= encourage)* appuyer, encourager.

**root out** VT *sep (= discover)* dénicher, dépister; *(= remove)* extirper ✦ **we must root out inefficiencies** nous devons faire la chasse au manque d'efficacité.

**ROP** /ɑːrəʊ'piː/ N abbr of **run-of-paper advertisement** → **run-of-paper.**

**rope in** /rəʊp/ VT entraîner de force ✦ **he has been roped in for the job** il a été désigné d'office pour ce travail.

**RORO** abbr of **roll-on / roll-off** → **roll-on / roll-off.**

**roster** /'rɒstər/ N liste f, tableau m ✦ **by roster** à tour de rôle ✦ **duty roster** tableau de service ✦ **promotion roster** tableau d'avancement.

**rota** /'rəʊtə/ N tableau m de service.

**rotate** /rəʊ'teɪt/ VT *crops* alterner; *work* faire à tour de rôle.

**rotating** /rəʊ'teɪtɪŋ/ ADJ *(Ind) shift* tournant.

**rotation** /rəʊ'teɪʃən/ N rotation f ✦ **job rotation** rotation des postes ✦ **stock rotation** rotation des stocks ✦ **crop rotation** rotation des cultures, assolement ✦ **to do sth in rotation** faire qch à tour de rôle.

**rotational** /rəʊ'teɪʃənəl/ ADJ ✦ **rotational training programme** programme de formation avec rotation de postes.

**rouble** /'ruːbəl/ N rouble m.

**rough** /rʌf/ ADJ **a** *(= difficult)* dur ✦ **business is rough** les affaires sont dures or vont mal ✦ **we're having a rough time** cela se passe mal pour nous, on est dans une mauvaise passe ✦ **to make things rough for sb** mener la vie dure à qn ✦ **we had a rough year** on a eu une

mauvaise année **b** *(= approximate)* approximatif ✦ **rough estimate** devis estimatif ✦ **a rough guess** or **estimate** une estimation approximative ✦ **at a rough guess** approximativement ✦ **rough copy, rough draft** brouillon ✦ **rough book** *(Acc)* brouillard ✦ **a rough average** une moyenne approximative
**N** *[book, drawing]* ébauche f, esquisse f.

**rough out** VT SEP *plan, design* esquisser.

**round** /raʊnd/ ADJ rond ✦ **in round figures** or **numbers** en chiffres ronds ✦ **round sum** compte rond ✦ **all-round price** prix tout compris
**N** **a** *(= circle)* rond m, cercle m **b** *[competition]* partie f, manche f ; *[election]* manche f, tour m ✦ **a round of wage increases** une série d'augmentations de salaires **c** *[postman, salesman]* tournée f ✦ **to go** or **make the rounds** faire sa tournée, être en tournée, tourner

---
——————— compounds/composés ———————
✦ **round lot** *(St Ex)* quotité (complète)
✦ **round robin** lettre collective
✦ **round-robin meeting** réunion d'experts
✦ **round table (discussion)** table ronde
✦ **round trip** *(= journey)* (voyage ) aller et retour ✦ **round-trip ticket** *(US)* (billet) aller et retour ✦ **round turn** or **trip** *(St Ex)* (transaction ) aller-retour
✦ **round-turn** or **round-trip commission, round-turn** or **round-trip transactions costs** *(St Ex)* commission d'aller-retour.

---

**roundabout** /'raʊndəbaʊt/ **N** *(Brit)* rond-point m
**ADJ** *route, way* indirect, détourné.

**round down** VT SEP *prices, costs* arrondir (au chiffre inférieur) ✦ **rounded down to the nearest cent** arrondi au cent inférieur le plus proche.

**rounding** /'raʊndɪŋ/ N *(Fin, Comp) [figure]* arrondissement m ✦ **rounding error** erreur d'arrondi.

**round off** VT SEP *meeting* terminer; *figures* arrondir ✦ **round-off error** erreur f d'arrondi.

**roundsman** /'raʊndzmən/ *(Brit)* N livreur (-euse) m(f) or inspecteur(-trice) m(f) or représentant(e) m(f) qui fait sa tournée.

**round-the-clock** /'raʊndðə'klɒk/ ADJ 24 heures sur 24 ✦ **round-the-clock banking** *(US)* services bancaires 24 heures sur 24.

**roundtripping** /'raʊndtrɪpɪŋ/ N *(St Ex = hard arbitrage)* arbitrage m.

**round up** vt a *sep (= bring together)* rassembler, réunir b *prices, costs* arrondir (au chiffre supérieur) ◆ **rounded up to the nearest cent** arrondi au cent supérieur le plus proche.

**roundup** /'raʊndʌp/ N rassemblement m ◆ **a news roundup** les informations en bref, un résumé des informations ◆ **business roundup** *(Press heading)* les entreprises en bref.

**route** /ruːt/ N *[plane, lorry, ship]* itinéraire m ; *[bus]* itinéraire m, trajet m, parcours m ◆ **shipping** / **air routes** routes maritimes / aériennes ◆ **trade route** route commerciale ◆ **to travel by the shortest** / **fastest route** voyager par la voie la plus courte / la plus rapide

─── *compounds/composés* ───
◆ **route map** carte routière
◆ **route sheet** or **card** *(Ind)* fiche de gamme (de fabrication)

VT a *(= plan route of) bus, train* fixer le parcours or l'itinéraire de ◆ **the train is routed through Ashford** le train passe à Ashford ◆ **to route a salesman** planifier la tournée d'un VRP b *goods, message* acheminer.

**routine** /ruːˈtiːn/ N a routine f ◆ **business** or **office routine** travail courant du bureau ◆ **as a matter of routine** automatiquement, systématiquement b *(Comp)* programme m (standard) ◆ **sub-routine** sous-programme
ADJ **routine check** *(gen)* vérification de routine; *(Comp)* contrôle programmé or par programme ◆ **routine enquiry** enquête de routine ◆ **routine duties** affaires or attributions courantes ◆ **routine maintenance** entretien courant or de routine.

**routing** /'ruːtɪŋ/ N *(= route planning)* planification f de l'itinéraire or du parcours; *(= dispatching)* acheminement m, routage m

─── *compounds/composés* ───
◆ **routing file** *(Ind)* fichier (des) gammes (de fabrication)
◆ **routing sheet** *(Ind)* fiche de gamme (de fabrication)
◆ **routing slip** *[document]* bordereau d'acheminement.

**row** /rəʊ/ N a *[objects, people]* rang m, rangée f ; *(behind one another)* file f, ligne f, queue f ; *[cars]* file f, queue f ◆ **a row of figures** une rangée or une ligne de chiffres b *(= disagreement)* querelle f, dispute f ◆ **they had a row about it** ils se sont disputés à ce sujet.

**royalty** /'rɔɪəltɪ/ N *(= money paid for mining rights, use of a patent)* redevance f, royalty f ◆ **royalties** *(Publishing)* droits d'auteur, royalties ◆ **oil royalties** redevances pétrolières, royalties.

**RP** a (abbr of **reply paid**) RP b abbr of **recommended price** → **recommend**.

**RPI** /ɑːpiːˈaɪ/ N abbr of **retail price index** → **retail**.

**RPM** /ɑːpiːˈem/ N abbr of **retail price maintenance** → **retail**.

**rpm** /ɑːpiːˈem/ (abbr of **revs per minute**) tr / min.

**RR** *(US)* a abbr of **railroad** b abbr of **registered representative** → **registered**.

**RSG** /ɑːresˈdʒiː/ *(Brit)* N abbr of **rate support grant** → **rate**.

**RSVP** abbr of **répondez s'il vous plaît**.

**rubber** /'rʌbəʳ/ N a *(= material)* caoutchouc m *(Brit eraser)* gomme f b **rubbers** *(St Ex)* les caoutchoucs

─── *compounds/composés* ───
◆ **rubber band** élastique
◆ **rubber cheque** chèque sans provision, chèque en bois
◆ **rubber stamp** tampon, timbre en caoutchouc ◆ **to rubber stamp** *(lit)* tamponner; *(fig)* approuver or entériner sans discussion.

**ruble** /'ruːbl/ N rouble m.

**rub out** /rʌb/ vt sep gommer.

**rufiyaa** /ruːˈfiːjɑː/ N rufiyaa f.

**ruin** /'ruːɪn/ N ruine f, perte f ◆ **the firm is on the brink of ruin** l'entreprise est au bord de la faillite ◆ **in ruins** en ruine
VT ruiner.

**rule** /ruːl/ N a *(= guiding principle)* règle f ; *(= regulation)* règlement m ; *(Jur)* décision f, ordonnance f ◆ **the rules of the game** la règle du jeu ◆ **it's against the rules** c'est interdit, c'est contraire à la règle or au règlement ◆ **the rule of three** la règle de trois ◆ **golden rule** règle d'or ◆ **to work to rule** *(Ind)* faire la grève du zèle ◆ **work-to-rule** grève du zèle ◆ **rules and regulations** statuts ◆ **standing rule** règlement ◆ **to throw the rule book at sb** opposer le règlement à qn, se retrancher derrière le règlement b *(= authority)* autorité f, empire m ◆ **the rule of the law** l'autorité de la loi ◆ **majority rule** *(Pol)* gouvernement par la majorité c *(for measuring)* règle f ◆ **rule of thumb** méthode empirique

**vt** **a** (= *direct*) (*gen*) gouverner; *company* diriger **b** (*Jur*) décider, ordonner (*that* que) **c** (= *draw lines on*) régler ◆ **ruled paper** papier réglé
**vi** **a** (= *govern*) gouverner ◆ **to rule over** régner sur **b** (*Fin*) être en vigueur, être couramment pratiqué ◆ **the prices ruling in London** les cours pratiqués à Londres ◆ **at the price ruling at the time of delivery** au prix en vigueur au moment de la livraison **c** (*Jur*) statuer (*against* contre, *on* sur, *in favour of* en faveur de)

**rule off** vt *account* arrêter, clore ◆ **to rule off a column of figures** tirer une ligne sous une colonne de chiffres.

**rule out** vt sep (*lit*) *word, sentence* barrer, rayer; (*fig*) *idea, possibility* exclure, écarter ◆ **a further increase in interest rates cannot be ruled out** on ne peut écarter l'hypothèse d'une nouvelle hausse des taux d'intérêt.

**ruler** /ˈruːləʳ/ N (*for measuring*) règle f.

**ruling** /ˈruːlɪŋ/ **adj** **the ruling class** la classe dirigeante ◆ **ruling price** cours *or* prix pratiqué *or* en vigueur
**N** (*Jur*) décision f, jugement m, ordonnance f ◆ **to get / give a ruling** obtenir / rendre un jugement ◆ **to give a ruling in favour of sb** décider en faveur de qn ◆ **ruling of an account** (*Fin*) arrêté d'un compte.

**Rumania** /ruːˈmeɪnɪə/ N Roumanie f.

**Rumanian** /ruːˈmeɪnɪən/ **adj** roumain
**N** **a** (= *language*) roumain m **b** (= *inhabitant*) Roumain(e) m(f).

**rummage** /ˈrʌmɪdʒ/ **N** (*Customs*) visite f de douane (*à bord d'un navire*) ◆ **rummage sale** braderie d'objets usagés
**vt** (*Customs*) visiter.

**rumour** (*Brit*), **rumor** (*US*) /ˈruːməʳ/ **N** rumeur f
**vt** **it is rumoured that** on dit que, le bruit court que.

**run** /rʌn/ **N** **a** (= *distance travelled*) [*car*] trajet m ; [*boat, plane, bus*] parcours m ◆ **the Dover-Calais run** le service Douvres-Calais ◆ **trial run** [*product*] essai ◆ **a dry run** un coup d'essai, un essai pour voir **b** (= *time elapsed*) ◆ **in the long / short run** à long / court terme ◆ **short-run profits** bénéfices à court terme **c** (= *series*) suite f, série f ◆ **a production run** une série ◆ **print run** tirage ◆ **a run of bad luck** une période de malchance ◆ **a run of successes** une série *or* une suite de succès **d** (= *rush*) ruée f ◆ **a run on the banks** une ruée sur les banques, un retour massif des dépôts bancaires ◆ **there is a run on (the market for) these shares** ces titres sont très demandés, on se rue sur ces titres ◆ **there has been a run on the dollar** il y a eu une ruée sur le dollar, on s'est rué sur le dollar **e** (= *trend*) [*market*] tendance f ; [*events*] direction f, tendance f **f** (*Comp*) ◆ **(machine) run** passage m (en) machine

———— compounds/composés ————

- ◆ **run book** (*Comp*) dossier d'exploitation
- ◆ **run chart** (*Comp*) organigramme d'exploitation
- ◆ **run phase** phase d'exécution
- ◆ **run time** temps d'exécution

**vt** **a** *machine* faire marcher, faire fonctionner **b** (= *manage*) *business* diriger, gérer, faire tourner; *class, seminar, club* animer; *meeting* animer, conduire ◆ **a well-run company** une entreprise bien gérée ◆ **the school is running management courses** l'école organise des cours de gestion **c** *new edition* publier, imprimer, faire paraître ◆ **to run an advertising campaign** mener *or* monter une campagne publicitaire ◆ **to run an ad in a paper** passer *or* insérer une annonce dans un journal ◆ **to run an ad on TV** faire passer une pub à l'écran ◆ **we do not run this item** nous ne faisons pas cet article **d** *risk* (*gen*) courir; (*Ins*) encourir ◆ **you run the risk of losing your job** vous risquez *or* vous courez le risque de perdre votre emploi **e** (*Comp*) *instruction* exécuter; *program* exécuter, passer ◆ **to run the software on a PC** faire tourner le logiciel sur un PC **f** (*Acc*) ◆ **to run the ledger** vérifier les livres **g** (*Econ*) ◆ **to run a surplus / a deficit** avoir un excédent / un déficit **h** (*St Ex*) ◆ **to run stock against one's client** faire de la contrepartie

**vi** **a** (*gen*) courir **b** (= *become*) ◆ **to run low** *or* **short** [*stocks*] s'épuiser ◆ **prices are running high** (*St Ex*) les cours tendent vers le haut **c** (= *flow*) tourner ◆ **production is running at 10 units per hour** la production tourne à un rythme de 10 unités à l'heure ◆ **inflation is running at 6%** l'inflation tourne *or* se monte à 6% **d** (= *extend, continue*) courir ◆ **interest runs from October 23** les intérêts courent à partir du 23 octobre ◆ **the contract is still running** le contrat est toujours en vigueur ◆ **this bill has still two years to run** cette traite a encore deux années à courir ◆ **our advertising campaign will run until Christmas** notre campagne publicitaire durera *or* continuera jusqu'à Noël ◆ **costs will run into millions of dollars** les coûts s'élèveront *or* se chiffreront à plusieurs millions de dollars ◆ **his appointment runs for six years** il est nommé pour six ans **e** [*bus, train, delivery service*] faire le service ◆ **the trains are not running tomorrow** les trains ne circulent pas demain **f** (= *function*) [*machine*] être en marche, marcher, fonctionner; *[factory]* travailler, marcher; *[program, system]* fonctionner, tourner ✦ **the business is running smoothly** l'entreprise marche bien **g** *(= be worded)* être libellé ✦ **running as follows** libellé comme suit ✦ **the clause runs as follows** la clause est libellée comme suit, le libellé de la clause est le suivant.

**runaway** /ˈrʌnəweɪ/ **ADJ** *costs* incontrôlable ✦ **runaway gap** blanc d'accélération de tendance ✦ **runaway inflation** inflation galopante.

**run back** **VI** *[shares]* baisser, diminuer de valeur.

**run down** **VT** **a** *stocks* réduire, dégarnir; *production* restreindre; *business* réduire l'activité de; *staff* réduire, comprimer; *prices* faire baisser, diminuer **b** *(* = criticize)* dénigrer, éreinter* **c** *ship* entrer en collision avec ✦ **running down clause** *(Mar Ins)* clause d'abordage *or* de collision **VI** *[stocks]* baisser, diminuer ✦ **inventories are running down** les stocks s'épuisent.

**rundown** /ˈrʌndaʊn/ **N** **a** *[stocks]* réduction f, diminution f; *[staff]* réduction f, compression f; *[company]* réduction d'activité **b** *(* = account)* compte rendu m, résumé m ✦ **to give sb a rundown on sth** mettre qn au courant de qch.

**run in** **VT SEP** *car* roder.

**run into** **VT FUS** *(= meet) person* rencontrer par hasard; *difficulties* se heurter à ✦ **to run into debt** s'endetter.

**runner** **N** *(St Ex)* contre-partiste mf ; *(door-to-door selling)* démarcheur m ; *(= messenger)* messager m, courrier m ; *(Mktg)* article m qui se vend très bien.

**runner-up** **N** *(in competition)* second(e) m(f) ; *(St Ex)* renchérisseur m.

**running** /ˈrʌnɪŋ/ **N** **a** *(= action)* course f ✦ **to be in the running for promotion / for the job** être sur les rangs pour obtenir de l'avancement / pour avoir le poste ✦ **to be in the running** être dans la course, avoir des chances de réussir ✦ **to be out of the running** ne plus être dans la course, n'avoir aucune chance de réussir **b** *(= functioning) [machine]* marche f, fonctionnement m ; *[instruction]* exécution f ; *[programme]* exécution f, passage m **c** *(= managing) [business]* direction f, gestion f ; *[organization, service]* administration f, direction f ; *[class, seminar]* animation f ; *[meeting]* conduite f **d** *(= transport)* parcours m ✦ **empty running** parcours à vide

---
**compounds/composés**
---
- **running account** compte courant
- **running contract** contrat en cours *or* en vigueur
- **running costs** *or* **expenses** *[business]* frais mpl de fonctionnement *or* d'exploitation, dépenses fpl courantes; *[machine]* frais mpl d'entretien
- **running count** cumul
- **running days** *(Mar)* jours mpl consécutifs
- **running interest** intérêts mpl en cours
- **running number** numéro d'ordre
- **running order** ✦ **in running order** en état de marche
- **running time** *(Comp)* temps d'exécution
- **running total** cumul, total cumulé
- **running year** année en cours
- **running yield** *(Fin)* rendement courant.

**running in** **N** *(Aut)* rodage m ✦ **running-in period** période de rodage.

**run off** **VT SEP** *document* tirer **N** **a** *(US) [election]* deuxième tour m **b** *(St Ex)* derniers cours mpl *(indiqués par le téléscripteur à la clôture de la Bourse)*.

**run-of-paper** /ˈrʌnəvˈpeɪpəʳ/ **ADJ** ✦ **run-of-paper advertisement** *annonce qui peut être placée à n'importe quel endroit d'un journal ou d'une revue.*

**run-of-the-mill** /ˈrʌnəvðəˈmɪl/ **ADJ** banal, courant, ordinaire.

**run-of-week** /ˈrʌnəvˈwiːk/ **ADJ** ✦ **run-of-week spot** *(Pub)* plage f non spécifiée.

**run on** **VI** *[interest]* continuer à courir.

**run out** **VI** *[lease, contract]* expirer; *[stocks]* s'épuiser; *[period of time]* tirer à sa fin, s'écouler ✦ **the money has run out** il n'y a plus d'argent, l'argent est épuisé.

**run out of** **VT FUS** *supplies, money* être à court de, manquer de; *time* manquer de ✦ **our plan is running out of steam** notre projet s'essoufle.

**run through** **VT SEP** *notes, text* parcourir; *(= rehearse)* répéter; *(= recapitulate)* résumer, reprendre ✦ **I would like to run through the plan again** j'aimerais reprendre le projet une fois de plus.

**run-through** /ˈrʌnθruː/ **N** essai m, répétition f.

**run up** **VT** **a** *sep bill, account* laisser s'accumuler ✦ **to run up a deficit** accumuler un déficit ✦ **to run up a debt** s'endetter *(of* de) **b** *price* faire monter ✦ **to run up the bidding** faire monter *or* faire grimper les enchères, pousser les enchères **VI** *[bill, account]* monter, s'élever *(to* à)

**run-up** /'rʌnʌp/ **N** période f préparatoire ◆ **the run-up to the next election** les préparatifs de la prochaine élection, la période précédant la prochaine élection.

**rupee** /ruː'piː/ **N** roupie f.

**rupiah** /ruː'piːə/ **N** rupiah f.

**rush** /rʌʃ/ **N** ruée f ◆ **we've had a rush of orders** nous avons été submergés de commandes ◆ **rush on a bank** ruée sur les guichets d'une banque ◆ **the gold rush** la ruée vers l'or

──────────── compounds/composés ────────────
◆ **rush hours** heures fpl de pointe or d'affluence
◆ **rush job** travail d'urgence
◆ **rush order** commande pressée or urgente

**VI** se précipiter, se ruer (*on* sur) se presser
**VT** **a** order exécuter d'urgence; *person, message* dépêcher ◆ **please rush the goods to the following address** (*deliver quickly*) veuillez expédier or envoyer les marchandises de toute urgence à l'adresse suivante **b** * (*= charge*) faire payer; (*= swindle*) faire payer un prix exorbitant à ◆ **how much did they rush you for that car?** combien t'a-t-on fait payer cette voiture?.

**rushed** /rʌʃd/ **ADJ** *work* fait à la va-vite, bâclé.

**rush through** **VT SEP** *order* exécuter d'urgence; *supplies* envoyer or expédier or faire parvenir de toute urgence.

**Russia** /'rʌʃə/ **N** Russie f.

**Russian** /'rʌʃən/ **ADJ** russe
**N** **a** (*= language*) russe m **b** (*= inhabitant*) Russe mf.

**rust** /rʌst/ **N** rouille f
**VI** se rouiller.

**rustproof** /'rʌstpruːf/ **ADJ** inoxydable.

**rusty** /'rʌstɪ/ **ADJ** rouillé.

**Rwanda** /ru'ændə/ **N** Rwanda m.

**Rwandan** /ru'ændən/ **ADJ** rwandais
**N** (*= inhabitant*) Rwandais(e) m(f).

# S

**s / a** abbr of **subject to acceptance** → **subject.**

**sabbatical** /səˈbætɪkəl/ **ADJ** sabbatique ♦ **sabbatical leave** congé sabbatique
**NM** congé m sabbatique.

**sack** /sæk/ **N** (= *bag*) sac m ♦ **to give sb the sack** * (*Brit*) renvoyer *or* virer* qn, mettre *or* flanquer* qn à la porte
**VT** (* *Brit*) renvoyer, virer*, mettre *or* flanquer* à la porte.

**sacking** * /ˈsækɪŋ/ **N** renvoi m, licenciement m.

**sacrifice** /ˈsækrɪfaɪs/ **N** (*gen, Mar Ins*) sacrifice m
♦ **sacrifice price** prix sacrifié
**VT** **a** *excess stocks* sacrifier, vendre à perte ♦ **all items sacrificed at £5!** tous nos articles sacrifiés à 5 livres! **b** (*Mar Ins*) sacrifier.

**s.a.e.** /eseˈiː/ abbr of **stamped addressed envelope** → **stamp.**

**safe** /seɪf/ **ADJ** (= *not in danger*) en sécurité, en sûreté; (= *not dangerous*) sans risque; (= *prudent*) *guess, estimate* prudent, raisonnable
♦ **safe arrival** (*Mar Ins*) heureuse arrivée ♦ **in a safe place** en lieu sûr ♦ **the factory isn't safe** l'usine présente un danger ♦ **to play safe** ne pas prendre de risques, jouer la sécurité ♦ **to be on the safe side** par précaution, pour plus de sûreté ♦ **safe estimate** estimation prudente ♦ **safe investment** placement sûr *or* sans risque *or* de père de famille ♦ **it's a safe bet that the dollar will pick up** on peut parier sans risque sur une remontée du dollar
**N** coffre-fort m ♦ **night safe** coffre de nuit

────── *compounds/composés* ──────
♦ **safe-conduct** sauf-conduit
♦ **safe custody** garde, dépôt en garde, dépôt libre
♦ **we placed the valuables in safe custody** nous avons placé les objets de valeur en garde *or* en dépôt ♦ **safe custody department** (*Bank*) service des coffres
♦ **safe-deposit** salle des coffres ♦ **safe-deposit box** coffre-fort.

**safeguard** /ˈseɪfɡɑːd/ **N** sauvegarde f, protection f ♦ **as a safeguard against inflation** pour se protéger contre l'inflation
**VT** protéger (*against* contre)

**safekeeping** /ˈseɪfkiːpɪŋ/ **N** sécurité f ♦ **the documents are in his safekeeping** on lui a confié la garde des documents

────── *compounds/composés* ──────
♦ **safekeeping agreement** contrat de garde
♦ **safekeeping charges** droits mpl de garde
♦ **safekeeping department** service de dépôt en garde.

**safely** /ˈseɪflɪ/ **ADV** (= *securely*) en sûreté; (= *without mishap*) sans accident, sans incident; (= *without risk*) sans risque, sans danger.

**safety** /ˈseɪftɪ/ **N** sécurité f ♦ **road safety** sécurité routière ♦ **for safety's sake** pour plus de sûreté ♦ **safety at work, industrial safety** prévention des accidents du travail

────── *compounds/composés* ──────
♦ **safety bank** stock de dépannage
♦ **safety belt** ceinture de sécurité
♦ **safety check** contrôle de sécurité
♦ **safety-deposit** salle des coffres ♦ **safety-deposit box** coffre-fort

♦ **safety device** dispositif de sécurité
♦ **safety factor** coefficient de sécurité
♦ **safety fund** fonds de garantie
♦ **safety margin** marge de sécurité
♦ **safety net** filet de protection
♦ **safety officer** responsable de la sécurité
♦ **safety precaution** mesure de sécurité
♦ **safety regulation** règle or consigne de sécurité
♦ **safety standards** normes fpl de sécurité
♦ **safety stock** stock de sécurité, stock tampon
♦ **safety vault** chambre forte.

**sag** /sæg/ VI [prices, exports] fléchir, baisser ♦ **prices are sagging** (St Ex) les cours mollissent or fléchissent or se tassent.

**sagging** /'sægɪŋ/ ADJ profits, sales en baisse.

**said** /sed/ ADJ ♦ **the said** (Jur) ledit ♦ **the said person** ladite personne ♦ **said to contain clause** clause qui dit être.

**sail** /seɪl/ VI ⓐ (= leave port) [boat] partir, appareiller; [passenger] partir, s'embarquer ♦ **the ship sails for Sydney on Tuesday** le navire part or appareille pour Sydney mardi ♦ **the ship sailed from London yesterday** le navire a quitté Londres or a appareillé de Londres hier ♦ **sailing from London and bound for Bombay** en provenance de Londres et à destination de Bombay ⓑ naviguer ♦ **the ship sails between Le Havre and New York** le navire fait la traversée entre Le Havre et New York.

**sailing** /'seɪlɪŋ/ N départ m, appareillage m ♦ **the ship's sailing has been delayed** le départ du navire a été retardé ♦ **the company offers three sailings for New York every week** la compagnie propose trois départs pour New York par semaine

———— compounds/composés ————

♦ **sailing card** or **list** liste de navires en partance
♦ **sailing orders** autorisation de départ or d'appareillage
♦ **sailing time** heure de départ.

**salable** /'seɪləbl/ (US) ADJ → **saleable.**

**salaried** /'sælərɪd/ ADJ (gen) salarié; (on a monthly basis) mensualisé ♦ **salaried staff** personnel salarié, salariés ♦ **higher salaried staff** hauts salaires.

**salary** /'sælərɪ/ N (gen) salaire m, traitement m, appointements mpl ♦ **salary no object** (in advert) salaire indifférent ♦ **he earns a salary of $80,000 a year** il a un salaire de 80 000 dollars par an ♦ **state salary required** (in advert) indiquez le salaire demandé, indiquez vos

prétentions ♦ **salaries and wages** (Acc) frais de personnel, salaires et charges sociales ♦ **commencing** or **starting salary** salaire d'embauche or de départ

———— compounds/composés ————

♦ **salary base** base salariale
♦ **salary bracket** tranche de revenus, fourchette de salaires
♦ **salary earner** salarié
♦ **salary increase** augmentation de salaire
♦ **salary range** éventail de salaires or de rémunération
♦ **salary rate** taux de rémunération
♦ **salary review** révision de salaires
♦ **salary scale** échelle or grille des salaires or de rémunération
♦ **salary scheme** système de rémunération
♦ **salary structure** structure des salaires.

**sale** /seɪl/ N ⓐ (= selling) vente f ♦ **offices for sale** bureaux à vendre ♦ **on sale** en vente ♦ **business for sale** fonds or affaire à céder ♦ **point of sale** point de vente ♦ **to put up for sale** mettre en vente ♦ **they find a ready sale for their products** leurs produits se vendent or partent bien ♦ **not for general sale** hors commerce ♦ **to make a sale** réussir une vente ♦ **our reps are expected to make one sale for every three sales calls** nos représentants doivent concrétiser une vente pour trois visites ♦ **sales are rising** les ventes augmentent ♦ **sale for delivery** (St Ex) vente à livrer ♦ **sale for the account** or **settlement** (St Ex) vente à terme ♦ **sale (and lease) back** vente avec possibilité pour l'acheteur de relouer au vendeur ♦ **sale and repurchase agreement** (St Ex) mise en pension ♦ **sale as seen** vente sur qualité vue ♦ **sale by auction** vente aux enchères, vente à la criée ♦ **sale in bonded warehouse** vente en entrepôt ♦ **sale by description** vente sur description ♦ **sale by instalments** vente à tempérament ♦ **sale by order of the court** vente judiciaire ♦ **sale by private agreement** vente de gré à gré ♦ **sale by tender** vente par soumission or par voie d'adjudication ♦ **sale by sealed tender** vente par soumission cachetée ♦ **sale on approval** or **trial** vente à l'essai ♦ **sale on shipment** vente sur embarquement ♦ **sale or return** vente à condition or avec reprise des invendus or avec faculté de retour ♦ **these articles are supplied on a sale or return basis** ces articles sont livrés avec possibilité de retour des invendus ♦ **sale subject to safe arrival** vente à l'heureuse arrivée ♦ **sale with option of redemption** vente avec possibilité de rachat, vente à réméré ♦ **bear** or **short sale** (St Ex) vente à découvert ♦ **cash sale** vente au comptant ♦ **compulsory**

or **forced sale** *(Jur)* vente forcée, adjudication forcée ♦ **conditional sale** vente sous condition ♦ **credit sale** vente à crédit *or à* tempérament ♦ **export sale** vente à l'exportation ♦ **jumble sale** vente de charité ♦ **retail sale** vente au détail ♦ **spot sale** vente au comptant, vente en disponible, vente spot ♦ **trade sale** vente à la profession ♦ **washed sale** *(US)* vente fictive ♦ **wholesale sale** vente en gros **b** *(= disposal of a shop's stock)* solde m, soldes mpl, vente f à prix réduits ♦ **there is a sale on next week** il y aura des soldes la semaine prochaine ♦ **last year's models are all on sale** tous les modèles de l'année dernière sont en solde ♦ **sale on all week!** *(sign)* on solde toute la semaine!, semaine de soldes! ♦ **as-is sale** vente en l'état ♦ **bargain sale, clearance sale** soldes, liquidation du stock ♦ **closing-down sale** *(Brit)*, **closing-out sale** *(US)*, **close-out sale** *(US)* liquidation totale du stock avant fermeture, vente de liquidation, soldes de fermeture

────── *compounds/composés* ──────

♦ **sale charges** *(Mar Ins)* frais encourus par la vente de marchandises arrivées détériorées
♦ **sale contract** *(gen)* contrat de vente; *(St Ex)* bordereau de vente
♦ **sale exbond** vente à l'acquitté
♦ **sale goods** marchandises fpl soldées, soldes mpl
♦ **sale invoice** facture
♦ **sale price** prix de solde, prix soldé
♦ **sale proceeds** produit d'une vente
♦ **sale value** valeur marchande.

**saleability** /ˌseɪlə'bɪlɪtɪ/ N ♦ **the saleability of electronic games was exaggerated** on a surestimé les possibilités de vente *or* l'attrait commercial des jeux électroniques.

**saleable** *(Brit)*, **salable** *(US)* /'seɪləbl/ ADJ vendable.

**saleage** /'seɪlɪdʒ/ N *partie vendable de la production* ♦ **the saleage of mined coal** le charbon de qualité marchande.

**saleroom** /'seɪlruːm/ N salle f des ventes.

**sales** /seɪlz/ NPL **a** *(= amount sold)* ventes fpl ♦ **car sales are up** les ventes d'automobiles sont en hausse ♦ **record sales** ventes record ♦ **credit** *or* **instalment sales** ventes à crédit *or à* tempérament ♦ **export sales** ventes à l'exportation ♦ **home sales** ventes sur le marché intérieur ♦ **retail sales** ventes au détail ♦ **time sales** ventes à crédit *or à* tempérament **b** *(US = turnover)* chiffre m d'affaires ♦ **gross / net sales** chiffre d'affaires brut / net ♦ **total sales for the year reached $3 million** le chiffre d'affaires pour l'année a atteint 3 millions de

dollars ♦ **gross profits on sales** marge commerciale **c** *(= disposal of a shop's stock at cut prices)* soldes mpl ♦ **the January sales begin next week** les soldes de janvier commencent la semaine prochaine ■ Voir encadré page suivante

**salesclerk** /'seɪlzklɑːk/ N employé(e) m(f) du service des ventes.

**salesgirl** /'seɪlzgɜːrl/ *(US)* N vendeuse f.

**saleslady** /'seɪlzleɪdɪ/ N vendeuse f.

**salesman** /'seɪlzmən/ N *(in department store)* vendeur m ; *(= middleman)* représentant m de commerce ♦ **door-to-door salesman** démarcheur à domicile, vendeur qui fait du porte-à-porte ♦ **travelling salesman** représentant (de commerce), voyageur de commerce, VRP.

**salesmanship** /'seɪlzmənʃɪp/ N art m de la vente ♦ **good salesmanship is crucial in retail trading** savoir bien vendre *or* avoir un bon sens commercial est primordial dans la vente au détail.

**salesperson** /'seɪlzpɜːsən/ N vendeur(-euse) m(f).

**salesroom** /'seɪlzruːm/ *(US)* N salle f des ventes.

**saleswoman** /'seɪlzwʊmən/ N vendeuse f.

**Salvador(i)an** /ˌsælvə'dɔːr(ɪ)ən/ **ADJ** salvadorien **N** *(= inhabitant)* Salvadorien(ne) m(f).

**salvage** /'sælvɪdʒ/ **N a** *(= saving)* [ship] renflouement m ; [cargo] récupération f ; *(for re-use)* [waste paper, scrap metal] récupération f **b** *(= goods saved from fire or wreck)* objets mpl *or* biens mpl récupérés; *(= objects for re-use)* objets mpl récupérables **c** *(= payment)* prime f *or* indemnité f de renflouement

────── *compounds/composés* ──────

♦ **salvage bond** obligation de garantie *(couvrant le risque de paiement d'une indemnité de renflouement)*
♦ **salvage charges** frais mpl de renflouement
♦ **salvage value** valeur de récupération
♦ **salvage vessel** navire de renflouement

**VT** *ship* renflouer; *objects for re-use* récupérer ♦ **the company salvaged all the old machinery** l'entreprise a récupéré toutes les vieilles machines.

**salve** /sælv/ VT *(= salvage)* récupérer, sauver.

**salvo** /'sælvəʊ/ N *(Jur)* réserve f, restriction f ♦ **with the express salvo** sous la réserve expresse.

**salvor** /'sælvər/ N *(Mar)* sauveteur m ♦ **salvor's lien** droit du sauveteur à une partie de la valeur résiduelle.

—— *compounds/composés* ——

SALES

* **sales account** compte de ventes
* **sales agency** agence commerciale
* **sales agent** agent commercial
* **sales aid** *(Pub)* aide à la vente
* **sales allowances** rabais mpl, remises fpl, ristournes fpl
* **sales approach** approche du marché *or* du client
* **sales area** *(= territory)* secteur de vente; *(= floor area)* surface de vente
* **sales book** livre *or* journal des ventes
* **sales budget** budget commercial *or* des ventes
* **sales call** *(by a salesman)* visite
* **sales campaign** campagne de vente
* **sales chart** graphique des ventes
* **sales check** *(US)* facture
* **sales conference** réunion de vendeurs *or* de l'équipe de vente
* **sales contract** contrat de vente
* **sales coverage** couverture du marché
* **sales daybook** *(Acc)* journal des ventes, facturier
* **sales department** service commercial, service des ventes
* **sales director** directeur *or* responsable des ventes, chef du service des ventes
* **sales discount** escompte sur ventes
* **sales drive** campagne de vente, animation des ventes
* **sales engineer** technico-commercial, ingénieur commercial
* **sales executive** cadre commercial
* **sales feature** *[product]* point fort
* **sales figures** chiffre d'affaires, chiffre des ventes
* **sales force** force de vente
* **sales forecast** prévisions fpl de vente
* **sales inquiry** *(about product)* demande de renseignements

* **sales leaflet** argumentaire
* **sales ledger** *(Acc)* grand livre des ventes
* **sales literature** *(Pub)* documentation publicitaire
* **sales management** direction commerciale
* **sales manager** directeur *or* chef des ventes
* **sales mix** éventail *or* mix des produits en vente
* **sales network** réseau commercial
* **sales office** agence commerciale
* **sales outlet** point de vente
* **sales outlook** perspectives fpl de vente
* **sales patter** * baratin * commercial
* **sales personnel** équipe *or* personnel de vente
* **sales pitch** * baratin * commercial
* **sales point** argument de vente
* **sales quota** quota de vente
* **sales receipt** ticket de caisse
* **sales receipts** produit des ventes
* **sales records** registres mpl des ventes
* **sales representative** *or* **rep** * représentant *or* voyageur de commerc, VRP
* **sales resistance** résistance à l'achat
* **sales results** chiffre d'affaires, chiffre des ventes
* **sales returns** *(= unsold items)* invendus mpl, retours mpl sur ventes; *(= statistics)* statistiques fpl sur les ventes; *(= revenues)* recettes fpl
* **sales revenue(s)** *[shop]* chiffre d'affaires, recettes fpl de vente; *[company]* chiffre d'affaires, produit(s) des ventes
* **sales slip** ticket de caisse
* **sales talk** baratin * commercial
* **sales target** objectif de vente
* **sales tax** *(on turnover)* impôt sur le chiffre d'affaires *(US : on product)* taxe à l'achat
* **sales techniques** techniques fpl de vente.

---

**SAM** /esɛr'em/ *(US)* **N** abbr of **share appreciation mortgage** → **share.**

**same-day** /'seɪm'deɪ/ **ADJ** qui se fait le jour même ◆ **same-day delivery** livraison dans la journée *or* le jour même ◆ **same-day payment** paiement le jour même.

**sample** /'sɑːmpl/ **N** *(gen)* échantillon m ; *(Stat)* sondage m ◆ **check sample** échantillon-témoin ◆ **free sample** échantillon gratuit ◆ **probability sample** échantillon aléatoire ◆ **random sample** échantillon prélevé au hasard, échantillon aléatoire ◆ **representative sample** échantillon type *or* représentatif ◆ **sale on sample** vente sur échantillon ◆ **stratified sample** échantillon structuré par classes ◆ **true to sample, up to sample** conforme à l'échantillon ◆ **to buy from sample** acheter sur échantillon ◆ **to take a sample** prélever un échantillon ◆ **goods delivered should correspond to sample** les marchandises livrées devraient être

conformes à l'échantillon ◆ **our salesman will visit you with a full range of samples** notre représentant viendra vous voir avec une gamme complète d'échantillons

—— *compounds/composés* ——

* **sample audit** vérification comptable par sondage
* **sample card** carte d'échantillons
* **sample case** mallette *or* coffret d'échantillons
* **sample data** *(Comp)* données fpl d'essai
* **sample drawing** tirage au sort d'échantillon
* **sample mailing** publipostage *or* mailing échantillonné
* **sample mean** moyenne de l'échantillon
* **sample order** commande d'essai
* **sample packet** *(Post)* envoi d'échantillons
* **sample rate** *(Post)* tarif des échantillons
* **sample signature** échantillon de signature
* **sample study** étude témoin
* **sample survey** enquête par sondage
* **sample testing** test par échantillonnage

**VT** **a** *food, wine* goûter **b** *(Stat)* faire une enquête *or* un sondage auprès de, sonder.

**sampler** /'sɑːmpləʳ/ **N** *(= person)* échantillonneur(-euse) m(f) ; *(= collection)* échantillonnage m.

**sampling** /'sɑːmplɪŋ/ **N** **a** *(Stat)* échantillonnage m, sondage m ◆ **acceptance sampling** contrôle de qualité par échantillonnage pour acceptation ◆ **cluster sampling** sondage en grappes ◆ **estimation sampling** échantillonnage par estimation ◆ **random sampling** échantillonnage aléatoire ◆ **sequential sampling** échantillonnage successif *or* séquentiel ◆ **statistical sampling** échantillonnage statistique ◆ **variable sampling** échantillonnage par variables ◆ **market surveys are based on sophisticated sampling** les études de marché sont fondées sur des techniques de sondage élaborées **b** *[product]* échantillonnage m

─────── compounds/composés ───────
◆ **sampling-couponing** échantillonnage-couponnage
◆ **sampling deviation** écart statistique
◆ **sampling error** erreur d'échantillonnage *or* de sondage
◆ **sampling grid** grille d'échantillonnage
◆ **sampling offer** offre d'essai
◆ **sampling technique** technique d'échantillonnage.

**samurai bond** /'sæmʊraɪˌbɒnd/ **N** *obligation libellée en yens émise par des emprunteurs étrangers.*

**sanction** /'sæŋkʃən/ **N** **a** *(= penalty)* sanction f ◆ **economic / trade sanctions** sanctions économiques / commerciales **b** *(= authorization)* sanction f, approbation f ◆ **he gave the project his sanction** il a donné sa sanction *or* son approbation au projet
**VT** *law, conduct* sanctionner, donner son approbation à, approuver ◆ **I couldn't possibly sanction such a project** je ne pourrai jamais approuver un tel projet.

**S and L** /esænd 'el/ *(US)* **N** abbr of **savings and loan association** → **saving.**

**sandwich** /'sænwɪdʒ/ **N** sandwich m ◆ **sandwich board** *(Pub)* panneau publicitaire ◆ **sandwich course** *(Ind, Univ)* formation alternée *alternance de cours théoriques et de stages en entreprise.*

**sanitary** /'sænɪtərɪ/ **ADJ** ◆ **sanitary inspector** inspecteur de l'hygiène publique.

**sanitation** /ˌsænɪ'teɪʃən/ **N** hygiène f.

**San José** /sanxo'se/ **N** San José.

**San Juan** /saŋxwan/ **N** San Juan.

**San Salvador** /sæn'sælvədɔːʳ/ **N** San Salvador.

**Santa Claus** /ˌsæntə'klɔːz/ **N** le père Noël m ◆ **Santa Claus rally** *(St Ex)* rallye de fin d'année.

**Santiago** /ˌsæntɪ'ɑːgəʊ/ **N** Santiago.

**Santo Domingo** /'sæntəʊdə'mɪŋgəʊ/ **N** Saint-Domingue.

**SASE** /ˌeseɪes'iː/ **N** abbr of **self-addressed stamped envelope** → **self.**

**satellite** /'sætəlaɪt/ **N** *(gen, Comp)* satellite m ◆ **communication(s) satellite** satellite de télécommunications

─────── compounds/composés ───────
◆ **satellite computer** *(Comp)* ordinateur satellite
◆ **satellite television** télévision par satellite
◆ **satellite town** ville satellite.

**satisfaction** /ˌsætɪs'fækʃən/ **N** **a** *(= pleasure)* satisfaction f ◆ **consumer satisfaction** satisfaction du consommateur ◆ **job satisfaction** satisfaction professionnelle **b** *[demand]* *(gen)* satisfaction f ; *[creditor]* désintéressement m ; *[debt]* paiement m, acquittement m ; *[obligation]* acquittement m ; *[wrong]* réparation f, dédommagement m ◆ **in full satisfaction** à titre de règlement définitif ◆ **this sum is in satisfaction of all my debts** cette somme est destinée au paiement de toutes mes dettes ◆ **until satisfaction is made** jusqu'à ce que la somme soit payée ◆ **to enter satisfaction** *(Jur)* enregistrer la liquidation d'une dette ◆ **memorandum of satisfaction** *avis de liquidation (totale ou partielle) d'une dette envoyé au registre des hypothèques.*

**satisfied** /'sætɪsfaɪd/ **ADJ** satisfait, content ◆ **the satisfied customer** le consommateur satisfait.

**satisfy** /'sætɪsfaɪ/ **VT** **a** *person* satisfaire, contenter; *demand* satisfaire (à) ◆ **to be satisfied with** être satisfait de ◆ **we cannot satisfy the demand for our new product** nous ne pouvons pas satisfaire à *or* répondre à la demande pour notre nouveau produit **b** *creditor* désintéresser; *debt, obligation* s'acquitter de **c** *(= convince)* convaincre ◆ **I am satisfied that** je suis convaincu que.

**saturate** /'sætʃəreɪt/ **VT** saturer ◆ **the market is saturated** le marché est saturé.

**saturation** /ˌsætʃəˈreɪʃən/ N saturation f ◆ **saturation campaign** *(Mktg)* campagne intensive *or* de saturation ◆ **to reach saturation point** arriver à saturation, être saturé ◆ **market saturation is an increasing risk** la saturation *or* l'engorgement du marché est un risque de plus en plus grand.

**Saturday** /ˈsætədɪ/ N samedi m ◆ **next Saturday, Saturday next** samedi prochain ◆ **last Saturday** samedi dernier ◆ **the first / last Saturday of** *or* **in the month** le premier / dernier samedi du mois ◆ **every other** *or* **second Saturday** un samedi sur deux ◆ **the opening will take place on Saturday May the 16th** l'ouverture aura lieu le samedi 16 mai ◆ **the previous Saturday** le samedi précédent ◆ **the next** *or* **following Saturday** le samedi suivant ◆ **Saturday morning / evening** samedi matin / soir ◆ **a week / two weeks on** *(Brit) or* **from** *(US)* **Saturday** samedi en huit / en quinze.

**Saudi Arabia** /ˈsɔːdɪəˈreɪbɪə/ N Arabie f Saoudite.

**save** /seɪv/ ⓥ ⓐ *(= put aside) money* économiser, mettre de côté ◆ **you can save money every month in a deposit account** on peut mettre de l'argent de côté chaque mois sur un compte de dépôt à terme ⓑ *(= not spend, not use) money, labour* économiser; *time* (faire) gagner ◆ **we must save electricity** il faut économiser l'électricité ◆ **think of all the money you'll save** pensez à tout l'argent que vous économiserez ◆ **time-saving** qui fait gagner du temps ◆ **labour-saving device** appareil qui fait économiser du temps et du travail ⓒ *(Comp)* (= store) *file* sauvegarder
ⓥ épargner, mettre de l'argent de côté, faire des économies ◆ **to save on electricity** économiser l'électricité ◆ **they are saving for a new car** ils mettent de l'argent de côté pour acheter une nouvelle voiture ◆ **propensity to save** propension à épargner
ⓟⓡⓔⓟ sauf, à l'exception de ◆ **save as otherwise provided** sauf dispositions contraires.

**save as you earn** /ˈseɪvæzjuːˈɜːn/ *(Brit)* N *plan d'épargne national par prélèvements mensuels.*

**saver** /ˈseɪvəʳ/ N ⓐ *(= person)* épargnant(e) m(f) ◆ **small savers** petits épargnants ◆ **saver's certificate** *(US) certificat de dépôt d'épargne assorti d'avantages fiscaux* ⓑ *(Comm = bargain)* bonne affaire f ◆ **this week's super saver** l'affaire de la semaine.

**saving** /ˈseɪvɪŋ/ N ⓐ *(= action) [time]* économie f ; *[money]* économie f, épargne f ◆ **saving through investment in securities** épargne mobilière ◆ **compulsory saving** épargne forcée

◆ **corporate / personal saving** épargne des entreprises / des particuliers ◆ **a considerable saving of time** un gain de temps important ⓑ **savings** (= *money saved)* épargne, économies ◆ **small savings** la petite épargne ◆ **to draw on one's savings** puiser dans ses économies ◆ **to invest one's savings** investir ses économies ◆ **business** *or* **corporate savings** épargne des entreprises ◆ **trustee** *(Brit) or* **mutual** *(US)* **savings bank** banque d'épargne coopérative ◆ **National Savings Bank** *(Brit)* Caisse nationale d'épargne ◆ **National Savings Certificate** *(Brit)* bon d'épargne ◆ **savings and loan association** *(US)* caisse d'épargne ⓒ *(Comp)* sauvegarde f ◆ **file saving** sauvegarde de fichier

―――― *compounds/composés* ――――
◆ **saving clause** *(Jur)* clause de sauvegarde, clause restrictive
◆ **saving deposit** dépôt d'épargne
◆ **savings account** compte d'épargne
◆ **savings bank** caisse d'épargne
◆ **savings bond** bon d'épargne
◆ **savings capital** capital-épargne
◆ **savings certificate** bon d'épargne
◆ **savings stamp** timbre-épargne .

**sawbuck** * /ˈsɔːbʌk/ *(US)* N billet m de dix dollars.

**sawmill** /ˈsɔːmɪl/ N scierie f.

**say** /seɪ/ ⓥ dire ◆ **they've said no to our proposal** ils ont dit non à notre proposition ◆ **we shall be saying goodbye to our chairman at the end of the year** notre président nous quittera à la fin de l'année
ⓝ **to have a say / no say in the matter** avoir / ne pas avoir son mot à dire, avoir / ne pas avoir voix au chapitre ◆ **he had the final say** il a eu le dernier mot.

**SAYE** /ˌeseɪwaɪˈaɪ/ *(Brit)* abbr of **save as you earn** → **save as you earn.**

**SBU** /esbiːˈjuː/ N (abbr of **strategic business unit**) DAS m.

**s / c, S.C.** abbr of **self-contained.**

**scab** * /skæb/ N *(pej Ind)* briseur m de grève, jaune m * ◆ **scab labour** les jaunes.

**scale** /skeɪl/ N ⓐ *[map]* échelle f ◆ **on a small / large scale** sur une petite / grande échelle ◆ **a full-scale campaign** une campagne de grande ampleur ◆ **on a worldwide scale** à l'échelle mondiale ◆ **reduced scale** échelle réduite

♦ **economies / diseconomies of scale** économies / déséconomies d'échelle ♦ **small- / large-scale firm** petite / grande entreprise, entreprise de petite / grande taille **b** *[wages, rates]* échelle f, barème m ; *[products]* gamme f ; *[ruler]* graduation f ♦ **sliding wage scale** échelle mobile des salaires ♦ **scale of charges** *(Comm)* tableau des tarifs, barème ♦ **scale of taxation** barème d'imposition ♦ **scale of values** échelle de valeurs ♦ **all workers will be paid on the same scale** tous les ouvriers seront rémunérés au même taux **c** *(= size)* étendue f, ampleur f ♦ **the scale of the disaster** l'ampleur du désastre ♦ **time scale** laps de temps, période

---
*compounds/composés*
---

♦ **scale drawing** dessin à l'échelle
♦ **scale fee** *(Jur)* honoraires mpl fixés d'après un barème
♦ **scale model** maquette, modèle réduit
♦ **scale rate** prix porté sur un barème, prix de barème.

**scale down** /skeɪl/ **VT SEP** *production, investment* diminuer, réduire, ralentir ♦ **scaled-down version** modèle bas de gamme, version allégée.

**scales** /skeɪlz/ **NPL** balance f ♦ **pair of scales** balance ♦ **to tip the scales** faire pencher la balance.

**scale up VT SEP** *prices, production* augmenter ♦ **we are going to scale up the operations over a 3-year period** nous allons monter en charge pendant 3 ans, la montée en charge s'étalera sur 3 ans.

**scaling** /'skeɪlɪŋ/ **N** classification f.

**scalp** * /skælp/ **VI** *(St Ex)* boursicoter.

**scalper** * /'skælpəʳ/ **N** *(St Ex)* spéculateur m sur la journée.

**scam** * /skæm/ **N** escroquerie f, arnaque f *.

**scan** /skæn/ **N** *(Comp)* balayage m, analyse f ♦ **scan area** zone de lecture **VT** **a** *(= glance quickly at)* jeter un coup d'œil sur, parcourir rapidement **b** *(Comp)* screen balayer.

**scanner** /'skænəʳ/ **N** *(Comp)* scanner m, balayeur m ♦ **optical scanner** lecteur optique ♦ **electronic scanner** *(at check-out counter)* scanner, lecteur optique.

**scanning** /'skænɪŋ/ **N** balayage m ♦ **environmental scanning** repérage de l'environnement ♦ **technological scanning** veille technologique.

**scant** /skænt/ **ADJ** insuffisant, peu abondant ♦ **in scant supply** difficile à se procurer.

**scarce** /skɛəs/ **ADJ** *resources* peu abondant, rare ♦ **efficient salesmen are getting scarce** *or* **are in scarce supply** les bons vendeurs se font rares ♦ **scarce commodities** denrées rares.

**scarcity** /'skɛəsɪtɪ/ **N** manque m, pénurie f, rareté f, disette f ♦ **scarcity of oil / raw materials** pénurie de pétrole / de matières premières ♦ **scarcity of skilled labour** pénurie *or* raréfaction de la main-d'œuvre qualifiée ♦ **scarcity effect** effet de rareté ♦ **scarcity value** valeur de rareté.

**scatter** /'skætəʳ/ **VT** *(Comp)* data ventiler, éclater, disperser **N** *(Comp)* ventilation f, éclatement m, dispersion f

---
*compounds/composés*
---

♦ **scatter read** *(Comp)* lecture avec éclatement
♦ **scatter diagram** *(Stat)* diagramme de dispersion.

**schedule** /'ʃedjuːl, 'skedjuːl/ **N** **a** *[trains]* horaire m ; *[events]* calendrier m ; *[work, duties]* programme m, calendrier m ♦ **media** *or* **advertising schedule** plan média ♦ **depreciation schedule** plan *or* tableau d'amortissement ♦ **investment schedule** programme d'investissement ♦ **to be behind / ahead of schedule** *[train]* être en retard / en avance sur l'horaire; *[project]* être en retard / en avance sur le programme prévu ♦ **to fall behind schedule** prendre du retard dans le travail *or* sur le programme ♦ **the board meeting went off according to schedule** la réunion du conseil d'administration s'est déroulée comme prévu *or* conformément au programme prévu ♦ **on schedule** train à l'heure; *project* dans les temps, dans les délais, sans retard sur le programme ♦ **to work to a very tight schedule** avoir un emploi du temps *or* un programme de travail très serré ♦ **to make out a work schedule** établir un plan de travail **b** *(= list)* *[goods, contents]* inventaire m ; *[parts]* nomenclature f ; *[prices]* barème m, liste f ; *(Customs)* tarif m ♦ **schedule of postal charges** barème des tarifs postaux ♦ **railroad schedule** *(US)* indicateur des chemins de fer ♦ **wage schedule** barème des salaires **c** *(Jur)* annexe f ♦ **schedule to a contract** annexe d'un contrat **d** *(Tax)* *(= form)* cédule f, imprimé m de déclaration de revenus par type ♦ **tax schedule** barème d'imposition **e** *(Fin)* *[debts, payments]* échéancier m

**vt** **a** *timetable* établir, programmer; *broadcast* programmer; *train* prévoir sur l'horaire ♦ **he is scheduled to arrive today** son arrivée est prévue pour aujourd'hui ♦ **we have scheduled the week's work** on a établi *or* dressé le plan de travail pour la semaine ♦ **the work was scheduled to allow time for staff development** la répartition *or* l'organisation du travail permettait de dégager des plages horaires pour la formation du personnel ♦ **this train is not scheduled today** ce train ne circule pas aujourd'hui **b** *(Jur)* ajouter en annexe ♦ **scheduled to the balance sheet** porté en annexe au bilan.

**scheduled** /ˈʃedjuːld/ **ADJ** *service, flight* régulier ♦ **scheduled airline** compagnie aérienne assurant des vols réguliers ♦ **scheduled investment** investissements programmés ♦ **scheduled maintenance** entretien périodique ♦ **scheduled prices** prix indiqués *or* tarifaires ♦ **scheduled taxes** impôts cédulaires ♦ **the scheduled territories** les pays de la zone sterling ♦ **to arrive at the scheduled time** arriver à l'heure indiquée *or* prévue.

**scheduler** /ˈʃedjuːləʳ/ **N** programmateur m ♦ **flight scheduler** programmateur de vol.

**schematic** /skɪˈmætɪk/ **ADJ** schématique.

**scheme** /skiːm/ **N** **a** *(= plan)* projet m, plan m ; *(= method)* procédé m ♦ **recovery scheme** plan de redressement ♦ **he's got a scheme for increasing productivity** il a un plan pour accroître la productivité ♦ **the scheme for our new head office** le projet pour notre nouveau siège social **b** *(= arrangement)* arrangement m, combinaison f ♦ **our new colour scheme** notre nouvel assortiment de couleurs, nos nouveaux coloris **c** *(Admin = system)* système m ♦ **health insurance scheme** système d'assurance maladie ♦ **contributory pension scheme** système de retraite par répartition ♦ **non-contributory pension scheme** régime de retraite entièrement financé par l'employeur ♦ **graduated pension scheme** régime de retraite proportionnelle ♦ **incentive scheme** système de stimulants salariaux ♦ **old-age pension scheme** régime de retraite vieillesse ♦ **profit-sharing scheme** système de participation des salariés aux bénéfices de l'entreprise, plan d'intéressement des salariés aux bénéfices de l'entreprise **d** *(Jur)* ♦ **scheme of composition** concordat préventif de faillite **e** **scheme advertising** publicité sur le lieu de vente.

**schilling** /ˈʃɪlɪŋ/ **N** schilling m.

**scholarship** /ˈskɒləʃɪp/ **N** *(= award)* bourse f.

**science** /ˈsaɪəns/ **N** science(s) f(pl) ♦ **ADJ** *equipment* scientifique ♦ **science park** parc scientifique.

**scientific** /ˌsaɪənˈtɪfɪk/ **ADJ** scientifique.

**scoop** /skuːp/ **N** **a** *(Comm)* bénéfice m considérable ♦ **to make a scoop** réussir un gros coup, faire de gros bénéfices **b** *(Press)* reportage m exclusif *or* à sensation, scoop m ♦ **vt** **a** *competitor* devancer, battre, prendre de vitesse ♦ **they scooped their competitors by making a better offer** ils ont pris de vitesse leurs concurrents en faisant une offre plus avantageuse **b** *profit* ramasser*, récolter **c** *market* s'emparer de.

**scope** /skəʊp/ **N** **a** *(= opportunity)* possibilité f, occasion f ♦ **it leaves us plenty of scope** cela nous laisse beaucoup de possibilités ♦ **the job offers considerable scope** le poste offre des perspectives intéressantes ♦ **there is considerable scope for expansion in this sector** ce secteur offre beaucoup de possibilités d'expansion **b** *(= range)* envergure f, portée f, champ m d'action ♦ **economies of scope** économies de champ ♦ **the scope of the function** les contours de la fonction ♦ **scope of application** champ *or* domaine d'application ♦ **it's beyond** *or* **outside my scope** ce n'est pas de mon domaine, cela n'entre pas dans mes compétences ♦ **scope of coverage** *(Ins)* étendue de la garantie ♦ **to act within the scope of the new regulation** agir dans le cadre de la nouvelle réglementation ♦ **to extend the scope of one's activities** élargir le champ de ses activités *or* étendre son rayon d'action ♦ **to extend the scope of the powers of a committee** élargir le cadre des attributions d'un comité **c** *(Jur)* ressort m ♦ **matters within the scope of** questions qui sont du ressort de.

**score** /skɔːʳ/ **N** **a** *(Sport)* score m, marque f **b** *(= twenty)* vingt, une vingtaine **c** *(= subject)* question f, point m, titre m ♦ **on that score** à cet égard, à ce titre, sur ce point ♦ **you are right on that score** vous avez raison sur ce point **d** *(= debt)* compte m, dette f ♦ **to settle old scores** régler des comptes ♦ **vt** marquer ♦ **they've scored a bull's-eye with this new product** ils ont tapé dans le mille avec ce nouveau produit ♦ **vi** marquer des points ♦ **our agent scored again with another huge contract** notre représentant s'est à nouveau distingué en obtenant un autre gros contrat ♦ **that is where he scores over his colleagues** c'est là où il l'emporte sur ses collègues.

**scoreboard** /'skɔːbɔːd/ N tableau m d'affichage ◆ **corporate scoreboard** tableau de bord de l'entreprise.

**score off, score out** VT SEP rayer, barrer, biffer.

**scoring** /'skɔːrɪŋ/ N marquage m des points ◆ **scoring sheet** feuille d'analyse.

**Scot** /skɒt/ N (= inhabitant) Écossais(e) m(f) ◆ **the Scots** les Écossais.

**Scotch** /skɒtʃ/ ADJ écossais.

**scotch** /skɒtʃ/ VT rumour étouffer; project faire échouer.

**Scotland** /'skɒtlənd/ N Écosse f.

**Scots** /skɒts/ N (= language) écossais ◆ ADJ écossais.

**Scotsman** /'skɒtsmən/ N Écossais m.

**Scotswoman** /'skɒtswʊmən/ N Écossaise f.

**Scottish** /'skɒtɪʃ/ ADJ écossais.

**scramble** /'skræmbl/ VI **to scramble for sth** se disputer qch, se battre pour obtenir qch ◆ **job-seekers were scrambling for work** les demandeurs d'emploi se démenaient pour obtenir du travail ◆ VT (Telec, fig) brouiller ◆ **scrambled data** données cryptées.

**scrap** /skræp/ N a (= discarded metal) ferraille f ; (Ind) rebut m ; (= waste material) déchets mpl ◆ **to sell sth for scrap** vendre qch à la casse ◆ **what is it worth as scrap?** qu'est-ce que cela vaudrait à la casse? b (= small piece) bout m, fragment m ◆ **I could only catch scraps of their conversation** je n'ai pu saisir que des bribes de leur conversation ◆ **there isn't a scrap of evidence** il n'y a pas la moindre preuve

─── compounds/composés ───

◆ **scrap dealer** ferrailleur, casseur
◆ **scrap heap** tas de ferraille ◆ **to throw on the scrap heap** mettre à la ferraille or à la casse or au rebut
◆ **scrap metal** or **iron** ferraille
◆ **scrap merchant** ferrailleur
◆ **scrap paper** brouillon
◆ **scrap rate** taux de rebut
◆ **scrap value** valeur à la casse
◆ **scrap yard** (gen) chantier de ferraille; (for cars) casse, cimetière de voitures

VT a car mettre à la ferraille or à la casse or au rebut ◆ **the shipowners decided to scrap the old freighter** les armateurs ont décidé d'envoyer à la casse le vieux cargo b project abandonner, laisser tomber*, mettre au ran-

cart* ◆ **they scrapped the deal after 10 days' hard bargaining** ils ont abandonné or laissé tomber l'affaire après 10 jours d'âpres discussions.

**scrape along** /skreɪp/ VI se débrouiller ◆ **they scraped along for a year before seeking new finance** ils ont vivoté or ils se sont débrouillés tant bien que mal pendant un an avant de chercher un nouveau financement.

**scrape through** VI s'en tirer de justesse.

**scrape together, scrape up** VT SEP money amasser à grand-peine ◆ **they scraped up the necessary funds** ils ont péniblement réuni les fonds nécessaires.

**scrappage** /'skræpɪdʒ/ N (Ind) rebuts mpl.

**scratch** /skrætʃ/ N **to start from scratch** partir de zéro ◆ **to be up to scratch** se montrer à la hauteur ◆ **to bring up to scratch** amener au niveau requis

─── compounds/composés ───

◆ **scratch area** (Comp) zone de manœuvre
◆ **scratch date** date de péremption or d'expiration
◆ **scratch file** (Comp) fichier de manœuvre or de vidage
◆ **scratch majority** majorité de rechange
◆ **scratch pad** bloc-notes
◆ **scratch storage** (Comp) mémoire de manœuvre
◆ **scratch tape** (Comp) bande de manœuvre

VT (= cancel) meeting annuler.

**scratch out** VT (= delete) rayer, effacer.

**screamer** * /'skriːmər/ N (Press = headline) énorme manchette f.

**screamline** * /'skriːmlaɪn/ VT [newspaper] titrer en gros caractères.

**screen** /skriːn/ N écran m ◆ **protective** or **safety screen** écran de sécurité ◆ **touch / tilt screen** (Comp) écran tactile / orientable ◆ **to split the screen** (Comp) fractionner l'écran ◆ **split screen** écran fractionné

─── compounds/composés ───

◆ **screen advertising** publicité cinématographique
◆ **screen-based automated dealing** transaction automatisée sur écran
◆ **screen rights** droits mpl d'adaptation à l'écran
◆ **screen test** bout d'essai, essai filmé
◆ **screen traders** (St Ex) opérateurs (travaillant) sur écran

**vt** **a** *(Cine, TV)* projeter **b** *(= select) candidates* (pré)sélectionner, trier, filtrer ✦ **to screen sb for a job** passer au crible la candidature de qn ✦ **the candidates were carefully screened** les candidats ont été passés au crible **c** *(= hide)* masquer, cacher.

**screening** /'skri:nɪŋ/ N **a** *(= selection)* tri m, procédure f de sélection sur dossier, filtrage m, présélection f **b** *(Cine, TV)* projection f

--- compounds/composés ---
✦ **screening board** jury de présélection
✦ **screening process** présélection.

**screen out** vt sep *candidate* éliminer à la présélection.

**screw** /skru:/ **N** vis f ✦ **to put screws on public spending** donner un tour de vis aux dépenses publiques
**vt** **to screw information out of sb** arracher or soutirer des renseignements à qn.

**screw up** \* vt sep *(= spoil) deal, arrangements* foutre\* en l'air, bousiller\* ✦ **we screwed (it) up** on s'est planté.

**scrimp** /skrɪmp/ vi lésiner *(on* sur)

**scrip** /skrɪp/ N *(St Ex)* titre m ; *(temporary)* certificat m provisoire ✦ **debenture scrip** certificat d'obligation ✦ **registered scrip** titre nominatif

--- compounds/composés ---
✦ **scrip certificate** certificat de titre provisoire
✦ **scrip dividend** dividende différé
✦ **scrip issue** émission d'actions gratuites ✦ **one-for-two scrip issue** émission d'une action gratuite pour deux anciennes.

**scripholder** /'skrɪphəʊldər/ N détenteur (-trice) m(f) de titres (provisoires).

**scroll** /skrəʊl/ vt *(Comp) screen* dérouler, faire défiler ✦ **to scroll up / down** faire défiler vers le haut / le bas.

**scrolling** /'skrəʊlɪŋ/ N *(Comp)* défilement m ✦ **horizontal / vertical scrolling** défilement horizontal / vertical.

**scrutinize, scrutinise** /'skru:tɪnaɪz/ vt *project, accounts* examiner minutieusement or en détail, passer à la loupe or au peigne fin.

**scrutiny** /'skru:tɪnɪ/ N examen m minutieux or détaillé ✦ **it doesn't stand up to scrutiny** ça ne résiste pas à l'analyse or à l'examen.

**scupper** \* /'skʌpər/ *(Brit)* vt *plan, effort, agreement* saboter.

**scuttle** /'skʌtl/ vt *ship* saborder; *plans* faire échouer.

**sd** abbr of **signed**.

**SD** /es'di:/ N abbr of **short delivery** → **short**.

**SDRs** /esdi:'ɑːz/ NPL (abbr of **special drawing rights**) DTS mpl.

**S / E, SE** /es'i:/ N abbr of **stock exchange** → **stock**.

**SEA** /ˌesi:'eɪ/ N (abbr of **Single European Act**) AUE m.

**sea** /si:/ N mer f ✦ **by sea** par mer, par bateau ✦ **to put out to sea** prendre la mer

--- compounds/composés ---
✦ **sea captain** capitaine de la marine marchande
✦ **sea carriage** transport maritime or par mer
✦ **sea carrier** messageries fpl maritimes
✦ **sea change** *[policies, attitudes]* profond changement *(in* de)
✦ **sea damage** fortune de mer
✦ **sea-going trade** commerce maritime
✦ **sea insurance** assurance maritime
✦ **sea law** droit maritime
✦ **sea letter** permis de navigation
✦ **sea port** port de mer
✦ **sea risks** risques mpl de mer
✦ **sea route** route maritime
✦ **sea transport** transport maritime or par mer.

**seaborne** /'si:bɔːn/ ADJ *goods* transporté par mer; *trade* maritime.

**seafaring** /'si:feərɪŋ/ ADJ *nation* de marins.

**seafarming** /'si:fɑːmɪŋ/ N aquaculture f, aquiculture f.

**seal** /si:l/ **N** *(= stamping device) (on document)* cachet m, sceau m ; *(Jur)* scellés mpl ✦ **corporate seal** cachet de la société ✦ **to affix a seal** apposer un cachet *(on* à) **to remove seals** *(Jur)* lever or ôter les scellés ✦ **to put** or **set one's seal to sth** apposer son sceau or son cachet à qch ✦ **seals breaking** rupture de scellés ✦ **seal of quality** label de qualité ✦ **under private seal** sous seing privé ✦ **customs seal** plomb de douane ✦ **lead seal** *(on package)* plomb
**vt** **a** *(= stamp)* apposer un sceau or un cachet à; *(= close)* sceller, cacheter; *(Customs) goods* plomber ✦ **sealed tender** or **bid** soumission cachetée **b** *(= decide)* décider ✦ **to seal a deal** conclure une affaire.

**seal in** vt sep enfermer hermétiquement ✦ **our new blister-pack seals in the freshness** notre emballage-bulle conserve toute la fraîcheur.

**sealing wax** /'si:lɪŋˌwæks/ N cire f à cacheter.

**seal off** vt sep *building* interdire l'accès de ✦ **the power station was sealed off by the police** la police avait isolé la centrale électrique, un cordon de police barrait l'accès à la centrale électrique.

**search** /sɜːtʃ/ **N** **a** (gen, Comp) recherche f ◆ **the search for new ideas** la recherche or la quête de nouvelles idées ◆ **to be in search of sth** être à la recherche de qch **b** [drawer, pocket, luggage] fouille f ◆ **the suspect was submitted to a search** le suspect a été soumis à une fouille **c** (Admin, Jur) [building] perquisition f, visite f ◆ **right of search** droit de visite ◆ **house search** visite domiciliaire ◆ **search and seizure** perquisition et saisie

―――――――――― compounds/composés ――――――――――
◆ **search engine** (Comp) moteur de recherche
◆ **search time** (Comp) temps de recherche
◆ **search warrant** (Jur) mandat de perquisition

**VT** **a** (= examine) fouiller, inspecter, visiter ◆ **the customs officers searched the ship** les douaniers ont visité le navire **b** (Jur) house opérer une perquisition dans **c** (Comp) rechercher ◆ **to search a file for sth** rechercher qch dans un fichier.

**searching** /sɜːtʃɪŋ/ **ADJ** study, report minutieux, rigoureux.

**search out** **VT** découvrir en cherchant.

**season** /ˈsiːzn/ **N** saison f ◆ **busy** or **high season** pleine or haute saison ◆ **low** or **slack season**, **off-season** basse saison, morte-saison ◆ **the start of the season** le début de la saison ◆ **in season** en saison ◆ **end-of-season sale** soldes de fin de saison ◆ **the season is in full swing** or **at its height** la saison bat son plein

―――――――――― compounds/composés ――――――――――
◆ **season ticket** carte d'abonnement ◆ **season ticket holder** abonné.

**seasonal** /ˈsiːzənl/ **ADJ** industry, worker, variations saisonnier ◆ **seasonal adjustment** correction des variations saisonnières, désaisonnalisation (in de) **seasonal swings** variations saisonnières ◆ **the seasonal nature of our business is a problem** le caractère saisonnier or la saisonnalité de notre activité est un problème.

**seasonality** /ˌsiːzəˈnælɪtɪ/ **N** saisonnalité f, caractère m saisonnier.

**seasonally** /ˈsiːzənlɪ/ **ADV** ◆ **seasonally adjusted** unemployment figures corrigé des variations saisonnières, désaisonnalisé.

**seasoned** /ˈsiːznd/ **ADJ** worker chevronné, expérimenté ◆ **seasoned security** / **bond** valeur / obligation ayant fait ses preuves (émise depuis au moins 3 mois).

**seaway** /ˈsiːweɪ/ **N** route f maritime.

**seaworthiness** /ˈsiːwɜːðɪnɪs/ **N** état m de navigabilité.

**seaworthy** /ˈsiːwɜːðɪ/ **ADJ** ship en bon état de navigabilité; goods qui résiste au transport par mer ◆ **seaworthy packing** emballage maritime.

**SEC** /esiːˈsiː/ (US) **N** (abbr of **Securities and Exchange Commission**) AMF f.

**second** /ˈsekənd/ **ADJ** second, deuxième ◆ **second best** de second ordre, de qualité inférieure, de second choix ◆ **second debenture** obligation de deuxième rang ◆ **second endorser** (Fin) tiers porteur ◆ **second lien** hypothèque mobilière de deuxième rang ◆ **second-line stock** (St Ex) titres de second rang ◆ **second mortgage** hypothèque de deuxième rang ◆ **to give sb a second chance** donner une deuxième chance à qn ◆ **second trial balance** balance d'inventaire ◆ **in the second place** deuxièmement, en second lieu ◆ **second to none** sans pareil, inégalable ◆ **to have second thoughts about sth** changer d'avis à propos de qch ◆ **on second thoughts** réflexion faite

**N** **a** (= time) seconde f **b** (Fin) ◆ **second of exchange**, second via deuxième de change **c** (Comm) ◆ **seconds** articles de second choix (comportant des défauts)

**VT** **a** (= support) (gen) seconder, soutenir; (in debate) motion soutenir, appuyer ◆ **will anyone second this motion?** quelqu'un appuie-t-il cette proposition? **b** (Admin) détacher, affecter provisoirement à ◆ **since he's on sick leave, someone will have to be seconded from your department** il faudra détacher quelqu'un de votre service puisqu'il est en congé de maladie.

**secondary** /ˈsekəndərɪ/ **ADJ** (= in second place) secondaire; (= minor) secondaire, accessoire ◆ **secondary audience** audience secondaire ◆ **secondary bank** société de crédit or de prêts (à la consommation) ◆ **secondary banking** octroi de crédits à la consommation ◆ **secondary boycott** boycottage de soutien ◆ **secondary claim** créance de deuxième rang ◆ **secondary creditor** créancier de deuxième rang ◆ **secondary distribution** (St Ex) revente de titres par un gros porteur ◆ **secondary employment** travail non déclaré or au noir* ◆ **secondary income** revenus accessoires ◆ **secondary industry** le (secteur) secondaire ◆ **secondary market** (St Ex) marché secondaire ◆ **secondary offer-**

**ing** *(St Ex)* revente de titres par un gros détenteur *(institutionnel)* ♦ **secondary picketing** *mise en place de piquets de grève de solidarité* ♦ **secondary production** le (secteur) secondaire ♦ **secondary reserves** *(Bank)* réserves secondaires.

**second-class** /ˈsekəndˈklɑːs/ ADJ *(gen)* de deuxième classe; *(pej) goods* de qualité inférieure, de second choix *or* ordre ♦ **second-class mail** *(Brit)* courrier à tarif réduit ♦ **second-class paper** *(Fin)* effet commercial n'offrant pas toutes les garanties ♦ **second-class citizen** citoyen de seconde zone.

**seconder** /ˈsekəndəʳ/ N *(in debate)* personne f en faveur d'une motion ♦ **to be the seconder of a motion** appuyer une motion.

**second-grade** /ˈsekəndˌɡreɪd/ ADJ de qualité inférieure, de second choix *or* ordre.

**second-half** /ˈsekəndˌhɑːf/ ADJ *(Fin) profits* du deuxième semestre.

**second-hand** /ˈsekəndˌhænd/ ADJ d'occasion, de deuxième main ♦ **second-hand car market** marché de la voiture d'occasion ♦ **second-hand dealer** revendeur, brocanteur, marchand d'occasion ♦ **second-hand shop** magasin de brocante, brocanteur ♦ **the second-hand market** le marché de la revente *or* de l'occasion.

**secondly** /ˈsekəndlɪ/ ADV deuxièmement, en second lieu.

**secondment** /sɪˈkɒndmənt/ N *[employee]* détachement m, affectation f provisoire ♦ **on secondment abroad** en détachement *or* en mission à l'étranger.

**second-rate** /ˈsekəndˌreɪt/ ADJ de qualité inférieure, de second choix *or* ordre ♦ **second-rate stock** *(Fin)* titre de second ordre.

**secrecy** /ˈsiːkrəsɪ/ N secret m ♦ **breach of secrecy** violation du secret.

**secret** /ˈsiːkrɪt/ ADJ secret ♦ **secret ballot** scrutin secret ♦ **secret partner** bailleur de fonds ♦ **secret payment** rémunération occulte ♦ **secret reserve** fonds occultes, caisse noire.

**secretarial** /ˌsekrəˈtɛərɪəl/ ADJ de secrétariat, de secrétaire ♦ **secretarial skills** compétences en matière de secrétariat.

**secretariat** /ˌsekrəˈtɛərɪət/ N secrétariat m.

**secretary** /ˈsekrətrɪ/ N **a** *(in office)* secrétaire mf ♦ **company secretary** secrétaire général ♦ **deputy secretary** secrétaire adjoint ♦ **executive secretary** secrétaire de direction ♦ **personal** *or* **private secretary** secrétaire particulier ♦ **professional secretary** assistant de direction

♦ **reporting secretary** secrétaire de séance **b** *(Pol)* ♦ **secretary of state** *(Brit)* ministre *(of, for* de) *(US)* secrétaire d'État    ministre des Affaires étrangères ♦ **secretary-general** secrétaire général.

**secrete** /sɪˈkriːt/ VT *(Jur)* receler, recéler.

**secretion** /sɪˈkriːʃən/ N *(Jur)* recel m.

**section** /ˈsekʃən/ N *(= part) (gen)* section f, partie f ; *[text, document]* section f, article m, paragraphe m ; *[industry]* secteur m ; *[town]* secteur m, quartier m ♦ **all sections of the population** toutes les catégories sociales ♦ **the economic section** *[newspaper]* les pages financières ♦ **the mining section** *(St Ex)* le secteur minier ♦ **input / output section** *(Comp)* zone d'entrée / de sortie ♦ **the legal section** *(gen)* le service juridique; *(Press)* les pages juridiques.

**sectional** /ˈsekʃənl/ ADJ appartenant à une classe, catégoriel ♦ **sectional claims** revendications catégorielles ♦ **sectional ledger** grand livre fractionnaire.

**sector** /ˈsektəʳ/ N secteur m ♦ **the corporate sector** le secteur de l'entreprise ♦ **public / private sector** secteur public / privé ♦ **primary / secondary / tertiary sector** secteur primaire / secondaire / tertaire ♦ **sector chart** graphique sectoriel.

**sectoral** /ˈsektərəl/ ADJ *(Econ)* sectoriel.

**secular** /ˈsekjʊləʳ/ ADJ séculier ♦ **secular stagnation** stagnation de longue durée ♦ **secular trend** tendance à long terme, tendance séculaire.

**secunda via** /sɪˈkʊndəˈviːə/ N deuxième f de change.

**secure** /sɪˈkjʊəʳ/ ADJ **a** *(= safe)* sûr ♦ **secure investments** placements de père de famille *or* de tout repos **b** *(= stable)* assuré, garanti ♦ **secure job** emploi assuré *or* stable
VT **a** *(= obtain) (gen)* se procurer, obtenir, s'assurer; *contract, order* obtenir **b** *(= make safe)* garantir, nantir ♦ **to secure a debt by mortgage** garantir une créance par une hypothèque ♦ **to secure a loan** garantir un emprunt ♦ **the loan is secured on their business** leur entreprise sert de garantie *or* de nantissement à l'emprunt **c** *(= fix)* assurer, fixer, attacher.

**secured** /sɪˈkjʊəd/ ADJ *loan* garanti, gagé, nanti; *debt, bond* garanti; *access* sécurisé ♦ **secured loan** prêt garanti ♦ **secured call loan** prêt à très court terme contre effets ♦ **secured creditor** créancier nanti *or* privilégié ♦ **secured debenture** *or* **liability** obligation garantie.

**securities** /sɪˈkjʊərɪtɪz/ **NPL** (= investments) valeurs fpl, titres mpl ♦ **bearer securities** titres au porteur ♦ **dated securities** titres à échéance fixe ♦ **failed securities** titres impayés ♦ **fixed-yield securities** valeurs à revenu fixe ♦ **gilt-edged securities** (= government-issued stock) fonds or titres d'État; (= securities of the highest class) valeurs de premier ordre, valeurs de tout repos or de père de famille ♦ **government securities** fonds or titres d'État ♦ **quoted** or **listed securities** titres cotés en Bourse, valeurs admises à la cote officielle ♦ **unlisted** or **unquoted** or **unlimited securities** valeurs non admises à la cote officielle, valeurs du marché hors-cote ♦ **short-** / **medium-** / **long-dated securities** valeurs à courte / moyenne / longue échéance ♦ **marketable securities** titres de placement négociables en Bourse ♦ **negotiable** or **transferable securities** titres cessibles or négociables or transférables ♦ **outside securities** titres non cotés au marché officiel, valeurs de coulisse ♦ **redeemable securities** valeurs remboursables or rachetables ♦ **registered securities** titres nominatifs ♦ **trustee securities** (Brit) titres qui doivent entrer obligatoirement dans la composition du portefeuille d'une société de placement

—————— compounds/composés ——————
♦ **securities account** compte-titres
♦ **securities analyst** analyste financier
♦ **securities cover** couverture-titres
♦ **securities department** service des titres
♦ **Securities and Exchange Commission** (US) Commission des opérations de Bourse
♦ **securities firm** or **house** maison de titres
♦ **securities investment account** compte (de) titres
♦ **Securities and Investment Board** (Brit) Commission des opérations de Bourse
♦ **securities ledger** registre des valeurs
♦ **securities market** marché boursier or des valeurs mobilières, Bourse des valeurs ♦ **unlisted securities market** second marché
♦ **securities portfolio** portefeuille de valeurs or de titres
♦ **securities tax** impôt sur le revenu des valeurs mobilières
♦ **securities trust** société de placement.

**securitization, securitisation** /sɪˌkjʊərɪtaɪˈzeɪʃən/ **N** (Fin) titrisation f.

**securitize, securitise** /sɪˈkjʊərɪtaɪz/ **VT** loan titriser.

**security** /sɪˈkjʊərɪtɪ/ **N** **a** (Admin, Ind) sécurité f ♦ **job security** sécurité de l'emploi ♦ **Social Security** (Brit) Sécurité sociale ♦ **security of tenure** [tenant] bail assuré, garantie de rester dans les lieux; [worker] stabilité d'emploi

**b** (= money as guarantee for loan) caution f, garantie f, gage m, nantissement m, cautionnement m ♦ **security in cash** cautionnement en numéraire ♦ **advance against security** avance sur nantissement ♦ **collateral security** nantissement ♦ **dead security** garantie irrécouvrable ♦ **joint security** caution solidaire ♦ **government security** valeur émise par l'État ♦ **to give a security** fournir une caution or une garantie ♦ **to lend on security** prêter sur gage ♦ **to lodge stock as security** déposer des titres en nantissement ♦ **to obtain security** prendre des garanties ♦ **security for costs** (Jur) caution judiciaire **c** (= person guaranteeing loan) répondant(e) m(f), donneur m de caution, garant m, accréditeur m, donneur m d'aval ♦ **to stand security for** loan se porter garant de, avaliser; signature, debt avaliser

—————— compounds/composés ——————
♦ **security deposit** dépôt de garantie
♦ **security dollar** dollar titre
♦ **security guard** (gen) garde; (Fin) convoyeur de fonds
♦ **security holdings** titres mpl en portefeuille, portefeuille (de) titres
♦ **security margin** marge de sécurité
♦ **security market** marché des valeurs
♦ **security measures** mesures fpl de sécurité
♦ **security police** services mpl de sécurité
♦ **security risk** personne susceptible de compromettre la sécurité d'une organisation ♦ **he's considered a security risk** on considère qu'il constitue un risque.

**secy** abbr of **secretary.**

**seed money** /ˈsiːdmʌnɪ/ **N** investissement m initial, capital m de départ.

**seek** /siːk/ **VT** chercher, rechercher ♦ **to seek advice** demander conseil ♦ **seek address** / **time** (Comp) adresse / temps de recherche.

**seep out** /siːp/ **VI** [information] transpirer.

**seepage** /ˈsiːpɪdʒ/ **N** [water] infiltration f, déperdition f.

**see-safe** /ˈsiːseɪf/ **N** vente f avec reprise des invendus.

**seesaw** /ˈsiːsɔː/ **VI** évoluer en dents de scie, osciller.

**segment** /ˈsegmənt/ **N** secteur m, segment m, portion f ♦ **industrial segment** secteur industriel, branche d'une activité industrielle
**VT** market segmenter ♦ **to segment a programme** (Comp) segmenter or fractionner un programme.

**segmentation** /ˌsegmənˈteɪʃən/ **N** segmentation f ♦ **market segmentation** segmentation du marché.

**segregated** /'segrɪgeɪtɪd/ ADJ ◆ **segregated appropriation** affectation à des fins spéciales.

**segregation** /ˌsegrɪ'geɪʃən/ N (= *separating*) ségrégation f ; (= *allocation of funds*) affectation f à des fins spéciales.

**seize** /siːz/ VT  **a** (*gen*) saisir ◆ **to seize the opportunity** saisir l'occasion  **b** (*Jur*) saisir, confisquer ◆ **the goods were seized** les marchandises ont été saisies.

**seize up** VI [*engine*] se bloquer, se gripper, ne pas tourner rond.

**seizure** /'siːʒəʳ/ N [*goods, property*] saisie f ◆ **seizure and forfeiture** saisie et confiscation ◆ **seizure for security** saisie conservatoire ◆ **seizure of chattels** saisie des biens et effets ◆ **seizure of movable property** saisie mobilière ◆ **seizure of smuggled goods** saisie en douane, saisie des marchandises passées en fraude *or* de contrebande ◆ **seizure under a prior claim** saisie-revendication.

**select** /sɪ'lekt/  ADJ  *audience* choisi; *club* fermé ◆ **select committee** (*Brit Pol*) commission d'enquête ◆ **a select few** quelques privilégiés  VT  choisir, sélectionner ◆ **selected wines** vins de premier choix *or* sélectionnés.

**selection** /sɪ'lekʃən/ N    sélection f, choix m ◆ **promoted by selection** promu au choix ◆ **the shop has a fine selection of fruit** la boutique offre un excellent choix de fruits

— *compounds/composés* —

◆ **selection board** *or* **committee** comité de sélection
◆ **selection check** (*Comp*) contrôle de sélection
◆ **selection interview** interview de sélection.

**selective** /sɪ'lektɪv/ ADJ *tax, control* sélectif ◆ **with so many job-seekers around, employers can afford to be selective** vu le nombre des demandeurs d'emploi les employeurs peuvent se permettre d'être difficiles ◆ **selective benefits** allocations accordées selon le niveau des revenus ◆ **selective calling** (*Comp*) appel sélectif ◆ **selective digit emitter** distributeur ◆ **selective selling** distribution sélective.

**selectivity** /ˌsɪlek'tɪvɪtɪ/ N sélectivité f.

**selector** /sɪ'lektəʳ/ N (*Comp*) sélecteur m ◆ **selector channel** canal m sélecteur.

**self** /self/ N (*Fin*) moi-même ◆ **pay self** (*written on cheque*) payez à l'ordre de moi-même

**sell** /sel/  N  **a** vente f ◆ **hard / soft sell** vente agressive / discrète  **b** (* = *trick*) attrape-ni-

— *compounds/composés* —

SELF

◆ **self-addressed stamped envelope** enveloppe timbrée libellée à votre adresse
◆ **self-assessment** auto-évaluation
◆ **self-balancing ledger** *grand livre avec possibilité d'auto-vérification des comptes*
◆ **self-checking code** code détecteur d'erreur, code d'auto-vérification
◆ **self-contained** (*Brit*) *flat* indépendant
◆ **self-educated** autodidacte
◆ **self-employed** indépendant, qui travaille à son compte ◆ **the self-employed enjoy certain tax benefits** les travailleurs indépendants jouissent de certains avantages fiscaux
◆ **self-financing** autofinancement ◆ **self-financing ratio** ratio d'autofinancement ◆ **it is hoped that the project will shortly be self-financing** on espère que le projet pourra bientôt s'autofinancer
◆ **self-help** auto-assistance
◆ **self-insurance** propre assurance, auto-assurance ◆ **self-insurance reserve** fonds *or* réserve *or* provision de propre assureur
◆ **self-learning process** (*Comp*) processus d'apprentissage
◆ **self-liquidation** [*loan*] auto-amortissement
◆ **self-liquidating loan** emprunt auto-amortissable
◆ **self-liquidating offer** offre auto-payante

◆ **self-loading** autochargeable
◆ **self-locking** à fermeture automatique
◆ **self-made** *person* qui a réussi tout seul ◆ **he's a self-made man** il s'est fait tout seul, c'est un self-made man
◆ **self-managed** autogéré
◆ **self-managing** *team* autogéré
◆ **self-regulatory** *body* autonome ◆ **self-regulatory organization** organisme autonome *or* auto-réglementé
◆ **self-restraint** retenue
◆ **self-seal** *envelope* autocollant, auto-adhésif
◆ **self-service** libre-service, self-service ◆ **the canteen has been made self-service** la cantine fonctionne maintenant en libre-service ◆ **self-service store** magasin (en) libre-service ◆ **self-service garage** garage en libre-service *or* en self-service
◆ **self-starter** personne qui prend des initiatives
◆ **self-sufficiency** indépendance économique, autarcie
◆ **self-sufficient** économiquement indépendant, autosuffisant
◆ **self-supporting** *person* indépendant, qui suffit à ses besoins; *project* qui couvre ses propres frais
◆ **self-taught** autodidacte
◆ **self-triggered program** (*Comp*) programme à lancement automatique.

gaud m * ◆ **what a sell!** on s'est fait avoir!*, quelle arnaque!* **c** *(St Ex)* **sell order** ordre de vente

**VT** **a** vendre, écouler ◆ **to be sold** *(on sign)* à vendre ◆ **to sell a bear, sell short** *(St Ex)* vendre à découvert ◆ **to sell spot** *(St Ex)* vendre au comptant ◆ **to sell afloat** vendre en cargaison flottante ◆ **to sell in bulk** vendre en vrac *or* en gros ◆ **to sell at a loss** vendre à perte ◆ **to sell by** *or* **at auction** vendre aux enchères ◆ **to sell retail / wholesale** vendre au détail / en gros ◆ **to sell for cash** vendre au comptant ◆ **to sell for delivery** vendre à couvert ◆ **to sell for the account** *or* **settlement, sell forward** vendre à terme ◆ **to sell on approval** vendre sur qualité vue *or* sur acceptation ◆ **to sell on commission** vendre à la commission ◆ **to sell on credit** *or* **trust** vendre à crédit ◆ **to sell on steaming terms** vendre sous voiles ◆ **to sell privately** vendre en privé *or* à l'amiable ◆ **to sell to arrive** vendre à l'heureuse arrivée ◆ **to sell sth for $2** vendre qch 2 dollars ◆ **it's advertising that sells this item** c'est la publicité qui fait vendre cet article ◆ **difficult / easy to sell** de vente *or* d'écoulement difficile / facile **b** *(\* = put across)* **idea** vendre, faire accepter, faire passer ◆ **he knows how to sell himself** il sait se mettre en valeur *or* se faire valoir *or* se vendre ◆ **to be sold on an idea** être emballé par une idée **c** *(\* = cheat)* tromper, duper, avoir\* ◆ **we've been sold on s'est fait avoir\***

**VI** se vendre ◆ **these shirts sell at** *or* **for €15 each** ces chemises se vendent 15 euros pièce ◆ **that line doesn't sell** cet article se vend mal ◆ **this book sells well** ce livre se vend bien.

**sell back** VT SEP revendre.

**sell-by date** /'selbaɪˌdeɪt/ N date f limite de vente.

**seller** /'selə<sup>r</sup>/ N **a** *(= person)* vendeur(-euse) m(f) ◆ **seller of a call option / put option** *(St Ex)* vendeur d'une option d'achat / d'une option de vente ◆ **seller's market** marché favorable aux vendeurs, marché vendeur ◆ **seller's option** prime pour livrer ◆ **seller's option to double** doublé à la baisse, faculté de livrer double ◆ **sellers over** cours vendeurs réduits ◆ **there were sellers over in the market** les vendeurs étaient en majorité *or* il y avait peu d'acheteurs sur le marché ◆ **bear seller** vendeur à découvert **b** *(= article)* article m en vente ◆ **bad** *or* **slow seller** article qui se vend mal.

**sell in** VI vendre au distributeur.

**selling** /'selɪŋ/ N vente f ◆ **direct selling** vente directe ◆ **hard / soft selling** vente agressive /

discrète ◆ **forced selling** *(St Ex)* vente forcée ◆ **pyramid selling** vente pyramidale ◆ **inertia selling** vente forcée par correspondance

———— compounds/composés ————
◆ **selling agent** dépositaire
◆ **selling area** zone de chalandise
◆ **selling costs** frais mpl commerciaux *or* de vente
◆ **selling group** *(St Ex)* syndicat de vente *(pour placer une nouvelle émission de titres)*
◆ **selling-in** vente aux distributeurs
◆ **selling-out** vente aux consommateurs *(par le distributeur)* ◆ **selling-out against a buyer** re-vente de titres *(d'un acheteur défaillant)*
◆ **selling point** argument de vente
◆ **selling price** prix de vente
◆ **selling proposition** argument de vente ◆ **unique selling proposition** offre exclusive *or* spéciale
◆ **selling rate** cours vendeur
◆ **selling space** espace de vente.

**selloff** /'selɒf/ N dégagement m.

**sell off** VT SEP **goods** solder, liquider, brader; **business** liquider, se débarrasser de, se défaire de, revendre ◆ **he sold off the business to his son-in-law** il a vendu l'entreprise à bas prix à son gendre ◆ **to sell off the old models** solder les anciens modèles.

**sellout** /'selaʊt/ N **a** *(= commercial success)* vente f totale ◆ **it was a sellout** nous avons absolument tout vendu ◆ **our new colours were a sellout** notre nouvel assortiment de couleurs s'est vendu merveilleusement **b** *(= betrayal)* trahison f ◆ **a sellout to the farm lobby** une capitulation devant le groupe de pression agricole.

**sell out** **VT SEP** **a** *(= dispose of all one's stock)* vendre tout son stock ◆ **the new model is already sold out** notre nouveau modèle est déjà épuisé ◆ **we're sold out of jackets in your size** nous n'avons plus de veste à votre taille **b** *(= sell off)* liquider, se débarrasser de, se défaire de, revendre ◆ **he sold out his business and retired to the country** il a vendu son fonds et s'est retiré à la campagne **c** *(Fin)* **assets** réaliser, liquider

**VI** **a** *[goods]* se vendre totalement **b** *(St Ex)* revendre ◆ **to sell out against a buyer** revendre un acheteur défaillant.

**sell up** **VT SEP** **a** *(Jur)* **goods** opérer la vente forcée de, saisir; **debtor** vendre les biens de, saisir **b** **business** liquider, se débarrasser de, se défaire de

**VI** vendre son affaire *or* son fonds.

**semi** /'semɪ/ PREF semi, demi ◆ **semi-annual** semestriel ◆ **semi-durable goods** biens semi-durables ◆ **semi-finished goods** produits semi-finis ◆ **semi-manufactured** or **semi-processed goods** produits semi-ouvrés ◆ **semi-official** semi-officiel, officieux ◆ **semi-skilled worker** ouvrier spécialisé ◆ **semi-trailer** semi-remorque.

**semicolon** /semɪ'kəʊlən/ N point-virgule m.

**semiconductor** /ˌsemɪkən'dʌktəʳ/ N semi-conducteur m.

**seminar** /'semɪnɑːʳ/ N séminaire m, colloque m.

**semiometry** /semɪ'ɒmetrɪ/ N sémiométrie f.

**send** /send/ VT a (= dispatch) envoyer, expédier, faire parvenir (to sb à qn) ◆ **I sent my application letter to him yesterday** je lui ai envoyé or adressé ma lettre de candidature hier ◆ **I'll send a car for you** j'enverrai une voiture vous chercher b (= cause to go) envoyer ◆ **to send sb for sth** envoyer qn chercher qch ◆ **send him along to me** dites-lui de venir me voir ◆ **to send workers home** (= lay off) mettre des ouvriers en chômage technique.

**send away** VI **to send away for sth** commander qch par correspondance
VT SEP a (= dismiss) renvoyer, congédier b parcel, letter expédier, envoyer.

**send back** VT SEP person, thing renvoyer.

**send down** VT SEP a prices, inflation rate faire baisser ◆ **groundless rumours sent market prices down** des rumeurs sans fondement ont fait baisser les cours du marché b order transmettre (à un échelon inférieur) ◆ **send these orders down to our local agent** transmettez ces commandes à notre délégation régionale.

**sendee** /sen'diː/ N destinataire mf.

**sender** /'sendəʳ/ N expéditeur(-trice) m(f) ◆ **return to sender** retour à l'envoyeur ◆ **sender's name and address must be clearly marked** le nom et l'adresse de l'expéditeur doivent être clairement indiqués.

**send for** VT FUS a employee envoyer chercher, faire venir b (= order by post) commander par correspondance, se faire envoyer.

**send in** VT SEP a employee faire entrer; troops envoyer ◆ **send him in** faites-le entrer b report, entry form envoyer, faire parvenir, soumettre ◆ **applications should be sent in before the end of next month** les candidatures devront nous être parvenues avant la fin du mois prochain ◆ **to send in one's resignation** remettre or donner sa démission ◆ **to send in a request** faire une demande.

**send off** VT SEP letter expédier, mettre à la poste
VI **to send off for sth** commander qch par correspondance.

**send on** VT SEP letter faire suivre; document transmettre ◆ **when he left he gave instructions for his mail to be sent on to his new address** quand il est parti il a laissé des instructions pour que son courrier lui soit réexpédié à sa nouvelle adresse ◆ **the document was sent on to him** le document lui a été transmis.

**send out** VT SEP a mailshot, letter envoyer, expédier ◆ **to send out invitations** lancer des invitations b (Comp) envoyer, émettre c messenger envoyer, dépêcher.

**send round** VT SEP a document (= circulate) faire circuler, faire passer; (= deliver) faire parvenir ◆ **I'll send you round a copy of the contract as soon as it is ready** je vous ferai parvenir un exemplaire du contrat dès qu'il sera prêt b person envoyer ◆ **I sent him round to our legal department** je l'ai envoyé au service du contentieux.

**send through** VT SEP telex transmettre.

**send up** VT SEP faire monter, faire grimper ◆ **the good export figures sent prices up** les bons résultats à l'exportation ont fait grimper les cours.

**Senegal** /ˌsenɪ'gɔːl/ N Sénégal m.

**Senegalese** /ˌsenɪgə'liːz/ ADJ sénégalais
N (= inhabitant) Sénégalais(e) m(f).

**senior** /'siːnɪəʳ/ ADJ a (= older) aîné, plus âgé ◆ **senior citizen** personne âgée, personne du troisième âge b (= of higher rank) employee de grade or de rang plus élevé; position supérieur, plus élevé ◆ **he is senior to me in the firm** (in rank) son poste dans l'entreprise est plus élevé que le mien; (in service) il a plus d'ancienneté que moi dans l'entreprise ◆ **senior clerk** commis principal, chef de bureau ◆ **senior executive** cadre supérieur ◆ **senior management** or **staff** cadres supérieurs, cadres de direction ◆ **senior officer** cadre dirigeant, membre de la direction ◆ **senior partner** associé principal or majoritaire ◆ **senior systems analyst** analyste de systèmes confirmé c debt, mortgage, securities prioritaire ◆ **senior financing** financement par émission d'actions privilégiées ◆ **senior shares** actions privilégiées or de priorité.

**seniority** /ˌsiːnɪ'ɒrɪtɪ/ N ancienneté f ◆ **seniority bonus** or **pay** prime d'ancienneté ◆ **to be**

**promoted according to** *or* **by seniority** avancer *or* être promu à l'ancienneté ♦ **to retain seniority** conserver son ancienneté ♦ **he is chairman by seniority** il est président d'âge.

**sense** /sens/ **N** *[word, phrase]* sens m, signification f; *[idea, suggestion]* sens m ♦ **it doesn't make sense** ça n'a pas de sens, ça ne tient pas debout* ♦ **the sense of the meeting** *(opinion)* l'opinion f des personnes présentes ♦ **to have good business sense** avoir le sens des affaires, avoir du flair pour les affaires

—————— compounds/composés ——————
♦ **sense line** *(Comp)* fil de lecture
♦ **sense switch** *(Comp)* inverseur

**VT** **a** *(= feel, detect)* sentir, pressentir **b** *(Comp)* lire, détecter, explorer.

**sensitive** /ˈsensɪtɪv/ **ADJ** **a** *(= responsive)* sensible, sensibilisé *(to* à) ♦ **sensitive market** *(St Ex)* marché sensible *or* instable *or* nerveux ♦ **stock sensitive to the dollar** valeur sensible au dollar ♦ **securities sensitive to Wall Street** des valeurs qui réagissent fortement au comportement de Wall Street **b** *dossier* sensible; *issue, decision* délicat, épineux ♦ **sensitive official papers** documents officiels explosifs.

**sensitivity** /ˌsensɪˈtɪvɪtɪ/ **N** **a** *[stock, security]* sensibilité f *(to* à) ♦ **market sensitivity** instabilité *or* nervosité du marché ♦ **sensitivity training** sensibilisation f *(à une activité professionnelle)* **b** *[issue, decision]* caractère délicat *or* épineux.

**sensitization, sensitisation** /ˌsensɪtaɪˈzeɪʃən/ **N** sensibilisation f.

**sensitize, sensitise** /ˈsensɪtaɪz/ **VT** sensibiliser *(to* à)

**sensor** /ˈsensər/ **N** capteur m.

**sentence** /ˈsentəns/ **N** **a** *(= words)* phrase f **b** *(= judgment)* condamnation f, sentence f; *(= punishment)* peine f ♦ **suspended sentence** condamnation avec sursis ♦ **to pass sentence on sb** prononcer une condamnation contre qn ♦ **he got a ten-year sentence** il a été condamné à une peine de dix ans de prison **VT** prononcer une condamnation contre ♦ **to be sentenced in absentia** être condamné par défaut.

**sentinel** /ˈsentɪnl/ **N** *(Comp)* drapeau m, borne f, marque f.

**Seoul** /səʊl/ **N** Séoul.

**separate** /ˈseprɪt/ **ADJ** séparé, distinct, indépendant ♦ **there will be separate negotiations on this question** cette question sera négociée séparément ♦ **to send sth under separate cover** envoyer qch sous pli séparé ♦ **separate property** *(Jur)* biens propres ♦ **separate (tax) return** déclaration de revenus distincte *or* séparée ♦ **separate taxation** imposition distincte *or* séparée
**VT** séparer
**VI** se séparer.

**separation** /ˌsepəˈreɪʃən/ **N** séparation f ♦ **separation from employment** perte d'emploi ♦ **separation pay** indemnité pour perte d'emploi *or* pour rupture de contrat.

**September** /sepˈtembər/ **N** septembre m ♦ **the month of September** le mois de septembre ♦ **on September the 15th** le 15 septembre ♦ **Tuesday September the 15th** mardi 15 septembre ♦ **in September** en septembre ♦ **in early / late September** début / fin septembre ♦ **in mid-September** à la mi-septembre ♦ **next / last September** (en) septembre prochain / dernier.

**sequence** /ˈsiːkwəns/ **N** séquence f, ordre m, suite f ♦ **in sequence** par ordre

—————— compounds/composés ——————
♦ **sequence chart** *(Comp)* diagramme de fonctionnement
♦ **sequence check** *(Comp)* contrôle de séquence
♦ **sequence key** *(Comp)* indicatif de classement
♦ **sequence number** numéro d'ordre

**VT** mettre en séquence, classer, ordonner.

**sequential** /sɪˈkwenʃəl/ **ADJ** *(gen, Comp)* séquentiel ♦ **sequential sampling** échantillonnage successif *or* séquentiel ♦ **sequential in, random out** entrée séquentielle, sortie aléatoire.

**sequester** /sɪˈkwestər/ **VT** placer *or* mettre sous séquestre, saisir ♦ **sequestered account** compte saisi *or* mis sous séquestre ♦ **sequestered property** biens sous séquestre.

**sequestration** /ˌsiːkwesˈtreɪʃən/ **N** mise f sous séquestre, saisie f ♦ **writ of sequestration** séquestre judiciaire.

**sequestrator** /ˈsiːkwesˌtreɪtər/ **N** administrateur-séquestre m.

**Serb** /sɜːb/ **N** *(= inhabitant)* Serbe mf.

**Serbia** /ˈsɜːbɪə/ **N** Serbie f.

**Serbian** /ˈsɜːbɪən/ **ADJ** serbe
**N** *(= language)* serbe m.

**Serbo-Croat** /ˈsɜːbəʊˈkrəʊæt/ **ADJ** serbo-croate
**N** *(= language)* serbo-croate m.

**Serbo-Croatian** /'sɜːbəʊkrəʊ'eɪʃən/ ADJ serbo-croate.

**serial** /'sɪərɪəl/ **N** *(Rad, TV)* feuilleton m, sérial m ; *(= novel)* publication f périodique **ADJ** *(gen)* de série, en série; *(Comp)* série ◆ **serial access** accès séquentiel ◆ **serial advertisements** annonces en série, série d'annonces ◆ **serial bonds** *obligations à dates d'échéance échelonnées et tirées au sort* ◆ **serial feed** alimentation colonne par colonne ◆ **serial number** *engine* numéro de série; *bond* numéro d'ordre or de série ◆ **serial port** port série ◆ **serial printer** imprimante série ◆ **serial processing** traitement série ◆ **serial programming** programmation série ◆ **serial reader** lecteur série.

**serialize, serialise** /'sɪərɪəlaɪz/ VT numéroter consécutivement.

**series** /'sɪərɪz/ N **a** série f, suite f, succession f ◆ **series discount** *(Pub)* rabais pour insertions multiples **b** *(Rad, TV)* série f, feuilleton m.

**serious** /'sɪərɪəs/ ADJ **a** *(= causing concern)* *situation* grave, sérieux; *damage* sérieux, important ◆ **Serious Fraud Office** *(Brit)* service de la répression des fraudes **b** *(= thoughtful)* *person* sérieux, réfléchi; *report, account* sérieux, sûr; *discussion* sérieux, important.

**SERPS** /sɜːps/ N abbr of **state earnings-related pension scheme** → **state.**

**servant** /'sɜːvənt/ N serviteur m ◆ **civil servant, public servant** fonctionnaire ◆ **senior civil servant** haut fonctionnaire.

**serve** /sɜːv/ **VT** **a** *(= work for)* *employer* servir, être au service de; *(in shop, restaurant)* servir, s'occuper de ◆ **to serve a customer** servir un client ◆ **are you being served?** est-ce que l'on s'occupe de vous? ◆ **he has served the firm well** il a rendu de grands services à l'entreprise ◆ **to**

**serve the purpose** faire l'affaire **b** *[train service]* desservir ◆ **the area is served by a number of buses** le secteur est desservi par un grand nombre de bus **c** *term of office* accomplir; *apprenticeship* faire **d** *(= deliver)* *summons, writ* signifier ◆ **to serve sb with a warrant, serve a warrant on sb** délivrer un mandat à qn ◆ **to serve notice (to quit) upon a tenant** signifier *or* donner son congé à un locataire **e** *(Fin)* ◆ **to serve an interest** servir *or* verser un intérêt **f** *(Comp)* prendre en charge **VI** *(= work, do duty)* servir ◆ **to serve in a shop** être vendeur dans un magasin ◆ **he has served on the committee for twenty years** il est membre de la commission depuis vingt ans ◆ **he has served two years as** cela fait deux ans qu'il exerce les fonctions de.

**server** /'sɜːvəʳ/ N *(Comp)* serveur m ◆ **file server** serveur de fichiers ◆ **voice server** serveur vocal.

**service** /'sɜːvɪs/ **N** **a** *(= occupation)* service m, emploi m, carrière f ◆ **pensionable service** services validables pour la retraite ◆ **record of service** état de service ◆ **promotion according to length of service** avancement à l'ancienneté ◆ **the civil service** *(Brit)* l'administration, le fonctionnariat, la fonction publique **b** *(= help for customer)* service m, prestation f ◆ **at your service** à votre service, à votre disposition ◆ **to be of service to sb** rendre service à qn, être utile à qn ◆ **to bring / come into service** mettre / entrer en service ◆ **your services are no longer required** nous n'avons plus besoin de vos services ◆ **service included / excluded, inclusive / exclusive of service** service compris / non compris ◆ **goods and services** biens et services ◆ **public utility services** services publics **c** *(= department)* service m, département m ◆ **customs service** service des douanes ◆ **delivery service** service de livraison

─── *compounds/composés* ───

SERVICE

◆ **service agreement** *(on goods purchased)* contrat de maintenance
◆ **service area** aire de service
◆ **service call** *or* **visit** *(gen)* visite d'entretien; *(Ind)* intervention sur machine
◆ **service card** *(Comp)* carte à bande magnétique
◆ **service charge** *(Bank)* frais mpl de gestion de compte; *(property maintenance)* charges fpl locatives; *(restaurant)* service
◆ **service contract** *(US)* *[employee]* contrat de travail
◆ **service department** service de réparation *or* d'entretien
◆ **service engineer** technicien de maintenance

◆ **service enterprise** entreprise de services
◆ **service handbook** manuel *or* guide d'entretien
◆ **service hours** heures fpl d'utilisation
◆ **service industry** *(= sector)* (secteur ) tertiaire; *(= individual industry)* industrie de services
◆ **service jobs** emplois mpl du secteur tertiaire
◆ **service life** *[equipment]* durée de vie *or* d'utilisation
◆ **service program** *or* **routine** *(Comp)* programme de service
◆ **service provider** prestataire de services
◆ **service record** états de service
◆ **service station** *(Aut)* station-service

♦ **dispatch service** service d'expédition ♦ **joint-cargo service** service de groupage (des expéditions) ♦ **the National Health Service** *(Brit)* la Sécurité sociale ♦ **parcels service** service de messageries ♦ **postal service** service postal **d** *(= train)* service m ♦ **passenger service** service de voyageurs ♦ **railway service** service ferroviaire *or* de chemin de fer ♦ **motorail** *(Brit) or* car sleeper service service train autocouchettes ♦ **shuttle service** (service de) navette ♦ **goods** *or* **freight service** service de marchandises ♦ **cartage service** service de camionnage *or* de factage ♦ **24-hour** *or* **round-the-clock service** service permanent, service 24 heures sur 24 ♦ **the number 7 bus service** la ligne 7 **e** *(= maintenance)* entretien m, maintenance f ; *(= repair)* révision f, dépannage m ♦ **after-sales service** service après-vente ♦ **telephone answering service** service d'assistance téléphonique ♦ **to put one's car in for service** donner sa voiture à réviser **f** *(Jur)* [writ] délivrance f, signification f ♦ **personal / substituted service** signification par huissier / indirecte **VT** **a** *vehicle* réviser; *machine* assurer l'entretien de **b** *(Fin)* ♦ **to service a loan** servir les intérêts *or* assurer le service des intérêts d'un emprunt **c** *(Comm)* account gérer ♦ **to service the market** servir le marché.

**serviceable** /'sɜːvɪsəbl/ **ADJ** *(Comm)* utilisable, en état de fonctionner.

**servicing** /'sɜːvɪsɪŋ/ **N** *[machine, car]* entretien m ; *[debt]* service m ; *[orders]* traitement m.

**servitude** /'sɜːvɪtjuːd/ **N** *(Jur)* servitude f.

**session** /'seʃən/ **N** *(gen)* séance f, session f, réunion f ; *(Jur)* audience f ♦ **full session** séance plénière ♦ **opening / closing session** séance d'ouverture / de clôture ♦ **stock prices fell steadily throughout the session** les cours des actions ont baissé régulièrement tout au long de la séance ♦ **to hold a session** tenir séance ♦ **the court is now in session** le tribunal est en séance, l'audience est ouverte ♦ **to go into secret session** siéger à huis clos *or* en séance secrète ♦ **session chairman** président de séance.

**set** /set/ **N** *[objects]* série f, jeu m ; *[regulations]* série f, assortiment m, ensemble m ; *[measures]* train m, série f, ensemble m ♦ **in sets of 3** par séries *or* jeux de 3 ♦ **full set of bills of lading** jeu complet de connaissements ♦ **set theory** théorie des ensembles **ADJ** *(= fixed)* price fixe; *attitude* déterminé, résolu ♦ **to be set on doing sth** être résolu à faire qch

**VT** **a** *(= fix)* price, date fixer; *deadline* arrêter, fixer ♦ **to set a trend** lancer une mode ♦ **to set the pace** donner le ton ♦ **to set a record** établir un record **b** *(= assign)* task assigner, donner; *problem* poser ♦ **to set an objective** *or* **a target** fixer un objectif **c** *(= adjust)* instrument régler ♦ **set your watch to the right time** mettez votre montre à l'heure **d** *signature* apposer (*to* à) **e** *(Typ)* composer **VI** **to set to work** se mettre au travail.

**set about** **VT FUS** ♦ **to set about doing** se mettre *or* commencer à faire ♦ **to set about sth** commencer *or* entreprendre qch ♦ **I don't know how to set about this problem** je ne sais pas comment aborder ce problème.

**set against** **VT SEP** ♦ **to set losses against taxes** déduire les pertes des impôts ♦ **to be set against your invoice** à valoir sur votre facture.

**set apart** **VT SEP** mettre de côté, réserver ♦ **to set apart funds for** affecter des fonds à.

**set aside** **VT SEP** **a** *(= keep, save)* mettre de côté *or* en réserve **b** *(= reject) proposal, claim* rejeter; *(Jur) will* annuler ♦ **to set a judgment aside** casser un jugement.

**set back** **VT SEP** **a** *(= retard) progress, development* retarder **b** *(* = *cost)* coûter, revenir très cher ♦ **it must have set you back quite a lot** cela a dû vous revenir très cher *or* vous coûter les yeux de la tête.

**setback** /'setbæk/ **N** **a** *(= disappointment)* déception f, déconvenue f, difficulté f ♦ **to suffer a setback** subir *or* essuyer un revers *or* un échec **b** *(St Ex)* tassement m, recul m ♦ **after an early setback prices advanced steadily** après un léger tassement en début de séance les cours ont progressé régulièrement.

**set down** **VT SEP** *(= record)* noter, inscrire ♦ **to set sth down in writing** mettre qch par écrit ♦ **the terms set down in the agreement** les conditions énoncées dans l'accord.

**set forth** **VT SEP** énoncer, formuler, présenter ♦ **the stipulations set forth in the policy** les conditions énoncées dans la police.

**set off** **VT SEP** *(= balance)* compenser ♦ **to set off a gain against a loss** compenser une perte par un gain ♦ **expenses must be set off against profits** il faut déduire les dépenses des bénéfices **VI** partir, s'en aller ♦ **to set off on a journey** partir en voyage.

**set-off** /'setɒf/ **N** **a** *(Jur)* [judgment] demande f reconventionnelle; [debt] compensation f ♦ **as**

a set-off against en compensation or dédommagement or contrepartie de **b** (Acc) écriture f inverse.

**set out** **VT SEP** **a** (= display) goods arranger, disposer, étaler **b** (= put forward) reasons, explanation indiquer, exposer
**VI** (= intend) ♦ **to set out to do** se proposer de or entreprendre de faire ♦ **they set out to reduce production costs** ils ont entrepris or ils se sont proposé de réduire les coûts de production.

**setting** /'setɪŋ/ N **a** (= environment) cadre m, environnement m **b** [machine] réglage m **c** [objectives] fixation f, détermination f, établissement m ♦ **goal setting** détermination des objectifs **d** (Typ) composition f ♦ **page setting** mise en page.

**setting-up** /ˌsetɪŋ'ʌp/ N **a** (= establishment) [business] création f, fondation f, lancement m, établissement m ; [committee] constitution f, institution f ♦ **setting-up costs** frais d'immobilisation (des machines et du personnel lors d'un renouvellement de matériel ou entre deux séries de production) **b** [factory, agency] implantation f.

**settle** /'setl/ **VT** **a** (= arrange) problem régler, trancher, résoudre ♦ **to settle a question / dispute** régler une question / un litige ♦ **to settle a claim** (Ins) régler un sinistre ♦ **the two companies settled their disagreement out of court** les deux sociétés ont réglé leur différend à l'amiable ♦ **several points remain to be settled** plusieurs points restent à régler ♦ **nothing is settled yet** rien n'est encore décidé **b** (= fix) date, place fixer, déterminer ♦ **the terms were settled** les conditions ont été fixées **c** (= conclude) deal, matter conclure, terminer, régler ♦ **your appointment is as good as settled** considérez votre nomination comme acquise **d** (= pay) debt, bill acquitter, régler, payer, solder ♦ **to settle an estate** (Jur) régler une succession **e** (= calm) doubts calmer, apaiser, dissiper
**VI** **a** (= go to live) s'installer, se fixer, s'établir ♦ **he settled in Paris** il s'est fixé à Paris **b** (= become accustomed) **to settle into one's new job** se faire à son nouvel emploi **c** (= calm down) se calmer, s'apaiser, se tasser, rentrer dans l'ordre ♦ **the dust has settled** la situation s'est décantée.

**settle down** **VI** [situation] se calmer, se stabiliser.

**settle for** **VI** (= compromise) accepter ♦ **we finally settled for a trial period of 6 months** nous sommes finalement tombés d'accord sur une période d'essai de 6 mois.

**settle up** **VI** (Fin) régler ♦ **to settle up with sb** régler qn.

**settled** /'setld/ ADJ (on bill) pour acquit, réglé.

**settlement** /'setlmənt/ N **a** [business, question, dispute] règlement m ; [problem] solution f **b** (= agreement) accord m, arrangement m ♦ **wage settlement** convention salariale, accord salarial ♦ **to reach a settlement** arriver à or conclure un accord **c** (= payment) règlement m, paiement m ♦ **cash settlement** règlement (en) espèces ♦ **settlement by abandonment** (Ins) règlement par délaissement ♦ **settlement of account** arrêté de compte ♦ **in full settlement** pour solde de tout compte **d** (Jur) ♦ **legal settlement** (bankruptcy) concordat, règlement judiciaire ♦ **marriage settlement** contrat de mariage ♦ **settlement of an annuity** constitution d'une rente ♦ **out-of-court settlement** règlement à l'amiable ♦ **to make a settlement on sb** constituer une rente or faire une donation en faveur de qn **e** (St Ex) terme m, liquidation f ♦ **dealings for the settlement** opérations de liquidation, négociations à terme ♦ **yearly settlement** liquidation de fin d'année

———— compounds/composés ————
♦ **settlement account** compte de liquidation
♦ **settlement bargain** (St Ex) marché à terme or à livrer
♦ **settlement day** (St Ex) jour de la liquidation
♦ **settlement discount** or **terms** conditions fpl de règlement, escompte consenti selon la date de paiement
♦ **settlement market** marché à terme
♦ **settlement price** (= future price) cours à terme ; (Commodity Exchange) cours de résiliation.

**settling** /'setlɪŋ/ N **a** [contract] conclusion f, règlement m **b** (St Ex) liquidation f **c** (Jur) ♦ **settling of an annuity** constitution de rente (on en faveur de)

———— compounds/composés ————
♦ **settling day** (St Ex) jour de la liquidation
♦ **settling room** (St Ex) salle de liquidation
♦ **settling time** (Comp) temps d'établissement or de stabilisation.

**settlor** /'setlər/ N (Jur) donateur m.

**set up** **VT SEP** business créer, fonder, lancer, monter ; committee instituer, constituer ♦ **to set up a new branch** fonder or implanter une nouvelle succursale ♦ **to set up shop** s'installer, s'établir
**VI** [businessman] s'établir, s'implanter ♦ **he has set up on his own** il s'est mis à son compte

**sham**

♦ **to set up in business** se lancer dans les affaires ♦ **they're going to set up in the USA** ils vont s'implanter aux États-Unis

_____ compounds/composés _____
♦ **set-up charges** or **fees** (Fin, St Ex) droits mpl d'entrée
♦ **set-up time** [machine] temps de réglage.

**setup** /'setʌp/ N (= structure) structure f, organisation f, disposition f ; (Comp) configuration f ♦ **what's the setup?** comment s'organise-t-on?, qu'est-ce qui est prévu?.

**seven** /'sevn/ ADJ, N sept m → **six.**

**sevenfold** /'sevnfəʊld/ ADJ septuple ADV au septuple.

**seventeen** /'sevn'ti:n/ ADJ, N dix-sept m → **six.**

**seventeenth** /'sevn'ti:nθ/ ADJ, N dix-septième mf ♦ **in the seventeenth place** dix-septièmement → **sixth.**

**seventh** /'sevnθ/ ADJ, N septième mf → **sixth.**

**seventhly** /'sevnθlɪ/ ADV septièmement.

**seventieth** /'sevntɪɪθ/ ADJ, N soixante-dixième mf → **sixth.**

**seventy** /'sevntɪ/ ADJ, N soixante-dix m → **sixty.**

**sever** /'sevər/ VT relations rompre, couper, cesser.

**several** /'sevrəl/ ADJ a (= many) plusieurs b (Jur) ♦ **several liability** responsabilité individuelle ♦ **joint and several bond** obligation conjointe et solidaire.

**severally** /'sevrəlɪ/ ADV ♦ **severally liable** responsable isolément ♦ **jointly and severally** conjointement et solidairement.

**severance** /'sevərəns/ N séparation f, rupture f ♦ **severance pay** or **wage** indemnité pour rupture de contrat, prime or indemnité de licenciement.

**severe** /sɪ'vɪər/ ADJ measure sévère; competition acharné, serré.

**sex** /seks/ N sexe m ♦ **sex discrimination** discrimination sexuelle ♦ **Sex Discrimination Act** ≈ loi sur l'égalité des sexes.

**sexual** /'seksjʊəl/ ADJ sexuel ♦ **sexual equality** égalité des sexes ♦ **sexual harassment** harcèlement sexuel.

**SFO** /,esef'əʊ/ N abbr of **Serious Fraud Office** (Brit) → **serious.**

**sgd** abbr of **signed.**

**sh.** abbr of **share.**

**shade** /ʃeɪd/ VT price baisser or diminuer progressivement ♦ **prices shaded for quantities** tarif dégressif pour commandes en gros ♦ **shaded charges** tarif dégressif
VI [prices] baisser
N nuance f ♦ **shade card** nuancier.

**shadow** /'ʃædəʊ/ N (lit, fig) ombre f ♦ **the news cast a shadow on the meeting** la nouvelle a jeté une ombre sur la réunion
VT **to shadow a currency** s'aligner sur une monnaie

_____ compounds/composés _____
♦ **shadow cabinet** (Brit Pol) cabinet fantôme (de l'opposition)
♦ **shadow price** prix marginal.

**shady** /'ʃeɪdɪ/ ADJ dealings louche, douteux.

**shake** /ʃeɪk/ VT belief, resolve secouer, ébranler ♦ **investors' confidence was badly shaken** la confiance des investisseurs a été fortement ébranlée ♦ **the news shook the market** la nouvelle a ébranlé le marché.

**shakedown** * /'ʃeɪkdaʊn/ N a (= extortion) extorsion f, chantage m b (Ind = cut) réduction f de personnel, compression d'effectifs, dégraissage ♦ **a shakedown in management staff** une réduction du personnel d'encadrement.

**shake off** VT SEP se défaire de, se débarrasser de.

**shake out** VT SEP staff dégraisser.

**shake-out** /'ʃeɪkaʊt/ N a (St Ex) séisme m ♦ **financial shake-out** séisme financier b (Ind) dégraissage m, compression f de personnel ♦ **labour shake-out** fort tassement de l'emploi ♦ **the shake-out in the microcomputer industry** les compressions de personnel dans le secteur de la micro-informatique.

**shake up** VT SEP a (= upset) person secouer, bouleverser b (= reorganize) business restructurer totalement, transformer totalement or de fond en comble.

**shake-up** /'ʃeɪkʌp/ N remaniement m, réorganisation f totale, restructuration f profonde, chambardement m *.

**shaky** /'ʃeɪkɪ/ ADJ business branlant, chancelant.

**shallow** /'ʃæləʊ/ ADJ argument superficiel.

**sham** /ʃæm/ N (= pretence) comédie f, frime f * ; (= person) imposteur m
ADJ contract, dividend, sale fictif ♦ **sham plea** (Jur) moyen dilatoire.

**shambles** * /'ʃæmblz/ N confusion f, désordre m, pagaille f * ◆ **the business is a shambles** c'est la pagaille dans cette boîte.

**shanghai** * /ʃæŋ'haɪ/ VT ◆ **to shanghai sb into doing sth** contraindre qn à faire qch.

**shape** /ʃeɪp/ **N** **a** *(= outline)* forme f ◆ **of all shapes and sizes** de toutes les formes et de toutes les tailles ◆ **a recovery is taking shape in the consumer goods sector** une reprise se dessine dans le secteur des biens de consommation **b** *(= condition) [person, business]* condition f, forme f ◆ **in poor shape** mal en point ◆ **the US economy is in good / bad shape** l'économie américaine se porte bien / mal **VT** façonner, modeler ◆ **to shape the course of events** influer sur la marche des événements.

**shape up** VI **a** *[project]* prendre forme, prendre tournure, se dessiner ◆ **our plans are shaping up nicely** nos projets prennent bonne tournure *or* sont en bonne voie ◆ **it's shaping up well** cela s'annonce prometteur **b** *[person]* s'adapter ◆ **he is rather unexperienced but he'll shape up** il manque un peu d'expérience, mais il se fera *or* il s'en sortira.

**share** /ʃeər/ **N** **a** *(= part) (gen)* part f, portion f, quote-part f ; *(= legal share)* réserve f légale ◆ **share of the market** part du marché ◆ **his share in the profits** sa part des bénéfices ◆ **he has a half-share in the firm** il possède la moitié de l'entreprise ◆ **to have a share in a business** avoir des intérêts dans une affaire ◆ **to take a share in sth** participer à qch ◆ **to bear one's share of the cost** participer aux frais ◆ **to go shares with** partager les frais avec **b** *(Fin, St Ex)* action f, titre m, valeur f (boursière) ◆ **earnings per share** bénéfice par action ◆ **to issue shares at a discount / at par / at a premium** émettre des actions en dessous du pair / au pair / au-dessus du pair ◆ **A share** action ordinaire sans droit de vote ◆ **B share** action ordinaire avec droit de vote *(donnant droit à l'attribution d'actions gratuites)* ◆ **bearer share** action au porteur ◆ **bonus** *or* **scrip share** action gratuite ◆ **common** *or* **equity** *or* **ordinary** *or* **junior share** action ordinaire ◆ **cumulative preference share** action privilégiée cumulative ◆ **deferred share** action différée ◆ **director's share** action statutaire *(à posséder obligatoirement par les candidats à la direction)* ◆ **dividend share** action de garantie *or* de jouissance ◆ **founder's share** part de fondateur ◆ **fully- / partly-paid share** action entièrement / non entièrement libérée ◆ **golden share** action privilégiée ◆ **issued share capital** capital émis ◆ **joint shares** actions indivises ◆ **no-par-value share** *(US)* action sans

valeur nominale ◆ **(fully) paid-up shares** actions (entièrement) libérées ◆ **partnership share** part d'associé, part sociale ◆ **personal** *or* **registered share** action nominative ◆ **preference** *or* **preferred share** action privilégiée ◆ **qualification share** action statutaire ◆ **qualifying share** action de garantie ◆ **quoted / unquoted** *or* **listed / unlisted share** action cotée / non cotée en Bourse ◆ **share with attached share warrant** action à bon de souscription d'action ◆ **transferable share** action cessible

---
*compounds/composés*

◆ **share allotment** répartition *or* attribution d'actions ◆ **share allotment form** formulaire de répartition *or* d'attribution d'actions
◆ **share appreciation mortgage** *(US)* prêt hypothécaire *(dans lequel l'acquéreur de la propriété cède une partie de la plus-value quand il la revend)*
◆ **share capital** capital-actions
◆ **share certificate** certificat *or* titre d'action
◆ **share dividend** dividende d'actions
◆ **share draft** *(US)* effet émis par un crédit mutuel
◆ **share hawker** courtier marron *or* en valeurs douteuses
◆ **share hawking** colportage illégal de titres
◆ **share index** indice des valeurs boursières *or* mobilières
◆ **share issue** émission d'action
◆ **share premium** prime d'émission
◆ **share price** cours de l'action
◆ **share pusher** courtier marron *or* en valeurs douteuses
◆ **share pushing** colportage illégal de titres
◆ **share qualifications** cautionnement en actions
◆ **share register** registre des titres *or* des actionnaires
◆ **share split** fractionnement d'actions
◆ **share structure** composition du portefeuille d'actions
◆ **share transfer** cession de titres
◆ **share warrant** bon de souscription d'action

---

**VT** partager ◆ **to share responsibilities with sb** partager des responsabilités avec qn
**VI** **to share in the profits** participer aux bénéfices.

**shareholder** /'ʃeəhəʊldər/ *(Brit)* N actionnaire mf ◆ **shareholders' equity** fonds propres, capital social ◆ **shareholders' meeting / register** assemblée / registre des actionnaires ◆ **shareholders' pact** pacte d'actionnaires ◆ **majority / minority shareholder** actionnaire majoritaire / minoritaire.

**shareholding** /'ʃeəhəʊldɪŋ/ *(Brit)* N *(= holding)* détention f *or* possession f d'actions *or* de titres; *(= shareholders)* actionnariat m ◆ **dilu-**

**shift**

**tion of shareholding** dilution du capital ✦ **employee shareholding** actionnariat ouvrier ✦ **minority shareholding** participation minoritaire ✦ **the state has a majority shareholding** l'État possède la majorité des actions *or* est l'actionnaire majoritaire.

**share out** vt sep *work, money* répartir, distribuer.

**share-out** /ˈʃɛəraʊt/ n partage m, distribution f.

**sharer** /ˈʃɛərəʳ/ n ✦ **sharer in an estate** *(Jur)* portionnaire mf.

**shareware** /ˈʃɛəwɛəʳ/ n shareware m.

**sharing** /ˈʃɛərɪŋ/ n partage m *(of* de) participation f *(of* à) ✦ **profit-sharing scheme** plan d'intéressement des salariés aux bénéfices de l'entreprise.

**shark** * /ʃɑːk/ n requin m, escroc m.

**sharp** /ʃɑːp/ ADJ a *fall, rise* accentué, accusé, prononcé, vif, net *(in* de); *competition* fort, vigoureux, vif, acharné ✦ **sharp difference** différence nette *or* marquée *or* prononcée ✦ **sharp protest** protestation énergique ✦ **sharp rally** reprise vigoureuse b *(\* = dishonest)* peu scrupuleux ✦ **sharp practice** pratique malhonnête *or* déloyale c *(= astute)* fin, vif, intelligent ✦ **he has a sharp eye for a bargain** il sait flairer une bonne affaire ✦ **sharp-witted** à l'esprit vif
ADV **at 7 o'clock sharp** * à 7 heures pile*.

**shatter** /ˈʃætəʳ/ vt *hopes, career* ruiner, briser, détruire.

**shave** /ʃeɪv/ vt *subsidies* rogner.

**shed** /ʃed/ vt a *(St Ex)* céder ✦ **this share has shed two points** cette action a cédé deux points b *(= lay off)* workers licencier, se séparer de ✦ **the company will have to shed a hundred workers** la société devra se séparer d'une centaine d'ouvriers c **to shed some light on a project** éclairer un projet, rendre un projet plus clair.

**shedding** /ˈʃedɪŋ/ n ✦ **labour shedding** dégraissage de main-d'œuvre.

**sheet** /ʃiːt/ n *[paper]* feuille f, feuillet m ✦ **sheet feeder** *(Comp)* dispositif d'alimentation feuille à feuille ✦ **sheet of coupons** *(St Ex)* feuille de coupons ✦ **attendance sheet** feuille de présence ✦ **balance sheet** bilan ✦ **clearing sheet** *(St Ex)* feuille de liquidation ✦ **code sheet** *(Comp)* feuille de programmation ✦ **data sheet** *[machine]* fiche technique ✦ **(personal) data sheet** *[applicant]* curriculum vitæ ✦ **order sheet** bon *or* bulletin *or* bordereau de commande ✦ **pay sheet** feuille *or* bulletin de paie *or* de salaire,

fiche de paie ✦ **work sheet** *(Comp)* feuille de calcul; *(Ind)* attachement, fiche de travail.

**shekel** /ˈʃekl/ n shekel m.

**shelf** /ʃelf/ n *(gen)* étagère f ; *(in shop)* rayon m ✦ **to stay on the shelves** être difficile à vendre ✦ **to be on the shelf** *[project]* être en sommeil

---
compounds/composés
---

✦ **shelf basket** panier de gondole
✦ **shelf display** présentoir de gondole
✦ **shelf facing** linéaire
✦ **shelf filler** réassortisseur
✦ **shelf life** *[product]* durée de vie
✦ **shelf price** prix sur linéaire
✦ **shelf space** rayonnage, linéaire
✦ **shelf strip** dépassant de rayon
✦ **shelf talker** étiquette promotionnelle, matériel publicitaire *(sur les rayons d'une grande surface).*

---

**shell out** * /ʃel/ VT SEP *money* dépenser, casquer* VI casquer*.

**shelter** /ˈʃeltəʳ/ N abri m, refuge m ✦ **tax shelter** paradis fiscal
VT abriter, protéger.

**sheltered** /ˈʃeltəd/ ADJ protégé ✦ **sheltered industries** industries protégées de la concurrence étrangère ✦ **sheltered workshop** *(for the disabled)* atelier protégé.

**shelve** /ʃelv/ vt *project* mettre en sommeil, classer, écarter.

**shelving** /ˈʃelvɪŋ/ n a *[goods]* rangement m, mise f en rayon b *(= shelves)* rayonnage m, linéaire m.

**shield** /ʃiːld/ vt abriter, protéger *(from* de, contre) ✦ **to shield earnings from taxes** mettre des revenus à l'abri du fisc.

**shift** /ʃɪft/ N a *(= team)* équipe f ; *(= time on duty)* poste m, période f de travail ✦ **to be on first shift** être du premier huit ✦ **to put workers on short shifts** réduire l'horaire de travail ✦ **relief** *or* **swing shift** poste de relève ✦ **day / night shift** équipe *or* poste de jour / de nuit ✦ **graveyard shift** * *(US)* équipe de nuit ✦ **the 3-shift system** les 3 huit ✦ **to work in shifts** travailler par équipes, se relayer b *(= change)* changement m, modification f *(in* de); *(St Ex)* fluctuation f ✦ **a sudden shift in policy** un changement brutal *or* un revirement de politique c *(= move)* déplacement m, transfert m ✦ **population shift** déplacement de population ✦ **he asked for a shift to another department** il a demandé sa mutation dans un autre service, il a demandé à être affecté à un autre service **d** *(Comp)* décalage m ✦ **left / right shift** décalage *or* déplacement à gauche / droite

```
──────── compounds/composés ────────
✦ shift differential prime spéciale (pour certains
  postes)
✦ shift key touche de majuscule
✦ shift pay salaire des travailleurs postés
✦ shift register registre de décalage
✦ shift work travail posté
```

**VT** **a** employee *(to another department)* transférer, muter **b** *responsibility* rejeter *(onto sb* sur qn) ✦ **to shift the tax burden onto** *or* **to the consumer** faire retomber le fardeau fiscal sur le consommateur **c** *(Mar)* désarrimer **VI** **a** *[employee]* être muté *or* transféré **b** *(St Ex)* fluctuer **c** *(Mar)* se désarrimer, riper.

**shilling** /ˈʃɪlɪŋ/ N shilling m.

**ship** /ʃɪp/ **N** navire m, bateau m, bâtiment m, vaisseau m ✦ **colliding ship** *(Ins)* navire abordeur ✦ **container ship** porte-conteneurs ✦ **merchant ship** navire marchand *or* de commerce ✦ **refrigerator ship** navire frigorifique ✦ **sister ship** *(same make)* navire du même type; *(same fleet)* navire appartenant à un même armateur ✦ **sister-ship clause** clause navire du même assuré ✦ **tramp ship** navire sans ligne régulière, navire en cueillette, tramp ✦ **ship's articles** contrat d'embauche ✦ **ship's certificate** *or* **register** certificat d'immatriculation ✦ **ship's disbursements** mises en dehors ✦ **ship's log** livre de bord ✦ **ship's manifest** manifeste ✦ **ship's papers** papiers *or* documents de bord ✦ **ship under orders** navire à ordre ✦ **ship's sweat** buée de cale ✦ **to fit out a ship** armer un navire ✦ **at ship's rail, under ship's derrick** sous-palan

```
──────── compounds/composés ────────
✦ ship agent agent maritime
✦ ship broker courtier maritime
✦ ship chandler marchand de fournitures pour
  bateaux, shipchandler
✦ ship policy (Ins) police sur corps
✦ ship surveyor expert maritime (de la Lloyd's)
```

**VT** **a** *(= dispatch)* envoyer, expédier ✦ **we shall ship your order on March 30** nous expédierons votre commande le 30 mars **b** *(= take on board) cargo, goods* charger, embarquer.

**shipbuilder** /ˈʃɪpbɪldə<sup>r</sup>/ N constructeur m de navires, propriétaire m de chantier naval.

**shipbuilding** /ˈʃɪpbɪldɪŋ/ N construction(s) f(pl) navale(s).

**shipload** /ˈʃɪpləʊd/ N cargaison f, chargement m, fret m.

**shipmaster** /ˈʃɪpmɑːstə<sup>r</sup>/ N capitaine m (de navire).

**shipment** /ˈʃɪpmənt/ N **a** *(= load)* cargaison f ; *(= consignment)* expédition f, envoi m, livraison f ✦ **your last shipment arrived damaged** votre dernière livraison est arrivée endommagée **b** *(= act of loading)* chargement m, embarquement m ✦ **these crates are ready for shipment** ces caisses sont prêtes pour l'embarquement **c** *(= forwarding)* expédition f, envoi m ; *(= transport)* transport m ✦ **bulk shipment** transport en vrac ✦ **cash shipments** transferts de capitaux à l'étranger ✦ **consolidated shipment** envoi groupé ✦ **drop shipment** drop shipment *envoi direct de l'usine au détaillant* ✦ **overseas shipment** envoi outre-mer ✦ **shipment notice** avis d'expédition.

**shipowner** /ˈʃɪpəʊnə<sup>r</sup>/ N armateur m ✦ **shipowner's firm** société d'armement ✦ **shipowner's lien** privilège de l'armateur, droit de rétention sur la cargaison exercé par l'armateur.

**shipper** /ˈʃɪpə<sup>r</sup>/ N *(= dispatcher)* expéditeur m ; *(= charterer)* affréteur m ; *(= forwarder)* transporteur m ; *(= firm)* transporteur, maison f d'expédition.

**shipping** /ˈʃɪpɪŋ/ N **a** *(= traffic)* navigation f ✦ **the canal is closed to shipping** le canal est fermé à la navigation **b** *(= ships of a country or port)* tonnage m de l'ensemble des navires ✦ **idle shipping** tonnage désarmé **c** *(= act of loading)* chargement m, embarquement m **d** *(= transport)* transport m maritime **e** *(= sending)* expédition f, envoi m ✦ **he is responsible for the shipping of goods to customers** il est responsable de l'expédition des marchandises aux clients ◼ Voir encadré page ci-contre

**shipshape** /ˈʃɪpʃeɪp/ ADJ bien rangé, en ordre.

**shipt** abbr of **shipment.**

**shipwreck** /ˈʃɪprek/ **N** **a** *(= event)* naufrage m **b** *(= wrecked ship)* épave f **VT** **a** *ship* faire sombrer ✦ **to be shipwrecked** faire naufrage **b** ruiner, anéantir ✦ **all our hopes were shipwrecked by our partner's failure** tous nos espoirs ont été anéantis par la faillite de notre associé.

**shipyard** /ˈʃɪpjɑːd/ N chantier m naval ✦ **shipyard workers** ouvriers des chantiers navals.

**shirk** /ʃɜːk/ **VT** *obligations* se dérober à **VI** tirer au flanc*.

**shirker** * /ˈʃɜːkə<sup>r</sup>/ N tire-au-flanc m *.

—— compounds/composés ——

SHIPPING

- **shipping address** adresse du destinataire
- **shipping agency** agence maritime
- **shipping agent** (gen) agent maritime; (= forwarder) transitaire
- **shipping articles** contrat d'embauche
- **shipping bill** déclaration de réexportation d'entrepôt, connaissement
- **shipping broker** courtier maritime
- **shipping business (the)** l'armement
- **shipping cartons** cartons mpl d'expédition
- **shipping charges** frais mpl de transport
- **shipping clerk** expéditionnaire
- **shipping company** compagnie maritime; (US) entreprise de transport routier
- **shipping documents** pièces fpl d'embarquement, documents mpl d'expédition
- **shipping exchange** Bourse des frets
- **shipping intelligence** mouvement des navires
- **shipping lane** route maritime, couloir de navigation

- **shipping line** compagnie de navigation
- **shipping losses** pertes fpl en bâtiments
- **shipping note** note de chargement, permis d'embarquement
- **shipping office** agence maritime
- **shipping port** port de chargement
- **shipping protest** déclaration d'avarie
- **shipping report** déclaration en douanes
- **shipping routes** routes fpl maritimes
- **shipping shares** valeurs fpl de navigation
- **shipping specifications** déclaration d'embarquement
- **shipping terms** conditions fpl du contrat de transport
- **shipping ton** tonneau d'affrètement
- **shipping trade** armement
- **shipping unit** unité de charge or de chargement
- **shipping weight** poids embarqué.

**shirt** /ʃɜːt/ N chemise f ♦ **to lose one's shirt** perdre or y laisser sa chemise.

**shoal** /ʃəʊl/ N [fish] banc m ; [applications] avalanche f.

**shock** /ʃɒk/ N choc m ♦ **market / financial shock** secousse boursière / financière.

**shocking** /ʃɒkɪŋ/ ADJ scandaleux, exorbitant ♦ **shocking prices** prix exorbitants.

**shockproof** /'ʃɒkpruːf/ ADJ antichoc.

**shoddy** /'ʃɒdɪ/ ADJ goods de mauvaise qualité, mal fini; workmanship de mauvaise qualité.

**shoe** /ʃuː/ N chaussure f, soulier m ♦ **to step into sb's shoes** succéder à qn

—— compounds/composés ——
- **shoe department** rayon (des) chaussures
- **shoe industry (the)** l'industrie de la chaussure
- **shoe trade (the)** le commerce de la chaussure.

**shoot down** /ʃuːt/ VT SEP idea, proposal descendre, démolir ♦ **to shoot down prices** casser les prix VI [prices] dégringoler, être en chute libre.

**shoot up** VI monter or grimper en flèche.

**shop** /ʃɒp/ N a (Comm) (gen) magasin m ; (small) boutique f ♦ **to shut up shop** fermer boutique ♦ **to talk shop** parler boutique or métier ♦ **to set up shop** s'installer, s'établir ♦ **to keep a shop** tenir un magasin ♦ **multiple shop** magasin à succursales multiples b (Ind = workshop) atelier m ♦ **assembly shop** atelier de montage c **closed shop** entreprise où existe un monopole syndical de l'embauche ♦ **open shop** en-

treprise qui admet du personnel non syndiqué ♦ **union shop** entreprise qui oblige les ouvriers à se syndiquer à la suite de l'embauche d (St Ex) introducteurs mpl

—— compounds/composés ——
- **shop assistant** employé(e) de magasin, commis(e), vendeur(-euse)
- **shop-buying** (St Ex) achats mpl professionnels
- **shop check** méthode f d'évaluation de la consommation par le contrôle des ventes et des stocks dans les magasins
- **shop floor** (= factory) usine, atelier; (= workers) ouvriers mpl ♦ **there is trouble on the shop floor** il y a des problèmes dans l'usine ♦ **to consult** the shop floor consulter la base ♦ **shop-floor politics** politique syndicale au niveau de la base ♦ **shop-floor workers** ouvriers
- **shop front** devanture de magasin
- **shop girl** vendeuse dans un magasin, employée de magasin
- **shop-in-shop** boutique à l'intérieur d'une grande surface
- **shop rules** règlement d'atelier
- **shop-selling** (St Ex) ventes fpl professionnelles
- **shop shares** actions fpl à l'introduction
- **shop-soiled articles** marchandises fpl défraîchies or abîmées en magasin, articles mpl qui ont fait l'étalage
- **shop steward** délégué syndical d'atelier
- **shop traffic** trafic à l'intérieur du magasin
- **shop window** vitrine, devanture, étalage

VI faire ses courses (at chez)

**shop around** VI comparer les prix, prospecter ♦ **to shop around for sth** (price) chercher qch au meilleur prix; (information) se renseigner à droite et à gauche sur qch.

**shopkeeper** /'ʃɒpkiːpəʳ/ N petit commerçant m, boutiquier m.

**shoplifter** /'ʃɒplɪftəʳ/ N voleur m à l'étalage.

**shoplifting** /'ʃɒplɪftɪŋ/ N vol m à l'étalage.

**shopper** /'ʃɒpəʳ/ N acheteur(-euse) m(f), client(e) m(f).

**shopping** /'ʃɒpɪŋ/ N [goods] achats mpl, emplettes fpl ♦ **to do the / some shopping** faire les / des courses

─── compounds/composés ───
♦ **shopping arcade** (US) galerie marchande, centre commercial
♦ **shopping bag** sac à provisions
♦ **shopping basket** or **cart** (US) panier de la ménagère
♦ **shopping centre** centre commercial
♦ **shopping list** liste de commissions
♦ **shopping mall** (US) galerie marchande, centre commercial
♦ **shopping precinct** zone piétonnière
♦ **shopping space** (in supermarket) surface commerciale or de vente
♦ **shopping spree** ♦ **to go on a shopping spree** se lancer dans une frénésie de dépenses or d'achats
♦ **shopping trolley** chariot, caddie ®
♦ **shopping week** semaine commerciale.

**shopwalker** /'ʃɒpwɔːkəʳ/ N [supermarket] surveillant(e) m(f), inspecteur(-trice) m(f) ; (= head of department) chef m de rayon.

**shopworn** /'ʃɒpwɔːn/ (US) ADJ défraîchi, abîmé en magasin, qui a fait l'étalage.

**shore** /ʃɔːʳ/ N [sea] rivage m, côte f, littoral m, bord m ; [lake] bord m, rive f

─── compounds/composés ───
♦ **shore rights** droits mpl d'épave
♦ **shore risks** risques mpl de séjour à terre.

**shore up** /ʃɔːʳ/ VT SEP economy soutenir, consolider ♦ **to shore up the pound** soutenir la livre.

**short** /ʃɔːt/ ADJ a message, report court, bref ♦ **short and to the point** bref et précis ♦ **the unions are demanding a shorter working week** les syndicats réclament une réduction de la durée hebdomadaire de travail ♦ **to be on short time** travailler à horaire réduit, être en chômage partiel ♦ **at short notice** (gen, Admin) dans un bref délai; (Fin) à court terme ♦ **loan at short notice** prêt à court terme **b** (= insufficient) insuffisant, incomplet, déficitaire ♦ **short crops** récoltes déficitaires ♦ **short delivery** livraison partielle ♦ **to prevent short delivery** éviter des manquants dans la marchandise ♦ **to give short weight** tricher sur le poids ♦ **the weight is 70 grams short** il manque 70 grammes au poids ♦ **I'm 10 dollars short** il me manque 10 dollars ♦ **we are short of target** nous avons manqué notre objectif or la cible ♦ **oil is in short supply at the moment** on manque de pétrole en ce moment ♦ **to give sb short change** ne pas rendre assez à qn **c** (St Ex) sale à découvert; loan, credit à court terme ♦ **short account** position à découvert ♦ **short bill** traite à courte échéance ♦ **short covering** rachat pour couvrir un découvert ♦ **short end of the market** marché des fonds d'État à court terme ♦ **short position** position vendeur à la baisse, position courte ♦ **to cover short positions** racheter des actions vendues à découvert ♦ **short rates** taux courts ♦ **short seller** vendeur à découvert ♦ **short selling** vente à découvert **d** **short ton** (US, Can) tonne courte (≈ 907,20 kg)
ADV **to fall short of target** ne pas atteindre la cible or l'objectif or le but fixé ♦ **to fall short of forecasts** être inférieur aux prévisions ♦ **to run short of** se trouver à court de, venir à manquer de ♦ **to sell short** (St Ex) vendre à découvert
N **a** (St Ex) (= sale) vente f à découvert; (= seller) baissier m **b** **shorts** (Brit St Ex) obligations et titres d'État à moins de cinq ans

─── compounds/composés ───
♦ **short-circuit** court-circuiter
♦ **short-dated** bond à court terme, à courte échéance
♦ **short-haul** à courte distance ♦ **short-haul flight** transport par avion (de marchandises or de passagers) sur une courte distance
♦ **short-landed cargo** cargaison débarquée en moins
♦ **short-range** planning à court terme; plane à court rayon d'action
♦ **short-sighted** policy, decision à courte vue ♦ **it was very short-sighted of them to do this** cette attitude dénote un manque de largeur de vue de leur part
♦ **short-staffed** à court de personnel, manquant de personnel ♦ **we are short-staffed at present** nous manquons de personnel or nous sommes en sous-effectifs en ce moment
♦ **short-term** loan, contract, debt à court terme ♦ **short-term capital** capitaux à court terme ♦ **short-term traders** opérateurs à court terme
♦ **short-time working** travail à horaire réduit, chômage partiel.

**shortage** /'ʃɔːtɪdʒ/ N [food, labour] manque m, pénurie f, insuffisance f ♦ **housing shortage** crise du logement ♦ **to make good the shortage** combler le déficit ♦ **inventory shortage** rupture de stock.

**shortcoming** /'ʃɔːtkʌmɪŋ/ N défaut m, insuffisance f.

**shorten** /'ʃɔːtn/ **VT** raccourcir, réduire.

**shortening** /'ʃɔːtnɪŋ/ **N** réduction f, diminution f ◆ **credit shortening** réduction du crédit.

**shortfall** /'ʃɔːtfɔːl/ **N** déficit m, manque m ◆ **shortfall in earnings** manque à gagner.

**shorthand** /'ʃɔːthænd/ **N** sténographie f, sténo f ◆ **to take sth down in shorthand** prendre en sténo ◆ **shorthand notes** notes en sténo ◆ **shorthand typist** sténodactylo.

**shorthanded** /'ʃɔːthændɪd/ **ADJ** à court de main-d'œuvre or de personnel.

**shorting** /'ʃɔːtɪŋ/ **N** (St Ex) vente f à découvert.

**shortlist** /'ʃɔːtlɪst/ **N** liste f restreinte ◆ **to draw up a shortlist of candidates** dresser une liste des candidats retenus or sélectionnés ◆ **VT** candidates sélectionner ◆ **he was shortlisted** sa candidature a été retenue.

**shortlived** /'ʃɔːtlɪvd/ **ADJ** de courte durée, éphémère.

**shot** /ʃɒt/ **N** **a** (= photo) photographie f ◆ **fashion shots** photographies de mode **b** **a shot in the arm** (Econ) un ballon d'oxygène, un coup de fouet, un stimulant ◆ **this huge order was a shot in the arm to the ailing firm** cette grosse commande a donné un coup de fouet à l'entreprise qui sombrait **c** **mail shot** mailing, publipostage ◆ **to do a mail shot** faire un mailing.

**shoulder** /'ʃəʊldər/ **VT** endosser, supporter ◆ **to shoulder the cost of sth** supporter la totalité des frais or du coût de qch

——— compounds/composés ———
◆ **shoulder season** or **period** inter-saison.

**show** /ʃəʊ/ **N** **a** (= entertainment) spectacle m ◆ **to run the show** faire marcher l'affaire **b** (= exhibition) Salon m, exposition f ◆ **on show** exposé, visible (at à) **The Boat Show** le Salon nautique ◆ **computer show** exposition de matériel informatique ◆ **fashion show** présentation de collections, défilé de mode ◆ **The Motor Show** le Salon de l'Auto **c** (= demonstration) démonstration f ◆ **a show of power** une démonstration de force ◆ **to vote by show of hands** voter à main levée

——— compounds/composés ———
◆ **show business (the)** le monde du spectacle
◆ **show card** (inside shops) pancarte, affichette; (in shop windows) étiquette (de vitrine)
◆ **show flat** appartement-témoin
◆ **show house** maison-témoin

**VT** **a** (= display, make visible) (gen) faire voir, montrer; goods exposer; passport présenter ◆ **as shown by the graph** comme l'indique le graphique ◆ **to show one's hand** abattre ses cartes, dévoiler ses intentions **b** (= indicate) présenter, afficher ◆ **to show a loss** accuser or faire apparaître un déficit ◆ **to show a debit balance** présenter un solde débiteur ◆ **the balance sheet of our company shows a profit of** le bilan de notre société fait ressortir un bénéfice de.

**showcase** /'ʃəʊkeɪs/ **N** (lit) présentoir m, vitrine f ; (fig) vitrine f ◆ **the exhibition was used as a showcase for the latest British technology** l'exposition a servi de vitrine aux plus récentes innovations technologiques britanniques.

**showday** /'ʃəʊdeɪ/ **N** jour m d'exposition (avant une vente aux enchères).

**showdown** /'ʃəʊdaʊn/ **N** épreuve f de force, confrontation f ◆ **we had a showdown with them last month** nous avons eu une prise de bec avec eux le mois dernier.

**show in** **VT SEP** visitor faire entrer.

**show out** **VT SEP** visitor reconduire.

**showpiece** /'ʃəʊpiːs/ **N** [collection] clou m, joyau m.

**showroom** /'ʃəʊruːm/ **N** magasin m or salle f d'exposition.

**show round** **VT SEP** faire visiter ◆ **I'll show you round the factory** je vous ferai visiter l'usine.

**show up** **VI** (= stand out) être visible ◆ **the losses show up very clearly when the figures are presented like this** les pertes apparaissent très nettement avec ce type de présentation chiffrée ◆ **VT SEP** defect faire ressortir.

**shr.** abbr of **share.**

**shred** /ʃred/ **VT** documents déchiqueter, broyer.

**shredder** /'ʃredər/ **N** [documents] déchiqueteuse f, broyeur m.

**shrink** /ʃrɪŋk/ **VI** margin diminuer, se réduire, se contracter, rétrécir ◆ **a shrinking market** un marché qui se contracte ◆ **shrinking profits** des bénéfices qui s'amenuisent ◆ **shrinking profit margins** des marges bénéficiaires qui rétrécissent or diminuent ◆ **ADJ** **shrink packaging** emballage sous film rétractable ◆ **shrink packed** or **wrapped** emballé sous film rétractable.

**shrinkage** /'ʃrɪŋkɪdʒ/ N  diminution f, réduction f, contraction f, rétrécissement m ✦ **inventory shrinkage** écart sur stock, freinte de stock.

**shuffler** * /'ʃʌflər/ N  (US Ind) travailleur m migrant.

**shunt** /ʃʌnt/ ☐ aiguiller ✦ **to shunt into a siding** employee mettre sur une voie de garage ✦ **the inefficient executive was shunted to a smaller branch office** le cadre inefficace a été expédié dans une succursale moins importante
☐ (St Ex) faire l'arbitrage de place en place.

**shunter** /'ʃʌntər/ N  aiguilleur m.

**shutdown** /'ʃʌtdaʊn/ N  [factory] immobilisation f, fermeture f ; (Comp) arrêt m ✦ **line shutdown time** temps d'immobilisation d'une chaîne de montage.

**shut down** VI, VT SEP fermer (définitivement).

**shut off** VT SEP ☐ (= isolate) interdir l'accès à ✦ **a strong dollar is shutting off export markets** un dollar fort ferme des débouchés à l'exportation ☐ (= stop, cut) electricity couper ✦ **to shut off one's oil supplies** arrêter ses approvisionnements en pétrole.

**shut out** VT SEP exclure, éliminer, interdire l'accès à ✦ **to shut out competitors** éliminer la concurrence.

**shutout** /'ʃʌtaʊt/ N  lockout m.

**shutter** /'ʃʌtər/ N  volet m ✦ **to put up the shutters** (= close down) fermer boutique.

**shuttle** /'ʃʌtl/ ☐ navette f ✦ **bus shuttle** navette d'autobus ✦ **space shuttle** navette spatiale ✦ **shuttle service** (service de) navette
☐ faire la navette (between entre)
☐ **to shuttle a file backwards and forwards** renvoyer un dossier d'un endroit à l'autre.

**shut up** VT SEP business fermer ✦ **to shut up shop** fermer boutique.

**shyster** /'ʃaɪstər/ N  (= swindler) escroc m ; (= lawyer) avocat m marron or véreux.

**s.i.** abbr of **sum insured** → **sum.**

**SI** /es'aɪ/ N  (abbr of **système international**) SI ✦ **SI unit** unité SI.

**SIB** /esaɪ'biː/ (Brit) N  (abbr of **Securities and Investment Board**)  AMF f.

**sick** /sɪk/ ADJ malade ✦ **sick allowance** or **benefit** allocation or prestation or indemnité (de) maladie ✦ **sick leave** congé (de) maladie ✦ **to be**

**on sick leave** être en congé (de) maladie ✦ **sick pay** prestation maladie, indemnité or allocation (de) maladie.

**sickness** /'sɪknɪs/ N  maladie f ✦ **sickness benefit** allocation or indemnité (de) maladie ✦ **sickness insurance** assurance maladie ✦ **to draw sickness insurance** percevoir l'assurance maladie, bénéficier de l'assurance maladie.

**side** /saɪd/ ☐ (gen) côté m ; [problem] aspect m ✦ **you should consider all sides of the question before making up your mind** vous devriez examiner tous les aspects du problème avant de vous décider ✦ **to take sides with** prendre partie pour, se ranger du côté de ✦ **to make money on the side** se faire de l'argent au noir ✦ **this side up** (côté) haut ✦ **on the credit / debit side** au crédit / débit
☐ secondaire ✦ **side effect** effet secondaire ✦ **side issue** question (d'intérêt) secondaire ✦ **side note** note f marginale.

**sidekick** * /'saɪdkɪk/ N  sous-fifre m.

**sideline** /'saɪdlaɪn/ ☐ activité f secondaire or complémentaire ✦ **to put on the sideline** mettre sur la touche
☐ (US) mettre sur la touche, éliminer.

**sidestep** /'saɪdstep/ VT  issue éviter, esquiver, éluder.

**sidetrack** /'saɪdtræk/ ☐ (US) voie f de garage
☐ **to get sidetracked** s'écarter de son sujet.

**sideways** /'saɪdweɪz/ ADJ oblique, de côté ✦ **sideways market** marché annexe or secondaire ✦ **sideways feed** (Comp) alimentation ligne à ligne.

**siding** /'saɪdɪŋ/ N  voie f de garage.

**Sierra Leone** /sɪˈerəlɪˈəʊn/ N  Sierra Leone f.

**Sierra Leonean** /sɪˈerəlɪˈəʊnɪən/ ☐ sierra-léonien
☐ (= inhabitant) Sierra-Léonien(ne) m(f).

**sift** /sɪft/ VT  passer au crible, trier.

**sight** /saɪt/ ☐ vue f ✦ **at sight** à vue, sur présentation ✦ **bill payable at sight** traite payable à vue ✦ **three days after sight** à trois jours de vue

――― compounds/composés ―――
✦ **sight bill** traite à vue
✦ **sight check** (Comp) contrôle visuel
✦ **sight deposit** dépôt à vue
✦ **sight draft** traite à vue
✦ **sight entry** (Customs) déclaration provisoire
✦ **sight quotation** (St Ex) cotation à vue
✦ **sight rate** (Fin) cours à vue
✦ **sight remittance** remise à vue

◆ **sight unseen** sur plan, sur description ◆ **on sale sight unseen** vente sur plan ▣ *bill* viser.

**sighting** /'saɪtɪŋ/ N *[bill]* visa m.

**sign** /saɪn/ ▣ a *(= symbol)* signe m ◆ **this sign means "dry-clean"** ce symbole signifie « nettoyage à sec » b *(= notice) (on shop)* enseigne f ; *(on roads)* panneau m (de direction), poteau m indicateur ◆ **neon sign** enseigne lumineuse, enseigne au néon ◆ **traffic sign** panneau de signalisation c *(= trace)* signe m, trace f, marque f ◆ **to set one's hand and sign** *(Jur)* apposer sa signature d *(= indication)* signe m, indication f, preuve f ◆ **there's no sign of his agreeing** rien n'indique qu'il va accepter e *(Comp)* signe m ◆ **call sign** indicatif d'appel

—————— *compounds/composés* ——————
◆ **sign check** *(Comp)* contrôle de signe
◆ **sign reverser** *(Comp)* inverseur de signe

▣ signer
▣ signer ◆ **he signed for the parcel** il a signé le bon de livraison du paquet ◆ **signing clerk** *or* **officer** fondé de pouvoir, chargé de signature.

**signal** /'sɪgnl/ N signal m ◆ **leading indicators throw off mixed signals** *(Econ)* les indicateurs de tendance ne vont pas tous dans le même sens ◆ **I'm getting the engaged signal** *(Telec)* ça sonne occupé.

**signatory** /'sɪgnətərɪ/ N signataire mf *(to* de)

**signature** /'sɪgnətʃəʳ/ N signature f ◆ **clean signature** signature sans réserve ◆ **joint signature** signature collective ◆ **stamped signature** griffe ◆ **to affix** *or* **put one's signature to sth** apposer sa signature à qch ◆ **for signature** pour signature ◆ **specimen signature** modèle *or* spécimen *or* échantillon de signature ◆ **the signature of the firm** la signature sociale ◆ **the state's signature** la signature de l'État

—————— *compounds/composés* ——————
◆ **signature tune** indicatif.

**signature-match** /'sɪgnətʃə'mætʃ/ VT comparer les signatures.

**sign away** VT SEP *rights* signer sa renonciation à ◆ **she signed away her right to the house** elle a formellement renoncé à ses droits sur la maison.

**signee** /saɪ'niː/, **signer** /'saɪnəʳ/ N signataire mf.

**significance** /sɪg'nɪfɪkəns/ N a *[decision]* importance f, portée f b *(= meaning)* signification f ◆ **marginal significance** *(Econ)* utilité marginale.

**significant** /sɪg'nɪfɪkənt/ ADJ *move* significatif, important; *event* de grande portée ◆ **it is significant that** il est significatif *or* révélateur que ◆ **a significant rise in salaries** une hausse sensible des salaires.

**sign in** VI *(for work)* pointer à l'arrivée; *(= register in hotel)* signer le registre.

**sign off** VI *(from work)* pointer à la sortie *(Rad, TV)* terminer l'émission.

**sign on** VI a *(= get o.s. hired)* se faire embaucher *(as* en qualité de) b *(for work)* pointer à l'arrivée c *(= enrol)* s'inscrire ◆ **I've signed on for** je me suis inscrit *pour or* à.

**sign out** VT SEP *file, book* sortir ◆ **the file has been signed out to you** le dossier a été sorti à votre nom
▣ *(from work)* signer le registre de sortie.

**signpost** /'saɪnpəʊst/ N poteau m indicateur
▣ marquer, indiquer, signaler ◆ **it is signposted** c'est indiqué *or* fléché.

**sign up** VI a *(= enrol)* s'incrire b *(= get o.s. hired)* se faire embaucher
▣ VT FUS *contract* signer, obtenir ◆ **this company was the first to sign up a contract in this field** cette société a été la première à obtenir un contrat dans cette branche.

**silage** /'saɪlɪdʒ/ N ensilage m.

**silence** /'saɪləns/ N silence m ◆ **to pass sth over in silence** passer qch sous silence
▣ réduire au silence, faire taire.

**silent** /'saɪlənt/ ADJ silencieux ◆ **the silent majority** *(Pol)* la majorité silencieuse ◆ **silent partner** *(Comm)* bailleur de fonds, commanditaire ◆ **silent salesman** présentoir.

**silicon** /'sɪlɪkən/ N silicium m ◆ **silicon chip** puce électronique.

**silk-screen printing** /'sɪlkskriːn'prɪntɪŋ/ N sérigraphie f.

**silo** /'saɪləʊ/ N silo m.

**silver** /'sɪlvəʳ/ N *(= metal)* argent m ◆ **silver coin** pièce d'argent.

**similar** /'sɪmɪləʳ/ ADJ similaire, semblable *(to* à) ◆ **on a similar occasion** dans des circonstances semblables *or* analogues.

**similarity** /ˌsɪmɪ'lærɪtɪ/ N ressemblance f, similitude f *(to* avec, *between* entre)

**simple** /'sɪmpl/ **ADJ** simple ✦ **simple interest** intérêts simples ✦ **simple debenture** obligation chirographaire ✦ **simple contract** convention verbale, acte sous seing privé ✦ **simple-contract creditor** créancier chirographaire.

**simplex** /'sɪmpleks/ **ADJ** *(Comp)* simplex.

**simulate** /'sɪmjʊleɪt/ **VT** *conditions* simuler.

**simulation** /ˌsɪmjʊ'leɪʃən/ **N** simulation f.

**simulator** /'sɪmjʊleɪtəʳ/ **N** simulateur m.

**sincerely** /sɪn'sɪəlɪ/ **ADV** sincèrement ✦ **Yours sincerely** *(letter ending)* *(gen)* je vous prie d'agréer, Monsieur, l'expression de mes sentiments distingués *or* les meilleurs; *(from man to woman)* je vous prie d'agréer, Madame, mes très respectueux hommages.

**sine die** /'saɪnɪ'daɪɪ/ **ADV** *(Jur)* sine die.

**sing** /sɪŋ/ **VI** chanter ✦ **singing commercial** publicité f chantée.

**Singapore** /ˌsɪŋgə'pɔːʳ/ **N** Singapour.

**Singaporean** /ˌsɪŋgə'pɔːrɪən/ **ADJ** singapourien **N** *(= inhabitant)* Singapourien(ne) m(f).

**single** /'sɪŋgl/ **ADJ** seul, unique ✦ **the Single (European) Act** *(EU)* l'Acte unique (européen) ✦ **the Single European Market** le marché unique européen ✦ **single commission** *(St Ex)* franco ✦ **the single currency** la monnaie unique ✦ **single-entry bookkeeping** comptabilité en partie simple ✦ **single-digit** *or* **single-figure inflation** inflation à un chiffre ✦ **the inflation rate is now in single figures** le taux d'inflation est redescendu sous la barre des 10% ✦ **single premium** prime unique ✦ **single room** chambre pour une personne ✦ **single-schedule tariff** *(Customs)* tarif général des douanes ✦ **single-sided floppy disk** disquette simple face ✦ **single-step income statement** résultat sous forme de compte ✦ **single ticket** *(Brit)* aller simple.

**single out** /'sɪŋgl/ **VT** *(= pick out)* choisir; *(= distinguish)* distinguer ✦ **he has been singled out for promotion** il a été désigné pour une promotion.

**singly** /'sɪŋglɪ/ **ADV** séparément ✦ **articles sold singly** articles qui se vendent séparément *or* à la pièce.

**sink** /sɪŋk/ **VI a** *[ship]* couler, sombrer; *[business, person]* couler ✦ **it was sink or swim** il fallait bien s'en sortir **b** *[prices]* baisser, diminuer ✦ **the yen has sunk to a new low** le yen a atteint sa cote la plus basse *or* a atteint un nouveau plancher

**VT a** *ship* couler, faire sombrer; *business, project* couler **b** *(= invest)* investir ✦ **to sink money into a new business** investir de l'argent dans une nouvelle entreprise **c** *(by giving up capital)* placer à fonds perdus ✦ **to sink money in an annuity** placer de l'argent en viager **d** *(= pay off)* *debt, loan* amortir.

**sinking fund** /'sɪŋkɪŋˌfʌnd/ **N** fonds m d'amortissement.

**siphon off** /'saɪfən/ **VT SEP** *funds (gen)* canaliser; *(illegally)* détourner.

**Sir** /sɜːʳ/ **N** Monsieur ✦ **Dear Sir** *(at start of letter)* (Cher) Monsieur ✦ **Dear Sir or Madam** Madame, (Mademoiselle,) Monsieur ✦ **Dear Sirs** Messieurs.

**SIRO** /'saɪrəʊ/ abbr of **sequential in, random out** → **sequential.**

**sister** /'sɪstəʳ/

*compounds/composés*

✦ **sister company** société f appartenant au même groupe, société f sœur
✦ **sister ship** *(same make)* navire m du même type; *(same fleet)* navire m appartenant au même armateur ✦ **sister-ship clause** clause navire du même assuré.

**sit** /sɪt/ **VI a** *[committee, assembly]* siéger, être en séance **b** *[person]* s'asseoir ✦ **to sit on the board** siéger au conseil d'administration, faire partie du conseil d'administration ✦ **to sit on the fence** attendre les événements ✦ **to sit tight** ne pas bouger ✦ **sit-down** *or* **sit-in strike** grève sur le tas.

**site** /saɪt/ **N a** *[town, building]* emplacement m, site m **b** *(Constr)* chantier m ✦ **building / demolition site** chantier de construction / de démolition

*compounds/composés*

✦ **site engineer** ingénieur de chantier
✦ **site manager** directeur de chantier
✦ **site supervisor** chef de chantier

**VT** implanter ✦ **they want to site a nuclear power station in our valley** on veut implanter une centrale atomique dans notre vallée ✦ **the chemical plant was deliberately sited near the river** l'usine chimique a été délibérément implantée *or* installée près de la rivière.

**siting** /'saɪtɪŋ/ **N** implantation f ✦ **the siting of the new supermarket was hotly debated** le choix de l'implantation *or* de l'emplacement de la nouvelle grande surface a été très controversé.

**sit on** * **VT FUS** (= *keep secret*) *report* garder secret; (= *reject*) *idea* rejeter.

**sits vac.** abbr of **situations vacant** → **situation.**

**sitting** /'sɪtɪŋ/ **N** [*assembly*] séance f, réunion f, session f ; [*court*] audience f.

**situate** /'sɪtjʊeɪt/ **VT** placer, situer ✦ **their offices are situated near the town centre** leurs bureaux sont situés près du centre-ville.

**situation** /ˌsɪtjʊ'eɪʃən/ **N** a (= *circumstances*) situation f ✦ **financial / political situation** situation financière / politique ✦ **the overall economic situation** la conjoncture économique dans son ensemble b (= *job*) poste m, emploi m, situation f ✦ **situations vacant** offres d'emploi ✦ **situations wanted** demandes d'emploi c (= *location*) situation f, emplacement m.

**six** /sɪks/ **ADJ, N** six m ✦ **twenty- / thirty-six** vingt- / trente-six ✦ **he is six (years old)** il a six ans ✦ **five times out of six** cinq fois sur six ✦ **they are located at (number) six in the street** ils sont au (numéro) six de la rue ✦ **it is six a.m. / p.m., it is six in the morning / in the evening** il est six heures du matin / du soir ✦ **it is six minutes to five** il est cinq heures moins six ✦ **by nine votes to six** par neuf voix contre six ✦ **page six** page six ✦ **six hundred / thousand pounds** six cents / mille livres ✦ **six tenth of the turnover** les six dixièmes du chiffre d'affaires

**sixfold** /'sɪksfəʊld/ **ADJ** sextuple **ADV** au sextuple.

**sixteen** /'sɪks'tiːn/ **ADJ, N** seize m → **six.**

**sixteenth** /'sɪks'tiːnθ/ **ADJ, N** seizième mf ✦ **in the sixteenth place** seizièmement → **sixth.**

**sixth** /sɪksθ/ **ADJ, N** sixième mf ✦ **fifty- / sixty-sixth** cinquante- / soixante-sixième ✦ **we live on the sixth floor** nous habitons au sixième étage ✦ **to come sixth** se classer sixième ✦ **a** or **one sixth of the takings** un or le sixième de la recette ✦ **five sixths of the amount** les cinq sixièmes du montant ✦ **the sixth of April, April the sixth** le six avril ✦ **they'll come on the sixth** ils viendront le six ✦ **letter dated the sixth** lettre datée du six ✦ **in the sixth place** sixièmement.

**sixtieth** /'sɪkstɪθ/ **ADJ, N** soixantième mf ✦ **in the sixtieth place** soixantièmement → **sixth.**

**sixty** /'sɪkstɪ/ **ADJ, N** soixante ✦ **sixty-one** soixante et un ✦ **sixty-two** soixante-deux ✦ **sixty-first** soixante et unième ✦ **he lives at (number) sixty in the street** il habite au (numéro) soixante de la rue ✦ **in the sixties** dans les années soixante

✦ **in the early / late sixties** au début / vers la fin des années soixante ✦ **about sixty, sixty or so** une soixantaine.

**sizable** /'saɪzəbl/ **ADJ** → **sizeable.**

**size** /saɪz/ **N** [*person*] taille f ; [*building*] dimension f ; [*project, problem*] ampleur f, étendue f ; [*operation, campaign*] ampleur f, envergure f.

**sizeable** /'saɪzəbl/ **ADJ** assez important, non négligeable.

**size up** /saɪz/ **VT SEP** *situation* juger, jauger ✦ **to size up the problem** mesurer l'étendue du problème ✦ **I can't quite size him up** je n'arrive pas vraiment à me faire une opinion sur son compte.

**sked** * /sked/ (US) **N** vol m régulier ✦ **to travel sked / non-sked** voyager sur une ligne régulière / par charter, prendre un vol régulier / charter.

**skeleton** /'skelɪtn/ **N** squelette m ✦ **skeleton contract** contrat type ✦ **skeleton law** loi-cadre ✦ **skeleton staff** personnel réduit au strict minimum.

**sketch** /sketʃ/ **N** (= *drawing*) croquis m, esquisse f ; (= *outline plan*) ébauche f, aperçu m, résumé m.

**sketch out** /sketʃ/ **VT SEP** *plan* (*by drawing*) esquisser; (*in writing*) ébaucher, décrire à grands traits.

**skid** /skɪd/ **VI** [*prices*] déraper ✦ **the August price index skidded** l'indice des prix du mois d'août a dérapé **NPL** **to be on the skids** * être en perte de vitesse.

**skill** /skɪl/ **N** (= *competence*) (*gen*) adresse f, habileté f ; (= *talent*) talent m ; (*in craft*) technique f ✦ **his skill in negotiation** ses talents de négociateur ✦ **increases scaled according to skill levels** augmentations en rapport avec le niveau des compétences.

**skilled** /skɪld/ **ADJ** (= *expert*) compétent, expert, expérimenté; *worker, engineer* qualifié; *work* de technicien, de spécialiste ✦ **skilled labour** main-d'œuvre qualifiée.

**skim** /skɪm/ **VT** écrémer.

**skimming** /'skɪmɪŋ/ **N** (*gen*) écrémage m (US = *fraud*) fraude f fiscale

────── compounds/composés ──────
✦ **skimming policy** (*Mktg*) politique d'écrémage
✦ **skimming price** prix d'écrémage.

**skimp** /skɪmp/ **vt** lésiner sur, économiser.

**skip** /skɪp/ **vt** omettre, sauter, passer ♦ **skip the details** épargne-nous les détails.

**skirt (round)** /skɜːt/ **vt FUS** *problem* esquiver, éluder, contourner.

**Skopje** /'skɔːpjə/ **N** Skopje.

**sky** /skaɪ/ **N** ciel m ♦ **the sky's the limit** tout est possible

```
──────── compounds/composés ────────
  ♦ sky ad publicité or annonce aérienne
  ♦ sky shouting or writing publicité aérienne.
```

**skyrocket** /'skaɪrɒkɪt/ **vi** *[prices]* grimper en flèche.

**slack** /slæk/ **ADJ a** *person* négligent, peu sérieux ♦ **to be slack about one's work** se relâcher dans son travail **b** (= *inactive*) *demand* faible; *market, trade* peu actif, stagnant, peu animé ♦ **the slack season** la morte-saison ♦ **slack periods** périodes creuses ♦ **business is slack** les affaires tournent au ralenti **c slack money** argent m facile
**N** ralentissement m de l'activité, stagnation f, marasme m ♦ **new orders for durable goods show slack for the first month since January** pour la première fois depuis janvier les nouvelles commandes de biens durables connaissent un ralentissement ♦ **to take up the slack in the economy** relancer les secteurs de l'économie en perte de vitesse.

**slack off** /slæk/ **vi** (= *slow down*) *[worker]* se relâcher dans son travail; *[business, demand]* ralentir, fléchir.

**slacken** /'slækn/ **vti** (*Econ*) ralentir.

**slackening** /'slæknɪŋ/ **N** (*Econ*) ralentissement m, fléchissement m.

**slackness** /'slæknɪs/ **N** *[person]* négligence f, laisser-aller m ; *[trade]* stagnation f, ralentissement m, torpeur f, marasme m.

**slander** /'slɑːndər/ **N** diffamation f ♦ **slander action** procès en diffamation
**vt** diffamer, calomnier.

**slanderous** /'slɑːndərəs/ **ADJ** diffamatoire.

**slant** /slɑːnt/ **N** point m de vue
**vt** présenter avec parti pris or de façon partiale ♦ **a slanted report** un rapport tendancieux.

**slanted** /'slɑːntɪd/ **ADJ** *report* tendancieux.

**slap on** * /slæp/ **vt SEP** *tax* flanquer*, imposer brusquement.

**slapdash** /'slæpdæʃ/ **ADJ** bâclé, fait à la va-vite.

**slash** /slæʃ/ **vt** (= *reduce*) *prices* écraser, casser ♦ **government expenditure will be slashed in the next budget** les dépenses de l'État seront radicalement réduites or subiront des coupes sombres dans le prochain budget.

**slate** /sleɪt/ **N** (*Pol* = *list of candidates*) liste f des candidats
**vt a** (* *US* = *plan*) programmer ♦ **the meeting was slated to start at six** le début de la réunion était prévu pour six heures ♦ **slated cuts** réductions programmées **b** (* *US* = *nominate*) proposer ♦ **she has been slated for this job** elle a été proposée pour ce poste.

**slaughter** /'slɔːtər/ **vt** *cattle* abattre ; (* = *sell off*) *goods* liquider, solder, brader
**COMP** ♦ **slaughter price** prix sacrifié or massacré.

**slaughterhouse** /'slɔːtəhaʊs/ **N** abattoir m.

**sleeper** /'sliːpər/ **N** (*Rail*) wagon-lit m ; (*St Ex*) *action dont le cours reste stable.*

**sleeping** /'sliːpɪŋ/ **COMP** ♦ **sleeping car** (*Rail*) wagon-lit m ; **sleeping partner** commanditaire m, bailleur m de fonds.

**slice** /slaɪs/ **N** part f, portion f, tranche f ♦ **a slice of the car market** une part du marché de l'automobile ♦ **everyone wants a slice of the cake** chacun veut sa part du gâteau.

**slick** /slɪk/ **N** (also **oil slick**) nappe f de pétrole; (*major disaster*) marée f noire
**ADJ** *sales campaign* mené tambour battant, mené bon train; *salesman* malin, rusé, habile.

**slide** /slaɪd/ **N a** (= *fall*) baisse f, glissement m (*in* de) **b** (*Phot*) diapositive f

```
──────── compounds/composés ────────
  ♦ slide projector projecteur de diapositives
  ♦ slide rule règle à calculer
```

**vi** baisser, glisser.

**sliding** /'slaɪdɪŋ/ **ADJ** coulissant, mobile ♦ **sliding scale tariff** tarif dégressif ♦ **sliding wage scale** échelle mobile des salaires.

**slip** /slɪp/ **N a** (= *note*) bordereau m, bulletin m, fiche f, feuille f ♦ **pay slip** feuille or bulletin de paie or de salaire, fiche de paie ♦ **sales slip** ticket de caisse **b** (*Mar Ins*) police f provisoire **c** (= *fall*) *[prices]* glissement m, baisse f, recul m (*in* de) **d** (= *mistake*) erreur f, faute f d'inattention, étourderie f, oubli m ◆ **slip of the tongue** *or* **the pen** lapsus

**VI** échapper à ◆ **it slipped my mind** cela m'était sorti de l'esprit ◆ **that slipped his notice** cela lui a échappé

**VI** (*gen*) glisser; (= *fall*) baisser, reculer, glisser ◆ **car sales have slipped 5%** les ventes de voitures ont baissé de 5% ◆ **several errors had slipped into the report** plusieurs erreurs s'étaient glissées dans le rapport ◆ **don't let this opportunity slip** ne laissez pas filer *or* passer cette chance ◆ **he slipped easily into his new position** il s'est facilement adapté à sa nouvelle situation.

**slip back** VI [*prices*] glisser, reculer, baisser ◆ **shares slipped back to an all-time low** les actions ont enregistré une baisse historique.

**slip out** VI [*information*] transpirer ◆ **the news slipped out** la nouvelle a transpiré.

**slippage** /'slɪpɪdʒ/ N [*output*] dérapage m, baisse f, recul m (*in* de)

**slipshod** /'slɪpʃɒd/ ADJ work bâclé, négligé, peu soigné.

**slip up** * VI cafouiller* ◆ **our legal department slipped up and your claim letter was misdirected** notre service du contentieux a cafouillé et votre lettre de réclamation n'a pas été envoyée à la bonne adresse.

**slip-up** * /'slɪpʌp/ N bévue f, cafouillage m *, étourderie f.

**slog** /slɒg/ **N** (= *work*) travail m pénible, corvée f; (= *effort*) gros effort m

**VI** (= *work*) travailler dur *or* avec acharnement.

**slogan** /'sləʊgən/ N slogan m.

**slope** /sləʊp/ N inclinaison f, pente f.

**slot** /slɒt/ N (*in wall*) fente f; (*in timetable*) plage f *or* créneau m horaire; (*in market*) créneau m ◆ **the 7 o'clock time slot** le créneau de 7 heures ◆ **under-used afternoon slots** (*Pub*) plages horaires peu utilisées de l'après-midi

———— *compounds/composés* ————
◆ **slot machine** (*for tickets*) distributeur (automatique).

**slot in** /slɒt/ **VT SEP** insérer

**VI** s'insérer, rentrer ◆ **this commercial will slot in before the news** cette publicité viendra s'insérer avant les informations.

**Slovak** /'sləʊvæk/ **ADJ** slovaque

**N** **a** (= *language*) slovaque m **b** (= *inhabitant*) Slovaque mf.

**Slovakia** /sləʊ'vækɪə/ N Slovaquie f.

**Slovene** /'sləʊviːn/ **ADJ** slovène

**N** **a** (= *language*) slovène m **b** (= *inhabitant*) Slovène mf.

**Slovenia** /sləʊ'viːnɪə/ N Slovénie f.

**slow** /sləʊ/ ADJ person lent; market terne, stagnant, lourd ◆ **they were slow to respond** ils ont été lents à réagir, ils ont tardé à réagir ◆ **business is slow** les affaires tournent au ralenti ◆ **slow assets** disponibilités non immédiates *or* à long terme ◆ **slow mover, slow-moving article** article à rotation lente.

**slow down** /sləʊ/ **VT SEP** production, negotiations ralentir, retarder

**VI** [*production*] ralentir.

**slowdown** /'sləʊdaʊn/ N (*gen*) ralentissement m (*US Ind*) grève f perlée; (*Customs*) grève f du zèle.

**slowly** /'sləʊlɪ/ ADV (*gen*) lentement; (= *little by little*) peu à peu.

**slow up** VT, VI → **slow down**.

**sluggish** /'slʌgɪʃ/ ADJ market, business lourd, mou, terne, léthargique, apathique, atone ◆ **sales are sluggish** les ventes marquent le pas.

**sluggishness** /'slʌgɪʃnɪs/ N [*market*] lourdeur f, mollesse f, apathie f, léthargie f.

**slump** /slʌmp/ **N** (*Econ*) récession f, crise f (économique *or* monétaire), marasme m, dépression f (économique); (*St Ex*) effondrement m, débâcle f (*in* de); (*Comm*) [*sales*] forte baisse f, mévente f (*in* de); [*prices*] effondrement (*in* de)

**VI** [*production, prices*] baisser brutalement, s'effondrer, dégringoler.

**slumpflation** /ˌslʌmp'fleɪʃən/ N période f de récession et d'inflation.

**slush fund** /'slʌʃfʌnd/ N caisse f noire.

**small** /smɔːl/ ADJ budget, stock, supply petit, limité, faible, restreint; income, sum petit, modeste, faible; problem petit, mineur, insignifiant ◆ **small ads** petites annonces ◆ **small businesses** petites entreprises ◆ **small capitalizations, small caps** (*St Ex*) petites capitalisations ◆ **small change** petite monnaie ◆ **small-claims court** tribunal d'instance ◆ **small investors** petits épargnants ◆ **small print** (*in contract*) les passages écrits en petits caractères ◆ **you must always read the small print** il faut toujours lire ce qui est écrit en petits caractères ◆ **on a small scale** sur une petite échelle

♦ **small-scale company** entreprise de petite taille ♦ **small shopkeeper** petit commerçant ♦ **small-to-medium enterprise** PME ♦ **small-to-medium enterprises** petites et moyennes entreprises.

**smallholder** /'smɔːlhəʊldəʳ/ *(Brit)* **N** petit cultivateur m.

**smart** /smɑːt/ **ADJ**   **a** *(= elegant)* élégant, chic   **b** *(\* = clever)* intelligent, astucieux

─────── *compounds/composés* ───────
♦ **smart card** *(= credit card)* carte à mémoire
♦ **smart money** *(US)* réserve d'argent *(destinée à faire des investissements au moment opportun).*

**smash** /smæʃ/ **N** *(Econ, Fin) (= collapse)* effondrement m (financier), débâcle f (financière); *(St Ex)* krach m ; *(= bankruptcy)* faillite f   **ADV** **to go smash** *[business]* faire faillite   **VI** *[business]* faire faillite.

**smash-up** /'smæʃʌp/ **N** *(= bankruptcy)* faillite f.

**SME** /ˌesemˈiː/ **N** *(abbr of* **small-to-medium enterprise***)* PME f.

**smelt** /smelt/ **VT** *(Ind)* fondre.

**smelting** /'smeltɪŋ/ **N** *(Ind)* fonte f ♦ **smelting works** fonderie.

**smoke** /sməʊk/ **VTI** fumer ♦ **no smoking** *(on sign)* défense de fumer.

**smokestack** /'sməʊkstæk/ **N** cheminée f d'usine ♦ **smokestack industries** industries traditionnelles.

**smooth** /smuːð/ **ADJ** régulier, sans à-coups ♦ **the smooth running of business** le bon fonctionnement *or* la bonne marche des affaires.

**smooth out** /smuːð/ **VT SEP** *difficulties* aplanir, faire disparaître.

**smuggle** /'smʌgl/ **VI** *(gen)* faire la contrebande de; *(through customs)* passer en fraude ♦ **to smuggle sth through the customs** passer qch en fraude *or* sans le déclarer à la douane   **VI** faire de la contrebande.

**smuggler** /'smʌgləʳ/ **N** contrebandier m.

**smuggling** /'smʌglɪŋ/ **N** *(gen)* contrebande f ; *(through customs)* fraude f (à la douane).

**S / N** **N** abbr of **shipping note** → **shipping.**

**snag** /snæg/ **N** inconvénient m, difficulté f, obstacle m ♦ **quality circles eliminate production snags** les cercles de qualité éliminent les problèmes au stade de la production.

**snake** /sneɪk/ **N** ♦ **the (monetary) Snake** *(EU Pol)* le serpent monétaire.

**snap** /snæp/ **ADJ** *strike* décidé à l'improviste, subit ♦ **snap check** contrôle impromptu ♦ **to make a snap decision** se décider tout d'un coup, prendre une décision brutale.

**snap up** /snæp/ **VT SEP** *bargain* saisir, se précipiter sur, sauter sur ♦ **these articles are snapped up as soon as they are on show** on s'arrache ces articles dès qu'ils sont exposés ♦ **to snap up a contract** enlever un contrat.

**snarl-up** \*/'snɑːlʌp/ **N** pagaïe f, confusion f.

**snatch** /snætʃ/ **VT** *opportunity* saisir, se précipiter sur, sauter sur; *market* s'emparer de, accaparer.

**snip** \* /snɪp/ *(Brit)* **N** bonne affaire f, occasion f (à saisir) ♦ **it's a snip at this price** à ce prix c'est une véritable occasion *or* c'est donné.

**snowball** /'snəʊbɔːl/ **VI** *(fig)* faire boule de neige ♦ **opposition to this project snowballed** les opposants à ce projet sont devenus de plus en plus nombreux.

**SO** abbr of **shipowner.**

**soar** /sɔːʳ/ **VI** *[prices, costs, profits]* monter en flèche, faire un bond.

**soaring** /'sɔːrɪŋ/ **ADJ** *price* qui monte en flèche.

**social** /'səʊʃəl/ **ADJ**   **a** *behaviour, relationship, class* social ♦ **social capital** capital social ♦ **social contract** contrat social ♦ **social insurance** assurances sociales ♦ **Social Security** *(Brit)* Sécurité sociale ♦ **Social Security Administration** *(US)* service des retraites ♦ **Social Security benefits** prestations sociales, allocations *or* indemnités versées par la Sécurité sociale   **b** *engagements, obligations* mondain.

**socialism** /'səʊʃəlɪzəm/ **N** socialisme m.

**socialist** /'səʊʃəlɪst/ **ADJ, N** socialiste mf.

**society** /sə'saɪətɪ/ **N**   **a** *(= organized group)* association f à but non lucratif ♦ **building society** *(Brit)* société d'investissement et de crédit immobilier ♦ **friendly society** *(Brit)* société de prévoyance, société mutualiste, mutuelle ♦ **provident society** *(Brit)* caisse de prévoyance   **b** *(= high society)* le grand monde, la haute société   **c** *(= social community)* société f ♦ **consumer society** société de consommation.

**socio-economic** /ˌsəʊsɪəʊˌiːkəˈnɒmɪk/ **ADJ** socio-économique.

**sociological** /ˌsəʊsɪəˈlɒdʒɪkəl/ **ADJ** sociologique.

**sociologist** /ˌsəʊsɪˈɒlədʒɪst/ **N** sociologue mf.

**sociology** /ˌsəʊsɪˈɒlədʒɪ/ **N** sociologie f.

**Sofia** /ˈsəʊfɪə/ **N** Sofia.

**soft** /sɒft/ **ADJ** *(gen)* doux; *currency* faible; *(St Ex) market* mou, peu actif ♦ **soft copy** *(Comp)* visualisation sur écran ♦ **soft-cover book** livre broché ♦ **soft drinks** boissons non alcoolisées ♦ **soft furnishings** tissus d'ameublement ♦ **soft goods** *(= textiles)* tissus, textiles *(US = perishables)* biens de consommation non durables ♦ **soft loan** prêt à taux bonifié ♦ **soft market** marché où la demande est rare ♦ **soft sell** *or* **selling** publicité discrète ♦ **a soft spot in the market** un point faible du marché, un secteur en baisse ♦ **the dollar is due for a soft landing** on attend l'atterrissage en douceur du dollar ♦ **sales are soft** les ventes ne marchent pas très fort *or* sont molles.

**soften up** * /ˈsɒfn/ **VT SEP** *customer* baratiner*.

**soft-pedal** /ˈsɒftpedəl/ **VT** mettre en sourdine *or* en veilleuse ♦ **the unions have decided to soft-pedal their demands** les syndicats ont décidé de ne pas trop mettre en avant leurs revendications *or* de mettre la pédale douce.

**software** /ˈsɒftweəʳ/ **N** logiciel m ♦ **applications software** logiciel d'application ♦ **driving software** logiciel de commande ♦ **systems software** logiciel d'exploitation ♦ **word-processing software** logiciel de traitement de texte

───── compounds/composés ─────
♦ **software company** *or* **house** société de services et de conseil en informatique
♦ **software engineering** génie logiciel
♦ **software library** logithèque
♦ **software package** progiciel .

**soil** /sɔɪl/ **VT** salir
**N** *(gen)* terre f; *(Pol)* sol m, territoire m ♦ **on British soil** sur le territoire *or* le sol britannique.

**soil bank** /sɔɪlbæŋk/ *(US)* **N** agence gouvernementale chargée de régler les problèmes de surproduction agricole.

**soiled** /sɔɪld/ **ADJ** *(Comm)* défraîchi.

**sol** /sɔːl/ **N** sol m ♦ **new sol** nouveau sol.

**sold** /səʊld/ **ADJ** vendu ♦ **sold day-book** journal des ventes ♦ **sold-ledger** grand livre des ventes ♦ **sold-note** *(St Ex)* bordereau de vente.

**sole** /səʊl/ **ADJ** *(= exclusive)* right, agent exclusif ♦ **they have the sole agency for our firm** ils ont l'exclusivité de notre société ♦ **sole arbitrator** *(Ins)* arbitre unique ♦ **sole of exchange** seule de change ♦ **sole legatee** légataire universel ♦ **sole owner** propriétaire unique ♦ **sole proprietor-**

**ship** *(gen)* entière propriété; *business* entreprise unipersonnelle *or* individuelle ♦ **sole trader** entreprise unipersonnelle *or* individuelle.

**solicit** /səˈlɪsɪt/ **VT** solliciter *(sb for sth, sth from sb* qch de qn*)*

**soliciting agent** /səˈlɪsɪtɪŋˌeɪdʒənt/ **N** placier m.

**solicitor** /səˈlɪsɪtəʳ/ **N** **a** *(Jur)* *(Brit)* *(in court case)* avocat m; *(for conveyancing)* notaire m, homme m de loi *(cumulant les fonctions d'avocat et de notaire)* ; *(US)* conseiller m juridique, avocat-conseil m **b** *(US Ins)* courtier m, placier m.

**solid** /ˈsɒlɪd/ **ADJ** *business* solide, sain; *voters* unanime ♦ **on solid ground** en terrain sûr ♦ **solid gold** *or* massif ♦ **solid-state** *electronic device* transistorisé.

**solus** /ˈsəʊləs/ **ADJ** *(Pub)* advertisement, site, position isolé.

**solution** /səˈluːʃən/ **N** *(to problem)* solution f *(to* de*)*

**solve** /sɒlv/ **VT** difficulty, problem résoudre.

**solvency** /ˈsɒlvənsɪ/ **N** solvabilité f ♦ **solvency margin** marge de solvabilité.

**solvent** /ˈsɒlvənt/ **ADJ** solvable ♦ **solvent debt** dette recouvrable.

**som** /sɒm/ **N** som m.

**Somalia** /səʊˈmɑːlɪə/ **N** Somalie f.

**Somalian** /səʊˈmɑːlɪən/ **ADJ** somalien
**N** *(= inhabitant)* Somalien(ne) m(f).

**somani** /səʊˈmɑːnɪ/ **N** somani m.

**somnambulant** /sɒmˈnæmbjʊlənt/ **ADJ** *market* endormi.

**soon** /suːn/ **ADV** bientôt ♦ **as soon as possible** dès que possible.

**sop up** /sɒp/ **VT SEP** *debt* éponger, absorber.

**sophisticated** /səˈfɪstɪkeɪtɪd/ **ADJ** machine, method hautement perfectionné, sophistiqué, technologiquement avancé.

**sort** /sɔːt/ **N** **a** *(gen)* sorte f, genre m, espèce f; *[car, machines]* marque f **b** *(Comp)* tri m ♦ **digital sort** tri numérique ♦ **sort key** / **routine** clé / programme de tri ♦ **ascending** / **descending sort** tri croissant / décroissant
**VT** *(gen)* classer, ranger, trier; *(Comp)* trier.

**sorter** /ˈsɔːtəʳ/ **N** *(= person)* trieur(-euse) m(f) ; *(= machine)* trieuse f.

**sort out** **VT SEP** *documents (= select)* trier, faire le tri de; *(= tidy)* classer, ranger, mettre de l'ordre dans.

**sought-after** /ˌsɔːt'ɑːftəʳ/ **ADJ** recherché.

**sound** /saʊnd/ **N** son m ◆ **I don't like the sound of his plans** ses projets ne me disent rien qui vaille or m'inquiètent

———— compounds/composés ————
◆ **sound check** contrôle-son (avant un enregistrement)
◆ **sound effects** (Cine) bruitage
◆ **sound insulation** isolation phonique
◆ **sound track** bande son or sonore
◆ **sound truck** camion publicitaire équipé d'un haut-parleur

**ADJ** **a** (= healthy) business, management sain, solide; investment sûr, sans danger, sans risque ◆ **sound cargo** chargement sain ◆ **sound currency** devise saine ◆ **sound value** (Ins) valeur saine **b** (= sensible) argument solide, valable; decision, advice sensé, valable, judicieux **VI** (= seem) sembler ◆ **it sounds as though he's not interested in the idea** il ne semble pas être intéressé par cette idée.

**soundings** /'saʊndɪŋz/ **NPL** (= measurements) sondages mpl ◆ **to take soundings** faire des sondages.

**sound out** **VT SEP** person sonder, questionner discrètement ◆ **sound him out about working with us** essayez de savoir s'il serait prêt à venir travailler chez nous ◆ **sound him out as a potential investor in the project** voyez s'il pourrait participer au financement du projet.

**soundproof** /'saʊndpruːf/ **VT** insonoriser **ADJ** insonorisé.

**soundproofing** /'saʊndpruːfɪŋ/ **N** insonorisation f.

**sour** /'saʊəʳ/ **ADJ** wine aigre, acide **VI** relations s'envenimer.

**source** /sɔːs/ **N** source f, origine f ◆ **source of income** source de revenus ◆ **deduction of tax at source** retenue de l'impôt à la source ◆ **from a reliable source** de source sûre ◆ **what is the source of this information?** quelle est l'origine or la provenance de cette information?

———— compounds/composés ————
◆ **source document** document de base
◆ **source file** fichier source
◆ **source language** langage source
◆ **source program** programme source.

**sourcing** /'sɔːsɪŋ/ **N** approvisionnement m ◆ **sourcing manager** responsable or directeur des achats or de l'approvisionnement.

**South Africa** /ˌsaʊθ'æfrɪkə/ **N** Afrique f du Sud.

**South African** /ˌsaʊθ'æfrɪkən/ **ADJ** sud-africain **N** (= inhabitant) Sud-Africain(e) m(f).

**South America** /ˌsaʊθə'merɪkə/ **N** Amérique f du Sud.

**South American** /ˌsaʊθə'merɪkən/ **ADJ** sud-américain **N** (= inhabitant) Sud-Américain(e) m(f).

**Southeast Asia** /ˌsaʊθiːst'eɪʃə/ **N** Asie f du Sud-Est.

**South Korea** /ˌsaʊθkə'riːə/ **N** Corée f du Sud.

**South Korean** /ˌsaʊθkə'riːən/ **ADJ** sud-coréen **N** (= inhabitant) Sud-Coréen(ne) m(f).

**South Yemen** /ˌsaʊθ'jeman/ **N** Yémen m du Sud.

**Soviet** /'saʊvɪət/ **ADJ** soviétique ◆ **Union of Soviet Socialist Republics** Union des républiques socialistes soviétiques ◆ **Soviet Union** Union soviétique.

**SP** abbr of **starting price** → **starting.**

**space** /speɪs/ **N** **a** (= room) espace m, place f ◆ **advertising space** espace publicitaire **b** (Typ) espace m or f, espacement m ◆ **single space** interligne simple ◆ **double space** double interligne ◆ **to leave a space** laisser un espace or un blanc **c** (Astron) espace m

———— compounds/composés ————
◆ **space advertising** publicité presse
◆ **space bar** (Comp) barre d'espacement
◆ **space broker** courtier en publicité
◆ **space buyer** acheteur d'espace
◆ **space buying** achat d'espace
◆ **space character** (Comp) caractère d'espacement
◆ **space cost** coût de l'espace or de l'insertion
◆ **space discount** tarif dégressif selon l'espace acheté
◆ **space industry (the)** l'industrie spatiale
◆ **space rates** tarifs mpl d'espace or d'insertion
◆ **space shuttle** navette spatiale
◆ **space writer** (Press) pigiste.

**space out** /speɪs/ **VT** visits, letters espacer; payments échelonner (over sur) ◆ **to space out payments over ten years** étaler des versements sur dix ans.

**Spain** /speɪn/ **N** Espagne f.

**spamming** /'spæmɪŋ/ **N** (Internet) spamming m.

**span** /spæn/ **N** **a** *[time]* durée f, espace m (de temps) ♦ **the average span of life of a product** la durée moyenne de vie d'un produit **b** *[arch]* envergure f, portée f ; *(Comp)* plage f ♦ **print span** largeur de la ligne d'impression ♦ **span of control** *[manager]* domaine de responsabilité, attributions.

**Spaniard** /'spænjəd/ **N** *(= inhabitant)* Espagnol(e) m(f).

**Spanish** /'spænɪʃ/ **ADJ** espagnol
**a** *(= language)* espagnol m **b** **the Spanish** les Espagnols.

**spare** /spɛəʳ/ **ADJ** **a** *(= surplus)* en surplus, disponible ♦ **spare capacity** *factory* capacité de production disponible ♦ **spare capital** capital disponible ♦ **spare cash** *(small amount)* argent en trop *or* de reste; *(large amount)* argent disponible ♦ **spare time** temps libre *or* disponible, (heures de) loisirs **b** *(= in reserve)* de réserve, de rechange ♦ **spare parts** pièces de rechange, pièces détachées ♦ **spare track** *(Comp)* piste de remplacement *or* de réserve
**N** *(= part)* pièce f de rechange, pièce f détachée
**VT** *(= do without)* se passer de ♦ **we can't spare him** nous ne pouvons pas nous passer de lui ♦ **can you spare me 5 minutes?** pouvez-vous m'accorder *or* me consacrer 5 minutes? ♦ **you could have spared yourself the trouble** vous auriez pu vous éviter tout ce mal.

**spark** /spɑːk/ **VT** (also **spark off**) *complaints* provoquer, déclencher; *interest* susciter, éveiller (*in sb* chez qn)

**sparse** /spɑːs/ **ADJ** clairsemé, peu dense.

**sparsely** /'spɑːslɪ/ **ADV** ♦ **sparsely populated** faiblement peuplé, à population clairsemée.

**spate** /speɪt/ **N** *[applications, protest]* avalanche f, afflux m, déferlement m, vague f ♦ **a spate of foreign orders** un afflux de commandes de l'étranger ♦ **spate of publicity** déferlement publicitaire ♦ **spate of strikes** vague de grèves ♦ **there has been a spate of dollar selling** il y a eu une vente massive de dollars.

**speak** /spiːk/ **VI** parler ♦ **I must speak to her about this** *(= consult)* il faut que je lui en parle; *(= reprimand)* j'ai deux mots à lui dire à ce sujet ♦ **speaking time** temps de parole.

**spearhead** /'spɪəhed/ **N** **the layoffs were the spearhead of the plan** les licenciements étaient le fer de lance du projet
**VT** *attack* être le fer de lance de; *campaign* mener.

**spec** * /spek/ **N** **a** *(= specification)* spécification f, caractéristique f technique ♦ **what's the job's spec?** quel est le profil du poste? **b** **to buy sth on spec** risquer *or* tenter le coup* en achetant qch ♦ **I decided to go on spec** j'ai décidé d'essayer *or* de tenter le coup.

**special** /'speʃəl/ **ADJ** *(= specific)* purpose, equipment spécial, particulier; *(= exceptional)* case, circumstances spécial, exceptionnel, particulier ♦ **special acceptance** *(Comm)* acceptation sous réserve, acceptation conditionnelle ♦ **special agent** concessionnaire ♦ **special buyer** *(St Ex)* courtier nommé par la Banque d'Angleterre et chargé de vendre et d'acheter des bons du Trésor et autres titres d'État ♦ **special crossing** *(Bank)* barrement spécial ♦ **special damages** indemnisation spéciale, dommages-intérêts spécifiques ♦ **special delivery** *letter* par exprès, par porteur spécial ♦ **special deposits** dépôts spéciaux, réserves obligatoires *(des banques commerciales à la Banque d'Angleterre)* ♦ **special dividend** dividende exceptionnel ♦ **special drawing rights** droits de tirage spéciaux ♦ **special endorsement** endossement complet ♦ **special offer** offre spéciale *or* promotionnelle, promotion ♦ **special partnership** société en participation ♦ **special privilege** privilège spécial ♦ **special tax** taxe exceptionnelle, surtaxe.

**specialist** /'speʃəlɪst/ **N** spécialiste mf (*in* de) ♦ **computer specialist** informaticien.

**speciality** /ˌspeʃɪ'ælɪtɪ/ *(Brit)*, **specialty** /'speʃəltɪ/ *(US)* **N** **a** *(gen)* spécialité f ♦ **speciality goods** articles de marque, nouveautés ♦ **speciality salesman** représentant de produits de marque **b** *(Jur)* contrat m formel sous seing privé, acte m authentique.

**specialization, specialisation** /ˌspeʃəlaɪ'zeɪʃən/ **N** spécialisation f ♦ **area of specialization** secteur d'activité.

**specialize, specialise** /'speʃəlaɪz/ **VI** se spécialiser (*in* dans) ♦ **we specialize in office furniture** nous sommes spécialisés dans le mobilier de bureau ♦ **specialized fund** fonds spécialisé.

**specialty** /'speʃəltɪ/ *(US)* **N** → **speciality**.

**specie** /'spiːʃiː/ **N** espèces fpl (monnayées), numéraire m ♦ **to pay in specie** payer en espèces

——————— *compounds/composés* ———————
| |
| --- |
| ♦ **specie consignment** envoi d'espèces |
| ♦ **specie point** point d'or, gold point . |

**specific** /spə'sɪfɪk/ **ADJ** *instruction, example* précis, clair, explicite; *objective, project* spécifique, précis, particulier, déterminé ♦ **specific address**

*(Comp)* adresse absolue *or* réelle ♦ **specific amount** forfait, montant déterminé ♦ **specific duty** *or* **tax** *(Customs)* droit spécifique ♦ **specific legacy / legatee** legs / légataire à titre particulier ♦ **specific lien** privilège spécial ♦ **specific performance** *contract* exécution pure et simple

**NPL** **to get down to specifics** * entrer dans les détails, en venir aux détails.

**specifically** /spə'sɪfɪkəlɪ/ **ADV** *order, explain* expressément, explicitement ♦ **designed specifically for** conçu spécifiquement *or* tout particulièrement pour ♦ **this clause does not specifically refer to** cette clause ne se rapporte pas explicitement à ♦ **it specifically states that** il est expressément stipulé *or* précisé que.

**specification** /ˌspesɪfɪ'keɪʃən/ **N** **a** *(= precise instruction)* spécification f, précision f, description f détaillée; *(= item in contract)* stipulation f, prescription f; *(for building, machine)* spécification f, caractéristique f technique ♦ **built to his own specifications** construit selon ses propres normes *or* son propre cahier des charges ♦ **job specification** profil de poste ♦ **patent specifications** demande de dépôt de brevet, mémoire descriptif d'une invention ♦ **personal specification** profil de compétence **b** *(Customs)* déclaration f d'embarquement **c** *(St Ex)* bordereau m des espèces

——————— *compounds/composés* ———————
♦ **specification sheet** descriptif, notice technique.

**specify** /'spesɪfaɪ/ **VT** spécifier, préciser, stipuler, indiquer ♦ **specified invoice** facture détaillée ♦ **unless otherwise specified, unless we specify to the contrary** sauf indication contraire ♦ **specified load** charge prescrite.

**specimen** /'spesɪmɪn/ **N** spécimen m, modèle m, exemplaire m

——————— *compounds/composés* ———————
♦ **specimen copy** spécimen
♦ **specimen invoice** modèle de facture
♦ **specimen signature** modèle *or* spécimen *or* échantillon de signature.

**spectacular** /spek'tækjʊlə'/ **N** *(US Pub)* publicité f lumineuse animée.

**spectre** *(Brit)*, **specter** *(US)* /'spektə'/ **N** spectre m ♦ **the spectre of inflation** le spectre de l'inflation.

**speculate** /'spekjʊleɪt/ **VI** *(Fin)* spéculer; *(St Ex)* spéculer, jouer à la Bourse ♦ **to speculate on a fall / a rise** spéculer à la baisse / la hausse ♦ **to speculate in oils** spéculer sur les pétrolières.

**speculation** /ˌspekjʊ'leɪʃən/ **N** *(Fin, St Ex)* spéculation f *(in, on* sur*)* ♦ **to buy sth as a speculation** spéculer sur qch, faire de la spéculation sur qch.

**speculative** /'spekjʊlətɪv/ **ADJ** *buying, market* spéculatif ♦ **speculative bubble** bulle spéculative ♦ **speculative funds** fonds spéculatifs ♦ **speculative margin** couverture pour opération spéculative ♦ **speculative shares** *or* **stocks** valeurs spéculatives *or* de spéculation.

**speculator** /'spekjʊleɪtə'/ **N** spéculateur (-trice) m(f) ♦ **small speculator** boursicoteur, boursicotier.

**speed** /spiːd/ **N** vitesse f ♦ **typing speed** vitesse de frappe ♦ **high-speed train** train à grande vitesse ♦ **speed goods** marchandises expédiées au régime accéléré *or* par la grande vitesse.

**speed up** /spiːd/ **VT SEP** *service, production* activer, accélérer; *person* faire aller *or* faire travailler plus vite, presser
**VI** aller plus vite.

**speed-up** /'spiːdʌp/ **N** accélération f *(in* de*)* ♦ **speed-up in inflation** accélération *or* recrudescence *or* emballement de l'inflation.

**speedy** /'spiːdɪ/ **ADJ** *reply, recovery, delivery* rapide.

**spell** /spel/ **N** *(= short period)* (courte) période f ♦ **spell of duty** tour de service
**VT** *(= mean)* signifier, représenter ♦ **this policy spells disaster** cette politique conduit au désastre *or* signifie la ruine.

**spell out** **VT SEP** *(= explain)* expliquer clairement ♦ **he spelt out his reasons for turning down our proposal** il a clairement indiqué pourquoi il avait repoussé notre offre.

**spend** /spend/ **VT** **a** *money* dépenser **b** *time* employer, consacrer, passer *(doing* à faire*)*

**spender** /'spendə'/ **N** ♦ **to be a big spender** dépenser beaucoup.

**spending** /'spendɪŋ/ **N** dépenses fpl ♦ **to rein in spending** contenir les dépenses ♦ **consumer spending** dépenses de consommation *or* des ménages ♦ **deficit spending** impasse budgétaire ♦ **discretionary spending** dépenses discrétionnaires *or* volontaires ♦ **government spending** dépenses publiques

———— compounds/composés ————

- **spending capacity** pouvoir d'achat
- **spending estimate** estimation des frais or des dépenses
- **spending money** argent de poche
- **spending patterns** habitudes fpl d'achat
- **spending power** pouvoir d'achat
- **spending spree** • to go on a spending spree se lancer dans une frénésie de dépenses
- **spending targets** prévisions objectifs mpl de dépenses.

**spendthrift** /'spendθrɪft/ N dépensier(-ière) m(f).

**sphere** /sfɪəʳ/ N [interest, influence] sphère f, domaine m • **in a limited sphere** dans un cercle limité • **it comes within his sphere** cela relève de ses compétences.

**spiel** * /ʃpiːl/ N (= sales talk) boniment m *, baratin m * commercial.

**spill over** /spɪl/ VI déborder, se répandre (into dans) • **the population of this town is spilling over into the green belt** la ceinture verte est envahie par la population de la ville.

**spillover** /'spɪləʊvəʳ/ N (= effect) retombée f, conséquence f.

**spin off** /spɪn/ VT subsidiary créer par essaimage
  VI **a** (= form new company) essaimer **b** (= create new products) avoir des retombées économiques.

**spin-off** /'spɪnɒf/ N **a** (= benefit) profit m or avantage m inattendu, retombée f **b** (Ind = secondary product) sous-produit m, dérivé m, application f secondaire **c** (= effect) retombées fpl (économiques) **d** (US Fin) distribution d'actions d'une société à une autre société en fin d'exercice pour des raisons fiscales **e** (Mktg) essaimage m.

**spinner** /'spɪnəʳ/ N • **money spinner** (= product) mine d'or.

**spiral** /'spaɪərəl/ N spirale f • **the inflationary spiral** la spirale inflationniste • **the wage-price spiral** la spirale prix-salaires • **the price spiral** la montée inexorable des prix
  VI [prices, wages] monter en flèche, augmenter rapidement • **spiralling inflation** inflation galopante.

**spit** /spɪt/ VT (Customs) sonder (à des fins de vérification).

**splash** /splæʃ/ N éclaboussement m • **to make a splash** * [new product] faire sensation, faire du bruit • **a great splash of publicity** un grand battage publicitaire

VT his resignation was splashed across all the papers sa démission a fait la une de tous les journaux or s'est étalée dans tous les journaux.

**splinter group** /'splɪntəˌɡruːp/ N groupe m dissident, groupuscule m autonome.

**split** /splɪt/ N **a** (Pol) scission f, schisme m • **a sharp status split between workers and executives** un écart considérable entre la situation sociale des travailleurs et celle des cadres • **there was a three-way split in the committee** le comité s'est trouvé divisé en trois clans **b** (= share, division) division f, partage m, fractionnement m • **the initial portfolio split is expected to be: Japan 75%, UK 15%, other Far Eastern countries 10%** on envisage la division suivante du portefeuille financier: Japon 75%, Royaume-Uni 15%, autres pays d'Extrême-Orient 10% • **they did a four-way split of the profits** ils ont partagé les bénéfices en quatre **c** (St Ex) division f d'actions, split m • **reverse split** regroupement d'actions • **one-for-two stock split** distribution gratuite d'une action nouvelle pour deux anciennes réduction du nombre d'actions par attribution d'une action nouvelle pour deux anciennes • **stock split down** réduction du nombre d'actions par émission d'actions nouvelles à raison d'une pour plusieurs anciennes

———— compounds/composés ————

- **split capital** capital fractionné
- **split commission** commission fractionnée or partagée
- **split funding** placement fractionné
- **split margin** or **spread** marge évolutive (avec la durée du crédit)
- **split order** (St Ex) ordre fractionné
- **split price** tarif différencié
- **split schedule** horaire fractionné
- **split screen** écran fractionné
- **split-second timing** précision à la seconde près
- **split share** action fractionnée
- **split vote** vote indécis

VT **a** (= cause dissension in) party, committee diviser, créer une scission or un schisme dans **b** (= share out) work, profits (se) partager, (se) répartir • **to split the difference** couper la poire en deux
  VI [party, government] se diviser, se désunir.

**split up** VI [meeting, crowd] se disperser; [party, movement] se diviser, se scinder
  VT SEP money, workload partager, répartir; party, organization diviser, scinder (into en)

**spoil** /spɔɪl/ **VT** gâcher, abîmer, gâter ✦ **to spoil the market** *(St Ex)* provoquer des fluctuations de forte amplitude ✦ **spoilt ballot paper** bulletin (de vote) nul
**VI** *[food]* s'abîmer, s'avarier.

**spoilage** /'spɔɪlɪdʒ/ **N** déchet(s) m(pl).

**spoils** /spɔɪlz/ **NPL** *(= booty)* *(gen)* butin m ; *(after business deal)* bénéfices mpl, profits mpl ✦ **spoils system** *(US Pol)* système des dépouilles.

**spokesman** /'spəʊksmən/ **N** porte-parole m inv *(of, for* de)

**spokesperson** /'spəʊks‚pɜːsən/ **N** porte-parole mf inv *(of, for* de)

**spokeswoman** /'spəʊks‚wʊmən/ **N** porte-parole f inv *(of, for* de)

**sponsion** /'spɒnʃən/ **N** *(Jur)* garantie f personnelle, engagement m formel en faveur d'un tiers.

**sponsor** /'spɒnsər/ **N** **a** *(Mktg, Pub)* sponsor m, parrain m ; *(Fin)* caution f, répondant m ✦ **to stand sponsor to sb** *or* **as sponsor for sb** se porter caution pour qn, être le garant *or* répondant de qn **b** *(TV)* annonceur m
**VT** *programme* patronner, parrainer, commanditer, sponsoriser; *(Fin) borrower* se porter caution pour, être le garant *or* le répondant de.

**sponsorship** /'spɒnsəʃɪp/ **N** patronage m, parrainage m, sponsorisation f ✦ **corporate sponsorship** mécénat d'entreprise ✦ **companies have become much more involved in sponsorship of the arts** les entreprises se sont davantage engagées dans le parrainage *or* la sponsorisation des manifestations artistiques.

**spot** /spɒt/ **N** **a** *(= place)* lieu m, endroit m ✦ **on the spot** *(= in that place)* sur place; *(= immediately)* sur-le-champ ✦ **black** *or* **dark spot** point noir ✦ **bright spot** point *or* aspect positif **b** *(Rad, TV)* spot m, message m *or* séquence f publicitaire

——— *compounds/composés* ———
✦ **spot advertisement** spot publicitaire
✦ **spot cash** argent comptant
✦ **spot check** sondage, vérification par sondage, contrôle intermittent
✦ **spot credit** crédit immédiat *or* à court terme
✦ **spot deal** opération au comptant
✦ **spot delivery** livraison immédiate
✦ **spot exchange** transactions fpl *or* opérations de change au comptant ✦ **spot exchange rate** cours m des changes au comptant
✦ **spot goods** marchandises fpl disponibles immédiatement

✦ **spot market** marché au comptant *or* du disponible ✦ **the Rotterdam spot market** le marché libre de Rotterdam
✦ **spot price** cours spot
✦ **spot quotation** cotation du disponible
✦ **spot rate** cours du disponible *or* du comptant
✦ **spot sale** vente au comptant, vente en disponible, vente spot
✦ **spot transaction** opération au comptant.

**spotlight** /'spɒtlaɪt/ **N** feu m des projecteurs ✦ **in the spotlight** en vedette, sous le feu des projecteurs
**VT** mettre en vedette *or* en lumière.

**spotter** /'spɒtər/ **N** *(Pub)* stop-rayon m.

**spotty** /'spɒtɪ/ **ADJ** *(St Ex) selling, business* irrégulier.

**spouse** /spaʊz/ **N** conjoint(e) m(f) ✦ **non-working spouse** conjoint au foyer.

**spread** /spred/ **N** **a** *[idea, knowledge]* diffusion f, propagation f dissémination f **b** *(= extent)* *[prices]* gamme f, échelle f, éventail m ✦ **income spread** éventail des revenus ✦ **statistical spread** étalement statistique ✦ **wage spread** *(US)* éventail des salaires **c** *(= margin)* marge f ; *(St Ex)* écart m de cours, spread m ; *(Commodities Market)* achat simultané d'un contrat d'achat à terme et d'un contrat de vente à terme ✦ **jobber's spread** marge f *(entre le prix d'achat et le prix de vente)* spread m, opération f à cheval d'un contrepartiste ✦ **spread** *or* **straddle** *(Stock Options Market)* double option **d** *(Press)* ✦ **double spread advertising** publicité sur deux pages
**VT** **a** *(= extend) activities* étendre **b** *(= distribute) wealth* distribuer, répartir; *rumours, news* répandre, faire courir, faire circuler; *fear, doubt, panic* répandre, semer; *payment* échelonner, étaler ✦ **to spread repayments over 6 months** échelonner *or* étaler les remboursements sur 6 mois ✦ **payments can be spread over 2 years** les paiements peuvent être étalés sur 2 ans ✦ **to spread risks** *(Ins)* répartir les risques ✦ **our resources are spread very thinly** nous n'avons que peu de marge dans l'emploi de nos ressources
**VI** **a** *[panic, news, rumour]* s'étendre, se répandre, se propager; *[activities]* s'étendre ✦ **the crisis will spread to other sectors** la crise s'étendra à *or* gagnera *or* atteindra d'autres secteurs **b** *(St Ex)* spéculer sur les différentiels de cours.

**spreader** /'spredər/ **N** *(St Ex)* spéculateur m.

**spreadsheet** /'spredʃiːt/ **N** *(Comp) (software)* tableur m ; *(= chart)* feuille f de calcul, tableau m.

**spree** /spri:/ N ✦ **to go on a shopping** or **spending spree** se lancer dans une frénésie de dépenses or d'achats.

**spur on** /spɜ:ʳ/ VT SEP person aiguillonner, stimuler, encourager.

**spurt** /spɜ:t/ N [speed] accélération f ; (at work) coup m de collier ✦ **spurt of activity / energy** regain or sursaut d'activité / d'énergie ✦ **to put on a spurt** (gen) accélérer; (= show energy) avoir un sursaut; (at work) donner un coup de collier.

**sq.** abbr of **square.**

**squad** /skwɒd/ N (gen) groupe m ; (Police) brigade f ✦ **fraud squad** brigade de la répression des fraudes.

**squander** /ˈskwɒndəʳ/ VT time, money dilapider, perdre, gaspiller.

**square** /skweəʳ/ VT (= settle) accounts balancer; debts payer, régler, acquitter; creditors régler, payer
VI cadrer, correspondre, s'accorder (with avec)
N a (Math) carré b (in town) place f
ADJ (Math) carré ✦ **square measures** mesures de superficie ✦ **square metre** mètre carré ✦ **square root** racine carrée.

**square up** VI (= pay debts) régler ses comptes or ses dettes (with sb avec qn)
VT debts payer, régler, acquitter.

**squeeze** /skwi:z/ N (Econ) (also **credit squeeze**) restrictions fpl de crédit, encadrement m or resserrement m du crédit ✦ **they've put a new squeeze on credit** ils ont donné un nouveau tour de vis au crédit
VT a prices, wages bloquer, geler b money, contribution, information soutirer, arracher, extorquer (out of à) c (St Ex) ✦ **to squeeze the bears** or **the shorts** faire la chasse au découvert.

**squeeze-out** /ˈskwi:zaʊt/ N (St Ex) retrait m obligatoire, cession f forcée.

**Sri Lanka** /ˌsri:ˈlæŋkə/ N Sri Lanka m.

**Sri-Lankan** /ˌsri:ˈlæŋkən/ ADJ sri-lankais
N (= inhabitant) Sri-Lankais(e) m(f).

**SRO** /ˌesɑːrˈeʊ/ N abbr of **self-regulatory organization** → **self.**

**S / S, SS** /esˈes/ N abbr of **steamship.**

**SSA** /ˌesesˈeɪ/ N abbr of **Social Security Administration** (US) → **social.**

**ST** /esˈtiː/ N a abbr of **standard time** → **standard** b abbr of **summer time** → **summer.**

**s.t.** (US) abbr of **short ton** → **short.**

**stability** /stəˈbɪlɪtɪ/ N stabilité f, fermeté f, équilibre m ✦ **employment stability** stabilité de l'emploi.

**stabilization, stabilisation** /ˌsteɪbəlaɪˈzeɪʃən/ N stabilisation f ✦ **stabilization loan** emprunt de valorisation.

**stabilize, stabilise** /ˈsteɪbəlaɪz/ VT stabiliser.

**stable** /ˈsteɪbl/ ADJ government, currency stable; stock market ferme.

**stack** /stæk/ N tas m, pile f
VT (also **stack up**) papers empiler, entasser.

**staff** /stɑːf/ N (gen) personnel m ; (= senior personnel) cadres mpl ✦ **to be on the staff** faire partie du personnel ✦ **the sales manager joined our staff 2 years ago** le directeur commercial est entré chez nous il y a 2 ans ✦ **clerical** or **office staff** personnel administratif or de bureau ✦ **counter staff** personnel de vente ✦ **managerial staff** personnel d'encadrement ✦ **senior staff** cadres supérieurs

──────── compounds/composés ────────

✦ **staff assistant** attaché fonctionnel
✦ **staff canteen** restaurant d'entreprise
✦ **staff cards** fiches fpl du personnel
✦ **staff management** direction or gestion du personnel
✦ **staff manager** directeur du personnel
✦ **staff provident fund** caisse de prévoyance du personnel
✦ **staff status** statut de cadre
✦ **staff training** formation du personnel

VT company, hotel embaucher du personnel dans ✦ **to be short-staffed** manquer de personnel, avoir un effectif insuffisant, être en sous-effectifs.

**staffer** /ˈstɑːfəʳ/ N (gen) membre m du personnel permanent; (US) membre m de la direction générale.

**staffing** /ˈstɑːfɪŋ/ N dotation f en effectifs.

**staff up** VT SEP renforcer le personnel de.

**stag** /stæg/ N (St Ex) chasseur m de prime, (spéculateur qui souscrit à une nouvelle émission dans l'espoir de revendre à prime peu après)
VI (St Ex) souscrire à une nouvelle émission (dans l'espoir de revendre à prime peu après).

**stage** /steɪdʒ/ N a (Theat) scène f ✦ **to hold the stage** occuper le devant de la scène, avoir la vedette b [operation, study] étape f, stade m, phase f ✦ **in stages** par étapes, par degrés ✦ **at this stage in the negotiations** à ce point or à

ce stade des négociations ✦ **production /
processing** or **manufacturing stages** phases de
production / de fabrication
**VT** (= *organize*) *demonstration, strike* organiser;
*publicity campaign* organiser, mettre sur pied.

**stagflation** * /stæg'fleɪʃən/ **N** stagflation f.

**stagger** /'stægəʳ/ **VT** (= *space out*) *visits* espacer;
*holidays, payments* étaler, échelonner.

**staggering** /'stægərɪŋ/ **ADJ** *news* renversant, stupéfiant ✦ **a staggering budget deficit** un déficit
budgétaire stupéfiant or incroyable.

**stagnant** /'stægnənt/ **ADJ** *business, economy*
stagnant, dans le marasme.

**stagnate** /stæg'neɪt/ **VI** [*business, economy*]
stagner, être dans le marasme.

**stagnation** /stæg'neɪʃən/ **N** stagnation f, marasme m.

**stain** /steɪn/ **N** (*on cloth, reputation*) tache f
**VI** [*material*] se tacher (facilement).

**stake** /steɪk/ **N** (*betting*) enjeu m ; (*share*) intérêt m (*in* dans) ✦ **the issue at stake** ce qui est
en jeu ✦ **there is a lot at stake** l'enjeu est
considérable, il y a gros à perdre ✦ **he has a big
stake in this new venture** il a engagé de gros
capitaux or il a pris une participation importante dans cette nouvelle entreprise ✦ **to have
a majority** or **controlling / minority stake** avoir
une participation majoritaire / minoritaire (*in
a business* dans une affaire)
**VT a** *claim* établir ✦ **to stake one's claim to sth**
revendiquer qch, établir son droit à qch
**b** (= *bet*) *money* jouer, miser (*on* sur) ✦ **he
staked everything on the board's decision** il a
tout misé sur la décision du conseil d'administration.

**stakeholder** /'steɪkhəʊldəʳ/ **N** [*business*] partie f
prenante, partenaire mf, personne f ayant un
intérêt or une participation dans l'affaire.

**stale** /steɪl/ **ADJ** *goods* qui n'est plus frais ✦ **stale
cheque** (*Jur*) chèque périmé or prescrit ✦ **stale
market** marché lourd or plat or terne or peu
animé.

**stalemate** /'steɪlmeɪt/ **N** impasse f, situation f
de blocage ✦ **to have reached a stalemate** être
dans une impasse, avoir abouti à une impasse
✦ **to break the stalemate** débloquer la situation, sortir de l'impasse
**VT** *project, plan* contrecarrer; *competitor* neutraliser; *negotiations* bloquer ✦ **the talks have been
stalemated for a few weeks** les discussions
sont dans l'impasse depuis quelques semaines.

**stall** /stɔːl/ **N** (*in market, street*) étal m, étalage m,
éventaire m ; (*in exhibition, show*) stand m
✦ **newspaper stall** kiosque à journaux
**VT** *engine* (faire) caler; *economy* entraver la
progression de, provoquer le décrochage de
**VI** [*engine*] caler; [*economy*] perdre de la or être
en perte de vitesse, décrocher.

**stamp** /stæmp/ **N** (*gen*) timbre m ✦ **date stamp**
[*library*] timbre or tampon dateur; (= *postmark*)
cachet de la poste ✦ **postage stamp** timbre-
poste ✦ **receipt stamp** (*paper*) timbre-quittance; (*rubber*) tampon ✦ **rubber stamp** timbre
(en caoutchouc), tampon ✦ **savings stamp** timbre-épargne ✦ **trading stamp** timbre-prime

—————— *compounds/composés* ——————
✦ **stamp duty** droit de timbre
✦ **stamp pad** tampon encreur

**VT a** *letter, parcel* timbrer, affranchir ✦ **this letter is not sufficiently stamped** cette lettre
n'est pas suffisamment affranchie ✦ **stamped
addressed envelope** enveloppe timbrée pour la
réponse **b** *passport, document* tamponner, viser
✦ **to stamp the date on a form** apposer la date
au tampon sur un formulaire ✦ **to stamp "paid"
on a bill** apposer le tampon « pour acquit » sur
une facture.

**stamp out** **VT SEP** *inflation* enrayer, juguler.

**stampede** /stæm'piːd/ **N** débandade f, affole-
ment m, panique f.

**stamping machine** /'stæmpɪŋməʃiːn/ **N** machine f à affranchir.

**stance** /stæns/ **N** position f, attitude f ✦ **what is
their stance on this issue?** quelle est leur
position sur ce sujet?, quelle attitude adop-
tent-ils sur cette question? ✦ **to take up a
stance** adopter une position, prendre position
✦ **to adopt a joint stance** adopter une position
commune.

**stand** /stænd/ **N a** (= *position*) position f ✦ **to
take up a stand** adopter une attitude (*on sth*
envers or sur qch) prendre position (*against sth*
contre qch) **to make a stand against a decision**
s'élever contre une décision, s'opposer à une
décision **b** (= *goods display*) étal m, étalage m,
éventaire m ; (*at exhibition*) stand m ✦ **display
stand** présentoir ✦ **news stand** kiosque (à journaux)
**VT a** (= *withstand*) *pressure, strain* supporter, résister à ✦ **to stand one's ground** tenir bon, ne
pas reculer, ne pas céder de terrain ✦ **to stand
a loss** subir or supporter une perte ✦ **to stand
the test** [*person*] se montrer à la hauteur* ;

*[machine]* résister aux épreuves *or* aux essais ♦ **it has stood the test of time** cela a résisté à l'épreuve du temps **b** *(= tolerate) delay, error* supporter, tolérer ♦ **the boss won't stand it** le patron ne le supportera *or* ne l'acceptera *or* ne le tolérera pas ♦ **to stand the cost of sth** supporter le coût de qch **c** **to stand a good chance** avoir une bonne chance *(of doing* de faire*)* **this applicant does not stand a chance** ce candidat n'a pas la moindre chance *or* n'a aucune chance

**vi** **a** **to stand at** *(= amount to) [offer, price, bid]* avoir atteint, ressortir à, se situer à, s'élever à ♦ **the balance stands at £500** le solde du compte se monte *or* s'élève à 500 livres ♦ **you must accept the estimate as it stands** il faut que vous acceptiez ce devis tel quel ♦ **sales stand at 5% up on last year** les ventes sont jusqu'à présent en hausse de 5% sur l'année dernière ♦ **as the law stands at present** en l'état actuel de la législation ♦ **the amount standing to your account** le solde (créditeur) de votre compte, la somme que vous avez sur votre compte **b** *(= remain unchanged) [offer, law, agreement, objection]* rester sans changement, demeurer valable ♦ **our proposal still stands** notre proposition reste valable ♦ **our agreement stands** notre accord tient toujours **c** **to stand surety for sb** se porter caution pour qn, se porter garant de qn ♦ **to stand security for** *loan* se porter garant de, avaliser; *signature, debt* avaliser **d** *(= take position)* ♦ **where do you stand on this question?** quel est votre point de vue sur la question? ♦ **where do you stand with the union?** quels sont vos rapports avec le syndicat? ♦ **how do we stand?** *(against competitors)* comment nous situons-nous?; *(financially)* où en sont nos comptes? **e** *(St Ex)* ♦ **to stand at a premium / discount** faire prime / perte, être au-dessus / au-dessous du pair.

**stand-alone** /ˌstændəˈləʊn/ **ADJ** *computer, software* autonome.

**standard** /ˈstændəd/ **N** *(= norm)* norme f ; *(= criterion)* critère m ; *[weights and measures]* étalon m ; *[silver]* titre m ; *(= level)* niveau m, degré m ♦ **to be up to standard** *[person]* être au niveau requis, être à la hauteur; *[goods] (= good quality)* être de la qualité requise, être conforme aux normes; *(= up to sample)* être conforme à l'échantillon ♦ **high / low standard of living** niveau de vie élevé / bas ♦ **his English is not up to standard** il n'est pas au niveau en anglais ♦ **accounting standards** normes comptables ♦ **bimetallic standard** bimétallisme ♦ **commodity / currency / dollar / gold standard** étalon marchandises / devise / dollar / or ♦ **fiat**

**standard** étalon légal ♦ **parallel** *or* **double standard** double étalon ♦ **safety standards** normes de sécurité ♦ **Trading Standards Office** *(US)* Direction de la concurrence et des prix **ADJ** *method, procedure* ordinaire, normal; *(Comm) model, size* standard *inv* ; *measure* étalon *inv* ♦ **it is now standard practice to do so** c'est la manière habituelle de procéder maintenant, c'est devenu une pratique courante ♦ **the practice became standard in the early 80s** la pratique s'est généralisée au début des années 80 ♦ **standard agreement** contrat type *or* standard ♦ **standard charge** taxe *or* redevance forfaitaire ♦ **standard deviation / error** *(Stat)* écart / erreur type ♦ **standard gold** or au titre ♦ **standard mark** poinçon ♦ **standard policy** *(Ins)* police (d'assurance) type ♦ **standard rate** *(Brit Tax)* taux standard *or* habituel ♦ **standard rate of pay** barème normalisé des salaires ♦ **standard stocks** valeurs sûres ♦ **standard time** heure légale.

**standardization,** **standardisation** /ˌstændədaɪˈzeɪʃən/ **N** standardisation f, normalisation f, uniformisation f ♦ **standardization agreement** accord de normalisation.

**standardize, standardise** /ˈstændədaɪz/ **VT** standardiser, normaliser, unifier, uniformiser ♦ **standardized production** fabrication standardisée ♦ **standardized products** produits standardisés *or* normalisés.

**stand by** **vi** *(= be ready)* se tenir prêt (à agir); *(= be at hand)* être prêt *or* disponible **VT FUS** *promise* tenir, être fidèle à; *partner* soutenir, défendre ♦ **to stand by sb's decision** accepter la décision de qn ♦ **I'll stand by our previous agreement** je m'en tiendrai à notre précédent accord.

**stand-by** /ˈstænd baɪ/ **N** *(= person)* remplaçant(e) m(f) ♦ **to be on stand-by** *(gen)* être prêt en cas de besoin; *(Aviat)* être sur une liste d'attente, être en stand-by **ADJ** de réserve, de secours ♦ **stand-by credit** crédit stand-by *or* de soutien ♦ **stand-by agreements** *or* **arrangements** *(IMF)* accords stand-by ♦ **stand-by letter of credit** lettre de crédit de réserve ♦ **stand-by ticket** *(Aviat)* billet (en) stand-by ♦ **stand-by passenger** *(Aviat)* voyageur sur une liste d'attente *or* en stand-by.

**stand down** **vi** *[candidate]* se désister, retirer sa candidature; *[chairman]* démissionner ♦ **he stood down in favour of the other candidate** il s'est désisté en faveur de l'autre candidat.

**stand for** **vt FUS** **a** *(= represent)* représenter ♦ **what do these initials stand for?** que signifient *or* que veulent dire *or* que représentent ces lettres? **b** *(Pol, Admin)* ♦ **to stand for election** se porter candidat *or* se présenter à une élection ♦ **he stood for the committee** il s'était porté candidat pour appartenir à la commission.

**stand-in** /'stændɪn/ **N** remplaçant(e) m(f).

**stand in for** **VT FUS** ♦ **to stand in for sb** remplacer qn.

**standing** /'stændɪŋ/ **N a** *(= position)* *[person, business]* importance f, rang m, réputation f ♦ **social standing** position sociale, standing ♦ **the financial standing of a firm** la situation *or* la surface financière d'une entreprise **b** *(= duration)* durée f ♦ **an agreement of 20 years' standing** un accord qui existe depuis 20 ans, un accord vieux de 20 ans
**ADJ** *(= permanent)* *(gen)* permanent; *rules* fixe ♦ **standing credit** crédit permanent ♦ **standing committee** commission permanente ♦ **standing expenses** *or* **charges** frais généraux *or* fixes ♦ **standing order** *(Brit Bank)* ordre de virement permanent, virement automatique ♦ **standing price** prix en vigueur ♦ **standing procedure** procédure établie *or* normale *or* habituelle *or* courante.

**stand off** *(Brit)* **VT** *workers* mettre en chômage partiel *or* technique.

**stand-off** /'stændɒf/ **N** situation f de blocage ♦ **a standoff between labour and management** une situation de blocage entre les ouvriers et la direction ♦ **it's a standoff** *(negotiations)* les négociations sont dans l'impasse *or* au point mort.

**stand out** **VI a** *(= be conspicuous)* ressortir, se détacher ♦ **this applicant stands out above all the others** ce candidat tranche sur tous les autres *or* surclasse tous les autres ♦ **certain positive arguments stood out in the discussion** certains points positifs se sont dégagés *or* sont ressortis de la discussion **b** *(= remain firm)* tenir bon, résister ♦ **to stand out for sth** revendiquer qch ♦ **to stand out against sth** s'opposer énergiquement *or* fermement à qch ♦ **the management stood out against the unions' claim** la direction s'est catégoriquement opposée aux revendications des syndicats.

**stand over** **VI** *[items for discussion]* rester en suspens, être remis *or* reporté à plus tard; *[accounts]* rester à découvert ♦ **let this point stand over until our next meeting** laissons ce point en suspens jusqu'à notre prochaine réunion.

**standstill** /'stænd stɪl/ **N** arrêt m, blocage m ♦ **to come to a standstill** s'arrêter ♦ **the strike brought production to a standstill** la grève a paralysé la production ♦ **trade is at a standstill** les affaires sont au point mort *or* dans le marasme le plus total ♦ **negotiations are at a standstill** les négociations sont dans l'impasse *or* sont bloquées *or* sont au point mort ♦ **wage standstill** blocage des salaires ♦ **tax standstill** trêve *or* pause fiscale

─────── *compounds/composés* ───────
♦ **standstill agreement** moratoire ♦ **standstill agreement on wage increases** décision mutuelle de surseoir à de nouvelles négociations salariales.

**stand up for** **VT FUS** *person* défendre, prendre le parti de, prendre fait et cause pour; *principles* défendre.

**stand up to** **VT FUS** *opponent* affronter, résister à ♦ **the unions stood up to the government** les syndicats ont tenu tête au gouvernement ♦ **that model does not stand up to use** ce modèle ne résiste pas à l'usage ♦ **the report won't stand up to a closer examination** le rapport ne résistera pas à un examen plus approfondi.

**staple** /'steɪpl/ **ADJ** *(= basic)* *industry, products* principal, de base ♦ **staple commodities** denrées de base *or* de première nécessité ♦ **staple stock** articles régulièrement suivis *or* en stock
**N a** *(= chief commodity)* produit m de base *or* de première nécessité; *(= raw material)* matière f première *(Comm = chief item held in store)* article m régulièrement suivi **b** *(for holding papers)* agrafe f
**VT** *papers* agrafer.

**stapler** /'steɪplə<sup>r</sup>/ agrafeuse.

**star** /stɑː<sup>r</sup>/ **N a** étoile f ♦ **star network** *(Comp)* réseau en étoile ♦ **2-star petrol** *(Brit)* essence ordinaire ♦ **4-star petrol** *(Brit)* super, supercarburant ♦ **three-star hotel** hôtel trois-étoiles ♦ **this sector is the star performer** ce secteur s'est le mieux comporté **b** *(Cine)* vedette f **VI** *[actor]* être la vedette *(in* de)

**start** /stɑːt/ **N a** *(= beginning)* *(gen)* commencement m, début m ; *[negotiations]* ouverture f ; *[campaign]* démarrage m ♦ **cold start** démarrage à froid ♦ **to get off to a good start** prendre un bon départ ♦ **we'll have to make a fresh start** nous devrons tout recommencer à zéro* ♦ **house** *or* **housing starts** nombre de mises en chantier de logements neufs **b** *(= advantage)* avance f, avantage m ♦ **that**

**gives us a start over our competitors** cela nous donne une (longueur d') avance *or* un avantage sur nos concurrents ✦ **they've had a head start on** *or* **over us** ils sont partis avec une longueur d'avance sur nous

**VT** **a** (= *begin*) (*gen*) commencer; *discussion* commencer, entamer, engager, ouvrir; *fashion* lancer; *policy* inaugurer, amorcer ✦ **to start a campaign** lancer une campagne ✦ **to start a firm** créer une entreprise ✦ **to start an entry** (*Acc*) ouvrir une écriture *or* un poste **b** **to start sb off as** faire démarrer qn en qualité de ✦ **they started him off as a storekeeper** ils l'ont fait débuter comme magasinier, ils l'ont d'abord employé comme magasinier

**VI** [*programme, meeting, employee*] commencer, débuter ✦ **to start in business** se lancer dans les affaires ✦ **starting from Monday** à compter de *or* à partir de lundi ✦ **to start from scratch** partir de zéro ✦ **she started in the accounting department as a typist** elle a débuté dans le service comptable comme dactylo.

**starting** /ˈstɑːtɪŋ/ ADJ de départ, de début ✦ **starting entry** (*Acc*) écriture d'ouverture ✦ **starting price** (*St Ex*) cours initial; (*auction sale*) mise à prix ✦ **starting salary** *or* **wage** salaire d'embauche *or* de départ.

**start off** VI (*in a job*) débuter, commencer (*as* comme, en tant que)

**start up** **VT SEP** *debate* ouvrir, lancer; *dispute* déclencher; *trend* lancer; *procedure* inaugurer; *company* créer, lancer; *party* donner naissance à; *machine* mettre en marche; *car* faire démarrer

**VI** (*gen*) commencer; *party* voir le jour, naître; *machine* se mettre en marche; *car* démarrer.

**start-up** /ˈstɑːtʌp/ N (*Econ* = *company*) start-up f, jeune pousse f

―――――――――― *compounds/composés* ――――――――――
- **start-up capital** mise f de fonds initiale, capital m de départ, capital m initial
- **start-up costs** frais mpl d'établissement.

**starve** /stɑːv/ VT (*lit*) affamer; (= *deprive*) priver (*sb of sth* qn de qch) ✦ **personal lending may be starving the corporate sector of funds** les prêts aux particuliers peuvent priver de fonds le secteur des entreprises.

**state** /steɪt/ **N** **a** (= *condition*) état m ✦ **state of emergency** état d'urgence ✦ **in the present state of affairs** étant donné les circonstances *or* la situation, les choses étant ce qu'elles sont ✦ **the state of the art** l'état actuel de la technique ✦ **state-of-the-art equipment** ma-

tériel dernier cri ✦ **state-of-the-art technology** technologie de pointe ✦ **solid-state** *electronic device* transistorisé **b** (*Pol*) État m ✦ **the Welfare State** l'État-providence

―――――――――― *compounds/composés* ――――――――――
- **state-aided** subventionné par l'État
- **state bonds** fonds mpl d'État
- **state-controlled enterprise** entreprise publique, société nationale, régie d'État
- **state earnings-related pension scheme** retraite de la Sécurité sociale britannique calculée sur le salaire
- **state-owned enterprise** entreprise publique, société nationale, régie d'État
- **state ownership** propriété de l'État
- **state tax** impôt de l'État
- **state visit** visite officielle

**VT** déclarer, affirmer (*that* que); *opinion* donner, exposer, formuler; *facts* exposer, présenter; *time, place* spécifier, préciser, fixer; *conditions* poser, formuler; *problems* énoncer, poser ✦ **it is stated in the report that** il est mentionné dans le rapport que ✦ **as stated above** ainsi qu'il est dit plus haut ✦ **state your name and address** indiquez vos nom, prénom et adresse ✦ **to state one's case** présenter ses arguments.

**stated** /ˈsteɪtɪd/ ADJ *date* fixé, prévu; *sum* stipulé, fixé ✦ **stated capital** capital déclaré.

**statement** /ˈsteɪtmənt/ N **a** [*facts*] exposé m; [*theory, conditions*] formulation f, énoncé m **b** (*written, verbal*) déclaration f, exposé m, rapport m, compte rendu m; (*Jur*) déposition f ✦ **official statement** communiqué officiel ✦ **to make a statement** (*gen*) faire une déclaration; (*Jur*) faire une déposition, déposer ✦ **false statement** fausse déclaration ✦ **statement in lieu of prospectus** (*St Ex*) déclaration de lancement d'une nouvelle émission d'actions tenant lieu de prospectus d'émission **c** [*accounts*] relevé m, état m ✦ **to draw up a statement of account** faire un relevé de compte ✦ **statement of affairs** (*bankruptcy*) bilan de liquidation ✦ **to submit a statement of one's affairs** déposer son bilan ✦ **statement of expenses** état *or* relevé de dépenses, état de frais ✦ **bank statement** [*individual's account*] relevé de compte; [*bank's financial position*] situation de banque ✦ **cash statement** bordereau de caisse, situation de caisse ✦ **operating statement** compte d'exploitation ✦ **premium statement** décompte de prime ✦ **proxy statement** (*US*) circulaire de sollicitation de procurations **d** (*Comp*) instruction f

┌─────────────────────────────────────┐
──── compounds/composés ────
- **statement analysis** (Acc) analyse d'une situation comptable.
└─────────────────────────────────────┘

**statesman** /'steɪtsmən/ **N** homme m d'État.

**statesmanship** /'steɪtsmənʃɪp/ **N** habileté f politique, art m de gouverner.

**station** /'steɪʃən/ **N** **a** (Rail) gare f ; [underground] station f • **at station price** prix en gare de départ • **forwarding station** gare expéditrice, gare d'expédition or de départ (de marchandises) • **receiving station** gare réceptrice, gare d'arrivée or de destination (de marchandises) **b** (= place) poste m, station f • **customs station** poste de douane • **filling** or **service station** station-service • **power station** centrale électrique **c** (Comp) • **work station** poste de travail **d** (= rank) position f, rang m, condition f **e** (Rad) station f de radio

┌─────────────────────────────────────┐
──── compounds/composés ────
- **station break** (US Rad) interruption publicitaire
- **station master** chef de gare.
└─────────────────────────────────────┘

**stationary** /'steɪʃənərɪ/ **ADJ** stationnaire.

**stationer** /'steɪʃənəʳ/ **N** papetier(-ière) m(f).

**stationery** /'steɪʃənərɪ/ **N** papeterie f • **continuous stationery** papier en continu • **office stationery** fournitures de bureau.

**statistic** /stə'tɪstɪk/ **N** **a** (= figures) statistique f • **the latest statistics show that** les dernières statistiques montrent que **b** (= science) • **statistics** la statistique.

**statistical** /stə'tɪstɪkəl/ **ADJ** statistique • **statistical returns** statistiques officielles • **statistical process control** contrôle statistique de l'outil de production.

**statistician** /ˌstætɪs'tɪʃən/ **N** statisticien(ne) m(f).

**status** /'steɪtəs/ **N** **a** (= economic position) situation f, position f (Admin, Jur) statut m • **civil status** état civil • **social status** standing, statut social • **what is his official status?** quel est son titre officiel?, quelle est sa position officielle? • **credit** or **financial status** situation financière, solvabilité **b** (= prestige) [person] prestige m, standing m ; [job] prestige m **c** [bank account] situation f

┌─────────────────────────────────────┐
──── compounds/composés ────
- **status car** voiture de prestige
- **status enquiry** enquête sur la situation financière, enquête de solvabilité • **status-enquiry agency** agence se chargeant d'enquêter sur la solvabilité des personnes ou des entreprises
└─────────────────────────────────────┘

- **status information** renseignements mpl commerciaux
- **status report** (Comm) état d'avancement (des travaux)
- **status seeker** personne qui a soif d'être socialement reconnue
- **status symbol** marque de standing.

**status quo** /'steɪtəs'kwəʊ/ **N** statu quo m.

**statute** /'stætjuːt/ **N** (Jur) loi f • **by statute** selon la loi • **statutes of limitations of actions** (US) lois fixant les délais de prescription • **personal statute** statut personnel

┌─────────────────────────────────────┐
──── compounds/composés ────
- **statute book** code, recueil de lois
- **statute law** jurisprudence .
└─────────────────────────────────────┘

**statutory** /'stætjʊtərɪ/ **ADJ** right, control statutaire, conforme à la loi, réglementaire; holiday légal; offence prévu or puni par la loi • **to have statutory effect** avoir force de loi • **statutory accounts** comptes statutaires • **statutory appropriations** affectations statutaires de crédit • **statutory books** registres statutaires • **statutory cash reserves** réserves statutaires or légales • **statutory company** société concessionnaire • **statutory instrument** (Brit) décret d'application • **statutory limitation** prescription légale • **statutory meeting** (legally held) assemblée statutaire; (to set up a joint-stock) assemblée constitutive • **statutory minimum wage** salaire minimum garanti • **statutory notice** délai légal de préavis • **statutory procedure** procédure contractuelle • **statutory provisions** dispositions réglementaires • **statutory report** rapport présenté lors de la création d'une société.

**stave off** /steɪv/ **VT SEP** écarter, éviter, prévenir • **to stave off creditors** échapper aux créanciers.

**stay** /steɪ/ **N** **a** séjour m **b** (Jur) suspension f • **stay of execution** sursis à exécution • **to put a stay on proceedings** surseoir aux poursuites, suspendre les poursuites **VT** (= check) inflation enrayer; (= delay) retarder; (Jur) judgment surseoir à, différer; proceedings suspendre; decision ajourner, remettre **VI** (= remain) rester; (on visit) séjourner, demeurer.

**stay-in strike** /steɪ'ɪstraɪk/ **N** grève f avec occupation des locaux.

**stay out** **VI** **a** (on strike) rester en grève **b** **to stay out of sth** ne pas se mêler de qch.

**std** abbr of **standard**.

**STD** /estiː'diː/ *(Brit)* **N** abbr of **subscriber trunk dialling** → **subscriber.**

**steadily** /'stedɪlɪ/ **ADV** régulièrement, progressivement, de façon continue, sans interruption.

**steady** /'stedɪ/ **ADJ** **a** *(= regular) increase, pace, advance, demand* uniforme, constant, régulier, continu ✦ **a steady decrease in unemployment** une baisse continue du chômage **b** *(= stable) job, prices, sales* stable; *stock market* ferme, soutenu

**VI** *[prices, market]* se stabiliser, se raffermir ✦ **after heavy trading the market steadied** après un fort volume d'échanges le marché s'est stabilisé

**VT** raffermir, stabiliser, régulariser.

**steadying** /'stedɪɪŋ/ **N** stabilisation f, raffermissement m ✦ **steadying factor** facteur de stabilisation.

**steady up** **VI** *[prices, market]* se stabiliser, se raffermir.

**steam** /stiːm/ **N** vapeur f ✦ **to go full steam** tourner à plein régime ✦ **the project is getting up steam** le projet démarre vraiment ✦ **the US economy is running out of steam** l'économie américaine s'essouffle ✦ **the project ran out of steam** le projet a tourné court.

**steam ahead** /stiːm/ **VI** progresser très vite, avancer à pas de géant.

**steamboat** /'stiːmbəʊt/ **N** bateau m à vapeur.

**steamroller** /'stiːmrəʊlə<sup>r</sup>/ **N** rouleau m compresseur

**VT** *opposition* écraser; *obstacles* aplanir ✦ **to steamroller a project** user de son influence pour faire passer un projet.

**steamship** /'stiːmʃɪp/ **N** paquebot m.

**steel** /stiːl/ **N** acier m

───── *compounds/composés* ─────

✦ **steel industry (the)** la sidérurgie, l'industrie sidérurgique
✦ **steel mill** aciérie
✦ **steel securities** *(St Ex)* valeurs fpl sidérurgiques.

**steel-maker** /'stiːlmeɪkə<sup>r</sup>/ **N** sidérurgiste m.

**steelworker** /'stiːlwɜːkə<sup>r</sup>/ **N** ouvrier m sidérurgiste.

**steelworks** /'stiːlwɜːks/ **N** aciérie f.

**steep** /stiːp/ **ADJ** *slope* abrupt, raide; *price* excessif, élevé, exorbitant ✦ **a steep rise in unemploy-**

ment une augmentation verticale du chômage, une très forte hausse du taux de chômage.

**steeply** /'stiːplɪ/ **ADV** verticalement ✦ **prices are rising steeply** les prix montent en flèche.

**steer** /stɪə<sup>r</sup>/ **VT** conduire, diriger, piloter.

**steering** /'stɪərɪŋ/ **N** *(gen)* conduite f ✦ **steering committee** comité de pilotage ✦ **steering system** *[car]* direction ✦ **steering wheel** volant.

**stem** /stem/ **VT** *inflation, unemployment* endiguer, enrayer, contenir, juguler.

**stem from** **VI** provenir de, découler de, résulter de, dériver de ✦ **the difficulties stemming from the strike** les difficultés qui découlent *or* sont le résultat de la grève.

**stencil** /'stensl/ **N** stencil m

**VT** polycopier, tirer à la polycopieuse, reproduire.

**stenographer** /ste'nɒɡrəfə<sup>r</sup>/ **N** sténographe mf.

**stenography** /ste'nɒɡrəfɪ/ **N** sténographie f, sténo f.

**step** /step/ **N** **a** *(gen)* pas m ✦ **a giant step forward** un gigantesque pas en avant ✦ **to keep in step with one's competitors** ne pas se laisser distancer par ses concurrents ✦ **in / out of step with** *(regulations)* conforme / non conforme à **b** *(= measure)* disposition f, mesure f ✦ **to take steps** prendre des mesures *or* des dispositions **c** *(= stage)* étape f, échelon m ✦ **the penalty can rise in 5% steps** les pénalités peuvent augmenter de 5% en 5% ✦ **processing step** *(Comp)* phase de traitement **d** *(Comp)* pas m d'incrémentation

───── *compounds/composés* ─────

✦ **step counter** *(Comp)* compteur des phases d'une opération
✦ **steps method** méthode à échelle.

**step back** /step/ **VI** reculer.

**stepback** /'stepbæk/ **N** recul m.

**step down** **VI** *(from office)* se retirer, se désister *(in favour of sb* en faveur de qn)

**step in** **VI** intervenir, s'interposer ✦ **it's time the government stepped in** il est temps que le gouvernement intervienne.

**step up** **VT** **SEP** *production* augmenter, accroître, intensifier, accélérer; *campaign, efforts* intensifier ✦ **to step up one's trade relations** renforcer ses relations commerciales.

**sterling** /ˈstɜːlɪŋ/ **N** (Fin) sterling m, livres fpl sterling

```
──────── compounds/composés ────────
♦ sterling area zone sterling
♦ sterling balance balance sterling
```

**ADJ** silver fin, de bon aloi; qualities sûr, solide, à toute épreuve ♦ **pound sterling** livre sterling.

**stevedore** /ˈstiːvɪdɔːʳ/ **N** arrimeur m, débardeur m, docker m.

**steward** /ˈstjuːəd/ **N** [estate] intendant m, régisseur m ; [plane] steward m ♦ **shop steward** délégué syndical d'atelier.

**stewardship** /ˈstjuədʃɪp/ intendance, économat, fonctions fpl d'intendant or d'administrateur.

**Stg** abbr of **sterling**.

**stick** /stɪk/ **N** bâton m ♦ **the policy of the big stick** (Pol) la politique du gros bâton ♦ **to get the short end of the stick** * se faire avoir* ♦ **to get the wrong end of the stick** comprendre de travers
**VT** (with glue) poster coller ♦ **stick no bills** défense d'afficher **b** (* = put) mettre, fourrer* ♦ **to stick an ad in the paper** * mettre une annonce dans le journal ♦ **to stick $10 on the price** majorer le prix de 10 dollars.

**sticker** /ˈstɪkəʳ/ **N** autocollant m, étiquette f or vignette f adhésive or autocollante ♦ **price sticker** étiquette (de prix) ♦ **window sticker** affichette pour vitrines
**VT** étiqueter.

**stick out VI** (= persevere) tenir (bon) ♦ **the unions are sticking out for a rise** les syndicats réclament avec obstination une hausse des salaires.

**stick up for VT FUS** rights, subordinates défendre.

**sticky** * /ˈstɪkɪ/ **ADJ** problem épineux, délicat.

**stiff** /stɪf/ **ADJ** (gen) raide, rigide; regulations rigide, draconien; market tendu; exam, task difficile, ardu; price élevé, excessif, exagéré.

**stiffen** /ˈstɪfn/ **VT** regulations renforcer, durcir
**VI** [opposition, competition] se renforcer, se durcir; [market] se tendre.

**stimulate** /ˈstɪmjʊleɪt/ **VT** stimuler, motiver.

**stimulating** /ˈstɪmjʊleɪtɪŋ/ **ADJ** experience stimulant, enrichissant.

**stimulation** /ˌstɪmjʊˈleɪʃən/ **N** stimulation f.

**stimulative** /ˈstɪmjʊleɪtɪv/ **ADJ** stimulant ♦ **stimulative measures** mesures de relance.

**stimulus** /ˈstɪmjʊləs/ **N** stimulant m ♦ **to be a stimulus to** or **for exports** stimuler les exportations ♦ **this promotional campaign gave our sales a new stimulus** cette campagne promotionnelle a donné un coup de fouet or un nouvel élan à nos ventes ♦ **tax stimuli** stimuli fiscaux.

**stint** /stɪnt/ **N** (= task) tâche f assignée ♦ **to do one's stint** (= share of work) faire sa part de travail.

**stipulate** /ˈstɪpjʊleɪt/ **VT** amount, price stipuler, convenir expressément de, préciser.

**stipulation** /ˌstɪpjʊˈleɪʃən/ **N** stipulation f, clause f ♦ **on the stipulation that** à la condition expresse que ♦ **derogatory stipulation** stipulation dérogatoire.

**stk exch.** abbr of **stock exchange** → **stock**.

**stock** /stɒk/ **N** **a** [goods] stock m, réserve f ; [money] réserve f ♦ **in stock** en stock, en magasin ♦ **out of stock** épuisé ♦ **to be out of stock, have run out of stock** être en rupture de stock or à court d'approvisionnement ♦ **to lay in a stock of** faire provision de, s'approvisionner en ♦ **to take stock** (in shop) faire or dresser l'inventaire; (fig) faire le point ♦ **the shop has** or **carries a large stock** le magasin est bien approvisionné, le magasin possède des stocks importants ♦ **stock of bullion** encaisse métallique ♦ **to draw on the stock** entamer les réserves, prélever sur les stocks ♦ **firms are building up / running down their stocks** les entreprises procèdent à des restockages / déstockages ♦ **the stock is running low** les stocks diminuent or s'amenuisent ♦ **safety stock** stock de sécurité, stock tampon **b** [cattle] cheptel m ♦ **live stock** bétail m **c** (Rail : also **rolling stock**) matériel m roulant **d** (Ind = raw material) matière f première **e** (Fin) valeur(s) f(pl), titre(s) m(pl) ; (= company share) action(s) f(pl) ♦ **stocks and shares** valeurs mobilières ♦ **oil stocks** les (valeurs) pétrolières ♦ **authorized stock** capital social ♦ **common** or **ordinary stock** actions ordinaires ♦ **debenture stock** (gen) obligations (US = shares) actions privilégiées ♦ **government stock(s)** fonds or titres d'État ♦ **income stock(s)** valeurs de placement ♦ **loan stock** capitaux mpl empruntés ♦ **registered** or **personal stock** titre nominatif, action nominative
**VT** **a** (= supply) approvisionner ♦ **the little shop round the corner is well stocked** la petite boutique du coin de la rue est bien approvisionnée **b** [shop] avoir, tenir ♦ **we don't stock this line of articles** nous ne faisons pas or nous ne tenons pas ce genre d'articles en magasin.

**stockbreeder** /'stɒkbriːdəʳ/ N éleveur m.

**stockbroker** /'stɒkbrəʊkəʳ/ N agent m de change.

**stockbroking** /'stɒkbrəʊkɪŋ/ N transactions fpl boursières, commerce m des valeurs en Bourse.

**stockholder** /'stɒkhəʊldəʳ/ N porteur m or détenteur m de titres; (US) actionnaire m ◆ stockholder of record actionnaire inscrit au registre des actionnaires ◆ stockholder's equity capitaux propres.

**Stockholm** /'stɒkhəʊm/ N Stockholm ◆ the Stockholm Convention la convention de Stockholm.

**stockist** /'stɒkɪst/ (Brit) N (Brit) revendeur m.

**stockjobber** /'stɒkdʒɒbəʳ/ N (Brit) jobber m intermédiaire qui traite directement avec l'agent de change (US : often pej) agent m de change.

**stockman** /'stɒkmən/ N (Agr) gardien m de bestiaux (US Comm) magasinier m.

**stockout** /'stɒkaʊt/ N rupture f de stock.

**stockpile** /'stɒkpaɪl/ **VT** (Comm) stocker, constituer des stocks de; (fig) amasser, accumuler **VI** faire des stocks **N** stock m, réserve f.

**stockpiling** /'stɒkpaɪlɪŋ/ N stockage m, constitution f de stocks.

**stockroom** /'stɒkruːm/ N (= warehouse) entrepôt m ; (= show room) salle f d'exposition.

**stocktaking** /'stɒkteɪkɪŋ/ N inventaire m ◆ stocktaking sale vente pour cause d'inventaire ◆ stocktaking value valeur d'inventaire.

**stock up** VI s'approvisionner (with de, en)

**stockyard** /'stɒkjɑːd/ N parc m à bestiaux.

**stoke up** /stəʊk/ **VT SEP** inflation alimenter.

———— compounds/composés ————

STOCK

◆ **stock account** compte titres
◆ **stock accounting** comptabilité matières
◆ **stock association** club d'investissement
◆ **stock-bonus trust** société créée dans le but de distribuer des parts d'une entreprise à ses employés
◆ **stock book** livre de magasin or des inventaires
◆ **stock building** constitution de stocks
◆ **stock card** feuille or fiche d'inventaire
◆ **stock check** contrôle or vérification des stocks
◆ **stock cheque** traite à vue (utilisée par les courtiers pour des transactions entre places étrangères)
◆ **stock clearance** liquidation de stock
◆ **stock company** société par actions
◆ **stock control** contrôle or gestion des stocks
◆ **stock dividend** dividende
◆ **stock draft** traite nantie
◆ **stock exchange** Bourse des valeurs, place boursière, marché des valeurs ◆ stock-exchange circles milieux boursiers ◆ stock-exchange committee chambre syndicale des agents de change ◆ stock-exchange daily official list bulletin de la Bourse ◆ stock-exchange operator opérateur en Bourse, boursier ◆ stock-exchange quotation cotation en Bourse ◆ stock-exchange session séance de Bourse
◆ **stock index** indice boursier ◆ stock index option option sur indice
◆ **stock in hand** stock disponible en magasin
◆ **stock in trade** (Comm) stock existant, fonds de commerce; (Fin) valeurs fpl en portefeuille
◆ **stock issue** émission d'actions
◆ **stock keeper** magasinier
◆ **stock ledger** registre des actionnaires
◆ **stock line** article suivi

◆ **stock list** (Fin) cours de la Bourse; (Comm) liste des marchandises en stock, inventaire commercial
◆ **stock management** gestion des stocks
◆ **stock market** (St Ex) Bourse des valeurs, place boursière, marché des valeurs; (= cattle market) marché aux bestiaux ◆ stock-market closing report compte rendu des cours de clôture ◆ stock-market price cours de la Bourse
◆ **stock option** stock option, option d'achat d'actions, droit préférentiel de souscription ◆ stock-option plan système de stock options
◆ **stock-oriented fund** fonds orienté action
◆ **stock receipt** certificat d'inscription de titres
◆ **stock register** registre des actionnaires, grand livre des titres
◆ **stock registrar** préposé au registre des titres
◆ **stock rights** droits de souscription
◆ **stock sheet** feuille or fiche d'inventaire
◆ **stock shortage** rupture de stock
◆ **stock size** taille courante or normalisée
◆ **stock split** division d'actions ◆ one-for-two stock split distribution gratuite d'une action nouvelle pour deux anciennes réduction du nombre d'actions par attribution d'une action nouvelle pour deux anciennes
◆ **stock split down** réduction du nombre d'actions par émission d'actions nouvelles à raison d'une pour plusieurs anciennes
◆ **stock turn** rotation des stocks
◆ **stock turnover** or **turnaround** rotation des stocks
◆ **stock valuation** valorisation des stocks
◆ **stock yield** rendement d'une action

**stone** /stəʊn/ N *(Brit = weight)* 14 livres *(≈ 6,348 kg)*.

**stop** /stɒp/ **N** **a** *(= halt)* arrêt m ; *(= short stay)* halte f ♦ **to work for 8 hours without stop** travailler 8 heures d'affilée *or* sans s'arrêter ♦ **to bring production to a stop** faire cesser *or* interrompre la production ♦ **coal production came to a stop** la production de charbon s'est arrêtée **b** *(punctuation :* also **full stop)** point m **c** *(Tech)* arrêt m, butoir m, dispositif m de blocage ♦ **margin stop** *(on typewriter)* margeur m **d** *[plane, ship]* escale f ♦ **refuelling stop** escale technique

— *compounds/composés* —

- **stop-go policy** *(Brit Econ)* politique du stop and go *politique économique alternant coups d'arrêt à la croissance et mesures de relance* ♦ **stop-go cycle of inflation** *cycle inflationniste caractérisé par une alternance de périodes de stabilisation des prix et de périodes de fortes hausses*
- **stop and go** *coup d'accordéon*
- **stop loss** *(St Ex)* ordre à seuil de déclenchement ♦ **stop-loss reinsurance policy** police de réassurance en excédent de sinistres
- **stop order** *(St Ex)* ordre stop
- **stop-payment order** ordre de suspendre les paiements
- **stop press** *(newspaper heading)* dernière minute
- **stop signal** *(Comp)* signal d'arrêt

**VT** **a** *(= block)* bloquer ♦ **goods stopped at the customs** marchandises bloquées en douane *or* consignées par la douane **b** *(= halt)* arrêter, interrompre **c** *(= cease)* arrêter, cesser ♦ **to stop work** cesser le travail **d** *(= interrupt)* activity, production interrompre; *allowance* supprimer; *wages* opérer une retenue sur ♦ **stopped bonds** *(Fin)* titres frappés d'opposition ♦ **to stop a cheque** faire opposition à un chèque ♦ **to stop payment** interrompre *or* suspendre les paiements ♦ **to stop bankruptcy proceedings** suspendre une procédure de faillite

**VI** *[supplies, production]* s'arrêter; *[programme]* se terminer ♦ **to stop dead** s'arrêter net.

**stopgap** /'stɒpgæp/ N bouche-trou m ♦ **stopgap measure** mesure f temporaire *or* de transition *or* provisoire.

**stop over** VI faire une halte *or* une escale, faire étape.

**stopover** /'stɒpəʊvəʳ/ N *[aircraft]* escale f, étape f; *(= passenger)* passager m en transit ♦ **stopover ticket** billet avec possibilité d'interruption de parcours.

**stoppage** /'stɒpɪdʒ/ N **a** *[traffic, work]* arrêt m, interruption f, suspension f; *[wages, leave]* suspension f ; *[payments]* suspension f, cessa-tion f ♦ **stoppage of trade** embargo commercial ♦ **stoppage in transit** *(Jur)* droit de poursuite *droit d'un vendeur non payé d'arrêter l'expédition en cours de transit* **b** *(= obstruction)* engorgement m, obstruction f **c** *(= strike)* grève f, arrêt m de travail, débrayage m ♦ **a 3-day (work) stoppage** un arrêt de travail de 3 jours.

**stopper** /'stɒpəʳ/ N *(Pub : in supermarket)* publicité f qui attire l'attention.

**storage** /'stɔːrɪdʒ/ N **a** *[goods, oil]* entreposage m, emmagasinage m, stockage m ; *[document]* conservation f ♦ **cold storage plant** entrepôt frigorifique ♦ **to put into cold storage** *perishable goods* mettre en chambre froide *or* frigorifique; *scheme* mettre en attente **b** *(Comp) [data]* stockage m ; *(= memory)* mémoire f ♦ **main storage unit** mémoire centrale ♦ **disk storage** mémoire sur disque

— *compounds/composés* —

- **storage area** *(Comm)* surface *or* aire de stockage; *(Comp)* zone (de) mémoire
- **storage capacity** *(Comm)* capacité de stockage *or* d'entreposage; *(Comp)* capacité de mémoire
- **storage charges** frais mpl de magasinage
- **storage device** *(Comp)* dispositif de mémoire, mémoire
- **storage map** *(Comp)* topogramme de mémoire
- **storage vault** local d'archives.

**store** /stɔːʳ/ **N** **a** *(= supply, stock)* *(gen)* réserve f, stock m, provision f ; *[information]* fonds m **b** *(= warehouse)* entrepôt m, réserve f, magasin m ♦ **ex store** *(prix)* départ entrepôt ♦ **bond store** *(Customs)* entrepôt sous douane ♦ **furniture store** garde-meuble m **c** *(= shop)* magasin m, commerce m ♦ **chain store** magasin à succursales multiples ♦ **department store** grand magasin ♦ **discount store** magasin discount, discounter ♦ **general store** bazar ♦ **in-store display** exposition *or* présentation en magasin ♦ **multiple store** magasin à succursales multiples ♦ **one-price store** bazar, magasin à prix unique **d** *(Comp)* mémoire f

— *compounds/composés* —

- **store accounting** comptabilité matières, comptabilité des stocks
- **store audit** contrôle *or* vérification des stocks
- **store brand** marque du distributeur
- **store capacity** *(Comp)* capacité (de) mémoire, capacité de stockage
- **store count** *mesure de la distribution d'un produit par rapport au nombre de points de vente*
- **store dump** *(Comp)* vidage de la mémoire

**a** *(= keep) goods* mettre en réserve, amasser; *documents* conserver, archiver **b** *(= put away) goods, food* stocker, emmagasiner, entreposer; *(Comp) data* stocker ♦ **stored program** programme enregistré ♦ **stored terms** *(Comm)* livré sur warrant.

**storehouse** /'stɔːhaʊs/ **N** entrepôt m, magasin m.

**storekeeper** /'stɔːkiːpəʳ/ **N** *(gen)* magasinier m *(US = shopkeeper)* commerçant m.

**storeman** /'stɔːmən/ **N** magasinier m.

**storeroom** /'stɔːruːm/ **N** dépôt m, entrepôt m, magasin m, réserve f.

**storyboard** /'stɔːrɪbɔːd/ **N** scénario m de message publicitaire, story-board m.

**stow** /staʊ/ **VT** *(Naut :* also **stow away)** arrimer.

**stowage** /'staʊɪdʒ/ **N** *(= action)* arrimage m ; *(= costs)* frais mpl d'arrimage; *(= goods stowed)* marchandises fpl arrimées ♦ **to avoid broken stowage** éviter les pertes d'arrimage.

**stower** /'staʊəʳ/ **N** arrimeur m.

**straddle** /'strædl/ **N** *(St Ex)* stellage m, straddle m, opération f à cheval ♦ **to take a straddle position** se placer à cheval.

**straight** /streɪt/ **ADJ** **a** *person* franc, honnête, loyal; *deal* régulier; *denial* net, catégorique; *answer* franc, direct, net ♦ **straight bond** obligation à taux fixe ♦ **the straights market** le marché des obligations à taux fixe ♦ **straight dealings** transactions régulières, procédés honnêtes ♦ **straight investment** investissement à rendement fixe ♦ **straight lease** bail entraînant des versements réguliers ♦ **straight life insurance policy** assurance vie entière ♦ **straight loan** prêt simple (sans garantie) **b** *(= in order) accounts* en ordre ♦ **to put** *or* **set one's accounts straight** mettre de l'ordre dans ses comptes ♦ **let's get this straight** entendons-nous bien sur ce point **c** *(= not curved)* droit ♦ **straight-line depreciation** amortissement linéaire **ADV** *(= directly)* tout droit ♦ **to come straight to the point** aller droit au but.

**straighten out** /'streɪtn/ **VT SEP** *problem* résoudre, démêler; *situation* débrouiller, démêler ♦ **to straighten things out** * arranger les choses.

**straightforward** /ˌstreɪt'fɔːwəd/ **ADJ** *person* franc, honnête, loyal; *answer* franc, direct, net.

**straightforwardly** /ˌstreɪt'fɔːwədlɪ/ **ADV** franchement, honnêtement.

**straightforwardness** /ˌstreɪt'fɔːwədnɪs/ **ADV** franchise f, honnêteté f.

**strain** /streɪn/ **N** tension f, pression f ♦ **liquidity strain** contraction des liquidités ♦ **it was a strain on our budget** cela grevait notre budget ♦ **the measures will put a great strain on our country's resources** ces mesures mettront à rude épreuve les ressources de notre pays **VT** *savings, budget, economy* grever.

**strained** /streɪnd/ **ADJ** *relations, atmosphere* tendu.

**straitened** /'streɪtnd/ **ADJ** ♦ **in straitened circumstances** dans la gêne *or* le besoin, dans des conditions précaires.

**straits** /streɪts/ **N** ♦ **to be in financial straits** être dans une situation financière difficile, avoir des ennuis d'argent.

**strand** /strænd/ **VT** *ship* échouer ♦ **they were stranded without passports or money** ils se sont retrouvés coincés *or* bloqués sans passeport ni argent ♦ **stranded goods** *(Ins)* épaves.

**strangle** /'stræŋgl/ **N** *(St Ex)* strangle m.

**stranglehold** /'stræŋglhəʊld/ **N** ♦ **to have a stranglehold on the market** avoir le quasi-monopole du marché.

**strategic(al)** /strə'tiːdʒɪk(əl)/ **ADJ** *planning, management* stratégique ♦ **strategic business unit** domaine d'activité stratégique ♦ **non strategic assets** actifs non stratégiques.

**strategically** /strə'tiːdʒɪkə lɪ/ **ADV** stratégiquement, d'un point de vue stratégique.

**strategist** /'strætɪdʒɪst/ **N** stratège m.

**strategy** /'strætɪdʒɪ/ **N** stratégie f ♦ **marketing strategy** stratégie marketing.

**stratify** /'strætɪfaɪ/ **VTI** stratifier ♦ **stratified sampling** échantillonnage par couches *or* par strates.

**straw** /strɔː/ **COMP** ♦ **straw poll** *or* **vote** sondage m d'opinion.

**streak** /striːk/ **N** *[ore]* veine f ♦ **to be on a winning streak** avoir trouvé le bon filon*.

**stream** /striːm/ **N** *(= flow)* flot m ; *[orders]* afflux m ♦ **downstream** en aval ♦ **upstream** en amont ♦ **to be** / **bring on stream** *[production line]* être / mettre en service ♦ **to go against the stream** aller à contre-courant ♦ **earning streams** rentrées d'argent ♦ **data stream** flux de données.

**streamer** /'striːməʳ/ **N** banderole f.

**stream in** /striːm/ **VI** *[customers, orders]* affluer.

**streamline** /'striːmlaɪn/ **VT** *product* donner un profil aérodynamique à; *production* rationaliser, moderniser, rénover.

**streamlining** /'striːmlaɪnɪŋ/ N *[system, organization]* rationalisation f.

**street** /striːt/ N rue f ♦ **high street** *(Brit)* grand-rue f rue f principale or commerçante ♦ **high-street banks** *(Brit)* grandes banques de dépôt ♦ **high-street prices in the high-street shops** *(Brit)* les prix courants or habituels des magasins, les prix couramment pratiqués par les commerçants

───── compounds/composés ─────
- **street broker** *(St Ex)* coulissier
- **street dealings** marché après Bourse
- **street market** marché à ciel ouvert
- **street price** *(US St Ex)* cours après Bourse or hors Bourse
- **street trader** colporteur, marchand ambulant.

**strength** /streŋθ/ N a *(gen)* force f ; *[arguments, claim, case]* solidité f ♦ **the strength of the dollar** la force or la solidité or la robustesse du dollar ♦ **strength of materials** résistance des matériaux ♦ **to negotiate from strength** être en position de force pour négocier b *(= workforce)* effectif(s) m(pl) ♦ **to bring sth up to strength** compléter l'effectif de qch ♦ **to be on the strength** faire partie du personnel or des effectifs.

**strengthen** /'streŋθən/ VT *position* renforcer, consolider, raffermir
VI *[influence, currency]* se renforcer, se consolider, se raffermir.

**stress** /stres/ N a *(= pressure)* pression f, tension f, stress m ♦ **this applicant should react well under stress** ce candidat devrait bien réagir dans des circonstances difficiles ♦ **heavy stresses on sterling** fortes pressions sur la livre ♦ **executive stress** le stress des cadres ♦ **stress-related** dû au stress ♦ **we must take account of the stress factor** nous devons tenir compte du facteur stress b *(= emphasis)* insistance f ♦ **to lay stress on, put the stress on** mettre l'accent sur, insister sur c *(Tech)* tension f mécanique; *[metal]* travail m
VT idea insister sur, souligner; *(Tech)* faire travailler, faire subir une tension à.

**stretch** /stretʃ/ VT *law, rules* avoir une interprétation trop élargie de; *income, credit* trop tirer sur
VI *(= extend)* s'étendre, aller ♦ **my allowance is not going to stretch to the end of the month** mon allocation ne me mènera pas jusqu'à la fin du mois.

**strict** /strɪkt/ ADJ *discipline, rule* strict, rigoureux; *order* strict, formel ♦ **strict adherence to the contract** respect strict or scrupuleux du

contrat ♦ **strict cost price** prix de revient calculé au plus juste ♦ **strict time limit** terme de rigueur.

**strife** /straɪf/ N conflit m, dissensions fpl, luttes fpl ♦ **labour** or **industrial strife** conflits sociaux or du travail ♦ **strife-ridden period** période lourde de conflits.

**strike** /straɪk/ N a grève f *(of, by* de) ♦ **to be (out) on strike** être en grève, faire grève ♦ **to bring out on strike** mettre en grève ♦ **to come out** or **go on strike** se mettre en grève ♦ **to call a strike** lancer un mot d'ordre de grève, appeler à la grève ♦ **to call off a strike** annuler un mot d'ordre de grève ♦ **to stage a strike** organiser or mettre sur pied une grève ♦ **all-out** or **general strike** grève générale ♦ **ca'canny strike** grève du zèle ♦ **go-slow strike** grève perlée ♦ **hunger strike** grève de la faim ♦ **jurisdictional strike** *(US)* grève provoquée par un conflit d'attributions syndicales ♦ **lightning strike** grève surprise or sans préavis ♦ **official strike** grève avec préavis, grève légale ♦ **protest strike** action or grève revendicative ♦ **sit-down** or **sit-in strike** grève sur le tas ♦ **snap strike** grève surprise or sans préavis ♦ **stay-in strike** grève avec occupation des locaux ♦ **sympathetic** or **sympathy strike** grève de solidarité or de soutien ♦ **token strike** grève symbolique or d'avertissement ♦ **unofficial strike** grève sans l'accord des organisations syndicales, grève sauvage ♦ **wildcat strike** grève sauvage ♦ **work-to-rule strike** grève du zèle b *(= discovery)* découverte f ♦ **the rich strike of oil** la découverte d'un riche gisement de pétrole

───── compounds/composés ─────
- **strike action** mouvement de grève
- **strike ballot** vote pour ou contre la grève
- **strike call** mot d'ordre de grève
- **strike clause** *(Ind)* clause en cas de grève ♦ **no-strike clause** clause interdisant la grève
- **strike committee** comité de grève
- **strike fund** caisse syndicale de grève
- **strike pay** allocation aux grévistes *(versée par un syndicat)*
- **strike price** *(St Ex)* *[option]* cours d'exercice

VT a *(= discover)* gold, oil découvrir, trouver ♦ **to strike it rich** * faire fortune b *(= make)* agreement arriver à, conclure; *bargain* conclure ♦ **to strike a balance** *(in negotiations)* trouver le juste milieu; *(balance sheet)* dresser or établir un bilan ♦ **to strike a jury** constituer un jury après élimination des jurés récusés c *(= delete)* name rayer *(from* de); *person (from list)* rayer; *(from professional register)* radier *(from* de)

**d** *(US) factory* mettre en grève ◆ **the factory was struck for a month** l'usine a été mise en grève pendant un mois

**VI** *(Ind) (= go on strike)* faire grève *(for sth* pour obtenir qch, *against sth* pour protester contre qch) ◆ **to strike in sympathy** déclencher une grève de solidarité *or* de soutien.

**strikebound** /'straɪkbaʊnd/ **ADJ** *port* paralysé *or* immobilisé par une grève.

**strikebreaker** /'straɪkbreɪkəʳ/ **N** briseur m de grève, jaune m.

**striker** /'straɪkəʳ/ **N** gréviste mf.

**strike off** **VT SEP** *name, word* barrer, rayer, biffer; *person (from list)* rayer; *(from professional register)* radier ◆ **to strike £15 off the price** faire une réduction de 15 livres sur le prix, consentir un rabais de 15 livres.

**strike out** **VT SEP** *word* barrer, rayer, biffer.

**striking** /'straɪkɪŋ/ **ADJ** **a** *difference* frappant **b** *(Fin)* ◆ **striking price** prix d'exercice (de l'option), prix de liquidation.

**string** /strɪŋ/ **N** **a** *(gen)* ficelle f ; *(Commodity Exchange)* filière f ◆ **agreement with no strings attached** accord sans conditions restrictives ◆ **there are no strings attached** cela ne vous engage à rien *or* ne vous lie en aucune façon ◆ **to pull strings** tirer les ficelles **b** *(Comp)* chaîne f ◆ **character string** chaîne de caractères.

**stringency** /'strɪndʒənsɪ/ **N** *[regulation]* rigueur f ; *[credit]* resserrement m, encadrement m.

**stringent** /'strɪndʒənt/ **ADJ** *(= strict) rule, law* strict, rigoureux; *measures* énergique, rigoureux; *(= compelling) arguments* irrésistible ◆ **stringent money market** marché financier tendu *or* serré.

**strip** /strɪp/ **N** *[paper, metal, ground]* bande f ◆ **strip mining** *(US)* exploitation minière à ciel ouvert

**VT** dépouiller, dégarnir ◆ **to strip a company of its assets** dégraisser les actifs d'une entreprise, cannibaliser une entreprise.

**stripping** /'strɪpɪŋ/ **N** **a** dépotage m (de conteneurs) ◆ **stuffing and stripping** empotage et dépotage (de conteneurs) **b** *(Fin)* ◆ **asset-stripping** démembrement *or* dégraissage d'actifs.

**strive** /straɪv/ **VI** s'efforcer *(to do* de faire) faire son possible *(to do* pour faire)

**strong** /strɒŋ/ **ADJ** *(gen)* fort; *competitor, candidat* sérieux; *fabric, material* solide; *argument, evidence* solide, sérieux; *market* ferme; *currency*

fort; *protest, measures* énergique ◆ **a strong supporter of** un partisan convaincu de ◆ **to use strong-arm tactics** utiliser la manière forte.

**strongbox** /'strɒŋbɒks/ **N** coffre-fort m.

**strongroom** /'strɒŋruːm/ **N** salle f des coffres, chambre f forte.

**structural** /'strʌktʃərəl/ **ADJ** structurel ◆ **structural unemployment** chômage structurel ◆ **structural engineering** ponts et chaussées.

**structure** /'strʌktʃəʳ/ **N** *(gen)* structure f ◆ **tree-like structure** *(Comp)* structure arborescente *or* en arbre

**VT** structurer, organiser ◆ **structured programming** *(Comp)* programmation structurée.

**struggle** /'strʌgl/ **N** lutte f ◆ **class struggle** lutte des classes.

**stub** /stʌb/ **N** *[cheque, ticket]* talon m, souche f.

**student** /'stjuːdənt/ **N** étudiant(e) m(f).

**study** /'stʌdɪ/ **N** étude f ◆ **feasibility study** étude de faisabilité ◆ **job study** analyse de poste

———— *compounds/composés* ————
◆ **study day** journée d'étude
◆ **study group** groupe de travail
◆ **study trip** voyage d'étude

**VT** *project, proposal* étudier, examiner attentivement.

**stuffer** /'stʌfəʳ/ *(US)* **N** prospectus m publicitaire *(sous enveloppe)*.

**stuffing** /'stʌfɪŋ/ **N** empotage m (de conteneurs) ◆ **stuffing and stripping** empotage et dépotage (de conteneurs).

**stumbling block** /'stʌmblɪŋblɒk/ **N** pierre f d'achoppement ◆ **lack of finance is a major stumbling block in our further development** le manque de ressources financières constitue un obstacle *or* un écueil majeur pour notre développement futur.

**stump up** * /stʌmp/ **VT SEP, VI** cracher*, casquer*.

**stunt** /stʌnt/ **N** *(= feat)* tour m de force, exploit m ; *(Cine)* cascade f ; *(= trick)* coup m monté, truc m * ◆ **publicity stunt** astuce *or* truc publicitaire ◆ **stunt advertising** publicité tapageuse

**VT** *growth* retarder, ralentir.

**style** /staɪl/ **N** *(gen)* style m ; *[dress]* mode f, genre m ; *[company]* raison f sociale

**VT** **a** (= *call*) appeler, dénommer ◆ **a self–styled businessman** une personne qui se qualifie d'homme d'affaires **b** (= *design*) créer, dessiner.

**stylist** /'staɪlɪst/ **N** styliste mf.

**stylization, stylisation** /ˌstaɪlaɪ'zeɪʃən/ **N** stylisation f.

**stylize, stylise** /'staɪlaɪz/ **VT** styliser.

**stylus** /'staɪləs/ **N** (*Comp*) photostyle m, crayon m lumineux.

**stymie** /'staɪmɪ/ **VT** *negotiations* bloquer, faire échouer, coincer.

**sub** \* /sʌb/ **N** avance f (sur salaire *or* sur appointements)
**VT** (= *grant*) accorder (à titre d'avance); (= *receive*) recevoir (à titre d'avance).

**subagency** /sʌb'eɪdʒənsɪ/ **N** sous-agence f.

**subagent** /sʌb'eɪdʒənt/ **N** sous-agent m.

**subcharter** /sʌb'tʃɑːtəʳ/ **VT** sous-affréter.

**subcharterer** /sʌbtʃɑːtərəʳ/ **N** sous-affréteur m.

**subcommittee** /'sʌbkəˌmɪtɪ/ **N** sous-comité m, sous-commission f.

**subcompact** /sʌb'kɒmpækt/ **ADJ** de petit format, miniaturisé.

**subcontract** /'sʌb'kɒntrækt/ **N** contrat m de sous-traitance
**VT** sous-traiter, donner en sous-traitance.

**subcontractor** /'sʌbkən'træktəʳ/ **N** sous-traitant m.

**subdirectory** /ˌsʌbdɪ'rektərɪ/ **N** (*Comp*) sous-répertoire m.

**subdivide** /ˌsʌbdɪ'vaɪd/ **VI** subdiviser.

**subdivision** /'sʌbdɪˌvɪʒən/ **N** subdivision f.

**subedit** /sʌb'edɪt/ **VT** *article* corriger, mettre au point.

**subeditor** /sʌb'edɪtəʳ/ **N** secrétaire mf de rédaction.

**subentry** /'sʌbˌentrɪ/ **N** (*Acc*) sous-entrée f.

**subfile** /'sʌbfaɪl/ **N** sous-fichier m.

**subgroup** /'sʌbˌgruːp/ **N** sous-groupe m.

**subhead(ing)** /'sʌbˌhed(ɪŋ)/ **N** sous-titre m.

**subject** /'sʌbdʒɪkt/ **N** **a** (= *citizen*) sujet m ; (= *foreign national*) ressortissant(e) m(f) **b** (= *matter*) sujet m (*of, for* de) **c** [*contract, agreement*] objet m

---

— compounds/composés —

◆ **subject filing** classement (par) matières
◆ **subject index** (*in book*) index des matières; (*in library*) fichier (par) matières

---

**ADJ** **subject unsold** sauf vente ◆ **subject to** (= *liable to*) soumis à; (= *conditional upon*) sous réserve de ◆ **transaction subject to a commission of 10%** opération passible d'un courtage *or* soumise à un courtage de 10% ◆ **subject to approval / acceptance** sous réserve d'approbation / d'acceptation ◆ **subject to breakage** (*Ins*) sujet à la casse ◆ **offer subject to conditions** offre soumise à conditions ◆ **subject to prior sale** sous réserve de *or* sauf vente antérieure ◆ **subject to quota** contingenté ◆ **subject to taxation** assujetti *or* soumis à l'impôt.

**subjoin** /sʌb'dʒɔɪn/ **VT** ajouter, joindre ◆ **subjoined copy of letter** copie de la lettre (donnée) en annexe.

**sub judice** /sʌb'dʒuːdɪsɪ/ **ADJ** ◆ **the matter is sub judice** (*Jur*) l'affaire est devant les tribunaux *or* entre les mains de la justice.

**sublease** /ˌsʌbliːs/ **N** sous-location f
**VT** (= *take*) sous-louer (*from* à) prendre en sous-location; (= *give*) sous-louer (*to* à) donner en sous-location.

**sublessee** /ˌsʌble'siː/ **N** sous-locataire mf.

**sublessor** /ˌsʌb'lesəʳ/ **N** sous-bailleur (-eresse) m(f).

**sublet** /sʌb'let/ **VT** *house* sous-louer; *work* sous-traiter.

**subliminal** /ˌsʌb'lɪmɪnl/ **ADJ** subliminal ◆ **subliminal advertising** publicité subliminale.

**submanager** /sʌb'mænɪdʒəʳ/ **N** sous-directeur (-trice) m(f).

**sub-menu** /'sʌbmenjuː/ **N** (*Comp*) sous-menu m.

**submission** /səb'mɪʃən/ **N** **a** [*proposal*] soumission f **b** (*Jur : in court*) plaidoirie f **c** (*Jur : in arbitration*) compromis m arbitral.

**submit** /səb'mɪt/ **VT** *documents, proposal, report* soumettre (*to* à) ◆ **to submit a statement of one's affairs** déposer son bilan ◆ **to submit for approval** soumettre à l'approbation ◆ **please submit your quotations** veuillez nous indiquer vos prix.

**submortgage** /sʌb'mɔːgɪdʒ/ **N** sous-hypothèque f.

**suboffice** /sʌb'ɒfɪs/ **N** succursale f, sous-agence f.

**subordinate** /sə'bɔːdnɪt/ **ADJ** *rank, position* subalterne
**N** subordonné(e) m(f), subalterne mf
**VT** subordonner ✦ **subordinated debt** créance de deuxième rang ✦ **subordinated interest** intérêt secondaire *(sur une hypothèque de deuxième rang).*

**subordination** /sə,bɔːdɪ'neɪʃən/ **N** subordination f ✦ **subordination agreement** lettre d'antériorité.

**subparagraph** /sʌb'pærəgrɑːf/ **N** sous-alinéa m.

**subpoena** /səb'piːnə/ **N** *(Jur)* citation f *or* assignation f à comparaître
**VT** *witness* citer *or* assigner à comparaître.

**sub-post office** /,sʌb'pəʊstɒfɪs/ **N** bureau m de poste auxiliaire.

**subprogram** /sʌb'prəʊɡræm/ **N** *(Comp)* sous-programme m.

**subrogate** /'sʌbrəɡɪt/ **VT** *(Ins)* subroger.

**subrogation** /,sʌbrə'ɡeɪʃən/ **N** subrogation f ✦ **subrogation clause** clause subrogatoire.

**subroutine** /,sʌbruː'tiːn/ **N** *(Comp)* sous-programme m.

**subscribe** /səb'skraɪb/ **VT** **a** *money* verser **b** *signature* apposer (*to* au bas de)
**VI** *(Fin)* souscrire (*to, for* à) ✦ **to subscribe to** *or* **for a loan** souscrire à un emprunt ✦ **to subscribe for shares** souscrire à des actions.

**subscribed** /səb'skraɪbd/ **ADJ** *capital, shares* souscrit ✦ **the issue has been entirely subscribed** l'émission a été entièrement souscrite.

**subscriber** /səb'skraɪbəʳ/ **N** *[contract]* signataire mf (*to* de); *[newspapers, telephone]* abonné(e) m(f) (*to* de, à); *[fund, shares]* souscripteur m (*to* à) ✦ **subscriber trunk dialling** automatique (interurbain).

**subscription** /səb'skrɪpʃən/ **N** *[fund, shares]* souscription f; *[club]* cotisation f; *[newspapers]* abonnement m (*to* à); *[contract]* signature f (*to* de) ✦ **subscription receivable** *(St Ex)* capital non souscrit *or* à libérer ✦ **terms of subscription**

─── *compounds/composés* ───
✦ **subscription form** bulletin d'abonnement
✦ **subscription list** liste des souscripteurs
✦ **subscription price** prix de souscription
✦ **subscription rate** tarif d'abonnement
✦ **subscription rental** redevance, (prix de l') abonnement
✦ **subscription rights** droits mpl de souscription
✦ **subscription warrant** bon de souscription à une émission d'actions.

conditions d'abonnement ✦ **to take out a subscription** souscrire *or* prendre un abonnement ✦ **to invite subscriptions for** ouvrir une souscription pour

**subsection** /'sʌb,sekʃən/ **N** sous-section f.

**subsequent** /'sʌbsɪkwənt/ **ADJ** *(= following)* ultérieur, postérieur, suivant; *(Jur)* subséquent ✦ **at a subsequent date** à une date ultérieure ✦ **subsequent to** *(= resulting from)* consécutif à, résultant de.

**subset** /'sʌb,set/ **N** *(gen)* sous-ensemble m.

**subside** /səb'saɪd/ **VI** *[inflation]* baisser, décroître; *[agitation]* retomber, se calmer, s'apaiser.

**subsidence** /'sʌbsɪdns, səb'saɪdəns/ **N** baisse f (*in* de)

**subsidiarity** /,səbsɪdɪ'ærɪtɪ/ **N** subsidiarité f.

**subsidiary** /səb'sɪdɪərɪ/ **ADJ** *motive* subsidiaire; *income, benefit* accessoire ✦ **subsidiary account** sous-compte ✦ **subsidiary brand** sous-marque ✦ **subsidiary company** filiale
**N** *(= company)* filiale f.

**subsidize, subsidise** /'sʌbsɪdaɪz/ **VT** subventionner.

**subsidy** /'sʌbsɪdɪ/ **N** subvention f ✦ **food subsidies** subventions sur les denrées alimentaires ✦ **government** *or* **state subsidy** subvention de l'État ✦ **interest-rate subsidy** bonification de taux d'intérêts.

**subsistence** /səb'sɪstəns/ **N** subsistance f ✦ **means of subsistence** moyens d'existence *or* de subsistance

─── *compounds/composés* ───
✦ **subsistence allowance** indemnité de subsistance
✦ **subsistence crops** cultures fpl vivrières de base *(non destinées à l'exportation)*
✦ **subsistence farming** agriculture de subsistance *(non exportatrice)*
✦ **subsistence wage** minimum vital, salaire tout juste suffisant pour vivre.

**substandard** /,sʌb'stændəd/ **ADJ** *goods* de qualité inférieure ✦ **substandard loans** prêts à hauts risques.

**substantial** /səb'stænʃəl/ **ADJ** *(= huge)* considérable, substantiel, important; *(= rich)* riche; *(= influential)* influent, important ✦ **a substantial order** une commande importante.

**substantiate** /səb'stænʃɪeɪt/ **VT** justifier, prouver ♦ **to substantiate a claim** *(Jur)* établir le bien-fondé d'une réclamation.

**substantive** /'sʌbstəntɪv/ **ADJ** *agreement* essentiel ♦ **substantive law** droit positif.

**substitute** /'sʌbstɪtjuːt/ **N** *(= thing)* produit m de remplacement, succédané m *(for* de); *(= person)* remplaçant(e) m(f), suppléant(e) m(f) **ADJ** de remplacement
**VT** substituer ♦ **to substitute one thing for another** substituer une chose à une autre ♦ **substituted service** *(Jur)* signification à domicile
**VI** **to substitute for sb** suppléer or remplacer qn.

**substitution** /ˌsʌbstɪ'tjuːʃən/ **N** substitution f ♦ **substitution of a debt** *(Jur)* novation de créance

—————— compounds/composés ——————
♦ **substitution effect** *(Econ)* effet de substitution
♦ **substitution law** loi de substitution.

**substructure** /'sʌbˌstrʌktʃəʳ/ **N** infrastructure f.

**subtenancy** /'sʌb'tenənsɪ/ **N** sous-location f.

**subtenant** /'sʌb'tenənt/ **N** sous-locataire mf.

**subtitle** /'sʌbˌtaɪtl/ **N** sous-titre m
**VT** sous-titrer.

**subtotal** /ˌsʌb'təʊtl/ **N** sous-total m.

**subtract** /səb'trækt/ **VT** soustraire, déduire.

**subtraction** /səb'trækʃən/ **N** soustraction f.

**suburban** /sə'bɜːbən/ **ADJ** *office accommodation* de banlieue.

**suburbs** /'sʌbɜːbz/ **NPL** ♦ **the suburbs** la banlieue ♦ **their offices are in the outer suburbs** leurs bureaux se trouvent en lointaine banlieue or en grande banlieue or à la périphérie (de la ville).

**subvention** /səb'venʃən/ **N** subvention f.

**subway** /'sʌbweɪ/ **N** *(Brit = passage)* passage m souterrain ; *(US Rail)* métro m.

**succeed** /sək'siːd/ **VI** **a** *(= be successful)* réussir **b** *(= follow)* succéder *(to* à)
**VT** succéder à.

**succeeding** /sək'siːdɪŋ/ **ADJ** suivant ♦ **on 3 succeeding Mondays** 3 lundis consécutifs or de suite ♦ **succeeding account** *(St Ex)* liquidation suivante.

**successful** /sək'sesfʊl/ **ADJ** *candidate* reçu; *deal* couronné de succès; *company* prospère; *businessman* qui a réussi; *book, film* à succès.

**succession** /sək'seʃən/ **N** succession f ♦ **3 days in succession** 3 jours de suite or d'affilée ♦ **succession law** droit successoral.

**successor** /sək'sesəʳ/ **N** successeur m.

**sucre** /sukre/ **N** *(= currency)* sucre m.

**Sudan** /sʊ'dɑːn/ **N** Soudan m.

**Sudanese** /ˌsuːdə'niːz/ **ADJ** soudanais
**N** *(= inhabitant)* Soudanais(e) m(f).

**sue** /suː/ **VT** poursuivre en justice, entamer une action contre, intenter un procès à *(for* pour obtenir, *over, about* au sujet de) ♦ **to sue sb for damages** poursuivre qn en dommages-intérêts ♦ **to sue sb for libel** intenter un procès en diffamation à qn ♦ **to sue sb for infringement of patent** assigner qn en contre-façon
**VI** intenter un procès, engager des poursuites, déposer une plainte, porter plainte ♦ **sue and labour clause** clause de recours et de conservation.

**suffer** /'sʌfəʳ/ **VT** *losses* subir, souffrir
**VI** *[plans, sales]* souffrir, pâtir *(from* de); *[business]* souffrir, péricliter.

**sufferance** /'sʌfərəns/ **N** ♦ **bill of sufferance** lettre d'exemption des droits de douane *(entre entrepôts situés dans des ports différents)* ♦ **sufferance wharf** quai de la douane *(où sont débarquées les marchandises passibles de droits d'entrée).*

**sufficiency** /sə'fɪʃənsɪ/ **N** quantité f suffisante ♦ **self-sufficiency** indépendance économique, autarcie.

**sufficient** /sə'fɪʃənt/ **ADJ** suffisant ♦ **self-sufficient** économiquement indépendant, autosuffisant.

**suffrage** /'sʌfrɪdʒ/ **N** *(= right to vote)* droit m de vote; *(= voting)* vote m.

**suggest** /sə'dʒest/ **VT** suggérer *(that* que) ♦ **to suggest sb for a job** suggérer or proposer qn pour un poste.

**suggestion** /sə'dʒestʃən/ **N** suggestion f ♦ **there is no suggestion of corruption** rien n'autorise à penser qu'il y ait eu corruption ♦ **suggestion box** boîte à idées.

**suit** /suːt/ **N** **a** *(Jur)* procès m ♦ **to bring a suit against sb** intenter un procès à qn, engager des poursuites or une action en justice contre qn **b** *(Cards)* couleur f ♦ **to follow suit** faire de même, suivre le mouvement

**VT** **a** *(= be convenient for) [date, price]* convenir à, aller à ✦ **please let us know which date suits you best** veuillez nous indiquer la date qui vous convient le mieux **b** *(= be appropriate to)* convenir à, aller à ✦ **the job doesn't suit him** le poste ne lui convient pas, il n'a pas le profil du poste.

**suitability** /ˌsuːtəˈbɪlɪtɪ/ **N** aptitude f, adéquation f ✦ **suitability of an applicant for a job** aptitude d'un candidat à un emploi ✦ **I'm not convinced of his suitability** je ne suis pas sûr qu'il soit le candidat qui convienne *or* qu'il fasse l'affaire *or* qu'il ait le profil voulu.

**suitable** /ˈsuːtəbl/ **ADJ** *colour, size* qui convient, qui va ; *place, time* propice, adéquat ; *action, reply, candidate* approprié ✦ **next Tuesday is the most suitable for me** mardi prochain me convient le mieux.

**suite** /swiːt/ **N** *(= room)* suite f ✦ **in the executive suite** chez *or* parmi les dirigeants d'entreprises.

**suited** /ˈsuːtɪd/ **ADJ** ✦ **this candidate is not suited to the job** le candidat n'a pas le profil voulu pour le poste.

**sum** /sʌm/ **N** *(sum)* somme f, total m ; *(= amount)* montant m ✦ **sum total** *(gen)* somme totale ; *[money]* montant global ✦ **agreed sum** somme forfaitaire, montant convenu ✦ **exempted sum** montant exonéré ✦ **sum insured** montant assuré ✦ **lump sum** somme globale *or* forfaitaire ✦ **round sum** compte rond ✦ **sum at length** somme en toutes lettres ✦ **sums due to you** sommes vous revenant.

**summarize, summarise** /ˈsʌməraɪz/ **VT** *text* résumer ; *arguments* récapituler ; *debate* résumer, récapituler.

**sum** /sʊm/ **N** *(= currency)* soum m.

**summary** /ˈsʌmərɪ/ **N** résumé m, récapitulation f ; *(printed matter)* sommaire m, résumé m ; *(Fin)* relevé m ✦ **summary of the proceedings** résumé de la séance **ADJ** sommaire ✦ **summary hearing** audience de référé ✦ **to submit a matter to summary proceedings** engager une procédure de référé.

**summer** /ˈsʌmər/ **N** été m ✦ **British Summer Time** l'heure f d'été (en Grande-Bretagne).

**summit** /ˈsʌmɪt/ **N** *(Pol)* sommet m ✦ **summit meeting** (réunion au) sommet ✦ **summit conference / talks** conférence / négociations au sommet.

**summon** /ˈsʌmən/ **VT** *police* appeler, faire venir ; *shareholders* convoquer *(to* à) ; *(Jur)* citer (à comparaître), assigner (en justice) *(as* en qualité de)

**summons** /ˈsʌmənz/ **N** *(Jur)* assignation f (en justice), citation f (à comparaître) *(as* en qualité de) ✦ **to take out a summons against sb** faire assigner qn.

**sumptuary** /ˈsʌmptjʊərɪ/ **ADJ** somptuaire ✦ **sumptuary law** droit somptuaire.

**sum up** /sʌm/ **VI** *(gen)* récapituler, faire un résumé ; *(Jur)* résumer
**VT SEP** **a** *(= summarize)* résumer, récapituler **b** *(= assess) situation* apprécier, évaluer ; *person* jauger.

**Sunday** /ˈsʌndɪ/ **N** dimanche m ✦ **Sundays and holidays excepted** sauf dimanches et jours fériés ✦ **Sunday trading** commerce dominical → **Saturday.**

**sundry** /ˈsʌndrɪ/ **ADJ** divers ✦ **sundry expenses** frais divers
**NPL** **sundries** *(= goods)* articles mpl divers ; *(= budget heading)* divers mpl ; **sundries account** compte de divers ✦ **sundries ledger** grand livre divers.

**sunk** /sʌŋk/ **ADJ** ✦ **sunk costs** frais fixes, coûts constants.

**sunrise** /ˈsʌnraɪz/ **N** ✦ **sunrise industry** industrie en plein essor.

**sunset** /ˈsʌnset/ **N** ✦ **sunset clause** *(US)* clause de révision ✦ **sunset industry** industrie en déclin.

**superannuate** /ˌsuːpəˈrænjʊeɪt/ **VT** mettre à la retraite ✦ **superannuated** retraité, à la retraite.

**superannuation** /ˌsuːpəˌrænjʊˈeɪʃən/ **N** *(= act)* (mise f à la) retraite f ; *(= pension)* (pension f de) retraite f

───── *compounds/composés* ─────

✦ **superannuation contribution** versements mpl *or* cotisations pour la retraite
✦ **superannuation fund** caisse de retraite.

**supercover** /ˈsuːpəˌkʌvər/ **N** *(Ins)* garantie f totale, couverture f complète.

**superhighway** /ˈsuːpəˌhaɪweɪ/ **N** *(US)* voie f express ✦ **information superhighway** autoroute de l'information.

**superintend** /ˌsuːpərɪnˈtend/ **VT** *work, department* diriger ; *production* contrôler.

**superintendence** /ˌsuːpərɪnˈtendəns/ **N** *[department]* direction f ; *[production]* contrôle m ; *[operation]* conduite f.

**superintendent** /ˌsuːpərɪnˈtendənt/ N *[police]* commissaire m (de police); *[institution]* directeur(-trice) m(f); *[department]* chef m, responsable mf ◆ **plant superintendent** responsable d'unité de production.

**superior** /suˈpɪərɪəʳ/ N, ADJ supérieur m.

**supermarket** /ˈsuːpəˌmɑːkɪt/ N *(gen)* supermarché m; *(small)* supérette f; *(large)* hypermarché m.

**supersede** /ˌsuːpəˈsiːd/ VT *(= replace)* remplacer, prendre la place de; *(= supplant)* supplanter.

**superstore** /ˈsuːpəstɔːʳ/ N hypermarché m.

**supertanker** /ˈsuːpəˌtæŋkəʳ/ N pétrolier m géant.

**supertax** /ˈsuːpətæks/ N surtaxe f.

**supervise** /ˈsuːpəvaɪz/ VT *worker* surveiller; *department* diriger; *work* superviser, contrôler.

**supervision** /ˌsuːpəˈvɪʒən/ N *[worker]* surveillance f; *[department]* direction f; *[work]* supervision f, contrôle m.

**supervisor** /ˈsuːpəvaɪzəʳ/ N surveillant(e) m(f); *(Ind)* chef m d'équipe, contremaître (-tresse) m(f), agent m de maîtrise; *(Comm)* chef m de rayon.

**supervisory** /ˈsuːpəvaɪzərɪ/ ADJ *post, duty* de surveillance ◆ **in a supervisory capacity** à titre de surveillant ◆ **supervisory board** conseil de surveillance ◆ **supervisory management** or **personnel** maîtrise.

**supplement** /ˈsʌplɪmənt/ N supplément m ◆ **income-tested supplement** *allocation assujettie à une évaluation du revenu* ◆ VT *income* augmenter, arrondir; *information* compléter.

**supplemental** /ˌsʌplɪˈmentəl/ ADJ supplémentaire, complémentaire ◆ **supplemental budget** additif budgétaire ◆ **supplemental pay increases** augmentations de salaires complémentaires ◆ **supplemental pension plan** régime de retraite complémentaire.

**supplementary** /ˌsʌplɪˈmentərɪ/ ADJ supplémentaire, additionnel ◆ **supplementary assistance** aide complémentaire ◆ **supplementary benefit** prestations sociales, allocations de la Sécurité sociale ◆ **supplementary entry** *(Acc)* écriture complémentaire ◆ **supplementary (budget) estimates** demandes de rallonges budgétaires or de crédits supplémentaires ◆ **supplementary pension** retraite complémentaire ◆ **supplementary wage** sursalaire.

**supplier** /səˈplaɪəʳ/ N fournisseur m ◆ **supplier credit** crédit fournisseur.

**supply** /səˈplaɪ/ **N** *(= amount, stock)* provision f, réserve f, stock m ◆ **to get** or **lay in a supply of** s'approvisionner en ◆ **we must ensure a supply of raw materials** nous devons assurer un approvisionnement en matières premières ◆ **office supplies** fournitures de bureau ◆ **to be in short supply** être peu abondant, être difficile à trouver ◆ **to have a ready supply of replacement parts** avoir en stock des pièces de rechange ◆ **supply and demand** l'offre et la demande ◆ **aggregate / complementary / excess supply** offre globale / complémentaire / excédentaire ◆ **money supply** masse monétaire

——— compounds/composés ———
◆ **supply chain** chaîne de distribution
◆ **supply curve** *(Econ)* courbe de l'offre
◆ **supply department** *(Ind)* service approvisionnement
◆ **supply function** *(Ind)* fonction approvisionnement
◆ **supply manager** responsable de l'approvisionnement
◆ **supply price** prix le plus bas consenti par un fournisseur
◆ **supply schedule** plan d'approvisionnement
◆ **supply-side economics** économie de l'offre

**VT** **a** *(= provide)* fournir, approvisionner, ravitailler *(with sth* en or de qch*)* ◆ **to supply from stock** fournir sur les stocks ◆ **supplied as loose part** livré séparément **b** *(= make good)* need, deficiency suppléer à; defect corriger; want remédier à; loss réparer, compenser.

**support** /səˈpɔːt/ **N** *(gen)* soutien m, appui m *(US = subsidy)* subvention f ◆ **logistics support** appui logistique ◆ **support service** service logistique ◆ **the motion got no support** personne n'a parlé en faveur de la motion ◆ **in support of their claims** à l'appui de leurs revendications ◆ **have I your support in this?** est-ce que je peux compter sur votre appui en la matière? ◆ **they stopped work in support** ils ont cessé le travail par solidarité ◆ **price support** soutien des prix

——— compounds/composés ———
◆ **support buying** achat de soutien
◆ **support level** *(Econ)* seuil d'intervention; *(St Ex)* (niveau de) support
◆ **support price** *(EU Agr)* prix de soutien
◆ **support point** point d'intervention

**VT** **a** *(= uphold)* motion, party, candidate soutenir, appuyer ◆ **I can't support his application** je ne peux pas appuyer sa candidature ♦ **we support the decision of the committee** nous approuvons la décision de la commission ♦ **the evidence seems to support his thesis** le témoignage semble appuyer or corroborer sa thèse **b** (financially) price soutenir; person subvenir aux besoins de ♦ **to support farm prices** soutenir les prix agricoles ♦ **to support a family** faire vivre une famille, avoir une famille à charge.

**supporter** /sə'pɔːtər/ **N** partisan(e) m(f), tenant m (of de).

**supporting** /sə'pɔːtɪŋ/ **ADJ** ♦ **supporting documents** (Jur) pièces justificatives ♦ **supporting industries** (Ind) prestataires extérieurs ♦ **supporting purchases** achats de soutien ♦ **supporting receipts** reçus à l'appui.

**suppress** /sə'pres/ **VT** information supprimer; publication interdire.

**supranational** /ˌsuːprə'næʃənl/ **ADJ** supranational.

**supra protest** /ˌsuːprə'prəʊtest/ **N** (Jur) intervenant m.

**supreme** /sʊ'priːm/ **ADJ** suprême ♦ **the Supreme Court** (US) la Cour suprême.

**surcharge** /'sɜːtʃɑːdʒ/ **N** (= extra tax) surtaxe f, taxe f or droit m supplémentaire; (= extra price) majoration f ; (= extra load) surcharge f, charge f excessive; (= excessive price) prix m excessif ♦ **congestion surcharge** surtaxe d'encombrement
**VT** surtaxer, faire trop payer ♦ **we were surcharged for the goods on entry** on nous a fait trop payer pour les marchandises à l'entrée.

**surety** /'ʃʊərətɪ/ **N** (Jur) (= sum) caution f ; (= person) caution f, garant(e) m(f), répondant m (Comm = draft) donneur m d'aval ♦ **to stand surety for sb** se porter caution pour qn, se porter garant de qn ♦ **good surety** caution solvable ♦ **surety in cash** caution en numéraire ♦ **surety bond** cautionnement, engagement de garantie.

**surf** /sɜːf/ **VT** ♦ **to surf the Net** surfer sur le net.

**surface** /'sɜːfɪs/ **N** surface f ♦ **by surface mail** par courrier de surface.

**surfeit** /'sɜːfɪt/ **N** surabondance f, quantité f excessive.

**surge** /sɜːdʒ/ **N** vague f, montée f, envolée f (in de) ♦ **a surge in prices** une montée soudaine or une envolée des prix ♦ **spending / buying surge** vague de dépenses / d'achats
**VI** monter soudainement.

**Surinam** /ˌsʊərɪ'næm/ **N** Surinam m.

**Surinamese** /ˌsʊərɪnæ'miːz/ **ADJ** surinamais
**N** (= inhabitant) Surinamais(e) m(f).

**surname** /'sɜːneɪm/ **N** nom m de famille.

**surpass** /sɜː'pɑːs/ **VT** dépasser, excéder ♦ **American aid will surpass $1 billion next year** l'aide américaine dépassera le milliard de dollars l'an prochain ♦ **profits surpassed forecasts in the first quarter** les bénéfices du premier trimestre ont dépassé les prévisions.

**surplus** /'sɜːpləs/ **N** surplus m, excédent m ♦ **surplus of assets over liabilities** excédent de l'actif sur le passif ♦ **appraisal surplus** réserve de réévaluation de l'actif ♦ **budget / trade surplus** excédent budgétaire / commercial ♦ **earned surplus** bénéfices non distribués ♦ **external surplus** balance commerciale excédentaire ♦ **net trading surplus** résultat net d'exploitation ♦ **operating surplus** excédent net d'exploitation

—————— compounds/composés ——————
♦ **surplus capacity** potentiel (de production) inemployé
♦ **surplus dividend** superdividende
♦ **surplus profit** superprofit, superbénéfice
♦ **surplus reserves** réserves fpl à des fins spécifiques.

**surrender** /sə'rendər/ **N** [documents] remise f (to à); [insurance policy] rachat m ; [lease] cession f (of de); [claim] renonciation f (of à) abandon (of de) ♦ **on surrender of the bill of lading** sur or contre remise du connaissement ♦ **surrender of a patent** abandon de droits sur brevet ♦ **compulsory surrender** (Jur) expropriation

—————— compounds/composés ——————
♦ **surrender charge** [life insurance] frais mpl de rachat
♦ **surrender value** [life insurance] valeur de rachat

**VT** documents remettre (to à); insurance policy racheter; lease céder; claim renoncer à, abandonner.

**surrogate** /'sʌrəgɪt/ **N** **a** produit m de remplacement, succédané m **b** (US) juge chargé d'homologuer les testaments.

**surtax** /'sɜːtæks/ **N** [income tax] impôt m supplémentaire (au-delà d'un certain revenu) ; (= extra duty) surtaxe f
**VT** income tax percevoir un impôt supplémentaire sur; (extra duty) surtaxer.

**survey** /'sɜːveɪ/ **N** **a** [*prospects, development*] vue f générale *or* d'ensemble; [*prices, sales, trends*] enquête f (*of* sur) étude f (*of* de) ◆ **feasibility survey** étude de faisabilité ◆ **field survey** enquête sur le terrain ◆ **market (research) survey** étude de marché ◆ **sample survey** enquête par sondage **b** (*Ins*) (= *act*) visite f d'expert, inspection f, examen m ; (= *report*) rapport m *or* compte rendu m d'expertise **c** [*land*] relevé m topographique ◆ **aerial survey** relevé aérien

——— compounds/composés ———

- **survey certificate** procès-verbal *or* certificat d'expertise
- **survey fees** honoraires mpl d'expertise
- **survey report** (*gen Ins*) rapport d'expertise; (*Mar Ins*) procès-verbal d'avaries

**VT** **a** *prospects, trends* passer en revue; *development, needs* faire une étude de, examiner ◆ **one third of the 1,468 adults who were surveyed** un tiers des 1 468 adultes interrogés ◆ **to survey the situation** faire un tour d'horizon de la situation **b** *site, land* arpenter, relever, faire le relevé de; *building* inspecter, examiner.

**surveying** /sɜːveɪɪŋ/ **N** arpentage m ◆ **quantity surveying** métré.

**surveyor** /səˈveəʳ/ **N** [*property, buildings*] expert m ; [*land*] arpenteur m, géomètre m (expert) ◆ **surveyor's report** (*gen Ins*) rapport *or* compte rendu d'expertise; (*Mar Ins*) procès-verbal d'avaries ◆ **customs surveyor** inspecteur des douanes ◆ **insurance surveyor** expert d'assurance ◆ **Lloyd's surveyor** expert de la Lloyd's ◆ **quantity surveyor** (*Brit*) métreur vérificateur.

**survival** /səˈvaɪvəl/ **N** survie f.

**survivor** /səˈvaɪvəʳ/ **N** survivant(e) m(f) ◆ **survivor's benefits** *or* **pension** pension de réversion ◆ **survivor policy** assurance-vie sur deux têtes.

**survivorship** /səˈvaɪvəʃɪp/

——— compounds/composés ———

- **survivorship account** compte m joint (*dont le solde est reversé au survivant*)
- **survivorship annuity** rente f viagère avec réversion (*dont un tiers désigné peut bénéficier s'il survit aux bénéficiaires initiaux*)
- **survivorship insurance** assurance-vie f sur deux têtes.

**suspend** /səsˈpend/ **VT** **a** (= *stop temporarily*) *publication* cesser provisoirement, interrompre, suspendre; *decision, payment, regulation* suspendre; *licence* suspendre, retirer provisoirement ◆ **to suspend trading** (*gen*) interrompre l'ex-

ploitation commerciale; (*St Ex*) suspendre la cotation (*in a share* d'une action) **to suspend limit up / down** (*St Ex*) réserver à la hausse / à la baisse **b** *employee, official* suspendre (de ses fonctions), mettre à pied **c** (*Jur*) ◆ **suspended sentence** condamnation avec sursis ◆ **he got 3 years' suspended sentence** il a eu 3 ans avec sursis.

**suspense** /səsˈpens/ **N** suspens m, souffrance f ◆ **to remain in suspense** (*Admin*) rester en suspens *or* en souffrance ◆ **bills in suspense** effets en souffrance

——— compounds/composés ———

- **suspense account** compte d'attente *or* d'ordre
- **suspense entry** écriture d'attente *or* d'ordre
- **suspense item** article d'attente *or* d'ordre.

**suspension** /səsˈpenʃən/ **N** **a** [*publication, payment*] suspension f, interruption f provisoire; [*licence*] suspension f, retrait m provisoire ◆ **suspension of the share limit up / down** réservation du cours de l'action à la hausse / à la baisse ◆ **suspension of trading, trading suspension** suspension de cotation **b** [*person*] suspension f, mise f à pied.

**sustain** /səsˈteɪn/ **VT** **a** (= *support*) *demand* appuyer, soutenir ◆ **the court sustained his claim** *or* **sustained him in his claim** le tribunal a fait droit à sa revendication *or* a admis la validité de sa réclamation **b** (= *suffer*) *loss* éprouver, subir; *damage* subir; *injury* recevoir.

**swamp** /swɒmp/ **VT** *market* inonder, envahir.

**swap** /swɒp/ **N** (*gen*) troc m, échange m ; (*Fin*) swap m ◆ **interest-rate swap** swap de taux ◆ **currency swap** swap de devises, prêts croisés en devises

——— compounds/composés ———

- **swap agreement** accord swap, crédits mpl croisés (*entre banques centrales*)
- **swap-in** (*Comp*) introduction en mémoire centrale
- **swap line** ligne de crédits croisés
- **swap network** crédits mpl croisés *or* réciproques (*avec des banques étrangères*)
- **swap-out** (*Comp*) sortie de mémoire centrale

**VT** échanger, troquer (*for* contre)

**swatch** /swɒtʃ/ **N** (= *sample*) échantillon m (de tissu); (= *book*) album m *or* jeu m d'échantillons.

**sway** /sweɪ/ **VT** influer sur, influencer ◆ **these factors eventually swayed the union representatives** ces facteurs ont fini par influer sur la décision des représentants syndicaux.

**swear** /sweə<sup>r</sup>/ **VI** **a** *(gen)* jurer **b** *[official]* prêter serment
**VI** **a** *(gen)* jurer **b** *person* faire prêter serment à.

**swear in** **VT SEP** assermenter, faire prêter serment à ◆ **to swear sb in** faire prêter serment à qn avant son entrée en fonction.

**sweated** /'swetɪd/ **ADJ** ◆ **sweated goods** marchandises produites par une main-d'œuvre exploitée ◆ **sweated labour** main-d'œuvre exploitée.

**sweatshop** /'swetʃɒp/ **N** atelier m clandestin.

**Swede** /swiːd/ **N** *(= inhabitant)* Suédois(e) m(f).

**Sweden** /'swiːdn/ **N** Suède f.

**Swedish** /'swiːdɪʃ/ **ADJ** suédois
**N** *(= language)* suédois m.

**sweeping** /'swiːpɪŋ/ **ADJ** *price cut* imbattable; *change* radical ◆ **sweeping statement** affirmation sans nuance *or* à l'emporte-pièce, généralisation hâtive.

**sweetener** * /'swiːtnə<sup>r</sup>/ **N** *(fig = bribe)* pot-de-vin m.

**swell** /swel/ **VT** *account, savings* gonfler
**VI** *[account]* se gonfler; *[order books]* se remplir.

**swimming** /'swɪmɪŋ/ **ADJ** ◆ **swimming market** marché m actif *or* soutenu.

**swindle** /'swɪndl/ **N** escroquerie f ◆ **it's a swindle** c'est du vol *or* une escroquerie
**VT** escroquer.

**swindler** /'swɪndlə<sup>r</sup>/ **N** escroc m.

**swing** /swɪŋ/ **N** **a** *(Econ)* variation f, fluctuation f, oscillation f ◆ **the swings of the market** les fluctuations *or* les hauts et les bas du marché ◆ **credit swing** marge de crédit ◆ **cyclical swings** fluctuations cycliques ◆ **seasonal swings** variations saisonnières **b** *(Pol)* revirement m ◆ **a swing to the right** un revirement en faveur de la droite **c** *(= rhythm)* rythme m ◆ **to go with a swing** *[campaign]* très bien marcher ◆ **to be in full swing** *[campaign]* battre son plein; *[business]* marcher à plein rendement

—— *compounds/composés* ——
◆ **swing line** crédit relais
◆ **swing shift** *(Ind)* équipe tournante

**VI** fluctuer, varier, osciller
**VT** *(= influence)* *decision, votes* influer sur, influencer ◆ **he managed to swing the deal** * il a réussi à emporter le morceau*.

**swingeing** /'swɪndʒɪŋ/ **ADJ** considérable, énorme ◆ **swingeing tariff** droits de douane exorbitants.

**Swiss** /swɪs/ **ADJ** suisse
**N** *(= inhabitant)* Suisse mf.

**switch** /swɪtʃ/ **N** **a** *(Elec)* interrupteur m, commutateur m **b** *(US Rail)* aiguillage m **c** *[policy]* changement m, revirement m *(of, in* de); *[funds]* transfert m

—— *compounds/composés* ——
◆ **switch order** *(St Ex)* opération croisée *(ordre d'achat et de vente de valeurs différentes avec indication de l'écart de prix demandé)*
◆ **switch selling** vente forcée d'articles plus chers que ceux en promotion
◆ **switch trading** *(Fin)* switch, opération de courtage international avec arbitrage de devises

**VT** **a** *(= transfer)* reporter, transférer *(from* de, *to* sur) ◆ **to switch production** réorienter la production **b** *(= change)* changer; *(= exchange)* échanger *(for* contre); *figures in column* intervertir, permuter ◆ **to switch one's objectives** changer d'objectifs ◆ **to switch jobs** changer de travail ◆ **to switch suppliers** changer de fournisseurs ◆ **switching costs** coûts entraînés par un changement de fournisseurs.

**switch back** **VI** revenir, retourner *(to* à)

**switchboard** /'swɪtʃbɔːd/ **N** standard m (téléphonique) ◆ **switchboard operator** standardiste.

**switcher** /'swɪtʃə<sup>r</sup>/ **N** consommateur m qui change de marque.

**switching** /'swɪtʃɪŋ/ **N** **a** changement m, substitution f ◆ **switching in / out rate** taux de gain / perte de clientèle **b** *(St Ex)* opération f simultanée d'achat *or* de vente de titres.

**switch over** **VI** changer ◆ **to switch over to sth else** changer pour qch d'autre, passer à qch d'autre
**VT SEP** *objects* permuter.

**switchover** /'swɪtʃəʊvə<sup>r</sup>/ **N** *(gen)* passage m *(to* à); *(= swap)* permutation f ; *(Comp)* basculement m, commutation f ◆ **the switchover to the metric system / to the euro** le passage au système métrique / à l'euro.

**Switzerland** /'swɪtsələnd/ **N** Suisse f.

**swop** /swɒp/ **N** troc m, échange m

**vt** échanger, troquer (*for* contre)

**sworn** /swɔːn/ **ADJ** ♦ **sworn official** fonctionnaire assermenté.

**SWOT** /swɒt/ **N** (abbr of **strengths, weaknesses, opportunities, threats**) ♦ **SWOT analysis** analyse SWOT, analyse des forces, faiblesses, opportunités et menaces.

**symbolic(al)** /sɪmˈbɒlɪk(əl)/ **ADJ** (*gen*, *Comp*) symbolique.

**sympathetic** /ˌsɪmpəˈθetɪk/ **ADJ** compréhensif ♦ **sympathetic strike** grève de solidarité *or* de soutien.

**sympathy** /ˈsɪmpəθɪ/ **N** (= *fellow feeling*) solidarité f (*for* avec) ♦ **sympathy strike** grève de solidarité *or* de soutien ♦ **to come out on strike in sympathy with** faire grève par solidarité avec ♦ **prices moved in sympathy with** les cours ont évolué en rapport avec *or* ont suivi l'évolution de.

**sync** \* /sɪŋk/ **ADJ** ♦ **out of sync** déphasé ♦ **to move in sync with** être en phase avec.

**synchronization,           synchronisation** /ˌsɪŋkrənaɪˈzeɪʃən/ **N** synchronisation f.

**synchronize, synchronise** /ˈsɪŋkrənaɪz/ **VT** synchroniser.

**syndicate** /ˈsɪndɪkɪt/ **N** **a** consortium m, groupement m, syndicat m ♦ **member of a syndicate** syndicataire ♦ **banking syndicate** (*gen*) consortium bancaire; (*for loan*) syndicat de banque ♦ **financial syndicate** syndicat financier ♦ **placement syndicate** syndicat de placement ♦ **underwriting syndicate** syndicat d'émission *or* de garantie *or* de prise ferme **b** (*US Press*) syndicat m de distribution **vt** *loan* syndicaliser, soutenir par un consortium bancaire ♦ **syndicated loan** prêt consenti par un consortium de banques.

**syndication** /ˌsɪndɪˈkeɪʃən/ **N** syndication f, constitution f d'un consortium bancaire ♦ **syndication official** responsable de la création d'un consortium bancaire *or* d'une syndication ♦ **international syndication business** consortiums bancaires internationaux.

**synergy** /ˈsɪnədʒɪ/ **N** synergie f.

**synthesis** /ˈsɪnθəsɪs/ **N** synthèse f.

**synthesize, synthesise** /ˈsɪnθəsaɪz/ **VT** synthétiser.

**synthetic** /sɪnˈθetɪk/ **ADJ** **a** *textiles* synthétique, artificiel **b** (*St Ex*) synthétique ♦ **synthetic call / put** call / put synthétique ♦ **synthetic long call** achat d'une option d'achat, achat d'un call synthétique ♦ **synthetic short call** vente d'une option d'achat, vente d'un call synthétique ♦ **synthetic long put** achat d'une option de vente, achat d'un put synthétique ♦ **synthetic short put** vente d'une option de vente, vente d'un put synthétique.

**Syria** /ˈsɪrɪə/ **N** Syrie f.

**Syrian** /ˈsɪrɪən/ **ADJ** syrien **n** (= *inhabitant*) Syrien(ne) m(f).

**system** /ˈsɪstəm/ **N** **a** système m ♦ **public address system** (système de) sonorisation ♦ **quota system** système de quotas, contingentement ♦ **railway system** réseau de chemin de fer **b** (= *order*) méthode f ♦ **to lack system** manquer de méthode **c** (*Comp*) système m ♦ **data base management system** système de gestion de bases de données ♦ **disk operating system** système d'exploitation ♦ **expert system** système expert

———— *compounds/composés* ————
- ♦ **systems analysis** analyse de système, analyse fonctionnelle
- ♦ **systems analyst** analyste de systèmes
- ♦ **systems design** analyse organique
- ♦ **systems disk** disque système
- ♦ **systems diskette** disquette système
- ♦ **systems engineer** ingénieur système
- ♦ **systems failure** défaillance fonctionnelle
- ♦ **systems house** société de service et de conseil en informatique
- ♦ **systems integrator** ensemblier
- ♦ **systems management** gestion systématisée
- ♦ **systems programming** programmation des systèmes
- ♦ **systems programmer** programmeur système
- ♦ **systems research** recherche de systèmes.

**systematization, systematisation** /ˌsɪstɪmaɪˈzeɪʃən/ **N** systématisation f.

**systematize, systematise** /ˈsɪstɪmaɪz/ **VT** systématiser.

**systemic** /sɪsˈtɪmɪk/ **ADJ** systémique ♦ **systemic risk** risque systémique.

# T

**t** (abbr of **ton, tonne**) t.

**tab** /tæb/ **N** **a** *(on file)* onglet m, languette f
**b** *(\* = bill)* addition f, note f, facture f, ardoise f \* ◆ **to pick up the tab** régler la note ◆ **the**
**energy tab** la facture énergétique ◆ **we re-**
**ceived a tab for $10,000** on a reçu une
facture de 10 000 dollars

─────── compounds/composés ───────
> ◆ **tab card** carte mécanographique *or* perforée
> ◆ **tab function** fonction tabulatrice
> ◆ **tab key** touche de tabulation
> ◆ **tab operator** mécanographe
> ◆ **tab set** touche de positionnement de tabulatrice
> ◆ **tab setting** pose des tabulations, positionne-
> ment de tabulatrice

**VI** faire une tabulation, tabuler ◆ **to tab to**
**column 15** tabuler jusqu'à la colonne 15.

**table** /ˈteɪbl/ **N** *(= furniture)* table f ; *(= list)* tableau m, liste f, table f ◆ **decision table** ta-
ble f de décision ◆ **mortality table** *(Ins)* table
de mortalité ◆ **plotting table** table traçante
◆ **redemption table** tableau d'amortissement

─────── compounds/composés ───────
> ◆ **table of contents** table des matières
> ◆ **table of limits** tableau des pleins
> ◆ **table look-up** *(Comp)* recherche *or* consulta-
> tion de table
> ◆ **table of par values** table de parités

**VT** **a** *(= tabulate)* dresser une table *or* un tableau de; *(= classify)* classifier **b** **to table a**
**motion** *(Brit)* présenter une motion; *(US)* ajourner une motion.

**tabling** /ˈteɪblɪŋ/ **N** tabulation f ; *[motion]* présentation f.

**tabloid** /ˈtæblɔɪd/ **N** *(Press)* tabloïd(e) m ◆ **the**
**tabloid press** la presse populaire
**ADJ** condensé, réduit, en raccourci ◆ **in tabloid**
**form** sous forme réduite.

**tabular** /ˈtæbjʊləʳ/ **ADJ** tabulaire ◆ **in tabular**
**form** sous forme de table *or* de tableau
◆ **tabular insert** cavalier ◆ **tabular report** état
sous forme de table *or* de tableau.

**tabulate** /ˈtæbjʊleɪt/ **VT** *statistics, figures* disposer
en tableau *(Typ, Comp)* mettre en colonnes;
*(= classify)* classifier, cataloguer ◆ **in tabulated**
**form** sous forme de table *or* de tableau.

**tabulating** /ˈtæbjʊleɪtɪŋ/ **ADJ** ◆ **tabulating de-**
**partment** service mécanographique ◆ **tabulat-**
**ing machine** tabulatrice.

**tabulation** /ˌtæbjʊˈleɪʃən/ **N** *[statistics]* disposition f sous forme de table *or* de tableau;
*(Comp)* tabulation f ◆ **tabulation character**
caractère de tabulation.

**tabulator** /ˈtæbjʊleɪtəʳ/ **N** *(on keyboard)* tabulateur m ; *[cards]* tabulatrice f.

**tacit** /ˈtæsɪt/ **ADJ** tacite, implicite ◆ **tacit renewal**
reconduction tacite ◆ **by tacit agreement** par
accord tacite.

**tackle** /ˈtækl/ **VT** *problem* s'attaquer à; *person*
aborder.

**tactic** /ˈtæktɪk/ **N** tactique f ◆ **delaying tactics**
manœuvres dilatoires ◆ **to introduce new sell-**
**ing tactics** introduire de nouvelles tactiques
de vente.

**Tadjik, Tadjikistan** → **Tajik, Tajikistan**.

**tag** /tæg/ **N** **a** (= label) étiquette f ; (on file) onglet m, languette f ◆ **price tag** (label) étiquette (de prix); (price) prix **b** (Pub) slogan m **c** (Comp) balise f

—————— compounds/composés ——————
◆ **tag end** [goods for sale] restes mpl
◆ **tag reader** (Comp) lecteur d'étiquettes

**VT** **a** (= label) étiqueter **b** (Comp) baliser.

**tagboard** /'tægbɔːd/ (US) **N** carton m (pour étiquettes).

**tail** /teɪl/ **N** [animal, aircraft] queue f ; (fig) fin f ◆ **tail of a list** dernière entrée dans une liste ◆ **the tail end of the season** la fin de la saison.

**tail away** /teɪl/ **VI** (= diminish) diminuer, baisser ◆ **gold shares were tailing away at the close** les aurifères perdaient du terrain en clôture.

**tailor** /'teɪlər/ **VT** garment façonner; (fig) façonner, adapter, personnaliser ◆ **our policies are tailored to age brackets and financial positions** nos contrats sont adaptés aux classes d'âge et à la situation financière, nos contrats sont étudiés en fonction des classes d'âge et de la situation financière.

**tailorable** /'teɪlərəbl/ **ADJ** (fig) personnalisable.

**tailoring** /'teɪlərɪŋ/ **N** (fig) [product, service] personnalisation f, adaptation f (to à)

**tailor-made** /'teɪləmeɪd/ **ADJ** clothes (fait) sur mesure; insurance policy personnalisé ◆ **a tailormade service contract** un contrat d'entretien sur mesure or personnalisé.

**tailspin** /'teɪlspɪn/ **N** [prices] chute f verticale **VI** tomber en chute libre.

**Taiwan** /taɪ'wɑːn/ **N** Taiwan m, Taïwan m.

**Taipei, T'ai-pei** /taɪ'peɪ/ **N** T'ai-pei.

**Taiwanese** /ˌtaɪwɑː'niːz/ **ADJ** taiwanais, taïwanais **N** (= inhabitant) Taiwanais(e) m(f), Taïwanais(e) m(f).

**Tajik** /'tɑːdʒɪk/ **ADJ** tadjik **N** (= inhabitant) Tadjik mf.

**Tajikistan** /tɑːˌdʒɪkɪ'stɑːn/ **N** Tadjikistan m.

**taka** /'tɑːkɑː/ **N** taka m.

**take** /teɪk/ **N** **a** (US Comm = takings) rentrée f, recette f ◆ **we had an excellent take last week** on a fait une excellente recette la semaine dernière ◆ **to be on the take** * toucher des pots-de-vin **b** (= share) part f, montant m perçu ◆ **the taxman's take is 50%** la ponction fiscale s'élève à 50%

**VT** **a** (gen) prendre ◆ **to take sth into account** prendre qch en compte or en considération ◆ **to take a bath** * (Fin) boire la tasse*, prendre un bouillon* ◆ **to take notes** prendre des notes ◆ **to take part in** prendre part à ◆ **they have taken the lead in this industry** ils sont numéro un or ils sont en tête dans ce secteur industriel ◆ **to take a partner** prendre un associé ◆ **to take legal action against sb** intenter un procès or une action contre qn ◆ **to take the chair (at a meeting)** présider (une réunion) ◆ **a take-it or leave-it price** * un prix qui ne se discute pas **b** (= earn) gagner, encaisser, se faire* ◆ **he takes home £300 a week** il gagne 300 livres par semaine, son salaire net est de 300 livres par semaine ◆ **on Saturdays many shops take twice as much as on other week days** le samedi beaucoup de magasins encaissent or gagnent deux fois plus qu'en semaine **c** (St Ex) prendre ◆ **to take securities** lever ferme des titres ◆ **to take for the call** vendre un dont or un call ◆ **to take for the put** acheter un ou or un put ◆ **to take the rate** reporter **d** (= have as capacity) contenir, avoir une capacité de ◆ **the lorry will take 5 tons** le camion peut contenir jusqu'à 5 tonnes ◆ **how much freight can the plane take?** quelle est la capacité maximale en fret de cet avion? ◆ **this cask takes forty litres** ce tonneau contient or a une capacité de quarante litres **e** (= accept) money, payment prendre, accepter ◆ **he won't take less** il refuse d'accepter un prix moins élevé ◆ **this machine takes one pound coins** cette machine accepte les pièces d'une livre **f** **to take stock** (Comm) dresser or faire l'inventaire; (fig) faire le point (of the situation de la situation) **g** (= necessitate) nécessiter, demander ◆ **it takes 6 hours to get to New York** il faut 6 heures pour se rendre à New York ◆ **it will take £100 to get him here** cela demandera or coûtera 100 livres pour le faire venir.

**take away** **VT** **a** (= subtract) soustraire, enlever, retrancher, ôter (from de) ◆ **take 5 away from 10** ôter 5 de 10 ◆ **don't forget to take away the 10% reduction** n'oubliez pas d'enlever les 10% de réduction **b** (= remove) enlever, emporter ◆ **not to be taken away** [directory] à consulter sur place.

**take back** **VT SEP** former employee, returned goods reprendre.

**take down** **VT SEP** **a** (= write) letter, notes prendre (en note); address noter, inscrire **b** (= dismantle) démonter.

**takedown** /'teɪkdaʊn/ **N** (= dismantling) démontage m.

**take-home pay** /teɪkˈhəʊmpeɪ/ **N** salaire m net.

**take in** **VT SEP** **a** *(St Ex)* reporter ◆ **to take in stock** reporter des titres ◆ **stock taken in** valeurs prises en report **b** **to take in extra work** prendre *or* accepter du travail supplémentaire ◆ **we got taken in** on nous a roulés*.

**take off** **VT SEP** *(Comm)* enlever, ôter, retrancher ◆ **we agreed to take $250 off the price** nous avons accordé une réduction *or* un rabais de 250 dollars, nous avons accepté de rabattre 250 dollars sur le prix
**VI** *[aircraft]* décoller; *(fig) [business]* démarrer ◆ **inflation has taken off again** l'inflation a repris.

**takeoff** /ˈteɪkɒf/ **N** **a** *[aircraft]* décollage m ; *[business]* démarrage m ◆ **the company is in the takeoff stage** l'entreprise est dans la phase de démarrage ◆ **the takeoff stage of a developing economy** la phase de décollage d'une économie en voie de développement **b** *[price]* flambée f
**ADJ** **takeoff reel** *(Comp)* bobine f débitrice ◆ **takeoff speed** *(Comp)* vitesse f de défilement.

**take on** **VT SEP** **a** work, job, project se charger de, prendre ◆ **to take on a responsibility** accepter *or* assumer *or* prendre une responsabilité **b** *(= hire)* employee prendre, embaucher, engager ◆ **they are taking on additional staff** ils embauchent du personnel supplémentaire **c** *(= compete with)* accepter de se battre contre, engager le combat avec ◆ **we must take on our competitors in all major markets** nous devons affronter *or* attaquer nos concurrents sur tous les principaux marchés **d** *cargo, passenger* embarquer, prendre
**VI** *(= be successful)* prendre, avoir du succès ◆ **this advertising campaign has taken on** cette campagne publicitaire a pris *or* a bien marché.

**take out** **VT SEP** **a** *(= withdraw)* retirer ◆ **I took £50 out of my account** j'ai retiré 50 livres de mon compte, j'ai tiré 50 livres sur mon compte **b** *(Comm, Ins)* ◆ **to take out an insurance policy** souscrire *or* contracter une assurance ◆ **to take out a patent** prendre un brevet, faire breveter une invention ◆ **to take out a subscription to a magazine** prendre un abonnement *or* s'abonner à un magazine **c** *(= eliminate)* competitors éliminer définitivement.

**take over** **VI** **a** business, goods, materials reprendre ◆ **to take over sb's debts** reprendre les dettes de qn à sa charge ◆ **he took over the job of managing director last year** il a pris les fonctions de PDG l'année dernière ◆ **the bank** would not agree to take over the mortgage la banque n'était pas d'accord pour reprendre l'hypothèque ◆ **to take over the liabilities** prendre le passif à sa charge ◆ **I'll take over his duties when he is away** je le remplacerai dans ses fonctions pendant son absence **b** *(Fin)* company prendre le contrôle de, racheter, reprendre ◆ **the multinational took over our company** la société multinationale a repris *or* racheté notre entreprise, la société multinationale a pris le contrôle de notre entreprise **c** *(St Ex)* absorber ◆ **to take over an issue** absorber une émission **d** *premises* prendre possession de; *goods* prendre livraison de ◆ **we are taking over the new premises next month** nous prenons possession des nouveaux locaux le mois prochain
**VI** **to take over from sb** prendre la succession de qn ◆ **he took over from the previous sales manager** il a remplacé le précédent directeur commercial.

**takeover** /ˈteɪkəʊvəʳ/ **N** *(Fin) [company]* rachat m, reprise f, prise f de contrôle ◆ **the takeover of the subsidiary** le rachat *or* la reprise de la filiale ◆ **the takeover of the firm by the multinational** le rachat *or* la prise de contrôle de l'entreprise par la multinationale

————— compounds/composés —————

◆ **takeover bid** offre publique d'achat, OPA .

**taker** /ˈteɪkəʳ/ **N** **a** *(= lessee)* preneur m **b** *(= buyer)* acheteur m ◆ **there are no takers at this price** il n'y a pas d'acheteurs à ce prix **c** *(St Ex) [contangoes]* reporteur m ◆ **the contango is a premium paid by the giver to the taker** le report est la prime payée par le reporté au reporteur ◆ **taker for the call** vendeur d'un dont *or* d'un call ◆ **taker for a call of more** donneur de faculté de lever double ◆ **taker for the put** acheteur d'un put ◆ **taker for a put and call** acheteur d'un stellage ◆ **taker of a rate** receveur de la prime.

**takers-in** **NPL** *(St Ex)* preneurs mpl d'offre, souscripteurs mpl.

**take up** **VT SEP** **a** *(St Ex)* issue souscrire à; *shares* *(= purchase)* souscrire à; *(= take delivery of)* lever ◆ **to take up an option** lever une option ◆ **to take up stocks** lever *or* prendre livraison des titres ◆ **to take up a loan** contracter un emprunt **b** *(Fin)* ◆ **to take up a bill** honorer un effet **c** *subject* aborder ◆ **I'll take that up at our next meeting** j'en parlerai à notre prochaine réunion ◆ **you should take up any complaints with your local branch** pour toutes réclamations veuillez vous adresser à votre agence **d** (= *accept*) accepter ✦ **to take up an offer** accepter une offre ✦ **to take up a challenge** relever *or* accepter un défi **e** *career* embrasser, se lancer dans.

**takeup** /'teɪkʌp/ **N** **a** *(Comp)* dispositif m de rembobinage ✦ **takeup reel** *or* **spool** bobine réceptrice **b** *(St Ex = buying)* souscription f (*of* à) ✦ **the takeup of the new issue was poor** la nouvelle émission s'est mal vendue, les souscripteurs ont boudé la nouvelle émission ✦ **the takeup of Treasury bills** l'écoulement des bons du Trésor ✦ **98% takeup of shares** émission d'actions souscrite *or* couverte à 98%.

**takings** /'teɪkɪŋz/ *(Brit)* **NPL** recette(s) f(pl) ✦ **takings were doubled in the second half of the month** dans la seconde quinzaine du mois, nous avons multiplié les recettes par deux.

**tala** /'tɑːlə/ **N** tala m.

**talk** /tɔːk/ **N** **a** conversation f, discussion f, entretien m ✦ **I had a talk with the production manager** j'ai eu un entretien avec le directeur de la production ✦ **sales talk** baratin* commercial ✦ **to give a sales talk about sth** présenter les arguments de vente de qch **b** **talks** (= *negotiations*) pourparlers, négociations ✦ **talks are due to begin on Monday to settle the current wage dispute** les négociations en vue de régler le conflit actuel sur les salaires doivent débuter lundi **c** (= *lecture*) conférence f
**VT** **to talk business** parler affaires.

**talk over** **VT SEP** **a** (= *persuade* : also **talk round**) *person* persuader, convaincre **b** (= *discuss*) *contract, project* discuter.

**talk up** **VT FUS** *project, product* vanter, pousser, faire mousser; *share price* faire monter.

**Tallinn** /'tælɪn/ **N** Tallin.

**tally** /'tælɪ/ **N** **a** (= *record, check*) [*goods*] comptage m ; *(Mar)* [*goods loaded*] inventaire m ✦ **to keep tally of** tenir le compte de, pointer sur une liste **b** (= *tag*) étiquette f **c** *(Fin)* jeton m de présence **d** [*document*] contrepartie f ; [*cheque*] talon m **e** *(Comp)* comptage m **f** [*cash register*] bande f imprimée *or* de contrôle

─── compounds/composés ───
- **tally register** registre de comptage
- **tally roll** [*cash register*] bande de contrôle
- **tally sheet** bordereau *or* feuille de pointage
- **tally shop** magasin pratiquant la vente à tempérament
- **tally trade** commerce à tempérament

**VT** *(gen)* pointer, compter; *(Comp)* compter
**VI** (= *agree*) s'accorder (*with* avec) correspondre (*with* à) concorder (*with* avec) ✦ **the figure doesn't tally with our invoice** le chiffre ne correspond pas à notre facture.

**tally down to** **VI** *(Comp)* compter (en régressant) jusqu'à.

**tally up to** **VI** *(Comp)* compter (en progressant) jusqu'à.

**talon** /'tælən/ **N** *(St Ex)* talon m.

**tamper** /'tæmpəʳ/ **VI** ✦ **to tamper with the accounts** falsifier *or* fausser *or* trafiquer les comptes.

**tamper-proof** /'tæmpəpruːf/ **ADJ** impossible à trafiquer.

**tandem** /'tændəm/ **N** tandem m ✦ **to work in tandem with** travailler en tandem avec qn ✦ **tandem account** *(Bank)* compte en tandem.

**tangible** /'tændʒəbl/ **ADJ** tangible, palpable ✦ **tangible asset** *(Jur)* bien corporel; *(Fin)* élément d'actif corporel, immobilisation corporelle ✦ **tangible net worth** valeur nette réelle, valeur corporelle nette ✦ **tangible personal property** biens mobiliers corporels.

**tank** /tæŋk/ **N** réservoir m, cuve f ✦ **fuel tank** réservoir à carburant ✦ **tank car** *(US)* wagon-citerne ✦ **tank truck** *(US)* camion-citerne ✦ **think tank** groupe de réflexion.

**tanker** /'tæŋkəʳ/ **N** (= *ship* : also **oil tanker**) pétrolier m, tanker m ; *(non oil)* bateau-citerne m ; (= *truck*) camion-citerne m ; *(Rail)* wagon-citerne m ; (= *aircraft*) avion-ravitailleur m ✦ **wine tanker** pinardier m.

**Tanzania** /ˌtænzəˈnɪə/ **N** Tanzanie f.

**Tanzanian** /ˌtænzəˈnɪən/ **ADJ** tanzanien **N** (= *inhabitant*) Tanzanien(ne) m(f).

**tap** /tæp/ **N** **on tap** *(gen)* disponible ✦ **bills on tap** effets placés de gré à gré ✦ **there are funds on tap** il y a des fonds disponibles ✦ **the new tranche of £300 million of this stock was brought on tap in May** la nouvelle tranche de 300 millions de ce titre a été émise *or* a été lancée en mai

─── compounds/composés ───
- **tap bills** valeurs fpl émises à un prix déterminé par l'État
- **tap issue** *(St Ex)* émission de fonds d'État
- **tap market** marché des fonds d'État
- **tap stock** valeurs fpl d'État

**vi** *barrel* percer, mettre en perce ✦ **to tap the resources of a country** exploiter les ressources d'un pays ✦ **to tap a market** s'attaquer à or exploiter un marché.

**tape** /teɪp/ **N** *(gen)* ruban m, bande f ; *(for parcels, documents)* bolduc m ; *(= recording)* bande f magnétique; *(= sticky tape)* adhésif m, ruban m adhésif ✦ **the meeting is on tape** la réunion a été enregistrée ✦ **magnetic tape** bande magnétique ✦ **red tape** paperasserie ✦ **ticker tape** bande de téléscripteur *(d'enregistrement électronique des cours à la Bourse de New York)*

───── compounds/composés ─────
- **tape drive** *(Comp)* *(= unit)* unité de bande magnétique; *(= mechanism)* dérouleur de bande magnétique
- **tape feed** *(Comp)* mécanisme d'entraînement de bande
- **tape file** *(Comp)* fichier sur bande
- **tape library** magnétothèque
- **tape machine** téléscripteur, télé-imprimeur
- **tape price** *(St Ex)* cours télégraphique
- **tape recorder** magnétophone
- **tape recording** enregistrement
- **tape reel** *(Comp)* bobine
- **tape unit** unité de bande magnétique

**vt** **a** *parcel* attacher or fermer avec du ruban adhésif, scotcher ✦ **we've got him taped** * on a pris sa mesure, on sait ce qu'il vaut ✦ **I've got the job taped** je suis maintenant bien familiarisé avec ce travail **b** *(= record)* enregistrer.

**tapering** /'teɪpərɪŋ/ **ADJ** *tariff, rate, charge* dégressif.

**taper off** /'teɪpəʳ/ **vi** se raréfier, s'amenuiser ✦ **foreign orders are tapering off** les commandes de l'étranger se raréfient.

**tap in** /'tæp/ **vt** *figures, text, data* introduire, entrer, saisir.

**tare** /tɛəʳ/ **N** tare f ✦ **actual tare** tare réelle ✦ **allowance for tare** tarage ✦ **average tare** tare commune or moyenne ✦ **customary tare** tare d'usage ✦ **extra tare** surtare
**vt** tarer.

**target** /'tɑːgɪt/ **N** *(gen)* cible f ; *(= objective)* objectif m, but m ✦ **our target is young people under 20** notre cible or le public ciblé ce sont les jeunes de moins de 20 ans ✦ **our target is to increase margins** notre objectif c'est d'augmenter les marges ✦ **we have fixed a sales target of 30,000 units** nous avons fixé un objectif de vente de 30 000 unités ✦ **our sales are dead on target** nos ventes correspondent exactement aux objectifs ✦ **his forecast was**

**right on target** sa prévision est tombée juste ✦ **a target-built system to reduce delivery time** un système de fabrication liée à la commande pour réduire les délais de livraison ✦ **production target** objectif de production ✦ **sales target** objectif m de vente ✦ **spending targets** prévisions or objectifs de dépenses ✦ **to set a target** fixer un objectif

───── compounds/composés ─────
- **target audience** *(Pub)* cible, public ciblé or visé
- **target buyer** cible, acheteur-cible
- **target company** *(in takeover bid)* entreprise cible
- **target customers** clientèle-cible
- **target date** date prévue, date limite
- **target effectiveness** efficacité visée
- **target field** *(Comp)* zone destinataire
- **target group** cible, groupe cible
- **target language** *(Comp)* langage objet
- **target market** marché ciblé or visé
- **target price** *(Mktg)* prix de référence, prix indicatif
- **target pricing** ciblage des prix
- **target program** *(Comp)* programme objet
- **target public** public cible
- **target range** *(Econ)* [money supply, inflation] fourchette visée
- **target segment** *(Mktg)* segment visé or ciblé
- **target setting** fixation or détermination d'objectifs

**vi** *(Mktg)* cibler ✦ **a targeted campaign** une campagne ciblée.

**targeting** /'tɑːgɪtɪŋ/ **N** *(Mktg)* ciblage m.

**tariff** /'tærɪf/ **N** *(= price list)* tarif m, barème m or tableau m des prix; *(= rate, price)* tarif m ; *(Customs)* tarif m (douanier) ✦ **collection tariff** tarif de recouvrement ✦ **General Agreement on Tariffs and Trade** accord général sur les tarifs douaniers et le commerce ✦ **external tariff** tarif extérieur ✦ **non-tariff barrier** barrière non tarifaire ✦ **off-peak tariff** [electricity] tarif heures creuses ✦ **to lower / raise tariffs** abaisser / relever les droits de douane

───── compounds/composés ─────
- **tariff barrier** barrière tarifaire or douanière
  - **removal of tariff barriers** suppression des barrières tarifaires
- **tariff concession** concession tarifaire
- **tariff currency** monnaie du tarif
- **tariff factories** usines installées dans un pays afin de contourner les tarifs douaniers à l'importation
- **tariff heading** *(Jur, Fin)* position tarifaire
- **tariff laws** lois fpl tarifaires
- **tariff legislation** législation douanière
- **tariff listing** tarification
- **tariff negotiations** négociations fpl tarifaires

- **tariff policy** politique douanière
- **tariff provision** disposition tarifaire
- **tariff quota** contingent tarifaire
- **tariff reform** réforme des tarifs douaniers
- **tariff regulations** dispositions fpl tarifaires
- **tariff schedule** barème des tarifs
- **tariff wall** barrière tarifaire *or* douanière.

**taring** /ˈtɛərɪŋ/ N tarage m.

**Tashkent** /taʃˈkjent/ N Tachkent.

**task** /tɑːsk/ N tâche f

───── compounds/composés ─────

- **task force** groupe de travail *(spécialement constitué pour accomplir un objectif particulier)*
- **task initiation** *(Comp)* lancement de tâche
- **task management** gestion des tâches
- **task scheduling** programmation *or* planification des tâches
- **task setting** fixation *or* détermination d'objectifs de travail
- **task work** travail à la tâche *or* aux pièces.

**tax** /tæks/ N **a** *(on sales, services)* taxe f ; *(= duty)* *(on goods)* taxe f, droit m ◆ **tax on tobacco** taxe *or* droit sur le tabac ◆ **exclusive of tax** hors taxe ◆ **tax inclusive price** prix toutes taxes comprises, prix TTC ◆ **airport tax** taxe d'aéroport ◆ **excise tax** droit d'accise, taxe ◆ **local tax** taxe locale ◆ **poll tax** capitation ◆ **value added tax** taxe à la valeur ajoutée ◆ **to levy** *or* **put** *or* **lay a tax on sth** taxer *or* imposer qch, frapper qch d'une taxe **b** *(on personal income, business profits)* impôt m ◆ **income tax** impôt sur le revenu ◆ **before / after tax** avant / après impôt ◆ **to raise** *or* **levy taxes** percevoir des impôts ◆ **I paid £2,000 in tax** *or* **in taxes last year** j'ai payé 2 000 livres d'impôts *or* de contributions l'année dernière ◆ **capital gains tax** impôt sur les plus-values (en capital) ◆ **capital transfer tax** droits de mutation ◆ **corporate** *or* **corporation tax** impôt sur les sociétés ◆ **direct / indirect tax** impôt direct / indirect, contributions directes / indirectes ◆ **excess profits tax** impôt sur les super-bénéfices ◆ **a flat-rate tax on capital gains**

───── compounds/composés ─────

TAX

- **tax abatement** dégrèvement *or* allègement fiscal
- **tax accountant** conseiller fiscal
- **tax adjustment** redressement fiscal
- **tax adviser** conseiller fiscal
- **tax allocation** répartition *or* ventilation des impôts
- **tax allowance** abattement fiscal
- **tax and price index** *indice des effets combinés des prix et de la pression fiscale*
- **tax appeal** procédure de recours en matière fiscale
- **tax arrears** arriérés mpl d'impôt
- **tax assessment** *(gen)* calcul de l'impôt; *(= formal notice)* avis d'imposition
- **tax audit** contrôle fiscal
- **tax authorities (the)** l'Administration fiscale, l'Administration des impôts, le fisc
- **tax avoidance** évasion fiscale
- **tax base, tax basis** assiette (légale) de l'impôt, base d'imposition
- **tax benefits** *(gen)* avantages mpl fiscaux; *(= reductions)* dégrèvements mpl *or* allègements fiscaux ◆ **there are tax benefits to be gained from submitting a joint return** il est fiscalement avantageux de faire une déclaration commune
- **tax bite** ponction fiscale, prélèvement fiscal
- **tax bracket** *or* **band** fourchette *or* tranche d'impôt *or* d'imposition ◆ **in the 50% tax bracket** *or* **band** dans la tranche des 50% d'imposition
- **tax break** réduction d'impôt, avantage fiscal
- **tax burden** pression fiscale, poids de l'impôt
- **tax certificate** *document certifiant que les impôts dus ont été payés à la source*

- **tax claim** créance fiscale
- **tax code** *(Brit)* code des impôts
- **tax coding** indice d'abattement fiscal
- **tax collection** recouvrement des impôts
- **tax collector** percepteur
- **tax concession** aménagement fiscal
- **tax consultant** conseiller fiscal
- **tax credit** *(St Ex)* crédit d'impôt, avoir fiscal; *(Acc)* report créditeur d'impôt
- **tax cut** réduction de la ponction fiscale
- **tax debit** *(Acc)* report débiteur d'impôt
- **tax-deductible** déductible des impôts
- **tax deduction** abattement fiscal, déduction fiscale ◆ **tax deduction at source** retenue à la source
- **tax deferral** report fiscal
- **tax-deferred** dont l'imposition est différée
- **tax disc** *(Brit Aut)* vignette
- **tax dodger** fraudeur fiscal
- **tax dodging** fraude *or* évasion fiscale
- **tax drain** ponction fiscale
- **tax duplication** double imposition
- **tax equalization account** compte de péréquation des impôts
- **tax equity** masse fiscale
- **tax evader** fraudeur(-euse) fiscal(e)
- **tax evasion** fraude *or* évasion fiscale
- **tax-exempt** exonéré d'impôt, défiscalisé ◆ **Tax-Exempt Special Savings Account** ≈ plan d'épargne populaire
- **tax exemption** exonération fiscale
- **tax exile** personne fuyant le fisc

une imposition *or* un impôt forfaitaire sur les plus-values ♦ **land tax** impôt foncier ♦ **payroll tax** taxe sur la masse salariale ♦ **property tax** impôt foncier ♦ **turnover tax** impôt sur le chiffre d'affaires ♦ **wealth tax** impôt sur les grandes fortunes, impôt de solidarité sur la fortune ♦ **windfall profits tax** impôt sur les bénéfices exceptionnels ♦ **withholding tax** *(gen)* retenue à la source; *(on interest, income, dividends)* prélèvement libératoire
**VT** **a** *goods, services* taxer, imposer, frapper d'un impôt **b** *income, profits, business, person* imposer.

**taxable** /'tæksəbl/ **ADJ** imposable ♦ **taxable value** valeur imposable ♦ **taxable income** *individual* revenu imposable; *company* bénéfice imposable ♦ **taxable year** exercice fiscal, année fiscale ♦ **costs taxable to sb** frais à la charge de qn.

**taxation** /tæk'seɪʃən/ **N** *(= act)* imposition f, taxation f ; *(= taxes)* impôt(s) m(pl), contributions fpl ♦ **the taxation of income from savings**

**is heavy in this country** la fiscalité des produits de l'épargne est lourde dans ce pays ♦ **corporate / personal taxation** impôt sur les sociétés / sur les revenus des personnes physiques ♦ **double taxation** double imposition ♦ **indirect taxation** fiscalité indirecte ♦ **the taxation system** le système fiscal, la fiscalité.

**taxi** /'tæksɪ/ **N** taxi m ♦ **taxi rank** station de taxis.

**taxman** /'tæksmæn/ **N** percepteur m.

**taxmanship** /'tæksmənʃɪp/ **N** connaissance f de la fiscalité, art m de se défendre contre le fisc.

**taxpayer** /'tækspeɪəʳ/ **N** contribuable mf.

**TBC** /tibisi/ *(abbr of* **to be confirmed)** à confirmer.

**Tbilisi** /dbɪ'liːsɪ/ **N** Tbilissi.

**T-bill** /'tiː'bɪl/ **N** *abbr of* **Treasury bill** → **treasury**.

**T-bond** /'tiːbɒnd/ **N** *abbr of* **Treasury bond** → **treasury.**

**teaching** /'tiːtʃɪŋ/ **N** enseignement m.

*compounds/composés*

TAX

- ♦ **tax expenditures** dépenses fpl fiscales
- ♦ **tax expert** fiscaliste
- ♦ **tax features** dispositions fpl fiscales
- ♦ **tax form** feuille d'impôt, formulaire de déclaration d'impôt
- ♦ **tax fraud** fraude fiscale
- ♦ **tax-free** *income, interest* exonéré *or* exempt d'impôt; *goods* détaxé; *investment plan* défiscalisé
- ♦ **tax haven** paradis fiscal
- ♦ **tax hike** augmentation d'impôt
- ♦ **tax holiday** période d'exonération fiscale
- ♦ **tax immunity** immunité fiscale
- ♦ **tax incentive** incitation fiscale, avantage fiscal
- ♦ **tax inspector** *(Brit)* contrôleur *or* inspecteur des impôts
- ♦ **tax law** *(= system)* droit fiscal ♦ **US tax laws** la réglementation *or* la législation fiscale aux USA
- ♦ **tax lawyer** fiscaliste
- ♦ **tax levy** impôt, taxe, prélèvement fiscal
- ♦ **tax liability** *(= obligation)* assujettissement à l'impôt; *(= sum due)* montant de l'imposition, impôts mpl dus
- ♦ **tax load** pression fiscale, imposition
- ♦ **tax loophole** faille dans la législation fiscale
- ♦ **tax loss** déficit fiscal
- ♦ **tax net to bring sb** *or* **sth within the tax net** ramener qn *or* qch dans une fourchette imposable *or* dans la première tranche imposable
- ♦ **tax notice** avis d'imposition
- ♦ **tax offence** infraction fiscale
- ♦ **tax offset** *(gen)* abattement fiscal, déduction fiscale ; *(US St Ex)* crédit d'impôt ♦ **mortgage interest payments are a tax offset** les intérêts des emprunts immobiliers sont déductibles des impôts *or* donnent droit à un abattement fiscal

- ♦ **tax package** train de mesures fiscales
- ♦ **tax pressure** pression fiscale
- ♦ **tax proceeds** produit de l'impôt
- ♦ **tax rate** taux d'imposition ♦ **maximum** *or* **top tax rate** taux d'imposition maximum
- ♦ **tax rebate** dégrèvement fiscal
- ♦ **tax refund** remboursement d'impôts
- ♦ **tax relief** réduction d'impôt, dégrèvement, allègement fiscal
- ♦ **tax remission** dégrèvement d'impôt
- ♦ **tax reserves** provisions fpl pour impôts
- ♦ **tax return** *(= form)* déclaration d'impôts ♦ **to file / fill in one's tax return** renvoyer / faire sa déclaration d'impôts
- ♦ **tax revenue** recettes fpl fiscales
- ♦ **tax roll** rôle d'imposition *or* d'impôt
- ♦ **tax sale** vente forcée au profit du fisc
- ♦ **tax schedule** barème d'imposition
- ♦ **tax shelter** paradis fiscal
- ♦ **tax-sheltered account** compte dont les intérêts ne sont pas imposables
- ♦ **tax system** système *or* régime fiscal, fiscalité
- ♦ **tax take** ponction fiscale
- ♦ **tax token** *(Brit)* *[motor vehicle]* vignette
- ♦ **tax threshold** seuil d'imposition, minimum imposable
- ♦ **tax withholding** impôt retenu à la source
- ♦ **tax write-off** dépense *or* perte déductible de l'impôt sur les sociétés
- ♦ **tax voucher** *(St Ex)* relevé des impôts retenus sur un dividende
- ♦ **tax year** exercice fiscal
- ♦ **tax yield** recettes fpl fiscales, revenus mpl produits par une taxe *or* un impôt

**team** /tiːm/ N équipe f ◆ **research team** équipe de recherche or de chercheurs ◆ **team spirit** esprit d'équipe.

**teamster** /'tiːmstəʳ/ (US) N routier m, chauffeur m de camion ◆ **The Teamsters** le syndicat des routiers.

**team up** /'tiːm/ VI faire équipe (with avec)

**teamwork** /'tiːmwɜːk/ N travail m d'équipe.

**tear** /tɛəʳ/ N déchirure f ◆ **(normal) wear and tear** usure (normale)

─────── compounds/composés ───────
◆ **tear line** pointillés mpl (de séparation)
◆ **tear-off** ◆ **tear-off calendar** éphéméride, calendrier détachable ◆ **tear-off coupon / order card** bon / bulletin de commande détachable or à détacher suivant le pointillé
◆ **tear strip** bande à arracher.

**tear out, tear off** VT SEP arracher, déchirer, détacher.

**tear up** VT déchirer (en petits morceaux).

**tease** /tiːz/ VT aguicher.

**teaser** /'tiːzəʳ/ aguiche f.

─────── compounds/composés ───────
◆ **teaser ad** * teaser m, aguiche f
◆ **teaser campaign** campagne f de teasing ou d'aguichage.

**tech** * /tek/ ▨ ▨ abbr of **technology** ◆ tech stocks, techs (St Ex) (valeurs) technologiques.

**technical** /'teknɪkəl/ ADJ technique ◆ **technical analysis** (St Ex) analyse technique ◆ **technical college** ≈ IUT ◆ **technical data** données or renseignements techniques ◆ **technical director** directeur technique ◆ **technical hitch** incident technique, accroc technique ◆ **technical point** (Jur) point or question de procédure ◆ **technical recovery** or **rally** (St Ex) reprise technique.

**technicality** /ˌteknɪ'kælɪtɪ/ N ▨ (gen) détail m technique; (Jur) point m de procédure ◆ **the case was dismissed on a technicality** il y a eu non-lieu pour vice de forme ◆ **the project is held up because of an administrative technicality** le projet est bloqué à cause d'un problème administratif ▨ (= technical nature) technicité f.

**technician** /tek'nɪʃən/ N technicien(ne) m(f).

**technics** /'teknɪks/ N technique f, technologie f.

**technique** /tek'niːk/ N technique f, méthode f ◆ **sales technique** technique de vente.

**technocracy** /tek'nɒkrəsɪ/ N technocratie f.

**technocrat** /'teknəʊkræt/ N technocrate mf.

**technocratic** /ˌteknə'krætɪk/ ADJ technocratique.

**technological** /ˌteknə'lɒdʒɪkəl/ ADJ technologique ◆ **technological gap** retard or écart technologique ◆ **technological transfer** transfert technologique.

**technologist** /tek'nɒlədʒɪst/ N technologue mf.

**technology** /tek'nɒlədʒɪ/ N technologie f ◆ **high** or **advanced technology** haute technologie, technologie avancée ◆ **cutting-edge** or **leading-edge** or **state-of-the-art technology** technologie de pointe ◆ **information technology** informatique ◆ **the new technologies** la novotique, les nouvelles techniques or technologies

─────── compounds/composés ───────
◆ **technology-based industry** industrie technologique
◆ **technology intensive industry** industrie à forte composante de haute technologie
◆ **technology stocks** valeurs technologiques
◆ **technology transfer** transfert de technologie.

**technostructure** /'teknəʊˌstrʌktʃəʳ/ N technostructure f.

**teething troubles** /'tiːðɪŋˌtrʌblz/ NPL [company, project] difficultés fpl de démarrage.

**Tegucigalpa** /teɡʊsɪ'ɡɑːlpə/ N Tegucigalpa.

**Teheran, Tehran** /tɛə'rɑːn/ N Téhéran.

**tel** abbr of **telephone**.

**telco** * /'telkəʊ/ (US) N (= telephone company) compagnie f de téléphone.

**telebanking** /'telɪˌbæŋkɪŋ/ N opérations fpl bancaires à distance (à partir de son domicile ou d'un bureau).

**telecentre** (Brit), **telecenter** (US) /'telɪsentəʳ/ N centre m de traitement.

**telecommunicate** /ˌtelɪkə'mjuːnɪkeɪt/ VTI télécommuniquer.

**telecommunications** /ˌtelɪkəˌmjuːnɪ'keɪʃənz/ NPL télécommunications fpl ◆ **telecommunications programming** programmation de télétraitement.

**telecommute** /ˌtelɪkə'mjuːt/ VI télétravailler.

**telecommuter** /ˌtelɪkə'mjuːtəʳ/ N télétravailleur(-euse) m(f).

**telecommuting** /ˌtelɪkə'mjuːtɪŋ/ N télétravail m.

**telecomputing** /ˌtelɪkəm'pjuːtɪŋ/ N télétraitement m.

**telecoms** * /'telɪkɒms/ NPL télécoms fpl *.

**teleconference** /ˌtelɪ'kɒnfərəns/ N téléconférence f.

**teleconferencing** /ˌtelɪ'kɒnfərənsɪŋ/ N communication f par téléconférence.

**telecopier** /'teləˌkɒpɪəʳ/ N télécopieur m.

**telecopy** /'teləˌkɒpɪ/ VT télécopier.

**telefax** /'teləfæks/ N télécopieur m.

**telegram** /'telɪgræm/ N télégramme m ◆ to send sb a telegram envoyer un télégramme à qn.

**telegraph** /'telɪgrɑːf/ 🔟 télégraphe m

─── *compounds/composés* ───
- ◆ **telegraph line** ligne télégraphique
- ◆ **telegraph pole** or **post** poteau télégraphique
- ◆ **telegraph wire** fil télégraphique

🔟 télégraphier, câbler ◆ **please telegraph your answer** prière de télégraphier votre réponse.

**telegraphic** /ˌtelɪ'græfɪk/ ADJ télégraphique ◆ **telegraphic transfer / money order / transaction** virement / mandat / transaction télégraphique.

**telegraphy** /tɪ'legrəfɪ/ N télégraphie f.

**telemarketing** /'telɪˌmɑːkɪtɪŋ/ N télémarketing m.

**telematics** /ˌtelɪ'mætɪks/ N télématique f.

**telemeeting** /'telɪmiːtɪŋ/ N téléréunion f.

**telemeter** /'telɪmiːtəʳ/ 🔟 télémesurer 🔟 télémètre m.

**telemetering** /'telɪmiːtərɪŋ/ N télémesure f.

**telemetric** /ˌtelɪ'metrɪk/ ADJ télémétrique.

**telemetry** /tɪ'lemɪtrɪ/ N télémétrie f.

**telephone** /'telɪfəʊn/ 🔟 téléphone m ◆ **in France the telephone service is provided by the PTT** en France le service téléphonique est fourni par les PTT ◆ **to be on the telephone** *(speaking)* être au téléphone; *(as a subscriber)* avoir le téléphone, être abonné au téléphone

─── *compounds/composés* ───
- ◆ **telephone answering machine** répondeur téléphonique
- ◆ **telephone book** annuaire téléphonique
- ◆ **telephone booth** or **box** *(Brit)* cabine téléphonique
- ◆ **telephone call** appel téléphonique, coup de téléphone or de fil*
- ◆ **telephone directory** annuaire téléphonique
- ◆ **telephone exchange** central (téléphonique)
- ◆ **telephone extension** *(= number)* numéro de poste
- ◆ **telephone handset** combiné
- ◆ **telephone line** ligne téléphonique
- ◆ **telephone message** message téléphonique
- ◆ **telephone number** numéro de téléphone
- ◆ **telephone operator** standardiste
- ◆ **telephone receiver** récepteur
- ◆ **telephone sales** *(= selling)* vente par téléphone; *(= number of sales made)* ventes fpl par téléphone
- ◆ **telephone selling** la vente par téléphone, la télévente
- ◆ **telephone set** appareil, poste (téléphonique)
- ◆ **telephone subscriber** abonné(e) au téléphone
- ◆ **telephone tapping** mise sur écoute (téléphonique)

🔟 *person* téléphoner à, appeler; *message* téléphoner *(to* à*)* 🔟 téléphoner.

**telephonic** /ˌtelɪ'fɒnɪk/ ADJ *communications* téléphonique.

**telephony** /[tɪ'lefənɪ/ N téléphonie f ◆ **fixed-line / mobile telephony** téléphonie fixe / mobile.

**teleprint** /'telɪˌprɪnt/ VT transmettre par téléscripteur.

**teleprinter** /'telɪˌprɪntəʳ/ N téléscripteur m, téléimprimeur m, télétype m.

**teleprocessing** /ˌtelɪ'prəʊsesɪŋ/ N télétraitement m, télégestion f, téléinformatique f

─── *compounds/composés* ───
- ◆ **teleprocessing monitor** moniteur de télétraitement
- ◆ **teleprocessing terminal** terminal de télégestion.

**teleprocessor** /ˌtelɪ'prəʊsesəʳ/ N téléprocesseur m.

**telerecording** /ˌtelɪrɪ'kɔːdɪŋ/ N télé-enregistrement m.

**telesales** /'telɪseɪlz/ N vente f par téléphone, télévente f.

**teleshopping** /'telɪˌʃɒpɪŋ/ N télé-achats mpl.

**teletext** /'telətekst/ N télétexte m.

**teletype** /'telɪtaɪp/ 🔟 *(= machine)* télétype m, téléscripteur m, téléimprimeur m 🔟 envoyer par téléscripteur or par télétype.

**televiewer** /'telɪˌvjuːəʳ/ N téléspectateur(-trice) m(f).

**televise** /'telɪvaɪz/ VT téléviser.

**television** /'telɪˌvɪʒən/ N 🅰 télévision f ◆ **on television** à la télévision ◆ **closed circuit television is used for security purposes** la télévision en circuit fermé or la télévision en réseau intérieur est utilisée à des fins de surveillance **b** *(= set)* téléviseur m, poste m *or* récepteur m de télévision

—————— *compounds/composés* ——————
- **television advertising** la publicité télévisée *or* à la télévision
- **television commercial** spot publicitaire (télévisé), publicité télévisée
- **television consumer audit** sondage auprès d'un échantillon de téléspectateurs
- **television monitor** écran de contrôle
- **television programme** émission de télévision
- **television rating** taux *or* indice d'écoute
- **television screen** écran de télévision
- **television set** téléviseur, poste *or* récepteur de télévision.

**telework** /ˈtelɪwɜːk/ **VI** télétravailler.

**teleworker** /ˈtelɪwɜːkəʳ/ **N** télétravailleur (-euse) m(f).

**teleworking** /ˈtelɪwɜːkɪŋ/ **N** télétravail m.

**telewriter** /ˈtelɪˌraɪtəʳ/ **N** appareil m de télé-écriture.

**telewriting** /ˈtelɪˌraɪtɪŋ/ **N** télé-écriture f.

**telex** /ˈteleks/ **N** télex m ◆ **to send by telex** envoyer par télex ◆ **telex operator** télexiste ◆ **telex service** service télex
**VT** télexer, envoyer par télex ◆ **we must telex our Paris office** nous devons envoyer un télex à notre bureau parisien ◆ **please telex your confirmation** veuillez confirmer par télex.

**tellback** /ˈtelbæk/ **N** retransmission f.

**teller** /ˈteləʳ/ **N** *(Bank)* caissier(-ière) m(f), guichetier(-ière) m(f) ◆ **teller's cashbook** main-courante de caisse ◆ **automated teller (machine)** guichet automatique, distributeur automatique de billets

—————— *compounds/composés* ——————
- **teller terminal** guichet automatique *(relié à un ordinateur central)*
- **teller window** guichet.

**temp** /temp/ **N** *(= temporary office worker)* intérimaire mf
**VI** travailler comme intérimaire, faire de l'intérim.

**temping** /ˈtempɪŋ/ **N** intérim m ◆ **she's been doing temping in London for the past two years** elle travaille comme intérimaire *or* elle fait de l'intérim à Londres depuis deux ans ◆ **temping agency** agence *or* société d'intérim.

**temporary** /ˈtempərərɪ/ **ADJ** *job, arrangements* temporaire, provisoire; *secretary* intérimaire ◆ **temporary disablement** incapacité tempo-

raire ◆ **temporary employment office** *(US)* agence *or* société d'intérim ◆ **temporary storage** *(Comp)* mémoire intermédiaire, zone de manœuvre ◆ **temporary worker** intérimaire ◆ **passed for temporary importation** *(Customs)* admis en franchise temporaire ◆ **he's been doing temporary work as a computer programmer** il a travaillé comme intérimaire pour faire de la programmation, il a fait de l'intérim en tant que programmeur.

**ten** /ten/ **ADJ, N** dix m ◆ **about ten, ten or so** une dizaine → **six.**

**tenancy** /ˈtenənsɪ/ **N** *[building]* location f, période f de location ◆ **our tenancy expires in two years** notre bail expire dans deux ans ◆ **life tenancy** usufruit ◆ **joint tenancy** location commune *or* en commun ◆ **we have joint tenancy of this house** nous louons cette maison ensemble *or* en commun ◆ **termination of tenancy** expiration du bail ◆ **tenancy agreement** contrat de location.

**tenant** /ˈtenənt/ **N** *(gen)* locataire mf ◆ **tenant's repairs** réparations locatives *or* à la charge du locataire ◆ **tenant's (third party) risks** risques locatifs ◆ **life tenant** usufruitier ◆ **tenants in common** *(Jur)* indivisaires, propriétaires indivis
**VT** habiter comme locataire.

**tend** /tend/ **VT** *(= supervise)* garder, surveiller
**VI** avoir tendance *(to do* à faire*)* ◆ **to tend downwards / upwards** être orienté en baisse / en hausse *or* à la baisse / à la hausse.

**tendency** /ˈtendənsɪ/ **N** tendance f, orientation f, évolution f ◆ **bearish / bullish tendency** *(St Ex)* tendance à la baisse / à la hausse ◆ **underlying tendency** tendance profonde ◆ **market tendencies** évolutions du marché ◆ **to have a tendency to do sth** avoir tendance à faire qch ◆ **there is a tendency for prices to rise more slowly** les prix ont tendance à monter plus lentement.

**tender** /ˈtendəʳ/ **N a** *(= offer)* soumission f ◆ **sale by tender** vente par soumission *or* par voie d'adjudication ◆ **sealed tender** soumission cachetée ◆ **to put in** *or* **make a tender for a contract** faire une soumission pour une adjudication, répondre à un appel d'offres, soumissionner une adjudication ◆ **to put out for public tender** ouvrir la soumission, faire un appel d'offres ◆ **to invite tenders for sth** faire un appel d'offres pour qch, mettre qch en adjudication ◆ **invitation for tenders** appel d'offres ◆ **to lodge a tender with sb** adresser une soumission à qn, soumissionner auprès de qn ◆ **by tender** par voie d'adjudication ◆ **tender for loans** soumission d'emprunt ◆ **allocation to**

lowest tender adjudication au soumissionnaire le plus offrant **b** *(in discharge of debt)* offre f légale *or* réelle **c** *(Fin)* ✦ **legal tender** cours légal ✦ **to be legal tender** avoir cours légal

—————— compounds/composés ——————
- ✦ **tender bills** valeurs fpl émises par soumission
- ✦ **tender bond** garantie de soumission
- ✦ **tender offer** *(for contract)* soumission, offre; *(St Ex)* offre publique d'achat, OPA
- ✦ **tender price** montant de l'adjudication

**VT** offrir, présenter ✦ **to tender one's resignation** donner sa démission ✦ **to tender one's shares to the bid** apporter ses titres à l'OPA ✦ **to tender money in discharge of debt** *(Jur)* faire une offre réelle ✦ **to tender one's apologies** présenter ses excuses
**VI** soumissionner, faire une soumission *(for sth* pour qch) ✦ **invitation to tender** appel d'offres ✦ **to tender for a contract** faire une soumission pour une adjudication, répondre à un appel d'offres ✦ **to tender for a construction project** soumissionner un chantier de construction, faire une soumission pour un chantier de construction.

**tenderer** /'tendərər/ N soumissionnaire mf ✦ **allocation to the lowest tenderer** adjudication au soumissionnaire le plus offrant ✦ **successful tenderer for a contract** adjudicataire.

**tendering** /'tendərɪŋ/ N soumission f ✦ **open tendering** appel d'offres ouvert ✦ **tendering by private contract** adjudication de gré à gré.

**tenfold** /'tenfəʊld/ **ADJ** décuple
**ADV** **to increase tenfold** décupler.

**tenge** /tɛŋ'geɪ/ N tenge m.

**tenor** /'tenər/ N **a** *[document]* teneur f **b** *(Fin)* *[bill]* nombre m de jours jusqu'à l'échéance ✦ **at the specified tenor** à l'échéance prescrite.

**tentative** /'tentətɪv/ **ADJ** provisoire ✦ **to make a tentative offer** faire une ouverture ✦ **tentative agenda** projet d'ordre du jour, ordre du jour provisoire ✦ **tentative arrangements** dispositions provisoires ✦ **tentative estimate** estimation approximative ✦ **tentative plan** avant-projet ✦ **it's all very tentative** rien n'est fixé *or* décidé.

**tenth** /tenθ/ **ADJ**, N dixième mf ✦ **a** *or* **one tenth of the amount** le *or* un dixième de la somme ✦ **in the tenth place** dixièmement → **sixth**.

**tenthly** /'tenθlɪ/ **ADV** dixièmement.

**tenure** /'tenjʊər/ N **a** *[land, property]* durée f du bail ✦ **they have a 9-year tenure on the property** ils ont un bail de 9 ans pour cette propriété **b** *[position, office]* période f d'occupation ✦ **the tenure is for 5 years** la nomination à ce poste se fait pour une durée de 5 ans ✦ **during his tenure** pendant qu'il exerçait ses fonctions ✦ **to have security of tenure** avoir la sécurité *or* la stabilité de l'emploi ✦ **to have tenure** être titulaire (de son poste).

**tenured** /'tenjʊəd/ **ADJ** titulaire ✦ **tenured staff** personnel titulaire ✦ **this is not a tenured post** ce poste ne garantit pas la sécurité *or* la stabilité de l'emploi.

**term** /tɜːm/ N **a** *(= duration)* durée f; *(= limit)* terme m, échéance f; *(= period)* période f, terme m ; *(= time allowed before payment, delivery)* délai m ✦ **to put** *or* **set a term to sth** fixer un terme pour qch ✦ **in the long / short term** à long / court terme ✦ **long- / short-term loan** prêt à long / court terme ✦ **long term assets** actif immobilisé ✦ **short term assets** actif disponible ✦ **term of office** période pendant laquelle on exerce une fonction, mandat ✦ **he served a three-year term as chairman** il a exercé les fonctions de président pendant trois ans, son mandat de président a duré trois ans ✦ **to extend a term** proroger un délai ✦ **to keep a term** observer un délai ✦ **at term** à terme ✦ **the term of a loan** la durée d'un prêt ✦ **term of limitation** délai de prescription ✦ **term of notice** délai de préavis **b** *(= word, expression)* terme m, mot m ✦ **price in terms of dollars** prix m exprimé *or* libellé en dollars **c** *(= date for payment)* *[rent]* terme m ✦ **term's rent** (loyer du) terme, loyer trimestriel ✦ **rental term** terme **d** **terms** *(= conditions)* *(gen)* conditions; *[contract]* termes; *(Comm)* prix, tarif(s) ✦ **term(s) of an issue** *(St Ex)* conditions d'une émission ✦ **terms of reference** *[mandate]* attributions ✦ **terms and conditions** *(Jur)* modalités ✦ **what are your terms of payment?** quelles sont vos conditions de paiement? ✦ **terms of sale** conditions de vente ✦ **terms of trade** termes de l'échange ✦ **we offer it on easy terms** *(Comm)* nous offrons des facilités de paiement

—————— compounds/composés ——————
- ✦ **term bill** effet *or* billet à terme
- ✦ **term bond** obligation à échéance unique *or* à terme fixe
- ✦ **term day** *(for payment of rent)* terme, jour du terme
- ✦ **term deposit** dépôt à terme
- ✦ **term insurance** assurance-vie couvrant une période prédéterminée, assurance-vie temporaire
- ✦ **term loan** prêt à terme (fixe)
- ✦ **term note** *(Fin)* effet *or* billet à terme
- ✦ **term purchase** achat à crédit
- ✦ **term sale** vente à crédit.

or de crédit ✦ **inclusive terms** prix nets or tout compris ✦ **inclusive terms: £55** 55 livres tout compris ✦ **our terms are inclusive of delivery** notre prix or tarif comprend la livraison or s'entend livraison comprise ✦ **not on any terms** à aucun prix, à aucune condition ✦ **our terms are cash on delivery** nos conditions sont contre paiement à la livraison

**terminable** /'tɜːmɪnəbl/ **ADJ** contract résiliable, résoluble; annuity terminable.

**terminal** /'tɜːmɪml/ **ADJ** **a** terminal ✦ **terminal charges** (Transport) charges terminales ✦ **terminal port** port de tête de ligne **b** (St Ex) ✦ **terminal market** marché à terme ✦ **terminal price** cours du livrable
**N** **a** (for arrival) terminus m ; (for departure) tête f de ligne ✦ **air terminal** aérogare ✦ **container terminal** terminal de conteneurs ✦ **oil terminal** terminal pétrolier **b** (Comp) terminal m ✦ **computer terminal** terminal (d'ordinateur) ✦ **data entry terminal** terminal de saisie ✦ **smart** or **intelligent / dumb terminal** terminal intelligent / passif ✦ **terminal-based system** système avec terminaux **c** (= warehouse) entrepôt m ✦ **freight terminal** entrepôt de marchandises

─── compounds/composés ───
- ✦ **terminal computer** terminal, ordinateur satellite
- ✦ **terminal device** terminal
- ✦ **terminal operator** opérateur(-trice) (sur terminal d'ordinateur)
- ✦ **terminal printer** terminal d'impression.

**terminals** /'tɜːmɪnəlz/ **NPL** (Rail) frais mpl de manutention.

**terminate** /'tɜːmɪneɪt/ **VT** discussion terminer, mettre fin à, mettre un terme à; contract résilier, résoudre; employee licencier ✦ **to terminate sb's employment** licencier qn, résilier le contrat de travail avec qn
**VI** se terminer, arriver à son terme.

**terminating department** /'tɜːmɪneɪtɪŋdɪ'pɑːt mənt/ **N** (Rail) service m destinataire.

**termination** /ˌtɜːmɪ'neɪʃən/ **N** **a** [contract, policy] résiliation f, résolution f ✦ **termination of employment** licenciement, résiliation du contrat de travail **b** (Fin) arrêt m, suspension f, conclusion f, expiration f

─── compounds/composés ───
- ✦ **termination clause** clause de résiliation
- ✦ **termination date** date de licenciement
- ✦ **termination papers** (US) avis de licenciement.

**territorial** /ˌterɪ'tɔːrɪəl/ **ADJ** territorial ✦ **territorial waters** eaux territoriales.

**territory** /'terɪtərɪ/ **N** territoire m ✦ **salesman's** or **sales territory** territoire or secteur de vente (d'un représentant).

**tertiary** /'tɜːʃərɪ/ **ADJ** tertiaire ✦ **the tertiary sector, tertiary production** le tertiaire, le secteur tertiaire ✦ **tertiary industries** entreprises du tertiaire.

**Tessa** /'tesə/ **N** (abbr of **Tax-Exempt Special Savings Account**) ≈ PEP m.

**test** /test/ **N** (test) essai m, épreuve f ; (= exam) examen m, test m, contrôle m, épreuve f ✦ **to put to the test** mettre à l'essai or à l'épreuve ✦ **to stand the test of foreign competition** résister à la concurrence étrangère ✦ **it was a fair test of their ability to maintain quality** c'était un bon test de leur aptitude à maintenir la qualité ✦ **the real test of a successful product is customer loyalty** la fidélité des clients c'est la vraie mesure du succès d'un produit ✦ **the new machine will undergo tests next week** la nouvelle machine subira des essais la semaine prochaine ✦ **test of strength** épreuve de force ✦ **the test of strength between bosses and unions** le bras de fer entre patronat et syndicats ✦ **acid test** (fig) épreuve décisive ✦ **blind test** test en aveugle ✦ **aptitude / intelligence test** test d'aptitude / d'intelligence ✦ **litmus test** test décisif ✦ **market test** essai de vente, essai de marché ✦ **package test** test de conditionnement

─── compounds/composés ───
- ✦ **test area** (Mktg) zone test
- ✦ **test-bed** banc d'essai
- ✦ **test case** (Jur) jugement qui fait jurisprudence
- ✦ **test check** contrôle par sondage
- ✦ **test data** (Comp) données fpl d'essai
- ✦ **test drive** [car] essai de route ✦ **to test-drive a vehicle** faire un essai de route
- ✦ **test mailing** publipostage-test
- ✦ **test market** marché test or témoin ✦ **to test-market a product** tester un produit, essayer un produit sur un marché test
- ✦ **test marketing** (= technique) les tests mpl de marché
- ✦ **test pack** (gen, Comm) échantillon
- ✦ **test problem** problème-test
- ✦ **test program** (Comp) programme d'essai
- ✦ **test run** [system, machine] essai
- ✦ **test town** ville-test

**VT** machine, tool, vehicle essayer; (Comm) goods vérifier; (Chem) metal, liquid analyser; person (Psych) tester; (gen) mettre à l'épreuve; intelligence mesurer.

**testament** /'testəmənt/ N testament m ✦ **this is his last will and testament** ce sont ses derniè-res volontés.

**testee** /tes'tiː/ N personne f qui subit un test.

**tester** /'testə$^r$/ N *(= person)* examinateur(-tri-ce) m(f), personne f qui fait passer un test, contrôleur(-euse) m(f) ; *(= machine)* appareil m d'essai *or* de contrôle.

**testify** /'testɪfaɪ/ **VT** **to testify that** témoigner que ▪ **VI** *(Jur)* faire une déposition, témoigner.

**testimonial** /ˌtestɪ'məʊnɪəl/ N ▪ a *(= recomman-dation)* (lettre f de) recommandation f, certifi-cat m, attestation f ✦ **she has excellent testi-monials** elle a d'excellentes références ▪ b *(Jur = evidence)* témoignage m ✦ **unsolicited testi-monial** témoignage spontané **COMP** ✦ **testimo-nial advertisement** testimonial *(où une per-sonnalité bien connue parraine ou recom-mande un produit)*.

**testimony** /'testɪmənɪ/ N *(Jur)* témoignage m, dé-position f.

**testing** /'testɪŋ/ **COMP** ✦ **testing plant** laboratoi-re m d'essai ✦ **testing procedure** procédure f de contrôle.

**test out** **VT SEP** *machine, tool* tester, essayer; *vehicle* essayer, mettre à l'essai ✦ **we must test out our new accounting system** nous devons vérifier le bon fonctionnement de notre nouveau sys-tème comptable.

**text** /tekst/ N *(gen, Comp)* texte m

—— compounds/composés ——
✦ **text data base** base de données textuelles
✦ **text editing** édition de texte
✦ **text editor** éditeur de texte
✦ **text file** fichier de texte, fichier-texte
✦ **text processing** traitement de texte.

**textbook** /'tekstbʊk/ N manuel m

—— compounds/composés ——
✦ **textbook case** *(fig)* exemple typique
✦ **textbook operation** *(fig)* opération menée dans les règles de l'art.

**textile** /'tekstaɪl/ **N** *(gen)* textile m ✦ **he's in tex-tiles** il travaille dans le textile ✦ **synthetic textiles** textiles synthétiques ✦ **textiles** *(St Ex)* valeurs textiles
**ADJ** textile ✦ **textile industry** l'industrie textile, le textile.

**textual** /'tekstjʊəl/ **ADJ** textuel ✦ **textual file** fi-chier texte.

**tfr.** abbr of **transfer**.

**TGWU** /ˌtiːdʒiːdʌbljuː'juː/ *(Brit)* N abbr of **Transport and General Workers' Union** → **transport**.

**Thai** /taɪ/ **ADJ** thaïlandais
**N** *(= inhabitant)* Thaïlandais(e) m(f).

**Thailand** /'taɪlænd/ N Thaïlande f.

**Thailander** /'taɪlændə$^r$/ N *(= inhabitant)* Thaï-landais(e) m(f).

**thank** /θæŋk/ **VT** remercier, dire merci à ✦ **thank you for your letter** merci de votre lettre, je vous remercie de votre lettre ✦ **I would like to thank you for your fine service** je tiens à vous remercier de l'excellent service que vous avez assuré ✦ **thanking you in advance** avec nos remerciements anticipés, en vous remerciant d'avance *or* par avance ✦ **please thank her for her help** veuillez la remercier de son aide.

**thanks** /θæŋks/ **NPL** remerciements mpl ✦ **thanks for your letter** merci de votre lettre ✦ **we should like to express our thanks to all your staff** nous aimerions exprimer nos remercie-ments à tous vos collaborateurs ✦ **thanks to his advice we were able to make substantial gains** grâce à ses conseils, nous avons pu faire des gains substantiels.

**theft** /θeft/ N *(gen, Ins)* vol m ✦ **theft, pilferage, non-delivery** *(Ins)* vol, maraude, non-déli-vrance

—— compounds/composés ——
✦ **theft-proof** inviolable
✦ **theft risk** *(Ins)* risque de vol.

**thematic** /θɪ'mætɪk/ **ADJ** thématique ✦ **thematic apperception test** test d'aperception thémati-que.

**theme** /θiːm/ N thème m ✦ **advertising theme** thème publicitaire

—— compounds/composés ——
✦ **theme advertising** publicité thématique
✦ **theme park** parc à thème
✦ **theme tune** indicatif.

**theoretical** /θɪə'retɪkəl/ **ADJ** théorique ✦ **theo-retical price** cours théorique.

**theory** /'θɪərɪ/ N théorie f ✦ **in theory** en théorie ✦ **critical path theory** méthode du chemin critique ✦ **information theory** théorie de l'in-formation ✦ **set theory** théorie des ensembles ✦ **queuing theory** théorie des files d'attente.

**thief** /θiːf/ N voleur(-euse) m(f).

**thieving** /'θiːvɪŋ/ N larcin m, vol m.

**thin** /θɪn/ ADJ *profits* maigre; *(St Ex) market* étroit; *capitalization* insuffisant, restreint.

**think tank** /'θɪŋktæŋk/ N groupe m de réflexion.

**thin out** /θɪn/ VT *workforce* réduire, dégraisser.

**third** /θɜːd/ ADJ troisième ◆ **in the third place** troisième ◆ **the Third World** le Tiers Monde ▪ **a** *(gen)* troisième mf, tiers m ◆ **a** *or* **one third of the amount** un *or* le tiers de la somme ◆ **one third off the price** un tiers *or* le tiers du prix en moins ◆ **two thirds of those questioned did not know the product** (les) deux tiers des personnes interrogées ne connaissaient pas le produit ▪ **b** *(Bank)* ◆ **Third of Exchange** troisième de change ▪ **c** *(Comm)* ◆ **thirds** articles de troisième choix *or* de qualité inférieure → **sixth**

---
— *compounds/composés* —

◆ **third-class matter** *(US Post)* imprimés mpl (non périodiques)
◆ **third-generation computer** ordinateur de (la) troisième génération
◆ **third market** troisième marché, ≈ marché m en coulisse
◆ **third party** tierce personne, tiers ◆ **in the hands of a third party** en main tierce ◆ **third-party claim** recours des tiers ◆ **third-party insurance** *(Aut)* assurance au tiers ◆ **third-party leasing** leasing pratiqué par une société ◆ **third-party liability** responsabilité au tiers ◆ **third-party risk** *(Aut)* risque au *or* aux tiers
◆ **third person** tierce personne, tiers
◆ **third-rate** de troisième ordre, de qualité inférieure.

---

**thirdly** /'θɜːdlɪ/ ADV troisièmement, en troisième lieu.

**thirteen** /θɜː'tiːn/ ADJ, N treize m → **six**.

**thirteenth** /θɜː'tiːnθ/ ADJ, N treizième mf ◆ **in the thirteenth place** treizièmement → **sixth**.

**thirtieth** /'θɜːtɪθ/ ADJ, N trentième mf ◆ **in the thirtieth place** trentièmement → **sixth**.

**thirty** /'θɜːtɪ/ ADJ trente ◆ **Thirty-Share Index** *(Brit)* indice des *principales valeurs industrielles* ▪ trente m ◆ **about thirty, thirty or so** une trentaine → **sixty**.

**thousand** /'θaʊzənd/ ADJ mille ◆ **a** *or* **one thousand dollars** mille dollars ◆ **a** *or* **one thousand people** un millier de personnes ▪ mille m ◆ **hundreds of thousands are out of work** des centaines de milliers de personnes sont au chômage.

**thousandfold** /'θaʊzəndfəʊld/ ADJ multiplié par mille ▪ ADV mille fois autant.

**thousandth** /'θaʊzəntθ/ ADJ, N millième mf → **sixth**.

**thrash out** /θræʃ/ VT *new policy* élaborer ◆ **to thrash out a problem** discuter un problème à fond, parvenir à trouver une solution à un problème.

**threat** /θret/ N menace f.

**threaten** /'θretn/ VT menacer.

**three** /θriː/ ADJ, N trois m → **six**

---
— *compounds/composés* —

◆ **three-course rotation** *(Agr)* assolement triennal
◆ **three-months' rate** *(Fin)* taux à trois mois
◆ **three-shift system** ◆ **to work a three-shift system** *(in factory)* faire les trois huit
◆ **three-way split** partage *or* division en trois.

---

**threefold** /'θriːfəʊld/ ADJ triple ▪ ADV trois fois autant.

**threshold** /'θreʃhəʊld/ N seuil m ◆ **threshold of divergence** *[currency]* seuil de divergence ◆ **threshold of tolerance** seuil de tolérance ◆ **psychological threshold** seuil psychologique ◆ **declaration threshold** *(St Ex)* seuil de déclaration ◆ **tax threshold** minimum imposable, seuil d'imposition ◆ **breaking-up threshold** seuil de rupture

---
— *compounds/composés* —

◆ **threshold level** niveau seuil
◆ **threshold price** prix de seuil.

---

**thrift** /θrɪft/ N économie f, épargne f ◆ **The Thrifts** *(US)* les caisses d'épargne et organismes d'épargne-logement.

**thriftless** /'θrɪftlɪs/ ADJ dépensier.

**thrifty** /'θrɪftɪ/ ADJ économe.

**thrive** /θraɪv/ VI prospérer.

**thriving** /'θraɪvɪŋ/ ADJ *business* prospère, florissant.

**through** /θruː/ ADJ direct ◆ **through bill of lading** connaissement direct *or* through ◆ **through freight** fret à forfait ◆ **through rate** tarif forfaitaire ✦ **through shipment** transport de bout en bout ✦ **through train** train direct ◼**ADV** *(on phone)* ✦ **to get through to sb** obtenir la communication avec qn, avoir qn au bout du fil ✦ **please put me through to the personnel manager** pourriez-vous me passer le directeur du personnel ✦ **you're through** vous avez *or* je vous passe votre correspondant ✦ **you're through to him** je vous le passe.

**throughput** /ˈθruːpʊt/ **N** ◼**a** *(Ind)* rythme m de production ✦ **the new production line has a throughput of 5,000 tons of sheet metal per day** la nouvelle chaîne de fabrication peut traiter *or* a une capacité de transformation de 5 000 tonnes de tôle par jour ◼**b** *(Comp)* capacité f de traitement.

**throwaway** /ˈθrəʊəweɪ/ ◼**ADJ** throwaway bottle bouteille non consignée ✦ **throwaway razor** rasoir jetable ✦ **throwaway packaging** emballage perdu ◼**N** *(= brochure)* prospectus m, imprimé m.

**thrust** /θrʌst/ **N** poussée f, percée f ✦ **to give an upward thrust to interest rates** faire grimper les taux d'intérêt.

**thruster** * /ˈθrʌstəʳ/ **N** *(= person)* arriviste mf.

**thumb index** /ˈθʌmɪndeks/ **N** répertoire m à onglets.

**Thursday** /ˈθɜːzdɪ/ **N** jeudi m → **Saturday.**

**tick** /tɪk/ *(Brit)* ◼**VT** cocher ✦ **please tick the appropriate box** veuillez cocher la case correspondante ◼**N** ◼**a** *(= mark)* marque f ✦ **to put a tick in the margin** mettre une marque dans la marge ✦ **to put a tick in the box** cocher la case ◼**b** *(* = credit)* crédit m ✦ **to buy sth on tick** acheter qch à crédit.

**ticker** /ˈtɪkəʳ/ **N** téléscripteur m, téléimprimeur m ✦ **ticker tape** bande de téléscripteur *(d'enregistrement électronique des cours à la Bourse de New York).*

**ticket** /ˈtɪkɪt/ **N** ◼**a** *[train, plane]* billet m ; *[bus]* ticket m ✦ **single** *(Brit)* or **one-way** *(US)* **ticket** (billet) aller, aller simple ✦ **return** *(Brit)* or **round-trip** *(US)* **ticket** (billet) aller et retour ✦ **season ticket** carte d'abonnement ◼**b** *(St Ex)* fiche f ✦ **banker's ticket** compte de retour ◼**c** *(Comm = label)* étiquette f ✦ **price ticket** étiquette de prix ✦ **big** or **high ticket item** *(US)* article très coûteux ◼**d** *(Aut = fine)* amende f, papillon m ◼**e** *(Ind)* bon m ✦ **inspection / work ticket** bon de contrôle / de travail

- ✦ **ticket agency** agence de voyages
- ✦ **Ticket Day** *(St Ex)* deuxième jour de la liquidation *(où le nom de l'acheteur est communiqué au vendeur)*, ≈ jour m de la réponse des primes
- ✦ **ticket holder** personne munie d'un billet
- ✦ **ticket office** bureau or guichet de vente des billets.

**tickler file** /ˈtɪkləfaɪl/ **N** échéancier m.

**tickler list** /ˈtɪkləlɪst/ **N** aide-mémoire m.

**tick off** /tɪk/ *(Brit)* **VT** *item on a list* cocher.

**tick over** **VI** *[moteur, business]* tourner au ralenti.

**tick-up** /ˈtɪkʌp/ **N** *(Bank)* recherche f d'erreurs *(par vérification systématique des livres).*

**tide over** /taɪd/ **VT SEP** ✦ **to tide sb over with a loan** dépanner qn avec un prêt.

**tie** /taɪ/ ◼**VT** *parcel* attacher; *piece of string* nouer, attacher; *(= link)* lier ✦ **our hands are tied** nous avons les mains liées ✦ **tied loan** prêt conditionnel ◼**N** lien m.

**tie down** **VT SEP** ✦ **to be tied down by a contract** être lié *or* engagé par un contrat ✦ **we can't tie him down to a firm price** nous n'arrivons pas à lui faire fixer un prix ferme.

**tie in** **VI** ◼**a** *(= fit)* correspondre *(with* à) concorder, cadrer, être en conformité *(with* avec) ✦ **how do these figures tie in with our plan?** comment ces chiffres concordent-ils avec notre projet? ✦ **it doesn't tie in** cela ne va *or* ne correspond pas ◼**b** *(= be linked)* être lié *(with* à)

**tie-in** /ˈtaɪɪn/ **N** ◼**a** *(* = connection)* lien m, rapport m ✦ **what's the tie-in between these two operations?** quel est le lien entre ces deux opérations? ◼**b** *(Pub)* rappel d'un message publicitaire *(sur le lieu de vente)* ◼**c** *(US = sale) [two products banded together]* vente f jumelée; *(conditional sale)* vente f liée

- ✦ **tie-in advertising** publicité de liaison
- ✦ **tie-in deal** vente liée
- ✦ **tie-in display** promotion jumelée
- ✦ **tie-in promotion** *(Pub : simultaneous)* promotion concertée *(fabricant-détaillant)* ; *(merchandising) [two products banded together]* promotion jumelée
- ✦ **tie-in sale** *[products banded together]* vente jumelée; *(= conditional sale)* vente liée.

**tie on** ◼**VT SEP** *label* attacher ◼**ADJ** **tie-on label** étiquette à œillet.

**tier** /tɪəʳ/ N (= level) niveau m, étage m ♦ **two-tier wage structure** échelle de salaires à deux niveaux or à deux étages ♦ **second tier company** entreprise de deuxième ordre.

**tie up** VT SEP a (= stop) arrêter ♦ **the strike has tied up coal supplies** la grève a empêché or a arrêté les livraisons de charbon b money investir, immobiliser ♦ **the company has tied up £20 million in its subsidiary** la société a investi 20 millions de livres dans sa filiale ♦ **tied-up capital** immobilisations c contract conclure ♦ **to be tied up with** avoir des liens avec, être lié à.

**tie-up** /'taɪʌp/ N a (= joint venture between two companies) entente f, accord m, association f, lien m b (= stoppage) interruption f, arrêt m ♦ **tie-ups at the docks** problèmes or retards dans les docks.

**tiger** /'taɪgəʳ/ N tigre m ♦ **Asian tigers** (St Ex) dragons asiatiques.

**tight** /taɪt/ ADJ schedule, competition serré ♦ **tight money** argent rare or cher ♦ **tight money policy** politique de l'argent cher, politique de resserrement or d'encadrement du crédit ♦ **tighter controls** renforcement de la réglementation ♦ **to be on a tight budget** avoir un budget serré.

**tighten** /'taɪtn/ VT regulations, control renforcer; credit, budget resserrer ♦ **to tighten the monetary screw** donner un tour de vis monétaire VI [market] se resserrer; [restrictions, control] devenir plus strict, être renforcé.

**tighten up** VT SEP regulations renforcer VI **to tighten up on tax evasion** renforcer la répression de la fraude fiscale.

**tightness** /'taɪtnɪs/ N [money] rareté f, cherté f ; [restrictions, economic policy] rigueur f, sévérité f.

**till** /tɪl/ N caisse f (enregistreuse)

———— compounds/composés ————
- **till money** encaisse
- **till receipt** reçu de caisse.

**tilt screen** /'tɪltskriːn/ N (Comp) écran m inclinable.

**time** /taɪm/ N temps m ♦ **to work full time / part time** travailler à plein temps or temps plein / à temps partiel ♦ **full-time / part-time job** tra-

———— compounds/composés ————

### TIME

- **time after sight** délai de vue
- **time bar** (Jur) prescription
- **time bargain** (St Ex) transaction à terme or à livrer
- **time-barred** (Jur) prescrit ♦ **time-barred right of action in court** droit de poursuite en justice frappé d'un délai de prescription
- **time bill** effet à terme, traite à échéance or à délai de date
- **time book** registre de présence
- **time buyer** (Pub) acheteur de temps (à la radio or à la télévision)
- **time card** (Ind) feuille or fiche de présence or de pointage
- **time charter** (Mar) affrètement à temps or à terme
- **time clock** (Ind) horloge pointeuse
- **time-consuming** qui prend du temps
- **time deposit** (Bank) dépôt à terme
- **time discount** (Pub) dégressif sur le temps acheté
- **time draft** effet à terme, traite à échéance or à délai de date
- **time frame** durée, délai ♦ **investment time frame** horizon de placement ♦ **five-year time frame** période de cinq ans ♦ **short time frame** court terme
- **time freight** fret à temps
- **time lag** décalage, retard, temps de latence (between entre)

- **time limit** délai ♦ **to set a time limit for payment** fixer un délai or une date limite de paiement ♦ **within a certain time limit** dans un certain délai
- **time management** aménagement or gestion du temps de travail
- **time and methods study** étude des temps et des méthodes
- **time and motion study** étude des cadences or des temps et des mouvements
- **time order** (Jur) injonction (fixant un terme pour un paiement)
- **time out** (= break) pause
- **time period** (TV, Rad, Pub) plage or tranche horaire
- **time policy** (Ins) police à terme or à forfait
- **time recorder** (Ind) horloge pointeuse
- **time risk** (Ins) risque à terme or à temps
- **time sales** ventes fpl à tempérament or à crédit
- **time-saving** qui fait gagner du temps
- **time schedule** horaire
- **time segment** (Pub) période de programmation
- **time sheet** (Ind) feuille or fiche de présence or de pointage
- **time slot** plage or tranche horaire
- **time to market** délai de mise sur le marché
- **time value** valeur temps
- **time work** travail à l'heure
- **time zone** fuseau horaire

vail à plein temps / à temps partiel ◆ **to be on time and a half** faire des heures supplémentaires payées à 150% ◆ **Sunday working is paid double time** le dimanche les heures supplémentaires sont payées *or* comptées double ◆ **in the firm's time, in company time** pendant les heures de travail ◆ **to be on short time** travailler à horaire réduit, être en chômage partiel ◆ **closing time** *(Brit)* heure f de fermeture ◆ **down** *or* **idle time** *[machine]* temps *or* durée d'immobilisation ◆ **lead time** *[stock]* délai de réapprovisionnement; *[plan]* délai de réalisation *or* de suite *or* d'exécution, temps de latence; *[new product]* délai de démarrage *or* de mise en production

**vt** **a** *worker, task* chronométrer **b** *visit* fixer *(for* à); *event* choisir *or* calculer le moment de.

**timeliness** /'taɪmlɪnɪs/ **N** *[decision]* à-propos m, opportunité f ◆ **the principle of timeliness in financial reporting** le principe d'opportunité dans le reporting financier.

**timely** /'taɪmlɪ/ **ADJ** *decision* à propos, opportun ◆ **timely disclosure of information** publication des informations en temps opportun.

**timescale** /'taɪmskeɪl/ **N** durée f, période f, laps m de temps ◆ **our timescale for this project is 10 to 15 years** nous nous situons dans une perspective de 10 à 15 ans.

**timeshare** /'taɪmʃɛəʳ/ **N** ◆ **timeshare property** multipropriété ◆ **timeshare flat** *(Brit)* or **apartment** *(US)* appartement en multipropriété ◆ **the timeshare industry** le secteur de la multipropriété ◆ **timeshare developers** promoteurs de programmes en multipropriété.

**timesharing** /'taɪmʃɛərɪŋ/ **N** **a** *(Comp)* (travail m en) temps m partagé, (travail m en) multiprogrammation f ◆ **on a time sharing basis** en temps partagé **b** *(Econ)* multipropriété f.

**timetable** /'taɪmteɪbl/ **N** *(Rail)* horaire m ; *[person]* emploi m du temps; *[project]* calendrier m.

**timing** /'taɪmɪŋ/ **N** **a** *[worker]* chronométrage m **b** *[decision, announcement]* détermination f *or* choix m du moment ◆ **timing is essential in any product launch** il est indispensable de bien choisir le moment opportun pour le lancement du produit.

**tin** /tɪn/ **N** **a** *(= metal)* étain m, fer-blanc m ◆ **tin shares** valeurs stannifères **b** *(Brit* = can) boîte f (de conserve)
**vt** *(Brit)* mettre en boîte *or* en conserve.

**tinware** /'tɪnwɛəʳ/ **N** ferblanterie f.

**tip** /tɪp/ **N** **a** *(= end)* bout m, extrémité f **b** *(= suggestion)* tuyau m *, renseignement m ◆ **stock tips** tuyaux boursiers ◆ **I'll give you a tip** je vais vous donner un tuyau* **c** *(for rubbish)* décharge f, dépotoir m **d** *(= gratuity)* pourboire m
**vt** **a** *waiter* donner un pourboire à **b** *load* renverser, basculer ◆ **to tip the scales** faire pencher la balance.

**tip-in** /'tɪpɪn/ **N** *(Press)* encart m.

**tip-off** * /'tɪpɒf/ **N** tuyau m *.

**tip off** * **vt** renseigner, donner un tuyau* à, avertir ◆ **they tipped us off about the safety inspection** ils nous ont avertis du contrôle de sécurité.

**tipper** /'tɪpəʳ/ **N** camion m à benne basculante.

**Tirana** /tɪ'rɑːnə/ **N** Tirana.

**title** /'taɪtl/ **N** **a** *[book]* titre m ; *[document, report]* titre m, intitulé m **b** *(Jur)* droit m, titre m *(to sth* à qch) ◆ **documents of title** documents constituant le droit de propriété ◆ **title to the goods** droit de propriété ◆ **proof of title** titre de propriété **c** *[person]* titre m

────── *compounds/composés* ──────
◆ **title deed** *(Jur)* titre (constitutif) de propriété
◆ **title page** *[book]* page de titre ◆ **the title page** *[newspaper]* la une.

**titular** /'tɪtjʊləʳ/ **ADJ** titulaire ◆ **the titular head of the organization** le responsable en titre de l'organisation.

**TM** abbr of **ton mile** → **ton**.

**TMT** /ˌtiːem'tiː/ **NPL** (abbr of **Technology, Media, Telecoms**) TMT fpl ◆ **TMT shares** valeurs TMT.

**T-Note** /'tiːnəʊt/ **N** abbr of **Treasury note** → **treasury**.

**TOE** /tiːəʊ'iː/ (abbr of **ton oil equivalent**) TEP.

**toehold** /'təʊhəʊld/ **N** ◆ **to get a toehold in a market** commencer à s'implanter sur un marché.

**toggle** /'tɒgl/ **N** *(Comp)* bascule f ◆ **toggle switch / key** interrupteur / touche à bascule
**vt** *(Comp)* basculer.

**Togo** /'təʊgəʊ/ **N** Togo m.

**togrog** /'tɔːgrɔːk/ **N** togrog m.

**toiletries** /'tɔɪlɪtrɪz/ **NPL** articles mpl de toilette.

**token** /'təʊkən/ **N** *(for slot machine)* jeton m ; *(= voucher)* bon m, coupon m ◆ **gift token** chèque-cadeau

─── *compounds/composés* ───
- **token money** monnaie fictive
- **token payment** paiement symbolique
- **token stoppage** arrêt de travail symbolique
- **token strike** grève symbolique *or* d'avertissement.

**Tokyo** /'təʊkjəʊ/ N Tokyo.

**tolar** /'tɒlɑː/ N tolar m.

**tolerance** /'tɒlərəns/ N *(gen, Ind)* tolérance f.

**toll** /təʊl/ N [a] *(= tax, charge)* péage m *(US Telec = intercity charge)* coût m (de la communication) [b] *[victims]* nombre m, quantité f ◆ **the recession has taken a heavy toll of bankruptcies** la récession a provoqué de très nombreuses faillites

─── *compounds/composés* ───
- **toll call** *(US Telec)* appel interurbain (payant)
- **toll-free** *(US Telec)* ◆ **to call sb toll-free** appeler qn par un numéro vert *or* sans payer la communication ◆ **toll-free call** appel gratuit ◆ **toll-free number** numéro d'appel gratuit, numéro vert.

**tollbooth** /'təʊlbuːθ/ N poste m de péage.

**tollbridge** /'təʊlbrɪdʒ/ N pont m à péage.

**tollpike** /'təʊlpaɪk/ *(US)* N autoroute f à péage.

**tombstone** /'tuːmstəʊn/ N *(St Ex)* annonce f dans la presse *or* publicité f d'une opération financière.

**ton** /tʌn/ N [a] *(= weight)* tonne f *(GB ≈ 1 016,06 kg; Can, US ≈ 907,20 kg)* ◆ **long** *or* **gross** *or* **imperial ton** tonne forte *or* longue *or* anglaise ≈ 1 016,06 kg ◆ **short** *or* **net** *or* **American ton** tonne courte *or* américaine ≈ 907,20 kg ◆ **metric ton** tonne métrique *(= 1 000 kg)* ◆ **a 3-ton truck** un camion de 3 tonnes ◆ **100,000-ton ship** navire de 100 000 tonnes [b] *(Mar)* (also **register ton**) tonneau m (de jauge) *(≈ 2,83 m³)* ; (also **displacement ton**) tonne f, tonneau m (de déplacement) ◆ **dead weight ton** tonneau de portée en lourd ◆ **freight ton, shipping ton** tonneau d'affrètement

─── *compounds/composés* ───
- **ton mile** tonne par mile *or* mille
- **ton oil equivalent** tonne équivalent pétrole.

**tone** /təʊn/ N [a] *(St Ex)* *[market]* orientation f, tendance f générale [b] *(Telec :* also **dialling tone**) tonalité f.

**tonnage** /'tʌnɪdʒ/ N tonnage m ◆ **bill of tonnage** certificat de tonnage ◆ **cargo tonnage** poids du cargo ◆ **dead weight tonnage** tonnage de por-

tée en lourd ◆ **net / gross (register) tonnage** tonnage net / brut, jauge nette / brute ◆ **register tonnage** tonnage de jauge

─── *compounds/composés* ───
- **tonnage dues** frais mpl *or* droits de port
- **tonnage slip** bordereau *or* relevé des frais *or* droits de port.

**tonne** /tʌn/ N tonne f métrique ◆ **tonne kilometre** tonne kilométrique.

**tonner** /'tʌnəʳ/ ◆ **5,000 tonner** *(= ship)* navire m de 5 000 tonnes ◆ **a 3-tonner** *(= truck)* un (camion de) 3 tonnes.

**tool** /tuːl/ N outil m, instrument m ◆ **to down tools** *(= stop work)* cesser le travail *(fig = strike)* se mettre en grève, débrayer ◆ **the tools of my trade** les outils de mon métier ◆ **machine tool** machine-outil COMP ◆ **tool-box** boîte à outils.

**toolmaker** /'tuːlmeɪkəʳ/ N outilleur m.

**toolroom** /'tuːlruːm/ N *(Ind)* atelier m d'outillage.

**tool up** /tuːl/ VT SEP *(Ind)* équiper, outiller
VI *[factory]* s'équiper, s'outiller; *(fig)* se préparer.

**top** /tɒp/ N *(gen)* sommet m, haut m ; *(= lid)* couvercle m ◆ **the men at the top** les dirigeants, les responsables ◆ **to be / stay on top** être / rester le premier ◆ **to be on top of one's job** maîtriser *or* dominer son travail
ADJ *(= highest)* shelf, drawer supérieur, du haut; floor dernier; *(= highest in rank)* premier; *(= best)* (le) meilleur ◆ **at the top end of the scale** en haut de l'échelle ◆ **the top end of the line** le haut de (la) gamme ◆ **a car at the top end of the range** une voiture haut de gamme ◆ **top prices** prix maximums *or* maxima ◆ **top wages paid** *(on job advertisement)* salaire élevé ◆ **to pay top dollar for sth** *(US)* payer qch au prix fort ◆ **the top men in the company** les dirigeants de la société ◆ **one of the top jobs** un des postes les plus élevés

─── *compounds/composés* ───
- **top banana** *\*(US)* gros bonnet*
- **top brass** * gros bonnets*, huiles*
- **top copy** original ◆ **one top and three copies** un original et trois copies
- **top dog** *\*(US)* boss*
- **top dollar** *\*: **to pay top dollar for sth** *(US)* payer le prix fort pour qch
- **top down** design de haut en bas ◆ **top down information** information descendante
- **top drawer** * de premier plan
- **top executive** cadre supérieur
- **top flight** * de premier ordre
- **top grade** de qualité supérieure, du haut de gamme

+ **top hand** * *(US)* collaborateur de premier plan
+ **top hat pension** retraite complémentaire des cadres supérieurs
+ **top-heavy** *structure* trop lourd du haut; *organization* mal équilibré; *price* forcé
+ **top-level** *meeting, talks* au plus haut niveau; *decision* pris au plus haut niveau + **top-level line executive** décideur de haut niveau
+ **top management** cadres mpl supérieurs, hauts dirigeants mpl
+ **top-of-the-line, top-of-the-range** *product* haut de gamme
+ **top priority** priorité numéro un *or* absolue + **top-priority project** projet prioritaire
+ **top quality** qualité la meilleure + **top-quality product** produit de première qualité
+ **top-ranking** haut-placé, de rang supérieur
+ **top-secret** ultra-secret, top secret

**VT** dépasser + **sales have topped our best forecasts** les ventes ont dépassé nos meilleures prévisions + **to top the list** être le premier, venir en tête (de liste).

**top out** VI *[rate, price, cost]* plafonner, atteindre son point le plus élevé + **interest rates topped out at 18%** les taux d'intérêts ont arrêté leur ascension à 18% *or* ont atteint un plafond de 18%.

**topping-up clause** /ˌtɒpɪŋˈʌpklɔːz/ N *clause qui oblige un emprunteur à apporter un nantissement supplémentaire à la demande de l'organisme prêteur.*

**TOPS** /[tɒps/ N *(Brit)* abbr of **Training Opportunities Scheme** → **training.**

**top up** VT compléter + **top-up loan** prêt complémentaire.

**tort** /tɔːt/ N *(Jur)* acte m délictuel

——— *compounds/composés* ———
+ **tort liability** dommage causé par négligence
+ **torts lawyer** *(US)* avocat *(spécialisé en droit civil).*

**total** /ˈtəʊtl/ **ADJ** *sum, success* total + **the total losses / sales / debts** le total des pertes / ventes / dettes + **total account** *(Acc)* compte collectif + **total assets** actif total, total de l'actif + **total loss** *(Ins)* sinistre total + **to write sth off as a total loss** passer qch par *or* aux pertes et profits + **total effective exposure** *(Pub)* exposition réelle totale
**N** total m, somme f (totale) + **the grand total** la somme totale, le total global + **there is a total of $10** cela fait 10 dollars au total

**VT** *figures* additionner, totaliser, faire le total de + **it totals £50** cela se monte à 50 livres, cela fait 50 livres.

**totalizator, totalisator** /ˈtəʊtəlaɪzeɪtəʳ/ totalisateur m, machine f totalisatrice.

**totalize, totalise** /ˈtəʊtəlaɪz/ **VT** totaliser, additionner.

**tote bin** /ˈtəʊtbɪn/ N *(Rail)* wagon m *(pour le transport de marchandises en vrac).*

**tote board** /ˈtəʊtbɔːd/ N *(St Ex)* panneau m totalisateur.

**tot up** /tɒt/ **VT** additionner, faire le total de **VI** s'élever, se monter *(to à)*

**touch** /tʌtʃ/ N contact m, rapport m, relation f + **to get in touch with** se mettre en rapport avec + **to keep in touch with** rester en relation *or* en rapport avec + **I'll be in touch with you** je vous contacterai

——— *compounds/composés* ———
+ **touch-activated** *computer screen* à commande tactile
+ **touch-and-go** + **our new policy is touch-and-go** l'issue de notre nouvelle politique reste incertaine
+ **touch screen** *[computer]* écran tactile
+ **touch-sensitive** *computer screen* à effleurement
+ **touch-type** taper sans regarder le clavier.

**touched** /tʌtʃt/ **ADJ** + **touched bill of health** *(Mar)* patente de santé suspecte.

**touchline** /ˈtʌtʃlaɪn/ N + **he's on the touchline** il est sur la touche.

**touch off** /tʌtʃ/ **VT** déclencher, provoquer.

**touch up** **VT** *project* retoucher, replâtrer, remanier.

**touchy** /ˈtʌtʃɪ/ **ADJ** *person, market* hypersensible.

**tough** /tʌf/ **ADJ** *object, person* solide, résistant + **tough competition** forte concurrence + **tough competitor** concurrent dangereux.

**tour** /ˈtʊəʳ/ **N** *(= journey)* voyage m, périple m ; *(by team)* tournée f; *(round factory)* visite f, tour m + **tour of duty** période de service + **tour of inspection** tournée d'inspection + **conducted tour** visite guidée *or* accompagnée + **package tour** voyage organisé **COMP** + **tour operator** tour-opérateur, voyagiste
**VT** *town, factory* visiter.

**tourism** /ˈtʊərɪzəm/ N tourisme m.

**tourist** /ˈtʊərɪst/ N touriste mf

───── compounds/composés ─────
- **tourist bureau** syndicat d'initiative, office de tourisme
- **tourist court** (US) motel
- **tourist trade (the)** le tourisme, l'industrie du tourisme
- **tourist visa** visa de tourisme.

**tout** /taʊt/ N (gen) vendeur m ambulant; (for hotels) rabatteur m ◆ **ticket tout** revendeur à la sauvette ◆ **business tout** placier
VT (pej) wares vendre (avec insistance); tickets revendre à la sauvette
VT **to tout for custom** raccrocher or racoler or accoster les clients.

**tow** /taʊ/ N (= act) remorquage m ; (= vehicle towed) véhicule m en remorque
VT boat, vehicle remorquer; caravan, trailer tirer, tracter.

**towage** /ˈtaʊɪdʒ/

───── compounds/composés ─────
- **towage charges** or **dues** frais mpl or droits mpl de remorquage
- **towage contractor** entrepreneur m de remorquage.

**tow away** VT SEP vehicle (gen) remorquer; [police] emmener or mettre en fourrière.

**towaway zone** /ˈtaʊəweɪˌzəʊn/ (US) N zone f de stationnement interdit (avec mise en fourrière) ; (on sign) mise f en fourrière immédiate.

**towboat** /ˈtaʊbəʊt/ N remorqueur m.

**tower block** /ˈtaʊəblɒk/ N tour f (d'habitation), immeuble-tour m.

**town** /taʊn/ N ville f

───── compounds/composés ─────
- **town-and-country planning** aménagement du territoire
- **town centre** centre-ville, centre de la ville ◆ a **town-centre development** un complexe immobilier au centre-ville
- **town cheque** chèque sur place
- **town council** (Brit) conseil municipal
- **town councillor** (Brit) conseiller(-ère) municipal(e)
- **town hall** mairie
- **town planner** urbaniste
- **town planning** urbanisme.

**towtruck** /ˈtaʊtrʌk/ N dépanneuse f.

**TP** abbr of **third party** → **third**.

**tr** (abbr of **transfer**) virt.

**trace** /treɪs/ VT (= look for) rechercher; (= find) retrouver ◆ **we cannot trace your payment** nous ne trouvons aucune trace de votre paiement ◆ **we could not trace the call** nous n'avons pu déterminer l'origine de la communication
N trace f.

**traceability** /ˌtreɪsəˈbɪlɪtɪ/ N traçabilité f.

**trace back** VT SEP ◆ **they traced the error back to last January** ils ont trouvé l'erreur en remontant jusqu'à janvier dernier.

**tracer** /ˈtreɪsəʳ/ (US) N demande f or fiche f de recherche (pour un article perdu).

**track** /træk/ N a (gen) trace f ◆ **to be on the right track** être sur la bonne voie ◆ **to keep track of** developments, costs suivre ◆ **to lose track of** situation, expenses ne plus suivre; person perdre de vue ◆ **he is on the inside** or **fast track** (within a company) il est bien placé, il est promis à gravir rapidement les échelons ◆ **keep track of your expenses** notez vos dépenses b (Rail) voie f (ferrée), rails mpl c [electronic tape, computer disk] piste f ; [long-playing record] plage f ◆ **4-track tape** bande à 4 pistes ◆ **sound track** bande son or sonore

───── compounds/composés ─────
- **track-price** prix avant chargement sur wagon
- **track record** [person in professional life] expérience professionnelle, parcours professionnel
- **a proven track record** une réputation bien établie, un bon palmarès (professionnel)

VT (= monitor) surveiller, suivre (l'évolution de) ◆ **security analysts track corporate performance** les analystes boursiers suivent de près la performance des entreprises ◆ **to track spending** faire le suivi des dépenses ◆ **to track the market** suivre l'évolution du marché.

**trackage** /ˈtrækɪdʒ/ N (Transport) halage m, frais mpl de halage.

**tracker** /ˈtrækəʳ/ N ◆ **tracker fund** fonds indiciel.

**tracking** /ˈtrækɪŋ/ N [sales, costs, expenses] suivi m, analyse f

───── compounds/composés ─────
- **tracking study** (Mktg) étude de marché.

**trade** /treɪd/ N a (gen) commerce m ◆ **trade is good this week** les affaires marchent bien cette semaine ♦ **the wine trade** le commerce or le négoce du vin ♦ **he's in the wool / wine trade** il est négociant en laine / vin ♦ **we do a lot of trade with** nous faisons beaucoup de commerce or d'affaires avec, nous commerçons beaucoup avec ♦ **they do a good** or **brisk** or **roaring trade in their shop** ils vendent beaucoup or ils font de bonnes affaires dans leur magasin ♦ **fair trade** pratique commerciale loyale ♦ **the drug trade** le trafic de la drogue ♦ **retail trade** détaillants, commerce de détail **b** *(between countries)* commerce m, échanges mpl (commerciaux) ♦ **trade between France and Britain** les échanges commerciaux entre la France et la Grande-Bretagne ♦ **trade in industrial goods** les échanges industriels ♦ **domestic** or **internal** or **home trade** commerce intérieur ♦ **overseas** or **foreign** or **exter**nal **trade** commerce extérieur ♦ **free trade** le libre-échange ♦ **General Agreement on Tariffs and Trade** accord général sur les tarifs douaniers et le commerce ♦ **the balance of trade** la balance commerciale ♦ **the balance of trade between Britain and France is in deficit** le solde commercial entre la Grande-Bretagne et la France est déficitaire **c** *(= job)* métier m, profession f ♦ **he is an electrician by trade** il est électricien de son métier or de son état ♦ **to learn a trade** apprendre un métier ♦ **special terms for the trade** tarif spécial pour les membres de la profession ♦ **the problems of our trade** les problèmes de notre profession or métier or branche ♦ **the watch trade** l'industrie de la montre **d** *(= swap)* échange m ♦ **to do a trade with sb for sth** faire l'échange de qch avec qn **e** *(St Ex = transaction)* transaction f,

───── *compounds/composés* ─────

### TRADE

♦ **trade acceptance** acceptation commerciale
♦ **trade account** *(Econ = balance of trade)* balance commerciale, solde commercial or extérieur
♦ **trade agreement** accord or traité commercial, convention commerciale
♦ **trade allowance** remise à la profession, remise confraternelle
♦ **trade association** association professionnelle
♦ **trade balance** balance commerciale, balance du commerce extérieur
♦ **trade bank** banque de commerce, banque commerciale
♦ **trade barrier** barrière douanière
♦ **trade bills** effets mpl de commerce
♦ **trade chambre** chambre des métiers
♦ **trade channel** circuit commercial or de distribution
♦ **trade commissioner** délégué commercial
♦ **trade credit** crédit fournisseur
♦ **trade cycle** *(Econ)* cycle économique
♦ **trade deal** *(Comm)* remise (consentie) à la profession, remise confraternelle
♦ **trade deficit** *[country]* déficit extérieur, déficit de la balance commerciale
♦ **trade description** descriptif des marchandises à vendre ♦ **Trade Descriptions Act** *(Brit)* loi qui réprime la publicité mensongère
♦ **trade directory** annuaire du commerce
♦ **trade discount** remise à la profession, remise confraternelle
♦ **trade fair** *(open to public)* foire commerciale, foire-exposition; *(for professionals only)* Salon professionnel
♦ **trade figures** *[company]* chiffre d'affaires, résultats mpl (financiers); *[country]* statistiques fpl du commerce extérieur
♦ **trade gap** déficit commercial or de la balance commerciale
♦ **trade journal** or **magazine** revue professionnelle, magazine or journal professionnel

♦ **trade mart** expomarché
♦ **trade mission** mission commerciale
♦ **trade name** *(gen)* nom de marque; *(Jur)* *[firm]* raison sociale; *(Mktg)* enseigne
♦ **trade office** bureau commercial
♦ **trade outlet** débouché commercial
♦ **trade paper** *(Fin)* effet de commerce; *(= review)* revue professionnelle, magazine or journal professionnel
♦ **trade press** presse professionnelle
♦ **trade price** prix de gros or de demi-gros
♦ **trade promotion** promotion auprès des détaillants, promotion-réseau
♦ **trade register** registre du commerce
♦ **trade report** *(St Ex)* avis d'opéré
♦ **trade representative** *(= salesman)* représentant de commerce; *(US)* haut fonctionnaire chargé des relations commerciales avec l'étranger
♦ **trade restrictions** *(= tariffs and quotas)* barrières-fpl douanières; *(= government measures)* restrictions fpl commerciales
♦ **trade returns** statistiques fpl commerciales
♦ **trade route** route commerciale
♦ **trade sale** vente à la profession
♦ **trade secret** secret commercial
♦ **trade show** Salon interprofessionnel
♦ **trade sign** enseigne
♦ **trade surplus** *[country]* excédent de la balance commerciale or du commerce extérieur
♦ **trade talks** négociations fpl commerciales
♦ **trade terms** *(= terms of sale)* conditions fpl de vente; *(Incoterms)* termes mpl commerciaux
♦ **trade union** syndicat ♦ **the Trades Union Congress** *(Brit)* la confédération des syndicats britanniques
♦ **trade unionism** syndicalisme
♦ **trade unionist** syndicaliste
♦ **trade-weighted exchange rate** taux de change en données corrigées des échanges commerciaux.

opération f ✦ **the number of trades on the Paris Bourse has increased** le nombre de transactions *or* le volume des transactions *or* des échanges à la Bourse de Paris a augmenté ✦ **block trades** transactions en blocs de titres ▨ *(= exchange)* échanger, troquer *(one thing for another* une chose contre une autre) ✦ **they trade raw materials for manufactured goods** ils échangent *or* troquent des matières premières contre des produits manufacturés ▨ **a** *[firm, country, businessman] (= deal in)* faire le commerce *(in* de); *(= deal with)* commercer, avoir des relations commerciales *(with* avec) ✦ **France and Britain trade with each other** la France et la Grande-Bretagne ont des relations commerciales ✦ **they trade in second-hand furniture** ils font le commerce des meubles d'occasion ✦ **he trades as a wine merchant** il est négociant en vin ✦ **they trade in stocks and bonds** ils sont opérateurs en Bourse **b** *(US = shop)* faire ses achats *(with* chez, à) ✦ être client *(with* chez, de) **c** *(St Ex) [currency, stock, commodity]* ✦ **to be trading at** se négocier à, coter ✦ **these shares are trading at around 100 euros** ces actions cotent autour de 100 euros *or* se négocient à environ 100 euros ✦ **despite the top rating the bonds traded slowly** malgré leur excellent classement ces obligations n'ont pas connu une forte demande *or* la demande a été faible sur ces obligations ✦ **to trade for one's account** intervenir (en Bourse) pour son propre compte

**tradeable** /'treɪdəbl/ **ADJ** *goods, assets* marchand.

**traded** /'treɪdɪd/ **ADJ** ✦ **traded option** *(St Ex)* option négociable ✦ **publicly traded company** société cotée en Bourse.

**trade down** **VI** **a** *[consumer]* racheter quelque chose de moins cher *or* de moins bonne qualité *(au moment de changer de maison, de voiture etc)* **b** *[seller]* vendre moins cher, s'orienter vers le bas de gamme, viser une clientèle plus modeste.

**trade in** **VT SEP** vendre en reprise ✦ **I traded in my car and got £3,000 for it** on m'a repris ma voiture 3 000 livres (pour l'achat d'une neuve).

**trade-in** /'treɪdɪn/ **N** *[car]* reprise f ✦ **trade-in price / value** prix / valeur de reprise ✦ **they took my old car as a trade-in** ils m'ont repris ma vieille voiture.

**trademark** /'treɪdmɑːk/ **N** marque f de fabrique ✦ **registered trademark** marque déposée.

**trade off** **VT SEP** ✦ **to trade off market share against profit margins** privilégier la marge

bénéficiaire au détriment de la part de marché ✦ **to trade off one thing for another** échanger *or* troquer une chose contre une autre.

**trade-off** /'treɪdɒf/ **N** compromis m ✦ **a trade-off between growth and profitability** un compromis entre la croissance et la rentabilité.

**trader** /'treɪdər/ **N** **a** *(Comm) (= shopkeeper)* commerçant(e) m(f) ; *(in wine, coal, groceries)* marchand(e) m(f) ; *(large-scale)* négociant(e) m(f) ✦ **free trader** libre-échangiste ✦ **oil trader** négociant en pétrole ✦ **retail trader** détaillant ✦ **small trader** petit commerçant ✦ **sole trader** entreprise unipersonnelle *or* individuelle **b** *(Fin, St Ex)* opérateur(-trice) m(f), trader m ; *(Foreign Exchange)* cambiste mf **c** *(= ship)* navire m marchand, navire m de commerce.

**tradesman** /'treɪdzmən/ **N** commerçant m, fournisseur m ✦ **tradesman's entrance** entrée f de service.

**tradespeople** /'treɪdzpiːpəl/ **NPL** commerçants mpl.

**trade up** **VI** **a** *[consumer]* racheter quelque chose de plus cher *or* de meilleure qualité *(au moment de changer de maison, de voiture)* ✦ **they are trading up to luxury models** ils passent aux modèles de luxe quand ils rachètent **b** *[seller]* vendre plus cher, s'orienter vers le haut de gamme, viser une clientèle plus aisée.

**trading** /'treɪdɪŋ/ **N** **a** *(in shops = business)* commerce m, affaires fpl ✦ **trading is slack in February** l'activité commerciale *or* le commerce se ralentit en février, les affaires marchent au ralenti en février, février est un mois creux pour le commerce *or* les affaires ✦ **fair trading** pratique commerciale loyale ✦ **Office of Fair Trading** *(Brit)* ≈ Direction de la concurrence et des prix ✦ **Sunday trading** commerce dominical **b** *(= buying and selling as middleman, on a large scale)* négoce m, commerce m ✦ **trading in wine** le négoce du vin ✦ **trading in used cars** le commerce des voitures d'occasion **c** *(between countries)* commerce m, échanges mpl (commerciaux) ✦ **trading within the EU** le commerce *or* les échanges à l'intérieur de l'UE **d** *(St Ex)* transactions fpl, opérations fpl ✦ **trading on the New York Stock Exchange was vigorous yesterday** l'activité a été soutenue à la Bourse de New York hier ✦ **during trading** en séance ✦ **the volume of trading** le volume des transactions *or* des échanges, le volume des affaires traitées ✦ **after last week's heavy trading** après l'intense activité de la semaine dernière ✦ **trading in French stocks reached $1.5 million** le volume des échanges *or* des transactions *or* des opérations sur les valeurs françaises a atteint 1,5 millions de dollars ✦ **commodity futures trading** opérations à terme sur les marchandises ✦ **insider trading** délit d'initié ✦ **primary / secondary trading** transactions sur le marché primaire / secondaire ✦ **to do trading** faire du trading ✦ **trading strategies** stratégies de trading [e] *(Acc, Fin)* ✦ **profits from this year's trading** les bénéfices d'exploitation de l'exercice en cours

─── compounds/composés ───

- **trading account** compte d'exploitation ✦ monthly trading account mois boursier
- **trading area** *[store]* zone de chalandise
- **trading asset** actif engagé
- **trading capital** capital engagé, capital de roulement
- **trading company** société *or* entreprise commerciale, société de commerce; *(importing)* société d'importation; *(export-import)* société d'import-export
- **trading debts** *(owed to company)* créances fpl commerciales; *(owed by company)* dettes fpl commerciales
- **trading desk** *(St Ex)* table de change
- **trading estate** *(Brit)* zone industrielle
- **trading floor (the)** *(St Ex)* le parquet de la Bourse
- **trading group** centrale d'achat
- **trading hours** *(St Ex)* heures de cotation
- **trading income** revenus commerciaux
- **trading loss** perte d'exploitation
- **trading margin** marge commerciale
- **trading month** mois boursier
- **trading nation** nation commerçante
- **trading partner** partenaire commercial
- **trading partnership** société de personnes *(créée à des fins commerciales)*
- **trading pit (the)** *(St Ex)* ≈ la corbeille
- **trading post** comptoir (commercial)
- **trading profit** excédent brut d'exploitation
- **trading results** résultats d'exploitation
- **trading room** *(St Ex)* salle des marchés
- **trading session** séance (boursière)
- **trading stamp** timbre-prime
- **trading standards** normes fpl de conformité ✦ Trading Standards Office *(US)* ≈ Direction de la concurrence et des prix
- **trading system** système de cotation
- **trading unit** quotité
- **trading vessel** navire marchand, navire de commerce
- **trading volume** *(St Ex)* volume des transactions
- **trading year** exercice.

**tradition** /trə'dɪʃən/ N [a] tradition f [b] *(Jur)* *[property]* transfert m.

**traffic** /'træfɪk/ [N] [a] *(= trade)* *(gen)* commerce m *(in* de); *(pej)* trafic *(in* de) ✦ **the drug traffic** le

trafic de la drogue [b] *(Auto)* circulation f; *(Aviat, Mar, Rail)* trafic m ✦ **road traffic** circulation routière ✦ **air / rail / sea traffic** trafic aérien / ferroviaire / maritime ✦ **through traffic** trafic direct ✦ **transit traffic** trafic de transit [c] *(in supermarket)* circulation f *or* flux m (des clients)

─── compounds/composés ───

- **traffic audit** *(Pub, Mktg)* audit de la circulation
- **traffic counts** *(Pub, Mktg)* comptage de la circulation
- **traffic department** *(Rail)* service de l'exploitation ; *(US : in company)* service (du) mouvement ; *(Pub)* service (du) trafic
- **traffic executive** responsable de l'élaboration et du suivi d'une campagne publicitaire
- **traffic manager** *(Pub)* directeur(-trice) du service (du) trafic ; *(US : in company)* directeur(-trice) du service (du) mouvement
- **traffic-planning** *(Pub)* trafic-planning, gestion des flux de travail
- **traffic time** *(Pub)* heure de grande écoute

[VI] **to traffic in sth** faire le trafic de qch.

**trafficker** /'træfɪkər/ N [a] trafiquant(e) m(f) [b] *(Brit Cine)* extrait m publicitaire.

**trail** /treɪl/ VT new product annoncer *(en faisant de la publicité)*.

**trailblazer** /'treɪlˌbleɪzər/ N précurseur m, pionnier(-ière) m(f).

**trailblazing** /'treɪlˌbleɪzɪŋ/ ADJ *company* innovateur.

**trailer** /'treɪlər/ N [a] *(Transport)* remorque f [b] *(Brit Cine)* bande-annonce f.

**train** /treɪn/ [N] *(Rail)* train m ✦ **passenger / goods** *(Brit)* or **freight** *(US)* **train** train de voyageurs / de marchandises ✦ **to send by train** expédier par le train *or* par rail

─── compounds/composés ───

- **train ferry** ferry-boat, transbordeur de train
- **train strike** grève des chemins de fer *or* des cheminots

[VT] former ✦ **the college trains executive secretaries** l'école forme des secrétaires de direction ✦ **he has been trained for the job** il a reçu une formation pour ce travail ✦ **I am training him in the use of the word processor** je lui apprends à utiliser le traitement de texte [VI] *(gen)* s'entraîner; *(for a job)* se former; *(= go on a course)* recevoir une formation, être en formation ✦ **he is training to be a computer programmer** il se forme à la programmation, il est en formation pour être programmeur.

**trainee** /treɪˈniː/ N *(gen)* stagiaire mf ♦ **sales / management trainee** stagiaire de vente / de direction ♦ **trainee manager** cadre en formation ♦ **trainee programmer** apprenti-programmeur, élève-programmeur ♦ **trainee typist** dactylo stagiaire.

**traineeship** /treɪˈniːʃɪp/ N stage m (en entreprise).

**trainer** /ˈtreɪnər/ N *(in management training, skill instruction)* formateur(-trice) m(f) ; *(for manual skill)* instructeur(-trice) m(f).

**training** /ˈtreɪnɪŋ/ N formation f ♦ **he has received no training for the job** il n'a reçu aucune formation pour ce travail ♦ **training in the use of a word processor** apprentissage de l'utilisation d'une machine de traitement de texte ♦ **advanced training** stage de perfectionnement ♦ **in-company** *or* **in-house training** formation dans l'entreprise ♦ **off-the-job training** stages de formation à l'extérieur de l'entreprise ♦ **on-the-job** *or* **on-site training** formation sur le lieu de travail ♦ **training of trainers** formation de formateurs

———— *compounds/composés* ————
- **training centre** centre de formation
- **training course** stage de formation
- **training officer** responsable de formation
- **Training Opportunities Scheme** *(Brit)* plan de recyclage professionnel
- **training period** stage pratique de formation
- **training programme** programme de formation.

**tramp** /træmp/ N *(also* **tramp steamer***)* tramp m ♦ **tramp trade** (commerce du) tramping.

**tramping** /ˈtræmpɪŋ/ N tramping m.

**tranche** /trɑːnʃ/ N *(= instalment)* tranche f ♦ **credit tranche** tranche de crédit.

**transact** /trænˈzækt/ VT *piece of business* traiter, négocier; *sale, contract* négocier ♦ **business to be transacted** affaires à régler *or* à traiter ♦ **they transact business with a host of suppliers** ils font des affaires *or* ils traitent avec une multitude de fournisseurs ♦ **they transact business for their clients** ils gèrent les affaires de leurs clients, ils traitent des affaires au nom de leurs clients.

**transaction** /trænˈzækʃən/ N **a** *[business]* transaction f, conduite f ; *[contract]* négociation f **b** *(Comm = sale)* transaction f *(Bank, St Ex)* opération f, transaction f ♦ **cash transaction** opération au comptant ♦ **forward transaction** opération à terme ♦ **stock exchange transactions** transactions *or* opérations de Bourse *or* boursières ♦ **transaction for the account** opération à terme **c** *(Comp) [data]* mouvement m

———— *compounds/composés* ————
- **transaction code** *(Comp)* code mouvement
- **transaction costs** frais de transaction
- **transaction data** *(Comp)* données fpl de mouvement
- **transaction exposure** risque de change *(lié aux opérations courantes)*, risque de transaction
- **transaction file** *(Comp)* fichier mouvements
- **transaction management** *(Comp)* gestion transactionnelle ♦ **transaction management software** logiciel transactionnel de gestion
- **transaction notice** *(St Ex)* avis d'opéré
- **transaction processing** *(Comp)* traitement transactionnel
- **transaction status** *(Mktg, Ind)* état d'avancement des opérations
- **transaction tax** *(St Ex)* impôt de Bourse
- **transaction volume** volume de transactions.

**transactor** /trænˈzæktər/ N opérateur m, négociateur m.

**transborder** /trænzˈbɔːdər/ ADJ transfrontière.

**transceiver** /trænˈsiːvər/ N émetteur-récepteur m.

**transcode** /trænzˈkəʊd/ VT transcoder.

**transcoder** /trænzˈkəʊdər/ N transcodeur m.

**transcribe** /trænˈskraɪb/ VT transcrire.

**transcriber** /trænˈskraɪbər/ N transcripteur m.

**transcript** /ˈtrænskrɪpt/ N copie f conforme, relevé m.

**transcription** /trænˈskrɪpʃən/ N transcription f.

**transducer** /trænzˈdjuːsər/ N transducteur m.

**transfer** /trænsˈfɜːr/ **VT** **a** *(gen)* transférer; *employee, manager* transférer, muter *(to* à*)*; *(Mar)* transborder ♦ **business transferred to** *(on sign)* *(office)* bureaux transférés à; *(shop)* magasin transféré à ♦ **we have transferred the freight to another ship** nous avons transbordé *or* transféré le fret sur un autre cargo ♦ **we have transferred the goods to the loading dock** nous avons transporté les marchandises au quai d'expédition ♦ **the director transferred the responsibility to his subordinate** le directeur a transmis la responsabilité à son subordonné ♦ **he was transferred to head office** il a été muté au siège **b** *(Brit Telec)* ♦ **I'm transferring you now** *[telephone operator]* je vous passe votre correspondant ♦ **to transfer the charges** téléphoner en PCV ♦ **transferred charge call** communication en PCV ♦ **I'll transfer you to Accounts** je vous passe le service comptabilité ♦ **please transfer this call to Purchasing** pourriez-vous me passer le service achats? **c** *(Fin,*

*Bank) sum of money* virer; *bookkeeping entry* contre-passer; *shares* transférer ✦ **to transfer by endorsement** *bill, draft* transférer *or* transmettre par (voie d') endossement ✦ **to transfer a debt** *(Acc)* transporter une créance `d` *(Jur) document* transférer; *property* transférer, transmettre, céder ✦ **to transfer ownership of sth** céder la propriété de qch, faire une cession (de propriété) ✦ **they transferred their assets to the joint venture** ils ont apporté leurs actifs à la société commune ✦ **to transfer one's estate** transmettre son patrimoine

**VI** `a` *[employee]* être transféré *or* muté (*to* à); *[offices]* être transféré (*to* à) `b` **to transfer from one train / plane to another** *[passengers]* changer de train / d'avion

**N** `a` *(gen)* transfert m ; *[employee]* transfert m, mutation f ; *(Mar)* transbordement m ✦ **staff transfer** transfert de personnel ✦ **technology transfer** transfert de technologie `b` *(Jur) [document]* transfert m, translation f ; *[property]* transfert m, cession f, transmission f, translation f ✦ **capital transfer** transmission *or* mutation de capital ✦ **capital transfer tax** droits de mutation ✦ **estate transfer** transmission de patrimoine ✦ **transfer of ownership** transfert *or* translation *or* cession de propriété (*from* de, *to* à) `c` *(Fin, Bank) [sum of money]* virement m ; *[shares]* transfert m ; *[bookkeeping entry]* contre-passation f ✦ **to pay sth by bank transfer** payer qch par virement bancaire ✦ **I made a transfer to my savings account** j'ai effectué un virement sur mon compte d'épargne ✦ **credit transfer** (paiement par) virement bancaire ✦ **currency transfer** transfert de devises ✦ **electronic funds transfer** transfert électronique de fonds ✦ **stock transfer** transfert de titres ✦ **tel-**

egraphic *or* **cable transfer** virement télégraphique `d` *(Rail)* billet m de correspondance `e` *(Econ)* transfert m ✦ **transfers** transferts (sociaux) ✦ **asset transfer** apport d'actifs ✦ **current transfers** transferts courants ✦ **unilateral transfers** transferts unilatéraux `f` *(Comp)* *[data]* transfert m ▪ Voir encadré ci-dessous.

**transferability** /trænsˌfɜːrəˈbɪlɪtɪ/ N *[property, right]* transmissibilité f, cessibilité f.

**transferable** /trænsˈfɜːrəbl/ ADJ *property, right* transmissible, cessible ✦ **transferable securities** valeurs *or* titres négociables *or* transférables ✦ **not transferable** non transmissible, non cessible.

**transferee** /ˌtrænsfɜːˈriː/ N cessionnaire mf.

**transferer, transferor** /trænsfɜːˈrəʳ/ N *(Jur)* cédant(e) m(f) ; *(Fin) [bill]* endosseur m.

**transformation** /ˌtrænsfəˈmeɪʃən/ N transformation f ✦ **transformation industries** industries de transformation.

**tranship** /trænˈʃɪp/ VT transborder.

**transhipment** /trænˈʃɪpmənt/ N transbordement m

────── *compounds/composés* ──────

- ✦ **transhipment B / L** connaissement de transbordement
- ✦ **transhipment bond** acquit à caution
- ✦ **transhipment delivery order** permis de transbordement
- ✦ **transhipment shipping bill** certificat de transbordement
- ✦ **transhipment permit** permis de transbordement ✦ **to clear a transhipment permit** apurer un permis de transbordement.

────── *compounds/composés* ──────

### TRANSFER

- ✦ **transfer account** *(Bank)* compte de virement
- ✦ **transfer address** *(Comp)* adresse de transfert
- ✦ **transfer agent** *(St Ex)* agent (comptable) des transferts
- ✦ **transfer certificate** *(St Ex)* certificat de transfert
- ✦ **transfer deed** *(Jur) [property]* acte de cession *or* de translation, contrat translatif de propriété; *(St Ex)* feuille de transfert
- ✦ **transfer desk** *(at airport)* bureau *or* comptoir de transit *or* des correspondances
- ✦ **transfer duty** *(St Ex)* droits mpl de transfert; *(Jur)* droits mpl de mutation
- ✦ **transfer entry** *(Acc)* écriture de virement
- ✦ **transfer fee** *(St Ex)* frais mpl de transfert
- ✦ **transfer income** *(Econ)* revenu de transfert
- ✦ **transfer instruction** *(Comp)* instruction de branchement *or* de transfert

- ✦ **transfer inter vivos** *(Jur)* mutation entre vifs
- ✦ **transfer lounge** *(at airport)* salle de transit
- ✦ **transfer operation** *(Comp)* opération de transfert
- ✦ **transfer order** *(Bank)* ordre de virement; *(Comm) [goods]* commande de transfert
- ✦ **transfer passenger** passager(-ère) en transit *or* en correspondance
- ✦ **transfer payments** *(Econ)* opérations fpl de transfert
- ✦ **transfer price** *(within multinational)* prix de cession interne, prix de transfert
- ✦ **transfer pricing** *(within multinational)* fixation de prix de cession interne *or* de transfert
- ✦ **transfer register** *(St Ex)* registre des transferts
- ✦ **transfer tax** droits mpl de mutation
- ✦ **transfer ticket** *(US Rail)* billet de correspondance.

**transhipper** /træn'ʃɪpəʳ/ N transbordeur m, transitaire m.

**transient** /'trænzɪənt/ ADJ de passage, temporaire, transitoire; (Comp) program non résident ◆ **transient workers** travailleurs migrants ◆ **transient medium** (Pub) média éphémère ◼ (in hotel) client(e) m(f) de passage.

**transire** /træn'zaɪəʳ/ N (Customs) passavant m, laissez-passer m.

**transit** /'trænzɪt/ ◼ transit m ◆ **goods / passengers in transit** marchandises / passagers en transit ◆ **to convey goods in transit** transiter des marchandises ◆ **damaged in transit** avarié or endommagé en cours de route ◆ **loss in transit** freinte or déchet de route ◆ **mass transit system** (US) transports en commun

─── compounds/composés ───

◆ **transit agent** transitaire
◆ **transit bond** or **bill** (Mar) acquit de transit
◆ **transit clause** (Mar Ins) clause d'assurance « magasin à magasin »
◆ **transit company** (US) entreprise de transports en commun
◆ **transit document** document de transit
◆ **transit entry** (Customs) déclaration de transit
◆ **transit freight** fret de transit
◆ **transit goods** marchandises fpl en transit
◆ **transit lounge** (in airport) salle de transit or de correspondance
◆ **transit market** (Fin) marché de transit
◆ **transit number** (US) [bank] numéro d'identification
◆ **transit passenger** passager(-ère) en transit or en correspondance
◆ **transit permit** visa de transit
◆ **transit trade** commerce transitaire or de transit
◆ **transit visa** visa de transit
◆ **transit warehouse** entrepôt de transit

◼ transiter (by, through par).

**transitad** /'trænzɪt‚æd/ (US) N publicité f dans les transports en commun.

**transition** /træn'zɪʃən/ N transition f ◆ **year of transition** année de transition.

**transitional** /træn'zɪʃənəl/ ADJ measures transitoire ◆ **transitional relief** (Brit) dégrèvement fiscal accordé lors de la première phase d'une augmentation d'impôt.

**translate** /trænz'leɪt/ VT traduire.

**translation** /trænz'leɪʃən/ N [words, text] traduction f ; [foreign currency] conversion f ◆ **simultaneous translation** traduction simultanée

─── compounds/composés ───

◆ **translation differential** écart de conversion
◆ **translation risk** (Fin) risque de conversion.

**translative** /trænz'leɪtɪv/ ADJ (Jur) translatif.

**translator** /trænz'leɪtəʳ/ N [words, text] traducteur(-trice) m(f) (Comp = program) programme m de traduction.

**transliterate** /trænz'lɪtəreɪt/ VT translitérer.

**transmission** /trænz'mɪʃən/ N (gen) transmission f ◆ **order transmission** passation d'ordre.

**transmit** /trænz'mɪt/ VT (gen) transmettre (Telec, Comp) émettre.

**transmittal letter** /trænz'mɪtəl‚letəʳ/ N lettre f d'accompagnement.

**transmitter** /trænz'mɪtəʳ/ N (poste) émetteur m ; (= transmitting device) transmetteur m.

**transmitting** /trænz'mɪtɪŋ/ ADJ set, station, terminal émetteur.

**transmutation** /‚trænzmjuː'teɪʃən/ N (Jur) mutation f.

**transnational** /trænz'næʃənəl/ ADJ transnational ◆ **transnational corporations** entreprises transnationales.

**transparency** /træns'pɛərənsɪ/ N transparence f ◆ **market transparency** transparence du marché ◆ **tax transparency** transparence fiscale.

**transplant factory** /'trænzplɑːnt‚fæktərɪ/ N usine f transplantée.

**transport** /'trænspɔːt/ ◼ a [goods, passengers] transport m ◆ **air transport** transport aérien or par avion ◆ **means of transport** moyen de transport ◆ **intercity transport** transport interurbain ◆ **road / rail / sea transport** transport par route / par chemin de fer / par mer, transport routier / ferroviaire / maritime ◆ **to send sth by road / rail transport** envoyer qch par route / par chemin de fer ◆ **river transport, inland water transport** transport fluvial ◆ **multimodal transport** transport multimodal ◆ **public transport** transports en commun ◆ **surface**

─── compounds/composés ───

◆ **transport advertising** publicité dans les moyens de transport
◆ **transport agent** transitaire
◆ **transport company** société or entreprise de transport or de transit, transitaire
◆ **Transport and General Workers' Union** (Brit) syndicat britannique des transports et des ouvriers automobiles
◆ **transport insurance** assurance contre les risques de transport

**treasurer**

**transport** transport par voie de surface **b** (= *vehicle*) véhicule m, moyen m de transport ◆ **motor transport** les véhicules à moteur ◆ **we have no transport** nous n'avons pas de voiture, nous ne sommes pas motorisés **c** *(Comp)* ◆ **tape transport** mécanisme d'entraînement de la bande

**vt** *goods, passengers* transporter ◆ **to transport goods by lorry** *(Brit)* or **by truck** *(US)* transporter des marchandises par camion, camionner des marchandises.

**transportable** /træns'pɔːtəbl/ **adj** transportable.

**transportation** /ˌtrænspɔː'teɪʃən/ **N** (= *act of transporting*) transport m ; (= *means of transport*) moyen m de transport ◆ **ground transportation** moyens de transport, navette *(entre l'aéroport et le centre-ville)* ◆ **public transportation** transports en commun

─────── compounds/composés ───────
◆ **transportation advertising** publicité dans les moyens de transport
◆ **transportation equipment** matériel de transport
◆ **transportation expenses** frais mpl de transport.

**transporter** /træns'pɔːtə<sup>r</sup>/ **N** **a** (= *person*) transporteur m, transitaire m, entrepreneur m de transports; (= *company*) transporteur m, transitaire m, entreprise f or société f de transports **b** (= *system, device*) transporteur m, convoyeur m ◆ **a car transporter** un transporteur de voitures.

**transposition** /ˌtrænspə'zɪʃən/ **N** transposition f, inversion f ◆ **transposition error** erreur d'inversion.

**transship** /træns'ʃɪp/ **vt** → **tranship.**

**transshipment** /træns'ʃɪpmənt/ **N** → **transhipment.**

**transshipper** /træns'ʃɪpə<sup>r</sup>/ **N** → **transhipper.**

**trap** /træp/ **N** piège m ; *(Comp)* déroutement m.

**trash** /træʃ/ **N** ordures fpl ◆ **these goods are trash** c'est de la camelote, ce sont des articles de pacotille.

**trashy** /'træʃɪ/ **adj** *idea, opinion* qui ne vaut rien ◆ **trashy goods** camelote, articles or marchandises de pacotille.

**travel** /'trævl/ **n** le(s) voyage(s) m(pl) ◆ **travel is expensive** les voyages sont chers ◆ **air travel is fast** les voyages or les déplacements en avion sont rapides ◆ **credit cards are useful for business travel** les cartes de crédit sont utiles pour les voyages d'affaires

**vi** **a** voyager, se déplacer ◆ **he is always travelling** il est toujours en déplacement or en voyage, il se déplace beaucoup ◆ **to travel from screen to screen** *[data]* passer d'un écran à l'autre **b** *[salesman]* voyager, être représentant ◆ **he travels for a British company** il voyage pour or il représente une entreprise britannique, il est représentant pour une entreprise britannique ◆ **he travels in footwear** il est représentant en chaussures **c** *[goods]* ◆ **to travel well / badly** voyager bien / mal ◆ **peaches don't travel well** les pêches voyagent mal or supportent mal le transport

─────── compounds/composés ───────
◆ **travel agency** agence de voyages
◆ **travel agent** agent de voyages
◆ **travel brochure** dépliant touristique
◆ **travel bureau** agence de voyages
◆ **travel expenses** frais mpl de déplacement
◆ **travel insurance** assurance voyage.

**traveller** *(Brit)*, **traveler** *(US)* /'trævələ<sup>r</sup>/ **N** voyageur(-euse) m(f) ◆ **commercial traveller** *(Brit)* voyageur or représentant de commerce, VRP ◆ **traveller's cheque** *(Brit)*, **traveler's check** *(US)* chèque de voyage.

**travelling** *(Brit)*, **traveling** *(US)* /'trævəlɪŋ/ **N** le(s) voyage(s) m(pl)

─────── compounds/composés ───────
◆ **travelling allowance** indemnité de déplacement
◆ **travelling expenses** frais mpl de déplacement
◆ **travelling fair** exposition itinérante
◆ **travelling salesman** voyageur or représentant de commerce, VRP .

**traversable** /'trævəsəbl/ **adj** *(Jur)* contestable.

**traverse** /'trævəs/ **n** *(Jur)* dénégation f **vt** *(Jur)* nier, contester.

**trawler** /'trɔːlə<sup>r</sup>/ **N** chalutier m.

**tray** /treɪ/ **N** *(gen)* plateau m ; (= *storage box*) bac m, boîte f (de rangement); (= *basket*) bac m, corbeille f de rangement ◆ **in- / out-tray** bac or corbeille arrivée / départ ◆ **I never get to the bottom of my in-tray** je n'arrive jamais à dépouiller tout le courrier que je reçois.

**treasurer** /'treʒərə<sup>r</sup>/ **N** *[association]* trésorier(-ière) m(f) ◆ **corporate treasurer** trésorier d'entreprise ◆ **company treasurer** directeur financier, trésorier ◆ **treasurer check** *(US)* chèque bancaire ◆ **treasurer's report** rapport financier.

**treasury** /'treʒərɪ/ **N** trésor m ♦ **the Treasury** *(Brit)*, **the Treasury Department** *(US)* ≈ le ministère des Finances ♦ **Secretary of the Treasury** *(US)* ≈ ministre des Finances **treasuries** **NPL** bons du Trésor américain

— *compounds/composés* —

♦ **Treasury bill** bon m du Trésor (à court terme)
♦ **Treasury bond** *(US)* bon m du Trésor (à long terme)
♦ **Treasury certificate** *(US)* bon m du Trésor à un an
♦ **Treasury note** bon m du Trésor
♦ **Treasury stock** *(US)* actions fpl rachetées par la société; *(not yet issued)* actions fpl autorisées mais non encore émises; *(Brit)* bons mpl du Trésor *or* fonds mpl d'État à long terme.

**treat** /triːt/ **VT** traiter.

**treatment** /'triːtmənt/ **N** traitement m.

**treaty** /'triːtɪ/ **N** traité m ♦ **the Maastricht Treaty** le traité de Maastricht ♦ **the Treaty of Rome** le traité de Rome ♦ **to enter into a treaty with** conclure un traité avec ♦ **commercial treaty** traité commercial ♦ **to sell sth by private treaty** vendre qch de gré à gré

— *compounds/composés* —

♦ **treaty port** port ouvert au commerce international
♦ **treaty reinsurance** réassurance générale.

**treble** /'trebl/ **N, ADJ** triple m
**VTI** tripler.

**tree** /triː/ **N** arbre m ♦ **decision tree** arbre de décision, arbre décisionnel ♦ **tree-like structure** structure arborescente *or* en arbre.

**tremor** /'tremər/ **N** *(Fin)* secousse f ♦ **market / monetary tremor** secousse boursière / monétaire.

**trend** /trend/ **N** *(gen)* tendance f, orientation f, évolution f ; *[fashion]* mode f ; *(St Ex)* tendance f, trend m ♦ **upward / downward trend** orientation *or* tendance à la hausse / à la baisse, hausse / baisse tendancielle ♦ **bull / bear trend** canal haussier / baissier ♦ **economic trend** tendance économique ♦ **the current economic trend** la conjoncture ♦ **the trend of events** le cours des choses ♦ **inflationary trends are decreasing** les tendances inflationnistes diminuent ♦ **market trend** tendance *or* physionomie du marché ♦ **price trends** évolution des prix ♦ **a trend towards large cars** une tendance en faveur des grosses voitures ♦ **a trend away from large cars** une tendance défavorable aux grosses voitures ♦ **trend re-**

versal renversement de tendance ♦ **to set a trend** lancer une mode ♦ **to buck the trend** aller *or* agir à contre-courant
**VI** **prices are trending upward / downward** les prix s'orientent à la hausse / à la baisse, les prix tendent à monter / à baisser

— *compounds/composés* —

♦ **trend analysis** analyse de la tendance
♦ **trend-setter** *(= product)* produit qui crée la mode ; *(= person)* personne qui lance la mode
♦ **trend-setting** qui crée la mode, innovateur.

**trendy** \* /'trendɪ/ **ADJ** dans le vent, à la mode, dernier cri.

**trespass** /'trespəs/ **N** *(Jur = illegal entry)* violation f de propriété
**VI** s'introduire sans autorisation ♦ **no trespassing** entrée interdite, défense d'entrer ♦ **to trespass on private property** violer une propriété privée.

**trespasser** /'trespəsər/ **N** intrus(e) m(f) ♦ **trespassers will be prosecuted** *(sign)* défense d'entrer sous peine de poursuites.

**triad** /'traɪəd/ **N** *(gen)* triade f ; *(Pub)* test m comparatif entre trois produits, test m triangulaire.

**trial** /'traɪəl/ **N** **a** *(= test)* essai m ♦ **to take sb / sth on trial** prendre qch / qn à l'essai ♦ **trial and error method** approche par tâtonnements, méthode empirique ♦ **to give sb a trial** mettre qn à l'essai ♦ **trials will be carried out on the new equipment** le nouvel équipement sera mis à l'essai *or* sera testé, on procédera à des essais sur le nouvel équipement ♦ **acceptance trials** *(Mar)* voyage d'essai *(à la livraison d'un*

— *compounds/composés* —

♦ **trial attorney** *(US Jur)* avocat *(qui plaide à l'audience)*
♦ **trial balance** *(Acc)* balance de vérification ♦ **trial balance book** livre de balance, livre de soldes ♦ **pre-closing / post-closing trial balance** balance de vérification avant / après clôture *or* inventaire ♦ **trial balance after closing** balance d'inventaire
♦ **trial examiner** *(US Jur)* juge, médiateur *(entre administration et particuliers)*
♦ **trial judge** *(US Jur)* juge
♦ **trial jury** *(US Jur)* jury
♦ **trial lawyer** *(US Jur)* avocat *(qui plaide à l'audience)*
♦ **trial offer** offre d'essai
♦ **trial order** commande d'essai
♦ **trial period** période d'essai
♦ **trial run** *[machine]* essai; *[car]* essai de route
♦ **trial subscription** abonnement à l'essai.

navire) **b** *(Jur)* procès m ✦ **to be on trial** passer en justice ✦ **to bring sb to trial** faire passer qn en justice *or* en jugement ✦ **trial by jury, jury trial** procès d'assises ✦ **to have a jury trial** être jugé par un jury d'assises

**triangular** /traɪˈæŋgjʊlər/ **ADJ** *transactions* triangulaire.

**tribunal** /traɪˈbjuːnl/ **N** tribunal m ✦ **tribunal of enquiry** commission d'enquête ✦ **Industrial Tribunal** *(Brit)* ≈ conseil de prud'hommes.

**trick** /trɪk/ **N** (= *dodge, ruse*) ruse f, astuce f, truc m * ; (= *joke*) tour m, farce f ✦ **tricks of the trade** ficelles du métier
**VT** rouler*, attraper, avoir*.

**trickle** /ˈtrɪkl/ **N** filet m ✦ **profit is down to a trickle** les bénéfices se sont presque taris ✦ **there was a steady trickle of orders** les commandes arrivaient en petit nombre mais régulièrement

─── *compounds/composés* ───

✦ **trickle down theory** *théorie selon laquelle l'argent dépensé par les riches finira par profiter aux plus démunis.*

**trickle in** /ˈtrɪkl/ **VI** *[orders]* arriver au compte-gouttes.

**trifling** /ˈtraɪflɪŋ/ **ADJ** *incident* insignifiant; *sum* dérisoire.

**trigger** /ˈtrɪgər/ **N** *(lit)* gâchette f ; (= *stimulus*) déclencheur m ; *(Pub)* stimulant m

─── *compounds/composés* ───

✦ **trigger mechanism** déclencheur, dispositif de déclenchement
✦ **trigger price** prix minimum à l'importation ✦ **the US has set trigger prices for steel imports** les États-Unis ont fixé des prix minimum pour les importations d'acier

**VT** (also **trigger off**) déclencher ✦ **the oil shock triggered (off) worldwide inflation** le choc pétrolier à déclenché une inflation à l'échelle mondiale.

**trillion** /ˈtrɪljən/ **N** trillion m.

**trim** /trɪm/ **VT a** *cargo* arrimer ✦ **free on board and trimmed** franco bord et arrimage **b** (= *cut*) tailler, élaguer, rogner ✦ **to trim costs** réduire les coûts ✦ **to trim the investment programme** tailler *or* faire des coupes sombres dans le programme d'investissement ✦ **to trim the workforce** dégraisser le personnel, faire des dégraissages, faire des compressions de personnel

**n** état m ✦ **in good trim** en bon état ✦ **the ship is in trim** le navire a son assiette *or* est bien arrimé.

**trimming** /ˈtrɪmɪŋ/ **N a** *[ship, cargo]* arrimage m **b** (= *cutting back*) réduction f, élagage m ; *[staff]* compression f, dégraissage m ✦ **cost trimming** réduction des coûts **c** (= *extras*) ✦ **trimmings** garnitures, accessoires ✦ **with no trimmings** sans fioriture.

**trip** /trɪp/ **N** *(gen)* voyage m, déplacement m ; (= *excursion*) excursion f ✦ **he's on a trip to the US** il est en voyage *or* en déplacement aux États-Unis ✦ **business trip** voyage d'affaires ✦ **round trip** (voyage) aller et retour ✦ **one-way trip** voyage aller ✦ **a trip to the Beaujolais region** une excursion dans le Beaujolais ✦ **field trip** voyage d'études sur le terrain.

**tripack** /ˈtraɪpæk/ **N** lot m *or* pack m de trois, emballage m par trois.

**triple** /ˈtrɪpl/ **ADJ** triple ✦ **this company is rated triple-A** *or* **has a triple-A rating** *(St Ex)* cette société est classée AAA (du point de vue de la santé financière) ✦ **triple-A-rated borrower** emprunteur classé AAA.

**triplicate** /ˈtrɪplɪkɪt/ **ADJ** en trois exemplaires **n** (= *third copy*) troisième exemplaire m, triplicata m ✦ **in triplicate** en trois exemplaires **VT** tirer *or* reproduire en trois exemplaires.

**Tripoli** /ˈtrɪpəlɪ/ **N** Tripoli.

**TRIPS** /trɪps/ **N** (abbr of **Agreement on Trade-Related Aspects of Intellectual Property Rights**) ADEPIC m.

**trolley** /ˈtrɒlɪ/ *(Brit)* **N** *[luggage]* chariot m (à bagages); *(in supermarket)* chariot m, Caddie (R) m.

**trouble** /ˈtrʌbl/ **N a** (= *difficulties*) ennuis mpl, difficultés fpl ✦ **to be in trouble** avoir des ennuis ✦ **to get out of trouble** se tirer d'affaire ✦ **we had trouble with the printer** nous avons eu des problèmes *or* ennuis avec l'imprimante **b** (= *bother*) mal m, peine f ✦ **it's not worth the trouble** cela ne vaut pas la peine ✦ **he went to the trouble of writing** il s'est donné la peine d'écrire ✦ **to go to a lot of trouble** se donner beaucoup de mal ✦ **it's no trouble** cela ne me dérange pas **c** (= *unrest*) troubles mpl, conflits mpl ✦ **labour troubles** troubles sociaux

───── *compounds/composés* ─────
- **trouble area** *(in system)* source d'incident
- **trouble-free** *machine* qui ne tombe pas en panne, fiable
- **trouble spot** point noir.

**troublemaker** /'trʌbl,meɪkəʳ/ **N** fauteur m de troubles.

**troubleshoot** /'trʌbl,ʃuːt/ **VI** régler le problème **VT** *program, system* mettre au point, dépanner.

**troubleshooter** /'trʌbl,ʃuːtəʳ/ **N** *(gen)* expert m *or* spécialiste mf (appelé pour régler un problème); *[conflict]* médiateur(-trice) m(f), conciliateur(-trice) m(f) *(Tech, Comp)* dépanneur (-euse) m(f), spécialiste mf ◆ **we'll send our financial troubleshooter to sort out the problem** nous enverrons notre expert financier régler ce problème.

**troubleshooting** /'trʌbl,ʃuːtɪŋ/ **N** *(gen)* intervention f pour régler un problème; *[conflict]* médiation f *(Tech, Comp)* dépannage m.

**trough** /trɒf/ **N** *(= low point)* creux m, point m le plus bas ◆ **sales have reached a trough** les ventes ont atteint leur niveau le plus bas *or* sont au creux de la vague
**VI** *[sales]* atteindre son point le plus bas ◆ **interest rates troughed in the first quarter** les taux d'intérêt ont atteint leur niveau le plus bas au premier trimestre.

**trs.** abbr of **transfer.**

**truck** /trʌk/ **N** **a** *(US Agr)* produits mpl maraîchers **b** *(Rail)* *(= open goods wagon)* wagon m ; *(flat)* wagon m à plate-forme **c** *(for luggage, goods)* chariot m ; *(two-wheeled)* diable m ◆ **fork-lift truck** chariot élévateur **d** *(US = lorry)* camion m **e** *(= barter)* troc m, échange m

───── *compounds/composés* ─────
- **truck farmer** *(US)* maraîcher
- **truck farming** *(US)* culture maraîchère

**VT** *(US)* camionner, transporter en camion.

**truckage** /'trʌkɪdʒ/ **N** *(US)* camionnage m ; *(Rail)* roulage m.

**truckdriver** /'trʌkdraɪvəʳ/ *(US)* **N** camionneur m, routier m, conducteur m *or* chauffeur m de poids lourd.

**trucker** /'trʌkəʳ/ *(US)* **N** camionneur m, transporteur m, entrepreneur m de transports routiers.

**trucking** /'trʌkɪŋ/ *(US)*

───── *compounds/composés* ─────
- **trucking bill of lading, trucking B / L** *(US)* lettre f de voiture
- **trucking charges** frais mpl de transport routier
- **trucking company** société f *or* entreprise f de transport routier, transporteur m
- **trucking contractor** camionneur m, transporteur m, entrepreneur m de transports routiers.

**truckload** /'trʌkləʊd/ **N** (plein) camion m *(of sth* de qch*)*

**true** /truː/ **ADJ** vrai, exact, conforme ◆ **a true copy** une copie conforme ◆ **true to sample** conforme à l'échantillon ◆ **true owner** *bond, bill* possesseur légal.

**truly** /'truːlɪ/ **ADV** véritablement, vraiment ◆ **Yours truly** *(US : letter ending)* veuillez agréer l'expression de nos meilleurs sentiments *or* de nos sentiments distingués.

**trump card** /'trʌmpkɑːd/ **N** *(lit, fig)* atout m.

**truncate** /trʌŋ'keɪt/ **VT** tronquer.

**truncation** /trʌŋ'keɪʃən/ **N** troncature f.

**trunk** /trʌŋk/ **N** **a** *(for luggage)* malle f **b** *(US)* *[car]* coffre m, malle f

───── *compounds/composés* ─────
- **trunk call** *(Brit Telec)* communication interurbaine
- **trunk line** *(Brit Rail)* grande ligne
- **trunk road** *(Brit)* grande route, grand axe, route nationale.

**trust** /trʌst/ **N** **a** confiance f ◆ **to have trust in sb / sth** avoir confiance en qn / qch ◆ **position of trust** poste de confiance ◆ **to supply goods on trust** fournir des marchandises à crédit ◆ **to commit sth to the trust of sb** confier qch à qn *or* aux bons soins de qn ◆ **breach of trust** abus de confiance **b** *(Jur)* fidéicommis m, trust m ◆ **to hold sth in trust** tenir *or* administrer qch par fidéicommis ◆ **to set up a trust for sb** instituer un fidéicommis à l'intention de qn ◆ **beneficiary of a trust** fidéicommissionnaire ◆ **securities in trust** valeurs mises en trust **c** *(Comm, Fin)* *(often pej)* trust m, cartel m **d** *(Bank, St Ex)* ◆ **investment trust, (investment) trust company** société d'investissement ◆ **closed-end / open-end investment trust** société d'investissement à capital fixe / à capital variable ◆ **discretionary trust** *société d'investissement dans laquelle le choix des place-*

*ments est laissé aux administrateurs* ✦ **unit trust** société d'investissement à capital variable, SICAV

---
*compounds/composés*

- ✦ **trust account** compte en fidéicommis
- ✦ **trust agreement** acte or convention de fiducie
- ✦ **trust company** *(Brit)* société d'investissement; *(US)* société de gestion de portefeuille
- ✦ **trust deed** acte fiduciaire
- ✦ **trust estate** patrimoine géré par fidéicommis
- ✦ **trust fund** fonds en fidéicommis
- ✦ **trust indenture** certificat fiduciaire, acte fiduciaire
- ✦ **trust instrument** document fiduciaire *(acte ou testament)*
- ✦ **trust mortgage** hypothèque fiduciaire
- ✦ **trust receipt** accusé de réception de marchandises *(détenues en gage au profit d'un créancier ou d'une banque)*
- ✦ **trust unit** part de fonds commun de placement, part de SICAV

---

**VT** se fier à, avoir confiance en ✦ **can we trust them to deliver on time?** peut-on leur faire confiance pour nous livrer à temps?

**trustbuster** \* /ˈtrʌstˌbʌstəʳ/ **N** personne f menant une action antitrust.

**trustbusting** \* /ˈtrʌstˌbʌstɪŋ/ **N** démantèlement m des trusts, action f antitrust.

**trustee** /trʌsˈtiː/ **N** **a** *(Jur)* fidéicommissaire m, fiduciaire m ✦ **the Bank's Trustee Department** le service fiduciaire de la banque ✦ **the Public Trustee** le curateur de l'État aux successions **b** *(= proxy)* mandataire mf, consignataire mf, fondé m de pouvoir

---
*compounds/composés*

- ✦ **trustee in bankruptcy** syndic de faillite
- ✦ **trustee securities** *(Brit)* titres qui doivent entrer obligatoirement dans la composition du portefeuille d'une société de placement.

---

**trusteeship** /trʌsˈtiːʃɪp/ **N** **a** *(Jur) (for deceased person)* fidéicommis m ; *(for minor or incapable adult)* curatelle f **b** *(in bankruptcy)* syndic m de faillite.

**trustification** /ˌtrʌstɪfɪˈkeɪʃən/ *(US)* **N** formation f d'un trust.

**trustify** /ˈtrʌstɪfaɪ/ *(US)* **VT** *companies* réunir en trust, regrouper.

**trustworthiness** /ˈtrʌstˌwɜːðɪnɪs/ **N** *[employee]* loyauté f, fidélité f ; *[document, statement]* crédibilité f, véracité f, exactitude f.

**trustworthy** /ˈtrʌstˌwɜːðɪ/ **ADJ** *employee* digne de confiance, loyal; *document, statement* digne de foi, fidèle, exact.

**truth** /truːθ/ **N** *(gen)* vérité f ✦ **truth in lending** transparence du crédit *(obligation pour une banque ou une société de financement d'informer complètement le consommateur sur les conditions d'un prêt)* ✦ **truth in advertising** transparence publicitaire.

**try** /traɪ/ **N** essai m, tentative f ✦ **to give sth a try** essayer qch
**VT** *(= attempt)* essayer, tâcher *(to do* de faire*)*
**VI** essayer.

**try out** **VT SEP** essayer.

**tryout** /ˈtraɪaʊt/ **N** essai m.

**TS** abbr of **typescript**.

**T / S** abbr of **transshipment**.

**TT** abbr of **telegraphic transfer** → **telegraphic**.

**TU** /tiˈjuː/ abbr of **trade union** → **trade**.

**TUC** /tiːjuːˈsiː/ *(Brit)* **N** abbr of **Trades Union Congress** → **trade**.

**Tuesday** /ˈtjuːzdɪ/ **N** mardi m → **Saturday**.

**tug** /tʌg/ **N** *(also* **tugboat***)* remorqueur m
**VT** remorquer.

**tug-of-war** /ˌtʌgəvˈwɔːʳ/ **N** épreuve f de force *(between* entre*)*

**tuition** /tjuˈɪʃən/ **N** **a** *(= teaching)* enseignement m, scolarité f ✦ **private tuition** cours particulier **b** *(also* **tuition fees***)* frais mpl de scolarité.

**tumble** /ˈtʌmbl/ **VI** *[prices]* chuter, dégringoler\*.

**tune (up)** /tjuːn/ **VT** mettre au point, régler.

**tuning** /ˈtjuːnɪŋ/ **N** réglage m ✦ **fine tuning** *(Econ)* gestion macroéconomique de la demande.

**Tunis** /ˈtjuːnɪs/ **N** Tunis.

**Tunisia** /tjuːˈnɪzɪə/ **N** Tunisie f.

**Tunisian** /tjuːˈnɪzɪən/ **ADJ** tunisien
**N** *(= inhabitant)* Tunisien(ne) m(f).

**turf** /tɜːf/ **N** *(fig = territory)* territoire m ✦ **a turf dispute** *(in company)* une querelle de territoire *or* d'attributions *or* de limitation de responsabilités ✦ **a salesman's turf** le territoire d'un vendeur.

**Turk** /tɜːk/ **N** *(= inhabitant)* Turc (Turque) m(f).

**Turkey** /ˈtɜːkɪ/ **N** Turquie f.

**Turkish** /ˈtɜːkɪʃ/ **ADJ** turc (f turque)
**N** *(= language)* turc m.

**turn** /tɜːn/ N **a** (= *change*) [*market*] revirement m, nouvelle tendance f ✦ **to take a turn for the better** s'améliorer **b** (*St Ex* = *difference*) ✦ **turn of the market** écart entre le cours vendeur et le cours acheteur ✦ **jobber's turn** marge du jobber **c** (*Ind, Comm* = *rotation*) rotation f ✦ **stock** (*Brit*) or **inventory** (*US*) **turn** rotation des stocks.

**turnabout** /'tɜːnəbaʊt/ N revirement m, volte-face f.

**turn around** (*US*) VT SEP, VI → **turn round**.

**turnaround** /'tɜːnəraʊnd/ (*US*) N → **turnround**.

**turn away** VT SEP *offer* refuser, rejeter, repousser ✦ **they're turning business** or **customers away** ils refusent des clients.

**turn down** VT SEP *offer* refuser, rejeter, repousser ✦ **they turned me down for the job** ils m'ont refusé le poste
VI [*sales*] fléchir, chuter, baisser.

**turndown** /'tɜːndaʊn/ N [*sales, rate, tendency*] fléchissement m, (tendance f à la) baisse f, chute f (*in* de)

**turn in** * VT SEP *resignation* remettre, donner; *report* soumettre.

**turning point** /'tɜːnɪŋ,pɔɪnt/ N [*curve*] point m critique, rupture f de pente; [*situation*] tournant m ✦ **lower / upper turning point** creux / sommet de la courbe.

**turnkey factory** /'tɜːnkiː'fæktərɪ/ N usine f clés en main.

**turn on** VT SEP *machine* mettre en marche, allumer, faire démarrer.

**turn out** VT **a** (= *produce*) produire, sortir, fabriquer ✦ **the plant turns out 5,000 units a week** l'usine sort 5 000 unités par semaine **b** (* = *dismiss*) mettre à la porte, congédier
VI **a** (= *go*) sortir, aller à une manifestation ✦ **to turn out on strike** se mettre en grève ✦ **to turn out to vote** aller aux urnes **b** (= *end*) s'avérer, se révéler ✦ **the financial year has turned out well / badly** l'exercice a été satisfaisant / mauvais ✦ **the product turned out to be a flop** le produit s'est avéré or s'est révélé être un échec.

**turnout** /'tɜːnaʊt/ N **a** (= *output*) production f, rendement m **b** (= *attendance*) assistance f, participation f ✦ **there was a huge turnout for the meeting** il y a eu une foule à la réunion, beaucoup de gens sont venus à la réunion ✦ **voter turnout** participation électorale **c** (* = *strike*) grève f.

**turn over** VT FUS **the firm turns over £10,000 a week** l'entreprise réalise un chiffre d'affaires de 10 000 livres par semaine
VI (= *rotate*) [*stock*] tourner, s'écouler ✦ **our stock of unmarked goods turns over very quickly** notre stock d'articles dégriffés tourne or s'écoule très vite ✦ **our staff is turning over more slowly now** la rotation de notre personnel est moins rapide maintenant.

**turnover** /'tɜːn,əʊvəʳ/ N **a** (*Brit* = *sales volume*) chiffre m d'affaires ✦ **our turnover was £700,000 last year** nous avons fait 700 000 livres de chiffre d'affaires l'année dernière, notre chiffre d'affaires a été de 700 000 livres l'année dernière **b** (= *rotation*) [*stock*] rotation f, écoulement m ; [*staff*] rotation f ✦ **the entire stock has been reduced for a quick turnover** le stock tout entier a été réduit pour améliorer la rotation ✦ **the turnover of these goods is slow** ces marchandises s'écoulent or se vendent lentement ✦ **capital turnover** rotation du capital ✦ **stock** (*Brit*) or **inventory** (*US*) **turnover** rotation des stocks **c** [*account*] mouvement m ✦ **account without turnover** compte sans mouvement

—————— *compounds/composés* ——————

- **turnover rate** vitesse de rotation
- **turnover ratio** ratio chiffre d'affaires-immobilisations
- **turnover tax** impôt sur le chiffre d'affaires.

**turn round** (*Brit*), **turn around** (*US*) VT SEP *situation* redresser, rétablir; *company* redresser ✦ **they have turned the company round** ils ont redressé l'entreprise ✦ **the firm has turned itself round** l'entreprise s'est redressée or s'est rétablie
VI **a** [*company*] se redresser, se rétablir **b** [*ship*] décharger dans un port et repartir.

**turnround** (*Brit*) /'tɜːnraʊnd/, **turnaround** (*US*) /'tɜːn,əraʊnd/ N **a** (= *improvement*) [*company, economy*] redressement m, rétablissement m ✦ **corporate turnaround** redressement d'entreprises ✦ **economic turnaround** retournement de conjoncture économique ✦ **there was a turnaround in the trend** il y a eu un retournement de tendance **b** [*position, point of view*] volte-face f, revirement m **c** (= *unloading time*) [*ship*] starie f, estarie f, jours mpl de planche ✦ **delivery turnround** délai de livraison **d** (*St Ex*) ✦ **order turnround** gestion des ordres

---

*compounds/composés*

+ **turnround time** *(Ind)* délai *or* temps d'exécution; *(Comp)* délai de basculement, temps de retournement + **the turnround time for our trucks is 3 hours** nos camions opèrent des rotations de 3 heures.

---

**turn up** vi *[prices]* remonter + **profits have turned up in the last quarter** les bénéfices sont en hausse *or* remontent au dernier trimestre + **sales are turning up** les ventes remontent *or* reprennent *or* sont en hausse.

**turnup** /'tɜːnʌp/ N remontée f, redressement m (*in* de)

**twelfth** /twelfθ/ ADJ, N douzième mf + **in the twelfth place** douzièmement → **sixth.**

**twelfthly** /twelfθlɪ/ ADV douzièmement.

**twelve** /twelv/ ADJ, N douze + **about twelve, twelve or so** une douzaine → **six.**

**twentieth** /'twentɪθ/ ADJ, N vingtième mf + **in the twentieth place** vingtièmement → **sixth.**

**twenty** /'twentɪ/ ADJ, N vingt m + **twenty-first** vingt-et-unième + **twenty-two / -three** vingt-deux / -trois + **twenty-four hours** vingt-quatre heures + **twenty-four hours a day** vingt-quatre heures sur vingt-quatre + **twenty-four-hour service** service vingt-quatre heures sur vingt-quatre, service jour et nuit + **about twenty, twenty or so** une vingtaine → **sixty.**

**twin pack** /'twɪnpæk/ N paquet m double.

**two** /tuː/ ADJ, N deux m → **six**

---

*compounds/composés*

+ **two-bits** \* *(US)* 25 cents mpl
+ **two-digit** + **two-digit inflation** inflation à deux chiffres
+ **two-direction** bidirectionnel
+ **two-sided** **two-sided diskette** disquette double face
+ **two-speed** à deux vitesses + **two-speed economy** économie à deux vitesses
+ **two-storey** à deux étages
+ **two-tier** **two-tier financing** financement à deux étages + **two-tier pay structure** échelle de rémunérations à deux niveaux *or* à deux vitesses
+ **two-way** *street* à double sens; *traffic* dans les deux sens; *negotiations, agreement* bilatéral; *(Comp)* interactif, bidirectionnel + **two-way split** division en deux + **two-way stock split** division des titres par deux.

---

**twofer** \* /'tuːfər/ *(US)* N deux articles mpl pour le prix d'un.

**twofold** /'tuːfəʊld/ ADJ double

ADV **to increase twofold** être multiplié par deux, augmenter du double.

**twopence** /'tʌpəns/ *(Brit)* N deux pence mpl.

**tycoon** /taɪ'kuːn/ N magnat m, brasseur m d'affaires + **financial tycoon** magnat *or* roi de la finance.

**type** /taɪp/ N a *(gen)* type m ; *(Comm) [product]* marque f ; *[car]* marque f, modèle m b *(Typ)* caractère m + **to set sth in type** composer qch + **in type** composé + **in large / small type** en gros / petits caractères + **in bold type** en caractères gras + **in italic type** en italique

---

*compounds/composés*

+ **type array** jeu *or* police de caractères
+ **type-in** *(= act)* introduction, frappe; *(= text)* message *or* texte d'entrée
+ **type-out** *(Comp)* message *or* texte de sortie
+ **type wheel** marguerite, roue à caractères

---

vt *document* taper (à la machine), dactylographier + **the report is being typed** le rapport est à la frappe

vi *[secretary]* taper à la machine + **you must be able to type** vous devez savoir taper à la machine *or* connaître la dactylo.

**typebar** /'taɪpbɑːr/ N barre f d'impression.

**typeface** /'taɪpfeɪs/ N police f de caractères.

**type in** vt sep *(Comp) data* entrer au clavier, saisir + **type in the name of your file** entrez le nom de votre fichier.

**type out** vt sep a *(= type) letter, report* taper b *(= erase) error* effacer.

**type over** vt a *(= type again)* retaper b *(= erase)* effacer en retapant.

**typescript** /'taɪpskrɪpt/ N texte m dactylographié, tapuscrit m.

**typeset** /'taɪpset/ vt composer.

**typesetter** /'taɪpsetər/ N *(= person)* compositeur m, typographe mf ; *(= machine)* composeuse f, linotype f.

**typesetting** /'taɪpsetɪŋ/ N composition f (typographique).

**typewrite** /'taɪpraɪt/ vi écrire *or* taper à la machine, dactylographier.

**typewriter** /'taɪpraɪtər/ N machine f à écrire + **typewriter ball** sphère d'impression.

**typewritten** /'taɪprɪtən/ ADJ dactylographié, tapé (à la machine).

**typing** /ˈtaɪpɪŋ/ **N**  *(= skill)* dactylographie f ; *[document]* frappe f ◆ **who's going to do the typing?** qui va s'occuper de la frappe?

————— *compounds/composés* —————

◆ **typing error** faute de frappe
◆ **typing-in** *[data]* saisie
◆ **typing pool** bureau *or* pool de dactylos ◆ **she works in the typing pool** elle est à la dactylo ◆ **to send sth to the typing pool** envoyer qch à la dactylo
◆ **typing speed** vitesse de frappe ◆ **her typing speed is 60** elle tape 60 mots par minute.

**typist** /ˈtaɪpɪst/ **N** dactylo mf, dactylographe mf ◆ **shorthand typist** sténo-dactylo ◆ **touch typist** *(gen)* dactylo de premier ordre; *(Comp)* claviste, opérateur de saisie.

**typo** \* /ˈtaɪpəʊ/ **N** *(= error)* coquille f (typographique).

**typographer** /taɪˈpɒɡrəfəʳ/ **N** typographe mf.

**typographical** /ˌtaɪpəʊˈɡræfɪkəl/ **ADJ** typographique.

**typography** /taɪˈpɒɡrəfɪ/ **N** typographie f.

# U

**UAE** /ˌjuːeɪˈiː/ **N** (abbr of **United Arab Emirates**) EAU mpl.

**UAW** /ˌjuːeɪˈdʌblju/ (*US*) **N** abbr of **United Automobile Workers.**

**uberrimae fidei** /ˈjuːbəriːməˈfaɪdiː/ **ADJ** (*Jur*) de bonne foi.

**u / c** abbr of **undercharge.**

**UCITS** /juːsiːaɪtiːˈes/ **N** (abbr of **undertakings for collective investment in transferable securities**) OPCVM mpl.

**Uganda** /juːˈgændə/ **N** Ouganda m.

**Ugandan** /juːˈgændən/ **ADJ** ougandais **N** (= *inhabitant*) Ougandais(e) m(f).

**UK** /juːˈkeɪ/ **N** (abbr of **United Kingdom**) Royaume m uni, RU.

**Ukraine** /juːˈkreɪn/ **N** ♦ **the Ukraine** l'Ukraine f.

**Ukrainian** /juːˈkreɪnɪən/ **ADJ** ukrainien **N** **a** (= *language*) ukrainien m **b** (= *inhabitant*) Ukrainien(ne) m(f).

**Ulan Bator** /ʊˈlɑːnˈbɑːtɔː/ **N** Oulan-Bator.

**ullage** /ˈʌlɪdʒ/ **N** (*Customs*) manquant m.

**Ulster** /ˈʌlstəʳ/ **N** Ulster m, Irlande f du Nord.

**ult.** abbr of **ultimo.**

**ultimate** /ˈʌltɪmɪt/ **ADJ** **a** (= *final*) result final ♦ **the ultimate consumer** le consommateur final **b** (= *best*) suprême ♦ **the ultimate computer** ce qu'il y a de mieux en matière d'ordinateur.

**ultimatum** /ˌʌltɪˈmeɪtəm/ **N** ultimatum m ♦ **to give sb an ultimatum** donner un ultimatum à qn.

**ultimo** /ˈʌltɪməʊ/ **ADV** du mois dernier ♦ **your letter of the 3rd ultimo** votre lettre du 3 dernier.

**ultra-speculative** /ˌʌltrəˈspekjʊlətɪv/ **ADJ** ultra-spéculatif.

**ultravires** /ˌʌltrəˈvaɪriːz/ **ADJ** (*Jur*) antistatutaire, illégal ♦ **this contract is ultravires** ce contrat est illégal *or* contraire aux statuts de la société ♦ **ultravires borrowing** *emprunt que ne justifient pas les objectifs de la société*.

**u / m** abbr of **undermentioned.**

**umbrella** /ʌmˈbrelə/ **N** (*fig*) protection f ♦ **under the umbrella of** sous les auspices de ♦ **umbrella committee** comité de coordination ♦ **umbrella project** projet cadre.

**UMTS** /juːemtiːˈes/ **ADJ** (abbr of **Universal Mobile Telecommunication System**) UMTS m ♦ **UMTS licence** licence UMTS.

**UN** /juːˈen/ **N** (abbr of **United Nations**) Nations fpl unies, NU.

**unabridged** /ˌʌnəˈbrɪdʒd/ **ADJ** *document* intégral, complet, non abrégé.

**unacceptable** /ˌʌnəkˈseptəbl/ **ADJ** *offer* inacceptable.

**unaccepted** /ˌʌnəkˈseptɪd/ **ADJ** *bill* non accepté.

**unaccounted** /ˌʌnəˈkaʊntɪd/ **ADJ** ♦ **unaccounted for** (*gen*) inexpliqué; (*Fin*) non inscrit au bilan ♦ **three crates are still unaccounted for** il manque toujours trois caisses ♦ **this sum is unaccounted for in the balance sheet** cette somme ne figure pas au bilan.

**unaccredited** /ˌʌnəˈkredɪtɪd/ **ADJ** non accrédité.

**unacknowledged** /ˌʌnək'nɒlɪdʒd/ **ADJ** *letter* resté sans réponse, dont on n'a pas accusé réception.

**unadjusted** /ˌʌnə'dʒʌstɪd/ **ADJ** non corrigé ♦ **in unadjusted figures** en données brutes non corrigées ♦ **seasonally unadjusted employment figures** statistiques du chômage non corrigées des variations saisonnières *or* non désaisonnalisées.

**unadvertised** /ˌʌn'ædvətaɪzd/ **ADJ** *meeting, departure* non annoncé, sans publicité.

**unadvisable** /ˌʌnəd'vaɪzəbl/ **ADJ** imprudent, inopportun ♦ **we deem it unadvisable to do** nous jugeons inopportun de faire, il nous semble peu recommandé de faire.

**unaffected** /ˌʌnə'fektɪd/ **ADJ** non affecté (*by* par) ♦ **the firm is unaffected by the new regulations** l'entreprise n'est pas touchée par la nouvelle réglementation.

**unaffiliated** /ˌʌnə'fɪlɪeɪtɪd/ **ADJ** non affilié (*to* à)

**unalienable** /ʌn'eɪljənəbl/ **ADJ** *right* inaliénable.

**unallocated** /ʌn'æləkeɪtɪd/ **ADJ** *money* non alloué, sans affectation; *job* non attribué.

**unallotted** /ˌʌnə'lɒtɪd/ **ADJ** *shares* non réparti, non attribué.

**unaltered** /ʌn'ɒltəd/ **ADJ** (*gen*) non modifié; *share prices* inchangé.

**unamortized, unamortised** /ˌʌnə'mɔːtaɪzd/ **ADJ** non amorti.

**unanimity** /ˌjuːnə'nɪmɪtɪ/ **N** unanimité f.

**unanimous** /juː'nænɪməs/ **ADJ** unanime ♦ **the board was unanimous in rejecting the proposal** le conseil d'administration a rejeté cette proposition à l'unanimité.

**unanimously** /juː'nænɪməslɪ/ **ADV** à l'unanimité ♦ **unanimously accepted** voté à l'unanimité.

**unanswered** /ˌʌn'ɑːnsəd/ **ADJ** *problem* sans réponse, non résolu; (*Jur*) *charge* irréfuté; *letter* sans réponse.

**unanticipated** /ˌʌnæn'tɪsɪpeɪtɪd/ **ADJ** *expense* imprévu.

**unappropriated** /ˌʌnə'prəʊprɪeɪtɪd/ **ADJ** *funds* disponible, non réparti ♦ **unappropriated profits** bénéfices non distribués ♦ **unappropriated surplus** report à nouveau, excédent disponible.

**unapproved** /ˌʌnə'pruːvd/ **ADJ** (*gen*) non approuvé; (*Customs*) non agréé ♦ **unapproved funds** fonds sans affectation.

**unassailable** /ˌʌnə'seɪləbl/ **ADJ** *argument* inattaquable, irréfutable.

**unassessed** /ˌʌnə'sesd/ **ADJ** *income* non imposé.

**unassignable** /ˌʌnə'saɪnəbl/ **ADJ** (*Jur*) inaliénable, incessible.

**unassured** /ˌʌnə'ʃʊəd/ **ADJ** (*Jur*) non assuré.

**unattached** /ˌʌnə'tætʃt/ **ADJ** (*Jur*) non saisi.

**unattainable** /ˌʌnə'teɪnəbl/ **ADJ** *objective* inaccessible.

**unattended** /ˌʌnə'tendɪd/ **ADJ** ♦ **unattended answering** (*Comp*) réponse automatique.

**unattested** /ˌʌnə'testɪd/ **ADJ** non attesté.

**unaudited** /ʌn'ɔːdɪtɪd/ **ADJ** non contrôlé, non vérifié.

**unauthenticated** /ˌʌnɔː'θentɪkeɪtɪd/ **ADJ** (*Jur*) non légalisé ♦ **unauthenticated signature** signature non authentifiée.

**unauthorized, unauthorised** /ʌn'ɔːθəraɪzd/ **ADJ** *person* non autorisé; *practice* illicite ♦ **no unauthorized access** accès interdit à toute personne étrangère au service.

**unavailability** /ˌʌnəˌveɪlə'bɪlɪtɪ/ **N** indisponibilité f.

**unavailable** /ˌʌnə'veɪləbl/ **ADJ** *person, funds* indisponible, non disponible; (*Comm*) *article* épuisé ♦ **unavailable time** (*Comp*) temps d'indisponibilité ♦ **Mr Smith is unavailable at present** M. Smith n'est pas disponible pout le moment.

**unavoidable** /ˌʌnə'vɔɪdəbl/ **ADJ** (*gen*) inévitable ♦ **unavoidable costs** frais fixes.

**unbacked** /ʌn'bækt/ **ADJ** (*Fin*) *account* non soldé.

**unbalanced** /ʌn'bælənst/ **ADJ** *account* non soldé.

**unbankable** /ʌn'bæŋkəbl/ **ADJ** (*Fin*) non bancable, hors banque.

**unblock** /ʌn'blɒk/ **VT** (*Comp*) dégrouper; *credit* débloquer.

**unbranded** /ʌn'brændɪd/ **ADJ** ♦ **unbranded goods** produits libres *or* génériques *or* sans marque.

**unbundle** /ʌn'bʌndl/ **VT** (*gen*) séparer, dégrouper; (*after a buyout*) vendre par appartements; *price* (*into separate items*) détailler, tarifer séparément.

**unbundling** /ʌn'bʌndlɪŋ/ **N** (*gen*) séparation f; (*after a buyout*) vente f par appartements.

**unbusinesslike** /ʌn'bɪznɪslaɪk/ **ADJ** *trader* peu commerçant; *transaction* irrégulier, contraire à la pratique commerciale.

**uncallable** /ʌn'kɔːləbl/ **ADJ** (*Fin*) non remboursable, sans possibilité d'amortissement.

**uncalled** /ʌnˈkɔːld/ **ADJ** (Fin) anticipé ◆ **uncalled capital** capital non appelé.

**uncashed** /ʌnˈkæʃt/ **ADJ** cheque non encaissé.

**uncertainty** /ʌnˈsɜːtntɪ/ **N** (gen) incertitude f, doute m ; (Ins) risque m non assurable (Jur : in will) imprécision f.

**uncharged** /ʌnˈtʃɑːdʒd/ **ADJ** (Customs) goods exempt de droit ◆ **uncharged time** (Comp) temps machine non imputé.

**unchecked** /ʌnˈtʃekt/ **ADJ** figures non contrôlé, non vérifié ◆ **the goods should not have left the factory unchecked** les marchandises auraient dû être vérifiées au départ de l'usine.

**unclaimed** /ʌnˈkleɪmd/ **ADJ** non réclamé ◆ **unclaimed letter / parcel** lettre / colis en souffrance ◆ **unclaimed right** droit non revendiqué.

**uncleared** /ʌnˈklɪəd/ **ADJ** **a** (Customs) non dédouané **b** cheque non compensé ◆ **the cheque may be uncleared** le chèque peut ne pas avoir été compensé or viré ◆ **the bank reserves the right at any time to restrict cash withdrawals against uncleared effects** la banque se réserve le droit de limiter à tout moment les paiements contre effets non compensés.

**uncollectable** /ˌʌnkəˈlektəbl/ **ADJ** tax non recouvrable.

**uncollected** /ˌʌnkəˈlektɪd/ **ADJ** tax non perçu, non recouvré.

**uncommissioned** /ˌʌnkəˈmɪʃnd/ **ADJ** ship désarmé.

**uncommitted** /ˌʌnkəˈmɪtɪd/ **ADJ** non engagé, libre; resources non affecté ◆ **we are uncommitted to buying until we sign a contract** nous ne sommes pas tenus d'acheter avant la signature d'un contrat.

**uncompleted** /ˌʌnkəmˈpliːtɪd/ **ADJ** inachevé.

**uncompromising** /ʌnˈkɒmprəmaɪzɪŋ/ **ADJ** intransigeant, inflexible.

**unconditional** /ˌʌnkənˈdɪʃənl/ **ADJ** inconditionnel, sans condition, sans réserve ◆ **unconditional acceptance** acceptation sans réserve.

**unconditionally** /ˌʌnkənˈdɪʃnəlɪ/ **ADV** sans réserve, sans condition.

**unconfirmed** /ˌʌnkənˈfɜːmd/ **ADJ** credit non confirmé.

**unconscionable** /ʌnˈkɒnʃnəbl/ **ADJ** use of funds, demand abusif.

**unconsolidated** /ˌʌnkənˈsɒlɪdeɪtɪd/ **ADJ** (Fin) non consolidé.

**uncontrollable** /ˌʌnkənˈtrəʊləbl/ **ADJ** inflation, costs, increase qui ne peut être enrayé or contenu ◆ **uncontrollable expenditures** dépenses incompressibles.

**uncontrolled** /ˌʌnkənˈtrəʊld/ **ADJ** incontrôlé, non maîtrisé, non contenu.

**unconverted** /ˌʌnkənˈvɜːtɪd/ **ADJ** non converti.

**unconvertible** /ˌʌnkənˈvɜːtəbl/ **ADJ** (Fin) inconvertible, non convertible.

**uncorrected** /ˌʌnkəˈrektɪd/ **ADJ** non redressé, non rectifié, non corrigé.

**uncovered** /ʌnˈkʌvəd/ **ADJ** ◆ **uncovered balance** (Fin) découvert ◆ **uncovered advance** avance à découvert ◆ **uncovered bear** (St Ex) baissier à découvert ◆ **uncovered cheque** chèque sans provision, chèque non provisionné ◆ **uncovered option** option non couverte.

**uncrossed** /ʌnˈkrɒst/ **ADJ** cheque non barré.

**UNCTAD** /ˈʌŋktæd/ **N** (abbr of **United Nations Conference on Trade and Development**) CNUCED f.

**uncurbed** /ʌnˈkɜːbd/ **ADJ** competition effréné.

**uncurtailed** /ˌʌnkɜːˈteɪld/ **ADJ** competition libre, sans restriction; rights plein et entier.

**uncustomed** /ʌnˈkʌstəmd/ **ADJ** (Customs) libre à l'entrée; (= illegally) en contrebande, en fraude.

**uncustomized, uncustomised** /ʌnˈkʌstəmaɪzd/ **ADJ** non personnalisé, banalisé.

**undamaged** /ʌnˈdæmɪdʒd/ **ADJ** non endommagé, en bon état.

**undamped** /ʌnˈdæmpt/ **ADJ** (Econ) demand soutenu.

**undated** /ʌnˈdeɪtɪd/ **ADJ** sans date, non daté.

**undebugged** /ˌʌndɪˈbʌgd/ **ADJ** (Comp) non débogué.

**undecided** /ˌʌndɪˈsaɪdɪd/ **ADJ** indécis, hésitant ◆ **the point is still undecided** la question n'est toujours pas réglée, la question est toujours en suspens.

**undelivered** /ˌʌndɪˈlɪvəd/ **ADJ** ◆ **if undelivered please return to sender** en cas de non-distribution prière de renvoyer à l'expéditeur ◆ **the goods have remained undelivered** les marchandises n'ont pas été livrées.

**undepreciated** /ˌʌndɪˈpriːʃieɪtɪd/ **ADJ** non amorti.

**undepressed** /ˌʌndɪˈprest/ **ADJ** (St Ex) soutenu, ferme.

**under** /ˈʌndəʳ/ **PREP** **a** (= beneath) sous; (= less than) moins de ◆ **it was done in under a day** ça a été fait en moins d'une journée ◆ **it sells at**

*or* **for under $20** cela se vend à moins de 20 dollars **b** *(phrases)* ✦ **sent under plain cover** envoyé sous pli discret ✦ **under the circumstances** étant donné les circonstances ✦ **your application is under consideration** votre candidature est à l'étude ✦ **the matter is still under discussion** l'affaire est toujours en cours de discussion ✦ **the year under review** l'exercice considéré ✦ **the recovery is under way** la reprise est en bonne voie ✦ **under ship's derrick** sous-palan ✦ **under the terms of the contract** aux termes du contrat, suivant les termes du contrat.

**underabsorb** /ˌʌndərəbˈsɔːb/ **VT** *costs* sous-imputer.

**underabsorbed** /ˌʌndərəbˈsɔːbd/ **ADJ** *costs* non absorbé.

**underabsorption** /ˌʌndərəbˈsɔːpʃən/ **N** non-absorption f ✦ **underabsorption of costs** sous-imputation des coûts (fixes).

**underassess** /ˌʌndərəˈses/ **VT** sous-évaluer, sous-imposer.

**underassessment** /ˌʌndərəˈsesmənt/ **N** *(Tax)* sous-imposition f.

**underbid** /ˌʌndəˈbɪd/ **VT** offrir des conditions plus avantageuses que; *(in tender bid)* faire une soumission moins élevée que ✦ **we cannot allow ourselves to be underbid on this contract** nous ne pouvons pas nous permettre d'offrir des conditions moins avantageuses que les autres sur ce contrat.

**undercapitalization** /ˌʌndəˌkæpɪtəlaɪzeɪʃən/ **N** sous-capitalisation f.

**undercapitalized, undercapitalised** /ˌʌndəˈkæpɪtəlaɪzd/ **ADJ** sous-capitalisé ✦ **to be undercapitalized** *businessman* ne pas disposer de fonds suffisants; *project* être sous-capitalisé, ne pas être doté de fonds suffisants.

**undercharge** /ˌʌndəˈtʃɑːdʒ/ **VT** ne pas faire payer assez à ✦ **his account was undercharged** son compte a été insuffisamment débité ✦ **I was undercharged (by) 5 dollars** on m'a compté 5 dollars en moins.

**underconsumption** /ˌʌndəkənˈsʌmpʃən/ **N** sous-consommation f.

**undercover** /ˌʌndəˈkʌvər/ **ADJ** secret ✦ **undercover payments** dessous de table.

**undercut** /ˌʌndəˈkʌt/ **VT** **a** *competitor* vendre moins cher *or* à meilleur prix que **b** *(fig, Econ) value of currency, pension* réduire la valeur de

✦ **inflation undercuts purchasing power** l'inflation sape le pouvoir d'achat, le pouvoir d'achat est érodé par l'inflation.

**undercutting** /ˌʌndəkʌtɪŋ/ **N** *(Comm)* vente f à prix défiant toute concurrence.

**underdeveloped** /ˌʌndədɪˈveləpt/ **ADJ** sous-développé ✦ **underdeveloped countries** pays sous-développés.

**underdevelopment** /ˌʌndədɪˈveləpmənt/ **N** sous-développement.

**underemployed** /ˌʌndərɪmˈplɔɪd/ **ADJ** *person, equipment* sous-employé; *resources* sous-exploité.

**underemployment** /ˌʌndərɪmˈplɔɪmənt/ **N** *[person]* sous-emploi m ; *[resources]* sous-exploitation f.

**underequipped** /ˌʌndərɪˈkwɪpt/ **ADJ** sous-équipé.

**underestimate** /ˌʌndərˈestɪmɪt/ **VT** sous-estimer, sous-évaluer.

**underestimation** /ˌʌndərestɪˈmeɪʃən/ **N** sous-estimation f.

**underfinanced** /ˌʌndəfaɪˈnænst/ **ADJ** ✦ **to be underfinanced** *project* ne pas être doté de moyens de financement suffisants; *businessman* ne pas disposer de fonds suffisants.

**underfunded** /ˌʌndəˈfʌndɪd/ **ADJ** ✦ **to be underfunded** *project* ne pas être doté de moyens de financement suffisants; *businessman* ne pas disposer de fonds suffisants.

**underfunding** /ˌʌndəˈfʌndɪŋ/ **N** financement m insuffisant.

**underground** /ˈʌndəgraʊnd/ **ADJ** *organization* secret, clandestin ✦ **underground economy** économie souterraine.

**underhand** /ˌʌndəˈhænd/ **ADJ** secret ✦ **underhand dealings** transactions en sous-main ✦ **underhand pressures** pressions occultes.

**underinsurance** /ˌʌndərɪnˈʃʊərəns/ **N** sous-assurance f.

**underinsure** /ˌʌndərɪnˈʃʊər/ **VT** sous-assurer ✦ **the premises are underinsured** les locaux ne sont pas suffisamment couverts par l'assurance.

**underinvest** /ˌʌndərɪnˈvest/ **VI** sous-investir.

**underinvestment** /ˌʌndərɪnˈvestmənt/ **N** sous-investissement m.

**underlease** /ˈʌndəliːs/ **N** sous-location f, sous-bail m.

**underlessee** /ˌʌndəle'siː/ N sous-locataire mf.

**underlessor** /'ʌndəlesəʳ/ N sous-bailleur m.

**underline** /ˌʌndə'laɪn/ VT *(lit, fig)* souligner ✦ the figures underline the seriousness of the problem les chiffres mettent en évidence *or* soulignent la gravité du problème.

**underling** /'ʌndəlɪŋ/ N subalterne m, sous-fifre m inv *.

**underloaded** /ˌʌndə'ləʊdɪd/ ADJ *(Comp)* sous-utilisé.

**underlying** /ˌʌndə'laɪɪŋ/ ADJ *(= hidden)* sous-jacent, caché ✦ underlying asset *(of a derivative)* sous-jacent ✦ underlying assets actifs sous-jacents ✦ underlying company filiale ✦ underlying inflation inflation sous-jacente ✦ underlying instrument *(St Ex)* valeur support ✦ underlying loss perte sous-jacente ✦ underlying mortgage hypothèque de priorité.

**undermanned** /ˌʌndə'mænd/ ADJ ✦ to be undermanned manquer de personnel, avoir un effectif insuffisant, être en sous-effectifs.

**undermanning** /'ʌndəmænɪŋ/ N insuffisance f d'effectifs, manque m de personnel.

**undermentioned** /ˌʌndə'menʃənd/ ADJ (mentionné *or* cité) ci-dessous.

**undermine** /ˌʌndə'maɪn/ VT *influence, power* saper, miner.

**underpaid** /ˌʌndə'peɪd/ ADJ sous-payé.

**underpay** /ˌʌndə'peɪ/ VT *worker* sous-payer, sous-rémunérer.

**underperform** /ˌʌndəpə'fɔːm/ **VI** *(St Ex)* mal se comporter, faire une contre-performance, avoir de moins bonnes performances que l'ensemble du marché ✦ the stock has underperformed on the Brussels stock market le titre ne s'est pas comporté comme il aurait dû à la Bourse de Bruxelles, le titre a fait une contre-performance à la Bourse de Bruxelles **VT** *[market, index]* sous-performer.

**underperforming** /ˌʌndəpə'fɔːmɪŋ/ ADJ insuffisamment performant ✦ underperforming divisions will be sold les départements peu rentables seront vendus.

**underpin** /ˌʌndə'pɪn/ VT *project* étayer.

**underpopulated** /ˌʌndə'pɒpjʊleɪtɪd/ ADJ sous-peuplé.

**underprice** /ˌʌndə'praɪs/ VT mettre un prix trop bas à, ne pas faire payer assez cher pour ✦ this product is underpriced ce produit n'est pas à son prix.

**underprivileged** /ˌʌndə'prɪvɪlɪdʒd/ ADJ *pays* déshérité ✦ the underprivileged les économiquement faibles.

**underproduce** /ˌʌndəprə'djuːs/ VT sous-produire.

**underproduction** /ˌʌndəprə'dʌkʃən/ N sous-production f.

**underquote** /ˌʌndəkwəʊt/ VT ✦ to underquote a business competitor faire une meilleure offre que la concurrence.

**underrate** /ˌʌndə'reɪt/ VT *(Tax)* sous-taxer; *person* sous-estimer; *size* sous-évaluer.

**underrecovery** /ˌʌndərɪ'kʌvərɪ/ N ✦ underrecovery of overhead costs sous-imputation des frais généraux.

**underreport** /ˌʌndərɪ'pɔːt/ VT *income* ne pas déclarer entièrement, minorer.

**underreporting** /ˌʌndərɪ'pɔːtɪŋ/ N *[income]* déclaration f insuffisante, minoration f.

**underrepresented** /ˌʌndərepri'zentɪd/ ADJ sous-représenté.

**underscore** /ˌʌndə'skɔːʳ/ VT *(lit, fig)* souligner ✦ it underscores the need for prompt action cela souligne *or* met en évidence la nécessité d'agir vite.

**under-secretary** /ˌʌndə'sekrətrɪ/ N sous-secrétaire mf.

**undersell** /ˌʌndə'sel/ VT **a** *competitor* vendre moins cher que ✦ we undersell all our competitors nous sommes moins chers que tous nos concurrents **b** *article* vendre au-dessous de sa valeur ✦ to undersell o.s. *(fig)* ne pas savoir se vendre, ne pas se montrer à sa juste valeur.

**underselling** /'ʌndəselɪŋ/ N cassage m des prix.

**undersign** /ˌʌndəsaɪn/ VT soussigner.

**undersigned** /'ʌndəsaɪnd/ N ✦ I (the undersigned) declare that... Je soussigné déclare que...

**underspend** /ˌʌndə'spend/ **VT** *budget* ne pas utiliser totalement, ne pas dépenser entièrement **VI** ne pas dépenser entièrement le budget prévu **N** there was an underspend on new equipment nous n'avons pas utilisé la totalité du budget prévu pour le nouveau matériel.

**underspending** /ˌʌndə'spendɪŋ/ N sous-utilisation f des fonds disponibles.

**understaffed** /ˌʌndəˈstɑːft/ **ADJ** ✦ **to be understaffed** manquer de personnel,, avoir un effectif insuffisant, être en sous-effectifs.

**understaffing** /ˈʌndəstɑːfɪŋ/ **N** manque m de personnel, insuffisance f d'effectifs.

**understand** /ˌʌndəˈstænd/ **VT** comprendre ✦ **I understood we were to be paid monthly** j'ai cru comprendre que nous devions être mensualisés ✦ **we were given to understand that…** on nous a donné à entendre que…

**understanding**    /ˌʌndəˈstændɪŋ/   **N**   **a** *(= agreement)* accord m, entente f ✦ **we agreed to pay him extra on the understanding that there would be no delays** nous avons accepté de lui donner un supplément à (la) condition qu'il n'y aurait aucun retard ✦ **we have come to an understanding** nous sommes arrivés à un accord ✦ **I have an understanding with our local dealer** je me suis entendu avec notre détaillant   **b** *(= comprehension)* compréhension f.

**undersubscribed** /ˌʌndəsəbˈskraɪbd/ **ADJ** non couvert, non entièrement souscrit ✦ **the issue was undersubscribed** l'émission n'a pas été couverte or entièrement souscrite.

**undertake** /ˌʌndəˈteɪk/ **VT** *task* entreprendre, se charger de.

**undertaking** /ˌʌndəˈteɪkɪŋ/ **N**   **a** *(= promise)* engagement m, promesse f   **b** *(= company)* entreprise f ✦ **undertakings for collective investment in transferable securities** organismes de placement collectifs en valeurs mobilières.

**undertax** /ˌʌndəˈtæks/ **VT** *person* sous-imposer; *goods* taxer insuffisamment.

**under-the-counter** /ˌʌndəðəˈkauntər/ **ADJ** ✦ **under-the-counter payment** dessous de table ✦ **under-the-counter sales** vente à la sauvette.

**undertone** /ˈʌndətəʊn/ **N** ambiance f générale ✦ **the undertone of the market is more buoyant than last week** la tendance générale du marché est plus active que la semaine dernière ✦ **the market undertone is diffident** le climat est à la méfiance sur le marché.

**underuse** /ˌʌndəˈjuːz/ **VT** *resources* sous-utiliser, sous-employer   **N** sous-utilisation f.

**underutilize, underutilise** /ˌʌndəˈjuːtɪlaɪz/ **VT** *resources* sous-utiliser, sous-employer.

**undervaluation** /ˌʌndəvæljuːˈeɪʃən/ **N** sous-estimation f, sous-évaluation f.

**undervalue** /ˌʌndəˈvæljuː/ **VT** sous-estimer, sous-évaluer.

**undervalued** /ˌʌndəˈvæljuːd/ **ADJ** *currency* sous évalué ✦ **these premises are undervalued** ces locaux valent plus que leur prix or ne sont pas à leur prix.

**under way** /ˌʌndəˈweɪ/ **ADV** en cours ✦ **the bank will continue the program currently under way** la banque poursuivra le programme actuellement en cours.

**underweight** /ˌʌndəˈweɪt/ **ADJ** *(St Ex)* ✦ **to be underweight in a market** être sous-exposé sur un marché.

**underwrite** /ˌʌndəˈraɪt/ **VT** *loan, share* garantir; *insurance policy* réassurer; *risk* garantir, assurer; *project* financer ✦ **the EU Commission has underwritten the cost of this project** la commission européenne prend en charge les frais de ce projet.

**underwriter** /ˈʌndəˌraɪtər/ **N** *(Fin, St Ex)* *[loan]* garant m, syndicataire m ; *[securities issue]* syndicataire m ; *(in a syndicate taking up all the securities)* preneur m ferme, syndicataire m ; *(Ins)* réassureur m ✦ **the underwriters** *[securities]* le syndicat d'émission or de garantie or de prise ferme ✦ **cargo / hull underwriter** *(Ins)* assureur sur facultés / sur corps ✦ **leading underwriter** *(Fin)* (banque) chef de file; *(Ins)* apériteur.

**underwriting** /ˈʌndəraɪtɪŋ/ **N** *[loan, share, amount]* garantie f ; *(in a syndicate taking up all the securities)* prise f ferme; *(Ins)* *[risk]* assurance f

───── *compounds/composés* ─────

- **underwriting account** *(Ins)* note d'assurance
- **underwriting commission** *(Fin)* commission de garantie
- **underwriting contract** *(Fin)* contrat de garantie, acte syndical
- **underwriting syndicate** *(St Ex)* syndicat d'émission or de garantie or de prise ferme
- **underwriting share** part syndicale.

**undischarged** /ˌʌndɪsˈtʃɑːdʒd/ **ADJ**   **a** *(Mar)* cargo non déchargé   **b** *(Jur)* bankrupt non réhabilité   **c** *debt* non acquitté, non liquidé, non soldé, impayé.

**undisclosed** /ˌʌndɪsˈkləʊzd/ **ADJ** non dévoilé, non rendu public ✦ **undisclosed sum** montant non révélé.

**undiscountable** /ˌʌndɪsˈkauntəbl/ **ADJ** inescomptable.

**undisposed of** /ˌʌndɪsˈpəʊzdɒf/ **ADJ** *(Comm)* stock non écoulé, non vendu.

**undistributable** /ˌʌndɪs'trɪbjʊtəbl/ **ADJ** ◆ **undistributable capital** capital non distribuable.

**undistributed** /ˌʌndɪs'trɪbjʊtɪd/ **ADJ** ◆ **undistributed profits** or **earnings** bénéfices non distribués.

**undivided** /ˌʌndɪ'vaɪdɪd/ **ADJ** **a** *profits* non distribué, non réparti **b** *(Jur)* indivis ◆ **undivided property** biens indivis.

**undocumented** /ʌn'dɒkjʊmentɪd/ **ADJ** ◆ **undocumented workers** travailleurs clandestins.

**undue** /ʌn'djuː/ **ADJ** **a** *debt* à échoir **b** *(Jur) influence* illégitime ◆ **exercise of undue authority** abus d'autorité ◆ **undue influence** pressions abusives.

**unduly** /ʌn'djuːlɪ/ **ADV** indûment, à tort.

**unearned** /ʌn'ɜːnd/ **ADJ** non salarial ◆ **unearned income** *(on tax return)* revenus non salariaux, revenus du capital; *(on balance sheet)* produit comptabilisé d'avance ◆ **unearned increment** plus-value ◆ **unearned increment of land** plus-value foncière ◆ **unearned premium** *(Tax)* plus-value.

**unease** /ʌn'iːz/ **N** *(St Ex)* malaise m.

**uneconomic(al)** /ˌʌn,iː'kə'nɒmɪk(əl)/ **ADJ** *machine, car* peu économique; *work, method* peu économique, non rentable ◆ **shutdown of uneconomic departments** fermeture des départements non rentables.

**unemployability** /'ʌnəmplɔɪə'bɪlɪtɪ/ **N** inaptitude f au travail.

**unemployable** /ˌʌnɪm'plɔɪəbl/ **ADJ** inapte au travail.

**unemployed** /ˌʌnɪm'plɔɪd/ **ADJ** *person* sans emploi, sans travail, au chômage; *machine* inutilisé; *capital* inactif, dormant ◆ **unemployed funds** capitaux improductifs
**NPL** **the unemployed** *(gen)* les chômeurs, les sans-emplois; *(Admin)* les demandeurs d'emploi.

**unemployment** /ˌʌnɪm'plɔɪmənt/ **N** chômage m ◆ **to cut** or **reduce unemployment** réduire le chômage ◆ **unemployment levels out** le nombre de chômeurs se stabilise ◆ **absorption of unemployment** résorption du chômage ◆ **cyclical / frictional / residual / seasonal / structural unemployment** chômage cyclique or conjoncturel / frictionnel / résiduel / saisonnier / structurel

───── *compounds/composés* ─────
◆ **unemployment benefit** *(Brit)*
◆ **unemployment compensation** *(US)* allocation or indemnité de chômage
◆ **unemployment figures** chiffres mpl du chômage, nombre de chômeurs
◆ **unemployment insurance** assurance chômage
◆ **unemployment rate** taux de chômage.

**unencumbered** /ˌʌnɪn'kʌmbəd/ **ADJ** *(Jur)* libre d'hypothèque ◆ **unencumbered estate** propriété f non grevée d'hypothèque.

**unendorsed** /ˌʌnɪn'dɔːsd/ **ADJ** non endossé.

**unenforceable** /ˌʌnɪn'fɔːsəbl/ **ADJ** *(Jur)* inapplicable ◆ **unenforceable contract** contrat non exécutoire.

**unentered** /ʌn'entəʳd/ **ADJ** *goods* non enregistré, non déclaré.

**unequitable** /ʌn'ekwɪtəbl/ **ADJ** inéquitable.

**unerased** /ˌʌnɪ'reɪzd/ **ADJ** *(Comp)* non effacé.

**UNESCO** /juː'neskəʊ/ **N** (abbr of **United Nations Educational, Scientific and Cultural Organization**) UNESCO f.

**uneven** /ʌn'iːvən/ **ADJ** *work, quality* inégal, irrégulier; *number* impair.

**unexchangeable** /ˌʌnɪks'tʃeɪndʒəbl/ **ADJ** inéchangeable.

**unexecuted** /ʌn'eksɪkjuːtɪd/ **ADJ** *order* non satisfait.

**unexpended** /ˌʌnɪks'pendɪd/ **ADJ** non dépensé.

**unexpired** /ˌʌnɪks'paɪəd/ **ADJ** non périmé, non expiré, toujours en vigueur, encore valide.

**unfailing** /ʌn'feɪlɪŋ/ **ADJ** *supply* inépuisable, intarissable.

**unfair** /ʌn'feəʳ/ **ADJ** *person, decision* injuste, inéquitable; *competition* déloyale ◆ **unfair clause** clause abusive ◆ **unfair dismissal** licenciement abusif ◆ **unfair trade** commerce illicite ◆ **unfair trading practices** pratiques commerciales déloyales.

**unfavourable** *(Brit)*, **unfavorable** *(US)* /ʌn'feɪvərəbl/ **ADJ** *conditions, report* défavorable; *moment* peu propice, inopportun ◆ **unfavourable balance of trade** balance commerciale passive or déficitaire or défavorable ◆ **unfavourable exchange** change défavorable.

**unfavourably** /ʌn'feɪvərəblɪ/ **ADV** défavorablement ◆ **I was unfavourably impressed** j'ai eu une impression défavorable.

**unfeasible** /ʌn'fiːzəbl/ **ADJ** irréalisable.

**unfilled** /ʌnˈfɪld/ **ADJ** ✦ **unfilled vacancies** offres d'emploi non satisfaites ✦ **unfilled orders** commandes non satisfaites or non exécutées or en attente.

**unfinished** /ʌnˈfɪnɪʃt/ **ADJ** inachevé, incomplet.

**unfit** /ʌnˈfɪt/ **ADJ** ✦ **unfit for sth / to do** impropre à qch / à faire ✦ **unfit for consumption** impropre à la consommation ✦ **unfit for publication** impubliable ✦ **he is unfit for work** il n'est pas en état de travailler.

**unfledged** /ʌnˈfledʒd/ **ADJ** person, organization qui manque d'expérience.

**unforeseeable** /ˌʌnfɔːˈsiːəbl/ **ADJ** imprévisible.

**unforeseen** /ˌʌnfɔːˈsiːn/ **ADJ** imprévu.

**unformatted** /ʌnˈfɔːmætɪd/ **ADJ** (Comp) non formaté.

**unfounded** /ʌnˈfaʊndɪd/ **ADJ** rumour, allegation sans fondement.

**unfreeze** /ʌnˈfriːz/ **VT** funds débloquer.

**unfriendly** /ʌnˈfrendlɪ/ **ADJ** ✦ **unfriendly takeover attempt** tentative d'OPA hostile or inamicale or agressive.

**unfulfilled** /ˌʌnfʊlˈfɪld/ **ADJ** condition non rempli; promise non tenu; orders non satisfait, non exécuté.

**unfunded** /ʌnˈfʌndɪd/ **ADJ** ✦ **unfunded debt** dette non provisionnée ✦ **unfunded pension scheme** régime de retraite sans capitalisation.

**ungeared** /ʌnˈɡɪəd/ **ADJ** ✦ **ungeared balance sheet** bilan bien équilibré (entre les fonds propres et l'endettement).

**ungraded** /ʌnˈɡreɪdɪd/ **ADJ** hors série.

**unhedged** /ʌnˈhedʒd/ **ADJ** venture, bet hasardeux; (Fin) transaction non couvert.

**UNICEF** /ˈjuːnɪsef/ **N** (abbr of **United Nations International Children's Emergency Fund**) UNICEF m.

**UNIDO** /juːˈniːdəʊ/ **N** (abbr of **United Nations Industrial Development Organization**) UNIDO f.

**uniform** /ˈjuːnɪfɔːm/ **ADJ** (gen) uniforme ✦ **uniform accounting** comptabilité normalisée.

**uniformity** /ˌjuːnɪˈfɔːmɪtɪ/ **N** uniformité f.

**unify** /ˈjuːnɪfaɪ/ **VT** unifier.

**unilateral** /ˌjuːnɪˈlætərəl/ **ADJ** contract unilatéral.

**unilaterally** /ˌjuːnɪˈlætərəlɪ/ **ADV** unilatéralement.

**unimpeachable** /ˌʌnɪmˈpiːtʃəbl/ **ADJ** contract irréprochable; evidence irrécusable.

**unimpressive** /ˌʌnɪmˈpresɪv/ **ADJ** results guère impressionnant, peu convaincant.

**unimproved** /ˌʌnɪmˈpruːvd/ **ADJ** situation, work inchangé, qui ne s'est pas amélioré.

**unincorporated** /ˌʌnɪnˈkɔːpəreɪtɪd/ **ADJ** (Comm, Jur) non enregistré.

**uninsurable** /ˌʌnɪnˈʃʊərəbl/ **ADJ** (Ins) non assurable.

**uninsured** /ˌʌnɪnˈʃʊəd/ **ADJ** (Ins) non assuré; (Post) parcel sans valeur déclarée.

**uninvested** /ˌʌnɪnˈvestɪd/ **ADJ** non investi.

**union** /ˈjuːnjən/ **N** **a** (gen) union f ✦ **customs union** union douanière ✦ **Union of Soviet Socialist Republics** Union des républiques socialistes soviétiques **b** (Ind) syndicat m ✦ **trade union** (Brit), **labor union** (US) syndicat ✦ **Union of Shop, Distributive and Allied Workers** (Brit) syndicat des personnels de la vente et de la distribution ✦ **the Trades Union Congress** (Brit) la confédération des syndicats britanniques ✦ **unions and management** les syndicats et le patronat, les partenaires sociaux ✦ **to join a union** adhérer à un syndicat, se syndiquer ✦ **to belong to a union** être membre d'un syndicat, être syndiqué

—— compounds/composés ——

- ✦ **union agreement** accord syndical
- ✦ **union bashing** * attitude hostile aux syndicats
- ✦ **union card** carte syndicale
- ✦ **union certification** accréditation syndicale
- ✦ **union check-off** retenue pour cotisations syndicales
- ✦ **union dues** cotisations fpl syndicales
- ✦ **union leader** responsable or dirigeant syndical, syndicaliste
- ✦ **union leave** congé pour fonctions syndicales
- ✦ **union local** section syndicale
- ✦ **union-management consultations** consultations fpl syndicats-patronat
- ✦ **union member** syndiqué(e), membre d'un syndicat
- ✦ **union movement** mouvement syndical
- ✦ **union official** or **officer** responsable or dirigeant syndical, syndicaliste
- ✦ **union representative** délégué syndical
- ✦ **union shop** atelier qui n'admet que des travailleurs syndiqués.

**unionism** /ˈjuːnjənɪzəm/ **N** syndicalisme m.

**unionist** /ˈjuːnjənɪst/ **N** syndiqué(e) m(f).

**unionization, unionisation** /ˌjuːnjənaɪˈzeɪʃən/ **N** syndicalisation f ✦ **unionization rate** taux de syndicalisation.

**unionize, unionise** /ˈjuːnjənaɪz/ **VT** syndiquer

**VI** se syndiquer.

**unionman** /'juːnjən,mæn/ **N** syndicaliste m.

**unique** /juːˈniːk/ **ADJ** *(gen)* unique, exceptionnel ♦ **unique selling proposition** offre exclusive *or* spéciale.

**unissued** /ʌnˈɪʃjuːd/ **ADJ** ♦ **unissued debentures / shares** obligations / actions non encore émises, obligations / actions à la souche.

**unit** /'juːnɪt/ **N** *(gen)* unité f ♦ **central processing unit** *(Comp)* unité centrale de traitement ♦ **(visual) display unit** *(Comp)* visuel, console *or* terminal de visualisation ♦ **freight unit** unité payante ♦ **input / output unit** *(Comp)* périphérique d'entrée / de sortie ♦ **monetary unit** unité monétaire ♦ **assembly / manufacturing unit** bloc *or* unité de montage / de fabrication ♦ **production unit** unité de production ♦ **research unit** unité *or* service de recherche ♦ **audio-visual unit** service audio-visuel

─────── *compounds/composés* ───────
♦ **unit of account** *(EU)* unité de compte
♦ **unit charge** *(Telec)* taxe de base, unité de base
♦ **unit cost** prix de revient unitaire ♦ **wage unit cost** coût salarial unitaire
♦ **unit depreciation** amortissement à l'unité
♦ **unit of labour** unité de travail
♦ **unit labour costs** coût unitaire de la main-d'œuvre
♦ **unit price** prix unitaire
♦ **unit of production** unité de production
♦ **unit of trading** *(St Ex)* quotité
♦ **unit trust** ≈ société f d'investissement à capital variable, SICAV
♦ **unit value** valeur unitaire.

**unitary** /'juːnɪtərɪ/ **ADJ** unitaire.

**united** /juːˈnaɪtɪd/ **ADJ** *(= unified)* unifié; *front* uni; *efforts* conjugué.

**United Arab Emirates** /juːˈnaɪtɪdˈærəbeˈmɪərɪts/ **NPL** Émirats mpl arabes unis.

**United Kingdom** /juːˈnaɪtɪdˈkɪŋdəm/ **N** ♦ **the United Kingdom (of Great Britain and Northern Ireland)** le Royaume-Uni (de Grande-Bretagne et d'Irlande du Nord).

**United Nations** /juːˈnaɪtɪdˈneɪʃəns/ **NPL** Nations fpl unies ♦ **United Nations Organization** Organisation des Nations unies ♦ **United Nations Conference on Trade and Development** Conférence des Nations unies pour le commerce et le développement ♦ **United Nations Educational, Scientific and Cultural Organization** Organisation des Nations unies pour l'éducation, la science et la culture ♦ **United Nations Industrial Development Organization** Organi-

sation des Nations unies pour le développement industriel ♦ **United Nations International Children's Emergency Fund** Fonds des Nations unies pour l'enfance.

**United States (of America)** /juːˈnaɪtɪdˈsteɪts(əvəˈmerɪkə)/ **NPL** ♦ **the United States (of America)** les États-Unis (d'Amérique).

**unitholder** /'juːnɪt,həʊldəʳ/ **N** actionnaire mf *(d'une société d'investissement).*

**universal** /juːnɪˈvɜːsəl/ **ADJ** universel ♦ **universal-life policy** assurance vie-entière ♦ **Universal Postal Union** Union postale universelle.

**unjustified** /ʌnˈdʒʌstɪfaɪd/ **ADJ** injustifié.

**unknown** /ʌnˈnəʊn/ **ADJ** inconnu ♦ **unknown at this address** inconnu à cette adresse ♦ **action against person or persons unknown** plainte contre X
**N** *(Math, fig)* inconnue f.

**unladen** /ʌnˈleɪdn/ **ADJ** *ship* à vide ♦ **unladen weight** poids à vide.

**unlawful** /ʌnˈlɔːfʊl/ **ADJ** *means, act* illégal, illicite.

**unleaded** /ʌnˈledɪd/ **ADJ** ♦ **unleaded (gas)** *(US)* essence sans plomb.

**unless** /ənˈles/ **CONJ** à moins que ♦ **unless I hear to the contrary** sauf avis contraire, sauf contre-ordre ♦ **unless otherwise agreed** *or* **stated** *or* **specified** sauf stipulation *or* indication contraire.

**unlicensed** /ʌnˈlaɪsənst/ **ADJ** sans patente, non agréé ♦ **unlicensed broker** courtier marron.

**unlimited** /ʌnˈlɪmɪtɪd/ **ADJ** illimité ♦ **unlimited accounts** *(Bank)* clients *or* comptes jouissant d'un crédit illimité ♦ **unlimited liability** responsabilité illimitée ♦ **unlimited securities** valeurs non admises à la cote officielle, valeurs du marché hors-cote.

**unliquidated** /ʌnˈlɪkwɪdeɪtɪd/ **ADJ** non acquitté.

**unlisted** /ʌnˈlɪstɪd/ **ADJ** *(St Ex) securities* non inscrit à la cote, non admis à la cote officielle *(US Telec)* qui ne figure pas dans l'annuaire, qui est sur la liste rouge ♦ **unlisted security** *or* **stock** titre non coté ♦ **unlisted (securities) market** ≈ second marché, marché hors-cote.

**unload** /ʌnˈləʊd/ **VT** **a** *(Mar)* décharger, débarquer ♦ **unloaded net weight** poids net débarqué **b** *(Comp)* décharger **c** *(Fin, St Ex) securities* se débarrasser de, se défaire de ♦ **to unload stocks on the market** se décharger d'un paquet d'actions.

**unloading** /ʌnˈləʊdɪŋ/ **N** *(Mar)* déchargement m, débarquement m ; *(Comp)* déchargement m

┌─────────────────────────────────────────┐
│ ──── *compounds/composés* ────           │
│ ✦ **unloading platform** quai de déchargement │
│ ✦ **unloading risk** risque de déchargement. │
└─────────────────────────────────────────┘

**unlock** /ʌn'lɒk/ **VT** *(Comp)* déverrouiller, débloquer.

**unmanageable** /ʌn'mænɪdʒəbl/ **ADJ** ingérable, difficile à gérer.

**unmanifested** /ʌn'mænɪfestɪd/ **ADJ** ✦ **unmanifested cargo** cargaison non déclarée.

**unmanned** /ʌn'mænd/ **ADJ** sans personne ✦ **the telephone was left unmanned** il n'y avait personne pour répondre au téléphone ✦ **unmanned space flight** vol spatial inhabité.

**unmanufactured** /ˌʌnmænjʊ'fæktʃət/ **ADJ** ✦ **unmanufactured materials** matières premières.

**unmarked** /ʌn'mɑːkt/ **ADJ** *(Fin)* non estampillé.

**unmarketable** /ʌn'mɑːkɪtəbl/ **ADJ** *product* invendable; *security* non négociable.

**unmatched** /ˌʌn'mætʃt/ **ADJ** sans égal, incomparable.

**unmatured** /ˌʌnmə'tjʊəd/ **ADJ** *(Fin)* coupons, capital non échu ✦ **on and after 4th March unmatured coupons shall become void** à compter du 4 mars les coupons non échus ne seront plus pris en compte.

**unmortgaged** /ʌn'mɔːgɪdʒd/ **ADJ** libre d'hypothèque, non grevé d'hypothèque, non hypothéqué.

**unnegotiable** /ˌʌnnɪ'gəʊʃɪəbl/ **ADJ** non négociable.

**UNO** /'juːnəʊ/ **N** (abbr of **United Nations Organization**) ONU f.

**unobtainable** /ˌʌnəb'teɪnəbl/ **ADJ** impossible à obtenir ✦ **I got the number unobtainable sound** *(Telec)* je n'ai pas pu obtenir le numéro.

**unoccupied** /ʌn'ɒkjʊpaɪd/ **ADJ** *post* vacant.

**unofficial** /ˌʌnə'fɪʃəl/ **ADJ** **a** *information, news* officieux, non officiel; *visit* privé ✦ **in an unofficial capacity** à titre privé *or* non officiel ✦ **unofficial strike** grève sans l'accord des organisations syndicales, grève sauvage **b** *(St Ex)* ✦ **unofficial market** marché hors cote.

**unorganized, unorganised** /ʌn'ɔːgənaɪzd/ **ADJ** ✦ **unorganized workers** *(Ind)* ouvriers non syndiqués.

**unpack** /ʌn'pæk/ **VT** *goods* déballer; *(Comp)* dégrouper.

**unpacked** /ʌn'pækt/ **ADJ** sans emballage.

**unpaid** /ʌn'peɪd/ **ADJ** *invoice, contribution* impayé; *debt* non acquitté, non remboursé; *dividend* non distribué; *work* non rétribué; *annuity* non versé.

**unpalatable** /ʌn'pælɪtəbl/ **ADJ** ✦ **the proposed measures were unpalatable** les mesures envisagées étaient difficiles à accepter *or* passaient mal.

**unparalleled** /ʌn'pærəleld/ **ADJ** *(= unequalled)* sans égal, incomparable; *(= unprecedented)* sans précédent.

**unpatented** /ʌn'peɪtntɪd/ **ADJ** non breveté.

**unplug** /ʌn'plʌg/ **VT** *machine* déconnecter, débrancher.

**unpredictable** /ˌʌnprɪ'dɪktəbl/ **ADJ** *event, consequence* imprévisible ✦ **he's unpredictable** on ne sait jamais comment il va réagir.

**unpresented** /ˌʌnprɪ'zentɪd/ **ADJ** ✦ **unpresented cheque** chèque non présenté (à l'encaissement).

**unpriced** /ʌn'praɪst/ **ADJ** dont le prix n'est pas marqué, sans indication de prix.

**unprocessable** /ˌʌnprəʊ'sesəbl/ **ADJ** *(Comp)* inexploitable.

**unprocessed** /ʌn'prəʊsest/ **ADJ** *(Comp)* non traité.

**unproductive** /ˌʌnprə'dʌktɪv/ **ADJ** *capital, work* improductif.

**unprofessional** /ˌʌnprə'feʃənl/ **ADJ** **a** *(= inadmissible)* *(gen)* contraire au code de conduite de la profession; *(Med)* contraire à la déontologie ✦ **unprofessional conduct** manquement aux devoirs de la profession **b** *(= lacking professional skill)* *work* d'amateur.

**unprofitable** /ʌn'prɒfɪtəbl/ **ADJ** *(gen)* peu rentable, peu profitable; *job* peu lucratif.

**unprogrammed** /ʌn'prəʊgræmd/ **ADJ** non programmé.

**unprotested** /ˌʌnprə'testɪd/ **ADJ** *(Fin)* non protesté.

**unqualified** /ʌn'kwɒlɪfaɪd/ **ADJ** **a** *worker* non qualifié; *nurse* non diplômé ✦ **he is unqualified for the job** il n'a pas les titres requis *or* il ne remplit pas les conditions requises pour ce poste **b** *(= absolute)* inconditionnel, sans réserve ✦ **unqualified acceptance** *(Fin)* acceptation sans réserve.

**unquestionable** /ʌn'kwestʃənəbl/ **ADJ** incontestable, indiscutable.

**unquoted** /ʌn'kwəʊtɪd/ **ADJ** *(St Ex)* securities non inscrit à la cote, non admis à la cote officielle.

**unrealizable** /ˌʌnrɪəˈlaɪzəbl/ ADJ *(gen, Fin)* non réalisable.

**unrealized, unrealised** /ʌnˈrɪələızd/ ADJ *profit* non réalisé; *objective* qui n'a pas été atteint *or* réalisé ◆ **unrealized capital gain** plus-value latente.

**unreasonable** /ʌnˈriːznəbl/ ADJ *(gen)* déraisonnable; *demand* excessif; *price* exorbitant, exagéré.

**unreceipted** /ˌʌnrɪˈsiːtɪd/ ADJ *invoice* sans la mention « pour acquit ».

**unrecognizable** /ʌnˈrekəgnaɪzəbl/ ADJ *(Comp)* non identifiable.

**unrecorded** /ˌʌnrɪˈkɔːdɪd/ ADJ non enregistré.

**unrecoverable** /ˌʌnrɪˈkʌvərəbl/ ADJ irrécouvrable.

**unredeemable** /ˌʌnrɪˈdiːməbl/ ADJ *(Fin)* non remboursable, non amortissable ◆ **unredeemable bonds** obligations non remboursables.

**unredeemed** /ˌʌnrɪˈdiːmd/ ADJ *debt* non remboursé, non amorti; *mortgage* non purgé; *bill* non honoré.

**unregistered** /ʌnˈredʒɪstəd/ ADJ ◆ **unregistered labour** main-d'œuvre non déclarée ◆ **unregistered letter** lettre non recommandée ◆ **unregistered trademark** marque non déposée ◆ **unregistered company** société non inscrite au registre du commerce.

**unreliable** /ˌʌnrɪˈlaɪəbl/ ADJ *person, machine, information* peu sûr, peu fiable; *company* qui n'inspire pas confiance ◆ **he's unreliable** il n'est pas fiable, on ne peut pas compter sur lui.

**unremunerative** /ˌʌnrɪˈmjuːnərətɪv/ ADJ peu rémunérateur, peu lucratif.

**unrepealed** /ˌʌnrɪˈpiːld/ ADJ non abrogé.

**unresponsive** /ˌʌnrɪsˈpɒnsɪv/ ADJ *market* qui ne réagit pas, sans réaction.

**unrest** /ʌnˈrest/ N agitation f, malaise m, troubles mpl ◆ **labour unrest** malaise social.

**unrestricted** /ˌʌnrɪˈstrɪktɪd/ ADJ sans restriction ◆ **unrestricted access** accès libre ◆ **unrestricted job** *(US)* travail libre ◆ **unrestricted file** *(Comp)* fichier à accès non limité.

**unrewarding** /ˌʌnrɪˈwɔːdɪŋ/ ADJ *work (= unproductive)* infructueux, qui ne donne rien; *(= unfulfilling)* ingrat; *(financially)* peu rémunérateur.

**unrivalled** *(Brit)*, **unrivaled** *(US)* /ʌnˈraɪvəld/ ADJ incomparable, sans égal, sans rival, sans concurrence.

**unrounded** /ʌnˈraʊndɪd/ ADJ *figures* non arrondi.

**unsafe** /ʌnˈseɪf/ ADJ *(gen)* dangereux, peu sûr ◆ **unsafe paper** *(Fin)* effet douteux.

**unsalaried** /ʌnˈsælərɪd/ ADJ non salarié, non rémunéré.

**unsaleable** /ʌnˈseɪləbl/ ADJ invendable.

**unsatisfactory** /ˌʌnˌsætɪsˈfæktərɪ/ ADJ peu satisfaisant, qui laisse à désirer.

**unsatisfied** /ʌnˈsætɪsfaɪd/ ADJ *customer* mécontent, insatisfait; *demand, need* non satisfait.

**unscaled** /ʌnˈskeɪld/ *(Comp)* non cadré.

**unscheduled** /ʌnˈʃedjuːld, ʌnˈskedjuːld/ ADJ non planifié, non programmé.

**unscramble** /ʌnˈskræmbl/ VT *data* décrypter.

**unscreened** /ʌnˈskriːnd/ ADJ non trié ◆ **newspaper advertisements produce a flow of unscreened applicants** les petites annonces amènent un afflux de candidats non triés *or* non filtrés.

**unscrupulous** /ʌnˈskruːpjʊləs/ ADJ dénué de scrupules, indélicat.

**unseal** /ʌnˈsiːl/ VT ouvrir, décacheter ◆ **unsealed items may be opened for inspection in the postal service** les envois non clos *or* non cachetés peuvent être ouverts pour examen dans les services postaux.

**unseasonable** /ʌnˈsiːznəbl/ ADJ inopportun.

**unseat** /ʌnˈsiːt/ VT faire perdre son siège à ◆ **to unseat the board** remplacer les membres du conseil d'administration.

**unseaworthiness** /ʌnˈsiːwɜːðɪnɪs/ N mauvais état m de navigabilité.

**unseaworthy** /ʌnˈsiːˌwɜːðɪ/ ADJ qui n'est pas en d'état de prendre la mer.

**unsecured** /ˌʌnsɪˈkjʊəd/ ADJ *(Fin)* sans garantie, non garanti ◆ **unsecured advance** avance bancaire à découvert ◆ **unsecured creditor** créancier chirographaire ◆ **unsecured loan** prêt non garanti ◆ **unsecured bond** obligation non garantie.

**unsettle** /ʌnˈsetl/ VT *market* perturber, déstabiliser ◆ **oils were unsettled by the imminent OPEC meeting** les pétrolières ont été déstabilisées par l'imminence de la réunion de l'OPEP.

**unsettled** /ʌnˈsetld/ ADJ **a** *market, person* instable, perturbé ◆ **the unsettled state of the market** l'incertitude qui pèse sur le marché **b** *account* non acquitté, non réglé, impayé; *question* non réglé.

**unship** /ʌnˈʃɪp/ VT débarquer, décharger.

**unshipment** /ʌnˈʃɪpmənt/ N débarquement m, déchargement m.

**unsigned** /ʌnˈsaɪnd/ ADJ non signé.

**unskilled** /ʌnˈskɪld/ ADJ (Ind) work non qualifié ♦ unskilled worker ouvrier non qualifié, ouvrier spécialisé.

**unsocial** /ʌnˈsəʊʃəl/ ADJ ♦ to work unsocial hours travailler en dehors des heures normales.

**unsold** /ʌnˈsəʊld/ ADJ invendu ♦ subject unsold sauf vente ♦ unsold items (Comm) invendus **unsolds** NPL invendus mpl.

**unsolicited** /ˌʌnsəˈlɪsɪtɪd/ ADJ spontané, non sollicité ♦ unsolicited application candidature spontanée ♦ unsolicited testimonial (Jur) témoignage spontané ♦ unsolicited offer offre spontanée ♦ unsolicited goods or services Act loi sur la vente forcée.

**unsolvable** /ʌnˈsɒlvəbl/ ADJ insoluble.

**unsound** /ʌnˈsaʊnd/ ADJ investment, policy, decision hasardeux, peu judicieux, peu sûr; organization peu solide ♦ unsound risk (Ins) mauvais risque.

**unsorted** /ʌnsɔːtɪd/ ADJ non trié.

**unspent** /ʌnˈspent/ ADJ money, funds non dépensé, qui reste.

**unstable** /ʌnˈsteɪbl/ ADJ instable.

**unstamped** /ʌnˈstæmpt/ ADJ letter non affranchi, non timbré; document non tamponné ♦ unstamped debentures obligations non estampillées.

**unsteady** /ʌnˈstedɪ/ ADJ stock market irrégulier, instable, agité; prices variable, fluctuant.

**unstock** /ʌnstɒk/ VT déstocker.

**unstocked** /ʌnˈstɒkt/ ADJ en rupture de stock.

**unstuck** /ʌnˈstʌk/ ADJ ♦ his plans came unstuck ses plans sont tombés à l'eau.

**unsubscribed** /ˌʌnsəbˈskraɪbd/ ADJ non souscrit.

**unsubsidized, unsubsidised** /ʌnˈsʌbsɪdaɪzd/ ADJ non subventionné.

**unsubstantiated** /ˌʌnsəbˈstænʃɪeɪtɪd/ ADJ rumour, claim non fondé.

**unsuccessful** /ˌʌnsəkˈsesfʊl/ ADJ meeting, negotiation, effort infructueux; candidate, application refusé, non retenu; firm qui ne connaît pas la réussite ♦ his first attempt was unsuccessful sa première tentative s'est soldée par un échec.

**unsuitability** /ˌʌnˌsuːtəˈbɪlɪtɪ/ N inaptitude f (for à) ♦ his application was turned down on the grounds of unsuitability sa candidature a été rejetée parce qu'il n'avait pas le bon profil.

**unsuitable** /ʌnˈsuːtəbl/ ADJ arrangement, date qui ne convient pas; moment inopportun ♦ to be unsuitable for ne pas convenir à ♦ he is unsuitable for the job ce n'est pas l'homme qu'il nous faut, il n'a pas les qualités requises pour le poste.

**unsuited** /ʌnˈsuːtɪd/ ADJ ♦ unsuited to or for qui ne convient pas à or pour.

**unsupported** /ˌʌnsəˈpɔːtɪd/ ADJ assumption non étayé, non vérifié; statement sans preuve, non corroboré.

**unsystematic** /ˌʌnˌsɪstɪˈmætɪk/ ADJ ♦ unsystematic risk risque aléatoire.

**untapped** /ʌnˈtæpt/ ADJ resources, market inexploité.

**untaxed** /ʌnˈtækst/ ADJ income non imposé; goods détaxé.

**untaxable** /ʌnˈtæksəbl/ ADJ income non imposable; goods exempt de taxes.

**untenable** /ʌnˈtenəbl/ ADJ opinion, position indéfendable, intenable ♦ untenable profit margin marge bénéficiaire insuffisante.

**untenanted** /ʌnˈtenəntɪd/ ADJ property inoccupé, sans locataire.

**untested** /ʌnˈtestɪd/ ADJ product non testé; hypothesis non vérifié, qui n'a pas été mis à l'épreuve.

**untimely** /ʌnˈtaɪmlɪ/ ADJ inopportun.

**untrained** /ʌnˈtreɪnd/ ADJ person qui n'a pas reçu de formation professionnelle, inexpérimenté.

**untransferable** /ˌʌntrænsˈfɜːrəbl/ ADJ incessible, non transférable, inaliénable.

**untried** /ʌnˈtraɪd/ ADJ product qui n'a pas été essayé; method qui n'a pas été mis à l'épreuve; (Jur) case qui n'a pas encore été jugé.

**unused** /ʌnˈjuːzd/ ADJ resources inutilisé, non exploité; (= new) machine neuf, qui n'a pas servi.

**unvalued** /ʌnˈvæljuːd/ ADJ ♦ unvalued policy (Ins) police non évaluée.

**unverified** /ʌnˈverɪfaɪd/ ADJ non vérifié.

**unvouched** /ʌnˈvaʊtʃt/ ADJ ♦ unvouched for accuracy non garanti, non attesté, non confirmé.

**unwaged** /ʌnˈweɪdʒd/ NPL ♦ the unwaged les sans-emplois.

**unwanted** /ʌnˈwɒntɪd/ ADJ goods superflu, dont on n'a pas besoin.

**unwarranted** /ʌnˈwɒrəntɪd/ ADJ injustifié.

**unweighted** /ʌn'weɪtɪd/ **ADJ** *index* non pondéré.

**unwind** /'ʌnwaɪnd/ **VT** *cross holdings* décroiser.

**unworkable** /ʌn'wɜːkəbl/ **ADJ** impraticable, inexploitable.

**unwrap** /ʌn'ræp/ **VT** défaire, ouvrir.

**unwritten** /ʌn'rɪtn/ **ADJ** ✦ **unwritten agreement** accord verbal.

**up** /ʌp/ **ADV** **to be up** *[prices, shares]* avoir augmenté, avoir monté *(by* de) *sugar is up on last year* le sucre a augmenté par rapport à l'an dernier ✦ **from £2 up** à partir de 2 livres ❙ **VT** ❙ augmenter ✦ **they upped their bid to $60 a share** ils ont porté leur offre à 60 dollars par action.

**up-and-coming** /ˌʌpənd'kʌmɪŋ/ **ADJ** *businessman* qui monte, plein d'avenir.

**up-and-down** /ˌʌpənd'daʊn/ **ADJ** *business* qui connaît des hauts et des bas; *progress* en dents de scie.

**upbeat** /'ʌpbiː/ *(US)* **ADJ** optimiste.

**update** /ʌp'deɪt/ ❙ **VT** ❙ *person* mettre au courant; *equipment* moderniser; *document* actualiser ✦ **to be updated on...** être mis au courant de... ❙ **N** ❙ *(= latest news)* dernière nouvelle f ✦ **we can give our clients accurate financial market updates** nous pouvons fournir à nos clients des informations précises au jour le jour sur le marché financier.

**updating** /'ʌpdeɪtɪŋ/ **N** mise f à jour, actualisation f.

**upfront** /ʌp'frʌnt/ ❙ **ADJ** ❙ *(= paid in advance)* payé d'avance ✦ **upfront payment** avance f ❙ **ADV** ❙ *pay* d'avance.

**upgradable** /ʌp'greɪdəbl/ **ADJ** qui peut évoluer.

**upgrade** /'ʌpgreɪd/ ❙ **N** ❙ *(= software)* nouvelle version f ✦ **to be on the upgrade** *[business]* être en progrès; *[price]* augmenter, être en hausse ❙ **VT** ❙ **a** *(= improve) (gen)* améliorer; *product* améliorer; *factory, technology* moderniser ✦ **we are upgrading our product line** nous tirons nos produits vers le haut de la gamme **b** *(= raise, promote) employee* reclasser, promouvoir; *job, post* revaloriser ✦ **I have been upgraded** je suis monté en grade, j'ai été promu ✦ **the representative offices were upgraded to branch offices last year** les délégations ont été élevées au rang d'agences l'an dernier **c** *(Fin) stock rating* réviser à la hausse, revoir en hausse.

**upgrading** /'ʌpgreɪdɪŋ/ **N** *[employee]* reclassement m, promotion f; *[job]* revalorisation f;

*[product]* amélioration f, élévation f dans la gamme; *[technology]* modernisation f; *[service]* amélioration f; *(Fin) [stock rating]* réévaluation f à la hausse, révision f à la hausse.

**upheaval** /ʌp'hiːvəl/ **N** bouleversement m, agitation f, perturbation f.

**uphold** /ʌp'həʊld/ **VT** *decision* ratifier; *verdict* confirmer, maintenir ✦ **contract that can be upheld** contrat valide.

**upkeep** /'ʌpkiːp/ **N** *(= maintenance)* entretien m ; *(= costs)* frais mpl *or* dépenses fpl d'entretien.

**uplift** /'ʌplɪft/ **N** *(gen = increase)* augmentation f *(in* de); *(Econ)* reprise f ✦ **business uplift** reprise des affaires.

**upload** /ʌp'ləʊd/ **VT** *(Comp)* télécharger.

**up-market** /'ʌpmɑːkɪt/ ❙ **ADJ** ❙ *product* haut de gamme ❙ **ADV** ❙ **they've gone up-market with their new range** ils se sont orientés vers le haut de gamme avec leur nouvelle collection.

**upper** /'ʌpəʳ/

— *compounds/composés* —
- **upper-income group** *or* **bracket** tranche f des revenus élevés *or* des hauts revenus
- **upper management** cadres mpl supérieurs
- **upper shift** *(Comp)* passage m en majuscules.

**uprate** /ʌp'reɪt/ **ADJ** ✦ **uprate tax brackets** les tranches les plus imposées.

**ups-and-downs** /'ʌpsən'daʊns/ **NPL** fluctuations fpl, hauts et bas mpl.

**upscale** /'ʌpskeɪl/ **ADJ** du haut de gamme ✦ **upscale shoppers** clientèle aisée.

**upsell** /'ʌpsɛl/ **VT** *customer* vendre des produits complémentaires ou plus haut de gamme à ✦ **to upsell a product** vendre un produit complémentaire ou plus haut de gamme.

**upselling** /'ʌpsɛlɪŋ/ **N** vente incitative.

**upset** /ʌp'set/ ❙ **N** ❙ *(in projects)* bouleversement m ❙ **VT** ❙ *plan* désorganiser, déranger, bouleverser; *calculations* fausser ❙ **ADJ** ❙ **upset price** *(at auction)* mise à prix, prix de départ, prix demandé.

**upshift** /'ʌpʃɪft/ **N** *(Typ)* passage m en majuscules.

**upshot** /'ʌpʃɒt/ **N** résultat m, conclusion f ✦ **what was the upshot of all that talk?** à quoi toute cette discussion a-t-elle abouti ?

**upside** /'ʌpsaɪd/ N *(gen)* avantage m ◆ **on the upside** côté gains *or* avantages ◆ **upside potential** *(St Ex)* potentiel de hausse.

**upskill** /ʌp'skɪl/ VT *employee* élever le niveau de compétence technique de, recycler.

**upskilling** /'ʌpskɪlɪŋ/ N *[employee]* élévation f du niveau de compétence technique, recyclage m.

**upstream** /'ʌp'striːm/ ADV en amont
ADJ d'amont, qui est en amont ◆ **upstream industries** industries en amont.

**upsurge** /'ʌps3ːdʒ/ N *(gen)* forte progression f ◆ **an upsurge in unemployment** une forte poussée du chômage, une nouvelle vague de chômage.

**upswing** /'ʌpswɪŋ/ N *(Econ)* redressement m, reprise f ; *(St Ex)* retournement m à la hausse (*in* de)

**uptick** * /'ʌptɪk/ *(US)* N *(Econ)* petite hausse ◆ **on the uptick** en reprise légère, en légère hausse.

**up-to-date** /ˌʌptə'deɪt/ ADJ *equipment* moderne; *assessment* récent; *information* à jour ◆ **a comprehensive and up-to-date report** un rapport complet et à jour ◆ **I am up to date on the latest developments** je suis au courant des derniers développements ◆ **to bring up to date** *document, information* actualiser.

**up-to-sample** /ˌʌptə'sɑːmpl/ ADJ conforme à l'échantillon.

**uptrend** /'ʌptrend/ N *(Econ)* reprise f ◆ **to be on the** *or* **on an uptrend** être en hausse.

**upturn** /'ʌp'tɜːn/ N *(Econ)* reprise f, amélioration f ; *(St Ex)* retournement m à la hausse (*in* de)

**UPU** /ˌjuːpiː'juː/ N (abbr of **Universal Postal Union**) UPU f.

**upvaluation** /'ʌpvæljʊ'eɪʃən/ N réévaluation f, révision f à la hausse.

**upward** /'ʌpwəd/ ADJ ◆ **upward movement** *stock market* mouvement de hausse *or* de reprise ◆ **upward trend** tendance à la hausse *or* à la reprise, courant haussier ◆ **upward pressures** pressions inflationnistes ◆ **upward mobility** *workers* mobilité sociale ascendante ◆ **upward revision** *prices* révision en hausse *or* à la hausse ◆ **upward compatibility** *(Comp)* compatibilité ascendante.

**upwards** /'ʌpwədz/ ADV ◆ **the estimates have had to be revised upwards** les prévisions ont dû être revues en hausse *or* à la hausse ◆ **prices from 100 euros upwards** prix à partir de 100 euros ◆ **upwards of 10,000** 10 000 et plus.

**urban** /'3ːbən/ ADJ urbain ◆ **urban areas** zones urbaines ◆ **urban planner** urbaniste ◆ **urban renewal** rénovation *or* réaménagement des zones urbaines.

**urbanization, urbanisation** /ˌ3ːbənaɪ'zeɪʃən/ N urbanisation f.

**urbanize, urbanise** /'3ːbənaɪz/ VT urbaniser.

**urge** /3ːdʒ/ VT *caution, measure* recommander, préconiser ◆ **to urge sb to do** inciter *or* presser *or* pousser qn à faire ◆ **the shopfloor urged this claim on the union representative** la base a fait pression sur le représentant syndical pour qu'il fasse sienne cette revendication.

**urgency** /'3ːdʒənsɪ/ N urgence f ◆ **there's no urgency** cela ne presse pas ◆ **it's a matter of urgency** c'est quelque chose d'urgent.

**urgent** /'3ːdʒənt/ ADJ urgent ◆ **to be in urgent need of** avoir un besoin urgent de ◆ **urgent order** commande urgente.

**urging** /'3ːdʒɪŋ/ N pression f ◆ **to yield to the urgings** céder aux pressions.

**URL** /ˌjuːɑːr'el/ N (abbr of **Universal Resource Locator**) URL f.

**Uruguay** /'jʊərəgwaɪ/ N Uruguay m ◆ **Uruguay Round** Uruguay Round.

**Uruguayan** /ˌjʊərə'gwaɪən/ ADJ uruguayen
N (= *inhabitant*) Uruguayen(ne) m(f).

**US** /juː'es/ N (abbr of **United States**) E.U. mpl ◆ **the US** les USA.

**USA** /juːes'eɪ/ N (abbr of **United States of America**) E.U. mpl ◆ **the USA** les USA.

**usable** /'juːzəbl/ ADJ utilisable.

**usage** /'juːzɪdʒ/ N *[equipment]* utilisation f.

**usance** /'juːzəns/ N *(Fin)* usance f ◆ **usance bill** effet à usance ◆ **bill at double usance** effet à double usance ◆ **at thirty day's usance** à usance de trente jours.

**USDAW** /juːesdiːeɪ'dʌbljuː/ *(Brit)* N abbr of **Union of Shop, Distributive and Allied Workers → union.**

**use** /juːs/ N usage m, emploi m, utilisation f ◆ **directions for use** mode d'emploi, consignes d'utilisation ◆ **conditions of use** conditions d'utilisation ◆ **to have the use of sth** *(gen)* pouvoir utiliser qch; *(Jur)* avoir l'usufruit *or* la jouissance de qch ◆ **articles for personal use** *(Customs)* effets personnels ◆ **home use entry** *(Customs)* sortie de l'entrepôt des douanes pour consommation intérieure

**VT** *object, method* employer, utiliser, se servir de, faire usage de; *opportunity* profiter de.

**used** /juːzd/ ADJ ◆ **used car** voiture d'occasion, voiture de seconde main.

**useful** /ˈjuːsfʊl/ ADJ *tool* utile; *discussion* utile, profitable ◆ **to be useful to sb** être utile à qn, rendre service à qn ◆ **this machine has a useful life of...** cette machine a une durée de vie utile de...

**user** /ˈjuːzəʳ/ N *[computer, handbooks]* utilisateur (-trice) m(f) ; *[public utilities]* usager(-ère) m(f) ◆ **end user** utilisateur final ◆ **telex user** usager du télex ◆ **estate subject to a right of user** *(Jur)* domaine grevé d'une servitude

—————— *compounds/composés* ——————
◆ **user profile** *(Mktg)* profil de l'utilisateur
◆ **user-friendly** *computer* convivial, facile à utiliser
◆ **user-oriented** *equipment* conçu en pensant à l'utilisateur.

**use up** VT *resources* utiliser totalement, épuiser; *money* dépenser.

**USM** /juːesˈem/ N abbr of **Unlisted Securities Market** → **unlisted.**

**USP** /juːesˈpiː/ N abbr of **unique selling proposition** → **unique.**

**USSR** /juːesesˈɑːʳ/ N abbr of **Union of Soviet Socialist Republics** ◆ **the USSR** l'URSS.

**usual** /ˈjuːʒʊəl/ ADJ usuel, habituel ◆ **on usual terms** aux conditions habituelles.

**usufruct** /ˈjuːzjʊfrʌkt/ N *(Jur)* usufruit m.

**usufructuary** /ˌjuːzjʊˈfrʌktjʊərɪ/ **N** *(Jur)* usufruitier(-ière) m(f)

**ADJ** usufruitier, usufructuaire.

**usurer** /ˈjuːʒərəʳ/ N usurier(-ière) m(f).

**usurious** /juːˈzjʊərɪəs/ ADJ usuraire.

**usury** /ˈjuːʒʊrɪ/ N usure f.

**utility** /juːˈtɪlɪtɪ/ N **a** *(gen, Econ)* utilité f ◆ **marginal utility** utilité marginale **b** **(public)** utility service public **c** *(Comp)* utilitaire m

—————— *compounds/composés* ——————
◆ **utility average** *(Dow Jones)* indice moyen des services publics Dow Jones
◆ **utility program** *(Comp)* (programme ) utilitaire .

**utilization, utilisation** /ˌjuːtɪlaɪˈzeɪʃən/ N utilisation f, exploitation f ◆ **industrial capacity utilization** utilisation du potentiel industriel

—————— *compounds/composés* ——————
◆ **utilization percent** taux du rendement
◆ **utilization rate** taux d'utilisation.

**utilize, utilise** /ˈjuːtɪlaɪz/ VT utiliser ◆ **utilized capacity** potentiel de production utilisé.

**utmost** /ˈʌtməʊst/ N maximum m ◆ **we shall do our utmost to be of service** nous ferons tout notre possible pour vous être utiles ◆ **utmost good faith** *(Jur)* bonne foi.

**utter** /ˈʌtəʳ/ VT ◆ **to utter counterfeit money** émettre de la fausse monnaie.

**u-turn** /ˈjuːtɜːn/ N *(in policy)* revirement m, volte-face f *(in* dans)

**U / W** N abbr of **underwriter.**

**Uzbek** /ˈʊzbɛk/ **ADJ** ouzbek
**N** *(= inhabitant)* Ouzbek mf.

**Uzbekistan** /ˌʌzbɛkɪˈstɑːn/ N Ouzbékistan m.

# V

**V** abbr of **versus**.

**vacancy** /'veɪkənsɪ/ N *(= job)* vacance f, poste m vacant ◆ **to fill a vacancy** pourvoir à un poste, nommer qn à un poste ◆ **there is a vacancy for a programmer** il y a un poste de programmeur vacant *or* à pourvoir ◆ **no vacancies** *(= no jobs)* pas d'embauche; *(in hotel)* complet ◆ **unfilled vacancies** offres d'emploi non satisfaites.

**vacant** /'veɪkənt/ ADJ *job* vacant, libre, à remplir, à pourvoir; *room, house* inoccupé, libre; *seat* libre, inoccupé, disponible ◆ **to fall vacant** *[job]* se trouver vacant ◆ **vacant possession** *(Jur)* libre possession ◆ **with vacant possession** *(Jur)* avec jouissance immédiate ◆ **vacant lot** terrain non bâti ◆ **vacant position** poste vacant ◆ **situations vacant** offres d'emploi.

**vacate** /və'keɪt/ VT **a** *house, job* quitter ◆ **to vacate one's post** démissionner ◆ **to vacate the premises** quitter les lieux **b** *contract* annuler, résilier.

**vacation** /və'keɪʃən/ **N** *(US)* vacances fpl ; *(Jur)* vacances fpl judiciaires ◆ **on vacation** *(US)* en vacances ◆ **to take a vacation** *(US)* prendre des vacances ◆ **staggering** *or* **spreading of vacations** *(US)* étalement des vacances

──────── *compounds/composés* ────────
◆ **vacation homes** *(US)* résidences fpl secondaires
◆ **vacation pay** *(US)* congés mpl payés

**VI** *(US)* passer des *or* ses vacances.

**vacationer** /və'keɪʃənəʳ/ *(US)* N vacancier (-ière) m(f).

**vacationist** /və'keɪʃənɪst/ *(US)* N vacancier (-ière) m(f).

**vacuum** /'vækjʊm/ N vide m ◆ **vacuum packaging** conditionnement sous vide ◆ **vacuum-packed** emballé sous vide.

**Vaduz** /fa'dʊts/ N Vaduz.

**Valetta** /və'lɛtə/ → **Valletta**.

**valid** /'vælɪd/ ADJ *claim, contract, document* valide, valable ◆ **valid claim** réclamation recevable ◆ **valid passport** passeport valable *or* valide *or* en règle ◆ **ticket valid for one week** billet bon *or* valable *or* valide pour une semaine ◆ **no longer valid** périmé.

**validate** /'vælɪdeɪt/ VT *claim, document* valider.

**validation** /ˌvælɪ'deɪʃən/ N validation f.

**validity** /və'lɪdɪtɪ/ N *[document, claim]* validité f ◆ **to dispute the validity of** contester la validité de ◆ **to extend the validity of a passport** prolonger *or* proroger (la validité d') un passeport ◆ **validity period** période de validité.

**valise** /və'liːz/ *(US)* N sac m de voyage.

**Valletta** /və'lɛtə/ N La Valette f.

**valorization, valorisation** /ˌvæləraɪ'zeɪʃən/ N *[price]* maintien m artificiel.

**valorize, valorise** /'væləraɪz/ VT ◆ **to valorize goods** maintenir artificiellement les prix des marchandises *(grâce à l'intervention de l'État)*.

**valuable** /'væljʊəbl/ **ADJ** *jewel, painting, object* de valeur, d'une grande valeur, de grand prix ◆ **for a valuable consideration** à titre onéreux **valuables** **NPL** objets mpl de valeur.

**valuation** /ˌvæljʊ'eɪʃən/ N *(= assessment) [house, painting]* évaluation f, estimation f ; *(Acc)* évaluation f, valorisation f ◆ **at a valuation** à dire d'expert ◆ **the valuation is too high / low**

l'estimation est trop élevée / faible ◆ **to ask for a valuation of sth** faire expertiser *or* estimer qch, demander une expertise de qch ◆ **to make a valuation of sth** expertiser qch ◆ **valuation of the risks** *(Ins)* appréciation du risque ◆ **stock** *(Brit)* or **inventory** *(US)* **valuation** évaluation des stocks ◆ **customs valuation** valeur en douane ◆ **market valuation** évaluation boursière ◆ **assessed valuation** valeur fiscale

---
*compounds/composés*

◆ **valuation allowance** *(Acc)* provision pour moins-value *or* pour évaluation d'actif
◆ **valuation clause** *(Ins)* clause d'évaluation ◆ **agreed valuation clause** clause valeur agréée.

---

**valuator** /'væljʊeɪtə<sup>r</sup>/ N expert m *(en estimations de biens mobiliers).*

**value** /'vælju:/ **N** a *(= worth in money)* valeur f, prix m ◆ **value date** *(Bank)* date de valeur, jour de valeur ◆ **to gain in value** prendre de la valeur, s'apprécier ◆ **to lose in value** perdre de la valeur, se déprécier ◆ **value in account** valeur en compte ◆ **value for collection** valeur à l'encaissement ◆ **value in exchange** valeur d'échange, contre-valeur ◆ **value as security** valeur en garantie ◆ **value at cost** valeur au prix coûtant ◆ **value in use** valeur d'usage ◆ **decrease in value** *(gen)* diminution de valeur; *[asset, capital]* moins-value ◆ **increase in value** *(gen)* augmentation de valeur; *[asset, capital]* plus-value ◆ **of no value** sans valeur ◆ **to get good value for one's money** en avoir pour son argent ◆ **the large packet is the best value** le grand paquet est le plus avantageux ◆ **to put a value on sth** évaluer qch ◆ **to put** *or* **set too high / low a value on sth** surestimer / sous-estimer qch ◆ **goods to the value of £100** marchandises d'une valeur de 100 livres ◆ **cheque to the value of £50** chèque au montant de 50 livres ◆ **book value** valeur comptable ◆ **break-up value** valeur de liquidation ◆ **customs value** valeur en douanes ◆ **declared value** valeur déclarée ◆ **depreciated value** coût non amorti, valeur résiduelle amortissable ◆ **discounted value** valeur actualisée ◆ **face value** valeur nominale ◆ **market value** valeur marchande; *(St Ex)* cours ◆ **net asset value** valeur liquidative ◆ **par value** valeur au pair ◆ **residual value** valeur résiduelle ◆ **salvage value** valeur de récupération ◆ **scarcity value** valeur attachée à la rareté ◆ **scrap value** valeur à la casse ◆ **surrender value** valeur de rachat ◆ **taxable value** valeur imposable ◆ **trading value** valeur négociable b *(= moral worth)* valeur f, mérite m ◆ **scale of points value** *(US)* échelle de notation du personnel

**VT** *asset, house, painting* évaluer, estimer, expertiser; *goods* évaluer, inventorier ◆ **valued policy** *(Ins)* police évaluée ◆ **to have sth valued** faire expertiser *or* estimer qch ◆ **valued at cost** évalué au prix coûtant.

**value-added tax** /'vælju:ædɪd'tæks/ N taxe f sur la valeur ajoutée.

**valueless** /'væljʊlɪs/ ADJ sans valeur.

**valuer** /'væljʊə<sup>r</sup>/ N expert m *(en estimations de biens mobiliers)* ◆ **official valuer** *(Jur)* expert *(désigné par les tribunaux).*

**valve** /vælv/ N *(Tech)* soupape f, valve f ◆ **safety valve** *(lit, fig)* soupape de sécurité.

**van** /væn/ N a *(= truck)* *(large)* camion m ; *(smaller)* camionnette f, fourgonnette f ◆ **delivery van** camion de livraison b *(Rail)* fourgon m ◆ **refrigerator van** wagon frigorifique.

**vanguard** /'vænɡɑːd/ N ◆ **in the vanguard of progress** à la pointe du progrès.

**vantage** /'vɑːntɪdʒ/ N ◆ **vantage point** position stratégique.

**variability** /ˌveərɪə'bɪlɪtɪ/ N variabilité f.

**variable** /'veərɪəbl/ ADJ *costs* variable ◆ **variable-yield securities** *(St Ex)* titres à revenu variable ◆ **variable costing** *(Acc)* méthode des coûts variables ◆ **variable expenses** charges *or* coûts *or* frais variables ◆ **variable-rate bonds** titres à taux variable ◆ **variable-rate mortgage** prêt hypothécaire à taux variable
**N** *(Math, Stat)* variable f ◆ **variables sampling** échantillonnage par variables ◆ **there are several variables we must consider before deciding** nous devons tenir compte de plusieurs variables avant de prendre une décision ◆ **random variable** variable aléatoire.

**variance** /'veərɪəns/ N a *(Acc)* *[costs]* écart m ◆ **budget variance** écart sur budget, écart budgétaire ◆ **material / price / labour variances** écarts sur matières / prix / main-d'œuvre ◆ **output variance** écart de rendement b *(Jur)* différence f, divergence f ◆ **there is a variance between the two statements** les deux dépositions ne s'accordent pas *or* ne concordent pas c *(Stat)* variance f ◆ **sampling variance** variance de l'échantillon d désaccord m ◆ **to be at variance with sb about sth** être en désaccord avec qn sur qch

---
*compounds/composés*

◆ **variance analysis** *(Acc)* analyse des écarts; *(Stat)* analyse de la variance.

---

**variant** /'veərɪənt/ ADJ différent, divergent.

**variation** /ˌvɛərɪ'eɪʃən/ N *(gen)* variation f ; *[opinions]* fluctuation(s) f(pl), changements mpl *(in en)* ✦ **figures adjusted for seasonal variations** données corrigées en fonction des variations saisonnières, données désaisonnalisées ✦ **variation of risk** *(Ins)* modification de risque.

**variety** /və'raɪətɪ/ N *(= diversity)* variété f, diversité f ; *(= quantity)* quantité f, nombre m ✦ **variety store** *(US)* ≈ bazar.

**various** /'vɛərɪəs/ ADJ *(= different)* divers, différent ; *(= several)* divers, plusieurs ✦ **we stock various makes** nous faisons plusieurs marques ✦ **we met on various occasions** nous nous sommes rencontrés en diverses occasions.

**vary** /'vɛərɪ/ Ⅵ varier, se modifier, changer ✦ **opinions vary on this point** les opinions varient sur ce point
Ⅵ (faire) varier ✦ **to vary the terms of a contract** modifier les clauses d'un contrat ✦ **the product has had varied success in different parts of the country** le produit a connu un succès variable selon les régions.

**VAT** /viːeɪ'tiː, væt/ N (abbr of **value added tax**) TVA f ✦ **we are zero-rated for VAT** nous ne sommes pas assujettis à la TVA ✦ **the government plans to put VAT on books** le gouvernement projette d'appliquer la TVA sur les livres ✦ **VAT offenses** infractions à la TVA.

**Vatican** /'vætɪkən/ N Vatican m.

**vatu** /'vætuː/ N vatu m.

**vault** /vɔːlt/ Ⅺ *(in bank)* chambre f forte ✦ **vault cash** *(US)* réserves en espèces
Ⅵ *(St Ex) threshold* dépasser, franchir ✦ **this company has vaulted (past) five rivals** cette société a dépassé cinq firmes concurrentes.

**VC** /viː'siː/ N abbr of **vice-chairman** → **vice**.

**VCR** /viːsiː'ɑːʳ/ N abbr of **video cassette recorder** → **video**.

**VDT** /viːdiː'tiː/ N abbr of **visual display terminal** → **visual**.

**VDU** /viːdiː'juː/ N abbr of **visual display unit** → **visual**.

**vector** /'vektəʳ/ N vecteur m.

**veep** * /viːp/ N *(US = vice-president)* vice-président m.

**veer** /vɪəʳ/ Ⅵ changer de direction.

**vehicle** /'viːɪkl/ N véhicule m ✦ **commercial vehicle** véhicule utilitaire ✦ **heavy goods vehicle** poids lourd ✦ **industrial vehicle** véhicule industriel ✦ **a vehicle of** or **for communication** un véhicule de la communication.

**vein** /veɪn/ N *[silver]* filon m, veine f.

**velocity** /vɪ'lɒsɪtɪ/ N *[circulation]* vélocité f, vitesse f ✦ **velocity of circulation of money** vitesse de circulation de la monnaie ✦ **income velocity of money** vitesse de transformation de la monnaie en revenu.

**velvet** /'velvɪt/ N **a** *(= cloth)* velours m **b** *(US = unearned income)* bénéfice m non salarial.

**vend** /vend/ *(US)* Ⅵ vendre.

**vendee** /ven'diː/ N *(Jur)* acheteur(-euse) m(f), acquéreur m.

**vendible** /'vendəbl/ ADJ commercialisable, vendable.

**vending machine** /'vendɪŋməˌʃiːn/ N distributeur m automatique.

**vendor** /'vendəʳ/ N *(goods)* vendeur(-euse) m(f) ; *(personal property)* vendeur(-eresse) m(f) ✦ **street vendor** marchand ambulant ✦ **vendor's assets** valeurs d'apport ✦ **vendor's lien** privilège du vendeur ✦ **vendor's shares** parts de fondateur

––––––––– compounds/composés –––––––––
✦ **vendor company** société apporteuse
✦ **vendor rating** *évaluation de l'apporteur.*

**vendue** /'vendjuː/ *(US)* N vente f aux enchères publiques.

**Venezuela** /ˌvene'zweɪlə/ N Venezuela m.

**Venezuelan** /ˌvene'zweɪlən/ ADJ vénézuélien
Ⅺ *(= inhabitant)* Vénézuélien(ne) m(f).

**ventilate** /'ventɪleɪt/ Ⅵ *room* ventiler, aérer ; *(fig) question* livrer à la discussion.

**venture** /'ventʃəʳ/ Ⅺ *(= company, operation)* entreprise f ✦ **to start up a new business venture** créer une nouvelle entreprise ✦ **it's a new venture in computing** c'est quelque chose de nouveau en informatique ✦ **high-risk venture** entreprise à haut risque ✦ **foreign venture** implantation à l'étranger ✦ **joint venture** *(= operation)* joint venture, co-entreprise, opération conjointe ; *(= company)* joint venture, société en participation

––––––––– compounds/composés –––––––––
✦ **venture capital** capital risque
✦ **venture capitalist** capital-risqueur
✦ **venture team** équipe chargée d'un nouveau produit

**VT** risquer, hasarder ♦ **I ventured to write to you** je me suis permis de vous écrire (à tout hasard)

**VI** s'aventurer, se risquer ♦ **they ventured on a programme of development** ils se sont lancés dans un programme de développement.

**venturesome** /'ventʃəsəm/ ADJ risqué, hasardeux.

**venue** /'venjuː/ N (for public event) lieu m, endroit m ♦ **where's the venue (for the meeting)?** où se tient la réunion?, quel est le lieu de rendez-vous or de réunion?.

**verbal** /'vɜːbəl/ ADJ agreement, promise, offer verbal.

**verbatim** /vɜː'beɪtɪm/ ADV textuellement, mot pour mot

ADJ account mot pour mot.

**verdict** /'vɜːdɪkt/ N (gen, Jur) verdict m ♦ **to return a verdict of guilty / not guilty** déclarer qn coupable / non coupable.

**verge** /vɜːdʒ/ N bord m ♦ **to be on the verge of bankruptcy** être au bord de la faillite.

**verifiable** /'verɪfaɪəbl/ ADJ vérifiable.

**verification** /ˌverɪfɪ'keɪʃən/ N (= check) vérification f, contrôle m ; (= proof) vérification f.

**verify** /'verɪfaɪ/ VT statements, information vérifier; documents contrôler.

**version** /'vɜːʃən/ N (= variant) [car] modèle m, version f ♦ **the new version has central locking as a standard feature** le nouveau modèle possède en standard la fermeture centralisée des portières.

**verso** /'vɜːsəʊ/ N verso m.

**versus** /'vɜːsəs/ PREP contre.

**vertical** /'vɜːtɪkəl/ ADJ vertical ♦ **vertical analysis** (Acc) analyse verticale ♦ **vertical business combination** concentration verticale ♦ **vertical integration** intégration verticale ♦ **vertical filing** classement vertical ♦ **vertical merger** fusion verticale ♦ **vertical mobility** workforce mobilité verticale ♦ **vertical planning** planification verticale ♦ **vertical specialization** spécialisation verticale ♦ **vertical strain** tension hiérarchique ♦ **vertical union** syndicat professionnel.

**very** /'veri/ ADV très ♦ **very large crude carrier** (= ship) pétrolier géant ♦ **very large scale integration** (Comp) intégration à très grande échelle.

**vessel** /'vesl/ N (Mar) navire m, bâtiment m ♦ **merchant** or **trading vessel** navire marchand

♦ **carrying / feeder vessel** navire transporteur / collecteur ♦ **ocean vessel** navire de haute mer

—— compounds/composés ——
♦ **vessel broker** courtier maritime.

**vest** /vest/ VT ♦ **to vest sb with sth, vest sth in sb** investir qn de qch, assigner qch à qn ♦ **vested rights** droits acquis ♦ **vested benefits** (Ins) droits or avantages acquis ♦ **he has a vested interest in** (fig) il est directement intéressé dans.

**vestibule** /'vestɪbjuːl/ N ♦ **vestibule period** période d'attente.

**vesting** /'vestɪŋ/ N (Ins) acquisition f de droits.

**vet** /vet/ VT application, person examiner; report revoir, corriger ♦ **we have vetted him thoroughly** nous avons fait une enquête approfondie à son sujet.

**veto** /'viːtəʊ/ N veto m ♦ **to use one's veto** exercer son droit de veto ♦ **to put a veto on** mettre son veto à

VT mettre or opposer son veto à.

**vex** /veks/ VT contrarier ♦ **a vexed question** une question controversée.

**via** /'vaɪə/ PREP via ♦ **to send sth via London / via email / via an agent** envoyer qch via Londres / par courrier électronique / par l'intermédiaire d'un agent.

**viability** /ˌvaɪə'bɪlɪtɪ/ N viabilité f.

**viable** /'vaɪəbl/ ADJ viable ♦ **commercially viable** rentable.

**vicarious** /vɪ'keərɪəs/ ADJ (= delegated) délégué ♦ **to give vicarious authority to** déléguer son autorité à.

**vice** /vaɪs/ PREF vice ♦ **vice-chairman** vice-président ♦ **vice-chairmanship** vice-présidence ♦ **vice-president** (gen) vice-président (US = senior management rank) directeur adjoint ♦ **he is executive vice-president for marketing** il est vice-président responsable du marketing.

**victim** /'vɪktɪm/ N victime f ♦ **to fall victim to sth** être victime de qch.

**victimization, victimisation** /ˌvɪktɪmaɪ'zeɪʃən/ N ♦ **the union representative alleged victimization** le délégué syndical a prétendu être victime de représailles.

**victimize, victimise** /'vɪktɪmaɪz/ VT faire subir un traitement injuste à; (in revenge) exercer des représailles sur.

**Victoria** /vɪk'tɔːrɪə/ N Victoria.

**video** /'vɪdɪəʊ/ **N** **a** vidéo f ; (= machine) magnétoscope m ; (= cassette) vidéocassette f ✦ **I've got it on video, I've got a video of it** je l'ai en vidéo(cassette) **b** (US) télévision f, télé f *

—————— compounds/composés ——————
- **video camera** caméra vidéo, caméscope
- **video cassette** cassette vidéo
- **video (cassette** or **tape) recorder** magnétoscope
- **video (cassette** or **tape) recording** enregistrement (en) vidéo
- **video clip** clip (vidéo)
- **video conference** vidéo conférence
- **video conferencing** système de vidéo conférence
- **video display** visualisation, affichage
- **video facilities** équipement vidéo
- **video film** film (en) vidéo
- **video game** jeu vidéo
- **video library** vidéothèque
- **video monitor** écran de contrôle vidéo
- **video player** magnétoscope
- **video shopping** vidéo-achat
- **video tape** bande vidéo; (= cassette) vidéocassette ✦ **to videotape an interview** enregistrer une interview sur magnétoscope

**VT** magnétoscoper, enregistrer sur magnétoscope.

**videophone** /'vɪdɪəʊfəʊn/ **N** visiophone m, vidéophone m.

**videotex** ® /'vɪdɪʊteks/ **N** vidéotex ® m.

**videotext** /'vɪdɪəʊtekst/ **N** vidéotex ® m.

**vie** /vaɪ/ **VI** rivaliser (with avec)

**Vienna** /vɪ'enə/ **N** Vienne.

**Vientiane** /ˌvjɛntɪ'ɑːn/ **N** Vientiane.

**Viet Nam, Vietnam** /'vjet'næm/ **N** Viêt-nam m.

**Vietnamese** /ˌvjetnə'miːz/ **ADJ** vietnamien
**N** **a** (= language) vietnamien m
**b** (= inhabitant) Vietnamien(ne) m(f).

**view** /vjuː/ **N** **a** (= range of vision) vue f ✦ **to keep sth in view** ne pas perdre qch de vue ✦ **the new model is on view in our showroom** le nouveau modèle est présenté or exposé dans notre salle d'exposition **b** (= opinion) vue f, avis m, opinion f ✦ **to take a gloomy view of the situation** envisager la situation sous un jour pessimiste ✦ **point of view** point de vue **c** (= intention) vue f, but m ✦ **with this in view** dans ce but, à cette fin ✦ **with a view to doing** dans l'intention de faire
**VT** house for sale visiter; problem envisager, considérer, regarder; film, video visionner
✦ **viewing by appointment only** (property sale)

visites seulement sur rendez-vous ✦ **the situation is viewed as serious** on considère la situation comme grave.

**viewer** /'vjuːər/ **N** **a** (gen) spectateur (-trice) m(f) ; (TV) téléspectateur(-trice) m(f) **b** (for slides) visionneuse f.

**viewership** /'vjuːəʃɪp/ **N** (Pub) (gen) audience f ; (TV) téléspectateurs mpl ✦ **to score a good viewership** obtenir un bon indice d'écoute.

**viewing** /'vjuːɪŋ/

—————— compounds/composés ——————
- **viewing audience** (gen) audience f ; (TV) téléspectateurs mpl
- **viewing figures** taux m d'écoute, nombre m de téléspectateurs
- **viewing habits** habitudes fpl d'écoute or des téléspectateurs
- **viewing room** salle f de projection
- **viewing time** heure f d'écoute.

**village** /'vɪlɪdʒ/ **N** village m ✦ **the global village** le village planétaire.

**Vilnius** /'vɪlnɪʊs/ **N** Vilnius.

**vindicate** /'vɪndɪkeɪt/ **VT** opinion, action justifier; rights faire valoir.

**vindictive** /vɪn'dɪktɪv/ **ADJ** ✦ **vindictive damages** (Jur) dommages-intérêts en réparation d'un préjudice moral.

**vine** /vaɪn/

—————— compounds/composés ——————
- **vine grower** viticulteur m, vigneron m
- **vine-growing district** région f viticole
- **vine harvest** vendange(s) f(pl).

**vineyard** /'vɪnjəd/ **N** vignoble m.

**vintage** /'vɪntɪdʒ/ **N** (= harvesting) vendange(s) f(pl), récolte f ; (= season) vendange(s) f(pl) ; (= year) année f, millésime m ✦ **1989 was a good vintage** 1989 était une bonne année (pour le vin), 1989 était un bon millésime.

**vintner** /'vɪntnər/ (US) **N** négociant m en vins.

**violate** /'vaɪəleɪt/ **VT** law, rule contrevenir à, violer, enfreindre; agreement violer, enfreindre.

**violation** /ˌvaɪə'leɪʃən/ **N** [law, rule] contravention f, violation f (of de) infraction f (of à) ✦ **in violation of** en violation de ✦ **safety violation** infraction aux règles de sécurité.

**VIP** /ˌviːaɪ'piː/ **N** (abbr of **very important person**) VIP m.

**virtual** /'vɜːtjʊəl/ **ADJ** (gen, Comp) virtuel.

**virtuous** /'vɜ:tjʊəs/ ADJ vertueux ◆ **virtuous circle** cercle vertueux.

**virus** /'vaɪərəs/ N *(Comp)* virus m.

**visa** /'vi:zə/ **N** visa m ◆ **entrance / exit visa** visa d'entrée / de sortie ◆ **Customs visa** visa de la douane ◆ **multiple-entry visa** ≈ visa permanent ◆ **tourist visa** visa de tourisme ◆ **Visa card** (R) carte bleue (R) ◆ **does the restaurant take Visa (cards)?** le restaurant accepte-t-il les Cartes bleues?
**VT** viser.

**viscous** /'vɪskəs/ ADJ ◆ **viscous demand / supply** viscosité de la demande / de l'offre.

**visible** /'vɪzəbl/ **ADJ** *imports, exports* visible
**visibles NPL** *(Econ)* visibles mpl.

**visit** /'vɪzɪt/ **N** *(= call, tour)* visite f ; *(= stay)* séjour m ◆ **on a private / official visit** en visite privée / officielle
**VT** *factory (= see round)* visiter; *(= inspect)* inspecter.

**visitation** /ˌvɪzɪ'teɪʃən/ N *(= inspection)* visite f (d'inspection).

**visiting card** /'vɪzɪtɪŋˌkɑːd/ N carte f de visite.

**visitor** /'vɪzɪtə`ʳ`/ N *(gen) (at exhibition)* visiteur (-euse) m(f) ; *(in hotel)* client(e) m(f), voyageur (-euse) m(f) ◆ **visitors' book** livre d'or; *(in hotel)* registre ◆ **visitor's tax** taxe de séjour.

**visual** /'vɪzjʊəl/ **ADJ** visuel ◆ **visual aid** support visuel ◆ **visual arts** arts plastiques ◆ **visual display unit** or **terminal** console or écran de visualisation, visuel ◆ **visual appeal / impact** attrait / impact visuel ◆ **visual telephone** visiophone
**visuals NPL** support(s) m(pl) visuel(s) ◆ **overall the presentation was poor although the visuals were excellent** la présentation était médiocre dans l'ensemble bien que servie par des supports visuels excellents.

**visualize, visualise** /'vɪzjʊəlaɪz/ VT *(Pub)* concept visualiser, traduire en images; *(= imagine)* s'imaginer, se représenter; *(= foresee)* envisager, prévoir.

**visualizer, visualiser** /'vɪzjʊəlaɪzə`ʳ`/ N *(Pub)* concepteur m publicitaire, visualiste mf.

**vital** /'vaɪtl/ ADJ *(gen)* vital, essentiel ◆ **of vital importance** d'une importance capitale ◆ **your support is vital to us** votre soutien nous est indispensable ◆ **vital records management** gestion des documents essentiels ◆ **vital statistics** *population* statistiques démographiques.

**vitiate** /'vɪʃɪeɪt/ VT *transaction* rendre nul.

**VLCC** /ˌviːelsiː'siː/ N abbr of **very large crude carrier** → **very.**

**VLSI** /ˌviːeles'aɪ/ N abbr of **very large scale integration** → **very.**

**vocational** /vəʊ'keɪʃənl/ ADJ professionnel ◆ **vocational school / training** école / formation professionnelle.

**vogue** /vəʊg/ N vogue f, mode f.

**voice** /vɔɪs/ **N** voix f ◆ **advisory voice** voix consultative ◆ **voice mail** boîte or messagerie vocale ◆ **voice server** serveur vocal
**VT** *(= express) feelings, opinion* exprimer, formuler ◆ **the union representative voiced several objections** le délégué syndical a soulevé plusieurs objections.

**voice-over** /'vɔɪsəʊvə`ʳ`/ N *(TV)* commentaire m.

**void** /vɔɪd/ **ADJ a** vide ◆ **void of** vide de, dépourvu de **b** *(Jur)* nul ◆ **to make void** rendre nul ◆ **null and void** nul et non avenu
**VT** *(Jur)* annuler, rendre nul.

**voidable** /'vɔɪdəbl/ ADJ *contract* résiliable, annulable.

**voidance** /'vɔɪdəns/ N annulation f.

**vol.** abbr of **volume.**

**volatile** /'vɒlətaɪl/ ADJ *market, prices* volatil.

**volatility** /ˌvɒlə'tɪlɪtɪ/ N volatilité f ◆ **the price volatility of a share** le degré de volatilité du cours d'une action.

**volume** /'vɒljuːm/ N **a** *(= size)* volume m ◆ **business volume** volume d'affaires ◆ **sales volume** *(= amount sold)* volume des ventes; *(= revenues from sales)* chiffre d'affaires ◆ **we're looking for volume rather than margins** nous recherchons le volume plutôt que les marges bénéficiaires ◆ **production volume** volume de la production ◆ **trading volume** *(St Ex)* volume des transactions **b** *[tank, container]* capacité f **c** *(= sound)* volume m, puissance f

───── *compounds/composés* ─────

- **volume discount** réduction or ristourne sur quantité
- **volume index** indice du volume
- **volume manufacturing** fabrication en grande série
- **volume production** production en série
- **volume shipping** expédition or livraison en grande quantité
- **volume variance** écart sur or de volume.

**voluntary** /'vɒləntərɪ/ ADJ **a** *(= not forced)* volontaire ◆ **voluntary additional contribution** cotisation supplémentaire facultative ◆ **voluntary**

**(retail buying) chain** chaîne volontaire (de distribution) ♦ **voluntary export restraint** restriction volontaire des exportations ♦ **voluntary import restriction** restriction volontaire d'importation ♦ **voluntary insurance** assurance volontaire *or* facultative ♦ **voluntary wage restraint** limitation volontaire des salaires ♦ **voluntary retirement** retraite facultative ♦ **to go into voluntary liquidation** ≈ déposer son bilan ♦ **voluntary liquidation** liquidation volontaire **b** *(= unpaid)* **work** bénévole.

**vostro** /ˈvɒstrəʊ/ **ADJ** ♦ **vostro account** compte vostro.

**vote** /vəʊt/ **N** vote m ♦ **secret vote** scrutin *or* vote secret ♦ **standing vote** vote par assis et levé ♦ **to put to the vote** mettre aux voix ♦ **to take a vote (on)** procéder au vote (sur) ♦ **vote of thanks** motion de remerciements ♦ **vote of no confidence** motion de censure ♦ **votes recorded** suffrages exprimés ♦ **to pass a vote of confidence** voter la confiance ♦ **to win votes** gagner des voix ♦ **to count the votes** dépouiller le scrutin ♦ **the chairman has a casting vote** le président a voix prépondérante ♦ **proxy vote** vote par procuration

**VT to vote sb chairman** élire qn président

**VI** voter, donner sa voix *(for* pour, *against* contre) ♦ **to vote by a show of hands** voter à main levée ♦ **to vote by proxy** voter par procuration.

**vote down** **VT SEP** rejeter par le vote.

**vote in** **VT SEP** *law* adopter, voter; *person* élire.

**voteless** /ˈvəʊtlɪs/ **ADJ** ♦ **voteless share** action sans droit de vote, certificat d'investissement.

**vote out** **VT SEP** *amendment* ne pas voter, ne pas adopter, rejeter, repousser; *elected official* ne pas réélire.

**voter** /ˈvəʊtər/ **N** électeur(-trice) m(f).

**vote through** **VT SEP** *bill, motion* voter, adopter.

**voting** /ˈvəʊtɪŋ/ **N** vote m, scrutin m ♦ **the voting went against him** le vote lui a été défavorable

───── *compounds/composés* ─────
♦ **voting age** âge légal pour voter ♦ **voting age population** population en âge de voter
♦ **voting booth** isoloir
♦ **voting machine** *(US)* machine à voter
♦ **voting paper** bulletin de vote
♦ **voting right** *(St Ex)* droit de vote
♦ **voting (right) shares** actions fpl avec droit de vote.

**vouch** /vaʊtʃ/ **VI** ♦ **to vouch for sb / sth** se porter garant de qn / qch, répondre de qn / qch.

**voucher** /ˈvaʊtʃər/ **N** **a** *(for cash, meals, petrol)* bon m ♦ **cash voucher** bon de caisse ♦ **gift voucher** chèque-cadeau ♦ **issue voucher** *(Ind)* bon de sortie de stock ♦ **luncheon voucher** *(Brit)* chèque-restaurant®, Ticket-Restaurant®, ticket-repas ♦ **pay(ing)-in voucher** *(Bank)* bordereau de versement **b** *(= receipt) (gen)* reçu m, récépissé m ; *(for debt)* quittance f **c** *(= proof)* pièce f justificative, justificatif m.

**voyage** /ˈvɔɪdʒ/ **N** *(ship)* voyage m ♦ **outward / homeward voyage** voyage d'aller / de retour

───── *compounds/composés* ─────
♦ **voyage charter** affrètement au voyage
♦ **voyage policy** police au voyage.

**VP** /viːˈpiː/ **N** abbr of **vice-president** → **vice**.

# W

**W** /'dʌblju:/ N  W ✦ **W formation** *(St Ex)* figure en W.

**WA** abbr of **with average.**

**wad** /wɒd/ N *[banknotes]* liasse f.

**wage** /weɪdʒ/ N salaire m, paye f, paie f ✦ **weekly wage** salaire hebdomadaire ✦ **the company pays incentive wages** la firme pratique une politique de hauts salaires liés au rendement ✦ **dismissal wage** *(US)* indemnité de licenciement ✦ **gross wage** salaire brut ✦ **guaranteed minimum wage** salaire minimum de garantie ✦ **net wage** salaire net ✦ **real wage** salaire réel ✦ **retention on wages** retenue sur

———— compounds/composés ————

✦ **wage adjustment** réajustement or revalorisation de salaire
✦ **wage(s) agreement** accord salarial, convention salariale
✦ **wage(s) bill** masse salariale
✦ **wage bonus** prime salariale
✦ **wage bracket** tranche de salaires ✦ **he's in a higher wage bracket than me** il est dans une tranche de salaires plus élevée que la mienne
✦ **wage(s) claim** revendication salariale
✦ **wage(s) clerk** aide-comptable mf
✦ **wage contracts** contrats mpl salariaux
✦ **wage costs** coûts mpl salariaux
✦ **wage-curb agreement** accord de modération salariale
✦ **wage demand** revendication salariale
✦ **wage differential** écart salarial or de salaires
✦ **wage drift** dérapage or glissement or dérive des salaires
✦ **wage earner** salarié(e) ✦ **households with more than one wage earner** les foyers qui ont plus d'un salaire
✦ **wage escalator** *(US)* échelle mobile des salaires
✦ **wage explosion** explosion des salaires
✦ **wage(s) freeze** blocage des salaires

✦ **wage goods** biens mpl de première nécessité or de subsistance or de consommation courante
✦ **wage hike** *(US)* hausse des salaires
✦ **wage increase** hausse or augmentation de salaire
✦ **wage indexation** indexation des salaires
✦ **wage lag** décalage des salaires par rapport aux prix
✦ **wage level** niveau des salaires
✦ **wage negotiations** négociations fpl salariales
✦ **wage packet** *(lit)* enveloppe de paye; *(fig)* paye ✦ **inflation halves the value of the average worker's wage packet** l'inflation réduit de moitié la valeur des salaires moyens
✦ **wage policy** politique salariale
✦ **wage-and-price guidelines** directives fpl en matière de salaires et de prix
✦ **wage-price spiral** spirale des salaires et des prix
✦ **wage-push inflation** inflation par les salaires
✦ **wage pyramid** pyramide des salaires
✦ **wage rate** taux de rémunération or de salaire
✦ **wage restraint** limitation des salaires ✦ **voluntary wage restraint** limitation volontaire des salaires ✦ **wage restraint agreement** accord de modération salariale
✦ **wage rise** hausse or augmentation de salaire
✦ **wage scale** échelle or grille des salaires
✦ **wage(s) settlement** accord salarial
✦ **wage sheet** feuille de paye
✦ **wage slip** bulletin de salaire, fiche de paye
✦ **wage spread** *(US)* éventail des salaires
✦ **wage standstill** blocage des salaires
✦ **wage stop** blocage des salaires
✦ **wage system** mode de rémunération
✦ **wage talks** négociations fpl salariales
✦ **wage withholding** saisie-arrêt sur salaire
✦ **wage worker** *(US)* salarié(e)

salaire ♦ **starting wage** salaire de départ ♦ **his wage is** *or* **his wages are $500 per week** il touche un salaire de 500 dollars par semaine, il est payé 500 dollars par semaine

**VT** **to wage a campaign** faire campagne, mener une campagne *(for* pour, *against* contre)

**wagon** /'wægən/ *(Brit)* **N** *(Rail)* wagon m de marchandises.

**wait** /weɪt/ **N** attente f ♦ **wait days** jours d'attente ♦ **wait-and-see policy** attentisme

**VI** attendre ♦ **to wait for sb / sth** attendre qn / qch ♦ **sorry to have kept you waiting** désolé de vous avoir fait attendre ♦ **parcels waiting to be collected** colis en souffrance.

**waiting** /'weɪtɪŋ/

――――――― compounds/composés ―――――――
- ♦ **waiting line theory** théorie f des files d'attente
- ♦ **waiting list** liste f d'attente.

**wait-list** /'weɪtlɪst/ **VT** *(Aviat)* liste f d'attente

**VT** *(Aviat)* mettre sur une liste d'attente ♦ **to be wait-listed** être sur la liste d'attente.

**waive** /weɪv/ **VT** *claim, right, privilege* renoncer à, abandonner; *condition, objection* retirer.

**waiver** /'weɪvər/ **N** abandon m *(of* de); *(Jur)* renonciation f *(of* à) ♦ **to sign a waiver** signer une renonciation

――――――― compounds/composés ―――――――
- ♦ **waiver clause** *(Ins)* clause d'abandon.

**wake** /weɪk/ **N** *[ship]* sillage m ♦ **in the wake of this decision** à la suite de cette décision ♦ **in the wake of Wall Street** dans le sillage de Wall Street ♦ **inflation brought unemployment in its wake** l'inflation a entraîné le chômage dans son sillage.

**Wales** /weɪlz/ **N** pays m de Galles.

**walkaway** * /'wɑːkəweɪ/ *(US)* **N** victoire f dans un fauteuil.

**walkie-talkie** /'wɔːkɪ'tɔːkɪ/ **N** talkie-walkie m.

**walk-in sales** /'wɑːkɪnˌseɪlz/ **NPL** ventes fpl spontanées.

**walk off** **VI** s'en aller, partir ♦ **to walk off the lines** *or* **the job** * débrayer, cesser le travail.

**walk out** **VI** *(= go on strike)* se mettre en grève, faire grève; *(as protest)* partir, se retirer *(en signe de protestation).*

**walkout** /'wɑːkaʊt/ **N** *(= strike)* grève f surprise; *(from meeting)* départ m *(en signe de protesta-*

*tion)* ♦ **to stage a walkout** *[workers]* faire une grève surprise; *[delegates]* partir *(en signe de protestation).*

**walk out on** **VT FUS** *business partner* laisser tomber*, plaquer*, planter là*.

**walkover** * /'wɔːkəʊvər/ **N** victoire f dans un fauteuil ♦ **it was a walkover** * c'était un jeu d'enfant, c'était simple comme bonjour.

**wall** /wɔːl/ **N** *(lit)* mur m ♦ **party wall** mur mitoyen ♦ **tariff wall** *(Customs)* barrière tarifaire *or* douanière ♦ **to go to the wall** *[person]* perdre la partie; *(= go bankrupt)* faire faillite; *[projects]* tomber à l'eau ♦ **to have one's back to the wall, be up against the wall** avoir le dos au mur, être acculé ♦ **to drive** *or* **push sb to the wall** acculer qn.

**wallet** /'wɒlɪt/ **N** portefeuille m.

**wallflower** /'wɔːlflaʊər/ **N** *(St Ex)* valeur f boudée par les investisseurs.

**wall out** /wɔːl/ *(US)* **VT SEP** dresser des barrières contre ♦ **to wall out car imports** dresser des barrières contre les importations de voitures.

**Wall Street** /'wɔːlstriːt/ *(US)* **N** *(= stock exchange)* Wall Street m, la Bourse f de New York; *(more generally)* la communauté f financière de New York ♦ **Wall Street has been watching these developments with concern** les milieux financiers new-yorkais ont observé ces évolutions avec inquiétude ♦ **he's become one of the most sought-after men on Wall Street** il est devenu l'un des hommes les plus recherchés de Wall Street.

**Wall-Streeter** /'wɔːlstriːtər/ *(US)* **N** boursier m new-yorkais.

**wampum** * /'wɒmpəm/ *(US)* **N** pognon m *, fric m *.

**WAN** /wæn/ **N** abbr of **wide area network → wide.**

**wane** /weɪn/ **VI** *[popularity]* décliner, être en déclin, décroître; *[currency]* se déprécier

**N** **to be on the wane** décliner.

**wangle** /'wæŋgl/ **VT** **a** *(= get)* se débrouiller pour obtenir ♦ **I'll wangle it somehow** je me débrouillerai pour arranger ça, je goupillerai* ça **b** *(= fake) results, report, accounts* truquer*, maquiller*.

**want** /wɒnt/ **N** **a** *(= lack)* manque f ♦ **for want of** faute de, par manque de **b** **wants** *(= needs)* besoins

─── compounds/composés ───
♦ **want ad** (US) demande (for de) ♦ **want ads** petites annonces

**VT** **a** (= wish) vouloir, désirer (to do faire) ♦ **I want your opinion on this** je voudrais votre avis là-dessus ♦ **what does he want for that picture?** combien veut-il or demande-t-il pour ce tableau? ♦ **you've got him where you want him** *! vous l'avez coincé* ! **b** (= ask for) demander ♦ **the boss wants you in his office** le patron veut vous voir or vous demande dans son bureau ♦ **you're wanted on the phone** on vous demande au téléphone ♦ **securities wanted** (St Ex) valeurs demandées ♦ **to put in a "wanted" advertisement** (in newspaper) passer une demande dans les petites annonces.

**wantage** /ˈwɒntɪdʒ/ **N** manque m, déficit m.

**wanting** /ˈwɒntɪŋ/ **ADJ** ♦ **the necessary funds were wanting** les fonds nécessaires manquaient ♦ **we found him wanting** nous ne l'avons pas trouvé à la hauteur.

**WAP** /wap/ **N** (abbr of **Wireless Application Protocol**) WAP m ♦ **WAP phone** téléphone WAP.

**war** /wɔːʳ/ **N** guerre f ♦ **to be at war** être en guerre (with avec) **to go to war** [country] se mettre en guerre, entrer en guerre (against contre, over à propos de) **to make war on** faire la guerre à ♦ **to wage a price war** se livrer à une guerre des prix ♦ **war of attrition** guerre d'usure ♦ **trade war** guerre commerciale

─── compounds/composés ───
♦ **war chest** trésor de guerre
♦ **war fever** psychose de guerre
♦ **war games** jeux mpl de stratégie militaire.

**ward off** /wɔːd/ **VT SEP** danger, problem éviter, écarter, détourner.

**warehouse** /ˈwɛəhaʊs/ **N** entrepôt m, magasin m ♦ **bonded warehouse** (for public storage of goods) magasins généraux; (Customs) entrepôt de douane ♦ **ex-warehouse price** prix départ entrepôt ♦ **furniture warehouse** garde-meuble

─── compounds/composés ───
♦ **warehouse charges** frais mpl d'entrepôt or d'emmagasinage
♦ **warehouse entry** déclaration d'entrée en entrepôt
♦ **warehouse keeper** surveillant d'entrepôt
♦ **warehouse receipt** or **warrant** warrant, récépissé-warrant, récépissé d'entrepôt
♦ **warehouse supervisor** chef magasinier

**VT** entreposer, mettre en magasin, emmagasiner.

**warehouseman** /ˈwɛəhaʊsmən/ **N** magasinier m.

**warehousing** /ˈwɛəhaʊzɪŋ/ **N** (Comm) entreposage m, emmagasinage m ♦ **to enter goods for warehousing** déclarer des marchandises pour l'entreposage.

**wares** /wɛəz/ **NPL** marchandises fpl ♦ **to sell one's wares** vendre sa marchandise.

**warm** /wɔːm/ **ADJ** welcome, encouragement cordial, chaleureux ♦ **he is a warm supporter of the present economic policies** c'est un ardent supporter de la politique économique actuelle.

**warm-up** /ˈwɔːmʌp/ **N** échauffement m, mise f en train ♦ **warm-up session** phase de mise en train.

**warn** /wɔːn/ **VT** prévenir, avertir (of de, that que) ♦ **to warn sb against doing** déconseiller à qn de faire.

**warning** /ˈwɔːnɪŋ/ **N** (= act) avertissement m; (in writing) avis m, préavis m; (= signal) alerte f, alarme f ♦ **iterative** or **repeated warnings** avertissements répétés ♦ **without warning** sans prévenir, à l'improviste ♦ **to give a week's warning** (gen) prévenir huit jours à l'avance; (more formal) donner un délai de huit jours; (in writing) donner un préavis de huit jours ♦ **I gave you due warning that** je vous avais bien prévenu que

─── compounds/composés ───
♦ **warning device** dispositif d'alarme
♦ **warning light** voyant
♦ **warning notice** avis, avertissement
♦ **warning shot** coup de semonce, avertissement
♦ **warning sign** panneau avertisseur
♦ **warning signal** signal d'alarme
♦ **warning strike** grève d'avertissement.

**warn off** **VT SEP** mettre en garde ♦ **to warn sb off sth** mettre qn en garde contre qch, déconseiller qch à qn.

**warrant** /ˈwɒrənt/ **N** (receipt) récépissé m; (= guarantee) garantie f (Comm, Customs) warrant m; (= power of attorney) procuration f, pouvoir m (Jur : of arrest) mandat m; (St Ex) warrant m, bon m de souscription ♦ **call / put warrant** call / put warrant ♦ **bonds with warrants** obligations avec bons de souscription or à warrants ♦ **search warrant** mandat de perquisition ♦ **warrant of attorney** procuration, pouvoir ♦ **to endorse a warrant** endosser un warrant ♦ **withdrawal warrant** autorisation de remboursement ♦ **dividend warrant** coupon de dividende ♦ **agricultural / hotel / industrial / oil warrant** warrant agricole / hôtelier / industriel / pétrolier ♦ **warehouse warrant** récépissé d'entrepôt, récépissé-warrant, warrant ♦ **to issue a warehouse warrant for goods, secure goods by warrant** warranter des marchandises ♦ **goods covered by a warehouse warrant** marchandises warrantées ♦ **warrant for payment** ordonnance de paiement

———— compounds/composés ————
♦ **warrant discounting** warrantage
♦ **warrant indenture** contrat de droits d'achat d'actions

**vt** (= guarantee) garantir; (Comm) warranter; (= justify) action légitimer, justifier.

**warranted** /'wɒrəntɪd/ **ADJ** (gen) garanti; (covered by warehouse warrant) warranté.

**warrantee** /ˌwɒrən'tiː/ **N** créancier(-ière) m(f) (à qui on a remis une garantie).

**warranter, warrantor** /'wɒrəntəʳ/ **N** (Jur) garant m.

**warranty** /'wɒrəntɪ/ **N** (Comm, Jur) garantie f ♦ **under warranty** sous garantie ♦ **implied / express warranty** garantie tacite / expresse ♦ **warranty of title** attestation de titre ♦ **breach of warranty** rupture de garantie

———— compounds/composés ————
♦ **warranty card** carte de garantie.

**Warsaw** /'wɔːsɔː/ **N** Varsovie.

**wary** /'weərɪ/ **ADJ** person prudent, circonspect ♦ **banks will be wary of investing further while the outlook remains so unsettled** les banques hésiteront à faire d'autres investissements tant que les perspectives resteront aussi incertaines.

**wash** /wɒʃ/ **VT** (lit) laver ♦ **to wash sales of stocks** (St Ex) faire des ventes fictives d'une valeur

———— compounds/composés ————
♦ **wash-and-wear** shirt sans repassage
♦ **wash-goods** détergents mpl
♦ **wash-out** * (= operation) fiasco, désastre; (= person) nullité
♦ **wash sale** (St Ex) vente fictive.

**washable** /'wɒʃəbl/ **ADJ** lavable, lessivable.

**washing** /'wɒʃɪŋ/ **N** ♦ **bond washing** (US Fin) vente de valeurs à revenu fixe (juste avant le paiement de l'intérêt pour des raisons fiscales)

———— compounds/composés ————
♦ **washing machine** machine à laver, lave-linge
♦ **washing powder** détergent.

**Washington** /'wɒʃɪŋtən/ **N** Washington.

**wash out** * **VT SEP** (= cancel) rendre impossible ♦ **higher oil prices have washed out any chance of a recovery in this sector** la hausse des cours du pétrole a anéanti tout espoir de reprise dans ce secteur.

**WASP** /wɒsp/ (US) **N** (abbr of **White Anglo-Saxon Protestant**) Blanc(-anche) m(f) anglo-saxon(ne) protestant(e).

**wastage** /'weɪstɪdʒ/ **N** [resources, energy, food, money] gaspillage m ; (= amount lost from container) fuites fpl, pertes fpl ; (= rejects) déchets mpl ; (as part of industrial process) déperdition f (Comm : through pilfering) coulage m ♦ **natural wastage** [staff] départs naturels.

**waste** /weɪst/ **N** **a** [resources, energy, money] gaspillage m ♦ **to go** or **run to waste** se perdre ♦ **it's a waste of time** c'est une perte de temps ♦ **the waste society** la société de gaspillage **b** **waste (material)** (Brit), **wastes** (US) déchets ♦ **household waste** ordures ménagères ♦ **industrial / nuclear waste** déchets industriels / nucléaires ♦ **ADJ** energy perdu; food inutilisé; water usé; land, ground inculte, en friche; region, district à l'abandon, désolé ♦ **waste material** déchets ♦ **waste products** déchets de fabrication ♦ **waste book** (Acc) main courante, brouillard ♦ **waste disposal** élimination des déchets ♦ **VT** resources gaspiller; time perdre; opportunity perdre, laisser passer, gâcher ♦ **to waste money** gaspiller de l'argent (on sth pour qch, on doing pour faire) **I wasted a whole day on these interviews** j'ai perdu toute une journée avec ces entretiens.

**wasteful** /'weɪstful/ **ADJ** process peu économique, peu rentable ♦ **wasteful expenditure** dépenses inutiles.

**wasteland** /'weɪstlænd/ **N** terres fpl à l'abandon ♦ **piece of wasteland** (in town) terrain vague.

**wasting asset** /'weɪstɪŋ'æsɪt/ **N** actif m consommable or défectible.

**watch** /wɒtʃ/ **N** **a** (= timepiece) montre f ♦ **the watch industry** l'industrie horlogère **b** (= act of watching) surveillance f ♦ **to keep a close watch on** surveiller de près or avec vigilance ♦ **VT** **a** (gen) regarder; notice board, small ads consulter régulièrement; economic situation, developments surveiller, suivre de près or attentivement **b** *(= be careful of)* faire attention à ♦ **we'll have to watch the money carefully** il faudra surveiller *or* faire attention à nos dépenses ♦ **in this business you have to watch your back the whole time** * dans ce métier, il faut surveiller ses arrières en permanence.

**watchdog** /'wɒtʃdɒg/ **n** *(fig)* gardien m ♦ **watchdog committee** comité de surveillance *or* de vigilance
**vt** *(* US)* events suivre de près.

**watcher** /'wɒtʃəʳ/ **n** *(= observer)* observateur (-trice) m(f) ; *(= spectator)* spectateur(-trice) m(f) ♦ **car-market watcher** spécialiste du marché automobile.

**watchman** /'wɒtʃmən/ **n** *(gen)* gardien m ; *(night watchman)* veilleur m *or* gardien m de nuit.

**watchword** /'wɒtʃwɜːd/ **n** mot m d'ordre.

**water** /'wɔːtəʳ/ **n** *(gen)* eau f ♦ **the plan doesn't hold water** le projet ne tient pas la route ♦ **the company is getting into hot water** la situation devient préoccupante pour la société, la société connaît de graves difficultés ♦ **in French waters** dans les eaux territoriales françaises

—— *compounds/composés* ——
♦ **water damage** dégât des eaux
♦ **water main** conduite *or* canalisation principale des eaux
♦ **water power** énergie hydraulique
♦ **water supply** *[town]* approvisionnement en eau, distribution des eaux; *[house]* alimentation en eau
♦ **water system** réseau de canalisations.

**water down** vt SEP *(fig)* report édulcorer ♦ **to water down a statement** atténuer une affirmation.

**watered** /'wɔːtɪd/ ADJ ♦ **watered stock** actions gonflées (sans raison) ♦ **watered capital** capital dilué.

**watering** /'wɔːtərɪŋ/ **n** ♦ **watering of stock** dilution de capital.

**waterproof** /'wɔːtəpruːf/ ADJ material imperméable; *watch* étanche
**vt** imperméabiliser.

**watershed** /'wɔːtəʃed/ **n** *(fig)* tournant m décisif, grand tournant m ♦ **this decision marked a watershed in the company's activities** cette décision a constitué un tournant dans les activités de la société.

**watertight** /'wɔːtətaɪt/ ADJ container étanche; excuse, plan, contract inattaquable.

**waterway** /'wɔːtəweɪ/ **n** voie f navigable ♦ **inland waterways** voies fluviales *or* navigables.

**waterworks** /'wɔːtəwɜːks/ **n** *(= system)* système m hydraulique; *(= place)* station f hydraulique.

**wave** /weɪv/ **n** **a** vague f ♦ **to make waves** *[decision, result]* créer des remous, faire des vagues ♦ **the merger / takeover wave** la vague de fusions / d'OPA **b** *(Rad, Telec)* onde f ♦ **long wave** grandes ondes ♦ **medium / short wave** ondes moyennes / courtes.

**wavelength** /'weɪvˌleŋθ/ **n** longueur f d'onde ♦ **we're not on the same wavelength** *(fig)* nous ne sommes pas sur la même longueur d'onde.

**way** /weɪ/ **n** **a** *(= road)* chemin m, voie f ♦ **the middle way** *(= compromise)* la solution intermédiaire *or* moyenne; *(= happy medium)* le juste milieu ♦ **to pave the way for sth** frayer *or* ouvrir la voie à qch ♦ **I'm with you all the way** *(fig)* je suis entièrement d'accord avec vous ♦ **there is no way round this difficulty** il n'y a pas moyen de contourner la difficulté ♦ **to be in the way** gêner ♦ **don't go out of your way to do it** ne vous dérangez pas exprès pour le faire ♦ **to make way for sb** laisser la voie libre à qn ♦ **this company has come a long way** cette société a fait du chemin ♦ **it should go a long way towards paying the bill** cela devrait couvrir une grosse partie de la facture **b** **to be under way** *[ship]* être en route; *[negotiations]* être en cours; *[plans]* être en voie de réalisation *or* d'exécution ♦ **to get under way** *[ship]* appareiller, lever l'ancre; *[negotiations, plan]* démarrer ♦ **inflation has got under way again** l'inflation est repartie **c** *(Econ)* ♦ **Ways and Means** voies et moyens ♦ **Ways and Means Committee** *(US)* commission des finances

—— *compounds/composés* ——
♦ **way port** port intermédiaire.

**waybill** /'weɪbɪl/ **n** *(Rail, Road)* lettre f de voiture; *(Aviat)* lettre f de transport aérien.

**WB, W / B** abbr of **waybill**.

**W.C.** abbr of **without charge** → **without**.

**wd, w / d** abbr of **warranted**.

**WDV** abbr of **written down value** → **write down**.

**weak** /wiːk/ ADJ *(gen, Econ, Fin)* faible.

**weaken** /'wiːkən/ **vi** *[prices]* fléchir; *[market]* fléchir, se tasser ♦ **the price of tin has weakened further** le cours de l'étain a accentué son repli *or* a de nouveau faibli

**VT** *government, unions* affaiblir; *currency* faire baisser, affaiblir.

**weakness** /'wiːknɪs/ N faiblesse f ◆ **weakness investigation** *(Acc)* analyse des lacunes ◆ **to buy the stock on weakness** *(St Ex)* acheter la valeur sur repli.

**wealth** /welθ/ N *(= fact of being rich)* richesse f ; *(= money, resources)* richesses fpl ◆ **national wealth** patrimoine national

```
——— compounds/composés ———
◆ wealth effect effet de richesse
◆ wealth tax impôt (de solidarité) sur la fortune,
  impôt sur les grandes fortunes.
```

**wealthy** /'welθɪ/ ADJ riche, fortuné
N the wealthy les riches.

**weapon** /'wepən/ N arme f.

**wear** /weəʳ/ N *(Comm = clothes collectively)* vêtements mpl ◆ **summer wear** vêtements d'été ◆ **this material will stand up to a lot of wear** ce tissu fera beaucoup d'usage ◆ **wear and tear** usure (normale) ◆ **fair wear and tear** usure normale
VT *suit* porter.

**weather** /'weðəʳ/ N temps m ◆ **weather permitting** si le temps le permet
VT *crisis* survivre à, surmonter.

**weave** /wiːv/ VT tisser.

**weaver** /'wiːvəʳ/ N tisserand(e) m(f).

**weaving** /'wiːvɪŋ/

```
——— compounds/composés ———
◆ weaving loom métier à tisser
◆ weaving mill atelier or usine de tissage
◆ the weaving trade l'industrie du tissage.
```

**Web** /web/ N ◆ **the Web** le Web, la Toile.

**website** /'websaɪt/ N site m Web, site m Internet.

**wedge** /wedʒ/ N *(St Ex)* figure f en biseaux.

**Wednesday** /'wenzdeɪ/ N mercredi m → **Saturday.**

**weed out** /wiːd/ VT SEP *(fig) weak candidates* éliminer (*from* de); *troublemakers* expulser (*from* de)

**week** /wiːk/ N semaine f ◆ **the week after next** dans deux semaines ◆ **today week, a week today, this day week** aujourd'hui en huit ◆ **tomorrow week** demain en huit ◆ **Tuesday week ★, a week on Tuesday** mardi en huit ◆ **working week** *(Brit)*, **work week** *(US)* semaine de travail ◆ **the 35-hour week** la semaine de

35 heures ◆ **within a week** sous huitaine, d'ici à huit jours ◆ **he's paid by the week** il est payé à la semaine.

**weekday** /'wiːkdeɪ/ N jour m de semaine, jour m ouvrable; *(excluding Saturday and Sunday)* jour m ouvré ◆ **on weekdays** en semaine, les jours ouvrables.

**weekend** /'wiːk'end/ N week-end m, fin f de semaine ◆ **a long weekend** un week-end prolongé ◆ **to take a long weekend** faire le pont ◆ **they have to work alternate weekends** ils doivent travailler un week-end sur deux ◆ **they finish at 4.30 at the weekend** ils cessent le travail à 16 h 30 les veilles de week-end.

**weekly** /'wiːklɪ/ ADJ *wages, visit* de la semaine, hebdomadaire ◆ **weekly return** *(Bank)* situation hebdomadaire
ADV *pay, report* chaque semaine
N hebdomadaire m.

**weigh** /weɪ/ VT *(lit, fig)* peser ◆ **to weigh the pros and cons** peser le pour et le contre ◆ **the doubts weighing on the share price** les incertitudes qui pèsent sur le cours du titre.

**weighbridge** /'weɪbrɪdʒ/ N pont m à bascule.

**weight** /weɪt/ N **a** *(lit)* poids m ◆ **to be sold by weight** se vendre au poids ◆ **chargeable weight** poids taxé ◆ **dead weight** *(gen)* poids mort ◆ **dead weight (capacity)** *(Mar)* chargement or charge or port en lourd ◆ **dead weight cargo** marchandises lourdes ◆ **dead weight charter** affrètement en lourd ◆ **dead weight debt** *(Brit Econ)* dette improductive ◆ **dead weight tonnage** tonnage de portée en lourd ◆ **delivered weight** poids rendu ◆ **excess weight** excédent de poids ◆ **gross weight** poids m brut ◆ **loaded weight** poids embarqué ◆ **net weight** poids net ◆ **loaded net weight** poids net embarqué ◆ **shipped weight** poids embarqué ◆ **weight allowed free** franchise de poids ◆ **weight ascertained** poids constaté ◆ **weight or measurement** poids ou encombrement ◆ **weight when empty** poids à vide **b** *(fig)* [*argument, public opinion*] poids m, force f ; [*responsibility*] poids m, fardeau m ◆ **to carry weight** [*argument*] avoir du poids or de l'importance (*with* pour) [*person*] avoir de l'influence ◆ **to throw in one's weight** mettre son poids dans la balance

```
——— compounds/composés ———
◆ weight cargo marchandises fpl lourdes
◆ weight note bulletin de pesage
◆ weight ton tonnage
```

**vt** the situation was heavily weighted in his favour / against him la situation lui était nettement favorable / défavorable.

**weighted** /'weɪtɪd/ **ADJ** pondéré ◆ **weighted average** moyenne pondérée ◆ **weighted index** indice pondéré ◆ **the dollar's trade-weighted value** la valeur pondérée du dollar en tenant compte de la balance commerciale.

**weighting** /'weɪtɪŋ/ **N** **a** (on salary) indemnité f, allocation f ◆ **London weighting** indemnité de résidence pour Londres **b** (Econ) coefficient m, pondération f.

**weigh up** **vt SEP** (= compare) comparer, mettre en balance (A with B, A against B A et B) ◆ **I'm weighing up whether to accept their proposal or not** je me tâte pour savoir si j'accepte ou non leur proposition.

**welcome** /'welkəm/ **N** accueil m ◆ **the chairman said a few words of welcome** le président a prononcé quelques mots de bienvenue ◆ **what sort of a welcome will this product get from the housewife?** comment la ménagère accueillera-t-elle ce produit?

**vt** person, delegation (= greet, receive) accueillir; (= greet warmly) faire bon accueil à, accueillir chaleureusement ◆ **we would welcome your opinion on** nous serions heureux d'avoir votre opinion sur ◆ **we welcome suggestions from staff for new products** nous invitons le personnel à nous soumettre des suggestions pour de nouveaux produits.

**welcoming** /'welkəmɪŋ/ **ADJ** ceremony, speeches d'accueil ◆ **the welcoming party** le comité d'accueil.

**welfare** /'welfɛəʳ/ **N** (gen) bien m ; (= comfort) bien-être m ◆ **to be on Welfare** (US) toucher des prestations sociales

──── compounds/composés ────

◆ **welfare benefits** prestations fpl sociales, avantages mpl sociaux
◆ **welfare department** service social
◆ **welfare economics** économie du bien-être
◆ **welfare payments** prestations fpl familiales or sociales
◆ **welfare recipient** allocataire de la Sécurité sociale
◆ **welfare state (the)** l'État-providence
◆ **welfare worker** travailleur social, assistante sociale

**welfarism** /'welfɛərɪzəm/ **N** (US Pol) théorie f de l'État-providence.

**welfarist** /'welfɛərɪst/ **ADJ, N** (US Pol) partisan m de l'État-providence.

**well** /wel/ **N** [oil] puits m

**ADV** bien ◆ **you did well to finish so quickly** vous avez bien fait de finir aussi rapidement ◆ **you would be well advised to sell** vous auriez tout intérêt à vendre ◆ **well versed in** familiarisé avec, très au fait de

──── compounds/composés ────

◆ **well-balanced** person équilibré
◆ **well-equipped** bien équipé
◆ **well-founded, well-grounded** suspicion, claim bien fondé, légitime
◆ **well-informed** bien informé, bien renseigné (about sur) ◆ **in well-informed circles** dans les milieux bien informés
◆ **well-meaning** bien intentionné
◆ **well-off** riche, aisé, fortuné
◆ **well-paid** bien payé, bien rémunéré
◆ **well-stocked** bien approvisionné
◆ **well-timed** announcement, departure bien calculé, qui survient à point nommé
◆ **well-to-do** riche, aisé, fortuné
◆ **well-tried** method éprouvé, qui a fait ses preuves.

**wellhead** /'welhed/ **N** source f ◆ **wellhead prices** prix à la source.

**Wellington** /'welɪŋtən/ **N** Wellington.

**Welsh** /welʃ/ **ADJ** gallois
**N** **a** (= language) gallois m **b** the Welsh les Gallois.

**Welshman** /'welʃmən/ **N** Gallois m.

**Welshwoman** /'welʃwʊmən/ **N** Galloise f.

**west** /west/ **N** ouest m ◆ **the West** l'Occident, l'Ouest.

**western** /'westən/ **ADJ** occidental, (de l')ouest ◆ **Western Europe** Europe occidentale ◆ **Western European Union** Union de l'Europe occidentale.

**westernize, westernise** /'westənaɪz/ **vt** occidentaliser ◆ **to become westernized** s'occidentaliser.

**West Germany†** /ˌwest'dʒɜːmənɪ/ **N** Allemagne f de l'Ouest.

**West Indian** /west'ɪndɪən/ **ADJ** antillais
**N** (= inhabitant) Antillais(e) m(f).

**West Indies** /west'ɪndɪz/ **NPL** ◆ **the West Indies** les Antilles.

**wet** /wet/ **ADJ** mouillé ◆ **he's still wet behind the ears** * (fig) il manque d'expérience, c'est encore un bleu* ◆ **wet blanket** (fig) trouble-fête ◆ **the decision was a wet blanket over the farmers' optimism** la décision a tempéré l'optimisme des agriculteurs

**wetback**

─── compounds/composés ───
- **wet dock** *(Mar)* bassin à flot
- **wet goods** *(St Ex)* (marchandises) liquides
- **wet stock** spiritueux mpl.

**wetback** * /ˈwetbæk/ *(US)* N ouvrier m agricole mexicain *(entré clandestinement aux États-Unis)*.

**WEU** /ˌdʌbljuːˈjuː/ N (abbr of **Western European Union**) UEO f.

**WFTU** /ˌdʌbljuːeftiːˈjuː/ N (abbr of **World Federation of Trade Unions**) FSM f.

**whaling** /ˈweɪlɪŋ/ N pêche f à la baleine ◆ **whaling** or **the whaling industry is in decline** l'industrie baleinière est en déclin.

**wharf** /wɔːf/ N quai m ◆ **charging / discharging wharf** embarcadère / débarcadère ◆ **ex wharf** à prendre à quai ◆ **ex-wharf price** prix départ quai or entrepôt ◆ **sufferance wharf** quai de la douane *(où sont débarquées les marchandises passibles de droits d'entrée)*.

**wharfage** /ˈwɔːfɪdʒ/ N droits mpl de quai or de bassin.

**wharfinger** /ˈwɔːfɪndʒəʳ/ N responsable mf de bassin.

**wheat** /wiːt/ *(Brit)* N blé m, froment m.

**wheel** /wiːl/ **N** *(gen)* roue f ◆ **the wheels of government** les rouages du gouvernement ◆ **there are wheels within wheels** il y a toutes sortes de forces en jeu ◆ **the wheel has come full circle** la boucle est bouclée ◆ **he's a big wheel in the banking world** * c'est un magnat de la finance
**VI** **he is always wheeling and dealing** il est toujours en train de chercher des combines*.

**wheeler-dealer** * /ˈwiːləˌdiːləʳ/ N *(Comm)* affairiste m ; *(Pol)* politicard m.

**whereas** /wɛərˈæs/ CONJ *(Jur)* attendu que ◆ **the whereas clauses** les attendus, les considérants.

**wherefore** /ˈwɛəfɔːʳ/ CONJ *(Jur)* par conséquent ◆ **the wherefore clauses** les conclusions.

**whereof** /wɛərˈɒv/ PRON *(Jur)* ◆ **in witness whereof** en témoignage or en foi de quoi.

**whip up** /wɪp/ VT SEP *support, interest* donner un coup de fouet à, stimuler.

**whistle-blower** /ˈwɪslbləʊəʳ/ N personne f qui tire la sonnette d'alarme.

**white** /waɪt/ ADJ blanc ◆ **white coal** houille blanche ◆ **white-collar job** emploi de bureau ◆ **white-collar worker** employé de bureau, col

blanc ◆ **white goods** *(= linen)* (linge) blanc; *(= domestic appliances)* produits blancs, appareils ménagers ◆ **the White House** la Maison-Blanche ◆ **white knight** *(St Ex)* chevalier blanc ◆ **white paper** *(Pol)* livre blanc; *(Fin)* papier de haut commerce ◆ **white sale** vente de blanc.

**whitewash** /ˈwaɪtwɒʃ/ VT *reputation* blanchir; *bankrupt* réhabiliter.

**whittle down** /wɪtl/ VT SEP *costs, commissions* réduire, rogner, comprimer ◆ **purchasing power has been gradually whittled down** le pouvoir d'achat a été rogné peu à peu.

**whizz kid** * /ˈwɪzkɪd/ N petit prodige m or génie m.

**WHO** /ˌdʌbljuːeɪtʃˈəʊ/ N (abbr of **World Health Organization**) OMS f.

**whole** /həʊl/ ADJ entier, complet ◆ **whole cargo charter** affrètement total ◆ **whole life insurance** assurance décès, assurance vie entière.

**wholesale** /ˈhəʊlseɪl/ **N** *(Comm)* (vente f en) gros m ◆ **at** or **by wholesale** en gros ◆ **we deal in wholesale only** nous ne pratiquons que la vente en gros
**ADJ** **a** *(Comm) price, trade, firm* de gros ◆ **wholesale bank** banque spécialisée dans les opérations des entreprises ◆ **wholesale dealer** or **merchant** grossiste, marchand en gros ◆ **wholesale goods** marchandises de gros ◆ **wholesale market** marché de gros ◆ **wholesale price index** indice des prix de gros ◆ **wholesale trade** commerce de gros ◆ **wholesale trader** grossiste **b** *destruction* massif; *rejection, acceptance* en bloc ◆ **there has been wholesale sacking of unskilled workers** il y a eu des licenciements massifs d'ouvriers spécialisés ◆ **wholesale manufacture** production or fabrication en série
**ADV** *buy, sell* en gros; *reject* en bloc ◆ **workers are being laid off wholesale** on procède actuellement à des licenciements massifs
**VT** vendre en gros
**VI** se vendre en gros.

**wholesaler** /ˈhəʊlseɪləʳ/ N *(Comm)* grossiste mf, marchand(e) m(f) en gros.

**wholly** /ˈhəʊlɪ/ ADV entièrement, totalement ◆ **wholly-owned subsidiary** filiale (contrôlée) à cent pour cent.

**whse** abbr of **warehouse**.

**wide** /waɪd/ ADJ *(gen)* large; *survey* de grande envergure ◆ **wide range of articles** gamme étendue d'articles

**ADV** *aim, shoot, fall* loin du but ◆ **wide of the mark** loin du but ◆ **forecasters were wide of target** les prévisionnistes n'ont pas vu juste *or* ont mis à côté de la plaque*

────── compounds/composés ──────
◆ **wide area network** *(Comp)* réseau étendu, réseau longue distance
◆ **wide-bodied** *or* **wide-body aircraft** gros-porteur
◆ **wide connection** grosse clientèle
◆ **wide-ranging** *survey* de grande envergure.

**widen** /'waɪdn/ **VT** élargir
**VI** *(gen)* s'élargir, s'agrandir; *[gap]* se creuser.

**widespread** /'waɪdspred/ **ADJ** *belief* très répandu, fréquent; *inflation* généralisé.

**widget** * /'wɪdʒɪt/ **N** gadget m ; *(Internet)* widget m, gadget logiciel.

**width** /wɪdθ/ **N** largeur f.

**wield** /wiːld/ **VT** *control* exercer *(over* sur)

**wifi** /'waɪfaɪ/ **N, ADJ** wifi (m inv), sans fil (m inv).

**wildcat** /'waɪld,kæt/ **ADJ** ◆ **wildcat strike** grève sauvage ◆ **wildcat venture** entreprise risquée.

**wildcatter** * /'waɪld,kætər/ **N** *(= striker)* gréviste mf ; *(Fin)* spéculateur m.

**wilful** *(Brit),* **willful** *(US)* /'wɪlfʊl/ **ADJ** *damage* commis avec préméditation, commis délibérément, intentionnel ◆ **wilful misrepresentation of facts** distorsion volontaire des faits, fausse déclaration.

**will** /wɪl/ **N** *(Jur)* testament m ◆ **this is his last will and testament** ce sont ses dernières volontés ◆ **to dispute a will** attaquer un testament
**VT** léguer.

**willful** /'wɪlfʊl/ *(US)* **ADJ** → **wilful.**

**win** /wɪn/ **N** victoire f
**VI** *(in competition)* gagner, l'emporter ◆ **to win hands down** * gagner les doigts dans le nez*, gagner haut la main
**VT** **a** *victory* remporter; *prize* gagner, remporter **b** *(= obtain)* *sympathy, support* obtenir, s'attirer ◆ **to win customers** gagner des clients, se faire une clientèle ◆ **to win one's spurs** faire ses preuves ◆ **to win coal** *(= extract)* extraire du charbon.

**win back** **VT SEP** *market share* reconquérir, reprendre.

**wind** /wɪnd/ **N** vent m ◆ **to sail close to the wind** *(fig)* friser l'illégalité ◆ **to take the wind out of**

sb's sails couper l'herbe sous les pieds de qn ◆ **to get one's second wind** trouver son second souffle.

**wind down** /waɪnd/ **VT** *department, service* démanteler progressivement; *activity* réduire, arrêter progressivement.

**windfall** /'wɪndfɔːl/ **N** aubaine f

────── compounds/composés ──────
◆ **windfall profit** bénéfice exceptionnel
◆ **windfall tax** impôts sur les bénéfices exceptionnels.

**Windhoek** /'wɪnt,hʊk/ **N** Windhoek.

**winding-up** /'waɪndɪŋ'ʌp/ **N** *[meeting, account]* clôture f ; *[business]* liquidation f, dissolution f ; *[activity]* arrêt m ◆ **voluntary winding-up** liquidation volontaire ◆ **compulsory winding-up** mise en règlement judiciaire

────── compounds/composés ──────
◆ **winding-up arrangements** *(Jur, Fin)* concordat
◆ **winding-up order** ordonnance de mise en liquidation *or* de mise en règlement judiciaire
◆ **winding-up sale** vente pour cessation de commerce, vente de liquidation
◆ **winding-up value** valeur de liquidation, valeur liquidative.

**window** /'wɪndəʊ/ **N** *(gen, Comp)* fenêtre f ; *[shop]* vitrine f, devanture f ; *(in banks, post offices)* guichet m ; *(St Ex)* fenêtre f, ouverture f momentanée ◆ **we must use this window of opportunity** nous devons utiliser cette occasion *or* cette possibilité qui nous est offerte ◆ **to put sth in the (shop) window** mettre qch en vitrine

────── compounds/composés ──────
◆ **window bill** affichette pour vitrine
◆ **window-case** vitrine
◆ **window display** (étalage en) vitrine
◆ **window dresser** étalagiste
◆ **window dressing** composition d'étalage ◆ **window dressing of a balance sheet** maquillage *or* habillage d'un bilan
◆ **window envelope** enveloppe à fenêtre
◆ **window-guidance** *(US)* navigation à vue
◆ **window-shopping** lèche-vitrines ◆ **to go window-shopping** faire du lèche-vitrines.

**wind up** **VI** *[meeting]* se terminer, finir *(with* par)
**VT SEP** *meeting* clôturer, clore, terminer *(with* par); *business* liquider; *bank account* clôturer, clore; *activity* terminer.

**wine** /waɪn/ **N** vin m

─────── *compounds/composés* ───────
- **wine-bottling** mise en bouteilles (du vin)
- **wine grower** viticulteur, vigneron
- **wine growing** viticulture, culture de la vigne
  - **wine-growing** *district, industry* vinicole, viticole
- **wine list** carte des vins
- **wine merchant** (= *retailer*) marchand de vins; (= *importer*) négociant en vins
- **wine trade (the)** l'industrie viticole
- **wine waiter** sommelier .

**winery** /'waɪnərɪ/ *(US)* N établissement m viticole *or* vinicole.

**winner** /'wɪnəʳ/ N *(gen)* vainqueur m ; *(St Ex)* valeur f en hausse; *(Comm)* article m de très bonne vente ◆ **their latest model is a winner** leur dernier modèle va faire un malheur ◆ **we spotted the winner** on a tiré le bon numéro ◆ **the company was a 2 points winner at the close** *(St Ex)* la société a gagné 2 points en clôture ◆ **winner-takes-all** le vainqueur ramasse tout, tout au gagnant.

**winning** /'wɪnɪŋ/ ADJ gagnant.

**win over** VT SEP *person* convaincre, persuader ◆ **to win sb over to one's way of thinking** gagner qn à sa façon de voir.

**WIP** /ˌdʌbljuaɪ'piː/ N abbr of **work in progress** *or* **process** → **work.**

**wipe** /waɪp/ VT *(gen)* essuyer; *tape, video* effacer ◆ **to wipe the slate clean** *(fig)* passer l'éponge ◆ **to wipe sth from a tape** effacer qch sur une bande.

**wipe off** VT SEP *(Fin)* apurer, liquider, régler.

**wipe out** VT SEP **a** *error* effacer; *debt* amortir, liquider; *unemployment* supprimer **b** *competitors* anéantir, écraser, éliminer.

**WIPO** /ˌdʌbljuaɪpiː'əʊ/ N (abbr of **World Intellectual Property Organization**) OMPI f.

**wire** /'waɪəʳ/ **N** **a** fil m ◆ **to pull wires for sb** *(fig)* pistonner qn **b** (= *telegram*) télégramme m ◆ **to send an order by wire** passer une commande par télégramme

─────── *compounds/composés* ───────
- **wire-house** *(US)* maison de courtage (travaillant par téléphone)
- **wire service** *(US Press)* agence de presse (utilisant des téléscripteurs)

**VT** télégraphier, câbler.

**wireless** /'waɪəlɪs/ ADJ sans fil ◆ **Wireless Application Protocol** WAP.

**wiretapping** /'waɪəˌtæpɪŋ/ N mise f sur écoute d'une ligne téléphonique.

**with** /wɪð, wɪθ/ PREP avec ◆ **with average** *(Mar Ins)* avec avaries ◆ **with particular average** *(Mar Ins)* avec avaries particulières ◆ **with-profits endowment assurance** assurance sur la vie avec participation aux bénéfices.

**withdraw** /wɪθ'drɔː/ **VT** *claim* retirer, renoncer à; *money* retirer; *representative* rappeler; *order* annuler; *goods* retirer de la vente; *banknotes* retirer de la circulation; *(Jur) charge* retirer ◆ **to withdraw a sum from a bank account** retirer une somme d'un compte en banque, tirer de l'argent sur un compte en banque ◆ **they withdrew their offer** ils ont retiré leur offre **VI** *[candidate, competitor]* se retirer, se désister (*from* de; *in favour of sb* en faveur de qn); *(from life insurance policy)* sortir (*from* de)

**withdrawal** /wɪθ'drɔːəl/ N *[money]* retrait m ; *[claim, order]* annulation f ; *[candidate]* désistement m ◆ **withdrawal of capital** retrait de fonds ◆ **withdrawal from stocks** prélèvement sur stocks ◆ **early withdrawal from a life insurance policy** sortie anticipée d'un contrat d'assurance-vie

─────── *compounds/composés* ───────
- **withdrawal notice** avis de retrait de fonds
- **withdrawal slip** bordereau de retrait.

**withhold** /wɪθ'həʊld/ VT *money from pay* retenir; *payment, decision* remettre, différer; *permission, support* refuser (*from sb* à qn); *facts* cacher, taire (*from sb* à qn) ◆ **withholding tax** *(gen)* retenue à la source; *(on interest, income, dividends)* prélèvement libératoire ◆ **they may decide to withhold their oil** il se peut qu'ils refusent d'approvisionner le marché en pétrole ◆ **to withhold a document** *(Jur)* refuser de communiquer une pièce.

**within** /wɪð'ɪn/ PREP ◆ **I'll be back within an hour** je serai de retour d'ici une heure *or* dans l'heure qui suit ◆ **consume within 3 days of opening** *(on label)* à consommer dans les 3 jours qui suivent l'ouverture ◆ **within a period of 4 months** *(Comm)* dans un délai de 4 mois ◆ **within the prescribed time** dans les délais prescrits.

**without** /wɪð'aʊt/ PREP sans ◆ **without engagement** sans garantie ◆ **without any liability on our part** sans engagement de notre part ◆ **without charge** gratuitement ◆ **without notice** sans préavis ◆ **without prejudice** *(gen)* sans préjudice (*to* de) *(Jur)* sous toutes réserves.

**withstand** /wɪθ'stænd/ VT résister à.

**witness** /'wɪtnɪs/ **N** **a** (Jur = person) témoin m ◆ **defaulting witness** témoin défaillant ◆ **eye witness** témoin oculaire ◆ **expert witness** expert cité comme témoin ◆ **false witness** faux témoin ◆ **witness for the defence / prosecution** témoin à décharge / à charge ◆ **to call someone as a witness** citer quelqu'un comme témoin **b** (Jur = evidence) témoignage m ◆ **in witness whereof** en témoignage de quoi, en foi de quoi ◆ **to give witness on behalf of / against** témoigner en faveur de / contre **VT** **a** (= see) être témoin de, assister à **b** (Jur) document attester or certifier l'authenticité de ◆ **to witness sb's signature** contresigner.

**wizard** /'wɪzəd/ N ◆ **he's a financial wizard** il a le génie de la finance.

**wk** abbr of **week.**

**wks** abbr of **works.**

**w / o** abbr of **without.**

**wobbly** /'wɒblɪ/ ADJ market hésitant.

**wolf** * /'wʊlf/ N (St Ex) spéculateur m expérimenté.

**won** /wʌn/ N won m.

**wood** /wʊd/ N bois m ◆ **to be out of the woods** être sorti du tunnel ◆ **wood related business** la filière bois.

**wool** /wʊl/ N laine f

— compounds/composés —
◆ **wool merchant** négociant(e) en laine
◆ **wool trade (the)** le commerce de la laine.

**woollen** (Brit), **woolen** (US) /'wʊlən/ ADJ cloth de laine ◆ **the woollen industry** l'industrie lainière ◆ **woollen manufacturer** fabricant de lainages.

**word** /wɜːd/ **N** **a** mot m ◆ **to put in a word for sb** * glisser un mot en faveur de qn ◆ **I want a word with you** j'ai à vous parler, je voudrais vous dire un mot ◆ **I'll have a word with him about it** je lui en toucherai un mot ◆ **word-of-mouth advertising** publicité de bouche à oreille ◆ **words per minute** mots à la minute **b** (= promise) parole f, promesse f ◆ **you'll have to take his word for it** il faudra le croire sur parole

— compounds/composés —
◆ **word processing** traitement de texte
◆ **word processor** machine de traitement de texte

**VT** document formuler, rédiger, libeller.

**wording** /'wɜːdɪŋ/ N [letter, statement] termes mpl, formulation f (Jur, Admin) rédac-

tion f ; [official document] libellé m ◆ **the wording is exceedingly important** le choix des termes est extrêmement important.

**work** /wɜːk/ **N** **a** (gen) travail m ◆ **to set to work** se mettre au travail ◆ **to knock off work** cesser le travail ◆ **to resume work** reprendre le travail, se remettre au travail ◆ **he's looking for work** il cherche du travail ◆ **the numbers of those out of work** le nombre des sans-emploi ◆ **to put** or **throw sb out of work** mettre qn au chômage, licencier qn ◆ **to finish work** cesser le travail ◆ **a day off work** un jour de congé ◆ **casual work** travail temporaire ◆ **clerical** or **office work** travail de bureau ◆ **shift work** travail posté ◆ **I've done a full day's work** j'ai eu une journée bien remplie ◆ **work in progress** or **process** (goods) produits en cours; (work) travaux en cours **b** works (gen, Admin) travaux; [clock, machine] mécanisme, rouages ◆ **public works programme** programme de travaux publics ◆ **road works** travaux routiers (d'entretien or de réfection) ◆ **to throw a spanner in the works** (fig) mettre des bâtons dans les roues → also **works**

— compounds/composés —
◆ **work allocation** or **assignment** distribution or répartition du travail
◆ **work ethic** déontologie, éthique du travail
◆ **work experience** expérience professionnelle ◆ **he has a lot of work experience** il a beaucoup de métier ◆ **a young secretary on work experience** une jeune secrétaire en stage de formation
◆ **work file** (Comp) fichier de travail
◆ **work flow** flux de travail
◆ **work history** expérience professionnelle
◆ **work-in** occupation du lieu de travail (par la main-d'œuvre)
◆ **work measurement** analyse quantitative du travail
◆ **work order** ordre d'exécution or de fabrication
◆ **work permit** carte or permis de travail
◆ **work prospects** débouchés mpl, perspectives fpl de travail
◆ **work sampling** échantillonnage de tâches
◆ **work schedule** [worker] emploi du temps; [project] calendrier des travaux
◆ **work sharing** partage du travail
◆ **work sheet** (Comp) feuille de calcul; (Ind) attachement, fiche de travail
◆ **work station** (gen) poste de travail; (Comp) station de travail
◆ **work stoppage** arrêt de travail
◆ **work study** étude des méthodes de travail
◆ **work ticket** fiche de travail, attachement
◆ **work-to-rule** grève du zèle

**VT** **a** (gen) travailler ◆ **the number of hours worked** le nombre d'heures travaillées or de travail ◆ **he works in engineering** il est ingénieur ◆ **to work full-time / half-time** travailler à plein temps / à mi-temps ◆ **to work shorter hours, work part-time** travailler à horaire réduit *or* à temps partiel ◆ **to work to rule** faire la grève du zèle ◆ **to work unsocial hours** travailler en dehors des heures normales de travail ◆ **we are working towards a solution / an agreement** nous nous dirigeons petit à petit vers une solution / un accord ▮b▮ *[mechanism, machine]* marcher, fonctionner ◆ **it will work** *(fig)* ça va marcher *or* aller ◆ **it doesn't work** cela ne marche *or* ne fonctionne pas

▮VT▮ ▮a▮ *(= cause to work) person, staff* faire travailler; *mechanism* faire marcher, actionner ◆ **he works his staff too hard** il surmène son personnel ▮b▮ *(= exploit) mine, land, patent* exploiter.

**workable** /ˈwɜːkəbl/ ADJ ▮a▮ *arrangement, solution* possible, réalisable ▮b▮ *mine, land* exploitable.

**workaholic** * /ˌwɜːkəˈhɒlɪk/ N bourreau m de travail.

**workbench** /ˈwɜːkbentʃ/ N établi m.

**workday** /ˈwɜːkdeɪ/ *(US)* N *(Comm)* jour m ouvrable.

**work down** VT SEP écouler ◆ **to work down inventories** écouler des stocks.

**worker** /ˈwɜːkəʳ/ N *(gen)* ouvrier(-ière) m(f) ; *(esp Pol)* travailleur(-euse) m(f) ◆ **managers and workers** patronat et travailleurs *or* ouvriers ◆ **blue-collar worker** col bleu, travailleur manuel ◆ **casual worker** travailleur temporaire ◆ **clerical** *or* **office worker** employé de bureau ◆ **manual worker** travailleur manuel ◆ **skilled worker** ouvrier qualifié *or* professionnel ◆ **unskilled** *or* **semi-skilled worker** ouvrier spécialisé ◆ **shift worker** travailleur posté ◆ **white-collar worker** col blanc, employé de bureau

*— compounds/composés —*

◆ **workers' compensation** assurance sur les accidents du travail
◆ **worker control** autogestion
◆ **worker director** ouvrier membre du conseil d'administration
◆ **worker participation** participation des travailleurs à la gestion de l'entreprise, cogestion
◆ **worker representation** représentation du personnel .

**workforce** /ˈwɜːkˌfɔːs/ N *(Econ, Ind)* main-d'œuvre f, personnel m, effectif m ◆ **an experienced workforce** une main-d'œuvre expérimentée ◆ **a workforce of 500** un effectif *or* des effectifs de 500 personnes ◆ **our workforce is too large** nous avons trop d'effectifs, nous sommes en sureffectifs ◆ **we must train our workforce** nous devons former notre personnel.

**work in** VI *(= cooperate)* collaborer.

**working** /ˈwɜːkɪŋ/ ▮ADJ▮ *clothes, lunch* de travail; *model* qui marche; *partner, population* actif

*— compounds/composés —*

### WORKING

◆ **working account** compte d'exploitation
◆ **working agreement** modus vivendi, entente, convention
◆ **working area** *(in office)* espace de travail; *(Comp)* zone de travail
◆ **working capital** fonds de roulement ◆ **working capital deficiency** fonds de roulement déficitaire ◆ **working capital ratio** ratio de liquidité générale ◆ **working class** *origins, background, suburb* ouvrier, prolétarien ◆ **the working class** la classe ouvrière ◆ **the working classes** *(Pol)* le prolétariat ◆ **he is working class** il appartient à la classe ouvrière
◆ **working conditions** conditions fpl de travail
◆ **working data** données fpl à traiter
◆ **working day** *(= day available for work)* jour ouvrable; *(= day of work)* journée de travail ◆ **Saturday is a working day** *(gen)* on travaille le samedi; *(Comm)* le samedi est un jour ouvrable
◆ **working environment** conditions fpl de travail, environnement du travail
◆ **working expenses** *[mines, factory]* frais mpl d'exploitation; *[salesman]* frais mpl
◆ **working fund** fonds de caisse
◆ **working hours** smoking is not allowed during working hours il est interdit de fumer pendant les heures de travail ◆ **to reduce working hours** réduire *or* aménager le temps de travail *or* la durée du travail ◆ **weekly working hours** la durée hebdomadaire du travail
◆ **working hypothesis** hypothèse de travail
◆ **working interest** participation directe
◆ **working inventory** stock-outil
◆ **working knowledge** he has a working knowledge of German il peut se débrouiller en allemand
◆ **working language** langue de travail
◆ **working life** *[product]* durée de vie; *[person]* années fpl d'activité, vie active
◆ **working majority** majorité suffisante
◆ **working man** ouvrier, travailleur ◆ **the working man will not accept** les ouvriers *or* les travailleurs n'accepteront pas
◆ **working model** modèle réduit, maquette
◆ **working paper** document de travail
◆ **working party** *(gen)* groupe de travail; *(enquiry)* commission d'enquête
◆ **working population** population active
◆ **working ratio** coefficient d'exploitation
◆ **working storage** *(Comp)* mémoire de travail
◆ **working time** durée du travail
◆ **working week** semaine de travail
◆ **working wife** femme mariée qui travaille
◆ **working woman (the)** *(gen, Press)* la femme active.

**N** **a** (= work) travail m ; [machine] fonctionnement m ; [mine] exploitation f ◆ **short-time working** travail à horaire réduit, chômage partiel **b** **workings** (= mechanism) mécanisme; [organization] rouages; (Mar) chantier d'exploitation

**workless** /'wɜːklɪs/ ADJ sans emploi or travail, au chômage.

**workload** /'wɜːkləʊd/ N [person] charge f de travail; [machine, factory] plan m de charge.

**workman** /'wɜːkmən/ N ouvrier m ◆ **workmen's compensation** pension d'invalidité.

**workmanlike** /'wɜːkmənlaɪk/ ADJ attitude professionnel.

**workmanship** /'wɜːkmənʃɪp/ N [craftsman] métier m, maîtrise f; [object] exécution f or fabrication f soignée, fini m ◆ **it's a superb piece of workmanship** c'est du beau travail.

**workmate** /'wɜːkmeɪt/ N camarade mf de travail.

**work off** VT écouler ◆ **to work off excess inventories** écouler des stocks excédentaires.

**work out** **VI** [plan, arrangement] aboutir, réussir, marcher; (Math) [sum] tomber juste ◆ **the total works out at $9 million** le total s'élève à or ressort à 9 millions de dollars
**VT SEP** **a** problem résoudre; plan élaborer, mettre au point; details mettre au point ◆ **to work out a settlement** parvenir à un accord ◆ **to work out the interests** calculer les intérêts ◆ **the terms of the merger have yet to be worked out** les conditions de la fusion restent à définir ◆ **how did you work that out?** comment as-tu fait pour trouver ce résultat? **b** (= exhaust resources of) mine, land épuiser.

**workplace** /'wɜːkpleɪs/ N lieu m de travail ◆ **discontent in the workplace** malaise social.

**works** /wɜːks/ N (Brit = factory) usine f ; (= processing plant) installations fpl industrielles ◆ **a chemical works** une usine de produits chimiques ◆ **gas works** usine à gaz ◆ **price ex-works** prix départ d'usine → **work**

——— compounds/composés ———

◆ **works canteen** cantine, réfectoire
◆ **works committee** or **council** comité d'entreprise
◆ **works manager** directeur d'usine
◆ **works regulations** règlement intérieur

**workshop** /'wɜːkʃɒp/ N (Ind) atelier m ◆ **the attitudes of the men on the workshop floor** les réactions de la base or de l'ouvrier de base.

**workstation** /'wɜːkˈsteɪʃn/ N station f de travail.

**work up** VT SEP trade, business développer ◆ **he worked his way up to the top** il a gravi un à un les échelons de la hiérarchie ◆ **our new sales manager is trying to work up a connection in Spain** notre nouveau directeur commercial essaye de se constituer une clientèle en Espagne.

**workweek** /'wɜːkˌwiːk/ (US) N semaine f de travail.

**world** /wɜːld/ N monde m ◆ **our company leads the world in chemical manufacturing** notre société est à la pointe de l'industrie chimique dans le monde ◆ **the commercial / financial world** le monde du commerce / de la finance ◆ **the English-speaking world** le monde anglophone

——— compounds/composés ———

◆ **World Bank (the)** la Banque mondiale
◆ **world consumption** consommation mondiale
◆ **World Court (the)** la Cour internationale de justice
◆ **world exports** exportations fpl mondiales
◆ **world fair** exposition universelle
◆ **world-famous** de renommée or de réputation mondiale
◆ **World Federation of Trade Unions (the)** la Fédération syndicale mondiale
◆ **World Health Organization (the)** l'Organisation mondiale de la santé
◆ **World Intellectual Property Organization** Organisation mondiale de la propriété intellectuelle
◆ **world market** marché mondial
◆ **World Trade Organization** Organisation mondiale du commerce
◆ **World War Two** la Deuxième or la Seconde Guerre mondiale
◆ **world-wide** concern, circulation mondial, global, universel; export, dispatch dans le monde entier
◆ **the World Wide Web** le Web.

**worsen** /'wɜːsn/ VI [situation] empirer, se détériorer, s'aggraver.

**worsening** /'wɜːsnɪŋ/ N [situation] aggravation f, dégradation f (in, of de) ◆ **a worsening in the balance of payments** une détérioration de la balance des paiements.

**worst** /wɜːst/ ADJ ◆ **worst-case projection** (Econ) cas de figure le plus pessimiste.

**worth** /wɜːθ/ **N** (= value) valeur f ◆ **net worth** situation or valeur nette
**ADJ** to be worth valoir ◆ **how much is it worth?** ça vaut combien? ◆ **it's worth £10 / a fortune** ça vaut 10 livres / une fortune ◆ **it's obviously worth a great deal to him** de toute évidence il y accorde une grande valeur ◆ **that's worth knowing** c'est bon à savoir.

**worthwhile** /wɜ:θ'waɪl/ ADJ *work* qui donne des satisfactions; *contribution* notable ♦ **it's a worthwhile thing to do** c'est quelque chose de valable ♦ **it was worthwhile interviewing him** cela valait la peine de l'interviewer.

**WP** /ˌdʌblju'pi:/ a abbr of **word processing** abbr of **word processor** → **word** b abbr of **without prejudice** → **without.**

**WPA** abbr of **with particular average** → **with.**

**wpm** abbr of **words per minute** → **word.**

**WR** /ˌdʌblju:ɑ:ʳ/ N abbr of **warehouse receipt** → **warehouse.**

**wrap** /ræp/ N emballage m ♦ **to keep a scheme under wraps** * ne pas dévoiler un projet VT emballer, empaqueter (*in* dans)

**wraparound** /'ræpəraʊnd/ (*US*) ADJ ♦ **wraparound mortgage** hypothèque intégrante *or* complémentaire.

**wrapper** /'ræpəʳ/ N [*sweet*] papier m ; [*parcel*] papier d'emballage; [*newspaper for post*] bande f ; [*book*] jaquette f, couverture f.

**wrapping paper** /'ræpɪŋˌpeɪpəʳ/ N (= *brown paper*) papier m d'emballage, papier m kraft (R); (= *decorated paper*) papier m cadeau.

**wrap up** VT SEP a *parcel* emballer, empaqueter (*in* dans); (*fig* = *conceal*) *intentions* dissimuler b (* = *conclude*) *deal, sale* conclure, mener à bien ♦ **let's get all this wrapped up** finissons-en avec tout ça, réglons tout cela une fois pour toutes.

**wrap-up** * /'ræpʌp/ (*US*) N résumé m.

**wreck** /rek/ N [*ship, car*] épave f ; (= *act, event*) naufrage m ; [*hopes, plans*] ruine f, effondrement m, anéantissement m ♦ **receiver of wrecks** receveur des épaves
VT *career* briser; *plans, hopes* ruiner, anéantir; *negotiations* faire échouer, saboter ♦ **the ship was wrecked in a storm off Spain** le navire a fait naufrage dans une tempête au large de l'Espagne ♦ **their crops were wrecked by the floods** leurs récoltes ont été détruites par les inondations.

**wreckage** /'rekɪdʒ/ N [*ship*] épave f ; [*building*] décombres fpl.

**wrecker** /'rekəʳ/ N [*building*] démolisseur m ; (*US*) [*cars*] dépanneuse f, récupérateur m d'épaves, casseur m.

**wrench** /rentʃ/ N ♦ **to throw a wrench into the economy** (*US*) porter un coup très dur à l'économie.

**writ** /rɪt/ N (*Jur*) acte m judiciaire ♦ **to issue a writ against sb** assigner qn (en justice) ♦ **to issue a writ for libel against sb** assigner qn en justice pour diffamation ♦ **writ of attachment** commandement de saisie ♦ **writ of subpoena** assignation *or* citation (en justice).

**write** /raɪt/ VT a (*gen*) écrire; *bill, cheque, list* faire, établir; *certificate* rédiger; (*Comp*) *program, software* écrire, rédiger b (*St Ex*) ♦ **to write a stock option** vendre une option c (*Ins*) *risk* assurer, souscrire ♦ **to write business** faire de l'assurance
N (*Comp*) écriture f ♦ **write head / instruction** tête / instruction d'écriture.

**write away** VI (*Comm*) écrire (*to* à) ♦ **to write away for** *information, details* écrire pour demander.

**write back** VI répondre (par lettre)
VT SEP (*Acc*) contre-passer.

**write down** VT SEP a écrire b (*Comm* = *reduce price of*) réduire le prix de; (*Acc*) *asset* réduire la valeur de; *debt* réduire le montant de ♦ **written down value** valeur comptable ♦ **writing down allowance** (*Brit*) abattement fiscal (*sur immobilisations*).

**write-down** /'raɪtdaʊn/ N [*asset*] réduction f de la valeur.

**write off** VT SEP a *loss, asset, debt* passer par profits et pertes; (*fig*) mettre une croix sur*, faire son deuil de* ♦ **the operation was written off as a total loss** l'opération a été passée par pertes et profits ♦ **the banks had to write off the debts incurred by this country** les banques ont dû passer par pertes et profits la dette de ce pays ♦ **the insurance company decided to write off his car** la compagnie d'assurances a considéré que la voiture était irréparable *or* une épave ♦ **the cargo was completely written off** la cargaison a été totalement détruite *or* perdue b (*Acc* = *depreciate*) *investment, acquisition* amortir ♦ **the truck will be written off over three years** le camion sera amorti sur trois ans.

**write-off** /'raɪtɒf/ N a (*Fin, Acc*) [*bad debt, old asset, loss*] passation f par pertes et profits ♦ **tax write-off** dépense *or* perte déductible de l'impôt sur les sociétés b (*Comm, fig*) perte f sèche ♦ **to be a write-off** [*car*] être irréparable, être bon pour la casse *or* la ferraille; [*project, operation*] n'avoir abouti à rien.

**write out** VT SEP écrire, rédiger; *cheque* faire, établir.

**writer** /'raɪtə$^r$/ N *(gen)* auteur m ♦ **option writer** *(St Ex)* receveur d'option ♦ **a well-known woman writer** une femme écrivain très connue.

**write up** VT SEP a *developments, meeting* faire un compte rendu de; *accounts* enregistrer, comptabiliser b *assets* revaloriser.

**write-up** /'raɪtʌp/ N a *(gen)* description f ; *(= review) [play]* compte rendu m, critique f ; *(= report) [event]* compte rendu m, exposé m ♦ **his appointment was given a big write-up** on a beaucoup parlé de sa nomination dans les journaux b *(US)* fausse déclaration f dans un bilan c *(Acc)* réévaluation f, revalorisation f.

**writing** /'raɪtɪŋ/ N a écriture f ♦ **illegible writing** écriture illisible b *(= written form)* écrit m ♦ **get his permission in writing** obtenez sa permission par écrit c *(Ins) [risk]* souscription f d *(= output of writer)* écrits mpl, œuvres fpl

———— *compounds/composés* ————
♦ **writing-back** *(Acc)* contre-passation
♦ **writing-off** *[loss, old asset, debt]* passation par pertes et profits; *(= depreciation) [new asset]* amortissement
♦ **writing pad** bloc de papier à lettres, bloc-notes

**written** /'rɪtn/ ADJ *reply* écrit ♦ **to send a written request** faire une demande écrite *or* par écrit ♦ **written proof** *or* **evidence** pièce justificative.

**wrong** /rɒŋ/ ADJ faux, inexact, incorrect ♦ **he got the figures wrong** il s'est trompé dans les chiffres ♦ **to get a wrong number** *(Telec)* se tromper de numéro ♦ **I'm in the wrong job** ce n'est pas le travail qu'il me faut ♦ **you're on the wrong track** vous faites fausse route

ADV **you've got the sum wrong** vous vous êtes trompé dans vos calculs ♦ **don't get me wrong** * comprenez-moi bien ♦ **to go wrong** *[plan]* mal tourner; *[machine]* tomber en panne

N tort m ♦ **to be in the wrong** être dans son tort ♦ **private / public wrong** *(Jur)* atteinte aux droits de l'individu / de la collectivité.

**wrong-foot** /rɒŋfʊt/ VT prendre à contre-pied.

**wrongful** /'rɒŋfʊl/ ADJ injustifié ♦ **wrongful dismissal** licenciement arbitraire *or* abusif, renvoi injustifié.

**wrongly** /'rɒŋlɪ/ ADV a *(= incorrectly)* state, translate incorrectement, inexactement b *(= by mistake)* par erreur.

**wrongshipped** /'rɒŋʃɪpt/ ADJ *(Mar)* goods reçu non conforme.

**WT** abbr of **warrant**.

**wt** abbr of **weight**.

**W / Tax** abbr of **withholding tax** → **withhold**.

**WTO** /,dʌbljuːtiː'əʊ/ N *(abbr of* **World Trade Organization**) OMC f.

**WW** /,dʌbljuː'dʌbljuː/ N abbr of **warehouse warrant** → **warehouse**.

**WW2** abbr of **World War Two** → **world**.

**WWW** abbr of **World Wide Web** ♦ **the WWW** le Web, la Toile.

**WYSIWYG** /'wɪzɪwɪg/ N *(abbr of* **what you see is what you get**) WYSIWYG m.

# X

**X** /eks/

────── *compounds/composés* ──────

- ◆ **x-coupon** ex-coupon, coupon m détaché
- ◆ **x-dividend** ex-dividende m
- ◆ **x-interest** sans intérêt
- ◆ **x-mill** départ m usine
- ◆ **x-quay** à prendre à quai, livrable à quai
- ◆ **x-ship** transbordé
- ◆ **x-store** en magasin
- ◆ **x-warehouse** à prendre en entrepôt, départ m entrepôt
- ◆ **x-wharf** à prendre à quai, livrable à quai
- ◆ **x-works** départ m usine.

**XC** (abbr of **ex-coupon**) ex-c(oup).

**XD** (abbr of **ex-dividend**) ex-div.

**xerographic** /ˌzɪərəˈɡræfɪk/ **ADJ** xérographique.

**xerography** /zɪəˈrɒɡrəfɪ/ **N** xérographie f.

**Xerox** ® /ˈzɪərɒks/  (= *machine*) photocopieuse f, photocopieur m ; (= *reproduction*) photocopie f **VT** (faire) photocopier, faire une photocopie de **VI** it won't Xerox ça ne passera pas à la photocopie.

**X-ray** /ˈeksˈreɪ/ **N** (= *ray*) rayon m X; (= *photography*) radiographie f, radio f * **VT** radiographier; (*fig*) passer au crible, examiner avec soin.

**X-Y plotter** **N** traceur m de courbes.

# Y

**Yamoussoukro** /ˌjæmʊˈsuːkrəʊ/ N Yamoussoukro.

**Yaoundé** /jaunde/ N Yaoundé.

**YA(R)** abbr of **York-Antwerp (Rules)** → **York-Antwerp (Rules)**.

**yard** /jɑːd/ N **a** (= *measurement*) yard m (≈ *91,44 cm*) **b** (*Constr*) chantier m, dépôt m ◆ **contractor's yard** chantier *or* dépôt de matériaux de construction.

**yardage** /ˈjɑːdɪdʒ/ N longueur f en yards.

**yardmaster** /ˈjɑːdˌmɑːstər/ (US) N chef m de triage.

**yardstick** /ˈjɑːdstɪk/ N (*fig*) critère m d'évaluation.

**yarn** /jɑːn/ N fil m.

**yawning** /ˈjɔːnɪŋ/ ADJ *deficit* béant.

**yd** abbr of **yard**.

**year** /jɪər/ N année f, an m ◆ **year of acquisition** année d'acquisition ◆ **accounting year** exercice comptable ◆ **base year** année de base *or* de référence ◆ **bumper year** année exceptionnelle ◆ **the present business year** l'exercice en cours ◆ **calendar year** année civile ◆ **company's year** année sociale ◆ **current year** année en cours ◆ **financial year** exercice financier *or* comptable ◆ **end of the financial year** fin de l'exercice ◆ **fiscal year** année budgétaire (*débutant le 1er avril en Grande-Bretagne et le 1er octobre aux États-Unis*) ◆ **multi-year** exercice comptable ◆ **pluri-annuel** ◆ **past year** exercice écoulé ◆ **tax year** exercice fiscal ◆ **trading year** exercice ◆ **to pay by the year** payer à l'année ◆ **valid one year** valable un an ◆ **to pay £800 a year** payer 800 livres par an ◆ **to earn £50,000 a year** gagner 50 000 livres par an ◆ **from year to year** d'année en année

──── compounds/composés ────

◆ **year-end** (*Acc*) clôture *or* fin de l'exercice ◆ **year-end adjustment** *or* **audit** vérification de fin d'exercice ◆ **year-end closing** clôture de l'exercice ◆ **year-end dividend** dividende de fin d'exercice ◆ **year-end procedures** procédures d'inventaire

◆ **year-to-date** (*Acc*) *results, figures* cumulé sur l'exercice en cours ◆ **year to date** (*on sheet*) cumul jusqu'à ce jour

◆ **year-to-year** *statistics, figures, results* sur un an.

**yearbook** /ˈjɪəbʊk/ N annuaire m.

**yearling** /ˈjɪəlɪŋ/ (US) N *emprunt sur un an émis par une collectivité locale*.

**yearly** /ˈjɪəlɪ/ ADJ annuel ◆ **half-yearly** *dividend* semestriel; *pay* tous les six mois, semestriellement ◆ **yearly payment** *or* **instalment** annuité ADV annuellement ◆ **half-yearly** semestriellement; *pay* tous les six mois, semestriellement

**yellow** /ˈjeləʊ/ ADJ jaune ◆ **yellow metal** métal jaune ◆ **the yellow pages** (*Brit Telec*) les pages jaunes (de l'annuaire).

**Yemen** /ˈjemən/ N Yémen.

**Yemeni** /ˈjemənɪ/ ADJ yéménite N (= *inhabitant*) Yéménite mf.

**yen** /jen/ N (= *currency*) yen m.

**Yerevan** /ˌjɪrɪˈvɑːn/ N Erevan.

**yield** /jiːld/ N (= *output*) rendement m ; (= *crop*) rendement m, récolte f ; [*tax*] recettes fpl, revenu m, produit m ; [*business, investment, securities*] rendement m, rapport m, revenu m

♦ **actual yield** rendement effectif ♦ **coupon yield** rendement coupon ♦ **current yield** taux actuariel ♦ **earnings** *or* **dividend yield** rendement boursier, rendement des actions ♦ **effective yield** rendement effectif *or* réel ♦ **redemption yield** taux actuariel (brut) ♦ **to post record yield** faire état de rapports exceptionnels ♦ **yield per acre** ≈ rendement à l'hectare

——— *compounds/composés* ———
- ♦ **yield curve** courbe des taux
- ♦ **yield maintenance** *(US)* ajustement du taux de rendement
- ♦ **yield to public loan issues** taux de rendement des emprunts publics
- ♦ **yield to call** rendement minimum
- ♦ **yield to maturity** taux actuariel, rendement actualisé
- ♦ **yield to redemption** taux actuariel, rendement actualisé
- ♦ **yield to worst** rendement minimum
- ♦ **yield variance** écart sur rendement

**Ⅵ** **a** *(= produce)* produire; *[business, investment, tax, share]* rapporter ♦ **to yield an interest** rapporter un intérêt, porter intérêt ♦ **to yield a profit** rapporter un profit *or* un bénéfice ♦ **shares yielding high interest** actions à gros rendement ♦ **shares yielding 9%** actions qui rapportent 9 % **b** *(= surrender)* *rights* céder (*to* à), renoncer à (*to* en faveur de) ♦ **these shares yielded 10p** ces actions perdent 10 pence

**Ⅵ** **a** *[land, farm]* rapporter, produire, rendre ♦ **land that yields poorly** terre qui rend peu *or*

mal **b** *(= surrender)* céder (*to* devant, à) ♦ **to yield to sb's arguments** se rendre aux raisons de qn.

**York-Antwerp (Rules)** /ˈjɔːkˈæntwɜːp/ **NPL** *(Ins)* règles fpl d'York et d'Anvers.

**your ref** (abbr of **your reference**) V / réf.

**Youth Training Scheme** /ˈjuːθtreɪnɪŋˈskiːm/ *(Brit)* **N** ≈ pacte national pour l'emploi des jeunes.

**yo-yo** /ˈjəʊjəʊ/ **N** yo-yo m ® ♦ **yo-yo stock** valeur qui fait du yo-yo *or* qui fluctue constamment **Ⅵ** *(St Ex)* faire du yo-yo, fluctuer.

**yr** abbr of **year.**

**YTD** /waɪtiːˈdiː/ (abbr of **Year To Date**) **ADV** depuis le début de l'année.

**YTS** /waɪtiːˈes/ *(Brit)* **N** abbr of **Youth Training Scheme** ♦ **he's on (a) YTS at present** il bénéficie actuellement du pacte national pour l'emploi des jeunes.

**yuan** /juːˈæn/ **N** yuan m.

**Yugoslav** /ˈjuːgəʊslɑːv/ **ADJ** yougoslave **N** *(= inhabitant)* Yougoslave mf.

**Yugoslavia** /ˈjuːgəʊslɑːvɪə/ **N** Yougoslavie f.

**Yugoslavian** /ˈjuːgəʊslɑːvɪən/ **ADJ** yougoslave **N** *(= inhabitant)* Yougoslave mf.

**yuppie** */ˈjʌpi/* **N** (abbr of **young upwardly mobile** *or* **urban professional**) yuppie mf.

# Z

**Zagreb** /'zɑːgrɛb/ N Zagreb.

**zaire** /zɑːˈiːəʳ/ N (= currency) zaïre m.

**Zaire†** /zɑːˈiːəʳ/ N Zaïre m.

**Zairian** /zɑːˈiːərɪən/ ADJ zaïrois
**n** (= inhabitant) Zaïrois(e) m(f).

**Zambia** /'zæmbɪə/ N Zambie f.

**Zambian** /'zæmbɪən/ ADJ zambien
**n** (= inhabitant) Zambien(ne) m(f).

**zero** /'zɪərəʊ/ **n** **a** (gen) zéro m ◆ **the value has fallen to zero** la valeur est tombée à zéro
**b** (US Telec) zéro m

────── compounds/composés ──────

◆ **zero address** (Comp) sans adresse
◆ **zero base budgeting** budget (à) base zéro
◆ **zero coupon bond** obligation à coupon zéro or différé
◆ **zero coupon issue** émission à coupon zéro
◆ **zero defect** zéro défaut
◆ **zero growth** croissance zéro
◆ **zero interest loan** prêt à zéro pour cent, prêt à taux zéro
◆ **zero rate** taux zéro ◆ **zero rate taxation** fiscalité à taux zéro ◆ **remunerated at zero rates** non rémunéré
◆ **zero-rated food is zero-rated in Britain** les produits alimentaires ne sont pas assujettis à la TVA en Grande-Bretagne ◆ **we are zero-rated (for VAT)** nous ne sommes pas assujettis à la TVA

◆ **zero state** (Comp) état zéro ◆ **zero sum** somme f nulle ◆ **zero sum game** jeu à somme nulle

**vt** (Comp) counter remettre à zéro.

**Zimbabwe** /zɪmˈbɑːbwɪ/ N Zimbabwe m.

**Zimbabwean** /zɪmˈbɑːbwɪən/ ADJ zimbabwéen
**n** (= inhabitant) Zimbabwéen(ne) m(f).

**zip code** /'zɪpkəʊd/ (US) N code m postal.

**zloty** /'zlɒtɪ/ N zloty m.

**zonal** /'zəʊnl/ ADJ zonal.

**zone** /zəʊn/ **n** (gen) zone f ; (in town) zone f, secteur m ◆ **buffer zone** zone tampon ◆ **currency zone** zone monétaire ◆ **enterprise zone** région bénéficiant d'incitations gouvernementales pour le développement économique ◆ **free zone** zone franche ◆ **postal zone** zone postale ◆ **support / resistance zone** (St Ex) zone support / de résistance ◆ **restricted zone** zone soumise à des servitudes ◆ **sterling zone** zone sterling ◆ **time zone** fuseau horaire ◆ **wage zone** zone de salaire ◆ **moderate growth in the 3% zone** croissance modérée dans la zone des 3%

**vt** area diviser en zones; town diviser en secteurs ◆ **zoned advertising / campaign** publicité / campagne centrée sur une zone or un secteur.

**zoning** /'zəʊnɪŋ/ N zonage m.

**ZR** abbr of **zero coupon issue** → **zero**.

# VERBES ANGLAIS À PARTICULE
# ENGLISH PHRASAL VERBS

| | | |
|---|---|---|
| **vi** | verbe intransitif. ex : **split up** dans 'the meeting split up' | intransitive verb, e.g. **split up** in 'the meeting split up' |
| **vt sep** | verbe transitif séparable. ex : **split up** dans 'they split up the money' ou 'they split the money up'<br><br>Le complément d'objet peut se mettre soit après la particule, soit entre les deux éléments du verbe en les séparant. Cette dernière structure est d'ailleurs obligatoire lorsqu'il s'agit d'un pronom : 'they split it up'. | separable transitive verb e.g. **split up** in 'they split up the money' or 'they split the money up'<br><br>The object of the verb may either come after the second part of the phrasal verb, as in this example, or between the two parts ('they split it up'). |
| **vt fus** | verbe transitif fusionné. ex : **send for** dans 'they sent for the clerk'<br><br>Le complément d'objet ne peut jamais s'intercaler entre les deux éléments du verbe, même lorsqu'il s'agit d'un pronom : 'they sent for him'. | fused transitive verb, e.g. **send for** in 'they sent for the clerk'<br><br>where the object of the phrasal verb never comes between the two parts (always 'they sent for him', never 'they sent him for'). |

# LES VERBES ANGLAIS FORTS OU IRRÉGULIERS

| Infinitif | Prétérit | Participe passé | Infinitif | Prétérit | Participe passé |
|---|---|---|---|---|---|
| abide | abode *or* abided | abode *or* abided | feed | fed | fed |
| arise | arose | arisen | feel | felt | felt |
| awake | awoke | awoken | fight | fought | fought |
| be | was, were | been | find | found | found |
| bear | bore | borne | flee | fled | fled |
| beat | beat | beaten | fling | flung | flung |
| become | became | become | fly | flew | flown |
|  |  |  | forbid | forbad(e) | forbidden |
|  |  |  | forget | forgot | forgotten |
| begin | began | begun | forsake | forsook | forsaken |
| bend | bent | bent | freeze | froze | frozen |
| beseech | besought | besought | get | got | got, *(US)* gotten |
| bet | bet *or* betted | bet *or* betted | gild | gilded | gilded *or* gilt |
| bid | bade *or* bid | bid *or* bidden | gird | girded *or* girt | girded *or* girt |
| bind | bound | bound | give | gave | given |
| bite | bit | bitten | go | went | gone |
| bleed | bled | bled | grind | ground | ground |
| blow | blew | blown | grow | grew | grown |
| break | broke | broken | hang | hung, *(Jur)* hanged | hung, *(Jur)* hanged |
| breed | bred | bred |  |  |  |
| bring | brought | brought | have | had | had |
| build | built | built | hear | heard | heard |
| burn | burned *or* burnt | burned *or* burnt | heave | heaved, *(Naut)* hove | heaved, *(Naut)* hove |
| burst | burst | burst | hew | hewed | hewed *or* hewn |
| buy | bought | bought | hide | hid | hidden |
| can | could | — | hit | hit | hit |
| cast | cast | cast | hold | held | held |
| catch | caught | caught | hurt | hurt | hurt |
| chide | chid | chidden *or* chid | keep | kept | kept |
| choose | chose | chosen | kneel | knelt | knelt |
| 1. cleave *(fendre)* | clove *or* cleft | cloven *or* cleft | know | knew | known |
|  |  |  | lade | laded | laden |
| 2. cleave *(s'attacher)* | cleaved | cleaved | lay | laid | laid |
|  |  |  | lead | led | led |
| cling | clung | clung | lean | leaned *or* leant | leaned *or* leant |
| come | came | come |  |  |  |
| cost | cost *or* costed | cost *or* costed | leap | leaped *or* leapt | leaped *or* leapt |
| creep | crept | crept | learn | learned *or* learnt | learned *or* learnt |
| cut | cut | cut | leave | left | left |
| deal | dealt | dealt | lend | lent | lent |
| dig | dug | dug | let | let | let |
| do | did | done | lie | lay | lain |
| draw | drew | drawn | light | lit *or* lighted | lit *or* lighted |
| dream | dreamed *or* dreamt | dreamed *or* dreamt | lose | lost | lost |
|  |  |  | make | made | made |
| drink | drank | drunk | may | might | — |
| drive | drove | driven | mean | meant | meant |
| dwell | dwelt | dwelt | meet | met | met |
| eat | ate | eaten | mow | mowed | mown *or* mowed |
| fall | fell | fallen | pay | paid | paid |

| Infinitif | Prétérit | Participe passé | Infinitif | Prétérit | Participe passé |
|---|---|---|---|---|---|
| put | put | put | spend | spent | spent |
| quit | quit *or* quitted | quit *or* quitted | spill | spilled *or* spilt | spilled *or* spilt |
| read [riːd] | read [red] | read [red] | spit | spat | spat |
| rend | rent | rent | split | split | split |
| rid | rid | rid | spoil | spoiled *or* spoilt | spoiled *or* spoilt |
| ride | rode | ridden | | | |
| 2. ring | rang | rung | spread | spread | spread |
| rise | rose | risen | spring | sprang | sprung |
| run | ran | run | stand | stood | stood |
| saw | sawed | sawed *or* sawn | stave | stove *or* staved | stove *or* staved |
| say | said | said | | | |
| see | saw | seen | steal | stole | stolen |
| seek | sought | sought | stick | stuck | stuck |
| sell | sold | sold | sting | stung | stung |
| send | sent | sent | stink | stank | stunk |
| set | set | set | strew | strewed | strewed *or* strewn |
| sew | sewed | sewed *or* sewn | stride | strode | stridden |
| shake | shook | shaken | strike | struck | struck |
| shave | shaved | shaved *or* shaven | string | strung | strung |
| shear | sheared | sheared *or* shorn | strive | strove | striven |
| shed | shed | shed | swear | swore | sworn |
| shine | shone | shone | sweep | swept | swept |
| shoe | shod | shod | swell | swelled | swollen |
| shoot | shot | shot | swim | swam | swum |
| show | showed | shown *or* showed | swing | swung | swung |
| shrink | shrank | shrunk | take | took | taken |
| shut | shut | shut | teach | taught | taught |
| sing | sang | sung | tear | tore | torn |
| sink | sank | sunk | tell | told | told |
| sit | sat | sat | think | thought | thought |
| slay | slew | slain | thrive | throve *or* thrived | thriven *or* thrived |
| sleep | slept | slept | | | |
| slide | slid | slid | throw | threw | thrown |
| sling | slung | slung | thrust | thrust | thrust |
| slink | slunk | slunk | tread | trod | trodden |
| slit | slit | slit | wake | woke *or* waked | woken *or* waked |
| smell | smelled *or* smelt | smelled *or* smelt | | | |
| smite | smote | smitten | wear | wore | worn |
| sow | sowed | sowed *or* sown | weave | wove | woven |
| speak | spoke | spoken | weep | wept | wept |
| speed | speeded *or* sped | speeded *or* sped | win | won | won |
| | | | wind | wound | wound |
| spell | spelled *or* spelt | spelled *or* spelt | wring | wrung | wrung |
| | | | write | wrote | written |

REMARQUE : Cette liste ne comprend pas les verbes formés avec un préfixe. Pour leur conjugaison, se référer au verbe de base, ex. : pour *forbear* voir *bear*, pour *understand* voir *stand*.

# MESURES DE LONGUEUR
## LINEAR MEASURES

| | | |
|---|---|---|
| 1 inch | **in.** | 2,54 centimètres |
| 1 foot | **ft.** | 30,48 centimètres |
| 1 yard | **yd** | 91,44 centimètres |
| 1 mile | **m, ml** | 1 609 mètres |
| | | |
| 1 centimètre | **cm** | 0.39 inch |
| 1 mètre | **m** | 3.28 feet |
| 1 mètre | **m** | 1.09 yard |
| 1 kilomètre | **km** | 0.62 mile |

1 nautical mile  = 1 852 mètres      = 1 mille marin

# MESURES DE CAPACITÉ ET DE POIDS
## MEASURES OF CAPACITY AND WEIGHT

| | | | | | |
|---|---|---|---|---|---|
| 1 pint | **pt.** | Brit : 0,568 litre<br>U.S. : 0,47 litre | 1 litre | **l** | Brit : 1,75 pint<br>U.S. : 2.12 pints |
| 1 quart | **qt** | Brit : 1,13 litre<br>U.S. : 0,94 litre | | | |
| 1 gallon | **gal.** | Brit : 4,54 litres<br>U.S. : 3,78 litres | 1 litre | **l** | Brit : 0,22 gallon<br>U.S. : 0,26 gallon |

| | | |
|---|---|---|
| 1 ounce | **oz** | 28,349 grammes |
| 1 pound | **lb** | 453,6 grammes |
| 1 stone | | 6,348 kilogrammes |
| 1 ton | **t** | Brit : 1 016,06 kilogrammes<br>U.S. : 907,20 kilogrammes |
| 1 gramme | **g** | 0.035 ounce |
| 100 grammes | | 3.527 ounces |
| 1 kilogramme | **kg** | 2.204 pounds<br>0.157 stone |

# TEMPÉRATURES
## TEMPERATURES

$$20\,°C = \left(20 \times \frac{9}{5}\right) + 32 = 68\,°F$$

Une manière rapide de convertir les centigrades en Fahrenheit et vice versa : en prenant pour base

**10 °C = 50 °F,**

5 °C équivalent à 9 °F.
Ainsi :

$15\,°C = (10 + 5) = (50 + 9) = 59\,°F$

$68\,°F = (50 + 9 + 9)$

$\qquad = (10 + 5 + 5) = 20\,°C$

$$59\,°F = (59 - 32) \times \frac{5}{9} = 15\,°C$$

A rough-and-ready way of changing centigrade to Fahrenheit and vice versa : start from the fact that

**10 °C = 50 °F ;**

thereafter for every 5 °C add 9 °F.
Thus :

$15\,°C = (10 + 5) = (50 + 9) = 59\,°F$

$68\,°F = (50 + 9 + 9)$

$\qquad = (10 + 5 + 5) = 20\,°C$

Achevé d'imprimer sur les presses de

LA TIPOGRAFICA VARESE
Società per Azioni
Varese
Dépôt légal : juillet 2014
N° éditeur : 10189018
Imprimé en Italie

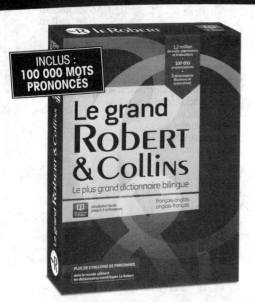
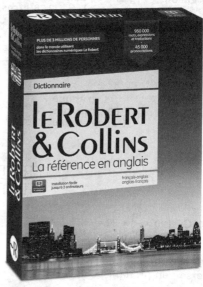